PHYSIQUE

PHYSIQUE

Cours, QCM, exemples et 1900 exercices corrigés

Joseph Kane
Université du Massachusetts

Morton Sternheim
Université du Massachusetts

Traduit par
Michel Delmelle, Roger Evrard, Jean Schmit
Université de Liège
Jean-Pol Vigneron
Facultés universitaires Notre-Dame-de-la-Paix, Namur

3e édition

Revue et complétée par
Philippe Ghosez, Maryse Hoebeke, Gabriel Llabrés
Université de Liège

DUNOD

Cette 3e édition a été réalisée par Philippe Ghosez, Maryse Hoebeke
et Gabriel Llabrés, avec l'autorisation expresse de John Wiley and Sons, Inc.

La 2e édition de cet ouvrage a été publiée aux États-Unis par John Wiley and Sons, Inc., New York,
sous le titre *Physics, Second Edition* (© 1978, 1984 by John Wiley and Sons, Inc.) et sa traduction
française par InterÉditions en 1986.

À ma famille. JK

À ma femme, Helen et à mes enfants Laura, Amy et Jeffrey. MS

Illustration de couverture : © Getty Images

© Dunod, Paris, 2004 pour le texte français
ISBN 2 10 007169 6

Table des matières

PARTIE 2
COMPLÉMENTS DE MÉCANIQUE

PARTIE 3
CHALEUR

PARTIE 6
LES ONDES

PARTIE 7
PHYSIQUE MODERNE

Avant-propos de la 3e édition

Cette troisième édition de l'ouvrage de Messieurs Kane et Sternheim reste fidèle à l'esprit des éditions précédentes : bien que principalement destinée aux étudiants en sciences de la vie et de la santé (biologie, médecine, dentisterie, pharmacie, sciences biomédicales, kinésithérapie, éducation physique...), elle couvre tous les domaines de la physique générale et sera donc adaptée à toute formation scientifique, telle que la géographie. Cette nouvelle édition se veut plus actuelle et plus attractive. Elle est également plus rigoureuse d'un point de vue mathématique sans être pour autant plus difficile à aborder.

Outre la réactualisation de certaines parties devenues obsolètes, le livre a été enrichi, à la fin de chaque chapitre, de dossiers pédagogiques offrant à l'étudiant une synthèse des concepts clés en lui procurant de nouveaux outils pour évaluer ses connaissances. Au-delà du résumé et des phrases à compléter de la seconde édition, nous proposons ainsi des QCM, permettant une évaluation rapide de la compréhension des différentes matières, et des problèmes résolus, amenant l'étudiant à se familiariser avec la démarche de résolution. Des problèmes plus transversaux ont également été ajoutés.

Nous avons réintroduit, tout au long de l'ouvrage, davantage de rigueur mathématique. Loin de vouloir rebuter les étudiants ne possédant qu'un faible bagage mathématique et souvent mal à l'aise face aux notions abstraites, ce choix a été motivé par deux type de considérations. D'une part, il nous semble important de confronter et de familiariser les étudiants, dès le début de leurs études, à la rigueur qui doit accompagner toute démarche scientifique. D'autre part, une trop grande simplification est souvent source d'erreur et de confusion. On s'aperçoit à l'usage que les notions de mathématiques élémentaires réintroduites, loin d'engendrer une complexité complémentaire, aident grandement à la compréhension et à l'assimilation de certaines matières.

Cette troisième édition n'aurait pu être réalisée sans l'aide de nombreuses personnes, à commencer par les étudiants dont les questions et les commentaires nous ont amenés à faire évoluer l'ouvrage. Nous remercions tous les assistants du collectif des Sciences de la Vie et en particulier P. Clippe et N.D. Nguyen pour la révision des exercices et la relecture de certains chapitres. Nos remerciements s'adressent également à J. Delcourt et C. François pour leur aide et leur soutien logistique. Merci enfin à nos conjoints – Sophie, Serge et Anne – et à nos enfants – Arthur, Marie, Vincent, Simon et Jérôme – pour leur patience et leurs encouragements tout au long de la réactualisation de l'ouvrage.

Philippe GHOSEZ

Maryse HOEBEKE

Gabriel LLABRÉS

Avant-propos de la 2e édition

Ce cours de physique s'adresse à des étudiants d'origines diverses. Il s'appuie sur l'expérience d'un enseignement que nous avons dispensé à une majorité d'étudiants spécialisés dans différents domaines des sciences de la vie – zoologie, études prémédicales, botanique, technologie médicale, sylviculture et éducation physique – accompagnés de quelques étudiants spécialisés dans d'autres domaines extérieurs à la biologie. La plupart étaient des étudiants de seconde année qui avaient suivi un enseignement de premier cycle en chimie, mathématiques et biologie, mais on comptait aussi parmi eux des étudiants de première année et quelques étudiants diplômés. En général, ils n'avaient pas étudié la physique au lycée. Beaucoup possédaient des notions de calcul différentiel, mais doutaient généralement de leur capacité à utiliser sérieusement cet outil mathématique.

Ce livre diffère par plusieurs aspects des manuels de physique traditionnels destinés aux scientifiques. En premier lieu, le choix des domaines de la physique de base à traiter ou à développer particulièrement a été déterminé en fonction de l'intérêt et des besoins des étudiants en sciences de la vie. C'est pourquoi il a été nécessaire d'inclure des domaines rarement traités ailleurs comme l'optique géométrique, la mécanique des fluides et l'acoustique. D'autre part, certaines parties de la physique contemporaine, comme la physique des particules et l'astrophysique, ont été réduites au minimum en raison de leur faible impact direct sur la biologie.

La seconde différence importante est que de nombreux exemples ont été empruntés aux systèmes biologiques, ce qui contraste avec l'utilisation habituelle d'exemples tirés de la technologie. Ainsi, les problèmes de corps rigides s'inspirent à plusieurs reprises de la biomécanique ; les exemples de résistance et de capacité sont empruntés à la conduction nerveuse ; l'entretien de la température du corps sert d'illustration aux phénomènes de transport thermique et de chaleur latente, et ainsi de suite. L'instrumentation utilisée dans le domaine biomédical est discutée à chaque fois qu'elle permet d'illustrer un principe physique.

La troisième caractéristique de ce livre, peut-être la plus significative et originale, est qu'il contient des chapitres et des paragraphes entièrement consacrés à l'application détaillée de la physique aux systèmes biologiques. Ces discussions motivent l'étudiant à apprendre la physique en lui démontrant combien son usage est pertinent dans les sciences de la vie, tout en mesurant son degré de compréhension des principes physiques impliqués. Elles montrent aussi l'unité de la science en faisant appel à des concepts empruntés à la physique, à la biologie et à la chimie.

Cependant, aucune connaissance préalable particulière en biologie ou en chimie n'est requise.

Chaque chapitre comporte un grand nombre d'exercices. Regroupés par thèmes, ces derniers permettent à l'étudiant de tester sa compréhension fondamentale de la matière et d'acquérir plus d'assurance. Le livre contient également des problèmes, plus généraux.

Bien que nous ayons inclu beaucoup de matières que l'on ne trouve pas généralement dans les manuels classiques, nous avons adopté une séquence et un style assez conventionnels dans la présentation de la physique de base. La raison en est que la disposition traditionnelle semble être la plus efficace, et qu'elle permet à l'enseignant de choisir et d'organiser les matières de façon à s'adapter aux exigences et aux préférences individuelles. Bien que la mécanique doive être traitée en premier et la physique moderne en dernier, les matières intermédiaires (chaleur, fluides, électricité et magnétisme, mouvements ondulatoires) peuvent être interverties sans causer de problème majeur. Cela est vrai même si nous insistons sur l'unité des concepts physiques et que nous soulignons les interconnexions chaque fois que l'occasion s'en présente.

Tout au long du livre, nous utilisons le minimum de formalisme mathématique compatible avec un traitement honnête et précis des sujets abordés. Cela signifie que nous nous servons de l'algèbre et de la géométrie assez librement. Compte tenu du niveau relativement faible de certains étudiants dans ces domaines lorsqu'ils commencent à étudier la physique, nous progressons assez lentement dans les premiers chapitres, et un rappel de mathématiques est proposé dans l'annexe B. La dérivation est introduite au chapitre 1 et utilisée par la suite dans les définitions. Les quelques démonstrations qui font appel au calcul différentiel sont placées en fin de chapitre de façon à ne pas interrompre le texte. L'intégration est totalement évitée ; à la place, nous adoptons une approche par estimation, puis nous vérifions par dérivation la solution au problème, comme par exemple dans le cas de la loi de désintégration exponentielle d'un radio-élément. Aucun exemple, exercice ou problème n'exige l'utilisation du calcul diférentiel.

Un aspect important de l'apprentissage de la physique est le développement de certains modes de pensée. En conséquence, nous insistons sur l'usage de certaines méthodes : modélisation simple des systèmes complexes, approximations mathématiques et analyse dimensionnelle. Celles-ci sont surtout manifestes dans les applications biologiques, mais elles sont présentes dans l'ensemble du livre. Nous soulignons également que la physique est une science expérimentale, pas une discipline intellectuelle abstraite. Ses implications se rencontrent constamment dans l'expérience de la vie quotidienne comme dans la pratique courante d'autres sciences.

Les unités posent toujours problème dans un manuel d'introduction. Nous avons accordé la prééminence aux unités S.I., mais nous avons parfois utilisé le système c.g.s. et les unités britanniques pour familiariser le lecteur avec des quantités diverses ou pour nous conformer aux conventions en usage dans divers domaines d'application. Comme pour la première édition, du fait que nous avons repris tous les sujets normalement couverts dans un cours de physique pour étudiants en sciences naturelles, et que nous y avons encore ajouté des matières moins traditionnelles, cet ouvrage est trop volumineux pour servir de référence à un cours normal de deux semestres ou de trois trimestres. Il comporte maintenant 31 chapitres, qui sont groupés en neuf parties. Deux chapitres traitent de sujets que l'on ne trouve habituellement pas dans les manuels d'introduction à la physique : le chapitre 18, conduction nerveuse, et le chapitre 31, radiations ionisantes. On peut omettre ces chapitres ou les voir superficiellement sans rupture de continuité. Il en va de même d'autres chapitres, plus traditionnels, comme le chapitre 8, propriétés élastiques des matériaux, le chapitre 25, la relativité restreinte, et le chapitre 29, la structure de la matière. De plus, en majorité, les chapitres se terminent par un ou plusieurs paragraphes supplémentaires traitant soit d'applications biologiques, soit de sujets plus traditionnels d'importance secondaire. Cette disposition permet à l'enseignant de mieux délimiter la matière qu'il doit couvrir et de choisir les sujets sur lesquels il veut insister. Elle aide aussi l'étudiant à faire la distinction entre les principes de base de la physique et les thèmes plus marginaux.

Dans cette version de notre livre, nous avons introduit ou développé toute une série de moyens techniques destinés à en faciliter l'étude. Nous avons étendu les résumés des fins de chapitres et nous avons inséré en moyenne une douzaine de questions simples de révision par chapitre. Nous avons ajouté un grand nombre de nouveaux exercices et problèmes afin d'étendre le registre de leur niveau de difficulté et de diversifier les types d'applications. On arrive maintenant à plus de 2300 questions de révision, exercices et problèmes.

Ce livre n'aurait jamais pu être réalisé sans l'aide d'un grand nombre de personnes. Nous sommes le plus redevables aux nombreux étudiants qui nous ont aidés de multiples manières à apprendre ce que devaient être un cours et un manuel de physique destinés aux biologistes, et qui ont souffert d'utiliser les toutes premières versions de ce texte en tant que manuel. Norman C. Ford a participé aux premières étapes de la conception et de la rédaction de cet ouvrage, mais a été forcé de se retirer à cause d'autres engagements. Un collègue, Stanley S. Hertzbach, a enseigné à partir d'une première version et a exprimé un avis très utile. Nous avons aussi reçu bon nombre de conseils fructueux de la part de plusieurs critiques : Rubin Landau, Margaret E. McCarthy, Arnold Pickar, Harvey Picker, Arnold Strassenberg, John Weir, Robert Williamson et Steve Woods. Au fil des ans, plusieurs étudiants ont apporté de précieuses suggestions après avoir lu différentes parties du manuscrit ou ont contribué à la résolution des exercices et des problèmes. Ce sont : James Ledwell, David Long, Caroline Markey, Robert Meyer, Francesc Roig, Ernest Seglie, Thomas Slavkovsky, David Vetter, Jonathan Wainer et J.C. Wang. Hajime Sakai, James F. Walker et Kandua S.R. Sastry ont signalé des améliorations possibles particulièrement profitables. J.G. Steele et G.L. Russel ont servi de consultants pour les unités S.I. J.N. Dodd a fourni des matériaux qui ont été très utiles à la préparation du paragraphe sur la vision des couleurs. Margaret Sibar a attiré notre attention sur un aperçu historique riche d'intérêt.

Le manuscrit a été tapé par les soins de quatre dactylographes compétentes et indulgentes. La plus grande partie du livre a été tapée par Kathleen Ryan et le reste par Lilian Camus, Linda Lisnerski et Doris Atkins. Helen Sternheim a collaboré à divers aspects de la préparation du manuscrit et a prodigué conseils et encouragements.

JOSEPH KANE

MORTON STERNHEIM

La physique et l'étudiant en sciences

« Pourquoi dois-je donc étudier la physique ? » Exprimée parfois avec des intonations qui parcourent toute la gamme des sentiments depuis l'angoisse jusqu'à la colère, c'est une des questions les plus souvent entendues par les professeurs de physique. Il paraît donc légitime de commencer ce livre par une tentative de réponse.

Une des raisons pour lesquelles la question est si souvent posée est que beaucoup de personnes qui n'ont pas étudié la physique – ainsi que certaines qui l'ont étudiée – ne perçoivent pas clairement ce qu'est véritablement cette science. Les dictionnaires ne sont pas d'un grand secours. Une définition typique d'un petit dictionnaire anglais dit que la physique est la branche de la science qui traite de la matière, de l'énergie et de leurs interactions*. C'est assez vague et général pour inclure ce que l'on considère généralement comme la chimie ; en tout cas, cette définition ne donne aucun sentiment réel sur la question concernée. Les articles de plus gros dictionnaires prolongent généralement la définition en notant que la physique comporte des sous-domaines comme la mécanique, la thermodynamique, l'électricité, etc. Ils n'apportent aucune indication qui explique pourquoi tel domaine de la science et non tel autre en fait partie.

Une meilleure approche de la question est de s'interroger sur l'objet de préoccupation des physiciens. Ces derniers essayent de comprendre les règles fondamentales ou *lois* qui régissent le fonctionnement du monde dans lequel nous vivons. Comme leurs activités et leurs centres d'intérêt évoluent au cours du temps, la science de base appelée physique change aussi avec le temps. Beaucoup de sous-domaines contemporains de la physique parmi les plus actifs étaient inimaginables il y a une ou deux générations. Par ailleurs, certaines parties de ce que nous considérons aujourd'hui comme la chimie ou la technique étaient autrefois considérées comme de la physique. Cela vient du fait que parfois la physique abandonne progressivement un domaine une fois que les principes de base sont connus, laissant le développement ultérieur et les applications pratiques à d'autres.

(*) La définition des dictionnaires français est typiquement : Science qui a pour objet l'étude des propriétés des corps et de leurs changement d'état et de mouvement sans modification de leur nature. (N.d.T.)

Le fait que la physique traite des règles fondamentales qui gouvernent la marche du monde explique pourquoi des personnes aux préoccupations diverses peuvent trouver de l'intérêt et de l'utilité dans l'étude de cette science. Par exemple, un historien qui veut comprendre les origines de la société contemporaine trouvera matière à réflexion dans l'histoire du développement de la physique et de ses relations avec les autres activités humaines. De la même façon, un philosophe qui s'intéresse aux concepts d'espace et de temps tirera grand profit de la compréhension des progrès révolutionnaires de la physique au XXe siècle. Cependant, puisque nous avons principalement écrit ce livre pour les étudiants en sciences de la vie, nous ne nous sommes pas concentrés sur les aspects historiques ou philosophiques de la physique. En revanche, dans chaque chapitre, nous avons essayé de clarifier les relations entre la physique et les sciences de la vie.

C'est probablement dans l'instrumentation que l'impact de la physique sur la biologie et la médecine est le plus évident. Une connaissance de la physique aide au bon usage de toute une gamme d'appareils : du microscope optique à la centrifugeuse ; du microscope électronique aux systèmes élaborés de détection du rayonnement de la médecine nucléaire. La physique fait aussi irruption dans la biologie par des voies plus fondamentales. Les lois physiques qui régissent le comportement des molécules, des atomes et des noyaux atomiques sont à la base de toute la chimie et de la biochimie. La physiologie offre de nombreux exemples de processus et de principes physiques : la diffusion au sein des cellules, la régulation de la température du corps, le mouvement des fluides dans le système circulatoire et les signaux électriques dans les fibres nerveuses n'en sont qu'un faible échantillon. En anatomie comparée, la physique associée à un trait anatomique aide souvent à clarifier le processus évolutionnaire en jeu. Les activités athlétiques, de la course au karaté en passant par le saut, peuvent être étudiées et parfois optimisées à l'aide des principes physiques. À mesure que nous développons et illustrons les principes de base de la physique, nous discutons de toutes ces applications biologiques et de beaucoup d'autres.

Quelques remarques à propos de la manière dont on étudie la physique peuvent être utiles. Plus que toute autre science, la physique est une discipline logique et déductive. À la base de n'importe lequel de ses sous-domaines, on ne trouve que quelques concepts fondamentaux ou lois dérivés de mesures expérimentales. Une fois que l'on a maîtrisé ces idées de base, les applications en découlent généralement de manière directe, même si les détails peuvent parfois devenir compliqués. Par conséquent, il est important de concentrer son attention sur les principes de base en évitant de mémoriser une masse de faits et de formules.

La plupart des lois de la physique peuvent s'exprimer de manière assez concise sous la forme d'équations mathématiques. C'est un grand avantage, car une quantité considérable d'information est implicitement contenue dans une seule équation. Cependant, cela veut dire aussi que toute tentative sérieuse d'apprendre ou d'appliquer la physique suppose que l'on consente à utiliser un certain appareil mathématique. L'algèbre du lycée et un peu de géométrie suffisent pour l'ensemble des sujets couverts par ce livre, qui requiert toutefois un niveau de pratique raisonnable. Un étudiant dont les connaissances en mathématiques sont rouillées pourra se reporter aux rappels mathématiques de l'annexe B. La technique de la dérivation est introduite dans le premier chapitre. Cependant, son emploi est généralement limité à quelques démonstrations ou développements.

Pour résumer notre propos, nous croyons que l'étudiant en sciences de la vie tirera un double avantage de l'étude de la physique. Il acquerra une compréhension des lois fondamentales qui régissent l'Univers, de l'échelle subatomique à l'échelle cosmique, et beaucoup de ce qu'il apprendra lui sera également utile dans son activité de biologiste. L'étude de la physique en tant que science fondamentale n'est pas des plus facile, mais nous pensons qu'elle est profitable, en particulier pour l'étudiant qui envisage une formation approfondie dans les sciences connexes. Nous espérons que tous ceux qui utiliseront ce livre en conviendront.

J. K.

M. S.

PARTIE 1

LES LOIS GÉNÉRALES DU MOUVEMENT

Les première et deuxième parties de ce livre sont consacrées à la *mécanique*. Nous étudierons les mouvements des objets et les forces qui les déterminent. Les concepts et les principes de la mécanique interviennent, directement ou indirectement, dans de nombreux chapitres des sciences physiques et biologique. Les lois de la mécanique permettent de prévoir différents phénomènes, comme par exemple le mouvement des satellites, les mouvements accomplis par les animaux ainsi que la résistance des structures biologique et des constructions. En appliquant les lois de la mécanique aux mouvements des atomes et des molécules, on parvient à interpréter les notions de chaleur et de température. Les propriétés statique et dynamique des fluides peuvent également être décrites à partir des mêmes lois. Sur cette base, il est possible de comprendre ce qui détermine le vol des avions, le vol des oiseaux, l'écoulement des rivières et la circulation sanguine. Enfin, si on tient compte des aménagements introduits au début de ce siècle, les lois de la mécanique interviennent également de manière tout à fait capitale dans l'interprétation des phénomènes atomiques et nucléaires.

Les deux premiers chapitres de cette partie sont consacrés à la description quantitative du mouvement. Ceci fait intervenir les notions de *position*, de *vitesse* et d'*accélération*. Dans le chapitre 1, on introduit ces notions dans le cas d'un mouvement rectiligne et, dans le chapitre 2, on les généralise dans le cas d'un mouvement plan. Les lois de Newton qui relient un mouvement à ses causes sont traitées dans les chapitres 3 à 5.

Le mouvement rectiligne

CHAPITRE 1

Mots-clefs

Accélération de la pesanteur • Accélération instantanée • Accélération moyenne • Chiffres significatifs • Déplacement • Erreurs accidentelles • Erreurs systématiques • Formules du mouvement uniformément accéléré • Les dimensions • Les étalons • Les unités • Modèle mathématique • Mouvement uniforme • Mouvement accéléré • Mouvement de translation • Pente • S.I. • Système cgs • Système mks • Vitesse instantanée • Vitesse moyenne

Introduction

Le mouvement est une conséquence fondamentale et évidente d'une interaction physique : une brique tombe, une caisse de résonance vibre, une aiguille de boussole s'oriente dans un champ magnétique, une aiguille d'appareil de mesure se déplace le long d'une échelle graduée, un noyau radioactif émet une particule béta. Notre compréhension de la nature découle, en grande partie, de l'observation des mouvements et de nos réflexions pour en interpréter les causes. Dès lors, nous commencerons notre étude de la physique par le développement des concepts nécessaires à une discussion quantitative du mouvement. Nous débuterons, dans ce chapitre, par l'étude du mouvement d'un objet qui se déplace en ligne droite.

La physique, comme beaucoup d'autres sciences, est basée essentiellement sur des mesures quantitatives. Ces mesures doivent être corrélées ou interprétées d'une manière ou d'une autre. Souvent, les résultats expérimentaux sont comparés à des prévisions théoriques. Dans la mesure où la théorie et l'expérience sont en accord, nous disons que nous comprenons le phénomène en cause. Une discussion quantitative du mouvement requiert des mesures de temps et des mesures d'espaces parcourus : nous devons donc considérer d'abord les *grandeurs étalons, les unités et les erreurs* qui sont associées à des mesures physiques.

1.1 MESURES, ÉTALONS, UNITÉS ET ERREURS

On effectue des mesures quantitatives de grandeurs physiques par comparaison avec des grandeurs qui sont prises comme références et qui constituent des grandeurs étalons. Par exemple, si vous dites qu'un cours a duré 53 minutes, cela signifie que la leçon s'est poursuivie pendant un temps qui correspond à un nombre déterminé de tic-tac de l'horloge. Ici, la quantité mesurée a la *dimension* d'un temps. L'*unité* de mesure est la minute et l'horloge est l'*étalon*. Il s'agit d'un *étalon secondaire* puisque la minute n'est pas définie par les propriétés de cette horloge particulière. Les appareils de mesure sont calibrés soit directement, soit indirectement par rapport à des *étalons primaires* de longueur, de temps et de masse reconnus par la communauté scientifique internationale.

Ces étalons primaires sont redéfinis, de temps à autre, au fur et à mesure que les mesures deviennent plus précises. Par exemple, l'unité de longueur – le mètre – a été définie en 1889 comme étant la longueur d'une barre particulière de platine iridié. Cette barre a été conservée dans des conditions bien précises. Cet étalon a cependant été abandonné en 1960 parce que sa préservation et sa copie n'étaient pas pratiques et pouvaient entraîner des inexactitudes. Le mètre a alors été défini à partir de la longueur d'onde de la lumière rouge que les atomes de krypton 86 émettent lorsqu'ils sont placés dans une décharge électrique. Il a été décidé en 1983 de redéfinir le mètre comme la distance parcourue par la lumière dans le vide pendant un intervalle de temps de 1/299 792 458 s. Cette définition est toujours valide.

Ce n'est pas par hasard que des étalons ont été choisis pour la longueur, le temps et la masse. Toutes les grandeurs mécaniques peuvent en effet s'exprimer sous forme d'une combinaison de ces trois dimensions fondamentales que nous représenterons par les lettres L, T, et M. Par exemple, la vitesse correspond à la distance parcourue au cours d'un temps écoulé : ses dimensions sont donc L/T.

1.1.1 Les systèmes d'unités

Il y a longtemps que les *unités métriques* sont utilisées dans la vie quotidienne, sauf dans les pays anglo-saxons où les *unités anglaises* furent longtemps en usage. Les pays du Commonwealth ont récemment décidé d'adopter le système métrique et les États-Unis ont également commencé cette lente et complexe reconversion. Pour les travaux scientifiques, les unités métriques sont mondialement reconnues. Dans ce livre, nous utiliserons uniquement l'ensemble des unités métriques acceptées internationalement et qui constitue le *Système International (S.I.)*. *Le mètre, le kilogramme et la seconde* sont respectivement les unités fondamentales de longueur, de masse et de temps. On trouvera, dans des livres plus anciens, des références à une version antérieure de ce système d'unités qui était appelé le *système d'unités m.k.s.* Les textes plus vieux encore utilisaient parfois les *unités c.g.s.*, ce système étant basé sur *le centimètre, le gramme et la seconde* : 1 centimètre vaut 0,01 mètre et 1 gramme, 0,001 kilogramme. Le centimètre et le gramme sont des sous-multiples acceptables du Système International d'unités. Par contre, beaucoup d'autres unités c.g.s. sont maintenant inusitées. Dans ce livre, nous mentionnerons, au passage, quelques unités c.g.s. que l'on rencontre encore quelquefois.

Figure 1.1 L'accélérateur à mésons Clinton P. Anderson de Los Alamos a une longueur de 0,8 km. Il est situé dans les montagnes de la partie nord de l'État du Nouveau Mexique. Il permet d'accélérer un grand nombre de protons (noyaux d'hydrogène) jusqu'à des vitesses élevées. Lorsque ces protons frappent une cible, ils génèrent des particules à courte durée de vie appelées mésons. Ceux-ci sont utilisés à la fois pour la recherche fondamentale en physique et pour la thérapie du cancer. Les mesures effectuées dans cette « fabrique de mésons » font appel à des appareils électroniques sophistiqués. Ceux-ci sont toutefois calibrés, de manière indirecte, à partir des unités de longueur, de temps et de masse. (*Avec l'aimable autorisation du Laboratoire National de Los Alamos.*)

Noyau atomique	10^{-15}
Diamètre d'un atome de sodium	10^{-11}
Longueur d'une liaison C–C	$1,5 \times 10^{-10}$
Diamètre de l'ADN	2×10^{-9}
Épaisseur de microfilaments	4×10^{-9}
Hémoglobine	7×10^{-9}
Membrane cellulaire	10^{-8}
Diamètre d'un petit virus	2×10^{-8}
Diamètre d'une petite bactérie	2×10^{-7}
Longueur d'onde de la lumière visible	$4 \sim 7 \times 10^{-7}$
Diamètre d'une mitochondrie	$0,5 \sim 1,0 \times 10^{-6}$
Diamètre d'une grande bactérie	10^{-6}
Diamètre d'une cellule de foie de mammifère	2×10^{-5}
Œuf d'oursin	7×10^{-5}
Diamètre d'une amibe géante	2×10^{-4}
Petit crustacé	10^{-3}
Diamètre d'un œuf d'autruche	4×10^{-2}
Souris	10^{-1}
Homme	$1 \sim 2 \times 10^{0}$
Baleine bleue	3×10^{1}
Pont de Brooklyn	10^{3}
Diamètre de la Terre	$1,3 \times 10^{7}$
Diamètre du Soleil	$1,2 \times 10^{9}$
Distance Terre-Soleil	$1,3 \times 10^{11}$
Diamètre de notre galaxie	10^{22}
Distance jusqu'aux galaxies les plus lointaines	10^{28}

Tableau 1.1 Longueurs caractéristiques en mètres.

Phénomènes nucléaires	$10^{-23} \sim 10^{-10}$
Phénomènes atomiques :	
absorption de la lumière, excitation électronique	$10^{-15} \sim 10^{-9}$
Phénomènes chimiques	$10^{-9} \sim 10^{-6}$
Chaînes de réactions biochimiques	$10^{-8} \sim 10^{2}$
Contractions rapides d'un muscle strié	10^{-1}
Division cellulaire la plus rapide	5×10^{2}
Temps de génération bactérienne	3×10^{3}
Temps de génération d'un protozoaire	10^{5}
Temps de génération d'un petit mammifère	4×10^{7}
Durée de vie d'un grand mammifère	$4 \times 10^{8} \sim 4 \times 10^{9}$
Durée de vie d'un lac	$10^{10} \sim 10^{12}$
Âge des mammifères	3×10^{15}
Âge des vertébrés	10^{16}
Origine de la vie sur la Terre	$> 10^{17}$
Âge de la Terre	2×10^{17}

Tableau 1.2 Temps caractéristiques en secondes.

Nous montrerons également comment convertir les unités du Système International en unités anglaises de longueur (le pied, le yard et le mile) et en unité de force (la livre).

Les tableaux 1.1 et 1.2 donnent en unités du S.I., les longueurs de divers objets et les intervalles de temps associés à différents phénomènes. Les nombres apparaissent sous forme de puissances de 10, c'est-à-dire en « notation scientifique ». Ce type de notation est révisé dans l'annexe B1. De nombreuses valeurs des tableaux sont soit extrêmement grandes, soit extrêmement petites. Pour cette raison, on utilise fréquemment des multiples ou des sous-multiples des unités du S.I. qui sont des puissances de dix de ces unités. Pour désigner ces multiples ou sous-multiples, on emploie différents préfixes dont la liste est reprise au début du livre. Par exemple, la distance entre deux villes est habituellement mesurée en kilomètres, un kilomètre valant 10^{3} mètres. Les dimensions de ce livre sont habituellement exprimées en centimètres plutôt qu'en mètres alors que l'épaisseur d'une page vaut approximativement 0,1 millimètre soit 100 micromètres (1 millimètre = 10^{-3} mètre, 1 micromètre ou micron = 10^{-6} mètre).

1.1.2 Conversion d'unités

Nous utiliserons essentiellement les unités du S.I. Il est cependant parfois nécessaire de convertir des quantités d'un système d'unités dans un autre. Pour ce faire, on peut avoir recours à une astuce qui implique la «multiplication par 1». Supposons, par exemple, que nous voulions convertir 100 pieds en un nombre équivalent de mètres.

Les facteurs de conversion, donnés en début du livre, nous apprennent que :

$$1 \text{ pied} = 0{,}3048 \text{ m}$$

Divisons maintenant les deux membres par 1 pied, comme si l'unité (pied) était une quantité algébrique.

$$\frac{1 \text{ pied}}{1 \text{ pied}} = \frac{0{,}3048 \text{ m}}{1 \text{ pied}}$$

Les facteurs pied se simplifient dans le membre de gauche et il reste uniquement le nombre 1.

$$1 = \frac{0{,}3048 \text{ m}}{1 \text{ pied}}$$

Si nous multiplions 100 pieds par 1, nous ne modifions rien : dès lors, nous pouvons écrire,

$$100 \text{ pieds} = (100 \text{ pieds})(1)$$

$$(100 \text{ pieds})(1) = (100 \text{ pieds})\frac{0{,}3048 \text{ m}}{1 \text{ pied}}$$

$$100 \text{ pieds} = 30{,}48 \text{ m}$$

Notons que les unités pied au numérateur et au dénominateur se sont simplifiées, ce qui fait apparaître l'unité désirée, le mètre. Cette multiplication par 1 élimine les hésitations sur la manière d'employer le facteur de conversion. Par exemple, nous pouvons diviser 1 pied = 0,3048 m par 0,3048 m, ce qui correspond à une autre manière d'écrire 1

$$1 = \frac{1 \text{ pied}}{0{,}3048 \text{ m}}$$

Cependant, si nous multiplions 100 pieds par ce facteur, les unités ne se simplifient pas correctement.

Parfois, une grandeur implique la conversion de deux unités ou plus. Par exemple, un volume se mesure en mètres cubes (m^3) et une vitesse en kilomètres par heure ($km \ h^{-1}$). (Notons que nous utilisons les exposants négatifs avec les unités, exactement comme nous le faisons avec des quantités algébriques, de sorte que $1 \ h^{-1} = 1/h$.) On utilise une multiplication par 1 pour chaque conversion. Ceci est montré dans les exemples suivants.

 Exemple 1.1

Une petite piscine est longue de 20 pieds, large de 10 pieds, profonde de 5 pieds. Le volume est donc donné par le produit de ces trois dimensions, soit (20 pieds) (10 pieds) (5 pieds) = 1000 $pieds^3$. Évaluer le volume en m^3.

Réponse Il convient de convertir trois fois des pieds en mètres. Ceci correspond à une modification des unités de longueur, de largeur et de profondeur. À partir de la relation 1 pied = 0,3048 m, on obtient

$$1\,000 \text{ pieds}^3 (1^3) = 1\,000 \text{ pieds}^3 \frac{(0{,}3048 \text{ m})^3}{(1 \text{ pied})^3}$$

$$= 1\,000 (0{,}3048)^3 m^3 = 28{,}3 m^3$$

 Exemple 1.2

Exprimer une vitesse de 60 miles par heure ($mi \ h^{-1}$) en mètres par seconde ($m \ s^{-1}$).

Réponse Pour effectuer cette transformation, nous devons obtenir un facteur de conversion d'heure en secondes et un autre, de mile en mètres. Puisqu'une heure vaut 60 minutes ou encore 3 600 secondes, en divisant par 3 600 secondes, on obtient

$$1 = 1 \text{ h}/3\,600 \text{ s}$$

Par ailleurs, 1 mile = 1,609 km = 1609 m de sorte que

$$1 = 1\,609 \text{ m mi}^{-1}$$

En multipliant 60 $mi \ h^{-1}$ par 1, deux fois, on obtient
$(6 \text{ mi h}^{-1})(1)(1)$

$$= (60 \text{ mi h}^{-1}) \left(\frac{1 \text{ h}}{3\,600 \text{ s}} \right) (1\,609 \text{ m mi}^{-1})$$

$$= 60 \left(\frac{1\,609}{3\,600} \right) \text{ m s}^{-1} = 26{,}8 \text{ m s}^{-1}$$

1.1.3 Les différents types d'erreurs

Les mesures expérimentales et les prévisions théoriques sont entachées d'erreurs. Les erreurs expérimentales peuvent être de deux types : soit *systématiques* soit *accidentelles*. On comprendra mieux la signification de ces termes à l'aide d'un exemple. Considérons le temps T que met un poids suspendu à un fil pour effectuer une oscillation complète à partir d'une position donnée.

Si quelqu'un utilise un chronomètre pour mesurer T, et s'il répète l'expérience un certain nombre de fois, chaque résultat sera légèrement différent des autres.

Normalement, la plupart des résultats varieront peu par rapport à la valeur moyenne calculée à partir de l'ensemble des mesures effectuées. Les écarts par rapport à la moyenne proviennent de l'impossibilité rencontrée par l'observateur de déclencher et d'arrêter son chronomètre exactement de la même manière lors de chaque mesure. Cette erreur, due au manque d'habileté de l'observateur, est une erreur *accidentelle*. Elle peut être minimisée en prenant la valeur moyenne d'un nombre élevé de mesures.

Toutefois, si la montre retarde, la valeur moyenne de *T* sera trop petite, même après un grand nombre d'expériences. Cette erreur est dite *systématique* : elle peut être réduite en utilisant un chronomètre de meilleure qualité ou en comparant le chronomètre utilisé à un chronomètre plus précis et en corrigeant les résultats obtenus.

Une erreur systématique peut aussi provenir du temps de réaction de l'observateur. L'observateur peut, systématiquement, démarrer ou arrêter le chronomètre trop tôt ou trop tard. Cette erreur peut être minimisée en imaginant une expérience plus sophistiquée. Par exemple, on peut démarrer ou arrêter le chronomètre en utilisant un flash de lumière et une cellule photoélectrique semblable à celles utilisées dans les ouvre-portes automatiques. Naturellement, les mesures effectuées avec cet appareil seront aussi entachées d'erreurs systématiques et d'erreurs accidentelles ; toutefois, ces erreurs seront inférieures à celles de l'expérience précédente.

Les erreurs systématiques et accidentelles sont présentes dans toutes les expériences. Pour les minimiser, il faut généralement utiliser des appareils de plus en plus sophistiqués et des procédures de plus en plus laborieuses. Des mesures de haute précision et des mesures relatives à des effets petits demandent une grande attention.

Les prévisions théoriques sont également entachées d'erreurs qui ont différentes origines. Souvent, les formules théoriques contiennent des quantités mesurées comme, par exemple, la masse de l'électron ou la vitesse de la lumière. Or, une erreur est associée à ces valeurs mesurées. Prenons l'exemple de la relation qui explicite la période du pendule (*T*) dont il a été question plus haut. Cette relation fait intervenir l'accélération de la pesanteur. L'emploi de cette relation est donc lié à la précision avec laquelle nous connaissons cette grandeur. Par ailleurs, cette relation, comme la plupart des expressions théoriques, implique différentes approximations : on admet, par exemple, l'absence de frottement et de résistance de l'air et on suppose, en outre, que le pendule n'est pas fortement déplacé par rapport à sa position d'équilibre.

Dans tout travail scientifique soigneux, la précision numérique doit être spécifiée de façon quantitative. Cependant, lors de la résolution d'exemples numériques, on néglige souvent, dans les manuels, l'analyse complète des erreurs. On utilise alors la règle des *chiffres significatifs*. Ainsi, dans la phrase « la longueur d'un bâtonnet vaut 2,43 mètres », on sous-entend que le dernier chiffre (3) est quelque peu incertain : la longueur exacte pourrait être plus proche de 2,42 ou de 2,44 m. Dans les exemples, exercices et problèmes de ce livre, tous les nombres doivent être considérés comme connus à 3 chiffres significatifs. Par exemple, 2,5 et 3 représentent, en fait, les valeurs 2,50 et 3,00. L'annexe B3 rappelle l'essentiel des règles concernant les chiffres significatifs.

1.2 LE DÉPLACEMENT ; LA VITESSE MOYENNE

La discussion quantitative du mouvement est basée sur des mesures et des calculs qui portent sur les *positions*, les *déplacements*, les *vitesses* et les *accélérations*. Dans ce paragraphe et dans les deux paragraphes suivants, nous utiliserons des exemples simples pour définir et illustrer ces concepts dans le cas de mouvements rectilignes. Dans le chapitre suivant, nous étendrons ces notions au cas des trajectoires courbes. Nous considérerons uniquement un mouvement de *translation*, c'est-à-dire un mouvement au cours duquel chaque partie de l'objet se déplace dans la même direction et ne subit pas de rotation. La rotation sera discutée au chapitre 5.

Commençons par définir la vitesse moyenne. La vitesse moyenne se définit en termes de *déplacement*, ou encore, de variation de la position d'un objet au cours d'un intervalle de temps donné. Pour illustrer cette définition, prenons l'exemple d'une voiture qui se déplace vers le nord, en ligne droite. Des repères sont placés tous les 100 m le long de la route. Supposons que la voiture passe devant un repère toutes les 5 s, comme le montre la figure 1.2*a*. Durant chaque intervalle de 5 s, le déplacement est de 100 m ; durant un intervalle de 10 s, il sera de 200 m et ainsi de suite. Le déplacement est donc caractérisé par une direction et une grandeur. Préciser la direction est évident pour un mouvement rectiligne mais cela devient plus complexe dans le cas d'un mouvement curviligne.

La *vitesse moyenne* de la voiture durant un intervalle de temps déterminé s'exprime par le déplacement divisé par le temps écoulé :

$$\text{vitesse moyenne} = \frac{\text{déplacement}}{\text{temps écoulé}}$$

La vitesse moyenne est proportionnelle au déplacement et a la même direction que celui-ci. Elle s'exprime en m s^{-1}. Cette définition est illustrée dans l'exemple suivant.

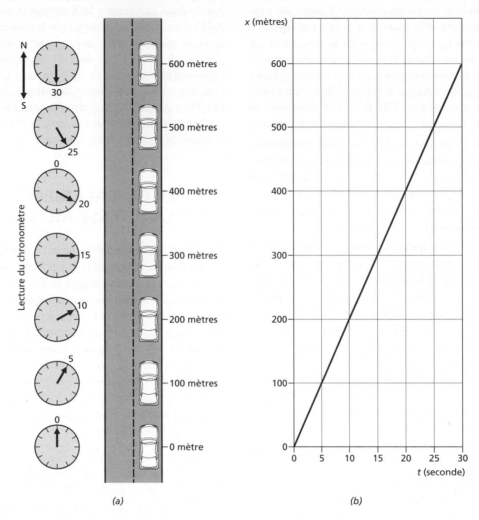

(a)   (b)

Figure 1.2 *(a)* La position d'une voiture est repérée toutes les 5 secondes. Le tachymètre ne varie pas. *(b)* Graphe de la position x de la voiture en fonction du temps t.

✎ ———————— **Exemple 1.3** ————————

Que vaut la vitesse moyenne de la voiture de la figure 1.2*a* pendant l'intervalle de temps au cours duquel l'horloge passe de 10 à 25 secondes ?

Réponse À partir de la figure, on voit que la voiture effectue un déplacement qui vaut 500 m − 200 m = 300 m au cours des 15 s. Dès lors, la vitesse moyenne est égale à :

$$300 \text{ m}/15 \text{ s} = 20 \text{ m s}^{-1}$$

La vitesse moyenne est dirigée vers le nord.

———————————————————————————

Puisque, dans cet exemple, la voiture parcourt des distances égales en des temps égaux, la vitesse moyenne sera la même quel que soit l'intervalle de temps considéré.

Dans ces conditions, le mouvement est dit *uniforme* et le conducteur constatera que son tachymètre ne varie pas. Un mouvement qui n'est pas uniforme est dit *accéléré*. Dans ce cas, la vitesse moyenne dépend de l'intervalle de temps considéré. Le tachymètre d'une voiture en accélération varie en fonction du temps.

Il est intéressant d'utiliser des graphiques et des formules algébriques pour décrire la position et la vitesse d'un objet en mouvement. Pour la voiture considérée plus haut, nous pouvons définir la ligne droite suivant laquelle elle se déplace comme étant l'« axe des x » et choisir comme position $x = 0$ le repère marqué 0. Nous pouvons utiliser aussi le symbole t pour représenter les temps d'observation. Si nous fixons arbitrairement $t = 0$ lors de la première observation, alors x sera égal à 0 lorsque $t = 0$.

De même, x sera égal à 100 m lorsque $t = 5$ s, x sera égal à 200 m lorsque $t = 10$ s, etc. La figure 1.2b représente graphiquement les résultats des observations. La coordonnée horizontale, l'abscisse, représente le temps t tandis que la coordonnée verticale, l'ordonnée, représente la position x. On peut relier par une ligne droite les points correspondant aux différentes observations, puisque la voiture se déplace de manière uniforme.

La vitesse moyenne peut être définie de façon plus symbolique en utilisant la notation que nous allons introduire maintenant. Supposons qu'à un certain moment que nous appellerons t_1, la voiture soit observée au repère x_1, et qu'à un moment ultérieur t_2, elle soit observée au repère x_2. Le déplacement est représenté par la différence des positions soit :

$$\Delta x = x_2 - x_1$$

Le symbole « Δ » est la lettre grecque « delta », et « Δx » se lit « delta x ». Δ représente habituellement la différence ou la variation se rapportant à la quantité écrite derrière le symbole. Δx s'obtient conventionnellement comme la valeur *finale* de x (x_2) de laquelle est soustraite la valeur *initiale* de x (x_1). De la même manière, le temps écoulé entre les observations est donné par

$$\Delta t = t_2 - t_1$$

Avec cette notation, la vitesse moyenne $\bar{v}$ représente le déplacement divisé par le temps écoulé soit :

$$\bar{v} = \frac{\Delta x}{\Delta t} = \frac{x_2 - x_1}{t_2 - t_1} \qquad (1.1)$$

Notons que la définition de la vitesse moyenne est valable, que $\bar{v}$ soit constant ou non dans le temps.

Nous reprendrons maintenant l'exemple précédent en montrant comment cette notation peut être utilisée.

 ———————— **Exemple 1.4** ————————

À partir de l'équation (1.1), trouver la vitesse moyenne de la voiture de la figure 1.2 entre les temps $t = 10$ s et $t = 25$ s.

Réponse   Ici t_1 vaut 10 s et t_2, 25 s. Il ressort du graphe $x_1 = 200$ m et $x_2 = 500$ m. Dès lors,

$$\bar{v} = \frac{(x_2 - x_1)}{(t_2 - t_1)}$$
$$= \frac{(500\ \text{m} - 200\ \text{m})}{(25\ \text{s} - 10\ \text{s})} = \frac{300\ \text{m}}{15\ \text{s}} = 20\ \text{m s}^{-1}.$$

Le fait de décrire le mouvement rectiligne d'un objet par la position qu'il occupe le long d'un axe de coordonnées (ici la route avec ses marqueurs repères) tient automatiquement compte des directions, des déplacements et des vitesses moyennes. Dans la figure 1.2, on considérera

comme positifs les déplacements vers le nord, et comme négatifs, ceux qui auront la direction opposée, vers le sud. Supposons, par exemple, que la voiture se déplace vers le bas de la figure, donc vers le sud, au lieu de se déplacer vers le nord. Dans ces conditions, x décroît lorsque t augmente et l'équation (1.1) donne une vitesse moyenne négative, indiquant par là que l'objet se déplace vers le sud. Ceci est illustré numériquement dans l'exemple suivant.

 ———————— **Exemple 1.5** ————————

Au temps $t_1 = 5$ s, une voiture se trouve en $x_1 = 600$ m. En $t_2 = 15$ s, elle se trouve en $x_2 = 500$ m. Évaluer sa vitesse moyenne.

Réponse   À partir de l'équation (1.1)

$$\bar{v} = \frac{x_2 - x_2}{t_2 - t_1} = \frac{500\ \text{m} - 600\ \text{m}}{15\ \text{s} - 5\ \text{s}}$$
$$= \frac{-1\,000\ \text{m}}{10\ \text{s}} = -10\ \text{m s}^{-1}$$

Notons que $\bar{v}$ est négatif et que la voiture se déplace vers les x négatifs même si sa position correspond à des x positifs.

Quand un objet est en mouvement *uniforme*, le graphe $x - t$ est une *ligne droite*, comme le montre l'exemple de la figure 1.2. Si le mouvement est accéléré, le graphe cesse d'être une ligne droite et la vitesse moyenne dépend de l'intervalle de temps considéré. Ainsi, dans la figure 1.3, une voiture démarre et parcourt une courte distance pendant la première seconde ; puis, au cours de la seconde suivante, une distance plus longue, et ainsi de suite au fur et à mesure qu'elle accélère. Dans ces conditions, pendant la première seconde, la vitesse moyenne sera plus petite qu'au cours des secondes ultérieures. Ceci est illustré dans l'exemple suivant.

 ———————— **Exemple 1.6** ————————

Une voiture se déplace comme le montre la figure 1.3.

Trouver sa vitesse moyenne entre $t = 0$ et $t = 1$ s et entre $t = 1$ et $t = 2$ s.

Réponse   Pour évaluer les vitesses moyennes, nous devons connaître les positions en $t = 0$, $t = 1$ et 2 s. On tire de la figure 1.3 les valeurs correspondantes qui sont respectivement 0, 1 et 4 m. Entre $t = 0$ et 1 s, la vitesse moyenne vaut donc

$$\bar{v} = \frac{\Delta x}{\Delta t} = \frac{1\ \text{m} - 0\ \text{m}}{1\ \text{s} - 0\ \text{s}} = 1\ \text{m s}^{-1}$$

Entre $t = 1$ et 2 s,

$$\bar{v} = \frac{\Delta x}{\Delta t} = \frac{4\ \text{m} - 1\ \text{m}}{2\ \text{s} - 1\ \text{s}} = 3\ \text{m s}^{-1}$$

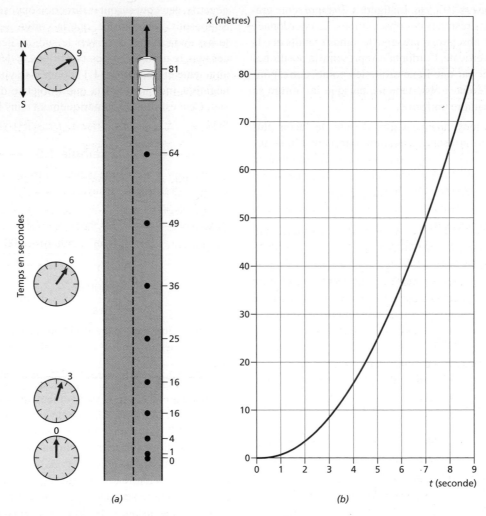

Figure 1.3 (*a*) Les positions d'une voiture en accélération sont mesurées à des intervalles de temps de 1 seconde. Ces positions sont représentées par des points. (*b*) Graphe de la position de la voiture en fonction du temps.

Comme on devait s'y attendre, la vitesse moyenne est plus grande dans le second intervalle puisque la voiture accélère.

1.3 LA VITESSE INSTANTANÉE

La plupart des situations intéressantes impliquent des mouvements accélérés plutôt que des mouvements uniformes. Puisque, dans le cas d'un mouvement accéléré, la vitesse moyenne dépend de l'intervalle de temps considéré, il est souvent plus utile de caractériser le mouvement par la *vitesse instantanée*, c'est-à-dire la vitesse à un instant particulier. Par exemple, lorsque nous disons qu'une voiture en accélération se déplace à $10 \, \text{m s}^{-1}$, nous faisons

référence à sa vitesse instantanée, mesurée à un moment précis.

La vitesse instantanée est donc déterminée en calculant la vitesse moyenne pour un intervalle de temps extrêmement court. Ceci est illustré dans l'exemple suivant.

✎ ——————— **Exemple 1.7** ———————

Le déplacement de la voiture dans la figure 1.3 est décrit par l'expression algébrique $x = bt^2$ où b est égal à $1 \, \text{m s}^{-2}$. Trouver la vitesse moyenne entre 3 et 3,1 s, entre 3 et 3,01 s et entre 3 et 3,001 s. (Ces intervalles de temps sont progressivement plus courts ; les valeurs obtenues pour la vitesse moyenne représentent donc des approximations d'autant meilleures de la vitesse instantanée en $t = 3$ s.)

Réponse Lorsque $t = 3$ s, la position est
$$x = bt^2 = (1 \text{ m s}^{-2}) \times (3 \text{ s})^2 = 9 \text{ m} ;$$
lorsque $t = 3,1$ s,
$$x = (1 \text{ m s}^{-2})(3, 1 \text{ s})^2 = 9, 61 \text{ m}.$$
Dès lors la vitesse moyenne entre 3 et 3,1 s, s'écrit
$$\bar{v} = \frac{\Delta x}{\Delta t} = \frac{9,61 \text{ m} - 9 \text{ m}}{3,1 \text{ s} - 3 \text{ s}} = 6,1 \text{ m s}^{-1}$$
En $t = 3, 01$ s, la position est
$$x = (1 \text{ m s}^{-2})(3, 01 \text{ s})^2 = 9, 0601 \text{ m}$$
de sorte que $\bar{v}$ entre 3 et 3,01 s s'écrit
$$\bar{v} = \frac{9,0601 \text{ m} - 9 \text{ m}}{3,01 \text{ s} - 3 \text{ s}} = 6,01 \text{ m s}^{-1}$$
Notons que, dans le cas particulier de cet exemple, nous avons considéré plus de chiffres significatifs que d'habitude. Enfin, lorsque $t = 3,001$ s,
$$x = (1 \text{ m s}^{-2})(3,001 \text{ s})^2 = 9,006001 \text{ m}$$
et la vitesse moyenne entre 3 et 3,001 s vaut
$$\bar{v} = \frac{9,006001 \text{ m} - 9 \text{ m}}{3,001 \text{ s} - 3 \text{ s}} = 6,001 \text{ m s}^{-1}$$
Au fur et à mesure que l'intervalle de temps Δt diminue, la vitesse moyenne $\bar{v}$ tend vers la valeur de 6 m s^{-1}. Dès lors la vitesse instantanée $\bar{v}$ en $t = 3$ s vaut 6 m s^{-1}.

L'exemple nous montre comment évaluer la vitesse instantanée d'un objet. On calcule la vitesse moyenne pour des intervalles de temps de plus en plus courts. La valeur de $\bar{v}$ correspondant à un intervalle de temps arbitrairement petit représente la vitesse instantanée v. Mathématiquement, la vitesse instantanée v constitue la *limite* de la vitesse moyenne $\bar{v}$ lorsque Δt tend vers 0. Le processus qui permet l'évaluation de cette limite est appelé *la dérivation* ; v est la *dérivée de x par rapport au temps* et s'écrit
$$v = \lim_{\Delta t \to 0} \frac{\Delta x}{\Delta t} = \frac{dx}{dt} \tag{1.2}$$

La quantité dx/dt peut être considérée comme le rapport $\Delta x / \Delta t$ évalué lorsque Δx et Δt deviennent tous deux très petits. Des expressions générales ont été développées pour évaluer $v = dx/dt$, à tout instant, pour autant que la relation algébrique liant x et t soit connue. Cela permet d'éviter la procédure peu commode que nous avons employée dans l'exemple pour évaluer la vitesse à un instant *précis*. Plusieurs de ces formules de dérivation sont données dans l'annexe B8.

Comme la vitesse moyenne, la vitesse instantanée peut être soit positive, soit négative ; les valeurs négatives correspondent à un mouvement vers les valeurs décroissantes de x. Par contre, la grandeur de la vitesse instantanée,

c'est-à-dire son module, est toujours positive ou nulle.

À l'avenir, lorsque nous parlerons de vitesse ou de la variation de toute autre grandeur, nous ferons implicitement référence à sa valeur *instantanée*, sauf si le mot « moyen » est explicitement utilisé. Notons que la distinction entre les deux types de vitesse disparaît dans le cas particulier du mouvement uniforme.

1.3.1 Interprétation graphique de la vitesse

Un graphe du déplacement en fonction du temps fournit une information directe concernant la vitesse. Comme nous l'avons vu, un graphe linéaire correspond à une vitesse constante ou à un mouvement uniforme, alors qu'un graphe courbe correspond à une vitesse variable.

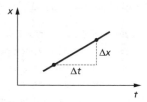

Figure 1.4 Graphe $x - t$ relatif à un objet en mouvement uniforme. La pente de la droite est définie par le rapport $\Delta x / \Delta t$ et représente la vitesse.

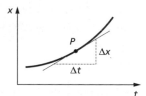

Figure 1.5 La pente de la courbe $x - t$ au point P est donnée par la pente $\Delta x / \Delta t$ de la tangente à cette courbe en ce point. La vitesse en P est représentée par la pente de la courbe en ce point.

La vitesse étant définie comme la dérivée de la position par rapport au temps, elle est donnée par la *pente* de la tangente dans le graphe $x - t$. Dans le graphe de la figure 1.4 relatif à un mouvement uniforme, la courbe est une droite. La pente est constante et définie par le rapport $\Delta x / \Delta t$, ce qui représente effectivement la vitesse. Dans le graphe de la figure 1.5 relatif à un mouvement accéléré, la vitesse évolue au cours du temps. La vitesse instantanée au point P est donnée par le rapport $\Delta x / \Delta t$ évalué sur un intervalle de temps très court autour de ce point. Elle correspond dès lors à la pente de la tangente à la courbe au point P, possédant localement la même évolution temporelle que la courbe. A mesure que t augmente, on observe à la figure 1.5 que la pente de la tangente à la courbe augmente. Ceci signifie que la vitesse augmente au cours du temps et que le mouvement est bien accéléré. L'inspection de la courbe $x - t$ renseigne donc directement sur l'amplitude de la vitesse ainsi que sur son évolution au cours du temps.

1.4 L'ACCÉLÉRATION

Comme la position, la vitesse peut varier en fonction du temps. La variation de la vitesse par unité de temps définit l'*accélération*. Encore une fois, nous distinguerons la valeur moyenne et la valeur instantanée.

L'*accélération moyenne* $\bar{a}$ entre les temps t_1 et t_2, intervalle de temps au cours duquel la vitesse varie de $\Delta v = v_2 - v_1$, est définie par

$$\bar{a} = \frac{\text{variation de vitesse}}{\text{temps écoulé}} = \frac{\Delta v}{\Delta t} = \frac{v_2 - v_1}{t_2 - t_1} \quad (1.3)$$

Si nous mesurons la vitesse en mètres par seconde et le temps en secondes, $\bar{a}$ s'exprimera donc en mètres par seconde par seconde (en abrégé m s^{-2} ; on dit plutôt « mètres par seconde au carré »). Une accélération moyenne de 1 m s^{-2} correspond à un accroissement moyen de la vitesse de 1 m s^{-1} pendant chaque seconde. L'exemple 1.8 illustre cette définition.

 ———————— **Exemple 1.8** ————————

Une voiture démarre et accélère pour atteindre une vitesse de 30 m s^{-1} en 10 s. Que vaut l'accélération moyenne ?

Réponse   À partir de la définition,

$$\bar{a} = \frac{\Delta v}{\Delta t} = \frac{30 \text{ m s}^{-1}}{10 \text{ s}} = 3 \text{ m s}^{-2}$$

Ceci correspond à un accroissement de vitesse de 3 m s^{-1} durant chaque seconde de l'intervalle de temps de 10 s.

L'*accélération instantanée a* est définie comme l'accélération moyenne $\bar{a}$, pour un intervalle de temps extrêmement court. De façon symbolique :

$$u = \lim_{\Delta t \to 0} \frac{\Delta v}{\Delta t} = \frac{dv}{dt} \quad (1.4)$$

Dans un graphe $v - t$ donnant la vitesse d'un objet en fonction du temps, a est représenté par la pente de la courbe. Ceci est illustré dans l'exemple 1.9.

Notons encore que la vitesse étant définie comme la dérivée de la position par rapport au temps, on peut écrire :

$$a = \frac{dv}{dt} = \frac{d}{dt}\left(\frac{dx}{dt}\right) = \frac{d^2x}{dt^2}$$

L'accélération correspond à la dérivée seconde de la position par rapport au temps. Dans un graphe $x - t$ donnant la position d'un objet en fonction du temps, a détermine la concavité de la courbe. Une accélération positive induit une augmentation de la vitesse au cours du temps. Cela se traduit par une augmentation de la pente de la tangente à la courbe et une concavité tournée vers le haut (courbure positive). Réciproquement, une accélération négative se traduira par une concavité tournée vers le bas (courbure négative).

 ———————— **Exemple 1.9** ————————

La figure 1.6 représente le graphe de la vitesse d'une voiture en fonction du temps. On demande de décrire qualitativement son accélération.

Réponse   Entre les points A et B, la vitesse augmente, la pente est positive et la voiture accélère. Toutefois, la pente diminue progressivement et, dès lors, l'accélération décroît. Entre les points B et C, la vitesse est constante, la pente et l'accélération sont donc nulles. Entre les points C et D, la vitesse diminue de sorte que l'accélération est négative. Cette *décélération* augmente, en grandeur, au fur et à mesure que la voiture ralentit.

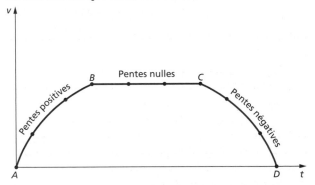

Figure 1.6 Graphe de la vitesse d'une voiture en fonction du temps. La pente et l'accélération sont positives entre A et B. Elles sont nulles entre B et C, négatives entre C et D.

1.5 MOUVEMENT RECTILIGNE UNIFORMÉMENT ACCÉLÉRÉ

Jusqu'ici, nous avons calculé les vitesses à partir des variations de position et les accélérations à partir des variations de vitesse. Souvent cependant, c'est l'accélération d'un objet qui est mesurée ou prévue théoriquement et on souhaite connaître les variations de vitesse et de position correspondantes. Dans ce paragraphe, nous allons montrer comment déterminer le mouvement d'un objet, connaissant, d'une part, son accélération et, d'autre part, sa vitesse et sa position initiales.

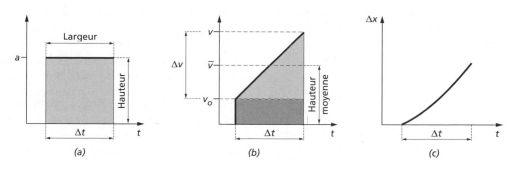

Figure 1.7 Mouvement uniformément accéléré. *(a)* L'accélération *a* est constante dans l'intervalle de temps Δt. *(b)* Graphe de $v = v_0 + a\,\Delta t$. La vitesse moyenne vaut $\bar{v} = (v_0 + v)/2$. *(c)* Graphe du déplacement en fonction du temps.

Considérons un objet ayant une vitesse initiale v_0 et soumis à une accélération *constante a* pendant un intervalle de temps Δt. L'accélération étant constante, l'accélération instantanée est égale à l'accélération moyenne. On en déduit que $a = \Delta v/\Delta t$ ou encore $\Delta v = a\,\Delta t$. Si on note v la vitesse après l'intervalle de temps Δt, $\Delta v = v - v_0$ et on en déduit :

$$v = v_0 + a\,\Delta t \qquad (1.5)$$

Ce résultat a une interprétation graphique intéressante et utile, si on représente l'accélération en fonction du temps (figure 1.7a). Le produit de la hauteur, a, par la largeur, Δt, du rectangle coloré, représente la surface $a\,\Delta t$ qui équivaut à la variation de vitesse. Dès lors cette *variation de vitesse au cours de l'intervalle de temps considéré est égale à l'aire sous le graphe a − t*. L'aire est considérée comme positive si elle se trouve au-dessus de l'axe du temps, et comme négative si elle se trouve au-dessous. Ce résultat est tout à fait général : il ne se limite pas aux cas où l'accélération est constante.

Si nous représentons graphiquement l'équation (1.5) qui exprime la vitesse en fonction du temps, nous obtenons une droite (figure 1.7b). La vitesse moyenne, dans l'intervalle de temps Δt, est donnée par :

$$\bar{v} = v_0 + \Delta v/2 = v_0 + (v - v_0)/2$$

ou encore

$$\bar{v} = \frac{1}{2}(v_0 + v) \qquad (1.6)$$

Le déplacement, c'est-à-dire le changement de position intervenant pendant l'intervalle de temps Δt, est lié à la vitesse moyenne par la définition $\bar{v} = \Delta x/\Delta t$.

On a $\Delta x = \bar{v}\,\Delta t$ ou encore

$$\Delta x = \frac{1}{2}(v_0 + v)\,\Delta t \qquad (1.7)$$

Si nous substituons maintenant $v = v_0 + a\,\Delta t$ dans cette équation, il vient

$$\Delta x = v_0\,\Delta t + \frac{1}{2}a(\Delta t)^2 \qquad (1.8)$$

Nous pouvons également récrire l'équation (1.5) sous la forme $\Delta t = (v - v_0)/a$. En substituant cette valeur de Δt dans l'équation (1.7), on obtient

$$\Delta x = \frac{1}{2}(v_0 + v)\frac{(v - v_0)}{a} = \frac{v^2 - v_0^2}{2a}$$

ou encore

$$v^2 = v_0^2 + 2a\,\Delta x \qquad (1.9)$$

De nouveau, les résultats algébriques ont une interprétation graphique immédiate. L'aire colorée du graphe $v - t$ de la figure 1.7b a une hauteur moyenne $\bar{v}$ et une largeur Δt. Sa mesure a donc pour valeur le produit $\bar{v}\,\Delta t$, ce qui est égal à Δx d'après l'équation (1.7). (On peut donc considérer que la somme des aires du triangle et du rectangle représente l'équation (1.8). Voir le problème 1.70.) Donc, *le déplacement, au cours de l'intervalle de temps Δt, est représenté par l'aire sous le graphe $v - t$*. Ceci est également vrai lorsque l'accélération cesse d'être constante. Comme précédemment, les aires au-dessus de l'axe des x sont considérées comme positives et celles au-dessous de cet axe sont considérées comme négatives.

L'équation (1.5) relative à la vitesse, et l'équation (1.8) relative au déplacement, décrivent complètement le mouvement de l'objet, lorsque sa vitesse initiale et sa position initiale sont données et lorsque l'accélération est constante. Les équations (1.6), (1.7) et (1.9) contiennent une information équivalente. Elles sont parfois utiles pour la résolution de problèmes. Par exemple, l'équation (1.9) est utile lorsque les vitesses initiale et finale et l'accélération sont données, mais pas le temps écoulé. Les formules correspondant au mouvement rectiligne uniformément accéléré sont résumées dans le tableau 1.3. Leur utilisation est illustrée dans les exemples 1.10, 1.11 et 1.12.

$v = v_0 + a\,\Delta t$	(1.5)
$\Delta x = v_0\,\Delta t + \dfrac{1}{2}a(\Delta t)^2$	(1.8)
$\bar{v} = \dfrac{1}{2}(v_0 + v)$	(1.6)
$\Delta x = \dfrac{1}{2}(v_0 + v)\,\Delta t$	(1.7)
$v^2 = v_0^2 + 2a\,\Delta x$	(1.9)

Tableau 1.3 Équations du mouvement rectiligne uniformément accéléré.

 ——————— Exemple 1.10 ———————

Une voiture, arrêtée à un feu rouge, repart avec une accélération de 2 m s^{-2} lorsque le feu devient vert. Que valent sa vitesse et sa position après 4s ?

Réponse Puisque nous connaissons l'accélération, a, le temps écoulé Δt, et la vitesse initiale $v_0 = 0$, nous pouvons utiliser les équations. (1.5) et (1.8) pour évaluer la vitesse et le déplacement. Il vient

$$v = v_0 + a\,\Delta t = 0 + (2 \text{ m s}^{-2})(4 \text{ s}) = 8 \text{ m s}^{-1}$$

$$\Delta x = v_0\,\Delta t + \frac{1}{2}a(\Delta t)^2$$

$$= 0 + \frac{1}{2}(2 \text{ m s}^{-2})(4 \text{ s})^2 = 16 \text{ m}$$

Après 4 s, la voiture a atteint une vitesse de 8 m s^{-1} et elle se trouve à 16 m du feu.

Notons que nous aurions pu évaluer Δx à partir de l'équation (1.7) en nous servant du résultat obtenu pour v. Les problèmes relatifs au mouvement uniformément accéléré et les problèmes de physique, en général, peuvent souvent être résolus de différentes manières.

 ——————— Exemple 1.11 ———————

Une voiture atteint une vitesse de 20 m s^{-1} avec une accélération de 2 m s^{-2}. Quelle sera la distance parcourue durant l'accélération si la voiture initialement est

a) au repos ?

b) animée d'une vitesse de 10 m s^{-1} ?

Réponse a) Dans ce cas, nous connaissons les vitesses initiale et finale ainsi que l'accélération. L'équation (1.9) fait intervenir ces trois grandeurs, plus la distance parcourue Δx. En résolvant cette équation par rapport à Δx, avec

$$a = 2 \text{ m s}^{-2},$$
$$v = 20 \text{ m s}^{-2} \text{ et } v_0 = 0$$

on obtient

$$\Delta x = \frac{(v^2 - v_0^2)}{2a} = \frac{(20 \text{ m s}^{-1})^2}{2(2 \text{ m s}^{-1})} = 100 \text{ m}$$

Nous aurions pu résoudre ce problème en utilisant la relation $v = v_0 + a\,\Delta t$ pour évaluer Δt, et en substituant la valeur obtenue dans l'équation (1.8). (Le lecteur effectuera cette résolution en guise d'exercice.)

b) Procédons comme ci-dessus, mais avec $v_0 = 10 \text{ m s}^{-1}$

$$\Delta x = \frac{v^2 - v_0^2}{2a}$$

$$= \frac{(20 \text{ m s}^{-1})^2 - (10 \text{ m s}^{-1})^2}{2(2 \text{ m s}^{-2})} = 75 \text{ m}$$

La distance nécessaire pour atteindre la vitesse donnée est plus courte que dans le cas a) puisque, au départ, la voiture est en mouvement.

 ——————— Exemple 1.12 ———————

Une voiture démarre avec une accélération constante de 2 m s^{-2}. Elle s'insère dans le trafic d'une grand-route où les voitures se déplacent à la vitesse constante de 24 m s^{-1}.

a) Combien de temps faudra-t-il pour que la voiture atteigne une vitesse de 24 m s^{-1} ?

b) Quelle sera la distance parcourue durant cet intervalle de temps ?

c) Le conducteur ne souhaite pas que le véhicule qui le suit s'approche à moins de 20 m de sa voiture. Il ne souhaite pas non plus que ce véhicule soit forcé de ralentir.

Évaluer le vide qu'il doit y avoir entre deux voitures pour que le conducteur puisse s'insérer dans la file.

Réponse a) Le temps nécessaire pour que la voiture atteigne la vitesse de $v = 24 \text{ m s}^{-1}$, en partant du repos, est donné par l'équation $v = v_0 + a\,\Delta t$. Nous pouvons la récrire sous la forme

$$\Delta t = (v - v_0)/a - (24 \text{ m s}^{-1})/(2 \text{ m s}^{-2}) = 12 \text{ s}$$

b) En utilisant l'équation (1.8), la distance parcourue en 12 s est

$$\Delta x = v_0\,\Delta t + \frac{1}{2}a(\Delta t)^2$$

$$= 0 + \frac{1}{2}(2 \text{ m s}^{-2})(12 \text{ s})^2 = 144 \text{ m}$$

c) Si le véhicule suivant se déplace à la vitesse constante de $v_0 = 24$ m s^{-1}, $a = 0$. En utilisant l'équation (1.8), on voit que cette voiture parcourt, en 12 s, la distance

$$\Delta x = v_0 \, \Delta t + \frac{1}{2}a(\Delta t)^2$$

$$= (24 \text{ m s}^{-1})(12 \text{ s}) + 0 = 288 \text{ m}$$

Puisque la voiture qui veut s'insérer dans le trafic parcourt 144 m pendant ce temps, la voiture suivante gagne $(288 - 144)$m soit 144 m. Si la distance entre deux véhicules doit être, au minimum, de 20 m, l'intervalle nécessaire doit donc être au moins égal à

$$(144 + 20)\text{m} = 164 \text{ m}$$

Dans cet exemple, la voiture atteint 24 m s^{-1} ou encore 86 km h^{-1} en 12 s. Il s'agit d'une accélération assez importante. Une voiture moins puissante mettrait un temps plus long pour atteindre cette vitesse, ce qui impliquerait un plus grand vide dans le trafic.

Ces exemples illustrent la manière de résoudre des problèmes relatifs au mouvement rectiligne uniformément accéléré et les problèmes de physique en général. La méthode consiste à identifier les données et les inconnues du problème. On recherche alors l'équation ou les équations qui relient ces quantités. Si nécessaire, on résout alors le problème algébriquement en exprimant une inconnue en fonction des quantités connues. Il est préférable de substituer les valeurs numériques dans l'étape finale de la résolution du problème plutôt que dans les étapes préliminaires. Cela réduit le travail arithmétique et facilite la vérification des calculs.

Une vérification commode du résultat d'un problème peut s'effectuer à partir de l'équation aux dimensions de la réponse. Si l'inconnue est une longueur, le résultat doit s'exprimer en unité de longueur, c'est-à-dire en mètres ; si ce n'est pas le cas, une erreur s'est introduite au cours de la résolution du problème. Notons, par exemple, que dans les parties (b) et (c) de l'exemple 1.12, les unités de temps se simplifient et les distances s'expriment bien en mètres, comme il convient.

En résumé, nous avons montré que si nous connaissons la position et la vitesse initiales d'un objet, nous pouvons déterminer la vitesse à tout instant ultérieur à partir de l'accélération, et la position à partir de la vitesse. Les équations données dans le tableau 1.3 peuvent être utilisées pour déterminer le mouvement d'un objet soumis à une accélération constante. Lorsque l'accélération cesse d'être constante, on peut souvent utiliser une valeur moyenne

de l'accélération et les équations relatives au mouvement uniformément accéléré pour obtenir une description approchée du mouvement.

1.6 ACCÉLÉRATION DE LA PESANTEUR ET OBJETS EN CHUTE LIBRE

Jusqu'ici, nous avons discuté du mouvement à partir des définitions et de leurs conséquences. Plus précisément, nous avons considéré les relations mathématiques qui découlent des définitions de la vitesse et de l'accélération. Rien n'a été dit concernant les lois qui régissent le monde naturel. Cependant, pour pouvoir discuter de la chute des objets, nous devons avoir recours à des informations obtenues pour la première fois par Galilée à partir d'observations expérimentales très précises.

L'expérience quotidienne nous apprend que des objets sans support tombent vers le sol. La vitesse au moment de l'impact s'accroît si la distance de chute augmente. Il est donc évident que des objets qui tombent subissent une accélération que nous attribuons à la pesanteur : c'est l'attraction gravitationnelle exercée par la Terre. Néanmoins, deux aspects essentiels de l'accélération de gravitation ne sont pas directement observables.

Supposons que la pesanteur soit le seul facteur qui influence le mouvement d'un objet en chute libre au voisinage de la surface de la Terre. Supposons que la résistance de l'air soit absente ou négligeable. Dans ces conditions, on trouve que :

1. *L'accélération gravitationnelle est la même pour tous les objets qui tombent*, quelles que soient leur taille ou leur composition.

2. *L'accélération gravitationnelle est constante*. Elle ne varie pas au cours de la chute.

Aucune de ces affirmations ne cadre entièrement avec notre expérience quotidienne. Des pièces de monnaie tombent plus rapidement que des bouts de papier, ce qui contredit la première affirmation. Des objets qui tombent de hauteurs importantes atteignent une vitesse maximale que nous appellerons vitesse *limite*, ce qui contredit la seconde affirmation. Cependant, ces deux effets résultent de la résistance de l'air. Dans le vide, une pièce de monnaie et un bout de papier tombent à la même vitesse (figure 1.8). En outre, un objet qui tombe d'une très haute altitude est constamment accéléré jusqu'à ce qu'il pénètre dans l'atmosphère.

GALILÉE
(1564-1642)

Galilée (de son vrai nom Galileo Galilei) naît à Pise en 1564. À 17 ans, il entreprend des études de médecine bien qu'il manifeste déjà du talent pour la musique et les arts. Très vite, il montre de l'intérêt pour d'autres domaines de la science et il est nommé professeur de mathématiques à l'université de Pise. Entre 1589 et 1592, il étudie les lois du mouvement, ce qui constitue la matière de ce chapitre.

Le philosophe grec Aristote (384-322 avant J.-C.) pensait que des objets lourds tombaient plus rapidement que des objets légers. Galilée entreprend une série d'expériences sur des objets roulant le long de plans inclinés, ce qui lui permet de conclure que tous les objets possèdent la même accélération, pour autant que l'on puisse considérer les frottements comme négligeables. Il établit en outre que la distance parcourue par les objets varie avec le carré du temps écoulé, ce qui implique que l'accélération soit constante. On considère que Galilée a révélé l'importance de l'approche expérimentale en sciences.

En 1608, Galilée prend connaissance du fait que deux lentilles de lunette peuvent être associées pour agrandir la vision d'un objet éloigné. Rapidement, il construit une série de télescopes possédant des pouvoirs d'agrandissement de plus en plus importants. Il observe que le relief de la Lune est montagneux, que Jupiter possède des satellites ; il observe également l'existence des taches solaires. Mais ces observations lui causent des ennuis. Copernic (1473-1543) avait émis des doutes quant à l'enseignement d'Aristote qui voulait que la Terre soit le centre de l'univers. Copernic avait montré que les mouvements apparents du Soleil, des étoiles et des planètes pouvaient s'interpréter plus simplement en considérant la Terre comme une planète effectuant une rotation quotidienne autour de son axe et une révolution annuelle autour du Soleil. Les observations de Galilée sont en faveur de ce point de vue hérétique selon lequel la Terre ne constitue pas le centre du monde. Cela lui cause d'énormes difficultés avec les autorités.

Le conflit de Galilée avec l'Église dure plus de vingt ans. Dans un premier temps, on lui interdit d'exposer ses idées. Plus tard, on lui ordonne de décrire les idées de Copernic comme hypothétiques. Cependant, l'analyse de Galilée et la présentation des observations sont tellement parfaites et convaincantes qu'à 70 ans, il est jugé pour avoir enfreint l'ordre antérieur. Après le procès, il reste en résidence surveillée pendant les douze dernières années de sa vie.

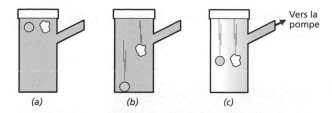

Figure 1.8 *(a)* Une pièce de monnaie et un bout de papier sont lâchés en même temps au sommet du réservoir. *(b)* Si le réservoir contient de l'air, la pièce arrive la première au fond. *(c)* Si l'air est évacué du réservoir, les deux objets atteindront le fond en même temps.

L'accélération de la pesanteur au voisinage de la surface terrestre est représentée par g ; elle vaut approximativement

$$g = 9,8 \text{ m s}^{-2}$$

De petites variations de g résultent de changements de latitude, d'altitude et de modifications dans les caractéristiques géologiques locales. Ceci apparaîtra plus clairement au chapitre 3.

Dans les exemples ci-dessous et dans les problèmes et exercices repris à la fin de ce chapitre, nous négligerons les variations de g et nous ferons l'hypothèse que la résistance de l'air est peu importante. Ceci nous permettra d'utiliser les équations du mouvement uniformément accéléré pour décrire le mouvement des objets en chute libre.

✎ ———————— **Exemple 1.13** ————————

Une balle est lâchée d'une fenêtre située 84 m au-dessus du sol (figure 1.9).

a) Quand la balle touchera-t-elle le sol ?

b) Quelle sera sa vitesse au moment de l'impact ?

Réponse

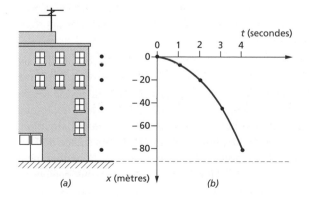

Figure 1.9 *(a)* Une balle tombe en chute libre. Elle est lâchée sans vitesse initiale. Remarquons qu'au cours de sa chute, elle parcourt à chaque seconde des distances de plus en plus grandes. *(b)* Graphe $x - t$ de la balle de l'exemple 1.13. On choisit $x = 0$ à la hauteur de la fenêtre.

Pour résoudre ce type de problème, il faut définir un système de coordonnées. *A priori*, la direction positive de l'axe des x peut être choisie vers le haut ou vers le bas. Choisissons une direction positive vers le haut.

Puisque la balle est lâchée avec une vitesse initiale nulle, $v_0 = 0$. L'accélération de la pesanteur est constante et est orientée dans la direction $-x$. Les équations du tableau 1.3 peuvent être utilisées pour autant que l'on écrive

$$a = -g = -9,8 \text{ m s}^{-2}$$

a) La balle frappera le sol lorsque Δx vaudra -84 m. Ceci a lieu après un intervalle de temps qui est donné par

$$\Delta x = \frac{1}{2}a(\Delta t)^2$$

ou

$$(\Delta t)^2 = \frac{2\,\Delta x}{a}$$

de sorte que

$$\Delta t = \sqrt{\frac{2\,\Delta x}{a}} = \sqrt{\frac{2(-84 \text{ m})}{-9,8 \text{ m s}^{-2}}} = 4,14 \text{ s}$$

On ne doit prendre en considération que la racine carrée positive puisque la balle touche le sol après avoir été lâchée et non avant.

b) Utilisons l'équation (1.5) avec $\Delta t = 4,14$ s et $v_0 = 0$,

$$v = a\,\Delta t = (-9,8 \text{ m s}^{-2})(4,14 \text{ s}) = -40,6 \text{ m s}^{-1}$$

Cet exemple peut également se traiter en choisissant la direction positive vers le bas. Dans ce cas, l'accélération $a = g$ est égale à $+9,8$ m s^{-2} et la balle touche le sol lorsque Δx est égal à 84 m. En utilisant ces valeurs, on trouve le même résultat pour Δt. La vitesse de la balle est positive au moment où elle frappe le sol, puisque la direction positive est vers le bas. Le choix de la direction est donc arbitraire. Il n'influence pas les résultats physiques, pour autant que l'on interprète correctement les signes des valeurs obtenues.

Lorsqu'un objet est lancé vers le haut, il est soumis à une accélération constante due à la pesanteur. Cette accélération est dirigée vers le bas. Ceci est vrai à tout instant du mouvement : pendant l'ascension, au moment où l'objet atteint sa hauteur maximale, et enfin lorsque l'objet retombe. Cependant, la vitesse varie continuellement. Au départ, elle est dirigée vers le haut ; au fur et à mesure que l'objet s'élève, la grandeur de la vitesse décroît uniformément et *elle s'annule lorsque l'objet atteint sa hauteur maximum*. À partir de ce moment, il commence à retomber et sa vitesse augmente progressivement en grandeur. Ce mouvement est illustré par les graphes $v - t$ et $x - t$ de la figure 1.10. Dans ces graphes, la direction positive est prise vers le haut. En A, l'objet s'élève ; en B, il est momentanément au repos lorsqu'il atteint sa hauteur maximum ; en *C*, il retombe. Dès lors, *v* est positive au départ, s'annule un instant puis devient négative. Par contre, l'accélération est donnée par la pente du graphe *v* − *t* et vaut continuellement −*g*.

Il découle de la figure 1.10 que le mouvement est symétrique par rapport au point le plus élevé (*B*). Une seconde avant d'atteindre la hauteur maximum, la vitesse est dirigée vers le haut; une seconde après avoir atteint ce maximum, la vitesse est dirigée vers le bas. Toutefois, en ces deux points, les grandeurs des vitesses sont égales. On en conclut que l'objet parcourra une même fraction de la trajectoire, au cours de la montée et de la descente, pendant des intervalles de temps identiques. Ceci est illustré dans l'exemple 1.14.

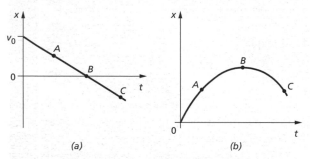

Figure 1.10 Graphes *v* − *t* (*a*) et *x* − *t* (*b*) relatifs à un objet lancé à la verticale à partir de *x* = 0. La vitesse est nulle au moment où l'objet atteint sa hauteur maximum (point *B*) mais l'accélération vaut toujours −*g*.

✎ ———————— **Exemple 1.14** ————————

Une balle est lancée vers le haut avec une vitesse initiale de 19,6 m s^{-1} à partir d'une fenêtre située 58,8 m au-dessus du sol.

a) Quelle hauteur atteindra-t-elle ?

b) Quand atteindra-t-elle cette hauteur maximum ?

c) Quand la balle retombera-t-elle sur le sol ?

Réponse Prenons encore la direction positive vers le haut,

$$v_0 = 19,6 \text{ m s}^{-1} \text{ et } a = -g = -9,8 \text{ m s}^{-2}$$

a) Au fur et à mesure que la balle s'élève, sa vitesse décroît uniformément, pour atteindre 0 à la hauteur maximum. Nous désirons déterminer cette hauteur maximum. Utilisons l'équation (1.9) et prenons *v* = 0

$$\Delta x = \frac{v^2 - v_0^2}{2a} = \frac{0 - (19,6 \text{ m s}^{-1})^2}{2(-9,8 \text{ m s}^{-2})} = 19,6 \text{ m}$$

La balle atteint donc une hauteur maximum de 19,6 m par rapport à la fenêtre, soit 58,8 + 19,6 = 78,4 m par rapport au sol.

b) Utilisons l'équation (1.5) et le fait que *v* = 0 à la hauteur maximum,

$$t = \frac{v - v_0}{a} = \frac{0 - 19,6 \text{ m s}^{-1}}{-9,8 \text{ m s}^{-2}} = 2 \text{ s}$$

Cette hauteur est donc atteinte en 2 s.

c) La balle touchera le sol lorsque $\Delta x = -58,8$ m, soit après un intervalle de temps Δt donné par

$$\Delta x = v_0 \Delta t + 2a(\Delta t)^2$$
$$-58,8 \text{ m} = (19,6 \text{ m s}^{-1}) \Delta t + 2(-9,8 \text{ m s}^{-2})(\Delta t)^2$$

Divisons par 4,9 m s^{-2} et réarrangeons les termes : il vient

$$(\Delta t)^2 - (4 \text{ s})(\Delta t) - 12 \text{ s}^2 = 0$$

Ceci peut être décomposé sous la forme :

$$(\Delta t - 6 \text{ s})(\Delta t + 2 \text{ s}) = 0$$

Cette équation présente deux solutions, $\Delta t = 6$ s et $\Delta t = -2$ s. Puisque la balle ne peut pas atteindre le sol avant d'avoir été lancée, $\Delta t = 6$ s représente la réponse correcte. (La seconde racine $\Delta t = -2$ s n'est pas sans signification : elle correspond au lancement d'une seconde balle qui s'effectuerait, à partir du sol, deux secondes avant le lancement de la première. Si cette seconde balle a une vitesse initiale égale à la vitesse d'impact de la première, les deux balles suivront exactement la même trajectoire.)

1.7 LES MODÈLES EN PHYSIQUE

Les problèmes réels sont souvent d'une telle complexité qu'une solution exacte ou bien est impossible à trouver, ou alors exige des mesures très délicates et des calculs importants. Cependant, une estimation de la solution exacte peut souvent être obtenue à partir de *modèles mathématiques* basés sur des hypothèses simplificatrices et des approximations.

Dans le paragraphe précédent, nous avons utilisé un modèle lorsque nous avons considéré des objets en chute libre pour lesquels nous avons négligé la résistance de l'air. Pour une pierre ou une pièce de monnaie qui tombe à faible vitesse, cela représente une bonne approximation. Cependant, si la vitesse est grande, la résistance de l'air devient plus importante. Un modèle qui la néglige peut conduire à des résultats erronés. Nous avons également vu qu'il serait tout à fait faux de négliger la résistance de l'air dans le cas d'un objet léger comme, par exemple, un bout de papier.

Les modèles mathématiques peuvent faire apparaître les facteurs importants dans un problème. Ils peuvent fournir une compréhension qualitative qui souvent ne pourrait pas être obtenue à partir d'une approche plus rigoureuse. Les prévisions qui en découlent peuvent indiquer dans quelle mesure un effort plus élaboré vaut la peine d'être entrepris. Elles peuvent également suggérer la stratégie d'un tel effort. Souvent, cependant, les livres – y compris celui-ci – ne sont pas toujours tout à fait explicites dans la manière dont les hypothèses sont établies et dans la distinction qui mérite d'être faite entre modèles et traitements rigoureux. L'étudiant veillera donc à développer son esprit critique.

Pour en savoir plus...

1.8   LE SAUT EN HAUTEUR

Les équations du mouvement uniformément accéléré peuvent être utilisées pour analyser les sauts des animaux. Le tableau 1.4 donne les hauteurs de saut pour quelques animaux. Il est à noter que la valeur relative au saut en hauteur des hommes est inférieure au record mondial qui vaut environ 2 m. Ceci provient du fait qu'un homme mesurant 1,80 m est déjà dans une position qui lui permet de franchir une barre placée à une hauteur égale à la moitié de sa taille. Il lui suffit de faire pivoter son corps à l'horizontale. La méthode de saut que l'on appelle le roulé ventral (figure 1.11) n'est pas employée par les animaux. C'est pourquoi les hauteurs reprises dans le tableau 1.4 sont bien celles qui permettent d'établir une comparaison dans les capacités de sauts.

Les animaux peuvent sauter sur place en fléchissant les pattes et en les redressant rapidement. Habituellement, la distance d'accélération d est légèrement plus courte que la longueur des pattes de l'animal. Une fois que l'animal a quitté le sol, il est seulement soumis à l'accélération de la pesanteur. En conséquence, les formules relatives au mouvement uniformément accéléré s'appliquent. Nous pouvons également analyser la détente, si on admet que l'accélération reste constante. Cette hypothèse est utilisée dans l'exemple 1.15.

Les accélérations acquises pendant les élans, ainsi que les durées de ces élans, varient fortement d'un animal à l'autre. Un homme qui sauterait avec la même accélération qu'une puce atteindrait une hauteur supérieure à 50 m ! Malgré ces grandes différences, nous verrons, au chapitre 6, que l'énergie totale fournie par une quantité déterminée de muscles au cours d'un simple saut est pratiquement constante pour tous les animaux.

Figure 1.11 Les sauteurs en hauteur utilisent soit la technique traditionnelle de roulé ventral *(a)* soit la technique plus récente appelée Fosbury *(b)*. Dans les deux cas, l'athlète cherche à maintenir la plus grande partie possible de son poids au-dessous de la barre. *(a) United Press International ; (b) Wide World Photos.*

	Distance d'accélération (d)	Hauteur verticale (h)
Homme	0,5	1,0
Kangourou	1,0	2,7
Singe lémurien	0,16	2,2
Grenouille	0,09	0,3
Sauterelle	0,03	0,3
Puce	0,0008	0,1

Tableau 1.4 Distances d'accélération *d* et hauteurs verticales *h* de quelques animaux. Toutes les distances sont exprimées en mètres.

━━━━━━━━━━ **Exemple 1.15** ━━━━━━━━━━

À partir des données du tableau 1.4, trouver

a) la vitesse v_t, d'un sauteur au moment où il quitte le sol,

b) l'accélération a_t, à ce même moment.

Réponse

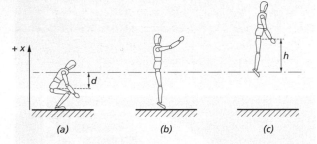

Figure 1.12 Positions durant un saut vertical : *(a)* accroupi, $v = 0$; *(b)* en position d'extension au moment où les pieds quittent le sol, $v = vt$; *(c)* à la hauteur maximum, $v = 0$. La coordonnée x correspond à la mi-hauteur du sauteur.

a) Soit x la coordonnée qui définit la mi-hauteur du sauteur. Choisissons la direction positive vers le haut (figure 1.17). Pour déterminer la vitesse au moment où le sauteur quitte le sol, considérons la phase aérienne du saut. Durant celle-ci, l'accélération vaut $-g$ et la vitesse

varie de $v_0 = v_t$ à $v = 0$. La position varie de $\Delta x = h = 1$ m et la relation $v^2 = v_0^2 + 2a\,\Delta x$ devient

$$0 = v_1^2 - 2gh$$

ou

$$v_t^2 = 2gh$$

Dès lors,

$$v_t = \sqrt{2gh} = \sqrt{(2)(9,8 \text{ m s}^{-2})(1 \text{ m})}$$
$$= 4,4 \text{ m s}^{-1}$$

b) Nous faisons l'hypothèse que lorsque le sauteur prend son élan, l'accélération a_t reste constante. La vitesse s'accroît de $v_0 = 0$ à $v = v_t$ et la position varie de

$$\Delta x = d = 0,5 \text{ m}$$

Dès lors, pendant la phase d'élan, $v^2 = v_0^2 + 2a\,\Delta x$ devient

$$v_t^2 = 2a_t d$$

En comparant ce résultat à $v_t^2 = 2gh$, on trouve que

$$a_t = \left(\frac{h}{d}\right) g$$

$$= \left(\frac{1 \text{ m}}{0,5 \text{ m}}\right)(9,8 \text{ m s}^{-2}) = 19,6 \text{ m s}^{-2}$$

Réviser

RAPPELS DE COURS

Les grandeurs physiques s'évaluent dans un système d'unités. Nous avons décrit une méthode qui permet de passer d'un système d'unités à un autre. Cette méthode consiste à effectuer une multiplication par 1 et à simplifier les unités comme s'il s'agissait de quantités algébriques.

Le mouvement rectiligne d'un objet est décrit par sa position, sa vitesse et son accélération. La vitesse représente la variation de position en fonction du temps. La vitesse moyenne est donc le changement de position intervenant pendant un laps de temps donné, divisé par ce temps :

$$\bar{v} = \frac{\Delta x}{\Delta t}$$

La vitesse instantanée est la vitesse moyenne évaluée pour un intervalle de temps arbitrairement court. Elle correspond à la dérivée de la position par rapport au temps :

$$v = \frac{dx}{dt}$$

D'une façon analogue, on peut définir l'accélération moyenne comme étant la variation de vitesse intervenant pendant un intervalle de temps donné, divisé par ce temps :

$$\bar{a} = \frac{\Delta v}{\Delta t}$$

L'accélération instantanée est l'accélération moyenne évaluée pendant un intervalle de temps arbitrairement court. Elle correspond à la dérivée de la vitesse par rapport au temps :

$$a = \frac{dv}{dt}$$

Dans un graphe $x - t$, la *pente* donne la vitesse instantanée et la *concavité* est reliée à l'accélération instantanée ; dans un graphe $v - t$, la *pente* représente l'accélération instantanée.

L'accélération peut souvent être calculée théoriquement ou mesurée expérimentalement. Si la position et la vitesse initiale sont connues, leurs valeurs ultérieures peuvent être déterminées à partir de l'accélération. Nous avons établi les équations du mouvement dans le cas particulier où l'accélération est constante. Celles-ci sont reprises dans le tableau 1.3. Que l'accélération soit constante ou non, le déplacement correspond à l'aire sous le graphe $v - t$ et la variation de vitesse est égale à l'aire sous le graphe $a - t$. On considère les aires situées au-dessus de l'axe du temps comme positives et les aires au-dessous de l'axe du temps comme négatives.

Si on néglige la résistance de l'air, on peut considérer que les objets en chute libre au voisinage de la surface terrestre sont tous soumis à une accélération constante égale à $g = 9,8 \text{ m s}^{-2}$. Un objet lancé vers le haut est également soumis à cette accélération. Sa vitesse décroît progressivement en grandeur et devient nulle lorsque l'objet atteint son altitude maximum.

PHRASES À COMPLÉTER

Voir réponses en fin d'ouvrage.

1. Le système d'unités officiellement reconnu dans les travaux scientifiques est le _____.

2. Les résultats expérimentaux sont habituellement affectés d'erreurs _____ et d'erreurs _____.

3. La meilleure méthode pour transformer des unités est de multiplier par un facteur égal à _____ pour chaque unité à transformer.

4. La variation de la position est appelée _____.

5. La vitesse moyenne est le rapport du _____ au _____.

6. La vitesse instantanée est la vitesse moyenne évaluée pour _____.

7. L'accélération moyenne est la _____ divisée par le _____.

8. Dans un graphe $x - t$, la pente représente _____.

9. Dans un graphe $v - t$, la pente représente _____.

10. La variation de vitesse correspond à l'aire dans le graphe _____.

11. Le déplacement correspond à l'aire dans le graphe _____.

12. Dans l'air, une pierre tombe plus rapidement qu'une plume, à cause de _____.

13. Lorsqu'un objet est lancé vers le haut à la verticale, à sa hauteur maximum, sa vitesse est _____ et son accélération vaut _____.

EXERCICES CORRIGÉS

E1. Un ballon est lancé vers le haut avec une vitesse initiale de 10 m s^{-1}. Si, après $0,8 \text{ s}$, une pierre est lancée dans la même direction, quelle doit être sa vitesse initiale pour qu'elle rencontre la balle à une hauteur de 5 m ? Discuter le résultat obtenu.

Solution

Le mouvement du ballon est rectiligne et uniformément accéléré. Si on choisit un axe vertical x orienté vers le haut avec le point de départ comme origine, l'accélération est $a = -g$. La loi du mouvement pour le ballon s'exprime dès lors par :

$$x = v_0 (t - t_0) - \frac{1}{2} g (t - t_0)^2$$

où l'instant initial $t_0 = 0$ si l'origine des temps coïncide avec le début du mouvement de la balle.

Le mouvement de la pierre est également rectiligne (vertical) et uniformément accéléré (avec $a' = -g$). La loi du mouvement pour la pierre peut s'écrire :

$$x' = v'_0 (t - t'_0) - \frac{1}{2} g (t - t'_0)^2$$

où l'instant initial $t'_0 = 0, 8 \text{ s}$.

La pierre touche le ballon lorsque $x = 5 \text{ m}$ et $x' = 5 \text{ m}$:

$$5 = 10 t - \frac{1}{2} 9, 8 t^2$$

$$5 = v'_0 (t - 0,8) - d\frac{1}{2} 9, 8 (t - 0,8)^2$$

On obtient ainsi un système de deux équations à deux inconnues : v'_0, la vitesse initiale de la pierre, et t, l'instant de rencontre entre la pierre et le ballon. La première égalité fournit l'instant t dont on pourra utiliser la valeur numérique dans la deuxième. La première équation est du deuxième degré avec un discriminant positif. Il existe donc deux solutions :

$$t_1 = 0, 88 \text{ s}$$

$$t_2 = 1, 16 \text{ s}$$

En utilisant la seconde équation, la vitesse v'_0 s'exprime par :

$$v'_0 = \frac{5 + \dfrac{1}{2} 9, 8 (t - 0, 8)^2}{t - 0, 8}$$

et possède les valeurs suivantes, correspondant respectivement aux instants t_1 et t_2 :

$$v'_{01} = 62, 89 \text{ m s}^{-1}$$

$$v'_{02} = 15, 65 \text{ m s}^{-1}$$

La première solution correspond à la situation où la pierre rejoint le ballon lorsque ce dernier se trouve dans sa phase montante, tandis que la seconde décrit la rencontre lors de la phase descendante de la balle.

E2. Un automobiliste roulant à 144 km h^{-1} perçoit les appels de phare d'un autre qui va le croiser. Il commence alors à freiner avec un décélération de 2 m s^{-2}. Deux secondes après le début de la décélération, il aperçoit un radar à 50 m devant lui. Quelle sera sa vitesse lorsqu'il dépassera le radar s'il maintient la même décélération ?

Solution

Désignons par A le point où se trouve l'automobiliste lorsqu'il perçoit les appels de phare de l'autre véhicule. Soit B le point d'où il aperçoit le radar et C l'endroit où se trouve le radar. La vitesse au point A est donnée : elle vaut $v_A = 144 \text{ km h}^{-1}$ ou 40 m s^{-1}. L'accélération entre A et B est négative et vaut $a = -2 \text{ m s}^{-2}$. La vitesse en B est obtenue par application de la loi :

$$v_B = v_A + a \ \Delta t = 40 - 2 \times 2 = 36 \text{ m s}^{-1}$$

Enfin, la formule $v_C^2 = v_B^2 + 2 a \Delta x$ avec $\Delta x = 50 \text{ m}$ permet d'obtenir la vitesse du véhicule au moment où il passe devant le radar :

$$v_C = \sqrt{36^2 - 2 \times 2 \times 50} = 33, 11 \text{ m s}^{-1}$$

S'entraîner

QCM

Voir réponses en fin d'ouvrage.

Q1. Laquelle des longueurs suivantes est la plus grande ?

a) 10^5 cm

b) 10^5 mm

c) $10^7 \ \mu\text{m}$

d) 10^{10} nm

e) aucune.

Q2. Une femtoseconde correspond à :

a) 10^{-12} s

b) -12 s

c) 10^{-15} s

d) 10^{15} s

e) aucune de ces quantités.

Q3. Un objet, lancé verticalement vers le haut, retombe sous l'effet de la pesanteur. Au sommet de sa trajectoire :

a) $a = 0$

b) $v = 0$

c) $a > 0$

d) $v > 0$

e) aucune de ces réponses.

Q4. Une voiture soumise à une accélération horizontale constante a une vitesse qui augmente linéairement avec :

a) le temps

b) la distance

c) le temps au carré

d) la distance au carré

e) aucune de ces réponses.

Q5. L'expression $\Delta x = v_0 \Delta t + \dfrac{1}{2} a (\Delta t)^2$ est valable lorsque

a) x est constant

b) v est constant

c) a est constant

d) toujours

e) jamais.

Q6. Un corps se déplace en ligne droite avec une accélération constante. Le graphique de l'accélération (ordonnée verticale) en fonction du temps (abscisse horizontale) est

a) une droite verticale

b) une droite horizontale

c) une droite inclinée de 45°

d) une parabole

e) aucune de ces réponses.

Q7. Lorsqu'on lâche un objet d'une hauteur h_1, il frappe le sol avec une vitesse v. Lorsqu'on le lâche d'une hauteur h_2, il frappe le sol avec une vitesse $2v$. On a :

a) $h_2 = h_1/2$

b) $h_2 = 2h_1$

c) $h_2 = 4h_1$

d) $h_2 = 8h_1$

e) aucune de ces réponses.

Q8. Le temps de chute d'une cerise qui s'est détachée d'un arbre avec une vitesse nulle et d'une hauteur de 4.9 m vaut :

a) 9,8 s

b) 19,6 s

c) 2 s

d) $\sqrt{2}$ s

e) 1 s.

Q9. Si le déplacement d'un objet est une fonction quadratique du temps, cet objet se déplace avec

a) une accélération constante

b) une vitesse constante

c) une accélération croissante

d) une accélération nulle

e) aucune de ces réponses.

Q10. Un automobiliste roulant à une vitesse de 5 m s^{-1} arrête son véhicule sur une distance de 2,5 m. S'il roule à la vitesse de 10 m s^{-1} et arrête son véhicule avec la même décélération, la distance d'arrêt sera :

a) 5 m,

b) 6,25 m,

c) 10 m,

d) 12 m,

e) aucune de ces réponses.

EXERCICES

Voir réponses en fin d'ouvrage pour les exercices et problèmes dont le numéro est inscrit en noir.

Avant d'entreprendre la résolution des problèmes, l'étudiant devrait résoudre quelques exercices de manière à tester sa compréhension générale des concepts. Les résultats de la plupart des exercices et des problèmes portant un numéro impair sont donnés à la fin du livre, généralement avec trois chiffres significatifs. Si vos réponses diffèrent légèrement quant au dernier chiffre, cette différence peut provenir de simplifications effectuées dans les calculs intermédiaires plutôt que d'une erreur réelle dans la résolution.

Mesures, étalons, unités et erreurs

1.1 Un acre vaut 43 560 pieds^2. Que vaut cette surface en m^2 ?

1.2 Transformer 40 mi h^{-1} en mètres par seconde (m s^{-1}).

1.3 Un gallon vaut 231 pouces cubes et un litre vaut 1 000 cm^3. Quelle est la capacité d'un gallon en litres ?

1.4 Le furlong est une unité anglaise qui vaut 220 yards (1 yard = 0,914 m). Si un escargot se déplace à la vitesse de 2 m h^{-1}, quelle distance, en furlongs, parcourt-il en 15 jours ?

1.5 Une membrane cellulaire a une épaisseur de 70 angströms (Å). Si un angström vaut 10^{-10} m, que vaut l'épaisseur de la membrane,

a) en mètres

b) en micromètres ?

1.6 Si deux grandeurs ont des dimensions différentes, peuvent-elles être

a) multipliées

b) additionnées ?

Donner des exemples aux réponses.

1.7 Aux États-Unis, les terrains se mesurent en acres (1 acre = 43 560 pieds^2). Dans la plupart des autres pays, ils sont mesurés en hectares (1 hectare = 10^4 m^2). Exprimer, en hectares, la surperficie d'une ferme de 100 acres.

1.8 Le volume des réservoirs se mesure parfois, aux États-Unis, en acres-pieds ; ainsi, un lac qui a une superficie de 1 acre et une profondeur moyenne de 1 pied contient 1 acre-pied d'eau. Si un lac a une surface de 100 acres et une profondeur moyenne de 20 pieds, évaluer son volume

a) en acres-pieds

b) en pieds^3

c) en m^3 (1 acre = 43 560 pieds^2).

1.9 Supposons que l'on désire connaître la surface d'une pièce rectangulaire et que l'on dispose d'un mètre ruban pour en déterminer les dimensions.

Quelles sont les erreurs systématiques et accidentelles associées à ces mesures ?

1.10 Un conducteur souhaite étalonner son tachymètre en parcourant, à vitesse constante, une grand-route jalonnée de bornes repères, tous les kilomètres. Il est accompagné d'un passager qui mesure les intervalles de temps à l'aide d'un chronomètre. Discuter les erreurs systématiques et accidentelles qui interviennent dans cet étalonnage.

Le déplacement, la vitesse moyenne

1.11 Une voiture parcourt 30 kilomètres de ligne droite en 45 minutes. Que vaut la vitesse moyenne exprimée en kilomètres par heure (km h^{-1}) ?

1.12 Un pilote effectue un vol de 2 000 km en 4 heures. Quelle est sa vitesse moyenne, en mètres par seconde, pendant ce vol ?

1.13 Établir un graphe de la position d'une voiture en fonction du temps, si cette voiture part du repos et effectue un trajet d'un kilomètre. (Décrire le mouvement.)

1.14 Une voiture se déplace en ligne droite à la vitesse de 40 km h^{-1} durant 1 heure et à la vitesse de 60 km h^{-1} durant 2 h.

a) Quelle sera la distance totale parcourue ?

b) Évaluer la vitesse moyenne.

1.15 Une conductrice souhaite parcourir 100 kilomètres en 2 h. Si elle roule à la vitesse moyenne de 40 km h^{-1} pendant la première heure et demie, quelle vitesse moyenne doit-elle maintenir pendant le reste du temps ?

1.16 Un homme court un marathon (42 km) en 2 h 1/2. Évaluer sa vitesse moyenne

a) en kilomètres par heure (km h^{-1})

b) en mètres par seconde (m s^{-1}).

1.17 Un sprinter court le 100 m en 9,8 secondes.

a) Que vaut sa vitesse moyenne ?

b) Puisque le coureur part du repos, la vitesse ne peut pas être constante. Établir un graphe approximatif du déplacement en fonction du temps. Expliquer les hypothèses faites.

1.18 La lumière se déplace à la vitesse de 3×10^8 m s^{-1}. Une année-lumière représente la distance parcourue par la lumière en 1 an (365 jours). Évaluer la distance, en kilomètres, de l'étoile la plus proche si celle-ci se situe à 4 années-lumière de nous.

1.19 La position d'un objet tombant d'une hauteur x varie, en fonction du temps, suivant la relation

$$x = 100 \text{ m} - \left(4,9 \text{ m s}^{-2}\right)t^2$$

Évaluer sa vitesse moyenne

a) entre $t = 0$ et $t = 2$ s

b) entre $t = 2$ et $t = 4$ s.

1.20 Une balle lancée à la verticale atteint par rapport au sol, une hauteur x qui est donnée par l'équation

$$x = \left(19,6 \text{ m s}^{-1}\right)t - \left(4,9 \text{ m s}^{-2}\right)t^2$$

Trouver la vitesse moyenne

a) entre $t = 0$ et $t = 2$ s

b) entre $t = 2$ et $t = 4$ s.

1.21 À partir du graphe de la figure 1.13 donnant la position d'un objet en fonction du temps, évaluer la vitesse moyenne entre $t = 0$ s et

a) $t = 10$ s

b) $t = 20$ s

c) $t = 40$ s.

1.22 En 1970, un nageur a établi le record du 100 m à 51,9 s. Quelle était sa vitesse moyenne en km h^{-1} ?

La vitesse instantanée

1.23 Dans la figure 1.13, que vaut la vitesse instantanée lorsque

a) $t = 5$ s

b) $t = 15$ s

c) $t = 25$ s

d) $t = 35$ s ?

1.24 Dessiner le graphe représentant la vitesse instantanée en fonction du temps correspondant à la figure 1.13.

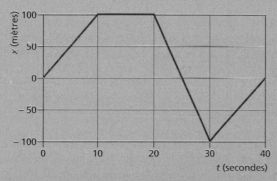

Figure 1.13 Exercices 1.21, 1.23 et 1.24.

1.25 La figure 1.14 montre la position d'un pendule en fonction du temps. Au cours de l'intervalle de temps compris entre $t = 0$ et T, quand la vitesse est-elle

a) nulle

b) positive

c) négative ?

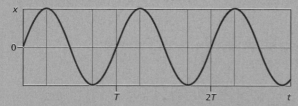

Figure 1.14 Position horizontale d'un pendule en fonction du temps. Exercices 1.25 et 1.26. Problème 1.67.

1.26 La figure 1.14 montre la position d'un pendule en fonction du temps. Dans l'intervalle de temps compris entre $t = 0$ et T, quand la vitesse atteint-elle sa valeur positive la plus grande et sa valeur négative la plus grande ?

1.27 En 1875, Matthew Webb a effectué la première traversée de la Manche à la nage, sans gilet de sauvetage. Il lui a fallu 21 heures et 45 minutes pour parcourir les 33,8 km.

a) Quelle était sa vitesse moyenne en km h^{-1} ?

b) Puisqu'il ne nageait pas en ligne droite, il a en fait parcouru une distance de 60 km. Quelle fut sa vitesse moyenne ?

1.28 La vitesse maximum atteinte par un coureur au cours d'un 100 m vaut 12,5 m s^{-1}. Il a effectué la course en 9,9 s. Ces valeurs sont-elles compatibles ? Expliquer.

L'accélération

1.29 Une voiture est sur le point d'en dépasser une autre. Sa vitesse augmente de 50 à 100 km h^{-1} en 4 s. Que vaut l'accélération moyenne ?

1.30 Une voiture se déplace à la vitesse constante de 50 m s^{-1} pendant 20 s. Elle ralentit ensuite avec une décélération constante et s'arrête 10 s plus tard. Dessiner le graphe vitesse-temps de la voiture. Dessiner le graphe accélération-temps.

1.31 Dessiner le graphe accélération-temps correspondant à la figure 1.15.

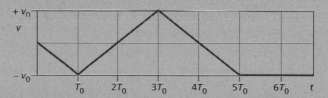

Figure 1.15 Exercices 1.32 et 1.33.

1.32 Quand l'accélération relative à la figure 1.15 atteint-elle

a) une valeur maximum

b) une valeur minimum

c) une valeur nulle ?

1.33 Une voiture, qui a une vitesse initiale de 20 m s^{-1}, freine avec une décélération de 2 m s^{-2}. Quel temps lui faudra-t-il pour s'arrêter ?

Détermination du mouvement d'un objet

1.34 Un avion part du repos et s'élance pour décoller avec une accélération de 4 m s^{-2}. Évaluer

a) la distance parcourue après 5 s

b) la vitesse après 5 s.

1.35 Dans l'accélérateur représenté sur la figure 1.1, des protons émergent avec une vitesse de $2,5 \times 10^8$ m s^{-1}. L'accélérateur a une longueur de 0,8 km.

a) Si l'accélération est uniforme, quelle est sa valeur ?

b) Quel temps faut-il aux protons pour parcourir la longueur de l'accélérateur ?

1.36 Un train a une vitesse initiale de 30 m s^{-1}. Il freine et s'arrête avec une décélération uniforme en 50 s.

a) Que vaut la décélération du train ?

b) Quelle distance parcourt-il avant de s'arrêter ?

1.37 Une voiture part du repos, au temps $t = 0$, et accélère comme indiqué sur la figure 1.16. Trouver sa vitesse après

a) $t = 10$ s

b) $t = 30$ s. Dessiner le graphe de la vitesse en fonction du temps.

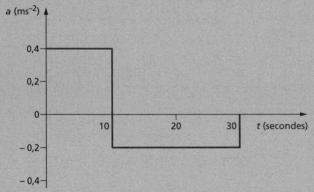

Figure 1.16 Exercice 1.37.

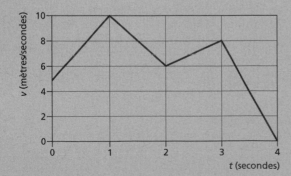

Figure 1.17 Exercice 1.38.

1.38 Partant du graphe de la vitesse d'un objet donné à la figure 1.17, déduisez celui de l'accélération. Sachant que l'objet part de $x = 0$, calculer sa position en $t = 1$s, 2s, 3s et 4s. Que vaut sa vitesse moyenne sur l'intervalle entre 0 et 4s ?

1.39 Supposons qu'une voiture puisse avoir une accélération de 1 m s^{-2}. Quel espace doit-il y avoir dans une file de véhicules pour permettre à la voiture de s'y insérer ? Les véhicules, dans la file, se déplacent à la vitesse de 20 m s^{-1}. Le conducteur de la voiture ne souhaite pas forcer le véhicule qui le suit à ralentir. Il ne souhaite pas non plus que ce véhicule se rapproche à moins de 25 m de sa voiture.

1.40 Une voiture, se déplaçant à 15 m s^{-1} percute un mur de pierres.

a) Un passager, portant une ceinture de sécurité, s'immobilise sur une distance de 1 m. Quelle est la décélération moyenne de cette personne ?

b) Un autre passager, sans ceinture de sécurité, frappe le pare-brise et s'immobilise sur une distance de 0,01 m. Quelle est la décélération moyenne de cette personne ?

1.41 Une voiture de course, initialement au repos, démarre avec une accélération constante et parcourt une distance de 0,5 km. Sa vitesse finale est de 100 m s^{-1}.

a) Que vaut l'accélération de la voiture ?

b) Combien de temps lui faut-il pour parcourir la distance de 0,5 km ?

1.42 Une balle initialement au repos et accélérée de manière constante sur une distance de 2 m atteint une vitesse de 40 ms^{-1}. Que vaut l'accélération à laquelle elle a été soumise ?

1.43 Un joueur de base-ball rattrape une balle qui a une vitesse de 30 m s^{-1}.

a) S'il ne déplace pas la main, la balle s'immobilise dans son gant en parcourant une distance de 1 cm. Que vaut la décélération moyenne ?

b) Si, en rattrapant la balle, il déplace la main de manière que la balle s'arrête sur une distance de 10 cm, que vaut la décélération ?

Accélération de la pesanteur et objets en chute libre

1.44 Quelle doit être la hauteur d'une chute d'eau pour que l'eau atteigne la roue d'une turbine avec une vitesse verticale de 30 m s^{-1} ?

1.45 Un obus anti-aérien est tiré à la verticale avec une vitesse initiale de 500 m s^{-1}.

a) Calculer la hauteur maximum de l'obus.

b) Quel temps lui faut-il pour atteindre cette hauteur ?

c) À quel moment l'obus atteindra-t-il une hauteur de 1 000 m ?

1.46 Une fusée d'essai est lancée à la verticale, à partir du sol, avec une accélération constante de 50 m s^{-2}. Elle épuise son carburant après 4 s. En négligeant la résistance de l'air, trouver

a) la hauteur de la fusée lorsque le moteur s'arrête

b) la hauteur maximum atteinte

c) la durée totale du vol.

1.47 Une pierre tombe d'une falaise de 60 m.

a) Trouver la vitesse moyenne pendant les 3 premières secondes de la chute.

b) À quel moment la vitesse instantanée sera-t-elle égale à la vitesse moyenne évaluée en a) ?

c) Quel temps faut-il à la pierre pour atteindre le sol ?

1.48 Un enfant, se trouvant à coté d'un immeuble, lance une balle vers le haut avec une vitesse initiale de 15 m s^{-1}.

a) Quelle hauteur la balle atteindra-t-elle ?

b) Combien de temps faudra-t-il à la balle pour atteindre cette hauteur ?

c) Un autre enfant se penche à la fenêtre, à 6 m de haut, et tente d'attraper la balle. À quel moment la balle passera-t-elle à sa hauteur ?

1.49 Une pierre, lâchée du dessus d'une tour, atteint le sol après 4 s.

a) Trouver la vitesse de la pierre au moment où elle atteint le sol.

b) Trouver la hauteur de la tour.

1.50 Une personne placée sur un pont qui enjambe une rivière lance une pierre vers le haut suivant une verticale passant un peu à coté du pont, avec une vitesse initiale de 5 m s^{-1}. Quelle sera la hauteur maximale atteinte par la pierre ? Quelle sera la vitesse de la pierre à son arrivée dans la rivière située 15 m en dessous du pont ? Quel intervalle de temps s'est écoulé entre le lancé de la pierre et son arrivée dans la rivière ?

1.51 Un sac de sable, lâché d'un ballon, atteint le sol après 15 s. Quelle était la hauteur du ballon si, initialement, celui-ci

a) était immobile

b) descendait à une vitesse de 20 m s^{-1} ?

1.52 Une boîte tombe d'un ascenseur qui s'élève à la vitesse de 2 m s^{-1}. La boîte atteint le fond du puits de l'ascenseur après 3 s.

a) Quel temps faudra-t-il à la boîte pour atteindre sa hauteur maximum par rapport au fond du puits ?

b) Par rapport au fond du puits, à quelle hauteur la boîte a-t-elle été larguée ?

c) À quelle hauteur se trouvera l'ascenseur lorsque la boîte atteindra sa hauteur maximum ?

1.53 Refaire l'exemple 1.13 en prenant la direction +x vers le bas.

1.54 Refaire l'exemple 1.14 en prenant la direction +x vers le bas.

1.55 Une voiture qui se déplace à la vitesse de 30 m s^{-1} (108 km h^{-1}) entre en collision frontale avec un mur de pierres. De quelle hauteur faudrait-il que la voiture tombe pour subir le même dommage ?

Le saut en hauteur

1.56 Un saumon saute verticalement hors de l'eau, avec une vitesse initiale de 6 m s^{-1}.

a) Quelle hauteur atteindra-t-il ?

b) Pendant combien de temps le saumon sera-t-il hors de l'eau ?

1.57 Quelle hauteur atteindrait une femme lors d'un saut si sa vitesse au moment où elle quitte le sol était égale à la vitesse initiale d'une puce lors d'un saut vertical ?

1.58 À partir du tableau 1.4, calculer l'accélération moyenne au cours de l'élan et la vitesse de décollage d'une sauterelle. On suppose l'accélération constante. Comparer ces résultats à ceux de l'exemple 1.15.

1.59 Un astronaute, portant une combinaison spatiale, peut effectuer un saut vertical de 0,5 m à la surface de la Terre. Sur Mars, l'accélération gravitationnelle vaut 0,4 fois celle de la Terre. Si la vitesse au moment de quitter le sol est la même, quelle sera la hauteur du saut sur Mars ?

1.60 Si un homme pouvait atteindre la même accélération qu'une puce pendant l'élan, à quelle hauteur pourrait-il sauter ? (supposer que la distance d'accélération est encore de 0,5 m).

1.61 À partir du tableau 1.4, calculer les temps correspondant au décollage pour un homme, un singe lémurien et une puce.

PROBLÈMES

1.62 Une pierre est lâchée sans vitesse initiale du sommet d'un immeuble de 30 m de hauteur. Une demi-seconde plus tard, une deuxième pierre est jetée verticalement vers le bas avec une vitesse de 20 m s^{-1}. À quelle hauteur, par rapport à la base de l'immeuble, la deuxième pierre rattrape-t-elle la première ?

1.63 De la fenêtre de sa chambre située à 18 m au dessus du sol, un étudiant désire lâcher un ballon rempli d'eau sur un passant. Ce dernier mesure 1,7 m et se dirige vers le point A, situé à la verticale de la fenêtre, en marchant à une vitesse de 0,45 m s^{-1}. Si le ballon atteint le passant, à quelle distance du point A ce dernier se trouvait-il au moment où l'étudiant a lâché le ballon ?

1.64 Lorsqu'un joueur lance une boule de bowling, sa main se déplace, par rapport à son avant-bras, à la vitesse de 0,82 m s^{-1}. L'avant-bras a une vitesse relative de 0,55 m s^{-1} par rapport à la partie supérieure du bras. Celui-ci se déplace par rapport à l'épaule à la vitesse de 5,27 m s^{-1}. (Les vitesses correspondent aux extrémités des parties du corps et elles sont toutes horizontales.) Si l'épaule du joueur a une vitesse par rapport au sol de 1,43 m s^{-1}, quelle est la vitesse de lancement de la boule ?

1.65 Une jeune fille rame 12 km en 2 h, dans le sens du courant. Le retour lui prend 3 h.

a) À quelle vitesse peut-elle ramer en eau calme ?

b) Quelle est la vitesse du courant ?

1.66 Un garçon est à bord d'un train qui se déplace à 70 km h^{-1}. Quelle sera sa vitesse par rapport au sol s'il se met à courir dans le couloir à la vitesse de 15 km h^{-1}

a) dans le sens de la marche du train ?

b) en sens inverse ?

1.67 La figure 1.14 donne le graphe de la position d'un pendule en fonction du temps. Tracer les graphes de la vitesse en fonction du temps et de l'accélération en fonction du temps pour le même mouvement.

1.68 Un traîneau part du repos et glisse le long d'une pente avec une accélération uniforme. Il parcourt 12 m au cours des 4 premières secondes. Quand atteindra-t-il une vitesse de 4 m s^{-1} ?

1.69 Une voiture de course part du repos, accélère sur 250 m, puis freine et s'immobilise sur une distance de 500 m.

a) Tracer un graphe approximatif représentant la vitesse en fonction du temps.

b) Tracer un graphe donnant l'accélération en fonction du temps.

1.70 Un avion A, volant à 500 m s^{-1}, se trouve 10 000 m derrière un second avion B qui se déplace à 400 m s^{-1} dans la même direction. Le pilote de l'avion A tire un missile qui a une accélération de 100 m s^{-2}. Combien de temps faudra-t-il au missile pour atteindre l'avion B ? (Négliger les effets dus à l'accélération de la pesanteur.)

1.71 Un chien courant à 10 m s^{-1} est 30 m derrière un lapin qui s'enfuit à la vitesse de 5 m s^{-1}. Quand le chien attrapera-t-il le lapin ? (Les deux vitesses restent constantes.)

1.72 Un traîneau expérimental, propulsé par une fusée, transporte un pilote d'essai. L'engin passe d'une vitesse de 200 m s^{-1}, à une vitesse nulle, sur une distance d. Quelle sera la valeur minimum de d pour que le pilote ne soit pas soumis à une décélération supérieure à 6 g ?

1.73 Le record mondial du 100 m plat est de 9,95 s. Celui du 60 m plat, de 6,45 s. On suppose qu'un sprinter maintient une accélération constante pour atteindre sa vitesse maximum puis qu'il maintient cette vitesse pendant le reste de la course.

a) Évaluer l'accélération.

b) Que dure la période d'accélération ?

c) Que vaut la vitesse maximale ?

d) Le record du 200 m est de 19,83 s et celui du 1 000 m, de 133,9 s. Ces temps sont-ils compatibles avec les hypothèses adoptées ?

1.74 Un sac de sable est largué d'un ballon qui est à 300 m au-dessus du sol et qui s'élève à la vitesse de 10 m s^{-1}.

a) Quelle hauteur maximum le sac de sable atteindra-t-il ?

b) Déterminer la position et la vitesse du sac après 5 s.

c) Combien de temps faut-il au sac pour atteindre le sol, à partir du moment où il est lâché ?

1.75 Dans le feuilleton télévisé *L'homme qui valait six millions de dollars*, le colonel Austin a les capacités d'un surhomme. Au cours d'un épisode, il tente d'attraper un homme qui s'enfuit dans une voiture de sport. La distance entre eux est de 100 m au moment où la voiture commence son accélération. Cette accélération est constante et vaut 5 m s^{-2}. Le colonel Austin court à la vitesse de 30 m s^{-1}. Montrer qu'il ne parviendra pas à rattraper la voiture. Déterminer la distance minimum qui le séparera de la voiture.

1.76 Dans la figure 1.7b, l'aire colorée comprend une partie triangulaire (au-dessus de la droite v_0) et une partie rectangulaire. Montrer que la somme des aires correspond au membre de droite de l'équation (1.8).

$$\Delta x = v_0 \, \Delta t + \frac{1}{2} a (\Delta t)^2$$

1.77 a) L'article d'un magazine affirme que les guépards sont les meilleurs sprinters du monde animal et que l'on a observé un guépard qui accélérait du repos à 70 km h^{-1} en 2 s. À quelle accélération moyenne en m s^{-2} cette performance correspond-elle ?

b) L'article affirme également que le guépard parcourt 60 mètres pendant ces 2 s. À quelle accélération constante ce déplacement correspond-il ? Ceci est-il en accord avec le résultat obtenu en a) ?

c) Des accélérations nettement supérieures à g sont difficiles à atteindre pour un animal ou une voiture. Ceci résulte des risques de dérapage, même sur sol très ferme. Compte tenu de cette information, pouvez-vous deviner quelle donnée est erronée dans l'article ?

1.78 On lâche une pierre dans un puits et on l'entend toucher l'eau 3 s plus tard. Si le son se propage dans l'air. à la vitesse de 344 m s^{-1}, quelle est la profondeur du puits ?

1.79 On aperçoit un éclair et on entend résonner le tonnerre 5 s plus tard. En supposant les deux phénomènes concomitants, à quelle distance l'éclair est-il produit ? (Dans l'air, le son se propage à 344 m s^{-1} et la lumière à $3,00 \times 10^8$ m s^{-1}.)

1.80 On peut estimer les difficultés associées à l'exploration spatiale au-delà du système solaire à partir des calculs suivants.

a) La distance de la Terre à la Lune vaut $3,84 \times 10^8$ m. Les vaisseaux spatiaux actuels mettent environ 24 h pour atteindre la Lune. Quelle est leur vitesse moyenne ?

b) L'étoile la plus proche de notre système solaire est à environ 4 années-lumière. Une année-lumière représente la distance parcourue par la lumière en un an (365 jours). La vitesse de la lumière est de $3,00 \times 10^8$ m s^{-1}. Combien d'années faudrait-il à un vaisseau spatial animé de la vitesse calculée en a) pour atteindre cette étoile ?

CHAPITRE 2

Le mouvement à deux dimensions

Mots-clefs

Accélération à deux dimensions • Addition de vecteurs • Composantes d'un vecteur • Projectile • Vecteur • Vecteur unitaire • Vitesse à deux dimensions • Scalaire • Soustraction de vecteurs

Introduction

Il est possible d'illustrer de nombreux principes de mécanique à partir de l'étude du mouvement rectiligne. Toutefois, les applications font souvent intervenir des mouvements plus complexes. Les sauts des animaux, les lancers de ballons et les figures des patineurs sont des mouvements qui s'effectuent dans un plan vertical ou dans un plan horizontal. Les définitions de la position, de la vitesse et de l'accélération et les relations existant entre ces grandeurs s'obtiennent en généralisant le cas à une dimension, pour autant que l'on représente les grandeurs en cause par des vecteurs. Les vecteurs sont des êtres mathématiques caractérisés à la fois par une grandeur et par une direction. Ils servent à représenter de nombreuses quantités physiques en plus de celles servant à décrire le mouvement. Par contre, certaines grandeurs physiques, comme la température et le temps, ne sont pas fonction de la direction. Ces grandeurs sont représentées par des nombres ordinaires appelés *scalaires*.

Dans le premier paragraphe de ce chapitre, nous allons introduire la notion de vecteurs et expliquer certaines des règles qui permettent leur emploi. À partir de là, nous réviserons les définitions du chapitre 1 en introduisant le langage vectoriel. Nous montrerons que le mouvement plan se décompose en deux mouvements rectilignes, couplés au travers de la variable temps. Ceci nous permettra de transposer à deux dimensions les résultats du chapitre 1 et de discuter le mouvement des projectiles.

2.1 INTRODUCTION AUX VECTEURS

Dans ce paragraphe, nous allons introduire la notion de vecteurs et en expliquer les règles d'addition et de soustraction. Le plus souvent, les vecteurs se représentent par une flèche au-dessus d'une lettre ($\overrightarrow{A}$). Toutefois, dans les textes imprimés, on les représente en caractères gras, comme **A**, **s** et **v**. La grandeur du vecteur **A**, aussi appelée module ou norme du vecteur, s'écrit A ou $|\mathbf{A}|$. Dans un schéma, on représente un vecteur par une flèche dont la longueur est proportionnelle à la grandeur du vecteur et dont l'orientation donne la direction du vecteur. Par exemple, les vecteurs **A**, **B** et **C** de la figure 2.1 ont des directions différentes et la grandeur de **C** est supérieure à celle de **A**.

2.1.1 Addition vectorielle

Le concept d'addition vectorielle peut s'illustrer par un exemple faisant intervenir deux vecteurs qui représentent des déplacements. Supposons qu'une personne parcoure une certaine distance dans une direction, puis qu'elle change ensuite de cap et parcoure une autre distance dans une seconde direction. La variation de position, c'est-à-dire le déplacement résultant ou total, dépendra des grandeurs (modules) et des directions des deux déplacements. Appelons **A** le premier déplacement et **B** le second. Le déplacement total **C** est la somme de **A** et **B**,

$$\mathbf{C} = \mathbf{A} + \mathbf{B}$$

La figure 2.1 explique la manière de trouver **C**. Notons que dans l'addition vectorielle, l'ordre des vecteurs est sans importance : **A** + **B** est identique à **B** + **A**. Lorsque l'on doit additionner trois vecteurs ou plus, on fait d'abord la somme des deux premiers ; à cette somme, on ajoute le troisième, et ainsi de suite. Encore une fois, l'ordre est sans importance ; ainsi, dans la figure 2.2, **A**+**B**+**C** = **B**+**A**+**C**.

L'exemple 2.1 montre comment le module de **A** + **B** dépend des directions relatives de **A** et de **B**.

──────── **Exemple 2.1** ────────

Une personne marche 1 km vers l'est. Elle parcourt ensuite un second km. Quel sera son déplacement total par rapport à son point de départ, si le second km s'effectue :

a) vers l'est,

b) vers l'ouest,

c) vers le sud ?

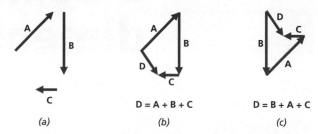

Figure 2.2 *(a)* Soient trois vecteurs **A**, **B**, et **C**. *(b)* et *(c)* montrent deux manières possibles de calculer la somme **D** des trois vecteurs.

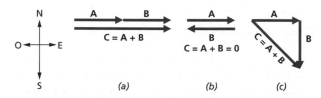

Figure 2.3 Addition de deux vecteurs déplacements qui ont même grandeur mais qui sont *(a)* parallèles ; *(b)* anti-parallèles ou de directions opposées ; *(c)* perpendiculaires.

Réponse

Représentons le premier déplacement par le vecteur **A** et le second par le vecteur **B**. En utilisant la méthode décrite ci-dessus, nous construisons, dans les trois cas, la somme **C** = **A** + **B** (figure 2.3).

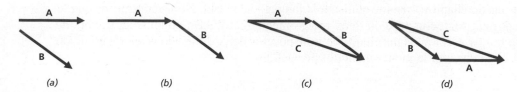

Figure 2.1 *(a)* Les vecteurs **A** et **B** représentent deux déplacements. *(b)* Pour ajouter **B** à **A**, on reporte le vecteur **B** à l'extrémité du vecteur **A**. (On ne modifie pas la valeur d'un vecteur en le déplaçant pourvu que sa direction et sa grandeur restent inchangées.) *(c)* La somme **C** = **A** + **B** est représentée par le vecteur allant de l'origine du premier vecteur **A** à l'extrémité du second vecteur **B**. **C** représente le déplacement résultant. *(d)* L'addition peut s'effectuer dans n'importe quel ordre. **A** + **B** = **B** + **A**.

a) Puisque **A** et **B** ont la même direction,

$$C = A + B = 2A = 2 \text{ km}$$

C est donc dirigé vers l'est.

b) Ici, les vecteurs ont des directions opposées de sorte que $C = A - B = 0$.

c) À partir du théorème de Pythagore, on obtient $C^2 = A^2 + B^2 = 2A^2$, ce qui donne

$$C = \sqrt{2}A = \sqrt{2} \text{ km}$$

On constate que, dans la figure 2.3c, le vecteur **C** est dirigé vers le sud-est.

2.1.2 Multiplication d'un vecteur par un scalaire

La multiplication d'un vecteur par un scalaire se définit de manière que les règles usuelles de l'algèbre s'appliquent : si on veut que $2\mathbf{A} = \mathbf{A} + \mathbf{A}$, il faut que $2\mathbf{A}$ représente un vecteur de même direction que **A**, mais de longueur double. Par exemple, si **A** représente un déplacement de 2 km vers le nord, $2\mathbf{A}$ représente un déplacement de 4 km vers le nord et $5\mathbf{A}$ un déplacement de 10 km, toujours vers le nord.

De manière générale, le vecteur $\mathbf{C} = \alpha\mathbf{A}$ (où α est un scalaire) est un nouveau vecteur dont la norme correspond à la norme de **A** multipliée par la valeur absolue de α et dont la direction est celle de **A** si α est positif et opposée à celle de **A** si α est négatif.

2.1.3 Soustraction vectorielle

La soustraction vectorielle est aussi définie de manière que les règles usuelles de l'algèbre soient applicables. Pour que $\mathbf{A} - \mathbf{A} = 0$, il faut que le vecteur $-\mathbf{A}$ représente un vecteur ayant la même grandeur que **A** mais une direction opposée. Si **A** représente un déplacement de 2 km vers le nord, $-\mathbf{A}$ représente un déplacement de 2 km vers le sud et $-3\mathbf{A}$ un déplacement de 6 km vers le sud. Le vecteur différence $\mathbf{C} = \mathbf{B} - \mathbf{A} = \mathbf{B} + (-\mathbf{A})$ peut s'évaluer en ajoutant au vecteur **B** un vecteur $-\mathbf{A}$, ainsi que le montre la figure 2.4.

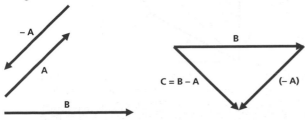

Figure 2.4 Le vecteur **C** = **B** − **A** est obtenu en ajoutant −**A** à **B**.

2.1.4 Repère cartésien et composantes d'un vecteur

Un vecteur est caractérisé par une grandeur et une direction. On peut également caractériser ce vecteur par d'autres quantités qui sont ses *composantes* suivant des axes perpendiculaires. Les composantes sont fréquemment utilisées dans le calcul vectoriel.

Considérons un repère cartésien défini par une origine arbitraire O et des axes x, y et z perpendiculaires deux à deux. On trace généralement les axes x et y dans le plan de la page (tel qu'illustré à la figure 2.5) alors que l'axe z sort perpendiculairement à la page à partir de l'origine. Notre discussion se limitera dans ce Chapitre à des vecteurs à deux dimensions et on négligera la dimension z. Les concepts introduits se généralisent aisément pour un espace à trois dimensions.

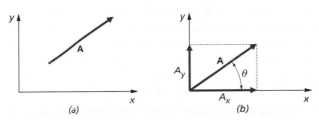

Figure 2.5 *(a)* Représentation d'un vecteur **A** dans un système d'axes orthogonaux *x-y*. *(b)* Évaluation des composantes A_x et A_y du vecteur **A**.

La figure 2.5 montre comment trouver les composantes d'un vecteur. Redessinons le vecteur **A**, à partir de l'origine des axes *x-y* ; les composantes de **A**, notées A_x et A_y, s'obtiennent en abaissant les perpendiculaires sur les axes à partir de l'extrémité de **A**. En se basant sur les propriétés des triangles rectangles, on obtient des relations entre les composantes, le module de **A** et l'angle θ que fait le vecteur avec l'axe des x.

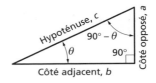

Figure 2.6 Un triangle rectangle.

La figure 2.6 montre un triangle rectangle de côtés a, b et c. Ces côtés satisfont au théorème de Pythagore,

$$a^2 + b^2 + c^2 \qquad (2.1)$$

Le sinus, le cosinus et la tangente de l'angle θ sont définis par

$$\sin \theta = \frac{\text{côté opposé}}{\text{hypoténuse}} = \frac{a}{c}$$

$$\cos \theta = \frac{\text{côté adjacent}}{\text{hypoténuse}} = \frac{b}{c}$$

$$\tan\theta = \frac{\text{côté opposé}}{\text{côté adjacent}} = \frac{a}{b}$$

Dans la figure 2.5*b*, les composantes A_x et A_y satisfont à la relation

$$A_x^2 + A_y^2 = A^2 \tag{2.2}$$

En outre,

$$\cos \theta = \frac{A_x}{A} \quad \text{et} \quad \sin \theta = \frac{A_y}{A} \tag{2.3}$$

ou encore

$$A_x = A \cos \theta \quad \text{et} \quad A_y = A \sin \theta \tag{2.4}$$

A_x est positif lorsqu'il est dirigé vers les valeurs croissantes de *x*. Il est négatif lorsqu'il est dirigé vers les valeurs décroissantes. De la même manière, A_y peut être soit positif soit négatif, ainsi que le montre l'exemple 2.2.

Exemple 2.2

Trouver les composantes des vecteurs **A** et **B** de la figure 2.7 si $A = 2$ et $B = 3$.

Réponse À partir des tables trigonométriques ou à l'aide d'une calculatrice électronique, on trouve que $\cos 30° = 0,866$ et que $\sin 30° = 0,500$. Dès lors,

$$A_x = A \cos \theta = 2 \cos 30° = 2(0,866) = 1,73$$
$$A_y = A \sin \theta = 2 \sin 30° = 2(0,500) = 1,00$$

Dans la figure 2.7b, on voit que B_x est positif et que B_y est négatif. Comme $\cos 45° = \sin 45° = 0,707$, on a

$$B_x = 3 \cos 45° = 3(0,707) = 2,12$$
$$B_y = -3 \sin 45° = -3(0,707) = -2,12.$$

Les opérations sur deux ou plusieurs vecteurs peuvent s'exprimer aisément en fonction des composantes. Pour cela, on définit un *vecteur unitaire* (ou normé) $\widehat{\mathbf{x}}$ de longueur égale à 1 et dirigé suivant +*x*. De la même manière, on définit un vecteur unitaire $\widehat{\mathbf{y}}$, dirigé suivant +*y*. Grâce à ces vecteurs unitaires, il est possible de récrire les vecteurs **A** et **B** sous la forme

$$\mathbf{A} = A_x\widehat{\mathbf{x}} + A_y\widehat{\mathbf{y}}$$
$$\mathbf{B} = B_x\widehat{\mathbf{x}} + B_y\widehat{\mathbf{y}}$$

La somme $\mathbf{C} = \mathbf{A} + \mathbf{B}$ peut donc s'écrire

$$\mathbf{C} = \left(A_x + B_x\right)\widehat{\mathbf{x}} + \left(A_y + B_y\right)\widehat{\mathbf{y}} \tag{2.5}$$

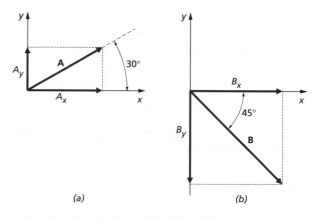

(a)   (b)

Figure 2.7 Exemple 2.2.

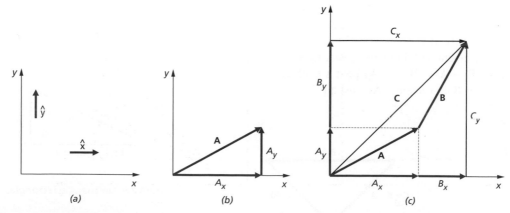

(a)   (b)   (c)

Figure 2.8 *(a)* $\widehat{\mathbf{x}}$ et $\widehat{\mathbf{y}}$ sont des vecteurs unitaires. Ce sont des vecteurs dont la longueur vaut 1 et qui sont dirigés suivant les axes de coordonnées. *(b)* Un vecteur **A** peut être construit à partir de ses composantes A_x et A_y. *(c)* **C** = **A** + **B** s'écrit, en fonction des composantes, $C_x = A_x + B_x$, $C_y = A_y + B_y$.

Dans la figure 2.9, $\mathbf{A} = 2\widehat{\mathbf{x}} + \widehat{\mathbf{y}}$ et $\mathbf{B} = 4\widehat{\mathbf{x}} + 7\widehat{\mathbf{y}}$.

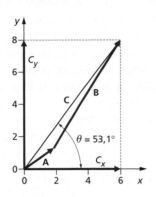

Figure 2.9 Exemple 2.3.

a) Trouver les composantes du vecteur $\mathbf{C} = \mathbf{A} + \mathbf{B}$.

b) Déterminer le module de $\mathbf{C}$ et l'angle θ que fait le vecteur $\mathbf{C}$ avec l'axe des x.

Réponse   a) À partir de l'équation (2.5), on trouve que
$$\mathbf{C} = (2+4)\widehat{\mathbf{x}} + (1+7)\widehat{\mathbf{y}} = 6\widehat{\mathbf{x}} + 8\widehat{\mathbf{y}}$$
Donc, $C_x = 6$ et $C_y = 8$.

b) À partir du théorème de Pythagore on obtient
$$C^2 = C_x^2 + C_y^2 = 6^2 + 8^2 = 100$$
de sorte que $C = 10$. Dans la figure 2.9, on voit que l'angle θ satisfait à la relation
$$\tan\theta = C_y/C_x = 8/6 = 1{,}333$$
À l'aide d'une machine à calculer, on détermine que $\theta = 53{,}1°$.

De manière similaire, la différence $\mathbf{C} = \mathbf{A} - \mathbf{B}$ est un vecteur dont les composantes correspndent à la différence des composantes :
$$\mathbf{C} = \left(A_x - B_x\right)\widehat{\mathbf{x}} + \left(A_y - B_y\right)\widehat{\mathbf{y}}$$
et le vecteur $\mathbf{C} = \alpha\mathbf{A}$ est un vecteur ayant pour composantes les composantes de $\mathbf{A}$ multipliée par α
$$\mathbf{C} = \left(\alpha A_x\right)\widehat{\mathbf{x}} + \left(\alpha A_y\right)\widehat{\mathbf{y}}$$

2.2 LA VITESSE À DEUX DIMENSIONS

Pour les mouvements à deux dimensions, la position, la vitesse et l'accélération sont représentées par des vecteurs. Leurs définitions sont fort semblables aux définitions données dans le cas du mouvement rectiligne. Les composantes de ces différents vecteurs suivant l'axe des x sont liées entre elles, comme le sont x, v et a dans le cas du mouvement rectiligne. Ceci est également vrai pour les composantes suivant l'axe des y. *Dès lors, le problème du mouvement plan se ramène à deux problèmes de mouvement rectiligne simultanés.*

La figure 2.10 nous montre un objet se déplaçant dans le plan défini par les axes x et y. L'objet peut aussi bien être une voiture qu'un animal ou un globule rouge. Nous le représentons symboliquement par un point. Si le déplacement au cours de l'intervalle de temps Δt est représenté par le vecteur $\Delta\mathbf{s}$, *la vitesse moyenne* de l'objet sera parallèle à $\Delta\mathbf{s}$ et vaudra
$$\overline{\mathbf{v}} = \frac{\Delta s}{\Delta t} \tag{2.6}$$

Nous pouvons récrire $\Delta\mathbf{s}$ en fonction des composantes suivant les axes x et y
$$\Delta\mathbf{s} = \Delta x\,\widehat{\mathbf{x}} + \Delta y\,\widehat{\mathbf{y}} \tag{2.7}$$

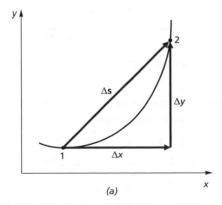
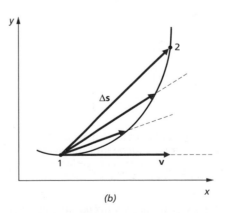

Figure 2.10 *(a)* Un objet se déplace le long d'une trajectoire plane. Au temps t_1, il occupe la position 1 ; au temps t_2, la position 2. La vitesse moyenne est parallèle à $\Delta\mathbf{s}$. *(b)* Si l'intervalle de temps $t_2 - t_1$ devient plus petit, $\Delta\mathbf{s}$ diminue également. La vitesse moyenne $\overline{\mathbf{v}} = \Delta\mathbf{s}/\Delta t$ tend vers la vitesse instantanée $\mathbf{v}$ au temps t_1, qui est tangente à la trajectoire au point 1.

La vitesse moyenne peut également s'écrire en fonction des composantes

$$\bar{\mathbf{v}} = \frac{\Delta x}{\Delta t}\hat{\mathbf{x}} + \frac{\Delta y}{\Delta t}\hat{\mathbf{y}} \qquad (2.8)$$

Les composantes de $\bar{\mathbf{v}}$ sont donc données par

$$\bar{v}_x = \frac{\Delta x}{\Delta t} \quad \text{et} \quad \bar{v}_y = \frac{\Delta y}{\Delta t} \qquad (2.9)$$

Chaque composante de $\bar{\mathbf{v}}$ est la vitesse d'un mouvement rectiligne.

Puisque la vitesse moyenne dans un plan équivaut aux vitesses moyennes de deux mouvements rectilignes, tout ce qui a été dit dans le chapitre précédent au sujet de la vitesse moyenne et de la vitesse instantanée reste vrai pour chacune des composantes. Par exemple, la *vitesse instantanée* **v** est la vitesse moyenne se rapportant à un intervalle de temps extrêmement court. En faisant intervenir les composantes, on a

$$\mathbf{v} = v_x\,\hat{\mathbf{x}} + v_y\,\hat{\mathbf{y}} \qquad (2.10)$$

$v_x = dx/dt$ et $v_y = dy/dt$ représentant les variations instantanées par rapport au temps des coordonnées x et y qui définissent la position de l'objet. *À tout instant,* **v** *a la direction de la tangente à la trajectoire de l'objet* dans le plan $x - y$ (figure 2.10*b*). Ceci est illustré dans l'exemple 2.4.

✎ ———————— **Exemple 2.4** ————————

Une voiture parcourt un circuit ovale et effectue la moitié d'un tour à la vitesse de 30 m s^{-1}. (figure 2.11).

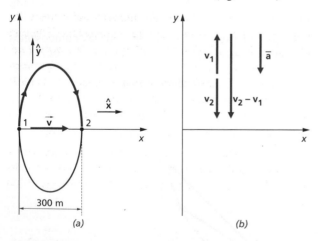

Figure 2.11 *(a)* Une voiture parcourt la moitié d'un circuit ovale. Sa vitesse moyenne $\bar{\mathbf{v}}$, pendant l'intervalle de temps correspondant, pointe dans la direction +x. *(b)* L'accélération moyenne $\bar{\mathbf{a}}$ pointe dans la direction −y.

a) Que valent les vitesses instantanées aux points 1 et 2 ?

b) La voiture met 40 s pour aller du point 1 au point 2. Ces points sont distants de 300 m. Que vaut la vitesse moyenne de la voiture pendant cet intervalle de temps ?

Réponse a) La vitesse instantanée est tangente à la trajectoire de la voiture et a pour grandeur le module du vecteur. Au point 1, le vecteur vitesse a la direction +y et $\mathbf{v}_1 = 30$ m s$^{-1}\hat{\mathbf{y}}$. Au point 2, le vecteur vitesse a la direction −y et $\mathbf{v}_2 = (30$ m s$^{-1})(-\hat{\mathbf{y}}) = -30$ m s$^{-1}\hat{\mathbf{y}}$.

b) La vitesse moyenne est donnée par le déplacement divisé par le temps écoulé. Au point 2, le déplacement résultant est dans la direction x. Il vaut $\Delta\mathbf{s} = (300$ m$)\hat{\mathbf{x}}$. Puisque $\Delta t = 40$ s, on a

$$\bar{\mathbf{v}} = \frac{\Delta\mathbf{s}}{\Delta t} = \frac{300\text{ m}}{40\text{ s}}\hat{\mathbf{x}} = 7,5\text{ m s}^{-1}\hat{\mathbf{x}}$$

La vitesse moyenne au cours de l'intervalle de temps considéré est dirigée suivant +x. Le module est inférieur à 30 m s^{-1} puisque la voiture ne se déplace pas en ligne droite.

2.3 L'ACCÉLÉRATION À DEUX DIMENSIONS

Pour un mouvement à deux dimensions, l'accélération se définit de façon analogue à l'accélération pour un mouvement rectiligne.

Supposons qu'au cours de l'intervalle de temps $\Delta t = t_2 - t_1$, la vitesse varie de $\Delta\mathbf{v} = \mathbf{v}_2 - \mathbf{v}_1$. *L'accélération moyenne* est définie par la relation

$$\bar{\mathbf{a}} = \frac{\Delta\mathbf{v}}{\Delta t} = \frac{\mathbf{v}_2 - \mathbf{v}_1}{t_2 - t_1} = \frac{\Delta v_x}{\Delta t}\hat{\mathbf{x}} + \frac{\Delta v_y}{\Delta t}\hat{\mathbf{y}} \qquad (2.11)$$

L'accélération instantanée **a** est l'accélération moyenne pour un intervalle de temps extrêmement court (figure 2.12). En fonction des composantes, on a

$$\mathbf{a} = a_x\hat{\mathbf{x}} + a_y\hat{\mathbf{y}} \qquad (2.12)$$

où $a_x = dv_x/dt$ et $a_y = dv_y/dt$ représentent les taux de variation temporelle de v_x et de v_y.

✎ ———————— **Exemple 2.5** ————————

Dans l'exemple précédent, la vitesse de la voiture varie de $\mathbf{v}_1 = 30$ m s$^{-1}\hat{\mathbf{y}}$ à $\mathbf{v}_2 = -30$ m s$^{-1}\hat{\mathbf{y}}$ en 40 s. Que vaut l'accélération moyenne de la voiture durant cet intervalle de temps ?

Réponse L'accélération moyenne est définie par la variation de vitesse divisée par le temps écoulé :

$$\bar{a} = \frac{\mathbf{v}_2 - \mathbf{v}_1}{\Delta t} = \frac{\left(-30\text{ m s}^{-1}\hat{\mathbf{y}}\right) - \left(30\text{ m s}^{-1}\hat{\mathbf{y}}\right)}{40\text{ s}}$$

$$= -1,5\text{ m s}^{-2}\hat{\mathbf{y}}$$

Par conséquent, l'accélération moyenne pendant le temps mis par la voiture pour aller du point 1 au point 2 est dirigée suivant −y, c'est-à-dire vers le bas de la figure 2.11b.

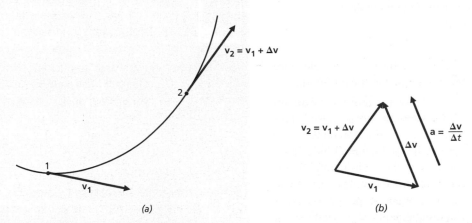

Figure 2.12 *(a)* La courbe en noir représente la trajectoire d'un objet. Les vitesses aux points 1 et 2 sont les vecteurs tangents à la trajectoire au temps t_1, et t_2. *(b)* L'accélération moyenne $\bar{a}$ entre t_1 et t_2 est parallèle à $\Delta \mathbf{v}$.

L'exemple 2.5 souligne un point important. Une *vitesse* constante implique une accélération nulle. Toutefois le *module* de la vitesse peut rester constant bien que l'accélération ne soit pas nulle. En effet, un objet qui se déplace suivant une trajectoire courbe avec une vitesse de grandeur constante mais dont la direction varie, est en accélération. Nous pouvons éprouver l'effet de cette accélération lorsqu'une voiture vire rapidement tout en maintenant le module de sa vitesse constante.

Répétons que l'accélération est nulle seulement lorsque la direction et la grandeur de la vitesse restent toutes deux constantes.

2.4 DÉTERMINATION DU MOUVEMENT D'UN OBJET

Comme nous l'avons souligné, pour décrire le mouvement d'un objet dans un plan, il faut résoudre deux problèmes de mouvement rectiligne. En conséquence, les composantes x et y de la position et de la vitesse d'un objet peuvent être déterminées de façon rigoureuse, pour autant que l'accélération, ainsi que la position et la vitesse initiales, soient connues. Dans le cas d'un mouvement à une dimension, si l'accélération est constante, le déplacement et la vitesse sont donnés par les relations

$$\Delta x = v_0 \, \Delta t + \frac{1}{2} a (\Delta t)^2 \quad \text{et} \quad v = v_0 + a \, \Delta t$$

Pour le mouvement à deux dimensions, il faut considérer des équations similaires pour les mouvements suivant x et y. Ces équations s'écrivent

$$\Delta x = v_{0x} \, \Delta t + \frac{1}{2} a_x (\Delta t)^2$$
$$\Delta y = v_{0y} \, \Delta t + \frac{1}{2} a_y (\Delta t)^2$$

(2.13)

$$v_x = v_{0x} + a_x \, \Delta t$$
$$v_y = v_{0y} + a_y \, \Delta t$$

(2.14)

Les équations du mouvement rectiligne uniformément accéléré sont reprises sur la couverture intérieure du livre. L'emploi de ces équations est illustré dans le paragraphe suivant.

2.5 LES PROJECTILES

2.5.1 Équations du mouvement

Les ballons que l'on lance, les animaux qui sautent, les objets qui tombent d'une fenêtre représentent différents exemples de *projectiles. Si la résistance de l'air est négligeable, le mouvement d'un projectile est uniquement déterminé par l'accélération gravitationnelle.* Si la position et la vitesse initiales sont des données du problème, on trouve la position et la vitesse à tout instant à partir des équations du mouvement uniformément accéléré.

Choisissons la direction horizontale comme axe des x et la direction verticale comme axe des y. Dans ces conditions $a_x = 0$ et $a_y = -g$ de sorte que les équations (2.13) et (2.14) deviennent

$$\Delta x = v_{0x} \, \Delta t \quad \Delta y = v_{0y} \, \Delta t - \frac{1}{2} g (\Delta t)^2 \quad (2.15)$$

$$v_x = v_{0x} \qquad v_y = v_{0y} - g \, \Delta t \qquad (2.16)$$

Les équations se rapportant à Δx et à v_x indiquent que le mouvement horizontal est uniforme. Les équations relatives à Δy et v_y révèlent, au contraire, que le mouvement vertical est celui d'un objet soumis à l'influence de la pesanteur.

En éliminant Δt entre les deux équations (2.15), on trouve que Δy dépend quadratiquement de Δx :

$$\Delta y = \frac{v_{0y}}{v_{0x}} \Delta x - \frac{g}{2v_{0x}^2}(\Delta x)^2$$

Ceci démontre que, dans un graphe $x - y$, la trajectoire d'un objet en chute libre correspond à une *parabole*.

Les équations du mouvement vertical peuvent être utilisées pour répondre à différentes questions. Ainsi, le projectile touche le sol lorsque y est égal à l'ordonnée de ce dernier. Par ailleurs, le projectile atteint une altitude maximum pour une valeur de $v_y = 0$. Ces considérations permettent de résoudre, qualitativement et quantitativement, les problèmes relatifs au mouvement des projectiles. Deux exemples intéressants de mouvements de projectiles sont souvent donnés comme démonstrations de cours.

Dans le premier exemple, deux billes d'acier sont libérées simultanément d'un support situé à une certaine hauteur au-dessus du sol. La première bille est projetée horizontalement par un ressort. La seconde bille tombe à la verticale, partant du repos. Quelle bille touchera le sol la première ?

À première vue, ce problème paraît difficile. On peut cependant le résoudre facilement si on remarque que les deux billes ont, suivant la verticale, les mêmes positions et les mêmes vitesses initiales. En plus, elles sont soumises à la même accélération. En conséquence, les équations qui décrivent le mouvement vertical des deux billes sont identiques et les billes touchent le sol en même temps (figure 2.13). Cet exemple illustre clairement l'indépendance du mouvement horizontal et du mouvement vertical.

Le second exemple souvent proposé est un peu plus complexe. Il s'agit d'un projectile qui est lancé par un canon en direction d'un animal en peluche (figure 2.14). Au moment où le projectile sort du canon, l'animal en peluche se détache de son support et commence à tomber. Il est assez surprenant de constater que le projectile atteint néanmoins l'animal. En l'absence d'accélération gravitationnelle, le projectile se déplacerait en ligne droite. Cependant, puisque le projectile et l'animal en peluche sont tous deux soumis à l'accélération gravitationnelle, ils tombent à la même vitesse par rapport aux positions qu'ils occuperaient en l'absence de gravitation. Dès lors, si le canon est pointé vers la position initiale de l'animal en peluche, la seule conséquence de l'accélération gravitationnelle est de provoquer la rencontre du projectile et de la cible en un point situé plus bas que cette position initiale. Les exemples suivants montrent comment résoudre quantitativement un problème de mouvement de projectile.

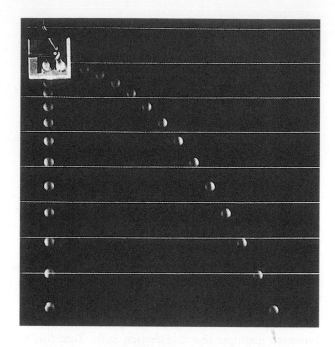

Figure 2.13 Photographie à expositions multiples, montrant qu'une balle lâchée sans vitesse initiale et une autre balle lancée horizontalement tombent à la même vitesse. *(Reproduit avec l'autorisation de l'éditeur du PSSC Physics, quatrième édition. Lexington, Mass : Hearh and Company, 1976.)*

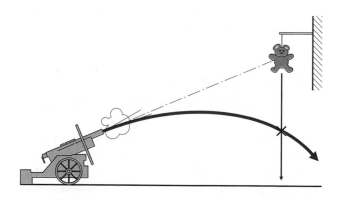

Figure 2.14 Le projectile et l'animal en peluche tombent ensemble lorsqu'ils sont libérés simultanément. Ils se rencontrent au point indiqué par la croix.

 ———— **Exemple 2.6** ————

On shoote dans un ballon placé sur le sol. Le ballon part avec une vitesse de $25 \ \text{m s}^{-1}$ et l'angle de tir est de $30°$ avec l'horizontale (figure 2.15).

a) Quand le ballon atteint-il sa hauteur maximum ?

b) Où se trouve-t-il à ce moment-là ?

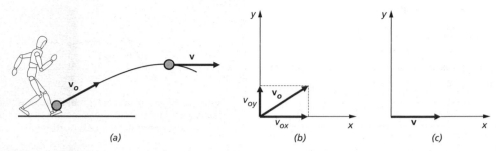

Figure 2.15 *(a)* Une balle, lancée à partir du sol, a une vitesse verticale nulle $v_y = 0$ lorsqu'elle atteint sa hauteur maximum. Exemple 2.6. *(b)* Composantes de la vitesse initiale. *(c)* Composantes de la vitesse à la hauteur maximum. Noter que $v_y = 0$.

Réponse a) À partir de la figure 2.15*b*, on voit que les composantes de la vitesse initiale valent respectivement

$$v_{0x} = v_0 \cos 30° = (25 \text{ m s}^{-1})(0,866) = 21,7 \text{ m s}^{-1}$$

$$v_{0y} = v_0 \sin 30° = (25 \text{ m s}^{-1})(0,500) = 12,5 \text{ m s}^{-1}$$

Le point le plus élevé de la trajectoire correspond à $v_y = 0$. En utilisant la relation $v_y = v_{0y} - g\Delta t$, on détermine que ce point est atteint après un temps

$$\Delta t = \frac{(v_{0y} - v_y)}{g} = \frac{(12,5 \text{ m s}^{-1} - 0)}{9,8 \text{ m s}^{-2}} = 1,28 \text{ s}$$

b) À partir de l'équation (2.15), on peut évaluer la distance parcourue après 1,28 s

$$\Delta x = v_{0x} \Delta t = (21,7 \text{ m s}^{-1})(1,28 \text{ s}) = 27,8 \text{ m}$$

$$\Delta y = v_{0y} \Delta t - \frac{1}{2} g(\Delta t)^2$$

$$= (12,5 \text{ m s}^{-1})(1,28 \text{ s}) - \frac{1}{2}(9,8 \text{ m s}^{-2})(1,28 \text{ s})^2$$

$$= 7,97 \text{ m}$$

Le ballon est donc à une hauteur de 7,97 m au-dessus du sol. Il est à une distance horizontale de 27,8 m du point de lancement.

 ———————— **Exemple 2.7** ————————

Une balle de tennis est servie horizontalement à 2,40 m au-dessus du sol. Sa vitesse est de 30 m s^{-1} (figure 2.16). Le filet est à 12 m du serveur et il a une hauteur de 90 cm.

a) La balle passera-t-elle le filet ?

b) Où retombera-t-elle ?

Réponse a) Pour répondre à la première question, il faut déterminer quelle sera la hauteur y de la balle lorsque $\Delta x = 12$ m. Considérons d'abord l'équation du mouvement horizontal : ceci permet de déterminer l'intervalle de temps Δt nécessaire à la balle pour atteindre le filet.

Connaissant Δt, nous pourrons ensuite évaluer sa hauteur à cet instant à l'aide de l'équation du mouvement vertical.

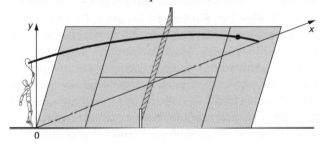

Figure 2.16 Une balle de tennis est servie horizontalement. Exemple 2.7.

En résolvant l'équation $\Delta x = v_{0x} \Delta t$ par rapport à Δt, on obtient

$$\Delta t = \Delta x / v_{0x} = 12 \text{ m}/30 \text{ m s}^{-1} = 0,4 \text{ s}$$

Puisque $\Delta t = 0,4$ et que $v_{0y} = 0$, le déplacement vertical vaut

$$\Delta y = v_{0y} \Delta t - \frac{1}{2} g(\Delta t)^2$$

$$= -\frac{1}{2}(9,8 \text{ m s}^{-1}2)(0,4 \text{ s}) = -0,78 \text{ m}$$

Comme la balle se trouvait, au départ, à 2,40 m au-dessus du sol, au moment de franchir le filet elle sera à $(2,4 - 0,78)$ m $= 1,62$ m au-dessus du sol. Elle passera donc nettement au-dessus du filet.

b) La balle atteindra le sol lorsque $\Delta y = -2,4$ m. Considérant d'abord l'équation du mouvement vertical, on pourra déterminer le temps Δt mis par la balle pour atteindre son point de chute. Connaissant Δt, on pourra déterminer le déplacement Δx correspondant à partir de l'équation du mouvement horizontal. En substituant $v_{0y} = 0$ dans $\Delta y = v_{0y} - (1/2)g(\Delta t)^2$, on obtient

$$\Delta y = -\frac{1}{2}g(\Delta t)^2$$

$$(\Delta t)^2 = \frac{-2\,\Delta y}{g} = \frac{-2(-2,4\text{ m})}{9,8\text{ m s}^{-2}} = 0,490\text{ s}^2$$

$$\Delta t = 0,700\text{ s}$$

Donc la distance horizontale parcourue par la balle vaut

$$\Delta x = v_{0x}\,\Delta t = (30\text{ m s}^{-1})(0,700\text{ s}) = 21,0\text{ m}$$

L'exemple qui vient d'être donné illustre la manière d'analyser un service de tennis à partir des formules du mouvement d'un projectile. Une balle de service doit passer légèrement au-dessus du filet et rebondir dans le rectangle de service. Si un débutant sert une balle relativement lente, elle ne passera au-dessus du filet que si elle est lancée dans une direction légèrement au-dessus de l'horizontale. Des joueurs plus expérimentés peuvent servir à l'horizontale, voire légèrement en-dessous, puisque la balle est plus rapide et a donc une trajectoire plus plate. Un joueur peut déterminer l'angle de service qui lui convient le mieux en multipliant les essais. Mais les formules du mouvement d'un projectile peuvent aussi être employées pour prévoir l'angle de service optimum, compte tenu de la vitesse initiale de la balle. Les conseils que l'on trouve dans les ouvrages consacrés au tennis sont souvent basés sur ce type d'analyse. De nombreuses autres disciplines athlétiques impliquent des lancements de projectiles. Ceux-ci peuvent être étudiés à partir des relations que nous venons de voir.

2.5.2 Portée et temps de vol

Pour les applications du mouvement des projectiles, on souhaite souvent disposer d'une formule qui exprime la distance parcourue horizontalement par le projectile. C'est ce que l'on appelle la *portée*. Nous la représenterons par *P*. Pour obtenir cette expression, considérons un projectile lancé à partir d'une surface plane (figure 2.24). Le projectile retombe sur le sol après un temps Δt appelé *le temps de vol*. Δt correspond à l'intervalle de temps nécessaire pour que le déplacement vertical Δy redevienne égal à 0. La portée *P* peut être évaluée à partir de l'équation relative à Δx, pour autant que l'on connaisse le temps mis par le projectile pour parcourir la trajectoire. Ce dernier est obtenu au départ de l'équation du mouvement dans la direction *y*.

Nous pouvons récrire l'équation $\Delta y = v_{0y}\Delta t - (1/2)g(\Delta t)^2$ avec $\Delta y = 0$, sous la forme

$$\left(v_{0y} - \frac{1}{2}g\,\Delta t\right)\Delta t = 0$$

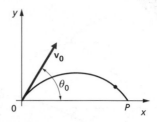

Figure 2.17 Un projectile possédant une vitesse initiale **v**$_0$ est lancé dans une direction qui fait un angle θ_0 avec l'horizontale. Il a une portée *P*.

Les solutions de cette équation sont respectivement $\Delta t = 0$, ce qui correspond à l'instant du lancement, et

$$\Delta t = \frac{2v_{0y}}{g} \tag{2.17}$$

ce qui correspond au temps mis par le projectile pour parcourir la trajectoire, c'est à dire le *temps de vol*.

En remplaçant la valeur de Δt dans l'équation $\Delta x = v_{0x}\Delta t$, on obtient la valeur de P

$$P = \frac{2v_{0x}v_{0y}}{g}$$

Si la vitesse initiale du projectile forme, au moment du lancement, un angle θ_0 avec l'horizontale (figure 2.24), $v_{0x} = v_0\cos\theta_0$ et $v_{0y} = v_0\sin\theta_0$. La portée peut donc s'écrire

$$P = \frac{2v_0^2\sin\theta_0\cos\theta_0}{g} \tag{2.18}$$

En utilisant l'identité trigonométrique

$$\sin 2\theta_0 = 2\sin\theta_0\cos\theta_0,$$

on peut récrire cette relation sous la forme

$$P = \frac{v_0^2}{g}\sin 2\theta_0 \tag{2.19}$$

Deux propriétés intéressantes peuvent être déduites de ces équations. D'une part, notons que

$$\sin\theta_0 = \cos\left(90° - \theta_0\right)$$

Dans l'équation (2.18), on peut donc remplacer θ_0 par l'angle complémentaire $90° - \theta_0$, sans modifier la valeur de *P*. En conséquence, un ballon lancé avec un angle de 30° ou de 60° retombe au même endroit. Toutefois, le ballon lancé avec un angle de 60° a une trajectoire plus élevée et reste en l'air plus longtemps (figure 2.18). D'autre part, comme la valeur du sinus est maximum et vaut 1 lorsque l'angle vaut 90°, la distance *P* donnée par l'équation (2.19) est maximum lorsque $2\theta_0 = 90°$, c'est-à-dire lorsque $\theta_0 = 45°$. La *portée maximum, sur terrain plat, correspond à un angle de lancement de 45°* (figure 2.19).

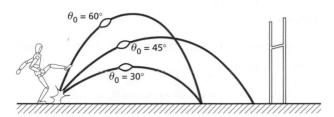

Figure 2.18 Des ballons de football américain sont lancés avec la même vitesse initiale, sous différents angles. Pour des angles de lancement de 30° et 60°, la portée est la même. La portée maximum est atteinte pour un angle de lancement de 45°.

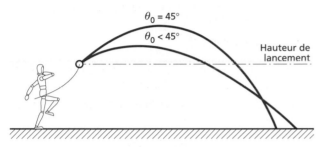

Figure 2.19 Un ballon est lancé d'une certaine hauteur audessus du sol. Les trajectoires correspondant à un angle de lancement de 45$^{\cup}$ et à un angle de lancement plus petit se croisent en un point situé plus bas que le point de lancement. La trajectoire la plus plate a la portée la plus longue.

Le calcul de P et du temps de vol est un peu plus compliqué lorsque le point de lancement et le point de chute sont à des hauteurs *différentes*. Le raisonnement se base néanmoins sur les mêmes équations. Si le point de chute est à un niveau H en dessous du point de lancement, la résolution de $\Delta y = v_{0y}\,\Delta t - (1/2)g(\Delta t)^2$ avec $\Delta y = -H$ fournit le temps de vol Δt. Le remplacement de Δt par sa valeur dans $\Delta x = v_{0x}\,\Delta t$ donne accès à la portée P (voir problème 2.57).

Dans la figure 2.19, on peut voir qu'une balle lancée *audessus* du niveau du sol a une portée maximum lorsque l'angle de lancement est *inférieur* à 45°. Inversement, un objet lancé d'un point *plus bas* que son point de chute a une portée maximum lorsque l'angle de lancement est *supérieur* à 45°.

L'exemple 2.8 illustre la manière d'utiliser la formule de la portée pour analyser un problème d'athlétisme.

✎ ——————— Exemple 2.8 ———————

Un joueur de base-ball lance une balle à la vitesse de $36\ \mathrm{m\ s^{-1}}$.

a) Quelle sera la portée maximum de la balle, si on la rattrape à la hauteur à laquelle elle a été lancée ?

b) Si le joueur souhaite que la balle parvienne le plus rapidement possible à la moitié de la portée maximum,

quel doit être l'angle de lancement ?

c) Quelles sont, dans les deux cas, les durées des trajectoires ?

Réponse a) La portée maximum correspond à un angle de lancement de 45°. Dans l'équation (2.19), $\sin 2\theta_0 = 1$ et

$$P = v_0^2/g = (36\ \mathrm{m\ s^{-1}})^2/(9,8\ \mathrm{m\ s^{-2}}) = 132\ \mathrm{m}$$

b) Résolvons l'équation (2.19) en fonction de $\sin 2\theta_0$, avec $P = (132\ \mathrm{m})/2 = 66\ \mathrm{m}$. On obtient

$$
\begin{aligned}
\sin 2\theta_0 &= gP/v_0^2 \\
&= (9,8\ \mathrm{m\ s^{-2}})(66\ \mathrm{m})(36\ \mathrm{m\ s^{-1}})^2 = 0,5 \\
2\theta_0 &= 30° \\
\theta_0 &= 15°.
\end{aligned}
$$

Si l'angle $\theta_0 = 90° - 15° = 75°$, la balle retombera au même point, mais le temps de vol sera plus long.

c) On utilise l'équation (2.17) et la relation $v_{0y} = v_0 \sin \theta_0$. Les durées des trajectoires valent respectivement

$$
\begin{aligned}
\Delta t_a &= 2v_{0y}/g \\
&= 2(36\ \mathrm{m\ s^{-1}})(\sin 45°)/(9,8\ \mathrm{m\ s^{-2}}) = 5,20\ \mathrm{s}, \\
\Delta t_b &= 2(36\ \mathrm{m\ s^{-1}})(\sin 15°)/(9,8\ \mathrm{m\ s^{-2}}) = 1,90\ \mathrm{s}
\end{aligned}
$$

Bien que la portée du second lancer soit exactement la moitié de la portée du premier, il faut noter que la durée du second est inférieure à la moitié de la durée du premier. Ceci résulte du fait que la trajectoire est beaucoup plus plate.

2.6 SAUTS HORIZONTAUX

Dans le paragraphe 1.8, nous avons vu que les relations du mouvement uniformément accéléré permettaient l'analyse des sauts *verticaux* des animaux. Nous allons montrer que les formules du mouvement d'un projectile peuvent être employées pour discuter des sauts *horizontaux*. Ces formules décrivent en effet avec précision la trajectoire de l'animal, si l'on admet que la résistance de l'air est négligeable.

Bien qu'un angle de lancement de 45° assure la portée la plus longue sur sol horizontal, pour une vitesse initiale donnée (figure 2.20), il peut arriver qu'un animal saute suivant un angle différent, par nécessité ou de par sa constitution. Ainsi, les sauterelles se mettent souvent à voler après avoir effectué un saut. Dans ce cas, la trajectoire du saut n'a pas d'importance mais, par contre, sa durée peut être déterminante. En général, le saut des sauterelles se fait sous un angle de 55°, qu'il s'agisse d'un saut précédant ou non un vol. La vitesse, au moment du décollage, peut être calculée ainsi que le montre l'exemple 2.9.

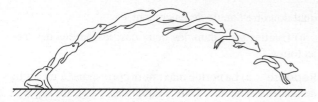

Figure 2.20 L'angle de saut des grenouilles est approximativement de 45°. C'est l'angle qui correspond à une portée maximum sur terrain plat.

  ─────────── **Exemple 2.9** ───────────

Quelle est la vitesse d'une sauterelle au moment où elle quitte le sol, si l'angle de saut est de 55° et si la portée est de 0,8 m ?

Réponse

Connaissant P et θ_0, nous pouvons déterminer v_0 à partir de la relation

$$P = \frac{2v_0^2}{g} \sin\theta_0 \cos\theta_0$$

Le sinus de 55° est 0,819 et le cosinus de cet angle est 0,574. Donc

$$v_0^2 = \frac{gP}{2\sin\theta_0\cos\theta_0} = \frac{(9,8 \text{ m s}^{-2})(0,8 \text{ m})}{2(0,819)(0,574)}$$

$$= 8,3 \text{ m}^2\text{s}^{-2}$$

$$v_0 = 2,9 \text{ m s}^{-1}$$

Réviser

RAPPELS DE COURS

Dans un plan, la position, la vitesse et l'accélération sont représentées par des vecteurs et sont donc caractérisées par une grandeur et une direction. Dans les schémas, les vecteurs sont représentés par des flèches.

Pour trouver la somme $\mathbf{C} = \mathbf{A} + \mathbf{B}$, on reporte le vecteur $\mathbf{B}$ à partir de l'extrémité de $\mathbf{A}$; le vecteur $\mathbf{C}$ est celui qui joint l'origine de $\mathbf{A}$ à l'extrémité de $\mathbf{B}$. Multiplier un vecteur par un scalaire positif revient à multiplier son module par ce facteur sans changer sa direction. Multiplier par un scalaire négatif non seulement multiplie la grandeur du vecteur considéré, mais en inverse aussi la direction.

De nombreux calculs vectoriels se simplifient par un choix judicieux du système d'axes de référence x-y pour évaluer les composantes. Si le vecteur $\mathbf{A}$ forme un angle θ avec la direction positive de l'axe des x, les deux composantes du vecteur sont données par $A_x = A \cos \theta$ et par $A_y = A \sin \theta$. L'addition des composantes x de deux ou de plusieurs vecteurs donne la composante x de la somme vectorielle. De même, la somme des composantes y donne la composante y de la somme vectorielle.

La vitesse et l'accélération dans un plan sont définies en transposant sous forme vectorielle les définitions du mouvement rectiligne : $\mathbf{v} = d\mathbf{x}/dt$ et $\mathbf{a} = d\mathbf{v}/dt$. Les composantes de ces grandeurs suivant x sont liées entre elles comme dans le cas à une dimension. Il en est de même pour les composantes suivant y. En conséquence, le mouvement dans un plan résulte de la composition de deux mouvements rectilignes. C'est pourquoi la connaissance de la position et de la vitesse initiales ainsi que de l'accélération détermine complètement le mouvement comme dans le cas à une dimension.

PHRASES À COMPLÉTER

Voir réponses en fin d'ouvrage.

1. Quelle est la différence entre scalaire et vecteur ?

2. Comment désigne-t-on les vecteurs : représentations manuscrite et typographique ?

3. Si $\mathbf{A}$ est parallèle à $\mathbf{B}$, quel est le module de $\mathbf{A} + \mathbf{B}$? de $\mathbf{A} - \mathbf{B}$? de $2\mathbf{A}$?

4. Si $\mathbf{A}$ est perpendiculaire à $\mathbf{B}$, quel est le module de $\mathbf{A} + \mathbf{B}$?

5. La vitesse moyenne dans un mouvement à deux dimensions est égale au _____ divisé par le _____.

6. L'accélération moyenne dans un mouvement à deux dimensions est égale à la _____ divisée par _____.

7. L'accélération vaut zéro lorsque la _____ et la _____ de la vitesse sont constantes.

8. Le mouvement à deux dimensions est équivalent à deux _____.

9. Le mouvement d'un projectile est seulement influencé par _____. (La résistance de l'air est supposée négligeable.)

10. Le moment de retombée d'un projectile sur le sol est déterminé à partir de l'équation du mouvement _____.

11. Lorsqu'un projectile atteint sa hauteur maximum, la composante _____ de la vitesse est nulle.

12. La composante _____ de la vitesse d'un projectile reste constante pendant tout le mouvement.

13. La composante verticale de l'accélération d'un projectile vaut _____. La composante horizontale vaut _____.

EXERCICES CORRIGÉS

E1. On frappe une balle de tennis à partir de la ligne de fond, à une hauteur de 1 m du sol, dans une direction faisant un angle de 9° vers le haut avec l'horizontale.

a) Sachant que la vitesse initiale de la balle est de 25 m s^{-1} et que le terrain de tennis a une longueur de 23,770 m, déterminer si la balle atterrit dans les limites du terrain ou en dehors de celles-ci.

b) À quelle distance d la balle passe-t-elle au-dessus du filet, qui a une hauteur de 0,914 m et qui se trouve au milieu du terrain ?

Solution

a) Soit un repère cartésien d'axes x, horizontal et positif vers la droite, et y, vertical et positif vers le haut, centré au point situé sur le sol à la verticale du point de frappe de la balle. Le mouvement de la balle, soumise à l'accélération de la pesanteur, peut être décomposé en deux mouvements rectilignes : l'un est uniforme selon l'axe x ($a_x = 0$), et l'autre est uniformément accéléré selon l'axe y ($a_y = -g$). Les lois du mouvements s'écrivent, respectivement pour les coordonnées x et y

$$x = x_0 + v_{0x}\,\Delta t \qquad (1)$$

$$y = y_0 + v_{0y}\,\Delta t - \frac{1}{2}g\,\Delta t^2 \qquad (2)$$

avec $x_0 = 0$ m, $y_0 = 1$ m, $v_{0x} = v_0\cos\theta$ et $v_{0y} = v_0\sin\theta$, où $\theta = 9°$ est l'angle d'inclinaison par rapport à l'horizontale de la vitesse initiale de grandeur $v_0 = 25$ m s^{-1}.

Le temps de vol de la balle s'obtient en imposant $y = 0$ dans (2)

$$0 = 1 + 25\sin\theta\,\Delta t - \frac{1}{2}9,8\,\Delta t^2$$

Il existe deux solutions à cette équation du second degré en Δt, l'une négative et l'autre positive. Seule la racine positive correspond à une situation physique pour le mouvement de la balle (le temps est compté positivement à partir du moment où celle-ci est frappée) : $\Delta t = 1,00$ s. La loi du mouvement pour x (équation (1)) permet ensuite d'obtenir l'abscisse du point d'impact sur le sol

$$x = (25\cos 9°) \times 1,00 = 24,692 \text{ m}$$

qui se trouve en dehors des limites du terrain.

b) Pour déterminer l'élévation de la balle lorsqu'elle se trouve au-dessus du filet situé en $x = 11,885$ m, il suffit de calculer, par la loi du mouvement selon x, le temps qu'il faut à la balle pour atteindre cette abscisse

$$11,885 = (25\cos 9°)\,\Delta t$$

Cette égalité fournit $\Delta t = 0,48$ s. Enfin, la coordonnée y de la balle est obtenue par l'équation (2)

$$y = 1 + (25\sin 9°) \times 0,48 - \frac{1}{2}9,8 \times 0,48^2 = 1,748 \text{ m}$$

Cette hauteur correspond à une distance

$$d = 1,748 - 0,914 = 0,834 \text{ m}$$

par rapport au sommet du filet.

E2. Un avion de secours doit larguer des vivres à un groupe d'alpinistes isolés sur la crête d'une montagne.

a) Si l'avion, qui se déplace horizontalement à une altitude de 200 m par rapport au sommet de la montagne, vole à une vitesse de 250 km h^{-1}, à quelle distance horizontale en avant des alpinistes doit-on larguer les provisions ?

b) Si ces provisions sont larguées à une distance horizontale de 400 m en avant du point visé, quelle vitesse verticale supplémentaire devrait-on leur imprimer au départ pour qu'elles tombent précisément à l'endroit souhaité ?

c) Dans la situation décrite en b), quelle est l'amplitude de la vitesse des provisions au moment où celles-ci vont atteindre le groupe d'alpinistes ?

Solution

a) Les provisions larguées sont soumises à l'accélération de la pesanteur. Soit un système d'axes orthonormés x, horizontal et orienté dans le sens de déplacement de l'avion, et y, vertical et positif vers le haut, centré sur le point situé au niveau de la montagne, à la verticale de l'avion au moment du largage. Les lois du mouvements s'écrivent, respectivement pour les coordonnées x ($a_x = 0$) et y ($a_y = -g$)

$$x = x_0 + v_{0x}\,\Delta t \qquad (1)$$

$$y = y_0 + v_{0y}\,\Delta t - (1/2)g\,\Delta t^2 \qquad (2)$$

avec $x_0 = 0$ m, $y_0 = 200$ m, $v_{0x} = v_A = 69$ m/s et $v_{0y} = 0$ m/s. Le point de chute des provisions s'obtient en posant $y = 0$ dans (2)

$$0 = 200 - (1/2)g\,\Delta t^2$$

Ne retenant que la racine carrée positive, on obtient $\Delta t = 6,39$ s. Par l'équation (1), on en déduit la distance horizontale parcourue durant la chute, qui est dès lors la distance, en avant des alpinistes, de laquelle il faut larguer les provisions

$$x = 69 \times 6,39 = 440,91 \text{ m}$$

b) Si la distance horizontale entre le point de largage et le point du chute vaut 400 m, alors le temps de vol, déterminé par (1), vaut $\Delta t = 5,80$ s. Dans ce cas, les provisions atteindront le sommet de la montagne en $y = 0$ s'il existe une vitesse v_{oy} verticale supplémentaire qui satisfait à l'équation du mouvement selon l'axe y avec $\Delta t = 5,80$ s :

$$0 = 200 + v_{oy}5,80 - (1/2)9,8 \times 5,80^2$$

On obtient $v_{oy} = -6,06$ m/s. Il faut donc initialement imprimer aux vivres une vitesse supplémentaire vers le bas.

c) Les lois du mouvement pour les composantes horizontale v_x et verticale v_y de la vitesse sont, respectivement

$$v_x = v_{ox} = v_A = 69 \text{ m/s}$$

$$v_y = v_{oy} - g\,\Delta t = -6,06 - 9,8\,\Delta t$$

En prenant le temps de chute $\Delta t = 5,80$ s, on obtient $v_y = 62,90$ m/s. L'amplitude de la vitesse au point de chute vaut dès lors $v = \sqrt{v_x^2 + v_y^2} = 93,37$ m/s.

S'entraîner

QCM

Voir réponses en fin d'ouvrage.

Q1. Si le vecteur **A** est parallèle au vecteur **B** et de même sens, le module de **A** + **B** vaut

a) $A + B$

b) $A - B$

c) $2A$

d) $\sqrt{A^2 + B^2}$

e) $\sqrt{A^2 - B^2}$.

Q2. Si le vecteur **A** est perpendiculaire au vecteur **B**, le module de **A** + **B** vaut

a) $A + B$

b) $A - B$

c) $2A$

d) $\sqrt{A^2 + B^2}$

e) $\sqrt{A^2 - B^2}$.

Q3. Le vecteur **A** − **B** est égal au vecteur **B** − **A**

a) toujours

b) jamais

c) si $A = B$

d) si **A** = **B**

e) aucune de ces réponses.

Q4. Sur un parcours à vitesse variable, le rapport entre le module de la vitesse moyenne et le module de la vitesse maximum est toujours

a) égal à 1

b) égal à 2

c) supérieur à 1

d) inférieur à 1

e) aucune de ces réponses.

Q5. Lorsqu'un projectile atteint sa hauteur maximum

a) **v** = **0**

b) **a** = **0**

c) $v_x = 0$

d) $v_y = 0$

e) aucune de ces réponses.

Q6. Une grenouille saute sur terrain plat selon une direction faisant un angle 45° avec l'horizontale et avec une vitesse initiale v_0. Le graphe donnant le déplacement horizontal x en fonction du temps a l'allure

a) d'une droite horizontale

b) d'une droite oblique

c) d'une droite verticale

d) d'une parabole

e) d'une sinusoïde.

Q7. Une grenouille saute sur terrain plat selon une direction faisant un angle 45° avec l'horizontale et avec une vitesse initiale v_0. Le graphe donnant l'accélération verticale a_y en fonction du temps a l'allure

a) d'une droite horizontale

b) d'une droite oblique

c) d'une droite verticale

d) d'une parabole

e) d'une sinusoïde.

Q8. Trois balles sont lancées simultanément depuis le sol avec la même vitesse initiale v_0 mais selon des directions faisant des angles différents avec l'horizontale : $\theta_1 = 30°$, $\theta_2 = 45°$ et $\theta_3 = 60°$. Laquelle aura le temps de vol le plus élevé

a) la première

b) la seconde

c) la troisième

d) la première et la troisième

e) aucune de ces réponses.

Q9. Trois balles sont lancées simultanément depuis le sol avec la même vitesse initiale v_0 mais selon des directions faisant des angles différents avec l'horizontale : $\theta_1 = 30°$, $\theta_2 = 45°$ et $\theta_3 = 60°$. Laquelle aura la portée la plus élevée

a) la première

b) la seconde

c) la troisième

d) la première et la troisième

e) aucune de ces réponses.

Q10. Un objet est lancé avec une vitesse v_0 d'une hauteur $H > 0$ par rapport au niveau du sol. La portée maximum sera atteinte pour :

a) $\theta = 0°$

b) $\theta = 45°$

c) $\theta \geqslant 45°$

d) $\theta \leqslant 45°$

e) aucune de ces réponses.

EXERCICES

Voir réponses en fin d'ouvrage pour les exercices et problèmes dont le numéro est inscrit en noir.

Introduction aux vecteurs

2.1 La figure 2.21 représente un ensemble de vecteurs qui peuvent être associés de différentes manières. Par exemple, **A** + **C** = **B**. Évaluer

a) **E** + **C**

b) **A** + **F**

c) **A** + **D**

d) **E** + **A**

e) **E** + 2**A**

f) **A** − **B**

g) **B** − **A**

h) **C** − **A**.

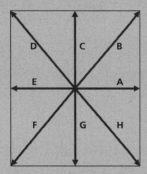

Figure 2.21 Exercice 2.1.

2.2 Dans la figure 2.22, quelle doit être la valeur de l'angle θ pour que le vecteur **C** = **A** + **B** ait

a) une grandeur minimum

b) une grandeur maximum.

c) Que vaut *C* lorsque θ = 90° ?

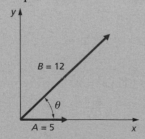

Figure 2.22 Exercices 2.2 et 2.4.

2.3 Un vecteur a une composante suivant l'axe des $x = -10$ et une composante suivant l'axe des $y = +3$.

a) Dessiner un système d'axes et positionner le vecteur.

b) Calculer la grandeur et la direction de ce vecteur.

2.4 Si, dans la figure 2.22, θ = 72°, trouver la direction et la grandeur de **C** = **A** + **B**

a) à l'aide d'une construction géométrique, faisant usage d'une règle et d'un rapporteur

b) en utilisant les composantes du vecteur.

2.5 La figure 2.23 représente deux vecteurs **A** et **B**. Trouver

a) **A** + **B**

b) **B** − **A**

c) **A** − **B**.

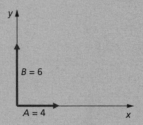

Figure 2.23 Exercice 2.5

2.6 À partir des composantes des vecteurs de la figure 2.24, trouver la direction et le module du vecteur **E** = **A** + **B** + **C** + **D**.

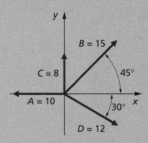

Figure 2.24 Exercices 2.6 et 2.7.

2.7 À partir des composantes des vecteurs de la figure 2.24, trouver la direction et le module du vecteur **F** = **A** − **C** + **B** − 2**D**.

2.8 Une personne marche 10 km vers le nord, puis elle prend la direction nord-ouest et parcourt 5 km dans cette direction. Quelle sera sa position finale ?

2.9 Un bateau doit naviguer 100 km vers le nord, mais une sévère tempête le pousse 200 km à l'est de son point de départ. Quel déplacement devra-t-il effectuer et dans quelle direction pour atteindre la destination prévue ?

2.10 Une personne marche vers le nord-est à la vitesse de 3 km h⁻¹. Une autre se dirige vers le sud à la vitesse de 4 km h⁻¹. Quelle distance les sépare après 2 heures ?

2.11 Dans le cas des vecteurs de la figure 2.25, évaluer la grandeur et la direction de

a) **D = A + B + C**

b) **E = A − B − C**.

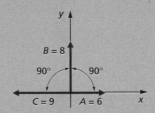

Figure 2.25 Exercice 2.11.

2.12 Dans le cas des vecteurs de la figure 2.26, évaluer la grandeur et la direction de

a) **D = A + B + C**

b) **E = A − B − C**.

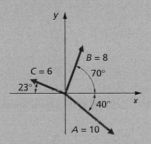

Figure 2.26 Exercice 2.12.

La vitesse à deux dimensions

2.13 Une voiture parcourt une trajectoire circulaire de 500 m de diamètre à la vitesse constante de 20 m s^{-1}.

a) Combien de temps faut-il à la voiture pour parcourir la moitié du circuit ?

b) Que vaut la vitesse moyenne pendant cet intervalle de temps ?

2.14 Une voiture parcourt, à la vitesse constante de 10 m s^{-1}, une trajectoire circulaire dont le rayon est de 1000 m.

a) Combien de temps faut-il à la voiture pour effectuer un tour complet ?

b) Que vaut la vitesse moyenne de la voiture pendant ce temps ?

2.15 Une balle est lancée vers le haut à la vitesse de 30 m s^{-1}, dans une direction qui fait un angle de 20° avec l'horizontale. Évaluer les composantes verticale et horizontale de la vitesse initiale.

2.16 Un avion vole pendant 3 heures. Il atteint un point situé 600 km au nord et 800 km à l'est de son point de départ. Trouver la direction et la grandeur de sa vitesse moyenne.

L'accélération à deux dimensions

2.17 Une voiture, se dirigeant initialement vers le nord, effectue un demi-tour suivant une trajectoire circulaire de 500 m de rayon. Sa vitesse est constante et vaut 20 m s^{-1}.

a) Quel temps lui faut-il pour effectuer le demi-tour ?

b) Quelles sont la grandeur et la direction de l'accélération moyenne pendant cette manœuvre ?

2.18 Un fusil, pointé à 30° au-dessus de l'horizontale, tire une balle à la vitesse de 250 m s^{-1}. Si la balle est accélérée de manière uniforme dans le canon pendant 0,006 s, évaluer

a) la grandeur de l'accélération

b) ses composantes horizontale et verticale.

2.19 Un joueur de tennis sert une balle qui rebondit dans le terrain de l'adversaire. Celui-ci la renvoie vers le premier joueur. Décrire la direction et la grandeur de l'accélération durant chaque phase du mouvement.

2.20 La Terre tourne en un an autour du soleil sur une orbite approximativement circulaire. Trouver la grandeur de l'accélération moyenne associée à ce mouvement pendant un intervalle de temps de 6 mois. (La distance moyenne de la terre au soleil vaut $1,50 \times 10^{11}$ m.)

Détermination du mouvement d'un objet ; les projectiles

2.21 Un ballon de football est lancé du sol. Il retombe, après 4 s, à 30 m de son point de lancement.

a) Évaluer la vitesse moyenne pendant son vol.

b) Évaluer l'accélération moyenne pendant son vol.

2.22 Une balle est lancée horizontalement à la vitesse de 20 m s^{-1}, à partir d'une fenêtre située 15 m au-dessus du sol.

a) Quand la balle touchera-t-elle le sol ?

b) Où va-t-elle retomber ?

2.23 Un fusil pointant à 30° au-dessus de l'horizontale tire une balle à la vitesse de 500 m s^{-1}. Le canon mesure 0,7 mètre.

a) Trouver l'accélération moyenne de la balle dans le canon du fusil.

b) Évaluer les composantes horizontale et verticale de cette accélération.

2.24 Une boule de neige est lancée d'une hauteur de 2 mètres au-dessus du sol. Elle est lancée vers le haut à la vitesse de 10 m s^{-1} dans une direction faisant un angle de 30° avec l'horizontale.

a) Trouver ses coordonnées après 1 seconde.

b) Trouver les composantes de la vitesse après 1 seconde.

2.25 a) Évaluer pendant combien de temps la boule de neige de l'exercice précédent restera en vol.

b) Où retombera-t-elle ?

2.26 Une balle de base-ball est lancée, vers le haut, à la vitesse de 40 m s^{-1} selon une direction qui fait un angle de 30° par rapport à l'horizontale.

a) Quelle hauteur maximum atteint-elle ?

b) Quand ?

c) Quelle est, à ce moment, la distance horizontale qui la sépare de la batte ?

2.27 Dans l'exercice précédent, évaluer

a) la portée de la balle

b) le temps pendant lequel la balle reste en vol (négliger le fait que le point de lancement est légèrement au-dessus du sol).

2.28 Un fusil est pointé vers une cible placée à 200 m. La cible est à la même hauteur que le fusil. Si la balle quitte le canon à la vitesse de 500 m s^{-1}, de combien la balle manquera-t-elle la cible ?

2.29 La Terre tourne sur elle-même en 24 heures. Évaluer la grandeur de l'accélération moyenne d'un point situé à l'équateur au cours d'un intervalle de temps de 6 heures. (Le rayon de la terre vaut 6,38 × 10⁶ m.)

2.30 Un ballon de football est lancé du sol à la vitesse de 20 m s^{-1}. Évaluer sa portée si l'angle de lancement vaut

a) 30°

b) 60°

c) 45°.

2.31 Dans chacun des trois cas de l'exercice précédent, pendant combien de temps la balle reste-t-elle en vol ?

2.32 Un astronaute, portant une combinaison spatiale, peut effectuer sur terre un saut en longueur sans élan de 2 m. Quelle serait la portée de son saut sur une planète où l'accélération gravitationnelle serait la moitié de celle régnant à la surface de la terre ?

2.33 Une fillette veut lancer une boule de neige vers un autre enfant. Si elle la lance à la vitesse de 20 m s^{-1}, à quelle distance maximum de l'autre enfant peut-elle se trouver pour pouvoir l'atteindre ?

2.34 Un fusil tire horizontalement du sommet d'une haute montagne. Sur un schéma, montrer l'influence de la courbure de la terre sur la portée de la balle.

2.35 Une balle de base-ball lancée dans une direction faisant un angle de 10° avec l'horizontale revient à sa hauteur de départ après 70 m. Quelle était sa vitesse initiale ?

2.36 Un cascadeur à moto décolle d'une rampe, suivant une direction qui fait un angle de 30° avec l'horizontale. Il parvient juste à franchir un alignement de camions placés sur une longueur de 36 m. Il retombe à la hauteur de son point de départ. Quelle était sa vitesse au moment du décollage ?

2.37 Un fusil pointe légèrement au-dessus d'une cible située à 200 m. La cible est à la même hauteur que le fusil. La balle quitte le canon à la vitesse de 500 m s^{-1} et elle atteint le centre de la cible. Quel angle le canon du fusil forme-t-il avec l'horizontale ?

2.38 Un ballon de football est lancé à une distance de 60 m sur terrain plat. Si l'angle de lancement est de 60°, quelle doit être sa vitesse initiale ?

2.39 Un bateau de secours lance un filin, à l'aide d'un petit obus, vers un bateau en détresse situé à 300 m de lui. La vitesse initiale de l'obus est de 100 m s^{-1}. Quels angles de tir sont-ils possibles ? (Négliger l'effet de traînée du filin.)

2.40 Un obus de mortier est tiré vers une cible située au niveau du sol et distante de 500 m. La vitesse initiale de l'obus est de 90 m s^{-1}. Quel est l'angle de tir ? (Les angles de tir des mortiers sont grands.)

2.41 Un ballon de football est lancé à partir du sol, sur terrain plat, avec une vitesse initiale v_0 et un angle θ_0. Trouver la vitesse v et l'angle θ au moment où il retombe sur le sol.

Sauts horizontaux

2.42 Un kangourou peut effectuer un saut horizontal d'une portée de 8 mètres. Si l'angle de saut est de 45° par rapport à l'horizontale, quelle est la vitesse initiale du kangourou ?

2.43 a) Expliquer pourquoi la portée maximum d'un homme effectuant un saut en longueur sans élan n'est pas atteinte pour un angle de saut de 45°.

b) L'angle doit-il être plus grand ou plus petit que 45° ?

Expliquer.

2.44 Une grenouille peut effectuer un saut de 0,9 m lorsque l'angle de saut est de 45°.

a) Quelle vitesse initiale la grenouille doit-elle avoir ?

b) Si la vitesse initiale avait la même grandeur mais était dirigée verticalement, quelle hauteur la grenouille pourrait-elle atteindre ?

c) La hauteur maximum des sauts des grenouilles est de 0,3 m. Comment peut-on expliquer cette différence ?

2.45 Une puce peut effectuer un saut de 0,03 m.

a) Si l'angle du saut est de 70°, que vaut la vitesse initiale ?

b) Si la puce atteint cette vitesse après s'être élancée sur une distance de 8×10^{-4} m, quelle est l'accélération moyenne pendant l'élan ?

PROBLÈMES

2.46 Dans la figure 2.14, supposons que l'animal en peluche soit initialement à 1 mètre au-dessus du sol et à 1,50 m à droite du canon qui pointe vers lui. L'animal commence à tomber au moment où le boulet de canon est tiré à la vitesse de 10 m s^{-1}.

a) Quelles sont les composantes horizontale et verticale de la vitesse initiale du boulet ?

b) Combien de temps faut-il pour que la position horizontale du boulet varie de 1,50 m ?

c) Quelles sont, à cet instant, les positions verticales du boulet et de l'animal ?

2.47 Une balle est lancée à l'horizontale, à partir d'une certaine hauteur h, avec une vitesse v_0. Une autre balle est lancée du même endroit vers le bas, à la verticale, avec la même vitesse initiale.

a) Quelle balle atteindra le sol la première ?

b) Quelle balle aura la plus grande vitesse au moment de toucher le sol ?

2.48 Un garçon lance une balle de telle manière qu'elle s'élève d'1 m en parcourant une distance horizontale de 7 m. À ce moment, la balle commence à retomber. Quelles étaient la vitesse et la direction initiales de la balle ?

2.49 Un homme souhaite traverser une rivière de 0,5 km de large. Il oriente sa barque vers la berge opposée et rame à la vitesse de 2 km h^{-1} par rapport à l'eau. Le courant est de 4 km h^{-1}.

a) Combien de temps lui faut-il pour traverser la rivière ?

b) Où accoste-t-il ?

2.50 On sert une balle de tennis horizontalement à une hauteur de 2,40 m. Le service s'effectue à 12 m du filet. Celui-ci a une hauteur de 0,9 m.

a) Si la balle passe au moins à 0,2 m au-dessus du filet, quelle était sa vitesse initiale minimum ? (négliger la résistance de l'air).

b) Si elle passe 0,2 m au-dessus du filet, où retombera-t-elle ?

2.51 Certains livres conseillent d'effectuer un service de tennis au-dessous de la direction horizontale. Pour voir si ce conseil est judicieux, supposons que la balle soit lancée à partir d'une hauteur de 2,40 m, dans une direction formant un angle de 5° au-dessous de l'horizontale et avec une vitesse relativement élevée de 30 m s^{-1}. Quelle sera la hauteur de la balle lorsqu'elle atteindra le filet situé à 12 m du point de lancement ? (Le filet a une hauteur de 0,9 m. Négliger la résistance de l'air.)

2.52 Dans les téléviseurs et les oscilloscopes, les écrans des tubes cathodiques émettent de la lumière lorsqu'ils sont atteints par des électrons à grande vitesse. On utilise des plaques chargées électriquement pour contrôler leur point d'impact. Dans la figure 2.23, des électrons ayant une vitesse initiale horizontale de 2×10^7 m s^{-1} sont soumis à une accélération verticale de 10^{14} m s^{-2} pendant leur trajet entre des plaques qui ont une longueur de 0,2 m.

a) Pendant combien de temps les électrons restent-ils entre les plaques ?

b) Quelle sera la direction des électrons à la sortie de celles-ci ?

c) Que vaudra la déviation verticale à la sortie des plaques ?

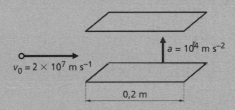

Figure 2.27 Problème 2.52.

2.53 On sert une balle de tennis 2,5 m au-dessus du sol dans une direction faisant un angle de 5° au-dessus de l'horizontale. Sa vitesse initiale est de 30 m s^{-1}.

a) Quand la balle touchera-t-elle le sol ?

b) Jusqu'où ira-t-elle ?

2.54 Au cours d'un saut, un skieur quitte le tremplin suivant une direction formant un angle de 20° au-dessus de l'horizontale. Il retombe 3,5 s plus tard en un point situé 20 m plus bas que son point d'envol.

a) Quelle était sa vitesse initiale ?

b) Quelle distance horizontale a-t-il parcourue ?

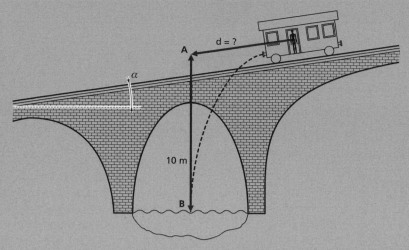

Figure 2.28 Problème 2.58.

2.55 Établir une relation entre la hauteur maximum atteinte par un projectile lancé depuis le sol et les composantes de sa vitesse initiale.

2.56 Montrer que les composantes horizontale et verticale du déplacement d'un projectile satisfont à l'équation d'une *parabole* du type $\Delta y = a\,\Delta x + b(\Delta x)^2$.

2.57 Une pierre est lancée dans une rivière du haut d'un pont. Le pont est a une hauteur H au dessus de la rivière. La pierre est lancée avec une vitesse initiale v_0 et selon une direction faisant un angle θ avec l'horizontale. Calculez

a) le temps de vol de la pierre

b) la portée P.

2.58 Dans la Cordillère des Andes, Tintin et Milou sont prisonniers d'un wagon qui dévale une pente faisant un angle $\alpha = 3°$ avec l'horizontale. La voie de chemin de fer passe au-dessus d'une rivière. La distance AB comptée à la verticale de la rivière par rapport au point de chute B est égale à 10 m (voir figure 2.28). Sachant que la vitesse du wagon, lorsqu'il passe au point A est de 10 m s^{-1}, à quelle distance de A Tintin doit-il sauter pour tomber dans la rivière au point B ?

2.59 La figure 2.29 schématise un parcours de golf. Le joueur désire envoyer la balle dans le trou situé en contrebas (drapeau). Le *green* est néanmoins bordé par un rideau d'arbres d'une hauteur de 12 m.

Déterminez l'amplitude v_0 et la direction θ de la vitesse initiale que le joueur doit communiquer à la balle s'il désire que celle-ci frôle la cime des arbres et tombe directement dans le trou (sans rouler) ?

2.60 Le frappeur d'une équipe de baseball frappe la balle à l'instant $t = 0$ et l'envoie selon une direction faisant un angle de 55° par rapport à l'horizontale avec une vitesse initiale de 35 m/s. Un voltigeur se trouve à 85 m du frappeur au temps $t = 0$. Vue de l'endroit ou se trouve le frappeur, la position initiale du voltigeur forme un angle horizontal de 22° par rapport au plan dans lequel se déplace la balle (voir figure 2.30).

À quelle vitesse (supposée constante) et selon quelle direction θ, le voltigeur doit-il se mettre à courir en $t = 0$ s'il veut attraper la balle, en vol, à la hauteur à laquelle elle a été frappée ?

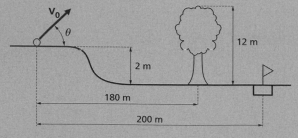

Figure 2.29 Problème 2.59.

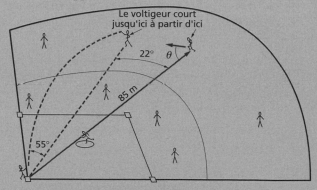

Figure 2.30 Problème 2.60.

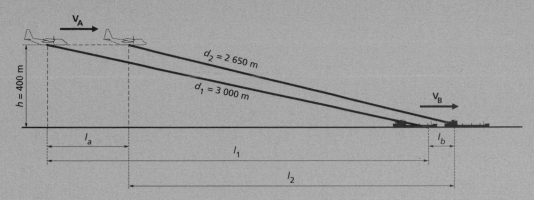

Figure 2.31 Problème 2.61.

2.61 Un avion volant à une altitude de 400 m a pour mission de larguer un colis sur un bateau.

L'avion a une vitesse de 300 km h^{-1} et se déplace dans la même direction que le bateau (voir figure 2.31). Il est muni d'un dispositif lui permettant de mesurer, à tout instant et de manière instantanée, la distance directe le séparant du bateau. À un instant initial, l'appareil relève une distance de 3000 m et 5 s plus tard, une distance de 2650 m.

Après avoir effectué ces mesures, le pilote veut larguer le colis.

a) Quelle est la vitesse du bateau ?

b) Quel sera le temps de chute du colis ainsi que la distance horizontale entre le point de largage et le point d'impact ?

c) Quelle doit être la distance horizontale entre le navire et l'avion au moment du largage du colis afin que celui-ci atteigne le navire.

d) À quel instant, par rapport à l'instant initial, le colis doit-il être largué ?

CHAPITRE 3

Les lois de Newton

Mots-clefs

Coefficient de frottement cinétique • Coefficient de frottement statique • Constante de gravitation • Densité • Deuxième loi de Newton • Équilibre indifférent • Équilibre instable • Équilibre stable • Force • Force d'action • Force de contact • Force de frottement • Force de réaction • Force normale • Kilogramme • Loi de la gravitation universelle • Loi en l'inverse du carré de la distance • Masse d'inertie • Masse gravitationnelle • Masse volumique • Newton • Poids • Poids effectif • Première loi de Newton • Référentiel d'inertie • Tension • Troisième loi de Newton

Introduction

Maintenant que nous avons appris à décrire le mouvement, nous pouvons nous poser une question plus fondamentale relative à sa cause. Un objet est mis en mouvement s'il est poussé ou tiré, c'est-à-dire s'il est soumis à une *force*. L'étude des forces et de leurs effets constitue le sujet central de la mécanique.

Bien que de nombreux types de forces existent dans la nature, les effets qui en résultent peuvent être décrits rigoureusement par trois lois générales énoncées pour la première fois par Sir Isaac Newton (1642-1727). Guidé par des observations astronomiques antérieures et servi par une intuition géniale, Newton a non seulement énoncé les lois du mouvement mais il a aussi établi l'expression de la gravitation universelle qui décrit l'attraction entre deux objets. Il a montré que les mouvements orbitaux des planètes et de la Lune étaient en bon accord avec les prévisions faites à partir de ces lois.

L'œuvre de Newton représente un formidable progrès dans notre compréhension du monde et elle a eu une grande influence sur la science. Pendant plus de deux siècles, les lois de Newton sont apparues comme le fondement même de la mécanique. De nombreux scientifiques ont pu vérifier, dans différents domaines, qu'un accord parfait existait entre la théorie et l'expérience. Même si les progrès du XXe siècle ont montré que la mécanique newtonienne était inadaptée pour décrire les phénomènes à l'échelle atomique ou lorsque les vitesses deviennent comparables à la vitesse de la lumière (3×10^8 m s^{-1}), les lois de Newton constituent un formalisme extrêmement précis permettant de comprendre le mouvement des objets macroscopiques aux vitesses ordinaires. Elles sont donc parfaitement adaptées aux applications relevant du domaine de l'astronomie, de la biomécanique, de la géologie et de l'ingénierie. Les compléments de mécanique développés au XXe siècle seront discutés dans les derniers chapitres du livre.

3.1 FORCE, POIDS ET MASSE GRAVITATIONNELLE

Si nous poussons ou si nous tirons un objet, nous exerçons une force sur cet objet. Les forces sont caractérisées par une grandeur et une direction. Elles sont donc représentées par des vecteurs. La force *résultante* ou la force *totale* qui s'exerce sur un objet correspond à la somme vectorielle de toutes les forces appliquées à cet objet. Ainsi, lorsque deux forces de même grandeur mais de directions opposées s'exercent sur un objet, la force résultante est nulle (figure 3.1a).

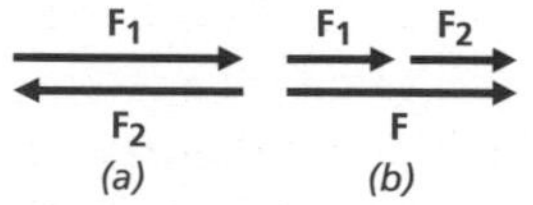

Figure 3.1 Les forces sont des grandeurs vectorielles. Elles ont donc une direction et un module. *(a)* Les forces F_1 et F_2 sont égales en grandeur mais de direction opposée. Leur somme est donc nulle. *(b)* Puisque F_1 et F_2 sont égales, la force résultante vaut $F = F_1 + F_2 = 2F_1$.

Les forces qui s'exercent à la suite du contact entre deux objets s'appellent des forces de contact. On citera, comme exemples, la force qu'un ressort comprimé peut exercer sur un objet en contact avec lui, la force verticale qu'une table exerce sur un livre qui y est posé, ou encore la force qu'un muscle qui se contracte peut exercer sur un os. D'autres forces comme, par exemple, les forces gravitationnelles, magnétiques et électriques, n'impliquent pas de contact entre les objets. Ainsi, la Terre est maintenue sur une orbite quasi circulaire par la force gravitationnelle exercée par le Soleil. En fait, les forces de contact sont aussi de nature électrique et magnétique. Ce sont des forces qui s'exercent entre les atomes. La distinction n'est donc pas toujours très claire.

Pour exprimer les forces de manière quantitative, il faut définir une unité de force. Une façon de faire consiste à se servir d'un ressort pour mesurer la force gravitationnelle qui s'exerce sur un objet pris comme étalon. Lorsque la longueur du ressort varie, une aiguille se déplace le long d'une échelle graduée. Lorsque l'étalon est placé sur un plateau accroché au ressort, l'aiguille subira un certain déplacement. On dira que l'étalon exerce une force unitaire sur le ressort. On obtiendra toujours la même valeur si on répète l'expérience en différents points de la surface terrestre où l'accélération de la pesanteur est la même. Une fois que l'échelle graduée a été calibrée en utilisant plusieurs exemplaires de l'étalon, d'autres forces peuvent être évaluées en mesurant l'allongement du ressort. Dans le paragraphe 3.6, on montrera que la force unitaire peut également être définie à partir de la mesure de l'accélération d'un objet choisi comme étalon.

Dans le S.I., la force unitaire est le *newton* (N).

Une force particulièrement importante est la force gravitationnelle qui s'exerce sur un objet. Cette force particulière s'appelle le *poids* **w**. Ainsi, le poids d'un homme est d'environ 1 000 N.

La *masse gravitationnelle m* d'un objet est étroitement associée à son poids. Elle se définit par le rapport entre le poids et l'accélération gravitationnelle, *g*, caractéristique de l'endroit où l'objet se trouve :

$$m = \frac{w}{g} \tag{3.1}$$

Si un objet n'a pas de support, la force gravitationnelle l'attire vers le sol, ce qui provoque sa chute. Les vecteurs **w** et **g** sont donc des vecteurs parallèles et l'équation (3.1) peut se mettre sous la forme vectorielle

$$\mathbf{w} = m\mathbf{g} \tag{3.2}$$

Dans le S.I., l'unité de masse gravitationnelle est le *kilogramme* (kg). Ainsi, un homme dont le poids sur Terre est de 1 000 N possède une masse gravitationnelle valant w/g soit $1\,000\ \mathrm{N}/9,8\ \mathrm{m\ s^{-2}} = 102\ \mathrm{kg}$.

Un objet qui possède une masse gravitationnelle de 1 kg a un poids $w = mg = (1\ \mathrm{kg})\left(9,8\ \mathrm{m\ s^{-2}}\right) = 9,8\ \mathrm{N}$.

La masse, représentée dans les équations aux dimensions par la lettre M, complète l'ensemble des unités physiques de base. Toutes les grandeurs mécaniques peuvent s'exprimer en termes de longueur, de temps et de masse. Le tableau 3.1 donne les valeurs des masses d'objets typiques.

Électron	9×10^{-31}
Proton	2×10^{-27}
Atome d'oxygène	3×10^{-26}
Molécule d'insuline (une petite protéine)	10^{-23}
Molécule de pénicilline	10^{-18}
Amibe géante	10^{-8}
Fourmi	10^{-5}
Petit oiseau	10^{-2}
Chien	10^{1}
Homme	10^{2}
Éléphant	10^{4}
Baleine bleue	10^{5}
Pétrolier	10^{8}
Lune	7×10^{22}
Terre	6×10^{24}
Soleil	2×10^{30}
Notre galaxie	2×10^{41}

Tableau 3.1 Masses de quelques objets typiques, exprimées en kilogrammes.

L'espace interstellaire	$10^{-18} \sim 10^{-21}$
Le vide le plus élevé dans un laboratoire	10^{-17}
L'hydrogène	0,0899
L'air à 0 °C et 1 atmosphère	1,29
à 100 °C et 1 atmosphère	0,95
à 0 °C et 50 atmosphères	6,5
L'eau à 0 °C et 1 atmosphère	1 000
à 100 °C et 1 atmosphère	958
à 0 °C et 50 atmosphères	1 002
Le sang complet, à 25 °C	1 059,5
Le mercure	13 600
L'aluminium	2 700
Le fer, l'acier	7 800
Le cuivre	8 900
Le plomb	11 300
L'or	19 300
La Terre, masse volumique du noyau	9 500
Le Soleil, masse volumique au centre	$1,6 \times 10^5$
Une étoile naine blanche	$10^8 \sim 10^{15}$
Le noyau atomique	10^{17}
Une étoile à neutrons	10^{17}

Tableau 3.2 Quelques masses volumiques représentatives exprimées en kg m^{-3}. Les masses volumiques des matériaux sont données, sauf indication contraire, à pression atmosphérique et à 0 °C. (À 0 °C, 1 cm^3 d'eau a une masse de 1 g.)

Dans ce paragraphe, nous avons introduit deux concepts importants : la force et la masse gravitationnelle. La force représente la poussée ou la traction qui s'exerce sur un objet. La force gravitationnelle qui s'exerce sur un objet s'appelle le poids. La masse gravitationnelle d'un objet s'obtient en divisant le poids par l'accélération gravitationnelle. Nous approfondirons l'étude des relations existant entre les forces et les masses dans les paragraphes suivants.

3.2 LA MASSE VOLUMIQUE

Lorsque l'on étudie d'un point de vue général les propriétés des matériaux, il est commode d'introduire la notion de *masse volumique*, c'est-à-dire la masse par unité de volume. Si un échantillon de matériau a une masse m et un volume V, la masse volumique est définie par le rapport

$$\rho = \frac{\text{masse}}{\text{volume}} = \frac{m}{V} \qquad (3.3)$$

(Le symbole ρ est la lettre grecque « rho ».) Dans le S.I., les masses volumiques se mesurent en kilogrammes par mètre cube (kg m^{-3}). Par exemple, si un bloc de bois a une masse de 50 kg et un volume de $0,1$ m^3, sa masse volumique est $\rho = m/V = (50 \text{ kg})/(0,1 \text{ m}^3) = 500$ kg m^{-3}.

Le tableau 3.2 donne les masses volumiques de quelques matériaux. Il convient de signaler que la masse volumique varie avec la température et la pression, surtout dans le cas des gaz.

La *densité* est un autre concept étroitement lié à celui de masse volumique. La densité représente le rapport entre la masse volumique d'une substance donnée et la masse volumique de l'eau à 0 °C (Celsius). On déduit facilement les valeurs des densités des matériaux du tableau 3.2, puisque la masse volumique de l'eau, à 0 °C, vaut 1 000 kg m^{-3}. Ainsi, la densité du mercure vaut $13\,600/1\,000 = 13,6$. Il s'agit d'un nombre sans dimension. Compte tenu du facteur de conversion donné dans le tableau, on voit aisément qu'un centimètre cube de mercure a une masse de 13,6 grammes.

3.3 LA PREMIÈRE LOI DE NEWTON

Selon le concept aristotélicien qui a dominé tout le Moyen Âge, les objets sont en mouvement si et seulement si une force provoque ce mouvement. Ainsi, lorsqu'une charrette est détachée du cheval qui la tire, elle s'immobilise rapidement parce que la force qui s'exerce sur elle cesse d'agir. Le point de vue moderne explique le ralentissement et l'arrêt de la charrette en faisant intervenir des forces de frottement. Ce point de vue moderne est résumé dans la première loi de Newton qui s'énonce :

Tout objet conserve son état de repos ou de mouvement rectiligne uniforme en l'absence de forces agissant sur lui.

Cette première loi peut encore s'énoncer de la manière suivante : si aucune force n'agit sur un objet ou si la force résultante est nulle,

1. un objet au repos reste au repos, et
2. un objet en mouvement continue à se mouvoir à vitesse constante.

Sous les formes énoncées, la première loi de Newton n'est applicable qu'aux mesures effectuées par certains observateurs. Un enfant sur un manège constate que des objets sur le sol, qui ne sont soumis à aucune force résultante, se déplacent suivant des trajectoires assez complexes. Par contre, un enfant au repos sur le sol constate que les mêmes objets sont immobiles ou animés de vitesses constantes. En conséquence, l'expression que nous avons donnée de la première loi de Newton est correcte pour l'enfant qui est au repos, mais incorrecte pour l'enfant sur le manège. Il faut remarquer que l'enfant sur le manège subit une accélération. En effet, sa vitesse est constamment modifiée. La première loi de Newton, telle que nous l'avons énoncée, ne s'applique pas à un observateur soumis à une accélération.

Cette première loi nous amène à définir un *référentiel d'inertie*. On appelle «référentiel d'inertie» un système de référence dans lequel la première loi de Newton énoncée ci-dessus est applicable. Rigoureusement parlant, l'enfant au repos sur le sol n'est pas vraiment dans un référentiel d'inertie, puisque la Terre tourne autour de son axe en un jour et autour du Soleil en un an. Le système solaire, lui-même, est en mouvement par rapport à des étoiles éloignées. Cependant, ces effets peuvent habituellement être négligés et la Terre peut être considérée comme un référentiel d'inertie. Toutefois, la rotation de la Terre autour de son axe influence les mouvements de l'atmosphère et des océans. Nous discuterons cela au chapitre 5.

Tout système de coordonnées qui se déplace à vitesse constante par rapport à un référentiel d'inertie peut être lui-même considéré comme un référentiel d'inertie. Pour nous en rendre compte, considérons un observateur au repos sur le sol et un autre assis dans une voiture se déplaçant à vitesse constante. Si les deux observateurs mesurent la vitesse d'un objet en mouvement, leurs mesures différeront d'une constante qui représente la vitesse relative de l'observateur dans la voiture par rapport à l'observateur au sol. Dès lors, les deux observateurs seront d'accord pour dire que tel objet particulier est animé d'un mouvement accéléré. La première loi de Newton s'applique donc pour les deux observateurs.

Il ressort de cette discussion que les voitures ou les avions qui se déplacent à vitesse constante par rapport au sol peuvent être considérés comme des référentiels d'inertie. Par contre, les véhicules en accélération, les manèges, les balançoires ne sont pas des référentiels d'inertie. Comme exemple supplémentaire, considérons le cas du conducteur d'une voiture en accélération. Il sent que le dossier du siège exerce une force sur son dos. Par rapport au sol, le conducteur est en accélération, mais par rapport à la voiture, il ne l'est pas. La première loi explique bien les mesures réalisées par un observateur au repos sur le sol : l'état de mouvement du conducteur est modifié par l'action des forces qui s'exercent sur lui. Par contre, la première loi ne s'applique pas dans le système de référence lié à la voiture en accélération, puisqu'une force s'exerce sur le chauffeur bien que, dans ce système de référence, le chauffeur soit au repos.

3.4 L'ÉQUILIBRE

Lorsque l'état de mouvement d'un objet reste inchangé, même si deux ou plusieurs forces agissent sur lui, l'objet est dit en *équilibre*. On distingue trois types d'équilibre : *instable*, *stable* et *indifférent*. Ces différents types d'équilibre se définissent mieux à partir d'un exemple.

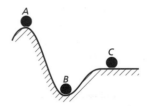

Figure 3.2 Une balle au sommet d'une butte est en équilibre instable. Dans le creux, elle est en équilibre stable. Sur un plan horizontal, elle est en équilibre neutre ou indifférent.

Supposons qu'un ballon soit placé exactement au sommet d'une petite butte (point *A* de la figure 3.2). Il peut y rester, un certain temps, au repos. Toutefois un léger souffle de vent est susceptible de le déplacer. Le ballon acquerra alors rapidement une accélération en dévalant la butte. Le ballon était dans un équilibre *instable* : un déplacement minime permet à une force de se manifester et cette force tend à éloigner l'objet de sa position d'équilibre. Inversement, si le ballon occupe un creux (point *B*), il aura tendance à revenir à sa position initiale après avoir subi un léger déplacement. Il s'agit, dans ce cas, d'un équilibre *stable* : un déplacement minime donne naissance à une force qui tend à ramener l'objet à sa position d'équilibre. Enfin si le ballon est sur un terrain plat (point *C*), aucune force n'entre en jeu lorsque le ballon subit un léger déplacement. Il s'agit d'un équilibre *indifférent*.

Il ressort de la première loi de Newton que la force résultante qui agit sur un objet doit être nulle pour que le mouvement de translation de l'objet reste inchangé. Ceci constitue une condition d'équilibre. Si on considère non plus un point matériel mais un objet susceptible d'être mis en rotation, une seconde condition d'équilibre intervient. Cette condition requiert qu'aucun *moment de force* ne modifie la rotation. Cette seconde condition d'équilibre sera discutée dans le chapitre suivant.

La situation d'équilibre la plus simple correspond à deux forces égales mais opposées qui agissent sur un même objet. Une personne, debout sur le sol, subit l'attraction gravitationnelle de la Terre, ce qui constitue son poids **w** (figure 3.3*a*). Puisque la personne est au repos, il faut, d'après la première loi de Newton, que la force résultante agissant sur elle soit nulle, ce qui implique que le sol exerce sur la personne une force égale au poids mais dirigée vers le haut. Dans la figure 3.3a, cette force est représentée par le vecteur **N**, puisqu'elle est *normale* ou perpendiculaire au sol. (Cette force normale **N** a un module égal à *N* ; à ne pas confondre avec l'abréviation N, employée pour désigner le newton.) Considérons encore deux équipes qui tirent sur une corde dans des directions opposées (figure 3.3*b*). Si les forces exercées ont exactement la même grandeur, le nœud qui définit le milieu de la corde restera immobile. Par contre, si une équipe tire plus fort que l'autre, le nœud se déplacera dans cette direction.

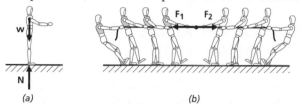

(a)   (b)

Figure 3.3 *(a)* Puisque la personne est en équilibre, la force **N** exercée par le sol est égale en grandeur à son poids. Le poids a une direction opposée à **N**. *(b)* Si les forces **F₁** et **F₂** exercées par les deux équipes sont de grandeur égale, le nœud sera en équilibre et restera immobile.

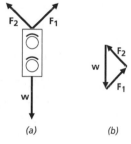

(a)   (b)

Figure 3.4 *(a)* Un feu de signalisation est tenu par deux câbles. Il est en équilibre sous l'action de trois forces. *(b)* La somme vectorielle de ces forces est nulle.

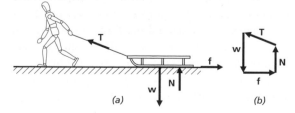

(a)   (b)

Figure 3.5 *(a)* Un traîneau se déplace à vitesse constante. Les forces qui s'exercent sur lui sont le poids **w**, la force normale **N**, une force de frottement **f** qui s'oppose au mouvement, et la force **T** exercée par la corde. *(b)* La somme vectorielle de ces forces est nulle puisque le traîneau est en équilibre.

La figure 3.4*a* montre un feu de signalisation. Ce feu est en équilibre sous l'action de trois forces. La somme vectorielle, résultant de l'addition des trois forces, doit être nulle (figure 3.4*b*). Comme autre exemple, considérons le traîneau de la figure 3.5. Il se déplace, à vitesse constante, sur un sol couvert de neige et parfaitement horizontal. Sa vitesse est constante, ce qui implique d'après la première loi de Newton que la force résultante soit nulle. Le traîneau est en équilibre. Remarquons que la notion d'équilibre ne concerne pas seulement des objets au repos. Un objet, animé d'une vitesse constante par rapport à un observateur situé dans un référentiel d'inertie, pourra être considéré au repos par un autre observateur dans un autre référentiel d'inertie.

En résumé, un objet est en équilibre de translation si la somme vectorielle des forces agissant sur lui est nulle. On détermine le type d'équilibre en observant comment les forces sont modifiées quand on déplace légèrement l'objet de son état initial de repos ou de mouvement uniforme.

3.5 LA TROISIÈME LOI DE NEWTON

Occupons-nous à présent de la troisième loi qui concerne les forces que deux objets exercent l'un sur l'autre. Différons l'étude de la deuxième loi au paragraphe suivant. Notre expérience quotidienne nous rend cette troisième loi familière. Supposons, par exemple, que vous soyez au repos dans une piscine ; si vous exercez avec les jambes une poussée contre le bord de la piscine, le bord exerce sur vous une force qui tend à vous propulser vers le milieu de cette piscine. La force de *réaction* que le mur exerce sur vous a donc une direction opposée à la force que vous avez exercée sur le mur (figure 3.6). De manière analogue, si vous vous mettez à marcher, vos pieds exercent sur le sol une force dirigée vers l'arrière ; à son tour, le sol vous pousse vers l'avant. Newton a observé que lorsqu'une personne exerce une force sur un objet, l'objet, en réaction, exerce une force sur la personne, force qui est *égale en grandeur mais de direction opposée*. Cette relation est appelée la troisième loi du mouvement. Elle s'applique que la personne ou l'objet soit ou non en accélération. Les deux forces qui s'exercent entre une personne et un objet, ou entre deux objets, sont appelées *forces d'action et de réaction*. D'une façon générale, nous pouvons exprimer la troisième loi de la manière suivante :

> Si un objet exerce une force **F** sur un second objet, le second objet exerce sur le premier une force égale mais opposée, −**F**.

Par exemple, si vous poussez une chaise en exerçant une force horizontale **F** de 10 N, la chaise exerce, sur vous, une force de 10 N dans la direction opposée. Si la Terre exerce une force gravitationnelle de 5 N sur un livre, cette force étant dirigée vers le centre de la Terre, le livre, à son tour, exerce une force de 5 N sur la Terre, cette force étant dirigée vers le haut. Il est important de se rendre compte que, dans chaque cas, les deux forces, d'action et de réaction, s'exercent sur des objets différents. Leurs effets ne s'annulent donc pas l'un l'autre. Lorsque vous poussez une chaise, elle est déplacée, sauf si les forces de frottement sont suffisamment importantes pour empêcher ce mouvement. Si un livre n'est sujet à aucune autre force que celle de la pesanteur, il tombe vers le sol ; en d'autres termes, *seules les forces agissant sur un objet particulier sont susceptibles de modifier son état de mouvement*. Les forces exercées *par* un objet modifieront le mouvement d'autres objets.

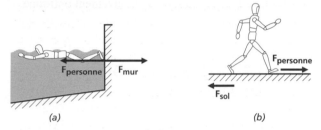

(a)   *(b)*

Figure 3.6 La force qui s'exerce sur la personne a une grandeur égale mais une direction opposée à la force qui s'exerce *(a)* sur le mur ; *(b)* sur le sol.

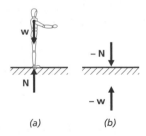

(a)   *(b)*

Figure 3.7 *(a)* Forces qui s'exercent sur une personne en équilibre. *(b)* La réaction au poids de la personne est une force −**w** qui s'exerce sur la Terre ; la réaction à la force **N** exercée par le sol est une force −**N** que la personne exerce sur le sol.

Il existe de nombreuses situations où des forces égales mais opposées interviennent, bien qu'il ne s'agisse pas de forces d'action et de réaction au sens de la troisième loi. Ceci arrive fréquemment lorsqu'un objet est en équilibre, c'est-à-dire lorsque des forces se compensent, en accord avec la *première* loi de Newton. Par exemple, nous avons vu au paragraphe précédent que les forces **w** et **N** qui s'exercent sur la personne représentée dans la figure 3.7, sont égales en grandeur mais ont des directions

opposées. Ces deux forces s'exercent sur la personne ; elles *ne* constituent donc *pas* des forces d'action et de réaction. Puisque le poids **w** est une force que *la Terre exerce sur la personne* et qui est donc dirigée vers le bas, la force de réaction qui y correspond est une force gravitationnelle qui est dirigée vers le haut (−**w**). Il s'agit de la force que *la personne exerce sur la Terre*. De la même manière, la réaction à la force normale **N**, exercée par le sol sur la personne, est une force dirigée vers le bas (−**N**). Il s'agit d'une force que *la personne exerce sur le sol*.

Bien qu'il soit courant de parler d'action et de réaction, l'aspect principal de la troisième loi, c'est que les forces qui s'exercent entre deux objets sont toujours des forces égales mais opposées. Quant à savoir laquelle des forces doit être définie comme l'action ou la réaction, c'est souvent une question de choix ; on a pu s'en rendre compte dans les exemples relatifs aux forces gravitationnelles.

3.6   LA DEUXIÈME LOI DE NEWTON

Quand une force résultante s'exerce sur un objet, celui-ci est soumis à une accélération qui a même direction que la force. L'accélération et la force sont aussi proportionnelles en grandeur : si la force est doublée, l'accélération est, elle aussi, doublée.

Si deux grandeurs sont proportionnelles, on peut établir une relation entre elles : la première grandeur est égale à la seconde multipliée par une *constante de proportionnalité*. Nous pouvons donc relier la force **F** et l'accélération **a** par la *deuxième loi de Newton*,

$$\mathbf{F} = m\mathbf{a} \qquad (3.4)$$

La constante de proportionnalité, m, est appelée la masse de l'objet. (Rigoureusement parlant, il s'agit ici de la *masse d'inertie*. Nous verrons, dans le paragraphe 3.10, que la masse d'inertie et la masse gravitationnelle d'un objet sont égales.)

La masse d'un objet est la mesure de la quantité de matière qui le constitue. En d'autres termes, c'est une mesure de son inertie. Plus grande est la masse d'un objet, plus faible sera l'influence d'une force donnée sur son mouvement. La masse est liée au poids tout en étant une grandeur totalement différente. Le poids d'un objet est la force gravitationnelle qui s'exerce sur lui. C'est une grandeur vectorielle. La masse, au contraire, est une grandeur scalaire.

La deuxième loi de Newton, **F** = m**a**, fournit un autre moyen de définir l'unité de force. Une force d'1 N agissant sur une masse d'1 kg produit une accélération de 1 m s^{-2}.

$$1 \text{ N} = (1 \text{ kg})(1 \text{ m s}^{-2}) = 1 \text{ kg m s}^{-2}$$

Cette définition est équivalente à celle que nous avons donnée précédemment.

Pour illustrer la deuxième loi et l'emploi des unités, remarquons qu'une voiture qui a une masse de 1 000 kg et qui accélère à 2 m s^{-2} doit être soumise à une force résultante $F = ma = (1\,000\ \text{kg})(2\ \text{m s}^{-2}) = 2\,000$ N. De manière analogue, si une force de 50 N est appliquée à un traîneau et lui donne une accélération de 2 m s^{-2}, la masse du traîneau doit être égale à

$$m = F/a = (50N)(2\ \text{m s}^{-2}) = 25\ \text{kg}$$

Nous aurons à considérer de nombreux exemples et applications de la deuxième loi de Newton. Dès maintenant, cependant, nous pouvons comprendre pourquoi l'égalité des forces d'action et de réaction n'est pas toujours immédiatement apparente. Puisque $\mathbf{a} = \mathbf{F}/m$, l'accélération qui résulte d'une force donnée varie de manière inversement proportionnelle à la masse de l'objet. Une personne qui saute d'une falaise est soumise à l'accélération g. Cette accélération est associée à la force gravitationnelle exercée par la Terre sur la personne. La Terre est également soumise à une force d'égale grandeur. Mais l'accélération qui en résulte est très faible en raison de l'énorme masse de la Terre. De la même manière, lorsqu'une petite voiture et un gros camion entrent en collision, les forces qui s'exercent sur chacun des véhicules sont égales en grandeur. Mais la décélération de la voiture est beaucoup plus grande que celle du camion.

3.7 SIGNIFICATION DES LOIS DE NEWTON

Les trois lois de Newton sont tout à fait fondamentales pour l'étude du monde physique qui nous entoure. L'ensemble de la mécanique peut être considéré comme une succession d'applications directes ou indirectes des lois de Newton. Nous introduirons, dans les chapitres suivants, de nombreux autres concepts et de nombreuses autres grandeurs. Rien cependant n'est aussi fondamental que les lois de Newton. En conséquence, avant de discuter quelques exemples qui illustrent ces lois, nous allons les énoncer ensemble de manière à bien les mettre en évidence et à fournir une référence facile.

Première loi de Newton
Si aucune force résultante n'agit sur un objet :
1. un objet au repos reste au repos ;
2. un objet en mouvement continue à se mouvoir avec une vitesse constante en grandeur et en direction.

Deuxième loi de Newton
La force $\mathbf{F}$, nécessaire pour fournir une accélération $\mathbf{a}$ à un objet, est égale à :

$$\mathbf{F} = m\mathbf{a} \tag{3.5}$$

où m représente la masse de l'objet.

Troisième loi de Newton
Si un objet exerce une force $\mathbf{F}$ sur un second objet, le second objet exerce, sur le premier, une force égale mais opposée $(-\mathbf{F})$.

Dans la forme qui vient de leur être donnée, les lois de Newton ne s'appliquent que dans un référentiel d'inertie.

3.8 QUELQUES EXEMPLES DES LOIS DE NEWTON

Nous donnerons maintenant plusieurs exemples sur la manière d'appliquer les lois de Newton. Dans chaque cas, nous emploierons une procédure systématique en vue d'associer l'accélération d'un objet, ou de plusieurs objets, aux forces en présence.

1. Pour chaque objet, on dessinera un schéma précis faisant apparaître les forces qui agissent *sur* cet objet.

2. On appliquera alors la seconde loi de Newton, $\mathbf{F} = m\mathbf{a}$, *à chaque objet séparément*. Si n forces $\mathbf{F}_1$, $\mathbf{F}_2$, $\cdots$, $\mathbf{F}_n$ agissent sur un objet, la force résultante $\mathbf{F}$ représente la somme des forces et on a :

$$\mathbf{F} = \mathbf{F}_1 + \mathbf{F}_2 + \cdots + \mathbf{F}_n = m\mathbf{a}$$

En explicitant les composantes, cette équation peut s'écrire :

$$F_x = F_{1x} + F_{2x} + \cdots + F_{nx} = ma_x \tag{3.6}$$
$$F_y = F_{1y} + F_{2y} + \cdots + F_{ny} = ma_y \tag{3.7}$$

3. Comme dans les chapitres précédents, on ne substituera pas immédiatement les valeurs numériques ; on résoudra, au contraire, les équations de façon symbolique en obtenant les quantités inconnues en fonction des données. Enfin, on substituera aux données les valeurs numériques. Cette procédure facilite les vérifications d'algèbre et de physique et réduit souvent les calculs arithmétiques.

4. On associera les unités aux valeurs numériques en vue de vérifier que la réponse finale possède bien les dimensions adéquates.

Nous suivrons cette démarche dans les exemples repris ci-dessous, ainsi que dans les chapitres suivants.

SIR ISAAC NEWTON
(1642-1727)

Né en 1642, l'année de la mort de Galilée, Newton a largement contribué à notre compréhension du mouvement. Il a aussi effectué un travail remarquable dans le domaine de l'optique et des mathématiques.

Newton était un enfant fragile. Il a été élevé par sa grand-mère, après que sa mère se fut remariée lorsqu'il avait deux ans. Son enfance difficile est sans doute en rapport avec les tendances psychotiques qu'il a développées plus tard. Durant toute sa brillante carrière, il se montrait extrêmement anxieux lors de la publication de ses travaux, et il manifestait une violence irrationnelle lorsque ses idées étaient contredites. Il a souffert d'au moins deux dépressions nerveuses.

Au début de ses études, à Cambridge (1661-1665), Newton assimile très vite la littérature scientifique et mathématique et il explore bientôt de nouveaux domaines. Il formule le théorème du binôme et énonce les concepts fondamentaux de l'analyse. À cette époque et dans les années suivantes, il entreprend également des recherches en optique et sur le mouvement des planètes. Il montre que la force que le Soleil exerce sur une planète varie en $1/r^2$. Quelque vingt ans plus tard, il étendra cette idée à la loi de la gravitation universelle. Bien que le travail de Newton ne soit connu que dans un cercle restreint en raison de son hésitation à publier ses résultats, il obtient une chaire à Cambridge en 1669. Il met au point le premier télescope à réflexion en vue d'éliminer les problèmes d'aberrations inhérents aux lentilles. L'enthousiasme que la *Royal Society* de Londres lui réserve lors de la présentation de ce télescope l'encourage à présenter à cette société ses autres résultats d'optique. Nous sommes en 1672. Robert Hooke, le maître incontesté de l'optique, manifeste son désaccord vis-à-vis de certaines idées de Newton. Ceci donne lieu à d'âpres querelles qui forcent Newton à s'isoler pendant quelques années.

Le travail le plus remarquable de Newton se rapporte à la mécanique. Bien que de nombreux résultats aient été obtenus au début de sa carrière, sa théorie sur le mouvement planétaire n'est publiée qu'en 1684, sur le conseil pressant d'Edmond Halley, un astronome qui avait entendu parler de son travail.

La publication de *Principia Mathematica* date de 1687. Cette œuvre classique, écrite en latin, contient l'énoncé des trois lois du mouvement et de la loi de la gravitation universelle. Ce traité représente un des fondements de la science moderne. Il a rendu Newton internationalement célèbre. Cette publication termine sa période de recherches actives. Progressivement, son intérêt se tourne vers la politique, la théologie et vers des querelles de préséance scientifique.

Newton devient directeur de l'Hôtel des Monnaies, en principe un travail bien payé et peu exigeant. Il prend cependant son rôle très au sérieux et se montre particulièrement zélé pour poursuivre les faux-monnayeurs et les envoyer à la potence. Il assure également le rôle de leader de la science anglaise, en devenant président de la *Royal Society* en 1703. En 1705, il est le premier scientifique à être anobli. Malheureusement, il profite de sa situation pour chercher querelle à différents hommes de science. La querelle la plus longue est celle qu'il entretient, pendant vingt-cinq ans, avec Leibniz à qui il dispute le mérite du développement du calcul infinitésimal. Il est maintenant établi que Leibniz a développé le calcul infinitésimal, indépendamment, mais après Newton. Leibniz a toutefois publié ses résultats avant que Newton n'ait publié les siens.

Exemple 3.1

Un ascenseur a une masse de 1 000 kg.

a) Il a une accélération en montée de 3 m s^{-2}. Que vaut la tension T exercée par le câble ?

b) Que vaut cette tension T si l'accélération est de 3 m s^{-2} en descente ?

Réponse a) Les forces qui s'exercent sur l'ascenseur sont son poids, **w**, et la force vers le haut, **T**, qui provient du câble (figure 3.8). Appliquons l'équation (3.6) avec deux forces en présence :

$$F_{1y} + F_{2y} = ma_y$$

Puisque $F_{1y} = T$ et $F_{2y} = -w = -mg$, il vient :

$$T - mg = ma_y$$

ou encore $\qquad T = m(g + a_y) \qquad\qquad$ (i)

Dès lors, lorsque $a_y = 3$ m s^{-2} et $m = 1\,000$ kg,

$$T = (1\,000 \text{ kg})(9,8 \text{ m s}^{-2} + 3 \text{ m s}^{-2})$$
$$= 12\,800 \text{ N}$$

Notons que la valeur de T est supérieure au poids mg. Le câble doit supporter le poids de l'ascenseur, mais il doit aussi fournir une force supplémentaire nécessaire à l'accélération.

b) L'équation (i) est valable quels que soient la grandeur ou le signe de a_y. Lorsque **a** est dirigé vers le bas, $a_y = -3$ m s^{-2}, et l'équation (i) devient

$$T = m(g + a_y)$$
$$= (1\,000 \text{ kg})(9,8 \text{ m s}^{-2} - 3 \text{ m s}^{-2}) = 6\,800 \text{ N}$$

À présent, T est inférieur au poids mg, puisque l'ascenseur a une accélération vers le bas.

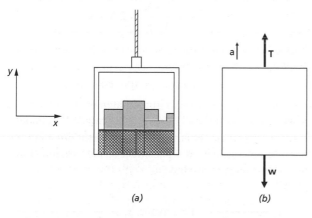

(a)   *(b)*

Figure 3.8 *(a)* Un ascenseur et son câble. *(b)* La force **T** exercée par le câble sur la cage de l'ascenseur et le poids de la cage **w**. Lorsque l'ascenseur accélère en montée, **T** est plus grand que **w**.

Exemple 3.2

Un joueur de hockey sur glace frappe, de son stick, un palet dont la masse est de 0,17 kg. Le palet part du repos et atteint une vitesse de 20 m s^{-1} sur une distance de 0,5 m (figure 3.9). Quelle force le joueur doit-il exercer si le frottement entre le palet et la glace est négligeable ? (Supposer l'accélération constante.)

Réponse Pour résoudre ce problème, on évalue l'accélération et on applique ensuite la deuxième loi de Newton. À partir des formules du mouvement uniformément accéléré du tableau 1.3, on a $v^2 = v_0^2 + 2a\,\Delta x$. Lorsque $v_0 = 0$,

$$a = v^2/2\,\Delta x = (20 \text{ m s}^{-1})^2/2(0,5 \text{ m}) = 400 \text{ m s}^{-2}$$

Donc, la force résultante qui s'exerce sur le palet vaut

$$F = ma = (0,17 \text{ kg})(400 \text{ m s}^{-2}) = 68 \text{ N}$$

Cette force résultante de 68 N a la même direction que l'accélération. Elle représente la force **S** que le stick du joueur exerce sur le palet. Ceci découle du fait que les seules autres forces qui agissent sur le palet sont son poids (dirigé vers le bas), et une force normale (dirigée vers le haut) exercée par la glace. Ces deux forces égales mais opposées se compensent et l'accélération n'a pas de composante verticale : $F_y = ma_y = 0$.

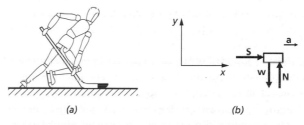

(a)   *(b)*

Figure 3.9 *(a)* Un joueur de hockey frappe le palet. *(b)* Diagramme des forces relatif au palet. Puisque l'accélération est horizontale, la composante verticale de la force résultante est nulle. La force normale **N** a la même grandeur que le poids.

Supposons que deux personnes tirent chacune à l'extrémité d'une corde avec des forces de directions opposées, **F**$_1$ et **F**$_2$. La corde exerce elle aussi des forces $-$**F**$_1$ et $-$**F**$_2$ sur les personnes, et ceci, en accord avec la troisième loi de Newton. La deuxième loi nous dit que $F_1 - F_2 = ma$, où m représente la masse de la corde et **a** son accélération. Si cette accélération est nulle, ou si la masse de la corde est suffisamment faible pour que nous puissions la négliger, alors $F_1 - F_2 = 0$. Dans le cas particulier où les forces *exercées par la corde* sur les personnes sont de même grandeur, on peut considérer que la corde sert simplement à transmettre une force d'une personne à une autre. Tout se passe comme si les personnes se tiraient directement par les mains. La force qui s'exerce en un point de la corde s'appelle la *tension*. Elle est constante en tout point de la corde, si la corde ne subit pas d'accélération ou si on peut considérer que sa masse est nulle. La tension peut se mesurer en tout point de la corde en la sectionnant et en insérant un dynamomètre entre les deux morceaux.

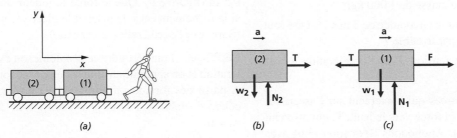

Figure 3.10 *(a)* Système décrit dans l'exemple 3.3. *(b)* et *(c)* Diagrammes des forces qui s'exercent sur le second et le premier wagon.

 ═══════════ **Exemple 3.3** ═══════════

Un enfant tire un train de 2 wagons avec une force horizontale **F** de 10 N. La masse du premier wagon m_1 est de 3 kg et celle du second wagon m_2 est de 1 kg (figure 3.10). La masse de la ficelle reliant les deux wagons est suffisamment faible pour être considérée comme négligeable. Les frottements sont également négligés.

a) Déterminer les forces normales exercées par le sol sur chacun des wagons.

b) Que vaut la tension dans la ficelle ?

c) Que vaut l'accélération du train ?

Réponse   Ce problème concerne un système qui comprend plusieurs objets. Les trois objets sont les deux wagons et la ficelle qui les relie. Lorsqu'on applique la deuxième loi de Newton, **F** = m**a**, à chaque objet, on obtient un ensemble d'équations qui doivent être résolues simultanément.

Le fait que la masse de la ficelle soit nulle implique que la force résultante **F** = m**a** qui s'exerce sur elle soit aussi nulle. Comme nous l'avons expliqué, ceci implique que les *forces exercées par la ficelle* sur les deux wagons sont de grandeur égale. C'est la raison pour laquelle nous avons désigné cette force de tension par le même symbole **T** dans le diagramme des forces relatif à chacun des wagons.

a) Puisque $a_y = 0$ pour chaque wagon, $F_y = ma_y = 0$. Dès lors

$$N_2 - w_2 = 0$$

et

$$N_1 - w_1 = 0$$

Les forces normales exercées par le sol valent

$$N_2 = w_2 = m_2 g = (1 \text{ kg})(9{,}8 \text{ m s}^{-2}) = 9{,}80 \text{ N}$$
$$N_1 = w_1 = m_1 g = (3 \text{ kg})(9{,}8 \text{ m s}^{-2}) = 29{,}4 \text{ N}$$

b) Pour les deux wagons $a_x = a$, de sorte que pour le wagon 1, $F_x = m_1 a_x$ devient

$$F - T = m_1 a \qquad \text{(i)}$$

Dans cette équation, T et a sont des inconnues. Nous ne pouvons donc pas les évaluer à partir de cette seule équation. Il faut en réalité autant d'équations que d'inconnues pour pouvoir résoudre le problème. La seconde équation associant T et a s'obtient en appliquant la relation $F_x = m_2 a$, au second wagon :

$$T = m_2 a \qquad \text{(ii)}$$

Ceci donne $a = T/m_2$. En substituant cette valeur de a dans l'équation (i), on a

$$F - T = m_1 \left(\frac{T}{m_2} \right)$$

Résolvons par rapport à T :

$$T = \frac{F}{1 + \dfrac{m_1}{m_2}} = \frac{10 \text{ N}}{1 + \dfrac{3 \text{ kg}}{1 \text{ kg}}} = 2{,}5 \text{ N}$$

c) Nous pouvons, à présent, déterminer a à partir de l'équation (ii) :

$$a = \frac{T}{m_2} = \frac{2{,}5 \text{ N}}{1 \text{ kg}} = 2{,}5 \text{ m s}^{-2}$$

Remarquons que si nous avions considéré le train comme étant un seul objet de masse

$$m = m_1 + m_2 = (3 + 1) \text{ kg} = 4 \text{ kg}$$

nous aurions pu déterminer immédiatement l'accélération à partir de $a = F/m = 10 \text{ N}/4 \text{ kg} = 2{,}5 \text{ m s}^{-2}$. Cependant, les forces normales et la tension ne peuvent être déterminées qu'en considérant séparément chaque wagon et non le système dans sa totalité.

 ═══════════ **Exemple 3.4** ═══════════

Un bloc de masse $m_1 = 20$ kg est libre de se mouvoir le long d'une surface horizontale. Une corde qui passe dans la gorge d'une poulie le relie à un second bloc de masse $m_2 = 10$ kg. Ce bloc est en suspension verticale (figure 3.11). Supposons, pour simplifier, que la poulie et la corde ont des masses négligeables. Dans l'hypothèse où il n'y a pas de frottements, déterminer

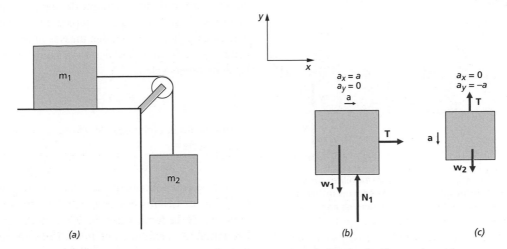

Figure 3.11 *(b)* et *(c)* représentent les diagrammes de forces relatifs aux deux blocs. Les deux blocs sont reliés, comme indiqué en *(a)*.

a) les forces qui s'exercent sur les blocs ;

b) leurs accélérations.

c) Si le système est au repos à l'instant initial, quelle distance aura-t-il parcourue après 2 s ?

Réponse Ce problème s'apparente au précédent. Dans ce cas, cependant, une masse se déplace horizontalement et une seconde, verticalement. Le fait que la corde et la poulie ont des masses nulles implique, de nouveau, que la force exercée par la corde sur m_1 a une grandeur égale à la force exercée par la corde sur m_2. En conséquence, nous désignons les deux forces par le même symbole **T**.

a) Appliquons d'abord $\mathbf{F} = m\mathbf{a}$ au bloc situé sur la surface horizontale. Puisque ce bloc ne possède pas d'accélération verticale, la composante verticale de la force résultante doit être nulle. Donc, la force normale N_1, exercée par la surface sur le bloc 1, vaut

$$N_1 = w_1 = m_1g = (20 \ \text{kg})\left(9{,}8 \ \text{m s}^{-2}\right) = 196 \ \text{N}$$

Le système possède une accélération inconnue a. Pour le bloc m_1, on a $a_x = a$ d'où $F_x = m_1a_x$, ce qui donne

$$T = m_1a \qquad \text{(i)}$$

Notons que puisque T et a sont des inconnues, il n'est pas possible de les déterminer sans considérer le mouvement de m_2.

Appliquons à présent la deuxième loi de Newton au bloc m_2. Puisque ce bloc possède une accélération vers le bas, $a_y = -a$, et l'équation $F_y = m_2a_y$ devient

$$T - w_2 = -m_2a \qquad \text{(ii)}$$

Cette équation fait encore intervenir les deux inconnues T et a. Mais, puisque l'on dispose d'autant d'équations que d'inconnues, nous pouvons, à présent, déterminer T et a. À partir de l'équation (i), on obtient $a = T/m_1$.

En substituant cette valeur dans l'équation (ii), il vient

$$T - w_2 = -m_2\left(\frac{T}{m_1}\right)$$

En résolvant par rapport à T, on a

$$T = \frac{w_2}{1 + \dfrac{m_2}{m_1}} = \frac{m_2g}{1 + \dfrac{m_2}{m_1}}$$

$$\frac{(10 \ \text{kg})\left(9{,}8 \ \text{m s}^{-2}\right)}{1 + \dfrac{10 \ \text{kg}}{20 \ \text{kg}}} = 65{,}3 \ \text{N}$$

b) De l'équation (i), on déduit

$$a = \frac{T}{m_1} = \frac{65{,}3 \ \text{N}}{20 \ \text{kg}} = 3{,}27 \ \text{m s}^{-1}$$

c) Puisque le système initialement au repos est entraîné dans un mouvement uniformément accéléré, la distance parcourue en 2 s est donnée par

$$\Delta x = \frac{1}{2}a(\Delta t)^2 = \frac{1}{2}\left(3{,}27 \ \text{m s}^{-2}\right)(2 \ \text{s})^2 = 6{,}54 \ \text{m}$$

Ainsi, si nous connaissons la position et la vitesse initiales, nous pouvons déterminer le mouvement résultant à partir des forces.

✎ ──────── **Exemple 3.5** ────────

Un parachutiste, dont le poids vaut **w**, touche le sol, les jambes fléchies. Il s'immobilise en subissant une décélération, dirigée vers le haut, dont la grandeur vaut $3g$. Trouver la force exercée par le sol au cours de l'atterrissage (figure 3.12).

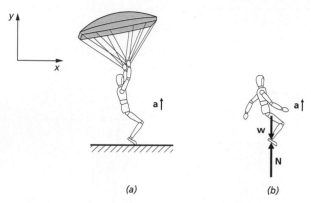

Figure 3.12 *(a)* Une parachutiste s'immobilise, en subissant une décélération de 3*g*. *(b)* Les forces qui agissent sur elle sont la force normale **N** exercée par le sol et son poids **w**.

Les forces exercées sur le parachutiste sont le poids **w** et la force normale **N** exercée par le sol. En utilisant les relations $m = w/g$ et $a = 3g$, $F_y = ma_y$ devient

$$N - w = ma = \left(\frac{w}{g}\right)(3g) = 3w$$

$$N = 4w$$

La force exercée par le sol sur les pieds du parachutiste représente 4 fois son poids. Par contre, si la personne est simplement debout sur le sol, la force normale est égale à son poids. Notons que si le parachutiste garde les jambes tendues au cours de l'atterrissage, il s'immobilisera avec une plus grande décélération sur une distance plus courte. La force qui s'exercera sur ses pieds sera donc plus importante.

3.9 LES FORCES DE GRAVITATION

Newton a étudié le mouvement des planètes, ce qui l'a amené à proposer une expression générale de la force de gravitation qui s'exerce entre deux masses. Cette expression porte le nom de *loi de la gravitation universelle*. Elle est considérée comme une loi fondamentale de la nature. À partir de cette loi et des trois lois du mouvement, Newton a pu rendre compte des observations expérimentales du mouvement des planètes. En outre, il a pu expliquer, de façon précise, le mouvement de la Lune autour de la Terre et fournir une interprétation qualitative des marées.

La loi de la gravitation universelle énonce le fait que tous les objets dans l'univers s'attirent. Cette loi prend une forme simple dans le cas de deux sphères uniformes, ou encore dans le cas de deux objets de formes quelconques

mais dont les dimensions sont suffisamment réduites pour pouvoir être considérées comme des particules ponctuelles vis-à-vis de la distance qui les sépare. Si les sphères ou les particules ponctuelles ont des masses m et m' et si leurs centres sont distants de r, les forces qui s'exercent entre les deux objets valent

$$F = G\frac{mm'}{r^2} \tag{3.8}$$

G représente la *constante de gravitation universelle*. Sa valeur est de

$$G = 6{,}67 \times 10^{-11} \text{ N m}^2\text{kg}^{-2}$$

Les forces gravitationnelles sont dirigées suivant la droite qui joint les centres des deux sphères (figure 3.13). La grandeur de la force varie en $1/r^2$, ce qui signifie que l'équation (3.8) exprime une *loi en l'inverse du carré de la distance*.

Figure 3.13 Deux sphères exercent l'une sur l'autre des forces d'attraction. **F** et **F**$'$ sont égales en grandeur mais sont de directions opposées, en accord avec la troisième loi du mouvement de Newton.

Comme nous l'avons souligné, l'équation (3.8) s'applique directement à des sphères ou à des particules ponctuelles. Pour évaluer les forces gravitationnelles, dans le cas d'objets plus complexes, il faut additionner les forces qui s'exercent entre toutes les paires de particules qui constituent ces objets. Les forces résultantes sont encore égales mais de directions opposées, en accord avec la troisième loi du mouvement.

La force gravitationnelle que la Terre exerce sur un objet est relativement grande en raison de la masse importante de la Terre. Au contraire, la force gravitationnelle qui existe entre deux objets de masses réduites est relativement faible et difficile à mettre en évidence. Ceci est montré quantitativement dans l'exemple 3.6.

✎ ———————— **Exemple 3.6** ————————

Les centres de deux sphères de 10 kg sont distants de 0,1 m.

a) Que vaut l'attraction gravitationnelle ?

b) Que vaut le rapport entre cette attraction et le poids d'une des sphères ?

Réponse a) En appliquant la loi de gravitation de Newton, la grandeur des forces qui s'exercent entre les sphères peut s'écrire

$$F = G\frac{mm'}{r^2}$$

$$= \left(6{,}67 \times 10^{-11} \text{ N m}^2 \text{ kg}^{-1}\right)\frac{(10 \text{ kg})(10 \text{ kg})}{(0{,}1 \text{ m})^2}$$

$$= 6{,}67 \times 10^{-7} \text{ N}$$

Les forces sont dirigées suivant la droite qui relie les centres des deux sphères.

b) Le poids d'une des sphères vaut

$$w = mg = (10 \text{ kg})\left(9{,}8 \text{ m s}^{-2}\right) = 98 \text{ N}$$

Dès lors, le rapport entre la force gravitationnelle et le poids d'une des sphères vaut

$$\frac{F}{w} = \frac{6{,}67 \times 10^{-7} \text{ N}}{98 \text{ N}} = 6{,}81 \times 10^{-9}$$

La faible valeur de ce rapport explique pourquoi nous ne remarquons pas les attractions gravitationnelles qui s'exercent entre des objets de dimensions ordinaires. Toutefois, les forces gravitationnelles existant entre de tels objets peuvent être observées et mesurées à l'aide d'instruments très sensibles.

Au chapitre 5, nous verrons comment la loi de la gravitation universelle permet de comprendre le mouvement des planètes et de la Lune, ainsi que les marées.

3.10 LE POIDS

Le poids d'un objet représente la force gravitationnelle qui agit sur cet objet. Pour un objet situé au voisinage de la surface terrestre, cette force est essentiellement due à l'attraction de la Terre.

Soit R_T le rayon de la Terre et M_T sa masse (figure 3.14). Un objet, caractérisé par une masse gravitationnelle $\tilde{m}$ à la surface de la Terre, est soumis à une force gravitationnelle. Celle-ci vaut, d'après l'équation (3.7),

$$F = G\frac{\tilde{m}M_T}{R_T^2} \tag{3.9}$$

L'accélération g, résultant de cette force, peut être évaluée à partir de la deuxième loi de Newton $\mathbf{F} = m\mathbf{a}$. Mais cette relation fait intervenir la masse d'inertie m :

$$g = \frac{F}{m} = \frac{1}{m}\left(G\frac{\tilde{m}M_T}{R_T^2}\right)$$

Si nous faisons l'hypothèse que les masses d'inertie et gravitationnelle sont égales, alors $\tilde{m}/m = 1$, et nous trouvons que

$$g = G\frac{M_T}{R_T^2} \tag{3.10}$$

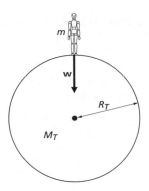

Figure 3.14 Une personne de masse m possède, à la surface de la Terre, un poids $w = G_m M_T/R_T^2$.

Ce résultat établit que l'accélération de la pesanteur est la même pour tous les objets. Ceci est en accord avec les expériences, ce qui justifie l'hypothèse que la masse gravitationnelle et la masse d'inertie d'un objet sont égales.

Notons que le rayon de la Terre vaut 6 400 km. En conséquence, l'accélération de la pesanteur ne varie pas de manière significative lorsqu'on s'éloigne de quelques mètres voire même de quelques kilomètres de la surface de la Terre. La valeur de g mesurée à la surface de la Terre vaut 9,8 m s^{-2}. Comme nous l'avons vu, masse et poids sont deux quantités liées, bien que totalement différentes. La masse d'un objet est une propriété intrinsèque de cet objet. Elle est constante, que l'objet soit situé à Chicago, sur la Lune ou dans l'espace interstellaire. C'est une mesure de la quantité de matière contenue dans l'objet. Ceci détermine son inertie ou encore la réaction de cet objet vis-à-vis d'une force. Par contre, le poids d'un objet varie d'un endroit à un autre. Il constitue la force d'attraction gravifique de la Terre.

La masse d'un objet est déterminée *seulement* par la quantité de matière qui le constitue. Elle est indépendante de l'état chimique ou physique de l'objet. Par exemple, si 1 m^3 d'oxygène, à la pression atmosphérique, est refroidi, il a tendance à se liquéfier pour occuper finalement un volume d'environ 10^{-3} m^3. Néanmoins, il y aura dans ce volume un nombre constant de molécules et la masse restera inchangée. De la même manière, lorsqu'un volume d'hydrogène et un volume d'oxygène réagissent pour former de l'eau, le volume diminue dans une proportion importante. Toutefois, la masse reste inchangée. L'exemple 3.7 illustre la relation entre la masse et le poids.

✎ ———————— **Exemple 3.7** ————————

Un astronaute a un poids de 700 N à la surface de la Terre. Quel sera son poids sur la planète X si le rayon de cette planète vaut $R_X = R_T/2$ et sa masse $M_X = M_T/8$?

Réponse   Sur Terre, le poids de l'astronaute vaut

$$w_T = \frac{GmM_T}{R_T^2}$$

où m représente sa masse. Sur la planète X, sa masse est la même mais son poids devient

$$w_X = \frac{GmM_X}{R_X^2} = \frac{Gm(M_T/8)}{(R_T/2)^2}$$

$$= \frac{4}{8}\frac{GmM_T}{R_T^2} = \frac{1}{2}w_T$$

Le poids de l'astronaute, sur la planète X, vaut donc $(1/2)(700\ \text{N}) = 350\ \text{N}$.

3.11   LE POIDS EFFECTIF

Lorsqu'un ascenseur monte, il commence par accélérer, puis il atteint une vitesse constante qu'il maintient jusqu'au voisinage de l'étage où il s'arrête. Pendant la phase d'accélération, nous avons l'impression d'être plus lourds que d'habitude. Inversement, si l'ascenseur descend, nous nous sentons plus légers. Notre poids est la force gravitationnelle que la Terre exerce sur nous. Il est clair que cette force n'est pas modifiée par le fait que nous soyons dans l'ascenseur. Cependant, la *perception* que nous avons de notre poids est déterminée par les forces exercées par le sol, la chaise ou ce qui nous supporte. Ces forces ne sont pas égales à notre poids lorsque nous sommes en accélération.

Nous définirons le *poids effectif* d'une personne ou d'un objet, $\mathbf{w}^e$, comme étant la force totale que cette personne ou cet objet exerce sur une balance. D'après la troisième loi de Newton, cette force a une grandeur égale mais une direction opposée à la force $\mathbf{S}$ exercée par la balance sur la personne ou sur l'objet. De sorte que

$$\mathbf{w}^e = -\mathbf{S} \qquad (3.11)$$

Bien que la mesure de cette force ne soit pas toujours possible, nous utiliserons cette définition pour comprendre et calculer le poids effectif d'un objet en accélération. L'exemple 3.8 illustre la façon de déterminer le poids effectif.

✎ ———————— **Exemple 3.8** ————————

Une personne de masse m est debout sur une balance à ressort placée dans un ascenseur. Trouver le poids effectif de la personne lorsque l'ascenseur, en montée, a une accélération de $0,2\ g$.

Réponse   Les forces qui s'exercent sur la personne sont : son poids, $\mathbf{w} = m\mathbf{g}$ et la force $\mathbf{S}$ exercée par la balance (figure 3.15).

En utilisant la deuxième loi de Newton, $\mathbf{F} = m\mathbf{a}$, on a

$$S - mg = ma, \quad S = mg + ma$$

Puisque, par définition, le poids effectif est égal à la force S exercée par la balance, on a

$$w^e = m(g + a) = mg(1 + 0,2) = 1,2mg$$

Le poids effectif de la personne vaut donc 1,2 fois son poids normal, mg.

Si l'accélération était dirigée vers le bas, un calcul semblable montrerait que le poids effectif de la personne serait inférieur à mg.

On voit à partir de la figure 3.15 comment il est possible de déterminer le poids effectif de façon générale. Par définition $\mathbf{w}^e = -\mathbf{S}$ où $\mathbf{S}$ représente la force exercée par la balance. À partir de la deuxième loi de Newton, il ressort que $\mathbf{S} + m\mathbf{g} = m\mathbf{a}$, ou encore $-\mathbf{S} = m\mathbf{g} - m\mathbf{a}$. Donc,

$$\mathbf{w}^e = m\mathbf{g} - m\mathbf{a} \qquad (3.12)$$

Un objet en chute libre possède une accélération $\mathbf{a}$ égale à $\mathbf{g}$. Son poids effectif est donc nul. Un satellite artificiel en orbite autour de la Terre peut être considéré comme étant en chute libre. Un astronaute dans ce satellite aura donc un poids effectif nul. Il y flottera librement s'il n'est pas attaché. Cependant, même si son poids effectif est nul, sa masse n'aura pas changé (figure 3.16). S'il prend appui sur une paroi pour se propulser et si sa tête vient frapper la paroi opposée, il ressentira une douleur due à la force importante causée par la brusque décélération.

3.12   LE FROTTEMENT

Le frottement est une force qui agit toujours pour s'opposer au mouvement d'un objet qui glisse sur un autre. Les forces de frottement sont très importantes : elles conditionnent notre marche, l'utilisation d'engins à roues ; elles nous permettent de tenir des livres en main.

L'attraction entre les atomes et les molécules qui constitue la force de cohésion de la matière solide est essentiellement de nature électromagnétique. Ces forces sont à courte portée et par conséquent, seuls les atomes proches les uns des autres éprouvent une force d'attraction appréciable. Pour qu'il y ait frottement, les deux corps doivent être en proche contact. À l'échelle microscopique, les surfaces des objets qui paraissent lisses sont en réalité irrégulières et rugueuses (figure 3.17). Elles présentent une succession de bosses et de creux. Les points réels de contact entre les deux surfaces se trouvent donc là où les bosses se touchent. Il y a donc une différence entre la surface apparente de contact et la surface réelle et le frottement dépend de la surface de contact réelle.

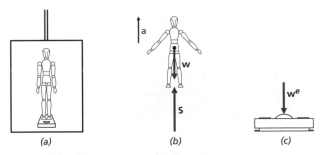

Figure 3.15 *(a)* Une fillette se trouve dans un ascenseur qui accélère en montée. *(b)* Les forces qui s'exercent sur la fillette. *(c)* La fillette exerce une force **w**^e sur la balance. En vertu de la troisième loi de Newton, **S** = −**w**^e.

Figure 3.16 Un astronaute, en chute libre, a un poids effectif qui est nul. Il se trouve en état d'apesanteur. *(NASA.)*

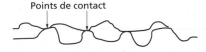

Figure 3.17 Vue microscopique de deux surfaces en contact.

Le plus souvent, on essaie de réduire les forces de frottement qui s'opposent à un mouvement souhaité. Ceci se fait à l'aide de roues ou de roulements. Lorsqu'il y a roulement, les surfaces se séparent en mettant en jeu des forces plus faibles que dans le cas du glissement.

Dans les fluides, les forces de frottement s'appellent *forces de viscosité*. Elles sont souvent très faibles comparées aux forces de frottement entre surfaces solides.

C'est pourquoi on utilise des lubrifiants liquides, tels que l'huile, qui réduisent considérablement le frottement en adhérant aux surfaces métalliques. D'une façon analogue, la présence d'un coussin d'air fournit un support pratiquement sans frottement à un overcraft ou à certains appareils de démonstration de physique.

Lorsque nous marchons ou lorsque nous courons, nous ne sommes pas conscients des forces de frottement qui s'exercent sur nos genoux et sur les autres articulations de nos jambes. Chez les mammifères, la plupart des articulations sont lubrifiées par le *fluide sinovial*. Lors d'un mouvement, ce fluide s'écoule à travers les cartilages qui tapissent les articulations (figure 3.18) sous l'effet de la pression qui y règne. Il est réabsorbé lorsque l'articulation est au repos, ce qui augmente le frottement et rend ainsi plus facile le maintien d'une position donnée. C'est un excellent exemple d'ingénierie biologique employée par la nature. On peut citer, comme autres exemples de lubrifiants physiologiques, la salive qui se mélange aux aliments lorsque nous mâchons, ou encore le mucus qui tapisse le cœur, les poumons et les intestins de manière à minimiser les frottements associés au fonctionnement de ces organes.

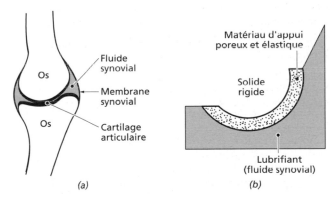

Figure 3.18 Les articulations sont lubrifiées par le fluide synovial. Ce fluide s'écoule sous pression à travers le cartilage poreux qui tapisse l'articulation. *(a)* Une articulation typique chez l'homme. *(b)* Un modèle d'articulation, approximativement équivalent. *(D'après Duncan Downson, «Lubrication in Human Joints», in Verna Wright, (ed),* Lubrication and Wear in Joints. *Philadelphie, Lippincott, 1969.)*

En vue d'établir des lois quantitatives relatives au frottement, considérons un bloc au repos sur une surface horizontale (figure 3.19*a* et *b*). Puisque le bloc est au repos, la force résultante qui s'exerce sur lui est nulle, d'après la première loi. Les forces verticales sont, d'une part, le poids **w** et, d'autre part, la force normale **N** ; donc $N = w$. Dans la direction horizontale, il n'y a pas de force appliquée et pas de mouvement. Les forces de frottement doivent donc aussi être nulles en accord avec la première loi.

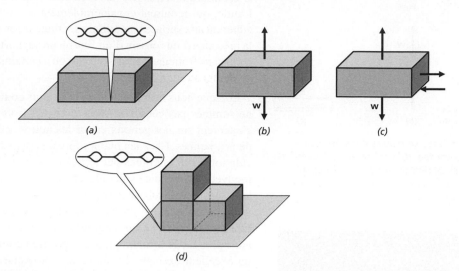

Figure 3.19 *(a)* Un bloc, au repos, sur une surface horizontale. *(b)* Diagramme des forces. *(c)* Diagramme des forces lorsque l'on applique une force **T**. *(d)* La force maximum de frottement statique ne dépend pas de l'aire de contact. Dans la bulle, agrandissement de deux surfaces en contact.

Supposons maintenant que nous appliquions une faible force horizontale **T** dirigée vers la droite (figure 3.19*c*). Si le bloc *reste au repos*, la force de frottement f_s ne peut plus être nulle. Puisque, d'après la première loi, la force résultante est nulle, on en déduit que $f_s = T$. Si **T** augmente progressivement, f_s augmente également. Finalement, lorsque **T** atteint une valeur suffisamment grande, le bloc commence à glisser. *Il existe donc une force de frottement statique maximum* **f**$_s$(max).

Expérimentalement, on montre que **f**$_s$(max) a les propriétés suivantes :

1. **f**$_s$(max) est indépendante de l'aire de contact. Ainsi, si on coupe le bloc en deux et si on empile les morceaux l'un sur l'autre (figure 3.19*d*), **f**$_s$(max) reste inchangée. Si nous nous rappelons que du point de vue microscopique, les surfaces ne sont réellement en contact qu'au niveau des bosses qu'elles comportent, nous pouvons intuitivement comprendre ce résultat expérimental. Lorsque le bloc repose en un morceau sur la surface horinzontale, la surface apparente de contact est plus grande. Au niveau microscopique, il y a de nombreux points de contact réel. Cependant, les matériaux se déforment si la force qui leur est appliquée par unité de surface (*F*/surface) est assez importante. Lorsque l'on coupe le bloc en deux et que l'on empile les morceaux l'un sur l'autre, on diminue la surface apparente de contact donc le nombre de points de contact. La charge restant pareille à elle-même, la force par unité de surface exercée par les deux blocs surperposés est deux fois plus grande (*F*/(surface/2) = 2*F*/surface). Cette pression plus importante a comme effet d'aplatir les bosses.

Il y a moins de zones de contact mais elles sont plus grandes. La surface de contact réelle est donc la même indépendamment de la surface apparente.

2. f_s(max) est *proportionnelle à la force normale N*.

3. Le nombre qui relie f_s(max) à *N* est appelé le *coefficient de frottement statique* μ_s. Il est défini par

$$f_s(\text{max}) = \mu_s N \qquad (3.13)$$

Le coefficient μ_s dépend de la nature des surfaces, de leur propreté, de leur poli, de la quantité d'humidité présente, etc. Pour un frottement entre métaux, μ_s varie de 0,3 à 1,0. Des valeurs supérieures à 1 ne se rencontrent pas couramment dans les conditions habituelles. Cependant lorsque les métaux sont exposés à l'air, ils ont tendance à s'oxyder en surface. Si ces surfaces sont d'abord nettoyées, puis mises en contact sous vide, des forces énormes d'adhésion entrent en jeu, ce qui rend la valeur de μ_s très élevée. Lorsque l'on utilise de l'huile comme lubrifiant, μ_s vaut environ 0,1 dans le cas des frottements entre métaux. S'il s'agit de frottement entre du téflon et un métal, $\mu_s \simeq 0,04$. Dans le corps humain, au joint de la hanche, le liquide synovial réduit μ_s à environ 0,003.

4. *La force, qui doit être appliquée pour qu'un objet qui glisse garde une vitesse constante, est inférieure à celle qui est nécessaire pour commencer le mouvement.* Ainsi, il est plus facile de maintenir le mouvement d'une lourde table ou d'une caisse que de le commencer. Donc, la *force de glissement* ou la *force de frottement cinétique* f_c est inférieure à f_s(max). *Elle est indépendante de l'aire de contact* et elle satisfait

$$f_c = \mu_c N \qquad (3.14)$$

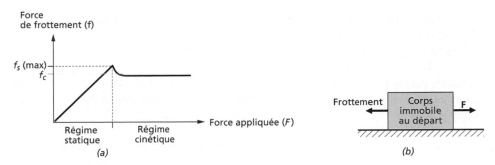

Figure 3.20 La grandeur de la force de frottement exprimée en fonction de la force extérieure *F* appliquée à un corps immobile au départ.

Ici μ_c représente le *coefficient de frottement cinétique*. Il est déterminé par la nature des deux surfaces.

5. μ_c *est pratiquement indépendant de la vitesse* et puisque $f_c < f_s(\text{max})$, on a

$$\mu_c < \mu_s \qquad (3.15)$$

Les propriétés des forces de frottement énoncées ci-dessus peuvent être résumées à l'aide d'une figure simple (figure 3.20). La grandeur de la force de frottement y est exprimée en fonction de la force extérieure appliquée à un corps immobile au départ.

Il est important de remarquer que les propriétés des forces de frottement *ne* doivent *pas* être considérées comme des lois physiques fondamentales au même titre que les lois du mouvement de Newton ou la loi de la gravitation universelle. Même si elles fournissent une bonne description des forces de frottement dans les situations courantes, elles représentent seulement une approximation d'un problème complexe. Une discussion plus fouillée devrait faire intervenir les caractéristiques spécifiques des forces intermoléculaires. Le frottement est encore un phénomène imparfaitement compris en raison de cet aspect complexe. Les exemples qui suivent comment le frottement intervient.

 —————— Exemple 3.9 ——————

Un bloc de 50 newtons se trouve sur une surface plane horizontale (figure 3.19).

a) Si une force horizontale $T = 20$ N est appliquée au bloc et si celui-ci reste immobile, que vaut la force de frottement ?

b) Le bloc se met en mouvement lorsque T atteint une valeur de 40 N. Que vaut μ_s ?

c) Il continue à se déplacer à vitesse constante si T est ramené à 32 N. Que vaut μ_c ?

Réponse a) Puisque le bloc reste immobile lorsque la force **T** est appliquée, la force de frottement $\mathbf{f}_s$ doit être égale mais opposée à **T**. En conséquence,

$$f_s = T = 20 \text{ N}$$

b) Puisque le bloc commence à glisser lorsque la force appliquée devient égale à 40 N, la force maximum de frottement doit valoir

$$f_s(\text{max}) = 40 \text{ N}$$

La somme des forces verticales doit être nulle. La force normale N est donc égale au poids w, soit 50 N. En conséquence

$$\mu_s = \frac{f_s(\text{max})}{N} = \frac{40 \text{ N}}{50 \text{ N}} = 0,8$$

c) Puisque le bloc se déplace à vitesse constante sous l'action d'une force de 32 N, la force résultante est nulle. En conséquence, la force de frottement f_c est égale à la force appliquée

$$f_c = 32 \text{ N}$$

Encore une fois, la force normale est égale au poids, soit 50 N, et il vient

$$\mu_c = f_c/N = 32 \text{ N}/50 \text{ N} = 0,64$$

Comme on devait s'y attendre, le coefficient de frottement cinétique μ_c est plus petit que le coefficient de frottement statique μ_s.

Comme nous l'avons fait remarquer plus haut, la valeur de μ_s est d'habitude inférieure ou égale à 1. Ceci limite souvent la force qu'une personne ou un animal peut exercer. Par exemple, lorsqu'un homme tente de pousser ou de tirer un objet sur un sol horizontal, la force qu'il exerce est égale et opposée à la force de réaction qui s'exerce sur lui. Il va donc glisser si cette force de réaction excède la force maximum de frottement, laquelle est égale au poids si $\mu_s = 1$. Les animaux pourvus de griffes et de pinces peuvent s'accrocher sur un sol meuble. Ils augmentent ainsi la force qu'ils peuvent exercer sans glisser. On construit des locomotives très lourdes pour augmenter la force maximum de frottement. Ces idées sont illustrées dans l'exemple 3.10.

 —————— Exemple 3.10 ——————

Dans une bande dessinée, Superman étend le bras pour arrêter un poids lourd qui est lancé à vive allure (figure 3.21). Voyons si ceci est compatible avec les principes de la physique. Supposons que le camion se déplace à 30 m s^{-1}, que sa masse M soit de 50 000 kg et que la masse de Superman m soit de 100 kg. Si la force exercée par Superman est limitée par les forces de frottement existant entre ses pieds et le sol, et si $\mu_s = \mu_c = 1$, quelle sera la distance minimum d'arrêt ?

Figure 3.21 Superman tente d'arrêter un camion qui roule. Puisque le coefficient de frottement de ses pieds sur la route est, au plus, égal à 1, il ne peut pas, sans glisser, exercer une force horizontale supérieure à son poids. Cette glissade est provoquée par la force de réaction exercée par le camion. Malgré sa superforce, son effort pour arrêter le camion d'un mouvement du bras échouera lamentablement.

Réponse   La force maximum qu'il peut exercer vaut $F = \mu_s N = \mu_s mg$, soit

$$F = (1)(100\,\text{kg})\left(9,81\,\text{m s}^{-2}\right) = 980\,\text{N}$$

La décélération du camion vaut au maximum

$$a = \frac{F}{M} = \frac{980\,\text{N}}{50\,000\,\text{kg}} = 0,0196\,\text{m s}^{-2}$$

En utilisant la relation $v^2 = v_0^2 + 2a\,\Delta x$ avec $v = 0$, la distance d'arrêt est donnée par

$$\Delta x = \frac{-v_0^2}{2a} = -\frac{\left(30\,\text{m s}^{-1}\right)^2}{2\left(0,0196\,\text{m s}^{-2}\right)}$$

$$= -23\,000\,\text{m} = -23\,\text{km}$$

Puisque la force maximum de Superman est limitée ici par son poids, il lui faudrait 23 km pour arrêter le camion !

(le signe $-$ provient du fait que Δx et a ont des directions opposées).

L'exemple suivant illustre la manière de mesurer le coefficient de frottement statique dans un laboratoire de physique.

 ———— **Exemple 3.11** ————

Un bloc est au repos sur un plan incliné (figure 3.22). Le coefficient de frottement statique vaut μ_s. Quel est l'angle d'inclinaison maximum θ(max) du plan incliné pour lequel le bloc reste au repos ?

Réponse   Dans ce problème, il est commode de choisir les axes de coordonnées comme le montre la figure. Par définition, la force normale **N** est perpendiculaire à la surface ; elle a donc la direction $-x$. La force de frottement **f**$_s$ est parallèle à la surface et a la même direction que y.

D'après la figure 3.22c, les composantes du poids **w** valent

$$w_x = w\cos\theta, \quad w_y = -w\sin\theta$$

Lorsque le bloc reste immobile, la première loi impose que les composantes x et y des forces se compensent. Dès lors,

$$f_s = w\sin\theta$$
$$N = w\cos\theta$$

En prenant le rapport entre ces deux équations, le poids w disparaît et il reste

$$f_s/N = \frac{\sin\theta}{\cos\theta} = \tan\theta$$

Lorsque le bloc est sur le point de glisser, $f_s = f_s(\text{max}) = \mu_s N$. Donc

$$\mu_s = \tan\theta\,(\text{max})$$

Un dispositif de ce type fournit une manière simple de mesurer le coefficient de frottement statique. On augmente progressivement l'angle jusqu'à ce que le bloc commence à se mouvoir. Par exemple, si θ(max) $= 37°$, $\mu_s = \tan 37° = 0,759$.

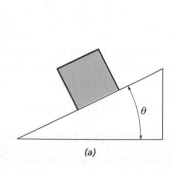 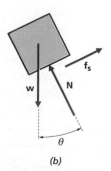 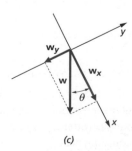

(a)   *(b)*   *(c)*

Figure 3.22 *(a)* Bloc sur un plan incliné. *(b)* Les forces qui s'exercent sur le bloc. *(c)* Les composantes du poids.

Réviser

RAPPELS DE COURS

On définit la masse d'un objet par le rapport de son poids à l'accélération de la pesanteur g. On peut également la définir par le rapport entre la force résultante qui s'exerce sur l'objet et l'accélération produite. La masse volumique d'un objet est la masse divisée par le volume, soit $\rho = m/V$. La densité est le rapport entre la masse volumique de l'objet considéré et la masse volumique de l'eau à $0\,°C$ et à la pression atmosphérique.

Les trois lois de Newton nous permettent de prévoir le mouvement d'un objet lorsque celui-ci est soumis à des forces. La première loi établit que dans un système de référence d'inertie, un objet reste au repos ou en mouvement rectiligne uniforme sauf si une force résultante agit sur cet objet. Lorsqu'un objet n'est soumis à aucune force résultante, il est en équilibre, même si deux ou plusieurs forces agissent sur lui. Le type d'équilibre – stable, instable ou indifférent – est déterminé en examinant la tendance qu'a l'objet à revenir à son état initial, de repos ou de mouvement uniforme, lorsqu'il est légèrement écarté de cette position d'équilibre.

La deuxième loi établit que la force résultante $\mathbf{F}$, nécessaire pour produire une accélération $\mathbf{a}$, satisfait à la relation

$$\mathbf{F} = m\mathbf{a}$$

Ici, m représente la masse ou l'inertie de l'objet.

La troisième loi établit que si un objet A exerce une force sur un objet B, alors B exerce une force égale mais opposée sur A. Puisque ces forces s'appliquent à des objets différents, leurs effets ne se compensent pas.

Tous les objets exercent entre eux des forces de gravitation. Les forces qui s'exercent entre deux sphères, ou entre deux particules ponctuelles, sont proportionnelles au produit des masses et inversement proportionnelles au carré de la distance qui les sépare.

$$\mathbf{F} = \mathbf{G}\frac{mm'}{r^2}$$

La masse d'un objet est la même partout dans l'Univers ; son poids $\mathbf{w} = m\mathbf{g}$ dépend de l'accélération gravitationnelle régnant à l'endroit où se trouve l'objet. Le poids apparent ou poids effectif dépend également de l'accélération. Il est donné par la relation

$$\mathbf{w}^e = m(\mathbf{g} - \mathbf{a})$$

Une personne en chute libre a un poids effectif nul.

Lorsqu'une force est appliquée à un objet au repos sur une surface et lorsque cette force dépasse la force maximum de frottement statique $\mu_s N$, il commence à se mouvoir. La force de glissement ou la force de frottement cinétique $\mu_c N$ est habituellement inférieure à la force maximum de frottement statique. Les coefficients μ_s et μ_c dépendent des surfaces en contact et sont habituellement inférieurs à 1. Les forces de frottement entre deux surfaces sont indépendantes de l'aire de contact.

PHRASES À COMPLÉTER

Voir réponses en fin d'ouvrage.

1. Les forces qui s'exercent lorsque deux objets se touchent sont appelées _____ .

2. Le poids d'un objet est la force _____ qui s'exerce sur cet objet.

3. La masse d'un objet est égale à son poids divisé par _____ .

4. La masse volumique est le rapport entre la masse d'un objet et son _____ .

5. Un matériau qui a une densité de 1 a la même masse volumique que _____ .

6. En accord avec la première loi de Newton, un objet animé d'une vitesse constante par rapport à un référentiel d'inertie ne subit l'influence d'aucune _____ .

7. Si un objet revient à son état de repos initial après avoir subi un léger déplacement, il est en _____ .

8. Si un objet A exerce une force sur un objet B, B exerce sur A _____ .

9. L'accélération d'un objet est égale à la force résultante qui agit sur l'objet, divisée par _____ .

10. La loi de la gravitation universelle est une loi inversement proportionnelle au carré de la distance parce que la force gravitationnelle varie en _____ .

11. La masse gravitationnelle d'un objet est égale à sa _____ .

12. La _____ d'un objet est la même partout. Son _____ dépend de l'endroit où l'objet se trouve.

13. Le poids effectif d'un objet est nul lorsque celui-ci est en _____.

14. La force maximum de frottement entre deux surfaces est indépendante de _____ et est proportionnelle à _____.

15. La force nécessaire pour permettre à un objet de continuer à glisser est inférieure à celle nécessaire pour _____.

16. Le coefficient de frottement statique est habituellement plus petit que _____ et plus grand que le coefficient _____.

EXERCICES CORRIGÉS

E1.

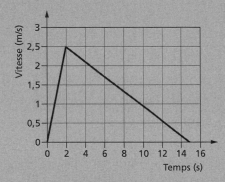

Figure 3.23

Dans une première phase, un étudiant pousse un chariot de 100 kg avec une certaine force **F** sur un plancher horizontal. Que valent :

a) la vitesse initiale

b) la vitesse finale à la fin de la phase d'accélération

c) l'accélération a_1 communiquée au chariot.

Ensuite, l'étudiant lâche le chariot. Celui-ci continue sur sa lancée et finit par s'arrêter. Que valent

a) la décélération a_2 du chariot

b) la force de freinage f

c) le coefficient de frottement μ entre les roues du chariot et le plancher

d) la distance Δx_2 parcourue pendant cette phase de décélération.

Considérons à nouveau la phase d'accélération. Que vaut la force motrice ?

Solution

Figure 3.24

La vitesse initiale est nulle. À la fin de la phase d'accélération, la vitesse vaut 2,5 m/s. Dans le graphique vitesse en fonction du temps, le graphique est une droite. L'accélération est donnée par la pente de cette droite.

$$a_1 = \Delta \mathbf{v}/ \Delta t = 2,5/2 = 1,25 \text{ m/s}^2$$

À partir de la formule

$$v_f^2 = v_0^2 + 2a \, \Delta x$$

on trouve que la distance est $\Delta x_1 = 2,5$ m.

Lorsque l'étudiant lâche le chariot en $t = 2$ s, la vitesse passe de 2,5 m/s à 0 m/s en 13 s.

La décélération du chariot est égale à

$$a_2 = -2,5/13 = -0,19 \text{ m/s}^2$$

Le chariot est soumis à son poids, l'action normale de la surface et la force de freinage. Puisque **N** et $m\mathbf{g}$ sa compense, nous pouvons écrire

$$f = ma_2 = 100 \times 0,19 = 19,23 \text{ N}$$

En se rappelant que

$$f = \mu N \text{ et } N = mg$$

alors le coefficient de frottement μ entre les deux surfaces vaut

$$\mu = 19,23/1\,000 = 0,019$$

Pour trouver la distance Δx_2 parcourue pendant la phase de décélération, nous pouvons à nouveau appliquer la formule

$$v_f^2 = v_0^2 + 2a \, \Delta x$$

Puisqu'à la fin de cette phase, l'objet est à l'arrêt, sa vitesse finale est nulle

$$0 = 2,5^2 - 2 \times 0,19 \, \Delta x_2$$

$$\Delta x_2 = 16,44 \text{ m}$$

Si nous considérons à nouveau la phase d'accélération, que vaut la force motrice ? L'objet est soumis à son poids et à l'action normale de la surface. Ces deux forces se compensent L'objet est soumis à la force motrice mais il subit *déjà* la force de frottement. Nous pouvons donc écrire

$$F_{\text{motrice}} - f = ma_1$$

Donc, $F_{\text{motrice}} = 125 + 19,23 = 144,23$ N.

E2. Un cycliste descend une côte en roue libre. Il subit une force de frottement de roulement dont le coefficient μ est égale à 5×10^{-3}.

La force de résistance de l'air a un module égale à $0,2v^2$, v étant la vitesse du cycliste. L'angle θ que fait la pente avec l'horizontale vaut $3,43°$.

Calculer

– la valeur de la force normale exercée par la surface

– la vitesse limite atteinte par le cycliste.

Arrivé au pied de la côte, le cycliste rebrousse chemin et il remonte avec une vitesse constante v. Il met 12 minutes pour atteindre le sommet.

Calculer

– la vitesse v

– la force motrice agissant sur la roue arrière nécessaire pour monter à vitesse constante.

La masse (cycliste + vélo) = 90 kg et $H = 180$ m.

Solution

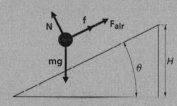

Figure 3.25

Nous pouvons écrire la loi de Newton sous forme vectorielle

$$\mathbf{N} + m\mathbf{g} + \mathbf{f} + \mathbf{F}_{air} = m\mathbf{a}$$

La projection de cette équation vectorielle suivant un axe perpendiculaire au plan incliné donne

$$N + mg \cos \theta = 0$$
$$N = 898,4 \text{ N}$$

Dans ces conditions, la force de frottement au sol vaut

$$f = \mu N = 0,05 \times 898,4 \text{ N} = 4,45 \text{ N}$$

La projection de cette équation vectorielle suivant un axe parallèle au plan incliné donne

$$mg \sin \theta - f - F_{air} = mg \sin \theta - 4,45 - 0,2v^2 = ma$$

Pour une valeur bien déterminée de la vitesse v_{limite} l'accélération a va valoir 0. À partir de cet instant, la vitesse va rester constante et égale à cette vitesse limite.

$$mg \sin \theta - f - F_{air} = mg \sin \theta - 4,45 - 0,2\left(v_{limite}\right)^2$$
$$= 0$$

En remplaçant dans cette équation les grandeurs par leur valeur numérique, on trouve

$$v_{limite} = 15,72 \text{ m/s}$$

Arrivé au pied de la côte, le cycliste rebrousse chemin et

il remonte à vitesse constante.

Il met 12 minutes pour atteindre le sommet. Il doit parcourir une distance

$$L = H/\sin \theta = 3\,008,6 \text{ m}$$

Il le fait donc à une vitesse de $3\,008,6/12 \times 60 = 4,14$ m/s.

Si sa vitesse est constante, les lois de Newton nous indiquent que la somme des forces agissant sur lui doit valoir 0.

Suivant la direction du plan incliné,

$$F_M - mg - f - 0,2v^2 = 0$$
$$F_M = 53,85 + 4,45 + 3,478$$
$$F_M = 61,8 \text{ N}$$

S'entraîner

QCM

Voir réponses en fin d'ouvrage.

Q1. Les lois de Newton restent identiques

a) seulement dans les référentiels en mouvement rectiligne uniformément accélérés les uns par rapport aux autres

b) seulement dans les référentiels en mouvement rectiligne uniforme les uns par rapport aux autres

c) seulement dans les référentiels en mouvement circulaire uniforme les uns par rapport aux autres

d) dans tous les référentiels.

Q2. Un corps de masse m est au repos sur un plan incliné. Selon la troisième loi de Newton, la réaction à son poids $m\mathbf{g}$ est

a) la force normale $\mathbf{N}$ du plan sur le corps

b) la force $-m\mathbf{g}$ appliquée au centre de la Terre

c) la force de frottement qui empêche le corps de glisser

d) la force de contact exercée par le corps sur le plan.

Q3. La grandeur des forces de frottement statique qui s'exercent sur un corps au repos sur une surface

a) a une valeur minimum en deçà de laquelle le corps se met à glisser

b) a une valeur maximum au-delà de laquelle le corps se met à glisser

c) s'annule lorsque le corps se met se glisser

d) est proportionnelle au poids du corps.

Q4. Un corps de masse M est placé sur un plan incliné faisant un angle θ avec l'horizontale ; les coefficients de frottement statique et dynamique sont respectivement μ_s et μ_c ; g est l'accélération de la pesanteur. La force de frottement statique maximale est proportionnelle à

a) M, $\sin θ$, μ_s, g

b) M, $\tan θ$, g, μ_c

c) M, $\cos θ$, μ_s, g

d) M, $\sin θ$, μ_c, g.

Q5. Un ascenseur d'une masse de 3 200 kg monte avec une accélération de 1,5 m/s². Calculer la tension dans le câble qui le retient.

a) 27 200 N

b) 36 800 N

c) 32 000 N

d) 48 000 N.

Q6. Une personne de masse 70 kg se trouve dans un ascenseur qui accélère vers le bas avec une accélération de 0,1 g. Quelle est la force exercée par le plancher de l'ascenseur sur la personne ?

a) 630 N

b) 770 N

c) 700 N

d) 800 N.

Q7. Lorsque la boîte de la figure reste immobile et que l'angle θ de la force avec l'horizontale augmente, F_x

a) augmente

b) diminue

c) reste la même

d) cela dépend du frottement.

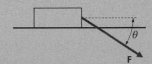

Figure 3.26

Q8. Lorsque la boîte de la figure 3.27 reste immobile et que l'angle θ de la force avec l'horizontale augmente, la force de frottement

a) augmente

b) diminue

c) reste la même

d) pas assez d'élément pour répondre.

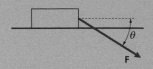

Figure 3.27

Q9. Lorsque la boîte de la figure 3.28 reste immobile et que l'angle θ de la force avec l'horizontale augmente, $\mathbf{F}_{s,\,max}$

a) augmente

b) diminue

c) reste la même

d) pas assez d'éléments pour répondre.

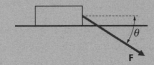

Figure 3.28

Q10. La masse de la Lune est $M_L = 7{,}74 \times 10^{22}$ kg et son rayon $R_L = 1{,}74 \times 10^6$ M.

En sautant à la surface de la Terre, un homme est capable d'élever son centre de gravité de 1,2 m. Quelle hauteur pourrait-il atteindre s'il sautait à la surface de la Lune avec la même vitesse initiale ?

$(G = 6{,}67 \times 10^{-11}$ N m²/kg²).

a) 10 m

b) 6,9 m

c) 1,2 m

d) 42 m.

EXERCICES

Voir réponses en fin d'ouvrage pour les exercices et problèmes dont le numéro est inscrit en noir.

Force, poids et masse gravitationnelle

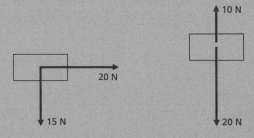

Figure 3.29 Exercice 3.1. **Figure 3.30** Exercice 3.2.

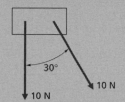

Figure 3.31 Exercice 3.3.

3.1 Trouver la direction et la grandeur de la force résultante qui s'exerce sur l'objet représenté dans la figure 3.29.

3.2 Trouver la direction et la grandeur de la force résultante qui s'exerce sur l'objet représenté dans la figure 3.30.

3.3 Trouver la direction et la grandeur de la force résultante qui s'exerce sur l'objet représenté dans la figure 3.31.

3.4 Un homme pèse 980 N. Exprimer sa masse en kilogrammes.

3.5 Une femme a une masse de 50 kg. Que vaut son poids en newtons ?

3.6 Que vaut le poids d'1 kilogramme de steak ?

3.7 Trouver le poids de 500 g de bonbons.

3.8 Un gros pétrolier pèse 200 000 tonnes. Que vaut sa masse en kilogrammes ?

La masse volumique

(Cf. tableau 3.2 pour les valeurs des masses volumiques.)

3.9 Quelle est la masse d'un litre de sang ?
(1 litre = 10^{-3} m^3).

3.10 L'hydrogène représente la matière la plus souvent rencontrée dans de nombreuses régions de l'espace interstellaire. Un atome d'hydrogène a une masse de $1,67 \times 10^{-27}$ kg. Si chaque cm^3 d'un «nuage gazeux» interstellaire contient, en moyenne, un atome d'hydrogène, quelle est la masse volumique de l'hydrogène en unités S.I. ?

3.11 a) À partir du tableau des données astronomiques qui se trouve au début du livre, calculer la masse volumique moyenne du Soleil.

b) Cette masse volumique est-elle en accord avec les données du tableau 3.2 ? Expliquer.

3.12 Une barre de fer a un rayon d'1 cm et une longueur de 20 cm. Quelle est sa masse ?

3.13 Le noyau d'un atome d'uranium peut être approximativement décrit par une sphère dont le rayon vaut $8,7 \times 10^{-15}$ m et dont la masse vaut $3,5 \times 10^{-25}$ kg.

a) Quelle est sa masse volumique moyenne ?

b) Que vaut sa densité ?

3.14 Les étoiles à neutrons représentent une étape avancée de l'évolution stellaire. Une étoile à neutrons typique a un rayon de 10^4 m et une masse de 2×10^{30} kg.

a) Que vaut sa masse volumique moyenne ?

b) Trouver le rapport entre cette masse volumique et la masse volumique du plomb.

3.15 Que vaut la densité de l'eau à 0 °C et à 50 atmosphères de pression ?

3.16 Une feuille d'or a une épaisseur de 10 micromètres (1 micromètre = 1 μm = 10^{-6} m). Que vaut la masse d'un carré ayant 10 cm de côté ?

3.17 Dans l'industrie pétrolière, un baril vaut 42 gallons, 1 gallon valant 3,786 litres = $3,786 \times 10^{-3}$ m^3. Trouver la masse, en kilogrammes, d'un baril de pétrole dont la densité est de 0,8.

3.18 Trouver la masse volumique de l'essence si 5 kg ont un volume de $7,35 \times 10^{-3}$ m^3.

3.19 L'acide des batteries a une masse volumique de 1 290 kg m^{-3} et contient 35 % en poids d'acide sulfurique. Quelle est la masse d'un litre d'acide sulfurique ?
(1 litre = 10^{-3} m^3).

3.20 a) Calculer la variation en % de la masse volumique de l'air lorsque celui-ci est chauffé de 0 °C à 190 °C à la pression atmosphérique.

b) Calculer la variation correspondante pour l'eau.

3.21 a) Quelle est la densité du plomb ?

b) Que vaut la masse d'un cube de plomb ayant 10 cm de côté ?

La première loi de Newton. L'équilibre

3.22 Pour qui, parmi les observateurs ci-dessous, la première loi de Newton s'applique-t-elle ?

a) Une personne dans un avion qui se déplace à vitesse constante dans une direction fixe.

b) Un parachutiste qui vient de sauter de l'avion.

c) Un parachutiste qui a atteint sa vitesse limite terminale et tombe à vitesse constante.

d) Le pilote d'un avion qui est en train de décoller.

Expliquer la réponse.

3.23 Une personne est dans une voiture qui parcourt une trajectoire circulaire. Les observations faites par cette personne sont-elles en accord avec la première loi de Newton ? La réponse dépend-elle du fait que la vitesse est constante ? Expliquer.

3.24 Une voiture se déplace, en ligne droite, à vitesse constante. La route monte et forme un angle de 10° avec la direction horizontale.

a) La voiture est-elle en équilibre ?

b) Quelles sont les forces qui agissent sur la voiture ?

3.25 Un avion de 2 000 kg vole à altitude constante et à vitesse constante.

a) Quelle force résultante agit sur l'avion ?

b) Que vaut la force de poussée exercée par l'air sur l'avion ?

3.26 Une pierre ronde est au repos sur la plate-forme d'un camion. Lorsque le camion démarre, elle se met à rouler vers l'arrière. Le conducteur est au repos par rapport au camion. Il conclut qu'une force s'exerce sur la pierre et que cette force est dirigée vers l'arrière.

a) A-t-il raison ?

b) Quelles sont les forces qui agissent sur la pierre ?

c) Par rapport au sol, la pierre se déplace-t-elle vers l'avant ou vers l'arrière ?

3.27 Dans la figure 3.4, les câbles forment un angle de 30° avec l'horizontale. Que valent les forces $\mathbf{F}_1$ et $\mathbf{F}_2$ qui s'exercent sur le feu de signalisation si son poids vaut $\mathbf{w}$?

3.28 Un crayon est placé sur une table.

a) Dans quel type d'équilibre se trouve-t-il si sa section droite est hexagonale ?

b) Dans quel type d'équilibre se trouverait-il si la section droite était circulaire ?

c) Supposons le crayon en équilibre sur la pointe ; de quel type d'équilibre s'agit-il ?

3.29 À quel type d'équilibre est soumis le feu de signalisation de la figure 3.4 ? Expliquer ce qu'il advient si le feu est légèrement déplacé horizontalement ou verticalement.

3.30 Une caisse d'équipement de secours est parachutée d'un avion. La force due à la résistance de l'air augmente, approximativement, avec le carré de la vitesse. La caisse atteint donc rapidement une vitesse limite constante dirigée vers le bas.

a) Lorsque la caisse a atteint cette vitesse, est-elle en équilibre ?

b) Que deviendra son mouvement si un coup de vent la pousse de côté ?

c) Que deviendra son mouvement si elle rencontre un courant d'air descendant ?

3.31 Une voiture parcourt un circuit circulaire à vitesse constante. Est-elle en équilibre ? Expliquer.

La troisième loi de Newton

3.32 Un bateau se trouve sur une rivière. Il est maintenu à une borne par une corde.

a) Tracer un diagramme montrant les forces qui s'exercent sur le bateau.

b) Identifier les forces horizontales s'exerçant sur le bateau, et les forces de réaction qui y sont associées.

c) Identifier les forces verticales qui s'exercent sur le bateau, et les forces de réaction qui y sont associées.

d) Quelle est la force résultante qui s'exerce sur le bateau ?

3.33 Un gros avion est tiré, à vitesse constante, le long d'une piste par un camion. Les deux véhicules sont reliés par une barre de fer.

a) Quelles sont les forces qui s'exercent sur l'avion ?

b) Quelles sont les forces qui s'exercent sur le camion ?

c) Quelle est la force résultante sur l'avion ?

d) Quelle est la force résultante sur le camion ?

e) Quelle est la force résultante sur la barre de fer ?

f) Identifier les forces d'action et de réaction qui agissent sur l'avion, sur la barre et sur le camion.

3.34 Un avion vole horizontalement à vitesse constante. Les hélices exercent, sur l'air, une poussée vers l'arrière.

a) L'avion est-il en équilibre ?

b) Quelles sont les forces horizontales qui interviennent ?

3.35 a) Une fillette tient une balle dans la main. Identifier les forces qui s'exercent sur la balle et les forces de réaction qui y sont associées.

b) Elle lance la balle en l'air ; quelles sont les forces qui s'exercent sur la balle ? Quelles sont les forces de réaction associées à ces forces ?

3.36 Une voiture s'arrête sur une route droite et plate, moteur débrayé.

a) Quelles sont les forces qui s'exercent sur la voiture ?

b) Quelles sont les forces de réaction ?

La deuxième loi de Newton

3.37 Une personne effectuant un saut en hauteur a une accélération de 20 m s^{-2} au moment où elle quitte le sol. Sa masse est de 50 kg.

a) Quelle est la grandeur de la force exercée par le sol sur la personne ?

b) Quel est le rapport de cette force au poids du sauteur ?

3.38 Quelle est l'accélération fournie à une pierre de 10 kg lorsqu'une force résultante de 100 N lui est appliquée ?

3.39 Quelle force résultante est nécessaire pour fournir, à une voiture de 1 000 kg, une accélération de 3 m s^{-2} ?

3.40 Une balle de base-ball dont la masse vaut 0,15 kg est frappée, à l'aide d'une batte, avec une force de 5 000 N. Quelle est l'accélération de la balle ?

Quelques exemples des lois de Newton

3.41 Un ascenseur, dont la masse vaut 900 kg, a une accélération, en montée, de 3 m s^{-2}. Quelle tension s'exerce dans le câble au point d'attache avec la cage ?

3.42 Un cheval peut exercer une force horizontale de $3,5 \times 10^4$ N sur une corde qui, au moyen d'une poulie, lève des charges à la verticale. Quelle est l'accélération d'une charge qui pèse

a) $3,5 \times 10^4$ N

b) 3×10^4 N ?

(Négliger les masses de la corde et de la poulie.)

3.43 Un câble d'ascenseur, dont le poids est faible par rapport à la cage, peut supporter un poids de 10 000 N. Si l'ascenseur et ses occupants pèsent 8 000 N, quelle est l'accélération verticale maximum possible pour l'ascenseur ?

3.44 Un homme, dont la masse est de 60 kg, est suspendu par un câble à un hélicoptère. Trouver la tension dans le câble si l'accélération vaut 5 m s^{-2} et si elle est dirigée

a) vers le haut

b) vers le bas.

3.45 Un fémur humain se fracture si la force de compression vaut 2×1 N. Une personne, dont la masse est de 60 kg, se reçoit sur une jambe.

a) Quelle accélération produira une fracture ?

b) Que vaut cette accélération par rapport à l'accélération de la pesanteur ?

3.46 Une femme de 55 kg veut se laisser glisser le long d'une corde fixe. La corde peut supporter une force de 400 N. Quelle doit être l'accélération minimum de la femme si elle souhaite descendre en toute sécurité ?

3.47 Une locomotive, dont la masse vaut 4×10^4 kg tire, sur une voie horizontale, un train dont la masse est de 2×10^5 kg. L'accélération est de 0,5 m s^{-2}. Que vaudrait-elle, si le train avait une masse de 10^5 kg ?

3.48 Au cours d'une collision, une automobile, dont la masse est de 1 000 kg, passe d'une vitesse initiale de 20 m s^{-1}, à une vitesse nulle, sur une distance de 2 m, avec une décélération constante.

a) Que vaut la décélération de la voiture ?

b) Quelle est la force résultante qui agit sur la voiture durant la collision ?

3.49 Une balle de tennis, dont la masse est de 0,058 kg, est initialement au repos. Elle est servie avec une vitesse de 45 m s^{-1}. Si la raquette est en contact avec la balle pendant 0,004 s, quelle est la force résultante qui agit sur la balle durant le service ? (Supposer l'accélération constante.)

Les forces de gravitation

3.50 La Lune se trouve à $3,9 \times 10^5$ km du centre de la Terre. Sa masse est de $7,3 \times 10^{22}$ kg et la masse de la Terre vaut $6,0 \times 10^{24}$ kg. À quelle distance du centre de la Terre doit se trouver un objet, pour que les forces gravitationnelles dues à la Terre et à la Lune soient égales mais opposées ? (Supposer que l'objet se trouve sur la droite reliant la Terre à la Lune.)

3.51 La masse du Soleil vaut $2,0 \times 10^{30}$ kg et la distance de la Lune au Soleil vaut $1,5 \times 10^8$ km. À partir des données de l'exercice précédent, trouver le rapport des forces exercées, sur la Lune, par la Terre et le Soleil.

3.52 Lorsqu'une navette spatiale est à une distance R_T de la surface de la Terre, l'attraction gravitationnelle de la Terre vaut 144 000 N. Que vaudra-t-elle lorsque la navette se trouvera à une distance $3R_T$ de la surface terrestre ? (R_T est le rayon de la Terre.)

Le poids

3.53 À la surface de Mars, l'accélération de la pesanteur vaut 3,62 m s^{-2}. Quel est, sur Mars, le poids d'une personne qui pèse, sur Terre, 800 N ?

3.54 La masse de Mars est de $6,42 \times 10^{23}$ kg et l'accélération de la pesanteur, à sa surface, vaut 3,62 m s^{-2}. Quel est le rayon de Mars ?

3.55 L'accélération de la pesanteur, à la surface d'une planète, vaut la moitié de celle existant à la surface de la Terre. Si le rayon de cette planète est la moitié du rayon terrestre, que vaut sa masse par rapport à la masse de la Terre ?

3.56 La planète Y a un rayon égal à un tiers de celui de la Terre. Sa masse vaut $(1/3)^3 = 1/27$ de la masse de la Terre. Quel sera le poids d'un astronaute dont la masse est de 70 kg ?

3.57 Si on suppose que la Terre est une sphère uniforme de $6,38 \times 10^6$ m de rayon, calculer sa masse à partir de G et de g.

3.58 Une hôtesse de l'air a une masse de 50 kg.
a) Quel est son poids au sol ?
b) De quelle fraction son poids varie-t-il lorsqu'elle est dans un avion à 6,38 km d'altitude ? (Le rayon de la Terre vaut 6 380 km.)

Le poids effectif

3.59 Un avion de chasse pique, à la verticale, avec une accélération de $3g$. Quelles sont la grandeur et la direction du poids effectif du pilote, si son poids vaut w ?

3.60 Une voiture de course accélère, sur une route droite et plane, avec une accélération égale à g. Si le conducteur a une masse de 60 kg, quelles seront la grandeur et la direction de son poids effectif ?

3.61 Une voiture se déplace sur une route droite et plane à une vitesse initiale de 30 m s^{-1}. Elle s'arrête en 10 s.
a) En supposant la décélération constante, trouver sa valeur.
b) Le conducteur a une masse égale à m. Quelles sont la grandeur et la direction de son poids effectif, lorsque la voiture ralentit ?

3.62 Un astronaute, dont la masse vaut m, se trouve dans une navette spatiale qui décolle, à la verticale, de la surface de la Terre. Son accélération reste constamment égale à 9,8 m s^{-2}.
a) Quel est le poids effectif de l'astronaute immédiatement après le décollage ?
b) Quel sera-t-il, lorsque la navette spatiale sera éloignée de la surface de la Terre d'une distance égale au rayon terrestre ?

Le frottement

3.63 Un cheval pesant 7 500 N est capable d'exercer, sur une charge, une force horizontale de 6 500 N. Quel est le coefficient de frottement statique entre le sabot du cheval et le sol ? (Supposer que la force exercée par le cheval est limitée par les risques de glissades.)

3.64 Un réfrigérateur pèse 1 000 N. On lui applique une force horizontale de 200 N, mais il reste immobile.
a) Quelle est la force de frottement ?
b) Que pouvons-nous conclure quant au coefficient de frottement statique ?

3.65 Une boîte, pesant 100 N, est au repos sur un sol horizontal. Le coefficient de frottement statique vaut 0,3. Quelle est la force minimum nécessaire pour mettre la boîte en mouvement ?

3.66 Une boîte, pesant 100 N, est poussée sur un sol horizontal. Le coefficient de frottement cinétique vaut 0,2. Quelle accélération prendra la boîte si on lui applique une force horizontale de 40 N ?

3.67 On installe parfois des accessoires sur les voitures de course, pour que l'air exerce, sur la voiture, une force dirigée vers le bas. À quoi servent ces accessoires ?

3.68 Un réfrigérateur, dont la masse est de 120 kg, est au repos sur le sol d'une cuisine ($\mu_s = 0,4$ et $\mu_c = 0,2$).
a) Si personne ne touche le réfrigérateur, quelle est la force de frottement exercée par le sol ?
b) Un garçon, dont la masse est de 40 kg, s'appuie sur le réfrigérateur et exerce ainsi une force horizontale qui vaut la moitié de son poids. Quelle est la force de frottement exercée par le sol sur le réfrigérateur ?

3.69 Un traîneau, pesant 1 000 N, est tiré sur une surface horizontale couverte de neige. Le coefficient de frottement statique vaut 0,3 et le coefficient de frottement cinétique vaut 0,15. Trouver la force nécessaire
a) pour mettre le traîneau en mouvement
b) pour le maintenir en mouvement à vitesse constante.

3.70 Un traîneau, rempli de pierres et ayant un poids total de 60 000 N, est employé dans un concours de chevaux de trait. Le coefficient de frottement statique entre le traîneau et le sol est de 0,6. Le coefficient de frottement cinétique est de 0,4.
a) Quelle force doit exercer un couple de chevaux pour mettre le traîneau en mouvement ?
b) Quelle force doivent exercer ces chevaux pour assurer au traîneau une vitesse constante ?

3.71 Comment peut-on utiliser le plan incliné réglable de la figure 3.22 pour mesurer le coefficient de frottement cinétique d'un objet placé sur ce plan ?

PROBLÈMES

3.72 Une planète, dont le rayon vaut R, comprend un noyau central de rayon $R/2$ et de masse volumique ρ, et une couche externe dont la masse volumique vaut $\rho/2$ (figure 3.32). Que vaut la masse volumique moyenne de la planète ?

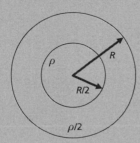

Figure 3.32 Problème 3.72.

3.73 Une automobile de 1 000 kg se déplace à la vitesse de 15 m s^{-1}. Elle dérape et s'immobilise après 100 m, ayant été soumise à une décélération constante. Quelle est la force de frottement qui s'exerce sur la voiture ?

3.74 Une balle de 0,5 kg est initialement au repos. Si on lui applique une force de 10 N durant 2 s, quelle sera sa vitesse finale ?

3.75 Un joueur de hockey qui pèse 800 N passe, en 1 seconde, d'une vitesse de 10 m s^{-1}, à une vitesse nulle.

a) Que vaut sa masse ?

b) Quelle est sa décélération moyenne ?

c) Quelle force est nécessaire pour produire cette décélération ?

3.76 En arrivant au sol, le pied d'un coureur a une vitesse de 10 m s^{-1} vers le bas. Si la masse effective du pied et de la jambe est de 9 kg, quelle force s'exerce, sur le pied, lors de la décélération ? On suppose que la décélération s'effectue

a) sur sol meuble sur une distance de 0,03 m

b) sur sol dur sur une distance de 0,005 m.

3.77 Une femme de 55 kg saute d'un rocher et atteint le sol à la vitesse de 5 m s^{-1}.

a) Elle se reçoit sur les pieds, corps tendu, et s'immobilise sur une distance de 0,15 m. Que vaut la force moyenne qui s'exerce sur la femme lorsqu'elle touche le sol ?

b) Elle fléchit les jambes et le corps en atteignant le sol et elle s'immobilise sur une distance de 0,5 m. À quelle force moyenne est-elle alors soumise ?

3.78 Un garçon pêche avec une ligne capable de résister à une force maximum de 40 N. S'il attrape un poisson de 3 kg, qui exerce une force de 60 N pendant plusieurs secondes, quelle accélération mimimum faudra-t-il donner à la canne pendant cet intervalle de temps ?

3.79 Une rame de métro comprend trois wagons. Chacun pèse $1,2 \times 10^5$ N. La force de frottement qui s'exerce sur chaque wagon est de 10^3 N. Le premier wagon, agissant comme motrice, exerce sur les rails une force horizontale de $4,8 \times 10^4$ N.

a) Quelle est l'accélération de la rame ?

b) Que vaut la force de traction dans l'attache entre le premier et le second wagon ?

c) Que vaut la force de traction dans l'attache entre le second et le troisième wagon ?

3.80 Une femme de 60 kg gravit, à vitesse constante, une colline à 45°. Quelle force doit-elle exercer parallèlement au sol si

a) elle gravit la colline en ligne droite

b) elle suit un chemin en zig-zag qui réduit l'angle effectif à 30° ?

3.81 Un homme de 60 kg tire horizontalement sur une corde. La force de frottement qui s'exerce sur ses pieds est de 600 N. La corde passe dans la gorge d'une poulie et est attachée à un piquet de 25 kg planté dans le sol. Si la force de frottement qui s'oppose au mouvement vertical du piquet vaut 300 N

a) quelle est l'accélation verticale du piquet ? (Supposer que l'homme se déplace en même temps que le piquet.)

b) Si la force de frottement est constante, quelle est la masse maximum d'un piquet que l'homme peut arracher du sol ?

3.82 Une charrette, pesant 5×10^3 N, est tirée le long d'une route horizontale et boueuse par un cheval de 500 kg. Le coefficient de frottement entre les roues de la charrette et la route vaut 0,2.

a) Si la charrette est tirée à vitesse constante, quelle force le cheval doit-il exercer sur le sol pour tirer la charrette ?

b) Si la charrette part du repos, est accélérée en 5 s et atteint une vitesse de 5 m s^{-1}, quelle force le cheval doit-il exercer sur le sol ?

3.83 Le rayon de la planète Vénus vaut $6,1 \times 10^3$ km et celui de la Terre vaut $6,4 \times 10^3$ km. La masse de Vénus représente 82 % de la masse de la Terre. Que vaut l'accélération de la pesanteur à la surface de Vénus ?

3.84 Deux billes de plomb sont en contact. Le rayon de chaque bille vaut 0,1 m.
a) Quelle est la masse de chaque bille ?
b) Que vaut la force gravitationnelle qui s'exerce entre les billes ?

3.85 On pense qu'il existe des étoiles à neutrons dont la masse volumique est comparable à celle des noyaux atomiques, soit 10^{17} kg m^{-3}. Supposons que deux sphères, ayant cette masse volumique et un rayon de 0,01 m, soient placées, sur la surface terrestre, à 1 m de distance.

a) Quel serait le poids de chaque sphère ?

b) Quelle serait l'attraction gravitationnelle entre ces sphères ?

3.86 Un homme de 60 kg veut courir sur la glace. Le coefficient de frottement statique entre ses chaussures et la glace vaut 0,1. Quelle accélération maximum peut-il atteindre ?

3.87 Une fillette, dont la masse est de 40 kg, descend à ski une pente qui forme un angle de 37° avec l'horizontale (négliger la résistance de l'air). Si le coefficient de frottement cinétique entre ses skis et la neige vaut 0,1, que vaut son accélération ?

3.88 Dans la figure 3.33, les ficelles et les poulies ont des masses négligeables et il n'y a pas de frottement. Évaluer

a) la tension dans les ficelles

b) l'accélération du système.

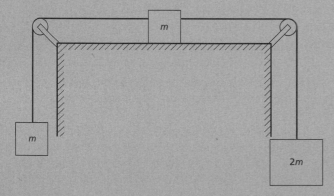

Figure 3.33 Problème 3.88.

3.89 Reconsidérer le problème précédent si le coefficient de frottement cinétique entre le bloc et la surface horizontale vaut 0,1.

3.90 Dans la figure 3.34, la ficelle et la poulie sont supposées de masse négligeable et il n'y a pas de frottement. Trouver

a) la tension dans la ficelle

b) son accélération.

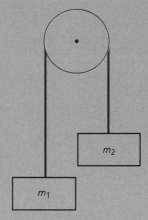

Figure 3.34 Problème 3.90.

3.91 Dans le problème précédent $m_1 = 2$ kg et $m_2 = 3$ kg. Trouver

a) la tension dans la ficelle

b) l'accélération.

c) Si le système est libéré du repos, quelles seront sa vitesse et sa position après 0,5 s ?

3.92 Deux personnes souhaitent pousser, le long d'une rampe qui forme un angle de 37° avec l'horizontale, un congélateur qui pèse 2 000 N. Le coefficient de frottement cinétique entre le congélateur et le sol vaut 0,5.

a) Quelle force minimum les personnes doivent-elles exercer ?

b) Quelle accélération aura le congélateur, si on le lâche et s'il glisse le long de la rampe ?

c) Il glisse sur 4 m, le long de la rampe, avant de percuter un objet lourd. Ceci provoque son immobilisation sur une distance de 0,5 m. Quelle force moyenne sera exercée par le congélateur sur cet objet ?

3.93 Un homme peut exercer, sur une corde fixée à un traîneau, une force de 700 N. La corde forme un angle de 30° avec l'horizontale. Si le coefficient de frottement cinétique entre le traîneau et le sol est de 0,4, quelle sera la charge maximum du traîneau que l'homme pourra tirer à vitesse constante ?

3.94 Une boîte pesant 600 N est au repos sur un plan incliné qui forme un angle de 37° avec l'horizontale. Le coefficient de frottement statique entre la boîte et le plan incliné vaut 0,8. Trouver la force minimum requise pour faire descendre la boîte le long de la rampe si cette force est appliquée

a) parallèlement à la rampe

b) horizontalement.

3.95 Le début de la pente d'un tremplin à ski forme un angle de 45° avec l'horizontale. Si le coefficient de frottement cinétique entre les skis et la neige vaut 0,1, trouver

a) l'accélération du skieur ;

b) la vitesse atteinte après un parcours de 40 m sur le tremplin.

3.96 En l'absence de frottement, que vaudra l'accélération du bloc dans la figure 3.35 ?

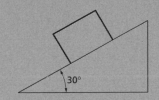

Figure 3.35 Problèmes 3.96 et 3.97.

3.97 Si le coefficient de frottement cinétique vaut 0,2, quelle sera l'accélération du bloc dans la figure 3.35 ?

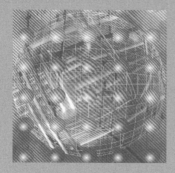

La statique

CHAPITRE 4

Mots-clefs

Avantage mécanique • Centre de gravité • Centre de masse • Conditions d'équilibre • Corps solide • Couple • Machines • Moment d'une force • Polygone de sustentation • Produit vectoriel

Introduction

La *statique* concerne l'étude des forces qui s'exercent sur un objet en équilibre et au repos. Même en l'absence de mouvement, différentes questions intéressantes peuvent être posées au sujet des forces en présence. Ces questions sont résolues à l'aide des lois de Newton. On peut, par exemple, déterminer les forces qui interviennent sur les éléments de structure d'une construction tels qu'un pont ou un bâtiment ou encore celles qui s'exercent sur des structures biologiques comme les mâchoires, les membres ou le squelette. La statique permet aussi d'évaluer l'*avantage mécanique* obtenu au moyen de machines simples comme, par exemple, les leviers qui interviennent dans le corps humain. La statique étudie aussi les problèmes de stabilité des objets et des animaux. Les questions qui peuvent être résolues par la statique en font un outil extrêmement précieux dans des domaines tels que l'ingénierie, l'anatomie comparée, la physiothérapie et l'orthodontie.

Notre étude de la statique se base sur un objet idéal, le *solide rigide* : il s'agit d'un objet dont le volume, la forme et les dimensions ne varient pas lorsqu'il est soumis à une force. Les objets réels sont constitués d'un grand nombre de particules (atomes et molécules) entre lesquelles s'exercent des forces. Sous l'effet de forces extérieures, les particules se mettent à vibrer ou à se déplacer. Cependant, des objets comme les balles de base-ball, les os et les poutres d'acier sont suffisamment rigides pour que les déformations puissent être considérées comme négligeables.

Un solide rigide est en équilibre lorsque deux conditions sont satisfaites. La première condition est que la résultante des forces appliquées au corps soit nulle. Cette condition est suffisante pour garantir qu'une particule ponctuelle qui est au repos y reste. Dans le cas d'un solide rigide, cette condition implique que l'objet, pris comme un tout, ne subisse aucune accélération, c'est-à-dire qu'il soit en *équilibre de translation*. Cependant, un solide rigide peut se mettre à tourner si les forces appliquées donnent naissance à un moment résultant. D'où la seconde condition d'équilibre pour un objet rigide : il faut que le *moment résultant* des forces appliquées soit nul. Ce moment résultant représente la somme vectorielle des moments des forces qui s'exercent sur l'objet.

Les applications de la statique aux problèmes de la stabilité et de l'équilibre requièrent aussi la notion de *centre de gravité*. Il s'agit du point auquel peut être associé le poids total d'un solide rigide.

4.1 LES MOMENTS DE FORCES

Supposons un objet soumis à deux forces égales mais opposées. La force résultante est nulle et l'objet est en équilibre de translation. Cependant, l'objet n'est pas nécessairement en équilibre de rotation. Comme exemple, considérons le tabouret d'un bar dont le siège peut tourner librement (figure 4.1). Si un enfant applique des forces égales mais opposées $\mathbf{F}_1$ et $\mathbf{F}_2 = -\mathbf{F}_1$, en deux points du bord du tabouret, il va provoquer la rotation de celui-ci. Le tabouret ne reste donc pas au repos bien que

$$\mathbf{F} = \mathbf{F}_1 + \mathbf{F}_2 = 0$$

c'est-à-dire bien que la force résultante soit nulle.

Figure 4.1 Lorsque des forces égales mais opposées sont appliquées en des points diamétralement opposés du bord d'un tabouret, elles produisent la rotation de celui-ci. Le tabouret n'est donc pas en équilibre bien que la force résultante soit nulle.

En conséquence, outre la condition $\mathbf{F} = 0$, une seconde condition apparaît nécessaire pour empêcher le mouvement de rotation. La grandeur qui détermine la possibilité qu'a une force de produire une rotation est appelée *le moment de la force. Un corps rigide est en équilibre de rotation si le moment résultant des forces s'exerçant sur lui est nul.* Le moment τ de la force dépend de la force $\mathbf{F}$, de la distance $\mathbf{r}$ entre le point d'application de la force et l'axe de rotation, ainsi que de l'angle θ entre les vecteurs $\mathbf{r}$ et $\mathbf{F}$ (figure 4.2). (τ est la lettre grecque tau.) Nous préciserons plus tard la direction du vecteur τ. Sa grandeur, par rapport au point P, est donnée par la relation

$$\tau = rF \sin \theta \qquad (4.1)$$

Le moment d'une force représente le produit d'une force par une longueur. Dans le S.I., il se mesure donc en newton-mètre (Nm).

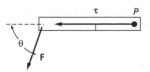

Figure 4.2 Le moment de la force sur l'objet rigide, par rapport au point P, vaut $\tau = rF \sin \theta$.

La définition du moment d'une force peut s'illustrer de différentes manières. Supposons, par exemple, que nous voulions desserrer un boulon rouillé (figure 4.3). Pour augmenter le moment de la force, on utilise la clé la plus longue possible et on exerce une force aussi grande que possible. Lorsque $\theta = 90°$, sinus $\theta = 1$, ce qui représente la valeur maximum de sinus θ : en conséquence, on doit exercer la force à angle droit par rapport à la clé. Notons que lorsque $\theta = 0°$ ou $180°$, sinus $\theta = 0$ et le moment est nul.

L'exemple d'une porte fournit une autre illustration du moment d'une force (figure 4.4). Un ressort s'oppose à la libre rotation de la porte autour de son axe. Pour ouvrir la porte d'un angle ϕ, il faut exercer un moment de force. L'ouverture est d'autant plus grande que le moment est important. On constate que le moment est maximum lorsque la force est appliquée aussi loin que possible de la charnière et à angle droit par rapport à la porte.

La grandeur du moment $\tau = rF \sin \theta$ peut être récrite sous la forme (figure 4.5a)

$$\tau = r_\perp F \qquad (4.2)$$

l'indice $\perp$ signifiant perpendiculaire. La grandeur du moment peut donc s'exprimer par le produit de la force et de la distance perpendiculaire entre le point P et la *ligne d'action* de la force. Cette distance perpendiculaire s'appelle *bras de levier* et vaut $r_\perp = r \sin \theta$. Le bras de levier dépend non seulement de la distance séparant le point P du point d'application de la force, mais également de l'angle. Il est maximum quand $\theta = 90°$, car alors sin θ vaut 1. Le moment de la force peut aussi s'exprimer (figure 4.5b) en faisant intervenir la composante de la force $F_\perp = F \sin \theta$ qui est perpendiculaire à $\mathbf{r}$:

$$\tau = rF_\perp \qquad (4.3)$$

4.1.1 Direction du moment d'une force

Considérons un objet contraint de tourner autour d'un axe, tel la clé ou la porte. Seuls les moments des forces qui s'exercent perpendiculairement à cet axe doivent être pris en considération. En effet, une force, ou une composante d'une force, parallèle à l'axe n'aura aucune influence sur la rotation car les charnières ou d'autres contraintes produisent des moments de forces qui la compensent.

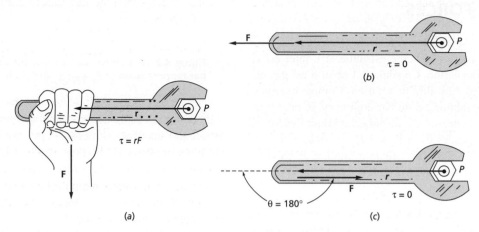

Figure 4.3 Le moment de la force a comme grandeur $\tau = rF \sin \theta$. Par conséquent, il est maximum lorsque **r** et **F** sont à angle droit comme en *(a)*. Le moment est nul lorsque **r** et **F** sont soit parallèles ($\theta = 0°$) comme en *(b)*, soit antiparallèles ($\theta = 180°$) comme en *(c)*.

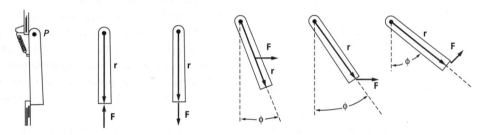

Figure 4.4 Schéma d'une porte vue du dessus articulée autour de son gond *P*. Un ressort exerce une résistance à l'ouverture de la porte. L'angle d'ouverture augmente avec le moment de la force appliquée. Lorsqu'une force **F** est appliquée dans la direction de **r** ou dans la direction opposée, le moment de la force est nul. Le moment maximum correspond à **F** perpendiculaire à **r** et à **r** aussi grand que possible.

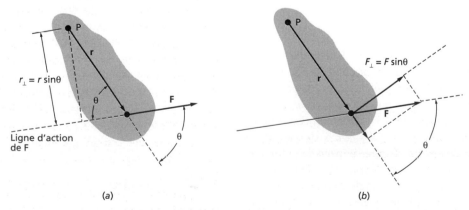

Figure 4.5 La grandeur du moment de la force, par rapport à *P*, vaut $\tau = rF \sin \theta$. Cette expression peut être réécrite sous la forme *(a)* $\tau = r_\perp F$, où $r_\perp = r \sin \theta$ est le bras de levier. *(b)* Le moment vaut $\tau = rF_\perp$, où $F_\perp = F \sin \theta$.

Pour décrire cette situation, on dessine des schémas à deux dimensions (figures 4.3 et 4.4). Les forces et le vecteur position **r**, qui a pour origine un point P de l'axe, sont représentés dans un plan perpendiculaire à l'axe de rotation. Les moments qui produisent une rotation dans le *sens inverse des aiguilles d'une montre* sont représentés par des vecteurs parallèles à l'axe de rotation et pointant vers le lecteur. Par convention, ce sens est considéré comme *positif* (figure 4.6). Dans la figure, τ est représenté par un point à l'intérieur d'un cercle, symbolisant ainsi la pointe d'une flèche dirigée vers le lecteur. Inversement, les moments qui produisent des rotations dans le *sens des aiguilles d'une montre* sont dirigés parallèlement à l'axe mais vers l'arrière de la page. Par convention, on les considère comme *négatifs*. Dans ce cas, τ est représenté par une croix à l'intérieur du cercle qui symbolise la queue d'une flèche.

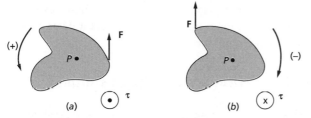

Figure 4.6 *(a)* Les moments de forces qui provoquent une rotation dans le sens inverse des aiguilles d'une montre sont considérés comme positifs. Le vecteur moment pointe vers le lecteur. Il est représenté par un point dans un cercle. Ce point symbolise la flèche du vecteur. *(b)* Les moments de forces qui produisent une rotation dans le sens des aiguilles d'une montre sont considérés comme négatifs. Ils pointent vers l'arrière de la page. La croix représente la queue de la flèche.

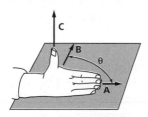

Figure 4.7 $C = A \times B$ a pour grandeur $AB \sin\theta$. Sa direction est donnée par la règle de la main droite.

Pour des objets comme les ballons ou pour les gymnastes qui peuvent effectuer des rotations autour de n'importe quel axe, il est nécessaire de donner une définition plus générale de la direction du moment de force. Cette définition se ramène à celle donnée ci-dessus pour les objets en rotation autour d'axes fixes. Elle fait intervenir le produit vectoriel entre deux vecteurs.

Le produit vectoriel de deux vecteurs **A** et **B** est un vecteur **C** perpendiculaire au plan formé par les vecteurs **A** et **B**. On écrit

$$\mathbf{C} = \mathbf{A} \times \mathbf{B} \tag{4.4}$$

La grandeur (ou module) de **C** est donnée par l'expression (figure 4.7)

$$\mathbf{C} = AB \sin\theta \tag{4.5}$$

Puisque **C** est perpendiculaire à la fois à **A** et **B**, il a une direction perpendiculaire au plan contenant ces deux vecteurs. Le sens de **C** est fourni par la *règle de la main droite* qui s'énonce de la manière suivante :

1. Placez les vecteurs de manière qu'ils aient la même origine. Mettez votre main droite à cette origine.
2. Étendez les doigts de la main droite dans la direction du vecteur **A** (figure 4.7).
3. Orientez le bras pour que les doigts de la main droite puissent plier et prendre la direction de **B** en décrivant un angle inférieur à 180°.
4. La direction de votre pouce donne le sens de **C**.

Il découle de la définition du produit vectoriel que **A** × **B** et **B** × **A** ont des sens opposés ou encore que **A** × **B** = −**B** × **A**. L'ordre des facteurs d'un produit vectoriel est donc important. On dit que le produit vectoriel n'obéit pas à la *règle de la commutativité*. Cela contraste non seulement avec les règles de l'algèbre ordinaire où nous avons évidemment $x \cdot y = y \cdot x$ mais aussi avec celles de la somme vectorielle puisque dans ce cas **A**+**B** = **B**+**A**. Ces dernières opérations sont dites commutatives.

Si on exprime le moment sous la forme d'un produit vectoriel, on peut écrire

$$\tau = \mathbf{r} \times \mathbf{F} \tag{4.6}$$

Notons que le module de τ vaut $rF \sin\theta$ comme énoncé précédemment. La direction de τ indique l'axe autour duquel la rotation s'effectue. Le sens de τ est donné par la règle de la main droite. Pour illustrer cette règle, supposons que **r** soit dans la direction positive des x et que **F** soit dans la direction positive des y (figure 4.8*a*). Nous pointons donc les doigts de la main droite dans la direction +x. La paume de la main est dirigée vers les valeurs positives de y, et le pouce pointe dans la direction du lecteur. Il est possible d'effectuer une rotation des doigts de 90°, pour que ceux-ci prennent la direction de l'axe des y. En conséquence $\tau = \mathbf{r} \times \mathbf{F}$ est bien *dirigé vers le lecteur*.

Supposons, au contraire, que **r** ait la direction −x, **F** gardant la direction +y (figure 4.8*b*). Dirigeons nos doigts dans le sens −x. Si la paume de la main est orientée vers les valeurs positives de y, il est possible d'effectuer une rotation de 90° entre la direction de **r** et celle de **F**. Dans ce cas, le pouce et donc le moment $\tau = \mathbf{r} \times \mathbf{F}$ sont dirigés vers l'arrière de la page. Il est à noter que ces résultats sont équivalents à ceux de la figure 4.6.

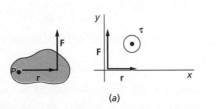 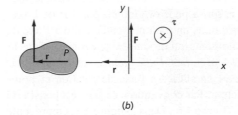

(a)   (b)

Figure 4.8 *(a)* Lorsque les moments sont évalués par rapport au point *P*, **τ** = **r** × **F**. Le vecteur pointe vers le lecteur. *(b)* **τ** pointe vers l'arrière de la page.

4.1.2 Couples

Deux forces, qui ont même grandeur mais des directions opposées et dont les lignes d'action sont différentes, constituent un couple. Les deux forces qui s'exercent sur le dessus du tabouret dans la figure 4.1 constituent un couple. Les couples n'exercent aucune force résultante sur un objet. Par contre, ils exercent un moment résultant non nul. Il est intéressant de constater que la valeur du moment résultant est indépendante du choix du point *P* à partir duquel on mesure les distances. Cela est montré dans l'exemple 4.1.

✎ ——————— **Exemple 4.1** ———————

Deux forces d'égale grandeur mais de direction opposée s'exercent sur un objet suivant des lignes d'action différentes (figure 4.9). Trouver le moment résultant de ces forces.

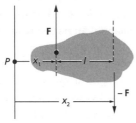

Figure 4.9 Le moment résultant associé à un couple de forces est le même par rapport à n'importe quel point.

Réponse   Calculons le moment par rapport au point *P* de la figure. Le moment dû à la force appliquée en x_2 vaut $\tau_2 = -x_2 F$. (Le signe − indique qu'il s'agit d'un moment tendant à provoquer une rotation dans le sens des aiguilles d'une montre.) Le moment associé à la force appliquée en x_1 vaut $\tau_1 = x_1 F$. Le moment résultant s'écrit

$$\tau = \tau_1 + \tau_2 = x_1 F - x_2 F$$
$$= (x_1 - x_2)F = -lF$$

Le signe − indique que le moment résultant tend à produire une rotation dans le sens des aiguilles d'une montre. Le vecteur entre dans la page. Notons que le résultat fait

seulement intervenir la distance *l* qui sépare les lignes d'action des deux forces. Le moment résultant ne dépend donc pas de la position du point *P*.

———————————————————

Dans le paragraphe suivant, nous allons examiner comment les moments de forces servent à déterminer la condition d'équilibre de rotation.

4.1.3 Équilibre des corps solides

Il ressort de la discussion du paragraphe précédent que deux conditions déterminent l'équilibre d'un corps solide :

1. La résultante (somme) des forces appliquées à un objet doit être nulle :
$$\mathbf{F} = 0 \qquad (4.7)$$
2. Le moment résultant des forces appliquées, calculé par rapport à un point quelconque, doit également être nul :
$$\tau = 0 \qquad (4.8)$$

Ces conditions garantissent l'équilibre de translation et de rotation d'un corps solide. Elles ont été justifiées précédemment à partir d'arguments intuitifs et qualitatifs. On peut cependant démontrer que ces conditions découlent de l'application des lois de Newton aux forces qui s'exercent sur un corps solide et aux forces qui existent entre les particules qui le constituent.

Une application familière des conditions d'équilibre est donnée par l'exemple de deux enfants sur une balançoire. Si leurs poids sont inégaux, ils constateront rapidement que l'équilibre implique que l'enfant le plus lourd se place plus près du point d'appui. Par exemple, si un enfant pèse le double d'un autre, il devra se placer à la moitié de la distance séparant le second du point d'appui. Voyons comment cela se déduit des conditions d'équilibre.

 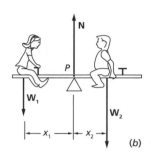 

(b)

Figure 4.10 *(a), (b)* Lorsque deux enfants sont sur une balançoire, l'enfant le plus lourd doit s'asseoir plus près du point d'appui pour assurer l'équilibre. *(c)* Une autre configuration d'équilibre.

✎ ———————— **Exemple 4.2** ————————

Deux enfants, dont les poids respectifs valent w_1 et w_2, sont sur une balançoire qui peut pivoter par rapport à son centre (figure 4.10).

a) Que vaut le rapport des distances x_2/x_1 ?

b) Supposons que $w_1 = 200$ N, $w_2 = 400$ N et $x_1 = 1$ m. Que vaut alors x_2 ? (On supposera, pour simplifier, que la balançoire a un poids négligeable, ce qui ne modifie pas le résultat.)

Réponse a) D'après la première condition d'équilibre, il faut que la force **N** exercée par le point d'appui contrebalance les poids, et ce pour que la force résultante soit nulle :

$$N - w_1 - w_2 = 0, \quad N = w_1 + w_2$$

Cette équation ne nous fournit aucune information quant aux positions des enfants. Cependant, nous n'avons pas encore utilisé la seconde condition d'équilibre qui implique que le moment résultant soit nul. Calculons les moments des forces par rapport au point d'appui, P. Dans ce cas, le bras de levier est nul pour **N**, puisque la ligne d'action de la force passe par ce point d'appui. Les moments se rapportant aux poids des enfants valent respectivement $\tau_1 = x_1 w_1$ et $\tau_2 = -x_2 w_2$. Puisque $\tau = \tau_1 + \tau_2 = 0$, il faut que

$$x_1 w_1 - x_2 w_2 = 0$$

ou encore que

$$\frac{x_2}{x_1} = \frac{w_1}{w_2}$$

Cette condition exprime une relation d'équilibre entre les positions x_1 et x_2 des deux enfants. Une des positions peut être choisie de manière arbitraire ; la seconde se trouve alors déterminée à partir de la relation ci-dessus.

b) Si $w_1 = 200$ N, $w_2 = 400$ N et si $x_1 = 1$ m, la valeur de x_2 est donnée par

$$x_2 = x_1 \frac{w_1}{w_2} = (1 \text{ m}) \frac{(200 \text{ N})}{(400 \text{ N})} = 0{,}5 \text{ m}$$

Cela est compatible avec notre observation initiale selon laquelle un enfant deux fois plus lourd que l'autre doit s'asseoir à une distance deux fois plus rapprochée du point d'appui.

———————————————————————

Dans cet exemple, nous avons calculé les moments par rapport au point d'appui. En fait, la résultante des moments des forces appliquées, calculée par rapport à un point *quelconque*, doit être nulle. Dans l'exemple 4.3, nous allons résoudre le même problème en calculant les moments par rapport à un point différent. Nous montrerons que l'on aboutit au même résultat.

✎ ———————— **Exemple 4.3** ————————

Évaluons de nouveau le rapport x_2/x_1, dans le cas de la balançoire de l'exemple précédent. Calculons les moments par rapport au point P_1 qui correspond à l'endroit où est assis le premier enfant de poids w_1.

Réponse Pour ce faire, redessinons le diagramme des forces de la figure 4.10 sous la forme reprise à la figure 4.11. En calculant les moments par rapport à P_1, les forces **N** et $\mathbf{w}_2$ produisent respectivement les moments $x_1 N$ et $-(x_1 + x_2) w_2$; $\mathbf{w}_1$ ne produit aucun moment puisque son bras de levier est nul. À l'équilibre, la somme des moments doit être nulle et on a

$$-(x_1 + x_2) w_2 + x_1 N = 0 \qquad (4.9)$$

Il faut encore que la somme des forces soit nulle, de sorte que

$$N - w_1 - w_2 = 0$$

ou encore

$$N = w_1 + w_2$$

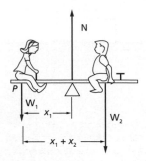

Figure 4.11 Calcul des moments par rapport à P_1 .

En substituant N dans l'équation (4.9), on obtient

$$-(x_1 + x_2)w_2 + x_1(w_1 + w_2) = 0$$

Après simplification, on retrouve le résultat obtenu précédemment

$$x_2 w_2 = x_1 w_1 \quad \text{ou encore} \quad \frac{x_2}{x_1} = \frac{w_1}{w_2}$$

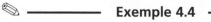

Cet exemple montre qu'un choix judicieux du point par rapport auquel on calcule le moment peut souvent simplifier les calculs. Par exemple, en calculant le moment par rapport au point d'appui, on élimine la force normale **N** qui est une inconnue. On obtient le même résultat final quel que soit le point par rapport auquel on calcule les moments.

Nous allons maintenant appliquer les conditions d'équilibre pour évaluer les forces qui agissent sur un avant-bras.

✎ ———————— **Exemple 4.4** ————————

La figure 4.12 représente un avant-bras, sous la forme d'un modèle constitué d'une barre articulée autour d'un pivot et soutenue par un câble. Le poids **w** de l'avant-bras est de 12 N et on peut considérer que ce poids est concentré au point indiqué. Trouver la tension **T** exercée par le biceps et la force **E** exercée par l'articulation du coude.

Réponse   La tension **T** et le poids **w** n'ont pas de composantes horizontales. Puisque la force horizontale résultante doit être nulle, la force **E**, exercée par l'articulation, ne peut pas non plus avoir de composante horizontale. Supposons, par exemple, que **E** soit dirigé vers le bas ; un résultat négatif nous indiquera que ce vecteur pointe, en réalité, dans la direction opposée. En appliquant la condition **F** = 0, il vient

$$T - E - w = 0$$

Cette équation contient deux inconnues T et E. Calculons les moments des forces par rapport au pivot. **E** ne produit aucun moment, **w** produit un moment égal à $-(0,15 \text{ m})w$ et **T** un moment égal à $(0,05 \text{ m})T$.

Puisque $\tau = 0$, on obtient

$$-0,15w + 0,05T = 0$$

ou encore

$$T = 3w = 3(12 \text{ N}) = 36 \text{ N}$$

La première équation nous donne

$$E = T - w = 36 \text{ N} - 12 \text{ N} = 24 \text{ N}$$

E est positif, ce qui signifie que le vecteur est effectivement dirigé vers le bas, comme nous l'avions initialement supposé.

Notons que la tension **T** exercée par le muscle et la force **E** exercée par l'articulation du coude sont toutes deux considérablement plus importantes que le poids qu'ils supportent. Cela résulte du fait que, par rapport au joint de l'articulation, le bras de levier du poids est plus grand que celui relatif aux muscles. Lorsque la main supporte un poids, la position du poids résultant est encore plus éloignée de l'articulation du coude ; les forces additionnelles que le muscle et l'articulation doivent supporter sont d'autant plus grandes.

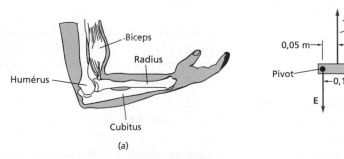

Figure 4.12 *(a)* L'avant-bras est maintenu par le biceps et par l'articulation du coude. *(b)* L'avant-bras peut être assimilé à une barre fixée à un pivot et supportée par un câble. Le pivot représente l'articulation du coude et le câble représente le biceps. *(Adapté de Williams et Lissner.)*

4.2 LE CENTRE DE GRAVITÉ

On peut démontrer que le moment produit par le poids d'un objet par rapport à un point quelconque est égal à celui d'un objet de même poids mais qui serait concentré en un point déterminé que l'on appelle le *centre de gravité* de l'objet (C.G.) (figure 4.13). Ce résultat simplifie les problèmes de statique et de dynamique. Nous l'avons implicitement utilisé dans l'exemple 4.4, lorsque nous avons considéré le poids de l'avant-bras comme étant concentré en un point. Le centre de gravité des objets symétriques et homogènes se situe à leur centre géométrique (figure 4.14). Pour les objets non symétriques, le C.G. peut être localisé expérimentalement ou par calcul.

Un objet en suspension a son centre de gravité situé sur la verticale passant par le point de suspension. En effet, dans ces conditions, le moment du poids par rapport au point de suspension sera nul (figure 4.15). Cela fournit une méthode expérimentale pour localiser le C.G. Si un objet est suspendu au point P_1, le centre de gravité se trouve sur une verticale passant par P_1. Si on suspend l'objet par un autre point P_2, le centre de gravité se trouvera sur la verticale passant par P_2. Le C.G. se trouve donc à l'intersection des deux droites (figure 4.16).

Montrons maintenant comment le C.G. peut être déterminé mathématiquement. Commençons avec le système le plus simple : deux poids sont situés aux extrémités d'une barre de poids négligeable (figure 4.17). Supposons que le C.G. soit situé à une distance x_1 de w_1, et à une distance x_2 de w_2. Les moments des deux poids par rapport au C.G. doivent être égaux mais opposés. Cela est tout à fait semblable au cas de la balançoire de l'exemple 4.2. Nous pouvons utiliser les conditions d'équilibre formulées dans cet exemple, à savoir $x_2/x_1 = w_1/w_2$. Si $w_1 = w_2$, on a $x_1 = x_2$. Dans ces conditions, le C.G. sera situé au milieu de la barre comme il fallait s'y attendre dans le cas d'un objet symétrique. Si $w_2 = 2w_1$, $x_2 = x_1/2$, le C.G. sera plus proche de l'objet le plus lourd.

Une autre méthode pour localiser le C.G. de deux poids conduit à une expression qui peut être généralisée à un nombre quelconque de poids. La figure 4.18 nous montre deux poids identiques placés sur une barre de poids négligeable. La barre est choisie comme axe des x. Le C.G. a une position inconnue X. On sait, à partir de la définition du C.G., que le poids total $w = w_1 + w_2$, concentré en X, produira un moment égal à la somme des moments des poids w_1 et w_2. Les moments par rapport à l'origine valent respectivement $\tau_1 = -x_1w_1$ et $\tau_2 = -x_2w_2$. Le moment total vaut donc

$$\tau = \tau_1 + \tau_2 = -x_1w_1 - x_2w_2$$

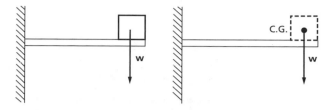

Figure 4.13 Le moment associé au poids d'un corps rigide est égal au moment d'un objet de même poids qui serait situé au centre de gravité.

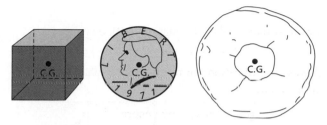

Figure 4.14 Le centre de gravité d'un objet symétrique homogène se trouve au centre géométrique de l'objet. Notons que le centre de gravité d'un beignet se trouve au milieu du trou central et n'est donc pas situé dans l'objet lui-même.

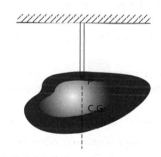

Figure 4.15 Un objet en suspension se positionne de manière que le centre de gravité se trouve sur la verticale passant par le point de suspension P.

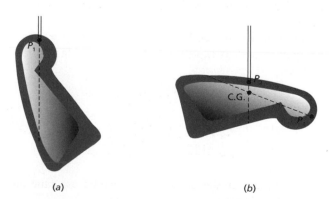

Figure 4.16 *(a)* Le centre de gravité se trouve sur la verticale passant par P_1. *(b)* Le C.G. se trouve également sur la verticale passant par P_2. Il est donc situé à l'intersection des deux droites.

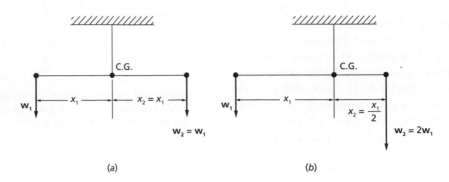

Figure 4.17 Centre de gravité de deux poids *(a)* égaux ; *(b)* inégaux.

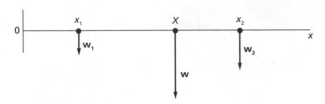

Figure 4.18 Le centre de gravité de deux poids ponctuels, placés sur une barre de poids négligeable, se trouve en X.

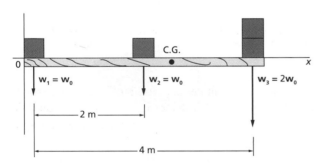

Figure 4.19 Le centre de gravité se trouve entre le milieu de la planche et l'extrémité la plus lourde.

Un poids w, localisé en X, produira un moment $\tau = -Xw$. En égalant les deux expressions de τ, on trouve la position du C.G.

$$X = \frac{x_1 w_1 + x_2 w_2}{w}$$

Si $w_1 = w_2$, on a $w = w_1 + w_2 = 2w_1$ et

$$X = \frac{x_1 w_1 + w_2 w_1}{2w_1} = \frac{x_1 + x_2}{2}$$

On retrouve bien que le centre de gravité est situé au milieu de la barre.

Si on considère plus de deux poids, la position du centre de gravité se détermine de manière semblable. On trouve que

$$X = \frac{x_1 w_1 + x_2 w_2 + x_3 w_3 + \cdots}{w} \qquad (4.10)$$

où

$$w = w_1 + w_2 + w_3 + \cdots \qquad (4.11)$$

L'exemple 4.5 illustre l'emploi de cette formule dans le cas de trois poids.

Exemple 4.5

Une planche de 4 m de long et de poids négligeable supporte un bloc de béton placé à l'extrémité gauche de celle-ci. Un autre bloc est placé au centre et deux blocs sont placés à l'extrémité droite (figure 4.19). Où se trouve le centre de gravité ?

Réponse Soit w_0 le poids d'un bloc. La valeur de ce poids ne doit pas être connue, car ce paramètre s'élimine des équations. Nous pouvons choisir une origine arbitraire. Prenons-la, par exemple, à l'extrémité gauche de la planche. Le poids total vaut donc $w = w_1 + w_2 + w_3 = 4w_0$ et l'équation (4.9) devient

$$X = \frac{x_1 w_1 + x_2 w_2 + x_3 w_3}{w}$$

$$= \frac{0 + (2 \text{ m})w_0 + (4 \text{ m})(2w_0)}{4w_0} = 2,5 \text{ m}$$

Le centre de gravité se situe donc entre le milieu et l'extrémité droite de la planche.

L'équation du centre de gravité (4.10) fait intervenir les poids au numérateur et au dénominateur. Si on substitue, à chaque poids, la valeur $w = mg$, le facteur g se simplifie. Dans ces conditions, X détermine le *centre de masse* (C.M.) et non plus le centre de gravité. Il n'existe en fait aucune différence entre le C.M. et le C.G., pour autant que la valeur et le sens de **g** soient les mêmes pour tous les objets considérés.

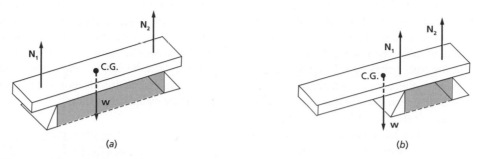

Figure 4.20 La planche est en équilibre en *(a)* et non en *(b)*. Le polygone de sustentation est défini par les supports. Il est représenté en couleur.

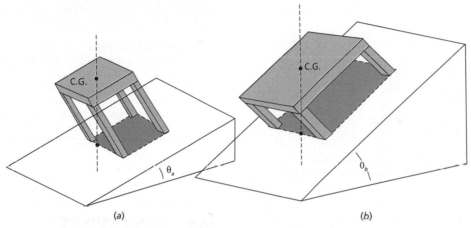

Figure 4.21 Une table à 4 pieds bascule lorsque la verticale qui passe par le centre de gravité coupe la base en dehors du polygone de sustentation. Puisque θ_a est plus petit que θ_b, une table haute sur pieds *(a)* est moins stable qu'une table basse *(b)*.

Bien que nous nous soyons limités au cas d'objets placés suivant une droite, la même procédure permet de localiser le centre de gravité d'objets de formes complexes. Supposons des poids placés en divers points d'un plan. Les coordonnées du C.G. peuvent être désignées par (X, Y). L'équation (4.9) permet de déterminer X. Une équation analogue faisant apparaître les coordonnées y des poids sert à déterminer Y.

4.3 ÉQUILIBRE ET STABILITÉ

Le nombre de pattes d'un animal et la position qu'elles occupent au cours des mouvements sont, au moins partiellement, déterminés par les nécessités d'équilibre et de stabilité. L'idée fondamentale est illustrée dans l'exemple de la poutre de la figure 4.20. Si le centre de gravité se trouve entre les deux supports, les moments des forces N_1 et N_2 par rapport au C.G. ont des directions opposées et les moments s'annulent. La poutre est donc en équilibre. Cependant, lorsque le centre de gravité est situé à gauche des supports, les moments des forces N_1 et N_2, calculés par rapport au C.G., sont tous deux positifs. Dans ce cas,

le moment résultant cesse d'être nul et la poutre basculera. Un objet est donc stable si et seulement si son C.G. *est situé au-dessus du polygone de sustentation* défini par les supports.

De ce point de vue, un animal debout sur quatre pattes présente une analogie avec le cas d'une table. Si la table est placée sur une surface dont l'inclinaison augmente progressivement, elle finira par basculer lorsque le C.G. aura sa projection située en dehors du polygone défini par les quatre pieds de la table (figure 4.21). Plus les pieds seront courts, plus grand sera l'angle θ correspondant à la rupture d'équilibre. La stabilité d'une table basse sera donc plus grande. De la même manière, les centres de gravité des voitures, des bateaux et même des vases doivent être maintenus aussi bas que possible pour assurer une bonne stabilité. Nous pouvons donc constater que les rats et les écureuils, qui ont des pattes relativement courtes, sont des animaux bien adaptés à vivre sur des pentes raides et sur des branches d'arbres. Au contraire, le cheval et l'antilope, qui ont de longues pattes, sont surtout efficaces pour la course sur terrain plat.

Si un quadrupède soulève une patte, il se maintient en équilibre, pourvu que son C.G. reste au-dessus du triangle de sustentation formé par les trois pattes restées au sol. En déplaçant correctement les pattes, il peut marcher lentement, tout en maintenant son C.G. au-dessus du triangle formé par les trois pattes au sol (figure 4.22). La séquence : patte avant droite, arrière gauche, avant gauche et arrière droite est utilisée par tous les quadrupèdes et par les jeunes enfants qui se déplacent à quatre pattes. Bien sûr, les hommes peuvent se maintenir en équilibre sur un ou deux pieds. Les oiseaux et certains animaux sont en équilibre sur une ou deux pattes. C'est alors la surface importante du support qui permet cette stabilité.

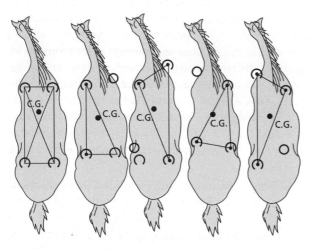

Figure 4.22 Schémas d'un quadrupède en mouvement. Les cercles représentent les pattes qui ne sont pas en contact avec le sol. Remarquer que le centre de gravité est toujours situé à l'intérieur d'un triangle formé par les trois pattes en contact avec le sol.

Lorsqu'un quadrupède court rapidement, il peut arriver qu'à un moment donné seulement une ou deux pattes soient en contact avec le sol. La tendance au déséquilibre vers l'avant ou vers le côté est alors rapidement contrebalancée dès que les autres pattes prennent contact avec le sol. Pour assurer un mouvement rapide, les quadrupèdes et les bipèdes doivent passer nécessairement par de brefs moments d'instabilité (figure 4.23).

Trois pattes au sol représentent la condition minimale de stabilité pour les animaux à courtes pattes. Les insectes ont six pattes : ils peuvent en déplacer trois à la fois, tout en maintenant une position stable. Puisque ces animaux ont de très faibles masses, un simple souffle de vent est susceptible de les renverser s'ils se trouvent momentanément en position instable. Pour réduire les risques d'instabilité, les pattes ne sont pas tout à fait verticales comme chez les mammifères. Elles ont, au contraire, une morphologie un peu évasée.

Les animaux possèdent habituellement un nombre de pattes minimum compatible avec les conditions de stabilité. Cela est probablement lié aux problèmes de force et de poids. Une patte, qui a le même poids que deux pattes plus fines, résiste mieux à des moments de forces qui tendent à la faire fléchir. En outre si le nombre de pattes est minimum, la fraction du poids du corps correspondant aux pattes est minimum aussi.

Figure 4.23 Au départ et même pendant la course, un sprinter a son centre de gravité qui se trouve à l'avant de ses pieds ainsi que le montre le dessin. Il est donc dans une position très instable. Il maintient son équilibre en lançant ses jambes vers l'avant juste à temps pour ne pas tomber. Cette position extrême permet à l'athlète d'exercer une force importante sur le sol de manière à augmenter son accélération.

4.4   LES LEVIERS AVANTAGE MÉCANIQUE

Les leviers, les poulies et les vérins sont des exemples de *machines*. Dans chaque cas, une force $\mathbf{F}_A$ est appliquée et une force résistante, $\mathbf{F}_R$, fait contrepoids. L'avantage mécanique (A.M.) d'une machine s'exprime par le rapport de ces forces :

$$\text{A.M.} = \frac{F_R}{F_A} \qquad (4.12)$$

4.4.1   Les leviers

Un levier, dans sa forme la plus simple, est constitué d'une barre rigide qui s'articule autour d'un point d'appui (figure 4.24). On définit trois classes de leviers d'après les positions respectives de $\mathbf{F}_R$, de $\mathbf{F}_A$ et du point d'appui. L'exemple 4.6 illustre l'effet d'un levier.

✎ ———————— **Exemple 4.6** ————————

Dans le cas d'un levier du premier type, supposons que la charge $\mathbf{F}_R$ vaille 2000 N (figure 4.24). Une personne exerce une force $F_A = 500$ N pour contrebalancer cette charge.

a) Que vaut le rapport des distances x_A et x_R ?

b) Quel est l'avantage mécanique de ce levier ?

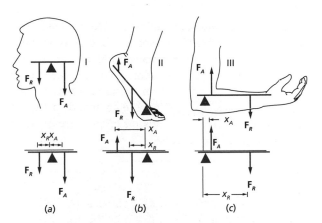

Figure 4.24 *(a) (b)* et *(c)* montrent les positions relatives de la force appliquée, F_A, de la force résistante, F_R, et du point d'appui pour les leviers du type I, II et III. Des exemples de ces leviers dans le corps humain sont également représentés. La force résistante F_R est égale en grandeur mais a une direction opposée à la force $-F_R$ produite par le levier sur la charge.

Réponse a) Pour évaluer x_A/x_R, on calcule les moments des forces par rapport au point d'appui. Le moment de F_A vaut $\tau_A = -x_A F_A$ et celui de F_R vaut $\tau_R = x_R F_R$. À l'équilibre, leur somme doit être nulle, de sorte que

$$x_R F_R - x_A F_A = 0$$

et

$$\frac{x_A}{x_R} = \frac{F_R}{F_A} = \frac{2000 \text{ N}}{500 \text{ N}} = 4$$

b) L'avantage mécanique du levier utilisé vaut donc

$$\text{A.M.} = \frac{F_R}{F_A} = \frac{x_A}{x_R} = 4$$

Pour toutes les classes de leviers, l'avantage mécanique peut s'exprimer par le rapport entre les distances qui séparent les points d'application des forces du point d'appui (voir l'exemple précédent). Si les forces sont à angle droit par rapport au levier, le rapport entre la valeur de la force résistante et la valeur de la force appliquée vaut à l'équilibre

$$\frac{F_R}{F_A} = \frac{x_A}{x_R}$$

Pour les trois classes de leviers, on a donc

$$\text{A.M.} = \frac{x_A}{x_R} \text{ (forces perpendiculaires au levier)} \quad (4.13)$$

Avec des forces à angle droit, l'A.M. des leviers du troisième type est toujours inférieur à 1. Celui des leviers du deuxième type est toujours supérieur à 1. Les leviers du premier type ont des A.M. qui peuvent être soit plus grands soit plus petits que 1.

Pour tous les leviers, l'A.M. est défini par l'équation (4.12). Il représente une valeur idéale. Les machines réelles présentent toujours des frottements qui réduisent l'A.M. réel par rapport à sa valeur idéale.

4.5 LES MUSCLES

On trouve de nombreux exemples de leviers dans l'anatomie animale. Les muscles exercent les forces qui actionnent ces leviers.

Un muscle se compose de milliers de fibres longues et fines. Lorsque le muscle est stimulé par un potentiel d'action provenant du système nerveux, il se contracte brièvement et exerce une force. Une série d'impulsions parvenant à un muscle produit une série de contractions dans les fibres. Ces contractions sont rapprochées dans le temps ; toutefois, elles apparaissent à des moments légèrement différents dans différentes parties du muscle. Il en résulte une contraction douce. Si la fréquence des contractions unitaires s'accroît, la tension dans le muscle augmente pour atteindre une valeur maximum. Une augmentation du taux des impulsions nerveuses ne produit alors aucun accroissement supplémentaire de la tension musculaire.

La tension maximum d'un muscle est proportionnelle à l'aire de la section droite de sa partie la plus large. Elle dépend aussi de la longueur du muscle. La tension la plus grande correspond à un faible allongement du muscle par rapport à sa longueur au repos. Sa valeur est de 30 à 40 N par cm^2 de section. La tension maximum diminue rapidement si le muscle subit une élongation ou une contraction importante. Pour le comprendre, pliez le poignet vers l'avant, en fermant complètement le poing : la plupart des personnes ne parviennent pas à serrer les doigts complètement, ou elles le font avec difficulté.

4.6 LES LEVIERS DU CORPS

La structure des membres et du squelette des animaux a été très fortement influencée par les nécessités de l'évolution. Nous rappelons que lorsque les forces sont perpendiculaires à un levier, A.M. = x_A/x_R. À des membres courts correspondent de petites valeurs de x_R et un A.M. relativement grand. Ces membres sont capables d'exercer des forces importantes (figure 4.25). Cependant, la distance parcourue par l'extrémité d'un membre est proportionnelle à sa longueur x_R. Dès lors, un mouvement rapide nécessite un membre long. En conséquence, il faut trouver un compromis entre force et rapidité. C'est ainsi que la jambe antérieure d'un cheval peut se déplacer rapidement. Elle a un A.M. de 0,08. Par contre, le tatou, un animal fouineur, a une patte antérieure qui a un A.M. de

0,25. Cet animal ne peut pas se mouvoir rapidement, mais il dispose d'une force importante pour gratter le sol.

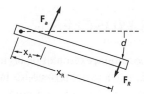

Figure 4.25 Un membre en flexion peut être représenté par une barre tournant autour d'un pivot et maintenue par un câble. Le câble représente un muscle et le pivot représente une articulation. L'A.M. du membre vaut x_A/x_R et le déplacement de l'extrémité du membre est représenté par d et est proportionnel à x_R.

4.6.1 La colonne vertébrale

La colonne vertébrale humaine comprend 24 *vertèbres* séparées par des disques qui contiennent un liquide. Lorsqu'une personne se penche vers l'avant, la colonne vertébrale constitue un levier, caractérisé par un très faible A.M. Par conséquent, le seul fait de se pencher pour ramasser un objet produit une force très importante sur le disque *lombo-sacré*, qui sépare la dernière vertèbre de l'os qui supporte la colonne vertébrale, le sacrum (figure 4.26). Si ce disque est affaibli, il peut se déformer et comprimer les nerfs environnants, ce qui est très douloureux. Pourquoi cette force est-elle si grande ? Pour le comprendre, nous allons utiliser un modèle : considérons la colonne vertébrale comme une barre qui tourne autour d'un pivot. Ce pivot correspond au sacrum. Le sacrum exerce une force **R** sur la colonne (figure 4.27). Les différents muscles du dos sont équivalents à un seul muscle produisant une force **T** comme le montre la figure. Lorsque le dos se trouve à l'horizontale, l'angle α vaut 12°. Le poids du torse, de la tête et des bras représente environ 65 % du poids total du corps.

Puisque la valeur de α est petite, la ligne d'action de **T** passe près du pivot. Le bras de levier $r_\perp$ est donc petit. Cependant, le poids **w** s'exerce perpendiculairement à la colonne et le bras de levier correspondant est beaucoup plus grand. En conséquence, pour que les moments des forces puissent s'équilibrer, la force **T** doit être beaucoup plus grande que **w**. Puisque **T** est grand, sa composante horizontale l'est également. À l'équilibre, la force **R**, due au sacrum, doit avoir une composante horizontale égale mais opposée. La force exercée par le sacrum est ainsi beaucoup plus grande que le poids.

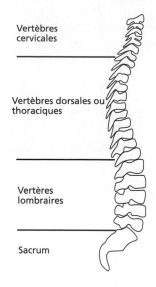

Figure 4.26 Anatomie de la colonne vertébrale.

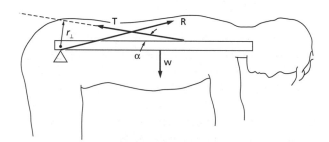

Figure 4.27 Diagramme des forces qui s'exercent sur la colonne vertébrale d'une personne courbée vers l'avant, le dos étant à l'horizontale.

Si on effectue un calcul détaillé, les résultats sont impressionnants : pour un homme pesant 750 N (ayant une masse de 77 kg), **T** et **R** sont proches de 2 200 N. Si l'homme soulève un enfant de 175 N ($m = 18$ kg), un poids supplémentaire de 175 N s'exerce perpendiculairement à l'extrémité de la barre (figure 4.27) : **T** et **R** valent environ 3 300 N. Le fait d'exercer de telles forces sur les muscles et les disques peut avoir des effets dommageables.

C'est ainsi qu'en se courbant vers l'avant, sans soulever de charge, on peut provoquer un effort important sur la colonne. Cet exercice doit donc être évité. Si, au contraire, on fléchit les genoux en gardant le dos vertical, le C.G. de toutes les parties du corps se situe pratiquement au-dessus du sacrum. En conséquence, les moments des forces par rapport au sacrum sont réduits et les muscles ne doivent pas exercer de forces appréciables. La force qui s'exerce alors sur le disque représente approximativement la totalité du poids supporté. Pour un homme de 750 N, ce poids vaut environ 490 N pour le corps seul et 665 N lorsqu'il porte une charge de 175 N. C'est une manière beaucoup plus sûre de soulever un objet même léger (figure 4.28).

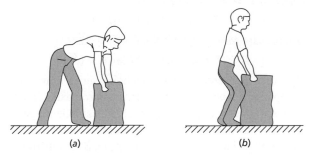

Figure 4.28 Manière incorrecte *(a)* et correcte *(b)* de soulever un poids.

4.7   LES MÂCHOIRES DES ANIMAUX

La mécanique nous permet de comprendre en partie l'évolution de nombreuses structures anatomiques. En effet, les fonctions mécaniques des os, des muscles et des articulations déterminent de façon importante leurs formes et leurs dimensions. Cela est illustré par le développement de la mâchoire inférieure des mammifères. Il est souvent avantageux pour un animal de pouvoir mordre avec force. Cette possibilité dépend de la grandeur, de la direction et du point d'application des forces exercées par les muscles de la mâchoire. Cela influence les formes et les dimensions optimales des mâchoires. Par ailleurs, les os de l'articulation de la mâchoire doivent être suffisamment résistants pour éviter les fractures et les luxations. À partir de l'analyse des fossiles, nous savons que les mammifères

ont évolué à partir de reptiles qui leur ressemblaient. Au cours de cette évolution, les muscles de la mâchoire inférieure ont progressivement grossi alors que les os formant le joint de la mâchoire se sont progressivement *atrophiés*. Ce paradoxe apparent peut s'expliquer en faisant intervenir les variations des directions et des points d'application des forces musculaires.

La figure 4.29 montre les différences fondamentales existant entre la mâchoire inférieure d'un reptile primitif et celle d'un mammifère type. La première se compose d'une simple barre pourvue de muscles qui la tirent vers le haut. Cette force s'exerce en un point proche de l'articulation. La mâchoire du mammifère présente une excroissance appelée l'*apophyse coronoïde*. Le muscle *temporal* est attaché à cette excroissance. Il exerce une force *vers l'arrière* et vers le haut (force **T** dans la figure 4.29). Le muscle *masseter* et le muscle *ptérigoïde* tirent *vers l'avant* et vers le haut (force **M**).

Lorsqu'un reptile primitif croque, avec une force −**B** dirigée vers le haut, des aliments situés entre ses molaires, sa mâchoire est soumise à une force de réaction égale mais opposée à **B** et donc dirigée vers le bas. Puisque la force musculaire **M** a un point d'application proche de l'articulation, l'équilibre statique ne peut s'obtenir que si une force **R** importante et dirigée vers le bas est fournie par l'articulation. Calculons les moments par rapport au point *O* ; le moment résultant est nul si

$$x_B B - x_R R = 0 \quad \text{ou si} \quad R = \left(\frac{x_B}{x_R}\right) B$$

Puisque la force résultante sur la mâchoire doit également être nulle, $M - B - R = 0$, et la force musculaire vaut

$$M = B + R = B\left(1 + \frac{x_B}{x_R}\right)$$

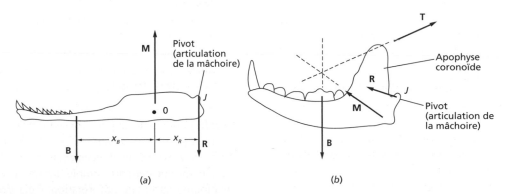

Figure 4.29 *(a)* Mâchoire inférieure d'un reptile primitif. **M** représente la force exercée par le muscle. **B** est la force de réaction exercée par l'objet mordu. **R** est la force exercée par l'articulation de la mâchoire en *J*. *(b)* Une mâchoire de mammifère. Les forces musculaires sont représentées par **T** et **M**. Comme expliqué dans le texte, la force **R**, exercée par l'articulation de la mâchoire, peut être nulle si les lignes d'action des trois forces **T**, **B** et **M** se coupent en un point comme le montre le dessin.

Si $x_B = 2x_R$ et si $B = 1$ N, $R = 2$ N et $M = 3$ N. En conséquence, la force B qui s'exerce sur la nourriture est inférieure aux forces M et R exercées respectivement par le muscle et l'articulation. Il apparaît clairement que la résistance de l'articulation représente un facteur qui limite la force de morsure du reptile et l'effort qui peut être demandé aux muscles employés.

Dans le cas d'une mâchoire de mammifère, la force M a un point d'application plus éloigné de l'articulation. Une autre force musculaire, T, est également présente (figure 4.29). Si les lignes d'action de T, M et B se rejoignent en un point, les moments des forces par rapport à ce point sont nuls. La seconde condition d'équilibre $\tau = 0$ impose que la ligne d'action de R passe également par ce point de rencontre. En outre, lorsque les forces satisfont la relation $T + M + B = 0$, *aucune force R ne doit être fournie par l'articulation pour satisfaire la condition $F = 0$*. Si $T + M + B$ n'est pas nul, ou si leurs lignes d'action ne se rencontrent pas exactement en un point, une force R devra être fournie par l'articulation mais cette force sera beaucoup plus petite que dans le cas d'un reptile. Dès lors, l'articulation peut avoir une structure plus petite. Sa résistance ne limite pas la dimension des muscles de la mâchoire.

✎ ———————— **Exemple 4.7** ————————

Pour démontrer la supériorité de la mâchoire des mammifères, supposons que les forces musculaires T et M de la figure 4.30 soient toutes deux situées à 45° de l'horizontale. Si on impose comme condition qu'aucune force R ne doit être fournie par l'articulation, quelle sera la relation entre M et T et quelle sera la valeur de la force B exercée sur la nourriture ? (Supposons que les lignes d'action de B, T et M se croisent en un point, de manière que la seconde condition d'équilibre $\tau = 0$ soit satisfaite.)

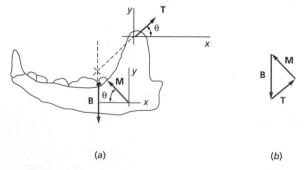

(a)   (b)

Figure 4.30 Forces sur la mâchoire d'un mammifère lorsque aucune force n'est exercée par l'articulation de la mâchoire.

Réponse Puisque les forces ont des composantes suivant x et y, la condition $F = 0$ peut s'écrire en faisant intervenir les composantes $F_x = 0$ et $F_y = 0$. Pour $F = 0$,

on obtient

$$T \cos \theta - M \cos \theta = 0$$

de sorte que $M = T$. Pour $F_y = 0$,

$$T \sin \theta + M \sin \theta - B = 0$$

En prenant $M = T$ et $\sin \theta = \sin 45° = \sqrt{2}/2$,

$$B = (T + M) \sin \theta = 2T \sin \theta = \sqrt{2}T$$

La force B exercée par la mâchoire sur la nourriture est supérieure aux forces T et M. La force exercée par l'articulation est nulle. (Cette conclusion s'obtient également en considérant les grandeurs des vecteurs dans la figure 4.30*b*.) Par contre, pour un reptile, B est inférieure à la force musculaire ou à la force exercée par l'articulation. Nous venons de comparer les mâchoires des mammifères et des reptiles. On peut également comparer les mâchoires de différents mammifères. Les carnivores utilisent les incisives et les canines pour saisir et déchirer leurs proies, alors que les herbivores mâchent leur nourriture entre leurs molaires. Le poids du muscle temporal d'un carnivore représente entre la moitié et les deux tiers du poids total des muscles qui assurent la fermeture de la mâchoire. Pour les herbivores, ce muscle ne représente qu'environ un dixième du poids total. À titre d'exercice, on montrera que ceci constitue une bonne adaptation aux besoins de ces deux sortes d'animaux.

4.8 LE CENTRE DE GRAVITÉ DES PERSONNES

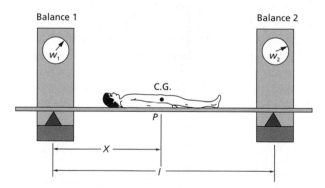

Figure 4.31 Méthode qui permet de trouver le centre de gravité d'une personne.

Pour de nombreuses applications, il est intéressant de connaître la position du centre de gravité des personnes. Le centre de gravité d'un objet en chute libre suit la même trajectoire qu'une particule simple, même si cet objet est en rotation ou subit une déformation. Cela simplifie l'analyse des sauts des gymnastes et celle d'autres activités athlétiques. En physiothérapie, une personne amputée, à qui on a placé une prothèse plus légère que le membre naturel, subit un déplacement de son centre de gravité.

Cela doit être pris en considération dans l'élaboration du programme de rééducation. Dans le paragraphe 4.3, nous avons montré comment on pouvait localiser le centre de gravité d'un objet en le suspendant par deux points différents. Il existe une autre technique, mieux adaptée pour les personnes et pour les animaux (figure 4.31). Une planche de longueur *l* est placée sur les couteaux de deux balances. On tare les balances pour qu'elles indiquent zéro avec la planche seule. Lorsque la personne se place sur la planche, les balances indiquent respectivement w_1 et w_2.

La condition d'équilibre qui implique que le moment résultant τ soit nul peut être utilisée pour évaluer la position du centre de gravité X. Calculons les moments des forces par rapport au point P,

$$-Xw_1 + (l - X)w_2 = 0$$

ce qui peut s'écrire

$$X = \frac{lw_2}{w_1 + w_2} \tag{4.14}$$

La mesure est répétée deux autres fois : d'abord lorsque la personne est debout et ensuite lorsqu'elle a pivoté de 90°. On peut ainsi déterminer les trois coordonnées du centre de gravité. Les mesures des masses, des dimensions et des centres de gravité des différentes parties du corps sont difficiles à réaliser. Les résultats varient d'un individu à un autre. Les figures 4.32, 4.33 et le tableau 4.1 fournissent des résultats relatifs à un homme moyen. Ces résultats seront utilisés dans certains exercices.

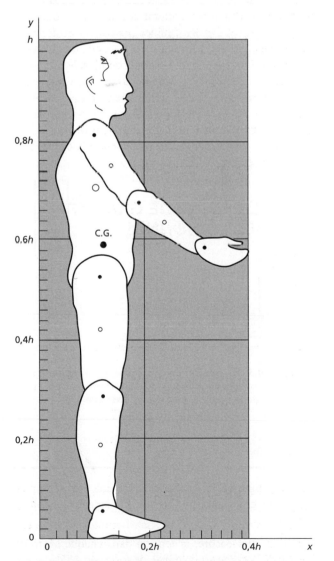

Figure 4.32 Les membres, les articulations (cercles pleins) et les positions des centres de gravité (cercles ouverts) de différentes parties du corps humain. *(Adapté de Williams et Lissner.)*

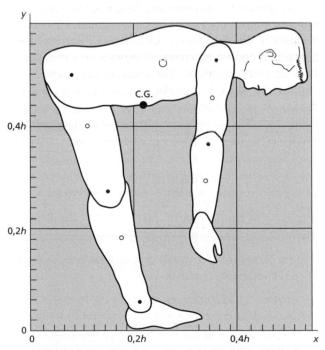

Figure 4.33 L'homme est maintenant courbé vers l'avant, son dos est presque horizontal. Remarquer que son centre de gravité est encore situé au-dessus de la base de sustentation formée par ses pieds. *(Adapté de Williams et Lissner.)*

| Élément | Masse | Position du centre de gravité pour chaque élément | | | |
| | | Figure 4.32 | | Figure 4.33 | |
		x	y	x	y
Tronc et tête	0,593 *m*	0,10 *h*	0,70 *h*	0,26 *h*	0,52 *h*
Partie supérieure de bras	0,053 *m*	0,14 *h*	0,75 *h*	0,35 *h*	0,45 *h*
Avant-bras et mains	0,043 *m*	0,24 *h*	0,64 *h*	0,34 *h*	0,29 *h*
Partie supérieure des jambes	0,193 *m*	0,12 *h*	0,42 *h*	0,11 *h*	0,40 *h*
Partie supérieure des jambes et pieds	0,118 *m*	0,10 *h*	0,19 *h*	0,17 *h*	0,18 *h*

Tableau 4.1 Masses et centres de gravité des éléments du corps d'un homme. Voir les figures 4.32 et 4.33. La masse totale vaut *m* et la hauteur *h*. Par exemple, si la masse est de 70 kg, la masse du tronc et de la tête vaut 0,593 m = 0,593(70 kg) = 41,5 kg.

4.9 SYSTÈMES DE POULIES

Les poulies, comme les leviers, constituent des machines simples qui ont de nombreuses applications. Une simple poulie est employée pour modifier la direction d'une force, alors qu'un ensemble de poulies peut servir à réduire la force nécessaire pour soulever une charge.

Si le frottement dans la gorge de la poulie est négligeable, la tension d'équilibre dans la corde ou dans le câble est identique de part et d'autre de la poulie. Cette propriété permet de discuter certaines applications qui font intervenir des poulies. Ces exemples sont développés ci-dessous. On fait l'hypothèse que le frottement est négligeable et que les poulies et les cordes ont une masse nulle.

 ———————— **Exemple 4.8** ————————

Dans la figure 4.34, quelle doit être la force appliquée **F**$_A$ pour soulever le poids **w** ?

Réponse Les forces qui s'exercent sur la poulie 1 sont indiquées dans la figure 4.34b. La corde est continue et la tension des deux côtés de la poulie est la même. Si le poids est soulevé à vitesse constante, le système est en équilibre. Donc, $2F_A - w = 0$ et $F_A = w/2$. La force requise équivaut à la moitié du poids et l'avantage mécanique est donné par

$$\text{A.M.} = w/F_A = 2$$

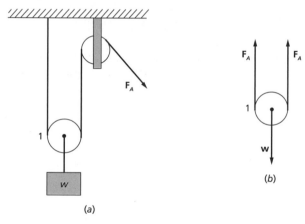

(a)

(b)

Figure 4.34 La tension dans la corde est la même en tout point. Les deux forces qui s'exercent de part et d'autre de la poulie 1 sont égales. Exemple 4.8.

 ———————— **Exemple 4.9** ————————

Dans la figure 4.35, quelle force **F**$_A$ doit être appliquée pour soulever le poids **w** ? Que vaut l'avantage mécanique du système ?

Réponse Ici encore, la tension dans chaque segment vertical de la corde est la même, de sorte que $4F_A - w = 0$ et $F_A = w/4$. L'avantage mécanique vaut donc

$$\text{A.M.} = w/F_A = 4$$

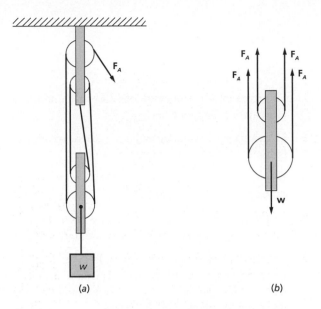

Figure 4.35 Exemple 4.9

À partir de ces deux exemples, nous pouvons déduire une règle relative à l'avantage mécanique d'un système de poulies servant à soulever des poids. *L'avantage mécanique d'un système est donné par le nombre de cordes parallèles supportant la poulie à laquelle la charge est attachée* : deux cordes parallèles dans la figure 4.34 et quatre dans la figure 4.35. Notons que cette règle *ne* s'applique *pas* lorsque les forces appliquées à la charge ne sont pas toutes parallèles. Cela est montré dans l'exemple suivant.

Exemple 4.10

La figure 4.36 illustre un effort de traction exercé sur la jambe d'un patient. Quelle est la force horizontale qui s'exerce sur cette jambe ?

Réponse La somme des forces sur chaque poulie est nulle puisque les poulies sont en équilibre. À partir de la figure 4.36*b*, on voit que les forces horizontales qui s'exercent sur la poulie attachée au pied du patient, satisfont à la relation

$$2w \cos \theta - F_R = 0$$

ou encore

$$F_R = 2w \cos \theta$$

Cette force peut être modifiée en faisant varier soit w soit θ. En effet, $\cos \theta$ varie entre 1 et 0 lorsque θ passe de 0 à 90°. Ainsi on peut obtenir une force variant entre 0 et $2w$ en modifiant l'angle θ. Lorsque θ est grand, $\cos \theta$ est petit. Dans ces conditions, le poids et la tension dans la corde sont beaucoup plus importants que la force F_R qui s'exerce sur le pied.

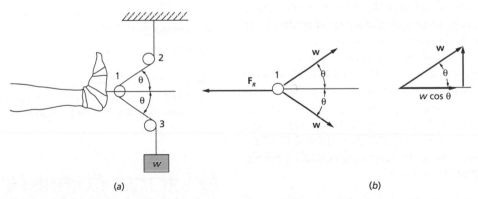

Figure 4.36 *(a)* Un système de poulies permet d'appliquer une force de traction sur la jambe d'un patient. La grandeur de cette force peut être ajutée en modifiant l'angle θ. La poulie 1 et fixée au pied et les poulies 2 et 3 sont fixées à un support rigide non représenté. *(b)* Diagramme des forces qui s'exercent sur la poulie 1.

Réviser

RAPPELS DE COURS

La grandeur qui traduit la capacité d'une force de provoquer un mouvement de rotation est le moment τ de cette force. Si une force $\mathbf{F}$ agit à une distance $\mathbf{r}$ d'un point P situé sur l'axe de rotation, le moment de cette force par rapport à ce point vaut $rF \sin \theta$ où θ représente l'angle entre $\mathbf{r}$ et $\mathbf{F}$. Le moment d'une force est une grandeur vectorielle. Le vecteur correspondant est perpendiculaire au plan formé par $\mathbf{r}$ et $\mathbf{F}$. Le produit vectoriel s'écrit $\tau = \mathbf{r} \times \mathbf{F}$. Le sens de τ est donné par la règle de la main droite. Si le mouvement s'effectue dans un plan, les moments qui produisent une rotation en sens inverse des aiguilles d'une montre sont conventionnellement considérés comme positifs. Les moments dans le sens contraire sont considérés comme négatifs.

Un corps rigide est dit en équilibre lorsque deux équations vectorielles sont satisfaites :
$$\mathbf{F} = 0$$
$$\tau = 0$$
La première de ces conditions correspond au fait que la résultante des forces doit être égale à zéro. Cela garantit l'équilibre de translation. La seconde condition indique que le moment résultant des forces par rapport à un point quelconque doit être nul. Cette condition garantit l'équilibre de rotation.

Le poids total et la masse totale d'un objet au repos ou en mouvement peuvent être considérés comme localisés en un point particulier qui s'appelle soit le centre de gravité (C.G.), soit le centre de masse (C.M.).

L'avantage mécanique d'un levier ou d'une autre machine simple s'exprime par le rapport F_R/F_A entre la force résistante et la force appliquée. Si on utilise cette notion dans l'étude de l'anatomie des animaux, on constate que les membres caractérisés par des avantages mécaniques petits sont bien adaptés au mouvement rapide. À l'inverse, ceux qui ont des A.M. importants sont capables d'exercer des forces importantes.

PHRASES À COMPLÉTER

Voir réponses en fin d'ouvrage.

1. Un corps rigide ne change ni de _____ ni de _____ lorsqu'il est soumis à une force.

2. La grandeur qui indique qu'une force peut produire une rotation s'appelle le _____.

3. La distance perpendiculaire entre l'axe de rotation et la ligne d'action d'une force s'appelle le _____.

4. Le moment de la force est maximum lorsque la force est appliquée _____ à une clé.

5. Le produit vectoriel de deux vecteurs est un vecteur dirigé _____ au plan formé par les deux vecteurs.

6. D'après la convention des signes, le moment d'une force qui provoque une rotation dans le sens des aiguilles d'une montre est _____ et celui qui provoque une rotation dans le sens inverse est _____.

7. Deux forces d'égale grandeur mais de directions opposées s'appellent un _____.

8. Pour qu'un corps solide soit en équilibre de translation, la _____ qui s'exerce sur le corps doit être nulle.

9. Pour qu'un corps solide soit en équilibre de rotation, le _____ des forces qui s'exercent sur le corps doit être nul.

10. La condition d'équilibre de rotation peut être déterminée par rapport à _____.

11. Le poids d'un objet peut être considéré comme localisé à son _____.

12. Un objet est en équilibre lorsque son C.G. se trouve au-dessus de son _____.

13. L'A.M. représente le rapport entre _____ et _____.

14. Lorsque des forces sont appliquées perpendiculairement à un levier, l'A.M. est égal à la distance entre le point d'appui et la _____ divisée par la distance entre _____.

EXERCICES CORRIGÉS

E1. Une personne tient dans sa main une masse m de 14 kg avec son bras légèrement plié. L'angle entre l'avant-bras et le bras est de $100°$ (voir figure 4.37). À partir de considérations purement trigonométriques (attention : formule des triangles quelconques), calculer l'angle θ. Le bras est en équilibre. On néglige dans un premier temps le poids de l'avant bras.

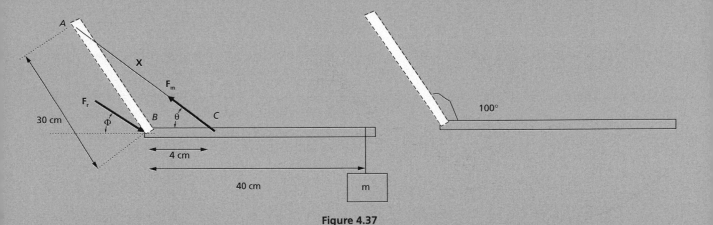

Figure 4.37

Trouver l'angle Φ, la force exercée par le biceps F_m et la force de réaction F_r.

Solution

Écrivons tout d'abord les deux relations qui vont assurer que le bras est au repos

$$\sum \mathbf{F} = 0$$

$$\sum \tau = 0$$

La somme des moments de force doit être égale à zéro quel que soit le point par rapport auquel on calcule les moments. Nous choisirons le point B.

Choisissons l'axe OX horizontal et l'axe OY vertical.

Si nous projetons la première relation sur l'axe OX, on obtient

$$F_{rx} - F_m \cos \theta = 0$$

Et sur OY

$$F_{ry} + F_m \sin \theta - mg = 0$$

La deuxième relation projetée sur l'axe OZ donne

$$4 \times F_m \times \sin \theta - 40 \times mg = 0$$

Dans le triangle quelconque A, B, C, nous pouvons écrire que

$$x^2 = 30^2 + 4^2 - 2 \times 30 \times 4 \times \cos 100 = 0$$

$$x = 30{,}94 \text{ cm}$$

Cherchons l'angle θ.

Toujours dans le même triangle, nous pouvons écrire

$$30{,}94 / \sin 100 = 30 / \sin \theta \rightarrow \theta = 72{,}7°$$

Donc

$$F_m = \frac{40 \times 14 \times 10}{4 \sin 72{,}7°} \rightarrow F_m = 1\,466 \text{ N}$$

On trouve aisément F_{rx} puisque

$$F_{rx} = F_m \cos \theta = 1\,466 \times \cos 72{,}7° = 436 \text{ N}$$

En remplaçant dans

$$F_{ry} + F_m \sin \theta - mg = 0$$

on obtient

$$F_{ry} = -1\,466 \times \sin 72{,}7° + 140 = -1\,259{,}7 \text{ N}$$

Dans ces conditions

$$\tan\phi = \frac{\left| \mathbf{F}_{ry} \right|}{\left| \mathbf{F}_{rx} \right|} = \frac{1\,259{,}7}{436} = 2{,}88$$

$$\phi = 70{,}9°$$

E2. En marchant, une personne appuie momentanément tout son poids sur un pied à la fois. Le centre de gravité se trouve alors au-dessus de ce pied. La figure 4.38 représente la jambe qui supporte le poids et les forces qui agissent sur elle.

Calculer la force exercée par les muscles adducteurs de la hanche, $\mathbf{F}_x$, ainsi que les composantes de la force $\mathbf{F}_R$ qui agit sur l'articulation. Effectuer cette analyse en considérant la jambe en entier. Détailler les étapes de votre réponse.

$W_j = 90 \text{ N}$ (poids de la jambe)

$W = 700 \text{ N}$ (poids de tout le corps)

Solution

Écrivons tout d'abord les deux relations qui vont assurer que le bras est au repos

$$\sum \mathbf{F} = 0$$

$$\sum \tau = 0$$

La somme des moments de force doit être égale à zéro quel que soit le point par rapport auquel on calcule les moments. Nous choisirons le point O.

$$\mathbf{F}_A + \mathbf{R} + \mathbf{W}_j + \mathbf{N} = O$$

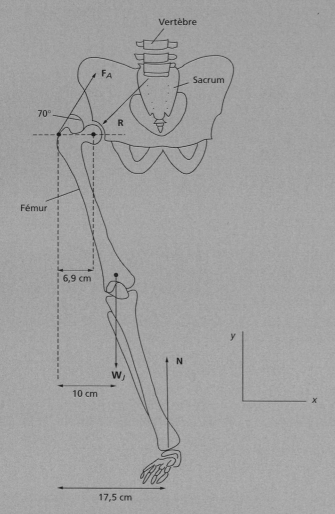

Figure 4.38

Comme la personne est en appui sur une seule jambe

$$\mathbf{W} = \mathbf{N}$$

Choisissons l'axe OX horizontal et l'axe OY vertical.

Si nous projetons cette relation sur l'axe OX, on obtient

$$F_A \cos 70° + R_x = 0$$

Si nous projetons cette relation sur l'axe OY, on obtient

$$F_A \sin 70° + R_y - W_J + N = O$$

$$F_A \sin 70° + R_y - W_J + W = O$$

$$\sum \tau = 0$$

Le moment de la force $\mathbf{R}$ par rapport au point O est nul.

La projection sur un axe OZ perpendiculaire au plan de la figure du moment de la force $\mathbf{F}_A$ par rapport à O est égale à

$$-F_A \times 0,069 \times \sin 70°$$

En se rappelant que le moment d'une force est également égale à

$$\mathbf{r}_\perp \wedge \mathbf{F}$$

où $\mathbf{r}_\perp$ est la distance perpendiculaire entre le point O et le support de la force.

La projection sur un axe OZ perpendiculaire au plan de la figure du moment de la forme $\mathbf{W}_J$ par rapport à O est égal à

$$-(0,1 - 0,069) \times 90 \times \sin 90° = -0,031 \times 90)$$
$$= -2,79 \text{ N.m}$$

Le même raisonnement permet d'obtenir la projection sur un axe OZ perpendiculaire au plan de la figure du moment de la force $\mathbf{N}$ par rapport à O

$$+(0,175 - 0,069) \times 700 \times \sin 90° = 0,106 \times 700$$
$$= 74,2 \text{ N.m}$$

Le moment total doit être égal à 0,

$$-F_A \times 0,069 \times \sin 70 - 2,79 + 74,2 = 0$$

$$F_A = 1\,101 \text{ N} = 1,57 \text{ fois le poids de la personne}$$

À partir des relations

$$F_A \cos 70° + R_x = 0$$

$$F_A \sin 70° + R_y - W_J + W = O$$

Nous obtenons

$R_x = -1\,101 \times \cos 70° = -376 \text{ N} = 0,53$ fois le poids de la personne

$R_y = 90 - 700 - 1\,101 \sin 70° = -1\,644 \text{ N} = 2,34$ fois le poids de la personne

$R = 1\,686 \text{ N} = 2,4$ fois le poids de la personne.

S'entraîner

QCM

Voir réponses en fin d'ouvrage.

Q1.

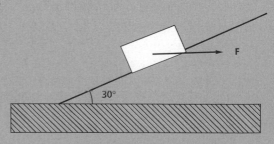

Figure 4.39

Une force de 15 N (figure 4.39) tient en équilibre un bloc placé sur un plan incliné (frottement négligeable). L'angle que fait le plan avec l'horizontale est de 30°. Quel est le poids du bloc ?

a) 26 N

b) 30 N

c) 15 N

d) 7,5 N.

Q2.

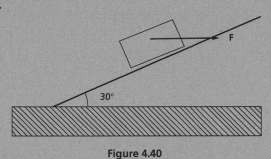

Figure 4.40

Une force de 15 N (figure 4.40) tient en équilibre un bloc placé sur un plan incliné (frottement négligeable). L'angle que fait le plan avec l'horizontale est de 30°. Quelle est la valeur de l'action normale du plan ?

a) 26 N

b) 30 N

c) 15 N

d) 7,5 N.

Q3.

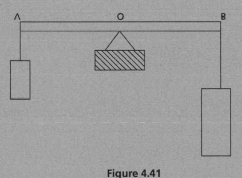

Figure 4.41

Une tige de poids négligeable, de longueur L (cm) est déposée sur un appui O (figure 4.41). À chaque extrémité, on suspend une masse : 10 kg en A et 16 kg en B. On observe que la tige est en équilibre.

À quelle distance du point A le support O a-t-il été placé ?

Quelle est la réaction au point 0 ?

a) $0,615\,L$ et $255\,N$

b) $0,615\,L$ et $0\,N$

c) $0,384\,L$ et $255\,N$

d) pas assez d'éléments pour répondre.

Q4. Quelle est la force exercée par le dynamomètre (figure 4.42) ?

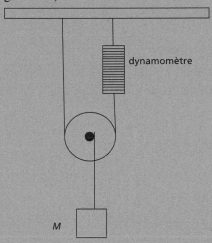

Figure 4.42

a) Mg

b) $2Mg$

c) 0 N

d) $Mg/2$.

Q5.

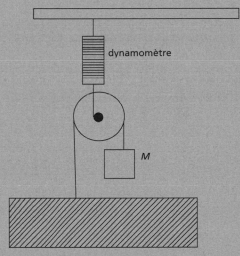

Figure 4.43

Quelle est la force exercée par le dynamomètre (figure 4.43) ?

a) $2Mg$

b) $Mg/2$

c) 0 N

d) pas assez d'éléments pour répondre.

Q6. Une tige homogène de 4 kg est tenue en position horizontale au moyen d'une masse suspendue à une corde passant par une poulie. La tige peut pivoter autour d'un axe fixe en O (figure 4.44).

Quelle est la valeur du poids *P* qui maintient le système en équilibre ? Quelle est la réaction horizontale en *O* ?

a) 56 N et 40 N

b) 27,7 N et 19,6 N

c) 40 N et 0 N

d) pas assez d'éléments pour répondre.

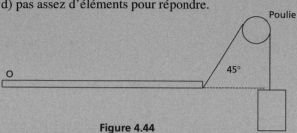

Figure 4.44

Q7. Trouver la force **F** nécessaire à maintenir en équilibre le système de la figure 4.45

a) 80 N   b) 40 N   c) 20 N   d) 10 N.

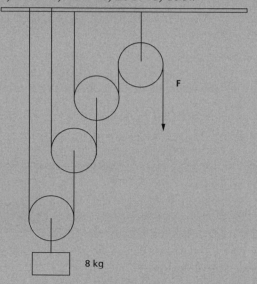

Figure 4.45

Q8. Lequel de ces corps est en équilibre (figure 4.46) ?

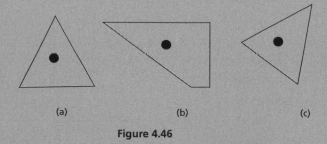

(a)   (b)   (c)

Figure 4.46

Q9. Une échelle AB pesant 140 N s'appuie sur un mur vertical, en faisant un angle de 60° avec le sol (figure 4.47). Trouver les forces s'exerçant sur l'échelle en

A et B. Le coefficient de frottement statique sur le mur vaut 0,3.

a) $N_m = 34,45$ N, $f_m = 10,33$ N, $N_s = 129,6$ N, $f_s = 34,45$ N

b) $N_m = 70$ N, $f_m = 10,33$ N, $N_s = 129,6$ N, $f_s = 70$ N

c) $N_m = 0$ N, $f_m = 10,33$ N, $N_s = 129,6$ N, $f_s = 34,45$ N

d) pas assez d'éléments pour répondre.

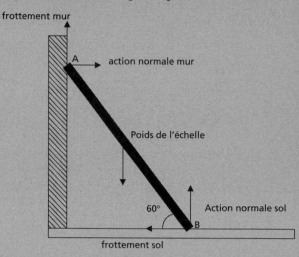

Figure 4.47

Q10.

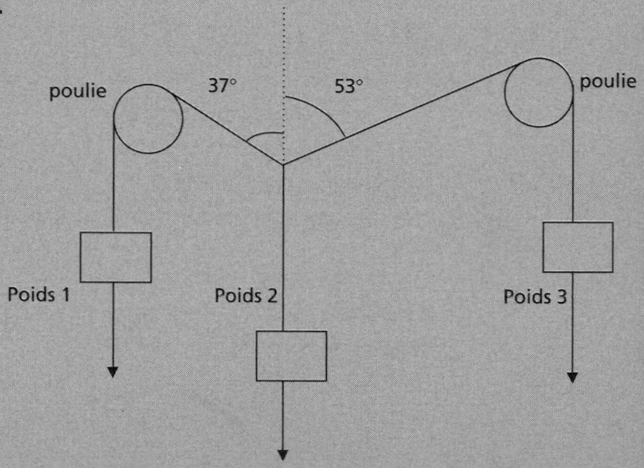

Figure 4.48

Deux poulies sans frottement soutiennent le système de masses et de cordes représenté ci-dessus (figure 4.48). Si Poids 1 = 100 N, trouver les forces de traction dans les cordes 1, 2, 3 ainsi que les poids P2 et P3.

a) pas assez d'éléments pour répondre

b) 100 N, 150 N, 73,35 N, 150 N, 75,35 N

c) 200 N, 150 N, 80 N, 125,22 N, 75,35 N

d) 100 N, 125,22 N, 75,35 N, 125,22 N, 75,35 N.

EXERCICES

Voir réponses en fin d'ouvrage pour les exercices et problèmes dont le numéro est inscrit en noir.

Les moments de forces

4.1 Trouver la grandeur et le signe du moment de chaque poids de la figure 4.49 par rapport au point P.

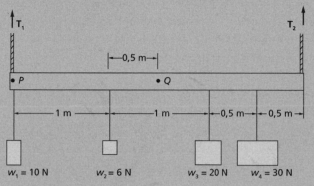

Figure 4.49 Exercices 4.1, 4.2 et 4.9.

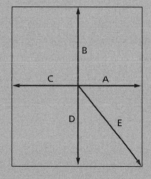

Figure 4.50 Les secteurs sont dessinés à partir du centre d'un rectangle. Exercices 4.3 et 4.4.

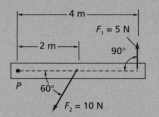

Figure 4.51 Exercices 4.5, 4.6 et 4.8.

4.2 Trouver la grandeur et le signe du moment de chaque poids de la figure 4.49 par rapport au point Q.

4.3 Dans la figure 4.50, considérer les produits vectoriels $\mathbf{A} \times \mathbf{A}$, $\mathbf{A} \times \mathbf{B}$, $\mathbf{A} \times \mathbf{C}$, $\mathbf{A} \times \mathbf{D}$, et $\mathbf{A} \times \mathbf{E}$.

a) Lequel de ces produits est nul ?

b) Lequel correspond à un vecteur rentrant dans la page ?

c) Lequel correspond à un vecteur dirigé vers vous ?

d) Lesquels sont égaux entre eux en grandeur et en direction ?

4.4 Dans la figure 4.50, quelles sont les directions de

a) $\mathbf{B} \times \mathbf{C}$

b) $\mathbf{C} \times \mathbf{B}$

c) $\mathbf{B} \times \mathbf{E}$?

4.5 Dans la figure 4.51, que valent les bras de levier des moments de $\mathbf{F}_1$ et de $\mathbf{F}_2$ par rapport au point P ?

4.6 Dans la figure 4.51, évaluer les moments de $\mathbf{F}_1$ et de $\mathbf{F}_2$ par rapport au point P.

4.7 Un cycliste exerce, sur la pédale de son vélo, une force $\mathbf{F}$ dirigée vers le bas et valant 100 N (figure 4.52).

a) Trouver la grandeur et la direction des moments pour chaque position indiquée.

b) À quelle position correspond le moment maximum ?

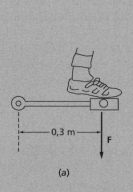

(a)

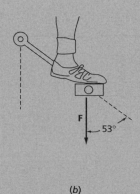

(b)

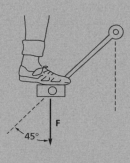

(c)

Figure 4.52 Exercice 4.7.

Équilibre des corps solides

4.8   La barre de la figure 4.51 pivote autour du point *P*. Aura-t-elle tendance à se mettre en mouvement si elle est initialement au repos ? Si oui, expliquer et indiquer dans quel sens la barre tournera.

4.9   Une barre, de poids négligeable, est supportée par deux cordes verticales. Quatre poids sont suspendus à cette barre (figure 4.49). Évaluer les tensions T_1 et T_2 dans les cordes.

4.10   Deux enfants sont en équilibre sur une balançoire de poids négligeable. Le premier enfant pèse 160 N. Il est assis à 1,50 m du point d'appui. Le second est assis à 2 m de l'autre côté par rapport au point d'appui. Quel est le poids du second enfant ?

4.11   Trouver les forces F_1 et F_2 qui s'exercent sur la dent représentée par la figure 4.53. (En orthodontie, les forces appliquées aux dents donnent naissance à des forces sur les os de la mâchoire. Progressivement, le tissu osseux se modifie, ce qui permet à la dent de pivoter ou de se déplacer. De nouveaux tissus osseux se régénèrent dans l'espace créé. Les forces doivent être suffisamment faibles pour éviter d'endommager la racine de la dent.)

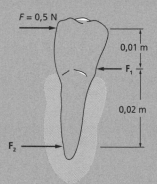

Figure 4.53 Exercice 4.11.

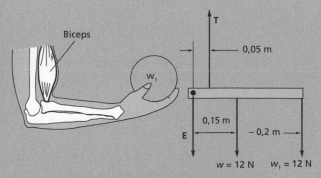

Figure 4.54 Exercices 4.12 et 4.30.

4.12   La figure 4.54 montre l'avant-bras considéré dans l'exemple 4.4. La personne tient en main un poids de 12 N(w_1). (Le poids de l'avant-bras est représenté par **w**.)

a) Évaluer la force **T** exercée par le biceps et la force **E** exercée par l'articulation du coude.

b) Dans l'exemple 4.4, on a trouvé que $w_1 = 0$, $T = 36$ N et $E = 24$ N. Pourquoi les forces sont-elles plus que doublées dans ce cas-ci ?

4.13   Des enfants, dont les poids valent w_1 et w_2, sont en équilibre sur une balançoire. Le poids w de la balançoire peut être considéré comme appliqué au centre de gravité. Celui-ci se trouve directement au-dessus du point d'appui.

a) Exprimer, en fonction de w, de w_1 et de w_2, la force exercée par le point d'appui.

b) Évaluer le rapport x_2/x_1 des positions des enfants par rapport au point d'appui.

4.14   On a suspendu à un fil du linge humide. Le fil aura-t-il tendance à casser plus facilement si le fil est fortement tendu ou si au contraire il est lâche ? Expliquer.

Le centre de gravité

4.15   Trois poids sont placés sur une barre de poids négligeable (figure 4.55). Où se trouve le centre de gravité ?

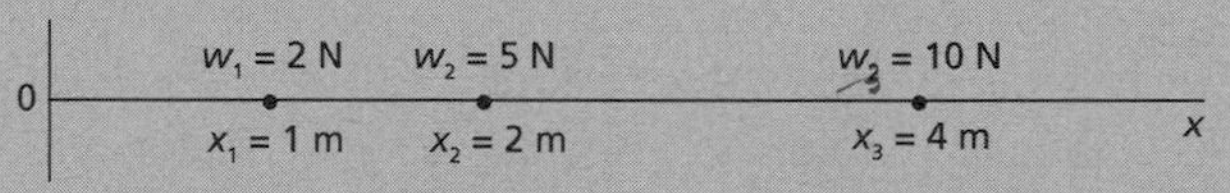

Figure 4.55 Exercice 4.15

4.16   Deux poids sont suspendus aux extrémités d'une barre horizontale d'1 mètre de longueur. Si le poids en $x = 0$ est de 10 N et si le centre de gravité se trouve en $x = 0,8$ m, quel poids est placé en $x = 1$ m ? (Négliger le poids de la barre.)

4.17   L'avant-bras d'une femme a une masse de 1,1 kg et la partie supérieure du bras a une masse de 1,3 kg. Lorsqu'elle a le bras tendu, le centre de gravité de l'avant-bras est à 0,3 m de l'articulation de l'épaule et le centre de gravité de la partie supérieure du bras est à 0,07 m de ce point. Où se trouve le centre de gravité du bras entier par rapport à l'articulation de l'épaule ?

4.18   Un promeneur de 80 kg porte un sac de 20 kg. Le centre de gravité du promeneur est à 1,1 m au-dessus du sol lorsqu'il ne porte aucune charge. Le centre de gravité du sac se situe à 1,30 m au-dessus du sol, lorsqu'il est sur le dos du promeneur. À quelle distance se trouve le centre de gravité du promeneur lorsqu'il porte son sac ?

4.19 Les essieux d'une voiture sont distants de 3 m. Les roues avant supportent un poids total de 9 000 N et les roues arrière un poids de 7 000 N. À quelle distance se trouve le centre de gravité de la voiture par rapport à l'essieu avant ?

4.20 À partir des données reprises au début du livre, trouver la position du centre de masse du système Terre-Lune.

Équilibre et stabilité

4.21 Pour quelle valeur de l'angle θ la table de la figure 4.56 basculera-t-elle ?

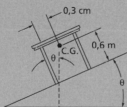

Figure 4.56 Exercice 4.21.

4.22 Les bateaux qui retournent à leur port d'attache, sans chargement, sont parfois lestés de pierres ou d'eau. Pourquoi ?

4.23 La figure 4.57 montre un jouet amusant. Il s'agit d'un acrobate tenant une barre d'équilibre au bout de laquelle sont fixés des poids. L'acrobate est en équilibre dans la position indiquée. Une petite poussée ne le fera pas tomber. Expliquer pourquoi. (Suggestion : où se trouve le centre de gravité ?)

Figure 4.57 Exercice 4.23.

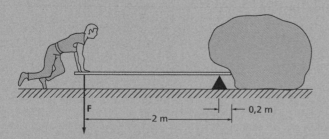

Figure 4.58 Exercice 4.25.

4.24 Une poutre d'acier a une masse de 1 000 kg et une longueur de 10 m. La poutre est en équilibre sur un bloc de béton mais elle dépasse de 4 m le bord du bloc. Jusqu'à quelle distance un homme de 100 kg peut-il s'avancer sur la poutre ?

Les leviers, avantage mécanique

4.25 Un homme place une barre de 2 m de long au-dessous d'une grosse pierre qui pèse 4 500 N. Il place un point d'appui à 0,2 m du point de contact de la barre avec la pierre (figure 4.58). Quelle force **F** doit-il exercer pour soulever la pierre ?

4.26 Une personne tient une rame à 0,4 m de son point de fixation sur la barque (figure 4.59). Si la rame touche l'eau à une distance moyenne de 1,40 m de l'attache, que vaut l'avantage mécanique ?

Figure 4.59 Exercice 4.26.

4.27 La figure 4.60 représente une pince. Quel est l'avantage mécanique ?

4.28 La figure 4.61 représente une pince.

a) Quel est l'avantage mécanique ?

b) Si on applique une force $F = 10$ N, quelle force s'exerce sur l'objet ?

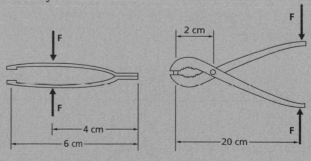

Figure 4.60 Exercice 4.27.   **Figure 4.61** Exercice 4.28.

4.29 Donner des exemples de leviers du premier type pour lesquels l'avantage mécanique est égal à 1, inférieur à 1, supérieur à 1.

Les leviers du corps

4.30 La figure 4.54 montre l'avant-bras schématisé par une barre tournant autour d'un pivot. *T* représente la force exercée par le biceps.

a) De quel type de levier s'agit-il ?

b) Quel est l'avantage mécanique de l'avant-bras lorsqu'il supporte son propre poids *w* ?

c) Quel est l'avantage mécanique lorsqu'une charge w_1 est tenue dans la main ?

d) Si le muscle subit une contraction d'1 cm, quelle sera la variation de position de la charge dans la main ?

4.31 La tête pivote autour de l'articulation atloïdo-occipitale (figure 4.62). Les muscles splenius, qui sont attachés à l'arrière de cette articulation, supportent la tête.

a) De quel type de levier s'agit-il ?

b) L'appareil musculaire antérieur produit les mouvements de la tête vers l'avant. À quel type de levier leur action est-elle associée ?

c) Quels muscles fournissent l'avantage mécanique le plus grand ? Expliquer pourquoi.

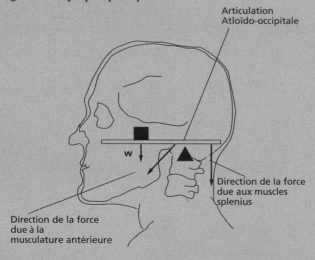

Figure 4.62 Muscles qui assurent le mouvement et le maintien de la tête. Exercice 4.31.

Les mâchoires des animaux

4.32 Un serpent exerce une force musculaire *M* = 5 N (figure 4.29a). *M* agit à une distance de 0,03 m de l'articulation et la force de morsure vaut 2 N. Trouver

a) la distance entre l'articulation et la ligne d'action de la force de morsure

b) la force exercée par l'articulation de la mâchoire.

4.33 a) Pour un herbivore typique, la grandeur maximum de la force *T* est 1/10 de la grandeur maximum de la force *M* de la figure 4.63. En supposant qu'aucune force ne s'exerce à l'articulation, vous attendez-vous à ce que l'animal exerce une force de morsure plus grande à l'avant ou à l'arrière de la mâchoire ?

b) Pour un carnivore, la valeur maximum de *T* est environ double de celle de *M*. Vous attendez-vous à ce que la force maximum de morsure s'exerce plus loin ou plus près de l'articulation de la mâchoire que pour un herbivore ? Expliquer.

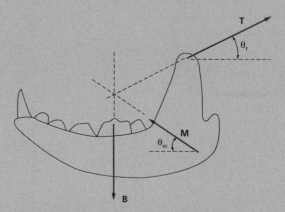

Figure 4.63 Exercice 4.33 ; Problèmes 4.59 et 4.60.

Le centre de gravité des personnes

4.34 On utilise une planche de 4 m de long pour déterminer le centre de gravité d'une personne comme indiqué dans la figure 4.31. Lorsqu'une personne se trouve sur la planche, les balances indiquent respectivement $w_1 = 200$ N et $w_2 = 600$ N. Où se trouve le centre de gravité de la personne ?

4.35 À partir des données du tableau 4.1, trouver le C.G. de l'homme représenté sur la figure 4.32.

4.36 À partir des données du tableau 4.1, trouver le C.G. de l'homme représenté sur la figure 4.33.

Systèmes de poulies

4.37 Dans la figure 4.64, quelle force *F* faut-il exercer pour soulever la charge ?

4.38 On veut appliquer une force de 50 N à la jambe (figure 4.36). Si on suspend au câble une masse de 10 kg, quelle valeur faut-il donner à l'angle ?

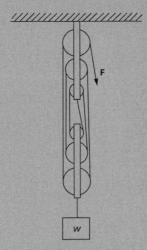

Figure 4.64 Exercice 4.37.

4.39 Dans la figure 4.35, supposer que la corde soit tirée à une vitesse de 0,25 m s⁻¹. À quelle vitesse la charge montera-t-elle ?

PROBLÈMES

4.40 Le vecteur **A** pointe vers le nord et le vecteur **C** = **A** × **B** pointe vers le haut. Que peut-on dire

a) de la composante verticale de **B** ?

b) de la composante de **B** vers l'est ?

c) de la composante de **B** vers le nord ?

4.41 Trouver la tension dans les cordes de la figure 4.65.

4.42 Dans la figure 4.66, un poids est attaché à une barre de masse négligeable. La barre est fixée à un pivot et est maintenue par un câble. Trouver la tension dans le câble et la force exercée par le pivot.

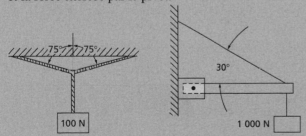

Figure 4.65 Problème 4.41.   **Figure 4.66** Problème 4.42.

4.43 Dans la figure 4.67, un poids est attaché à une barre de masse négligeable. La barre est fixée à un pivot et est maintenue par un câble. Si $w = 1\,000$ N, trouver

a) la tension dans le câble

b) la force exercée sur la barre au niveau du pivot.

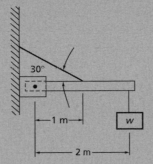

Figure 4.67 Problèmes 4.43 et 4.44.

4.44 Dans la figure 4.67, la barre et le câble sont de poids négligeable. Le câble casse lorsque la tension dépasse 2 000 N. Quel est le poids maximum w qui peut être attaché à la barre ?

4.45 La tension T vaut 20 N à chaque extrémité de la chaîne représentée dans la figure 4.68. Quel est le poids de la chaîne ?

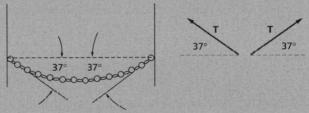

Figure 4.68 Problème 4.45.

4.46 Un cheval a la jambe avant gauche en l'air (figure 4.69). Les jambes arrière gauche et avant droite supportent chacune 1 500 N. Le poids total vaut 5 000 N.

a) Quelle force est exercée par la jambe arrière droite ?

b) Trouver la position (X, Y) du centre de gravité.

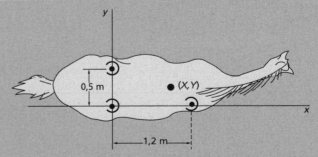

Figure 4.69 Cheval, vu du dessus, en équilibre sur trois pattes. Problème 4.46.

4.47 Évaluer la position du centre de masse relative aux trois masses de la figure 4.70.

4.48 L'homme de la figure 4.71 a une masse de 100 kg. Ses bras sont tendus latéralement et il tient dans une main une masse M.

a) Trouver les positions horizontale et verticale du centre de gravité de l'homme lorsqu'il tient la masse M. (Choisir comme origine le point milieu entre les pieds.)

b) Quelle masse maximum l'homme peut-il tenir sans basculer ?

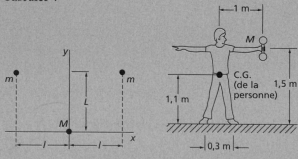

Figure 4.70 Problème 4.47.   **Figure 4.71** Problème 4.48.

4.49 Le dessus d'une table à quatre pieds a une masse de 20 kg. Les pieds se trouvent aux quatre coins et ont une masse de 2 kg chacun. Les dimensions de la table sont reprises dans la figure 4.72. Pour quelle valeur de l'angle θ la table va-t-elle basculer ?

4.50 La table de la figure 4.72 a des pieds de masse négligeable. Pour quelle valeur de l'angle θ la table basculera-t-elle ?

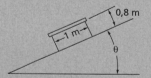

Figure 4.72 Problèmes 4.49 et 4.50.

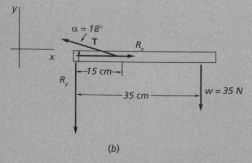

Figure 4.73 Problème 4.53. *(Adapté de Williams et Lissner.)*

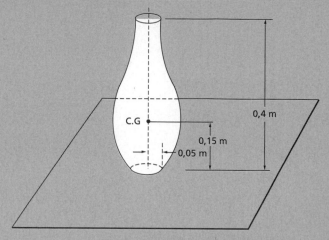

Figure 4.74 Problème 4.54.

4.51 Une planche homogène a une masse de 20 kg et mesure 2 m de long. On y pratique un trou circulaire dont le centre est à 0,5 m d'une extrémité de la planche. Si, dans ces conditions, le centre de gravité est à 0,9 m de l'autre extrémité de la planche, quelle masse de bois a-t-on enlevée ?

4.52 La molécule d'ammoniac (NH_3) est un tétraèdre où les trois atomes d'hydrogène (H) forment la base et l'atome d'azote (N) le sommet. Les atomes d'hydrogène sont distants de 1,64 $\overset{\circ}{A}$ (1 $\overset{\circ}{A}$ = 10^{-10} m). L'atome d'azote se trouve à 3,8 $\overset{\circ}{A}$ au-dessus de la base. Où se trouve le centre de masse de la molécule par rapport à l'atome d'azote ? (La masse de l'azote est 14 fois supérieure à celle de l'hydrogène.)

4.53 Le muscle deltoïde détermine l'élévation de la partie supérieure du bras (figure 4.73).

a) Trouver la tension T exercée par le muscle et les composantes R_x et R_y de la force exercée par l'articulation de l'épaule.

b) Quel est l'avantage mécanique du muscle pour soulever le bras ?

4.54 Un vase a une hauteur de 0,4 m. Son centre de gravité est à une hauteur de 0,15 m du fond qui a une forme circulaire de 0,05 m de rayon (figure 4.74). Quelle inclinaison peut-on donner au vase sans le renverser ?

4.55 Montrer que l'avantage mécanique d'un levier du troisième type est toujours plus petit que 1. Supposer les forces perpendiculaires au levier.

4.56 Montrer que l'avantage mécanique d'un levier du deuxième type est toujours supérieur à 1. Supposer les forces perpendiculaires au levier.

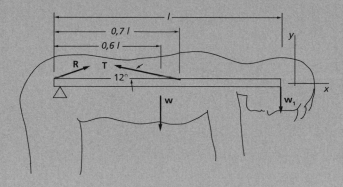

Figure 4.75 Problème 4.57.

4.57 Dans la figure 4.75, le poids de la partie supérieure du corps vaut $w = 490$ N.

Évaluer la force T exercée par les muscles du dos et les composantes R_x et R_y de la force R exercée par le sacrum si le poids w_1 vaut

a) 0

b) 175 N.

4.58 Montrer que 1 N m = 1 kg m^2 s^{-2}.

4.59 La morsure d'un mammifère correspond à une force musculaire M de 30 N (figure 4.73). Que vaut la force de morsure **B** ? (Supposer $\theta_t = \theta_m = 45°$.)

4.60 Pour un carnivore particulier, la grandeur de la force T vaut 1,3 fois la grandeur de M (figure 4.73). Aucune force ne s'exerce à l'articulation de la mâchoire. Si $\theta_m = 60°$, trouver

a) θ_t

b) le rapport B/M.

Le mouvement circulaire

Mots-clefs

Accélération angulaire • Accélération centripète • Accélération radiale • Accélération tangentielle • Force de Coriolis• Loi de Coulomb • Lois de Kepler • Mouvement circulaire uniforme • Moment d'inertie • Moment d'une force • Poids effectif • Position angulaire • Radian • Rayon de courbure • Rayon de giration • Virage relevé • Vitesse angulaire

Introduction

Les lois de Newton permettent de déterminer le mouvement d'un objet si on connaît les forces qui s'exercent sur cet objet ainsi que sa position et sa vitesse initiales. Dans le chapitre précédent, nous avons considéré des objets en équilibre et au repos. Précédemment, nous avons discuté le mouvement uniformément accéléré qui résulte de l'application d'une force de grandeur et de direction constantes. Dans ce chapitre, nous allons considérer un autre type de mouvement très fréquemment rencontré, le mouvement circulaire.

Nous allons montrer que lorsqu'un objet se déplace sur une trajectoire circulaire, à une vitesse dont le module est constant, il possède une accélération qui est dirigée vers le centre du cercle. La force requise pour produire cette accélération peut être fournie de différentes manières. Dans le cas d'une voiture parcourant une trajectoire circulaire plane, cette force est fournie par le frottement. Dans le cas d'un satellite artificiel en orbite autour de la Terre, cette force résulte de la gravitation. Pour un électron en orbite autour du noyau atomique, ce sont des forces électriques qui déterminent la trajectoire. Dans ce chapitre, nous discuterons ces problèmes en particulier, mais aussi d'autres exemples de mouvement circulaire.

L'étude de la rotation des corps solides autour d'un axe est étroitement associée à celle du mouvement circulaire. Les exemples sont nombreux : citons notamment les lames d'une tondeuse à gazon, les roues d'une voiture et la rotation de la Terre autour de son axe. *Chaque point* constitutif d'un solide en rotation décrit un mouvement circulaire. Nous allons montrer que les lois de Newton permettent d'analyser et de prévoir ces mouvements.

5.1 L'ACCÉLÉRATION CENTRIPÈTE

Considérons une particule, P, se déplaçant à une vitesse **v**, de module constant, sur une trajectoire circulaire de rayon r. Le *module* de la vitesse étant constant, on dit que la particule décrit un *mouvement circulaire uniforme*. Il n'y a pas de composante d'accélération suivant la direction du mouvement. Cependant, le vecteur vitesse change continuellement de direction. Nous allons montrer que cette réorientation permanente du vecteur vitesse, caractéristique du mouvement circulaire, est le résultat d'une accélération radiale, orientée vers le centre de la trajectoire et dont l'amplitude dépend du module de **v** et du rayon r.

À un instant donné, la particule P se trouve en un point dont les composantes (x_P, y_P) dans le repère xy sont (figure 5.1a)

$$x_P = r \cos \theta$$
$$y_P = r \sin \theta \qquad (5.1)$$

Le vecteur vitesse est toujours tangent à la trajectoire et sera donc perpendiculaire au rayon tracé du centre du cercle jusqu'à la position P de la particule. Comme on le voit sur la figure 5.1b, ce vecteur forme également un angle θ avec la verticale de sorte que

$$\mathbf{v} = v_x \hat{x} + v_y \hat{y} = -v \sin \theta \, \hat{x} + v \cos \theta \, \hat{y} \qquad (5.2)$$

En utilisant les équations 5.1, on déduit

$$\mathbf{v} = -\frac{v \, y_P}{r} \hat{x} + \frac{v \, x_P}{r} \hat{y} \qquad (5.3)$$

Pour obtenir l'accélération de la particule, il faut calculer la dérivée par rapport au temps de la vitesse. Comme le module v de la vitesse et le rayon r sont constants, on obtient

$$\mathbf{a} = -\frac{v}{r} \frac{dy_P}{dt} \hat{x} + \frac{v}{r} \frac{dx_P}{dt} \hat{y} \qquad (5.4)$$

On remarquera que $dx_P/dt = v_x$ et que $dy_P/dt = v_y$. Utilisant l'équation 5.2, on trouve donc

$$\mathbf{a} = -\frac{v^2}{r} \cos \theta \, \hat{x} - \frac{v^2}{r} \sin \theta \, \hat{y} \qquad (5.5)$$

Dans un mouvement circulaire uniforme, le vecteur accélération a donc un *module*

$$a = \sqrt{a_x^2 + a_y^2} = \frac{v^2}{r} \sqrt{\cos^2 \theta + \sin^2 \theta}$$

ou encore, nous servant de l'identité trigonométrique $\cos^2 \theta + \sin^2 \theta = 1$,

$$a = \frac{v^2}{r} \qquad (5.6)$$

Pour orienter **a**, on peut tracer ses composantes a_x et a_y (figure 5.1c). Le vecteur est dirigé selon une direction φ telle que

$$\tan\varphi = \frac{-(v^2/r) \sin \theta}{-(v^2/r) \cos \theta} = \tan\theta$$

Ainsi, $\varphi = \theta$, de sorte que l'accélération est orientée selon une direction identique au rayon : c'est donc bien une accélération *radiale* que l'on notera habituellement a_r. Le signe moins des composantes indique cependant que, partant du point P, elle pointe vers le centre de la trajectoire. On parle de ce fait d'une accélération *centripète*. Le vecteur vitesse étant à tout instant tangent à la trajectoire circulaire, l'accélération centripète lui sera toujours *perpendiculaire*. L'accélération ne va donc pas modifier l'amplitude de la vitesse mais va simplement avoir pour effet de modifier constamment son *orientation* comme nous l'avons mentionné précédemment. L'exemple 5.1 illustre ce résultat.

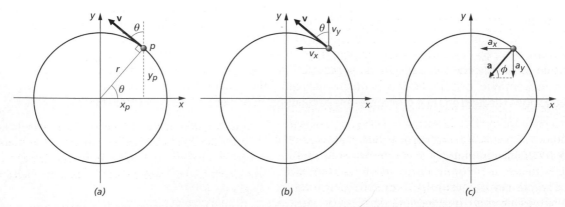

Figure 5.1 Une particule P effectue un mouvement circulaire uniforme dans le sens anti-horlogique, sur une trajectoire de rayon r. (a) Position et vitesse de la particule à un instant donné. (b) La vitesse **v** et ses composantes v_x et v_y. (c) L'accélération **a** et ses composantes a_x et a_y.

─────── **Exemple 5.1** ───────

Une voiture roule sur un circuit circulaire de 200 m de rayon, à la vitesse constante de 30 m s^{-1}. Que vaut son accélération?

Réponse Puisque le module de la vitesse est constant, il n'y a pas d'accélération tangentielle. Toutefois, comme le vecteur vitesse change constamment de direction, il existe une accélération dirigée vers le centre du cercle. La grandeur de cette accélération est donnée par

$$a_r = \frac{v^2}{r} = \frac{(30 \text{ m s}^{-1})^2}{200 \text{ m}} = 4,5 \text{ m s}^{-2}$$

Nous avons vu que si aucune force résultante n'agit sur un objet, sa trajectoire est rectiligne et sa vitesse est constante, en accord avec la première loi de Newton. Si un objet parcourt une trajectoire circulaire, il possède une accélération radiale $a_r = v^2/r$. Il doit donc exister une force qui produit cette accélération. D'après la deuxième loi de Newton, cette force doit être égale au produit de la masse par l'accélération. *La force résultante F nécessaire pour produire l'accélération a, vaut donc*

$$F = ma_r = \frac{mv^2}{r} \tag{5.7}$$

Un objet ne pourra se maintenir sur une trajectoire circulaire que pour autant qu'une force lui fournisse l'accélération radiale.

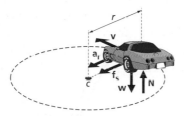

Figure 5.2 Forces qui s'exercent sur une voiture qui parcourt une trajectoire circulaire. Les forces dues à la résistance de l'air et à la route qui ont la direction du mouvement ne sont pas représentées. Une force de frottement, **f$_s$**, est dirigée vers le centre du cercle.

Dans le cas d'une voiture sur une trajectoire circulaire dans un plan horizontal, l'accélération centripète provient des forces de frottement exercées par la route sur les pneus (figure 5.2). D'autres forces agissent également sur la voiture. Ces forces sont le poids dirigé vers le bas, la force normale égale mais opposée au poids exercée par la route, une force dirigée vers l'arrière de la voiture qui provient de la résistance de l'air et enfin une force vers l'avant résultant de l'action exercée par la route sur les pneus. Toutefois, la seule force qui puisse produire une accélération radiale est la force de frottement qui a une direc-

tion perpendiculaire au mouvement. Sa valeur maximum $f_S(\text{max}) = \mu_S \cdot N$ détermine la limite de l'accélération centripète de la voiture. Cette limite dépend du coefficient de frottement *statique* et non du coefficient de frottement cinétique car le pneu, au point de contact avec la route, est momentanément au repos par rapport à celle-ci. Si le conducteur négocie un virage trop serré, à trop grande vitesse, la valeur maximale de la force de frottement est dépassée et la voiture dérape. Une fois que la voiture dérape, elle glisse plutôt que de rouler. La force de frottement est alors déterminée par le coefficient de frottement cinétique qui a une valeur plus petite que le coefficient de frottement statique. En conséquence, il est difficile de reprendre le contrôle de la voiture et cela peut donc conduire à un accident. La force nécessaire pour produire une accélération centripète est illustrée dans l'exemple 5.2.

─────── **Exemple 5.2** ───────

La voiture de l'exemple précédent roule sur un circuit circulaire de 200 m de rayon à la vitesse de 30 m s^{-1}. Elle possède une accélération centripète $a_r = 4,5$ m s^{-2}.

a) Si la masse de la voiture est de 1 000 kg, quelle doit être la force de frottement nécessaire pour assurer l'accélération ?

b) Si le coefficient de frottement statique μ_s vaut 0,8, quelle est la vitesse maximum à laquelle peut rouler la voiture ?

Réponse a) Puisque la masse vaut 1000 kg et l'accélération 4,5 m s^{-2}, la deuxième loi de Newton donne

$$F = ma_r = (1\,000 \text{ kg})(4,5 \text{ m s}^{-2}) = 4\,500 \text{ N}$$

Ceci représente la force de frottement nécessaire pour permettre à la voiture de parcourir le circuit à 30 m s^{-1}.

b) À partir de la figure 5.2, on voit que la force normale **N** est égale, en grandeur, au poids qui vaut *m***g**. Dès lors, la force maximum de frottement vaut $\mu_s N = \mu_s mg$ et la vitesse maximum doit satisfaire à la relation

$$\frac{mv^2}{r} = \mu_s mg$$

ou

$$v = \sqrt{\mu_s rg}$$

Notons que la masse n'apparaît pas dans le résultat. Il en résulte que la vitesse maximum est la même pour n'importe quelle voiture, pour autant que le coefficient de frottement statique soit constant. Substituons les valeurs numériques :

$$v = \left[(0,8)(200 \text{ m})(9,8 \text{ m s}^{-2})\right]^{1/2} = 39,6 \text{ m s}^{-1}$$

Si le conducteur tente de dépasser 39,6 m s^{-1}, la voiture ne restera pas sur une trajectoire circulaire. Elle dérapera comme le montre la figure 5.3.

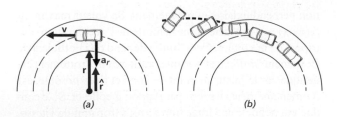

(a)   (b)

Figure 5.3 *(a)* Une voiture sur une trajectoire circulaire de rayon *r* possède une accélération $a_r = v^2/r$. *(b)* Si la route ne peut pas fournir la force de frottement mv^2/r, la voiture aura tendance à se déplacer en ligne droite et elle dérapera.

5.1.1 Notation vectorielle

Il est utile d'écrire l'expression de l'accélération centripète sous forme vectorielle. Dans la figure 5.4, **r** représente un vecteur radial ayant pour origine le centre du cercle et $\widehat{\mathbf{r}} = \mathbf{r}/r$ est un vecteur unitaire de même direction. L'accélération **a**, a donc une direction opposée à $\widehat{\mathbf{r}}$. On peut écrire

$$\mathbf{a}_r = -\frac{v^2}{r}\widehat{\mathbf{r}} \qquad (5.8)$$

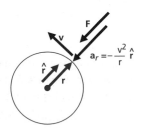

Figure 5.4 Le vecteur $\widehat{\mathbf{r}} = \mathbf{r}/r$ est parallèle à **r** et à un module égal à l'unité. $\mathbf{a}_r$ et $\mathbf{F} = m\mathbf{a}_r$ ont des directions opposées à **r** et $\widehat{\mathbf{r}}$.

La force résultante $\mathbf{F} = m\mathbf{a}_r$, qui produit l'accélération centripète, peut s'écrire sous forme vectorielle

$$\mathbf{F} = -\frac{mv^2}{r}\widehat{\mathbf{r}} \qquad (5.9)$$

L'équation $\mathbf{a}_r = -(v^2/r)\widehat{\mathbf{r}}$ s'applique également dans d'autres cas que dans ceux du mouvement circulaire uniforme.

Lorsqu'un mobile se déplace sur une trajectoire circulaire avec une vitesse dont le module varie, il possède une composante d'accélération orientée parallèlement à la vitesse et donc tangente à la trajectoire. Cette accélération dite tangentielle, a_T, est égale en module au taux de variation du module de la vitesse par rapport au temps (figure 5.5)

$$\mathbf{a}_T = \frac{dv}{dt}\widehat{\mathbf{t}}$$

où $\widehat{\mathbf{t}}$ est un vecteur normé orienté comme **v**. L'accélération tangentielle est orientée dans le même sens que la vitesse, si le module de la vitesse augmente et dans le sens contraire si le module diminue. Outre cette composante tangentielle, le maintien sur la trajectoire circulaire nécessite une accélération centripète, perpendiculaire au mouvement qui vaut encore v^2/r. Dans ce type de mouvement, le vecteur accélération prend donc la forme globale

$$\mathbf{a} = \mathbf{a}_T + \mathbf{a}_r = \frac{dv}{dt}\widehat{\mathbf{t}} + \frac{v^2}{r}\widehat{\mathbf{r}}$$

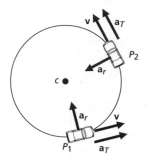

Figure 5.5 Une voiture parcourt une trajectoire circulaire avec une vitesse croissante. Elle possède une accélération centripète égale à $a_r = v^2/r$ et une accélération tangentielle a_T égale à la variation de la vitesse divisée par le temps. (Noter que **v** et $\mathbf{a}_r$ sont plus grands en P_2 qu'en P_1).

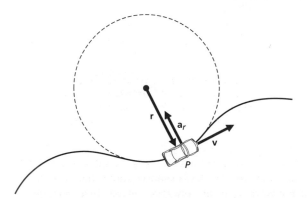

Figure 5.6 Au point *P*, la route a un rayon de courbure *r*. L'accélération centripète au point *P* vaut $a_r = v^2/r$.

Si le mobile circule sur une trajectoire quelconque, non circulaire, on peut encore considérer que chaque petit élément de cette trajectoire fait partie d'un cercle. Le rayon de ce cercle est appelé le *rayon de courbure au point P*. (figure 5.6). Le mouvement peut alors se décomposer en une succession de mouvements circulaires, possédant chacun une accélération tangentielle $a_T = dv/dt$ et une accélération centripète $a_r = v^2/r$ dépendant du rayon de courbure *r* au point *P* et de la vitesse instantanée *v* en ce point.

5.2 EXEMPLES DE MOUVEMENT CIRCULAIRE

Dans le paragraphe précédent, nous avons considéré en détail l'exemple d'une voiture sur une trajectoire circulaire. Discutons, à présent, quelques autres exemples de mouvement circulaire.

5.2.1 Les virages relevés

Les routes présentent habituellement des virages relevés pour que la force normale exercée par la route sur la voiture possède une composante horizontale. Cette composante horizontale peut fournir une partie, ou la totalité, de la force nécessaire pour produire l'accélération centripète permettant le maintien sur la trajectoire circulaire. On réduit ainsi le rôle des forces de frottement. La route est donc plus sûre, notamment lorsque les conditions atmosphériques la rendent glissante.

Pour détailler un peu cette question, considérons une voiture négociant un virage relevé. Supposons que le conducteur désire rouler à une vitesse telle qu'aucune force de frottement n'intervienne pour assurer l'accélération centripète. Le problème consiste à évaluer cette vitesse.

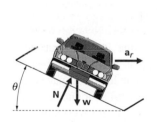
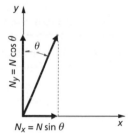

Figure 5.7 Une voiture, dans un virage relevé, se déplace à la vitesse *v*. À cette vitesse, la composante horizontale N_x de la force normale fournit la force centripète. Aucune force de frottement n'intervient.

La figure 5.7 indique les forces qui interviennent dans la résolution du problème : il s'agit du poids $\mathbf{w} = m\mathbf{g}$ et de la force normale **N**. Les autres forces ont la direction du mouvement et ne jouent ici aucun rôle. Puisque la composante horizontale de **N** doit fournir la totalité de l'accélération centripète,

$$N \sin \theta = \frac{mv^2}{r}$$

Il n'y a pas de composante verticale d'accélération, de sorte que la force verticale résultante doit être nulle. Donc

$$N \cos \theta = mg$$

En divisant la première équation par la seconde, les masses se simplifient et il vient :

$$\frac{\sin \theta}{\cos \theta} = \frac{v^2}{rg}$$

ou encore, puisque $\sin \theta / \cos \theta = \tan\theta$,

$$v^2 = rg\tan\theta \qquad (5.10)$$

Cette équation donne la vitesse v à laquelle la voiture peut négocier le virage relevé d'un angle θ, sans qu'il y ait intervention des forces de frottement. À toute autre vitesse, une force de frottement intervient et elle s'ajoute à la force associée à la composante horizontale de la force normale. Lorsque la route devient glissante, une voiture trop rapide aura tendance à déraper vers l'extérieur du virage. Une voiture trop lente dérapera vers l'intérieur du virage. Ceci est illustré dans l'exemple 5.3.

✎ ———————— **Exemple 5.3** ————————

Un virage de 900 m de rayon est relevé pour qu'aucune force de frottement n'intervienne lorsqu'une voiture négocie ce virage à la vitesse de 30 m s^{-1}. De quel angle θ le virage est-il relevé ?

Réponse   Résolvons l'équation (5.10) par rapport à $\tan\theta$,

$$\tan\theta = \frac{v^2}{rg} = \frac{\left(30 \text{ m s}^{-1}\right)^2}{(900 \text{ m})\left(9{,}8 \text{ m s}^{-2}\right)} = 0{,}102 \; ; \;\; \theta = 6°$$

Nous avons vu que, dans un virage relevé, une composante de la force normale fournit soit une partie soit la totalité de la force qui accélère la voiture vers le centre de courbure. Le même phénomène intervient pour permettre à un oiseau ou à un avion d'effectuer un virage. Un oiseau se maintient en vol grâce à des forces de poussée aérodynamiques qui sont dirigées perpendiculairement à la surface des ailes. Lorsqu'une aile ou son extrémité tourne autour de son axe, la force de poussée cesse d'être compensée et l'oiseau vire. Dans les avions, cet effet résulte du mouvement des ailerons qui sont des surfaces mobiles placées sur les bords postérieurs des ailes. L'inclinaison de l'oiseau ou de l'avion donne à la force aérodynamique une composante horizontale qui provoque la rotation (figure 5.8).

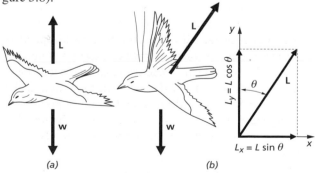

Figure 5.8 *(a)* Les forces qui s'exercent sur l'oiseau sont le poids **w** et une force de poussée verticale **L**. (La force de propulsion et la force de traînée dirigée vers l'arrière ne sont pas représentées.) *(b)* Lorsque l'oiseau vire, la force de poussée **L** possède une composante horizontale.

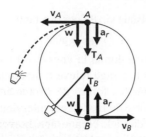

Figure 5.9 Forces qui s'exercent sur un seau en rotation dans un plan vertical. Si la corde casse alors que le seau est au sommet du cercle, il suit la trajectoire représentée en pointillés.

Ceci est tout à fait comparable au cas d'un virage relevé et l'équation (5.10) peut donc servir à exprimer une relation entre l'angle d'inclinaison, la vitesse et le rayon. Des oiseaux comme les hirondelles peuvent effectuer des virages rapides et être soumis à des accélérations de quelques *g*.

5.2.2 Le mouvement circulaire dans un plan vertical

La rotation d'un seau d'eau dans un plan vertical fournit un exemple simple mais illustratif de mouvement circulaire. Nous allons montrer que lorsque la vitesse de rotation est suffisante, l'eau ne se renverse pas.

La figure 5.9 montre un seau dont la masse totale vaut *m*. Il est en rotation dans un cercle de rayon *R*.

Au point le plus haut (point *A*), la tension dans la corde $\mathbf{T}_A$ est parallèle au poids $\mathbf{w} = m g$ et en appliquant la relation $\mathbf{F} = m\mathbf{a}$, il vient :

$$T_A + mg = \frac{mv_A^2}{R}, \quad T_A = \frac{mv_A^2}{R} - mg$$

La tension $\mathbf{T}_A$ est donc inférieure à mv_A^2/R, la différence étant précisément égale au poids. Si v_A^2/R est inférieur à *g*, la tension T_A devient négative, ce qui correspond à une force inverse à la direction supposée. Cependant, une corde peut seulement exercer une tension et non une poussée. En conséquence, si le seau tourne trop lentement, le seau et son contenu vont décrocher de l'orbite circulaire. Pour éviter la douche, il faut que $T_A \geq 0$ au point *A*, ou encore que

$$\frac{v_A^2}{R} \geq g$$

Ainsi, si $R = 1$ m, v_A doit valoir

$$v_A \geq \sqrt{gR} = \sqrt{(9,8 \text{ m s}^{-2})(1,0 \text{ m})} = 3,13 \text{ m s}^{-1}$$

On peut se demander pourquoi le seau et l'eau ne tombent pas lorsqu'ils atteignent le sommet du cercle. En réalité, *ils tombent mais pas suffisamment rapidement*. Pour s'en rendre compte, considérons ce qui se passerait si la corde venait à se rompre lorsque le seau atteint le sommet du cercle. Le seau tomberait en chute libre. Il prendrait alors la trajectoire représentée en traits pointillés (figure 5.9), ce qui correspondrait à une chute plus lente que lorsque la corde est intacte. Ainsi, la corde force le seau et son contenu à tomber plus rapidement que si la pesanteur était la seule force en présence.

Au point le plus bas, (point *B*), la tension dans la corde, $\mathbf{T}_B$, et l'accélération ont des directions opposées au poids. Dès lors

$$T_B - mg = \frac{mv_B^2}{R}, \quad T_B = \frac{mv_B^2}{R} + mg$$

Dans ce cas, la tension vaut donc mv_B^2/R *augmentée* du poids. Bien que nous ayons envisagé la rupture de la corde au point *A*, il faut noter que cette rupture a plus de chance de se produire au point *B*. En effet, en *A*, la tension est *inférieure* à mv_A^2/R, alors qu'en *B*, elle est supérieure à mv_B^2/R. En outre, la force gravitationnelle accélère le seau dans sa chute, de sorte que la vitesse est plus grande en *B* qu'en *A*, ce qui augmente encore la tension dans la corde au point *B*.

5.2.3 Le poids effectif

Nous avons vu, au chapitre 3, que le poids que nous percevons et que nous avons appelé poids effectif est déterminé par les forces exercées par le sol ou par ce qui nous supporte. Le poids effectif est nul pour une personne en chute libre. De manière générale, le poids effectif s'exprime par la relation

$$\mathbf{w}^e = m\mathbf{g} - m\mathbf{a} \tag{5.11}$$

On rencontre parfois des accélérations importantes dans certains manèges de fêtes foraines (figure 5.10). Le poids effectif peut alors être fort différent de *m***g**.

 ———————— **Exemple 5.4** ————————

Dans une fête foraine, une fillette de masse *m* est debout dans une cage cylindrique de rayon *R*. La cage est en rotation autour de son axe et la vitesse de la fillette est égale à *v* (figure 5.11). Que vaut son poids effectif ?

Réponse À partir de l'équation (5.6), on a

$$\mathbf{w}^e = m\mathbf{g} - m\mathbf{a}$$

Prenons les composantes verticale et horizontale

$$w_x^e = \frac{mv^2}{R}, \quad w_y^e = -mg$$

Utilisons le théorème de Pythagore (figure 5.11*c*)

$$w^e = m\sqrt{g^2 + \left(\frac{v^2}{R}\right)^2}$$

Le poids effectif de la fillette est donc supérieur à mg.

La sédimentation d'un matériau en suspension dans un liquide a lieu lorsque le poids de ce matériau dépasse celui d'un volume égal de liquide. La vitesse de sédimentation est proportionnelle à l'accélération de la pesanteur g. L'accélération peut être accrue en faisant tourner rapidement le matériau dans une centrifugeuse. Les ultra-centrifugeuses employées en laboratoire peuvent atteindre des accélérations allant jusqu'à 500 000 g. Nous rediscuterons ceci au chapitre 14.

5.3 VARIABLES ANGULAIRES

Supposons qu'un athlète parcoure 100 m sur une piste circulaire dont la circonférence vaut 400 m. Si on dit que la distance parcourue représente un quart de tour ou un angle au centre de 90°, on décrit le mouvement par des variations de la position angulaire. La variation de la *position angulaire* par rapport au temps représente la vitesse angulaire. Le taux de variation de la *vitesse angulaire* par rapport au temps donne l'*accélération angulaire*. Ces variables angulaires sont particulièrement utiles pour discuter de la rotation des corps solides autour d'un axe fixe. Ainsi, chaque point du rayon d'une roue effectue, à chaque tour, un déplacement angulaire de 360°. Mais les points les plus éloignés du centre parcourent une distance plus grande que les points proches de l'axe.

Figure 5.10 Les manèges des parcs d'attraction peuvent fournir des accélérations centripètes importantes. Les poids effectifs des personnes sont importants. *(M. Sternheim.)*

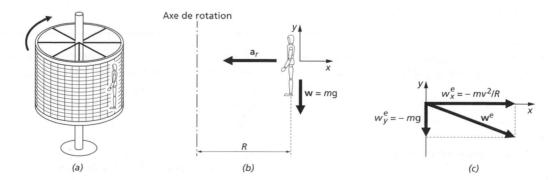

Figure 5.11 Forces qui s'exercent sur une fillette dans une cage en rotation.

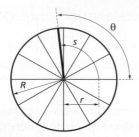

Figure 5.12 Une roue de rayon *R* tourne autour de son axe. Le rayon de couleur était initialement à l'horizontale et la roue a tourné d'un angle θ. Un point situé à une distance *r* du centre s'est déplacé d'une distance $s = r\theta$ le long d'une trajectoire circulaire.

Les angles se mesurent en degrés ou en *radians* (rad). En se reportant à la figure 5.12, on peut définir la *position angulaire* θ, qui se mesure *en radians*, par l'expression

$$\theta = \frac{s}{r} \qquad (5.12)$$

Cette valeur de θ est identique pour tous les points situés sur un même rayon de la roue. La valeur *s* relative à un point distant de *r* de l'axe de rotation vaut *r*θ. Pour un tour complet, *s* représente la mesure de la circonférence, soit $2\pi r$, et $\theta = 2\pi$ rad. Puisqu'un tour complet vaut $360°$, 2π rad $= 360°$ et 1 rad $= 360°/2\pi = 57,3°$ (figure 5.13).

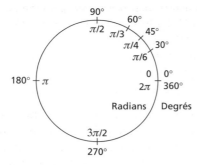

Figure 5.13 Angles caractéristiques exprimés en degrés et en radians. Un objet qui a effectué un tour et demi aura effectué une rotation de $2\pi + \pi = 3\pi$ radians. 1 radian = 57,3°.

La définition $\theta = s/r$ implique que θ soit une grandeur sans dimension puisqu'il s'agit du rapport entre deux longueurs. Le radian ne constitue donc pas une unité au même sens que le mètre ou le kilogramme. Nous utilisons les radians pour nous rappeler la manière de définir les angles.

5.3.1 La vitesse angulaire

La grandeur de la vitesse angulaire (**ω**) (oméga) est égale au taux de variation de l'angle par rapport au temps. La vitesse angulaire moyenne se définit par $\overline{\omega} = \Delta\theta / \Delta t$ où Δθ représente la variation de l'angle pendant le temps Δ*t*.

Lorsque Δ*t* devient arbitrairement petit, la vitesse angulaire à un instant précis est donnée par la relation

$$\omega = \lim_{\Delta t \to 0} \frac{\Delta\theta}{\Delta t} = \frac{d\theta}{dt} \qquad (5.13)$$

Elle se mesure donc en radians par seconde, si θ se mesure en radians et *t* en secondes. Ainsi, lorsqu'un coureur effectue le tour d'une piste circulaire en 50 s, sa vitesse angulaire moyenne vaut $(2\pi\,\text{rad})/(50\,\text{s}) = 0,126\,\text{rad s}^{-1}$.

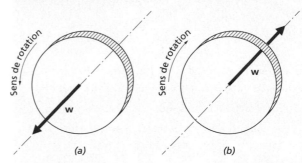

Figure 5.14 *(a)* Une rotation dans le sens inverse des aiguilles d'une montre correspond à un vecteur ω dirigé vers vous. *(b)* Pour une rotation dans le sens des aiguilles d'une montre, ω est dirigé vers l'arrière de la page.

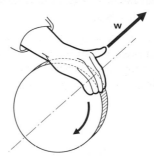

Figure 5.15 Si on fait tourner les doigts de la main droite dans le sens de la rotation, le sens de ω, perpendiculaire au disque, est donné par le pouce.

Le vecteur **ω** possède, par convention, la *direction de l'axe de rotation*. Il sera dirigé vers le lecteur si la rotation s'effectue suivant le sens inverse des aiguilles d'une montre (figure 5.14*a*). Il pointera vers l'arrière de la page si la rotation se fait dans le sens des aiguilles d'une montre (figure 5.14*b*). Ces conventions rejoignent celles adoptées au chapitre 4, en ce qui concerne la direction des moments des forces. Une manière d'identifier la direction de **ω** est de plier les doigts de la main droite, autour de l'axe de rotation, dans le sens de la rotation. Le pouce donne alors la direction de **ω** (figure 5.15). La question 5.5 illustre ces définitions.

──────── **Exemple 5.5** ────────

Un disque tourne dans le sens des aiguilles d'une montre avec une vitesse angulaire constante de 2 tours par seconde (figure 5.14*b*).

a) Déterminer la direction et la grandeur de la vitesse angulaire.

b) Que vaut l'angle de rotation après 4 secondes ?

Réponse a) Le disque fait 2 tours par seconde : il parcourt donc un angle de 4π rad. Sa vitesse angulaire vaut

$$\omega = \frac{\Delta\theta}{\Delta t} = \frac{4\pi \text{ rad}}{1 \text{ s}} = 4\pi \text{ rad s}^{-1}$$

Le vecteur ω est dirigé vers l'arrière de la page puisque le mouvement a le sens des aiguilles d'une montre.

b) En 4 secondes, le disque a parcouru un angle

$$\Delta\theta = \omega\,\Delta t = \left(4\pi \text{ rad s}^{-1}\right)(4 \text{ s}) = 16\pi \text{ rad}$$

Il est possible d'exprimer la vitesse *linéaire* d'un point d'un objet en rotation en fonction de la vitesse angulaire ω. Par définition, $\theta = s/r$ et $\omega = d\theta/dt = \left(ds/dt\right)(1/r)$. Donc

$$v = r\omega \qquad (5.14)$$

Dans le S.I. d'unités, r se mesure en mètres et ω en radians par seconde (rad s^{-1}) mais le produit $r\omega$ aura, pour unité, des $\text{rad m s}^{-1} = \text{m s}^{-1}$. Le radian ne s'écrit pas dans le résultat final.

La vitesse linéaire d'un point d'un objet en rotation est proportionnelle à la distance r qui sépare le point de l'axe. L'exemple 5.6 illustre les valeurs élevées des vitesses atteintes par des objets en rotation.

──────── **Exemple 5.6** ────────

La vitesse maximale des lames d'une tondeuse à gazon ne peut pas dépasser une valeur limite. Cette limite a pour but de réduire les dangers dus aux projections de pierres et autres débris. Un modèle de tondeuse disponible sur le marché a une vitesse de rotation de 3 700 tours par minute. La lame a un rayon de 0,25 m. Quelle est la vitesse linéaire de l'extrémité de la lame ?

Réponse On utilise la relation $v = r\omega$ pour trouver ω. Il faut transformer 3 700 tours min^{-1} en rad s^{-1},

$$\omega = 3\,700\,\frac{\text{tours}}{\text{min}}\left(\frac{2\pi \text{ rad}}{\text{tour}}\right)\left(\frac{1 \text{ min}}{60 \text{ s}}\right) = 387 \text{ rad s}^{-1}$$

La vitesse linéaire de l'extrémité de la lame vaut donc $v = r\omega = (0,25 \text{ m})\left(387 \text{ rad s}^{-1}\right) = 97 \text{ m s}^{-1}$, ce qui représente à peu près 350 km par heure.

5.3.2 L'accélération angulaire

Le taux de variation de la vitesse angulaire par rapport au temps définit l'accélération angulaire α (alpha)

$$\alpha = \frac{d\omega}{dt} \qquad (5.15)$$

Dans le S.I. d'unités, α se mesure en radians par seconde. Si la direction de l'axe de rotation ne change pas, α a la direction de l'axe et est soit parallèle soit antiparallèle à ω. Par exemple, si le disque de la figure 5.16 est en accélération, α et ω sont parallèles et de même sens. Si le disque ralentit, α a une direction opposée à ω.

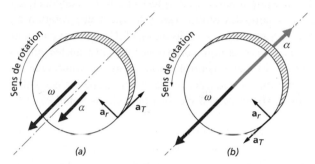

Figure 5.16 En *(a)* la vitesse angulaire du disque augmente : α et ω sont parallèles. En *(b)* la vitesse angulaire diminue : α et ω sont anti-parallèles. Les accélérations tangentielle et radiale a_T et a_r, d'un point du disque sont également représentées.

Si la vitesse angulaire d'un objet varie, cet objet possède une accélération angulaire. Les points qui le constituent vont donc être soumis à une accélération *tangentielle* (figure 5.16). La grandeur de celle-ci est donnée par $a_T = dv/dt$ et à partir de $v = r\omega$, nous pouvons écrire $dv/dt = r\,d\omega/dt$ et

$$a_T = r\alpha \qquad (5.16)$$

Les points de l'objet en rotation subissent également une accélération radiale ou centripète valant v^2/r. Puisque $v = \omega r$, l'accélération centripète peut s'écrire en faisant apparaître les variables angulaires

$$\mathbf{a}_r = -\omega^2 r\hat{\mathbf{r}} \qquad (5.17)$$

Si les forces s'exerçant entre les particules constitutives d'un objet en rotation ne sont pas suffisantes pour assurer l'accélération centripète, l'objet va se décomposer lorsque la vitesse angulaire atteindra une valeur critique ω. Considérons, par exemple, le cas d'une étoile en rotation (figure 5.17). Sa masse est M et son rayon R. Une particule de masse m située à l'équateur aura une accélération $\omega^2 R$. La force gravitationnelle vaut GmM/R^2. Elle doit être au moins égale à ma_r. Ainsi, l'étoile sera à la limite de la rupture, lorsque la vitesse angulaire ω_c, sera telle que $m\,\omega_c^2\,R = GmM/R^2$ ou encore

$$\omega_c^2 = GM/R^3$$

La masse volumique de l'étoile est le rapport de sa masse à son volume : $\rho = M/\left(4/3\ \pi\ R^3\right)$. Donc

$$\omega_c^2 = \frac{4}{3}\ \pi\ G\rho \qquad (5.18)$$

Ce résultat montre que la vitesse angulaire maximum d'une étoile dépend de sa masse volumique moyenne. Une étoile qui a la masse volumique du Soleil ne peut pas effectuer plus d'un tour en 3 heures. En fait le Soleil effectue une rotation en 27 jours environ. Cependant, les *pulsars* sont des étoiles qui effectuent une rotation en 0,03 seconde. D'après l'équation (5.18), ils doivent avoir des masses volumiques énormes. On pense que les pulsars sont des étoiles à neutrons dont la masse volumique est comparable à celle des noyaux atomiques, c'est-à-dire environ 10^{12} fois plus élevée que celle du Soleil.

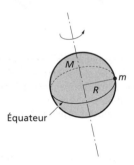

Figure 5.17 Étoile en rotation autour de son axe. Les particules situées à l'équateur sont celles qui se déplacent le plus rapidement. Elles possèdent l'accélération centripète la plus grande.

5.3.3 La détermination du mouvement

La description de la rotation d'un corps rigide peut être assez complexe si les accélérations et les vitesses angulaires ne sont pas parallèles. Cette situation interviendra, par exemple, dans le chapitre 7 où nous discuterons le mouvement d'un gyroscope ou la précession des équinoxes de la Terre. Toutefois, lorsqu'un objet est astreint à tourner autour d'un axe fixe dans l'espace, les variables angulaires θ, ω et α sont reliées entre elles, comme le sont les variables x, v et a dans le cas d'un mouvement rectiligne. Le tableau 5.1 reprend les relations que nous venons d'établir entre variables linéaires et angulaires. Introduisant ces relations dans les équations du mouvement obtenues au chapitre 1 et après simplification par r, on obtient l'équivalent des équations du mouvement en terme des variables angulaires. Ces équations sont résumées dans

le tableau 5.2. Elles établissent le lien entre accélération, vitesse et position angulaires. En conséquence, si on connaît l'accélération angulaire et les position et vitesse angulaires initiales, il est possible de caractériser complètement le mouvement, comme dans le chapitre 1. Ceci est illustré dans l'exemple suivant.

✎ ———————— **Exemple 5.7** ————————

Dans l'exemple 5.6, la lame d'une tondeuse à gazon tourne à 387 rad s^{-1}. Si la lame s'arrête en trois secondes avec une décélération constante, évaluer le nombre de tours qu'elle effectue au cours de cette décélération.

Réponse L'angle parcouru vaut

$$\Delta\theta = \frac{1}{2}\left(\omega_0 + \omega\right)\Delta t = \frac{1}{2}\left(387\ \text{rad s}^{-1} + 0\right)(3\ \text{s})$$

$$= 581\ \text{rad}$$

Le nombre de tours est donc de $581/2\pi = 92{,}4$.

5.4 MOMENT DES FORCES, ACCÉLÉRATION ANGULAIRE ET MOMENT D'INERTIE

Les équations du tableau 5.2 permettent de déterminer le mouvement d'un corps en rotation pour autant que l'on connaisse l'accélération angulaire à laquelle il est soumis.

Nous avons vu dans le chapitre 4 que lorsqu'aucun moment résultant ne s'exerce sur un corps solide libre de tourner autour d'un axe fixe, le mouvement de rotation est uniforme ($\alpha = 0$). Lorsqu'il existe un moment résultant, l'objet est soumis à une accélération angulaire α proportionnelle à ce moment. Nous pouvons maintenant déterminer le facteur de proportionnalité à partir de la deuxième loi de Newton.

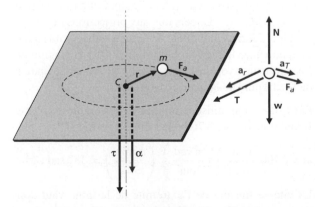

Figure 5.18 Par rapport au point C, la force $\mathbf{F}_a$ exerce un moment sur m. Il en résulte une accélération tangentielle $\mathbf{a}_T$.

Grandeur	Translation	Rotation	Relation
Position, déplacement	x, s	θ	$s = r\theta$
Vitesse	s	ω	$v = r\omega$
Accélération	$a = a_r + a_T$	α	$a_T = r\alpha$
			$a_r = \omega^2 r$

Tableau 5.1 Comparaison des mouvements de translation et de rotation

Accélération linéaire a constante	Accélération angulaire α constante	
$v = v_0 + a\,\Delta t$	$\omega = \omega_0 + \alpha\,\Delta t$	(5.14)
$\Delta x = v_0\,\Delta t + \dfrac{1}{2}a(\Delta t)^2$	$\Delta\theta = \omega_0\Delta t + \dfrac{1}{2}\alpha(\Delta t)^2$	(5.15)
$\bar{v} = \dfrac{1}{2}\left(v_0 + v\right)$	$\bar{\omega} = \dfrac{1}{2}\left(\omega_0 + \omega\right)$	(5.16)
$\Delta x = \dfrac{1}{2}\left(v_0 + v\right)\Delta t$	$\Delta\theta = \dfrac{1}{2}\left(\omega_0 + \omega\right)\Delta t$	(5.17)
$v^2 = v_0^2 + 2a\,\Delta x$	$\omega^2 = \omega_0^2 + 2\alpha\,\Delta\theta$	(5.18)

Tableau 5.2 Équations relatives à un mouvement circulaire uniformément accéléré. L'accélération est parallèle à l'axe de rotation. Les relations analogues, relatives aux mouvements de translation, sont également données. Dans ces équations, on définit comme positif un sens de l'axe de rotation, et comme négatif le sens opposé. θ, ω et α peuvent être soit positifs soit négatifs.

La figure 5.18 montre un point de masse m situé à l'extrémité d'une ficelle. La masse ponctuelle est libre de tourner, sans frottement, sur un support plan horizontal. Les forces verticales qui agissent sur la masse sont le poids **w** et la force normale **N**. Ces forces sont égales en grandeur et leurs moments par rapport au centre C se compensent. La tension dans la ficelle produit l'accélération centripète a_r, qui est dirigée vers le centre. Puisque sa ligne d'action passe par le centre C, le moment de cette force par rapport à ce point est nul. Seule la force $\mathbf{F}_a$, s'exerçant perpendiculairement à la ficelle, produit un moment par rapport à C. À partir de la deuxième loi de Newton, on a $\mathbf{F}_a = m\mathbf{a}_T$, et l'équation (5.16) donne $a_T = r\alpha$. Le moment de la force dû à $\mathbf{F}_a$ peut donc s'écrire

$$\tau = rF_a = r(ma_T) = rm(r\alpha) = (mr^2)\alpha$$

La quantité mr^2 s'appelle le *moment d'inertie* I de la masse ponctuelle. En notation vectorielle, le résultat s'écrit :

$$\tau = I\alpha \qquad (5.19)$$

Cette équation est l'équivalent, pour le mouvement de rotation, de la deuxième loi de Newton, $\mathbf{F} = m\mathbf{a}$, qui relie la force résultante à l'accélération. Elle associe le moment de force résultant τ à l'accélération angulaire α. C'est cette équation qui permet de déterminer l'accélération angulaire nécessaire à la description du mouvement à l'aide des équations du tableau 5.2. Le moment d'inertie est une grandeur analogue à la masse. Il mesure l'opposition qu'offre un objet à la modification de son état de rotation. Bien que nous ayons obtenu l'équation (5.19) dans le cas particulier d'une masse ponctuelle, ce résultat s'applique, d'une façon générale, au mouvement d'un corps en rotation autour d'un axe fixe. Pour un solide plus complexe, le moment d'inertie doit cependant être évalué de la manière décrite dans le paragraphe suivant.

5.4.1 Moment d'inertie

Bien que l'équation $\tau = I\alpha$ soit semblable dans sa forme à l'équation $\mathbf{F} = m\mathbf{a}$, il est important de remarquer que le moment de la force et le moment d'inertie I sont deux grandeurs qui dépendent de la position de l'axe de rotation. Nous allons montrer que I dépend de la forme et de la masse de l'objet en rotation.

Pour évaluer le moment d'inertie d'un objet de forme complexe, nous devons diviser, mentalement, l'objet en N petits éléments de masse $m_1, m_2, \cdots, m_N$. Chacun de ceux-ci se trouve à une distance $r_1, r_2, \cdots, r_N$ de l'axe de rotation. Le moment d'inertie du premier élément vaut $m_1 r_1^2$, celui du second vaut $m_1 r_2^2$ et ainsi de suite. Le moment d'inertie total est la somme de tous ces termes :

$$I = m_1 r_1^2 + m_2 r_2^2 + \cdots + m_N r_N^2 \qquad (5.20)$$

À partir de cette relation, on comprend que le moment d'inertie a une valeur élevée lorsque les éléments sont situés loin de l'axe de rotation. Les exemples suivants illustrent le calcul des moments d'inertie.

━━━━━━━ **Exemple 5.8** ━━━━━━━

Deux masses ponctuelles égales m sont situées aux extrémités d'une mince barre de longueur l, dont la masse est négligeable (figure 5.19). Évaluer le moment d'inertie par rapport à un axe perpendiculaire à la barre qui passe

a) par le milieu de la barre ;

b) par une des extrémités.

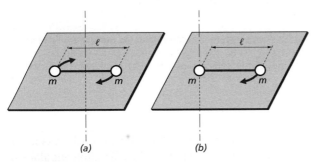

(a)   **(b)**

Figure 5.19 Deux masses ponctuelles sont localisées sur une barre de masse négligeable. L'axe de rotation passe *(a)* par le milieu de la barre ; *(b)* par une des extrémités.

Réponse a) Dans le cas d'un axe passant par le milieu de la barre, chaque masse se trouve à une distance $l/2$ de cet axe. En additionnant les termes mr^2 pour les deux masses en présence, on a

$$I = m\left(\frac{l}{2}\right)^2 + m\left(\frac{l}{2}\right)^2 = \frac{ml^2}{2}$$

b) Dans le cas d'un axe situé à l'extrémité de la barre, la valeur de r est 0 pour la masse située en ce point. La distance de l'autre masse vaut l, de sorte que

$$I = 0 + ml^2 = ml^2$$

Nous voyons donc que les moments d'inertie dépendent de la position de l'axe de rotation.

━━━━━━━ **Exemple 5.9** ━━━━━━━

Évaluer le moment d'inertie d'une roue de bicyclette de rayon R dont la masse est concentrée dans la jante (on suppose que les rayons ont une masse négligeable).

Réponse Si nous décomposons la jante et le pneu en petits éléments, chacun d'eux est situé à une même distance R de l'axe. Le moment d'inertie est donc simplement le produit de la masse totale m par R^2 :

$$I = mR^2$$

Pour une roue de masse et de rayon donnés, cette géométrie assure une valeur maximale du moment d'inertie. Ceci fournit au vélo une partie de sa stabilité. Si une route en mauvais état exerce un moment sur la roue, l'accélération angulaire qui en résulte sera peu importante puisque $\alpha = \tau I$ et que I est grand.

─────────────────────────

Le moment d'inertie est souvent une grandeur utile pour caractériser des objets de masse homogène comme des barres ou des cylindres. Dans ces cas, le moment d'inertie I peut aussi s'évaluer mathématiquement. Toutefois, hormis quelques exemples particuliers comme ceux repris ci-dessus, ce calcul nécessite des outils mathématiques qui sortent du cadre de ce livre. Certains résultats sont fournis dans le tableau 5.3.

Pour des objets de forme irrégulière, comme les os ou les membres, il est nécessaire d'évaluer les moments d'inertie expérimentalement. Ces résultats expérimentaux s'expriment souvent en faisant apparaître la masse m de l'objet et le *rayon de giration* k qui est défini par

$$I = mk^2 \quad \text{ou} \quad k = \sqrt{\frac{I}{m}} \qquad (5.21)$$

Un point de masse m situé à une distance k de l'axe de rotation aura le même moment d'inertie que l'objet réel. Ainsi, le rayon de giration de la sphère du tableau 5.3 s'évalue à partir de l'expression

$$k = \sqrt{\frac{I}{m}} = \sqrt{\frac{\frac{2}{5}mR^2}{m}} = R\sqrt{\frac{2}{5}} = 0,63R$$

L'exemple suivant montre comment l'équation $\tau = I\alpha$ peut être utilisée dans la résolution d'un problème impliquant à la fois une rotation et une translation.

	$I = \dfrac{1}{2}mR^2$	Disque uniforme ou cylindre de rayon R
	$I = \dfrac{1}{12}m\ell^2$	Barre de longueur ℓ. L'axe de rotation passe par le milieu
	$I = \dfrac{1}{3}m\ell^2$	Barre de longueur ℓ. L'axe de rotation passe par une extrémité
	$I = mR^2$	Anneau ou tube de rayon R
	$I = \dfrac{2}{5}mR^2$	Sphère de rayon R
	$I = \dfrac{2}{3}mR^2$	Enveloppe sphérique de rayon R

Tableau 5.3 Moments d'inertie. La masse de chaque objet vaut m. Les traits pointillés représentent l'axe de rotation.

✎ —————— **Exemple 5.10** ——————

Une roue est fixée sur un axe horizontal dont le rayon $r = 0,01$ m (figure 5.20). La fixation ne présente pas de frottement. Un bloc de 5 kg est attaché à une corde qui est enroulée autour de l'axe. Au départ, le bloc est au repos. Il acquiert en tombant une accélération de 0,02 m s^{-2}.

a) Quelle est la tension dans la corde ?

b) Quel est le moment d'inertie de la roue et de l'axe ?

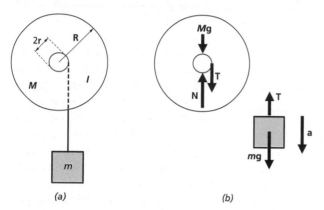

Figure 5.20 *(a)* Une roue et un axe sont montés sur des roulements sans frottement. Un bloc de masse *m* est suspendu à une corde enroulée autour de l'axe. *(b)* Forces s'exerçant sur l'axe et sur la masse. **T** représente la tension exercée par la corde et **N** est la force exercée par le roulement.

Réponse a) Appliquons la deuxième loi de Newton à la masse qui tombe. On a $mg - T = ma$. Résolvons par rapport à T :

$$T = m(g - a) = (5 \text{ kg})(9,8 - 0,02) \text{ m s}^{-2} = 48, \text{ N}$$

b) Les lignes d'action du poids Mg et de la force N qui agit sur l'axe passent par l'axe de rotation. Leur moment est donc nul ; la grandeur du moment de la force associé à T vaut rT. L'accélération a du bloc représente également l'accélération tangentielle d'un point situé sur la partie extérieure de l'axe. Comme $a = r\alpha$ et $\tau = I\alpha$ on obtient $rT = Ia/r$. En résolvant par rapport à I, on a

$$I = \frac{r^2 T}{a} = \frac{(0,01 \text{ m})^2 (48,9 \text{ N})}{0,02 \text{ m s}^{-2}} = 0,245 \text{ kg m}^2$$

Cet exemple illustre une manière d'évaluer I expérimentalement. En mesurant le temps de chute de la masse, on peut déterminer l'accélération et obtenir I. Cette technique est souvent utilisée dans les laboratoires de physique.

Pour en savoir plus...

5.5 CHARGES ÉLECTRIQUES ; FORCES FONDAMENTALES

Nous avons vu que les forces gravitationnelles permettent d'expliquer les orbites quasi circulaires des planètes autour du soleil. Les forces *électriques* sont responsables du maintien des électrons sur les orbites atomiques. Sous certains aspects, ces forces sont très semblables aux forces gravitationnelles. Elles sont cependant fondamentalement différentes. Nous allons différer la discussion sur les forces électriques jusqu'au chapitre 16. Nous donnerons ici une introduction et nous discuterons un modèle simple de l'atome.

La force gravitationnelle est une force fondamentale de la nature. Le concept de masse est étroitement associé à cette force. Un autre concept, également fondamental, est celui de *charge* électrique. De même que deux masses exercent des forces entre elles, deux charges électriques interagissent en exerçant, l'une sur l'autre, des forces réciproques. Toutefois, il existe une différence importante puisqu'on distingue deux types de charges électriques. Ces charges sont décrites mathématiquement comme positive et négative. On sait que deux masses exercent l'une sur l'autre une force d'attraction. Par contre, des charges électriques de même signe (deux positives ou deux négatives) se repoussent alors que des charges de signes contraires s'attirent. Une complication supplémentaire provient du fait que les charges peuvent produire deux types de forces. Les charges au repos exercent, l'une sur l'autre, des forces appelées *forces électriques*, alors que des charges en mouvement exercent entre elles des forces supplémentaires que l'on appelle *forces magnétiques*.

5.5.1 Charge et structure de la matière

Il est nécessaire d'avoir recours à un traitement mathématique sophistiqué pour décrire complètement les atomes et les molécules. Toutefois, un modèle atomique simple (figure 5.21) permet de comprendre ce que représentent les charges électriques, leurs propriétés et le rôle qu'elles jouent dans la nature. Il existe un peu plus de cent espèces d'atomes. Ce sont les *éléments*. On les trouve naturellement ou on les fabrique en laboratoire. L'ordre de grandeur d'un rayon atomique est de 10^{-10} m. Le modèle considé décrit les atomes par analogie avec le système solaire. Les charges négatives, les *électrons*, sont en orbite autour d'un *noyau* très dense chargé positivement. La force électrique attractive qui s'exerce entre les électrons négatifs et le noyau positif maintient la structure de l'atome. Ceci est comparable aux forces gravitationnelles qui maintiennent la structure du système solaire. Lorsqu'un atome possède tous ses électrons, il est électriquement neutre : sa charge totale est nulle. Si un ou plusieurs électrons sont ajoutés ou soustraits à l'atome, on dit qu'il est *ionisé*.

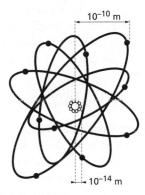

Figure 5.21 Modèle simple d'un atome. Sous l'influence de forces électriques, les électrons chargés négativement sont en orbite autour d'un noyau de petite taille niais de masse importante. Le noyau, qui n'est pas représenté à l'échelle, comprend deux types de nucléons : des protons chargés positivement et des neutrons sans charge.

Les constituants des noyaux atomiques ne furent pas complètement identifiés avant les années 1930. Ces constituants portent le nom général de *nucléons*. Ils comprennent les *neutrons* qui sont des particules non chargées et les *protons* qui sont des particules portant une charge positive. La charge du proton, notée e, est exactement égale en grandeur à la charge de l'électron $-e$. Un neutron ou un proton a une masse environ 1800 fois supérieure à celle de l'électron.

Le rayon nucléaire mesure environ 10^{-14} mètre. Il est donc environ 10 000 fois plus petit que celui de l'atome. On peut se poser la question suivante : comment un noyau atomique peut-il contenir autant de protons, à des distances rapprochées, si les protons se repoussent mutuellement ? L'explication repose sur l'existence d'une nouvelle force fondamentale de la nature qui ne fait pas intervenir la charge électrique. Si deux protons s'approchent l'un de l'autre, ils ont tendance à se repousser électrostatiquent. Cette force électrique est d'autant plus forte que la distance qui les sépare est courte. Mais lorsque la distance devient suffisamment faible, une nouvelle force nucléaire entre en jeu. Il s'agit d'une interaction forte qui surpasse la répulsion électrique et maintient les protons associés.

Les atomes s'associent de différentes manières pour former les molécules et les objets macroscopiques.

Normalement, ceux-ci sont électriquement neutres. Tous ces modes d'association reposent sur des forces électriques produites par des charges. Ainsi, les objets que nous utilisons dans la vie courante ont une structure et une solidité qui sont étroitement dépendantes des charges présentes dans leur structure microscopique.

Les recherches faites en physique ont débouché sur deux faits remarquables au sujet des charges électriques. En utilisant des accélérateurs de particules, on a pu produire des réactions nucléaires complexes, au cours desquelles des particules sont soit créées, soit détruites. De cette manière, on a pu découvrir de nombreuses particules à courte durée de vie. Ces particules ne sont ordinairement pas présentes dans la matière. Chacune possède une charge électrique qui est un multiple entier de la charge de l'électron : 0, +e, +2e,... Au cours des dernières années, on a accumulé des preuves qui tendent à montrer que les nucléons ne représentent pas les objets les plus élémentaires. En effet, les nucléons possèdent aussi une structure composite qui fait intervenir des particules appelées quarks. Les *quarks* semblent porter une charge qui représente une fraction de la charge de l'électron. Cependant, aucune particule possédant cette charge fragmentaire n'a pu être directement observée jusqu'ici. Il semble donc que des charges isolées ne puissent pas exister sous des unités différentes de celles associées à l'électron.

Il faut noter que, lorsque des particules sont créées ou détruites, la charge totale reste constante. Ceci constitue la loi de la *conservation de la charge*. Ainsi, si une charge positive est détruite, il y a destruction d'une charge négative qui lui est associée. La charge résultante totale reste inchangée. Les raisons de ces propriétés particulières des charges ne sont pas expliquées.

5.5.2 Les quatre forces fondamentales

En plus des forces électriques, les charges exercent entre elles des forces magnétiques lorsqu'elles sont en mouvement. Puisque des objets qui sont au repos dans un système de référence peuvent apparaître en mouvement dans un autre système de référence, il est clair que les forces électrique et magnétique sont étroitement associées. Nous les désignerons sous le nom général de *forces électromagnétiques*. Les forces électromagnétiques et gravitationnelles représentent deux des forces fondamentales de la nature. Les lois de Newton s'appliquent de la même manière à ces deux types de forces.

Au total, on connaît quatre forces fondamentales. Les deux autres forces sont les interactions nucléaires fortes, mentionnées ci-dessus, et les *interactions faibles* qui sont responsables de la radioactivité de certains noyaux. La radioactivité est une propriété particulière qu'ont les noyaux de pouvoir se transformer en d'autres espèces nucléaires. On pense actuellement que les interactions faibles et les forces électromagnétiques pourraient être intrinsèquement associées. Dans ces conditions, il n'y aurait plus que trois forces réellement fondamentales. Les forces fondamentales qui s'exercent entre des particules subatomiques sont, par ordre de grandeur décroissante, les interactions fortes, les forces électromagnétiques, les interactions faibles et les forces gravitationnelles. Contrairement aux forces électromagnétiques et gravitationnelles, les interactions fortes et les interactions faibles agissent seulement à des distances comparables aux dimensions nucléaires. À ces très courtes distances, les lois de Newton ne sont pas applicables sans modifications. Toutefois, de nombreux concepts développés dans notre discussion relative aux lois de Newton restent encore valables à cette échelle.

5.6 LA LOI DE COULOMB

Les premières publications, relatives aux propriétés des forces qui s'exercent entre des charges électriques, datent de 1784. Elles furent l'œuvre de Charles Augustin de Coulomb (1736-1806). Coulomb a montré que la force électrique, tout comme la force gravitationnelle, est inversement proportionnelle au carré de la distance. Toutefois, comme il existe deux types de charges, la force électrique peut être soit attractive, soit répulsive.

Deux charges ponctuelles q_1 et q_2 exercent, l'une sur l'autre, des forces égales mais opposées. Si la distance entre q_1 et q_2 vaut r, *la force à laquelle est soumise q_1 en raison de la présence de q_2 est donnée par la loi de Coulomb*

$$\mathbf{F}_{12} = \frac{kq_1q_2}{r^2}\hat{\mathbf{r}} \qquad (5.22)$$

$\hat{\mathbf{r}}$ représente un vecteur unitaire dirigé de q_2 vers q_1 et k est une constante qui est déterminée expérimentalement.

Dans le système d'unités S.I., la charge se mesure en *coulomb* (C). Dans ce système, la constante vaut

$$k = 9{,}0 \times 10^9 \text{ N m}^2 \text{ C}^{-2} \qquad (5.23)$$

et la charge d'un proton ou d'un électron vaut

$$e - 1{,}60 \times 10^{-19} \text{ C}$$

Le coulomb représente une unité de charge importante. Ainsi, d'après la loi de Coulomb, la force s'exerçant entre deux charges de 1 C séparées d'1 m vaut

$$F = \left(9 \times 10^9 \text{ N m}^2 \text{ C}^{-2}\right)\frac{(1 \text{ C})(1 \text{ C})}{(1 \text{ m})^2} = 9 \times 10^9 \text{ N}$$

Ceci représente environ 1 million de tonnes ! En conséquence, on rencontre rarement des charges isolées aussi importantes qu'un coulomb.

La direction de la force électrique dépend des signes respectifs des charges q_1 et q_2 (figure 5.22). Si les deux charges sont de même signe (deux charges positives ou deux charges négatives), alors q_1q_2 est positif. La force $\mathbf{F}_{12}$ a la direction de $\hat{\mathbf{r}}$ et les charges se repoussent mutuellement. Si les charges ont des signes opposés, une charge positive, l'autre négative, alors q_1q_2 est négatif ; $\mathbf{F}_{12}$ a le sens de $-\hat{\mathbf{r}}$ et les charges s'attirent. Dans chaque cas, la troisième loi de Newton s'applique : la force $\mathbf{F}_{21}$ qui s'exerce sur q_2 en raison de la présence de q_1 vaut $-\mathbf{F}_{12}$.

La force gravitationnelle, étudiée au chapitre 3, peut se mettre sous une forme vectorielle semblable à l'équation (5.22) qui décrit la force électrique. La force gravitationnelle, produite par une masse m_2 sur une particule de masse m_1, vaut

$$\mathbf{F}_{12} = -\frac{Gm_1m_2}{r^2}\hat{\mathbf{r}} \qquad (5.24)$$

De nouveau $\hat{\mathbf{r}}$ représente un vecteur unitaire dirigé de la particule 2 vers la particule 1. Le signe $-$ indique que la force est dirigée vers la particule 2 et qu'il s'agit d'une force attractive. Puisque les forces gravitationnelle et électrique varient en $1/r^2$, le rapport de ces forces, pour une paire de particules de masse et de charge données, est indépendant de la distance qui les sépare.

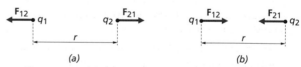

Figure 5.22 *(a)* Des charges de mêmes signe, positif ou négatif, se repoussent. *(b)* Des charges de signes contraires s'attirent.

Les deux exemples suivants illustrent quelques particularités de l'atome le plus simple, l'hydrogène, qui possède seulement un électron en orbite autour d'un proton.

✎ ——————— **Exemple 5.11** ———————

Dans un modèle simple de l'atome d'hydrogène, on considère que l'électron se déplace autour du proton sur une orbite circulaire de rayon $5{,}29 \times^{-11}$ m. La masse du proton vaut $M = 1{,}67 \times 10^{-27}$ kg et celle de l'électron $m = 9{,}11 \times 10^{-31}$ kg (figure 5.23). Que valent les forces électrique et gravitationnelle exercées par le proton sur l'électron ?

Réponse Puisque le proton et l'électron ont des charges opposées $+e$ et $-e$, la force électrique est attractive. Elle vaut

$$F = \frac{ke^2}{r^2} = \left(9 \times 10^9 \text{ N m}^2 \text{ C}^{-2}\right)\frac{(1{,}6 \times 10^{-19} \text{ C})^2}{(5{,}29 \times 10^{-11} \text{ m})^2}$$
$$= 8{,}23 \times 10^{-8} \text{ N}.$$

CHARLES AUGUSTIN DE COULOMB
(1736-1806)

HENRY CAVENDISH
(1731-1810)

Bien que connue sous le nom de loi de Coulomb, la loi qui exprime la force électrostatique existant entre deux charges a en fait été découverte par Henry Cavendish. Ceci n'est pas surprenant quand on connaît la personnalité étrange de ce dernier.

Charles Augustin de Coulomb est un noble français. Il a commencé sa carrière comme ingénieur militaire et s'est progressivement intéressé à la recherche scientifique. Au début de la Révolution française, pour des raisons de sécurité, il se retire dans une petite ville de province où il effectue de nombreuses expériences. En 1777, il se présente à un concours organisé par l'Académie des Sciences sur l'amélioration des boussoles. Il avait observé qu'en suspendant une aiguille de boussole à un cheveu ou à un fil très fin, le couple de forces exercé sur l'aiguille était proportionnel à l'angle de torsion du fil. Ce principe de la *balance de torsion* lui permet de mesurer avec précision les forces électrostatiques et de formuler la loi relative à ces forces. Ces résultats sont normalement publiés et on lui attribue donc cette importante découverte.

Cavendish est anglais, contemporain mais inconnu de Coulomb. Il a déjà effectué des expériences d'électrostatique semblables à celles réalisées par Coulomb avec la balance de torsion. Cavendish est une personne excentrique, extraordinaire : timide, distrait, il vit dans l'isolement et tient absolument à mourir dans la solitude. Il ne terminera jamais ses études à Cambridge, car il est terrorisé à l'idée de rencontrer ses professeurs lors des examens. Autant que possible, il évite les contacts personnels, particulièrement avec les femmes.

Cavendish provient d'une famille riche. Il n'a jamais eu besoin d'argent et ne s'en soucie jamais. Il consacre toute sa vie à la recherche scientifique. Il fait de nombreuses découvertes importantes. Cependant, il publie très peu, n'étant pas intéressé par le crédit que ses découvertes pourraient lui apporter. Ses recherches en électricité précèdent de nombreuses découvertes effectuées des décennies plus tard. Tout ce travail reste cependant ignoré jusqu'à ce que James Clark Maxwell prenne connaissance des carnets de notes de Cavendish, plusieurs dizaines d'années après sa mort. Cavendish a toutefois publié une partie de ses premières recherches sur les propriétés de l'hydrogène gazeux. Les expériences qui ont permis de découvrir le gaz rare appelé aujourd'hui argon seront cependant ignorées jusqu'à ce que l'on les reproduise, un siècle plus tard.

L'expérience la plus importante de Cavendish est celle qui lui a permis de mesurer la masse de la Terre. D'après la loi de la gravitation universelle, l'accélération, à la surface de la Terre, vaut $g = GM_T/T_T^2$, où G représente la constante gravitationnelle, M_T la masse de la Terre et R_T son rayon. Puisque g et R_T sont facilement mesurables, la détermination soit de G, soit de M_T permet d'évaluer l'autre grandeur. Cavendish a utilisé une balance de torsion pour mesurer les faibles forces gravitationnelles exercées par deux grosses sphères sur deux petites sphères fixées aux extrémités d'une barre libre de pivoter. Ces expériences lui ont permis de déterminer une valeur de G et, dès lors, la masse de la Terre.

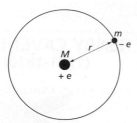

Figure 5.23 Modèle simple de l'atome d'hydrogène. Un électron négatif parcourt une orbite circulaire autour d'un proton positif de masse importante.

La force gravitationnelle est elle aussi attractive ; sa grandeur est obtenue à partir de l'équation (5.24)

$$F_G = \frac{GmM}{r^2}$$

$$= \left(6,67 \times 10^{-11} \ \mathrm{N\,m^2 \ kg^{-2}}\right)$$

$$\times \frac{\left(1,67 \times 10^{-27} \ \mathrm{kg}\right)\left(9,11 \times 10^{-31} \ \mathrm{kg}\right)}{\left(5,29 \times 10^{-11} \ \mathrm{m}\right)^2}$$

$$= 3,63 \times 10^{-47} \ \mathrm{N}$$

La comparaison de ces deux forces montre que la force électrique est environ 10^{39} fois plus forte que la force gravitationnelle. En conséquence, dans le cadre de la physique atomique, la force gravitationnelle peut être complètement ignorée.

 ———— **Exemple 5.12** ————

En utilisant les valeurs fournies dans la question précédente, déterminer la vitesse de l'électron dans l'atome d'hydrogène.

Réponse L'accélération centripète de l'électron provient de la force électrique. La vitesse v est donnée par la relation

$$\frac{mv^2}{r} = \frac{ke^2}{r^2}$$

La vitesse vaut donc

$$v = \sqrt{\frac{ke^2}{mr}}$$

En substituant les valeurs numériques de la question précédente,

$$v = \left[\frac{\left(9 \times 10^9 \ \mathrm{N\,m^2 \ C^{-2}}\right)\left(1,6 \times 10^{-19} \ \mathrm{C}\right)^2}{\left(9,11 \times 10^{-31} \ \mathrm{kg}\right)\left(5,29 \times 10^{-11} \ \mathrm{m}\right)}\right]^{1/2}$$

$$= 2,19 \times 10^6 \ \mathrm{m\,s^{-1}}$$

Ceci représente une vitesse importante : elle vaut environ 1 % de la vitesse de la lumière qui vaut $3 \times 10^8 \ \mathrm{m\,s^{-1}}$.

Nous verrons plus tard que ce modèle simple de l'atome d'hydrogène et sa généralisation aux autres atomes permet de prévoir correctement certaines propriétés atomiques observées expérimentalement. Toutefois, de nombreux phénomènes atomiques ne sont pas explicables sur la base de la mécanique newtonienne. Ceci a conduit, au début de ce siècle, à des modifications fondamentales dans notre manière de concevoir le monde à l'échelle atomique et subatomique.

5.7 SATELLITES ET MARÉES

Le triomphe de Newton est l'interprétation du mouvement des planètes autour du soleil et de la lune autour de la terre à partir des lois du mouvement et de la loi de la gravitation universelle. Ces lois lui ont également permis d'expliquer qualitativement les marées.

5.7.1 Les satellites

On peut comprendre le mouvement des satellites en considérant le cas d'un satellite artificiel en orbite circulaire autour de la terre. Le satellite possède une accélération dirigée vers la Terre. Cette accélération provient de la pesanteur, exactement comme dans l'exemple du seau d'eau en rotation dans un plan vertical. La chute du satellite est juste assez rapide pour le maintenir en orbite (figure 5.24). Nous pouvons établir une relation entre le rayon de l'orbite et la *période T*, c'est-à-dire le temps nécessaire pour effectuer une rotation complète.

Si le satellite a une masse m et la Terre une masse M_T, la force gravitationnelle qui s'exerce sur le satellite vaut GmM_T/r^2. À partir de la relation $F = ma_r$, on obtient

$$\frac{GmM_T}{r^2} = \frac{mv^2}{r}$$

Au cours d'une période T, le satellite parcourt la distance $2\pi r$. Sa vitesse peut s'écrire $v = 2\pi r/T$ et l'équation ci-dessus peut se mettre sous la forme

$$\frac{GmM_T}{r^2} = \frac{m}{r}\left(\frac{2\pi r}{T}\right)^2$$

En résolvant par rapport à T^2, on obtient une relation entre T et r,

$$T^2 = Cr^3 \tag{5.25}$$

où la constante C vaut

$$C = \frac{4\pi^2}{M_T G} \tag{5.26}$$

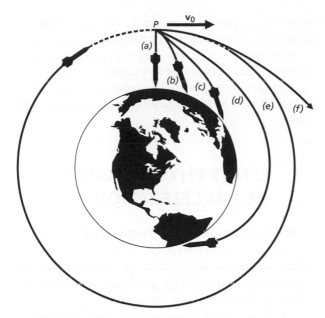

Figure 5.24 Des fusées, se trouvant au point *P*, moteurs arrêtés, subissent une accélération gravitationnelle dirigée vers le centre de la Terre. La trajectoire *(a)* correspond à une fusée sans vitesse initiale. Elle tombe en ligne droite. Si une fusée possède une vitesse initiale v_0 de plus en plus grande, dans la direction indiquée, la trajectoire se modifie comme indiqué par les courbes *(b)*, *(e)*, etc. La trajectoire *(e)* est une orbite circulaire fermée correspondant à un satellite artificiel de la Terre. Si la vitesse initiale est légèrement plus grande qu'en *(c)*, la fusée se mettra sur une orbite elliptique fermée. Si la vitesse initiale est suffisamment grande, la fusée s'échappera du voisinage de la Terre *(f)*. Remarquer que la fusée chute exactement comme une pierre qui a été lancée. Dans le cas d'une orbite circulaire, la fusée se déplace parallèlement à la surface terrestre, à une vitesse suffisante pour que sa chute la fasse tourner autour de la Terre.

Notons que *C* ne dépend pas de la masse du satellite. En conséquence, le mouvement de la Lune et de tous les satellites artificiels de la Terre obéit à la même relation $T^2 = Cr^3$, caractérisée par une même valeur de *C*. La relation $T^2 = Cr^3$ s'applique également aux planètes dans leurs mouvements presque circulaires autour du Soleil. (Dans ce cas, M_T représente la masse du Soleil et *r* la valeur moyenne du rayon de l'orbite.) Cette expression constitue une des trois lois que Kepler a énoncées au début du XVIIe siècle sur le mouvement des planètes. Cette loi fut déduite d'une analyse minutieuse des observations qui avaient été réalisées antérieurement. Newton a montré que ces trois lois pouvaient se déduire de la loi de la force gravitationnelle et des équations du mouvement.

Dans la question qui suit, nous allons calculer le rayon de l'orbite d'un satellite de communications ayant une période d'exactement vingt-quatre heures. Il s'agit donc d'un satellite géostationnaire.

 ──────── **Exemple 5.13** ────────

La Lune a une période $T_l = 27,3$ jours et son orbite a un rayon $r_l = 3,84 \times 10^5$ km. Que vaut le rayon de l'orbite d'un satellite dont la période T, est égale à 1 jour ?

Réponse   Nous utilisons la relation $T_2 = Cr^3$ à la fois pour le satellite artificiel et pour la Lune :

$$T_s^2 = Cr_s^3$$
$$T_l^2 = Cr_l^3$$

Si on prend le rapport entre ces deux équations, la constante *C* s'élimine et on obtient

$$\frac{T_s^2}{T_l^2} = \frac{r_s^3}{r_l^3}$$

ou encore

$$r_s = r_l \left[\frac{T_s}{T_l}\right]^{2/3} = \left(3,84 \times 10^5 \ \text{km}\right)\left[\frac{1 \ \text{jour}}{27,3 \ \text{jours}}\right]^{2/3}$$
$$= 4,24 \times 10^4 \ \text{km}$$

Le mouvement de la Lune, satellite naturel de la Terre, fournit un autre test des idées de Newton. On peut évaluer l'accélération, à partir de l'expression $a_l = v^2/r$, si on connaît la période et la distance de la Terre à la Lune. En utilisant la dépendance en $1/r^2$ de la force gravitationnelle et la valeur de *g* à la surface de la Terre, on peut prévoir l'accélération gravitationnelle g' qui existe en un point correspondant au rayon de l'orbite lunaire. Newton a montré que les valeurs de a_l et de g' étaient en bon accord (voir problème 5.78).

5.7.2   Les marées

Newton fut le premier à fournir une explication de l'intervalle de temps séparant deux marées hautes. Il a pu également rendre compte de l'amplitude des marées. Son interprétation fait intervenir une relation subtile entre les forces gravitationnelles et le mouvement circulaire.

Supposons pour commencer que la Terre et la Lune soient isolées du Soleil. Supposons aussi que les deux corps célestes soient au repos, hormis la rotation journalière de la Terre. La force gravitationnelle que la Lune exerce sur l'eau recouvrant la plus grande fraction de l'écorce terrestre est une force d'attraction. En conséquence, l'eau a tendance à se concentrer dans un renflement équatorial qui fait face à la lune. Cette attraction crée ainsi une poche d'eau schématisée par la figure 5.25*a*. Au cours de la rotation de la Terre, une surface émergée rencontrera cette poche d'eau une fois par jour, produisant ainsi une marée haute qui est suivie douze heures plus tard d'une marée basse.

En réalité, les marées hautes et basses se succèdent *deux fois* par jour. Newton a compris que ceci provenait du fait que la Lune et la Terre tournent toutes deux sous l'influence des attractions gravitationnelles, suivant des orbites quasi circulaires autour du centre de masse commun. (Cet effet n'est pas évident puisque la masse de la Terre est environ 80 fois supérieure à celle de la Lune et qu'elle se déplace donc sur un cercle beaucoup plus petit.) L'eau la plus éloignée du centre de masse possède la plus grande accélération centripète $\omega^2 r$, mais, pour cette eau, l'attraction de la Lune est la plus faible. De ce fait, le poids effectif de l'eau en ce point est réduit, ce qui provoque la création d'une seconde poche (figure 5.25*b*).

Ce raisonnement explique l'existence des marées hautes toutes les douze heures. En réalité, les marées hautes se succèdent à intervalles de 12 h et 25 min. Ceci résulte du changement de position de la Lune, après chaque révolution de la Terre. L'attraction du Soleil intervient aussi dans les marées. Son effet cependant est inférieur de moitié à celui de la Lune. Lorsque la Lune et le Soleil sont alignés, lors de la Pleine Lune ou à la Nouvelle Lune, on observe des grandes marées (marées de vives-eaux) plus importantes que les marées moyennes. Lorsque les directions sont perpendiculaires (premier et troisième quartier), on observe des marées de mortes-eaux moins importantes que les marées moyennes. Dans l'hypothèse où la Terre serait complètement recouverte par l'eau, on pourrait quantifier le raisonnement de Newton et prévoir que la surface de l'eau s'élèverait et s'abaisserait d'environ 0,5 m. C'est approximativement ce que l'on observe en des en-

droits fort éloignés de toute surface émergée. Toutefois, au voisinage des continents, les variations de profondeur et l'influence des baies, où l'eau a tendance à subir un phénomène de résonance, peuvent conduire à des marées beaucoup plus importantes. L'interprétation quantitative des marées reste un problème difficile et non entièrement résolu.

5.8 EFFETS PHYSIOLOGIQUES DE L'ACCÉLÉRATION

Le développement de l'aviation supersonique et, plus récemment, de la recherche spatiale, a donné lieu à de nombreuses recherches sur les réactions physiologiques du corps humain à l'accélération. Quelques accélérations typiques sont données dans le tableau 5.4.

Nous avons tous déjà éprouvé une faible accélération verticale dans des ascenseurs. Les effets que nous ressentons résultent du fait que la plus grande partie de notre corps, mais non sa totalité, est assez rigide. Le sang s'écoule dans des vaisseaux élastiques. Lorsque notre corps subit une accélération en montée, le sang s'accumule dans la partie inférieure du corps. Lorsque l'accélération est vers le bas, le volume de sang augmente dans la partie supérieure du corps. Par ailleurs, comme les organes ne sont pas fixés de manière rigide, nous pouvons ressentir des effets désagréables qui résultent de leur déplacement au cours d'une accélération.

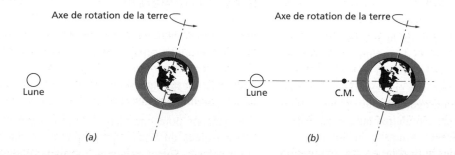

(a)   *(b)*

Figure 5.25 *(a)* Schéma de la Terre et de la Lune (échelle non respectée). Si les deux objets étaient au repos, exception faite de la rotation journalière de la Terre, l'eau serait attirée vers le côté de la Terre qui fait face à la Lune. *(b)* La Lune et la Terre se déplacent sur des orbites quasi circulaires (perpendiculaires à la page) autour du centre de masse commun. L'eau qui est la plus éloignée du centre de masse possède l'accélération centripète la plus grande mais elle subit l'attraction lunaire la plus faible. Le poids effectif de cette eau est réduit.

Type d'accélération	Accélération exprimée en multiples de *g*	Durée (secondes)
Ascenseurs		
service rapide	0,1 — 0,2	1—5
limite confortable	0,3	
arrêt d'urgence	2,5	
Automobile		
arrêt confortable	0,25	5—8
arrêt très désagréable	0,45	3—5
arrêt le plus brusque possible	0,70	3
accident (survie possible)	20—100	0,1
Avion		
décollage normal	0,5	10—20
décollage par catapulte	2,5 — 6	1,5
attérrissage en catastrophe (survie possible)	20—100	
siège éjectable	10—15	0,25
Homme		
ouverture d'un parachute	8—33	0,2 — 0,5
atterrissage en parachute	3—4	0,1 — 0,2
chute dans un filet de pompiers	20	0,1

Tableau 5.4 Durée approximative et ordre de grandeur de quelques brèves accélérations. Celles-ci sont exprimées sous la forme de multiples de l'accélération de la pesanteur $g = 9,8 \text{ m s}^{-2}$.

La résistance d'une personne à une accélération dépend, à la fois, de la grandeur et de la durée de celle-ci. En raison de l'inertie du sang et de l'élasticité des organes, les effets d'une accélération modérée (de quelques *g*) sont peu importants si cette accélération ne dure qu'une fraction de seconde. La limite de tolérance est alors de quelques dizaines de *g*. Elle est déterminée par la résistance structurelle des vertèbres. Au fur et à mesure que l'accélération persiste, le danger s'amplifie.

On a effectué des études approfondies sur les troubles circulatoires des pilotes soumis à des accélérations qui durent quelques secondes ou plus. Des pilotes d'avions, à la sortie d'un piqué se prolongeant pendant plusieurs secondes, peuvent éprouver deux types successifs de *blackout*. D'abord, un voile visuel apparaît à environ 3*g*. Cet effet provient d'une diminution de la pression sanguine dans la rétine qui est très sensible à la carence en oxygène. Cette réduction de pression résulte des difficultés du cœur à pomper le sang, suite à l'augmentation de son poids effectif. En modifiant la position du pilote, en l'entraînant à

contracter ses muscles abdominaux et en l'équipant d'une combinaison de vol adéquate, on peut réduire l'accumulation du sang dans la partie inférieure du corps. Ceci permet de reculer l'apparition du voile visuel à environ 5*g*. Par ailleurs, la diminution de l'apport de sang au cerveau conduit à une perte de conscience à environ 6*g*. Puisque de nombreux avions peuvent être soumis à des accélérations d'environ 9*g*, à la sortie d'un piqué, les limites de la tolérance humaine peuvent facilement être dépassées.

Lorsqu'un avion monte puis s'engage en descente suivant une trajectoire circulaire, le pilote et l'appareil sont plus vulnérables qu'à la sortie d'un piqué. La congestion des vaisseaux de la tête diminue l'activité cardiaque, ce qui provoque une diminution de l'apport d'oxygène à la rétine et au cerveau. Par ailleurs, les avions ne sont habituellement pas étudiés pour bien résister à ce genre de manœuvre. Ils risquent d'être endommagés même pour des sollicitations plus faibles que celles subies au cours des piqués. La question suivante illustre la valeur du poids effectif qui peut être atteinte durant certaines manœuvres.

✎ ——————— **Exemple 5.14** ———————

Un avion de masse m vole à la vitesse de $300\ \text{m s}^{-1}$ suivant une trajectoire circulaire verticale (figure 5.30). Quelle doit être la valeur minimum du rayon de l'orbite pour que la valeur du poids effectif vers le haut n'excède pas $2\ mg$?

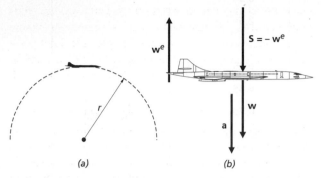

(a)   (b)

Figure 5.26 S est une force vers le bas exercée par l'air sur l'avion.

Réponse   Puisque le poids effectif $\mathbf{w}^e$ est dirigé vers le haut et vaut $3\ mg$, $\mathbf{w} = -3\ m\mathbf{g}$. D'après l'équation (5.6), on a $\mathbf{w}^e = m\mathbf{g} - m\mathbf{a}$, ainsi

$$-3m\mathbf{g} = m\mathbf{g} - m\mathbf{a}$$

ou $\mathbf{a} = 4\mathbf{g}$. L'accélération est ici l'accélération centripète et nous avons

$$\frac{v^2}{r} = 4g$$

Dès lors le rayon qui fournira un poids effectif de $3\ mg$ vers le haut vaut

$$r = \frac{v^2}{4g} = \frac{\left(300\ \text{m s}^{-1}\right)^2}{4\left(9{,}8\ \text{m s}^{-2}\right)} = 2\,300\ \text{m}$$

Un rayon plus petit conduit à un poids effectif plus grand.

5.9   PERCEPTION SENSORIELLE DU MOUVEMENT ANGULAIRE

Si une personne est assise sur une chaise tournante alors qu'elle a les yeux bandés, on peut observer les phénomènes suivants :

1. Lorsque la chaise tourne de $90°$ dans le sens des aiguilles d'une montre puis s'immobilise, la personne est capable d'identifier le sens de rotation et de percevoir l'arrêt de la chaise. L'expérience inverse conduit également à un résultat correct.

2. Si la chaise est accélérée rapidement et si la rotation se prolonge, la personne est capable d'identifier correctement le sens de rotation pendant environ 20 secondes.

Après, les réponses deviennent incertaines.

3. Si après environ 30 secondes on ralentit la chaise, la personne a tendance à dire que le mouvement s'est arrêté.

4. Si la chaise est ensuite immobilisée, la personne a habituellement l'impression de tourner dans le sens opposé.

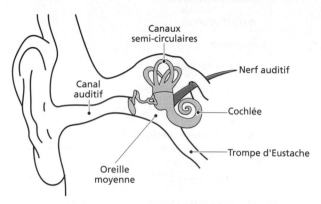

Figure 5.27 Vue schématique de l'oreille droite d'une personne. Les trois canaux semi-circulaires sont mutuellement perpendiculaires. Ils fonctionnent comme détecteurs de rotation autour de trois axes perpendiculaires dans l'espace.

Pour comprendre ces résultats, il est nécessaire de considérer la structure de l'oreille interne. L'oreille interne se compose de deux parties (figure 5.27). La première, la *cochlée*, contient les éléments du système auditif. La seconde partie contient trois canaux semicirculaires qui jouent un rôle peu important dans l'audition, mais dont la fonction essentielle est de détecter les mouvements de la tête.

La figure 5.28 détaille la structure d'un canal semicirculaire. Le canal contient un fluide, appelé *endolymphe*, qui s'apparente à l'eau. Ce canal est divisé par une paroi, appelée *cupule*, semblable à une porte de saloon. Sa fonction est de détecter le mouvement relatif du fluide. Pour comprendre le fonctionnement du canal, considérons l'exemple d'un seau d'eau suspendu à une corde qui est mis en rotation (figure 5.29). Au départ, l'eau est au repos. Elle le reste un moment lorsque le seau commence à tourner. Ceci résulte de l'insuffisance du frottement qui s'exerce entre la paroi du seau et l'eau. Toutefois, le moment résultant de cette force de frottement augmente progressivement la vitesse angulaire de l'eau. Après quelques secondes, l'eau tournera à la même vitesse angulaire que le seau. Si on arrête la rotation du seau, l'eau continuera à tourner pendant un certain temps. Le mouvement *relatif* de l'eau et du seau est alors inversé par rapport au mouvement observé lorsque le seau est mis en rotation.

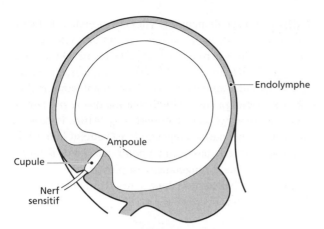

Figure 5.28 Schéma d'un canal semi-circulaire humain. L'endolymphe est un fluide qui peut circuler dans le canal. L'ampoule est un renflement dans lequel la cupule se place. La cupule peut fermer entièrement le canal. Elle possède toutefois des propriétés élastiques et elle plie lorsque le fluide se déplace. Lorsque la cupule est poussée par le fluide en mouvement, le nerf sensitif détecte ce mouvement et cette information est transmise au cerveau.

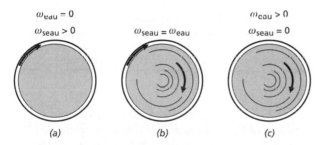

Figure 5.29 (a) Un seau d'eau est mis en rotation, l'eau étant initialement au repos. (On peut visualiser plus facilement le mouvement de l'eau grâce à des petits bouts de papier déposés sur la surface.) Pendant quelques secondes, l'eau reste pratiquement au repos. Le seau a donc, par rapport à l'eau, un mouvement dans le *sens des aiguilles d'une montre.* (b) Après quelque temps, les moments des forces de frottement accroissent la vitesse angulaire de l'eau qui possède alors la même vitesse angulaire que le seau. (c) Lorsqu'on arrête la rotation du seau, l'eau continue à se déplacer pendant un certain temps, puis est ralentie par les moments des forces de frottement. Par rapport à l'eau, le seau est animé d'une rotation dans le *sens inverse des aiguilles d'une montre.*

Dans l'oreille interne, il faut environ une seconde pour que l'endolymphe acquière la même vitesse que le canal. Initialement la cupule subit une déviation en raison du mouvement relatif du canal par rapport au fluide. Cette déviation est perçue par le nerf et l'information est transmise au cerveau. Lorsque le canal, le fluide et la cupule tournent à la même vitesse, la cupule reprend sa position initiale. Cependant, la force de rappel qui agit sur la cupule est tellement faible qu'il faut environ 20 secondes

pour que ce retour s'effectue. La perception de rotation persiste donc environ 20 secondes, après quoi l'oreille n'est plus capable de détecter la rotation.

Si la vitesse de rotation est réduite, le canal subit un ralentissement alors que, pour un bref instant, le fluide continue à tourner à plus grande vitesse. La cupule est donc déviée dans le sens opposé et le sujet perçoit un changement du sens de rotation. Si cette rotation plus lente continue pendant environ 20 secondes, la cupule revient de nouveau à sa position initiale et le sujet cesse de percevoir la rotation. Finalement, lorsque la rotation cesse, la cupule est de nouveau déviée et le sujet perçoit une rotation en sens inverse.

Si le sujet est soumis aux mêmes tests sans avoir les yeux bandés, on observe que les yeux ne restent pas fixés dans une direction invariable. Au contraire, ils se fixent successivement sur différents objets, ce qui provoque le *réflexe nystagmus.* Le clignement des yeux se poursuit aussi longtemps que le nerf détecte une flexion de la cupule. Lorsque la cupule revient à sa position normale, le réflexe des yeux s'arrête et le sujet, s'il n'est pas entraîné, perçoit les objets comme s'ils se dérobaient. L'équilibre est alors perdu.

Lorsque la rotation s'arrête, la cupule subit de nouveau une déviation et le réflexe nystagmus se manifeste, mais cette fois dans le sens opposé. Les objets au repos semblent être en mouvement pour revenir ensuite à leur position de départ.

5.10 SYSTÈME DE RÉFÉRENCE EN ROTATION ET FORCE DE CORIOLIS

Dans ce qui précède, nous avons étudié le mouvement circulaire dans un système de référence *inertiel.* Parfois, il peut s'avérer utile de considérer un système de référence qui tourne et qui, par conséquent, accélère de façon centripète. Examinons, par exemple, le mouvement des objets du point de vue (c'est-à-dire dans le système de référence) d'une personne assise sur une plate-forme tournant à la vitesse angulaire ω. Cette personne peut avoir l'impression d'être immobile alors que le reste du monde tourne autour d'elle. Toutefois, lorsqu'elle pose une balle délicatement, sans la pousser, sur le plancher lisse de la plate-forme tournante, elle voit que celle-ci, d'abord immobile, accélère en se déplaçant vers l'extérieur selon une trajectoire semblable à celle de la figure 5.30.

D'après la première loi de Newton, un objet immobile au départ devrait rester immobile en l'absence de force extérieure agissant sur lui. Néanmoins, pour l'observateur placé sur la plate-forme tournante, la balle a commencé à se déplacer sans avoir subi l'action d'une quelconque force. Une personne se trouvant en dehors du système en rotation s'explique très bien la situation : de son point de vue, la balle avait une vitesse initiale lorsqu'elle a été déposée (parce que la plate-forme bouge) et elle a simplement continué à se déplacer selon une trajectoire rectiligne (comme dans la figure 5.30b), conformément à la première loi de Newton.

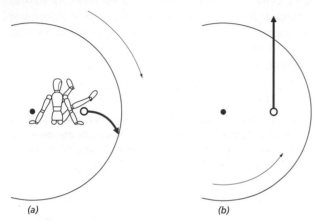

(a)   *(b)*

Figure 5.30 Trajectoire d'une balle déposée sur une plate-forme en rotation. *(a)* dans le système de référence d'une personne assise sur la plate-forme. *(b)* dans le système de référence d'une personne à coté de la plate-forme.

Que peut-on en conclure ? Très clairement, la première loi de Newton ne s'applique pas dans un référentiel en rotation : on parlera de système de référence non inertiel. La deuxième loi de Newton n'est pas valable non plus dans un tel système. Dans la situation décrite ci-dessus, la balle accélère par rapport à la plate-forme tournante alors qu'aucune force nette ne s'exerce sur elle. Le fait que les lois de Newton ne s'appliquent pas à des observations faites dans un système de référence en rotation complique fortement le calcul d'un mouvement exécuté dans un tel référentiel. Toutefois, nous allons voir qu'il est possible de recourir à un « subterfuge » : on peut continuer à écrire l'équation $F = ma$ pour autant que l'on tienne compte du caractère non inertiel du référentiel en introduisant une force fictive complémentaire, parfois appelée *pseudo-force*. Nous illustrons cela maintenant dans un cas particulier.

Considérons deux personnes, A et B, immobiles sur une plate-forme tournant à une vitesse angulaire ω (comme le montre la figure 5.31) et séparées respectivement par les distances r_A et r_B de l'axe de rotation (point O). La personne A lance une balle à B à une vitesse horizontale v (dans son système de référence) suivant un rayon orienté vers l'extérieur. Du point de vue d'un observateur placé dans un référentiel inertiel (figure 5.31a), la balle a,

au départ, non seulement une vitesse v orientée de façon *radiale* vers l'extérieur mais également une vitesse *tangentielle* v_A due à la rotation de la plate-forme. On sait que $v_A = r_A\omega$. Si B tournait à la même vitesse que A, il pourrait attraper la balle sans se déplacer. Cependant, comme il se trouve plus éloigné de l'axe de rotation que A ($r_B > r_A$), sa vitesse $v_B = r_B\omega$ est supérieure à v_A. Ainsi, lorsque la balle (qui a une vitesse tangentielle v_A) atteint le bord de la plate-forme, elle passe en un point que B a déjà quitté parce que sa vitesse tangentielle est plus grande que celle de la balle. La balle arrive donc après B qui la voit passer derrière lui, à une distance s.

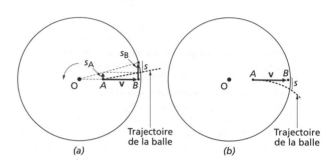

Trajectoire   Trajectoire
de la balle   de la balle
(a)   *(b)*

Figure 5.31 Description de l'effet de Coriolis sur la trajectoire d'une balle lorsque l'on regarde du dessus une plate-forme en rotation en adoptant le point de vue d'un observateur *(a)* dans un référentiel immobile, *(b)* dans le système en rotation.

La figure 5.31b représente la même situation, mais en prenant la plate-forme tournante comme système de référence. A et B sont cette fois immobiles ; la balle lancée vers B avec une vitesse v, est déviée, passant derrière B comme on l'a décrit précédemment. Pour une personne adoptant ce référentiel, la déviation de la balle évoque l'existence d'une accélération, et donc d'une force, s'exerçant perpendiculairement à v. Nous savons qu'il s'agit d'un *artefact* lié au caractère non-inertiel du référentiel. Néanmoins, cela offre la possibilité de décrire le déplacement de la balle dans un référentiel non inertiel en utilisant la seconde loi de Newton, $F = ma$, à condition d'ajouter une force *fictive* destinée à décrire correctement la déviation de la balle. Dans l'exemple que nous venons de décrire, cette force fictive porte le nom de *force de Coriolis*. Cette force n'est pas une force véritable mais semble agir sur tout objet en mouvement dans un système en rotation, pris comme référence.

Déterminons la grandeur de *l'accélération de Coriolis* dans l'exemple qui précède. Le raisonnement est effectué dans le système de référence inertiel (figure 5.31a). La balle suit une trajectoire *radiale* orientée vers l'extérieur sur une distance $r_B - r_A$ à une vitesse v dans un temps t, c'est-à-dire que

$$r_B - r_A = vt$$

Simultanément, elle possède une vitesse tangentielle v_A et se déplace dans une direction perpendiculaire d'une distance s_A exprimée par

$$s_A = v_A t$$

Quant à B, dans le temps t, il parcourt une distance

$$s_B = v_B t$$

La balle, lorsqu'elle atteint le bord de la plate-forme, arrive donc derrière B, à une distance s de ce dernier (figure 5.31a) :

$$s = (s_B - s_A) = (v_B - v_A)t$$

Nous avons vu précédemment que $v_A = r_A \omega$ et $v_B = r_B \omega$ de sorte que

$$s = (r_B - r_A) \, \omega \, t$$

En remplaçant $r_B - r_A$ par vt, on obtient

$$s = \omega v t^2$$

qui donne le déplacement tangentiel constaté par un observateur placé dans un système en rotation (figure 5.31b).

De toute évidence, cette équation s'apparente à celle d'un mouvement uniformément accéléré pour lequel $x = at^2/2$ lorsque $v_0 = 0$ (équation 1.8). On peut donc décrire la déviation de la balle comme $s = a_c t^2/2$. Cette déviation apparaît comme le résultat d'une accélération constante, a_c, appelée *accélération de Coriolis*

$$a_c = 2 \, \omega \, v$$

Cette accélération est orientée selon une direction perpendiculaire à la fois à la vitesse v et à la vitesse angulaire de rotation du référentiel ω. Elle est de plus dirigée en sens opposé à la vitesse v_A. En général, on exprime l'accélération de Coriolis sous forme vectorielle. Elle prend alors la forme

$$\mathbf{a}_c = -2\boldsymbol{\omega} \times \mathbf{v}$$

L'effet de Coriolis a des conséquences pratiques intéressantes en raison du mouvement de rotation de la Terre. Il influence, par exemple, le déplacement des masses d'air et ainsi le climat. A cause de l'effet de Coriolis, l'air, plutôt que de s'élancer directement vers une région de basse pression (figure 5.32a), est dévié vers la droite (figure 5.32b) de telle sorte que des vents soufflant dans le sens inverse des aiguilles d'une montre circulent autour de la zone de basse pression. Ce phénomène se produit dans l'hémisphère Nord, auquel correspond la figure 5.33. Le phénomène contraire s'observe dans l'hémisphère Sud.

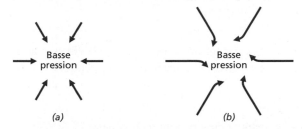

Figure 5.32 À cause de la rotation de la Terre, les vents ne s'élancent pas directement vers les régions de basse pression *(a)*, mais sont déviés comme si une force fictive (la force de Coriolis) agissait sur eux *(b)*.

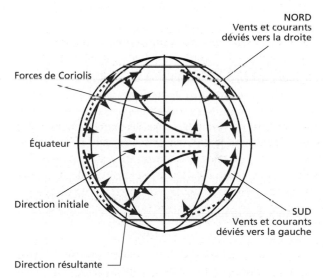

Figure 5.33 Illustration des effets de Coriolis liés à la rotation de la Terre sur le mouvement des masses d'air.

Réviser

RAPPELS DE COURS

Un objet animé d'un mouvement circulaire possède une accélération centripète

$$\mathbf{a}_r = -\left(v^2/r\right)\hat{\mathbf{r}}$$

qui est dirigée vers le centre du cercle. Si la vitesse varie, il possède également une accélération tangentielle

$$\mathbf{a}_T = \frac{dv}{dt}\hat{\mathbf{t}}$$

dirigée suivant la direction du mouvement.

L'accélération centripète est produite par une force résultante agissant sur l'objet. Cette force est égale à $m\mathbf{a}_r$. Dans un virage non relevé, cette force résultante est entièrement fournie par le frottement. Dans le cas d'un virage relevé, une partie ou la totalité de la force est fournie par la force normale. Lorsqu'un objet est en rotation dans un plan vertical, une force supplémentaire vers le bas s'ajoute au poids et maintient l'objet sur sa trajectoire.

La position, la vitesse et l'accélération angulaire servent à décrire le mouvement de rotation d'un corps rigide autour d'un axe fixe. Les définitions de ces grandeurs et les relations qui les lient sont analogues à celles du mouvement rectiligne. Elles sont reprises dans les tableaux 5.1 et 5.2.

Lorsqu'un corps solide, libre de tourner autour d'un axe fixe, est soumis à un moment résultant par rapport à un point de l'axe, il possède une accélération angulaire qui est donnée par la relation

$$\tau = I\alpha$$

Le moment d'inertie I d'une masse ponctuelle vaut mr^2. Il est donc d'autant plus important que la masse est située loin de l'axe de rotation. Pour déterminer le moment d'inertie d'un objet complexe, on le divise en petits éléments de volume et on somme les contributions individuelles mr^2.

PHRASES À COMPLÉTER

Voir réponses en fin d'ouvrage.

1. Un mouvement circulaire pour lequel le module de la vitesse est constant s'appelle _____.

2. Un objet en mouvement circulaire uniforme possède une accélération dirigée vers _____.

3. Un objet en mouvement circulaire uniforme est soumis à une force résultante dirigée vers _____.

4. Le dérapage d'une voiture se produit quand la force de frottement maximum exercée par une route non relevée est inférieure à _____.

5. Si le module de la vitesse d'un objet en mouvement circulaire varie, il possède une _____ qui est donnée par le taux de variation du module de la vitesse par rapport au temps.

6. Un tour complet représente un déplacement angulaire de _____ radian.

7. La vitesse angulaire représente la variation du _____ divisé par le temps. Ce vecteur a la direction de _____.

8. L'accélération angulaire représente la variation de la _____ divisé par le temps.

9. L'accélération d'un corps solide en rotation autour d'un axe fixe est proportionnelle au _____.

10. Le moment d'inertie d'une masse ponctuelle m dépend de la masse et _____.

11. Pour un objet donné, le moment d'inertie dépend de la position de _____.

12. Les structures des atomes et des molécules sont déterminées par des forces _____.

13. La structure des noyaux est déterminée par des _____.

14. Des charges de même signe se _____. Des charges de signes contraires se _____.

15. Un noyau comprend deux types de _____. Les _____ et les _____.

16. Un noyau a une dimension environ _____ fois moindre qu'un atome.

17. Les nucléons sont constitués de _____.

18. Les quatre forces fondamentales sont _____.

19. La force électrique entre deux charges est inversement proportionnelle au _____.

EXERCICES CORRIGÉS

E1. Un virage dont le rayon de courbure est de 900 m est relevé vers l'extérieur de sorte qu'une voiture puisse le négocier à une vitesse de 30 m s^{-1} sans qu'interviennent les forces de frottement. Si le coefficient de frottement statique vaut 0,1, jusqu'à quelle vitesse peut-on prendre ce virage sans risque de déraper ?

Solution

Considérons un repère xy pour lequel x est horizontal et orienté de la voiture vers le centre de la trajectoire et y est vertical et orienté vers le haut.

L'angle d'inclinaison du virage, θ, n'est pas fourni mais s'obtient aisément. En absence de frottements, l'angle selon lequel le virage est relevé peut se déduire, conformément à ce que nous avons vu dans l'exemple 5.3, de $\tan\theta = v^2/Rg$ de sorte que l'on obtient $\theta = 6°$.

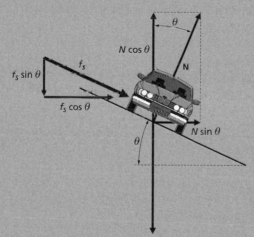

Figure 5.34 Forces agissant sur la voiture empruntant un virage relevé.

Les forces agissant sur la voiture (figure 5.34) sont le poids **w** et la force normale **N**. En présence de frottements, une force supplémentaire f_s s'applique sur la voiture tangentiellement à la surface du plan incliné. Cette force va servir a fournir une partie de l'accélération radiale et sera donc orientée de sorte que sa composante selon x pointe vers les x positifs. La vitesse maximum permise que l'on cherche à déterminer sera celle pour laquelle la force de frottement prend sa valeur maximum, $f_s(\max) = \mu_s \cdot \mathbf{N}$.

Selon y, il n'y a pas d'accélération de sorte que la somme des forces doit être nulle

$$\mathbf{N}\cos\theta - mg - \mu_s N \sin\theta = 0$$

$$\Rightarrow \mathbf{N} = \frac{mg}{(\cos\theta - \mu_s \sin\theta)}$$

Selon x, la somme des forces doit être égale à $ma_r = mv^2/R$ de sorte que

$$\mathbf{N}\sin\theta + \mu_s \mathbf{N}\cos\theta = \frac{mv^2}{R}$$

Combinant les deux dernières équations, on déduit

$$v^2 = \frac{Rg(\sin\theta + \mu_s \cos\theta)}{(\cos\theta - \mu_s \sin\theta)}$$

$$= Rg\frac{(\tan\theta + \mu_s)}{(1 - \mu_s\tan\theta)}$$

$$= (900)(9,81)\frac{(\tan 6° + 0,1)}{(1 + 0,1\tan 6°)}$$

$$= 1\,830,10\ \text{m}^2\text{s}^{-2}$$

La vitesse maximum permise est donc égale à $v = 42,78$ m s^{-1}, soit 154 km h^{-1}.

E2. Une particule de masse $m = 100$ g, suspendue à un fil de longueur $L = 50$ cm décrit un mouvement circulaire uniforme , comme illustré sur la figure 5.35. On observe que la période de révolution est $T = 1$ s. Déterminez la vitesse v de rotation ainsi que l'angle θ que fait le fil avec la verticale.

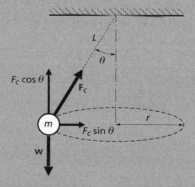

Figure 5.35 Illustration d'un pendule conique.

Solution

La période de révolution T est liée au rayon de la trajectoire ainsi qu'à la vitesse. On peut écrire

$$T = \frac{2\pi r}{v} = \frac{2\pi L \sin\theta}{v}$$

Dans cette équation v et θ sont inconnus. Pour déterminer leur valeur, on doit donc trouver une seconde relation. Celle-ci s'obtient en étudiant le mouvement de rotation de la masse.

Les forces agissant sur la masse sont son poids **w** et la force exercée par la corde $\mathbf{F}_c$. Aucun mouvement ne se produit verticalement, de sorte que l'accéléraion est nulle dans cette direction

$$F_c \cos\theta - mg = 0$$

Dans le plan horizontal, la masse décrit un mouvement circulaire uniforme de sorte que

$$F_c \sin \theta = \frac{mv^2}{r}$$

Éliminant F_c entre les deux dernières équations et tenant compte du fait que $r = L \sin\theta$, on trouve une seconde relation entre v et θ

$$\frac{mg}{\cos \theta} \sin \theta = \frac{mv^2}{L \sin \theta}$$

$$\Rightarrow \quad v = \sqrt{\frac{Lg \sin^2 \theta}{\cos \theta}}$$

En la combinant avec la première équation de manière à éliminer v, on obtient

$$T = \frac{2\pi L \sin \theta}{\sqrt{Lg \sin^2 \theta / \cos \theta}} = 2\pi \sqrt{\frac{L \cos \theta}{g}}$$

$$\Rightarrow \quad \cos \theta = \frac{g}{L} \left(\frac{T}{2\pi} \right)^2$$

$$= \frac{9,81}{0,5} \left(\frac{1}{2\pi} \right)^2$$

$$= 0,5$$

On en déduit : $\theta = 60°$. En remplaçant dans l'expression donnant v, on trouve finalement

$$v = \sqrt{\frac{Lg \sin^2 \theta}{\cos \theta}} = \sqrt{\frac{(0,5)(9,81) \sin^2 60°}{\cos 60°}}$$

$$= 2,71 \text{ m s}^{-1}$$

S'entraîner

QCM

Voir réponses en fin d'ouvrage.

Q1. Une voiture peut négocier un virage non relevé à une vitesse maximum égale à v. Si, par temps de pluie, le coefficient de frottement statique est divisé par deux, la voiture pourra négocier le même virage à une vitesse au plus égale à

a) $\sqrt{2}v$

b) $\sqrt{2}v/2$

c) $v/2$

d) $v/4$

e) aucune de ces réponses.

Q2. Dans un mouvement circulaire uniforme, on peut dire que

a) **a** et **v** sont constants

b) **a** et v sont constants

c) a et **v** sont constants

d) a et v sont constants

e) aucune de ces réponses.

Q3. Le rayon de l'orbite circulaire d'un satellite géostationnaire en révolution autour de la Terre est R. L'orbite d'un satellite de masse double effectuant un tour de la Terre en 8 jours vaut

a) $R/8$

b) $R/4$

c) $R/2$

d) $2R$

e) $4R$.

Q4. Une voiture peut négocier un virage relevé d'un angle θ à une vitesse v sans qu'aucune force de frottement n'intervienne. Si, le rayon de courbure était deux fois plus grand, cette vitesse deviendrait égale à

a) $\sqrt{2}v$

b) $\sqrt{2}v/2$

c) $2v$

d) $4v$

e) aucune de ces réponses.

Q5. Dans un mouvement circulaire uniformément accéléré, on peut dire que

a) α et ω sont constants

b) ω et a_t sont constants

c) α et a_t sont constants

d) α et a_r sont constants

e) aucune de ces réponses.

Q6. La vitesse linéaire d'une particule effectuant 500 tours/min sur une trajectoire circulaire de 0,5 m de rayon vaut

a) $26,18 \text{ m s}^{-1}$

b) 145 m s^{-1}

c) $1\,371 \text{ m s}^{-1}$

d) $9\,423 \text{ m s}^{-1}$

e) aucune de ces réponses.

Q7. La roue avant d'un vélo de fantaisie a un rayon 2 fois plus grand que la roue arrière. Si on suppose que toute la masse est concentrée dans la jante qui a une masse ρ par unité de longueur, le rapport entre le moment d'inertie de la roue avant et celui de la roue arrière est égal à

a) 2

b) 4

c) 8

d) 16

e) aucune de ces réponses.

Q8. Une étoile A en rotation se décomposera au-delà d'une certaine vitesse angulaire critique ω_c. Si une étoile B a une masse double et un rayon double de A sa vitesse critique de rotation sera égale à

a) ω_c

b) $\omega_c/2$

c) $\omega_c/4$

d) $\omega_L/8$

e) aucune de ces réponses.

Q9. Une particule de masse M en rotation sur une trajectoire circulaire de rayon R possède une accélération angulaire α produite par une force F_t, appliquée tangentiellement à la trajectoire. Une particule de masse $3M$ sur une trajectoire de rayon $2R$ soumise à la même force aura une accélération angulaire

a) $\alpha/12$

b) $\alpha/6$

c) $2\alpha/3$

d) $3\alpha/4$

e) aucune de ces réponses.

Q10. L'accélération produite dans une centrifugeuse tournant à 1 000 tours/min, sur une particule se trouvant à 10 cm de l'axe de rotation est égale à

a) 13 g

b) 112 g

c) 1 096 g

d) 104 g

e) aucune de ces réponses.

EXERCICES

Voir réponses en fin d'ouvrage pour les exercices et problèmes dont le numéro est inscrit en noir.

L'accélération centripète

5.1 Une femme court à la vitesse de 8 m s^{-1} sur une piste circulaire de rayon 100 m. Que vaut son accélération ?

5.2 Un garçon roule à vélo à la vitesse de 10 m s^{-1} sur une piste circulaire de 200 m de rayon.

a) Que vaut son accélération ?

b) Si le garçon et le vélo ont une masse totale de 70 kg, que vaut la force qui fournit cette accélération ?

5.3 Une voiture de course effectue un tour d'un circuit circulaire à la vitesse de 60 m s^{-1}. Si la force qui fournit l'accélération centripète est égale au poids de la voiture, que vaut le rayon du circuit ?

5.4 Un homme est assis dans une voiture sans ceinture de sécurité. Il a tendance à glisser vers la gauche lorsque la voiture tourne à droite. Existe-t-il une force qui pousse l'homme vers la gauche ? Expliquer.

5.5 La vitesse des centrifugeuses est en partie limitée par la résistance des matériaux utilisés pour leur construction. On centrifuge un échantillon de 10 g = $\left(10^{-2} \text{ kg}\right)$ à 60.000 tours par minute. Le rayon de rotation vaut 0,05 m.
a) Quelle force la centrifugeuse exerce-t-elle sur l'échantillon ?
b) Quelle est la masse de l'échantillon au repos si son poids est égal à cette force ?

5.6 Un enfant est assis à 4 m du centre d'un manège qui effectue un tour complet en 10 s. Que vaut l'accélération de l'enfant ?

5.7 Un avion de chasse à réaction vole à la vitesse de 500 m s^{-1}. Il sort d'un piqué suivant une trajectoire circulaire. Que vaut le rayon de cette trajectoire si le pilote est soumis à une accélération de 5 g vers le haut ?

5.8 Le rayon de l'orbite terrestre autour du Soleil vaut $1,5 \times 10^8$ km et la période est de 365 jours. Que vaut l'accélération centripète de la Terre ?

5.9 Un pilote entraîné est capable de sortir d'un piqué suivant une trajectoire circulaire en subissant, au bas de cette trajectoire, une accélération de 5,5 g vers le haut. Un pilote sans entraînement peut effectuer la même manœuvre à la même vitesse mais il peut seulement subir une accélération de 3 g. Que vaut le rapport des rayons minima des trajectoires suivies par les deux pilotes ?

5.10 Une centrifugeuse est destinée à tester la tolérance humaine à l'accélération. Elle comprend une nacelle située à 6 m de l'axe vertical de rotation. Pour quelle vitesse l'accélération horizontale vaut-elle 11 g ?

5.11 Une voiture parcourt une courbe circulaire plane dont le rayon vaut 0,25 km. Le coefficient de frottement statique entre les pneus et la route vaut 0,4. À quelle vitesse la voiture commencera-t-elle à déraper ?

5.12 Une femme de 60 kg court à la vitesse de 6 m s^{-1} sur une piste circulaire plane dont le rayon vaut 200 m.

a) Que vaut son accélération ?

b) Quelle force produit cette accélération ?

c) Que vaut cette force ?

5.13 Montrer que v^2/R a les dimensions d'une accélération.

Exemples de mouvement circulaire

5.14 Quel devrait être l'angle d'inclinaison de la piste de l'exercice 5-12 pour que le frottement n'intervienne pas dans la force centripète ?

5.15 Une voiture de course parcourt un circuit circulaire dont le rayon vaut 4 000 pieds. Si la force de frottement est nulle et si la vitesse est de 200 pieds/seconde, quel est l'angle d'inclinaison de la route ?

5.16 Un circuit circulaire a un rayon de 336 m et la route a une inclinaison de 35°. Pour quelle vitesse la force de frottement est-elle nulle ?

5.17 Pourquoi peut-il être dangereux de rouler à faible vitesse sur des routes fort relevées lorsqu'elles sont très glissantes ?

5.18 Une hirondelle vole à la vitesse de 18 m s^{-1}, suivant un arc de cercle horizontal dont le rayon vaut 15 m.

a) Que vaut son accélération ?

b) Quel est l'angle d'inclinaison de l'oiseau ?

5.19 Un virage est relevé pour qu'aucune force de frottement n'intervienne lorsque la vitesse d'un véhicule est de 60 km h^{-1}. Si une voiture roule à 40 km h^{-1}, quelle est la direction de la force de frottement exercée par la route ?

5.20 Un avion prend de l'altitude puis pique vers le sol suivant une trajectoire circulaire de rayon R. Si sa vitesse est de 400 m s^{-1}, pour quelle valeur du rayon le pilote sera-t-il en état d'apesanteur au sommet de l'arc de cercle ?

5.21 Lorsque des échantillons tournent dans une ultra-centrifugeuse, leurs poids effectifs valent 10^5 fois leurs poids normaux. Si un échantillon est situé à 0,05 m de l'axe de rotation, combien de rotations par minute la centrifugeuse effectue-t-elle ?

5.22 Un oiseau, dont le poids est w, vole à la vitesse de 15 m s^{-1} suivant une trajectoire circulaire horizontale dont le rayon vaut 15 m. Quel est le poids effectif de l'oiseau ?

5.23 Une grande roue de manège dont le rayon vaut 16 m est en mouvement circulaire uniforme dans un plan vertical. Elle effectue un tour en 20 s.

a) Que vaut l'accélération centripète ?

b) Que vaut le poids effectif d'une personne de 45 kg lorsqu'elle est au point le plus élevé de la trajectoire ?

c) Que vaudra le poids effectif au point le plus bas de la trajectoire ?

Variables angulaires

5.24 Un point situé sur une roue de vélo subit un déplacement d'1 m. Si ce point est à 0,4 m de l'axe, de quel angle la roue a-t-elle tourné ? Exprimer la valeur

a) en radians ;

b) en degrés.

5.25 Les angles suivants sont donnés en radians. Exprimer leur valeur en degrés et représenter les coordonnées angulaires correspondantes sur des cercles (voir figure 5.13*a*).

a) $\theta = \pi/3$ rad

b) $\theta = 3\pi/4$ rad

c) $\theta = 9\pi/4$ rad .

5.26 La figure 5.36 montre un triangle rectangle. Deux angles sont connus.

a) Exprimer la valeur de ces deux angles en radians.

b) La somme des angles d'un triangle vaut 180°. Exprimer la valeur du troisième angle en radians.

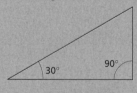

Figure 5.36

5.27 La figure 5.37 montre une sphère qui est en rotation autour d'un axe vertical. Quelle est la direction de la vitesse angulaire en *a)* ; en *b)* ?

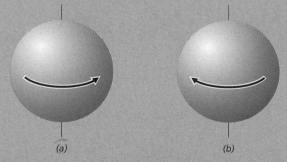

(a) (b)

Figure 5.37 Les flèches colorées indiquent le sens de la rotation de la sphère autour d'un axe vertical.

5.28 Si la sphère de la figure 5.37a tourne à vitesse constante, quelles sont la direction et la grandeur de ω si le déplacement angulaire est de

a) π rad en 0,4 s ?

b) 270° en 0,6 s ?

5.29 Une cycliste passe devant vous en venant de la gauche. Si sa vitesse est de 5 m s^{-1},

a) quelles sont la direction et la grandeur de la vitesse angulaire d'une des roues dont le rayon est de 0,4 m ?

b) Au cours de la manoeuvre, la cycliste augmente sa vitesse et son accélération est de 1 m s^{-2}. Que vaut l'accélération angulaire d'une roue ?

5.30 a) Trouver l'accélération radiale au bord d'un disque de phonographe de 0,15 m de rayon qui effectue 78 tours par minute.

b) Le disque s'arrête en 2 s avec une décélération angulaire uniforme. Trouver la décélération tangentielle au bord du disque et la décélération angulaire.

5.31 Une ultracentrifugeuse produit, à une distance de 0,05 m de l'axe de rotation, une accélération radiale valant 300.000 fois l'accélération de la pesanteur. Exprimer la vitesse angulaire en radians par seconde et en tours par minute.

5.32 Une roue de manège effectue un tour dans un plan vertical en 20 s. Le rayon de la roue vaut 10 m.

a) Que vaut la vitesse angulaire exprimée en radians par seconde ?

b) Quelle est l'accélération radiale d'un passager ?

5.33 Les pulsars sont des objets astronomiques qui peuvent tourner autour de leur axe en 0,03 s. À partir des données du tableau 3.2, déterminer si les pulsars sont

a) des étoiles ordinaires comme notre Soleil

b) des naines blanches

c) des étoiles à neutrons.

5.34 Supposons qu'une roue ait une vitesse angulaire initiale ω_0 = 10 rad s^{-1}. L'accélération angulaire qui vaut 2,5 rad s^{-2} est dirigée dans le sens opposé à ω_0.

a) Combien de temps faut-il à la roue pour s'arrêter ?

b) Quel est l'angle parcouru par la roue pendant cet intervalle de temps ?

5.35 Une voiture en accélération uniforme part du repos et atteint la vitesse de 20 m s^{-1} en 15 secondes. Les roues ont un rayon de 0,3 m.

a) Que vaut la vitesse angulaire finale des roues ?

b) Que vaut l'accélération angulaire des roues ?

c) Que vaut le déplacement angulaire pendant l'intervalle de temps de 15 secondes ?

5.36 Le ventilateur d'un moteur d'automobile effectue 700 tours par minute. On appuie sur l'accélérateur et, en 6 secondes, la vitesse passe à 3500 tours par minute.

a) Évaluer les vitesses angulaires initiale et finale en rad s^{-1}.

b) Trouver l'accélération angulaire moyenne.

c) En supposant l'accélération angulaire constante, évaluer le déplacement angulaire au cours de la période d'accélération de 6 secondes.

d) Trouver l'accélération tangentielle d'un point situé à 0,2 m de l'axe de rotation.

Moment, accélération angulaire et moment d'inertie

5.37 Une roue de vélo a une masse de 2 kg et un rayon de 0,35 m. Que vaut son moment d'inertie ?

5.38 Deux roues de masse m ont pour rayon R. La roue A est un disque homogène et la roue B a toute sa masse concentrée dans la jante. Trouver le rapport des moments d'inertie I_B/I_A.

5.39 Évaluer le rayon de giration d'une barre de longueur l qui pivote autour d'un axe passant par son centre.

5.40 Évaluer le rayon de giration d'un objet sphérique de rayon R qui tourne autour d'un axe passant par son centre.

5.41 Le disque d'une meule a une épaisseur uniforme, un rayon de 0,08 m et une masse de 2 kg.

a) Que vaut le moment d'inertie ?

b) Que doit valoir le moment d'une force qui fait passer le disque du repos à une vitesse de 12 rad s^{-1} en 8 secondes ?

5.42 Supposons que la Terre soit une sphère uniforme. Évaluer son moment d'inertie par rapport à un axe qui passe par son centre. (Le rayon moyen de la Terre vaut $6,38 \times 10^6$ m et sa masse totale vaut $5,98 \times 10^{24}$ kg.)

5.43 Les masses m_1 et m_2 sont suspendues à une poulie dont la masse vaut M (figure 5.38). La poulie est un cylindre solide de rayon R qui tourne sans frottement. Que vaut l'accélération tangentielle de la roue si $M = m_2$ et si $m_1 = 1/2\, m_2$?

5.44 Deux masses m_1 et m_2 sont suspendues à une poulie de masse M qui tourne sans frottement (figure 5.38). Si toute la masse de la poulie peut être considérée comme localisée dans la jante et si $M = 2m_2 = 3m_1$, trouver l'accélération des masses m_1 et m_2.

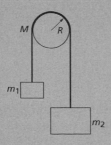

Figure 5.38

Charges électriques ; forces fondamentales

5.45 Certains objets peuvent acquérir une charge électrique résultante par frottement. C'est ce qu'on observe par temps sec lorsque l'on marche sur une moquette de laine. Combien d'électrons doivent-ils être transférés pour donner naissance à une charge résultante de $+10^{-6}$ C ? Les électrons sont-ils ajoutés ou soustraits ?

5.46 Un gramme d'hydrogène contient environ 6×10^{23} électrons. Quelle fraction des électrons faut-il enlever pour fournir à l'échantillon une charge résultante de 10^{-3} C ?

5.47 Deux charges identiques sont distantes de 0,1 m. Elles exercent l'une sur l'autre des forces électriques de 10 N.

a) Quelle est la grandeur d'une des charges ?

b) Évaluer le rapport entre cette charge et la charge de l'électron.

5.48 Des protons cosmiques viennent frapper les couches supérieures de l'atmosphère. Le flux est de 15 protons par m^2, par seconde. Quelle charge totale est reçue par la terre en 24 heures ? (Le rayon de la Terre vaut $6,38 \times 10^6$ m).

La loi de Coulomb

5.49 Un kilogramme d'hydrogène moléculaire contient $3,01 \times 10^{26}$ molécules. Chaque molécule comprend deux atomes d'hydrogène.

a) Que vaut la charge totale des électrons dans 1 kg d'hydrogène moléculaire ?

b) Quelle est la charge totale des protons ?

c) Si les électrons étaient séparés des protons et placés à 1 m de ceux-ci, que vaudrait la force électrique entre les protons et les électrons ?

5.50 Dans un noyau, la distance de séparation minimum entre deux protons est d'environ 10^{-15} m.

a) Évaluer la force électrique entre deux protons séparés par cette distance.

b) Trouver le rapport entre cette force et la force existant entre un proton et un électron distants de 10^{-10} m.

5.51 Un cristal de chlorure de sodium est constitué d'ions Na^+ auxquels il manque un électron, et d'ions Cl^- qui ont un électron en surplus. Quelle est la force entre un ion Na^+ et un ion Cl^- lorsqu'ils sont distants de 5×10^{-10} m ?

5.52 Dans le modèle simple de l'atome d'hydrogène, le rayon de l'orbite électronique circulaire vaut $5,29 \times 10^{-11}$ m. La vitesse de l'électron est de $2,19 \times 10^6$ m s^{-1}. Trouver

a) l'accélération de l'électron

b) le nombre de révolutions effectuées par seconde.

Satellites et marées

5.53 Un satellite artificiel de la Terre est sur une orbite circulaire dont le rayon vaut 1/4 du rayon de l'orbite lunaire. Quelle est sa période ?

5.54 Un satellite artificiel doit être placé sur une orbite autour du Soleil et sa période doit correspondre à 8 années terrestres. Par définition, le rayon de l'orbite terrestre est 1 unité astronomique (U.A.). Quel est le rayon de l'orbite du satellite en U.A. ?

5.55 La distance du Soleil à la Terre vaut 1 unité astronomique (U.A.). Que vaut une « année » pour une planète distante du Soleil de 9 U.A. ?

5.56 La distance moyenne entre Mars et le Soleil vaut 1,524 fois la distance de la Terre au Soleil. Combien de temps faut-il à Mars pour effectuer une révolution autour du Soleil ?

5.57 À partir des données reprises sur la couverture intérieure du livre, évaluer le temps nécessaire pour qu'un satellite artificiel effectue une révolution complète autour du Soleil si son orbite a pour rayon le double du rayon du Soleil.

5.58 La période de la Lune autour de la Terre est de 27,3 jours. La distance moyenne Terre-Lune est de $3,84 \times 10^8$ m. À partir de ces valeurs, évaluer la masse de la Terre.

5.59 La théorie des marées de Newton prévoit que l'amplitude des marées des océans vaut $h = 3GMR_T^2/2gr^3$ où G est la constante gravitationnelle, M la masse de la Lune, R_T le rayon moyen de la Terre, g l'accélération de la pesanteur à la surface de la terre et r la distance Terre-Lune. À partir des valeurs numériques reprises sur la couverture intérieure du livre, évaluer h.

PROBLÈMES

5.60 Une voiture roule sur une courbe dont le rayon vaut 100 m. La route est relevée de 20°. La vitesse est telle qu'aucune force de frottement n'intervient.

a) Quelle est la vitesse de la voiture ?

b) Quel est le rapport entre la force normale et le poids ?

5.61 Une voiture dont le poids vaut w parcourt une courbe dont le rayon est de 200 m. La route est relevée de 10°.

a) Déterminer la vitesse pour que le frottement n'intervienne pas.

b) Quelle est la force de frottement si la voiture roule 5 m s^{-1} plus vite que la vitesse déterminée en a) ?

5.62 Une courbe de 300 m de rayon est relevée d'un angle de 10°.

a) Quelle doit être la vitesse d'une voiture pour que le frottement n'intervienne pas ?

b) Si le coefficient de frottement vaut 0,8, quelles sont les vitesses maximale et minimale permises dans ce virage ?

5.63 Un oiseau dont la masse est de 0,3 kg vole à 15 m s^{-1} suivant une trajectoire circulaire horizontale de 20 m de rayon.

a) Quel est l'angle d'inclinaison de l'oiseau ?

b) Quelle est la force de poussée verticale exercée par l'air sur l'oiseau ?

5.64 Le rayon de la Terre vaut $6,38 \times 10^6$ m. Elle tourne autour de son axe en 24 heures.

a) Que vaut l'accélération centripète à l'équateur ?

b) Si un homme pèse 700 N au pôle nord, que vaut son poids effectif à l'équateur ?

c) En fait, la Terre n'est pas parfaitement sphérique. Elle est légèrement aplatie au pôle et plus large à l'équateur. Décrire qualitativement l'influence de cet effet sur la réponse en b).

5.65 Une pierre de 2 kg est attachée à une corde d'un mètre de long. On fait tourner la pierre dans un plan horizontal. La corde forme un angle de 30° avec l'horizontale.

a) Que vaut la tension dans la corde ?

b) Que vaut la vitesse de la pierre ?

5.66 Un avion se déplace à 400 m s^{-1}. Il peut sans danger être soumis à une accélération de 8 g lorsqu'il effectue un virage. Combien de temps faudra-t-il à l'avion pour tourner de 180° ?

5.67 Dans une course olympique de bobsleighs, un bob effectue un virage horizontal à 120 km h^{-1}, ce qui soumet l'équipage à un poids effectif 5 fois supérieur à son poids normal. Quel est le rayon du virage ?

5.68 Dans un parc d'attractions, un manège fait tourner les visiteurs à vitesse constante dans un plan vertical. Au sommet de la trajectoire, un passager a un poids effectif vers le haut qui vaut 2 fois son poids normal w.

a) Que vaut le poids effectif du passager au point le plus bas de la trajectoire ?

b) Que vaut son poids effectif lorsqu'il est à mi-chemin du sommet ?

5.69 Une rondelle de masse m est fabriquée en forant, au centre d'un disque de rayon R, un trou dont le rayon vaut 0,4 R. Trouver le moment d'inertie de la rondelle.

5.70 Une roue de rayon R a une épaisseur a entre $r = 0$ et $r = R/2$. Elle a une épaisseur $2a$ entre $r = R/2$ et $r = R$. Si la masse volumique vaut ρ, que vaut le moment d'inertie ?

5.71 Une personne se trouve sur terre à mi-chemin entre l'équateur et le pôle nord. Trouver la vitesse en m s^{-1} produite par la rotation journalière de la Terre (le rayon de la Terre vaut $6,38 \times 10^6$ m).

5.72 Une meule est constituée d'un disque d'épaisseur uniforme dont la masse vaut 3 kg et le rayon 10 cm. Au départ, elle effectue 2400 rotations par minute. Un outil est mis au contact de la meule avec une force normale de 10 N. Si le coefficient de frottement vaut 0,7 et si aucun autre moment n'agit sur la meule, quel laps de temps faudra-t-il pour que la meule s'arrête ?

5.73 Un bloc dont la masse est de 10 kg est placé sur une surface horizontale. Le coefficient de frottement cinétique vaut 0,1. Une ficelle se masse négligeable est attachée au bloc et passe sans frottement dans la gorge d'une poulie. On suspend à l'autre extrémité de la ficelle un bloc dont la masse est de 20 kg. Lorsque le système est libéré, il se déplace de 2 m en 1 seconde. Que vaut la masse de la poulie s'il s'agit d'un cylindre solide ?

5.74 Deux blocs dont les masses valent respectivement 10 et 30 kg sont suspendus de part et d'autre d'une poulie par une ficelle de masse négligeable. La poulie a une masse de 3 kg, un rayon de 0,1 m et un rayon de giration de 0,08 m. Si le système possède une accélération de 3 m s^{-2}, quel est le moment des forces de frottement dans le roulement de la poulie ?

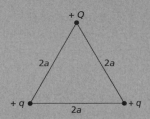

Figure 5.39 Problème 5.76

5.75 Deux billes de plomb ayant chacune une masse de 5 kg ont leurs centres distants de 1 m.

a) Un atome de plomb a une masse de $3{,}44 \times 10^{-25}$ kg. Combien d'atomes y a-t-il par bille ?

b) Si chaque atome possède 82 électrons, quelle fraction des électrons doit-on transférer d'une bille à l'autre pour que les forces d'attraction gravitationnelle et électrique soient égales ? (Négliger la masse des électrons transférés.)

5.76 Deux charges positives identiques q sont distantes de $2a$.

a) Si on place une troisième charge positive Q à mi-chemin entre les deux premières, quelle est la force résultante qui s'exerce sur Q ?

b) Si au contraire la charge Q est placée à une distance $2a$ des deux autres charges (figure 5.39), trouver la grandeur et la direction de la force résultante qui s'exerce sur Q.

5.77 Des charges positives q et $2q$ sont séparées par une distance a. Où doit-on placer une troisième charge pour que les forces exercées par les deux premières sur cette charge se compensent ?

5.78 Le rayon de l'orbite lunaire vaut $3{,}84 \times 10^5$ km et la période de la Lune est de 27,3 jours.

a) Trouver l'accélération de la lune a_l.

b) L'accélération gravitationnelle à la surface de la terre vaut $g = 9{,}81$ m s^{-2}. Le rayon terrestre vaut 6 380 km. En utilisant la dépendance en $1/r^2$ de la force gravitationnelle, quelle serait l'accélération gravitationnelle g' à une distance égale au rayon de l'orbite lunaire ?

c) Comparer g' et a_l. (Ceci a permis à Newton de vérifier la loi de la gravitation universelle.)

5.79 Si la force gravitationnelle variait en $1/r^3$ plutôt qu'en $1/r^2$, quelle serait la relation entre la période d'une planète et le rayon de son orbite ? Comparer ce résultat à la relation observée $T^2 = Cr^3$.

PARTIE 2

COMPLÉMENTS
DE MÉCANIQUE

Les principes décrits dans la première partie du livre constitue la base qui permet l'analyse de tous les problèmes de mécanique. En particulier les lois de Newton permettent de prévoir le mouvement des objets à partir des forces qui s'exercent sur eux. Toutefois, dans de nombreux problèmes, l'application directe des lois de Newton peut paraître difficile ou peut commode. Ainsi, il est difficile de déterminer l'ensemble des forces qui s'exercent sur un skieur qui dévale une pente, ou encore les forces qui agissent lorsque deux objets entrent en collision, ou encore celles qui interviennent lorsqu'une patineuse pivote sur elle-même. Ces problèmes peuvent néanmoins être abordés par des méthodes qui font intervenir *les lois de conservation*.

Dans le premier chapitre de cette seconde partie, nous définirons les notions de *travail* et d'*énergie* et nous montrerons que le travail effectué sur cet objet est égal à la variation de son énergie. Lorsqu'aucun travail n'est effectué, l'énergie reste constante. On dit qu'elle est *conservée*. Dans pareil cas, si on connaît l'énergie initiale de l'objet – ou d'un système d'objets – on peut immédiatement tirer certaines conclusions relatives à l'état du mouvement à un moment ultérieur, même si l'on ne dispose pas d'informations détaillées au sujet des forces en présence.

Dans le chapitre 7, nous discuterons de la *quantité de mouvement* et du *moment cinétique*. Lorsqu'aucune force résultante n'agit sur un système, sa quantité de mouvement est conservée. Lorsqu'aucun moment résultant n'intervient, c'est le moment cinétique qui est conservé. Ces lois de conservation rendent possible, au moins partiellement, l'analyse de certains problèmes apparemment complexes. Ainsi la quantité de mouvement se conserve lors de la collision entre deux objets, comme par exemple entre deux voitures, entre une batte et une balle de base-ball, entre deux corps célestes, etc. Nous montrerons que les forces externes exercées par d'autres objets sont souvent négligeables vis-à-vis des forces très grandes que les objets exercent l'un sur l'autre au cours d'une collision. À partir de la conservation du moment cinétique d'un patineur, d'un plongeur ou d'un gymnaste, nous pourrons comprendre pourquoi certains exercices particuliers peuvent ou non être accomplis.

Contrairement aux corps solides idéaux que nous avons considérés pour illustrer les principes de la mécanique, les objets réels peuvent subir des déformations ou même se briser lorsqu'ils sont soumis à des forces ou à des moments importants. Au chapitre 8, nous montrerons que la résistance d'un objet dépend de ses dimensions, de sa forme et de sa composition. Les matériaux de construction, les os et les arbres fournissent de bons exemples qui illustrent l'importance de ces questions.

Le dernier chapitre de cette partie concerne l'application des lois de Newton aux oscillations mécaniques et aux vibrations. La connaissance des forces indique si un mouvement de vibration peut avoir lieu et permet d'en prevoir la fréquence. Les caractéristiques de ce type de mouvement sont générales : elles concernent aussi bien les oscillations des molécules au sein d'un solide que la vibration des cordes vocales humaines qui accompagne un son, ou encore la vibration d'une toile d'araignée lors d'un combat d'insectes.

Ce chapitre terminera notre étude de la mécanique. Cela ne signifie pas que nous n'aurons plus recours aux notions qui y sont développées. À travers tout ce livre, nous ferons de nombreuses références explicites ou implicites aux principes de la mécanique. Puisque les deux premières parties du livre sont basées, presque exclusivement, sur les lois de Newton, le domaine d'application de la mécanique apparaît aussi varié que les forces qui interviennent dans la nature. Même dans la discussion relative aux atomes et aux molécules, alors que les lois de Newton ne s'appliquent plus, de nombreux principes que nous avons discutés resteront applicables. C'est le cas notamment des lois de conservation qui sont des concepts universellement valables.

Travail, énergie et puissance

CHAPITRE 6

Mots-clefs

Conservation de l'énergie mécanique • Énergie cinétique • Énergie cinétique rotationnelle • Énergie mécanique totale • Énergie potentielle • Énergie potentielle électrique • Énergie potentielle gravitationnelle • Force appliquée • Force conservative • Force dissipative • Joule • Kilowatt-heure • Loi d'échelle • Puissance • Travail • Vitesse de libération • Watt

Introduction

Le travail, *l'énergie* et *la puissance* sont des mots qui ont plusieurs significations dans le langage courant. Toutefois, pour le scientifique, ces termes se rapportent à des définitions bien précises. Dans ce chapitre, nous définirons ces concepts et nous expliciterons les relations qui existent entre le travail et les différentes formes d'énergies rencontrées dans les systèmes mécaniques. Bien que ces relations découlent des lois de Newton, il est souvent avantageux de les utiliser directement lorsque les forces en présence ne sont pas connues ou lorsque la complexité du système rend très diffcile l'emploi direct des lois de Newton.

Ce chapitre nous fournira le premier exemple d'une *loi de conservation*. Nous montrerons que dans certaines conditions l'énergie mécanique d'un système reste *constante*. On dit alors qu'il y a *conservation* de l'énergie mécanique. Ceci constitue un outil très puissant pour comprendre et résoudre certains problèmes de mécanique.

Actuellement, on sait que la loi de conservation de l'énergie est beaucoup plus générale. Si on calcule ou si on mesure *l'énergie totale* – c'est-à-dire la somme des énergies mécanique, électrique, thermique, etc. – on constate que l'énergie totale reste constante même si l'une ou l'autre forme d'énergie n'est pas conservée. Ce que l'on observe, c'est une transformation d'une forme d'énergie en une autre, mais la *somme* reste constante. La loi de conservation de l'énergie totale fut comprise dans toute sa généralité lorsque Einstein montra que matière et énergie représentent en fait deux formes différentes de la même quantité. Il a été établi non seulement que l'énergie pouvait se transformer d'une forme en une autre mais aussi que l'énergie elle-même pouvait être transformée en matière et inversement.

L'énergie est un concept fondamental qui intervient dans de très nombreuses applications. Les processus biologiques, la météorologie, l'évolution des systèmes astronomiques, les réactions chimiques, tous ces phénomènes se déroulent en accord avec le principe de la conservation de l'énergie et en respectant certaines contraintes sur l'utilisation et la transformation de l'énergie. Certaines de ces contraintes seront énoncées au chapitre 11 à l'occasion de l'étude de l'énergie thermique, c'est-à-dire de l'énergie associée aux mouvements des molécules au sein d'un objet. Nous sommes devenus de plus en plus conscients de l'importance de l'énergie dans notre société technologique. Nous verrons que les principes de base énoncés dans ce chapitre nous permettent de comprendre les possibilités et les difficultés associées à l'emploi d'énergies de remplacement pour compenser l'affaiblissement des ressources énergétiques.

6.1 LE TRAVAIL

Dans ce paragraphe, nous définirons le travail qu'une force effectue sur un objet et nous montrerons comment calculer ce travail. Il apparaîtra dans les paragraphes suivants que la notion de travail joue un rôle fondamental dans l'analyse de nombreux problèmes de mécanique.

Supposons qu'un objet subisse un déplacement sur une distance **s**. Si une force **F** constante agit sur l'objet et possède une composante constante F_s dans la direction du mouvement (figure 6.1), le *travail effectué par la force* se définit par le produit de la composante de la force par le déplacement

$$W = F_s s \qquad (6.1)$$

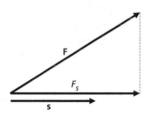 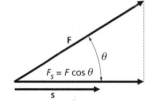

Figure 6.1 Le travail effectué par la force **F**, au cours du déplacement **s**, vaut $W = F_s s$.

Figure 6.2 La composante de la force **F** suivant **s** vaut $F_s = F \cos \theta$. Le travail vaut donc $W = Fs \cos \theta$.

Si **F** forme un angle θ avec **s**, (figure 6.2), $F_s = F \cos \theta$ et le travail peut s'écrire

$$W = Fs \cos \theta \qquad (6.2)$$

Le travail effectué par la force **F** peut donc s'exprimer d'un point de vue mathématique comme le produit scalaire de **F** par le vecteur déplacement.

$$W = \mathbf{F} \cdot \mathbf{s} \qquad (6.3)$$

Le travail a les dimensions d'une force multipliée par une distance ; dans le S.I., l'unité de travail s'appelle le *joule* (J). Un joule est égal à un newton-mètre.

Dans l'équation qui définit le travail, $W = F_s s$, nous avons fait l'hypothèse que la composante F_s de la force était constante. Dans de nombreuses situations, ceci constitue au mieux une approximation. Considérons une particule se déplaçant du point A au point B et soumise à une force **F** (figure 6.3). Si la force varie en grandeur ou en direction durant le déplacement, il est nécessaire de considérer les travaux effectués au cours d'une série de petits déplacements élémentaires Δs_i sur lesquels on peut considérer que la force demeure à peu près constante et prend la valeur F_i. Le travail W_i sur le segment $\Delta \mathbf{s}_i$ est

$$W_i = F_i \cos \theta_i \Delta s_i = F_{si} \Delta s_i$$

Le travail total est donné par

$$W = \sum_{i=1}^{n} F_{si} \Delta s_i$$

Lorsque Δs_i tend vers 0, on obtient

$$W = \lim_{\Delta s_i \to 0} \sum_i F_{si} \Delta s_i = \int_A^B F \cdot \mathrm{d}s = \int_A^B \mathbf{F} \cdot \mathbf{ds}$$

Cette limite porte le nom d'intégrale du point a au point b. D'un point de vue graphique, W correspond à l'aire sous la courbe qui représente F_s en fonction du déplacement et l'axe des abscisses (figure 6.3).

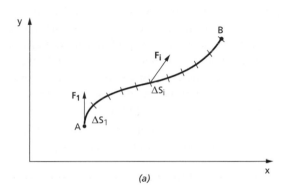

(a)

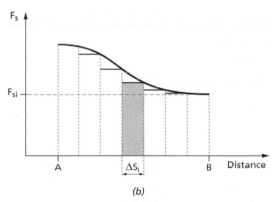

(b)

Figure 6.3 *(a)* Une particule sur laquelle s'exerce une force **F** variable se déplace du point A au point B. *(b)* Le travail effectué par la force est égal à la somme des aires des petits rectangles dans le graphe de F_s en fonction de la distance. Dans chaque intervalle, F_{si} est supposée constante. Dans la limite où $\Delta s_i \to 0$, W est exactement égal à l'aire sous la courbe.

Il convient d'ajouter une autre remarque relative au travail résultant effectué sur un objet. Si plusieurs forces agissent sur un objet, on peut sommer les différentes forces pour déterminer la force résultante. On calcule alors le travail effectué par cette force résultante. Une autre méthode consiste à calculer les travaux effectués par chacune des forces en présence et à additionner les grandeurs scalaires obtenues. Les deux méthodes conduisent au même résultat.

Notons que notre définition du travail diffère quelque peu de la signification usuelle de ce mot. On comprend, d'après l'équation (6.2), que le travail effectué en poussant un objet sur le sol est multiplié par deux si on double le poids ou la distance qu'il parcourt. Ceci est compatible avec notre notion intuitive de travail. Supposons, par contre, que nous supportions un poids très lourd tout en restant immobile. Dans le langage courant, on considère que cette situation correspond à un travail pénible. Cependant, puisqu'aucun déplacement n'a lieu, au sens de notre définition, aucun travail n'est effectué sur le poids.

Dans le corps humain, un travail s'effectue lorsque les nerfs transmettent les potentiels d'action qui déclenchent les contractions musculaires. Contrairement à un os ou à une barre d'acier, une fibre musculaire ne peut pas supporter une charge de façon statique. La fibre, au contraire, se relaxe et se contracte, de manière répétitive, et un travail s'effectue lors de chaque contraction. Nous ne sommes pas conscient de ce phénomène en raison du nombre élevé de fibres en présence et de la rapidité des contractions.

Les exemples 6.1 et 6.2 montrent comment calculer le travail effectué par une force qui agit sur un objet.

Exemple 6.1

Un homme exerce une force de 600 N sur une armoire et il la déplace de 2 m. Évaluer le travail effectué si la force et le déplacement sont :

a) parallèles ;

b) perpendiculaires l'un à l'autre ;

c) de directions opposées (figure 6.4).

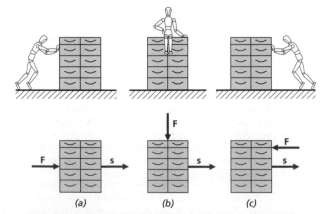

Figure 6.4 Une force est appliquée *(a)* parallèlement au mouvement ; *(b)* perpendiculairement au mouvement ; *(c)* dans la direction opposée au mouvement. Dans chaque cas, le travail effectué par la force **F** est différent. Dans le cas *(c)* on peut imaginer que l'armoire est ralentie et immobilisée. Dans le cas *(a)*, l'homme effectue un travail sur l'armoire ; en *(b)*, il n'effectue aucun travail ; en *(c)* c'est l'armoire qui effectue un travail sur la personne.

Réponse a) Lorsque **F** et **s** sont parallèles, $\cos \theta = \cos 0 = 1$ et l'équation (6.2) devient :

$$W = Fs \cos \theta = (600 \text{ N})(2 \text{ m})(1) = 1200 \text{ J}$$

La personne effectue un travail de 1200 J sur l'armoire. Puisque **F** est parallèle à **s**, $F_s = F$ et on obtient le même résultat en utilisant la relation $W = F_s s$.

b) Lorsque **F** est perpendiculaire à **s**,

$$\cos \theta = \cos 90° = 0 \quad \text{et} \quad W = 0$$

Aucun travail n'est effectué lorsque la force est perpendiculaire au déplacement puisque $F_s = 0$.

c) Lorsque **F** et **S** ont des directions opposées, $\cos \theta = \cos 180° = -1$ et

$$W = Fs \cos \theta = (600 \text{ N})(2 \text{ m})(-1) = -1200 \text{ J}$$

Dans ce cas, le travail effectué par la force est négatif. C'est en réalité *l'objet qui effectue un travail sur la personne*. Notons qu'ici **F** a une direction opposée à **s** de sorte que $F_s = -F$.

Exemple 6.2

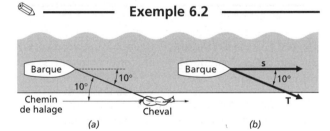

Figure 6.5 *(a)* Un cheval tire une barque à une vitesse constante. *(b)* La tension dans la corde vaut **T**.

Un cheval tire une barque le long d'un canal. Il exerce sur la corde une tension de 1000 N (figure 6.5). La corde forme un angle de 10° avec le chemin de halage et la direction de propagation de la barque.

a) Quel travail le cheval effectue-t-il lorsque la barque remonte le courant sur 100 m, à vitesse constante ?

b) Quelle est la force résultante qui s'exerce sur la barque ?

Réponse a) Le travail effectué par la force constante **T**, qui produit le déplacement de la barque sur une distance **s**, est donné par $W = Ts \cos \theta$, où θ représente l'angle entre **T** et **s**. Sachant que $\cos 10° = 0,985$, on a

$$W = (1000 \text{ N})(100 \text{ m})(0.985) = 9.85 \times 10^4 \text{ J}$$

b) Puisque la barque se déplace à vitesse constante, la somme de toutes les forces qui s'exercent sur elle doit être nulle. Il doit donc exister une autre force qui agit sur la barque mais qui n'apparaît pas dans la figure 6.5. Il s'agit d'une force exercée par l'eau sur la barque. Cette force est égale en grandeur mais est opposée à **T**.

Dans cet exemple, le travail résultant effectué par l'ensemble des forces qui agissent sur la barque est nul puisque la force résultante est elle-même nulle. Le travail effectué par la force due à l'eau vaut $-9,85 \times 10^4$ J. En d'autres termes, la barque effectue un travail de $9,85 \times 10^4$ J sur l'eau.

6.2   L'ÉNERGIE CINÉTIQUE

L'*énergie cinétique* d'un objet mesure le travail que cet objet peut effectuer de par son mouvement. Comme nous le montrerons par la suite, l'énergie cinétique de translation d'un objet de masse m animé d'une vitesse $\mathbf{v}$ vaut $\frac{1}{2}mv^2$.

Le travail effectué sur un objet et l'énergie cinétique de cet objet obéissent au principe fondamental suivant :

> L'énergie cinétique finale d'un objet est égale à son énergie cinétique initiale augmentée du travail total effectué par toutes les forces agissant sur cet objet.

Cette relation entre travail et énergie peut être démontrée, de façon tout à fait générale, à partir des lois du mouvements de Newton. Il nous paraît, cependant, plus instructif de la démontrer dans le cas d'un exemple particulièrement simple.

Considérons un objet de masse m qui est soumis à une force constante $\mathbf{F}$ (figure 6.6). L'objet subit un déplacement $\mathbf{s}$ parallèle à $\mathbf{F}$. Puisque son accélération $\mathbf{a} = \mathbf{F}/m$ est constante, la vitesse initiale $\mathbf{v}_0$ et la vitesse finale $\mathbf{v}$ satisfont aux formules vues dans le chapitre 1 dans le cadre du mouvement uniformément accéléré. Le tableau repris sur la couverture intérieure du livre nous indique que $v^2 = v_0^2 + 2as$. En multipliant par $m/2$, on a

$$\frac{1}{2}mv^2 = \frac{1}{2}mv_0^2 + mas \qquad (6.4)$$

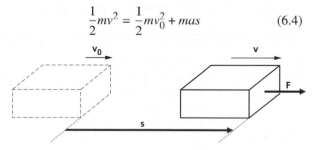

Figure 6.6 Une force $\mathbf{F}$ effectue un travail sur un objet qui se déplace de la distance $\mathbf{s}$. La vitesse varie de $\mathbf{v}_0$ à $\mathbf{v}$.

Si on utilise la deuxième loi de Newton $\mathbf{F} = m\mathbf{a}$, le travail effectué par la force $\mathbf{F}$ s'écrit $W = Fs = mas$,

ce qui représente le dernier terme de l'équation 6.3. Les énergies cinétiques finale K et initiale K_0 sont définies par

$$K = \frac{1}{2}mv^2 \quad \text{et} \quad K_0 = \frac{1}{2}mv_0^2 \qquad (6.5)$$

Dès lors nous pouvons récrire l'équation (6.3) sous la forme

$$K = K_0 + W \qquad (6.6)$$

Ainsi l'énergie cinétique finale de l'objet est égale à son énergie initiale augmentée du travail effectué sur cet objet. Il est à noter que le travail et l'énergie cinétique ont les mêmes dimensions et se mesurent dans les mêmes unités.

Il ressort de l'équation (6.6) que lorsqu'un travail est effectué sur un objet, son énergie cinétique augmente. Inversement, si un objet effectue un travail sur un autre objet, son énergie cinétique diminue. C'est ce qui se passe lorsqu'une personne ralentit ou arrête un objet en mouvement. Les exemples 6.3 et 6.4 vont nous servir à clarifier ces idées.

 ──────── **Exemple 6.3** ────────

Une femme pousse une petite voiture vers un enfant. Elle exerce sur la voiture, initialement au repos, une force horizontale constante de 5 N. Elle applique cette force sur une distance d'un mètre (figure 6.7 *a*).

a) Que vaut le travail fourni à la voiture ?

b) Quelle est l'énergie cinétique finale de la voiture ?

c) Si la voiture a une masse de 0,1 kg, quelle sera sa vitesse finale ? (On suppose qu'aucun travail n'est associé aux forces de frottement.)

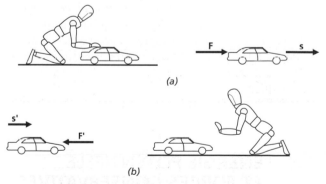

(a)

(b)

Figure 6.7 *(a)* Une femme pousse une petite voiture vers la droite. Elle exerce, sur la voiture, une force horizontale $\mathbf{F}$ parallèle à son déplacement $\mathbf{s}$. *(b)* Un enfant arrête la voiture en exerçant une force $\mathbf{F}'$ sur celle-ci. $\mathbf{F}'$ a une direction opposée au déplacement $\mathbf{s}'$, ce qui provoque l'arrêt de la voiture.

Réponse a) La force exercée par la femme sur la voiture est parallèle au déplacement. Le travail qu'elle effectue sur l'objet vaut donc

$$W = Fs = (5 \text{ N})(1 \text{ m}) = 5 \text{ J}$$

b) L'énergie cinétique initiale K_0 est nulle, de sorte que l'énergie cinétique finale de la voiture vaut

$$K = K_0 + W = 0 + (5\ \text{J}) = 5\ \text{J}$$

c) Puisque l'énergie cinétique finale est $K = \dfrac{1}{2}mv^2$, on a

$$v = \sqrt{\frac{2K}{m}} = \sqrt{\frac{(2)(5\ \text{J})}{0,1\ \text{kg}}} = 10\ \text{m s}^{-1}$$

 ———— Exemple 6.4 ————

Dans l'exemple précédent, la femme lâche la voiture lorsque celle-ci a une énergie cintétique de 5 J. La voiture roule sur le sol et atteint l'enfant qui l'arrête en exerçant une force constante $\mathbf{F}'$ qui s'oppose au mouvement. La voiture s'arrête sur une distance de 0,25 m. Évaluer $\mathbf{F}'$ si aucun travail n'est associé aux forces de frottement (figure 6.7 b).

Réponse Lorsque la voiture se déplace vers l'enfant, aucun travail n'est effectué. Son énergie cinétique est de 5 J jusqu'à ce qu'elle atteigne l'enfant. L'énergie cinétique initiale K_0 vaut donc 5 J. L'énergie cinétique finale K est nulle puisque la voiture finit par s'arrêter. On peut donc écrire

$$W = K - K_0 = 0 - 5\ \text{J} = -5\ \text{J}$$

Puisque $\mathbf{F}'$ est opposée à $\mathbf{s}'$, le travail s'écrit $W = -F's'$. Dès lors :

$$F' = -\frac{W}{s'} = -\frac{(-5\ \text{J})}{(0,25\ \text{m})} = 20\ \text{N}$$

Le signe négatif associé au travail, $W = -5$ J, indique que *c'est la voiture qui effectue un travail sur l'enfant*. Ces deux exemples montrent que lorsqu'un travail positif est fourni à un objet, il lui confère une énergie cinétique. Cette énergie est alors ultérieurement disponible pour effectuer un travail, comme par exemple le travail effectué sur l'enfant.

6.3 ÉNERGIE POTENTIELLE ET FORCES CONSERVATIVES

En mécanique, les forces peuvent être réparties en deux catégories : les forces conservatives et non conservatives. La force gravitationnelle, la force de rappel exercée par un ressort, les forces électriques sont des exemples parmi d'autres de forces conservatives tandis que les forces de frottements sont non conservatives. La distinction se fait sur la base du travail effectué par la force.

Lorsque le travail effectué par une force entre deux points donnés ne dépend que du chemin parcouru, celle-ci est dite conservative. La force gravitationnelle possède cette propriété intéressante, comme nous pouvons nous en convaincre à l'aide de l'exemple décrit dans la figure 6.8.

Le travail effectué par la pesanteur au cours du déplacement de B à C vaut $-mg(h - h_0)$. Aucun travail n'est effectué par la pesanteur lorsque l'objet est déplacé horizontalement entre A et B. En conséquence, le travail total effectué le long de la trajectoire ABC vaut $-mg(h - h_0)$. Lorsque le bloc est déplacé verticalement entre A et C, le travail effectué par la pesanteur vaut encore $-mg(h - h_0)$. Le travail est donc le même pour les deux trajectoires considérées.

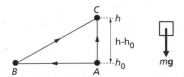

Figure 6.8 Le travail effectué par la pesanteur est le même pour les trajets ABC et AC. Lorsque le travail effectué par une force ne dépend pas du chemin parcouru, la force est dite conservative. Ses effets peuvent être inclus dans l'énergie potentielle.

La relation travail-énergie énoncée au paragraphe précédent fait intervenir le travail W effectué par l'ensemble des forces qui s'exercent sur un objet.

$$K = K_0 + W$$

Puisque le travail accompli par une force conservative quelle qu'elle soit dépend seulement de la position initiale et de la position finale de l'objet, il semble parfaitement justifié de traiter les forces conservatives séparément des autres forces. Les autres forces non conservatives seront désormais appelées forces appliquées et la relation travail-énergie s'écrira

$$K = K_0 + W_c + W_a$$

où W_c est le travail des forces conservatives et W_a celui des forces appliquées.

Seule la position initiale et finale de l'objet interviennent dans le calcul du travail d'une force conservative. Par conséquent, nous allons caractériser ces deux points particuliers en leur associant une nouvelle grandeur : l'énergie potentielle de l'objet. Le travail effectué par une force conservative s'écrira dès lors sous la forme de la différence entre l'énergie potentielle de l'objet au point initial U_0 et son énergie potentielle au point final U de son déplacement.

$$W_c = U_0 - U = -(U - U_0) = -\Delta U$$

L'énergie potentielle U est une forme d'énergie qui est liée à la position de l'objet ou à la configuration d'un système mécanique. Le concept d'énergie potentielle est associé uniquement à la notion de force conservative.

La relation travail-énergie s'écrira alors

$$K = K_0 - \Delta U + W_a$$
$$K = K_0 - (U - U_0) + W_a$$
$$K + U = K_0 + U_0 + W_a$$

Pour bien comprendre ce concept d'énergie potentielle, traitons plus en détail les forces conservatives gravitationnelles.

Considérons une balle qui est lancée vers le haut à la verticale. Sa vitesse décroît au fur et à mesure qu'elle s'élève. Dans le cadre des concepts développés dans ce chapitre, on comprend que la force gravitationnelle mg effectue un travail négatif puisque cette force a une direction opposée au déplacement. L'énergie cinétique correspondante décroît. Dès que la balle commence à retomber vers le sol, la force gravitationnelle effectue un travail identique mais qui, cette fois, est positif. L'énergie cinétique reprend sa valeur initiale lorsque la balle revient à son point de départ.

On peut considérer que la balle, en s'élevant, perd de l'énergie cinétique mais acquiert de *l'énergie potentielle*. Cette énergie potentielle est reconvertie en énergie cinétique au cours de la chute. D'une manière générale, l'énergie potentielle est donc une forme d'énergie associée à la position de la configuration d'un système mécanique. En principe au moins, l'énergie potentielle peut être convertie en énergie cinétique ou être utilisée pour effectuer un travail.

Transcrivons maintenant ces idées sous une forme quantitative. Dans la figure 6.9 *a*, on considère une balle qui s'élève à partir d'une hauteur initiale h_0 pour atteindre une hauteur finale h. La force de pesanteur mg a une direction opposée au déplacement $s = (h - h_0)$, de sorte que le travail effectué est *négatif* :

$$W_{grav} = -mg(h - h_0)$$

Cependant, d'après ce que nous avons dit, l'énergie potentielle augmente et la variation d'énergie potentielle $\Delta U = U - U_0$ est *positive*. En valeur absolue, ΔU est égal à W_{grav} et nous pouvons écrire

$$U - U_0 = -W_{grav} \qquad (6.7)$$

En utilisant l'expression donnée pour W_{grav}, l'équation 6.6 devient :

$$U - U_0 = mg(h - h_0) \qquad (6.8)$$

Ce résultat relatif à la *variation d'énergie potentielle* implique une différence entre deux termes dans chaque membre. Ceci suggère de définir des *valeurs de l'énergie potentielle gravitationnelle* associés aux hauteurs h et h_0 ; elles s'écrivent

$$U = mgh, \quad \text{et} \quad U_0 = mgh_0 \qquad (6.9)$$

Comme nous le verrons bientôt, ces définitions ne spécifient pas de manière univoque la valeur de l'énergie potentielle. Elles sont néanmoins très utiles.

Dès lors, en vertu du principe travail-énergie, on a $K = K_0 + W_{grav} = K_0 - (U - U_0)$. Ceci nous conduit au résultat important suivant :

$$K + U = K_0 + U_0 \quad (W_a = 0) \qquad (6.10)$$

La notation $W_a = 0$ nous rappelle que le travail effectué par les forces appliquées est nul. Dans ce cas, seule la force de pesanteur effectue le travail. La somme de l'énergie cinétique et de l'énergie potentielle représente *l'énergie mécanique totale* :

$$E = K + U \qquad (6.11)$$

On peut interpréter l'équation (6.10) de la manière suivante : *si aucun travail n'est effectué par les forces appliquées, l'énergie mécanique totale est constante ou conservée.*

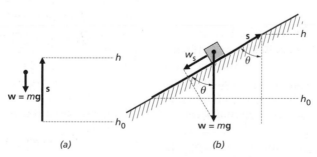

Figure 6.9 *(a)* Une balle s'élève à la hauteur $s = h - h_0$. La force de pesanteur effectue un travail $W_{grav} = -mgh(h - h_0)$. *(b)* Un bloc glisse le long d'un plan incliné. La composante de **w** suivant **s** vaut $w_s = -mg\cos\theta$, de sorte que $W_{grav} = -mgs\cos\theta$. Puisque $s\cos\theta = h - h_0$, on obtient de nouveau $W_{grav} = -mg(h - h_0)$.

Si les forces appliquées effectuent un travail, l'équation (6.10) doit être généralisée de manière à faire apparaître le terme W_a. Elle prend alors la forme

$$K + \mathcal{U} = K_0 + \mathcal{U}_0 + W_a \qquad (6.12)$$

ou

$$E = E_0 + W_a \qquad (6.13)$$

> L'énergie mécanique finale $E = K + \mathcal{U}$ est égale à l'énergie mécanique initiale $E_0 = K_0 + \mathcal{U}_0$ augmentée du travail effectué par les forces appliquées.

L'interprétation de ces résultats appelle plusieurs remarques.

Première remarque. Nous avons d'abord considéré une balle lancée verticalement. Toutefois, même si l'objet suit une trajectoire plus complexe, le travail effectué par la force de pesanteur vaut encore $-mg\left(h - h_0\right)$ et la variation d'énergie potentielle $\Delta\mathcal{U} = \mathcal{U} - \mathcal{U}_0$ fait seulement intervenir la différence de hauteur. Ceci est vérifié dans le cas particulier d'un objet qui se déplace sur un plan incliné (figure 6.9 *b*).

Deuxième remarque. Supposons que nous mesurions les hauteurs à partir d'une origine différente. Les valeurs de h et de h_0 varieraient de la même quantité. Toutefois, $\Delta\mathcal{U} = mg\left(h - h_0\right)$ resterait inchangé, bien que $\mathcal{U}$ et $\mathcal{U}_0$ aient varié. Il s'ensuit que les hauteurs peuvent être évaluées à partir d'un point de référence quelconque : le sol, le sommet d'un bâtiment, etc.

Troisième remarque. Si un objet s'élève à une altitude suffisante, la force gravitationnelle cesse d'être constante et mgh ne représente plus une forme correcte de l'énergie potentielle. Toutefois, la variation de l'énergie potentielle continue à être définie de la même manière : c'est le travail, changé de signe, effectué par la force gravitationnelle. Dans le cas des autres forces conservatives, on introduit, en accord avec l'équation (6.7), une définition semblable pour $\Delta\mathcal{U}$. Nous verrons cela dans la suite du chapitre.

Quatrième remarque. Il convient de se souvenir que $E = E_0 + W_a$ représente simplement une forme différente du principe travail-énergie, $K = K_0 + W$, qui fait intervenir le travail effectué par toutes les forces en présence. Dans $E = E_0 + W_a$, le travail effectué par les forces gravitationnelles est encore présent mais il apparaît sous une forme séparée du travail W_a effectué par les forces appliquées. Le travail des forces gravitationnelles est pris en compte dans l'énergie potentielle et donc dans l'énergie mécanique E.

L'exemple 6.5 montre comment on peut utiliser le concept de conservation de l'énergie pour résoudre un problème d'apparence complexe.

 ——————— **Exemple 6.5** ———————

Une femme skie le long d'une pente en partant du repos. La hauteur de la colline est de 20 m (figure 6.10). Si le frottement est négligeable, quelle sera la vitesse au bas de la pente ?

Réponse Les forces qui s'exercent sur la skieuse sont les suivantes : le poids et une force normale exercée par le sol. Les effets du poids (de la force gravitationnelle) sont inclus dans l'énergie potentielle. La force normale, quant à elle, n'effectue aucun travail puisqu'elle est perpendiculaire au déplacement. Dès lors, les forces appliquées n'effectuent aucun travail et l'énergie totale $E = K + \mathcal{U}$ reste constante.

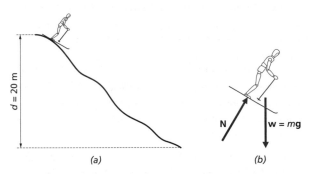

Figure 6.10 Les forces qui s'exercent sur la skieuse sont, d'une part, la force normale **N**, et d'autre part, le poids **w** = *m***g**.

On peut choisir arbitrairement le niveau de référence à partir duquel on mesure l'énergie potentielle. Choisissons le bas de la pente ; à ce niveau, $\mathcal{U} = 0$. L'énergie cinétique de la skieuse au sommet de la pente est nulle ($K_0 = 0$) puisqu'elle part du repos ; son énergie potentielle en ce point vaut $K = \dfrac{1}{2}mv^2$, alors que l'énergie potentielle finale est nulle ($\mathcal{U} = 0$). La relation $K + \mathcal{U} = K_0 + \mathcal{U}_0$ devient donc

$$\frac{1}{2}mv^2 + 0 = 0 + mgd$$

La vitesse de la skieuse au bas de la pente sera égale à

$$v = \sqrt{2gd} = \sqrt{2\left(9{,}8 \text{ m s}^{-2}\right)\left(20 \text{ m}\right)}$$
$$= 19{,}8 \text{ m s}^{-1}$$

Cet exemple souligne l'avantage d'utiliser le principe de conservation de l'énergie pour résoudre des problèmes de mécanique. Il ne serait pas possible de faire directement usage de la relation **F** = m**a** puisque nous ne connaissons pas la forme exacte de la pente, ce qui ne nous permet pas de calculer la force. Même si cette information était connue, le calcul resterait difficile. Le principe de conservation de l'énergie nous donne immédiatement la valeur de la vitesse en tout point de la trajectoire.

Toute force pour laquelle le travail effectué ne dépend pas du chemin parcouru entre deux points donnés, est une *force conservative*. Cette propriété justifie l'association d'une valeur de l'énergie potentielle à la position. Les forces gravitationnelles, électriques et la force de rappel d'un ressort représentent des exemples de forces conservatives. Leurs effets peuvent toujours être pris en compte en introduisant un terme d'énergie potentielle approprié. Les forces de frottement et beaucoup d'autres forces ne sont pas conservatives.

6.4 LES FORCES DISSIPATIVES

Nous avons vu que le travail des forces conservatives peut facilement être pris en compte par l'introduction du concept d'énergie potentielle. Ceci ne s'applique pas aux forces de frottement qui doivent donc être traitées comme des forces appliquées.

Les forces de frottement ne sont pas conservatives puisque le travail qu'elles effectuent dépend du chemin parcouru. En outre, comme le frottement s'oppose toujours au déplacement de l'objet, le travail qui y est associé est toujours un travail négatif. L'énergie dissipée par un objet pour vaincre les forces de frottement est habituellement transformée en énergie thermique. De ce fait, il s'agit d'une énergie perdue en tant qu'énergie mécanique. Ceci est illustré dans l'exemple 6.6.

 ——————— **Exemple 6.6** ———————

Supposons, comme dans l'exemple précédent, qu'une skieuse dévale une colline haute de 20 m. Cette fois cependant, les froces de frottement ne sont plus négligeables et la vitesse de la skieuse au bas de la pente est seulement de 10 m s^{-1}. Quel travail est effectué par les forces de frottement si la masse de la skieuse est de 50 kg ?

Réponse Choisissons encore le bas de la pente comme niveau de référence pour le calcul des énergies potentielles. Ce choix implique que l'énergie potentielle finale de la skieuse soit nulle ($U = 0$). Son énergie cinétique initiale est encore nulle ($K_0 = 0$).

À partir de la relation $E = E_0 + W_a$, on a

$$\frac{1}{2}mv^2 + 0 = 0 + mgd + W_a$$

$$W_a = \frac{1}{2}mv^2 - mgd$$

$$W_a = \frac{1}{2}(50 \text{ kg})(10 \text{ m s}^{-1})^2$$
$$- (50 \text{ kg}(9,8 \text{ m s}^{-2})(20 \text{ m})$$
$$= -7300 \text{ J}$$

Comme on devait s'y attendre, le travail effectué par la force appliquée est négatif puisque les forces de frottement s'opposent au mouvement. La skieuse a effectué un travail de 7300 J pour vaincre le frottement et cette énergie mécanique a été convertie en énergie thermique.

———————————————————

Précédemment, nous avons représenté la force de frottement par le produit du coefficient de frottement cinétique et de la force normale. La force de frottement a toujours une direction opposée au mouvement. En conséquence, si un objet parcourt une distance s, l'énergie mécanique dissipée par la force de frottement $\mu_c N$ vaut

$$W_a = - \mu_c Ns \qquad (6.14)$$

Ceci est illustré par l'exemple 6.7.

 ——————— **Exemple 6.7** ———————

Un skieur atteint un terrain plat au bas d'une descente avec une vitesse de 19,8 m s^{-1}. À ce moment, il fait pivoter ses skis et s'immobilise rapidement. Si le coefficient de frottement cinétique vaut 2,5, sur quelle distance le skieur dérapera-t-il avant de s'arrêter ?

Réponse Puisque le terrain est plat, il n'y a pas de variation d'énergie potentielle et toute l'énergie cinétique du skieur, $(1/2)mv^2$, doit être dissipée. La force normale est égale mais opposée au poids. En conséquence, le travail effectué par la force de frottement sur une distance s vaut $W_a = \mu_c mgs$. La relation $E = E_0 + W_a$ devient

$$0 = \frac{1}{2}mv^2 - \mu_c mgs$$

En résolvant par rapport à s, on a

$$s = \frac{v^2}{2g\mu_c} = \frac{(19,8 \text{ m s}^{-1})^2}{2(9,8 \text{ m s}^{-2})(2,5)} = 8 \text{ m}$$

Dans cet exemple, le coefficient de frottement est élevé parce que le skieur déforme et déplace la neige pendant le dérapage. Son énergie mécanique est donc dissipée partiellement sous forme d'énergie thermique et partiellement sous forme de travail pour déplacer la neige.

———————————————————

Puisque le travail implique le mouvement, c'est bien le coefficient de frottement cinétique qui doit être considéré. Lorsqu'un objet roule, le point de contact entre la roue et le sol est momentanément au repos. Dans ce cas particulier, la force de frottement n'effectue aucun travail.

6.5 PRINCIPE DE CONSERVATION

Dans ce paragraphe, nous allons discuter le résultat général

$$K + \mathcal{U} = K_0 + \mathcal{U}_0 + W_a$$

qui peut s'écrire

$$E = E_0 + W_a$$

L'énergie mécanique totale d'un objet a été définie par $E = K + \mathcal{U}$ où $K = \frac{1}{2}mv^2$ représente l'énergie cinétique, alors que l'énergie potentielle $\mathcal{U}$ est un énergie associée à la position de l'objet.

Comme nous l'avons vu, *si les forces appliquées n'effectuent aucun travail, l'énergie mécanique totale E reste constante.*

$$K + \mathcal{U} = K_0 + \mathcal{U}_0 \quad (W_a = 0)$$

Ce résultat représente le principe de *conservation de l'énergie mécanique*. Dans ces conditions, l'énergie mécanique totale, qui est donc la somme des énergies potentielle et cinétique, reste constante même si un terme varie au profit de l'autre.

Dans de très nombreux cas, des forces dissipatives transforment l'énergie mécanique en d'autres formes d'énergie. La chaleur et le bruit produits par une scie ou par une foreuse en sont des exemples. La *chaleur* représente en fait de l'énergie qui est transférée au mouvement aléatoire des molécules constituant la substance. Ce transfert d'énergie accroît la vitesse moyenne des molécules ou encore leur énergie thermique. Comme nous le verrons au chapitre 10, le fait d'accroître l'énergie moléculaire moyenne revient à augmenter la température.

L'énergie thermique peut également être transformée en énergie mécanique. Ceci se passe dans une machine à vapeur. La vapeur en se détendant effectue en fait un travail. Les limites théoriques associées à ces transformations seront discutées au chapitre 11.

6.5.1 Les différentes formes d'énergie

En plus de l'énergie mécanique et de l'énergie thermique, il existe de nombreuses autres formes d'énergie. Un objet chauffé émet de l'énergie dans son environnement : ce transfert s'effectue non seulement à la suite d'un contact direct, mais aussi sous forme d'ondes électromagnétiques que se propagent à la vitesse de la lumière. Les forces électriques sont responsables des liaisons chimiques au sein des molécules. Ces liaisons chimiques peuvent être brisées ou modifiées, ce qui conduit à une libération d'énergie chimique. Ainsi, lorsque l'essence et l'oxygène entrent en contact à haute température, des modifications chimiques interviennent et de l'énergie est libérée. D'une manière analogue, le corps humain utilise les aliments pour synthétiser des molécules. Celles-ci seront par la suite dégradées en libérant de l'énergie.

L'énergie associée aux forces qui assurent la structure nucléaire est très importante. Lorsque, dans une bombe atomique ou dans un réacteur nucléaire, les noyaux d'uranium se décomposent en noyaux plus petits, une partie de cette énergie est libérée : c'est le phénomène de *fission*.

De l'énergie est aussi libérée lorsque des noyaux d'hydrogène s'associent ou fusionnent pour former des noyaux plus gros : c'est le phénomène de *fusion*. La fusion est la source d'énergie des étoiles et des bombes à hydrogène. Si les programmes de recherche actuellement en cours sont couronnés de succès, la fusion contrôlée pourrait assurer une grande partie de nos besoins énergétiques futurs. Le tableau 6.1 énumère les ordres de grandeurs des énergies associées à différents phénomènes.

6.5.2 Conservation de l'énergie totale

Nous avons vu que l'énergie se manifeste sous de nombreuses formes. On a montré, expérimentalement, que l'énergie peut être transformée, mais qu'elle n'est jamais ni créée ni détruite. *Ceci énonce le principe de conservation de l'énergie totale.* Historiquement, on a pu constater que lorsque ce principe de conservation de l'énergie semblait ne pas s'appliquer, une nouvelle forme d'énergie était sur le point d'être identifiée. Puisque l'énergie apparaît sous des formes aussi multiples, le principe de conservation unifie en fait toute la science. Bien que la conservation de l'énergie mécanique n'intervienne que dans des circonstances bien spéciales, l'énergie totale, elle, est toujours conservée. Dans ce chapitre, nous discutons principalement d'énergie mécanique. Toutefois, les concepts que nous venons de développer apparaîtront fréquemment dans la suite du livre.

6.6 RÉSOLUTION DE PROBLÈMES À PARTIR DES NOTIONS DE TRAVAIL ET D'ÉNERGIE

Nous avons utilisé des exemples simples en vue d'énoncer le résultat général

$$E = E_0 + W_a$$

Dans ce paragraphe, nous allons donner différents exemples qui illustrent la variété des situations dans lesquelles travail et énergie sont des concepts utiles.

Pour résoudre des problèmes à partir des concepts de travail et d'énergie, on utilise une approche systématique qui comprend les étapes suivantes :

1. On dessine d'abord un diagramme faisant apparaître toutes les forces qui s'exercent sur l'objet considéré. Dans les cas simples, cette étape peut être effectuée mentalement mais dans les situations plus complexes, il est souvent utile de dessiner réellement un diagramme.

2. On identifie ensuite les forces conservatives, comme par exemple la force de pesanteur. Ces forces peuvent être incluses dans un terme d'énergie potentielle. On identifie aussi les forces apliquées qui effectuent un travail.

3. On calcule le travail effectué par ces forces appliquées ainsi que la valeur de l'énergie mécanique en deux points particuliers du mouvement. Ces quantités sont liées par la relation $E = E_0 + W_a$.

Les exemples qui suivent illustrent cette méthode de travail.

Description	Énergie
Big Bang	10^{68}
Énergie radio émise par la galaxie au cours de sa vie	10^{55}
Énergie rotationnelle de la voie lactée	10^{52}
Énergie libérée lors de l'explosion d'une supernova	10^{44}
Énergie associée à la fusion de l'hydrogène des océans	10^{34}
Énergie rotationnelle de la Terre	10^{29}
Énergie solaire incidente sur la surface de la Terre en 1 an	5×10^{24}
Énergie éolienne dissipée au voisinage de la surface terrestre en 1 an	5×10^{22}
Énergie totale utilisée par l'humanité sur une période d'1 an	3×10^{20}
Énergie dissipée par les marées en 1 an	10^{20}
Énergie utilisée aux USA en 1 an	8×10^{19}
Énergie libérée au cours de l'éruption de Krakatoa en 1883	10^{18}
Énergie libérée par une bombe de fusion de 15 mégatonnes	10^{17}
Orage	10^{15}
Énergie libérée par la combustion de 100 kg de charbon	3×10^{10}
Énergie cinétique d'un avion à réaction gros porteur	3×10^9
Énergie libérée par la combustion d'1 litre d'essence	3×10^7
Énergie alimentaire quotidienne d'un adulte	10^7
Énergie cinétique d'un joueur de base-ball qui court vers sa base	10^3
Travail du cœur humain par pulsation	$0,5$
Travail effectué en tournant une page d'un livre	10^{-3}
Saut de puce	10^{-7}
Décharge d'un neurone	10^{-10}
Énergie caractéristique d'un proton dans le noyau	10^{-13}
Énergie caractéristique d'un électron dans un atome	10^{-18}
Énergie nécessaire pour rompre une liaison dans l'ADN	10^{-20}

Tableau 6.1 Énergie approximative, associée à différents phénomènes, exprimée en joules.

──────── **Exemple 6.8** ────────

Deux balles identiques de masse m sont lancées d'une fenêtre située à une hauteur h au-dessus du sol. La vitesse initiale de chaque balle est v_0 mais elles sont lancées dans des directions différentes. (Figure 6.11). Quelle est la vitesse de chacune des balles au moment où elles atteignent le sol (négliger la résistance de l'air) ?

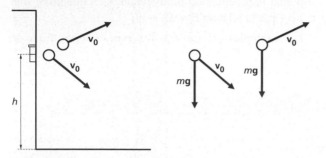

Figure 6.11 Deux balles identiques sont lancées, avec la même vitesse initiale, dans des directions différentes. La force qui s'exerce sur chaque balle est le poids mg, dirigé vers le bas.

Réponse Une fois que les balles ont été lancées, elles sont uniquement soumises à la force de pensanteur mg. Leur énergie mécanique totale est donc constante. Si, pour chaque balle, on choisit le niveau du sol comme niveau de référence, leur énergie potentielle initiale vaut $\mathcal{U}_0 = mgh$ et leur énergie potentielle finale vaut $\mathcal{U} = 0$. En outre, les deux balles ont, au départ, la même énergie cinétique

$K_0 = (1/2)mv_0^2$. En conséquence, la relation

$$K + \mathcal{U} = K_0 + \mathcal{U}_0$$

nous indique que les deux valeurs de l'énergie cinétique finale sont les mêmes. Les balles atteindront donc le sol avec la même vitesse. Comme $K = (1/2)mv^2$, la vitesse finale est donnée par

$$\frac{1}{2}mv^2 = \frac{1}{2}mv_0^2 + mgh$$

soit

$$v = \sqrt{v_0^2 + 2gh}$$

Bien que les deux balles n'atteignent pas le sol au même instant, elles y arrivent avec la même vitesse.

 ──────── **Exemple 6.9** ────────

Lors d'un saut à la perche, l'athlète utilise la perche pour transformer l'énergie cinétique acquise pendant la course en énergie potentielle (figure 6.12). Un bon coureur atteint une vitesse de 10 m s^{-1}. Si on néglige la hauteur supplémentaire acquise par l'athlète grâce au mouvement des bras (ce mouvement élève le centre de gravité au-dessus de la position occupée par les mains sur la perche), déterminer la hauteur atteinte par le centre de gravité de l'athlète.

Réponse Au départ, le C.G. est situé à 1 m au-dessus du sol. Avant de se servir de la perche,

$$\mathcal{U}_0 = 0 \text{ et } K_0 = \frac{1}{2}mv^2 \text{ avec } v = 10 \text{ m s}^{-1}.$$

Conservation de l'énergie

Figure 6.12 Photos d'un sauteur à la perche prises à intervalles de temps constants. Noter que le sauteur est pratiquement au repos au sommet de son saut lorsque que toute son énergie cinétique a été transformée en énergie potentielle. *(Dr. Harold Edgerton, MIT, Cambridge, Mass.)*

Usine marémotrice à l'embouchure de la Rance, Bretagne

À marée haute, l'eau entre dans le bassin du fleuve et traverse les turbines. À marée basse, le phénomène inverse se produit. Les turbines peuvent également utiliser de l'électricité provenant d'autres installations pour pomper de l'eau supplémentaire dans chaque direction, ce qui permet d'accroître la hauteur de chute. *(Service de l'Information de l'Ambassade de France).*

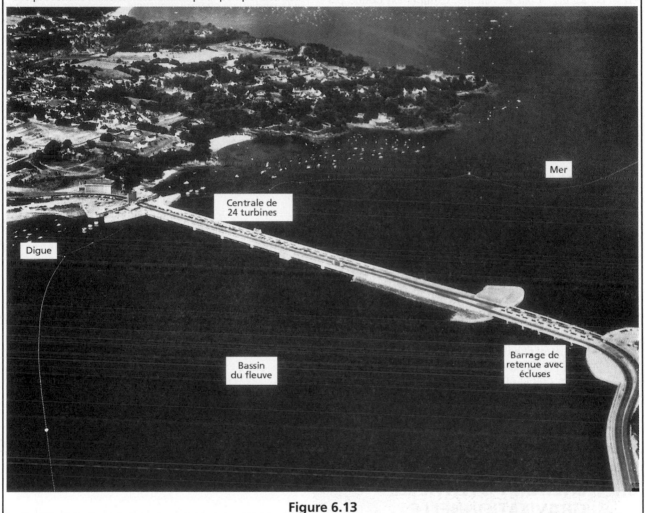

Figure 6.13

Au sommet d'un saut idéal, $v = 0$, de sorte que $K = 0$. À ce moment, $U = mgh$, h représentant la hauteur du centre de gravité du sauteur par rapport à sa position initiale. Puisqu'au cours du saut, la seule force qui agit est la pesanteur, $E = E_0$ et on a

$$0 + mgh = \frac{1}{2}mv^2 + 0$$

En résolvant par rapport à h,

$$h = \frac{v^2}{2g} = \frac{\left(10 \text{ m s}^{-1}\right)^2}{2\left(9{,}8 \text{ m s}^{-2}\right)} = 5{,}1 \text{ m}$$

Le centre de gravité du sauteur se trouve donc à une hauteur de 6,1 m au-dessus du sol.

 Exemple 6.10

Les marées peuvent servir à produire de l'énergie électrique. C'est le cas à l'embouchure de la Rance, en Bretagne. À cet endroit, la hauteur des marées – c'est-à-dire la différence entre la marée haute et la marée basse – atteint une valeur moyenne de 8,5 m. Le bassin de la rivière se remplit à marée haute puis est fermé par une digue. Lorsque la marée est basse, environ 6 h plus tard, on laisse l'eau s'écouler dans les turbines. Ces turbines actionnent des génératrices électriques (figure 6.13).

L'aire du bassin est de 23 km^2 = 23 × 10^6 m^2. Quel est le travail effectué par la chute de l'eau, si on suppose que les énergies cinétiques initiale et finale sont négligeables ?

Réponse Puisque les énergies cinétiques initiale et finale sont nulles, on a $\mathcal{U} = \mathcal{U}_0 + W_a$ ou encore $W_a = \mathcal{U} - \mathcal{U}_0$. Pour évaluer la différence d'énergie potentielle, on doit déterminer la masse d'eau et sa hauteur de chute. La masse est obtenue en multipliant la masse volumique ($\rho = 10^3 \text{kg m}^{-3}$) par le volume. Celui-ci est donné par le produit de l'aire A par la profondeur d. La masse vaut donc $m = \rho A d$. L'eau qui se trouve au sommet du bassin chute d'une hauteur de 8,5 m. Toutefois, au fur et à mesure que le niveau descend, la hauteur de chute diminue ; en moyenne, la chute s'effectue sur la demi-profondeur.

Le travail effectué par les forces appliquées vaut donc

$$
\begin{aligned}
W_a = \mathcal{U} - \mathcal{U}_0 &= -mgh = -(\rho A d)g\left(\frac{d}{2}\right) \\
&= -\frac{1}{2}\,\rho\,A g d^2 \\
&= -\frac{1}{2}\left(1000 \text{ kg m}^{-3}\right)\left(23 \times 10^6 \text{m}^2\right) \\
&\qquad \times \left(9,8 \text{ m s}^{-2}\right)(8,5 \text{ m})^2 \\
&= -8,14 \times 10^{12} \text{ J}
\end{aligned}
$$

Ce travail est négatif puisque l'eau apporte le travail *aux* turbines. Une partie de ce travail est dissipée sous forme d'énergie thermique mais la plus grande part est transformée en énergie électrique. Ce système permet d'assurer l'approvisionnement en électricité de quelques centaines de milliers de personnes. Des installations beaucoup plus importantes ont été envisagées pour des parties de la baie de Fundy, au Canada. Elles pourraient fournir une grande partie de l'énergie électrique nécessaire à l'est du Cananda et à la région de la Nouvelle Angleterre aux États-Unis.

6.7 ÉNERGIE POTENTIELLE GRAVITATIONNELLE

Nous avons vu au chapitre 6.3 que l'on peut tenir compte de la force gravitationnelle qui agit sur un objet au voisinage de la Terre en introduisant l'énergie potentielle de l'objet qui vaut mgh. Nous avons supposé que la force de pesanteur mg était constante et nous avons exploité le fait que le travail effectué dépend seulement de la variation de hauteur et non du chemin parcouru. Une fois que l'objet est à une distance qui représente une fraction significative du rayon terrestre R_T, on ne peut plus considérer la force pesanteur comme constante. Nous avons vu au chapitre 5 qu'en toute généralité la force d'attraction gravitationnelle qui s'exerce entre deux masses ponctuelles ou entre deux sphère de masses M et m s'écrit sous forme vectorielle :

$$
\mathbf{F} = -\frac{GMm}{r^2}\widehat{\mathbf{r}} \tag{6.15}
$$

En vue d'établir si cette force, dans sa formulation générale, est conservative, nous devons vérifier que le travail effectué par la force lorsqu'un des corps se déplace est indépendant du chemin emprunté. Supposons que l'objet de masse m se déplace d'un point A à un point B suivant une trajectoire arbitraire (figure 6.14), de telle manière que sa distance par rapport au corps de masse M passe de r_A à r_B. Le travail accompli par la force de gravitation prend la forme :

$$
W \int_A^B \mathbf{F}\cdot d\mathbf{l} = -GmM \int_A^B \frac{\widehat{\mathbf{r}}\cdot d\mathbf{l}}{r^2} \tag{6.16}
$$

où $d\mathbf{l}$ désigne un déplacement infinitésimal le long du chemin choisi. Puisque $\widehat{\mathbf{r}}\cdot d\mathbf{l} = dr$ correspond à l'accroissement de $d\mathbf{l}$ le long de $\widehat{\mathbf{r}}$, alors

$$
W = -GmM \int_A^B \frac{dr}{r^2} = GmM\left(\frac{1}{r_B} - \frac{1}{r_A}\right) \tag{6.17}
$$

ou

$$
W = \frac{GmM}{r_B} - \frac{GmM}{r_A} \tag{6.18}
$$

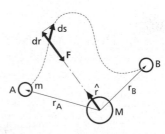

Figure 6.14 Trajectoire arbitraire d'une particule de masse m se déplaçant du point A au point B.

On observe que la valeur du travail dépend seulement des positions initiale et finale A et B. Ceci démontre que la force de gravitation est une force *conservative*. On peut donc lui associer une énergie potentielle. Compte tenu du fait que la variation d'énergie potentielle se définit comme la valeur négative du travail effectué par la force, on en déduit :

$$
\Delta U = U_B - U_A = -\frac{GmM}{r_B} + \frac{GmM}{r_A} = -W \tag{6.19}
$$

En vertu de cette équation, l'énergie potentielle de la masse m à une distance r de l'autre masse M peut s'écrire en toute généralité :

$$
U = -\frac{GmM}{r} + C \tag{6.20}
$$

où C est une constante arbitraire. En pratique, on pose souvent $C = 0$. En effet, deux objets infiniment éloignés l'un de l'autre n'exercent entre eux aucune force et il est donc naturel de prendre pour convention que leur énergie potentielle est nulle. Si on adopte cette convention, l'énergie potentielle d'une masse m située à une distance r d'une autre masse M s'écrit :

$$U = -\frac{GmM}{r} \qquad (6.21)$$

Si les objets se rapprochent, la force gravitationnelle (qui est attractive) effectue un travail positif, ce qui a pour effet d'augmenter leur énergie cinétique et de diminuer leur énergie potentielle. Puisque $U = 0$ quand $r \to \infty$, U devient négatif lorsque r diminue. L'énergie potentielle sera donc toujours négative. Ceci résulte de notre choix particulier du zéro d'énergie potentielle.

Précédemment dans ce chapitre, nous avons utilisé la relation $U = mgh$ pour exprimer l'énergie potentielle de la pesanteur au voisinage de la surface de la Terre. Il convient de vérifier que ce résultat est compatible avec la forme plus générale de l'énergie potentielle gravitationnelle que nous venons d'obtenir. En vertu de l'équation (6.21), l'énergie potentielle d'un objet de masse m à une distance $r = R_T + h$ du centre de la Terre s'écrit :

$$U = -\frac{GmM_T}{(R_T + h)} \qquad (6.22)$$

Lorsque l'objet se trouve à une altitude h telle que $h \ll R_T$, on effectue un développement en série limité au premier ordre (annexe B.7), et on peut écrire :

$$U = -\frac{GmM_T}{R_T}\left(1 - \frac{h}{R_T} + \cdots\right) \qquad (6.23)$$

En outre, $g - GM_T / R_T^2$, d'où :

$$U = -mgR_T + mgh \qquad (6.24)$$

Puisque nous discutons toujours en termes de *différence* d'énergie potentielle, le terme constant $-mgR_T$ disparaît de tous les calculs et peut donc être négligé. En conclusion, pour autant que nous soyons près de la surface terrestre, nous pouvons utiliser l'expression $U = mgh$. Notons cependant que le fait de négliger le terme constant revient à modifier la référence de l'énergie potentielle qui devient nulle à la surface de la Terre (et non plus à l'infini) et qui peut donc prendre des valeurs positives lorsque $h > 0$.

6.7.1 Énergie d'un satellite

L'énergie mécanique totale d'un satellite en orbite circulaire peut se calculer à partir que l'équation (6.21). En appliquant la deuxième loi de Newton $\mathbf{F} = m\mathbf{a}$ au mouvement circulaire d'une masse m soumise à l'attraction gravitationnelle de la Terre, on obtient

$$\frac{GM_T m}{r^2} = \frac{mv^2}{r}$$

ou $\qquad mv^2 = \frac{GM_T m}{r}$

On peut donc écrire l'énergie cinétique sous la forme

$$K = \frac{1}{2}mv^2 = \frac{GM_T m}{2r} = -\frac{1}{2}\mathcal{U}$$

Comme $\mathcal{U}$ est négatif, K est positif et vaut la moitié de $\mathcal{U}$. L'énergie totale vaut donc

$$E = K + \mathcal{U} = -\frac{1}{2}\mathcal{U} + \mathcal{U} = \frac{1}{2}\mathcal{U}$$

ou encore, $\qquad E = -\frac{GM_T m}{2r} \qquad (6.25)$

✎ ──────────── **Exemple 6.11** ────────────

Quel travail faut-il fournir pour lancer un satellite artificiel de masse m de la surface de la Terre et le placer sur une orbite circulaire dont le rayon est le double du rayon terrestre ?

Réponse   Au départ,

$$K_0 = 0 \text{ et } \mathcal{U}_0 = -GM_T m/R_T$$

Lorsque le satellite est sur orbite, conformément à l'équation (6.25), son énergie mécanique totale vaut

$$E = -GM_T m/4R_T$$

Puisque $E = E_0 + W_a$, on a

$$W_a = E - E_0 = -\frac{GM_T m}{4R_T} - \frac{(Gm_T m)}{R_T} = \frac{3GM_T m}{4R_T}$$

─────────────────────────────────────

6.7.2 Vitesse de libération

La vitesse de libération représente la vitesse initiale minimum qu'un projectile doit avoir au moment d'un lancement vertical à partir de la surface de la Terre pour échapper à la force gravitationnelle (figure 6.15). À la surface de la Terre, la vitesse vaut v_0 et

$$E_0 = K_0 + \mathcal{U}_0 = \frac{1}{2}mv_0^2 - \frac{GM_T m}{R_T}$$

Si le projectile doit échapper de manière permanente à l'attraction terrestre, il doit atteindre une distance r très grande pour laquelle $\mathcal{U} = 0$. Si le projectile possède l'énergie minimum nécessaire à la libération, sa vitesse et son énergie cinétique seront elles aussi nulles à cette distance. L'énergie totale minimum nécessaire à la libération vaut donc $E = K + \mathcal{U} = 0$. Puisqu'il y a conservation de l'énergie mécanique

$$\frac{1}{2}mv_0^2 - \frac{GM_T m}{R_T} = 0$$

Figure 6.15 Une fusée lancée de la surface de la Terre doit posséder une vitesse au moins égale à la vitesse de libération pour échapper complètement à l'attraction gravitationnelle de la Terre. (*NASA.*)

ce qui conduit à

$$v_0 = \sqrt{\frac{2GM_T}{R_T}}$$

Le poids d'un objet de masse m vaut à la surface de la Terre $mg = GM_T m/R_T^2$. En utilisant cette relation, on obtient

$$v_0 = \sqrt{\frac{2GM_T}{R_T}} = \sqrt{2gR_T} \qquad (6.26)$$

v_0 représente la vitesse minimum que doit avoir le projectile pour échapper à l'attraction terrestre.

La vitesse de libération correspondant à une planète quelconque peut être évaluée si on connaît l'accélération gravitationnelle et le rayon de la planète. Pour la Terre, $g = 9,8 \text{ m s}^{-2}$ et $R_T = 6,38 \times 10^6$ m. La vitesse de libération vaut donc

$$v_0 = \sqrt{2(9,8 \text{ m s}^{-2})(6,38 \times 10^6 \text{ m})}$$
$$= 1,12 \times 10^4 \text{ m s}^{-1}$$

6.8 LA PUISSANCE

Dans de nombreuses applications, plutôt que de connaître le travail total effectué ou la quantité totale d'énergie transférée, il est plus important de déterminer la vitesse de variation de ces grandeurs en fonction du temps. On peut, par exemple, déneiger un chemin à l'aide d'une pelle ou avec une machine. Dans les deux cas, le même travail est effectué. Toutefois, la machine effectue ce travail plus rapidement. On dit que la machine est plus puissante. Dans ce paragraphe, nous allons décrire la relation qui existe entre le travail et la puissance.

Lorsqu'un travail ΔW est effectué en un temps Δt, la *puissance moyenne* se définit par le travail moyen effectué par unité de temps,

$$\overline{\mathcal{P}} = \frac{\Delta W}{\Delta t} \qquad (6.27)$$

La puissance instantanée $\mathcal{P}$ se définit en considérant des intervalles de temps de plus en plus petits, de sorte que

$$\mathcal{P} = \frac{dW}{dT} \qquad (6.28)$$

À partir de cette définition, on peut voir que l'unité de puissance dans le S.I. s'exprime en joules par seconde : ceci définit le *watt* (W). Pour de nombreuses applications, le watt représente une unité assez petite. Par exemple, il faut environ 9 kilowatts ($1 \text{ kW} = 10^3$ W) pour compenser l'effet des forces dissipatives s'exerçant sur une voiture de 200 kg qui se déplace à une vitesse constante de 65 km h^{-1}. Une centrale électrique de moyenne dimension fournit environ 200 mégawatts ($1 \text{ MW} = 10^6$ W) et une centrale importante peut fournir jusqu'à 1 gigawatt ($1 \text{ GW} = 10^9$ W).

L'énergie se vend sous la forme de kilowatt-heure (kWh). Il s'agit d'une puissance d'1 kilowatt fournie durant 1 heure. Dans les unités du S.I.,

$$1 \text{ kWh} = (10^3 \text{ W})(3600 \text{ s}) = 3,6 \times 10^6 \text{ J}$$

Dans les exemples 6.12 et 6.13, nous déterminons la puissance exercée par une personne et celle fournie par une éolienne.

Exemple 6.12

Un homme de 70 kg monte, en 2 s, une volée d'escaliers haute de 3 m.

a) Quel travail fournit-il contre la force gravitationnelle ?

b) Quelle est la puissance moyenne dissipée ?

Réponse a) Le travail effectué ΔW est égal à la variation d'énergie potentielle mgh. En conséquence,

$$\Delta W = mgh = (70 \text{ kg})(9,8 \text{ m s}^{-2})(3 \text{ m})$$
$$= 2060 \text{ J}$$

b) La puissance moyenne est le rapport entre le travail effectué et le temps mis pour l'effectuer,

$$\overline{\mathcal{P}} = \frac{\Delta W}{\Delta t} = \frac{2060 \text{ J}}{2 \text{ s}} = 1030 \text{ W}$$

Cette valeur représente une puissance élevée pour un être humain.

 ———————— **Exemple 6.13** ————————

Les pales d'une éolienne balaient une surface circulaire A.

a) Si le vent a une vitesse v et une direction perpendiculaire à la surface balayée par les pales, quelle est la masse d'air qui passe à travers l'éolienne au cours du temps t ?

b) Quelle est l'énergie cinétique de l'air.

c) Supposons que l'éolienne transforme 30 % de l'énergie éolienne en énergie électrique. Si $A = 30 \text{ m}^2$ et $v = 10 \text{ m s}^{-1}$ (36 km h^{-1}), quelle est la puissance électrique produite ? (La masse volumique de l'air à 20 °C vaut 1,2 kg m^{-3}.

Réponse a) Pendant le temps t, le vent parcourt la distance vt. Tout l'air compris dans un cylindre dont la section droite est A, la longueur vt et le volume $V = Avt$, passera à travers la surface définie par les pales de l'éolienne. En multipliant V par la masse volumique de l'air ρ, on obtient la masse qui passe à travers la surface A pendant le temps t

$$m = \rho Avt$$

b) L'énergie cinétique de l'air qui traverse la surface A pendant le temps t vaut

$$K = \frac{1}{2}mv^2 = \frac{1}{2}(\rho Avt)v^2 = \frac{1}{2}\rho Av^3 t$$

c) La puissance disponible est donnée par l'énergie cinétique du vent divisée par le temps nécessaire pour qu'il traverse la surface A. Trente pour cent sont convertis en puissance électrique. En conséquence,

$$\mathcal{P} = \frac{(0,30)K}{t} = \frac{(0,30)\left(\dfrac{1}{2}\rho Av^3 t\right)}{t} = 0,15 \rho Av^3$$

$$= (0,15)(1,2 \text{ kg m}^{-3})(30 \text{ m}^2)(10 \text{ m s}^{-1})^3$$
$$= 5400 \text{ W} = 5,4 \text{ kW}$$

Ceci représente la puissance électrique suffisante pour environ cinq habitations moyennes. Notons, cependant, que ce résultat implique une vitesse du vent relativement élevée (36 km h^{-1}).

$\mathcal{P}$ varie comme v^3, de sorte que si la vitesse du vent diminue de 50 %, la puissance fournie sera seulement de $(5,4/2^3) \text{ kW} = 0,675 \text{ kW}$.

———

Une autre expression de la puissance est souvent utile. Le travail effectué par une force **F**, qui produit le déplacement élémentaire Δ**s** d'un objet en un temps Δt, vaut $\Delta W = F_s \Delta s$. En divisant cette relation par Δt, on obtient

$$\mathcal{P} = F_s \frac{\Delta s}{\Delta t}$$

Puisque $\Delta s / \Delta t$ représente la vitesse, la puissance peut s'écrire

$$\mathcal{P} = F_s v \qquad (6.29)$$

Ainsi, la puissance s'exprime par le produit de la composante F_s de la force et de la vitesse. Ce résultat est illustré dans l'exemple 6.15.

 ———————— **Exemple 6.14** ————————

Un piano de 250 kg est soulevé par un treuil à la vitesse constante de 0,1 m s^{-1}. Quelle est la puissance du treuil ?

Réponse Puisque la forme m**g** est parallèle à la vitesse,
$$\mathcal{P} = Fv = (250 \text{ kg})(9,8 \text{ m s}^{-1})(0,1 \text{ m s}^{-1})$$
$$= 245 \text{ W}.$$

———

6.9 TRAVAIL ET ÉNERGIE DANS UN MOUVEMENT DE ROTATION

Des objets en rotation possèdent aussi une énergie cinétique. Nous allons déterminer les expressions de l'énergie cinétique, du travail et de la puissance associés à la rotation d'un objet autour d'un axe fixe.

Pour évaluer l'énergie cinétique d'un corps en rotation de forme complexe, nous devons diviser mentalement l'objet en N petits éléments de masse $m_1, \cdots, m_N$. Chacun de ces éléments se trouve à une distance $r_1, \cdots, r_N$ de l'axe de rotation et tous les éléments qui constituent le corps en rotation se déplacent à la même vitesse angulaire ω et respectent la relation du mouvement circulaire $v_i = \omega r_i$.

L'énergie cinétique totale du corps en rotation correspond à la somme des énergies cinétiques de tous les petits éléments :

$$K = \sum_{i=1}^{N} \frac{1}{2} m_i v_i^2 = \sum_{i=1}^{N} \frac{1}{2} m_i r_i^2 \omega^2 = \frac{1}{2} \left(\sum_{i=1}^{N} m_i r_i^2 \right) \omega^2$$

où $\sum_{i=1}^{N} m_i r_i^2$ est le moment d'inertie I (cf. § 5.4).

L'énergie cinétique d'un objet tournant autour d'un axe fixe s'écrit :

$$K = \frac{1}{2} I \omega^2$$

Le travail effectué par une force **F** sur un corps en rotation autour d'un axe fixe peut s'exprimer à l'aide de la relation du déplacement s sous forme angulaire $s = r\theta$.

L'expression du travail $W = \int \mathbf{F} \cdot \mathrm{d}\mathbf{s}$ devient

$$W = \int F_s \, \mathrm{d}s = \int F_s r \, \mathrm{d}\theta$$

$F_s r$ n'est rien d'autre que la grandeur du moment τ de la force F (cf. § 4.1).

Le travail effectué par la force F pour une rotation d'un angle θ devient :

$$W = \int_0^\theta \tau \, \mathrm{d}\theta = \tau\theta$$

Ceci est l'équivalent pour la rotation de l'équation

$$W = \int_a^b \mathbf{F} \cdot \mathrm{d}\mathbf{s}$$

La quantité de travail accomplie par unité de temps, c'est-à-dire la puissance $\mathcal{P}$, s'exprime par

$$\mathcal{P} = \frac{\mathrm{d}W}{\mathrm{d}t} = \tau \frac{\mathrm{d}\theta}{\mathrm{d}t} = \tau\omega$$

 ———————— **Exemple 6.15** ————————

Un seau de 20 kg est maintenu au-dessus d'un puits par une corde de masse négligeable enroulée autour d'un axe (figure 6.16). L'axe est un cylindre de 0,2 m de rayon. Son moment d'inertie vaut 0,2 kg m^2. Si le seau part du repos, quelle vitesse aura-t-il au moment d'atteindre l'eau, 10 m plus bas ? (Supposer qu'il n'y a pas de frottement ni de résistance de l'air.)

Réponse En prenant comme hauteur de référence pour l'énergie potentielle la surface de l'eau, $\mathcal{U}_0 = mgh$ et $\mathcal{U} = 0$. L'énergie cinétique K_0 au sommet vaut 0. Lorsque le seau atteint l'eau, sa vitesse est v. La vitesse angulaire du treuil vaut alors $\omega = v/r$. L'énergie cinétique totale s'écrit

$$K = \frac{1}{2} m v^2 + \frac{1}{2} I \omega^2 = \frac{1}{2} m v^2 + \frac{1}{2} I v^2 / r^2.$$

Comme l'énergie mécanique est conservée, $E = E_0$ et

$$\frac{1}{2} m v^2 + \frac{1}{2} I \frac{v^2}{r^2} = mgh$$

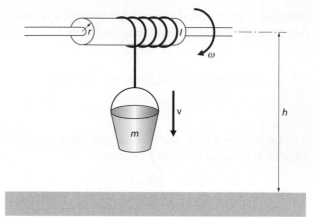

Figure 6.16 Lorsque le seau tombe, l'énergie potentielle gravitationnelle est convertie en énergie cinétique du seau et du treuil.

En résolvant par rapport à v,

$$v = \left[\frac{2mgh}{m + I/r^2} \right]^{1/2}$$

$$= \left[\frac{(2)(20 \text{ kg})(9,8 \text{ m s}^{-2})(10 \text{ m})}{(20 \text{ kg}) + (0,2 \text{kg m}^2)/(0,2 \text{ m})^2} \right]^{1/2} = 12,5 \text{ m s}^{-1}$$

Dans l'exemple 6.15, si le seau n'était pas relié à l'axe, il aurait acquis une plus grande vitesse. Une partie de l'énergie potentielle a été transformée en énergie cinétique de l'axe. De la même manière, si un objet roule le long d'une pente, une partie de son énergie potentielle est transformée en énergie cinétique de rotation. L'objet atteint donc le bas de la pente avec une vitesse moindre que celle qu'il aurait en glissant, sans frottement, le long de celle-ci.

Pour en savoir plus...

6.10 LES SAUTS ; LES LOIS D'ÉCHELLE EN PHYSIOLOGIE

Au chapitre 1, nous avons pu établir une relation entre la hauteur des sauts des animaux, leurs vitesses et leurs accélérations. Nous décrirons ici une méthode proposée par Galilée pour déterminer les lois d'*échelle*. Nous utiliserons cette méthode pour établir quelques conclusions générales relatives aux sauts. Commençons par réexaminer le saut vertical d'un athlète, en termes de travail et d'énergie.

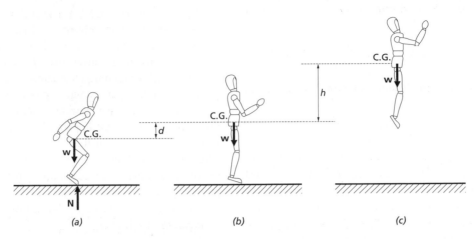

Figure 6.17 *(a)* Préparation d'un saut. Les forces qui s'exercent sur le sauteur sont, d'une part, son poids **w** dirigé vers le bas, et d'autre part, la force normale *N* que le sol exerce sur lui et qui est dirigée vers le haut. *(b)* Le sauteur au moment où il quitte le sol. *(c)* Pendant le saut, la seule force qui agisse est la pesanteur **w**. La variation totale de la position du centre de gravité au cours du saut est donnée par *d + h*.

La figure 6.17 schématise le mouvement d'un sauteur. Au départ, il s'accroupit et abaisse ainsi son centre de gravité d'une hauteur *d* que l'on appelle la distance d'accélération. Nous évaluerons l'énergie potentielle à partir de ce point de référence. Lorsque le sauteur accélère et se redresse, il effectue un travail, pour accroître à la fois son énergie potentielle et son énergie cinétique. Au moment où ses pieds quittent le sol, son énergie potentielle vaut $\mathcal{U}_0 = mgd$. Si sa vitesse verticale vaut à ce moment v_0, son énergie cinétique est égale à $\frac{1}{2}mv_0^2$. Lorsqu'il est en position redressée, prêt à quitter le sol, il a donc effectué un travail

$$W_a = mgd + \frac{1}{2}mv_0^2$$

Entre le moment où il quitte le sol et celui où il atteint la hauteur maximum, la seule force qui agit sur le sauteur est son poids. Dès lors, lorsque les pieds du sauteur ne sont pas en contact avec le sol, l'énergie mécanique est conservée. Au point le plus haut, $K = 0$ et

$$\mathcal{U} = mg(h + d)$$

Cette valeur doit être égale à l'énergie du sauteur au moment où ses pieds quittent le sol. On peut donc écrire

$$W_a = mgd + \frac{1}{2}mv_0^2 = mg(h + d) \qquad (6.30)$$

En conséquence, l'énergie totale qu'une personne doit fournir pour effectuer un saut est égale à

$$W_a = mg(h + d)$$

Dans la suite de notre discussion, nous considèrerons la distance *d* comme négligeable vis-à-vis de *h* et nous utiliserons la relation

$$W_a \simeq mgh$$

Pour les athlètes, ceci ne représente pas une très bonne approximation, puisque dans ce cas $d/h \simeq 1/2$. Par contre, l'approximation est bonne dans le cas des animaux de petite taille. Il est à noter que l'équation (6.30) définit également la vitesse au moment où le sauteur quitte le sol :

$$v_0 = \sqrt{2gh}$$

Après avoir exprimé l'énergie totale en fonction de la hauteur atteinte au cours du saut, on pourrait espérer exprimer l'énergie dissipée par les différents muscles et comparer ces résultats pour différents animaux. Malheureusement, de nombreux os et de nombreux muscles interviennent, ce qui rend l'analyse très complexe. Ceci caractérise de nombreux problèmes biologiques. Toutefois, il est possible de comparer les sauts de différents animaux en utilisant une méthode qui fait intervenir une *loi d'échelle*. Dans cette méthode, on suppose que les caractéristiques d'un système biologique sont liées à sa taille par une *loi d'échelle* déterminée, que l'on choisit simple, mais vraisemblable. Cette méthode qui est applicable à de nombreux problèmes physiologiques permet de prévoir les capacités de saut d'un animal en fonction de la taille de celui-ci.

La loi d'échelle la plus simple consiste à supposer que la masse *m* de l'animal est proportionnelle à son volume et que le volume lui-même est proportionnel au cube d'une longueur caractéristique *l*. L'hypothèse adoptée peut donc se mettre sous la forme $m = cl^3$ où *c* représente une constante. Ainsi, le rapport entre les longueurs caractéristiques d'une souris de 0,02 kg et d'une vache de 700 kg devrait valoir

$$\frac{l_{\text{vache}}}{l_{\text{souris}}} = \left(\frac{m_{\text{vache}}}{m_{\text{souris}}}\right)^{1/3} = \left(\frac{700 \text{ kg}}{0,02 \text{ kg}}\right)^{1/3} = 32,7$$

Ce rapport pourrait représenter le rapport entre les longueurs des pattes.

Grâce à cette longueur caractéristique, on peut écrire que le volume d'un animal ou d'un organe est proportionnel à l^3. La surface du corps et la section droite des muscles sont proportionnelles à l^2 et la longeur des membres est proportionnelle à l.

En comparant les sauts des animaux, on constate que les hauteurs des sauts peuvent ne pas varier beaucoup pour des animaux de tailles fort différentes. Ainsi le rat kangourou qui a une taille comparable à celle du lapin saute presque aussi haut que le kangourou. Les sauterelles et les puces atteignent des hauteurs comparables. On peut se demander quelles sont les caractéristiques susceptibles d'expliquer ces résultats. Deux possibilités viennent immédiatement à l'esprit :

1. L'énergie fournie par une même masse musculaire est constante pour tous les animaux.

2. La puissance fournie par une même masse musculaire est constante pour tous les animaux.

Examinons la première hypothèse. L'analyse de la seconde se fera à titre d'exercice. La première hypothèse affirme qu'un animal doit fournir une quantité de travail proportionnelle à sa masse m. Or nous avons établi que le travail effectué au cours d'un saut de hauteur h vaut mgh. Ceci implique que $mgh \propto m$ (le signe $\propto$ signifie « proportionnel à »), et h ne dépend ni de m ni de l.

La prévision selon laquelle la hauteur d'un saut est indépendante de la taille de l'animal est assez bien vérifiée expérimentalement. Par contre, la prévision qui découle de la seconde hypothèse est en désaccord avec les résultats expérimentaux. On peut donc conclure que c'est *l'énergie fournie par unité de masse musculaire* qui *est pratiquement constante pour tous les animaux d'un même type*.

Une autre conclusion en découle si on remarque que la vitesse au moment de quitter le sol vaut $v_0 = \sqrt{2gh}$. Cette valeur est donc, en première approximation, indépendante de la taille. Comme la distance d'accélération d est proportionnelle à la longueur caractéristique l, la durée de l'accélération vaut $t = d/\bar{v} = d/(v_0/2)$ et varie aussi comme l. La puissance libérée par unité de masse représente le rapport entre l'énergie libérée par unité de masse et le temps. Puisque cette énergie libérée est indépendante de l, la puissance doit varier en fonction de $1/l$. *Ce résultat conduit à la conclusion que les animaux de*

grandes tailles dissipent l'énergie plus lentement.

La comparaison entre les mammifères et les insectes s'avère difficile car ces animaux utilisent les muscles des pattes différemment. Les mammifères emploient directement les contractions musculaires. Par contre, les insectes font usage d'une technique apparentée à celle de la catapulte. Une puce, par exemple, possède dans les articulations des pattes un matériau élastique, *la résiline*. En pliant progressivement la patte, la puce étire la résiline. Elle bloque ensuite l'articulation dans cette position. Au cours d'un saut, l'articulation est débloquée et la résiline se contracte rapidement, ce qui provoque l'extension de la patte. Les insectes utilisent donc de l'énergie potentielle stockée sous forme *élastique*. Ils emploient leurs muscles de façon moins directe.

L'utilisation d'une loi d'échelle nous a permis de discuter les sauts des animaux. Cet exemple montre comment on peut obtenir des résultats qualitatifs établis dans le cas de systèmes biologiques complexes. Le modèle que nous avons utilisé repose sur l'hypothèse que toutes les dimensions du corps varient de la même manière que les masses des animaux. Toutefois, on pourrait faire d'autres hypothèses de lois d'échelle. Nous utiliserons une approche différente au chapitre 8.

6.11   LA COURSE À PIED

Lors de notre discussion sur les sauts, nous avons fait l'hypothèse que la totalité du travail effectué par les muscles était convertie en énergie mécanique. En d'autres termes, aucune fraction de l'énergie n'est dissipée. Cette hypothèse est incorrecte, notamment pour un animal courant à vitesse constante sur un sol horizontal. Dans ce cas, l'énergie mécanique, reste constante. Toutefois, lors de chaque enjambée, les muscles libèrent de l'énergie pour permettre l'accélération des pattes et l'élévation du centre de gravité du corps. Cette énergie est dissipée lorsque les pattes ralentissent et lorsque le centre de gravité s'abaisse. Différentes forces dissipatives sont donc impliquées. Ceci rend difficile l'élaboration d'un modèle qui se baserait sur une analyse directe au moyen des lois de Newton.

Keller J.B. Une autre approche a été proposée récemment par le mathématicien J.B. Keller. Le modèle proposé évite l'analyse détaillée des forces en présence. On suppose que le coureur exerce une force résultante f qui varie en fonction du temps. Cette force n'excède cependant jamais une valeur maximum $F_{\max}$. La puissance dissipée par le coureur représente le produit de la force par la vitesse fv. Une force dissipative D s'oppose au mouvement. On admet que cette force est proportionnelle à la vitesse, $D = cv$. Le coureur peut puiser dans une réserve énergétique stockée E_0, mais une fois que cette réserve initiale est épuisée, la vitesse est alors limitée par le taux σ de libération d'énergie additionnelle par les processus métaboliques. On suppose que ce taux est constant.

À partir de ces hypothèses, le problème mathématique consiste à trouver la force f que le coureur doit exercer pour effectuer une course donnée aussi rapidement que possible. Les quatre paramètres physiologiques qui interviennent F_{max}, c, E_0 et σ sont choisis en ajustant les temps calculés à partir du modèle aux records mondiaux masculins sur différentes distances. Si, à partir de ces résultats, le modèle permet de prévoir, de manière correcte, d'autres records, il peut être considéré comme valable. Les paramètres physiologiques peuvent alors être utilisés pour étudier d'autres activités sportives.

La solution obtenue par Keller implique que le coureur exerce la force maximum F_{max} pendant toute la course lorsque la longueur de celle-ci est inférieure à 291 m. Sur les distances plus longues, le coureur accélère aussi rapidement que possible pendant une ou deux secondes, puis il court à vitesse constante et ralentit dans les dernières foulées. Ces résultats sont en accord avec les conseils habituellement donnés pour maintenir une cadence constante. Toutefois, les coureurs terminent souvent de longues courses par un sprint plutôt que par un ralentissement. C'est sans doute la compétitivité qui explique ce phénomène.

Le tableau 6.2 donne les valeurs des autres paramètres physiologiques établis par comparaison avec les records mondiaux masculins. La figure 6.18 montre que la courbe obtenue pour la vitesse moyenne en fonction de la distance est en bon accord avec les résultats expérimentaux pour toutes les distances jusqu'à 10 000 mètres. Le modèle rend compte du maximum observé pour les courtes distances et de la décroissance de la vitesse pour les distances plus longues. L'emploi des paramètres physiologiques est illustré dans l'exemple suivant.

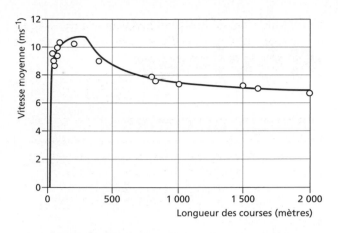

Figure 6.18 Graphique représentant les vitesses moyennes pour des courses de différentes longueurs. Les points correspondent aux vitesses moyennes des records mondiaux masculins. La courbe est la prévision théorique basée sur les valeurs des quatres paramètres du modèle de Keller. Ces paramètres sont ajustés pour obtenir le meilleur accord avec les données expérimentales. *(D'après J.B. Keller* Physics Today. © *American Institute of Physics.)*

 ———— **Exemple 6.16** ————

Le record mondial de 5 000 m est de 796,6 secondes. Cette valeur correspond à une vitesse moyenne de 6,28 m s^{-1}. Trouver la puissance dissipée à cette vitesse par un coureur dont la masse est de 80 kg. Comparer ce résultat au taux auquel les processus métaboliques fournissent l'énergie supplémentaire.

Réponse La puissance dissipée vaut
$$\mathcal{P}_d = Dv = (cv)v$$
À partir du tableau 6.2, on a $c = 89{,}7$ N m^{-1} et
$$\mathcal{P}_d = cv^2 = \left(89{,}7 \text{ N s m}^{-1}\right)\left(6{,}28 \text{ m s}^{-1}\right)^2$$
$$= 3538 \text{ W}$$

L'énergie est fournie à un taux σ = 3330 W. Le coureur utilise donc de l'énergie stockée. La différence entre la puissance dissipée et la puissance fournie est de 208 W. En 797 s, ceci correspond à une dépense d'énergie valant
$$E = (208 \text{ W})(797 \text{ s}) = 166\,000 \text{ J}$$

Cette valeur est proche de l'énergie totale emmagasinée $E_0 = 193\,000$ J. Ceci indique, comme on devait s'y attendre, que le coureur épuise presque complètement sa réserve énergétique.

Il reste à démontrer que ce modèle particulier décrit correctement les caractéristiques les plus importantes des courses. En tout cas, il permet de montrer qu'un modèle simple, en tenant compte de considérations énergétiques, permet d'aborder un problème très complexe.

Force maximum	$F_{max} = 976$ N
Coefficient de la force dissipative	$c = 89{,}7$ N s m^{-1}
Énergie métabolique stockée	$E_0 = 193\,000$ J
Taux de conversion de l'énergie métabolique	σ = 3 330 W

Tableau 6.2 Paramètres physiologiques, en unités S.I., du modèle de Keller qui se rapportent à la course d'un homme de 80 kg. Ces constantes sont toutes proportionnelles à la masse du corps. Ainsi, pour un coureur de 100 kg, les paramètres devraient être multipliés par 100/80 = 1,25.

Réviser

RAPPELS DE COURS

De nombreux problèmes peuvent être facilement résolus grâce aux concepts de travail et d'énergie. La relation entre ces grandeurs s'exprime dans les deux résultats fondamentaux de ce chapitre.

1. L'énergie cinétique finale d'un objet est égale à son énergie cinétique initiale, augmentée du travail effectué par toutes les forces qui agissent sur cet objet :

$$K = K_0 + W$$

Dans cette équation, $W = F_s s$ où s représente le déplacement de l'objet et F_s la composante de la force résultante dans la direction du mouvement.

$K_0 = \frac{1}{2}mv_0^2$ et $K = \frac{1}{2}mv^2$ sont les énergies cinétiques de l'objet avant et après le déplacement.

2. Si des forces conservatives agissent sur un objet, leurs effets peuvent être inclus dans l'expression de l'énergie potentielle $\mathcal{U}$. Les autres forces qui agissent sur l'objet sont appelées les forces appliquées. Ces forces effectuent un travail W_a. L'expression générale entre travail et énergie peut donc être récrite sous une forme plus utile, à savoir,

$$K + \mathcal{U} = K_0 + \mathcal{U}_0 + W_a$$

Une force est dite conservative si le travail qu'elle effectue sur un objet durant le déplacement d'un point à un autre est indépendant du chemin parcouru. Les forces gravitationnelle et électrique sont des forces conservatives.

Lorsqu'aucun travail n'est effectué par des forces appliquées, l'énergie mécanique totale $E = K + \mathcal{U}$ est conservée. Les énergies cinétique et potentielle peuvent varier séparément, mais leur somme reste constante. Lorsque des forces dissipatives sont présentes, une partie de l'énergie mécanique est transformée en énergie thermique. L'énergie n'est jamais ni détruite, ni créée ; elle peut seulement être transformée d'une forme en une autre.

Au voisinage de la surface de la Terre, la force gravitationnelle est approximativement constante. L'énergie potentielle vaut $\mathcal{U} = mgh$. La forme plus générale de l'énergie potentielle gravitationnelle s'écrit $\mathcal{U} = -GMm/r$. L'énergie potentielle électrique de deux charges ponctuelles vaut $\mathcal{U} = kqQ/r$.

Le travail effectué, ou l'énergie transférée, par unité de temps est la puissance. La relation $\mathcal{P} = F_s v$ représente une expression équivalente.

Dans le cas d'un objet en rotation autour d'un axe fixe, les formules de travail, de puissance et d'énergie cinétique s'obtiennent en remplaçant s, v, F et m par les grandeurs correspondantes θ, ω, τ et I.

PHRASES À COMPLÉTER

Voir réponses en fin d'ouvrage.

1. Le travail effectué par une force est positif lorsque **F** est _____ à **s**, négatif lorsque **F** est _____ à **s** et nul lorsque **F** est _____ à **s**.

2. L'unité de travail du système S.I. est le _____.

3. L'énergie cinétique d'un objet est une mesure de la possibilité qu'a cet objet d'effectuer _____.

4. L'énergie cinétique de translation d'un objet de masse m et de vitesse v vaut _____.

5. L'énergie cinétique finale d'un objet est égale à son _____ augmentée du travail total effectué par _____.

6. Les forces qui peuvent être incluses dans l'énergie potentielle sont dites _____.

7. L'énergie mécanique totale est égale à _____ plus _____.

8. L'énergie mécanique est conservée lorsque _____.

9. L'énergie potentielle est l'énergie associée à la _____.

10. Le zéro de l'énergie potentielle est _____.

11. De façon générale, l'accroissement de l'énergie potentielle est égal au _____ changé de signe.

12. Habituellement, les forces dissipatives transforment de l'énergie mécanique en _____.

13. Le travail effectué par les forces de frottement est toujours _____.

14. L'énergie potentielle gravitationnelle donnée par l'expression $\mathcal{U} = mgh$ est valable pour des objets _____.

15. La vitesse minimum nécessaire pour qu'un objet, lancé vers le haut à partir de la surface de la Terre, échappe à l'attraction terrestre, est appelée la _____.

16. La puissance représente la vitesse à laquelle _____.

17. L'unité de puissance du système S.I. est le _____.

18. Un kilowatt-heure est une unité _____.

19. Une _____ implique l'hypothèse que les caractéristiques d'un système biologique sont liées directement à sa taille.

EXERCICES CORRIGÉS

E1. 1) Un cycliste descend une côte en roue libre. Les forces agissant sur le système cycliste + vélo sont indiquées sur la figure 6.19. La force f représente une force de frottement de roulement et elle est donnée par $f_c = 5 \times 10^{-3}$ N, **N** étant la force de réaction normale de la route. La force $\mathbf{F}_a$ est le résistance de l'air, égale en module à $F_a = 0,2v^2$ (dans le système MKSA), v étant la vitesse du cycliste.

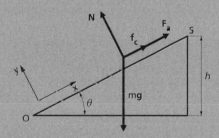

Figure 6.19

Calculer :

a) l'angle,

b) la réaction **N** et la force de frottement **f**,

c) la vitesse v_∞ limite atteinte par le cycliste.

Données.

m(cycliste + vélo) = 90 kg ; pente = 6 % ; h = 180 m.

2) Arrivé au pied de la côte, le cycliste rebrousse chemin et remonte la côte avec une vitesse constante v. Il met 12 minutes pour atteindre le sommet.

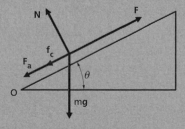

Figure 6.20

Calculer :

a) la vitesse v,

b) la force $\mathbf{F}_M$ (figure 6.20), agissant sur la roue arrière, nécessaire pour monter à une vitesse constante,

c) la puissance mécanique $\mathcal{P}$ fournie par le cycliste.

Solution

1) a) La pente est le rapport de la dénivellation à la distance parcourue pour franchir cette dénivellation. Dans le cas présent, la pente est égale à $\sin \alpha$ donc

$$\alpha = \arcsin 0,06$$
$$= 3,44°$$

b) Par définition, la réaction **N** est égale en grandeur et de sens opposé à la composante normale du poids, donc :

$$N = mg \cos \alpha$$
$$N = 90 \times 9,81 \times \cos (3,44°) = 881,3 \text{ N}$$

la force de frottement vaut

$$f_c = 5 \times 10^{-3} \text{ N}$$
$$f_c = 5 \times 10^{-3} \times 881,3$$
$$= 4,40 \text{ Newton}$$

c) v_∞ est la vitesse constante rapidement atteinte par le cycliste suite à la présence d'une force, proportionnelle au carré de la vitesse, s'opposant au mouvement (la résistance de l'air).

Lorsque la vitesse est constante, l'accélération $a = \mathrm{d}v/\mathrm{d}t$ est nulle et, selon la seconde loi de Newton, la somme vectorielle des forces mises en jeu est nulle.

Soit l'axe x orienté parallèlement à la côte et l'axe y perpendiculairement à celle-ci comme représenté à la figure 1

selon y : $N - mg \cos \theta = 0$ (1)

selon x : $F_a + f_c - mg \sin \theta = 0$ (2)

explicitons la relation (2), on obtient

$$0,2v^2 + 4,41 - (90 \times 9,81 \times 0,06) = 0$$

et

$$v^2 = \frac{52,98 - 4,41}{0,2}$$
$$= 242,85 \text{ (m/s)}^2$$

de sorte que

$$v = 15,58 \text{ m/s}$$
$$\cong 56 \text{ km/h}$$

2) a) $v = \dfrac{\Delta s}{\Delta t}$, or

$$\Delta S = \frac{h}{\sin \theta} = \frac{180}{0,06} = 3 \times 10^3 \text{ m}$$

dès lors

$$v = \frac{3 \times 10^3}{12,60} = 4,117 \text{ m/s} \approx 15 \text{ km/h}$$

b) La vitesse étant constante, l'accélération est nulle et la seconde loi de Newton s'écrit :

$$F_m - f_c - F_a - mg \sin\theta = 0$$

et

$$\begin{aligned}
F_M &= f_c + F_a + mg \sin\theta \\
&= 4,41 + \left[0,2 \times (4,17)^2\right] + \left[90 \times 9,81 \times 0,06\right] \\
&= 60,87 \text{ N}
\end{aligned}$$

c) $\overline{P} = \dfrac{\Delta\omega}{\Delta t} = \dfrac{F_M \Delta s}{\Delta t} = F_M v$

$$\begin{aligned}
&= 60,87 \times 4,17 \\
&= 253,82 \text{ W}
\end{aligned}$$

E2. Un train dont la masse totale est de 550 tonnes, aborde à 6 km/h et vapeur coupée, une rampe de 4 mm/m (figure 6.21).

a) À quelle distance s'arrêterait-il si les frottements étaient négligeables ?

b) En réalité, il s'arrête après avoir parcouru 18,6 m. En déduire l'énergie absorbée par les frottements. En admettant qu'à ces faibles vitesses, les frottements sont indépendants de la vitesse, quelle est leur valeur ?

Données.

$$\tan\alpha = \frac{4 \times 10^{-3}}{1} \; ; \; \alpha = 0,23° \; ; \; M = 550 \times 10^3 \text{ kg} \; ;$$

$$v = 6 \text{ km/h} = \frac{6 \times 10^3}{3,6 \times 10^3} = 1,67 \text{ m/s}.$$

Solution

a) Appliquons le principe de conservation de l'énergie

$$K_0 + \mathcal{U}_0 = K + \mathcal{U}$$

$$K_0 = \frac{1}{2} M v^2$$

$$\mathcal{U}_0 = 0$$

$$K = 0$$

$$\mathcal{U} = Mgh$$

où h représente la hauteur à laquelle le train s'arrêterait si les frottements étaient négligeables.

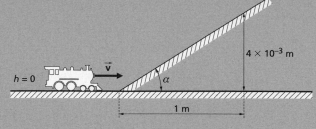

Figure 6.21

Par ailleurs $d = \dfrac{h}{\sin\alpha}$ où d serait la distance parcourue de sorte que

$$\frac{1}{2} M v^2 = Mgd \sin\alpha$$

et

$$d = \frac{v^2}{2g \sin\alpha}$$

dès lors

$$d = \frac{(1,67)^2}{2 \times 9,81 \times 4 \times 10^{-3}} = 35,54 \text{ m}$$

b) Le train s'arrête après avoir parcouru 18,6 m, il s'est donc élevé de $h' = 18,6 \times \sin\alpha$ m soit de $h' = 18,6 \times 4 \times 10^{-3} = 74,4 \times 10^{-3}$ m.

Dans le cas où les forces de frottement sont présentes, le principe de conservation de l'énergie devient

$$K_0 = \mathcal{U} + W_a$$

où $\mathcal{U}$ représente l'énergie potentielle acquise lorsqu'il y a frottement et W_a le travail des forces de frottement.

On en déduit :

$$W_a = \frac{1}{2} M v^2 - Mg \times h'$$

$$\begin{aligned}
&= \frac{1}{2} \times 55 \times 10^4 \times (1,67)^2 \\
&\qquad - 55 \times 10^4 \times 9,81 \times 74,4 \times 10^{-3} \\
&= 76,69 \times 10^4 - 40,14 \times 10^4 \\
&= 36,55 \times 10^4 \text{ J}
\end{aligned}$$

Connaissant la valeur du travail des forces de frottement et la distance (18,6 m) parcourue sous l'effet de ces forces, on peut aisément en déterminer la valeur.

Vu que $W_a = f_c d'$

$$f_c = \frac{W_a}{d'} = \frac{36,55 \times 10^4}{18,6} = 1,97 \times 10^4 \text{ Newton.}$$

E3. Une personne décide faire de l'exercice et veut déterminer l'énergie qu'elle dépense en tondant sa pelouse à l'aide d'une tondeuse non auto-tractée. La pelouse est horizontale et mesure 50 m de long sur 30 m de large. La largeur de coupe de la tondeuse est de 50 cm. Lorsque la tonte est effectuée à vitesse constante et le travail terminé en une heure, la force de poussée moyenne horizontale développée par la personne est égale à $F = 50$ N (cf. figure 6.22). Calculer :

a) la résultante des forces de frottement supposée constante sur la tondeuse,

b) la puissance mécanique développée par la personne ;

c) l'énergie dépensée par le corps si le rendement musculaire global R_G est de 15 %.

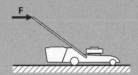

Figure 6.22

$$R_G = \frac{\text{énergie mécanique fournie}}{\text{énergie totale dépensée par l'organisme}}$$

Solution

a) On sait que la tonte est effectuée à vitesse constante donc v = cte et puisque $a = \dfrac{\mathrm{d}v}{\mathrm{d}t}$, $a = 0$. Il en résulte, via la seconde loi de Newton (3.4) généralisée au cas de plusieurs forces agissantes que

$$\sum_i \mathbf{F}_i = 0$$

et plus précisément

$$F = f_c$$

où F est la force de poussée moyenne horizontale développée par la personne et f_c la résultante des forces de frottement appliquées à la tondeuse, dès lors

$$f_c = 50 \text{ N}$$

b) $\overline{P} = \dfrac{\Delta W}{\Delta t}$, or $\Delta W = F\,\Delta x \cos\theta$; dans le cas présent F et Δs sont parallèles et $\cos\theta = 1$.

Δs représente le déplacement effectué par la tondeuse lors d'une coupe complète. La pelouse mesurant 50 m de long sur 30 m de large et la largeur de coupe étant de 50 cm, on a (en négligeant les virages à chaque extrémité)

$$\Delta s = 50 \times 30 \times 2 = 3 \times 10^3 \text{ m}$$

dès lors

$$\Delta W = 50 \times 3 \times 10^3 = 15 \times 10^4 \text{ J}$$

et

$$\overline{P} = \frac{15 \times 10^4}{3\,600} = 41{,}67 \text{ W}$$

puisque $\Delta t = 1$ h $= 3\,600$ s.

c) $R_G = \dfrac{\text{énergie mécanique fournie}}{\text{énergie totale dépensée par l'organisme}}$, donc

$$0{,}15 = \frac{15 \times 10^4}{\text{én. dép.}}$$

d'où

$$\text{énergie dépensée} = \frac{15 \times 10^4}{0{,}15} = 10^5 \text{ J}$$

S'entraîner

QCM

Voir réponses en fin d'ouvrage.

Q1. Le travail s'exprime en :

 a) N/m
 b) N
 c) Nm
 d) Nm/s^2

Q2. Dans le champ de pesanteur terrestre, un point matériel se meut sans frottement. Le travail effectué par la force de pesanteur qui déplace cette particule d'un point P_1 d'altitude z_1 à un point P_2 d'altitude z_2 (avec $z_1 > z_2$)

a) est minimal si la trajectoire suivie par la particule est la droite reliant les deux points

b) est indépendant de la trajectoire suivie par la particule

c) dépend de z_1, z_2 et d'autres coordonnées de P_1 et P_2

d) est indépendant de la trajectoire suivie par la particule seulement si celle-ci reste au voisinage de la surface terrestre.

Q3. En partant du repos, une skieuse dévale une colline haute de 50 m et elle arrive en bas avec une vitesse de 20 m/s. Calculer le travail W effectué par les forces de frottement si la masse de la skieuse (équipement compris) est de 60 kg.

a) 18000 J

b) 18 J

c) 300 J

d) aucun de ces réponses.

Q4. Une balle rebondit plus haut que le niveau d'où elle est partie. Que devez-vous en conclure ? Y-a-t-il violation du principe de conservation de l'énergie ?

a) oui

b) non

c) pas assez d'éléments pour répondre.

Q5. Un espadon de 200 kg nage à la vitesse de 5 m/s. Il éperonne un yacht en bois qui est à l'ancre. Son épée pénètre dans le bateau et le poisson s'arrête sur une distance de 1 m. Calculer la grandeur de la force exercée sur le bateau supposé solidement attaché.

a) 2500 N

b) 2000 N

c) pas assez d'éléments pour répondre.

Q6. Un cylindre de rayon r et de moment d'inertie I tourne autour de son axe à la vitesse angulaire ω (figure 6.23). Un frein permet d'appliquer une force de frottement F sur la surface latérale du cylindre. Cette force, supposée constante, a une valeur telle qu'elle immobilise le cylindre sur un tour exactement. Trouver le module de cette force si $r = 20$ cm et $I = 0,2$ kg m^2 et $\omega = 62 \times 5$ s^{-1}.

Figure 6.23

a) 200 N

b) 31 N

c) 311 N

d) 20 N.

Q7. Un objet de masse m est soumis à des forces dont le travail est nul. Que pouvez-vous dire quant à la vitesse de cet objet ?

a) sa vitesse est constante en grandeur et direction

b) son énergie cinétique est constante

c) l'objet est au repos

d) pas assez d'éléments pour répondre.

Q8. On exerce une force $\mathbf{F}\left((2, 1, 0)N\right)$ sur un objet de masse m (figure 6.24). Si l'objet se déplace avec une vitesse $\mathbf{v}$ égale à $(4, 0, 0)$ m/s, calculer la puissance

fournie par la force et l'angle entre la force et la vitesse.

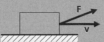

Figure 6.24

a) 9 W ; 30°

b) 8 W ; 26 × 25°

c) 12 W ; 10°

d) pas assez de données.

EXERCICES

Voir réponses en fin d'ouvrage pour les exercices et problèmes dont le numéro est inscrit en noir.

Le travail

6.1 Un enfant tire une petite voiture avec une force de 10 N. Cette force fait un angle de 20° avec l'horizontale (figure 6.25). Si la voiture parcourt une distance de 6 m, quel est le travail fourni par l'enfant ?

Figure 6.25

6.2 Une moto s'arrête en dérapant sur une distance de 5 m. Durant ce dérapage, la force exercée par la route sur la moto vaut 200 N. Cette force a une direction opposée au mouvement.

a) Quel travail la route effectue-t-elle sur la moto ?

b) Quel travail est effectué par la moto sur la route ?

6.3 Une fillette tire horizontalement une boîte pesant 40 N. La boîte se déplace de 10 m, à vitesse constante. Quel travail effectue la fillette si le coefficient de frottement cinétique vaut 0,2 ?

6.4 Une voiture, ayant une masse de 1300 kg, parcourt une distance de 100 m en descendant une côte. La route forme un angle de 10° avec l'horizontale. Quel est le travail effectué sur la voiture par la pesanteur ?

L'énérgie cinétique

6.5 Une balle de base-ball a une masse de 0,15 kg. Elle est lancée à la vitesse de 30 m s^{-1}.

a) Que vaut son énergie cinétique ?

b) Si la balle est lancée par un homme qui exerce une force constante sur une distance de 1,5 m, que vaut cette force ?

6.6 Un homme de 100 kg se trouve dans une voiture qui avance à la vitesse de 20 m s^{-1}.

a) Trouver l'énergie cinétique de cet homme.

b) La voiture percute un mur. L'avant de la voiture s'écrase sur une distance d'un mètre et la voiture s'immobilise. Le passager porte une ceinture de sécurité. Que vaut la force moyenne exercée par la ceinture durant la collision ?

6.7 Montrer que l'énergie cinétique a les dimensions d'une force multipliée par une longueur.

6.8 Les lignes de pêche sont habituellement caractérisées par la force à laquelle elles peuvent résister. Quelle résistance est nécessaire pour ferrer un saumon de 10 kg, nageant à la vitesse de 3 m s^{-1}, si on veut l'immobiliser sur une distance de 0,2 m ?

6.9 Une balle de base-ball est lancée du centre du terrain vers la seconde base. Sa vitesse diminue de 20 m s^{-1} à 15 m s^{-1}. Si la masse de la balle est de 0,15 kg, quelle est l'énergie perdue en raison de la résistance de l'air ? (Supposer que les hauteurs initiale et finale sont les mêmes.)

6.10 On frappe une balle qui est au repos sur le gazon, avec un club de golf. Le club est en contact avec la balle sur une distance de 2 cm. Si la balle acquiert une vitesse de 60 m s^{-1} et si sa masse est de 0,047 kg, que vaut la force moyenne exercée par le club ?

Énergie potentielle et forces conservatives

6.11 Les routes de montagne sont habituellement des routes en lacets et non des routes droites. Pourquoi ?

6.12 Un enfant sur une escarpolette atteint une hauteur de 2 m par rapport à sa position la plus basse. Quelle est la vitesse de l'escarpolette au point le plus bas ? (Négliger les forces de frottement.)

6.13 Un garçon a pris place dans une nacelle d'une grande roue de foire. Quel travail est effectué par la force de pesanteur lorsque la roue effectue un tour complet ?

6.14 Un saumon de 4,5 N remonte, à vitesse constante, une échelle à poissons sur une distance de 5 m. L'eau exerce une force dissipative de 1,3 N. Le poisson s'élève de 0,5 m en remontant l'échelle (figure 6.26).

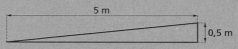

Figure 6.26 Exercice 6.14

a) Quel travail le poisson doit-il effectuer pour compenser la force dissipative ?

b) Quelle est la variation d'énergie potentielle du poisson ?

c) Quel est le travail total effectué par le poisson en remontant l'échelle ?

6.15 Une balle de base-ball, lancée à la verticale, atteint une hauteur de 50 m. Quelle était sa vitesse initiale ? (Négliger la résistance de l'air.)

6.16 Une voiture franchit un parapet à la vitesse de 30 m s^{-1}. Quelle sera sa vitesse après une chute de 20 m ?

6.17 Un ascenseur et ses occupants ont une masse totale de 2 000 kg. Le contrepoids est assuré par une pièce métallique dont la masse est de 1700 kg. Le contrepoids descend lorsque l'ascenseur monte. Quel travail le moteur doit-il effectuer contre la pesanteur pour élever l'ascenseur de 30 m ?

Les forces dissipatives

6.18 Un palet de hockey, dont la vitesse initiale est de 4 m s^{-1}, glisse sur la glace. Le coefficient de frottement cinétique vaut 0,1. Quelle distance le palet parcourt-il avant de s'arrêter ?

6.19 La figure 6.27 représente un toboggan.

a) Quelle sera la vitesse d'une personne au bas du toboggan (négliger le frottement) ?

b) Quelle sera la distance l nécessaire à l'arrêt si le coefficient de frottement au bas de la rampe est de 0,5 ?

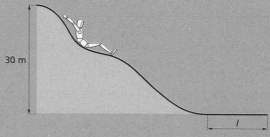

Figure 6.27 Profil d'un toboggan de champ de foire. l représente la distance nécessaire à l'arrêt. Problème 6.19

6.20 Un traîneau glisse sur 100 m le long d'une colline dont la pente fait un angle de 30° avec l'horizontale. Il atteint une vitesse finale de 20 m s^{-1} au bas de cette pente. Quelle fraction de l'énergie est dissipée par les frottements ?

Principe de conservation

6.21 Une femme de 50 kg escalade une montagne haute de 3000 m.
a) Quel travail effectue-t-elle pour vaincre la pesanteur ?
b) Un kilogramme de graisse libère une énergie de $3,8 \times 10^7$ J. Si son corps transforme la graisse en énergie mécanique avec un rendement de 20 %, quelle quantité de graisse doit-elle brûler au cours de l'ascension ?

6.22 Un réservoir a un volume de 10^7 m^3. Si l'eau du réservoir tombe d'une hauteur moyenne de 30 m et que 80 % de l'énergie potentielle est transformée, par des turbines, en énergie électrique, quelle sera l'énergie électrique produite ? (La masse volumique de l'eau est de 1000 kg m^{-3}.)

6.23 De l'eau tombe d'une cascade. Elle a une vitesse de 3 m s^{-1} au sommet et une vitesse de 15 m s^{-1} en bas. L'altitude varie de 200 m à 180 m par rapport au niveau de la mer. Quelle fraction de l'énergie potentielle perdue par l'eau est dissipée ?

6.24 La poulie et la corde de la figure 6.28 ont des masses négligeables et il n'y a pas de frottement. Si au départ le système est au repos, quelle sera sa vitesse après que les masses auront parcouru une distance d ?

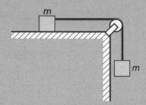

Figure 6.28 Exercices 6.24 et 6.25.

6.25 La poulie et la corde de la figure 6.28 ont des masses négligeables. Le coefficient de frottement cinétique entre le bloc et la surface horizontale vaut 0,2 et $m = 5$ kg.
a) Quel travail est effectué contre le frottement lorsque le système se déplace de 3 m ?
b) Si le système est initialement au repos, quelle sera sa vitesse après ce déplacement ?

6.26 Un homme soulève, à une hauteur de 1,60 m, une boîte qui a une masse de 20 kg. Il la lance ensuite avec une vitesse de 6 m s^{-1}. Quel travail effectue-t-il sur la boîte ?

6.27 Une fillette de 40 kg remonte une piste de ski à l'aide du remonte-pente. La dénivellation est de 100 m. Sa vitesse de départ est nulle et elle quitte le remonte-pente avec une vitesse de 1 m s^{-1}. Si le frottement est négligeable, quel travail le remonte-pente effectue-t-il sur la fillette ?

Énergie potentielle gravitationnelle

(Utiliser les données astronomiques reprises sur la couverture intérieure du livre.)

6.28 Une navette spatiale de masse m est en orbite circulaire autour de la Terre. La distance qui la sépare de la surface de la Terre est égale au rayon terrestre. Quelle énergie est nécessaire pour doubler son altitude ?

6.29 Supposons qu'une navette spatiale de masse m soit en orbite circulaire autour du Soleil à la même distance que la Terre.
a) Exprimer, en fonction de la masse du Soleil M_S et de la distance séparant la Terre du Soleil R, l'énergie nécessaire E_S pour que cette navette échappe au système solaire.
b) Quelle énergie E_T a été nécessaire pour permettre à cette navette d'échapper à l'attraction terrestre ?
c) Évaluer, sous forme numérique, le rapport $E_S s/E_T$.

6.30 Quelle est la variation d'énergie potentielle gravitationnelle lorsqu'on rapproche deux balles de 10 kg à une distance de 0,1 m si les centres sont initialement distants de 10 m ?

6.31 Sur la planète X, l'accélération de la pesanteur est quatre fois celle qui règne sur la Terre. Le rayon de cette planète est deux fois le rayon terrestre. Quelle est la vitesse de libération ?

6.32 La distance moyenne entre les centres de la Terre et de la Lune est de $3,84 \times 10^5$ km. À quelle distance du centre de la Terre les énergies potentielles gravitationnelles de la Terre et de la Lune sont-elles égales ? La masse de la Lune est approximativement $1,2 \times 10^{-2} M_T$.

6.33 Quelle est la vitesse de libération à partir de la surface lunaire ?

La puissance

6.34 Deux équipes d'étudiants tirent les extrémités d'une corde. L'équipe A l'emporte sur l'équipe B car la corde se déplace dans cette direction à une vitesse constante de 0,01 m s^{-1}. La tension dans la corde est de 4 000 N. Quelle est la puissance de l'équipe A ?

6.35 Une fillette de 40 kg escalade, à vitesse constante, une corde de 8 m en 15 secondes. Quelle puissance dépense-t-elle contre les forces gravitationnelles au cours de cette ascension ?

6.36 Le moteur d'un ascenseur a une puissance de 2 000 W. À quelle vitesse peut-il soulever une charge de 1 000 kg ?

6.37 La vitesse de croisière d'un poisson de 0,3 m de long est d'environ 0,35 m s^{-1}. La puissance moyenne dissipée est d'environ 4,5 W kg^{-1}. Supposons que le poisson ait une masse de 0,4 kg.

a) Quelle est la puissance moyenne dissipée par le poisson qui nage à cette vitesse ?

b) Quelle est la force moyenne exercée par le poisson sur l'eau ?

c) Quel travail le poisson effectue-t-il sur l'eau en 10 minutes ?

6.38 Un homme et une bicyclette ont une masse totale de 100 kg. Si l'homme gravit à la vitesse constante de 8 m s^{-1} une côte formant un angle de 4° avec l'horizontale, quelle puissance dépense-t-il contre les forces gravitationnelles ?

6.39 Un cycliste roule sur terrain plat à la vitesse constante de 5 m s^{-1}. Il dépense 100 W contre les forces dissipatives.

a) Si les forces dissipatives sont indépendantes de la vitesse, quelle puissance doit-il fournir lorsqu'il roule à 10 m s^{-1} ?

b) Les forces dissipatives qui proviennent de la résistance de l'air augmentent en fait rapidement avec la vitesse. Si on admet que ces forces dissipatives sont proportionnelles au carré de la vitesse, quelle puissance doit-il fournir à la vitesse constante de 10 m s^{-1} ?

6.40 Un remonte-pente amène, toutes les 12 secondes, deux skieurs au sommet d'une colline haute de 500 m. La masse moyenne d'un skieur équipé est de 80 kg. Si on suppose les forces dissipatives négligeables, évaluer la puissance du moteur du remonte-pente ?

6.41 Pour les besoins domestiques, une famille américaine moyenne de 4 personnes utilise environ 8 kW de puissance. L'énergie solaire directe incidente libère 200 W par m^2 de surface horizontale. Si 20 % de cette énergie est captée et transformée,

a) de quelle surface doit-on disposer pour fournir les 8 kW ?

b) Comparer ce résultat à la surface moyenne du toit d'une maison familiale.

6.42 L'énergie solaire est reçue, à la surface de la Terre, à un taux de 350 W par m^2. Cette valeur est une moyenne qui tient pte de la latitude, du moment de la journée et de l'année, et des conditions atmosphériques. Environ 2 % de cette énergie est convertie en énergie éolienne.

a) Trouver le rapport entre la puissance du vent produite par le Soleil à la surface du globe et la puissance totale utilisée par l'humanité, soit environ 10^{13} W.

(Le rayon de la Terre vaut 6,38 × 10^6 m.)

b) On suppose qu'au maximum 3 % de l'énergie éolienne pourrait être domestiquée. Ceci serait-il suffisant pour assurer les besoins énergétiques de l'humanité ?

Travail et énergie dans un mouvement de rotation

(Voir le tableau 5.3 pour les valeurs des moments d'inertie.)

6.43 La roue d'un tricycle a un moment d'inertie de 0,04 kg m^2. Elle fait un tour par seconde. Quelle est son énergie cinétique ?

6.44 Un cylindre de 3 kg a un rayon de 0,2 m. Il est en rotation autour de son axe à une vitesse angulaire de 40 rad s^{-1}.

a) Trouver l'énergie cinétique si le cylindre est un solide.

b) Trouver l'énergie cinétique s'il s'agit d'un cylindre creux et de faible épaisseur.

6.45 Les perfectionnements dans la technologie des matériaux permettent d'utiliser l'énergie stockée dans des volants d'inertie pour manœuvrer des véhicules.

a) Si un volant est un cylindre solide dont la masse est de 1 000 kg et le rayon d'1 m, quelle est son énergie cinétique lorsqu'il tourne à 1 000 rad s^{-1} ?

b) Pendant combien de temps peut-il fournir de l'énergie à un véhicule avec une puissance moyenne de 20 kW ?

6.46 La lame d'une tondeuse à gazon a une masse de 3 kg et un rayon de giration de 0,1 m. Elle tourne à 300 rad s^{-1}.

a) Quelle est son énergie cinétique ?

b) Lorsque le moteur s'arrête, la lame s'immobilise après 100 rotations complètes. Quel est le moment moyen des forces agissant sur la lame ?

c) Qu'est devenue l'énergie cinétique ?

6.47 Dans la figure 6.28, la poulie est un disque cylindrique uniforme de masse m et de rayon r. Les cordes ont des masses négligeables et il n'y a pas de frottement. Si le système est initialement au repos, trouver la vitesse des blocs lorsque ceux-ci auront parcouru une distance d.

6.48 Une roue de vélo a une masse de 4 kg et un rayon de 0,35 m. Toute la masse est localisée dans la jante. Lorsque l'on soulève le vélo et que l'on fait tourner la roue à 5 tours par seconde, celle-ci effectue 20 tours complets avant de s'immobiliser.

a) Quel est le moment moyen des forces qui agissent sur la roue ?

b) Si ce moment est entièrement dû au frottement dans le roulement et si la force de frottement s'exerce à 1 cm de l'axe, quelle est la grandeur de cette force ?

Les sauts ; les lois d'échelle en physiologie

6.49 À partir des données du tableau 1.4, calculer le travail et la puissance par unité de masse pour un saut

a) de kangourou

b) de sauterelle.

6.50 Parmi les animaux du tableau 1.4, lequel effectue le plus grand travail par unité de masse au cours d'un saut vertical ? Lequel effectue le plus petit travail ?

6.51 Montrer que si le taux de consommation d'oxygène varie avec la surface des artères, la puissance par unité de masse d'un animal devrait varier en l^{-1}. Que suggère ce résultat en ce qui concerne les pulsations cardiaques ?

6.52 Comment varie la perte de chaleur par unité de masse, dans un environnement froid, en fonction de la longueur caractéristique l de l'animal ? (La perte de chaleur est proportionnelle à la surface du corps.)

La course à pied

6.53 a) D'après le modèle de Keller, que devrait valoir la force disspative pour un homme de 80 kg qui court à 8 m s^{-1} ?

b) Que vaudrait la puissance dissipée ?

6.54 La transformation métabolique d'un gramme de graisse libère environ 8 000 J d'énergie mécanique. Si toute l'énergie est fournie par le métablisme des graisses, que consomme, suivant le modèle de Keller, un coureur de 70 kg qui se déplace à 7 m s^{-1} ?

PROBLÈMES

6.55 Une force horizontale **F** est appliquée à un bloc de masse m. Celui-ci se déplace à vitesse constante sur une distance l le long d'un plan incliné formant un angle θ avec l'horizontale (figure 6.29). Si le plan incliné n'exerce pas de frottement, quel est le travail effectué par la force **F** ?

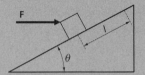

Figure 6.29 Problème 6.55.

6.56 Après avoir lâché le filin que li reliait au bateau que le tractait, un homme de 80 kg faisant du ski nautique aborde en A le tremplin de la figure ci-dessous ($L = 1$ m) avec une vitesse de 55 km/h.

a) Si l'on observe que le skieur atteint la hauteur $H = 1,30$ m au sommet de sa trajectoire, que doit avoir le coefficients de frottement cinétique μ_c entre les skis et le tremplin ?

b) Quelle est la portée « d » du saut qu'il va effectuer ? Considérerez le skieur comme un solide indéformable. Négligez les frottements dus à l'air.

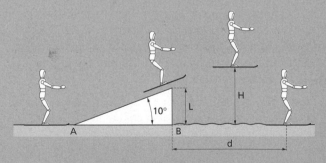

Figure 6.30 Problème 6.56.

6.57 Lorsqu'un saumon rencontre une cascade en remontant le courant, il tente de la franchir de deux façons différentes. Si sa nage est suffisamment rapide, il remonte la cascade. Si cela lui est impossible, il saute du bas de la cascade vers un endroit où la vitesse de l'eau est suffisamment lente pour lui permettre d'atteindre le sommet. Supposons que le saumon ait une vitesse maximum de nage de 5 m s^{-1} en eau tranquille. Supposons également que l'eau soit au repos au sommet et au pied de la cascade.

a) Quelle hauteur maximum le saumon peut-il franchir sans sauter ?

b) Si la cascade a 1 m de haut, quelle doit être la vitesse du poisson par rapport au sol lorsqu'il commence sa nage ascensionnelle au pied de la cascade ?

c) Si la cascade a une hauteur de 2 m, quelle est la hauteur minimum à laquelle le poisson doit sauter pour lui permettre d'effectuer le reste de l'ascension à la nage ?

d) Pour effectuer le saut considéré en c), quelle doit être la vitesse initiale du poisson lorsqu'il sort de l'eau ?

6.58 Un corps de 4 kg glisse sur un plan incliné faisant un angle de 20° avec l'horizontale. Les forces suivantes sont appliquées sur le corps :

– une force **F** de module $F = 80$ N entraînant le corps vers le haut,

– la force d'attraction gravitationnelle **w** = m**g**,

– la réaction normale **N** du plan du corps,

– une force de frottement cinétique **F**$_f$ s'opposant au mouvement ($\mu_c = 0,2$).

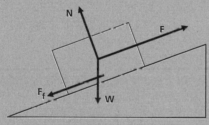

Figure 6.31

a) Calculer le travail de chacune de ces forces si le corps glisse sur une distance de 20 m.

b) Calculer la puissance moyenne développée par la force **F** pendant ce déplacement sachant que la vitesse initiale du corps était nulle.

6.59 On peut évaluer la quantité d'énergie maximum qui peut être produite par les centrales hydro-électriques aux États-Unis. Les chutes de pluie annuelles représentent une hauteur moyenne de 0,75 m et les USA ont une superficie de 8×10^6 km^2.

a) Évaluer la masse des eaux pluviales.

b) Si on tient compte des montagnes, des plaines et des régions côtières, l'altitude moyenne est d'environ 500 m. Si toutes les eaux pluviales finissent par atteindre les océans, quelle est l'énergie potentielle dissipée ?

c) En fait, deux tiers de l'eau s'évaporent dans l'atmosphère. Si on suppose que le reste est utilisé pour produire de l'énergie électrique, quelle serait la puissance moyenne produite en supposant qu'il n'y ait pas d'énergie dissipée sous forme de chaleur ? (La capacité hydro-électrique en fonctionnement aux États-Unis est d'environ 65 GW.)

6.60 Un corps de masse $m = 50$ kg descend une pente faisant un angle $\alpha = 30°$ avec l'horizontale. En plus de son poids, il subit une force **F**, de module $F = 100$ N, parallèle à la pente et une force de frottement pour laquelle le coefficient de frottement cinétique est $\mu_c = 0,2$. La vitesse initiale est nulle et la distance OA est de 100 m.

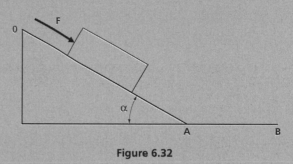

Figure 6.32

a) Calculer le module de l'accélération **a**.

b) Quelle est la vitesse en bas de la pente (c'est-à-dire en A), si le corps part de la positon O.

c) Au-delà de la position A, la masse glisse sur une surface horizontale, pour laquelle le coefficient de frottement cinétique est encore de 0,2. Il n'y a plus de force appliquée **F**. Calculer la distance AB après laquelle la masse s'arrête.

6.61 Un train de 400 tonnes se déplace en palier à la vitesse de 108 km/h. En admettant que l'air et les frottements opposent à l'avancement de ce train grimpera-t-il une pente de 4 %, si l'on suppose les frottements de même grandeur ?

6.62 L'eau qui se trouve sur la calotte terrestre faisant face à la Lune a une hauteur supérieure à la hauteur moyenne des océans. Il en est de même sur la calotte terrestre opposée à la Lune. À cause de la rotation de la Terre, ceci produit des marées hautes et basses approximativement deux fois par jour.

a) Montrer que lorsque l'eau occupant une surface A d'un océan tombe d'une distance d, entre une marée haute et une marée basse, cela correspond à une diminution d'énergie potentielle gravitationnelle qui vaut $\rho g A d^2 / 2$, ρ étant la masse volumique de l'eau.

b) Supposant que la Terre soit entièrement couverte par l'eau, montrer que, sur 24 h, la diminution totale d'énergie potentielle vaut $4\pi R_T^2 \rho g d^2$ où T représente le rayon de la Terre. (Une partie de cette énergie est dissipée sous forme d'énergie thermique. Cette perte est compensée par un apport d'énergie cinétique provenant du mouvement de rotation de la Terre. Ce phénomène provoque un ralentissement très minime de la rotation de la Terre. Il en résulte que le jour s'allonge de $1,5 \times 10^{-3}$ seconde par siècle.)

6.63 Le problème précédent fournit une expression de la variation quotidienne d'énergie potentielle associée aux marées.

a) Calculer cette énergie si la variation de hauteur moyenne d entre marée haute et marée basse est de 0,5 m. (La masse volumique de l'eau est de 1 000 kg m^{-3} et le rayon terrestre mesure $6,38 \times 10^6$ m.

b) Quelle est la puissance moyenne correspondant à cette énergie ?

c) Quel est le rapport entre cette puissance et la puissance totale utilisée par l'humanité, soit environ 10^{13} W ?

6.64 La chute en fer à cheval sur le Niagara a environ 50 m de haut et 800 m de large. L'eau coule à 10 m s^{-1} et elle a une profondeur de 1 m au sommet de la chute.

a) Quel volume d'eau franchit la chute par seconde ?

b) Quelle est la variation d'énergie potentielle de ce volume d'eau ? (1 m^3 d'eau a une masse de 10^3 kg.)

c) Si cette énergie potentielle pouvait être convertie directement en énergie électrique, quelle serait la puissance électrique produite ?

d) La capacité de puissance électrique totale des États-Unis est d'environ 5×10^{11} W. Quel pourcentage de cette puissance pourrait être produit en domestiquant les chutes du Niagara avec une efficacité de 80 % ?

6.65 Pour permettre à une voiture de 2 000 kg de maintenir une vitesse constante de 65 km h^{-1}, il faut vaincre les forces dissipatives en fournissant une puissance de 9 kW.

a) Évaluer les forces dissipatives.

b) L'efficacité d'un moteur à essence est seulement de 20 %. Il y a une perte de puissance dans la transmission et dans l'essieu moteur. En outre, les phares, la génératrice, la pompe à eau et d'autres accessoires nécessitent aussi de l'énergie. En conséquence, seulement 12,5 % de l'énergie fournie par la combustion de l'essence est effectivement utilisée pour le mouvement du véhicule. Quelle distance la voiture peut-elle parcourir à cette vitesse avec 1 litre d'essence, qui représente $3,4 \times 10^7$ J d'énergie chimique ?

6.66 Deux plateaux horizontaux de niveaux différents P_1 et P_2 sont reliés par une vallée. Un bloc aborde la vallée en provenance de P_1 à la vitesse $v = 5$ m/s, glisse sans frottement dans la vallée et remonte jusqu'au plateau P_2 sur lequel il continue son parcours. Sur P_2 des forces de frottement cinétique, de coefficient de frottement $\mu_c = 0,5$ le freinent et le bloc s'arrête après avoir parcouru 5 m. Que vaut la dénivellation h ?

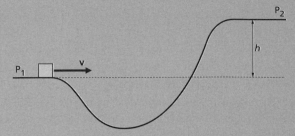

Figure 6.33 Problème 6.66.

6.67 Pour gravir une côte, il faut qu'une voiture dispose d'une puissance supplémentaire par rapport à celle nécessaire pour maintenir une vitesse constante sur terrain plat. Dans le cas de la voiture du problème 6.65 qui se déplace à 65 km h^{-1}, évaluer l'angle formé par la route avec l'horizontale si la puissance nécessaire à la voiture est double de celle nécessaire en terrain plat.

6.68 Une partie de la puissance qui assure le mouvement d'une voiture est dissipée par la résistance de l'air. Une autre partie correspond au travail de déformation des pneus (résistance de la route). À 65 km h^{-1}, ces deux valeurs sont pratiquement égales.

a) La résistance de l'air varie approximativement avec le carré de la vitesse tandis que les forces résistantes de la route sont pratiquement indépendantes de la vitesse. De combien augmentera la puissance nécessaire à la voiture si sa vitesse double ?

b) De quel facteur sera réduit le nombre de kilomètres parcourus avec un litre d'essence ?

6.69 L'énergie potentielle d'un objet de masse m situé à une hauteur h de la surface terrestre vaut $U = -GM_T m/(R_T + h)$. R_T représente le rayon terrestre et M_T la masse de la Terre. En utilisant l'équation (B15) de l'appendice B, montrer que lorsque $h \ll R_T$, on a

$$U \simeq -\frac{GM_T m}{R_T}\left(1 - \frac{h}{R_T}\right).$$

6.70 Montrer que pour une fusée lancée à partir du voisinage de la Terre, la vitesse minimum nécessaire pour échapper au système solaire est donnée par $v_s = \sqrt{2C/T}$, où C représente la circonférence de l'orbite terrestre et où T est la période de rotation de la Terre autour du Soleil, c'est-à-dire une année. (Négliger l'énergie nécessaire pour se libérer de l'attraction terrestre.)

6.71 À partir de la relation donnée dans le problème précédent, comparer les vitesses de libération requises pour échapper à l'attraction terrestre et à l'attraction solaire.

6.72 En supposant que toutes les planètes aient la même masse volumique, c'est-à-dire le même rapport masse-volume, montrer comment la vitesse de libération varie avec le rayon de la planète.

6.73 À une certaine époque, on a pensé que l'énergie du Soleil était d'origine gravitationnelle. Si le Soleil avait une plus grande dimension lors de sa formation et s'il s'était contracté pour acquérir sa dimension actuelle, de l'énergie potentielle gravitationnelle aurait été transformée en chaleur. Pour estimer cette énergie, supposons que le Soleil soit, à l'origine, constitué de deux parties distinctes égales, de masses $M_S/2$. M_S représente la masse totale du Soleil.

a) En rapprochant ces deux parties d'une distance de séparation infinie à une distance de séparation R_S, montrer que l'énergie libérée serait égale à $GM_S^2/4R_S$ (R_S est le rayon solaire).

b) Calculer cette énergie à partir des données reprises sur la couverture intérieure du livre.

c) On pense que le Soleil a rayonné de l'énergie au taux actuel, soit $3,8 \times 10^{26}$ W, depuis 5×10^9 années. Pendant combien de temps pourra-t-il encore rayonner à ce taux sur la base de l'estimation faite en (b) ? (Cette valeur trop faible du temps pendant lequel l'énergie devrait subsister a été utilisée pour estimer l'âge du système solaire. Ceci a servi d'argument contre la théorie de l'évolution de Darwin, puisque cette évolution aurait nécessité une échelle de temps beaucoup plus longue. On sait maintenant que la principale source d'énergie solaire est d'origine nucléaire.)

6.74 À partir d'une station spatiale qui est en orbite à une distance de la Terre égale au rayon terrestre, on lance une trousse d'instruments avec une vitesse initiale de $5\,000$ m s^{-1} par rapport à la Terre. Quelle sera la vitesse de cette trousse lorsqu'elle entrera dans l'atmosphère à quelques kilomètres au-dessus de la surface terrestre ?

6.75 L'énergie dissipée par les marées dans les océans est compensée par l'énergie cinétique de rotation de la Terre. Supposons qu'il soit possible d'extraire la puissance actuellement nécessaire à l'humanité, 10^{13} W, à partir des marées. (Ceci représente à peu près 100 fois l'estimation réaliste de la puissance marémotrice.) Ceci entraînerait une réduction complémentaire de l'énergie cinétique de la Terre. De combien s'allongerait la durée d'un jour après un siècle ? (Supposer que la Terre est constituée d'une sphère uniforme et utiliser les données astronomiques reprises au début du livre.)

6.76 La force musculaire est proportionnelle à la section droite d'un muscle. Montrer que si la vitesse de contraction est constante, la puissance par kg est proportionnelle à l^{-1}.

6.77 Montrer que si la consommation d'oxygène d'un mammifère de longueur l varie suivant l^2, il peut se maintenir sous l'eau sans respirer pendant des temps proportionnels à l.

6.78 Montrer que si la puissance fournie par unité de masse musculaire était la même pour tous les animaux d'un même type, la hauteur des sauts varierait suivant $l^{2/3}$, où l est la longueur caractéristique de l'animal.

6.79 Dans le modèle de Keller, la dépense en puissance d'un coureur est égale à l'apport de puissance lorsque $v^2 = \sigma/c$. Calculer la vitesse à laquelle cela a lieu et comparer ce résultat à la vitesse moyenne du record mondial du $5\,000$ m qui vaut $6,28$ m s^{-1}.

6.80 a) Calculer la force maximum qu'un coureur de 60 kg peut exercer.

b) Pour le $2\,000$ m, la vitesse moyenne du record mondial est de $6,64$ m s^{-1}. Que vaut la force dissipative ?

c) Expliquer la différence.

6.81 Supposons qu'un coureur exerce la force maximum possible et qu'il ne jouisse pas d'un apport d'énergie supplémentaire.

a) Quelle distance pourrait-il parcourir en utilisant sa réserve énergétique ?

b) Quel temps faut-il pour que les processus métaboliques fournissent une quantité d'énergie égales aux réserves énergétiques ?

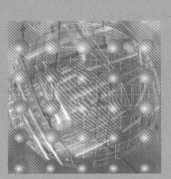

CHAPITRE 7

Quantité de mouvement et moment cinétique

Mots-clefs

Collision • Conservation de la quantité de mouvement • Conservation du moment cinétique • Impulsion • Moment cinétique d'un corps solide • Moment cinétique d'une particule • Moment des forces externes • Mouvement du centre de masse • Quantité de mouvement

Introduction

Nous avons vu comment la conservation de l'énergie permet d'analyser de nombreux problèmes de mouvement. Nous introduirons, dans ce chapitre, deux nouvelles grandeurs qui, sous certaines conditions, sont elles aussi conservées. Il s'agit de la *quantité de mouvement* d'une part, et du *moment cinétique* d'autre part. Comme dans le cas de la conservation de l'énergie, la conservation de la quantité de mouvement et celle du moment cinétique représentent des concepts de portée très générale. Ces concepts interviennent même à l'échelle subatomique alors que les lois de Newton cessent d'être applicables.

Dans notre vie quotidienne, de nombreux phénomènes peuvent être assimilés à des collisions, même s'il n'est pas habituel de les considérer ainsi. C'est le cas, par exemple, lorsqu'un joueur de base-ball frappe ou attrape une balle ou lorsqu'un coup de poing est donné au cours d'un match de boxe, ou encore lorsque des ceintures de sécurité retiennent des passagers lors d'un accident de voiture. Les collisions ne sont donc pas des phénomènes inhabituels. Elles sont néanmoins difficiles à analyser par les méthodes que nous avons décrites jusqu'ici. En particulier, les forces qui interviennent lors d'une collision sont souvent difficiles à évaluer. En conséquence, la deuxième loi de Newton n'est pas directement applicable. En outre, dans beaucoup de collisions, l'énergie mécanique n'est pas conservée et les méthodes de résolution faisant intervenir la conservation de l'énergie ne sont pas applicables non plus.

Le concept de *quantité de mouvement* est particulièrement utile pour analyser les collisions. La quantité de mouvement d'un objet se définit comme le produit de sa masse par sa vitesse. Lorsque deux objets entrent en collision, la quantité de mouvement de chacun d'eux varie, mais la quantité de mouvement *totale* du système reste constante, tout au moins avec une bonne approximation.

7.1 IMPULSION ET QUANTITÉ DE MOUVEMENT

Nous allons définir l'*impulsion* et la *quantité de mouvement* à l'aide d'un exemple. Nous établirons ensuite une relation entre ces deux grandeurs. La figure 7.1 montre un homme en train de pousser une armoire. Faisons l'hypothèse que les forces de frottement sur l'armoire sont négligeables. Nous pouvons établir, à l'aide des lois de Newton, une relation entre les forces qui s'exercent sur l'armoire, le temps pendant lequel les forces agissent et la variation de vitesse de l'armoire.

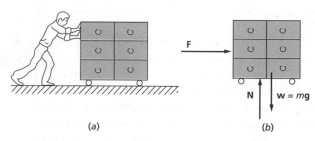

Figure 7.1 *(a)* Un homme pousse une armoire. Elle peut se mouvoir, sans frottement, sur des rouleaux. *(b)* Les forces qui s'exercent sur l'armoire sont la force appliquée **F**, le poids **w** = *m***g** et la force normale **N**. La force résultante vaut **F**.

Supposons que la force **F** s'exerce sur l'armoire pendant un intervalle de temps Δt. Au cours de cet intervalle de temps, la vitesse de l'armoire varie de **v** à **v'**. Par définition, l'accélération moyenne $\overline{\mathbf{a}}$ est égale à la variation de vitesse divisée par l'intervalle de temps : $\overline{\mathbf{a}} = (\mathbf{v}' - \mathbf{v})/\Delta t$. La deuxième loi de Newton relie l'accélération moyenne et la force résultante $\overline{\mathbf{F}} = m\overline{\mathbf{a}}$. On a donc

$$\overline{\mathbf{F}} = m \left(\frac{\mathbf{v}' - \mathbf{v}}{\Delta t} \right)$$

ou encore

$$\overline{\mathbf{F}} \Delta t = m\mathbf{v}' - m\mathbf{v} \qquad (7.1)$$

L'*impulsion* est un vecteur qui se définit comme le produit de la force moyenne par l'intervalle de temps, **F** Δt. La *quantité de mouvement* est un vecteur défini comme le produit *m***v**,

$$\mathbf{p} = m\mathbf{v} \qquad (7.2)$$

Il ressort de cette définition que l'unité de quantité de mouvement du S.I. est le kilogramme × mètre par seconde (kg m s^{-1}). L'équation (7.1) montre que l'*impulsion est égale à la variation de la quantité de mouvement*,

$$\overline{\mathbf{F}} \Delta t = \mathbf{p}' - \mathbf{p} = \Delta \mathbf{p} \qquad (7.3)$$

L'exemple 7.1 illustre ce résultat.

 ———— **Exemple 7.1** ————

On frappe une balle de base-ball qui est au repos. Juste après le coup, la vitesse de la balle est de 40 m s^{-1}. Sa masse est de 0,15 kg. Si la durée de l'impact est de 10^{-3} s, que vaut la force moyenne s'exerçant sur la balle ?

Réponse La quantité de mouvement initiale de la balle est nulle puisque la balle est au repos. La quantité de mouvement finale vaut $\mathbf{p}' = m\mathbf{v}'$. À partir de la relation $\overline{F}\Delta t = \mathbf{p}' - \mathbf{p}$, on déduit que la force moyenne $\overline{F}$ s'exerçant sur la balle vaut :

$$\overline{F} = \frac{mv'}{\Delta t} = \frac{(0,15 \text{ kg} (40 \text{ m s}^{-1})}{(10^{-3} \text{ s})} = 6000 \text{ N}$$

L'équation 7.3 donne la variation de quantité de mouvement en terme de la force *moyenne*. Il est parfois commode de pouvoir relier $\Delta\mathbf{p}$ à la force *instantanée*. Lorsque la force **F** reste constante au cours du temps, $\overline{\mathbf{F}} = \mathbf{F}$ et $\Delta\mathbf{p} = \mathbf{F}\,\Delta t$. Lorsque la force varie, on peut décomposer le mouvement en une série d'intervalles de temps (indicés i) au cours de chacun desquels la force $\mathbf{F}_i$ reste constante, de sorte que $\Delta\mathbf{p}_i = \mathbf{F}_i\,\Delta t$. La variation de quantité de mouvement *totale* correspond à $\Delta\mathbf{p} = \Sigma_i\,\Delta\mathbf{p}_i$. Dans la limite d'intervalles de temps infiniment cours, on obtient :

$$\Delta\mathbf{p} = \overline{\mathbf{F}}\,\Delta t = \lim_{\Delta t \to 0} \sum_i \mathbf{F_i}\,\Delta t = \int \mathbf{F}\,dt \qquad (7.4)$$

7.1.1 Sécurité routière

Les accidents de voiture constituent des phénomènes complexes qui impliquent différents paramètres. De nombreux problèmes liés à la sécurité des passagers peuvent néanmoins être abordés grâce aux notions d'impulsion et de quantité de mouvement.

Pour en discuter, supposons qu'une voiture animée d'une vitesse appréciable entre en collision frontale avec un mur de pierre ou un arbre. La partie avant de la voiture s'écrase et le compartiment passager s'immobilise sur une distance d'environ 1 mètre. La durée de cette immobilisation est de l'ordre de quelques dixièmes de seconde.

(a)   *(b)*   *(c)*

Figure 7.2 Un passager d'une voiture au cours d'une collision : *(a)* sans ceinture de sécurité ; *(b)* avec une ceinture ventrale seulement ; *(c)* avec une ceinture de sécurité normale.

Un passager portant une ceinture de sécurité s'immobilise donc en quelques dixièmes de seconde. Par contre, un passager sans ceinture aura tendance à glisser vers l'avant, avec une vitesse égale approximativement à la vitesse de la voiture. Il percutera le pare-brise ou le tableau de bord (figure 7.2). L'immobilisation intervient alors en un temps plus court et le passager subit, au cours de l'impact, l'influence de forces beaucoup plus importantes. En outre, la force s'applique à une fraction réduite de la surface du corps, ce qui augmente la gravité des blessures. La différence entre ces deux situations est illustrée dans l'exemple 7.2.

Exemple 7.2

Une voiture qui circule à la vitesse de 10 m s^{-1} (36 km h^{-1}) entre en collision avec un arbre.

a) Un passager, sans ceinture de sécurité, frappe le pare-brise de la tête et s'immobilise en 0,002 s. La surface de contact entre la tête et le pare-brise vaut 6×10^{-4} m^2. La masse de la tête est de 5 kg. Trouver la force moyenne et la force par unité de surface qui s'exerce sur la tête.

b) Un passager, dont la masse est de 70 kg, porte une ceinture de sécurité. Il s'immobilise en 0,2 s. La surface de contact entre la ceinture et le passager est de 0,1 m^2. Trouver la force moyenne et la force par unité de surface.

Réponse   a) Utilisons de nouveau la relation

$$\overline{\mathbf{F}} \, \Delta t = \mathbf{p}' - \mathbf{p}$$

La quantité de mouvement finale est nulle puisque le pare-brise est immobilisé. La quantité de mouvement initiale est égale à la masse de la tête multipliée par sa vitesse. La grandeur de la force moyenne vaut donc

$$\overline{F} = \frac{p}{\Delta t} = \frac{(5 \text{ kg})(10 \text{ m s}^{-1})}{0,\,!002 \text{ s}} = 25\,000 \text{ N}$$

La force moyenne par unité de surface s'écrit

$$\frac{\overline{F}}{A} = \frac{25\,000 \text{ N}}{6 \times 10^{-4} \text{ m}} = 4,16 \times 10^7 \text{ N m}^{-2}$$

Ceci représente une force par unité de surface très importante qui est susceptible de provoquer une blessure sérieuse.

b) La force moyenne se calcule à partir de la variation de la quantité de mouvement de la totalité du corps, alors que la vitesse de la voiture varie de 10 m s^{-1} à 0. La grandeur de $\overline{F}$ vaut donc

$$\overline{F} = \frac{p}{\Delta t} = \frac{(70 \text{ kg})(10 \text{ m s}^{-1})}{0,2 \text{ s}} = 3\,500 \text{ N}$$

Cette valeur est beaucoup plus petite que celle qui s'exerce

sur la tête d'un passager sans ceinture (voir a)). La force moyenne par unité de surface vaut

$$\frac{\overline{F}}{A} = \frac{3\,500 \text{ N}}{0,1 \text{ m}^2} = 3,5 \times 10^4 \text{ N m}^{-2}$$

Puisque cette valeur est environ 1 200 fois plus petite que la force par unité de surface s'exerçant sur le passager sans ceinture, les risques de blessures sont fortement réduits.

Augmenter la sécurité des passagers dans une automobile qui entre en collision, revient à augmenter la durée correspondant à la variation de la quantité de mouvement ou encore à accroître la surface sur laquelle les forces de décélération s'exercent. En ce qui concerne le premier point, on peut souligner les améliorations dans les techniques de fixation des passagers et les progrès dans le dessin de la partie avant de la voiture, ce qui permet une décélération plus progressive du compartiment passagers. En ce qui concerne le second point, on cherche à éliminer la présence d'objets contondants et préconise la présence d'*airbags* qui se gonflent au moment d'un choc et s'interposent entre le passager et le tableau de bord.

7.2 CONSERVATION DE LA QUANTITÉ DE MOUVEMENT

La quantité de mouvement est une notion très utile pour étudier l'interaction entre deux ou plusieurs objets. La figure 7.3 schématise une collision entre deux objets. Le frottement est supposé négligeable. Chaque objet est soumis à la force de pesanteur et à une force normale. Au cours de la collision, les objets exercent aussi des forces l'un sur l'autre. Ces forces $\mathbf{F}_{12}$ et $\mathbf{F}_{21}$ sont des forces d'action et de réaction. Elles ont donc la même grandeur, mais des directions opposées. Dès lors $\mathbf{F}_{12} + \mathbf{F}_{21} = 0$.

Si la collision dure pendant un intervalle de temps Δt, la variation de la quantité de mouvement relative à chaque objet peut se calculer à partir des forces moyennes $\overline{\mathbf{F}}_{12}$ et $\overline{\mathbf{F}}_{21}$. Pour l'objet m_1, $\overline{\mathbf{F}}_{12} \, \Delta t = \mathbf{p}'_1 - \mathbf{p}_1$ et pour l'objet m_2, $\overline{\mathbf{F}}_{21} \, \Delta t = \mathbf{p}'_2 - \mathbf{p}_2$. Comme $\overline{\mathbf{F}}_{12} + \overline{\mathbf{F}}_{21} = 0$, si on additionne les deux équations, on obtient

$$\mathbf{p}'_1 - \mathbf{p}_1 + \mathbf{p}'_2 - \mathbf{p}_2 = 0$$

ou

$$\mathbf{p}_1 + \mathbf{p}_2 = \mathbf{p}'_1 + \mathbf{p}'_2 \tag{7.5}$$

Cette équation montre que la quantité de mouvement résultante des deux objets reste inchangée avant et après la collision. La quantité de mouvement totale du système est donc conservée.

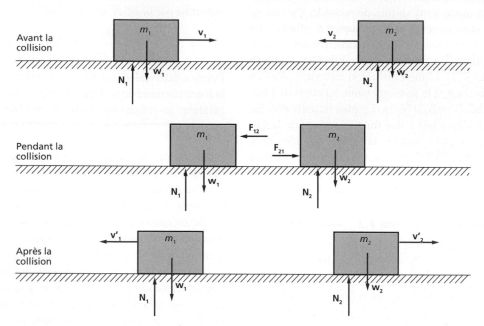

Figure 7.3 Deux objets glissent, sans frottement, l'un vers l'autre. Leurs quantités de mouvement initiales valent $\mathbf{p}_1 = m_1\mathbf{v}_1$ et $\mathbf{P}_2 = m_2\mathbf{v}_2$. Au cours de la collision, les objets exercent, l'un sur l'autre, des forces égales mais opposées. Après la collision, les quantités de mouvement des deux objets valent $\mathbf{p}_1' = m_1\mathbf{v}_1'$ et $\mathbf{p}_2' = m_2\mathbf{v}_2'$.

Ceci est important. En effet, nous pouvons relier les vitesses des objets avant et après la collision *sans rien connaître des forces qui s'exercent entre eux au cours de celle-ci*. Le fait que ces forces sont égales, mais ont des directions opposées suffit à établir la relation. L'exemple 7.3 illustre ce résultat.

✎ ———— **Exemple 7.3** ————

Un neutron se déplace à la vitesse de $2\,700$ m s^{-1}. Il entre en collision avec un noyau d'azote au repos. Le neutron est absorbé par le noyau. Les masses du neutron et du noyau d'azote valent respectivement $m = 1,67 \times 10^{-27}$ kg et $M = 23,0 \times 10^{-27}$ kg. Quelle est la vitesse finale du noyau ayant absorbé le neutron ? (figure 7.4.)

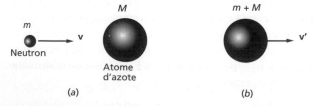

(a)   (b)

Figure 7.4 *(a)* Un neutron entre en collision avec un atome d'azote immobile. *(b)* Le neutron est absorbé et un nouveau noyau de masse $m + M$ est formé.

Réponse Les seules forces qui influencent le mouvement pendant la collision sont celles qui s'exercent entre le neutron et le noyau. La quantité de mouvement résultante est donc constante. Avant la collision, $p = mv$. Après la

collision, $p' = (m+M)v'$ où v' représente la vitesse finale. Donc $mv = (m + M)v'$, ce qui donne

$$v' = \frac{mv}{(m+M)} = \frac{(1,67 \times 10^{-27}\ \text{kg})(2700\ \text{m s}^{-1})}{(1,67 + 23,0) \times 10^{-27}\ \text{kg}}$$

$$= 183\ \text{m s}^{-1}$$

Pour déterminer la condition de conservation de la quantité de mouvement, il nous faut distinguer le rôle des forces *internes* et celui des forces *externes*. Dans la figure 7.3b, la force normale et la force de pesanteur sont des forces *externes*. Puisqu'aucun mouvement n'existe dans la direction verticale, $\mathbf{N}_1 + \mathbf{w}_1 = 0$ et $\mathbf{N}_2 + \mathbf{w}_2 = 0$. Il n'y a donc pas d'impulsion résultante associée à ces forces. La force $\mathbf{F}_{12}$ constitue une force *externe* pour l'objet m_1 et la force $\mathbf{F}_{21}$ une force externe pour l'objet m_2. Cependant, si les objets m_1 et m_2 sont considérés comme appartenant à *un même système*, on peut dire que les forces $\mathbf{F}_{12}$ et $\mathbf{F}_{21}$ sont des forces *internes* à ce système. En conséquence, dans l'exemple de la figure 7.3, il n'y a *aucune force externe résultante agissant sur le système*. La quantité de mouvement de l'objet m_1, pris isolément, n'est pas conservée, pas plus d'ailleurs que la quantité de mouvement de l'objet m_2. C'est la quantité de mouvement résultante ou totale du système qui est conservée.

En termes des équations 7.3 et 7.4, cela signifie que les seules forces à prendre en compte pour déterminer $\Delta\mathbf{p}$ sont les forces *externes* : en raison du principe d'action et de réaction, les forces internes produiront toujours une impulsion résultante nulle et ne modifieront donc pas la quantité de mouvement totale du système.

> Lorsque la force résultante externe agissant sur un système est nulle, sa quantité de mouvement est conservée. La quantité de mouvement est donc une grandeur toujours conservée dans le cas d'un système isolé, c'est-à-dire dans le cas d'un système qui n'est soumis qu'à des forces internes.

Dans de nombreuses situations, la quantité de mouvement n'est conservée qu'approximativement, à cause de forces externes de résultante non nulle. Cependant, les impulsions associées à ces forces externes sont souvent suffisamment faibles pour être négligées. Ainsi, lorsque deux voitures entrent en collision, elles exercent l'une sur l'autre des forces énormes pendant un temps très court et l'impulsion qui s'exerce sur chaque voiture est importante. Une force externe, comme par exemple la force de frottement exercée par la route, peut également être présente mais son importance n'est pas suffisante pour contribuer de manière appréciable à l'impulsion pendant la courte durée de la collision. En conséquence, seules les forces internes qui s'exercent entre les voitures sont réellement importantes. On peut donc utiliser le concept de conservation de la quantité de mouvement pour analyser la collision.

Lors de l'explosion d'un objet, la quantité de mouvement est également conservée avec une bonne approximation. En effet, aucune force externe ne contribue de manière appréciable à l'impulsion pendant le temps très court de l'explosion. Lorsqu'un coup de fusil est tiré, l'arme recule dès que la balle et les gaz qui résultent de l'explosion de la poudre sont propulsés vers l'avant. Ceci illustre la conservation de la quantité de mouvement comme le montre l'exemple 7.4.

 ———————— **Exemple 7.4** ————————

Un canon est monté sur un wagon de chemin de fer. Ce wagon est initialement au repos, mais il peut se mouvoir sans frottement (figure 7.5). On tire un boulet de canon dont la masse m vaut 5 kg et qui possède, par rapport au sol, une vitesse horizontale $v = 15$ m s^{-1}. Le boulet se dirige vers la paroi du wagon. La masse totale du canon et du wagon vaut $M = 15\,000$ kg. (On suppose que la masse des gaz produits lors de l'explosion est négligeable.)

a) Que vaut la vitesse **V** du wagon lorsque le boulet est en vol ?

b) Si le boulet s'incruste dans la paroi du wagon, que vaut la vitesse du wagon et du boulet après l'impact ?

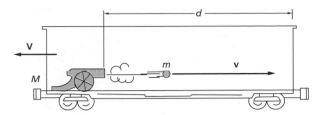

Figure 7.5 Le canon tire un boulet vers la droite. Le canon est fixé rigidement au plancher d'un wagon de chemin de fer.

Réponse a) Au coup de canon, le canon exerce sur le boulet une force dirigée vers la droite. Le boulet exerce une force égale mais de sens opposé sur le canon. Le canon et le wagon subissent donc un mouvement de recul vers la gauche. La quantité de mouvement totale est conservée puisqu'il n'existe aucune force externe de frottement. La quantité de mouvement avant le coup de canon est nulle. Dès lors, après le coup de canon, la quantité de mouvement du boulet, qui est dirigée vers la droite, doit être égale en grandeur à celle du canon et du wagon, laquelle est dirigée vers la gauche. On a donc $mv = MV$ et

$$V = \frac{mv}{M} = \frac{(5 \text{ kg})(15 \text{ m s}^{-1})}{(15\,000 \text{ kg})}$$
$$= 5 \times 10^{-3} \text{ m s}^{-1}$$

La vitesse de recul du canon et du wagon est très faible parce que leur masse est importante.

b) Lorsque le boulet s'incruste dans la paroi, il exerce une force sur celle-ci. Elle est dirigée vers la droite (figure 7.5). À son tour, la paroi exerce une force sur le boulet, qui est dirigée vers la gauche. Le boulet et le wagon cessent donc de se mouvoir. À ce moment, la quantité de mouvement résultante est à nouveau nulle. Entre-temps, le wagon s'est déplacé vers la gauche et le boulet vers la droite.

Il est important de remarquer que la quantité de mouvement est une *grandeur vectorielle*. Si la quantité de mouvement totale d'un système reste constante, chacune des *composantes* vectorielles doit être constante. Cela est illustré dans l'exemple 7.5.

 ———————— **Exemple 7.5** ————————

Une voiture dont la masse est de 1 000 kg se déplace à la vitesse de 30 m s^{-1}. Elle percute une autre voiture de masse $M = 2\,000$ kg qui circule à la vitesse de 20 m s^{-1} dans la direction opposée. Immédiatement après la collision, la voiture de 1 000 kg se déplace à angle droit par rapport à sa direction initiale et elle possède une vitesse de 15 m s^{-1}. Trouver la direction et la grandeur de la vitesse de la voiture de 2 000 kg immédiatement après la collision (figure 7.6).

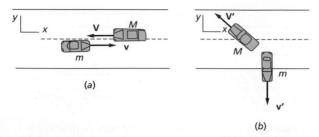

Figure 7.6 Les composantes *x* et *y* de la quantité de mouvement totale des deux voitures sont conservées au cours de la collision.

Réponse   Définissons un système d'axes *x* et *y* comme le montre la figure 7.6. La composante suivant l'axe *x* de la quantité de mouvement totale des deux voitures est conservée, de sorte que

$$mv_x + MV_x = mv'_x + MV'_x$$

Puisque $v'_x = 0$, on peut résoudre l'equation par rapport à V'_x et on obtient

$$V'_x = \frac{mv_x + MV_x}{M} = \frac{mv_x}{M} + V_x$$

$$= \frac{1000 \text{ kg}}{2000 \text{ kg}}\left(30 \text{ m s}^{-1}\right) + \left(-20 \text{ m s}^{-1}\right)$$

$$= -5 \text{ m s}^{-1}$$

Les composantes des quantités de mouvement initiales suivant la direction *y* sont nulles, de sorte que

$$mv'_y + MV'_y = 0$$

On en déduit que

$$V'_y = -\frac{mv'_y}{M} = -\frac{1\,000 \text{ kg}}{2\,000 \text{ kg}}\left(-15 \text{ m s}^{-1}\right)$$

$$= 7,5 \text{ m s}^{-1}$$

Le module de la vitesse de la voiture de 2 000 kg après la collision vaut :

$$V = \sqrt{V_x^2 + V_y^2} = \sqrt{(-5)^2 + (7,5)^2} = 9 \text{ m s}^{-1}$$

Cette vitesse est orientée selon une direction faisant un angle θ avec l'axe des *x*, tel que

$$\tan\theta = \frac{V_y}{V_x} = \frac{(7,5)}{(-5)} = -1,5$$

$$\Rightarrow \quad \theta = 123,7°$$

Ces exemples montrent combien la notion de conservation de quantité de mouvement représente un outil puissant pour l'analyse de nombreux problèmes. Cependant, comme dans le cas de la conservation de l'énergie, certaines limitations existent quant aux renseignements que l'on peut obtenir. Il est souvent utile de posséder quelques

informations complémentaires relatives à l'état final du système. Ainsi, dans l'exemple 7.3, on sait que le neutron et le noyau se déplacent ensemble car ils constituent, après le choc, un seul objet. Dans l'exemple 7.4, on connaît la vitesse du boulet de canon. La conservation de la quantité de mouvement nous informe seulement sur le fait que la quantité de mouvement totale d'un système est conservée en l'absence d'une force externe résultante. Aucune information ne peut être obtenue directement sur la manière dont la quantité de mouvement se distribue au sein des objets qui constituent le système.

La ballistocardiographie

La ballistocardiographie constitue une application du principe de la conservation de la quantité de mouvement à un problème médical. Il s'agit de l'étude des fonctions cardiaques et de leurs anomalies. Lorsque le ventricule gauche du cœur se contracte, le sang est pompé dans l'aorte. L'aorte, qui possède des parois flexibles, se dilate, ce qui permet le transfert du sang vers la tête. Une personne, couchée sur une table à coussin d'air, c'est-à-dire une table sans frottements, subira un recul dans la direction opposée. Comme la masse de cette personne est très grande vis-à-vis de la masse du sang déplacé, la vitesse de recul sera faible, de l'ordre de 1 mm par seconde ou moins. Les vitesses de recul changent constamment et leur moyenne est nulle au cours d'un cycle cardiaque complet. L'enregistrement de ces mouvements constitue un *ballistocardiogramme*. Le succès de ce type de mesure dans les problèmes de diagnostic reste jusqu'ici limité.

7.3 MOUVEMENT DU CENTRE DE MASSE

Les mouvements de deux objets qui entrent en collision ou les mouvements des fragments d'un obus qui explose peuvent être très complexes et difficilement prévisibles. Néanmoins, le mouvement du centre de masse (C.M.) du système (ou centre de gravité C.G.) n'est pas modifié par les forces internes. Il est entièrement déterminé par les forces externes qui agissent sur le système. Ainsi, dans l'exemple 7.3 du neutron absorbé par un noyau, la vitesse du centre de masse des deux objets reste inchangée avant et après la collision. De la même manière, lorsque dans l'exemple 7.4 le boulet de canon est tiré, il se déplace plus vers la droite que le wagon ne se déplace vers la gauche. Le C.M. du système boulet plus wagon reste immobile. Dans les deux cas, comme aucune force externe résultante n'agit, la vitesse *V* du C.M. reste constante.

Ce résultat important découle de la définition du centre de masse. Supposons par exemple qu'une masse m_1 soit en x_1 et qu'une masse m_2 soit en x_2. La masse totale vaut $M = m_1 + m_2$. Nous avons vu au chapitre 4 que la position du C.M. est donnée par la relation

$$X = \frac{m_1 x_1 + m_2 x_2}{M}$$

Pendant l'intervalle de temps Δt, x_1 varie de $v_1 \Delta t$, x_2 de $v_2 \Delta t$ et X de $V \Delta t$. Ces variations sont reliées par l'expression

$$V \Delta t = \frac{m_1 v_1 \Delta t + m_2 v_2 \Delta t}{M}$$

En divisant par Δt et en utilisant la définition de la quantité de mouvement, on obtient une expression relative à la vitesse du C.M. en notation vectorielle :

$$\mathbf{V} = \frac{\mathbf{p}_1 + \mathbf{p}_2}{M} \tag{7.6}$$

Il découle de ce résultat que lorsqu'aucune force externe résultante ne s'exerce, c'est-à-dire lorsque la quantité de mouvement totale $\mathbf{p}_1+\mathbf{p}_2$ est constante, la vitesse du centre de masse reste également constante et ce, indépendamment de la variation éventuelle des vitesses individuelles des particules qui composent le système.

Lorsqu'une force externe résultante $\mathbf{F}_{ext}$ agit sur le système, le centre de masse possède une accélération qui est égale à $\mathbf{F}_{ext}/M$. Le déplacement du centre de masse s'effectue donc sous l'influence de $\mathbf{F}_{ext}$ d'une manière tout à fait analogue au déplacement d'une particule unique de masse M. Ce principe est illustré dans l'exemple 7.6.

À nouveau, ceci reste vrai indépendamment du mouvement particulier des différentes composantes du système.

 ———— Exemple 7.6 ————

Un obus explose en vol. Quelles conclusions peut-on tirer quant aux mouvements des différents fragments ? On néglige la résistance de l'air.

Réponse   Avant l'explosion, l'obus se déplace suivant une trajectoire que nous avons décrite dans notre discussion du mouvement des projectiles du chapitre 2. Après l'explosion, les différents fragments s'éparpillent dans de nombreuses directions et, en l'absence d'informations complémentaires, nous ne pouvons rien en déduire quant à leur trajectoire individuelle. Cependant, le centre de masse de l'ensemble du système n'est pas modifié par les forces internes de l'explosion. Il continue donc à suivre sa trajectoire initiale (figure 7.7). De la même manière, les plongeurs ou les gymnastes peuvent exécuter des mouvements très complexes alors que leurs centres de masse suivent des trajectoires simples (figure 7.8).

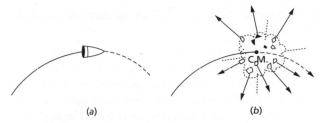

Figure 7.7 *(a)* Trajectoire d'un obus. *(b)* Le mouvement du centre de masse d'un système est déterminé seulement par les forces externes. C'est pourquoi le centre de masse de l'obus continue à suivre sa trajectoire originale après l'explosion. Il se peut qu'aucun fragment ne suive cette trajectoire.

Figure 7.8 Le centre de masse du plongeur suit la trajectoire d'un projectile, dès qu'il a quitté le tremplin.

7.4 COLLISIONS ÉLASTIQUES ET INÉLASTIQUES

Au cours d'une collision, la quantité de mouvement totale est conservée, soit exactement, soit avec une bonne approximation. Cependant, l'énergie cinétique n'est pas nécessairement conservée. Ainsi, lorsque l'on laisse tomber une balle de caoutchouc sur le sol, elle rebondit et reprend une hauteur pratiquement égale à celle qu'elle avait au départ. La quantité d'énergie mécanique dissipée lorsque la balle touche le sol est peu importante. Par contre, si on laisse tomber une boule de mastic, elle restera collée au sol. Toute son énergie cinétique est dissipée sous forme de chaleur, ou utilisée au cours du travail de déformation.

Une collision, pour laquelle l'énergie mécanique est conservée, est dite collision *élastique*. Si l'énergie mécanique n'est pas conservée, la collision est *inélastique*. Au cours d'une collision *complètement inélastique*, le mouvement *relatif* cesse. Les objets s'associent et se déplacent comme s'ils n'en formaient plus qu'un. C'est le cas, par exemple, lorsque les pare-chocs de deux voitures s'accrochent (figure 7.9*a*). Ce type de collision dissipe une quantité maximum d'énergie cinétique compatible avec les contraintes associées à la conservation de la quantité de mouvement.

Si l'on sait dans quelle mesure l'énergie mécanique est conservé au cours d'une collision, on peut utiliser cette information, associée à celle relative à la conservation de la quantité de mouvement, en vue d'analyser le mouvement. Nous illustrerons cette idée dans deux cas extrêmes : d'une part dans une collision élastique, d'autre part dans une collision complètement inélastique. Il est possible d'effectuer des calculs analogues pour des situations intermédiaires mais les calculs sont alors plus élaborés et il faut disposer d'informations permettant de déduire la quantité d'énergie dissipée.

7.4.1 Collisions complètement inélastiques

Nous avons déjà considéré le cas d'une collision complètement inélastique dans l'exemple 7.3, où un neutron était capturé par un noyau d'azote. Nous allons à présent étudier ce type de collision plus en détail.

Au cours d'une collision complètement inélastique, la quantité d'énergie mécanique, dissipée sous forme de chaleur ou sous forme de travail de déformation des objets, dépend des masses relatives de ces objets. Supposons, par exemple, qu'une voiture de masse m_1, ayant la vitesse v_1, percute un camion immobile de masse m_2. Après le choc, les deux véhicules se déplacent ensemble (figure 7.9). Le rapport entre les énergies cinétiques finale et initiale vaut

$$\frac{K'}{K_1} = \frac{\frac{1}{2}(m_1 + m_2)v'^2}{\frac{1}{2}m_1 v_1^2}$$

La conservation de la quantité de mouvement implique que $m_1 v_1 = (m_1 + m_2)v'$, ou $v' = m_1 v_1 / (m_1 + m_2)$. À partir de la relation qui donne v', on déduit que lors d'une collision complètement inélastique

$$K' = \left(\frac{m_1}{m_1 + m_2}\right) K_1 \qquad (7.7)$$

Ce résultat implique que l'énergie cinétique finale est faible lorsque la masse de l'objet en mouvement m_1 est petite vis-à-vis de la masse de l'objet au repos m_2 ; la plus grande partie de l'énergie cinétique est perdue au cours de la collision. Ce résultat est illustré dans l'exemple suivant.

✎ ———————— **Exemple 7.7** ————————

a) Une voiture de 1 000 kg circule à la vitesse de 10 m s^{-1}. Elle entre en collision avec un camion immobile dont la masse est de 9 000 kg. Les véhicules s'accrochent au cours de la collision (figure 7.9). Quelle quantité d'énergie cinétique est dissipée ?

b) Si le camion a une vitesse initiale de 10 m s^{-1} et si la voiture est immobile, quelle quantité d'énergie cinétique est dissipée ?

Réponse a) L'énergie cinétique de la voiture avant la collision vaut

$$K_1 = \frac{1}{2}m_1 v_1^2 = \frac{1}{2}(1\,000\,\text{kg})(10\,\text{m s}^{-1})^2 = 5 \times 10^4\,\text{J}$$

Après la collision, l'énergie cinétique totale des deux véhicules vaut

$$K' = \left(\frac{m_1}{m_1 + m_2}\right) K_1$$

$$= \frac{(1\,000\,\text{kg})(5 \times 10^4\,\text{J})}{(1\,000 + 9\,000)\,\text{kg}} = 5 \times 10^3\,\text{J}$$

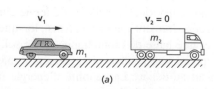

(a)

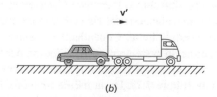

(b)

Figure 7.9 *(a)* Une voiture percute un camion immobile. *(b)* Au cours d'un choc complètement inélastique, les deux véhicules s'accrochent l'un à l'autre et se déplacent ensemble.

Donc, l'énergie cinétique dissipée est égale à

$$K_1 - K' = (5 \times 10^4 \text{ J}) - (5 \times 10^3 \text{ J}) = 4,5 \times 10^4 \text{ J}$$

90 % de l'énergie cinétique est donc dissipée.

b) Dans ce cas,

$$K_1 = 1/2(9\,000 \text{ kg})(10 \text{ m s}^{-1})^2 = 4,5 \times 10^5 \text{ J}$$

et

$$K' = \frac{(9\,000 \text{ kg})(4,5 \times 10^5 \text{ J})}{(9\,000 + 1\,000) \text{ kg}} = 4,05 \times 10^5 \text{ J}$$

En conséquence,

$$K_1 - K' = (4,5 \times 10^5 \text{ J}) - (4,05 \times 10^5 \text{ J})$$
$$= 4,5 \times 10^4 \text{ J}$$

Puisque cette valeur est égale à l'énergie cinétique dissipée dans le premier cas a), les collisions provoquent les mêmes dommages. Cependant, dans ce cas-ci, seulement 10 % de l'énergie cinétique est dissipée puisque le camion, qui a une plus grande masse, a une énergie cinétique beaucoup plus grande que la voiture à la même vitesse.

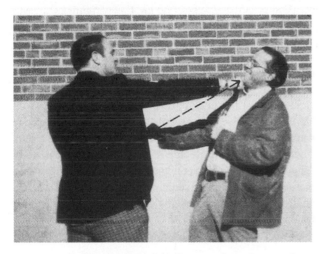

Figure 7.10 Coup de poing direct au karaté. Le trait en pointillés montre la trajectoire du poing.

Le karaté fournit une application intéressante de collisions inélastiques. Un karatéka cherche à mettre hors de combat son adversaire en transformant de l'énergie cinétique en travail de déformation au niveau d'une partie vulnérable du corps. Puisque la fraction d'énergie cinétique transformée est plus grande lorsque la masse en mouvement est petite, le karatéka essaie de libérer une quantité importante d'énergie cinétique en utilisant une fraction réduite du corps, comme par exemple un bras. Un coup donné avec le bras (figure 7.10) doit être ajusté pour que le poing entre en contact au moment où sa vitesse est la plus grande. Cette condition est remplie lorsque le bras est à 70 % de son élongation maximum (figure 7.11).

Un mouvement du karatéka vers l'avant accroît la vitesse et, par suite, l'énergie cinétique au moment de l'impact. Les experts en karaté accompagnent rarement leur coup d'un mouvement du corps. Le contact qui a lieu lorsqu'un coup s'accompagne d'un mouvement du corps implique des vitesses moindres et des masses plus importantes. Le travail de déformation est moins important et il y a un risque de déséquilibre pour le karatéka.

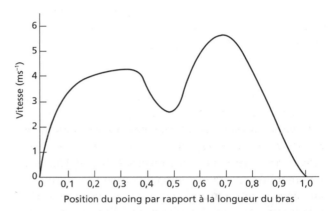

Figure 7.11 Vitesse du poing en fonction de l'extension du bras au cours d'un coup de poing direct au karaté. Ces résultats sont obtenus à partir de photos prises à grande vitesse. *(Tiré de J.D. Walker,* American Journal of Physics, *vol. 43, octobre 1975. p. 845.)*

7.4.2 Collisions élastiques

Lorsque deux objets subissent une collision élastique, ils peuvent être propulsés dans des directions variées. Si on connaît la direction prise par chaque objet, on peut combiner les principes de conservation d'énergie et de quantité de mouvement pour calculer les valeurs des vitesses finales des deux objets. En principe, la méthode est directe, mais les résultats peuvent paraître compliqués et difficiles à interpréter, sauf dans des cas particuliers. Heureusement, plusieurs caractéristiques générales peuvent être soulignées en traitant un cas particulier : considérons une collision frontale élastique entre un objet en mouvement et un objet au repos. On suppose qu'après le choc, les deux objets se déplacent dans des directions soit parallèles soit opposées à celles qu'ils avaient avant le choc (figure 7.12). Si on applique la relation qui exprime la conservation de la quantité de mouvement à une telle situation, on obtient

$$m_1 v_1 = m_1 v_1' + m_2 v_2' \qquad (7.8)$$

Figure 7.12 *(a)* Situation précédant une collision élastique frontale entre un objet en mouvement et un objet au repos. *(b)* Mouvement après la collision.

Puisque la collision est élastique, $K_1 = K'_1 + K'_2$, ou encore

$$\frac{1}{2}m_1v_1^2 = \frac{1}{2}m_1v'^2_1 + \frac{1}{2}m_2v'^2_2 \qquad (7.9)$$

En résolvant l'équation (7.8) par rapport à v'_1 et en substituant ce résultat dans l'équation (7.9), on obtient la valeur de v'_2 après quelques transformations algébriques. On en déduit alors les expressions des énergies cinétiques

$$K'_1 = \frac{(m_1 - m_2)^2}{(m_1 + m_2)^2}K_1 \qquad (7.10)$$

$$K'_2 = \frac{4m_1 - m_2}{(m_1 + m_2)^2}K_1 \qquad (7.11)$$

Ces résultats sont valables quelles que soient les masses m_1 et m_2. Si $m_1 = m_2$, on a $K'_1 = 0$ et $K'_2 = K_1$. Cette situation est bien connue des joueurs de billard. Une boule s'immobilise lorsqu'elle frappe de front une autre boule au repos. Toute l'énergie cinétique est alors transférée à la boule qui vient d'être percutée. Par contre, lorsque les masses des objets sont très différentes, peu d'énergie est transférée, quel que soit l'objet initialement en mouvement. Ce résultat est valable pour toutes les collisions élastiques et pas seulement dans le cas particulier de la collision frontale considérée ici. L'exemple suivant se rapporte au cas d'une collision frontale élastique.

✎ ———————— **Exemple 7.8** ————————

Un neutron de masse m et de vitesse v_1 entre en collision élastique frontale avec un noyau de carbone dont la masse est $12m$.

a) Quelle fraction de l'énergie cinétique du neutron est-elle transférée au noyau de carbone ?

b) Quelles sont les vitesses du neutron et du noyau de carbone après le choc ?

Réponse a) En utilisant l'équation (7.10) avec $m_1 = m$ et $m_2 = 12m$, on a

$$K'_2 = \frac{4m_1m_2}{(m_1 + m_2)^2}K_1 = \frac{4m(12m)}{(m + 12m)^2}K_1$$

$$K'_2/K_1 = 48/13^2 = 0{,}284$$

Le noyau de carbone a donc acquis 28,4 % de l'énergie cinétique du neutron et le neutron conserve 71,6 % de son énergie initiale.

b) On déduit de a)

$$\frac{K'_2}{K_1} = \frac{\frac{1}{2}m_2v'^2_2}{\frac{1}{2}m_1v_1^2} = \frac{48}{13^2}$$

En substituant $m_1 = m$ et $m_2 = 12m$, on obtient

$$v'^2_2 = \frac{4v_1^2}{13^2}$$

et

$$v'_2 = \frac{2}{13}v_1$$

On choisit la racine carrée positive pour v'_2 puisque, suite à l'impact du neutron, le noyau se déplace vers l'avant et non vers l'arrière. En utilisant alors la relation $m_1v_1 = m_1v'_1 + m_2v'_2$, on a

$$v'_1 = v_1 - \frac{m_2}{m_1}v'_2$$

$$= v_1 - \frac{12m}{m}\left(\frac{2v_1}{13}\right) = -\frac{11}{13}v_1$$

Le neutron a donc changé de direction et sa vitesse vaut $(11/13)v_1$. Ce changement de direction intervient toujours au cours d'une collision frontale élastique lorsque l'objet en mouvement a une masse inférieure à celle de l'objet au repos.

———————————————————————————

Dans les réacteurs nucléaires, un neutron provenant de la fission d'un noyau d'uranium doit être ralenti par un *modérateur* avant d'être capturé par un autre noyau d'uranium et de produire la fission de ce dernier. Cette capture constitue une nouvelle étape de la *réaction en chaîne*. On utilise parfois, comme modérateur, le carbone sous forme de graphite mais l'emploi de l'eau est plus fréquent. Chaque molécule d'eau contient deux noyaux d'hydrogène (protons) et un noyau d'oxygène. Puisque la masse du proton diffère seulement de 0,1 % de la masse du neutron, les protons sont des cibles idéales pour ralentir les neutrons.

7.5 MOMENT CINÉTIQUE D'UN CORPS SOLIDE

Nous avons vu que dans un mouvement de translation, lorsqu'aucune force externe résultante n'agit sur un objet ou sur un système de plusieurs objets, il y a conservation de la quantité de mouvement. De la même manière dans un mouvement de rotation, si le moment résultant des forces appliquées est nul, on a conservation du *moment cinétique*.

Ce résultat important découle directement de la deuxième loi de Newton. Si on récrit cette loi, comme au chapitre 5, sous une forme adaptée au mouvement de rotation, on a

$$\tau = I\alpha \qquad (7.12)$$

Comme précédemment, τ représente le moment de la force, $\mathbf{I}$ le moment d'inertie et α l'accélération angulaire. Si la vitesse angulaire d'un objet en rotation autour d'un axe fixe varie de ω à ω' pendant l'intervalle de temps Δt, l'accélération angulaire s'écrit $\alpha = (\omega' - \omega)/\Delta t$. En remplaçant α par sa valeur dans l'équation (7.12), et en multipliant par Δt, on obtient

$$\tau\,\Delta t = I\omega' - I\omega \qquad (7.13)$$

On définit le *moment cinétique* par la relation

$$\mathbf{L} = I\omega \qquad (7.14)$$

Alors, l'équation (7.13) devient

$$\tau\,\Delta t = \mathbf{L}' - \mathbf{L} = \Delta\mathbf{L} \qquad (7.15)$$

Ce résultat établit que *l'impulsion angulaire* $\tau\,\Delta t$ est égale à la variation du moment cinétique du système $\Delta\mathbf{L} = \mathbf{L}' - \mathbf{L}$.

Dans ce qui précède, nous avons implicitement fait l'hypothèse que le moment de force était constant. Si τ varie au cours du temps, on peut généraliser l'expression selon un raisonnement similaire à celui précédemment utilisé pour la quantité de mouvement. On toute généralité on montre que :

$$\Delta\mathbf{L} = \bar{\tau}\,\Delta t = \int \tau\,\mathrm{d}t \qquad (7.16)$$

On en déduit que, lorsque le moment résultant des forces qui s'exercent sur un objet est nul ($\tau = 0$), son moment cinétique reste constant ($\Delta\mathbf{L} = 0$). On dit qu'il est *conservé*. De la même manière, si aucun moment résultant associé à des forces externes n'agit sur un système d'objets, le moment cinétique *total* est conservé.

Ces résultats semblent simples. Ils auraient pu être obtenus immédiatement, en partant des équations de la quantité de mouvement et en effectuant les substitutions $\mathbf{F} \to \tau$, $m \to I$, $\mathbf{v} \to \omega$. Toutefois, la conservation du moment cinétique représente un principe distinct et très important. Il trouve des applications dans des domaines variés comme par exemple en physique atomique, dans l'étude des figures de patinage et en astronomie.

La conservation du moment cinétique peut être facilement illustrée. Supposons que vous soyez assis sur une chaise tournante dont le roulement à billes est bien huilé. Le frottement est donc faible. Le moment de la force qui tend à modifier le moment cinétique est peu important. Supposons qu'au début de la rotation, vous ayez les bras et les jambes repliés. Si vous effectuez un mouvement d'extension des bras et des jambes, vous augmentez votre moment d'inertie. Puisque le moment cinétique $\mathbf{L} = I\omega$ doit rester pratiquement constant, la vitesse angulaire ω diminue. Inversement, si vous commencez la rotation bras et jambes tendus, vous augmentez votre vitesse angulaire en rapprochant les membres de l'axe de rotation. C'est

exactement le type de mouvement qu'effectue une patineuse. Elle démarre une rotation avec les membres tendus et elle accroît sa vitesse angulaire en les ramenant près du corps (figure 7.13).

Dans ces deux exemples, le moment cinétique est conservé mais l'énergie cinétique de rotation varie. Lorsqu'on étend ou replie les membres, il y a des forces égales mais opposées qui s'exercent sur le corps et sur les membres. Ces deux forces ne produisent aucun moment résultant mais elles effectuent un travail. Donc, lorsque nous replions les membres pour tourner plus rapidement, nous effectuons un travail qui augmente notre énergie cinétique. Cette variation d'énergie cinétique est calculée dans l'exemple suivant.

✎ ———————— **Exemple 7.9** ————————

Une patineuse débute une rotation bras tendus. Sa vitesse angulaire est de $3\,\pi$ rad s^{-1}.

a) Si le moment d'inertie bras repliés représente 60 % du moment d'inertie bras tendus, quelle sera la vitesse angulaire de la patineuse lorsqu'elle aura les bras repliés ?

b) Que vaut la variation relative de son énergie cinétique ?

Réponse a) Si on suppose que la glace n'exerce pratiquement aucun frottement, le moment cinétique est conservé : $I'\omega' = I\omega$. Puisque $I' = 0,6\,I$ et que $\omega = 3\pi$ rad s^{-1}, on a

$$\omega' = \frac{I\omega}{I'} = \frac{3\,\pi\ \mathrm{rad\ s}^{-1}}{0,6} = 5\,\pi\ \mathrm{rad\ s}^{-1}$$

b) Les énergies cinétiques initiale et finale valent

$$K = \frac{1}{2}I\omega^2 \quad \text{et} \quad K' = \frac{1}{2}I'\omega'^2$$

Pour évaluer la variation relative, on calcule

$$\frac{\Delta K}{K} = \frac{K' - K}{K}$$

$$= \frac{\dfrac{1}{2}(0,6I)\left(5\,\pi\ \mathrm{rad\ s}^{-1}\right)^2 - \dfrac{1}{2}I\left(3\,\pi\ \mathrm{rad\ s}^{-1}\right)^2}{\dfrac{1}{2}I\left(3\,\pi\ \mathrm{rad\ s}^{-1}\right)^2}$$

$$= \frac{2}{3}$$

La patineuse accroît son énergie cinétique de 67 % lorsqu'elle ramène les bras le long du corps. Cet accroissement est égal au travail qu'elle accomplit pour replier les bras.

Figure 7.13 Une patineuse peut accroître sa vitesse angulaire en ramenant les bras près du corps. *(Photos David Leonardi.)*

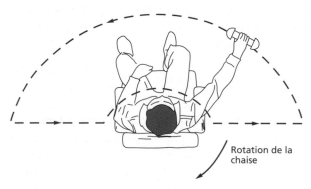

Rotation de la chaise

Figure 7.14 Une personne est assise sur une chaise. La chaise peut tourner autour d'un axe vertical. Si la personne effectue un mouvement du bras, suivant la trajectoire indiquée par le trait pointillé, elle provoque la rotation de la chaise dans le sens des aiguilles d'une montre. La chaise est en mouvement uniquement lorsque la main se déplace suivant la partie circulaire de la trajectoire. En effet, le moment cinétique de la main est nul lorsqu'elle se déplace suivant la droite qui passe par l'axe de rotation. La rotation de la chaise est plus rapide si la personne tient un poids dans la main.

La conservation du moment cinétique n'implique pas que la position angulaire d'un objet doive rester constante en l'absence de moment d'une force externe. La figure 7.14 montre l'exemple d'un homme qui parvient à faire pivoter son tabouret en effectuant une série appropriée de mouvements.

La chute d'un chat fournit une autre illustration de ce principe. Il est bien connu qu'un chat retombe toujours sur ses pattes si la hauteur de chute est suffisante. La séquence de mouvements effectués au cours de la chute par un chat initialement suspendu par les pattes est illustrée à la figure 7.15. Le fait que le chat puisse acquérir une vitesse angulaire ω' (et donc un moment cinétique $\mathbf{L}'$), nécessaire à sa rotation, peut paraître surprenant dans la mesure où il ne possède pas de moment cinétique initial ($\mathbf{L} = 0$) et où aucune force n'induit de moment sur lui ($\tau = 0$).

Pour comprendre ce qui se passe, analysons la figure 7.15. Lorsque la chat est lâché (a), il plie son corps vers le bas (b) et l'avant et l'arrière de son corps vont se mettre à tourner dans des directions opposées (c). Cela est illustré plus schématiquement à la figure 7.16 où on a assimilé le corps du chat à un cylindre. Ces rotations correspondent à des moments cinétiques $\mathbf{L}_1$ et $\mathbf{L}_2$ dont l'apparition isolée contreviendrait à la conservation du moment cinétique. Il en découle l'apparition d'un moment cinétique additionnel $\mathbf{L}' = -(\mathbf{L}_1 + \mathbf{L}_2)$, garantissant que la somme des moments cinétiques reste nulle. C'est l'existence de ce moment induit, orienté horizontalement, qui explique la rotation globale du chat à vitesse angulaire ω' (d-e). Dans ce processus, la souplesse de l'animal constitue un atout essentiel : sans la déformation et la rotation asymétrique du haut et du bas du corps, la rotation serait impossible.

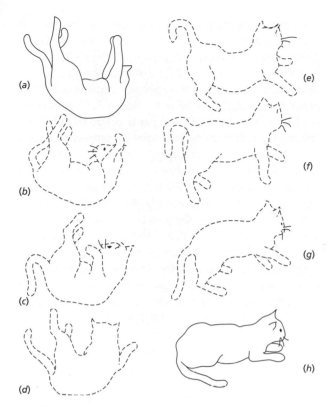

Figure 7.15 Séquence des mouvements effectués par un chat au cours d'une chute. On suppose qu'au départ il est immobile et a le dos dirigé vers le sol. Les schémas correspondent à des photos prises à des intervalles d'1/20 de seconde. Les mouvements sont décrits dans le texte. *(Adapté de Tricker et Tricker.)*

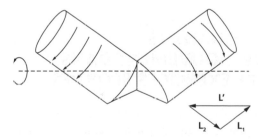

Figure 7.16 Représentation schématique des rotations d'un chat au cours de sa chute.

Tout comme les patineurs, les plongeurs, les gymnastes et les astronautes en état d'apesanteur dans un vaisseau spatial peuvent effectuer des mouvements de rotation. Il s'agit de rotations autour d'un axe qui passe par leur centre de masse et qui s'étend de la tête aux pieds. Par ailleurs, ils peuvent effectuer des culbutes, c'est-à-dire des rotations autour d'un axe qui passe par leur C.M. mais qui est perpendiculaire au précédent. Le moment d'inertie par rapport à n'*importe lequel* de ces axes peut être modifié. Au cours du saut, un plongeur n'est soumis à aucun moment résultant par rapport au C.M. Son moment cinétique *total* est donc conservé. Cependant, il peut y

avoir transfert de moment cinétique entre les mouvements de rotation et de culbute. Les athlètes et les entraîneurs ont inventé des mouvements de plus en plus complexes grâce à une bonne compréhension du principe de conservation du moment cinétique.

Si un objet est soumis à un moment de force extérieur, son moment cinétique ne reste plus constant mais évolue conformément à l'équation (7.15). Le comportement d'une roue de bicyclette en rotation permet d'illustrer la nature vectorielle de cette relation.

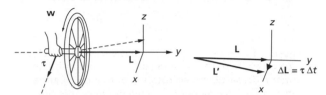

Figure 7.17 Représentation schématique d'une roue en rotation. Lorsque l'on tente de la déplacer vers le haut, elle dévie naturellement sur le côté.

Considérons une roue montée sur un axe autour duquel elle tourne à la vitesse ω comme schématisé à la figure 7.17. Cette roue possède initialement un moment cinétique $\mathbf{L} = I\omega$ orienté selon la direction y. Si, d'un mouvement brusque, on applique un moment de force τ dirigé dans la direction x et destiné à faire pivoter la roue vers le *haut* (dans le plan yz), on observe de manière surprenante un déplacement de l'axe vers la *droite* (dans le plan xy). Pour expliquer cet effet inattendu, il suffit de considérer l'équation 7.15 : sous l'effet du moment de force, le moment cinétique doit pivoter latéralement de sorte que $\mathbf{L}' = \mathbf{L} + \tau\,\Delta t$ (figure 7.17). Étant donné que la direction du moment cinétique coïncide avec celle de l'axe de rotation de la roue, ce dernier va pivoter latéralement pour s'aligner avec $\mathbf{L}'$ et la roue va se réorienter. On peut facilement expérimenter cet effet. Ces considérations permettent par exemple de comprendre qu'on puisse réorienter un vélo et une moto en les inclinant légèrement.

7.6 MOMENT CINÉTIQUE D'UNE PARTICULE

Le moment cinétique d'une particule (figure 7.18*a*) est défini par le produit vectoriel entre le vecteur position de la particule et la quantité de mouvement qui lui est associée $\mathbf{p} = m\mathbf{v}$:

$$\mathbf{L} = \mathbf{r} \times \mathbf{p} \qquad (7.17)$$

La grandeur de $\mathbf{L}$ est donnée par $rp\sin\theta$. Lorsque $\mathbf{r}$ et $\mathbf{p}$ sont perpendiculaires, $\sin\theta = 1$ et $L = rp = rmv$. La direction de $\mathbf{L}$ est fournie par la règle de la main droite. Elle est perpendiculaire à la fois à $\mathbf{r}$ et à $\mathbf{p}$.

Cette définition de **L** est équivalente à celle donnée précédemment, **L** = *I*ω, pour autant que l'on considère un système de particules en rotation autour d'un centre commun (figure 7.18*b*).

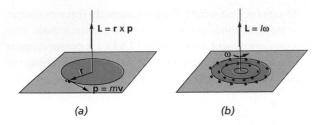

(a)   *(b)*

Figure 7.18 *(a)* Le moment cinétique d'une particule vaut **L** = **r** × **p**. *(b)* Le moment cinétique total d'un système de particules en rotation autour d'un centre commun est donné par la somme des moments cinétiques de chaque particule. Cette somme est égale à **L** = *I*ω.

Si une particule de masse *m* décrit un mouvement circulaire de rayon *r* à la vitesse *v* = *r*ω, son moment cinétique vaut

$$L = rmv = rm(r\omega)$$

$$= (mr^2)\omega = I\omega$$

La direction de **L** est celle de ω. Si le système se compose d'un ensemble de particules, il faut additionner les moments cinétiques de toutes les particules. Comme la vitesse angulaire ω est la même, on obtient une sommation des termes en *mr*². Le résultat représente le moment d'inertie total *I*. Le moment cinétique total vaut donc bien *I*ω.

Le résultat du paragraphe précédent, Δ**L** = **τ** Δ *t*, s'applique non seulement à la rotation d'un solide mais aussi à la rotation d'une particule unique. En conséquence, si le moment des forces résultant est nul, son moment cinétique est conservé. On déduit, par exemple, de la discussion du paragraphe 7.3, que le mouvement de rotation de la Terre autour du Soleil peut être déterminé en assimilant la Terre à une masse ponctuelle localisée au centre de masse.

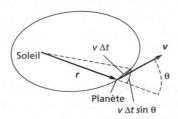

Figure 7.19 Rotation de la Terre autour du Soleil

L'orbite terrestre n'est pas parfaitement circulaire. Il s'agit en fait d'une ellipse pour laquelle la distance Terre-Soleil varie au maximum d'environ 3 % (figure 7.19). Les valeurs de *r*, *v* et θ varie donc constamment au cours du mouvment. Elles ne le font cependant pas de manière indépendante. En effet, la ligne d'action de la force exercée par le Soleil sur la Terre passe par le centre du Soleil. En conséquence, le moment des forces par rapport à ce point est nul et le moment cinétique de la Terre par rapport au centre du Soleil, *L* = *mrv* sin θ doit rester *constant* tout au long du mouvement. Cela a une conséquence intéressante. Si on trace le rayon entre la Terre et le Soleil (figure 7.19), celui-ci balaie durant un intervelle de temps Δ*t* une aire *A* = (1/2)*rv* Δ *t* sin θ. En vertu de la conservation *L*, la quantité *A*/Δ*t* = (1/2)*rv* sin θ doit également rester constante. Ce résultat constitue *la seconde loi de Kepler* : chaque planète se déplace de telle manière qu'un rayon tracé entre elle et le Soleil balaie des aires égales en des temps égaux. Cette loi est une simple conséquences de la conservation du moment cinétique.

Pour en savoir plus...

7.7 LA QUANTITÉ DE MOUVEMENT DANS LES EXERCICES SPORTIFS

Au cours de nombreuses activités athlétiques, on cherche à rendre maximum le transfert de la quantité de mouvement. Ainsi, en boxe, les directs donnés par une simple extension du bras ne sont pas aussi efficaces que ceux accompagnés d'un mouvement du corps. Ce mouvement augmente le transfert de la quantité de mouvement vers un adversaire. Toutefois, dans le karaté, des transferts importants de quantité de mouvement sont obtenus essentiellement par un mouvement rapide des membres plutôt que par un mouvement de l'ensemble du corps.

Les sports de combat ne constituent pas les seuls exemples où le transfert de quantité de mouvement soit important. Ainsi, le premier objectif d'un lanceur de poids est de transformer le mouvement lent de l'ensemble du corps en un mouvement rapide du poids (figure 7.20). La quantité de mouvement joue également un rôle important dans des activités impliquant des lancers de ballons.

Balle	Masse de la balle (kg)	Vitesse de la balle (m s^{-1})		Vitesse du dispositif de lancement (m s^{-1})		Durée du contact (s)
		Avant	Après	Avant	Après	
Balle de base-ball (frappée au repos)	0,15	0	39	31	27	1,35 $\times 10^{-3}$
Football américain (coup de pied de volée)	0,42	0	28	18	12	8 $\times 10^{-3}$
Balle de golf (première frappe)	0,047	0	69	51	35	1,25 $\times 10^{-3}$
Ballon de handball (service)	0,061	0	23	19	14	1,35 $\times 10^{-2}$
Ballon de football (coup de pied)	0,43	0	26	18	13	8 $\times 10^{-3}$
Balle de squash (service)	0,032	0	49	44	34	3 $\times 10^{-3}$
Softball (frappée au repos)	0,17	0	35	32	22	3 $\times 10^{-3}$
Balle de tennis (service)	0,058	0	51	38	33	4 $\times 10^{-3}$

Tableau 7.1 Masses et vitesses des balles. Vitesses du dispositif de lancement avant et après l'impact. Durée de contact.

Figure 7.20 Mouvement effectué par un lanceur de poids. Idéalement, la quantité de mouvement des différentes parties du corps est faible après le lancer. La quantité de mouvement du corps est transférée au poids.

Le tableau 7.1 donne les vitesses et les durées des impacts associés à différentes disciplines sportives qui se pratiquent avec une balle ou un ballon. Nous appellerons dispositif de lancement l'instrument qui est utilisé pour frapper la balle : il peut s'agir du pied, d'une raquette de tennis ou d'une batte de base-ball. Remarquons que la masse de ce dispositif de lancement et donc sa quantité de mouvement sont des notions quelque peu ambiguës. Prenons l'exemple du tennis. Le dispositif de lancement

est une raquette dont la masse est d'environ 0,4 kg. Toutefois, lorsque l'on emploie une raquette, le bras et une partie du corps peuvent être considérés comme faisant partie du dispositif de lancement ; la raquette constitue en fait un prolongement du corps. La masse effective du dispositif de lancement dépend de la partie du corps utilisée dans le mouvement et de la manière dont celui-ci s'effectue. Lorsqu'un joueur donne un coup de raquette par un mouvement du poignet, la masse effective du système de lancement est faible et le coup ne peut pas être très appuyé.

Il faut aussi remarquer que lorsqu'un joueur frappe une balle, il a habituellement les pieds au sol. Cela implique que la balle et le système de lancement ne peuvent pas être considérés comme des éléments d'un système isolé, c'est-à-dire sans forces externes. Lorsqu'une raquette de tennis frappe une balle, la balle exerce aussi une force sur la raquette, en vertu de la troisième loi de Newton. À son tour, la raquette exerce une force sur le corps et le corps exerce une force sur le sol. En conséquence, si une raquette fournit une quantité de mouvement à une balle, une quantité de mouvement est également transférée à la terre.

Pour éviter ces difficultés, il est utile d'introduire la notion de masse effective du dispositif de lancement. Cela revient à supposer que le dispositif de lancement et la balle constituent deux parties d'un système sur lequel aucune force externe n'agit. Dès lors, la quantité de mouvement totale du dispositif de lancement et de la balle peut être considérée comme constante. Cette notion de masse effective ne représente pas seulement un artifice permettant d'obtenir des valeurs numériques. Une étude approfondie des mouvements d'un athlète peut favoriser la mise au point de la technique. En augmentant la masse effective du dispositif de lancement, on accroît les vitesses de lancement des balles et des ballons.

Désignons par m la masse de la balle et par $\mathbf{v}'$ sa vitesse finale ; sa vitesse initiale est nulle. La masse effective du dispositif de lancement sera désignée par M et ses vitesses initiale et finale par $\mathbf{V}$ et $\mathbf{V}'$. Si le mouvement est rectiligne et s'il y a conservation de la quantité de mouvement, on a

$$MV = mv' + MV' \qquad (7.18)$$

En admettant que m, v', V et V' soient connus, on peut résoudre l'équation par rapport à la masse effective du dispositif de lancement,

$$M = \frac{mv'}{V - V'} \qquad (7.19)$$

Notons que la masse effective peut être accrue en effectuant le mouvement de manière à minimiser la variation de vitesse du dispositif de lancement lors de l'impact (figure 7.21).

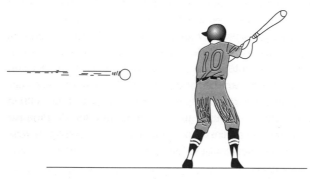

Figure 7.21 Un joueur de base-ball est en position stable sur les pieds et son corps se déplace vers la balle au moment de l'impact. Ce mouvement accroît la masse effective de la batte au moment du lancer.

 ——— Exemple 7.10 ———

a) Utiliser les données du tableau 7.1 relatives à un service de tennis pour calculer la masse effective du dispositif de lancement.

b) Quelle est la force moyenne qui s'exerce sur la balle de tennis pendant l'impact ?

Réponse a) À partir du tableau 7.1, on détermine la masse effective du dispositif de lancement par la relation

$$M = \frac{mv'}{V - V'} = \frac{(0{,}058\ \text{kg})\left(51\ \text{m s}^{-1}\right)}{(38 - 33)\ \text{m s}^{-1}} = 0{,}59\ \text{kg}$$

Cette valeur est supérieure à la masse de la raquette seule, qui est de 0,4 kg.

b) Au cours de l'impact. la force moyenne $\overline{F}$ qui s'exerce sur la balle peut être évaluée à partir de la relation

$$\overline{F}\ \Delta t = m\left(v' - v\right)$$

Puisque $v = 0$ et que la durée de l'impact est de 4×10^{-3} s, on a

$$\overline{F} = \frac{m\left(v' - v\right)}{\Delta t} = \frac{(0{,}058\ \text{kg})\left(51\ \text{m s}^{-1}\right)}{4 \times 10^{-3}\ \text{s}} = 740\ \text{N}$$

7.8 LA TOUPIE

Le mouvement d'une toupie en rotation constitue une bonne illustration des concepts introduits dans ce chapitre. Considérons une toupie (figure 7.22) en équilibre sur sa pointe (point O) et tournant rapidement autour de son axe à la vitesse angulaire ω. Quiconque a joué avec un tel objet sait qu'il est important de maintenir le disposif bien vertical pour conserver l'axe immobile.

Si ce dernier est incliné d'un angle φ, la toupie ne tombe pas sous l'action de l'attraction gravitationnelle comme elle le ferait si elle était immobile, mais sa rotation autour de son axe s'accompagne inévitablement d'un mouvement de *précession* (à la vitesse angulaire ω_p) au cours duquel l'axe balaie une aire en forme de cône autour de la verticale. L'apparition de ce mouvement additionnel résulta de l'impulsion angulaire produite sur la toupie par son propre poids.

Lorsque la toupie tourne autour de son axe à la vitesse angulaire **ω**, elle possède un moment cinétique initial $\mathbf{L} = I\omega$, lui aussi aligné selon l'axe du jouet. Si les frottements sont négligeables, la seule force externe appréciable produisant un moment de force par rapport à O est son poid **w**, appliqué au centre de gravité et orienté selon la verticale. Le moment de cette force par rapport au point O est égal à :

$$\boldsymbol{\tau} = \mathbf{r} \times \mathbf{w}$$

où **r** est le vecteur joignant O au centre de gravité.

Si la toupie est parfaitement verticale, **r** et **w** sont orientés selon la même direction verticale de sorte que $\tau = 0$. En vertu du principe de conservation du moment cinétique, le vecteur **L** doit rester constant et la toupie tourne à une vitesse angulaire constante (en absence de frottements appréciables) autour de son axe qui reste immobile.

Si maintenant la toupie est inclinée d'un angle φ par rapport à la verticale, le moment de force sera non nul et, après un temps Δt, le moment cinétique prendra la valeur :

$$\mathbf{L}' = \mathbf{L} + \boldsymbol{\tau}\,\Delta t$$

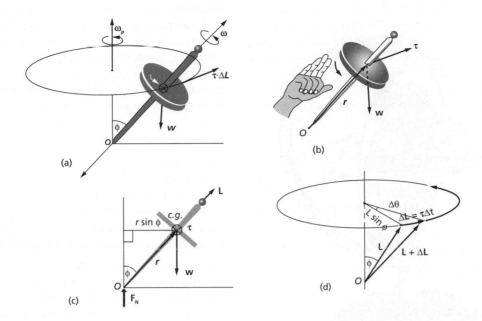

Figure 7.22 Mouvement de précession d'une touppie inclinée en rotation autour de son axe.

Par définition du produit vectoriel, le vecteur τ est perpendiculaire à la fois à **r** et **w**. Il sera donc orienté selon une direction à la fois horizontale et perpendiculaire à l'axe de la toupie. **L** étant aligné avec **r**, l'impulsion angulaire $\tau \, \Delta t$ est également perpendiculaire à **L** : elle ne va donc pas modifier l'amplitude de **L** mais elle aura pour effet de changer son *orientation* d'un angle $\Delta\theta$. Comme le moment cinétique est orienté selon l'axe de la toupie, la réorientation de **L** et **L'** va provoquer un déplacement horizontal de son extrémité supérieure. Cette dernière va progressivement se déplacer dans un plan horizontal. À mesure que la toupie se réoriente, la direction de τ se modifie et l'extrémité de la toupie décrit un cercle horizontal correspondant à une *précession* lente à la vitesse angulaire ω_p autour de l'axe vertical passant par O. On montre que ce mouvement est d'autant plus lent que la toupie tourne rapidement sur elle-même.

7.9 LE GYROSCOPE

La relation entre le moment des forces et le moment cinétique conduit à des mouvements parfois étonnants. Le comportement d'un gyroscope en est un autre exemple (figure 7.23). Un gyroscope est constitué d'un volant dont le support peut pivoter librement dans toutes les directions, autour de son centre de gravité. Il n'est ainsi soumis à aucun moment de force externe. En conséquence, le mo-

ment cinétique du volant en rotation garde une direction fixe, même si l'armature est inclinée ou tournée.

Les gyroscopes sont des appareils sophistiqués qui sont caractérisés par des frottements extrêmement réduits. Ils servent dans les systèmes de navigation par inertie des avions, des fusées et des bateaux. Trois gyroscopes peuvent être employés pour déterminer trois directions fixes de l'espace. En mesurant l'accélération du véhicule par rapport à ces trois axes, on peut déterminer, par ordinateur, les variations de vitesse et de position.

La figure 7.24 montre un jouet souvent appelé gyroscope, à tort parce qu'il n'est pas suspendu par son centre de gravité, et qui est en fait une toupie perfectionnée. Le volant peut tourner autour d'un axe dont une extrémité repose sur un support. Si le jouet est lâché dans la position indiquée par la figure, il tombe lorsque le volant n'est pas en rotation. Toutefois, si le volant tourne rapidement, la toupie ne tombe pas. Elle décrit, au contraire, un mouvement de précession : l'axe se met à tourner lentement dans un plan horizontal. Pour analyser ce mouvement, il faut envisager la manière dont le moment des forces influence le moment cinétique du volant.

La force gravitationnelle **w** exerce, par rapport au point de contact avec le support, un moment sur la toupie. Si le volant ne tourne pas, le moment cinétique initial **L** est nul. Le moment de la force donne naissance à un moment cinétique **L'** pendant l'intervalle de temps Δt ; $\tau \, \Delta t = \mathbf{L}'$.

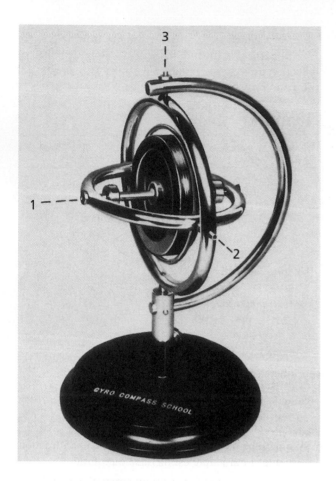

Figure 7.23 Photo d'un gyroscope. Les trois paires de pivots (1, 2, 3) isolent le gyroscope des moments de force externes. *(Avec l'aimable autorisation de Sperry Division, Sperry Rand Corporation.)*

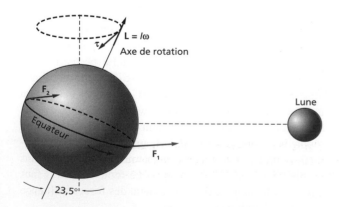

Figure 7.25 L'axe de rotation de la Terre est incliné comme le montre la figure. Les forces gravitationnelles qui s'exercent sur les renflements équatoriaux sont respectivement F_1, et F_2. F_1 est supérieure à F_2 car le côté correspondant est plus proche de la Lune. La précession s'effectue suivant la trajectoire en traits pointillés.

Puisque le moment d'une force vaut $\tau = r \times w$, le moment cinétique résultant est dirigé perpendiculairement à r et w. La toupie tourne donc dans le sens des aiguilles d'une montre et tombe. Lorsque le volant est en rotation à la vitesse ω, la situation est différente. Dans ce cas, il y a un moment cinétique initial $L = I\omega$ dirigé suivant l'axe de la toupie. Encore une fois, τ est perpendiculaire à L et le moment cinétique final, après un court laps de temps, vaut

$$L' = L + \tau \Delta t$$

Puisque $\tau \Delta t$ est perpendiculaire à L, τ agit pour modifier la direction du moment cinétique mais non sa grandeur. Dès lors, L' et L ont des grandeurs égales mais des directions différentes (figure 7.24). Le moment de la force provoque donc une précession du moment cinétique et de la toupie autour du point O, à la vitesse angulaire ω_p.

Les toupies sont des engins d'expérience fascinants. De nombreux types de mouvements peuvent être produits. Lorsque l'extrémité de l'axe opposée au pivot est libérée avec une vitesse horizontale adéquate, on observe le mouvement de précession de l'axe que nous venons de décrire. Si au contraire, l'extrémité de l'axe est simplement lâchée, la toupie commence d'abord par tomber puis elle acquiert progressivement une vitesse de précession latérale. Ce résultat constitue un mouvement vertical de haut en bas que l'on appelle *nutation*. Cette nutation apparaît en même temps que la précession horizontale. Si la roue tourne suffisamment rapidement, l'amplitude de la nutation sera faible au départ et diminuera encore par la suite, en raison du frottement. Dans ces conditions, seul le mouvement de précession est observé après un court intervalle de temps.

7.10 PRÉCESSION DES ÉQUINOXES

La Terre tourne sur elle-même en 24 heures. L'axe de rotation subit un mouvement de précession très lent, ce qui conduit à la précession des équinoxes. Au cours de la formation de la Terre, une masse supplémentaire s'est accumulée à l'équateur par rapport aux pôles. Cela résulte de l'accélération centripète. La Lune et, dans une certaine mesure, le Soleil exercent des forces inégales sur les faces opposées de la Terre (figure 7.24). Le moment des forces gravitationnelles pour une planète parfaitement sphérique serait nul. Dans le cas de la Terre, le moment résultant des forces provient des forces inégales qui s'exercent sur le *renflement équatorial*. Sa valeur est petite.

Puisque le moment des forces est petit, la précession est très lente. Un cycle complet prend environ 25 800 ans. Cette précession a pour effet de modifier légèrement la durée d'une année par rapport à une étoile fixe. Au cours des 2 000 dernières années, la modification a été d'environ un mois. Une conséquence est le déplacement progressif des saisons. Dans 12 900 ans, l'hiver correspondra à une position de l'orbite terrestre qui équivaut actuellement à l'été.

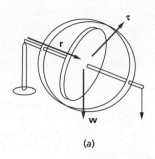

(a)

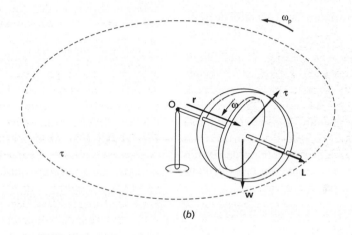

(b)

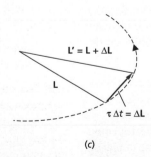

(c)

Figure 7.24 *(a)* Le volant ne tourne pas. Le moment de la force **w** entraîne la rotation de la toupie dans le sens des aiguilles d'une montre et provoque sa chute. *(b)* et *(c)* Lorsque le volant tourne, le moment de la force produit une précession du moment cinétique dans un plan horizontal. L'extrémité de la toupie se déplace suivant la trajectoire circulaire indiquée en traits pointillés.

Réviser

RAPPELS DE COURS

Si une force résultante **F** agit sur un objet pendant un intervalle de temps Δt, on a

$$\Delta p = \overline{F}\, \Delta t = \int F \, dt$$

Le produit de la force moyenne par l'intervalle de temps pendant lequel elle agit, s'appelle l'*impulsion*. La *quantité de mouvement* **p** d'un objet de masse m et de vitesse **v** vaut

$$\mathbf{p} = m\mathbf{v}.$$

L'impulsion est égale à la variation de la quantité de mouvement.

Lorsque deux objets entrent en collision, la quantité de mouvement de chacun d'eux varie. Cependant, la quantité de mouvement totale est constante ou conservée pour autant qu'au total, aucune force externe n'agisse sur les objets. En conséquence, la quantité de mouvement totale d'un système *isolé* est toujours conservée. Le principe de conservation de la quantité de mouvement est particulièrement utile pour résoudre les problèmes de collisions, que l'énergie soit ou ne soit pas conservée.

Lorsqu'aucune force externe résultante n'agit sur un objet ou sur un système d'objets, la quantité de mouvement totale est constante et la vitesse du centre de masse reste constante. Lorsqu'une force externe résultante agit, le centre de masse se déplace sous l'influence de cette force, de la même manière qu'une particule isolée qui aurait une masse égale à la masse totale de l'objet ou des objets.

Les collisions au cours desquelles il y a conservation de l'énergie mécanique s'appellent des collisions *élastiques*. Les autres sont appelées des collisions *inélastiques*. Au cours d'une collision complètement inélastique, tout mouvement relatif cesse. Après le choc, les objets se déplacent ensemble. Lorsqu'un objet de faible masse rencontre, au cours d'un choc inélastique, un objet au repos qui a une masse importante, la plus grande partie de l'énergie mécanique se dissipe sous forme de chaleur ou sous forme de travail de déformation. Une fraction moins importante de l'énergie mécanique est dissipée lorsque c'est l'objet le plus lourd qui est en mouvement et l'objet le plus léger qui est au repos. Dans les chocs élastiques, le transfert d'énergie cinétique est maximum si les deux masses sont égales.

Le *moment cinétique* d'un corps solide en rotation autour d'un axe fixe vaut

$$L = I\omega$$

Le moment cinétique d'une particule vaut

$$\mathbf{L} = \mathbf{r} \times \mathbf{p}$$

Ces deux définitions sont équivalentes pour un système de particules en rotation dans un même plan, à la même vitesse angulaire et autour d'un centre commun. Si un moment résultant τ agit pendant l'intervalle de temps Δt, on a

$$\Delta L = \overline{\tau}\, \Delta t = \int \tau \, dt$$

L'impulsion angulaire est égale à la variation du moment cinétique. Si le moment résultant des forces qui agit sur un système est nul, il y a conservation du moment cinétique.

PHRASES À COMPLÉTER

Voir réponses en fin d'ouvrage.

1. L'impulsion représente le produit de la _____ par le _____ .

2. L'impulsion est égale à _____ .

3. La quantité de mouvement est le produit de la _____ par la _____ d'un objet.

4. Il y a habituellement conservation de la quantité de mouvement dans les collisions, car l'impulsion associée aux _____ est négligeable.

5. La quantité de mouvement totale d'un système est constante si _____ .

6. Si la quantité de mouvement d'un système est conservée, chaque _____ du vecteur quantité de mouvement est constante.

7. Le centre de masse d'un système se déplace comme une particule qui aurait une masse égale à celle _____ et qui serait soumise à _____ .

8. Au cours d'une collision totalement inélastique, la dissipation de l'énergie mécanique compatible avec la conservation de la quantité de mouvement est _____ .

9. Lors d'une collision élastique, l'énergie mécanique dissipée est _____.

10. Lors des collisions inélastiques, de l'énergie mécanique est transformée en _____ et en _____.

11. Le moment cinétique d'un corps solide en rotation autour d'un axe fixe vaut _____.

12. Le moment cinétique d'une particule par rapport à un point est donné par _____.

13. Le moment cinétique d'un système est constant lorsqu'il n'y a pas de _____.

EXERCICES CORRIGÉS

E1. Une poutre de bois de masse $M = 4$ kg et de longueur $L = 3$ m peut pivoter dans un plan horizontal par rapport à son milieu ($I = mL^2/12$). Une balle de fusil de masse $m = 50$ g est tirée à l'horizontale à une vitesse $v = 300$ m s^{-1}. Elle pénètre, à angle droit, dans une des extrémintés de la poutre est s'y incruste.

a) Quelle sera la vitesse angulaire résultante de la poutre ?

b) Quelle quantité d'énergie est dissipée lors de la collision ?

(on néglige l'effet de la pesanteur sur la trajectoire de la balle)

Solution

En absence de moment de force externe, le moment cinétique du système balle-poutre doit être conservé lors de la collision. Le moment cinétique de la balle ($\mathbf{L}_b$) par rapport au centre de la poutre juste avant l'impact vaut :

$$\mathbf{L}_b = \mathbf{r} \times \mathbf{p}$$

$$\mathbf{L}_b = \frac{L}{2} m_b v \times \sin(90°) = 22,5 \text{ m}^2\text{s}^{-1}$$

Après la collision, la balle et la poutre tournent ensemble et possèdent un moment cinétique total :

$$L_p = I_p\,\omega + I_b\omega = \left(I_p + I_b\right)\omega$$

où $I_p = mL^2/12$ est le moment d'inertie de la poutre et $I_b = m_b(L/2)^2$ est le moment d'inertie de la balle. En vertu de la conservation du moment cinétique avant et après l'impact, la vitesse angulaire ω vaut donc :

$$\omega = \frac{L_b}{I_b + I_p} = 7,23 \text{rad s}^{-1}$$

L'énergie avant la collision est égale à :

$$E_{av} = \frac{1}{2} m_b v^2 = 2\,250 \text{ J}$$

L'énergie après la collision est égale à :

$$E_{ap} = \frac{1}{2}\left(I_b + I_p\right)\omega^2 = 81,35 \text{ J}$$

L'énergie dissipée est donc égale à :

$$\Delta E = E_{ap} - E_{av} = 2\,168,65 \text{ J}$$

E2. Soit un pendule simple (figure 7.26) dont la masse $m = 500$ g est suspendue à un fil de longueur $L = 1$ m. On lâche le pendule alors que le fil est horizontal. Il subit, lorsqu'il arrive en position verticale, une collision élastique avec un bloc de masse M pouvant glisser sans frottement sur une surface horizontale. Jusqu'à quelle hauteur la masse du pendule s'élèvera-t-elle après la collision sachant que $M = 2,5$ kg ?

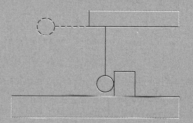

Figure 7.26

Solution

Pour connaître la vitesse (v) du pendule juste avant la collision, on se base sur le principe de conservation de l'énergie mécanique totale : $K_i + U_i = K_f + U_f$ avec $K_i = 0$, $U_i = mgh$, $U_f = 0$ et $K_f = mv^2/2$. On en déduit :

$$v = \sqrt{2gh} = 2,43 \text{ m s}^{-1}$$

La collision étant élastique, la détermination de la vitesse (v') juste après la collision se base sur la conservation de la quantité de mouvement et de l'énergie mécanique :

$$mv = mv' + MV \qquad (1)$$

$$\frac{1}{2}mv^2 = \frac{1}{2}mv'^2 + \frac{1}{2}MV'^2 \qquad (2)$$

L'équation (1) nous donne la vitesse de la masse M après la collision en fonction de v' :

$$v'_M = \frac{m}{M}\left(v - v'\right)$$

Lorsque l'on introduit dans (2), on aboutit après simplification à une équation du second degré en v' :

$$\left(1 + \frac{m}{M}\right) v'^2 - 2v\frac{m}{M}v' + v^2 \left(\frac{m}{M} - 1\right) = 0$$

Cette équation possède deux solutions :

$$v'_{\pm} = \frac{v\dfrac{m}{M} \pm v}{1 + \dfrac{m}{M}}$$

où $v'_+ = v = 4,43 \text{ m s}^{-1}$ et $v'_- = -2,95 \text{ m s}^{-1}$. La première solution v'_+, est égale à la vitesse du pendule avant la collision et ne peut donc pas être solution du problème. La vitesse après la collision vaut donc $v'_- = -2,95 \text{ m s}^{-1}$. Le signe négatif indique que le pendule repartira en sens inverse après l'impact.

La détermination de la hauteur maximum h' qu'atteint le pendule après la collision se déduit du principe de conservation de l'énergie mécanique totale :

$$\frac{1}{2}mv'^2 = mgh'$$

de sorte que :

$$h' = \frac{v'^2}{2g} = 0,44 \text{ m}$$

Cette hauteur est inférieure à la hauteur initiale. Cela provient du fait qu'une partie de l'énergie totale a été transférée à la masse M pendant la collision.

S'entraîner

QCM

Voir réponses en fin d'ouvrage.

Q1. Deux fléchettes de même masse et de même vitesse viennent frapper une cible. La première rebondit tandis que la seconde pénètre dans la cible et s'immobilise. Laquelle des fléchettes exerce-t-elle la plus grande impulsion sur la cible ?

a) la première

b) la seconde

c) les deux exercent la même impulsion

d) la première exerce une impulsion nulle

e) aucune de ces réponses.

Q2. Pour une particule de masse m en rotation sur une orbite circulaire de rayon R, le rapport L/p est égal à

a) m

b) mR^2

c) R

d) ω

e) aucune de ces réponses.

Q3. Si un corps rigide tournue autour d'un axe de symétrie en absence de tout moment de force externe

a) son accélération angulaire varie uniformément

b) son accélération angulaire est une constante non nulle

c) son accélération angulaire est nulle

d) son accélération radiale est nulle

e) aucune de ces réponses.

Q4. Un objet de masse M_A de déplaçant à une vitesse v effectue une collision totalement inélastique avec un objet immobile de masse M_B. Si 75 % de l'énergie cinétique initiale est dissipée, on en déduit que

a) $M_a = 3/4\, M_B$

b) $M_B = 3/4\, M_A$

c) $M_B = 4\, M_A$

d) $M_B = 3\, M_A$

e) aucune de ces réponses.

Q5. Une patineuse tourne sur elle-même les bras écartés à la vitesse angulaire ω. Elle replie ensuite ses bras de manière à doubler sa vitesse angulaire. Ce faisant, elle effectue un travail égal à

a) $I\omega$

b) $I\omega^2$

c) $3I\,\omega^2/2$

d) $L\,\omega/2$

e) aucune de ces réponses.

Q6. Un homme de 80 kg est sur un radeau de 100 kg, immobilisé à 5 m du rivage. De manière à atteindre ce dernier, il jette sa valise de 30 kg horizontalement vers l'arrière à la vitesse de 2 m s^{-1}. Il atteindra le rivage après

a) 15 s

b) 30 s

c) 60 s

d) 120 s

e) aucune de ces réponses.

Q7. Une particule de masse m et de vitesse v possède un moment cinétique nul par rapport au point A. Nous pouvons en conclure que la particule

a) se déplace sur un cercle centré en A

b) se déplace sur un cercle passant par A

c) se déplace sur une droite passant par A

d) se déplace sur une droite ne passant pas par A

e) aucune de ces réponses.

Q8. Considérons une particule possédant une quantité de mouvement **p** et un moment cinétique **L** par rapport au point O. Si le vecteur **r** qui joint O à la particule fait un angle de 30° avec **v**, l'angle entre **L** et **p** est égal à

a) 30°

b) 60°

c) 90°

d) 180°

e) aucune de ces réponses.

Q9. Une petite locomotive entre en collision frontale avec un train de marchandises. Les deux s'immobilisent après l'impact. Lequel est soumis à la plus grande force moyenne durant la collision :

a) la locomotive

b) le train de marchandises

c) les deux sont soumis à une force de même amplitude

d) l'infirmation donnée est insuffisante

e) aucune de ces réponses.

Q10. Un objet de masse M_A se déplaçant à la vitesse v cffcctuc une collision parfaitement élastique avec un objet immobile de masse M_B. si 75 % de l'énergie cinétique initiale de l'objet A est trasférée à l'objet B, on en déduit que

a) $M_A = 3/4 \, M_B$

b) $M_B = 7/9 \, M_A$

c) $M_B = 9/17 \, M_A$

d) $M_A = 3 \, M_B$

e) aucune de ces réponses.

EXERCICES

Voir réponses en fin d'ouvrage pour les exercices et problèmes dont le numéro est inscrit en noir.

Impulsion et quantité de mouvement

7.1 Une balle de golf, initialement au repos, est frappée avec une force moyenne de 2 600 N pendant $1,25 \times 10^{-3}$ s. Quelle est la vitesse finale de la balle si sa masse est de 0,047 kg ?

7.2 Si la quantité de mouvement d'une voiture augmente de 9×10^4 kg m s^{-1} en 12 s, que vaut la force moyenne qui l'accélère ?

7.3 a) Quelle est la variation de la quantité de mouvement d'une voiture soumise à une force de 6 000 N durant 6 s ?

b) Si la masse de la voiture est de 1 000 kg, que vaut la variation de sa vitesse ?

7.4 Un pilote éjecté d'un avion subit une accélération moyenne de 12 g pendant 0,25 s.

a) Si la masse du pilote est de 70 kg, à quelle force moyenne est-il soumis ?

b) Trouver la variation de sa vitesse.

7.5 Un joueur de base-ball frappe une balle de masse m, animée d'une vitesse **v**. Il la renvoie vers le lanceur avec la même vitesse. Si la balle et la batte sont en contact pendant un intervalle de temps Δt, quelle force moyenne exerce la batte ?

7.6 Une balle de caoutchouc de masse m est lancée contre un mur avec une vitesse v. Elle rebondit, avec la même vitesse, dans la direction opposée.

a) Que vaut l'impulsion qui agit sur la balle ?

b) Une boule de mastic de même masse et ayant la même vitesse est lancée contre le mur. Elle y reste collée. Que vaut l'impulsion qui s'exerce sur la boule ?

Conservation de la quantité de mouvement

7.7 En se déplaçant, un avion à hélices pousse l'air vers l'arrière de l'appareil. Décrire la force qui s'exerce sur l'appareil en fonction de la variation de quantité de mouvement de l'air.

7.8 Un homme est assis sur une chaise fixée sur un wagonnet. Le wagonnet est au repos sur des rails sans frottement.

a) Si l'homme lance un sac de sable sur le côté, va-t-il faire bouger le wagonnet ? Expliquer.

b) S'il lance le sac de sable vers l'arrière du wagonnet, produira-t-il un mouvement de celui-ci ? Expliquer.

7.9 Une personne, assise à la poupe d'un voilier, essaie de faire avancer le bateau en soufflant sur les voiles. Expliquer ce qui arrive.

7.10 Lorsqu'elle atteint son altitude maximum, une fusée de masse M et de vitesse v_0 explose en deux morceaux. Un fragment de masse m, *s'arrête et retombe* à la verticale vers le sol. Quelle est la vitesse du second fragment de masse m_2, immédiatement après sa séparation de la fusée ?

7.11 Un wagonnet de masse m, se déplaçant sur coussin d'air sans frottement, a une vitesse initiale $\mathbf{v}_0$. Il se dirige vers un second wagonnet de masse M qui est au repos. Quelles sont les vitesses finales des deux wagonnets après la collision, si ceux-ci restent accrochés l'un à l'autre ?

7.12 Une balle de fusil d'1 gramme (10^{-3} kg) a une vitesse horizontale de 200 m s^{-1}. La balle vient frapper et s'incruster dans un bloc de bois de 1 kg. Le bloc est placé sur une table et il n'exerce aucun frottement. Quelle est la vitesse du bloc et de la balle après l'impact ?

7.13 Un camion dont la masse est de 4 500 kg se déplace à 10 m s^{-1}. Il percute l'arrière d'une voiture en stationnement. La voiture et ses occupants ont une masse de 950 kg.

a) Quelle est la vitesse de la voiture immédiatement après l'impact, si elle reste accrochée au camion ?

b) Si le choc dure 0,3 s, quelle est la force moyenne qui s'exerce sur un passager de 60 kg assis dans la voiture ?

7.14 Le moteur d'un bateau s'arrête. Le bateau s'immobilise en eau calme, sa proue pointant vers le rivage distant de 5 m. Son occupant, en colère, jette à l'eau six canettes de bière. Il les lance horizontalement de l'arrière du bateau, avec une vitesse de 12 m s^{-1} par rapport à l'eau. Le bateau plus son occupant ont une masse de 240 kg et les six canettes ont une masse totale de 3 kg.

a) Quelle est la vitesse de recul du bateau ?

b) Combien de temps faudra-t-il au bateau pour atteindre le rivage à ce vitesse ?

c) Le bateau atteindra-t-il effectivement le rivage après ce laps de temps ? Expliquer.

7.15 Lorsque le ventricule gauche du cœur se contracte, il y a un déplacement du sang vers la tête. Supposons qu'une personne immobile soit allongée sur une table qui se déplace sans frottement. Lors d'une contraction cardiaque qui dure 0,2 s, 0,8 kg de sang est pompé sur une distance de 0,1 m ; si la masse totale de la personne et de la table est de 80 kg, quelle sera leur vitesse à la fin de la contraction ?

7.16 Y a-t-il conservation de la quantité de mouvement lorsqu'une boule de mastic tombe sur le sol ? Expliquer.

7.17 Un objet entre en collision avec un autre. Les deux objets ont la même masse et le second est immobile. Après la collision, le premier objet est dévié d'un angle θ par rapport à sa direction initiale et les deux objets ont la même vitesse. Trouver l'angle ϕ entre la direction de propagation du second objet et la direction initiale du premier.

7.18 Une voiture de 2 000 kg entre en collision frontale avec une autre. La seconde voiture a une masse de 1 000 kg. Les deux voitures circulaient, dans des directions opposées, à la même vitesse de 40 m s^{-1}. Après le choc, elles restent accrochées l'une à l'autre. Quelles seront la vitesse et la direction des deux voitures immédiatement après le choc ?

7.19 Supposons qu'une météorite volumineuse, ayant une masse de 10^{10} kg et une vitesse de 2×10^4 m s^{-1}, vienne s'écraser et se désintégrer sur la Terre.

a) Quelle sera la vitesse de recul de la Terre ? (Utiliser les données sur les systèmes astronomiques reprises en fin d'ouvrage.)

b) Que représente cette vitesse de recul par rapport à la vitesse orbitale de la Terre autour du Soleil ?

7.20 Une voiture roule vers le nord à 30 m s^{-1}, sa masse est de 1 500 kg. Elle entre en collision avec une voiture dont la masse est de 1 000 kg et les deux véhicules s'immobilisent immédiatement. Quelles étaient la vitesse et la direction du second véhicule immédiatement avant la collision ?

7.21 Une voiture se déplace à la vitesse $\mathbf{v}$. Elle est percutée à l'arrière par une autre voiture de même masse qui a une vitesse $2\mathbf{v}$. Si les deux voitures restent accrochées, quelle sera la vitesse de l'ensemble après la collision ?

Mouvement du centre de masse

7.22 Un homme dont la masse est de 70 kg est assis au centre d'un canoë de 30 kg. Le canoë est immobile. Si l'homme avance vers un siège situé 2 m vers l'avant, quel sera le déplacement du canoë ?

7.23 La Lune ne tourne pas autour de la Terre ; en fait, la Terre et la Lune tournent ensemble autour d'un point commun.

a) Comment s'appelle ce point ?

b) Que vaut le rayon de la trajectoire circulaire de la Terre autour de ce point ? (Utiliser les données astronomiques reprises en fin d'ouvrage.)

7.24 Un homme de 80 kg est debout sur un radeau de 120 kg. Le radeau est immobile. Si l'homme se met à marcher à la vitesse de 1,5 m s^{-1} par rapport au radeau, quelle sera la vitesse de déplacement du radeau ?

Collisions élastiques et inélastiques

7.25 Une voiture de 1 000 kg a une vitesse de 20 m s^{-1}. Elle entre en collision frontale avec une voiture de 2 000 kg en stationnement. Quelle est l'énergie mécanique dissipée lors de la collision si le choc est

a) élastique

b) complètement inélastique ?

7.26 Un bateau de masse m et de vitesse v percute un iceberg immobile dont la masse vaut 10m. Trouver la vitesse de l'iceberg après la collision

a) si le choc est complètement inélastique

b) si le choc est élastique et que le bateau rebondit dans la direction opposée.

7.27 Un des désavantages d'utiliser les protons des molécules d'eau pour ralentir les neutrons dans un réacteur nucléaire réside dans le fait que, de temps en temps, un proton capture un neutron. Il forme ainsi un *deutéron*, c'est-à-dire un noyau d'*hydrogène lourd* ou de *deutérium*. Si le proton est au départ au repos lorsqu'il capture un neutron, que vaut le rapport entre l'énergie cinétique du deutéron et celle du neutron ? (Considérer que les masses du proton et du neutron représentent la moitié de celle du deutéron.)

7.28 Les molécules d'eau lourde contiennent un atome d'oxygène et deux atomes d'*hydrogène lourd* ou de *deutérium*. Un noyau de deutérium a une masse double de celle d'un neutron.

a) Lorsqu'un neutron frappe un noyau de deutérium au repos, quelle fraction de son énergie cinétique est transférée lors d'un choc élastique ?

b) Quel est le rapport entre les vitesses initiale et finale du neutron au cours de cette collision ? (L'eau lourde est utilisée comme modérateur dans plusieurs types de réacteurs nucléaires construits au Canada.)

Moment cinétique d'un corps solide

7.29 Une roue de bicyclette a un rayon de 0,36 m et une masse de 2 kg. La bicyclette a une vitesse de 6 m s^{-1}.

a) Que vaut la vitesse angulaire de la roue ?

b) En admettant que la masse de la roue soit entièrement concentrée dans la jante, trouver son moment cinétique.

7.30 Un acrobate tient un balancier et évolue sur une corde.

a) À partir de la notion de moment cinétique, expliquer comment il doit manoeuvrer le balancier s'il tend à tomber vers la droite.

b) Quel est l'effet des poids situés aux extrémités du balancier ?

7.31 La roue d'un tricycle a un moment d'inertie de 0,04 kg m^2. Si la roue effectue un tour par seconde, que vaut son moment cinétique ?

7.32 Un cylindre de 3 kg a un rayon de 0,2 m. Il tourne autour de son axe à 40 rad s^{-1}. Trouver le moment cinétique si le cylindre est

a) un solide

b) un cylindre creux de faible épaisseur.

7.33 Pourquoi une fillette qui marche sur une clôture garde-t-elle les mains tendues ?

7.34 Une voiture est immobile ; son moteur fonctionne au ralenti. Si l'on appuie brutalement sur l'accélérateur, la partie gauche de la voiture s'abaisse légèrement alors que la partie droite tend à se soulever. Quel est le sens de rotation du vilebrequin ?

7.35 Pourquoi doit-on équilibrer un avion monomoteur, en vol horizontal, en soulevant l'aileron d'une aile et en abaissant l'aileron opposé ? Cette situation est-elle identique dans les avions bimoteurs ?

7.36 Une meule a un moment d'inertie de 0,5 kg m^2 et une vitesse angulaire de 120 rad s^{-1}.

a) Que vaut son moment cinétique ?

b) Un outil est mis au contact de la meule, ce qui immobilise celle-ci après 10 s. Quel est le moment moyen de la force exercée par l'outil ? (Supposer qu'aucun autre moment n'agit sur la meule.)

7.37 Une roue a une masse de 500 kg et un rayon de giration de 0,5 m. Sa vitesse angulaire est de 1 000 rad s^{-1}. Pendant combien de temps peut-elle exercer sur l'arbre un moment de 250 N m ?

7.38 Un plongeur quitte le tremplin le corps tendu, puis culbute à la vitesse angulaire de 3 rad s^{-1}. En se courbant, son moment d'inertie diminue d'un facteur 5.

a) Quelle sera la variation de sa vitesse angulaire ?

b) Quelle sera la variation de son énergie cinétique de rotation ?

7.39 Une femme qui a les bras tendus a un moment d'inertie de $2\,\text{kg}\,\text{m}^2$. Elle est assise sur une chaise qui a une vitesse angulaire de 6 rad s^{-1}. À un certain moment, elle saisit dans chaque main un objet de 3 kg et elle maintient ces objets à une distance de 0,8 m de l'axe de rotation. Si les objets étaient immobiles au départ, que vaut la vitesse angulaire de la femme ?

Moment cinétique d'une particule

7.40 Calculer le moment cinétique

a) orbital

b) de spin de la Terre. (Utiliser les données astronomiques reprises en fin d'ouvrage et supposer que la Terre est une sphère de masse volumique uniforme.)

7.41 Un satellite artificiel est sur une orbite elliptique autour de la Terre (figure 7.27). Au point A, sa vitesse vaut v et sa distance au centre de la Terre vaut r. Au point B, sa distance au centre de la Terre vaut $2r$. Que vaut sa vitesse ?

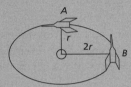

Figure 7.27 Exercice 7.41.

7.42 Dans le modèle de Bohr de l'atome d'hydrogène, l'électron a un moment cinétique de
$$1,055 \times 10^{34}\ \text{kg}\,\text{m}^2\,\text{s}^{-1}$$
lorsqu'il est sur l'orbite la plus petite.

L'orbite a un rayon de $5,29 \times 10^{-11}$ m et la masse de l'électron vaut $9,11 \times 10^{-31}$ kg.

a) Quelle est la vitesse v de l'électron ?

b) Évaluer le rapport v/c où c est la vitesse de la lumière et vaut $3,00 \times 10^8$ m s^{-1}.

La quantité de mouvement dans les exercices sportifs

7.43 Quelle est la force moyenne qui s'exerce sur le pied lors d'un coup de pied de volée au football américain (voir tableau 7.1) ?

7.44 À partir des données du tableau 7.1, évaluer la force moyenne qui s'exerce sur la main d'un joueur de handball au cours d'un service.

7.45 Discuter, en termes d'impulsion et de quantité de mouvement, la différence entre la boxe à poings nus et la boxe avec gants.

7.46 Quelle est la masse effective du dispositif de lancement lors d'un dégagement au football ?

7.47 À partir des données du tableau 7.1, évaluer pour le base-ball

a) l'énergie cinétique transférée à la balle et

b) la perte d'énergie mécanique.

7.48 a) Dans un coup de pied de volée au football américain, quelle est la masse effective du dispositif de lancement ?

b) Quel pourcentage du poids du corps cette masse représente-t-elle pour une personne de 80 kg ?

7.49 Discuter les masses effectives des dispositifs de lancement dans les techniques de boxe.

Le gyroscope

7.50 Un garçon tient une roue de bicyclette qui est en rotation rapide. La roue est dans un plan horizontal. Vue du dessus, la rotation s'effectue dans le sens inverse des aiguilles d'une montre.

a) Quelle est la direction du vecteur qui représente le moment cinétique ?

b) Le garçon tente de faire tourner le plan de rotation de la roue en poussant vers la droite l'extrémité supérieure de l'axe et vers la gauche son extrémité inférieure. Quelle est la direction du moment des forces ?

c) Quel est l'effet sur la roue ?

7.51 « Une toupie tombe si on la lâche lorsqu'elle ne tourne pas, mais elle effectue un mouvement de précession si elle est en rotation ». Puisque cette phrase ne fait référence à aucune vitesse minimum de rotation, cela suggère que toute vitesse de rotation arbitrairement petite, peut être suffisante pour empêcher la chute de la toupie. Expliquer comment le mouvement de nutation résoud ce paradoxe apparent.

PROBLÈMES

7.52 Une voiture de 1 000 kg et un camion de 2 000 kg roulent à la vitesse de 20 m s^{-1}. Ils entrent en collision frontale. Trouver les vitesses des véhicules après la collision

a) si le choc est élastique

b) si les véhicules restent accrochés l'un à l'autre.

7.53 Un homme est assis sur un traîneau qui se trouve sur un étang gelé. Les forces de frottement sont nulles. Il possède un fusil qui tire des balles de $1,3 \times 10^{-2}$ kg à la vitesse de 800 m s^{-1}.

a) Quelle est la quantité de mouvement de chaque balle ?

b) Quelle est la force moyenne s'exerçant sur l'homme à chaque coup de fusil, si cette force s'exerce pendant 0,2 s ?

c) Quelle est la vitesse de l'homme et du traîneau après avoir tiré 100 balles ? (Supposer que la masse de l'homme, du traîneau et du fusil est de 90 kg et négliger la perte de masse résultant du tir des 100 balles.)

7.54 Un wagon de marchandises vide roule à une vitesse initiale de 5 m s^{-1}. Suite à un orage, il se remplit de 1 000 kg d'eau, la puie étant supposée tomber verticalement. Si le frottement est négligeable, et si le wagon vide a une masse de 12 000 kg, quelle sera sa vitesse finale ?

7.55 Un wagon de marchandises dont la masse est de 30 000 kg passe à la vitesse de 5 m s^{-1} sous un silo à grains. 10 000 kg de grains tombent à la verticale dans le wagon.

a) En supposant que les forces de frottement entre le wagon et les rails sont négligeables, quelle sera la vitesse finale du wagon ?

b) Quelle est l'énergie cinétique perdue par le wagon et comment cette énergie s'est-elle transformée ?

7.56 Une boule de billard frappe une autre boule identique qui est au repos. La première est déviée de 45° par rapport à sa direction originale. Montrer que si la collision est élastique, la seconde boule se déplacera à 90° de la première et à la même vitesse.

7.57 a) Si, dans la figure 7.5, la distance d vaut 6 m, quelle sera la distance parcourue par le boulet de canon de l'exemple 7.4 avant de frapper la paroi ?

b) Quelle sera la distance parcourue par le wagon et le canon ?

c) Montrer que le centre de gravité du système complet reste stationnaire lorsque l'on tire le canon.

7.58 Une balle de 10^{-2} kg possède une vitesse initiale horizontale de 250 m s^{-1}. Elle vient s'encastrer dans un bloc de bois de 1 kg. Ce bloc est suspendu à l'extrémité d'un longue ficelle.

a) Quelle sera la vitesse du bloc et de la balle après l'impact ?

b) À quelle hauteur le bloc et la balle vont-ils être entraînés ?

7.59 Expliquer le fonctionnement du jouet représenté dans la figure 7.28. Le jouet se compose de billes d'acier soutenues par des ficelles. Lorsqu'une bille est écartée puis relâchée, elle provoque le mouvement de la dernière bille à l'autre extrémité. Lorsque deux billes sont écartées, les deux dernières billes se mettent en mouvement.

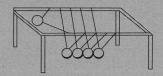

Figure 7.28 Lorsque l'on lâche la bille après l'avoir soulevée, elle vient frapper, de manière élastique, la deuxième bille. Après une succession de collisions, la bille de droite est projetée vers la droite, les autres billes restant immobiles. Problème 7.59.

7.60 Un véhicule dont la vitesse vaut v_0 entre en collision

a) avec un véhicule de même masse qui est immobile

b) avec un mur

c) avec un véhicule de même masse qui se déplace dans la direction opposée, à la vitesse v_0.

Quel choc est le plus grave pour les passagers ? Expliquer.

7.61 Un noyau de carbone 14 émet une particule bêta (électron) et un neutrino (v) et se transforme en un noyau d'azote 14. La particule bêta et le noyau d'azote peuvent être détectés parce qu'ils créent une avalanche d'ions dans un détecteur. Le neutrino, cependant, est très difficile à mettre directement en évidence car il interagit rarement avec les atomes sur son passage. Supposons que la particule bêta ait une quantité de mouvement **p** et que le noyau d'azote ait une quantité de mouvement qui vaut 4/3 de p et qui forme un angle de 90° par rapport à **p**. Quelles sont la grandeur et la direction de la quantité de mouvement du neutrino ?

7.62 Deux objets de masses m_1 et m_2 sont fixés aux extrémités d'un ressort. Si les objets sont écartés puis lâchés, que vaut, à tout instant, le rapport K_1/K_2 de leurs énergies cinétiques ?

7.63 Un noyau de plutonium 239 est au repos et se désintègre en une particule alpha (noyau d'hélium) plus un noyau d'uranium 235. L'énergie cinétique de la particule alpha vaut 5,06 MeV, (1 MeV = 10^6 eV = $1,60 \times 10^{-13}$ J). La masse du noyau d'uranium vaut 235/4 de celle de la particule alpha ; la masse de la particule alpha est de $6,64 \times 10^{-27}$ kg.

a) Que vaut la vitesse de la particule alpha ?

b) Que vaut la vitesse du noyau d'uranium ?

c) Que vaut l'énergie cinétique du noyau d'uranium exprimée en MeV ?

7.64 Un noyau au repos se désintègre en une particule alpha de masse m et en un noyau de masse M. Quelle fraction de l'énergie cinétique totale du système est associée au noyau de masse M ?

7.65 Un vaisseau spatial a une masse initiale M et une vitesse $\mathbf{V}$. Il lance un projectile de masse m et de vitesse $\mathbf{v}$. (Les deux vitesses sont exprimées par rapport à la Terre.) Trouver la grandeur de la vitesse résultante $\mathbf{V'}$ du vaisseau spatial si

a) $\mathbf{v}$ est parallèle à $\mathbf{V}$;

b) $\mathbf{v}$ a une direction opposée à $\mathbf{V}$;

c) $\mathbf{v}$ est perpendiculaire à $\mathbf{V}$.

7.66 Une voiture de 1 000 kg roule vers le nord, à une vitesse de 20 m s^{-1}. Elle percute un camion de 10 000 kg qui se dirige, à la même vitesse, vers le sud. Immédiatement après le choc, la voiture prend la direction de l'est à la vitesse de 20 m s^{-1}.

a) Quelle est la vitesse du camion et quelle est sa direction immédiatement après le choc ?

b) Quelle est la quantité d'énergie mécanique dissipée au cours de la collision ?

7.67 Le moment cinétique des roues d'une bicyclette en mouvement est dirigé vers la gauche du cycliste (figure 7.29). Si le cycliste ne tient pas son guidon, quel effet produira-t-il en se penchant vers la gauche ? Expliquer.

Figure 7.29 Problème 7.67.

7.68 Une fillette de 50 kg est debout au centre d'une plate-forme en rotation qui effectue 1,5 tour par seconde. La fillette tient dans chaque main une masse de 6 kg et ces masses sont au départ contre son corps. Estimer la vitesse de rotation lorsqu'elle étend les bras. (Négliger le moment d'inertie de la plate-forme.)

7.69 Un insecte de 10^{-3} kg se déplace le long du bord de la platine d'un tourne-disque qui a une masse de 0,5 kg et un rayon de 0,15 m. Si l'insecte effectue un tour complet et revient à son point de départ, de combien la platine se sera-t-elle déplacée ? (Négliger le frottement dans le roulement à billes et considérer le tourne-disque comme un cylindre.)

7.70 Si les calottes polaires de la Terre fondaient, quel effet cela aurait-il sur la durée d'un jour ? Expliquer.

7.71 Dans le modèle de Bohr de l'atome d'hydrogène, les seules orbites électroniques circulaires possibles sont celles pour lesquelles le moment cinétique vaut $nh/2\pi$ où n est un entier et h la constante de Planck.

a) Dans ce modèle, quelle relation doit exister entre le rayon de l'orbite et la quantité de mouvement de l'électron ?

b) On a vu au chapitre 6 que l'énergie cinétique d'un électron sur une orbite de rayon r vaut $(1/2)mv^2 = ke^2/2r$. Montrer que les rayons possibles des orbites sont donnés par $n^2h^2/(4\pi^2 kme^2)$.

c) Que valent les énergies cinétiques et les énergies totales de l'électron sur ces différentes orbites ?

7.72 Pour certaines applications, on peut considérer qu'une molécule diatomique a la forme d'un haltère. Les deux atomes constituent deux masses situées aux extrémités d'une barre rigide, et leur moment d'inertie vaut I. Si on applique le modèle de Bohr à une telle molécule, le moment cinétique doit valoir un multiple entier de $h/2\pi$, où h est la constante de Planck ; on dit que le moment cinétique est *quantifié*. Quelles sont les énergies cinétiques possibles pour une telle molécule ?

7.73 On regarde, de face, un avion monomoteur. L'hélice se met à tourner dans le sens inverse des aiguilles d'une montre.

a) Si les deux roues sont au-dessous de chacune des ailes, subiront-elles des forces identiques de la part du sol ? Sinon, laquelle subira la force la plus grande, celle sous l'aile gauche ou celle sous l'aile droite ?

b) Lorsque l'hélice tourne à vitesse angulaire constante, quelle roue sera soumise à la plu de force de la part de la Terre ?

7.74 Un homme est assis sur une chaise tournante. Il tient une masse de 5 kg dans chaque main. Son moment d'inertie par rapport à l'axe vertical vaut 20 kg m^2 lorsqu'il a les mains près du corps. Bras tendus, le moment d'inertie total vaut 35 kg m^2. Au départ, l'homme a une vitesse angulaire de 3 rad s^{-1} et ses bras sont près du corps.

a) Quelle est la vitesse angulaire de l'homme lorsqu'il a les bras tendus ?

b) Si l'homme laisse tomber les poids lorsqu'il a les bras tendus, que devient sa vitesse angulaire ?

Figure 7.30 Problème 7.76. *(Avec l'aimable autorisation de Sikorsky Aircraft, Division of United Technologies).*

7.75 Un plongeur souhaite effectuer un double saut périlleux vers l'avant en position regroupée, à partir d'une hauteur h. Dans cette position, les bras sont ramenés autour des jambes qui sont pliées. Le plongeur quitte le plongeoir en position tendue avec une vitesse angulaire de 2 rad s^{-1}. Le rayon de giration vaut 0,25 h en position tendue et 0,1 h en position groupée.

a) Que vaut la vitesse angulaire en position groupée ?

b) Quel temps minimum faut-il pour effectuer deux tours complets ?

c) Si au départ, le plongeur ne possède aucune vitesse de translation verticale, quelle doit être la hauteur minimum du tremplin pour que le saut soit réussi ?

d) Une personne de grande taille a-t-elle un avantage en effectuant ce saut ?

7.76 La figure 7.30 nous montre un hélicoptère en vol. La grande hélice qui fournit la force de poussée tourne dans le sens des aiguilles d'une montre si on la regarde du dessus. Expliquer la fonction de la petite hélice, qui tourne autour d'un axe horizontal et qui est située à l'extrémité de la queue de l'appareil. Considérer le moment cinétique et le moment de la force.

7.77 Une étoile est semblable à notre Soleil. Elle possède un rayon de 7×10^8 m et une période de rotation autour de son axe de 27 jours. Elle se transforme en une étoile à neutrons dont le rayon est de 104 m et la période de 0,1 s. Supposons que la masse reste constante. Calculer le rapport

a) entre le moment cinétique initial et final

b) entre les énergies cinétiques initiale et finale. (Le moment cinétique diminue, ce qui indique qu'une fraction de ce moment cinétique a été emportée par de la matière s'échappant de l'étoile. L'accroissement d'énergie cinétique résulte de la conversion d'énergie potentielle gravitationnelle en d'autres formes d'énergie, suite à la modification de la forme de l'étoile.)

7.78 Une des lois de Kepler sur le mouvement des planètes établit qu'une droite joignant une planète au Soleil parcourt des aires égales en des temps égaux. Montrer que cette loi découle du fait que le moment cinétique de la planète est conservé.

7.79 Une poutre de bois de masse m et de longueur $2a$ peut pivoter dans un plan horizontal par rapport à son milieu. Une balle de fusil dont la masse vaut $m/60$ est tirée à l'horizontale avec une vitesse tir. Elle pénètre, à angle droit, dans l'une des extrémités de la poutre. Quelle sera la vitesse angulaire résultante de la poutre ?

7.80 a) Si le moment d'une force appliquée à la Terre réduit d'une heure la longueur du jour, quelle impulsion angulaire cela implique-t-il ?

b) Si ce moment est produit par deux forces égales mais de directions opposées qui sont appliquées à l'équateur (un couple de forces) et si ce moment s'exerce durant une heure, évaluer la grandeur des deux forces en présence. (Utiliser les données astronomiques en fin d'ouvrage.)

7.81 Un poids est suspendu à l'extrémité libre de l'axe d'une toupie, semblable à celle de la figure 7.25. Décrire qualitativement l'effet sur la vitesse de précession.

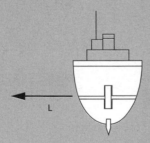

Figure 7.31 Un volant d'inertie est monté sur un axe horizontal. La figure le représente vu de l'arrière du bateau. La rotation de la roue est telle que le moment cinétique qui lui est associé a la direction indiquée. Problème 7.82.

7.82 Sur les gros bateaux, on emploie souvent des volants d'inertie pour réduire le roulis produit par les vagues. Si une grosse vague s'approche du bateau par la gauche (figure 7.31), comment le volant d'inertie influence-t-il le mouvement du bateau ?

7.83 Un lance-missiles (figure 7.32), de masse $M = 5$ t, posé sur des skis, tire horizontalement une roquette de 100 kg à une vitesse de 350 m s^{-1} et, sous l'effet du recul, monte sur le plan incliné (figure 7.32, $\theta = 10°$).

a) Quelle sera la vitesse du lanceur juste après le tir ?

b) Jusqu'à quelle hauteur H le lanceur montrere-t-il sur le plan incliné si on néglige les frottements ?

c) Si on observe qu'il atteint seulement une hauteur de 1 m, que vaut le coefficient de frottement cinétique entre les skis et la rampe ? (on néglige les frottements sur la partie horizontale, avant le plan incliné).

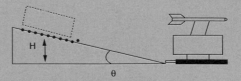

Figure 7.32 Problème 7.83.

7.84 Deux pendules constitués chacun d'un fil d'1 m de long et d'une masse $m = 300$ g sont disposés côte à côte. On écarte un des pendules de sa position d'équilibre jusqu'à ce qu'il fasse un angle de 20° avec la verticale. On lâche celui-ci et il vient percuter le second pendule. Les deux masses adhérent l'une à l'autre (collision complètement inélastique).

a) Jusqu'à quelle hauteur maximum le système ainsi constitué s'élèvera-t-il ?

b) Quelle est l'énergie dissipée par le phénomène d'adhésion ?

7.85 Une cible (figure 7.33) est constituée d'un disque de masse $M = 5$ kg, de rayon $R = 0,4$ m et d'épaisseur négligeable. Le disque est placé verticalement et il est suceptible de tourner autour d'un axe vertical passant par son centre. À un certain moment, une balle de fusil de masse $m = 12$ g et dont la vitesse $v = 500$ m s^{-1} est horinzontale, atteint la cible en un point **P** situé à 30 cm de l'axe vertical en faisant un angle de 60° avec le plan du disque. La balle reste dans la cible qui est mise en rotation.

a) Calculer la vitesse angulaire du disque immédiatement près le choc.

b) Si la rotation est freinée par un couple de forces 5 N m, calculer le nombre de tours effectués par la cible avant de s'arrêter.

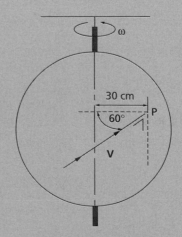

Figure 7.33 Problème 7.85.

7.86 Un bâton homogène de longeur $L = 1$ m, ayant une masse totale $m = 300$ g, est initialement immobile mais peut tourner autour d'un pivot qui passe par son centre. Il possède un moment d'inertie $I = mL^2/12$. Un projectile de 4 g se déplace selon une direction perpendiculaire au bâton et transperce celui-ci. Le projectile pénètre à mi-chemin entre le pivot et une de ses extrémités du bâton à une vitesse de 250 m s^{-1} et en ressort dans la même direction à m s^{-1}. Déterminez :

a) quelle sera la vitesse angulaire du bâton après la collison avec le projectile et

b) quelle fraction initiale du projectile a été dissipée lors de la collision.

7.87 Soit le système de la figure 7.34, composé de deux billes suspendues chacune par un fil de masse négligeable et de longueur $L = 1,2$ m. La plus petite bille a une masse $m = 150$ g et la plus grande une masse $M = 250$ g.

La petite bille est écartée vers la gauche jusqu'à une position faisant un angle de 15° avec la verticale. Elle est ensuite lâchée sans vitesse initiale. Lorsqu'elle arrive en position verticale, elle entre en collision avec la grande bille et repart en sens inverse. On suppose que la colli-

sions est élastique et frontale. On néglige les frottements avec l'air.

a) Quelle sera la vitesse de chacune des deux billes juste après la collison ?

b) Si on appelle θ l'angle défini par les deux fils auxquels sont suspendues les billes, jusqu'à quel angle maximum θ_{max} les deux billes vont-elles s'écarter après la collision ?

c) Combien de temps après la première collision les deux billes vont-elles subir une seconde collision .

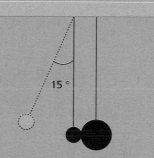

Figure 7.34 Problème 7.87.

Propriétés élastiques des matériaux

CHAPITRE 8

Mots-clefs

Constante d'élasticité • Effort et déformation de cisaillement • Effort et déformation de compression • Effort et déformation de traction • Fatigue • Flambage • Hauteur critique • Limite élastique • Limite de résistance à la traction • Limite linéaire • Loi de Hooke • Matériau cassant • Matériau ductile • Module de cisaillement • Module de Young d'un ressort • Moment d'inertie de la section droite • Moment d'inertie polaire • Moment des forces internes • Surface neutre

Introduction

Nous avons discuté du mouvement des objets en supposant que leurs dimensions et leurs formes restaient inchangées. Mais tout objet subit au moins une légère déformation lorsqu'il est soumis à des forces ou à des moments de forces. Ainsi, une barre d'acier ou une poutre de bois fléchit lorsqu'un poids y est suspendu. Un os a tendance à se tordre, voire à se rompre sous l'effet du moment d'une force.

Bien que la structure des matériaux fasse intervenir des forces électriques et magnétiques complexes, on peut néanmoins décrire certains effets de ces forces à l'aide de quelques paramètres macroscopiques. Ces paramètres permettent de préciser les dimensions et les formes qu'une poutrelle d'acier doit avoir pour supporter une charge donnée en toute sécurité. Ils permettent également d'évaluer le moment d'une force à laquelle un os peut résister sans subir de fracture.

La première partie de ce chapitre sera consacrée à la description des *efforts*[*] produisant des *déformations* au sein des matériaux. Nous verrons que la déformation varie suivant la manière dont l'effort est appliqué. Grâce à des paramètres déterminés expérimentalement, nous pourrons discuter de la résistance des matériaux et de la forme optimale des objets. Nous déterminerons grâce à ces résultats une relation entre la hauteur et le rayon des colonnes. Ceci nous permettra de discuter des dimensions des arbres. En faisant intervenir une loi d'échelle, nous développerons une hypothèse permettant de relier la structure anatomique à la fonction physiologique.

---

[*] Les termes *tension* et *contrainte* se rencontrent également dans la littérature. (N.d.T.)

8.1 LES SOLIDES

La matière est constituée d'atomes (diamètre des atomes entre 10^{-10} m et 3×10^{-10} m) qui se combinent sous l'influence de forces électriques. Les différents types de liaisons sont détaillés au chapitre 29.

Si les forces interatomiques sont assez intenses, l'ensemble des particules conserve forme, volume et possède des propriétés élastiques. Il s'agit d'un solide. Si les forces de liaison sont plus faibles, seul le volume est conservé mais l'ensemble n'a pas de forme spécifique. Il s'agit d'un liquide qui coule. Dans les gaz, les forces sont encore plus faibles. La substance se disperse, ne conservant ni sa forme ni son volume, occupant tout l'espace disponible. La plupart des substances peuvent exister soit en phase solide ou liquide ou gazeuse selon les conditions de température ou de pression. On appelle changement de phase le passage de l'une de ces phases vers une autre (chapitre 12).

Intéressons-nous plus particulièrement aux solides. Les atomes d'un solide effectuent de petits mouvements vibratoires au voisinage de leur position d'équilibre. Les interactions entre les molécules peuvent être de nature variable. Dans un cristal de sodium, ce sont des forces électriques. Lorsque des molécules d'eau s'intercalent entre les ions, elles font barrage d'où la dissolution du solide.

Dans d'autres solides, il existe de véritables liaisons chimiques et ces solides ne peuvent être dissous sans transformation chimique radicale. C'est le cas des os.

Si les molécules du solide sont parfaitement organisées selon un réseau géométrique, on parle de solides cristallins. Les atomes se disposent dans une structure ordonnée à trois dimensions qui se répète un très grand nombre de fois dans chaque direction. La symétrie de l'assemblage atomique ou moléculaire influence l'aspect macroscopique du cristal qui présente des faces très géométriques (exemple les cristaux de sel). Dans le cas contraire, le solide est dit amorphe. Les solides composites sont composés de plusieurs matériaux liés entre eux.

Les os sont des solides amorphes très hétérogènes formés par une matrice protéique sur laquelle se disposent des sels de calcaire solidifiant le réseau et dans lequel circulent de l'eau et des substances chimiques. L'os est donc une structure composite qui comprend des fibres de collagène (protéine).

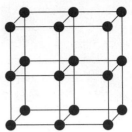

Figure 8.1 Exemple de réseau cristallin spatial (cubique).

8.2 CONSIDÉRATIONS GÉNÉRALES SUR LES EFFORTS ET LES DÉFORMATIONS

Si une force donnée produit un allongement déterminé d'un élastique, il faudra exercer une force double pour obtenir le même allongement dans le cas de deux élastiques identiques ou dans le cas d'un élastique de section droite deux fois plus importante. La déformation des matériaux est déterminée par la *force qui s'exerce par unité de surface et non par la force totale*. Pour cette raison, on définit l'effort σ dans une barre de section droite égale à A (figure 8.2a) soumise à une force **F** par le rapport entre la force et la surface,

$$\sigma = \frac{F}{A} \tag{8.1}$$

Cet effort est compensé par des forces intermoléculaires existant au sein du matériau. Si le pied d'une table supporte un poids de 100 N, les forces intermoléculaires exercent une force de 100 N vers le haut à la surface supérieure du pied de la table.

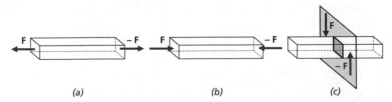

Figure 8.2 Une barre est soumise à *(a)* une force de traction, *(b)* une force de compression, *(c)* des forces de cisaillement.

On définit trois types d'effort (figure 8.2). *L'effort de traction* est la force par unité de surface qui produit l'allongement d'un objet. *L'effort de compression* réduit les dimensions d'un objet. *L'effort de cisaillement* correspond à l'application de forces qui s'exercent comme des lames de ciseaux.

Dans le cas d'un effort de traction ou de compression, la variation de longueur d'une barre est proportionnelle à la longueur de celle-ci. Ainsi, si une barre de longueur *l* est soumise à une force de traction **F** qui produit un allongement Δl, chaque moitié de la barre subit un allongement égal à $(1/2) \Delta l$. La *déformation ε* représente la *modification relative de la longueur de la barre* (figure 8.3)

$$\varepsilon = \frac{\Delta l}{l} \tag{8.2}$$

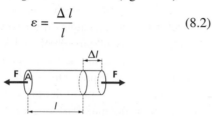

Figure 8.3 Une barre de longueur *l* et de section droite *A* est soumise à un effort de traction. Sa longueur s'accroît de Δl. Le rapport $\Delta l / l$ représente la déformation ε.

Il ressort de cette définition que la déformation ε est une grandeur sans dimension. Elle ne dépend pas de la longueur de la barre. Il existe trois types de déformation: traction, compression et cisaillement. Une déformation quelconque peut être décrite en combinant ces trois types de déformation. L'équation (8.2) définit à la fois les tractions et les compressions. Nous décrirons ultérieurement la déformation de cisaillement.

On peut déterminer expérimentalement la relation entre l'effort et la déformation pour un matériau soumis à une traction. Une barre dont une des extrémités est fixe est étirée progressivement. On mesure à intervalles réguliers la force appliquée nécessaire pour produire cet allongement (figure 8.4). La variation relative de la longueur de la barre donne la déformation et la force par unité de surface définit l'effort. La figure 8.5 donne quelques résultats représentatifs de ce type d'expérience. Il est possible d'obtenir des graphes analogues pour des efforts de compression ou de cisaillement.

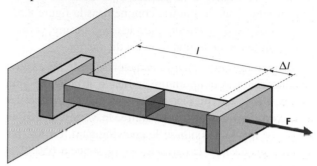

Figure 8.4 Expérience permettant de mesurer la relation entre l'effort et la déformation.

Pour les petites déformations, la relation effort-déformation est linéaire et le graphe correspondant est une droite (figure 8.5). L'effort a est donc directement proportionnel à la déformation ε. Ceci correspond à la région *linéaire* pour un matériau donné. Au-delà de la *limite linéaire A*, l'effort cesse d'être proportionnel à la déformation. Entre le point *A* et le point *B* qui représente la *limite d'élasticité*, l'objet reprend ses dimensions initiales lorsque la force *F* cesse d'agir. Jusqu'au point *B*, la déformation est dite élastique. Si la force appliquée augmente encore, la déformation s'accroît rapidement. Pour cette partie du graphe, lorsque la force appliquée cesse d'agir, l'objet ne reprend plus sa dimension initiale mais conserve une déformation permanente.

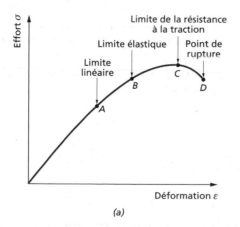

(a)

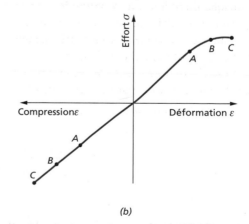

(b)

Figure 8.5 *(a)* Graphe représentant l'effort associé à une déformation de traction dans le cas d'un matériau ductile. *(b)* Graphe effort-déformation pour un matériau cassant comme par exemple un os. Le point de rupture *D* (non représenté) est très proche de la limite de résistance à la traction représentée par le point *C*. Remarquer que les pentes des droites correspondant à la traction et à la compression sont différentes.

Le point *C* représente la *limite de la résistance* à la traction pour le matériau considéré. C'est l'effort maximum auquel le matériau peut être soumis. Au-delà de ce point, une déformation supplémentaire apparaît, même si la force appliquée est moins importante. La *rupture* intervient au point *D*. Entre les points *B* et *D*, le matériau subit ce que l'on appelle une *déformation plastique*. Si le point limite de résistance à la traction et le point de rupture sont proches l'un de l'autre, comme dans la figure 8.5*b*, le matériau est dit *cassant*. Dans le cas contraire, comme dans la figure 8.5*a*, le matériau est dit *ductile*.

La température influence le caractère ductile ou cassant des matériaux. À température ambiante, le chewing-gum est ductile, le cuivre, l'or et l'argent sont assez ductiles et le verre est cassant. Par contre, le verre chauffé au rouge est maniable comme le chewing-gum, l'acier (fer avec moins de 1 % de carbone) est plastique à 650 °C et cassant à −35 °C.

Au sein des tissus biologiques, deux protéines vont contribuer à l'élasticité : l'élastine et le collagène. L'élastine est une protéine caoutchouteuse qui peut être facilement étirée alors que le collagène est une protéine fibreuse qui confère une résistance à la tension. Un tendon est fait principalement de collagène.

Dans la discussion des propriétés des matériaux, il faut mentionner que les matériaux manifestent un phénomène de *fatigue*. Si un matériau subit de manière répétée l'application d'une charge, le point limite de la résistance à la traction se déplace progressivement. Le matériau devient cassant pour des efforts moins importants. Par exemple, un trombone que l'on plie plusieurs fois finit par casser facilement. Ces effets de fatigue doivent être pris en considération dans des situations diverses comme par exemple lors de la construction d'un pont ou lors de la mise au point des broches utilisées pour soigner les fractures osseuses.

On ne comprend pas totalement les raisons qui déterminent la fatigue des matériaux. On pense qu'une succession de déformations modifie leur structure moléculaire. Ces altérations réduisent les forces intermoléculaires, ce qui a pour conséquence de diminuer la résistance du matériau.

8.3 LE MODULE DE YOUNG

Les déformations élastiques d'un solide sont liées aux efforts par des grandeurs appelées les *modules d'élasticité*. Dans le cas de la traction ou de la compression, la pente de la droite représente le rapport entre l'effort et la déformation. Ce rapport définit le *module de Young E* caractéristique du matériau considéré :

$$E = \frac{\sigma}{\varepsilon} \tag{8.3}$$

Dans le cas de matériaux homogènes comme par exemple l'acier, les modules de Young pour la traction et la compression sont habituellement égaux. Pour des matériaux non homogènes, comme le béton et les os, les modules de traction et de compression sont différents. Le tableau 8.1 donne quelques valeurs caractéristiques du module de Young ainsi que les limites de résistance à la traction σ_t et à la compression σ_c. Dans l'exemple 8.1, on utilise les relations fondamentales qui viennent d'être établies.

Matériau	Module de Young E	Limite de résistance à la traction, σ_t	Limite de résistance à la compression, σ_c
Aluminium	7×10^{10}	2×10^8	
Acier	20×10^{10}	5×10^8	
Brique	2×10^{10}	4×10^7	
Verre	7×10^{10}	5×10^7	11×10^8
Os (suivant l'axe)			
Traction	$1,6 \times 10^{10}$	12×10^7	
Compression	$0,9 \times 10^{10}$		17×10^7
Bois dur	10^{10}		10^8
Tendon	2×10^7		
Caoutchouc	10^6		
Vaisseaux sanguins	2×10^5		

Tableau 8.1 Module de Young et limite de résistance de quelques matériaux. Les quantités sont exprimées en N m^{-2}.

✎ ———— **Exemple 8.1** ————

a) Si la section droite minimale du fémur d'une personne adulte vaut 6×10^{-4} m², à partir de quelle charge y a-t-il fracture en compression ? (Le fémur est l'os de la partie supérieure de la jambe.)

b) En faisant l'hypothèse que la relation entre la tension et la déformation est linéaire jusqu'à la fracture, déterminer la déformation correspondant à la fracture.

Réponse   a) On tire du tableau 8.1 que la limite de résistance à la compression d'un os est de 17×10^7 N m⁻². Ceci représente la force par unité de surface qui correspond à la fracture. La force totale s'obtient en multipliant la valeur limite par la section droite de l'os. Ainsi,

$$F = \sigma_c A = \left(17 \times 10^7 \text{ N m}^{-2}\right)\left(6 \times 10^{-4} \text{ m}^2\right)$$
$$= 1,02 \times 10^5 \text{ N}$$

Cette force est importante; elle représente environ 15 fois le poids d'une personne de 70 kg. Néanmoins, cette valeur est rapidement dépassée si une personne fait une chute de plusieurs mètres et se reçoit en position verticale.

b) Utilisons la définition du module de Young, $E = \sigma/\varepsilon$. D'après le tableau 8.1, E vaut $0,9 \times 10^{10}$ N m⁻², donc

$$\varepsilon = \frac{\sigma}{E} = \frac{17 \times 10^7 \text{ N m}^{-2}}{0,9 \times 10^{10} \text{ N m}^{-2}} = 0,0189$$

La longueur de l'os diminue de 1,89 % pour une charge entraînant la fracture. En fait, la valeur réelle de la déformation au moment de la fracture est légèrement supérieure. Ceci résulte de la non-linéarité de la relation effort-déformation (figure 8.5*b*). Lorsque l'on s'approche de la limite de la résistance, la courbe s'aplatit comme le montre la figure 8.5*b*.

———

La partie linéaire du graphe effort-déformation de la figure 8.5 représente la *loi de Hooke*. Dans cette partie du graphe, puisque la relation entre effort et déformation est linéaire, la force est proportionnelle à l'allongement. Ceci revient à utiliser la définition du module de Young pour écrire $\sigma = E\varepsilon$. Puisque l'effort $\sigma = F/A$ et la déformation $\varepsilon = \Delta l/l$, on a

$$\frac{F}{A} = E\frac{\Delta l}{l}$$

Dans le cas d'une traction ou d'une compression, la force qui s'exerce sur un objet est donc proportionnelle à la modification de longueur :

$$F = k\,\Delta l \qquad (8.4)$$

k est appelé la constante d'élasticité* ; on a

$$k = \frac{EA}{l} \qquad (8.5)$$

———

* *k est aussi appelé la* constante de rappel *ou* constante du ressort.

L'équation (8.4) définit la *loi de Hooke*. Cette loi est valable dans la partie linéaire du graphique. Les ressorts à boudin, les ressorts à lame et les élastiques satisfont à cette relation, pourvu que la déformation ne soit pas trop importante. La constante d'élasticité k des ressorts rigides a une valeur importante. On remarque à partir de la définition de k qu'un accroissement de la section droite ou une réduction de la longueur augmentent la résistance du ressort. Les forces de rappel qui interviennent dans les ressorts seront discutées au chapitre 9.

8.4 RÉSISTANCE À LA FLEXION

Les structures mécaniques, comme les poutres, les troncs d'arbres et les membres du corps humain, sont soumises à différents types d'efforts. Lorsque l'effort est une traction ou une compression, la forme de l'objet est sans importance puisque la déformation dépend seulement de la section droite. Cependant, dans le cas d'un effort de flexion, la résistance de l'objet dépend non seulement de sa composition mais également de sa forme. C'est ainsi qu'un tuyau constitué d'une quantité donnée de matériau est plus résistant qu'un barreau plein de même longueur construit avec la même quantité de matériau. Il existe également une relation précise entre les hauteurs des arbres et les rayons des troncs ou encore entre la longueur des membres des animaux, leur forme et leur composition. Dans ce paragraphe, nous considérerons la manière dont les structures sont déterminées dans la nature et par les hommes afin d'assurer à la fois une bonne résistance et une relative légèreté.

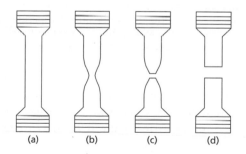

Figure 8.6 Échantillon soumis à une traction croissante. Pour des tractions faibles inférieures à la limite élastique, *(a)* il se déforme de manière réversible (régime de déformation élastique). Pour des tractions croissantes au-delà de la limite élastique, s'il est ductile, il va *(b)* continuer à se déformer mais de manière irréversible (régime de déformation plastique, puis *(c)* céder pour une valeur maximum de la charge (limite de rupture). S'il est cassant, *(d)* il subit la rupture sans passer par le régime de déformation plastique.

Une barre rectangulaire placée sur deux supports à tendance à fléchir sous l'action de son poids (figure 8.7).

Figure 8.7

Essayons de comprendre pourquoi. Considérons une barre de longueur l, de section droite rectangulaire, de hauteur a et de largeur b, placée sur deux supports aux extrémités (figure 8.8). Exerçons une force F au milieu de la barre. Pour que la barre soit en équilibre, la résultante des forces appliquées à la barre et le moment résultant de celles-ci doivent être nuls. Ces conditions sont vérifiées si $N_1 = N_2 = F/2$

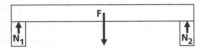

Figure 8.8 Une barre rectangulaire placée sur deux supports et chargée en son milieu.

Cependant, la barre soumise à cette force F ne reste pas rigide, elle fléchit de façon plus ou moins importante. Pour comprendre les raisons de cette déformation, il est désormais nécessaire d'analyser les forces *à l'intérieur* de la barre.

Figure 8.9 La portion de la barre de longueur x est soumise à un couple de forces, une force dirigée vers le haut exercée par le support et une force dirigée vers le bas résultant des forces internes à la barre.

Appliquons les conditions d'équilibre statique de façon plus subtile. Si la barre est en équilibre, chaque partie de la barre doit l'être également. Isolons une portion de longueur x de la barre (figure 8.9). Si la barre est en équilibre, la portion de longueur x de cette barre l'est également.

Puisque le support exerce sur cette portion une force $F/2$ dirigée vers le haut, la résultante des forces appliquées sera nulle si le reste de la barre situé à gauche de la zone hachurée exerce sur la portion x, une force $F/2$ dirigée vers le bas. Comme le montre la figure 8.9, ces deux forces ont des lignes d'action différentes, elles constituent un couple. Cette approche plus subtile montre clairement que l'équilibre ne peut être atteint dans ces conditions si la barre reste rigide. En effet, la deuxième condition d'équilibre n'est pas remplie, puisque le moment résultant des forces agissant sur la portion n'est pas nul. Calculons ce moment par rapport au point O. C'est un vecteur de module égal à $xF/2$ pointant vers le lecteur. Pour réaliser l'équilibre, il faut que la partie gauche de la barre exerce sur la portion de droite, un moment de force interne supplémentaire égal et opposé. La déformation de la barre permet l'apparition de ce moment.

Lors de la flexion, on remarque (figure 8.10a) que la partie supérieure de la barre est soumise à une compression alors que la partie inférieure subit un effort de traction. Une surface que nous qualifierons de neutre garde une longueur constante (figure 8.10b). Ceci montre que la résistance de la barre dépend de ses propriétés élastiques.

Puisque ce sont les surfaces supérieure et inférieure de la barre qui subissent les déformations les plus grandes, les forces internes les plus importantes interviennent au niveau de ces surfaces (figure 8.10c). Ces forces produisent un moment dirigé vers l'arrière de la page. Lorsque le module de ce moment calculé par rapport au point O atteint la valeur $xF/2$, la barre arrête de fléchir, l'équilibre est atteint.

La contribution de ces forces à la grandeur du moment sera d'autant plus importante qu'elles s'exercent loin de la surface neutre. En conséquence, dans le cas de barres épaisses, on peut obtenir des moments importants associés à des forces internes relativement faibles. Ceci permet d'utiliser ces barres pour supporter des charges élevées.

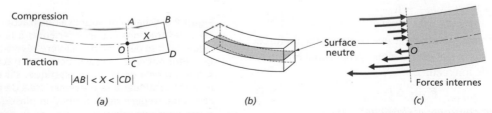

Figure 8.10 *(a)* Flexion de la barre chargée. *(b)* Le plan coloré est appelé surface neutre. Cette surface ne se modifie pas au cours de la flexion. *(c)* Graphique montrant les forces internes. Les forces les plus éloignées de la surface neutre produisent les moments les plus grands.

Cette idée peut s'exprimer de manière plus symbolique. À partir d'un traitement mathématique relativement complexe, on peut montrer que lorsque la barre de la figure 8.7 fléchit avec un rayon de courbure égal à R, le *moment des forces internes* dans la barre est donné par la relation (figure 8.11)

$$\tau = E \frac{I_s}{R} \qquad (8.6)$$

E représente le module de Young du matériau et I_s est le moment d'inertie de la section droite. Dans le cas d'une barre rectangulaire, I_s vaut

$$I_s = \frac{a^3 b}{12} \qquad (8.7)$$

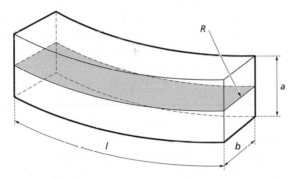

Figure 8.11 Une poutre de longueur l fléchit avec un rayon de courbure R.

Remarquons que la valeur de I_S s'accroît rapidement avec a puisque cette grandeur intervient à la troisième puissance.

Le tableau 8.2 reprend les moments d'inertie des sections droites pour quelques structures courantes.

Nous utiliserons ces résultats dans l'exemple 8.2 pour montrer que des planches épaisses résistent mieux à la flexion que des planches minces.

✎ ———— **Exemple 8.2** ————

Deux planches de bois identiques de 2 cm×6 cm de section droite ont leurs extrémités posées sur des supports (figure 8.12). Chaque planche ne supporte que son propre poids. La première planche repose sur sa largeur. La seconde est placée sur champ. Quelle est la planche qui fléchira le plus ? Que vaut le rapport des rayons de courbure pour les deux planches ?

Réponse Comme chaque planche supporte son propre poids, le moment des forces internes doit être égal dans les deux cas. On tire de l'équation (8.6) que $I_{S1}/R_1 = I_{S2}/R_2$, où R_1 et R_2 représentent les rayons de courbure correspondant aux deux planches. En appliquant la définition du moment d'inertie de la section droite aux deux sections rectangulaires, on obtient $I_{S1} = (2\,\text{cm})^3(6\,\text{cm})/12 = 4\,\text{cm}^4$ et $I_{S2} = (6\,\text{cm})^3(2\,\text{cm})/12 = 36\,\text{cm}^4$. On en déduit que

$$\frac{4\,\text{cm}^4}{R_1} = \frac{36\,\text{cm}^4}{R_2}$$

ou encore

$$\frac{R_2}{R_1} = 9$$

Section droite		I_s
Rectangle		$I_S = \dfrac{a^3 b}{12}$
Cylindre plein		$I_S = \dfrac{\pi r^4}{4}$
Tube		$I_S = \dfrac{\pi (a^4 - b^4)}{4}$
Poutrelle en I Chaque partie a un épaisseur t ; a représente la distance entre les milieux des faces		$I_S = \dfrac{a^2 b t}{2} + \dfrac{a^3 t}{12} \quad (t \ll a, b)$

Tableau 8.2 Moment d'inertie des sections droites pour des charges verticales.

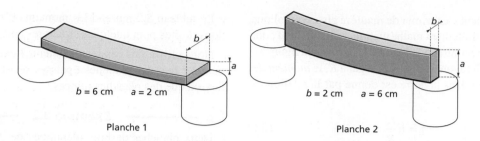

b = 6 cm   a = 2 cm

Planche 1

b = 2 cm   a = 6 cm

Planche 2

Figure 8.12 Deux planches identiques. L'une est posée à plat et l'autre sur champ.

Le rayon de courbure correspondant à la planche placée sur champ est 9 fois plus grand que l'autre. Un rayon de courbure important correspond à une faible flexion et la planche 2 fléchit moins que la planche 1. En conséquence, la planche 2 sera plus résistante. On pourra y poser un poids important.

Ces résultats suggèrent que pour construire des éléments de structure à la fois solides et légers, il faut que la quantité maximum de matière se trouve aussi loin que possible de la surface neutre. Une poutrelle qui a la forme d'un I (figure 8.13) résiste mieux à la flexion produite par des forces verticales qu'une poutre carrée de même section droite construite avec la même quantité de matériau. Il est à noter que les deux poutres peuvent soutenir le même *effort de compression* puisqu'elles ont des sections droites égales. De la même manière, un tube résiste mieux à la flexion qu'une barre pleine de même longueur et de même poids. C'est la raison pour laquelle les pieds des chaises et des tables métalliques sont habituellement tubulaires (figure 8.14). Ils résistent mieux aux forces appliquées perpendiculairement à la longueur du tube puisqu'en moyenne le métal se trouve plus loin de la surface neutre.

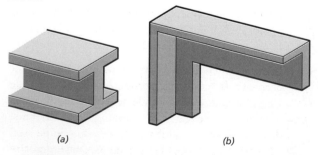

(a)   *(b)*

Figure 8.13 *(a)* Une poutrelle en *I* est construite pour que la quantité maximum de matière se trouve loin de la surface neutre. *(b)* Une cornière a une forme en L pour la même raison. Cette cornière peut servir à la construction d'une étagère.

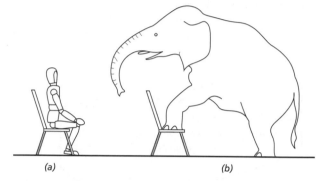

(a)   *(b)*

Figure 8.14 Les pieds des deux chaises ont la même longueur. Ils contiennent la même quantité de matière. Les pieds de la chaise *(a)* sont pleins, ceux de la chaise *(b)* sont tubulaires. Ces derniers résistent mieux à des efforts de flexion.

Sur la base de cette discussion, on pourrait penser qu'il est préférable de réaliser des éléments de structure ayant un grand diamètre et des parois minces. Il existe toutefois une limite car des structures à parois minces peuvent subir un effet de flambage à la suite d'un effort de compression. La figure 8.15 montre une expérience facilement réalisable qui illustre ce fait. On forme un gros cylindre avec une feuille de papier. La paroi est constituée d'une seule épaisseur de papier et le cylindre est fixé avec du papier collant. Une seconde feuille est enroulée plus serré pour former un cylindre dont le diamètre est de 2 à 3 cm. On dresse ces cylindres sur une table et on dépose, sur chacun d'eux, le même livre. Le cylindre qui a le diamètre le plus grand subit immédiatement un effet de flambage et s'effondre. Par contre, l'autre cylindre peut supporter le livre. On conclut que les parois plus minces du premier cylindre ne peuvent pas résister à la force appliquée dans la direction de l'axe. Dans le paragraphe suivant, nous considérerons de manière plus détaillée les problèmes de flambage.*

---

* L'écrasement de la figure 8.15*a* peut résulter d'un flambage mais peut également se produire en flexion. (N.d.T.)

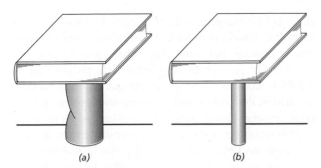

Figure 8.15 *(a)* Un cylindre de papier de grand diamètre s'écrase facilement en flambage. *(b)* Un cyclindre plus étroit, fabriqué à partir de la même feuille de papier et donc à paroi plus épaisse, résistera à une charge identique.

Dans la nature, on rencontre de nombreuses applications du principe qui établit que des structures creuses sont plus résistantes que des structures pleines de même section droite. Les os ont généralement une structure creuse. Ainsi, le rapport entre les rayons interne et externe du fémur humain vaut environ 0,5 et l'aire de la section droite représente seulement 78 % de celle d'un os plein qui aurait la même résistance à la flexion. Les plus petits mammifères et les oiseaux ont des os avec des parois relativement minces. Ainsi, le rapport des rayons interne et externe de l'humérus d'un cygne vaut 0,9 et l'aire de la section droite vaut 38 % de l'aire d'un os plein qui aurait la même résistance. Le danger de flambage dans cet os à parois minces est réduit par la présence de filaments osseux de renforcement qui se trouvent à l'intérieur de la structure de l'humérus.

8.5 RÉSISTANCE AU FLAMBAGE ; ÉLÉMENTS STRUCTURELS DANS LA NATURE

Dans la nature, les défaillances des éléments de structure résultent habituellement de moments importants associés à différentes forces plutôt qu'à de simples efforts de traction ou de compression. Hormis le cas particulier où une personne fait une chute d'une hauteur importante, la plupart des fractures osseuses résultent de flexions ou de torsions. Nous avons vu au paragraphe précédent qu'un tube à paroi mince s'écrase facilement sous l'effet du flambage si une force est appliquée parallèlement à l'axe. Plus généralement, les poutres et les colonnes peuvent subir un phénomène de flambage sous l'influence d'une force de ce type. Nous allons discuter la résistance au flambage d'une colonne cylindrique. Nous illustrerons les résultats en montrant comment la nature semble avoir utilisé la résistance au flambage comme critère pour déterminer la

structure cylindrique des troncs d'arbres.

Pour comprendre l'influence du flambage, considérons une colonne longue, mince et cylindrique comme celle représentée dans la figure 8.16. Elle n'est pas tout à fait verticale et son centre de gravité ne se trouve donc pas exactement au-dessus du centre de la base défini par le point P. Par conséquent, le poids produit un moment par rapport à P qui provoque la flexion de la colonne. Si le matériau est suffisamment résistant, cette flexion s'arrêtera lorsque les moments des forces internes contrebalanceront le moment du poids. Toutefois, si la colonne est très allongée et mince, le moment du poids augmente plus rapidement que les moments associés aux forces internes au cours de la flexion. On aura un phénomène de flambage et la colonne se brisera.

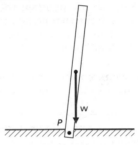

Figure 8.16 Une colonne cylindrique est inclinée. Son poids n'est donc pas à la verticale du centre de la base représenté par le point P.

De manière générale, toute colonne verticale soumise à une charge ou seulement à son propre poids finit par subir un phénomène de flambage lorsque la hauteur augmente, le rayon restant constant. La *hauteur critique* est déterminée par le module de Young du matériau. C'est en effet le module de Young qui détermine les forces internes pour une déformation donnée.

Dans le cas d'un cylindre plein de rayon r, soumis à son propre poids, la hauteur critique est donnée par la relation

$$l_{cr} = cr^{2/3} \qquad (8.8)$$

Cette relation est établie au paragraphe 8.8. La grandeur c représente un facteur de proportionnalité qui dépend de la masse volumique et du module de Young du matériau composant la colonne. Ce résultat implique que pour une colonne à la limite du flambage, le fait de doubler son rayon ne permet pas de doubler sa hauteur. Ceci est montré dans l'exemple 8.3.

✎ ———————— **Exemple 8.3** ————————

Deux colonnes sont composées du même matériau. L'une a un rayon r_1 et l'autre un rayon $2r_1$. Si les deux colonnes peuvent à peine supporter leur propre poids sans flambage, quel est le rapport des hauteurs ?

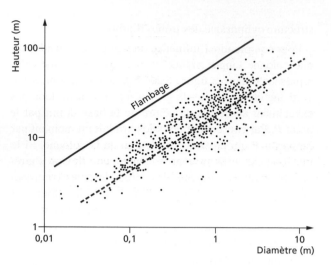

Figure 8.17 Résultats se rapportant à des arbres d'Amérique du Nord. La droite en traits pointillés correspond à $l = cr^{2/3}$, c valant 34,9. Cette droite représente le meilleur tracé. La droite en trait plein correspond au résultat théorique pour une colonne conique à la limite du flambage. Aucun point expérimental ne se trouve au-dessus de cette droite. Ceci provient du fait que les arbres de cette taille subiraient un phénomène de flambage sous l'effet de leur poids. *(Tiré de T. McMahon, Science, vol. 179, pp. 1201-1204, 23 mars 1973. ©1973, Association Américaine pour l'Avancement de la Science.)*

Réponse La hauteur critique de la colonne de rayon r_1 vaut $l_1 = cr_1^{2/3}$. La hauteur critique de la seconde vaut $l_2 = c(2r_1)^{2/3}$. Le rapport l_2/l_1 vaut

$$\frac{l_2}{l_1} = \frac{(2r_1)^{2/3}}{r_1^{2/3}} = (2)^{2/3} = 1,59$$

La colonne qui a le rayon double peut avoir une hauteur environ 1,6 fois supérieure à la première.

8.5.1 La hauteur des arbres

La relation $l_{cr} = cr^{2/3}$ est assez générale. En choisissant des valeurs adéquates pour la constante c, la relation reste valable pour des colonnes coniques, des colonnes creuses

et des colonnes soumises à des charges. L'expression peut aussi être adaptée pour les troncs d'arbres. Cela implique que la hauteur maximum d'un arbre varie en fonction de $r^{2/3}$. On peut tenter de vérifier si le phénomène de flambage constitue bien le facteur qui limite la hauteur des arbres. Pour cela, il suffit de comparer les hauteurs des arbres et leurs rayons (figure 8.17). Bien que les résultats expérimentaux présentent une grande dispersion, ils sont en faveur de l'hypothèse selon laquelle la résistance au flambage est un facteur qui détermine les dimensions. Nous verrons au paragraphe 8.7 que la taille des animaux est également influencée par la résistance au flambage.

8.6 CISAILLEMENT ET TORSION

Jusqu'ici nous avons considéré uniquement des efforts de traction et de compression. On rencontre aussi fréquemment des forces qui produisent des cisaillements ou des torsions. Dans ce paragraphe, nous décrirons qualitativement les forces de cisaillement et nous étudierons les efforts de torsion de manière plus analytique.

Une expérience très simple permet de mettre en évidence les efforts et les déformations de cisaillement. Plaçons un livre sur une table et exerçons des forces égales mais de directions opposées sur les couvertures supérieure et inférieure (figure 8.18). Chaque page glisse par rapport aux suivantes, ce qui déforme le livre tout en conservant pratiquement inchangées sa hauteur et sa largeur.

La figure 8.18 montre que la déformation du livre est caractérisée par l'angle α. La face supérieure a subi un déplacement δ par rapport à la face inférieure. Sur la face supérieure, l'*effort de cisaillement* vaut

$$\sigma_{ci} = \frac{F}{A} \qquad (8.9)$$

La *déformation* due au *cisaillement* vaudra

$$\varepsilon_{ci} = \frac{\delta}{h} = \tan\alpha \qquad (8.10)$$

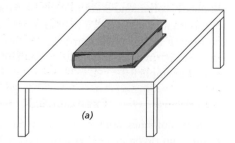

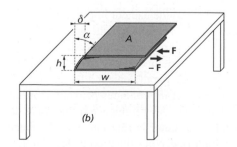

Figure 8.18 Un livre soumis à des forces de cisaillement change de forme. La couverture supérieure subit un déplacement δ par rapport à la couverture inférieure. Le dos du livre fait un angle α avec la verticale.

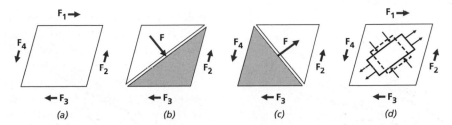

Figure 8.19 *(a)* Un cube est soumis à quatre forces de cisaillement d'égale grandeur. Le cube se déforme légèrement mais il est en équilibre. *(b)* La moitié du cube définie par un plan diagonal est soumise à un effort de compression. *(c)* La moitié définie par un autre plan diagonal est soumise à une traction. *(d)* Le carré dessiné en trait pointillé sur la surface du cube prend une forme rectangulaire sous l'effet des forces de cisaillement. Remarquer que dans ces conditions, une face du cube prend la forme d'un parallélogramme.

Matériau	Module de cisaillement, G
Aluminium	$2,4 \times 10^{10}$
Os (long)	10^{10}
Cuivre	$4,2 \times 10^{10}$
Verre	$2,3 \times 10^{10}$
Bois dur	10^{10}
Acier	$8,4 \times 10^{10}$
Tungsène	$11,4 \times 10^{10}$

Tableau 8.3 Modules de cisaillement de quelques matériaux, en N m^{-2}.

Le rapport de ces deux grandeurs définit le *module de cisaillement*

$$G = \frac{\sigma_{ci}}{\varepsilon_{ci}} \qquad (8.11)$$

Le tableau 8.3 donne les modules de cisaillement de quelques matériaux. Le module de cisaillement a une valeur habituellement comprise entre le tiers et la moitié du module de Young. Même dans le cas où seules les forces de cisaillement interviennent, des efforts de compression et de tension se manifestent en différents points de l'objet. Prenons l'exemple d'un cube (figure 8.19). Ce cube est en équilibre de translation et de rotation sous l'influence de quatre forces de cisaillement d'égale grandeur agissant parallèlement aux faces. Sous l'influence de ces forces, le cube subit une légère déformation, comme indiqué dans la figure. Coupons mentalement le cube suivant un plan diagonal (figure 8.19*b*). La partie colorée doit être soumise à une compression **F** dans la direction indiquée

puisque cette partie du cube est en équilibre. Pour le plan considéré dans la figure 8.19*c*, la partie en couleur est soumise à une force de traction. En conséquence, le carré considéré dans la figure 8.19*d* aura tendance à se déformer pour prendre la forme d'un rectangle lorsque le cube est soumis aux forces de cisaillement indiquées.

Il résulte de cette discussion qu'en général les efforts et les déformations sont des grandeurs complexes. Comme nous venons de le voir, des forces de cisaillement appliquées sur les faces externes d'un objet produisent simultanément des tractions et des compressions à l'intérieur du matériau. Pour caractériser complètement les efforts, il faut faire intervenir les trois composantes de la force s'exerçant sur trois plans perpendiculaires au point considéré. Une telle analyse dépasse le cadre de ce livre.

Discutons maintenant de l'effet produit par un moment de force dirigé parallèlement à l'axe d'un cylindre et associé à un effort de torsion. De tels moments s'exercent, par exemple, sur la jambe d'un skieur lors d'une chute. Ils apparaissent également quand un transfert de puissance s'effectue par l'intermédiaire d'un arbre de transmission. La figure 8.20 nous montre un cylindre dont une extrémité est fixe. Un couple de forces est appliqué à l'extrémité libre. Il en résulte un moment qui a la direction de l'axe. Tant que les déformations ne sont pas trop importantes, on peut considérer qu'un plan passant par l'axe du cylindre subit une rotation comme indiqué dans la figure 8.20*b*. L'angle de torsion augmente linéairement avec la distance à l'extrémité fixe. Dans un plan perpendiculaire à l'axe, les rayons restent des segments de droite. En revanche, les génératrices dessinées sur la surface externe du cylindre parallèlement à l'axe s'incurveront légèrement.

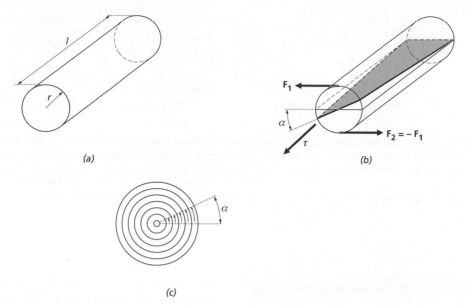

Figure 8.20 *(a)* Un cylindre de longueur *l* et de rayon *r*. *(b)* Le cylindre est fixé à une extrémité. L'autre extrémité est soumise à des forces qui produisent une torsion suivant l'axe. La torsion augmente linéairement avec la distance à l'extrémité fixe, pour autant que les forces appliquées ne soient pas trop importantes. *(c)* Vue d'une coupe perpendiculaire à l'axe. Les couches cylindriques adjacentes sont d'autant plus déformées que l'on s'éloigne de l'axe. Il s'agit d'une déformation de cisaillement.

Os	Moment correspondant à la fracture (N m)	Angle de torsion à la fracture
Jambe		
Fémur	140	1,5°
Tibia	100	3,4°
Péroné	12	35,7°
Bras		
Humérus	60	5,9°
Radius	20	15,4°
Cubitus	20	15,2°

Tableau 8.4 Moment correspondant à la fracture et angle de torsion équivalent pour quelques os humains.

Pour établir une relation entre le moment τ ; et la déformation α, il est nécessaire d'évaluer l'effort σ_{ci} à différentes distances de l'axe du cylindre. Puisque des couches cylindriques adjacentes sont soumises à des forces de cisaillement (figure 8.20c), l'effort σ_{ci} et la déformation ε_{ci} sont liés par la relation $\sigma_{ci} = G\varepsilon_{ci}$. Si on additionne les moments qui s'exercent sur chaque couche, on arrive au résultat final suivant :

$$\tau = GI_p \frac{\alpha}{l} \qquad (8.12)$$

α mesure la déformation en radians. Cette expression a

une forme semblable à celle correspondant à la flexion. I_p représente ici le *moment d'inertie polaire* du cylindre. Pour un cylindre de rayon r,

$$I_p = \frac{\pi r^4}{2} \quad \text{(cylindre plein)} \qquad (8.13)$$

Puisque le moment d'inertie polaire du cylindre varie avec la quatrième puissance du rayon, le fait de doubler la valeur du rayon augmente la résistance à la torsion par un facteur $2^4 = 16$.

Si un objet est soumis à un effort de torsion croissant, il finit par se fracturer. Le tableau 8.4 énumère les moments des forces et les angles correspondant à la fracture en torsion dans le cas de quelques os des bras et des jambes. Une force relativement faible peut produire une fracture dans des conditions particulières. Ainsi, si la spatule d'un ski est distante d'environ 1 m de la cheville d'un skieur, une force de 100 N exercée au niveau de la spatule produira sur la cheville un moment de 100 N m. En se référant au tableau, on voit que cette valeur peut produire une fracture du tibia.

L'extrémité de la chaussure de ski est à environ 0,3 m de la cheville. Dans l'hypothèse où le pied et le ski ne subissent pas de rotation pour un moment appliqué de 100 N m, il faut que le skieur exerce à la pointe de sa chaussure une force égale à 100 N m/0,3 m = 330 N (figure 8.21). Si la fixation du ski est réglée pour s'ouvrir à une valeur inférieure, les risques d'accident sont limités.

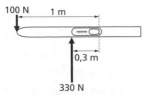

Figure 8.21 Un ski et une chaussure vus du dessus. Si le ski et la chaussure ne tournent pas, le moment résultant par rapport à la cheville doit être nul. Si on applique une force de 100 N à la spatule, une force de 330 N doit être exercée sur le ski par la pointe du pied.

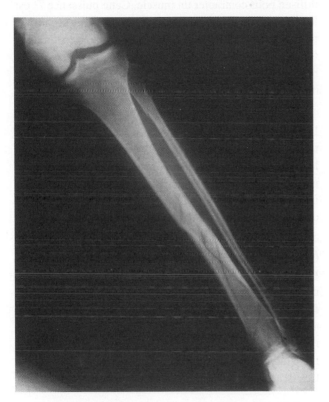

Figure 8.22 Fracture en spirale d'un tibia. *(Avec l'aimable autorisation du Dr. Robert C. Runyon.)*

Pour les os et dans les cylindres métalliques, les fractures provenant de torsions ne correspondent pas à des cassures nettes perpendiculaires à l'axe. Elles se présentent souvent sous forme de fractures en spirale (figure 8.22). Notre discussion relative aux efforts et aux déformations dans un cube soumis à des forces de cisaillement fournit une explication du phénomène. Nous avons vu que certaines surfaces du cube étaient uniquement soumises à des tractions ou à des compressions. Un carré dessiné sur une face peut être déformé et prendre la forme d'un rectangle. De la même manière, lorsqu'un cylindre subit une torsion, des plans situés à 45° par rapport à l'axe subissent uniquement des efforts de traction ou de compression. La fracture apparaît lorsque l'effort dépasse la limite de résistance à la traction ou à la compression sur l'un de ces plans (figure 8.23).

8.7 STRUCTURE ET FONCTION

Dans le paragraphe 8.5, nous avons utilisé le critère de la résistance au flambage pour établir une relation entre la structure et la taille des arbres. Ce critère peut également être utilisé pour établir une relation entre la structure et les fonctions physiologiques dans le cas des animaux. Nous verrons que cette relation a une forme différente de celle introduite au chapitre 6 à partir de la loi d'échelle. Cette nouvelle approche conduit à des résultats en meilleur accord avec les observations expérimentales.

Dans la méthode de travail adoptée précédemment, on a fait l'hypothèse que les dimensions des corps des animaux se comparent à l'aide d'une loi d'échelle simple l. En conséquence, le volume du corps et donc la masse m varient suivant l^3 ; la longueur varie comme $l \propto m^{1/3}$ (rappel : le signe $\propto$ signifie «proportionnel à »). Toute surface A varie comme l^2 ou encore comme $m^{2/3} = m^{0,67}$. On peut donc prévoir que la surface du corps varie comme $m^{0,67}$. Il est également prévisible que le *métabolisme*, c'est-à-dire la vitesse à laquelle l'énergie fournie par les aliments est utilisée, varie de la même manière, puisque la consommation d'oxygène est proportionnelle à la surface des poumons. La perte de chaleur doit aussi être proportionnelle à la surface totale du corps.

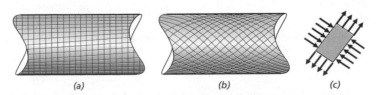

Figure 8.23 *(a)* Lorsqu'un cylindre subit une torsion, les génératrices s'incurvent. Par contre, dans un plan perpendiculaire à l'axe, les diamètres restent des droites. *(b)* Sous l'effet de la torsion, des droites inclinées à +45° par rapport à l'axe ont tendance à se resserrer. Les droites qui sont inclinées à −45° se séparent. *(c)* Vue agrandie d'un carré de *(b)*. Ce carré prend la forme d'un rectangle. L'effort est une traction suivant la longueur et une compression suivant la largeur.

Les lois d'échelle expérimentales ne sont pas toujours en accord avec ce modèle simple (figure 8.24). Ainsi Kleyber, en 1932, a observé une anomalie dans les résultats basés sur cette loi d'échelle. Il a trouvé que la chaleur libérée par les mammifères dont les tailles varient de la souris à l'éléphant n'est pas proportionnelle à $m^{0,67}$ mais à $m^{0,75}$. Cette différence est faible mais elle est suffisante pour mettre en doute la validité du modèle.

Récemment, McMahon a suggéré qu'il faudrait peut-être tenir compte du fait que la plupart des éléments du corps ont des structures cylindriques et que cette forme devrait permettre de résister au phénomène de flambage. S'il en est ainsi, la longueur l et le rayon r de chaque élément du corps doivent être reliés par la relation établie au paragraphe 8.5, $l \propto r^{2/3}$. Puisque le volume d'un élément cylindrique du corps vaut $\pi r^2 l$, la masse m doit être proportionnelle à $r^2 l$. En utilisant $r \propto l^{3/2}$, on trouve $m \propto r^2 l = (l^{3/2})^2 l = l^4$. Ce résultat diffère de manière significative de celui obtenu à partir de l'autre hypothèse impliquant la loi d'échelle pour laquelle $m \propto l^3$.

Dans le modèle considéré ici, puisque $m \propto l^4$, les longueurs doivent avoir comme loi d'échelle $l \propto m^{1/4}$. Puisque $l \propto r^{2/3}$ et $r^{2/3} \propto m^{1/4}$, on a $r \propto m^{3/8}$. Donc notre hypothèse implique que les longueurs et les rayons des membres du corps évoluent par rapport à la masse suivant les relations

$$l \propto m^{1/4}, \quad r \propto m^{3/8} \qquad (8.14)$$

On peut utiliser ces résultats pour déterminer la manière dont la surface du corps des mammifères, et plus particulièrement les parties cylindriques de celui-ci, dépendent de la masse. Pour évaluer la surface, remarquons que la plupart des parties cylindriques du corps sont rattachées à d'autres éléments par une ou par les deux extrémités.

L'aire d'un élément est donc proportionnelle à la surface latérale du cylindre qui vaut $A_{surf} = 2\pi rl$. À partir des relations de l'équation (8.14), $A_{surf} \propto rl$, et

$$A_{surf} \propto m^{3/8} m^{1/4} = m^{5/8}$$

$5/8 = 0,625$, ce qui est très près de 0,63. Ceci est en bon accord avec les résultats relatifs aux valeurs des surface données dans la figure 8.24a.

Pour traiter du métabolisme, il convient de calculer non pas la valeur de l'élément de surface, mais la puissance utilisée pour contracter un muscle. Cette puissance $\mathcal{P}$ est le produit de la force exercée F, par la vitesse de la contraction musculaire v. Puisque tous les muscles des mammifères exercent la même force par unité de surface $\sigma = F/A$, nous pouvons écrire que la force est égale à $F = \sigma A$, où A représente la section droite du muscle. Dès lors,

$$\mathcal{P} = Fv = \sigma Av$$

Dans le cas d'une fibre musculaire qui peut être contractée volontairement, on a montré expérimentalement que la vitesse de contraction est la même pour tous les mammifères. En conséquence, σ et v ne dépendent pas de la masse et $\mathcal{P} \propto A$. La section droite A varie avec le carré du rayon du muscle : $A \propto r^2$, donc

$$\mathcal{P} \propto A \propto r^2 \propto m^{0,75}$$

Ce résultat est en accord avec la figure 8.24b, si on fait l'hypothèse que la puissance dissipée et que la production de chaleur varient suivant la même loi d'échelle. Le travail fourni par unité de temps par le muscle cardiaque devrait aussi varier en $m^{0,75}$. En outre, au cours du métabolisme, l'oxygène étant apporté à travers les parois pulmonaires, la surface des poumons doit elle aussi varier comme $m^{0,75}$. Ces deux résultats sont bien confirmés par l'expérience.

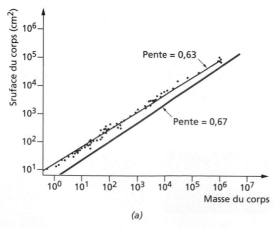

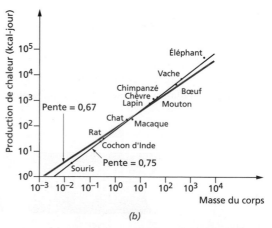

(a)   (b)

Figure 8.24 *(a)* Superficie du corps de différents mammifères en fonction de la masse. *(b)* Taux métabolique de différents mammifères en fonction de la masse. Les droites en noir correspondent aux prévisions basées sur le modèle de résistance au flambage. Les droites en couleur se rapportent au modèle basé sur la loi d'échelle simple. *(Tiré de T. McMahon, Science, vol. 179, pp. 1201-1204, 23 mars 1973. ©1973 Association Américaine pour l'Avancement de la Science.)*

À partir de ces résultats, nous pouvons également déterminer la loi d'échelle qui se rapporte aux pulsations cardiaques. Le taux métabolique et, dès lors, la demande d'oxygène par le corps, sont proportionnels à $m^{0,75}$. Le volume de sang pompé à chaque pulsation cardiaque est proportionnel au volume du cœur ou encore à m. Le sang pompé par seconde varie comme mf où f est la fréquence cardiaque. Puisque $mf \propto m^{0,75}$, $f \propto m^{-0,25}$. Ceci implique que les animaux de grande taille doivent avoir des pulsations moins rapides. Encore une fois, ce fait est confirmé expérimentalement.

En résumé, l'hypothèse selon laquelle les formes cylindriques des membres des animaux ont une structure déterminée par le critère de résistance au flambage conduit à des relations qui sont en bon accord avec un ensemble de résultats expérimentaux. Même si des études ultérieures devaient montrer que ce modèle n'est pas adapté pour expliquer d'autres types de résultats, il illustre clairement la manière dont les principes physiques peuvent influencer la relation entre la structure et la fonction dans les systèmes biologiques.

8.8 OBTENTION DE LA RELATION $l_{cr} = cr^{2/3}$

Considérons le cas particulier d'une colonne uniforme de rayon r et de longueur l qui fléchit sous l'influence de son propre poids avec un rayon de courbure R (figure 8.25). Le moment associé au poids w vaut $\tau = wd$. Il doit être compensé par le moment de forces qui agissent à la base de la colonne. Ce moment a pour valeur $\tau = EI_s/R$. Dans le cas d'un cylindre, $I_s = \pi r^4/4$. Donc, lorsque la colonne est à la limite du point de flambage,

$$\frac{E\,\pi\,r^4}{4R} = wd \qquad (8.15)$$

Il nous faut maintenant trouver des expressions pour w et d.

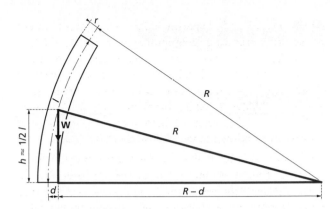

Figure 8.25 Une colonne de longueur l et de rayon r, fixée à sa base, fléchit avec un rayon de courbure R.

Si la masse volumique vaut w_0, le poids total w du cylindre vaut $w_0(\pi r^2 l)$. La distance d peut être évaluée à partir du triangle coloré de la figure 8.25. Les côtés du triangle valent respectivement R, $R - d$ et h. Si le rayon de courbure est grand vis-à-vis de l, $h \simeq (1/2)l$. En utilisant le théorème de Pythagore, on obtient

$$(R - d)^2 + \left(\frac{l}{2}\right) = R^2$$

En élevant au carré et en négligeant le terme quadratique en d^2, on trouve $d = l^2/8R$.

Utilisons les résultats relatifs à w et à d dans l'équation (8.15) ; on obtient

$$\frac{E\,\pi\,r^4}{4R} = w_0(\pi r^2 l)\frac{l^2}{8R}$$

soit

$$l = \left(\frac{2E}{w_0}\right)^{1/3} r^{2/3}$$

Dans le cas d'une colonne uniforme, ceci représente bien la hauteur critique l_{cr} donnée par l'équation (8.8). La constante c est ici égale $\left(2E/w_0\right)^{1/3}$, où E représente le module de Young et w_0 le poids volumique de la colonne.

Réviser

RAPPELS DE COURS

Les forces et les moments des forces qui agissent sur des objets provoquent des déformations qui peuvent entraîner la rupture de ceux-ci. La variation relative de la dimension ou de la forme est décrite par la déformation ε. La force par unité de surface qui produit cette déformation s'appelle l'effort σ. Pour des forces et des moments relativement faibles, l'effort et la déformation sont habituellement proportionnels. Pour la compression ou la traction, le facteur de proportionnalité définit le module de Young,

$$E = \frac{\sigma}{\varepsilon}$$

En présence d'un effort de cisaillement, la relation devient

$$G = \frac{\sigma_{ci}}{\varepsilon_{ci}}$$

où G est le module de cisaillement.

Lorsqu'une poutre subit une flexion caractérisée par un rayon de courbure R, le moment des forces internes est donné par

$$\tau = E\frac{I_S}{R}$$

où I_S représente le moment d'inertie de la section droite. Si le moment d'inertie est grand, le rayon de courbure correspondant sera grand, lui aussi, pour un moment de force donné. La flexion de la poutre sera donc peu importante.

Une colonne de rayon r qui supporte son propre poids peut avoir une hauteur maximum donnée par

$$l_{cr} = cr^{2/3}$$

l est la hauteur critique de la colonne et c est un facteur de proportionnalité qui dépend du module de Young du matériau et de sa masse volumique. Si la hauteur dépasse l_{cr}, la colonne s'écrase par effet de flambage. Ceci semble constituer un critère qui limite la taille des arbres.

Le moment d'une force de torsion τ, qui s'exerce sur un cylindre uniforme de longueur l, produit une torsion mesurée par l'angle α. Cet angle est lié a τ par la relation

$$\tau = GI_p\frac{\alpha}{l}$$

I_p représente le moment d'inertie polaire du cylindre. Il dépend du rayon de celui-ci.

PHRASES À COMPLÉTER

Voir réponses en fin d'ouvrage.

1. Si on exerce une force F sur une barre de section droite A, l'effort est égal à _____.

2. La déformation d'un objet soumis à un effort est égale à _____.

3. Les trois types d'effort sont les efforts de _____, de _____ et de _____.

4. Dans la partie linéaire, _____ est proportionnel à la _____.

5. Jusqu'au point qui représente la limite _____, l'objet reprend sa longueur initiale lorsque l'effort cesse.

6. Si un matériau se comprime facilement, il est caractérisé par une valeur faible du _____.

7. Si la force nécessaire pour étirer un objet est proportionnelle à l'allongement, l'objet obéit à _____.

8. Une barre caractérisée par un moment d'inertie de la section droite élevé fléchit plus _____ qu'une barre dont le moment d'inertie de la section droite est petit.

9. Le flambage d'une colonne se produit lorsqu'elle se déforme sous l'effet de forces dirigées suivant _____.

10. Le module de cisaillement représente le rapport entre _____ et la _____ de cisaillement.

11. La torsion d'un cylindre crée des efforts de _____.

EXERCICE CORRIGÉ

Une personne de 70 kg saute d'une hauteur h et tombe sur le sol. Sa vitesse au départ de la chute est nulle. On néglige la résistance de l'air. De quelle hauteur maximale peut-elle sauter de façon à ne pas provoquer une fracture des os de la jambe, dans le cas où :

– la personne retombe sur un sol dur, les jambes tendues. Dans ce cas, la durée de l'impact est courte et vaut 2×10^{-3} s.

– la personne retombe sur un sol plus meuble en fléchissant les genoux. Dans ce cas la durée de l'impact est de 10^{-2} s.

Données : section droite du tibia à l'endroit le plus étroit 3×10^{-4} m^2, limite de résistance à la compression de l'os 17×10^7 N m^{-2}, module de Young pour os en compression $0,9 \times 10^{10}$ N m^{-2}.

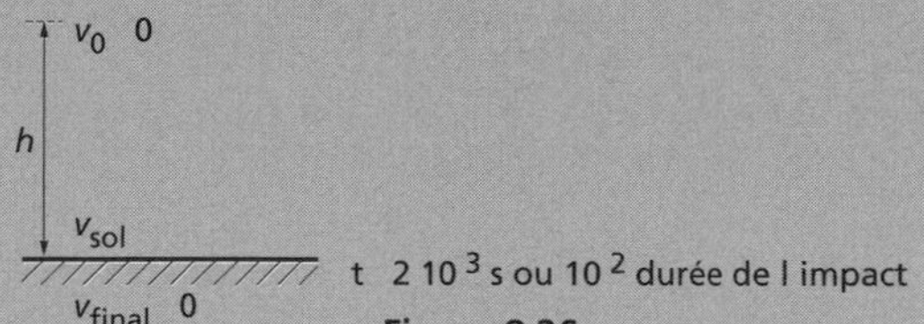

$v_0 \quad 0$

h

v_{sol}

$t \quad 2\,10^3\,s\,ou\,10^2$ durée de l impact

$v_{final} \quad 0$

Figure 8.26

Solution

Lorsque la personne touche le sol, elle a une vitesse v_{sol} telle que

$$v_{sol}^2 = v_0^2 + 2gh = 2gh$$
$$v_{sol} = \sqrt{2gh}$$

Pendant la durée de l'impact, la vitesse chute de v_{sol} à 0 et la variation de la quantité de mouvement est

$$|\Delta p| = mv_{sol}$$

Sachant que

$$|F| = \frac{|\Delta P|}{\Delta t}$$

Alors

$$F = \frac{mv_{sol}}{\Delta t}$$

La limite de résistance à la compression et la section de l'os sont connues donc la force maximum que l'os peut subir avant de se rompre peut être obtenue à partir de la formule

$$\sigma_{max} = \frac{F_{max}}{A}, \quad F_{max} = \sigma_{max}A$$

On peut donc écrire

$$\sigma_{max}A = \frac{mv_{sol}}{\Delta t} \quad et \quad v_{sol} = \frac{\sigma_{max}\,A\,\Delta t}{m}$$

En remplaçant par les valeurs de l'énoncé, on trouve pour v_{sol} soit 1,457 m/s, soit 7,285 m/s.

Ceci correspond à des hauteurs de 0,1 m et 2,65 m.

S'entraîner

QCM

Voir réponses en fin d'ouvrage.

Q1. Les risques de fracture sont plus élevés quand on tombe sur un sol dur.

a) la variation de la quantité de mouvement en arrivant au sol est plus importante

b) la durée de l'impact est plus courte

c) le module de Young change

d) cette affirmation est fausse.

Q2. Un bloc rectangulaire de gélatine a respectivement une hauteur, une largeur et une longueur de 4 cm, 8 cm et 10 cm. Ce bloc est soumis à une force de cisaillement de 0,4 N appliquée parallèlement à sa face supérieure. Si la surface supérieure est déplacée de 0,3 mm par rapport à la surface inférieure, quel est le module de cisaillement de la gélatine ?

a) 2 000 N/m^2

b) 6 667 N/m^2

c) 0,00015 N/m^2

d) 50 N.

Q3. Un câble de 130 cm de long et de 2 mm de diamètre est soumis à une force de traction de 600 N. Sa longueur finale est de 130,26 cm. Quel est le module de Young du matériau qui constitue le câble ?

a) $95,5 \times 10^9$ N/m^2

b) 10 N/m^2

c) 24×10^9 N/m^2

d) $1,91 \times 10^8$ N/m^2.

Q4. La figure 8.27 donne le graphique de σ en fonction de ε pour deux matériaux différents. Que peut-on dire de leurs modules de Young ?

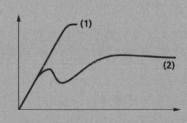

Figure 8.27

a) le module de Young de (2) est plus grand que celui de (1)

b) ils sont identiques

c) le module de Young de (1) est plus grand que celui de (2)

d) pas assez d'éléments pour répondre.

Q5. Deux tubes creux constitués de la même matière ont des parois de même épaisseur. Le premier a un rayon double du second. Comparer les flexions de ces tubes sous l'effet d'une charge (c'est-à-dire une force) appliquée au même endroit.

a) le premier tube fléchit plus que le second

b) la flexion est identique

c) le second tube fléchit plus que le premier

d) pas assez d'élément pour répondre.

Q6. Comment varie la flexion de la poutre de la figure ci-dessous lorsque les points d'appui sont déplacés de B en A.

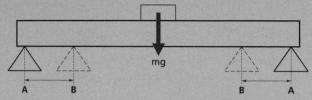

Figure 8.28

a) elle diminue car le bras de levier de la charge w par rapport aux points d'appuis est augmenté

b) elle augmente car le moment responsable de la flexion augmente

c) elle ne varie pas car la charge portée étant identique

d) pas assez d'élément pour répondre.

Q7. Un sportif de masse 50 kg court et tombe sur une main avec le bras étendu. Quelle est la vitesse minimum du coureur qui peut causer une fracture de l'os du bras ? La durée de l'impact est de 10^{-2} secondes et la section de l'os est de 4 cm^2.

a) 13,6 m/s

b) 8 m/s

c) 1,36 m/s

d) 2 m/s.

Q8. Calculer l'allongement relatif de l'humérus lorsqu'un homme de 70 kg se suspend à une barre fixe. On admettra que l'humérus est un os cylindrique creux de diamètres externe et interne de 3 et 2 cm.

a) 10^{-5}

b) $5,5 \times 10^{-5}$

c) 2×10^{-5}

d) 10^{-3}.

Q9. Une poutre est encastrée dans un mur à une de ses extrémités. Comment varie la flexion de la poutre quand on double la distance l entre le point d'application de la charge F et le point d'encastrement ?

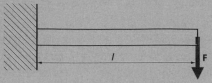

Figure 8.29

a) elle augmente

b) elle diminue

c) elle reste identique

d) cela dépend de matériau qui constitue la barre.

EXERCICES

Considérations générales sur les efforts et les déformations

8.1 On applique une force de traction de 100 N à l'extrémité d'une barre qui a une section droite de 0,1 m^2. Quel est l'effort dans la barre ?

8.2 Un effort de traction de 2×10^6 N m^{-2} est exercé sur une barre qui a une section droite de 0,05 m^2. Que vaut la force appliquée ?

8.3 Un tuyau de 0,4 m de long est soumis à un effort de compression, ce qui réduit sa longueur de 0,005 m. Que vaut la déformation ?

8.4 La déformation de traction maximum que peut subir l'aluminium avant de se casser est de 0,003. À quelle variation de longueur cette déformation correspond-elle pour une barre de 1 m de long ?

8.5 On assimile la jambe d'une personne à une barre osseuse de 1,2 m de long. Si la déformation est de $1,3 \times 10^{-4}$ lorsque la personne est debout, de quelle longueur la jambe est-elle raccourcie ?

8.6 Une barre de caoutchouc a une longueur de 0,5 m et un rayon de 10^{-3} m. Elle s'allonge de 0,1 m lorsqu'elle est soumise à une traction de 140 N. Quelle force faut-il exercer pour produire le même allongement sur une barre de même longueur, mais dont le rayon serait de 2×10^{-3} m ?

8.7 Un cric de voiture supporte la moitié du poids d'un véhicule dont la masse est de 1500 kg. Si l'effort maximum sur le cric ne peut dépasser 10^8 N m^{-2} et si la section droite du cric est circulaire, que vaut le rayon minimum ?

8.8 Un fil d'acier est long de 10 m et a un rayon de 1 mm. La limite linéaire vaut $2,5 \times 10^8$ N m^{-2}. La limite de résistance à la traction vaut 5×10^8 N m^{-2}. Le fil a une extrémité fixe et il pend verticalement, un poids étant suspendu à l'autre extrémité.

a) Si le fil est à la limite linéaire, que vaut le poids ?

b) Quel poids maximum le fil peut-il supporter ?

8.9 Un câble d'acier a un diamètre de 3 cm. Il supporte un remonte-pente pour skieurs. Si l'effort maximum ne peut pas dépasser 10^8 N m^{-2}, quelle charge maximum le câble peut-il supporter ?

Le module de Young

8.10 Un fil d'aluminium a une longueur de 20 m et un rayon de 2 mm. La limite linéaire pour l'aluminium est de $0,6 \times 10^8$ N m^{-2}.

a) Quelle force de traction faut-il exercer pour étirer le fil jusqu'à la limite linéaire ?

b) Quel est l'allongement du fil lorsque cette force s'exerce sur le fil ?

8.11 Une masse de 100 kg est suspendue à l'extrémité d'une poutre d'acier verticale longue de 2 m et dont la section droite est de 0,1 m^2.

a) Déterminer l'effort et la déformation dans la poutre.

b) Quelle masse maximum peut être accrochée à la poutre ?

8.12 Une poutre de bois dur de 10 cm × 15 cm de section et de 3 m de long supporte une charge de 1000 N dans le sens de la longueur.

a) Déterminer l'effort et la déformation dans la poutre.

b) Évaluer la variation de longueur de la poutre lorsqu'elle supporte la charge.

8.13 Si la section droite d'un fémur humain a une valeur minimum de $6,45 \times 10^{-4}$ m^2, quelle force de traction provoquera la fracture ?

8.14 Une feuille de verre a une surface de 0,5 m^2 et une épaisseur de 0,005 m.

a) Pour quelle charge distribuée uniformément sur la surface horizontale, la feuille se brisera-t-elle ?

b) Quelle sera la variation d'épaisseur pour une charge égale à la moitié de la charge de rupture ?

8.15 Un poteau d'acier vertical a une hauteur de 3 m. Son rayon est de 0,1 m. Il supporte une charge de 105 N.

a) Déterminer l'effort et la déformation dans le poteau.

b) Évaluer la variation de longueur sous l'effet de la charge.

8.16 La section droite moyenne du fémur d'une femme est de 10^{-3} m^2. Sa longueur est de 0,4 N. La femme pèse 750 N.

a) Que vaut la variation de longueur de l'os lorsqu'il supporte la moitié du poids de la personne ?

b) En supposant que la relation effort-déformation soit linéaire jusqu'à la fracture, que vaut la variation de longueur correspondant à la fracture ?

c) La réponse donnée en b) est-elle une sur-estimation ou une sous-estimation ?

8.17 Quelle est la constante d'élasticité d'un fémur humain soumis à une force de compression ? Le fémur a une section droite moyenne de 10^{-3} m^2 et une longueur de 0,4 m.

Résistance à la flexion

8.18 Une barre cylindrique en caoutchouc a une longueur de 0,5 m et un rayon de 0,005 m.

a) Que vaut le moment d'inertie de la section droite du cylindre ?

b) Que vaut le moment des forces internes élastiques à l'extrémité du barreau lorsque l'on le plie et que l'on lui donne une forme circulaire ?

8.19 Une barre cylindrique en acier a une longueur de 2 m et un rayon de 0,01 m. On la soumet à une charge qui provoque une flexion caractérisée par un rayon de courbure de 20 m. Que vaut le moment associé à cette charge ?

8.20 Une planche a une section droite de 1 cm × 6 cm.

a) Calculer les moments d'inertie de la section droite pour des charges parallèles à la largeur et pour des charges parallèles à l'épaisseur.

b) Que vaut le rapport entre les rayons de courbure correspondant aux deux flexions si on applique des charges identiques ?

8.21 Deux planches sont d'égale longueur.

a) La planche A a une section droite de 4 cm × 4 cm. Que vaut le moment d'inertie de cette section droite pour des forces s'exerçant perpendiculairement à un des côtés ?

b) La planche B a une section droite de 2 cm × 8 cm. Trouver les moments d'inertie de la section droite pour des forces s'exerçant perpendiculairement à la petite et à la grande dimension.

c) Quelle planche supporterait le mieux l'effet d'une force appliquée perpendiculairement à la longueur ?

d) Quelle planche convient-il de choisir si les forces peuvent s'exercer suivant différentes directions perpendiculaires à la longueur ?

8.22 Un tube cylindrique en acier a une longueur de 10 m. Il est fixé dans un socle de béton et sert de hampe pour un drapeau. Les rayons interne et externe valent respectivement 7 cm et 8 cm.

a) Quel est le moment d'inertie de la section droite ?

b) Si le vent exerce une force horizontale de 103 N au niveau du drapeau, quel est le rayon de courbure de la hampe ?

8.23 Dans la figure 8.18, deux forces égales mais opposées s'exercent sur les couvertures d'un livre qui subit, en conséquence, une déformation.

a) Le livre est-il en équilibre ?

b) Indiquer les deux autres forces qui s'exercent sur le livre.

c) Les deux autres forces ont-elles la même ligne d'action ? Expliquer.

Résistance au flambage
Éléments structurels dans la nature

8.24 La colonne d'un monument peut à peine résister au flambage sous l'influence de son propre poids. La colonne est haute de 10 m et son rayon vaut 0,1 m. Si une colonne semblable avait 40 m de haut, quel devrait être son rayon minimum ?

8.25 Une colonne haute et mince sera moins sujette au flambage si elle est soutenue par des haubans. Pourquoi la faible quantité de matière qui constitue les haubans est-elle plus efficace que d'ajouter la même quantité de matière à la colonne ?

8.26 Un arbre peut à peine résister au flambage. Si sa taille double, de combien doit s'accroître l'aire de la section droite de la base pour que l'arbre ait la même résistance au flambage ?

8.27 À partir de la relation $l = cr^{2/3}$, déterminer la hauteur maximum du tronc d'un arbre dont le rayon vaut $(1/8)$ m, en prenant pour c une valeur expérimentale de $34,9$ m$^{1/3}$. Discuter la vraisemblance de la réponse.

8.28 Quelle est, à votre avis, la raison de la dispersion des points de la figure 8.17 ?

8.29 Une colonne uniforme subira un phénomène de flambage sous l'influence de son propre poids lorsque

$$l = \left(\frac{2E}{w_0}\right)^{1/3} r^{2/3}$$

Pour du bois dur,

$$E = 10^{10} \text{ N m}^{-2} \text{ et } w_0 = 5900 \text{ N m}^{-3}$$

Comparer la hauteur d'une colonne de bois dont le rayon vaut $(1/8)$ m à celle d'un arbre dont le tronc a le même rayon et pour lequel $c = 34,9$ m$^{1/3}$ dans la relation

$$l = cr^{2/3}$$

Cisaillement et torsion

8.30 Deux os de même rayon sont soumis à des efforts de torsion égaux. Un os est plus long que l'autre. Lequel se fracturera le premier ?

8.31 Une barre d'acier est serrée dans un étau. La partie de la barre qui dépasse des mâchoires de l'étau a une forme cubique de 0,01 m de côté.

a) Si on applique une force de 100N parallèlement à la face supérieure de ce cube, que valent les efforts et les déformations ?

b) Que vaut le déplacement horizontal de la face supérieure du cube ?

8.32 Un cycliste de 75 kg pèse de tout son poids sur une pédale (figure 8.30). Le diamètre de l'axe de la pédale vaut 1,5 cm.

Axe de la pédale

Figure 8.30 Exercice 8-32

a) Déterminer l'effort de cisaillement sur l'axe de la pédale.

b) Évaluer le rapport entre cet effort et l'effort maximum que la pédale peut supporter, soit 10^8 N m^{-2}.

8.33 Deux plaques métalliques se recouvrent partiellement et sont fixées l'une à l'autre par une rangée de 10 rivets. Chaque rivet a un rayon de 3 mm. Si l'effort de cisaillement sur les rivets ne peut pas dépasser 10^8 N m^{-2}, quelle sera la force maximum applicable aux extrémités des plaques ?

8.34 Le patin de frein d'une bicyclette a un module de cisaillement qui vaut 10^7 N m^{-2}. Lors d'un coup de frein, le bloc exerce une force de 100 N sur la jante. La surface de contact vaut 1 cm × 5 cm. Le patin a une épaisseur de 0,8 cm.

a) Que vaut l'effort de cisaillement sur le bloc ?

b) Sur quelle distance la surface en contact est-elle déplacée ?

8.35 Un camion tire une remorque dont la masse est de 2000 kg. L'attache de la remorque est constituée par une broche d'acier de 2 cm de diamètre qui s'adapte dans un trou existant dans la barre de fixation du camion. L'effort maximum de cisaillement sur l'acier vaut 10^8 N m^{-2}.

a) Lors d'un freinage en catastrophe, l'attache doit pouvoir résister à une charge égale à 20 % du poids de la remorque. Que vaut l'effort de cisaillement sur l'attache ?

b) Évaluer le rapport entre cet effort et l'effort maximum permis.

8.36 Une barre d'acier est longue de 0,4 m et a un rayon de 0,5 cm.

a) Trouver le moment d'inertie polaire de la barre.

b) Une extrémité de la barre est fixée et l'autre extrémité est soumise à un effort de torsion. Quel moment faut-il exercer pour produire une rotation de 0,1 radian (5,7°) à l'extrémité de la barre ?

c) On exerce ce moment avec une clé. Si la force sur la clé est de 100 N et si cette force est appliquée perpendiculairement, que doit être la longueur de la clé ?

Structure et fonction

8.37 Si les propriétés structurelles des animaux étaient déterminées par la résistance à la compression plutôt que par la résistance au flambage, comment varierait la section droite des pattes par rapport au poids du corps ?

8.38 Comment varie le temps pendant lequel un animal peut rester sous l'eau en fonction de la masse de l'animal ? Utiliser l'hypothèse de la loi d'échelle du paragraphe 8.7. (Supposer que la consommation d'oxygène varie comme le volume de l'animal.)

8.39 Comment la perte de chaleur d'un animal varie-t-elle avec la masse de celui-ci ? (Utiliser l'hypothèse de la loi d'échelle du paragraphe 8.7.) La réponse est-elle compatible avec le fait que l'on rencontre peu de petits animaux dans les régions arctiques ?

8.40 Si tous les mammifères avaient la même pulsation cardiaque, quels animaux vivraient le plus longtemps ?

PROBLÈMES

8.41 Trois tubes d'acier de 10 m de long supportent un réservoir d'eau. Les rayons interne et externe des tubes valent respectivement 15 cm et 17 cm. Le réservoir est conçu pour que l'effort sur les tubes ne dépasse pas 10^8 N m^{-2}. a) Quel volume d'eau le réservoir peut-il contenir ? Supposer que le poids du réservoir soit négligeable vis-à-vis de celui de l'eau (la masse volumique de l'eau vaut 1000 kg m^{-3}). b) Évaluer le raccourcissement des tubes lorsque la charge est maximum.

8.42 Une poutrelle en forme de I (voir tableau 8.2) est tournée de 90°, de telle sorte que le « I » devienne un « H ». Le moment d'inertie de la section droite correspondant à une charge verticale vaut alors $b^3 t/6$ pourvu que $t \ll a$ et $t \ll b$. Dans le cas d'une poutrelle pour laquelle $a = b$, évaluer le rapport entre les moments d'inertie des sections droites en position H et en position I.

8.43 Une cabine de manège et ses passagers tournent dans un plan vertical. Le rayon du cercle vaut 8 m et la masse totale de la cabine est de 700 kg. Au point le plus bas, la cabine a une vitesse de 12 m s^{-1}. Elle est fixée à l'extrémité d'une barre d'acier.

a) Si l'effort maximum admis représente 1 % de la limite de résistance à la traction, quelle doit être la section droite de la barre ?

b) Quelle sera la déformation maximum de la barre ?

8.44 Un monte-charge et son contenu ont une masse de 10 000 kg. Le monte-charge est immobile. Le câble d'acier qui supporte la cabine est soumis à un effort qui vaut 10 % de la limite de résistance à la traction.

a) Que vaut le rayon du câble ?

b) Quelle est la déformation relative du câble $\Delta l/l$ lorsque le monte-charge a une accélération de 2 m s^{-2} en montée ?

8.45 Deux colonnes de pierre peuvent à peine résister au flambage sous l'effet de leur poids. Si une colonne est deux fois plus haute que l'autre, évaluer le rapport entre le poids de la grande colonne et celui de la petite.

8.46 Estimer le moment de torsion sur le fémur d'un joueur de football lorsqu'il pivote rapidement sur un pied. Ce résultat peut-il avoir un rapport avec le type de crampon de la chaussure et la nature de la surface de jeu ?

8.47 La poutrelle de la figure 8.31 est construite à partir de barres de 0,003 m d'épaisseur. La largeur de la poutrelle est de 0,3 m, sa hauteur de 0,4 m.

a) Calculer le moment d'inertie de la section droite correspondant à une charge verticale.

b) Calculer le moment d'inertie de la section droite d'une barre carrée qui aurait le même poids par unité de longueur que la poutrelle.

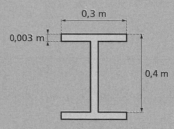

Figure 8.31 Problème 8.47

8.48 Une barre dont le poids est de 100 N a une longueur de 5 m. Évaluer le moment s'exerçant sur la moitié de la barre et qui est dû aux forces exercées par l'autre moitié. La barre est horizontale. (Suggestion : voir la figure 8.10b et supposer que la barre fléchit légèrement).

8.49 On construit deux structures cylindriques. La première est pleine et a un rayon r. La seconde est creuse, les rayons interne et externe valant respectivement $a = 2r$ et $b = 3r/2$. Si les deux structures sont soumises à la même charge qui s'exerce perpendiculairement à l'axe, quel est le rapport des rayons de courbure de flexion de ces cylindres ?

8.50 Une barre de rayon a est remplacée par un tube de même longueur qui a un rayon interne égal à a.

a) Si le tube doit avoir le même moment d'inertie de section droite que la barre, que doit valoir le rayon externe ?

b) Que vaut le rapport des poids du tube et de la barre ?

8.51 Le rayon interne d'un os vaut la moitié du rayon externe. Que devrait valoir ce rayon externe pour que, sous l'effet d'un moment de force, il subisse une torsion égale à celle d'une barre d'acier de même longueur qui aurait un rayon de 1 cm ? (Le moment d'inertie polaire d'un tube vaut $\pi(a^4 + b^4)/2$ où a et b représentent les rayons externe et interne.)

8.52 Un axe en acier relie un moteur à une machine. La machine effectue 1800 tours/min. L'axe a 4 m de long et 1 cm de rayon. Il fournit une puissance de 2 kW. Que vaut l'angle de torsion à l'extrémité de l'axe ?

8.53 Déterminer comment la vitesse de course en montée varie avec la masse d'un animal

a) en considérant la loi d'échelle la plus simple ;

b) en utilisant le critère de résistance au flambage.

8.54 Supposer qu'au cours de la croissance, les os humains grandissent suivant la relation $l \propto cr^{2/3}$.

a) Si l'angle de fracture lors d'une torsion reste constant, qui sera le plus sujet à ce type de fracture, les enfants ou les adultes ?

b) Comment varie le moment de torsion avec la masse du corps ?

8.55 Si les dimensions des membres d'un animal sont déterminées par le critère de résistance au flambage, comment varie la hauteur des sauts en fonction de la masse ? Comparer les résultats à ceux obtenus au chapitre 6.

8.56 La colonne de la figure 8.25 se brise lorsque l'effort aux bords atteint la valeur maximum σ_t. Montrer que cela a lieu quand $\sigma_t = Er/R$.

8.57 À partir des résultats du problème 8.56, trouver le rayon de courbure maximum d'un arbre de bois dur dont le rayon vaut 0,25 m. $E = 10^{10}$ N m^{-2} et $\sigma_t = 10^8$ N m^{-2}.

8.58 Que vaut le rayon d'un cylindre d'acier qui se fracture lorsque le rayon de courbure de flexion est égal à 4 m ? (Employer les résultats du problème 8.56.)

CHAPITRE 9

Le mouvement vibratoire

Mots-clefs

Amortissement • Amplitude • Constante d'amortissement • Constante de raideur • Cycle • Déphasage • Énergie potentielle d'un ressort • Figure de Lissajous • Force de rappel • Fréquence • Fréquence de résonance • Hertz • Mouvement harmonique simple • Oscillations amorties • Oscillations forcées • Pendule composé • Pendule simple • Période • Pulsation • Phase • Régime apériodique • Résonance

Introduction

L'oscillation ou la vibration d'un objet est le mouvement répété de va-et-vient qu'il effectue sur une même trajectoire, autour d'une position d'équilibre. Le mouvement d'un enfant sur une balançoire, le mouvement du balancier d'une horloge, ou celui d'une corde de violon sont des exemples familiers de mouvements oscillatoires. Les mouvements oscillatoires ne se rencontrent pas seulement en mécanique. Ils jouent un rôle important dans toutes les branches de la physique et de la biologie. Ainsi les molécules d'un solide vibrent autour de leur position d'équilibre. Dans les circuits électriques, les courants peuvent changer de direction et osciller. Il existe également de nombreux exemples d'oscillations en biologie. La production de sons par les cordes vocales humaines ou encore le mouvement des ailes des insectes sont des exemples de mouvements vibratoires.

Bien que la nature physique des systèmes oscillants puisse varier très largement, les mêmes équations mathématiques permettent souvent de décrire les petites oscillations d'un objet autour de sa position d'équilibre. Ces équations expriment une relation entre l'accélération, la vitesse et le déplacement de l'objet. Lorsque l'accélération est directement proportionnelle au déplacement et de signe contraire de celui-ci, on parlera de mouvement harmonique simple.

Le mouvement harmonique simple est caractérisé par plusieurs quantités. L'*amplitude* représente la valeur maximum du déplacement de l'objet par rapport à sa position d'équilibre. Elle est toujours considérée comme positive. La *période T* d'un mouvement harmonique représente le temps mis par l'objet pour effectuer un aller-retour, c'est-à-dire une oscillation complète ou un cycle. La *fréquence f* d'une oscillation correspond au nombre de cycles effectués par unité de temps. La fréquence est donc l'inverse de la période, ou $f = 1/T$.

Dans ce chapitre, nous allons d'abord établir les relations générales qui décrivent le mouvement harmonique simple et nous discuterons plusieurs exemples de ce type de mouvement. Ensuite nous étudierons les effets d'une force de frottement qui dissipe l'énergie de l'objet oscillant et les effets des forces extérieures variables dans le temps qui permettent de fournir de l'énergie au système. Nous découvrirons que l'amplitude des oscillations est maximum lorsque la force extérieure a une fréquence bien déterminée. Ces phénomènes dits de résonance interviennent fréquemment dans les systèmes moléculaires, mécaniques et biologiques.

9.1 LE MOUVEMENT HARMONIQUE SIMPLE : CAS DU SYSTÈME MASSE-RESSORT

Au chapitre 8, nous avons vu que certains objets possèdent une longueur naturelle et s'opposent à un effort de traction ou de compression en exerçant une force opposée qui est directement proportionnelle à leur déformation. De simples ressorts à boudin possèdent cette propriété.

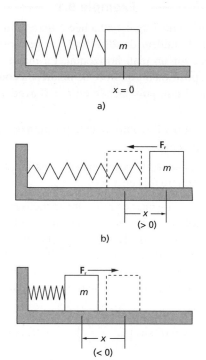

Figure 9.1 Schéma d'une masse attachée à un ressort pouvant osciller sur une surface lisse horizontale.

Considérons une masse m attachée à un ressort et pouvant osciller sans frottement sur une surface horizontale (figure 9.1). Lorsque le ressort possède sa longueur naturelle, il n'exerce aucune force sur la masse. Celle-ci se trouve à une position d'équilibre que nous noterons $x = 0$. Lorsque l'on déplace la masse de cette position, le ressort est comprimé ou allongé et exerce une force sur elle de manière à la ramener à sa position d'équilibre. Cette force porte le nom de *force de rappel*. Sa grandeur est directement proportionnelle à l'amplitude x de l'allongement

$$F_r = -kx \qquad (9.1)$$

où k est la constante de raideur du ressort. Cette équation est valable pour autant que x ne soit pas trop grand et que l'on se trouve dans la zone d'élasticité linéaire du ressort. Lorsque le ressort est allongé ($x > 0$), la force de rappel s'exerce vers la gauche ($F_r < 0$). Lorsque le ressort est

comprimé ($x < 0$), la force de rappel s'exerce vers la droite ($F_r > 0$). Lorsqu'un système oscillant possède une telle force de rappel, directement proportionnelle au déplacement et de signe contraire, on le qualifie d'*oscillateur harmonique simple*.

Que se passe-t-il si on tire sur la masse pour l'amener à la position $x = A$ puis qu'on la lâche ? Sous l'effet de la force de rappel $F_r = -kA$, la masse se met en mouvement vers la gauche. À mesure que x décroît, l'amplitude de la force de rappel diminue et s'annule lorsque la masse arrive en $x = 0$. Animée d'une vitesse importante, la masse continue cependant son mouvement. Lorsque x devient négatif, la force de rappel change de signe, et la masse est soumise à une décélération progressive qui l'immobilise temporairement en $x = -A$. Elle repart ensuite en sens inverse sous l'effet de la force $F_r = -k(-A) = +kA$, passe par 0 et revient à sa position de départ en $x = A$. Elle reprend ensuite son mouvement en sens inverse. Elle oscillera ainsi entre les positions A et $-A$.

La valeur maximale A du déplacement, par rapport à la position d'équilibre, est appelée *l'amplitude* du mouvement. Le temps nécessaire pour effectuer une oscillation complète correspond à la *période T* et s'exprime en seconde. Le nombre d'oscillations effectuées par seconde est la *fréquence f* du mouvement et s'exprime en hertz ($1\ \text{Hz} = 1\ \text{s}^{-1}$). On a la relation

$$f = 1/T \qquad (9.2)$$

La difficulté dans la description du mouvement périodique résulte du fait que ce n'est pas un mouvement uniformément accéléré : la force agissant sur la masse n'est pas constante mais dépend de sa position. Pour déterminer la position en fonction du temps on peut néanmoins utiliser la seconde loi de Newton, $F = ma$. La seule force agissant sur la masse étant la force de rappel du ressort, l'équation s'écrit

$$ma = -kx \qquad (9.3)$$

Comme l'accélération $a = \mathrm{d}^2x/\mathrm{d}t^2$, on trouve en réarrangeant les termes

$$\frac{\mathrm{d}^2x}{\mathrm{d}t^2} + \frac{k}{m}x = 0 \qquad (9.4)$$

Cette équation constitue *l'équation du mouvement* de l'oscillateur harmonique simple. Elle combine la variable x avec une de ses dérivées : d'un point de vue mathématique, il s'agit d'une *équation différentielle*. Déterminer la position de la masse en fonction du temps revient à trouver la fonction $x(t)$ qui satisfait l'équation 9.4. Cette équation peut se récrire $\mathrm{d}^2x/\mathrm{d}t^2 = -(k/m)x$. Elle impose donc que la dérivée seconde de x soit proportionnelle à x et de signe contraire. On peut deviner la solution en se rappelant que les fonctions *sinus* et *cosinus* possèdent cette propriété

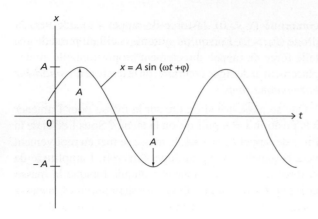

Figure 9.2 Évolution de la position en fonction du temps.

$$\frac{d^2}{dt^2}(\sin \omega t) = -\omega^2 \sin \omega t$$

$$\frac{d^2}{dt^2}(\cos \omega t) = -\omega^2 \cos \omega t$$

où ω est une constante. On peut ainsi proposer la solution générale

$$x = a \sin \omega t + b \cos \omega t \qquad (9.5)$$

En procédant à deux différentiations successives, on obtient

$$\frac{d^2 x}{dt^2} = -\omega^2 (a \sin \omega t + b \cos \omega t) = -\omega^2 x$$

Introduisant cela dans l'équation 9.4, on trouve

$$\omega^2 = \frac{k}{m} \iff \omega = \sqrt{\frac{k}{m}} \qquad (9.6)$$

Ainsi, la fonction 9.5 sera solution de l'équation du mouvement pour autant que la condition 9.6 soit satisfaite. La constante ω est appelée la *pulsation* (ou fréquence angulaire) du mouvement. Elle s'exprime en s^{-1} et sa valeur se déduit des caractéristiques du système étudié. La solution contient deux constantes arbitraires a et b. Leur valeur dépend des *conditions initiales* : elle peut être déterminée au départ de la position et de la vitesse en $t = 0$.

La solution de l'équation 9.5 peut se récrire sous une forme plus commode

$$x = A \sin(\omega t + \varphi) \qquad (9.7)$$

Cela résulte de l'identité trigonométrique

$$A \sin(\omega t + \varphi) = A \cos \varphi \sin \omega t + A \sin \varphi \cos \omega t$$

Les constantes a et b de l'équation 9.5 ont ainsi été remplacées par les constantes A et φ telles que $a = A \sin \varphi$ et $b = A \cos \varphi$. D'un point de vue physique, les équations 9.5 et 9.7 sont équivalentes. D'un point de vue mathématique, la solution 9.7 est cependant plus facile à interpréter.

L'évolution de la position x de la masse en fonction du temps (équation 9.7) est représentée à la figure 9.2. La constante A est l'*amplitude* de l'oscillation. La constante φ est appelée la *phase* : elle détermine l'instant où le mouvement atteint son amplitude maximum. On notera que la valeur de φ ne modifie pas la forme de la courbe mais la translate simplement dans le temps. Comme les constantes a et b, les valeurs de A et φ dépendent des conditions initiales comme c'est illustré dans l'exemple suivant.

 ———————— **Exemple 9.1** ————————

Une masse de 5 kg est attachée à un ressort ayant une constante de raideur de 20 N m^{-1} et peut osciller sans frottement sur un plan horizontal. La masse est déplacée de sa position d'équilibre de manière à comprimer le ressort de 2 cm, puis lachée en $t = 0$ avec une vitesse nulle.

a) Déterminer l'évolution de la position de la masse en fonction du temps.

b) Déterminer après combien de temps, la masse passera pour la première fois en $x = 0$.

Réponse a) La masse va décrire un mouvement harmonique simple de sorte que sa position évoluera comme $x = A \sin(\omega t + \varphi)$. L'*amplitude* du mouvement est $A = 0,02$ m. La *pulsation* est $\omega = \sqrt{k/m} = \sqrt{20/5} = 2$ s^{-1}. La *phase* doit garantir que $x = -A$ en $t = 0$. Comme $\sin\varphi = -1$ pour $\varphi = -\pi/2$, le mouvement doit être de la forme

$$x = 0,02 \sin\left(2t - \frac{\pi}{2}\right) = -0,02 \cos(2t)$$

b) La masse passera en $x = 0$ chaque fois que $\sin(2t - \pi/2) = 0$. La plus petite valeur de t qui satisfait cette condition est donnée par $(2t - \pi/2) = 0$, ce qui correspond à $t = \pi/4 = 0,79$ s.

La période T est le temps nécessaire pour effectuer une oscillation complète. La masse doit donc se trouver dans la même position et posséder la même vitesse en t et en $t + T$. Comme la fonction sinus est périodique et se répète après un intervalle de 2π radians, on en déduit que

$$\omega T = 2\pi$$

de sorte que

$$\omega = \frac{2\pi}{T} = 2\pi f \qquad (9.8)$$

où f est la fréquence du mouvement. La solution du mouvement harmonique simple peut donc se récrire

$$x = A \sin\left(2\pi \frac{t}{T} + \varphi\right) = A \sin(2\pi f t + \varphi) \qquad (9.9)$$

Dans le cas du ressort, la *fréquence* et la *période* du mouvement sont données par

$$T = 2\pi \sqrt{\frac{m}{k}}$$

$$f = \frac{1}{2\pi} \sqrt{\frac{k}{m}} \qquad (9.10)$$

On notera que ni la fréquence ni la période ne dépendent de l'amplitude du mouvement. T et f dépendent seulement de la masse et de la constante de raideur du ressort. La fréquence à laquelle un oscillateur harmonique simple effectue naturellement son mouvement est appelée la *fréquence propre* de l'oscillateur (ou fréquence naturelle).

 ——————— **Exemple 9.2** ———————

L'objet de la figure 9.1 a une masse de 0,1 kg. L'objet est placé sur une surface qui n'exerce aucun frottement. Sous l'effet d'une force de 5 N appliquée à l'objet, le ressort s'allonge de 0,2 m.

a) Que vaut la constante k du ressort ?

b) Trouver la fréquence propre et la période du mouvement oscillatoire exécuté par l'objet après qu'il a été lâché.

Réponse a) La force appliquée au ressort et l'allongement du ressort obéissent à la relation $F = kx$, ce qui entraîne que

$$k = \frac{F}{x} = \frac{5\,\text{N}}{0,2\,\text{m}} = 25\,\text{N m}^{-1}$$

b) La fréquence propre vaut

$$f = \frac{1}{2\pi} \sqrt{\frac{k}{m}} = \frac{1}{2\pi} \sqrt{\frac{25\,\text{N m}^{-1}}{0,1\,\text{kg}}} = 2,52\,\text{Hz}$$

La période vaut $T = 1/f = 0,397$ s.

La vitesse et l'accélération de la masse oscillante peuvent s'obtenir par différentiations successives de la position

$$v = \frac{dx}{dt} = \omega A \cos(\omega t + \varphi)$$

$$a = \frac{dv}{dt} = -\omega^2 A \sin(\omega t + \varphi) \qquad (9.11)$$

Les évolutions temporelles de x, v et a sont représentées à la figure 9.3.

On observe que la vitesse et l'accélération évolue également de manière sinusoïdale mais sont *déphasées* par

rapport au déplacement. La vitesse est en quadrature de phase avec le déplacement : elle prend sa valeur maximum

$$v_{\max} = \omega A = \sqrt{\frac{k}{m}} A \qquad (9.12)$$

lorsque le déplacement s'annule. L'accélération est en *opposition* de phase avec le déplacement : elle est maximale

$$a_{\max} = \omega^2 A = \frac{k}{m} A \qquad (9.13)$$

là où le déplacement atteint sa valeur minimum et *vice versa*.

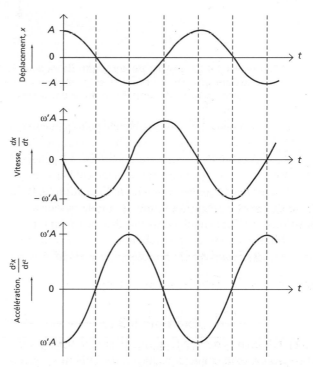

Figure 9.3 Courbes donnant l'évolution temporelle de la position, de la vitesse et de l'accélération d'un oscillateur harmonique simple lorsque $\varphi = \pi/2$.

Considérons à présent un objet de poids $w = mg$ suspendu à un ressort (figure 9.4). À l'équilibre, le ressort sera allongé d'une distance d telle que la force de rappel $F_r = -kd$ équilibre le poids mg. En d'autres termes, on a à l'équilibre $-kd + mg = 0$. Si nous déplaçons ensuite l'objet vers le bas d'une distance *supplémentaire* x, la force de rappel sera égale à $-k(d + x)$. L'application de $F = ma$ donne

$$-k(d + x) + mg = ma$$

Comme $-kd + mg = 0$, l'équation précédente se réduit à

$$-kx = ma$$

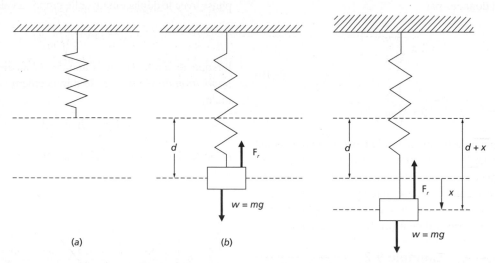

Figure 9.4 *(a)* Un ressort de constante de raideur *k*. *(b)* Un objet de masse *m* est suspendu au ressort. Il est en équilibre et reste au repos si *kd* = *mg*. *(c)* L'objet est déplacé d'une distance *x* par rapport à sa position d'équilibre. La force de rappel F_r exercée par le ressort sur l'objet vaut $-k(d + x)$.

Ceci correspond à l'équation obtenue pour la masse qui se déplace sans frottement sur une table horizontale (équation 9.3). Ceci revient à dire qu'une masse suspendue à un ressort exécute également un mouvement harmonique simple avec une fréquence donnée par l'équation (9.9). La seule différence est qu'ici la masse oscille autour d'une position d'équilibre déplacée d'une distance *d* par rapport à l'extrémité du ressort non tendu. *Les fréquences et les périodes des mouvements horizontal et vertical sont les mêmes.*

 ——————— **Exemple 9.3** ———————

Dans l'exemple précédent, une masse de 0,1 kg, attachée à un ressort d'une constante *k* de 25 N m^{-1}, effectuait un mouvement oscillatoire sur une table horizontale. Supposons maintenant que la masse soit suspendue à un ressort (figure 9.4).

a) Quel est l'allongement du ressort si la masse est en équilibre ?

b) Trouver la fréquence du mouvement oscillatoire.

Réponse   a) À l'équilibre, la force de rappel est égale au poids et $-kd + mg = 0$. Résolvons par rapport à *d* :

$$d = \frac{mg}{k} = \frac{(0,1\ \text{kg})(9,8\ \text{m s}^{-2})}{25\ \text{N m}^{-1}} = 0,0392\ \text{m}$$

b) La fréquence est la même, que le mouvement soit horizontal ou vertical. La fréquence d'oscillation est donc la même que dans l'exemple 9.1.

9.2   LE PENDULE COMPOSÉ

Un *pendule composé* est un corps solide, libre d'osciller dans un plan vertical autour d'un axe. Le pendule composé sert fréquemment de modèle dans l'analyse de certains mouvements du corps humain. Le *pendule simple* est une idéalisation du pendule composé. Il est constitué d'une corde inextensible, de masse négligeable, à laquelle est fixée une masse ponctuelle. Les résultats relatifs au pendule simple se déduisent directement de ceux se rapportant au pendule composé.

Considérons un objet de forme quelconque pouvant pivoter sans frottement autour d'un axe en *O* (figure 9.5). Soient *m* la masse de l'objet et *I* son moment d'inertie par rapport à *O*. La distance de *O* au centre de gravité C.G. est égale à *d*. L'objet est initialement écarté de sa position d'équilibre d'un angle θ ; ensuite il est relâché. L'angle θ est considéré comme positif quand le C.G. se trouve à droite de la verticale passant par *O*. Le mouvement étant du type angulaire, il va falloir considérer les moments des forces et les angles, plutôt que les forces et les distances.

La seule force agissant sur le système est son poids. Celui-ci va agir comme une force de rappel qui tend à ramener le système dans sa position verticale d'équilibre (C.G. à la verticale de *O*).

Le moment du poids de l'objet par rapport à *A* est donné par $\tau = -mgd\sin\theta$. Le signe moins indique que le moment tend à provoquer une rotation dans le sens des aiguilles d'une montre. Appliquons la forme angulaire de la deuxième loi de Newton, c'est-à-dire $\tau = I\alpha$. Nous obtenons

$$-mgd \sin\theta = I\alpha$$

ou

$$\alpha = -\frac{mgd}{I}\sin\theta$$

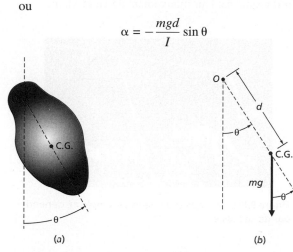

(a) (b)

Figure 9.5 *(a)* Un objet de masse m et de moment d'inertie I par rapport à l'axe passant par O. *(b)* Un diagramme schématique montrant la force $\mathbf{w} = m\mathbf{g}$. La distance de A au centre de gravité C.G. vaut d. À l'équilibre, le C.G. se trouve sur la verticale passant par O.

Pour de faibles déplacements angulaires, on vérifie que $\sin\theta \simeq \theta$ si θ est mesuré en radian. Ceci permet d'écrire, dans le cas de *petits angles*

$$\alpha = -\frac{mgd}{I}\theta$$

Se rappelant que $\alpha = \mathrm{d}^2\theta/\mathrm{d}t^2$, l'équation du mouvement s'écrit dans le cas du pendule composé

$$\frac{\mathrm{d}^2\theta}{\mathrm{d}t^2} + \frac{mgd}{I}\theta = 0 \qquad (9.14)$$

Il s'agit de l'équation du mouvement d'un oscillateur harmonique simple. L'équation est identique à celle obtenue pour le ressort (équation 9.4) si ce n'est que x est remplacé par θ et k/m par mgd/I. Par analogie, on en déduit que l'évolution temporelle de la position angulaire d'un pendule dont les déplacements angulaires sont faibles est donnée par

$$\theta = \theta_{\max}\sin(\omega t + \varphi) \qquad (9.15)$$

avec

$$\omega = \sqrt{\frac{mgd}{I}} \qquad (9.16)$$

La fréquence et la période correspondent à

$$f = \frac{1}{T} = \frac{1}{2\pi}\sqrt{\frac{mgd}{I}} \qquad (9.17)$$

Une règle oscillant autour de l'une de ses extrémités est un exemple de pendule composé.

 ──────── **Exemple 9.4** ────────

Une règle graduée, libre de tourner autour d'un axe horizontal en O, est initialement écartée de la verticale d'un angle $\theta = \pi/24$ rad $= 7{,}5°$ (figure 9.6). Après combien de temps la règle passera-t-elle pour la première fois par la verticale ?

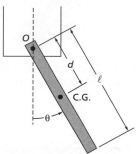

Figure 9.6 Une règle graduée pouvant pivoter autour de l'une de ses extrémités.

D'après le tableau 5.3, le moment d'inertie I d'une tige de masse m et de longueur l en rotation autour d'un axe passant par l'une de ses extrémités vaut $(1/3)ml^2$; la distance d du C.G. à l'axe de rotation est égale à $(1/2)l$. Appliquons l'équation (9.10) :

$$f = \frac{1}{2\pi}\sqrt{\frac{mgd}{I}} = \frac{1}{2\pi}\sqrt{\frac{mgl/2}{ml^2/3}} = \frac{1}{2\pi}\sqrt{\frac{3g}{2l}}$$

$$= \frac{1}{2\pi}\sqrt{\frac{3(9{,}8\ \mathrm{m\ s^{-2}})}{2(1\ \mathrm{m})}} = 0{,}61\ \mathrm{Hz} \qquad (9.18)$$

Remarquer que la fréquence ne dépend pas de la masse. La règle passera à la verticale après un quart de période ou $t = T/4 = 1/4f$, donc après

$$t = \frac{1}{4f} = \frac{1}{4(0{,}61\ \mathrm{s^{-1}})} = 0{,}41\ \mathrm{s}$$

Le pendule simple

Le pendule simple est une idéalisation qui constitue parfois une bonne approximation d'un système réel. Il est formé d'une masse ponctuelle m suspendue à une corde inextensible, de masse négligeable et de longueur l. Le moment d'inertie par rapport au point d'attache de la corde est égal à ml^2 (figure 9.7).

Utilisons les résultats du pendule composé. Après la substitution $d = l$, on trouve

$$f = \frac{1}{T} = \frac{1}{2\pi}\sqrt{\frac{mgl}{ml^2}} = \frac{1}{2\pi}\sqrt{\frac{g}{l}} \qquad (9.19)$$

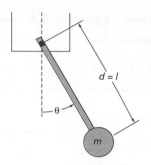

Figure 9.7 Un pendule simple est une masse ponctuelle fixée à l'extrémité d'une tige de masse négligeable.

L'exemple 9.5 décrit un pendule simple constitué d'une pierre attachée à une corde.

 —————— **Exemple 9.5** ——————

Une pierre oscille au bout d'une corde de 1 m de long. Quelle est sa fréquence propre ?

Réponse Appliquons l'équation (9.11) :

$$f = \frac{1}{2\pi}\sqrt{\frac{g}{l}} = \frac{1}{2\pi}\sqrt{\frac{9,8 \text{ m s}^{-2}}{1 \text{ m}}} = 0,5 \text{ Hz}$$

Noter que cette fréquence est inférieure à celle de la règle de l'exemple 9.3. Ceci provient de ce que la plus grande partie de la masse de la règle est plus proche de l'axe de rotation.

La formule $f = (1/2\pi)\sqrt{g/l}$ pour la fréquence du pendule simple est particulièrement simple et s'avère très utile. Puisque g est pratiquement constant sur la surface terrestre, f ne dépend que de la longueur du pendule simple. La masse du pendule n'intervient pas, à condition qu'elle soit suffisamment grande par rapport à la masse de la corde ou de la tige pour que l'on puisse supposer $I = ml^2$. Une façon simple de s'en rendre compte consiste à noter que la période d'oscillation de différentes personnes sur des balançoires identiques est pratiquement indépendante de leur poids.

La variation de la période avec la longueur n'est pas sans conséquence pour nos activités quotidiennes. Les vitesses normales de la marche sont à peu près semblables à celles obtenues en considérant les jambes comme des tiges rigides oscillantes. Lors de la course, il se produit un fléchissement de la jambe pendant son mouvement en avant. Ceci réduit sa longueur et par conséquent la période. La jambe fléchie se déplace vers l'avant plus vite qu'une jambe rigide, ce qui réduit l'effort à fournir. En plus, pour des raisons d'équilibre, les bras se meuvent en opposition par rapport aux jambes ; ils sont également

maintenus fléchis afin de réduire leur période ainsi que l'effort requis par leur mouvement de va-et-vient.

Figure 9.8 La période d'un pendule simple ne dépend pas de sa masse.

9.3 L'ÉNERGIE DANS LE MOUVEMENT HARMONIQUE SIMPLE

Dans le paragraphe précédent, nous avons discuté différents types de mouvements harmoniques simples. Dans chaque cas, la seule force agissant sur le système est une force de rappel, proportionnelle à l'opposé du déplacement, qui tend à ramener le système dans sa position d'équilibre.

Dans le cas du pendule, cette force s'exprime par

$$F = -kx$$

Il est intéressant de constater que lors du déplacement de la masse d'un point $A(x_A)$ à un point $B(x_B)$, cette force effectue un travail :

$$W = -\int_A^B kx \, \mathrm{d}x = -\frac{1}{2}kx_B^2 + \frac{1}{2}kx_A^2$$

Ce travail ne dépend que des positions initiale et finale et est indépendante du chemin suivi lors du déplacement. En vertu de ce que nous avons vu au chapitre 6, la force de rappel du ressort est donc une force *conservative* et on peut lui associer une *énergie potentielle* telle que

$$\Delta U = U_B - U_A = +\frac{1}{2}kx_B^2 - \frac{1}{2}kx_A^2 = -W$$

L'énergie potentielle peut donc s'écrire en toute généralité

$$U = (1/2)kx^2 + C$$

où C est une constante arbitraire. En pratique, on pose souvent $C = 0$. En effet, lorsque $x = 0$, le ressort n'exerce aucune force sur la masse et il est donc naturel de prendre pour convention que l'énergie potentielle est nulle dans cette configuration.

Si on adopte cette convention, l'énergie potentielle associée à la force de rappel du ressort s'écrit

$$U = \frac{1}{2}kx^2 \qquad (9.20)$$

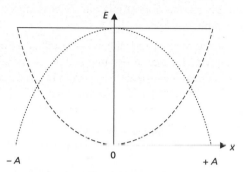

Figure 9.9 Évolution des énergies cinétique (ligne en pointillé), potentielle (ligne en traits interrompus) et mécanique (ligne continue) d'un oscillateur harmonique simple en fonction de la position.

L'énergie mécanique totale du système correspond à la somme de ses énergie cinétique et potentielle

$$E = K + U = \frac{1}{2}mv^2 + \frac{1}{2}kx^2 \qquad (9.21)$$

En l'absence d'autres forces que la force de rappel effectuant un travail sur le système, le principe de conservation de l'énergie stipule que l'énergie mécanique totale demeure constante. Ceci signifie que les énergies cinétique et potentielle vont évoluer constamment pendant l'oscillation de la masse, mais de manière telle que leur *somme* reste *constante*.

Aux points extrêmes ($x = A$ et $x = -A$), la vitesse v s'annule de sorte que toute l'énergie est potentielle et

$$E = \frac{1}{2}kA^2 \qquad (9.22)$$

Ce résultat est extrèmement important : il démontre que *l'énergie mécanique totale d'un oscillateur harmonique simple est proportionnelle au carré de l'amplitude de son mouvement*. Nous utiliserons ce résultat dans les paragraphes suivants.

Au point d'équilibre ($x = 0$), l'énergie potentielle s'annule de sorte que l'énergie cinétique et donc la vitesse atteindrons leur valeur maximale

$$E = \frac{1}{2}mv^2_{\text{max}} \qquad (9.23)$$

Aux points intermédiaires, l'énergie sera partiellement cinétique et partiellement potentielle. Comme l'énergie demeure constante, on peut écrire

$$E = \frac{1}{2}mv^2 + \frac{1}{2}kx^2 = \frac{1}{2}kA^2 = \frac{1}{2}mv^2_{\text{max}} \qquad (9.24)$$

L'évolution des énergies cinétique, potentielle et mécanique en fonction de la position de la masse est illustrée à la figure 9.9.

En combinant les équations (9.22) et (9.23), on retrouve l'équation (9.12) : $v_{\text{max}} = \sqrt{k/m}\,A$. Combinant les équations (9.21) et (9.22), on obtient une expression de la vitesse en fonction de la position

$$v = \pm\sqrt{\frac{k}{m}\left(A^2 - x^2\right)} = \pm v_{\text{max}}\sqrt{1 - \frac{x^2}{A^2}} \qquad (9.25)$$

Ceci nous montre à nouveau que v est nulle en $x = 0$ et maximale en $x = \pm A$. L'exemple 9.6 illustre ces résultats.

 ———— **Exemple 9.6** ————

Une masse de 2 kg, attachée à un ressort est déplacée de 0,3 m par rapport à la position d'équilibre. La masse est ensuite lâchée avec une vitesse initiale nulle. La constante k du ressort est de 65 N m^{-1}.

a) Quelle est l'énergie potentielle initiale du ressort ?

b) Quelle est la vitesse maximale qu'atteindra la masse ?

c) Trouver la vitesse quand le déplacement x est de 0,2 m.

Réponse   a)

$$U_0 = \frac{1}{2}kx_0^2 = \frac{1}{2}\left(65\ \text{N m}^{-1}\right)(0,3\ \text{m})^2 = 2,92\ \text{J}$$

La vitesse initiale étant nulle, cette énergie correspond également à l'énergie mécanique totale et le déplacement initial x_0 correspond à l'amplitude de l'oscillation.

b) La vitesse est maximum en $x = 0$ et vaut

$$v_{\text{max}} = \sqrt{k/m}\,x_0 = \sqrt{65\ \text{N m}^{-1}/2\ \text{kg}} \times 0,3\ \text{m}$$
$$= 1,71\ \text{m s}^{-1}$$

c) La vitesse lorsque $x = 0,2$ m correspond à

$$v = \sqrt{\frac{k}{m}\left(x_0^2 - x^2\right)}$$

$$= \sqrt{\frac{65\ \text{N m}^{-1}}{2\ \text{kg}}(0,3\ \text{m})^2(0,2\ \text{m})^2}$$

$$= 1,27\ \text{m s}^{-1}$$

Dans le cas du pendule, on peut également associer à la force de rappel une énergie potentielle (voir problèmes 9.50 à 9.52). On montre que l'énergie potentielle d'un pendule est donnée en terme de la position angulaire par

$$U = \frac{1}{2} m g d \theta^2 \qquad (9.26)$$

En absence de force autre que le poids effectuant un travail, l'énergie mécanique du pendule sera égale à[1] :

$$E = \frac{1}{2} I \left(\frac{d\theta}{dt} \right)^2 + \frac{1}{2} m g \, d\theta^2$$

$$= \frac{1}{2} m g \, d\theta_{max}^2 \qquad (9.27)$$

$$= \frac{1}{2} I \left(\frac{d\theta}{dt} \right)_{max}^2$$

Comme pour le système masse-ressort, on constate que l'énergie mécanique du pendule est directement proportionnelle au carré de l'amplitude de l'oscillation.

9.4 OSCILLATIONS AMORTIES

Dans bien des situations réelles, le mouvement vibratoire ne peut pas être décrit au moyen des équations du mouvement harmonique simple. Ceci résulte du fait que l'énergie mécanique du système vibrant n'est pas conservée lorsque des forces dissipatives, telles que le frottement et la résistance de l'air, sont présentes. Citons comme exemple un enfant sur une balançoire, le balancier d'une horloge ou la corde d'un violon. Dans ces trois cas, l'amplitude des oscillations décroît graduellement jusqu'à zéro, sauf si on fournit de l'énergie au système afin de compenser les pertes. Dans ce paragraphe, nous allons décrire la réduction d'amplitude dans le *mouvement harmonique amorti* par des forces dissipatives. Dans le paragraphe suivant, nous verrons ce qui se passe quand le système oscillant est soumis à l'influence d'une force extérieure oscillante.

Les forces *dissipatives* (ou forces de frottement) dépendent généralement de la vitesse, mais cette dépendance peut varier d'un système à un autre. Elle peut être très compliquée dans certains cas. Le comportement qualitatif de l'oscillateur ne dépend cependant pas fortement de sa forme exacte. Comme nous le verrons au chapitre 14, les forces de frottement auxquelles est soumis un objet se déplaçant dans un fluide visqueux sont, à faible vitesse, proportionnelles à cette dernière (loi de Stokes). Anticipant ce résultat, nous faisons ici l'hypothèse que la force dissipative F_d est proportionnelle à v :

$$F_d = - \gamma v \qquad (9.28)$$

Le facteur γ (> 0) représente une constante d'amortissement. Le signe moins indique que la force de frottement est dirigée en sens opposé à la vitesse et s'oppose donc au mouvement.

Reconsidérons le cas d'une masse oscillant à l'extrémité d'un ressort. La masse est maintenant soumise à deux forces : la force de rappel $F_r = -kx$ et la force dissipative $F_d = -\gamma v$ (figure 9.10). La seconde loi de Newton devient donc

$$ma = -kx - \gamma v \qquad (9.29)$$

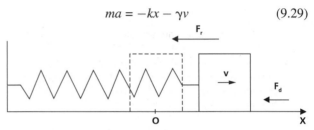

Figure 9.10 Forces agissant sur une masse attachée a un ressort dans un mouvement harmonique amorti.

Comme $v = dx/dt$ et $a = d^2x/dt^2$, on trouve en réarrangeant les termes

$$\frac{d^2x}{dt^2} + \gamma \frac{dx}{dt} + \frac{k}{m} x = 0 \qquad (9.30)$$

Ceci constitue l'équation du mouvement de *l'oscillateur harmonique amorti*. Il s'agit à nouveau d'une équation différentielle. Sa solution, pour des constante d'amortissement suffisamment faible, est de la forme

$$x = A e^{-\alpha t} \sin \left(\omega' t + \varphi \right) \qquad (9.31)$$

où A, α, ω et φ sont des constantes. En prenant les dérivées première et seconde de cette solution et en les réinsérant dans l'équation (9.30), on peut montrer que[2] :

$$\alpha = \frac{\gamma}{2m} \quad \text{et} \quad \omega' = \sqrt{\frac{k}{m} - \frac{\gamma^2}{4m^2}} \qquad (9.32)$$

de sorte que la solution générale de l'oscillateur harmonique amorti se récrit

$$x = A e^{-(\gamma/2m)t} \sin \left(\omega' t + \varphi \right) \qquad (9.33)$$

---

[1] ($d\theta/dt$) est la *vitesse angulaire* à laquelle oscille le pendule et qui varie au cours du mouvement. Même si on y faisait référence au chapitre 6 au travers de la lettre grecque ω, celle-ci ne doit pas être confondue avec la *pulsation* ω qui est constante au cours de l'oscillation et dépend des caractéristique du pendule.

[2] La pulsation ω' sera réelle pour autant que $\gamma^2 < 4mk$, ce qui précise ce que l'on entend par constante d'amortissement faible.

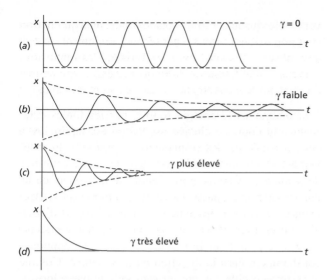

Figure 9.11 Le déplacement d'une masse au bout d'un ressort en fonction du temps. *(a)* En l'absence de forces dissipatives, les oscillations se poursuivent avec une amplitude constante. *(b)* En présence d'une force d'amortissement, l'amplitude diminue progressivement. *(c)* L'amplitude diminue plus rapidement si l'amortissement est plus important. *(d)* Si l'amortissement est très important, il ne se produit plus d'oscillations.

Nous voyons que, comme pour l'oscillateur harmonique simple, la position est une fonction oscillante du temps. Néanmoins, l'amplitude du mouvement n'est plus constante mais prend maintenant la forme $(Ae^{-(\gamma/2m)t})$. Elle décroît donc en fonction du temps selon une loi exponentielle, et ce d'autant plus vite que le coefficient d'amortissement est élevé. On qualifie ce type de mouvement de régime *pseudo-périodique*. En absence de frottement ($\gamma = 0$), l'exponentielle est égale à 1 et on retrouve une amplitude constante. Ceci est illustré à la figure 9.11. Notons que la pulsation ω' de l'oscillation est également modifiée. Elle est toujours inférieure à la pulsation ω de l'oscillateur non amorti (la période sera toujours plus grande). Néanmoins, dans la mesure où le coefficient d'amortissement est faible (γ petit), elle est proche de cette dernière $\omega' \simeq \omega = \sqrt{k/m}$ et on peut considérer que le système oscille à une fréquence proche de celle de l'oscillateur harmonique simple qui lui est associé.

La résolution mathématique rigoureuse de l'équation (9.30) dépasse le cadre du cours. Néanmoins, l'interprétation physique du résultat (équation 9.33) est particulièrement intéressante. Pour l'oscillateur harmonique simple, nous avons montré que l'énergie mécanique du système est constante en fonction du temps et proportionnelle au carré de l'amplitude du mouvement, elle aussi constante. Dans le cas d'un oscillateur amorti, nous avons une force supplémentaire, F_d. Lorsque la masse se déplace, cette force effectue un travail W_d qui, en raison du fait que la

force est orientée selon une direction *opposée* au mouvement, sera *négatif*. En vertu du principe de conservation de l'énergie, l'énergie mécanique de l'oscillateur va donc décroître en fonction du temps : $\Delta E = W_d < 0$. Comme l'amplitude du mouvement est directement reliée à l'énergie de l'oscillateur, elle va également décroître. Pour un oscillateur faiblement amorti, on montre que

$$E = \frac{1}{2}k\big(Ae^{-(\gamma/2m)t}\big)^2 = \frac{1}{2}kA^2 e^{-(\gamma/m)t}$$

La décroissance sera d'autant plus rapide que l'énergie dissipée par les frottements est importante et dès lors que γ est élevé (figure 9.11*c*).

Lorsque γ est très élevé ($\gamma^2 > 4mk$), le système peut s'immobiliser avant même d'avoir pu réaliser une oscillation complète. On parle alors d'amortissement *surcritique* ou de *régime apériodique* (figure 9.11*d*).

9.5 OSCILLATIONS FORCÉES ET RÉSONANCE

Nous avons vu au paragraphe précédent que l'amplitude d'un oscillateur décroît peu à peu sous l'action des forces dissipatives. Cela provient d'une dissipation progressive de l'énergie du système. Si on veut maintenir un oscillateur en mouvement perpétuel, il faut dès lors compenser la perte d'énergie par un apport d'énergie extérieur. Cela peut se réaliser en appliquant une force supplémentaire. En vue d'effectuer un travail positif sur le système, cette force doit être appliquée dans la direction du mouvement. Comme le mouvement est oscillant, cette force ne peut pas être constante mais doit nécessairement être périodique. Nous verrons qu'elle doit posséder une fréquence proche de la fréquence propre du système.

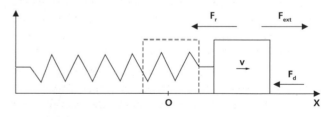

Figure 9.12 Forces agissant sur une masse attachée à un ressort dans un mouvement harmonique forcé.

Reprenons l'oscillateur amorti du paragraphe précédent et considérons qu'on lui applique une force extérieure sinusoïdale supplémentaire (figure 9.12) de la forme

$$F_{ext} = F_0 \sin \omega_0 t$$

où ω désigne la pulsation de la force extérieure. L'équation du mouvement s'écrit

$$ma = -kx - \gamma v + F_0 \sin \omega_0 t \qquad (9.34)$$

ou

$$\frac{d^2x}{dt^2} + \gamma\frac{dx}{dt} + \frac{k}{m}x = F_0 \sin\omega_0 t \qquad (9.35)$$

Il s'agit d'une nouvelle équation différentielle. On montre que sa solution reste de la forme générale

$$x = A\sin(\omega t + \varphi)$$

mais, cette fois, A et φ prennent une expression relativement compliquée et dépendent de la pulsation de la force appliquée. Plus précisément, on observe que l'amplitude de l'oscillation dépend fortement de l'adéquation entre la pulsation de la force appliquée ω_0 et la pulsation propre (naturelle) du système oscillant ω. Lorsque $\omega \simeq \omega_0$, l'amplitude du mouvement peut devenir gigantesque pour des constantes d'amortissement relativement faibles, comme c'est illustré à la figure 9.15. Même si une discussion rigoureuse de ce phénomène dépasse le cadre du cours, on peut comprendre le comportement du système sur base d'un simple raisonnement énergétique.

Un système oscillant tend à vibrer naturellement à une pulsation propre ω et avec une amplitude A qui est fonction de son énergie. Dans le mouvement harmonique forcé, il y a compétition entre les forces dissipatives qui réduisent l'amplitude des vibrations et les forces extérieures qui fournissent de l'énergie.

Si les forces extérieures fournissent une énergie qui compense *parfaitement* les pertes par frottement, l'amplitude des oscillations reste *constante*. On parle alors de mouvement oscillatoire *entretenu*. C'est le cas du pendule d'une horloge. Il en existe également de nombreux exemples dans la nature. Ainsi, les ailes d'un insecte peuvent vibrer jusqu'à 120 fois par seconde, bien qu'environ trois impulsions nerveuses par seconde seulement arrivent aux muscles des ailes pour les activer. Ces impulsions nerveuses sont fournies à la fréquence exacte qui permet d'entretenir le mouvement vibratoire naturel des ailes.

Si maintenant, l'énergie fournie par les forces extérieures au cours de chaque oscillation est *supérieure* à celle dissipée par les frottements, l'amplitude du mouvement va croître considérablement. On parle cette fois de *résonance*. Comme nous l'avons déjà évoqué, un tel phénomène ne se passe pas pour n'importe quelle fréquence de la force appliquée. Pour que l'apport d'énergie soit efficace, il faut que la force extérieure effectue un travail positif sur le système et soit donc appliquée constamment dans la direction du mouvement. Comme le système oscille à la pulsation ω, cela se passe lorsque $\omega_0 = \omega$. Ceci permet de comprendre la figure 9.13. La fréquence à laquelle l'amplitude est maximum porte le nom de *fréquence de résonance* et est en bonne approximation la fréquence propre du système (pour des constantes d'amortissement faibles). Si la force appliquée s'écarte de cette fréquence, la force va par moment s'opposer au mouvement et on ne pourra jamais atteindre une amplitude importante. Le cas d'un enfant sur une balançoire illustre bien ce phénomène : la personne qui le pousse doit exercer une force répétée à des moments bien déterminés. Lorsque la fréquence excitatrice est en accord avec celle du système, toute l'énergie fournie est transférée au système et il suffit de relativement peu d'effort pour obtenir une grande amplitude. Il existe de nombreux exemple du phénomène de résonance.

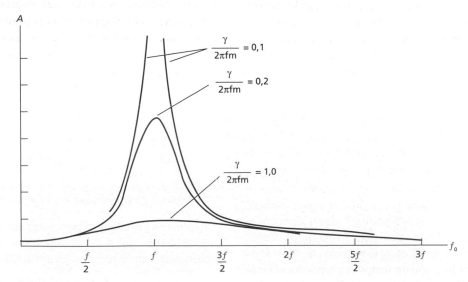

Figure 9.13 L'amplitude des oscillations forcées d'un oscillateur, en fonction de la fréquence f_0 de la force extérieure sinusoïdale. L'amplitude est maximum à la fréquence de résonance très proche de la fréquence propre, f, de l'oscillateur. Noter que ce maximum croît au fur et à mesure que la constante d'amortissement γ diminue.

Figure 9.14 Un chanteur entraîné peut casser un verre en émettant un son d'une fréquence appropriée. *(Ella Fitzgerald dans une publicité pour la bande magnétique Memorex. Avec l'aimable autorisation de la Memorex Corporation.)*

Un chanteur qui émet un son d'une certaine fréquence peut produire des vibrations dans un verre. Si l'émission du son dure suffisamment longtemps, l'énergie absorbée par le verre peut causer des vibrations d'amplitude suffisante pour le casser (figure 9.14). Ce phénomène ne se produit que dans les verres en cristal de bonne qualité. Dans les verres de moins bonne qualité, qui ont une composition beaucoup moins homogène, les différentes parties du verre ont des fréquences propres différentes. Un son d'une seule fréquence ne pourra donc pas provoquer la cassure.

Une colonne de soldats traversant un pont est obligée de rompre le pas. La cadence normale de la marche pourrait en effet avoir une fréquence susceptible de provoquer des oscillations forcées dans le pont et peut-être de provoquer sa destruction. Le pont Tacoma dans l'État de Washington représente un exemple spectaculaire de destruction d'un pont sous l'effet de vibrations forcées. Le vent a fait osciller le pont à une fréquence proche de la fréquence propre de la structure. Ceci a provoqué l'augmentation régulière de l'amplitude des vibrations (figure 9.15) et l'effondrement du pont.

Un autre exemple spectaculaire de la résonance est fourni par les grandes marées dans la baie de Fundy au Canada. À l'entrée de cette baie, il y a des marées de 11 m de moyenne. En haute mer, par contre, les marées ne sont en moyenne que de 0,3 m. L'interprétation de ce phénomène fait intervenir la fréquence propre d'oscillation de l'eau dans son mouvement de va-et-vient dans la baie.

Une oscillation prend à peu près 13 h, c'est-à-dire un peu plus que les 12,4 h entre deux marées hautes successives. La force motrice extérieure, associée aux marées de l'océan, est donc pratiquement en résonance avec les masses d'eau oscillantes dans la baie. Cela explique les énormes amplitudes des marées observées à l'entrée de la baie. On a proposé d'installer à cet endroit une centrale électrique marémotrice. On s'attend à ce que les barrages nécessaires à la centrale raccourcissent la baie et produisent une diminution de la période d'oscillation. Dans cette éventualité, les fréquences se rapprocheraient encore davantage et les hauteurs des marées pourraient encore augmenter ! (figure 9.16).

Figure 9.15 L'effondrement du pont Tacoma s'est produit après plusieurs heures de vibrations forcées croissantes provoquées par le vent. Après ce désastre, qui est survenu en 1940, plusieurs ponts du même type furent substantiellement modifiés. *(Photo Wide World.)*

(a)

(b)

Figure 9.16 Les rochers Hopewell le long de la côte du Nouveau-Brunswick, au Canada, à *(a)* marée basse et *(b)* marée haute. À l'entrée de la baie de Fundy, la marée haute atteint 11 m en moyenne. La fréquence naturelle de l'oscillation de la masse d'eau dans la baie est voisine de celle des marées de l'océan. Il y a donc pratiquement résonance d'où les énormes amplitudes constatées. *(Département du tourisme du Nouveau-Brunswick).*

Pour en savoir plus...

9.6 APPLICATION EN BIOLOGIE DES OSCILLATIONS AMORTIES

La théorie des oscillations amorties trouve quelques applications intéressantes en biologie. Elle fournit par exemple un moyen de mesurer le frottement qui existe dans les articulations des membres des mammifères. Nous avons vu au chapitre 3 que ce frottement est très faible grâce aux effets lubrifiants d'un fluide visqueux appelé la synovie. Si vous êtes assis dans une position qui permet à la partie inférieure de votre jambe d'osciller autour du genou, son mouvement sera progressivement amorti si aucune force musculaire ne s'exerce. La mesure de la vitesse de diminution de l'amplitude fournit des informations sur les forces de frottement. Pour un genou normal, il y a très peu de frottement et les oscillations s'amortissent lentement, de façon similaire à la figure 9.11*b*.

Comme exemple de mouvement fortement amorti, citons la cupule de l'oreille interne des vertébrés. Au chapitre 5, nous avons appris qu'il s'agit d'une structure comparable à une porte de saloon. Suite au mouvement relatif de l'endolymphe dans le canal semi-circulaire, la cupule se déplace facilement par rapport à sa position d'équilibre. La constante *k* de ce système est très petite et l'amortissement dû au fluide visqueux est relativement important. En conséquence, la cupule met environ 20 s pour retourner à sa position d'équilibre. Elle n'effectue aucune oscillation. Ce comportement est tout à fait semblable à la situation décrite dans la figure 9.11*d*.

L'*otolithe*, une autre structure de l'oreille des vertébrés, fournit un exemple d'amortissement intermédiaire. Tous les vertébrés possèdent deux ou trois otolithes. Leur rôle consiste à fournir des informations sur l'accélération et l'inclinaison du corps. L'otolithe est constitué de carbonate de calcium et est environ trois fois plus dense que l'eau. Il est connecté par l'intermédiaire d'un tissu élastique à une cavité remplie d'un fluide aqueux (figure 9.17). Chaque fois que la tête s'incline ou accélère, l'otolithe se déplace par rapport au fluide et ce mouvement est détecté par des nerfs sensoriels. Quoique l'otolithe dépasse la nouvelle position d'équilibre quand la tête s'incline ou accélère, il n'oscille que peu de fois avant de s'arrêter. La figure 9.11*c* décrit ce genre de situation. L'évolution a donc permis que l'information sur le degré d'inclinaison ou sur l'accélération soit transmise rapidement au cerveau, sans l'ambiguïté que créeraient des oscillations prolongées de l'otolythe.

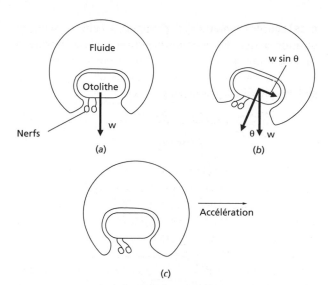

Figure 9.17 *(a)* L'otolithe est plus dense que le fluide environnant. L'inclinaison *(b)* ou l'accélération *(c)* provoquent le mouvement de l'otolithe. Des nerfs contigus à l'otolithe détectent ce mouvement. Noter que les parties latérales de la chambre remplie de fluide changent de volume en *(b)* et *(c)*. *(Adapté de Alexander.)*

9.7 LES EFFETS DES VIBRATIONS SUR LES PERSONNES

Depuis toujours les hommes sont soumis aux effets des vibrations engendrées par des activités telles que la marche ou la course. De nos jours cependant, ils sont systématiquement exposés à des vibrations diverses quand ils voyagent en voiture ou en avion, quand ils conduisent un tracteur ou quand ils travaillent à proximité d'une machine. Les effets des vibrations peuvent aller de légers désagréments jusqu'à de sérieuses lésions, voire même jusqu'à la mort. Cela dépend de l'amplitude et de la fréquence des vibrations ainsi que de la durée de l'exposition. Une recherche considérable a été entreprise pour mesurer ces effets. Les résultats permettent d'utiliser des véhicules et des machines plus sûrs et plus confortables.

Pour discuter des effets des vibrations, on utilise normalement l'accélération maximum plutôt que l'amplitude. D'après les équations (9.3) et (9.10), l'accélération est liée au déplacement par $a = -(2\pi f)^2 x$. L'accélération est maximum en module quand x est égal à A ou à $-A$. Le maximum du module de l'accélération vaut donc (équation (9.13))

$$a_{\max} = (2\pi f)^2 A \qquad (9.36)$$

Les expériences de laboratoire sont généralement réalisées à l'aide de plate-formes ou de sièges qui vibrent à une seule fréquence. En pratique, les mouvements vibratoires résultent de la combinaison d'oscillations qui ont de nombreuses fréquences différentes. La figure 9.18 décrit les réactions aux vibrations verticales pour des sujets assis sur un siège dur. La sensibilité aux vibrations est maximum entre 16 et 17 hertz ; des accélérations plus importantes peuvent être tolérées à des fréquences plus élevées ou plus faibles.

Ces idées sont illustrées dans l'exemple 9.7.

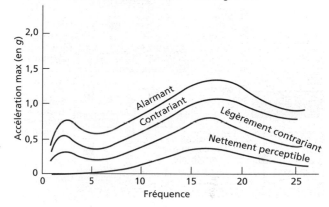

Figure 9.18 Les réactions moyennes des hommes au mouvement harmonique simple. Les sujets sont assis sur des sièges durs qui vibrent verticalement. *(Adapté de S. Lippert,* Vibration Research.*)*

🖉 ——————— **Exemple 9.7** ———————

Quelle est l'accélération maximum qui est ressentie comme alarmante à 6 Hz ? Quelle est l'amplitude de la vibration correspondante ?

Réponse D'après la figure 9.18, l'accélération maximum ressentie comme alarmante à 6 Hz vaut environ 0,65 g, où g est l'accélération due à la pesanteur. Appliquons l'équation (9.13) pour trouver l'amplitude :

$$A = \frac{a_{\max}}{(2\pi f)^2} = \frac{(0,65)(9,8 \text{ m s}^{-2})}{\left[2\pi\left(6 \text{ s}^{-1}\right)\right]^2}$$

$$= 4,48 \times 10^{-3} \text{ m}$$

On peut corréler les résultats expérimentaux relatifs aux effets des vibrations sur le corps au moyen de modèles mathématiques (figure 9.19). Pour des fréquences inférieures à 2 Hz, le corps réagit comme s'il était constitué d'une seule masse attachée à un ressort caractérisé par un faible amortissement. Au-delà de 2 Hz, les mouvements relatifs des différentes parties du corps interviennent. Il faut considérer un modèle plus complexe. Le corps, pris dans son ensemble, résonne à environ 6 Hz, mais la masse abdominale résonne à 3 Hz, le pelvis à 5 et 9 Hz, la tête (par rapport aux épaules) à 20 Hz et les globes oculaires dans leurs orbites à 35 et 75 Hz (figure 9.20). Des vibrations très inférieures au niveau « alarmant » provoquent des modifications physiologiques au niveau des systèmes circulatoire et nerveux. Ces vibrations peuvent porter atteinte à la coordination, à la vision et à la parole. À des niveaux élevés, elles peuvent endommager sérieusement les poumons, le cœur, l'intestin et le cerveau et même parfois entraîner la mort.

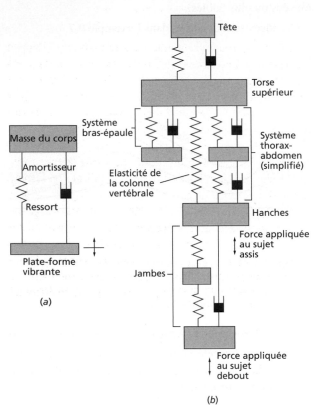

(a)

(b)

Figure 9.19 *(a)* Un modèle qui représente le corps comme une masse unique. Le mouvement du corps sous l'action des vibrations est bien décrit jusqu'à des fréquences de 2 Hz. L'engin qui ressemble à un piston symbolise l'amortissement. *(b)* Un modèle plus élaboré tenant compte du mouvement relatif des différentes parties du corps. *(Adapté de R.R. Coermann et al., Aerospace Med., 31, p. 443, 1960.)*

On peut facilement se protéger contre les vibrations excessives de fréquences supérieures à 20 Hz au moyen de sièges rembourrés et de divers dispositifs de suspension. Cependant, les tracteurs et les camions vibrent principalement entre 1 et 7 Hz. Parfois les accélérations peuvent atteindre 1 *g*. Il est maintenant possible de construire des ressorts dont les fréquences de résonance sont très basses et des amortisseurs hydrauliques capables de réduire ces vibrations à un niveau acceptable.

Le fait de fléchir les jambes lorsque l'on se tient debout réduit fortement la transmission des vibrations vers la partie supérieure du corps. Les conducteurs de machines agricoles prennent parfois cette position afin de réduire

le niveau des vibrations par rapport à celui ressenti en position assise. De même, quand on roule à bicyclette sur une route en mauvais état, les secousses sont moins ressenties lorsque l'on porte le poids du corps sur les pédales plutôt que sur la selle.

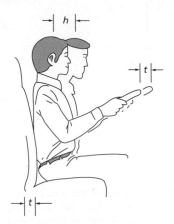

Figure 9.20 L'amplitude du mouvement des différentes parties du corps peut dépasser celle de la vibration originale. Ce phénomène se produit quand la fréquence est voisine de la fréquence de résonance d'une certaine partie du corps. Ici le sujet est assis sur une plate-forme qui simule le comportement d'une voiture. La figure montre les déplacements maxima de la voiture et du sujet. Noter que la tête du sujet se déplace d'une distance *h* qui est supérieure à la distance *t* dont s'est déplacée la plate-forme.

9.8 COMBINAISON DE MOUVEMENTS HARMONIQUES

Il peut exister des similitudes entre le mouvement circulaire que nous avons étudié au chapitre 5 et le mouvement harmonique. En particulier, dans les deux cas, le système parcourt périodiquement la même trajectoire. Nous allons voir maintenant qu'il existe en effet un rapport étroit et non dépourvu d'intérêt entre ces deux types de mouvement.

Considérons, comme illustré à la figure 9.21, une masse *m* se déplaçant sur une trajectoire circulaire de rayon *A* à la vitesse *v*. Vu du haut ce mouvement est circulaire. Cependant, pour un observateur placé à une extrémité de la table, il apparaît comme une simple oscillation de gauche à droite. Cette oscillation est le résultat de la projection du mouvement circulaire selon l'axe des *x*. Elle correspond à un mouvement harmonique simple. Pour nous en convaincre, nous pouvons déterminer la composante v_x de la vitesse dans la direction *x* à l'aide de la figure 9.21. Les deux triangles représentés sont similaires, de sorte que les rapports entre cotés correspondants sont égaux

$$\frac{v_x}{v} = \frac{\sqrt{A^2 - x^2}}{A}$$

ou

$$v_x = v\sqrt{1 - \frac{x^2}{A^2}}$$

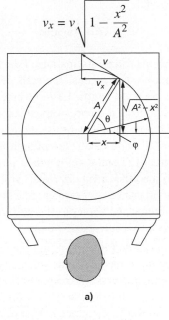

a)

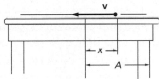

Figure 9.21 Analyse du mouvement circulaire et de sa projection dans la direction *x*.

Ceci correspond à l'équation (9.25) donnant l'évolution de la vitesse dans le mouvement harmonique simple. En accord avec ceci, la position *x* évolue de manière périodique. On observe sur la figure 9.21 que, si à *t* = 0 on a un déplacement angulaire φ, après un temps *t*, la particule aura parcouru une distance angulaire supplémentaire θ = ω*t* de sorte que

$$x = A \cos(\omega t + \varphi)$$

où ω = *v*/*A*. La projection selon la direction *x* du mouvement circulaire est donc un mouvement harmonique simple possédant une pulsation égale à la vitesse angulaire de rotation.

La projection sur l'axe des *y* du mouvement circulaire correspond également à un mouvement harmonique simple. Il est cette fois de la forme *y* = *A* sin(ω*t* + φ). Les composantes (*x*, *y*) décrivent donc chacune un mouvement harmonique simple. On peut en conclure que le mouvement circulaire correspond à la composition de deux mouvements harmoniques simples, qui s'effectuent dans des directions perpendiculaires et qui sont en quadrature de

phase (déphasés de π/2).

Le mouvement circulaire n'est qu'un cas particulier de combinaison de mouvements harmoniques. On peut combiner de différentes manières des mouvements harmoniques simples dans deux directions perpendiculaires. Supposons que

$$x = A_x \cos(\omega_x t + \phi_x)$$
$$y = A_y \cos(\omega_y t + \phi_y)$$

Le mouvement qui en résulte dans le plan (*x*, *y*) dépend des valeurs relatives des amplitudes, fréquences et phases dans les deux directions (figure 9.22). Si les fréquences et phases sont identiques, on peut vérifier que $y = (A_y/A_x)x$ et la trajectoire correspond donc à une droite. Si les fréquences et amplitudes sont identiques et que les phases diffèrent de π/2, on trouve que $x^2 + y^2 = A^2$ ce qui correspond à l'équation d'un cercle. Si les fréquences sont identiques, que les phases diffèrent de π/2 et que les amplitudes sont différentes, on obtient une ellipse. Lorsque les deux mouvements sont tout à fait quelconques, la trajectoire peut devenir très complexe et ne correspond pas nécessairement à un mouvement périodique. Les courbes (*x*, *y*) de la figure 9.22, portent le nom de *figures de Lissajous*. Elles sont utilisées pour comparer des signaux périodiques et identifier, par exemple, leur déphasage éventuel.

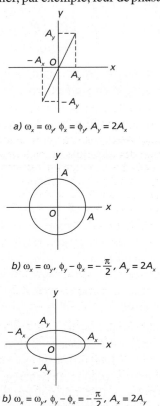

a) $\omega_x = \omega_y,\ \phi_x = \phi_y,\ A_y = 2A_x$

b) $\omega_x = \omega_y,\ \phi_y - \phi_x = -\dfrac{\pi}{2},\ A_y = 2A_x$

b) $\omega_x = \omega_y,\ \phi_y - \phi_x = -\dfrac{\pi}{2},\ A_x = 2A_y$

Figure 9.22 Combinaisons de mouvement harmoniques simples s'effectuant dans des directions perpendiculaires.

Réviser

RAPPELS DE COURS

Un système en vibration effectue un mouvement harmonique simple lorsque l'équation de son mouvement est de la forme

$$\frac{d^2x}{dt^2} + \omega^2 x = 0$$

L'évolution de la position en fonction du temps a alors pour expression

$$x = A \sin(\omega t + \varphi)$$

A est l'amplitude du mouvement, ω sa pulsation et φ sa phase. La fréquence propre du système oscillant est $f = \omega/2\pi$; elle représente le nombre de cycles accomplis par seconde. La période $T = 1/f$ correspond au temps mis pour effectuer un cycle complet.

Un objet au bout d'un ressort effectue un mouvement harmonique simple. Si m représente la masse de l'objet et k la constante de raideur du ressort, la fréquence du mouvement est donnée par

$$f = \frac{1}{2\pi} \sqrt{\frac{k}{m}}$$

Le pendule composé effectuant de petites oscillations constitue un autre exemple fort répandu du mouvement harmonique simple. Si m et I désignent respectivement la masse et le moment d'inertie du pendule, si d est la distance entre l'axe de rotation et le centre de gravité, la fréquence propre du mouvement est donnée par la relation

$$f = \frac{1}{2\pi} \sqrt{\frac{mgd}{I}}$$

Un pendule simple est un cas particulier de pendule composé. Toute la masse est concentrée en un point situé à une distance l du pivot et

$$f = \frac{1}{2\pi} \sqrt{\frac{g}{l}}$$

L'énergie mécanique totale, $E = K + U$, d'un système harmonique simple est constante et directement proportionnelle au carré de l'amplitude du mouvement. Au cours du mouvement, il se produit un échange continuel entre l'énergie cinétique et l'énergie potentielle. L'énergie potentielle vaut, pour une masse au bout d'un ressort,

$$U = \frac{1}{2} kx^2$$

et pour un pendule,

$$U = \frac{1}{2} mgd\theta^2$$

En présence de forces dissipatives, l'énergie d'un système oscillant n'est plus constante mais décroît progressivement au cours du temps. Le mouvement est *amorti*. Pour des coefficients d'amortissement suffisamment peu important, on a un mouvement *pseudo-périodique* de la forme $x = Ae^{-\alpha t} \sin(\omega' t + \varphi)$. L'amplitude des oscillations décroît progressivement et ce, d'autant plus vite, que le coefficient d'amortissement est élevé. Si les frottements sont trop importants, le système peut revenir dans sa position d'équilibre avant d'avoir pu effectuer une oscillation : on parle alors de régime *apériodique*.

On peut fournir de l'énergie à un système oscillant en lui appliquant une force extérieure sinusoïdale. On parlera alors d'oscillations *forcées*. Lorsque l'énergie fournie au système est supérieure à celle qui est dissipée, l'amplitude de son mouvement augmente. Elle peut devenir très grande lorsque la force appliquée a une fréquence voisine de la fréquence *propre* du système oscillant. On parle alors de *résonance* et la fréquence produisant une amplitude maximum est appelée la *fréquence de résonance*.

PHRASES À COMPLÉTER

Voir réponses en fin d'ouvrage.

1. Le temps nécessaire à une oscillation complète est _____, son inverse est _____.

2. Un objet est en mouvement harmonique simple si son accélération est proportionnelle à _____.

3. La force requise pour changer la longueur d'un ressort est proportionnelle à _____.

4. Un système oscillant est constitué d'un objet suspendu à un ressort. Un second système est constitué du même objet, fixé au même ressort et pouvant se déplacer horizontalement sans frottement. Les fréquences propres des deux systèmes sont _____.

5. La fréquence propre d'oscillation d'une masse au bout d'un ressort décroît si la masse _____, et elle augmente si la constante de raideur du ressort _____.

6. Si la longueur d'un pendule simple augmente, sa période _____.

7. L'énergie cinétique d'un oscillateur harmonique est maximum quand l'élongation est égale à _____ ; elle est minimum quand l'élongation est égale à _____.

8. L'amplitude des vibrations décroît plus vite si _____ est grande.

9. Sous l'effet d'une force extérieure, l'amplitude d'un oscillateur est maximum à _____.

EXERCICES CORRIGÉS

E1. Une masse M est reliée de manières différentes à deux ressorts caractérisés par des constantes de raideur k_1 et k_2 (figure 9.23). Si $k_2 = 2k_1$, combien le second système fera-t-il d'oscillations pendant que le premier en fait une seule ?

(a)

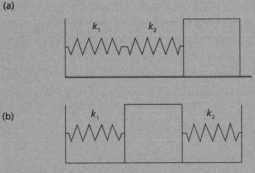

(b)

Figure 9.23

Solution

Dans le montage (a), les deux ressorts sont en série. Dans cette configuration, si on exerce une force F à l'extrémité des deux ressorts, le premier s'allonge de $x_1 = F/k_1$ et le second de $x_2 = F/k_2$ de sorte que l'allongement total $x = x_1 + x_2 = F(1/k_1 + 1/k_2)$. Un système de deux ressorts en série se comporte donc comme un ressort équivalent de constante de raideur k_a telle que $1/k_a = 1/k_1 + 1/k_2$ et la période d'oscillation sera

$$T_a = 2\pi \sqrt{\frac{M}{k_a}} = 2\pi \sqrt{M\left(\frac{1}{k_1} + \frac{1}{k_2}\right)}$$

$$= 2\pi \sqrt{\frac{3M}{2k_1}}$$

Dans le montage (b), si la masse se déplace vers la droite d'une distance x, le premier ressort s'étire de x et exer-

cera une force vers la gauche $F_1 = -k_1 x$ tandis que le second se comprime mais exercera également une force vers le gauche $F_2 = -k_2 x$. La force résultante sera donc $F = F_1 + F_2 = -(k_1 + k_2)x$. Le second système se comporte donc comme un ressort équivalent de constante de raideur $k_b = k_1 + k_2$. Sa période d'oscillation sera

$$T_b = 2\pi \sqrt{\frac{M}{k_b}} = 2\pi \sqrt{\frac{M}{(k_1 + k_2)}}$$

$$= 2\pi \sqrt{\frac{M}{3k_1}}$$

On en déduit

$$\frac{T_a}{T_b} = \frac{\sqrt{3/2}}{\sqrt{1/3}} = \frac{3\sqrt{2}}{2} = 2,12$$

Le premier système a une période 2,12 fois plus longue que le second. Le second aura donc le temps d'effectuer 2,12 oscillations pendant que le premier en fait une seule.

E2. Un système (figure 9.24) est constitué d'une barre homogène de masse M et de longueur $L = 1$ m suspendue par son centre au moyen d'un fil métallique. La barre peut osciller lorsqu'on la fait pivoter d'un angle θ par rapport à sa position d'équilibre en tordant le fil qui exerce un moment de force de rappel égal à $\tau = -K\theta$. La période d'oscillation du système est de 6 s. Après avoir raccourci la barre à une longueur de 70 cm, on la suspend de nouveau par son centre et on la remet en mouvement. Déterminez sa nouvelle période d'oscillation. On se souviendra que le moment d'inertie d'une barre tournant autour d'un axe perpendiculaire passant par son centre est $I = ML^2/12$.

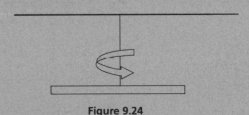

Figure 9.24

Solution

Le système constitue ce que l'on appelle un pendule de torsion. Le seul moment de force s'exerçant sur la barre étant celui exercé par le fil de sorte que l'équation du mouvement $\tau = I\alpha$ prend la forme particulière

$$-K\theta = I\alpha$$

ou

$$\frac{d^2\theta}{dt^2} + \frac{K}{I}\theta = 0$$

Il s'agit donc bien d'un mouvement harmonique simple dont la pulsation correspond à

$$\omega = \sqrt{\frac{K}{I}} = \sqrt{\frac{12K}{ML^2}}$$

et la période à

$$T = \frac{2\pi}{\omega} = 2\pi\sqrt{\frac{ML^2}{12K}}$$

Lorsque la barre, mesurant initialement 1 m, est raccourcie à une longueur de 70 cm, à la fois la longueur et la masse sont modifiées d'un facteur 0,7. La nouvelle fréquence sera donc égale à

$$T' = 2\pi\sqrt{\frac{0,7M(0,7L)^2}{12K}} = T\sqrt{0,7^3} = 3,51 \text{ s}$$

S'entraîner

QCM

Voir réponses en fin d'ouvrage.

Q1. Soit un pendule simple de masse M et de longueur L. La longueur d'un pendule simple de masse $2M$ ayant une période double vaut

a) $L/4$

b) $L/2$

c) $2L$

d) $4L$

e) aucune de ces réponses.

Q2. Une masse attachée à un ressort effectuant un mouvement harmonique d'amplitude A parcourt en une période une distance égale à

a) A

b) $2A$

c) $4A$

d) $8A$

e) aucune de ces réponses.

Q3. Une balançoire, sur laquelle est assise une personne de 60 kg, a une période d'oscillation T. Si cette personne prend sur ses genoux un enfant de 30 kg, la période d'oscillation vaudra

a) T

b) $T/2$

c) $2T/3$

d) $3T/2$

e) aucune de ces réponses.

Q4. Sur la Terre, le système masse-ressort et le pendule simple ci-contre ont la même période ($T_{\text{ressort}}/T_{\text{pendule}} = 1$). Sur la Lune où la masse M a un poids 6 fois plus faible que sur la Terre, le rapport $T_{\text{ressort}}/T_{\text{pendule}}$ vaut

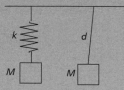

Figure 9.25

a) 1

b) 1/6

c) 6

d) $\sqrt{6}$

e) $\sqrt{6}/6$.

Q5. Un système masse-ressort est animé d'un mouvement harmonique simple d'amplitude A. Si on double la masse sans modifier l'amplitude du mouvement, l'énergie totale du système est

a) inchangée

b) multipliée par 2

c) multipliée par 4

d) divisée par 2

e) divisée par 4.

Q6. La longueur d'un pendule simple dont la demi-période vaut 1 s est égale à

a) 1/4 m

b) 1/2 m

c) 1 m

d) 2 m

e) 4 m.

Q7. Lorsqu'un pendule simple oscille avec une amplitude de $10°$, quelle fraction de son temps passe-t-il entre $-5°$ et $+5°$

a) 1/2

b) 1/3

c) 1/4

d) 1/5

e) 1/6.

Q8. Un pendule simple oscille à une fréquence f. Si on le place dans un ascenseur accéléré vers le haut avec une accélération $a = g/2$, sa fréquence sera égale à

a) f

b) $(\sqrt{6}/2)f$

c) $(\sqrt{6}/3)f$

d) $(3/2)f$

e) $(2/3)f$.

Q9. Pour doubler la vitesse maximum d'un oscillateur harmonique simple, il faut multiplier son amplitude par

a) 1/2

b) 1/4

c) 2

d) 4

e) aucune de ces réponses.

Q10. L'équation donnant la position pour un mouvement harmonique simple d'amplitude A et tel que, à $t = 0$, la particule se trouve en $-A/2$ et se dirige vers les x négatifs correspond à

a) $(A/2)\sin(\omega t - \pi/2)$

b) $-A\sin(\omega t + \pi/6)$

c) $A\sin(\omega t - \pi/6)$

d) $A\sin(\omega t - \pi/4)$

e) $-A\cos(\omega t + \pi/3)$.

EXERCICES

Voir réponses en fin d'ouvrage pour les exercices et problèmes dont le numéro est inscrit en noir.

Le mouvement harmonique simple : cas du système masse-ressort

9.1 Deux mobiles vibrent de manière harmonique, suivant la même droite, autour du même centre, avec la même période et la même amplitude. Lorsque le premier se trouve à la moitié de l'élongation maximum, à gauche de sa position d'équilibre, allant de gauche à droite, le second le croise. Calculer leur différence de phase (on prendra comme sens positif le sens de gauche à droite).

9.2 Un objet en mouvement harmonique simple atteint son élongation maximum, 0,2 m, à $t = 0$. La fréquence propre vaut 8 Hz.

a) Après combien de temps le déplacement sera-t-il égal à 0,1 m, 0 m, $-0,1$ m et $-0,2$ m ?

b) Trouver les vitesses à ces instants.

9.3 Un objet exécute un mouvement harmonique simple avec une amplitude de 0,5 m et une période de 2 s. À un certain moment, sa vitesse vaut 1,11 m s^{-1}. Quel est alors son déplacement ?

9.4 Un objet est en mouvement harmonique simple avec une fréquence de 10 Hz. Il a une vitesse maximum de 3 m s^{-1}. Quelle est l'amplitude de la vibration ?

9.5 Un objet exécute un mouvement harmonique simple. Pour quelles élongations

a) la vitesse et

b) l'accélération sont-elles maximum ?

Le mouvement oscillatoire d'une masse attachée à un ressort

9.6 Les masses m et M sont suspendues à deux ressorts identiques de constante k. Elles exécutent un mouvement harmonique simple. La fréquence propre de M vaut trois fois celle de m. Que vaut le rapport M/m ?

9.7 La fréquence propre d'une masse au bout d'un ressort est de 5 Hz. Quelle est l'accélération de la masse quand l'élongation est 0,15 m ?

9.8 Un ressort s'allonge de 0,05 m lorsqu'une masse de 0,3 kg y est suspendue.

a) Quelle est la constante du ressort ?

b) Quelle est la fréquence propre du système ?

9.9 La période d'une masse de 0,75 kg au bout d'un ressort est de 1,5 s. Que vaut la constante k du ressort ?

9.10 Lorsqu'une masse de 3 kg est suspendue à un ressort, elle effectue une oscillation toutes les 4 secondes. Quelle est la constante du ressort ?

9.11 Quand une force de 30 N est appliquée à un ressort, celui-ci s'allonge de 0,2 m.

a) De combien s'allonge ce ressort si l'on y suspend une masse de 5 kg ?

b) Quelle est la période d'oscillation de ce système ?

9.12 Par quel facteur faut-il multiplier la masse d'un objet fixé à un ressort afin de doubler sa période d'oscillation ?

9.13 Lorsqu'un passager de 80 kg prend place dans une voiture, les ressorts sont comprimés de 1,2 cm. Sachant que la masse totale supportée par les ressorts (passager inclus) est de 900 kg, trouver la fréquence propre d'oscillation de la voiture.

9.14 Un objet d'une masse de 10 kg suspendu à un ressort a une fréquence propre de 2 Hz. De combien varie la longueur du ressort quand on enlève l'objet ?

Le pendule composé

9.15 Un objet de masse faible oscille au bout d'une corde. Sachant que la période est de 1 s, calculer la longueur de la corde.

9.16 La période d'un pendule simple est de 1,5 s sur la Terre. À la surface d'une autre planète, elle vaut 0,75 s. Quelle est l'accélération due à la pesanteur sur cette planète ?

9.17 Une boule d'acier, fixée à l'extrémité d'un câble, est utilisée dans des travaux de démolition. La période d'oscillation est de 7 s. Quelle est la longueur du câble ? (Négliger la masse du câble.)

9.18 a) Estimer le moment d'inertie de la partie inférieure de votre jambe (pied compris) par rapport au genou.

b) Estimer la fréquence propre de ce système lorsqu'il pivote autour du genou.

c) Comparer le résultat obtenu en b) avec vos observations.

9.19 Une tige uniforme est suspendue par l'une de ses extrémités. La période de son mouvement d'oscillation est de 2 s. Quelle est la longueur de la tige ?

9.20 Quel pourcentage d'erreur commet-on dans l'approximation $\sin \theta \simeq \theta$, où θ est exprimé en radians, lorsque l'angle vaut

a) $10°$

b) $20°$

c) $30°$

d) $40°$?

9.21 De quel facteur faut-il changer la longueur d'un pendule simple pour doubler sa période d'oscillation ?

9.22 L'accélération gravitationnelle g augmente de 0,44 % quand on passe de l'équateur au Groenland. Si la période d'un pendule vaut 1 s à l'équateur, que vaut-elle au Groenland ?

9.23 Une clef de serrage pivote autour du trou pratiqué dans l'une de ses extrémités. Son rayon de giration est de 0,15 m et son centre de gravité est à 0,1 m de l'axe de rotation. Quelle est la fréquence de ce pendule composé ?

L'énergie dans le mouvement harmonique simple

9.24 Une masse de 0,5 kg suspendue à un ressort a une période de 0,3 s. L'amplitude du mouvement vibratoire vaut 0,1 m.

a) Quelle est la constante k du ressort ?

b) Quelle est l'énergie potentielle emmagasinée dans le ressort lors de l'élongation maximum ?

c) Quelle est la vitesse maximum de la masse ?

9.25 Une masse de 0,05 kg est suspendue à un ruban en caoutchouc (de masse négligeable) et elle l'étire de 0,1 m.

a) Quelle est la constante k du ruban ?

b) Quelle est la fréquence propre d'oscillation du système ?

c) Quelle est la période de l'oscillation ?

d) Si l'on déplace la masse de 0,05 m au-dessus de sa position d'équilibre pour la lâcher ensuite, quelle sera l'énergie associée à ces oscillations ?

9.26 Une masse de 5 kg est attachée à un ressort de constante k égale à 100 N m^{-1}. Si elle oscille avec une vitesse maximum de 4 m s^{-1}, quelle est l'amplitude du mouvement ?

9.27 L'amplitude d'un oscillateur harmonique est de 0,1 m. Pour quelle valeur x du déplacement les énergies cinétique et potentielle sont-elles égales ?

9.28 L'élongation d'un oscillateur harmonique étant égale à la moitié de son amplitude, quelle est la fraction de son énergie totale qui correspond à l'énergie cinétique ?

9.29 Une masse de 10 kg est fixée à un ressort de constante k égale à 50 N m^{-1}. On l'écarte de 0,2 m de sa position d'équilibre et on la relâche. Trouver sa vitesse

a) à la position d'équilibre

b) lorsque le déplacement est égal à $-0,1$ m.

Oscillations amorties

9.30 L'otolithe d'un poisson a une masse de 0,022 g et la constante k effective est de 3 N m^{-1}.

a) Quelle est la fréquence propre de l'otolithe ?

b) La fréquence trouvée en a) est-elle compatible avec l'idée que l'otolithe devrait répondre rapidement à des accélérations et à des changements d'orientation ?

9.31 La fréquence propre de la partie inférieure de la jambe (pied compris), en oscillation autour du genou, est de 1,3 Hz. En raison de l'amortissement, le mouvement s'arrête après six oscillations.

a) Quelle est la période du mouvement ?

b) Combien de temps dure le mouvement d'oscillation de la jambe ?

9.32 L'otolithe d'un poisson a une masse de 0,1 g et une constante d'élasticité de 3 N m^{-1}.

a) Trouver la fréquence propre.

b) Supposer que le mouvement de l'otolithe soit complètement amorti après un temps égal à deux périodes. Combien de temps persistera le mouvement de l'otolithe après l'inclinaison de la tête du poisson ?

Les effets des vibrations sur les personnes

9.33 Une personne se trouve sur une plate-forme vibrante. L'amplitude de l'oscillation de la tête par rapport aux épaules est maximum à 20 Hz. Estimer la constante k intervenant dans ce mouvement.

9.34 Le siège d'un tracteur est monté sur ressorts. La fréquence propre est de 7 Hz quand une personne de 70 kg y est assise. Que vaut la fréquence propre quand un enfant de 25 kg y prend place ? Négliger la masse du siège.

9.35 Une femme de 50 kg est assise sur un siège à ressort. Le ressort est comprimé de 5×10^{-3} m. (Négliger la masse propre du siège.)

a) Quelle est la constante du ressort ?

b) Que vaut la fréquence propre du mouvement ?

c) Pourrait-on utiliser ce ressort dans une voiture ?

9.36 Calculer la constante d'élasticité du ressort du siège d'un tracteur, sachant que la fréquence de résonance est de 2 Hz quand une personne de 70 kg y est assise. (Négliger la masse du siège.)

PROBLÈMES

9.37 Pendant le mouvement harmonique simple exécuté par une masse au bout d'un ressort, la position, la vitesse et l'accélération varient au cours du temps comme suit :

$$x = x_0 \cos(2\pi ft)$$
$$v = -2\pi f x_0 \sin(2\pi ft)$$
$$a = -(2\pi f)^2 x_0 \cos(2\pi ft)$$

Évaluer x, v et a pour

a) $t = 0$

b) $t = 1/(2f)$.

c) Décrire la façon dont x, v et a varient avec le temps entre $t = 0$ et $t = 1/(2f)$.

9.38 Tracer les graphes de x, v et a en fonction du temps dans le cas d'un objet en mouvement harmonique simple.

9.39 Particulariser les équations (9.7) et (9.11) au cas où le déplacement du ressort est maximum à l'instant initial.

9.40 Un objet au bout d'un ressort est en mouvement harmonique simple. Sa vitesse maximum est de 3 m s^{-1} et l'amplitude vaut 0,4 m.

a) Quel est le déplacement quand $v = 3$ m s^{-1} ?

b) Que vaut le déplacement quand $v = 1,5$ m s^{-1} ?

9.41 Grâce à des organes sensoriels localisés dans leurs jambes, les araignées sont capables de détecter les vibrations provoquées par leur proie dans la toile d'araignée. Considérer un insecte de 1 g piégé dans la toile et qui la fait vibrer avec une fréquence de 15 Hz.

a) Quelle est la constante de ressort de la toile d'araignée ?

b) Quelle serait la fréquence causée par un insecte de 4 g capturé dans la toile ?

9.42 Le module de Young pour un os vaut $E = 1,6 \times 10^{10}$ N m^{-2}. Le tibia a une longueur de 0,2 m et sa section droite est de 0,02 m^2.

a) Quelle est la constante de raideur de l'os ?

b) Un homme pèse 750 N. De combien l'os est-il comprimé s'il supporte la moitié du poids ?

c) Si l'os oscille dans le sens de sa longueur tout en supportant la moitié du poids, quelle est la fréquence propre du mouvement ?

9.43 Une assistante désire préparer dans sa classe une démonstration du mouvement harmonique simple. Elle a à sa disposition toute une gamme de ressorts mais seulement une masse de 2 kg.

a) Quelle constante de ressort doit-elle choisir pour avoir une période de 2 s ?

b) Elle sélectionne le ressort en mesurant l'allongement provoqué par le poids de la masse de 2 kg sur les ressorts dont elle dispose. Quelle valeur de l'allongement cherche-t-elle ?

9.44 La fréquence propre du pendule simple d'une horloge est de 0,7 Hz et sa longueur vaut 0,5 m. Quelle modification doit-on apporter à la longueur si on veut avoir une fréquence de 0,8 Hz ?

9.45 En première approximation, la jambe humaine peut être considérée comme un cylindre.

a) Estimer la fréquence propre de l'oscillation de vos jambes autour de la hanche, les genoux étant bloqués.

b) Si la marche pouvait se faire avec les jambes oscillant à leur fréquence propre, quelle distance pourrait-on parcourir en une heure ?

9.46 a) Estimer la fréquence propre de votre bras étendu si on le considère comme étant une barre homogène.

b) Estimer la fréquence propre si la partie inférieure du bras est perpendiculaire à la partie supérieure comme c'est fréquemment le cas lorsque l'on court.

9.47 Un poids, fixé au bout d'un câble de masse négligeable et d'une longueur de 30 m, est utilisé pour des travaux de démolition. Si le déplacement angulaire maximum est de 20°, quelle est la vitesse du poids au point le plus bas ?

9.48 Une tige longue de 1 m peut pivoter autour de l'une de ses extrémités. Une petite sphère est attachée à l'autre bout. La tige et la sphère sont de même masse. Quelle est la fréquence d'oscillation ?

9.49 Un garçon de 50 kg se déplace au moyen d'une perche « Pogo », sorte de bâton muni d'un ressort à son extrémité inférieure. Le garçon fait un saut de 0,3 m de haut et, lorsqu'il touche le sol, il comprime le ressort de 0,05 m. (Négliger la masse de la perche).

a) Quelle est la quantité d'énergie emmagasinée dans le ressort ?

b) Quelle est sa constante k ?

c) Quelle est la fréquence propre d'oscillation ?

9.50 Un poids suspendu à un ressort l'étire jusqu'à une distance d, où l'équilibre est atteint. Montrer que la fréquence propre du poids en oscillation autour de cette position d'équilibre est donnée par

$$f = \frac{1}{2\pi} \sqrt{\frac{g}{d}}$$

9.51 Un enfant se sert d'un pistolet à ressort pour lancer des fléchettes munies d'une ventouse. Les fléchettes ont une masse de 0,03 kg. La constante du ressort est de 200 N m^{-1}. Le ressort est comprimé de 0,1 m avant d'être relâché. Supposer que toute l'énergie emmagasinée dans le ressort soit transférée à la fléchette. Calculer la hauteur atteinte par la fléchette si elle est tirée verticalement.

9.52 Un pendule simple est écarté d'un petit angle θ par rapport à sa position d'équilibre. Montrer que son énergie potentielle est donnée par

$$\mathcal{U} = \frac{1}{2} mgl\theta^2$$

9.53 Utiliser le résultat du problème précédent pour calculer la vitesse angulaire maximum si l'amplitude de l'oscillation vaut θ_0.

9.54 Établir la formule de l'énergie potentielle d'un pendule composé qui est déplacé d'un petit angle θ par rapport à sa position d'équilibre.

9.55 Tracer les graphes des énergies potentielle et cinétique en fonction du temps dans le cas d'un objet en mouvement harmonique simple.

9.56 L'otolithe d'un poisson a une masse de 0,3 g et une constante de ressort effective de 3 N m^{-1}. La constante d'amortissement γ est de $1,5 \times 10^{-2}$ N m^{-1} s.

a) Quelle est la fréquence propre de l'otolithe ?

b) Quel est le rapport $\gamma/(2\pi fm)$?

c) La résonance de l'otolithe est-elle bien aiguë ?

9.57 Un homme peut supporter, pendant un temps très court, une vibration de 4 Hz qui lui communique une accélération maximum de 4 g. Que vaut, dans ces conditions, le déplacement maximum du corps ?

9.58 Les différentes parties du corps des animaux ayant des fréquences propres de vibration différentes, on peut les considérer comme étant reliées entre elles par l'intermédiaire de ressorts (figure 9.19b). Ces ressorts sont formés par les raccords flexibles qui existent entre ces différentes parties du corps. Nous avons vu au chapitre 8 que la constante de ressort est proportionnelle à l'aire de la section droite et inversement proportionnelle à la longueur du ressort.

a) En utilisant l'hypothèse du facteur d'échelle développée dans le paragraphe 8.6, $l \propto r^{2/3}$, montrer que la constante d'élasticité $k \propto m^{1/2}$ où m représente la masse du corps.

b) Montrer que les fréquences propres devraient varier suivant la relation $f \propto m^{-1/4}$.

9.59 L'abdomen et le thorax d'un homme de 60 kg ont une fréquence de résonance d'environ 3 Hz.

a) À partir des résultats du problème 9.58, évaluer la fréquence propre correspondante pour une souris de 20 g.

b) Chez la souris, la fréquence de résonance se situe entre 18 et 25 Hz. Comparer ce résultat expérimental à celui obtenu en a).

9.60 Lorsqu'une personne est debout sur une table vibrante, le corps de cette personne, tête comprise, a une fréquence de résonance d'environ 2 Hz. Le fait de fléchir légèrement les jambes a peu d'influence sur la partie supérieure du corps. Lorsque la fréquence augmente, les jambes interviennent fortement dans l'absorption des vibrations. L'amplitude de vibration de la tête représente environ 30 % de celle de la table pour une fréquence de 5 Hz. Expliquer ces résultats à l'aide de la partie de la figure 9.13 qui se rapporte aux hautes fréquences.

9.61 Une balle de masse m arrive à l'horizontale, à une vitesse v, dans un bloc de bois de masse M, relié à deux ressorts comme représenté à la figure 9.26. ($m = 20$ gr, $M = 3$ kg, $v = 300$ m/s, $k_1 = 500$ N/m, $k_2 = 400$ N/m). La balle s'incruste dans le bloc.

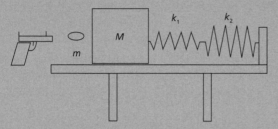

Figure 9.26 Problème 9.61.

a) Calculer le déplacement maximum du bloc.

b) Que vaut l'amplitude de l'accélération du système lorsque le déplacement est maximum. (Négligez les frottements entre le bloc et la table.)

9.62 Le pendule d'une horloge consiste en une tige mince d'acier (coefficient de dilatation volumique : $\beta = 3{,}8 \times 10^{-5}$ K^{-1}) munie d'un poids à l'une de ses extrémités. À 20 °C, la longueur de la tige est de 1,22 m et l'horloge donne l'heure exacte.

a) De combien la longueur du balancier varie-t-elle si la température s'élève jusqu'à 40 °C ?

b) L'horloge va-t-elle avancer ou retarder ? Justifiez.

c) Quelle erreur observera-t-on quotidiennement sur l'horloge ?

9.63 Un pistolet à fléchettes est actionné grâce à un ressort dont la constante de rappel vaut 5 000 N/m et qui est comprimé de 4 cm lorsque le pistolet est armé. Dans quelle direction faut-il tirer par rapport à l'horizontale pour envoyer le plus loin possible une fléchette de 50 grammes et quelle sera la portée du tir dans ce cas particulier? On négligera les frottements de l'air et on supposera que le pistolet se trouve au niveau du sol au moment du tir.

9.64 Soit un pendule simple dont la masse $m = 500$ g est suspendue à un fil de longueur $L = 1$ m (figure 9.27). On lâche le pendule alors que le fil est horizontal. Il subit, lorsqu'il arrive en position verticale, une collision élastique avec un bloc de masse M pouvant glisser sans frottement sur une surface horizontale. Jusqu'à quelle hauteur la masse du pendule s'élèvera-t-elle après la collision sachant que $M = 2{,}5$ kg ?

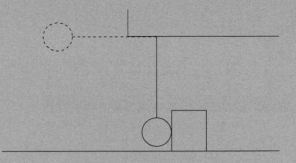

Figure 9.27 Problème 9.64.

9.65 Soit le système schématisé à la figure 9.28, composé de deux billes suspendues chacune par un fil de masse négligeable et de longueur $L = 1{,}2$ m. La plus petite bille a une masse $m = 150$ g et la plus grande une masse $M = 250$ g. La petite bille est écartée vers la gauche jusqu'à une position faisant un angle de 15° avec la verticale. Elle est ensuite lâchée sans vitesse initiale. Lorsqu'elle arrive en position verticale, elle entre en collision avec la grande bille et repart en sens inverse. On suppose que la collision est élastique et frontale. On néglige les frottements avec l'air.

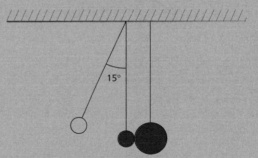

Figure 9.28 Problème 9.65.

a) Quelle sera la vitesse de chacune des deux billes juste après la collision ?

b) Si on appelle θ l'angle défini par les deux fils auxquels sont suspendues les billes, jusqu'à quel angle maximum θ_{max} les deux billes vont-elles s'écarter après la collision ?

c) Combien de temps après la première collision les deux billes vont-elles subir une seconde collision ?

9.66 Arthur et Marie jouent à lancer un projectile dans une petite boîte posée sur le sol à l'aide d'un canon à ressort fixé à l'extrémité d'une table. La boîte se trouve à une distance horizontale de 2,2 m du bord de la table (figure 9.29). Arthur comprime le ressort de 1,1 cm, mais la bille touche trop rapidement le sol, soit à 27 cm du centre de la boîte.

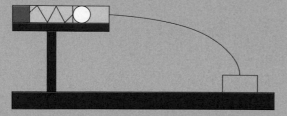

Figure 9.29 Problème 9.66.

a) De quelle distance Marie doit-elle comprimer le ressort pour atteindre la boîte ?

b) Si Marie comprimait elle aussi le ressort de 1,1 cm, de quel pourcentage devrait-elle modifier la hauteur de la table pour atteindre la boîte ?

Ni le ressort ni le projectile ne subit de force de frottement dans le canon.

9.67 La période des petites oscillations d'un pendule est T. À cause d'un obstacle placé au-dessous du pivot (sur la même verticale), seul le quart inférieur de la corde peut suivre la boule du pendule au cours de son mouvement vers la gauche par rapport à la position d'équilibre (voir figure 9.30). Le pendule, initialement au repos en un point quelconque est lâché. Après combien de temps repasse-t-il par sa position initiale ? (On considère que les angles sont petits.)

9.68 Un bloc de bois cylindrique (figure 9.31) de masse M et dont la face immergée a une aire A flotte à la surface d'une piscine remplie d'eau dont la masse volumique est ρ_0. On considère que le bloc n'est soumis qu'à l'action de son propre poids et de la poussée d'Archimède.

a) Trouvez la valeur de la partie immergée D_0 lorsque le bloc est en équilibre.

b) Trouvez une expression pour la force nette agissant sur le bloc, pour des valeurs de D autres que celle D_0 correspondant à l'équilibre ($D = D_0 + x$). Montrez à l'aide de cette expression que l'équilibre est un équilibre stable.

c) Montrez que si le bloc est poussé vers le bas, descendant ainsi en-dessous de sa position d'équilibre, et ensuite lâché, il va effectuer des oscillations harmoniques.

d) Déterminez la fréquence des oscillations.

On néglige l'influence du mouvement du liquide, ainsi que l'effet du frottement et des tensions superficielles.

Figure 9.30 Problème 9.67.

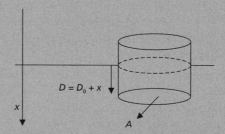

Figure 9.31 Problème 9.68.

PARTIE 3

CHALEUR

L'étude de la chaleur et des propriétés thermiques de la matière se rapporte en fait à l'étude de l'énergie et des échanges d'énergie. Les phénomènes thermiques peuvent être interprétés à l'échelle moléculaire ; une substance chaude, par exemple, possède un degré de mouvement moléculaire plus élevé qu'une substance froide. La température peut donc être considérée comme une mesure de l'énergie cinétique de ce mouvement moléculaire.

Au chapitre 10, nous développerons la base moléculaire des phénomènes thermiques et de la température, en considérant un modèle simplifié des gaz réels, *le gaz parfait*. Ce modèle constitue une bonne approximation dans le cas d'un gaz réel raréfié. Il est assez surprenant de constater que le modèle des gaz parfaits fournit aussi une excellente description des phénomènes de diffusion et d'osmose.

Longtemps avant de comprendre et même de reconnaître la relation entre les énergies moléculaires et les phénomènes thermiques, de grands efforts ont été consacrés à l'étude de ce que l'on appelle aujourd'hui la *thermodynamique*. On se rendit compte que l'on pouvait caractériser les propriétés thermiques de la matière par des quantités aussi générales que la pression, le volume et la température. On découvrit également qu'il y avait moyen de faire des prédictions très générales et étonnamment importantes sur la façon dont les systèmes échangent de l'énergie thermique et fournissent du travail. Le premier et le deuxième principe de la thermodynamique, traités au chapitre 11, sont à la base de ces études. Pour illustrer le caractère général de la thermodynamique, nous montrons comment Carnot a réussi, en 1824, à prédire le rendement maximum d'une machine thermique. De telles machines sont utilisées dans les automobiles et dans les centrales électriques. Le résultat de Carnot montre que le fonctionnement optimal de ces machines dépend uniquement des températures de fonctionnement. La thermodynamique se révéla être un moyen d'approche puissant et utile pour de nombreux problèmes. Citons comme exemple la chimie où l'on se sert fréquemment de la thermodynamique pour l'étude des réactions.

Dans le dernier chapitre de cette partie du livre, nous examinerons les propriétés thermiques des différents type de matériaux, à savoir la dilatation thermique, l'absorption de la chaleur et les changements de phase comme la fusion et l'évaporation. Nous parlerons aussi des trois types de transport de la chaleur : conduction, convection et rayonnement. Les phénomènes discutés dans ce chapitre sont tous très bien compris au niveau moléculaire. Nous n'allons cependant pas nous concentrer sur ce mode de description, mais nous décrirons le transfert d'énergie d'un objet à l'autre uniquement à partir de la notion de température.

CHAPITRE 10

Température, comportement des gaz

Mots-clefs

°Celsius (centigrade) • °Fahrenheit • Concentration • Constante de Boltzmann • Constante de diffusion • Diffusion • Énergie cinétique moyenne • Gaz parfait • Gaz raréfié • Isotonique • Kelvin • Masse moléculaire • Membrane semi-perméable • Mole • Mouvement aléatoire • Nombre d'Avogadro • Osmose • Pression • Pression de jauge • Pression osmotique • Pression partielle • Soluté • Température de Kelvin • Vitesse quadratique moyenne • Zéro absolu

Introduction

Le concept de température joue un rôle important dans les sciences physiques et biologiques. Comme nous l'apprendrons dans ce chapitre, ceci est dû au fait que la température d'un objet donné est directement reliée à l'énergie cinétique moyenne des atomes et des molécules qui le composent. Les processus naturels s'accompagnent souvent de changements d'énergie et c'est la température qui atteste de ces changements.

Cette idée se vérifie dans la vie quotidienne. Notre sensation du chaud et du froid constitue en fait une mesure de la rapidité de l'échange d'énergie entre les objets. Toucher quelque chose de chaud entraîne un transfert d'énergie rapide, et parfois nuisible, vers le corps.

Dans ce chapitre nous discuterons d'abord des différentes échelles de température. La mesure de la température se base sur la variation des propriétés physiques des matériaux avec la température. On appelle *gaz raréfiés* les gaz au sein desquels les distances intermoléculaires moyennes sont tellement grandes vis-à-vis des dimensions moléculaires que les forces moléculaires ne jouent aucun rôle. Ils sont parfois utilisés pour mesurer les températures, car la pression et la température y sont reliées par une expression simple qu'on appelle l'*équation d'état des gaz parfaits*. Cette équation peut être établie en appliquant les lois de Newton à un modèle qui assimile les molécules de gaz à des particules sans interactions. Ce modèle de particules indépendantes clarifie aussi la relation entre la température et l'énergie et nous fournit une base de discussion pour les processus de diffusion et d'osmose.

10.1 ÉCHELLES DE TEMPÉRATURE

De nombreuses grandeurs physiques ont toujours la même valeur à une température donnée. La longueur d'une barre, par exemple, varie avec la température mais retrouve la même valeur chaque fois qu'elle est placée dans un récipient qui contient un mélange d'eau et de glace. La reproductibilité d'expériences de ce type permet d'utiliser ces propriétés pour définir une *échelle de température*.

Un type de thermomètre très courant, le thermomètre à mercure, utilise le volume d'une certaine masse de mercure pour mesurer la température. Ce thermomètre se compose d'un tube capillaire en verre communiquant avec un réservoir plus large. Le réservoir et une partie du tube sont remplis de mercure. On évacue l'air du reste du tube, puis celui-ci est fermé hermétiquement. Lorsque la température s'élève, le volume du mercure augmente plus vite que celui du réservoir et le mercure monte dans le tube.

Pour calibrer un thermomètre, on choisit généralement deux températures de référence et on divise l'intervalle correspondant en un certain nombre de parties égales. On peut ainsi adopter comme points de référence les températures de fusion et d'ébullition de l'eau à pression atmosphérique normale et diviser l'intervalle entre ces points en 100 parties égales. Si on pose la température de fusion égale 0 °C et la température d'ébullition égale 100 °C, le procédé revient à définir l'échelle de température *Celsius* (centigrade). Cette échelle est d'usage courant dans la plupart des pays et elle est employée dans les travaux scientifiques. L'échelle *Fahrenheit* (°F), utilisée aux États-Unis, a été initialement définie à partir des deux températures de référence suivantes. La première température de référence est la température la plus basse d'un mélange déterminé d'eau, de glace et de sel. Cette température a été posée égale à 0 °F. La température de référence supérieure est celle du corps humain, posée égale à 96 °F. À cause de la variabilité de la température du corps humain, on s'est vu contraint de redéfinir l'échelle Fahrenheit. Dans la nouvelle échelle, on a décidé que l'eau gèle à 32 °F et bout à 212 °F. La relation entre la température Celsius T_C et la température Fahrenheit T_F est donnée par l'équation suivante :

$$T_C = \frac{5}{9}(T_F - 32\ °\text{F}) \qquad (10.1)$$

La température du corps vaut normalement 98,6 °F. Sur l'échelle Celsius, cette température correspond à

$$\begin{aligned} T_C &= \frac{5}{9}(T_F - 32\ °\text{F}) \\ &= \frac{5}{9}(98,6\ °\text{F} - 32\ °\text{F}) \\ &= 37,0\ °\text{C}. \end{aligned}$$

La définition d'une échelle de température n'élucide en rien la *signification* de la température. De plus, chaque échelle dépend du choix des matériaux. Supposons par exemple qu'on ait choisi la longueur d'une barre en acier pour mesurer la température, le procédé d'étalonnage étant le même que précédemment. Quoique les thermomètres en acier et au mercure soient nécessairement en accord aux deux points de référence, ils peuvent très bien différer légèrement en des points intermédiaires. Par la suite nous verrons comment on peut éviter ces difficultés si l'on utilise les propriétés des gaz pour définir une échelle de température.

Plus loin dans ce chapitre, nous introduirons une troisième échelle de température, l'échelle absolue ou échelle de Kelvin. Cette échelle est en rapport étroit avec le mouvement moléculaire et, par conséquent, elle est largement utilisée dans les travaux scientifiques.

10.2 MASSES MOLÉCULAIRES

L'énergie cinétique d'une molécule dépend de sa masse et l'énergie cinétique totale d'un ensemble de molécules dépend évidemment de la masse totale des molécules. Il en résulte que la température et la pression d'un système de molécules dépendent également de la masse des molécules. Mais avant de discuter ces relations, nous allons décrire les concepts de *masse moléculaire* et de *molécule-gramme*.

Même un échantillon relativement petit d'un gaz pur contient un grand nombre de molécules. Certains gaz comme l'hélium (He) et l'argon (Ar) sont *monoatomiques*. Leurs molécules sont des atomes individuels. Les molécules des gaz *polyatomiques* tels que l'oxygène (O_2), l'azote (N_2) et l'ammoniac (NH_3) contiennent deux ou plusieurs atomes.

Les masses des atomes et des molécules sont classifiées à partir d'une échelle dans laquelle la masse de l'atome ^{12}C représente exactement 12 unités de masse atomique (uma, ou u). L'unité de masse atomique est définie par

$$1 \text{ uma} = 1{,}660 \times 10^{-27} \text{ kg} \qquad (10.2)$$

Le carbone naturel contient, en plus du ^{12}C, une petite quantité de ^{13}C. Le ^{13}C a un noyau qui contient un neutron supplémentaire. La masse atomique moyenne du carbone naturel vaut par conséquent 12,011 uma.

Les masses atomiques sont reprises dans l'appendice A. La *masse moléculaire* (souvent appelée, de façon imprécise, poids moléculaire) est la somme des masses des atomes constituant la molécule. On procède au calcul de masses moléculaires dans l'exemple suivant.

 —————— **Exemple 10.1** ——————

Trouver les masses moléculaires du dioxyde de carbone (CO_2) et de l'hydrogène moléculaire (H_2). Les masses atomiques de H, O et C valent respectivement 1,008 uma, 15,999 uma et 12,011 uma.

Réponse

$$M(CO_2) = M(C) + 2M(O)$$
$$= 12{,}011 \text{ uma} + 2(15{,}999 \text{ uma})$$
$$= 44{,}009 \text{ uma}$$
$$M(H_2) = 2M(H) = 2(1{,}008 \text{ uma}) = 2{,}016 \text{ uma}$$

Une *molécule-gramme* ou, plus simplement, une *mole* d'une substance est la quantité de substance dont la masse en grammes est *numériquement égale* à la masse moléculaire exprimée en unités de masse atomique. Ainsi une mole de CO_2 a une masse de 44,009 g et 20,16 g de H_2 représentent 10 moles de H_2. Par définition, une mole de CO_2 contient exactement le même nombre de molécules qu'une mole de H_2 ou qu'une mole de n'importe quelle autre substance. Le nombre de molécules contenu dans 1 mole est appelé le *nombre d'Avogadro N_A*. Il vaut

$$N_A = 6{,}02 \times 10^{23} \text{molécules mole}^{-1} \qquad (10.3)$$

De façon plus générale, même si les particules d'une substance sont des ions ou des atomes plutôt que des molécules, ou même un mélange de différentes particules, une mole contient toujours N_A particules.

10.3 PRESSION

Quand nous parlons de la pression d'un gaz sur les parois d'une enceinte ou de la pression qu'il faut exercer sur un liquide pour provoquer son écoulement, nous pensons généralement à une force. En fait, la pression d'un fluide (un liquide ou un gaz) est intimement liée à une force,

mais ce sont deux grandeurs distinctes. La pression est liée à la grandeur des forces qu'une portion de fluide exerce dans toutes les directions sur son environnement. L'environnement peut représenter le reste du fluide ou les parois du récipient. Pour illustrer le premier cas, considérons un liquide en équilibre (figure 10.1a). Supposons qu'on veuille enlever une portion sphérique du liquide tout en laissant le reste du liquide non perturbé. Pour cela, il faudra exercer, d'une certaine manière, des forces telles que celles schématisées dans la figure 10.1b. *Ces forces compenseraient l'effet exercé par le liquide enlevé.* Elles seraient, en chaque point, perpendiculaires (ou normales) à la surface sphérique.

La *pression moyenne* $\overline{P}$ exercée sur la surface de la sphère est égale à la somme des *modules* des forces normales divisée par l'aire de la surface :

$$\overline{P} = \frac{\text{modules des forces normales à la surface}}{\text{aire de la surface}}$$

$$= \frac{F_N}{A} \qquad (10.4)$$

Pour obtenir la *pression P en un point*, nous rétrécissons la sphère imaginaire jusqu'à ce que son rayon et son aire deviennent arbitrairement petits.

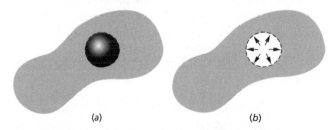

Figure 10.1 *(a)* Section d'un volume de fluide qui est en équilibre avec une portion sphérique. *(b)* Quelques-unes des forces nécessaires pour maintenir l'équilibre lorsque cette portion est enlevée.

La pression exercée par un gaz sur les parois du récipient est définie de la même façon. La figure 10.2 montre un gaz enfermé dans un cylindre muni d'un piston dont l'aire est égale à A. La *pression P* est égale au module F de la force exercée par le gaz sur le piston, divisé par A :

$$P = \frac{F}{A} \qquad (10.5)$$

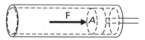

Figure 10.2 La pression exercée sur le piston est égale au module de la force **F** exercée par le gaz divisé par l'aire A du piston.

Le module de la force exercée par le gaz par unité de surface est égal à P. Cette force est en chaque point normale aux parois du récipient. Les méthodes de mesure des pressions seront discutées au chapitre 13.

L'unité S.I. de pression est le *pascal* (Pa) ;

$$1\,\text{Pa} = 1\,\text{Nm}^{-2}$$

La pression atmosphérique normale vaut

$$
\begin{aligned}
1\ \text{atmosphère} = 1\ \text{atm} &= 1{,}013 \times 10^5\ \text{Pa}\\
&= 1{,}013\ \text{bar}\\
&= 760\ \text{torr}\\
&= 760\ \text{mm Hg}
\end{aligned}
$$

Le *bar* et le *millibar* sont largement utilisés en météorologie. Le *torr* ou *millimètre de mercure* (mm Hg) est employé en médecine et en physiologie. La pression atmosphérique standard est capable de supporter une colonne de mercure qui a une hauteur de 760 mm.

Dans l'exemple 10.2, on utilise la relation entre la force et la pression.

 ──────── **Exemple 10.2** ────────

Un récipient cubique de 0,1 m de côté contient du gaz à une pression de 10 atm. Sachant que la pression à l'extérieur est égale à la pression atmosphérique, calculer la résultante des forces exercées sur une paroi du récipient.

Réponse   La force exercée par le gaz à l'intérieur vaut

$$
\begin{aligned}
F_i &= P_i\,A\\
&= (10\ \text{atm})(1{,}013 \times 10^5\text{Pa atm}^{-1})(0{,}1\text{m})^2\\
&= 1{,}013 \times 10^4\ \text{N}
\end{aligned}
$$

La force exercée par l'atmosphère sur la surface extérieure vaut

$$
\begin{aligned}
F_a &= P_a\,A = (1{,}013 \times 10^5\ \text{Pa})(0{,}1\text{m})^2\\
&= 0{,}1013 \times 10^4\ \text{N}
\end{aligned}
$$

La force résultante (dirigée vers l'extérieur) est donnée par la différence

$$
\begin{aligned}
F_i - F_a &= 1{,}013 \times 10^4\ \text{N} - 0{,}1013 \times 10^4\ \text{N}\\
&= 0{,}912 \times 10^4\ \text{N}
\end{aligned}
$$

Dans cet exemple, la force sur la paroi est proportionnelle à la différence entre la pression interne P_i et la pression atmosphérique P_a. La différence $P_i - P_a$ est appelée la *pression de jauge* du gaz. Le manomètre d'une pompe à air, par exemple, indique la pression de jauge. Dans ce livre, sauf avis contraire, le terme «pression» représentera toujours la *pression absolue*, et non la pression de jauge.

10.4 L'ÉQUATION D'ÉTAT DES GAZ PARFAITS

Il découle de ce qui précède que le volume d'un gaz dépend de sa température. Il dépend également de sa pression. Définir l'*état* dans lequel se trouve une quantité de gaz donnée nécessite *a priori* de spécifier la valeur de trois grandeurs essentielles : son volume, sa pression et sa température. Cependant, ces trois grandeurs ne sont pas indépendantes : elles sont reliées entre elles au travers d'une équation appelée *équation d'état*. En pratique, la spécification de deux seulement de ces trois grandeurs est donc suffisante pour définir totalement l'état d'un gaz.

Différentes observations expérimentales, remontant pour certaines au XVIIe siècle, et que nous allons rappeler maintenant, permettent d'obtenir de manière empirique une relation entre pression, volume et température qui est assez bien vérifiée pour les gaz raréfiés. Comme nous le verrons à la section 10.6, cette équation est identique à celle déduite d'un modèle théorique des gaz. Elle est connue sous le nom d'*équation d'état des gaz parfaits* car elle correspond au cas d'un gaz «parfait» dans lequel les molécules sont des particules ponctuelles sans interactions mutuelles et qui n'entrent jamais en collision.

Pour une quantité donnée de gaz, on observe expérimentalement qu'à peu de choses près le volume est inversement proportionnel à la pression appliquée lorsque la température demeure constante. Ceci est illustré à la figure 10.3. Cela signifie que si on double la pression exercée sur un gaz, son volume diminue de moitié. En d'autres termes, lorsque la température est maintenue constante, le produit de la pression et du volume est également constant :

$$PV = \text{constante}$$

Cette relation porte le nom de *loi de Boyle-Mariotte*, en l'honneur de Robert Boyle (1627-1691) et de l'abbé Edme Mariotte (1620-1684) qui l'énoncèrent respectivement en 1662 et 1679.

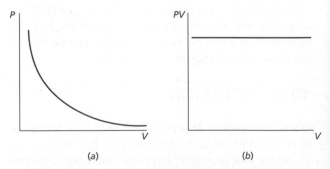

Figure 10.3 La loi de Boyle-Mariotte, pour un gaz à une température T constante ; (a) P est inversement proportionnel à V, ou (b) le produit PV est constant.

La température agit également sur le volume d'un gaz mais la formulation mathématique de la relation entre V et T est postérieure de plus d'un siècle à la loi de Boyle-Mariotte. On la doit à Jacques Charles (1746-1823) qui a observé que, lorsque l'on maintient constante une pression peu élevée, le volume d'un gaz augmente quasi linéairement avec la température, comme le montre la figure 10.4. Étant donné que les gaz deviennent liquides aux basses températures, le graphique s'arrête au point de liquéfaction. Néanmoins, si on le prolonge hypothétiquement à des températures très basses, on constate que le volume deviendrait nul pour une température de $-273,15$ °C. Il est possible de tracer un graphique semblable pour différents gaz et, à chaque fois, la dépendance est linéaire et la droite prolongée en direction de $V = 0$ intersecte l'axe des absisses à une température de $-273,15$ °C.

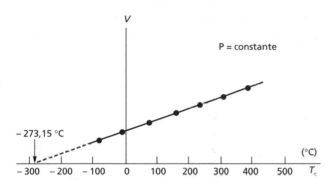

Figure 10.4 Le volume d'un gaz décroît uniformément au fur et à mesure que la température décroît. La droite en trait plein joint des points expérimentaux réels. La droite en traits pointillés représente l'extrapolation jusqu'à volume nul. Le point d'intersection de cette droite avec l'axe des températures se trouve à $-273,15$ °C.

On pourrait en déduire qu'un gaz refroidi en dessous de $-273,15$ °C aurait un volume qui deviendrait négatif, ce qui n'a aucun sens. Ces spéculations ont amené à considérer que $-273,15$ °C constituait la température la plus basse que l'on pouvait atteindre. Cette température est usuellement appelée le zéro absolu et sert de référence à une nouvelle échelle de température appelée échelle absolue ou échelle Kelvin. On définit ainsi la température en Kelvin comme :

$$T = T_C + 273,15 \qquad (10.6)$$

où T_C est la température en degré Celcius. Les divisions de cette échelle sont les mêmes que celles de l'échelle Celsius (ΔT_c °C $= \Delta T$ K), mais $T = 0$ K (zéro Kelvin) représente la température minimum. (Noter que le symbole $^\circ$ est omis dans le cas des températures absolues.) Des études poussées ont confirmé qu'il est impossible d'atteindre une température inférieure à 0 K. On a en revanche réalisé des expériences à moins de quelques millionièmes de degré du zéro absolu. Le tableau 10.1 donne quelques températures absolues représentatives.

Description	T
Zéro absolu	0
Point de fusion de l'azote	67
Congélation de l'essence	123
Glace sèche (congélation du CO_2)	195
Congélation de l'eau	273,15
Écureuil en hibernation	275
Température du corps humain	310
Température des oiseaux	315
Ébullition de l'eau	373,15
Feu de cheminée	1100
Fusion de l'or	1336
Flamme de gaz	1900
Surface du Soleil	6000
Centre de la Terre	16000
Centre du Soleil	10^7

Tableau 10.1 Les températures de Kelvin auxquelles se produisent quelques phénomènes physiques et biologiques représentatifs.

Dans l'échelle absolue de température, le volume est directement proportionnel à la température et la *loi de Charles* s'écrit :

$$P \propto T$$

Une troisième loi des gaz, appelée *loi de Gay-Lussac* en l'honneur de Joseph Gay-Lussac (1778-1850), établit que la pression d'un gaz dont le volume est maintenu constant est directement proportionnelle à sa température absolue :

$$P \propto T$$

Ceci rend compte, par exemple, du fait qu'un récipient hermétiquement fermé dont on augmente fortement la température peut exploser sous l'effet de l'augmentation de pression du gaz qu'il renferme.

On peut maintenant combiner les trois lois qui viennent d'être énoncées en une relation unique et générale entre la pression, le volume et la température d'une quantité donnée de gaz. Elle s'écrit :

$$PV \propto T$$

Ceci correspond au cas d'une quantité de gaz fixée. On doit cependant aussi tenir compte de la quantité de gaz présent. Quiconque a déjà gonflé un ballon sait que plus on y fait rentrer d'air plus il devient gros. Des expériences ont montré qu'à température et pression constante, le volume d'un gaz augmente proportionnellement à la quantité de gaz présente. Si on exprime la quantité de gaz au travers de son nombre de mole, l'équation précédente décrivant la relation entre pression, volume et température prend une forme universelle appelée l'équation d'état des gaz parfait :

$$PV = nRT$$

où n est le nombre de moles de gaz présentes et R est une constante de proportionalité appelée la constante universelle des gaz parfaits. On a en effet découvert expérimentalement qu'elle prend la même valeur pour tous les gaz et vaut :

$$R = 8,314 \text{ J mole}^{-1} \text{ K}^{-1}$$
$$= 0,08207 \text{ litre atm mole}^{-1} \text{ K}^{-1}.$$

La température apparaissant au sein de l'équation d'état est la température absolue.

La définition d'une échelle de température basée sur l'équation d'état des gaz parfaits présente l'avantage de ne pas dépendre du matériau utilisé. Les laboratoires météorologiques ont conservé des thermomètres à gaz qui servent à l'étalonnage de thermomètres plus pratiques comme les thermomètres à mercure. Un autre avantage, non négligeable, réside dans le fait qu'on peut relier la température à des grandeurs moléculaires, comme nous le montrerons au paragraphe suivant.

Les *conditions normales de température et de pression* (CNTP) d'un gaz sont $T_C = 0\,°C$ et $P = 1$ atm. L'exemple suivant illustre une propriété importante des gaz parfaits dans les conditions normales.

 ———— Exemple 10.3 ————

Quel est le volume occupé par une mole de gaz parfait dans les CNTP ?

Réponse L'équation (10.7) définit la température absolue $T = T_C + 273,15 = 273,15$ K. En résolvant l'équation d'état (10.8) par rapport à V, on obtient :

$$V = \frac{nRT}{P}$$

$$V = \frac{(1 \text{ mole})}{1 \text{ atm}} \left(0,08207 \text{ litre atm mole}^{-1} \text{ K}^{-1}\right)$$
$$(273,15 \text{ K})$$

$$= 22,4 \text{ litres}$$

Une mole de gaz parfait occupe donc 22,4 litres dans les conditions normales de température et de pression.

En résumé, on peut dire que tous les gaz réels suffisamment raréfiés satisfont, jusqu'à un haut degré de précision,

à l'équation d'état des gaz parfaits. Comme c'est illustré à la figure 10.5, cette équation constitue aussi une bonne approximation du comportement des gaz réels à des pressions et à des températures modérées. À haute pression, il existe toujours une équation d'état mais elle prend une forme plus complexe.

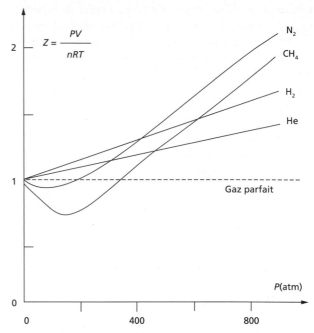

Figure 10.5 Coefficient de compressibilité par mole $Z = PV/nRT$ de différents gaz réels à haute pression. Ce coefficient devrait rester constant et valoir 1 dans l'approximation des gaz parfaits.

10.5 MÉLANGES DE GAZ

Dans de nombreuses situations, et particulièrement dans les processus biologiques, nous avons affaire à des mélanges de gaz. Une mole d'air sec, par exemple, contient 0,78 mole d'azote (N_2), 0,21 mole d'oxygène (O_2), 0,009 mole d'argon (Ar), 0,0004 mole de gaz carbonique (CO_2) et des traces de plusieurs autres gaz. Ces proportions restent à peu près constantes jusqu'à une altitude de 80 km.

La discussion des mélanges de gaz raréfiés est simplifiée parce que chaque gaz constituant le mélange se comporte comme si les autres gaz étaient absents. Ceci n'est qu'une conséquence directe du modèle des gaz parfaits qui suppose que les particules n'interagissent pas entre elles. Supposons, par exemple, qu'il y ait $n(O_2)$ moles d'oxygène et $n(N_2)$ moles d'azote dans un volume V d'air à la température T. Les *pressions partielles* de l'oxygène et de l'azote, $P(O_2)$ et $P(N_2)$, satisfont chacune à une équation d'état

$$P(O_2)V = n(O_2)RT$$
$$P(N2)V = n(N2)RT. \tag{10.7}$$

La pression P totale (si nous ignorons la présence d'autres gaz en petites quantités) de l'air est égale à la somme $P = P(O_2) + P(N_2)$. Le nombre de moles dans l'air est $n = n(O_2) + n(N_2)$. En additionnant les équations (10.11) membre à membre, on retrouve $PV = nRT$ pour l'air.

L'exemple qui va suivre montre qu'il est facile de calculer la pression partielle de l'oxygène si la pression totale de l'air est connue.

  ─────────── **Exemple 10.4** ───────────

Quelles sont les pressions partielles de l'oxygène au niveau de la mer et à une altitude de 7 000 m où la pression de l'air vaut 0,45 atm ?

Réponse La division de $P(O_2)V = n(O_2)RT$ par $PV = nRT$ entraîne

$$\frac{P(O_2)}{P} = \frac{n(O_2)}{n} = \frac{0,21 \text{ mole}}{1 \text{ mole}} = 0,21$$

en vertu de ce qui a été dit plus haut. Au niveau de la mer, $P = 1$ atm, et

$$P(O_2) = 0,21 \times P = 0,21 \text{ atm}$$

À 7000 m, $P = 0,45$ atm, et la pression partielle de l'oxygène ne vaut plus que

$$P(O_2) = 0,21 \times 0,45 - 0,096 \text{ atm}$$

soit à peine la moitié de sa valeur au niveau de la mer.

───────────────────────────────

La quantité d'un gaz présent dans les organismes vivants est directement proportionnelle à la pression partielle de ce gaz dans l'air respiré. Ainsi, les teneurs en oxygène et en azote changent chaque fois qu'il y a modification de la pression de l'air. Cela est d'une grande importance pour les plongeurs.

La pression de l'eau augmente rapidement au fur et à mesure que le plongeur descend. Comme les pressions à l'intérieur et à l'extérieur du corps doivent être maintenues égales, la pression de l'air inhalé par le plongeur augmente aussi. Par exemple, la pression à 10,3 m de fond est égale à 2 atm. Les pressions partielles de l'oxygène et de l'azote dans les poumons du plongeur doivent par conséquent être deux fois plus grandes que leurs valeurs normales. L'augmentation de la pression de l'azote peut créer des problèmes car sa solubilité dans le sang et dans les tissus est beaucoup plus grande que celle de l'oxygène.

À force de respirer de l'air à une pression de 2 atm, la quantité d'azote dans les tissus et dans le sang du plongeur

augmentera progressivement et atteindra un niveau deux fois plus élevé que la normale. Si le plongeur remonte trop rapidement à la surface, la pression partielle extérieure de l'azote diminue et l'excès d'azote en solution dans le corps a tendance à se libérer. Comme il ne peut pas être évacué rapidement (voir paragraphe 10.7), il forme des bulles dans les tissus et dans le flux sanguin. Ce phénomène peut causer un malaise grave appelé *mal des caissons*. Une remontée lente et une décompression progressive évitent ce genre de problème.

10.6 TEMPÉRATURE ET ÉNERGIES MOLÉCULAIRES

Comme nous l'avons montré, l'équation d'état des gaz parfaits, $PV = nRT$, a d'abord été obtenue grâce à diverses expériences. Il est toutefois possible de construire un modèle théorique des gaz qui fournit la même équation. Ce modèle permet de relier la température en Kelvin à l'énergie cinétique moyenne de translation des molécules du gaz. Comme nous allons le montrer maintenant, ceci fournit une interprétation physique de la notion de température. Le modèle considéré est celui des *gaz parfaits*. Il fut développé au milieu du XIXe siècle et constituait le modèle le plus simple auquel on pouvait appliquer les méthodes nouvelles de la *théorie cinétique*.

Dans le modèle des gaz parfaits, on suppose que les molécules sont des particules ponctuelles sans interactions mutuelles qui n'entrent jamais en collision. Les molécules se déplacent en ligne droite jusqu'à ce qu'elles heurtent les parois du récipient sur lesquelles elles rebondissent. Ces collisions sont supposées élastiques, de sorte que les molécules ne perdent pas d'énergie lorsqu'elles changent de direction. La modification de la direction implique cependant une variation de la quantité de mouvement des molécules. Cela signifie qu'il doit y avoir une force de réaction exercée par les molécules sur les parois. La pression du gaz correspond en fait à la force moyenne par unité de surface exercée par les molécules sur les parois du récipient.

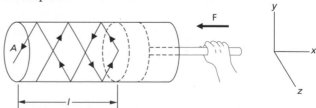

Figure 10.6 Trajectoire d'une molécule individuelle se déplaçant dans un cylindre de base *A* et de longueur *l*. La molécule entre en collision élastique avec les parois et avec le piston. Le piston doit être maintenu en place par une force **F** afin d'équilibrer la force exercée par la molécule.

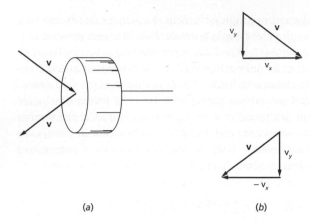

Figure 10.7 *(a)* Si une molécule entre en collision avec le piston, sa vitesse ne change pas en module, mais en direction. *(b)* La composante v_y de la vitesse est la même avant et après la collision, mais la composante v_x change de signe.

Ceci peut s'illustrer pour un gaz parfait enfermé dans un récipient cylindrique tel que schématisé à la figure 10.6. Considérons l'une des nombreuses molécules supposées entrer en collision uniquement avec les parois de l'enceinte. Le volume de l'enceinte vaut $V = Al$ et il y a nN_A molécules à l'intérieur.

Chaque fois qu'une molécule heurte le piston, la composante x de sa vitesse change de signe (figure 10.7). Comme la composante y de la vitesse reste inchangée, la quantité de mouvement varie de $2mv_x$ pendant une collision.

C'est la deuxième loi de Newton, sous la forme $F \Delta t = \Delta p$, où Δp représente le changement de la quantité de mouvement et Δt l'intervalle de temps, qui va nous permettre de calculer la force exercée sur le piston par une seule molécule. Le laps de temps Δt entre les impacts sur le piston est égal au temps que met la molécule pour effectuer l'aller-retour en traversant le récipient dans le sens de la longueur. On a donc $2l = v_x \Delta t$ et la force vaut

$$F_1 = \frac{\Delta p}{\Delta t} = \frac{2mv_x}{(2l/v_x)} = \frac{mv_x^2}{l}$$

Comme il y a en tout nN_A molécules (n étant le nombre de moles du gaz enfermé dans l'enceinte), la force totale sur le piston est égale à nN_A multiplié par la valeur moyenne de mv_x^2/l, ou

$$F = \frac{nN_A}{l} \left(mv_x^2\right)_{\text{moy}}$$

Comme la pression est une force par unité de surface et comme $V = Al$, on a

$$P = \frac{F}{A} = \frac{nN_A}{V} \left(mv_x^2\right)_{\text{moy}}$$

Comme la masse m est la même pour chaque molécule, il suffit de calculer $\left(v_x^2\right)_{\text{moy}}$. Cette moyenne s'évalue faci-

lement en notant que $\left(v_x^2\right)_{\text{moy}}$ doit être exactement égal à $\left(v_y^2\right)_{\text{moy}}$ et à $\left(v_z^2\right)_{\text{moy}}$. Comme v^2, le carré de la vitesse totale, représente la somme des carrés de ses composantes, nous pouvons utiliser $\left(v_x^2\right)_{\text{moy}} = 1/3\left(v^2\right)_{\text{moy}}$ et écrire que

$$PV = \frac{2nN_A}{3} \left(\frac{mv^2}{2}\right)_{\text{moy}}$$

$$= \frac{2}{3}nN_A(K)_{\text{moy}}$$

où on a défini l'énergie cinétique moyenne des molécules par la relation :

$$(K)_{\text{moy}} = \frac{1}{2}m\left(v^2\right)_{\text{moy}} \tag{10.8}$$

La comparaison des résultats de ce modèle avec l'équation d'état $PV = nRT$ montre que

$$nRT = \frac{2}{3}nN_A(K)_{\text{moy}}$$

d'où on tire la relation entre l'énergie cinétique moyenne par molécule et la température absolue

$$(K)_{\text{moy}} = \frac{3}{2}\left(\frac{R}{N_A}\right)T$$

On écrit habituellement

$$(K)_{\text{moy}} = \frac{3}{2}k_BT \tag{10.9}$$

où le rapport $k_B = (R/N_A)$ est appelé la *constante de Boltzmann* et vaut

$$k_B = 1{,}38 \times 10^{-23}\text{J K}^{-1}$$

L'équation (10.9) représente un résultat extrêmement important. *Elle établit que la la température absolue est le reflet de l'énergie cinétique moyenne des molécules du gaz.*

L'énergie thermique k_BT est un facteur omniprésent dans les sciences naturelles. Connaissant la température, nous pouvons évaluer directement l'énergie disponible dans un système pour amorcer des processus physiques, chimiques ou biologiques.

Les équations (10.8) et (10.9) nous fournissent aussi une expression de la vitesse quadratique moyenne (égale à la racine carrée de la moyenne du carré de la vitesse) des molécules en fonction de la température :

$$v_{\text{qm}} = \sqrt{\left(v^2\right)_{\text{moy}}} = \sqrt{\frac{2(K)_{\text{moy}}}{m}} = \sqrt{\frac{3k_BT}{m}} \tag{10.10}$$

Les molécules individuelles d'un gaz peuvent être animées de vitesses nettement différentes de la vitesse quadratique moyenne. Il existe cependant (voir figure 10.8) une vitesse qui est associée à un nombre maximum de particules à une température donnée. Cette vitesse s'appelle la vitesse la plus probable. Les maxima des courbes correspondent à des vitesses qui sont légèrement inférieures à la vitesse quadratique moyenne. En première approximation, on peut donc considérer v_{qm} comme étant la vitesse typique d'une molécule du gaz.

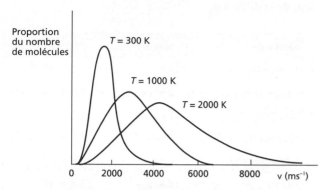

Figure 10.8 La distribution des vitesses moléculaires de l'hydrogène gazeux H_2. La vitesse quadratique moyenne est une fonction croissante de la température. La dispersion des vitesses autour de la vitesse moyenne augmente également avec la température.

Ces relations permettent de calculer l'énergie moléculaire moyenne et la vitesse moyenne des molécules des gaz parfaits en fonction de la température.

 ———— **Exemple 10.5** ————

a) Quelle est l'énergie cinétique moyenne d'une molécule d'hydrogène à 27 °C = 300 K ?

b) Que vaut la vitesse quadratique moyenne ?

Réponse

a) De $(K)_{moy} = \dfrac{3}{2} kT$, on tire

$$(K)_{moy} = \frac{3}{2} k_B T$$

$$= \frac{3}{2} \left(1{,}38 \times 10^{-23} \text{J K}^{-1}\right)(300 \text{ K})$$

$$(K)_{moy} = 6{,}21 \times 10^{-21} \text{ J}$$

b) Dans l'exemple 10.1. nous avons trouvé que la masse d'une molécule de H_2 vaut

$$2{,}016 \text{ uma} = (2{,}016 \text{ u})\left(1{,}66 \times 10^{-27} \text{ kg uma}^{-1}\right)$$

$$= 3{,}35 \times 10^{-27} \text{ kg}$$

Alors

$$v_{qm} = \sqrt{2(K)_{moy}/m}$$

$$v_{qm} = \sqrt{\frac{2(6{,}21 \times 10^{-21} \text{ J})}{(3{,}35 \times 10^{-27} \text{ kg})}} = 1930 \text{ m s}^{-1}.$$

Dans l'exemple 10.5, nous venons de calculer $(K)_{moy}$ et v_{qm} pour la molécule de H_2. Nos calculs sont corrects dans le cas d'un mouvement de *translation*. Les molécules polyatomiques peuvent également exécuter des mouvements de *rotation* et de *vibration* auxquels est associée une énergie cinétique. Dans les équations que nous venons d'établir, $(K)_{moy}$ doit être interprété comme représentant uniquement l'énergie cinétique de *translation* d'une molécule. Dans le cas des molécules polyatomiques pour lesquelles d'autres mouvements sont possibles (de rotation, de vibration), la valeur totale de $(K)_{moy}$ garde une forme similaire à l'équation (10.9) mais le préfacteur $3/2$ doit être remplacé par $l/2$ où l correspond à ce qui est appelé le nombre de degré de liberté du système.

Les phénomènes d'*osmose* et de *diffusion* sont deux processus qui dépendent de l'énergie thermique. Ils sont de la plus haute importance dans les systèmes biologiques. Les mécanismes physiques de ces deux phénomènes peuvent être facilement compris à partir de la théorie cinétique des gaz.

10.7 DIFFUSION

Quand on vaporise du parfum dans l'air, l'odeur finit par se répandre dans toute la pièce, même en l'absence de courant d'air. Une goutte de colorant placée dans un solvant finit par se répandre dans tout le volume, même si on prend soin de ne pas perturber le liquide. Ce processus au cours duquel les molécules se dispersent uniformément est appelé la *diffusion*. Sur base du v_{qm} gigantesque que nous venons de calculer pour les molécules d'hydrogène à température ambiante, on pourrait s'attendre à ce que ce processus soit extrêmement rapide. En pratique, il est plutôt lent. Ceci trouve son origine dans les collisions multiples entre les molécules et nécessite donc d'aller au delà de l'approximation des gaz parfaits.

On peut visualiser le processus de diffusion de la manière suivante (figure 10.9). Une faible quantité d'hélium est libérée au point A d'une enceinte remplie d'air. À un certain moment, nous traçons une surface hémisphérique imaginaire de manière que la majorité des atomes d'hélium se trouvent à l'intérieur de cette surface et seulement quelques-uns à l'extérieur. Les atomes d'hélium sont constamment en mouvement aléatoire : ils rebondissent sur les molécules d'air, sur les autres atomes d'hélium ainsi que sur les parois de l'enceinte. Un certain nombre d'atomes d'hélium transverseront la surface de l'intérieur vers l'extérieur et quelques-uns la traverseront en sens inverse. Comme l'hélium se trouve en majeure partie à l'intérieur, il est évident que le nombre d'atomes sortants sera supérieur au nombre d'atomes entrants. Ceci augmentera le nombre d'atomes d'hélium à l'extérieur.

Nous voyons qu'il existe ainsi un mouvement résultant des atomes d'hélium de *A* vers le reste de l'enceinte. *Cette dérive d'atomes vers des régions à concentration plus faible est appelée la diffusion.*

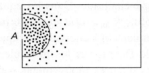

Figure 10.9 En *A*, on libère quelques atomes d'hélium. Les atomes d'hélium diffusent dans l'air qui est contenu dans le récipient. À un certain moment, nous traçons, mentalement, une surface hémisphérique qui sépare, de façon approximative, les régions à haute et à faible concentrations d'hélium.

La distance moyenne parcourue par les atomes d'hélium lors de la diffusion augmente d'une façon quelque peu surprenante avec le temps. Considérons la trajectoire d'un atome particulier (figure 10.10). L'atome subit un grand nombre de collisions et change constamment de direction. Le déplacement effectué par l'atome entre deux collisions successives est souvent presque annulé par la collision suivante. La distance *l* entre l'atome et son point de départ 0 augmente en moyenne avec le temps. Toutefois cette augmentation est beaucoup plus lente que le nombre de pas N_s qui correspond au nombre de collisions. Les analyses statistiques appliquées à de telles trajectoires aléatoires montrent que *l* augmente avec la racine carrée du nombre de pas, ou $l^2 \propto N_s$. Comme le nombre de pas est proportionnel au temps, l^2 est proportionnel à *t*. Ce résultat, valable pour un *mouvement aléatoire*, est tout à fait différent de la relation $l \propto t$, valable pour le mouvement rectiligne uniforme.

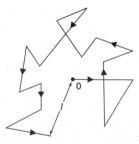

Figure 10.10 Le mouvement aléatoire d'un atome. La distance *l* est en moyenne proportionnelle à la racine carrée du nombre de pas.

Par convention, au lieu de $l^2 \propto t$, on préfère écrire la relation déplacement-temps en faisant intervenir le déplacement quadratique moyen x_{qm}^2 dans une direction donnée :

$$x_{qm}^2 = 2Dt \qquad (10.11)$$

D représente la *constante de diffusion*. Il existe des équations similaires pour y_{qm}^2 et z_{am}^2. La valeur de *D* dépend de la nature de la particule diffusante (atome ou molécule), de la température, ainsi que du solvant (tableau 10.2). L'exemple numérique suivant illustre la lenteur de la diffusion.

Molécule	Solvant	$D(m^2 s^{-1})$
Hydrogène (H_2)	Air	$6,4 \times 10^{-5}$
Oxygène (O_2)	Air	$1,8 \times 10^{-5}$
Oxygène (O_2)	Eau	$1,0 \times 10^{-9}$
Glucose ($C_6H_{12}O_6$)	Eau	$6,7 \times 10^{-10}$
Hémoglobine	Eau	$6,9 \times 10^{-11}$
ADN	Eau	$1,3 \times 10^{-12}$

Tableau 10.2 Valeurs représentatives de la constante de diffusion *D* à 20 °C = 293 K.

 —————— **Exemple 10.6** ——————

Combien de temps mettra une molécule d'hémoglobine pour diffuser dans l'eau et parcourir une distance quadratique moyenne de 1 cm le long de l'axe des *x* ?

Réponse L'équation (10.10), avec

$$D = 6,9 \times 10^{-11} \ m^2 s^{-1} \ et \ x_{qm} = 10^{-2} \ m$$

fournit

$$t = \frac{x_{qm}^2}{2D}$$

$$= \frac{(10^{-2} \ m)^2}{2(6,9 \times 10^{-11} m^2 \ s^{-1})}$$

$$= 7,24 \times 10^5 s$$

La molécule mettra 201 h ou 8,4 jours !

La diffusion, malgré sa lenteur inhérente, représente le mécanisme primordial utilisé par le corps dans l'absorption et la distribution des substances nécessaires aux cellules vivantes. Le processus d'évacuation des sous-produits de la fonction cellulaire, tels que le dioxyde de carbone, se fait également par diffusion.

Le taux d'absorption et d'évacuation de l'azote pendant les plongées (voir paragraphe 10.5) est aussi déterminé par le processus lent de la diffusion. Comme nous le verrons au chapitre 18, la diffusion joue aussi un rôle important dans la conduction nerveuse et constitue le mécanisme de base de l'osmose que nous allons considérer maintenant.

10.8 SOLUTIONS DILUÉES ; PRESSION OSMOTIQUE

Le comportement des gaz réels peut dans beaucoup de cas être décrit avec une bonne approximation au moyen de l'équation d'état des gaz parfaits. Nous avons vu que celle-ci a été établie à partir d'un modèle de particules indépendantes sans interactions. Il est quelque peu étonnant de constater que la *pression osmotique* des solutions diluées peut être décrite à l'aide d'une équation analogue à celle des gaz parfaits.

La figure 10.11 décrit une expérience qui met en évidence la pression osmotique. Le récipient extérieur contient de l'eau ; le récipient intérieur est initialement rempli à hauteur égale d'une solution d'eau et de sucre. Les molécules d'eau passent librement à travers la membrane séparant les deux récipients, mais les molécules de sucre, plus grosses, ne peuvent traverser cette membrane. Comme cette membrane est perméable aux molécules d'eau et *imperméable* aux molécules de sucre, elle est dite *semiperméable*.

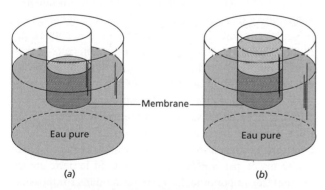

(a)   (b)

Figure 10.11 *(a)* À l'instant initial, l'eau à l'extérieur et la solution de sucre à l'intérieur sont au même niveau. *(b)* La membrane située au fond du récipient intérieur est imperméable aux molécules de sucre. Des molécules d'eau pénètrent à l'intérieur du récipient jusqu'à ce qu'un équilibre soit atteint. À ce moment-là, le niveau de la solution est plus élevé que celui de l'eau pure.

La concentration des molécules d'eau dans le récipient extérieur étant plus élevée, il se produit une diffusion des molécules d'eau vers le récipient intérieur. Ceci entraîne une élévation du niveau de la solution jusqu'au moment

où un équilibre est atteint (figure 10.11*b*). À partir de ce moment, un nombre égal de molécules d'eau traverse la membrane dans les deux sens. La *pression osmotique* π est égale à la pression supplémentaire qui existe en un point situé juste au-dessus de la membrane. Cette pression est due au poids de la colonne de liquide déplacé. La pression osmotique d'une solution est définie comme étant la pression supplémentaire qu'il faut exercer sur la solution pour empêcher le passage du solvant à travers la membrane.

On peut expliquer la pression osmotique à partir d'un modèle fort simple. Insistons sur le fait que ce modèle n'a aucune réalité physique. Il constitue seulement un moyen mnémotechnique*. Soit P_w^0 la pression de l'eau pure dans le récipient à l'extérieur et P_w^i, celle de l'eau à l'intérieur. Si la pression partielle du sucre dans le récipient intérieur vaut P_s, la pression totale intérieure vaut $P_w^i + P_s$. À l'équilibre (figure 10.11), la différence de pression à travers la membrane est égale à la pression osmotique

$$\pi = \left(P_w^i + p_s\right) - P_w^0 \qquad (10.12)$$

Si nous supposons que la diffusion nette de l'eau à travers la membrane s'arrête quand la pression de l'eau est la même des deux côtés, et que le sucre en solution obéit à l'équation des gaz parfaits, nous trouvons que

$$\pi = P_s = \frac{nRT}{V} \qquad (10.13)$$

où n est le nombre de moles de sucre et V le volume du fluide dans le récipient intérieur.

Le fait que la relation (10.18) concorde avec l'expérience semble signifier que, dans une solution diluée, les molécules de sucre se comportent comme un gaz parfait. En d'autres termes, les molécules de sucre, bien qu'elles entrent constamment en collision avec les molécules d'eau, semblent se comporter comme des particules sans interactions. Ceci découle du fait qu'elles entrent rarement en collision les unes avec les autres. C'est très précisément l'hypothèse de base du modèle des gaz parfaits.

Il est parfois commode de récrire l'équation (10.11) de la pression osmotique en faisant intervenir la *concentration* de la substance dissoute qu'on appelle aussi le *soluté*. S'il y a n moles de soluté dans un volume V, la concentration vaut

---

* La notion de pressions partielles tirée des propriétés des gaz parfaits et leur loi d'additivité n'ont pas de sens dans le cas de solutions liquides où les molécules sont constamment en contact. La cause physique de la différence de pression est bien le poids de la colonne de liquide entre les niveaux intérieur et extérieur et non des chocs supplémentaires dus aux molécules de sucre sur les parois. L'explication correcte fait appel à la notion d'énergie libre (ou, ce qui est équivalent, à celle de potentiel chimique) qui n'est pas traitée dans cet ouvrage. (N.d.T.)

$$c = \frac{n}{V} \qquad (10.14)$$

L'unité S.I. de c est la mole par mètre cube. La pression osmotique est alors donnée par

$$\pi = cRT \qquad (10.15)$$

L'exemple suivant illustre l'utilité de ce résultat. Il montre le rôle de l'osmose dans les érables.

✎ ———— Exemple 10.7 ————

Le fait que la sève monte dans les érables au début du printemps est le résultat de la pression osmotique existant entre la solution de sucre (sève) à l'intérieur de l'arbre et l'eau du sol entourant les racines. La teneur en sucre (saccharose $C_{12}H_{22}O_{11}$) de la sève est de 1 % en poids. Si la température $T = 27\,°C$, trouver

a) la concentration en sucre en moles m^{-3} ;

b) la pression osmotique ;

c) la hauteur d'ascension de la sève.

Réponse a) La masse moléculaire du saccharose vaut $12(12\,u) + 22(1\,u) + 11(16\,u) = 342\,u$. Une mole a donc une masse de 342 g. La masse d'un mètre cube de solution est presque égale à celle d'un m^3 d'eau, soit 10^3 kg. La masse du soluté (saccharose) vaut 1 % de la masse de la solution, donc 10 kg. Ainsi, 1 m^3 de solution contient $10\,kg/(0{,}342\,kg\,mole^{-1}) = 29{,}2$ moles de saccharose. La concentration vaut donc

$$29{,}2 \text{ moles } m^{-3}$$

b) La pression osmotique vaut

$$\pi = cRT$$
$$= \left(29{,}2 \text{ moles m}^{-3}\right)\left(8{,}314\,J\,moles^{-1}\,K^{-1}\right)$$
$$(300 \text{ K})$$
$$= 7{,}28 \times 10^{-4} \text{ Pa}$$

c) La pression osmotique est égale au poids de la colonne de sève divisé par l'aire A de sa base. Le poids est donné par $w = mg = \rho Vg$, ρ étant la masse volumique de la sève qui est approximativement égale à celle de l'eau, $1\,000\,kg\,m^{-3}$. Si la hauteur de l'arbre est h, alors $V = Ah$ et

$$\pi = \frac{w}{A} = \frac{\rho\,Ahg}{A} = \rho hg$$

Alors

$$h = \frac{\pi}{\rho g} = \frac{7{,}28 \times 10^4 \text{ Pa}}{\left(1000 \text{ kg m}^{-3}\right)\left(9{,}8 \text{ m s}^{-2}\right)} = 7{,}43 \text{ m}$$

La concentration en sucre dans les érables peut être supérieure à 1 et l'osmose peut expliquer dans une large mesure la montée de la sève dans les érables. Cependant, dans la plupart des autres arbres, la concentration des solutés incapables de traverser les parois des racines est beaucoup plus faible. Dans ces cas, la pression osmotique ne suffit pas à expliquer le mouvement d'ascension des liquides dans les arbres. Un autre mécanisme de transport des liquides sera discuté au chapitre 15.

L'osmose est extrêmement importante pour comprendre une grande variété de processus biologiques. Les tissus animaux et végétaux sont tous composés de cellules contenant des solutions complexes. Ils comprennent aussi bien des solutés capables de traverser les membranes cellulaires que d'autres pour lesquels les membranes sont imperméables. Les liquides entourant les cellules constituent également des solutions complexes, mais de compositions différentes. À l'équilibre, la somme des pressions osmotiques dues aux molécules et aux ions incapables de traverser la membrane dans l'un ou l'autre sens doit être la même à l'intérieur et à l'extérieur de la cellule ; sans quoi, la différence des pressions osmotiques ferait entrer ou sortir de l'eau ainsi que des matériaux dissous pouvant traverser la membrane.

Afin d'illustrer ce dernier point, supposons qu'une personne boive une grande quantité d'eau. L'eau entre dans le sang et réduit ainsi la concentration des solutés par rapport aux tissus du corps. Par conséquent, ceux-ci vont se charger d'eau. La différence de pression osmotique accroit également la quantité d'eau pénétrant dans les reins. Ceux-ci évacuent alors de l'urine plus diluée jusqu'à ce que la concentration sanguine reprenne sa valeur d'équilibre. Une personne qui a beaucoup de fièvre peut, au contraire, perdre une quantité importante d'eau provenant des tissus et, par conséquent, du sang. Si la perte en eau devient très importante, les reins seront dans l'impossibilité d'absorber l'eau et les solutés capables de traverser la membrane.

Les liquides administrés à un patient par voie intraveineuse sont généralement préparés de manière que leurs concentrations en solutés et leurs pressions osmotiques équilibrent celles des tissus. De telles solutions sont appelées *isotoniques*. Si une cellule est placée dans une solution à concentration plus faible en solutés (pour lesquels la cellule est imperméable), l'eau a tendance à entrer dans la cellule. Un globule rouge possède des parois relativement rigides. Lorsqu'il est placé dans de l'eau pure, il se produit un flux de molécules d'eau vers l'intérieur du globule, ce qui fait augmenter la pression interne, le globule étant incapable de se dilater de façon appréciable. L'équilibre se produirait à environ 8 atm, mais les globules éclatent généralement avant que cette pression ne soit atteinte. Des cellules capables de changer facilement de volume se dilatent ou se contractent quand elles sont placées dans des solutions non isotoniques.

10.8.1 Pression osmotique et énergie

On s'est récemment de nouveau intéressé à la différence de pression osmotique entre l'eau douce et l'eau de mer. La pression osmotique importante combinée aux énormes quantités d'eau présentes à l'embouchure d'un fleuve suggère une possibilité d'extraction d'énergie à grande échelle.

Considérons un appareil très simple tel que celui de la figure 10.11. L'eau pure y joue le rôle de l'eau de rivière et la solution celui de l'eau de mer. Au fur et à mesure que l'eau douce traverse la membrane, on soutire la solution en haut du cylindre et l'écoulement ne s'arrête jamais. La concentration de la solution peut être maintenue constante car le volume d'eau douce est petit en comparaison de celui de l'eau de mer. Il suffit alors de placer une turbine dans le flux d'eau pour extraire de l'énergie. Au chapitre 6, nous avons vu que la puissance est égale à la force multipliée par la vitesse, c'est-à-dire $\mathcal{P} = Fv$. En écrivant la force comme une pression multipliée par une surface, nous trouvons la relation entre la puissance fournie et la pression :

$$\mathcal{P} = PAv \qquad (10.16)$$

Ici P représente la pression osmotique, A l'aire de la membrane et v la vitesse d'écoulement. Dans l'exemple suivant. nous estimons l'ordre de grandeur de la puissance disponible à l'embouchure d'une rivière.

 —————— **Exemple 10.8** ——————

L'eau de mer contient approximativement 1 000 moles m^{-3} d'ions de sel. La section droite de l'embouchure d'une grande rivière est de l'ordre de 900 m^2. La vitesse d'écoulement moyenne y est de 0,5 m s^{-1}.

a) Quelle est la pression osmotique à la jonction eau douce-eau de mer ?

b) Quelle est la puissance disponible ? (Adopter une température de 300 K.)

Réponse   a) La pression osmotique vaut

$$\pi = cRT$$

$$\pi = \left(1000 \text{ moles m}^{-3}\right)\left(8,314 \text{ J moles}^{-1} \text{ K}^{-1}\right)\left(300 \text{ K}\right)$$

$$= 2,5 \times 10^6 \text{ Pa}$$

Ceci correspond à presque 25 atmosphères !

b) L'équation (10.21) donne

$$\mathcal{P} = PAv = \left(2,5 \times 10^6 \text{ Pa}\right)\left(900 \text{ m}^2\right)\left(0,5 \text{ m s}^{-1}\right)$$

$$= 1,125 \times 10^9 \text{ W} = 1\,125 \text{ MW}$$

Cette puissance équivaut sensiblement à celle d'une grande centrale à combustible fossile ou nucléaire.

Il n'est pas facile de maîtriser cette énergie en pratique. Les difficultés rencontrées dans la construction de membranes de tailles appropriées et dans leur entretien rendent cette source d'énergie pratiquement inutilisable. L'énergie pourrait cependant être exploitée en utilisant les différences de pression de vapeur entre l'eau douce et l'eau de mer, procédé qui n'implique aucune membrane.

Réviser

RAPPELS DE COURS

La température représente une mesure de l'énergie cinétique moyenne de translation des molécules d'une substance. L'échelle de température qui caractérise l'énergie le plus directement est l'échelle de Kelvin qui a son origine au zéro absolu.

Les masses atomiques et moléculaires se mesurent en unités de masse atomique uma. La masse d'un atome de ^{12}C est, par définition, exactement égale à 12 uma. Une mole d'une substance quelconque est la quantité de substance dont la masse en grammes est numériquement égale à sa masse moléculaire exprimée en unités de masse atomique. Le nombre de molécules dans une mole est égal au nombre d'Avogadro N_A.

La pression d'un gaz ou d'un liquide représente la force par unité de surface exercée sur l'environnement ou sur les parois de l'enceinte.

D'après l'hypothèse de base du modèle des gaz parfaits, les molécules n'interagissent pas entre elles. Ce modèle prédit que la pression, le volume, la quantité de gaz et la température absolue sont reliés par l'équation

$$PV = nRT$$

Cette équation est connue sous le nom d'équation d'état des gaz parfaits et reste applicable pour les gaz réels raréfiés.

Quand un gaz réel raréfié est composé de plusieurs types de molécules, la pression totale est égale à la somme des pressions partielles.

Le modèle des gaz parfaits conduit à une relation entre la température de Kelvin et l'énergie cinétique moyenne de translation par molécule,

$$(K)_{\text{moy}} = \frac{3}{2} k_B T$$

Cette relation permet de déduire une expression pour la vitesse quadratique moyenne des molécules de gaz parfait en fonction de la température absolue,

$$v_{\text{qm}} = \sqrt{\frac{3k_B T}{m}}$$

Les molécules diffusent lentement des régions à forte concentration vers les régions à faible concentration. La distance quadratique moyenne x_{qm} de diffusion dans une direction est reliée au temps par la relation

$$x_{\text{qm}}^2 = 2Dt$$

La diffusion constitue le mécanisme qui assure le flux osmotique à travers les membranes semiperméables. Le liquide s'écoulera entre des régions à concentrations différentes comme s'il existait, au travers de la membrane, une différence de pression égale à la pression osmotique

$$\pi = cRT$$

où c représente la concentration du soluté pour lequel la membrane est imperméable.

PHRASES À COMPLÉTER

Voir réponses en fin d'ouvrage.

1. Pour servir de thermomètre. une substance doit avoir une propriété caractéristique qui change avec _____.

2. L'échelle de température Fahrenheit est basée sur la définition de _____ températures fixes et reproductibles.

3. L'unité de masse atomique est choisie de manière que la masse d'un atome de ^{12}C soit exactement égale à _____.

4. La masse moléculaire est la somme des _____.

5. L'unité S.I. de pression est le pascal, qui vaut 1 _____ par _____.

6. Les pompistes contrôlent la pression _____ des pneus.

7. Un ensemble de molécules et/ou d'atomes sans interactions constitue _____.

8. Dans certaines conditions, des gaz _____ se comportent comme des gaz _____.

9. À pression constante, le zéro absolu est la température extrapolée à laquelle _____ s'annule.

10. Les lois de Boyle-Mariotte et de Charles sont des cas particuliers de _____.

11. La pression totale d'un gaz composé de plusieurs types de molécules est égale à _____ des pressions partielles.

12. La quantité de gaz dissous dans un liquide en contact avec ce gaz est directement proportionnelle à _____ de ce gaz.

13. Le facteur de Boltzmann k_B est la constante de proportionnalité intervenant dans la relation entre _____ et _____ des molécules du gaz.

14. La vitesse quadratique moyenne des molécules d'un gaz est proportionnelle à _____ de la température de Kelvin.

15. La diffusion se fait à partir des régions à concentration _____ vers les régions à _____ concentration.

16. Une membrane _____ ne laisse passer que certains types de molécules.

17. L'équation de la pression osmotique $\pi = cRT$ a la même forme que si les molécules du soluté se comportaient comme un _____.

18. On appelle _____ une solution dont les concentrations en solutés, incapables de traverser une membrane semi-perméable, sont identiques de part et d'autre de celle-ci.

EXERCICES CORRIGÉS

E1. À quelle température, la vitesse quadratique moyenne des molécules d'hydrogène (H_2) serait-elle égale à leur vitesse de libération

a) de la surface terrestre et

b) de la surface lunaire ?

Solution

a) Comme nous l'avons démontré au chapitre 6, la vitesse de libération d'un objet à la surface terrestre est donnée par :

$$v_0 = \sqrt{2gR_T}$$
$$= \sqrt{2 \times 9,8 \times 6\,367 \times 10^3}$$
$$= 11\,200 \text{ m s}^{-1}$$

Une molécule pour se déplacer à cette vitesse doit posséder une énergie cinétique égale à $mv_0^2/2$. D'autre part, une molécule à la température T possède une énergie cinétique de translation égale à $3/2k_BT$. Pour que la molécule puisse se libérer de l'attraction gravitationnelle de la Terre, il faut donc qu'elle soit à une température telle que :

$$\frac{1}{2}mv_0^2 = \frac{3}{2}k_BT$$

La masse d'une molécule de H_2 vaut

$$2 \text{ uma} = 3,32 \times 10^{-27} \text{ kg}$$

On en déduit que la température requise est :

$$T = \frac{mv_0^2}{3k_B} = \frac{3,32 \times 10^{-27} \times 11\,200^2}{3 \times 1,38 \times 10^{-23}} = 10\,059 \text{ K}$$

b) Sur la Lune l'accélération gravitationnelle est 6 fois plus faible que sur la Terre et le rayon moyen de la Lune est 3,7 fois plus petit que celui de la Terre. Utilisant le même cheminement que ci-dessus, on trouve : $v_0 = 2\,377 \text{ m s}^{-1}$ et $T = 453$ K.

E2. Deux ballons en verre respectivement de 400 cm^3 et 200 cm^3 de volume sont reliés l'un à l'autre par un tube de volume négligeable. Les deux ballons contiennent de l'air sec à la température de 20 °C et la pression de 1 atm. Le ballon le plus grand est ensuite chauffé à une température de 100 °C, alors que le second est refroidi à une température de 0 °C. Déterminez la pression finale dans l'ensemble du système.

Solution

L'ensemble est composé de n moles de gaz. Dans l'état initial, on a la relation :

$$P_0V_0 = nRT_0$$

où $P_0 = 1,013 \times 10^5$ Pa, $V_0 = 600 \times 10^{-6}$ m^3 (volume total) et $T_0 = 293,15$ K (20 °C). Si P_f est la pression finale recherchée, que V_1 et V_2 sont les volumes de chacun des ballons, que n_1 et n_2 correspondent au nombre de moles à l'état final dans chaque ballon et que T_1 et T_2 sont les températures finales de chaque ballon, on a :

$$P_fV_1 = n_1RT_1$$
$$P_fV_2 = n_2RT_2$$

En combinant le fait que $n = n_1 + n_2$ avec les 3 équations précédentes, on trouve :

$$\frac{P_fV_1}{RT_1} + \frac{P_fV_2}{RT_2} = \frac{P_0V_0}{RT_0}$$

On en déduit :

$$P_f = \frac{P_0V_0}{T_0\left(\dfrac{V_1}{T_1} + \dfrac{V_2}{T_2}\right)}$$

En introduisant les valeurs numériques, on obtient :

$$P_f = \frac{1,013 \times 10^5 \times 600 \times 10^{-6}}{293,15\left(\dfrac{400 \times 10^{-6}}{373,15} + \dfrac{200 \times 10^{-6}}{273,15}\right)}$$

$$= 114\,920 \text{ Pa} = 1,13 \text{ atm}$$

S'entraîner

QCM

Voir réponses en fin d'ouvrage.

Q1. Une certaine quantité de gaz parfait monoatomique est maintenue dans un cylindre fermé par un piston mobile. Si le volume est doublé alors que la pression est maintenue constante, la vitesse quadratique moyenne des molécules est multipliée par :

a) 2

b) $\sqrt{2}$

c) 1/2

d) $1/\sqrt{2}$

e) aucune de ces réponses.

Q2. Une température de 100 °F correspond à

a) 32 °C

b) 212 °C

c) 38 °C

d) 0 °C

e) 373,15 °C.

Q3. Les molécules d'un gaz parfait monoatomique ont une certaine énergie cinétique moyenne à 20 °C. Elles auront une énergie cinétique moyenne double à

a) 40 °C

b) 80 °C

c) 313,2 °C

d) 899,5 °C

e) aucune de ces réponses.

Q4. Le rapport entre les vitesses quadratiques moyennes des molécules d'azote (N_2) et d'oxygène (O_2) dans l'air est égal à :

a) 1

b) 1,07

c) 1,13

d) 2

e) aucune de ces réponses.

Q5. Une molécule diffusant dans l'eau pendant 1 heure parcourt une distance quadratique moyenne de 6 microns. Sa constante de diffusion vaut :

a) 10^{-9} m²/s

b) 5×10^{-10} m²/s

c) 5×10^{-15} m²/s

d) 1,67 nm²/s

e) aucune de ces réponses.

Q6. Si on triple la pression d'un gaz parfait monoatomique en maintenant son volume constant, de quel facteur la vitesse quadratique moyenne des molécules est-elle modifiée ?

a) 3

b) $\sqrt{3}$

c) 1/3

d) $1/\sqrt{3}$

e) aucune de ces réponses.

Q7. L'échelle de température Rankine (°R) est l'équivalent de l'échelle Kelvin mais en degré Fahrenheit : la distance entre les degrés est la même que pour l'échelle Fahrenheit et le zéro a été déplacé de sorte que 0 °R corresponde au zéro absolu. La température d'ébillition de l'eau est égale à

a) 373,15 °R

b) 247,67 °R

c) 485,15 °R

d) 671,67 °R

e) aucune de ces réponses.

Q8. Selon la théorie des gaz parfaits, les molécules d'un gaz, à une température donnée, ont toutes même

a) vecteur vitesse

b) direction de mouvement

c) énergie cinétique

d) quantité de mouvement

e) aucune de ces réponses.

Q9. Trois moles de gaz parfait dans les CNTP occupent

a) 22,4 l

b) 32,4 m³

c) 67,2 dm³

d) 2,24 cm³

e) aucune de ces réponses.

Q10. Une pression de 3,8 cm de mercure correspond à

a) 0,5065 bar

b) 5,065 kPa

c) 3,8 torr

d) $3,8 \times 10^5$ Pa

e) aucune de ces réponses.

EXERCICES

Voir réponses en fin d'ouvrage pour les exercices et problèmes dont le numéro est inscrit en noir.

Échelles de température

10.1 Quelle est la température sur l'échelle Fahrenheit qui correspond à 50° sur l'échelle Celsius ?

10.2 À quelle température les lectures sont-elles les mêmes sur un thermomètre Fahrenheit et sur un thermomètre Celsius ?

10.3 Quelle température Celsius correspond à 105 °F, une température alarmante chez un malade ?

Masses moléculaires

(Pour les masses atomiques, consulter l'appendice A, si nécessaire.)

10.4 Trouver la masse moléculaire de HCl.

10.5 Une expérience grossière fournit 17,5 uma pour la masse moléculaire de NH_3. Si on utilise la valeur acceptée pour la masse de l'hydrogène, quelle est la masse atomique de l'azote fournie par cette expérience ?

10.6 Quelle est la masse de deux moles de H_2 ?

10.7 Quelle est la masse de 0,3 mole d'ammoniac (NH_3) ? La masse moléculaire du NH_3 vaut 17,03 uma.

10.8 Combien trouve-t-on de molécules dans 3 moles de saccharose ?

10.9 Combien de molécules y a-t-il dans 0,7 mole de mercure ?

10.10 Combien de moles de tétrachlorure de carbone (CCl_4) contiennent $9,5 \times 10^{23}$ molécules ?

10.11 Quelle est la masse de $6,02 \times 10^{23}$ atomes de magnésium ?

10.12 Quelle est la masse de $17,4 \times 10^{23}$ molécules de dioxyde de carbone ? (La masse moléculaire du CO_2 vaut 44,0 uma.)

10.13 Combien de molécules y a-t-il dans 18 g de HCl ? (La masse moléculaire du HCl vaut 34,46 uma.)

Pression

10.14 Quelle est la force exercée par l'atmosphère sur un champ qui mesure 50 m sur 100 m ?

10.15 Quelle est la force exercée par l'atmosphère sur une face d'une porte de 2 m^2 ?

10.16 Si la différence de pression entre les deux côtés d'une porte fermée de 2 m^2 de superficie vaut 0,01 atm, quelle est la force résultante sur la porte ? Croyez-vous être capable de l'ouvrir manuellement ?

10.17 Quelle pression faudrait-il exercer sur la base d'une automobile pesant 1300 kg afin de la soulever ? La superficie de la base est de 12 m^2.

10.18 Estimer la pression exercée sur le sol

a) si vous vous tenez debout sur deux pieds

b) si vous êtes couchés.

L'équation d'état des gaz parfaits

10.19 Un gaz occupe un volume de 5 m^3 à la pression d'une atm. Que devient la pression si le volume devient égal à 1,5 m^3, la température restant constante ?

10.20 La pression d'un gaz change de 1,5 atm à 0,3 atm, à température constante. Quel est le rapport des volumes initial et final ?

10.21 Le volume d'un gaz double à pression constante. Quelle sera la température finale si le gaz est initialement à 30 °C ?

10.22 Si la température d'un gaz augmente de 0 °C à 100 °C à pression constante, de combien le volume va-t-il changer ?

10.23 Quel est le volume de 3 moles de gaz parfait si $P = 2$ atm et $T = 300$ K ?

10.24 Quelle est la température d'une mole de gaz parfait si $P = 0,3$ atm et si $V = 3$ m^3 ?

10.25 Une mole de gaz parfait $22,4 \times 10^{-3}$ m^3 dans les CNTP. Que devient la pression si le volume augmente jusqu'à 1 m^3 à température constante ?

Mélanges de gaz

10.26 Un réservoir contient un mélange de 0,35 mole d'oxygène et de 0,65 mole d'hélium, sous une pression de 3 atm. Quelle est la pression partielle de l'oxygène ?

10.27 L'air normal contient 0,21 mole d'oxygène par mole d'air. On désire changer cette proportion de manière telle qu'à une altitude où la pression de l'air vaut 0,40 atm, la pression partielle de l'oxygène soit la même qu'au niveau de la mer. Combien de moles d'oxygène faut-il par mole d'air ?

10.28 Sachant que la pression de l'air tombe de 0,078 atm chaque fois que l'altitude augmente de 1 000 m, calculer l'altitude à partir de laquelle l'utilisation d'oxygène, même pur, entraînerait une inhalation d'oxygène au-dessous de la normale ?

10.29 Un humain commence à souffrir de la toxicité de l'oxygène à partir du moment où la pression partielle de l'oxygène atteint environ 0,8 atm. Sachant que la pression hydrostatique augmente d'une atm tous les 10,3 m, déterminer la profondeur à laquelle la respiration d'air de composition normale entraînerait des effets toxiques dus à l'oxygène.

Température et énergies moléculaires

10.30 De combien varie la pression quand on double, à volume constant, l'énergie cinétique moyenne d'un gaz ?

10.31 Quel est le rapport des vitesses quadratiques moyennes des molécules de H_2 et d'O_2 si les gaz se trouvent tous deux à la même température ?

10.32 L'uranium naturel se compose de 99,3 % de ^{238}U, de masse 238 uma, et de 0,7 % de ^{235}U, de masse 235 uma. C'est le ^{235}U qui est le plus utilisé dans les réacteurs et les armes nucléaires. La séparation des deux isotopes est basée sur des processus de diffusion. Dans ce procédé, on exploite le fait que la vitesse quadratique moyenne des molécules du gaz UF_6 est différente pour les deux isotopes. Quel est le rapport de ces vitesses à 37 °C ?

10.33 Supposer que la totalité de l'énergie cinétique moléculaire de translation d'une mole de gaz parfait à 300 K puisse être utilisée pour soulever une masse d'un kg. À quelle hauteur la masse pourrait-elle être élevée ?

10.34 La vitesse quadratique moyenne des molécules d'un gaz parfait de masse moléculaire 32,0 uma est de 400 ms^{-1}.

a) Quelle est l'énergie cinétique moyenne de translation ?

b) Quelle est la température du gaz ?

Diffusion

10.35 Calculer la distance moyenne parcourue en une heure par des molécules d'oxygène en diffusion dans l'air. Adopter $T_C = 20$ °C.

10.36 Combien de temps faut-il aux molécules de glucose pour parcourir, par diffusion, une distance moyenne de 1 mm dans l'eau à 20 °C ?

10.37 Sachant qu'un soluté diffusant dans l'eau parcourt une distance de 1 cm en 6 h, calculer sa constante de diffusion.

Solutions diluées ; pression osmotique

10.38 Quelle est la pression osmotique d'une solution de saumure séparée de l'eau pure par une membrane semi-perméable ? La concentration ionique de la solution est de 1 500 moles m^{-3} et $T_C = 27$ °C.

10.39 Une solution de sucre supporte une colonne d'eau de 14 m dans un appareil semblable à celui de la figure 10.8. Quelle est la concentration en sucre ? Adopter $T_C = 27$ °C.

10.40 Calculer la différence entre les concentrations de solutés de part et d'autre d'une membrane semi-perméable qui provoquerait une pression osmotique de 5 atm à 37 °C.

PROBLÈMES

10.41 Combien de molécules y a-t-il dans 500 g de sucre de formule chimique $C_{12}H_{22}O_{11}$?

10.42 Quelle est la masse moléculaire de la tributyrine (graisse), de formule chimique $C_3H_5O_3(OC_4H_7)_3$?

10.43 Combien de molécules y a-t-il dans 100 g d'éthanol de formule chimique C_2H_5OH ?

10.44 Un cylindre contient 0,02 m^3 d'oxygène à une température de 25 °C et à une pression de 15 atm.

a) Quel serait le volume occupé par ce gaz à 25 °C sous une pression d'une atmosphère ?

b) Un homme respire de l'oxygène pur à travers un masque au taux de 0,008 m^3 min^{-1} et sous la pression atmosphérique normale. Après combien de temps le cylindre sera-t-il vide ?

10.45 Une plongeuse, se trouvant initialement à 20 m de fond, remonte en expulsant de l'air afin de maintenir constant son volume pulmonaire. Les bulles d'air remontent plus vite qu'elle. Sachant que le volume des poumons est de 2,4 litres, déterminer le volume total des bulles à la surface de l'eau. (La pression change d'une atmosphère tous les 10,3 m.)

10.46 Les plongeurs peuvent tolérer des mélanges d'oxygène et d'hélium. Quelle doit être la proportion en oxygène si le plongeur travaille à 50 m de fond et si la pression partielle d'oxygène doit être de 0,3 atm ? (La pression change d'une atm tous les 10,3 m.)

10.47 La vitesse quadratique moyenne des molécules d'un gaz parfait monoatomique à 300 K est de 299 m s^{-1}. Quelle est la masse atomique des atomes ? Identifier le gaz à l'aide du tableau périodique de l'appendice A.

10.48 Dans l'exemple 10.5, on a calculé que la vitesse quadratique moyenne des molécules d'hydrogène H_2 à 300 K vaut 1 930 m s^{-1}. À quelle température les molécules d'hydrogène auraient-elles une vitesse quadratique moyenne de $1,1 \times 10^4$ m s^{-1}, suffisante pour échapper au système terrestre ?

10.49 Les parois des vaisseaux capillaires sont imperméables aux protéines. Les deux groupes majeurs de protéines dans le plasma sanguin sont donnés dans le tableau 10.3.

Groupe de protéines	Concentration	Masse moléculaire moyenne
Albumine	0,045 g m^{-3}	69.000 u
Globuline	0,025 g m^{-3}	140.000 u

Tableau 10.3 Exercice 10.49.

a) Calculer la concentration de chaque groupe de protéines en moles m^{-3}.

b) Calculer la pression osmotique du plasma sanguin associée à ces protéines à 310 K.

c) Calculer la hauteur de la colonne d'eau que cette pression est capable de supporter.

10.50 Les alvéoles pulmonaires sont de petites poches d'air de 10^{-4} m de rayon. L'épaisseur de la membrane de ces poches, séparant l'espace d'air des capillaires, est de l'ordre de $0,25 \times 10^{-4}$ m. Les capillaires eux-mêmes ont un rayon de 5×10^{-6} m.

a) En supposant que l'O_2 diffuse dans la paroi et le sang à la même vitesse que dans l'eau, calculer le temps moyen requis par l'O_2 pour diffuser du centre de l'alvéole au centre du capillaire.

b) Comparer ce résultat au temps que met le sang pour transiter autour d'une alvéole, soit 0,1 s.

10.51 La pression osmotique de l'eau de mer est de 22 atm à 300 K. Quelle est la concentration en sel ? (*Suggestion* : Le NaCl, en solution aqueuse, se dissocie en ions Na$^+$ et Cl$^-$.)

10.52 Une solution aqueuse de chlorure de sodium (NaCl) de 160 moles m^{-3} est isotonique avec les globules sanguins. Quelle est la pression osmotique en atm dans les globules à 300 K ? (*Suggestion* : dans l'eau, le NaCl se dissocie en ions Na$^+$ et Cl$^-$.)

10.53 La pression osmotique d'un globule rouge est de 8 atm. On place le globule dans une solution aqueuse contenant 100 moles m^{-3} d'un soluté qui ne peut pénétrer dans la cellule. Le globule aura-t-il tendance à se dilater, à se contracter ou à garder la même taille ? Expliquer. (Adopter $T = 300$ K.)

10.54 Quelle énergie faut-il fournir à 1 mole d'un gaz parfait monoatomique pour élever sa température de 1 K ? (Le volume est maintenu constant.)

10.55 L'atmosphère terrestre ne contient que de faibles traces d'hydrogène moléculaire H_2 et d'hélium He, alors qu'autrefois ces gaz étaient présents en quantités plus importantes. Que leur est-il arrivé ? (*Suggestion* : comparer les vitesses quadratiques moyennes moléculaires de H_2 et He à celles de N_2 et O_2.)

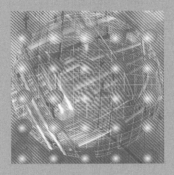

CHAPITRE 11

Thermo-dynamique

Mots-clefs

Coefficient de performance • Énergie interne • Entropie • État désordonné • Pompe à chaleur • Premier principe de la thermodynamique • Processus adiabatique • Processus isotherme • Réfrigérateur • Rendement de Carnot • Second principe de la thermodynamique • Théorème de Carnot • Transformations réversibles et irréversibles • Travail

Introduction

La thermodynamique a pour objet l'étude des lois régissant la conversion de l'énergie d'une forme en une autre. Elle traite également des échanges d'énergie se produisant entre différents systèmes physiques. La thermodynamique fut initialement développée dans le but d'expliquer les relations quantitatives entre le travail mécanique et l'*énergie thermique*, c'est-à-dire l'énergie associée aux mouvements désordonnés des atomes et des molécules au sein de la matière. Actuellement, le champ d'action de la thermodynamique est devenu beaucoup plus vaste. Elle est basée sur deux principes fondamentaux. Le premier principe exprime essentiellement la conservation de l'énergie. Le second principe est un principe d'évolution ; il indique le sens d'une transformation possible d'un système.

Pratiquement tous les traités de thermodynamique contiennent le mot «chaleur». Historiquement, on considérait la chaleur, appelée «calorique», comme une propriété d'un objet qui pouvait être transférée d'un objet à un autre à la manière d'un fluide. Alors que l'on rejette la théorie du calorique depuis longtemps, l'emploi des mots «chaleur» et «flux» de chaleur a par contre bien survécu et prête souvent à confusion.

Nous allons utiliser ces termes d'une façon très précise. Si de l'énergie est transférée d'un objet à un autre par suite d'une différence de température entre la source et la région de destination, nous appellerons ce transfert *flux de chaleur*. La *quantité* d'énergie transférée portera le nom de *chaleur*.

La thermodynamique fournit un mode d'approche général pour trouver les relations entre les propriétés macroscopiques des systèmes, telles que la pression, le volume et la température. Son caractère utile provient des prédictions qu'elle permet de faire sans avoir besoin de tenir compte des propriétés microscopiques détaillées du système étudié. Dans certains cas, on peut même faire des prédictions numériques sans connaissance aucune des matériaux impliqués.

Le premier principe de la thermodynamique est une généralisation du résultat fondamental du chapitre 6. Il stipule que la variation d'énergie interne d'un système équivaut à la chaleur qui lui est fournie dont on soustrait le travail qu'il effectue.

Le second principe de la thermodynamique peut être énoncé de plusieurs façons. Les divers énoncés sont équivalents, chacun d'eux pouvant être établi à partir de l'autre par déduction logique. L'un de ces énoncés stipule qu'une quantité appelée l'*entropie* tend à augmenter dans tous les processus réels. Le changement d'entropie d'un système est lié au quotient de la chaleur pénétrant ou quittant le système par la température absolue de ce système. Les théories microscopiques de la matière mettent en évidence le fait que l'entropie d'un système est en rapport étroit avec le mouvement aléatoire ou désordonné de ses constituants. Le second principe permet d'obtenir la limite supérieure du rendement des processus de conversion de l'énergie thermique. De tels processus sont utilisés dans les centrales thermiques à combustible fossile ou nucléaire.

11.1 TRAVAIL MÉCANIQUE

Un système peut effectuer ou recevoir un travail de nombreuses façons. Un gaz peut être comprimé ou peut se détendre contre un piston. On peut remuer un liquide, broyer un solide au moyen d'un marteau. Lorsque l'on amène des charges électriques à proximité d'une substance, les forces électriques modifient les arrangements des charges au sein du matériau. Les travaux que l'on peut effectuer sont donc aussi variés que les forces qui peuvent être exercées sur un système. Dans ce paragraphe, nous obtenons une expression du travail effectué par une substance ou par un système subissant un changement de volume.

Quand une substance ou un système se dilate ou se contracte, le travail W effectué dépend de la variation de volume du matériau. En thermodynamique on convient souvent de considérer W comme positif quand le travail est effectué *par* le système. (Noter qu'au chapitre 6, nous avions pris la convention inverse qui consistait à considérer comme positif le travail fourni à un objet. Cet usage se répand d'ailleurs de plus en plus.)

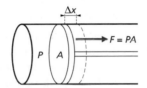

Figure 11.1 Le travail fourni par un gaz ou par un piston pendant un petit déplacement Δx vaut $\Delta W = F \Delta x = P \Delta V$.

C'est dans le cas des gaz que le développement de nos idées est le plus aisé. La figure 11.1 montre un gaz soumis à une pression P dans un cylindre fermé. Le gaz exerce une force $F = PA$ sur le piston. Quand le piston se déplace d'une petite distance $A \Delta x$ parallèle à la force, le travail accompli par le gaz vaut $\Delta W = F \Delta x = PA \Delta x$. Comme $\Delta V = A \Delta x$, le travail effectué par le gaz vaut

$$\Delta W = P \Delta V \qquad (11.1)$$

Un déplacement plus important peut être considéré comme étant composé d'une suite de très petits déplacements successifs Δx_j, de sorte que la force $F_j = P_j A$ puisse être considérée constante pendant chaque déplacement infinitésimal. Le travail total effectué par le système pour une variation finie de volume, de V_i à V_f est alors égal à la somme de tous les termes $P_j \Delta V_j$ (figure 11.2) dans la limite où ΔV_j tend vers zéro et le nombre d'intervalles tend vers l'infini :

$$W = \lim_{\Delta V_j \to 0} \sum_j P_j \Delta V_j$$
$$= \int_{V_i}^{V_f} P \, dV \qquad (11.2)$$

Le travail effectué par le système est égal à l'aire de la surface au-dessous du graphe de P en fonction de V. Lors d'une détente ($V_f > V_i$) un travail est effectué par le système et W est positif. Lors d'une compression ($V_f < V_i$), un travail est effectué sur le système et W est négatif. Ce résultat est valable en général, que ce soit pour un gaz se trouvant dans une enceinte de forme quelconque ou pour des transformations impliquant des changements de volume dans les liquides et les solides.

Dans le cas des processus *isobares* (c'est-à-dire à pression constante), l'équation (11.2) prend une forme particulièrement simple. Si les volumes initial et final du système sont désignés par V_i et V_f, le travail effectué par le gaz vaut

$$W = P(V_f - V_i) \qquad (11.3)$$

Ce travail est positif si $(V_f - V_i)$ est positif et négatif dans le cas contraire. Le prochain exemple décrit une transformation isobare.

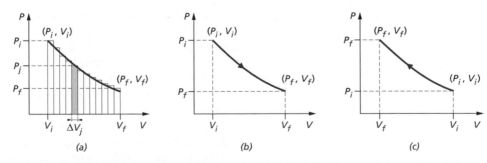

Figure 11.2 *(a)* Le travail effectué par le système est égal à la somme des aires des petits rectangles. Dans chaque intervalle, P_j est supposée constante ; pour le rectangle coloré, on a à $\Delta W_j = P_j \Delta V_j$. *(b)* Le travail total est exactement égal à la surface colorée au-dessous du graphe de P en fonction de V. W est positif dans cet exemple. (c) Cas d'un processus où l'on effectue un travail sur le système ; W est donc négatif.

On chauffe un gaz soumis à une pression de 2 atm = $2,02 \times 10^5$ Pa. Il se détend à pression constante contre un piston à frottement nul. Sachant que la variation du volume est de 0,5 m^3, calculer le travail effectué par le gaz.

Réponse   L'équation (11.3) donne

$$W = P(V_f - V_i) = (2,02 \times 10^5 \text{ Pa})(0,5 \text{ m}^3)$$
$$= 1,01 \times 10^5 \text{ J}.$$

Dans le cas des processus isothermes (c'est-à-dire à température constante) l'évaluation du travail effectué par le gaz est légèrement plus complexe car la pression n'est plus constante au cours du processus. Dans le cas d'un gaz parfait, comme $PV = nRT$, on peut écrire :

$$W = \int_{V_i}^{V_f} P \, dV = nRT \int_{V_i}^{V_f} \frac{dV}{V} = nRT \ln \frac{V_f}{V_i} \quad (11.4)$$

Lors d'un processus isobare (c'est-à-dire à volume constant) aucun travail n'est accompli puisque $dV = 0$.

11.2   LE PREMIER PRINCIPE DE LA THERMODYNAMIQUE

Le premier principe de la thermodynamique relie la chaleur transférée à un système au travail fourni par le système et à la variation de l'*énergie interne U* du système.

L'énergie interne d'un système dépend en général de la pression et de la température absolue. Cependant, dans le cas des gaz parfaits, U ne dépend que de la température. En effet, nous avons vu plus haut (paragraphe 10.6) que la théorie cinétique prédit une énergie cinétique moyenne de translation égale à $3k_BT/2$ pour chaque molécule d'un gaz parfait monoatomique. En raison de l'absence d'interaction et donc d'énergie d'interaction entre les particules, l'énergie interne d'un gaz parfait composé de N molécules est par conséquent égale à l'énergie cinétique totale des particules qui le composent.

L'énergie interne d'un gaz parfait monoatomique composé de N molécules est donc donnée par :

$$U = (3/2)Nk_BT \quad (11.5)$$
$$= (3/2)nRT$$

où n désigne le nombre de môles associé aux N molécules.

De façon plus générale, l'énergie interne d'une substance quelconque ne comprend pas seulement les énergies cinétiques associées aux mouvements de translation,

de rotation et de vibration des particules, mais également l'énergie potentielle due aux interactions entre les particules. L'énergie interne, tout comme l'énergie potentielle (voir chapitre 6), est définie par rapport à une configuration de référence quelconque. En général, ce choix n'a pas d'importance pratique car seules les variations de l'énergie interne affectent les propriétés du système.

La chaleur Q reçue ou cédée par un système est l'énergie thermique transférée sous l'effet d'une différence de température. La chaleur d'un poêle, par exemple, se propage vers l'air environnant du fait que la température de l'air est inférieure à celle du poêle.

Nous allons discuter maintenant le premier principe de la thermodynamique sur l'exemple d'un gaz. Considérons une enceinte de gaz munie d'un piston (figure 11.3). Le fait d'ajouter de la chaleur Q au système, tout en maintenant le piston fixe, revient à augmenter la température et par conséquent l'énergie interne U du gaz. Mais l'énergie interne varie aussi si un travail est effectué par le gaz. Par exemple, si nous isolons les parois de l'enceinte et si nous enfonçons le piston, nous comprimons le gaz. Le travail reçu par le système est alors égal à la variation de l'énergie interne (figure 11.3b), étant donné l'absence d'échange de chaleur avec le milieu extérieur.

De façon plus générale, si nous fournissons une chaleur Q à un gaz et qu'il effectue un travail W, la différence entre ces deux quantités est égale à la variation ΔU de l'énergie interne du gaz. Si U_f et U_i désignent respectivement les énergies internes finale et initiale du gaz, le *premier principe de la thermodynamique* s'énonce comme suit :

$$\Delta U = U_f - U_i = Q - W \quad (11.6)$$

Les conventions de signe sont les suivantes. Q est positif quand le système *reçoit* de la chaleur, et W est positif quand le système *effectue* un travail. Bien que nous ayons choisi un gaz dans cet exemple, le résultat 11.6 reste vrai pour tous les systèmes thermodynamiques et ne dépend aucunement de la présence d'un gaz.

Le premier principe contient deux affirmations importantes sur le monde physique. *Primo*, il dit qu'il y a équivalence entre la chaleur et le travail. *Secundo*, vu que la même variation d'énergie interne peut être obtenue par l'apport soit de chaleur, soit de travail, ou encore au moyen d'une combinaison des deux, la *variation de l'énergie interne est indépendante de la manière dont elle est réalisée*. La différence entre les énergies internes initiale et finale du système *ne dépend* donc que des états initial et final de ce système, c'est-à-dire de quantités telles que la température, la pression et le volume. Cette idée est illustrée par la figure 11.4. Supposons qu'un système subisse deux transformations représentées par les courbes (1) et (2). L'aire au-dessous de la courbe (1) est supérieure à celle au-dessous de la courbe (2). Ceci signifie que le travail effectué par le système est supérieur au cours du processus (1) qu'au cours du processus (2). Comme la variation $\Delta U = U_f - U_i$ est la même dans les deux cas, le premier principe entraîne que le système reçoit plus de chaleur pendant la transformation (1) que pendant la transformation (2) pour arriver au même état final.

Deux types idéalisés de transformations jouent des rôles particulièrement importants dans la discussion des cycles thermodynamiques (paragraphe 11.4). Le premier de ces processus est dit *isotherme* parce qu'il s'effectue à température constante. De tels processus sont difficiles à réaliser en pratique, mais on peut très bien les imaginer dans le cas des gaz parfaits. L'énergie interne d'un gaz parfait ne dépend que de la température. Supposons que l'on fournisse de la chaleur à un tel gaz et qu'on le laisse se dilater et fournir du travail. Si l'opération se fait d'une façon suffisamment lente, la température, et par consé-

quent l'énergie interne, vont rester constantes. Pour un processus isotherme dans un gaz parfait on aura donc

$$Q = W$$

Le second processus, plus facile à réaliser, est appelé processus *adiabatique*. Dans une telle transformation il n'y a aucun échange de chaleur avec le milieu extérieur. Ceci entraîne $Q = 0$ et

$$\Delta U = -W$$

En pratique, cette situation est relativement fréquente car il est facile d'isoler des systèmes afin de minimiser les transferts de chaleur. D'autre part, des processus peuvent aussi se produire avec une telle rapidité qu'il n'y a pas d'échange de chaleur.

Lorsque l'on comprime un gaz ($W < 0$) de manière adiabatique le travail effectué sur le gaz se transforme en énergie interne ($\Delta U = -W$) et sa température augmente.

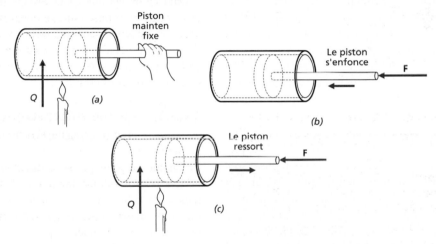

Figure 11.3 *(a)* Dans le cas où le piston est maintenu fixe, la chaleur Q ajoutée est égale à l'accroissement ΔU de l'énergie interne. *(b)* Cas où les parois sont thermiquement isolées de l'extérieur (donc pas d'échange de chaleur). La force **F** fournit un travail au gaz, par l'intermédiaire du piston. Ce travail est égal à l'augmentation de l'énergie interne. *(c)* Cas général. Le système (c'est-à-dire le gaz) reçoit de la chaleur et il se dilate tout en luttant contre la force extérieure **F**. Le gaz fournit donc un travail. La différence entre Q et W est égale à la variation ΔU de l'énergie interne du gaz.

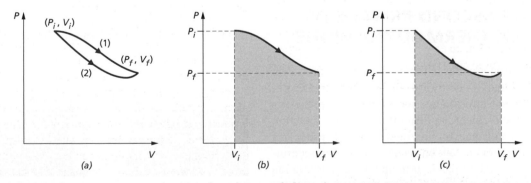

Figure 11.4 *(a)* Un système peut passer d'un état (P_i, V_i) à un état (P_f, V_f) d'une infinité de manières. Deux d'entre elles sont représentées. *(b)* Le travail fourni par le système correspond à l'aire au-dessous de la courbe de P en fonction de V. Le travail fourni pendant le processus (1) est supérieur à celui du processus (2) montré en *(c)*.

Dès lors, le produit PV ($= nRT$) n'est plus constant mais augmente également. La courbe qui correspond à une compression adiabatique dans le diagramme PV a donc une pente en tous points supérieure à celle de l'isotherme. Il en est ainsi car l'augmentation de température entraîne une variation de pression plus grande que si T était constant. De manière similaire, si le gaz se détend adiabatiquement, il se refroidit, entraînant une variation de pression plus grande que dans la transformation isotherme.

Dans le cas d'une transformation isotherme, nous avons vu au chapitre 10 que le gaz obéit à la loi de Boyle-Mariotte, PV = constante. Dans une transformation adiabatique, on montre que les évolutions plus rapides de P en fonction de V correspondent à

$$PV^\gamma = \text{constante}$$

où γ est une constante qui vaut 5/3 pour un gaz parfait monoatomique.

Fondamentalement, le premier principe de la thermodynamique exprime la conservation de l'énergie. Il constitue l'un des piliers de la thermodynamique. Historiquement le premier principe était loin d'être évident. Avant les travaux de Mayer, Joule et Helmholtz dans les années 1840, la chaleur était considérée comme une substance matérielle au sein d'un objet. Cette substance, appelée le calorique, pouvait s'écouler d'un objet à un autre. La théorie du calorique fournit des explications satisfaisantes d'un grand nombre d'effets expérimentaux. Mayer a été le premier à suggérer que la chaleur et l'énergie interne sont intimement liées. Ensuite Joule montra qu'en fournissant du travail, on pouvait produire autant de chaleur qu'on le désirait. Ce fut l'arrêt de mort de la théorie du calorique qui était basée sur l'idée que chaque substance contenait du calorique en quantité fixe. On comprit enfin que la chaleur, le travail et l'énergie interne ne sont que des manifestations différentes d'une même quantité, à savoir l'énergie.

11.3 LE SECOND PRINCIPE DE LA THERMODYNAMIQUE

Le premier principe de la thermodynamique fournit le bilan énergétique d'une transformation. Il ne fournit cependant aucune information sur le genre de processus qui aura effectivement lieu. En effet, dans une situation donnée, on peut concevoir un grand nombre de processus possibles, qui seraient tous en accord avec le premier principe et ne violeraient pas le principe de la conservation de l'énergie. Le premier principe ne permet pas non plus de prédire quel sera l'état du système dans des conditions données. C'est le second principe de la thermodynamique qui fournit des réponses à certaines de ces questions.

Considérons par exemple le cas où la chaleur produite par la combustion d'un combustible est fournie à une machine à vapeur. Le premier principe stipule que la somme du travail effectué par la machine et de la chaleur cédée au milieu extérieur doit être égale à la chaleur reçue, étant donné que l'énergie interne de la machine reste inchangée après un cycle. Le premier principe ne nous donne cependant aucune indication sur le rapport du travail effectué à la chaleur absorbée, c'est-à-dire sur le *rendement* de la machine. C'est le second principe qui nous permet de calculer le rendement d'un moteur idéal et de définir les limites supérieures du rendement des moteurs réels.

Un autre exemple d'application du second principe est donné dans le cas des réactions chimiques. Le premier principe nous permet de prédire quelle quantité d'énergie sera absorbée ou libérée. Par contre, le second principe nous permet de prédire l'état d'équilibre du système dans des conditions de température et de pression données.

Dans ce paragraphe, nous discuterons les versions microscopique (corpusculaire) et macroscopique du second principe. Le rendement des machines thermiques sera étudié dans le prochain paragraphe. Les applications aux systèmes chimiques sont traitées en détail dans les manuels de chimie et de biochimie.

11.3.1 Forme microscopique du second principe

Le deuxième principe de la thermodynamique, dans sa version microscopique, fait des prédictions sur le comportement probable d'un système composé d'un grand nombre de particules. Il déclare notamment que les systèmes ont tendance à évoluer, à partir de configurations très ordonnées et relativement improbables, vers des configurations plus désordonnées et statistiquement plus probables. En d'autres termes, les systèmes tendent vers des états de désordre moléculaire maximum. La figure 11.5 montre par exemple deux façons dont les molécules d'un gaz peuvent se déplacer. L'énergie interne du gaz est la même dans les deux cas, mais la figure 11.5*a*, contrairement à la figure 11.5*b*, représente une situation hautement

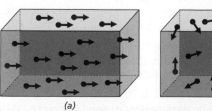
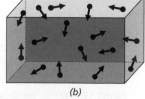

(a) (b)

Figure 11.5 Mouvement moléculaire dans un gaz. *(a)* Très ordonné. *(b)* Beaucoup moins ordonné ou plus chaotique.

JULIUS ROBERT MAYER
(1814-1878)
HERMANN VON HELMHOLTZ
(1821-1894)
JAMES PRESCOTT JOULE
(1818-1889)

C'est presque jusqu'au milieu du XIXe siècle que l'on considère la chaleur comme un fluide appelé calorique. Ce fluide sans masse, capable de s'écouler d'un objet à un autre et qu'il est impossible de créer ou de détruire, fournit une explication assez complète de nombreuses expériences de cette époque. Les trois personnages représentés ci-dessus sont historiquement liés à l'abandon de la théorie du calorique ainsi qu'à la généralisation du principe de conservation de l'énergie qui tient compte des phénomènes thermiques.

Mayer est le premier à suggérer que les diverses formes d'énergie, dont la chaleur, sont convertibles l'une en l'autre sans déperdition. Lorsqu'une certaine quantité d'une certaine espèce d'énergie disparaît, il y a apparition d'une quantité équivalente d'énergie sous une autre forme. Malheureusement, Mayer et son idée souffrent d'un manque de considération. Ayant reçu une formation de médecin en Allemagne, il commence à s'intéresser à la physique et publie ses observations en 1842. Son article, rédigé dans un style métaphysique, n'est pas considéré comme très convaincant. La résistance aux idées de Mayer est en partie due au fait qu'il n'est pas évident que celui-ci comprenne les lois de Newton et encore moins les concepts physiques intervenant dans une théorie de la conservation de l'énergie.

Alors que la théorie du calorique est déjà presque abandonnée avant même les travaux de Mayer, l'acceptation finale de la chaleur comme une autre forme d'énergie est le fruit des travaux indépendants de Joule et de Helmholtz en 1847. Joule, un Anglais, est propriétaire d'une brasserie et amateur de physique. Il a acquis la réputation d'un expérimentateur soigneux et ingénieux. Vers 1847, il montre de façon très rigoureuse que le travail mécanique, en l'occurence le travail nécessaire pour faire tourner une roue à palettes immergée dans l'eau, est bien équivalent à de la chaleur puisque la température de l'eau a augmenté.

Tandis que Joule fournit la preuve expérimentale la plus évidente de l'équivalence de l'énergie mécanique et de la chaleur, Helmholtz développe systématiquement le concept de conservation de l'énergie dans un article scientifique qui est l'un des plus importants du XIXe siècle.

Helmholtz est médecin de formation. Il exerce d'abord comme chirurgien dans l'armée prussienne. En 1849, il obtient une chaire de physiologie à Königsberg. Ses recherches sur la conservation de l'énergie, stimulées par ses observations des mouvements musculaires, ne sont qu'un des exemples de sa capacité à comprendre la physique des systèmes biologiques. Helmholtz invente l'ophtalmoscope servant à éclairer et à examiner le fond de l'oeil, ainsi que l'ophtalmomètre, un instrument servant à mesurer la courbure de la cornée. En outre, il remet au goût du jour et développe une théorie de la vision des couleurs attribuée à Young. Son étude de l'oreille englobe le rôle joué par les os de l'oreille moyenne et de l'aqueduc cochléaire. Il aborde ensuite le sujet difficile, mais si important, de la qualité des sons. Son livre sur les sensations sonores constitue un pilier de l'acoustique physiologique. Il est le premier à mesurer la vitesse d'une impulsion nerveuse. Plus tard dans sa vie, ses sujets d'intérêt ainsi que ses recherches ont directement conduit à la découverte expérimentale des ondes électromagnétiques par l'un de ses étudiants.

Tandis que Joule et Helmholtz poursuivent des carrières scientifiques couronnées de succès, les affaires de Mayer vont de mal en pis. Il est profondément affecté par le peu de considération qu'on lui accorde et il tente de se suicider en 1849. Après une période de maladie mentale, dont il ne s'est jamais complètement remis, il tombe dans l'oubli pour le reste de sa vie.

État macroscopique	États microscopiques possibles (P = pile, F = face)	Nombre d'états microscopiques
4 piles	PPPP	1
3 piles, 1 face	PPPF, PPFP, PFPP, FPPP	4
2 piles, 2 faces	PPFF, PFPF, FPPF, FPFP, FFPP, PFFP	6
1 pile, 3 faces	FFFP, FFPF, FPFF, PFFF	4
4 faces	FFFF	1

Tableau 11.1 Configurations possibles pour 4 pièces de monnaie

improbable. Le second principe affirme qu'un état désordonné est *plus probable* qu'un état plus ordonné. Ainsi, il est possible d'imaginer un grand nombre de cas semblables à celui de la figure 11.5*b*, mais seulement quelques-uns comme celui de la figure 11.5*a*.

Illustrons cela au travers d'une analogie. Supposons que l'on lance 4 pièces de monnaie sur une table. Le nombre de côtés « pile » et de côtés « face » qui apparaissent procure une description de l'état *macroscopique* du système alors que la spécification du côté particulier que présente chaque pièce définit l'état *microcospique* de ce système. Le tableau 11.1 donne les états microscopiques correspondant à chaque état macroscopique.

L'analyse statistique repose sur le principe que les états microscopiques sont équiprobables. Ainsi, le nombre d'états microscopiques qui correspondent à un état macroscopique donné indique la probablité relative que cet état macroscopique soit observé. Dans le tableau 11.1, on s'aperçoit que l'état macroscopique composé de deux faces et de deux piles est le plus probable : sur les $2^4 = 16$ états microscopiques possibles, 6 correspondent à cette combinaison de sorte que la probabilité d'un tel résultat est de 6/16 = 38 %. À l'opposé, l'état macroscopique correspondant à obtenir 4 piles ne correspond, lui, qu'à un seul état microscopique et ne sera donc observé qu'avec une probabilité de 1/16 = 6 %. Il est clair que si on jette 16 fois les pièces sur la table, on n'obtiendra pas nécessairement deux piles et deux faces à 6 reprises. Il s'agit ici de probabilités. Néanmoins, si on effectue un grand nombre d'essais, on verra que près de 38 % d'entre eux correspondent à deux piles et deux faces alors que seulement 6 % d'entre eux produiraient quatre piles. La probabilité d'observer un comportement identique de toutes les pièces (quatre piles ou quatre faces) serait encore fortement réduite si on avait cent pièces plutôt que quatre.

Au travers de cet exemple, on s'aperçoit que l'état « ordonné », correspondant au cas où toutes les pièces ont un comportement identique (soit pile, soit face), est nettement moins probable que l'état « désordonné », où elles ont des comportements différents. Il en est de même au niveau moléculaire : plus le nombre d'états microscopiques,

qui correspond à un état macroscopique donné, est grand, plus cet état macroscopique est probable et plus il est désordonné. En 1877, Boltzmann proposa de relier l'entropie S d'un système à la notion de désordre (ou chaos) moléculaire au travers de la relation :

$$S = k_B \ln \Omega$$

où k_B est la constante de Boltzmann et W le nombre d'états microscopiques correspondant à un état macroscopique donné. Le second principe, comme nous le verrons dans la section suivante, énonce le fait qu'un système a tendance à évoluer vers une entropie plus grande et donc vers un plus grand désordre. D'un point de vue statistique, cela traduit simplement le fait que seuls les processus les plus probables s'accomplissent. Cela peut sembler banal mais fournit une précision importante du point de vue de l'interprétation : les phénomènes associés à une diminution d'entropie ne sont pas réellement impossibles mais ils sont si peu probables qu'ils ne sont pas observés en pratique. Ainsi, il pourrait arriver que l'eau d'un lac gèle en plein été, par temps chaud, mais la probabilité qu'un tel événement se produise est tellement infime qu'il n'est jamais observé.

11.3.2 Forme macroscopique du second principe

Le second principe fut d'abord énoncé pour des systèmes macroscopiques. Dans cette forme il est souvent plus facile à utiliser, quoique son interprétation physique soit peut-être plus subtile que celle du chaos moléculaire. Les théories statistiques microscopiques montrent que les deux formes du second principe sont équivalentes. La forme macroscopique du second principe déclare qu'une quantité appelée l'*entropie* tend vers une valeur maximum. Tout comme l'énergie interne, l'entropie d'un système est une fonction qui ne dépend que de l'état du système et nullement de la manière dont on a atteint cet état.

La définition macroscopique de l'entropie implique le concept de processus *réversible* ou *irréversible*. Un processus est dit réversible si on peut revenir à l'état initial sans qu'il y ait au total de modification, ni dans le système, ni dans le milieu extérieur. Par exemple, la détente adiabatique d'un gaz est réversible (figure 11.6) s'il y a absence de tout effet dissipatif tel que frottement, turbulence, etc. Ceci est vrai parce qu'une compression adiabatique peut faire retourner le système à son état initial. Le travail fourni au gaz pendant la phase de compression est égal à celui fourni par le gaz pendant la détente ; le travail total effectué par le gaz et par le milieu extérieur est nul.

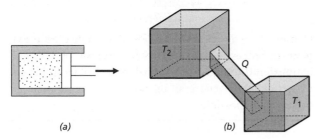

Figure 11.6 Dans un processus réversible, le système et le milieu ambiant peuvent être ramenés à leur état initial. *(a)* Une détente adiabatique sans frottement est un processus réversible. *(b)* L'échange de chaleur entre des objets portés à des températures différentes est une transformation irréversible.

Aucun processus naturel connu n'est réversible. Quand il y a eu échange de chaleur entre des objets de températures différentes, il y a moyen de renvoyer de la chaleur vers l'objet à température plus élevée. Seulement, pour réaliser cette opération, il faut que le milieu ambiant fournisse un travail, comme dans le cas d'un réfrigérateur par exemple. Ainsi, le milieu extérieur doit subir une modification pour que le système puisse retourner à son état initial. Les processus réversibles, tout comme les systèmes mécaniques sans frottement, sont des idéalisations existant de façon approximative seulement dans les systèmes thermodynamiques réels.

Nous pouvons maintenant donner la définition macroscopique de l'entropie d'un système. Supposons que l'on apporte, lors d'un processus réversible, une petite quantité de chaleur ΔQ à un système se trouvant à la température absolue T. La variation d'entropie du système se produisant pendant cette opération est alors définie par

$$\Delta S = \frac{\Delta Q}{T} \quad \text{(processus réversible)}. \quad (11.7)$$

S'il y a transfert d'une grande quantité de chaleur, on peut la diviser en de nombreuses quantités ΔQ_i infinitésimales

telles que la température T_i soit à peu près constante pendant le transfert de ΔQ_i. Dans un processus réversible, la variation totale de l'entropie est alors obtenue en additionnant les petits changements $\Delta Q_i/T_i$:

$$\Delta S = \lim_{\Delta Q_i \to 0} \sum_i \frac{\Delta Q_i}{T_i} = \int \frac{\mathrm{d}Q}{T}$$

Noter que lorsque la chaleur quitte un système, ΔQ est négatif de même que la variation d'entropie qui en résulte. Quand on a affaire à une transformation irréversible, l'évaluation de la variation d'entropie d'un système isolé peut se faire en considérant des processus réversibles qui amèneraient le système au même état final.

Passons maintenant à la forme macroscopique du second principe. *Pour un processus quelconque, l'entropie totale du système et du milieu ambiant ne peut jamais décroître*

$$\Delta S(\text{total}) \geqslant 0 \quad (11.8)$$

La variation globale de l'entropie est nulle pour une transformation réversible et positive dans le cas d'un processus irréversible. Ceci constitue l'un des énoncés du *second principe de la thermodynamique*. Du point de vue microscopique, cela revient à dire que le désordre moléculaire d'un système et de son environnement reste constant si la transformation est réversible et que le désordre augmente dans le cas d'une transformation irréversible.

Il est possible d'obtenir l'équation (11.8) à partir de chacune des deux observations expérimentales suivantes. La première est que la chaleur ne passe jamais spontanément d'un corps froid à un corps plus chaud. Ceci est l'énoncé de Clausius du second principe. La seconde observation est qu'il est impossible d'extraire de la chaleur d'une substance et de la convertir *intégralement* en travail. C'est l'énoncé de Kelvin du second principe. La déduction de la notion d'entropie et de celle du chaos moléculaire à partir de ces deux énoncés du second principe est fort complexe et n'est pas à la portée de ce cours. Nous pouvons cependant vérifier que l'équation (11.8) est effectivement satisfaite dans quelques processus simples. Les exemples qui suivent montrent également comment on peut calculer des changements d'entropie dans des transformations réversibles et irréversibles.

 ———————— **Exemple 11.2*** ————————

Trouver la variation d'entropie du système et du milieu extérieur dans le cas d'une transformation adiabatique réversible.

Réponse Dans un processus adiabatique, la quantité de chaleur absorbée par le système est nulle. Comme le processus est supposé réversible, l'équation (11.7) entraîne

---

*Dans les exemples 11.2 et 11.3, on suppose que le milieu ambiant a atteint l'équilibre thermodynamique (N.d.T.).

que l'entropie du système n'a pas changé. De la même façon, comme le milieu ambiant ne transfère aucune chaleur, la variation d'entropie de ce dernier est nulle aussi. Ainsi ΔS(total) est bien nul dans le cas d'une transformation réversible.

 ———— Exemple 11.3* ————

Un kg d'eau liquide à 0 °C gèle en libérant $3,33 \times 10^5$ J de chaleur. Considérer 10^{-2} kg d'eau liquide à 0 °C. Supposer qu'on lui retire, de façon réversible, de la chaleur jusqu'à ce qu'elle soit entièrement convertie en un cube de glace à la même température.

a) Quel est le changement d'entropie de l'eau ?

b) Quelle est la variation entropique totale de l'eau et du milieu ambiant ?

Réponse a) La chaleur cédée par l'eau vaut $\left(3,33 \times 10^5 \text{ J kg}^{-1}\right) \times \left((10^{-2}\ \text{ kg}\right) = 3300$ J, de sorte que

$$\Delta S = \frac{\Delta Q}{T} = \frac{-3,33 \times 10^3 \text{ J}}{273 \text{ K}} = -12,2\ \text{J K}^{-1}$$

Le signe moins apparaît parce que la chaleur est cédée par l'eau. L'entropie a donc diminué pendant cette transformation.

b) Le changement total de l'entropie est nul car le processus se déroule de façon réversible. Comme l'entropie de l'eau décroît, l'entropie du milieu extérieur doit *augmenter* de la même quantité, c'est-à-dire de $\Delta S = 12,2\ \text{J K}^{-1}$.

Cet exemple nous permet de voir la relation entre l'entropie et l'ordre moléculaire. Quand l'eau liquide se solidifie, c'est-à-dire quand elle passe d'une phase liquide désordonnée vers une phase solide ordonnée, son désordre microscopique diminue, tout comme l'entropie. Nous voyons donc que l'entropie varie de la même façon que le désordre moléculaire d'un système.

 ———— Exemple 11.4 ————

Deux objets sont thermiquement isolés du milieu ambiant. Ils se trouvent à des températures T_1 et T_2 avec $T_2 > T_1$ et on les met en contact thermique. Il y a transfert d'une faible quantité de chaleur Q, les températures restant pratiquement inchangées. Trouver les variations d'entropie.

Réponse L'entropie du milieu extérieur ne change pas, car le système est isolé. Il s'agit ici d'un processus irréversible, de sorte qu'il faut calculer les changements d'entropie pour des chemins réversibles conduisant aux mêmes états finals. On pourrait par exemple retirer une certaine quantité de chaleur Q à l'objet plus chaud de la

façon réversible suivante. On placerait un cylindre de gaz en contact avec l'objet à température T_2 tout en permettant au gaz de se détendre de façon isotherme. Ceci produirait une variation d'entropie $\Delta S_2 = -Q/T_2$. On pourrait de même mettre un second cylindre en contact avec l'objet plus froid et transférer de la chaleur de manière réversible. Le changement d'entropie de l'objet plus froid serait alors égal à $\Delta S_1 = Q/T_1$. Au total, la variation d'entropie des deux objets est donnée par

$$\Delta S(\text{total}) = -\frac{Q}{T_2} + \frac{Q}{T_1} = Q\left(\frac{1}{T_1} - \frac{1}{T_2}\right)$$

$$= Q\,\frac{(T_2 - T_1)}{T_1 T_2}.$$

Comme $T_2 > T_1$, ΔS est bien positif, comme c'est prévu pour un processus irréversible. À l'inverse, on voit que le transfert d'une quantité de chaleur de l'objet froid vers l'objet chaud engendrerait un ΔS négatif et est donc un processus impossible.

Quoique le second principe, sous la forme de l'équation (11.8), stipule qu'une diminution nette d'entropie (d'un système isolé) est impossible, il n'est pas exact que l'entropie d'un système (non isolé) ne puisse être réduite. Par exemple, quand l'eau gèle, son entropie diminue. Toutefois, si l'on tient compte soigneusement du milieu ambiant, on trouve que l'entropie totale de l'ensemble (système + milieu ambiant) reste constante ou bien augmente, suivant que la transformation est réversible ou irréversible.

11.4 LE THÉORÈME DE CARNOT ET LA CONVERSION DE L'ÉNERGIE

L'application du second principe de la thermodynamique à une machine thermique réversible idéale montre que le rendement d'un moteur (convertissant de la chaleur en travail mécanique) est toujours limité à une valeur nettement inférieure à 100 %. Dans les moteurs thermiques réels, tels que les moteurs des voitures automobiles et les turbines à vapeur des centrales électriques, les frottements et les turbulences ne sont jamais tout à fait absents. D'où le caractère irréversible des processus qui se déroulent dans ces engins et des rendements nécessairement encore plus bas.

Les faibles rendements obtenus lors de la conversion de la chaleur en travail mécanique sont surprenants et à mettre en contraste avec ceux, généralement élevés, obtenus lors d'autres types de conversion d'énergie. Dans un pendule oscillant par exemple, il y a conversion intégrale d'énergie potentielle mécanique en énergie cinétique mécanique et vice versa. L'énergie cinétique de l'eau en mouvement dans une turbine peut être transformée en énergie électrique au moyen d'une dynamo. Dans ce cas, le rendement n'est limité que par les frottements et les turbulences et peut être très élevé en pratique. Dans un moteur électrique, il y a conversion d'énergie électrique en énergie mécanique ; ici il n'existe de nouveau aucune limite théorique pour le rendement. Les rendements atteints en pratique peuvent être de 90 % et plus. Le rendement dans la conversion de l'énergie chimique en énergie électrique est très élevé lui aussi. Citons comme exemple la pile à combustible où l'hydrogène et l'oxygène se combinent pour produire un courant électrique. Inversement, l'énergie électrique peut être transformée en énergie chimique sans aucune limitation fondamentale.

La limitation théorique du rendement des moteurs thermiques fut découverte par Sadi Carnot (1796-1832) et apparaît comme une conséquence du second principe de la thermodynamique.

Dans le corps humain, la conversion de l'énergie chimique des aliments en travail mécanique se fait généralement avec des rendements d'environ 30 % au maximum. Dans ce cas, cependant ce n'est pas à cause du second principe que le rendement est limité. C'est parce qu'il y a déperdition d'énergie lors de la conversion des aliments en composés effectivement utilisables au niveau cellulaire.

Tout moteur thermique peut être considéré comme une succession cyclique de processus au cours desquels des échanges de chaleur peuvent s'opérer avec le milieu extérieur. La démonstration du théorème de Carnot est basée sur la considération d'un moteur thermique réversible particulier, appelé le *moteur de Carnot* ou *cycle de Carnot*. Ce cycle consiste en une suite de quatre processus réversibles, illustrés dans la figure 11.7 pour le cas particulier d'un gaz parfait. *Le rendement calculé est en fait indépendant du matériau utilisé dans le moteur* ; ce n'est que pour la facilité de la présente discussion que nous choisissons un gaz parfait.

L'évolution de l'état du gaz au cours des quatre étapes du cycle est schématisée à la figure 11.8 à l'aide du diagramme PV. Le cycle se déroule entre deux températures T_1 et T_2, correspondant aux températures de deux réservoirs thermiques avec lequel le gaz opère des transferts de chaleur successifs.

La transformation de a vers b est une détente isotherme à la température T_2 pendant laquelle le gaz absorbe une quantité de chaleur Q_2, cédée par un réservoir de chaleur qui se trouve à la température fixe T_2 (la source chaude). Le processus étant isotherme, $\Delta U = 0$ et

$$W_{ab} = +Q_2$$

La transformation $b \to c$ correspond à une détente adiabatique ($Q = 0$). Au cours de cette détente, le gaz effectue un travail positif et sa température évolue de T_2 à T_1 ($< T_2$). En vertu du premier principe

$$W_{bc} = -\Delta U = -\frac{3}{2}Nk_B(T_1 - T_2)$$

La transformation $c \to d$ est une compression isotherme à température T_1. Lors de cette transformation, une quantité de chaleur Q_1 est cédée par le gaz à un réservoir de chaleur se trouvant à la température T_1 (la source froide). Pour ce processus isotherme :

$$W_{cd} = -Q_1$$

Au cours de la transformation $d \to a$, le gaz retourne finalement dans son état initial en subissant une compression adiabatique au cours de laquelle

$$W_{da} = -\Delta U = -\frac{3}{2}Nk_B(T_2 - T_1)$$

Pendant la détente, le gaz effectue un travail qui est égal à l'aire au-dessous de la courbe abc (figure 11.7b). Pendant la phase de compression, le travail fourni au gaz par le milieu extérieur est égal à l'aire plus petite sous la courbe cda (figure 11.8c). Le travail net fourni par le gaz pendant un cycle complet est égal à l'aire de la surface délimitée par le chemin $abcda$ (figure 11.8a). Comme le gaz a retrouvé son état initial à la fin du cycle, le changement net de l'énergie interne est nul, et d'après le premier principe, le travail net doit correspondre aux échanges de chaleur nets au cours du cycle

$$W = Q_2 - Q_1 \tag{11.9}$$

Ceci est représenté schématiquement sur la figure 11.9. On vérifie que ce résultat correspond bien à la somme des travaux effectués aux cours des quatre étapes définies ci-dessus.

Le cycle de Carnot est réversible et la variation totale de l'entropie du système global isolé (gaz, source chaude et source froide) est par conséquent nulle. Pour le réservoir à la température T_2, on a $\Delta S_2 = -Q_2/T_2$, tandis que la variation entropique du réservoir à la température inférieure T_1 vaut $\Delta S_1 = Q_1/T_1$. Le gaz, lui, retourne à son état initial et son entropie n'a donc pas varié en fin de compte. Ceci entraîne

$$\Delta S(\text{total}) = \Delta S_1 + \Delta S_2 + 0 = -\frac{Q_2}{T_2} + \frac{Q_1}{T_1} = 0$$

ou

$$\frac{Q_1}{Q_2} = \frac{T_1}{T_2}$$

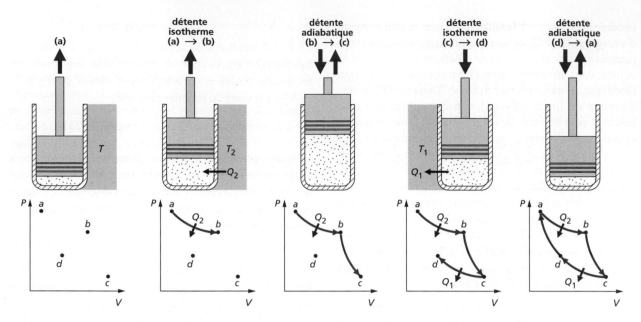

Figure 11.7 Description des quatre étapes du cycle de Carnot.

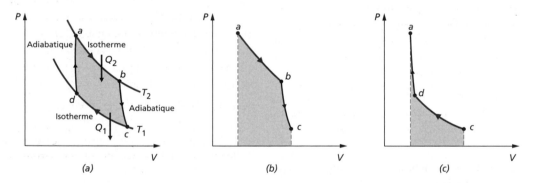

Figure 11.8 *(a)* Le cycle de Carnot pour un gaz parfait. *(b)* Le travail libéré par le gaz pendant la détente est égal à l'aire colorée. *(c)* Le travail reçu par le gaz pendant la compression est égal à l'aire colorée.

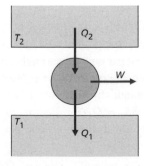

Figure 11.9 Représentation schématique du cycle de Carnot. Le travail fourni pendant un cycle complet est égal à la différence entre la chaleur reçue du réservoir à la température T_2 et la chaleur cédée au réservoir à la température T_1.

Le rendement e du cycle est défini par le travail net effectué divisé par la chaleur absorbée, c'est-à-dire par $e = W/Q_2$. En utilisant $W = Q_2 - Q_1$, nous trouvons

$$e = \frac{W}{Q_2} = 1 - \frac{Q_1}{Q_2} = 1 - \frac{T_1}{T_2} \qquad (11.10)$$

Ceci est le *rendement* du cycle de Carnot. D'après l'équation (11.10), le rendement est toujours inférieur à 1 à moins que le réservoir plus froid ne se trouve au zéro absolu. Ceci n'est évidemment pas possible car il n'y a pas moyen d'atteindre le zéro absolu, même pas en principe.

L'exemple ci-dessous montre le rendement d'une machine de Carnot fonctionnant entre deux températures faciles à atteindre.

──────── **Exemple 11.5** ────────

Un moteur de Carnot opère entre 100 °C et 0 °C. Calculer son rendement.

Réponse   Avec $T_1 = 273$ K et $T_2 = 373$ K, on obtient

$$e = 1 - \frac{T_1}{T_2} = 1 - \frac{273}{373} = 0,268$$

26,8 % seulement de la chaleur fournie est convertie en travail mécanique ; le reste est rejeté vers le réservoir plus froid.

11.5 CONSÉQUENCES DU THÉORÈME DE CARNOT

Comme nous l'avons déjà mentionné plus haut, le rendement du cycle de Carnot est totalement indépendant de la substance de travail utilisée. En effet, le calcul du rendement est uniquement basé sur le fait que le cycle consiste en deux processus isothermes et deux processus adiabatiques et non pas sur les propriétés du matériau. Ceci signifie que l'on ne peut espérer améliorer le rendement d'un moteur au moyen d'un choix ingénieux de la substance de travail, si ce moteur fonctionne déjà avec un rendement assez proche de celui du cycle de Carnot.

Carnot a montré également qu'*aucune machine thermique, opérant de façon cyclique entre deux réservoirs de température, n'a un rendement supérieur à celui du cycle de Carnot.*

Les moteurs réels souffrent toujours de pertes dues aux frottements et aux turbulences ; c'est pourquoi ils sont nécessairement moins performants que les cycles de Carnot opérant entre les mêmes températures. Afin de maximiser le rendement des machines thermiques, il faut rendre le rapport T_2/T_1 aussi grand que possible. Les moteurs des automobiles à hautes performances ont des taux de compression élevés afin d'obtenir des rapports de température plus élevés dans les cylindres.

Les températures et les pressions des chaudières à vapeur dans les centrales électriques sont également très élevées. Les centrales modernes à combustible fossile (charbon, mazout, gaz naturel) ont des rendements de l'ordre de 40 % ; l'excédent de chaleur cédée pendant la condensation de la vapeur est envoyé dans un lac, une rivière ou encore transféré dans l'atmosphère par l'intermédiaire des tours de refroidissement. Le rendement des centrales nucléaires actuellement en service valant 34 % au maximum, le problème de pollution thermique qu'elles posent est un peu plus grave. Il faut comparer ces chiffres aux rendements de Carnot théoriques qui, pour les deux

types de centrales, sont respectivement de 52 % et de 44 %.

Le rendement plus faible des centrales nucléaires est dû aux limites imposées aux hautes températures dans un réacteur. L'oxyde d'uranium, au centre des barres de combustible, doit en effet être maintenu bien au-dessous de sa température de fusion. Ceci impose une limite supérieure à la température à l'extérieur des barres de combustible. Quel que soit le type de centrale, la température maximum de fonctionnement est toujours limitée par des problèmes de construction et par la nature des matériaux utilisés. La température du réservoir froid est déterminée par celle des eaux de refroidissement en provenance des lacs et des rivières. La figure 11.10 montre les élements principaux d'une centrale électrique à vapeur.

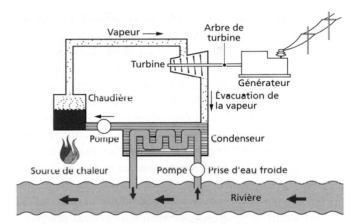

Figure 11.10 Les principaux éléments d'une centrale électrique thermique. La source de chaleur peut être une chaudière au charbon ou au mazout ou encore un réacteur nucléaire.

 ──────── **Exemple 11.6** ────────

Une centrale nucléaire produit 500 MW $= 5 \times 10^8$ W de puissance électrique avec un rendement de 34 %. La chaleur non utilisée est évacuée par une rivière d'importance moyenne, dont le débit moyen est de 3×10^4 kg s^{-1}. De combien la température de l'eau s'élèvera-t-elle ? (Il faut $4,18 \times 10^3$ J pour augmenter d'un degré K la température d'un kg d'eau.)

Réponse   Si la centrale opère avec un rendement de 34 %, la source de chaleur doit fournir de la chaleur au taux de $1,47 \times 10^9$ W. 66 % de cette puissance ou $9,7 \times 10^8$ W ne sont pas convertis en énergie utile et sont rejetés dans la rivière. En une seconde, la quantité de chaleur $\Delta Q = 9,7 \times 10^8$ J augmentera la température de l'eau d'une quantité ΔT. Sachant que

$$\Delta Q = (4,18 \times 10^3 \text{ J kg}^{-1} \text{ K}^{-1})m\,\Delta T$$

[voir l'équation (12.10)], et que $m = 3 \times 10^4$ kg, on trouve

$$\Delta T = \frac{\Delta Q}{\left(4,18 \times 10^3 \ \text{J Kg}^{-1}\text{K}^{-1}\right)m}$$

$$= \frac{9,7 \times 10^8 \ \text{J}}{\left(4,18 \times 10^3 \ \text{J kg}^{-1} \ \text{K}^{-1}\right)\left(3 \times 10^4 \ \text{kg}\right)} = 7,7 \ \text{K}$$

Cette élévation de la température est susceptible de causer de sérieux dommages aux organismes présents dans la rivière. Si tel est le cas, on utilise des tours de refroidissement afin de dissiper la chaleur dans l'atmosphère plutôt que dans la rivière. Dans le cas d'une centrale électrique conventionnelle de même puissance et d'un rendement égal à 40 %, la température du cours d'eau augmenterait de presque 6 K.

L'expression $e = 1 - T_1/T_2$ du rendement du cycle de Carnot fournit une interprétation utile du second principe. S'il y a transfert de chaleur d'un objet plus chaud à un objet plus froid, la différence de température diminue et le rendement de la machine de Carnot opérant entre ces deux réservoirs de chaleur décroît. Cela signifie qu'une quantité moindre de travail peut être effectuée avec un apport de chaleur donné. Ceci entraîne que l'énergie emmagasinée dans ces objets devient moins disponible. Par exemple, il y a un moyen de faire fonctionner un moteur à l'aide de réservoirs d'eau à 0 °C et 100 °C, mais il sera impossible de faire marcher ce moteur (donc de convertir de la chaleur en travail), si nous mélangeons l'eau des deux réservoirs de manière à égaliser leur température. Le fait de dire qu'un système tend à évoluer vers des états d'entropie maximum implique donc que l'énergie *tend à devenir de moins en moins disponible pour être convertie en travail mécanique.*

Différences de température dans les océans

L'intensification de la recherche sur des sources d'énergie de remplacement nous entraîne souvent à considérer les limites imposées par le théorème de Carnot. Une source d'énergie actuellement à l'étude exploite les différences de température entre la surface de l'océan et les eaux à grande profondeur. L'eau chaude de surface provoque l'évaporation d'un fluide de travail tel que l'ammoniac. Ce gaz actionne une turbine, un peu comme le fait la vapeur d'eau dans une centrale électrique. Le gaz est ensuite condensé en utilisant les eaux plus froides des couches profondes. Dans les eaux tropicales, les différences de température varient entre 18 °C et 25 °C. Si nous admettons une température de surface de 30 °C ou 303 K, le rendement de Carnot vaut au plus

$$e = 1 - \frac{T_1}{T_2} = 1 - \frac{278}{303} = 0,0825$$

Étant donné que le rendement théorique de Carnot est seulement de 8,25 % et qu'il y a inévitablement d'autres pertes, un rendement effectif de 3 % dans la production d'énergie électrique est considéré comme quelque peu optimiste. La raison en est qu'une telle centrale, pour produire 500 MW de puissance électrique, nécessite le pompage de 200 m³ d'eau par seconde à travers les échangeurs de chaleur. En 1979, dans l'Océan Pacifique près de Hawaï, ce type de centrale a été testé à petite échelle et les pompes ont absorbé 80 % de la puissance électrique produite. On pense que ce chiffre pourra par la suite être réduit à 30 %. Les centrales électriques conventionnelles n'utilisent au contraire qu'environ 1 % de leur production sur le site d'implantation même. Ceci montre que l'énergie thermique des océans a beau être disponible en quantités énormes, les problèmes inhérents à son exploitation n'en sont pas moins importants pour autant.

11.6 RÉFRIGÉRATEURS ET POMPES À CHALEUR

Les réfrigérateurs et les pompes à chaleur sont des appareils qui transportent de la chaleur d'un réservoir à basse température vers un réservoir à température plus élevée. Ainsi, un réfrigérateur enlève la chaleur du compartiment de refroidissement et de congélation et il la libère ensuite dans la pièce. Quant à la pompe à chaleur, elle opère généralement entre l'extérieur et l'intérieur d'un bâtiment et peut être utilisée pour refroidir l'intérieur par temps chaud et le chauffer par temps froid.

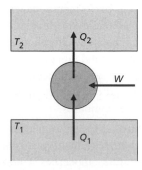

Figure 11.11 Représentation schématique d'un réfrigérateur ou d'une pompe à chaleur.

Étudions le cas où l'un de ces appareils évacue une chaleur Q_1 d'un réservoir à basse température T_1 pour ensuite fournir une chaleur Q_2 à un réservoir à température plus élevée T_2 (figure 11.11). Le premier principe de la thermodynamique nous enseigne que le travail fourni par le système pendant cette opération est donné par

$$W = Q_1 - Q_2$$

La variation d'énergie interne est nulle car l'appareil opère de façon cyclique et le système retourne périodiquement au même état thermodynamique.

Le coefficient de performance (CP), qui donne une mesure fort utile de l'efficacité de la machine, est défini différemment pour le réfrigérateur et la pompe à chaleur. Dans le cas d'un réfrigérateur ou d'un climatiseur visant à *refroidir* un local en été, c'est la quantité de chaleur Q_1 qui importe. Le CP_R du réfrigérateur est par conséquent défini comme le rapport de la chaleur évacuée du réservoir à *basse température* (compartiment à refroidir) au travail fourni *au* système. Ce travail vaut $-W = Q_2 - Q_1$, de sorte que

$$CP_R = \frac{Q_1}{-W} = \frac{Q_1}{Q_2 - Q_1} \qquad (11.11)$$

Le CP_R d'un réfrigérateur typique est de l'ordre de 5.

Le CP_{PC} d'une pompe à chaleur, visant à *chauffer* un local en hiver, est défini par le rapport de la chaleur Q_2 cédée (au réservoir à *température plus élevée*) au travail fourni *au* système. Donc

$$CP_{PC} = \frac{Q_2}{-W} = \frac{Q_2}{Q_2 - Q_1} \qquad (11.12)$$

Les pompes à chaleur disponibles dans le commerce ont des CP entre 2 et 4.

Nous pouvons déterminer les limites théoriques de la performance de réfrigérateurs idéaux et de pompes à chaleur idéales de la même façon que nous le faisions pour la machine de Carnot. Une machine idéale fonctionne de façon réversible, de sorte que la variation totale d'entropie du système et du milieu ambiant est nulle. En sommant les changements d'entropie des réservoirs à basse et haute température, nous obtenons

$$\Delta S = \frac{-Q_1}{T_1} + \frac{Q_2}{T_2} = 0$$

d'où $Q_1/T_1 = Q_2/T_2$. Avec ce résultat, le travail $-W = Q_2 - Q_1$ fourni au système pendant un cycle peut s'écrire

$$-W = Q_2 \left(1 - \frac{T_1}{T_2}\right) = Q_1 \left(\frac{T_2}{T_1} - 1\right)$$

Les coefficients de performance idéaux correspondants sont

$$CP_R = \frac{T_1}{T_2 - T_1} \quad \text{(idéal)} \qquad (11.13)$$

et

$$CP_{PC} = \frac{T_2}{T_2 - T_1} \quad \text{(idéal)} \qquad (11.14)$$

La quantité de chaleur à transférer au moyen d'un réfrigérateur ou d'une pompe à chaleur est généralement proportionnelle à la différence de température $T_2 - T_1$, alors que les coefficients de performance idéaux *diminuent* avec la température. Ceci est regrettable car au moment précis où la température extérieure est basse et où un transfert de chaleur important vers la maison est vraiment souhaitable, le coefficient de performance d'une pompe à chaleur risque de ne pas être très supérieur à 1. Un autre désavantage des pompes à chaleur est la condensation de l'humidité ainsi que le risque de gel par temps froid. C'est pour cette raison que leur utilisation a été limitée jusqu'à présent à des régions aux hivers doux, telles que les régions méridionales des États-Unis.

✎ ———————— **Exemple 11.7** ————————

Le CP_{PC} d'une pompe à chaleur commerciale est égal à 3 à une température intérieure de 20 °C et extérieure de 6 °C.

a) Quelle est la valeur idéale du CP_{PC} ?

b) Calculer le travail requis pour le transfert de 3×10^6 J de chaleur par heure vers une chambre.

Réponse a) Les températures intérieure et extérieure valent respectivement 293 K et 279 K. Pour une pompe à chaleur idéale, on a

$$CP_{PC} = \frac{T_2}{T_2 - T_1} = \frac{293 \text{ K}}{293 \text{ K} - 279 \text{ K}} = 20,9$$

b) Le travail fourni par la pompe à chaleur en une heure vaut

$$-W = \frac{Q_2}{CP_{PC}} = \frac{3 \times 10^6 \text{ J}}{3} = 10^6 \text{ J}$$

La puissance nécessaire au fonctionnement de la pompe à chaleur vaut ainsi 10^6 J/h ou 278 W. La chaleur transférée en un heure de l'extérieur vers l'intérieur vaut

$$Q_1 = Q_2 + W = 3 \times 10^6 \text{ J} - 10^6 \text{ J} = 2 \times 10^6 \text{ J}$$

Pour en savoir plus...

11.7 MÉTABOLISME HUMAIN

Tous les êtres vivants ont besoin d'énergie pour entretenir le processus de la vie. Les plantes vertes reçoivent leur énergie directement du soleil par l'intermédiaire de la photosynthèse. Des plantes telles que les champignons, qui n'utilisent pas la photosynthèse, aussi bien que les animaux ont besoin d'aliments capables de leur fournir de l'énergie sous forme chimique. Quelle que soit la nature de leur source d'énergie, les plantes et les animaux fonctionnent tout en étant soumis aux contraintes imposées par la thermodynamique.

Le premier principe de la thermodynamique est un outil fort commode pour cataloguer les facteurs qui jouent un rôle dans le problème complexe du métabolisme humain. Considérons une personne effectuant un travail ΔW en un temps Δt. Le travail fourni ΔW peut être mesuré directement dans des activités telles que rouler à bicyclette, déblayer la neige ou pousser une charrette. Le corps dégage généralement de la chaleur, de sorte que ΔQ est négatif. ΔQ peut être mesuré par la quantité de chaleur qu'il faut évacuer afin de maintenir constante la température de la pièce dans laquelle la personne travaille. D'après le premier principe, la variation de l'énergie interne ΔU est donnée par $\Delta U = \Delta Q - \Delta W$. La division par Δt fournit la relation entre les taux de variation

$$\frac{\Delta U}{\Delta t} = \frac{\Delta Q}{\Delta t} - \frac{\Delta W}{\Delta t} \qquad (11.15)$$

La variation par unité de temps de l'énergie interne peut être évaluée avec précision en mesurant la vitesse à laquelle une personne consomme de l'oxygène pour convertir la nourriture en énergie et en matériaux de déchets. Par exemple, une mole (180 g) de glucose, un hydrate de carbone typique, se combinent en plusieurs étapes à 134,4 litres d'oxygène pour former finalement du dioxyde de carbone et de l'eau. Une énergie de 2870 kJ est libérée pendant ce processus. L'*équivalent énergétique de l'oxygène* est défini comme le rapport de l'énergie libérée au volume d'oxygène consommé. Pour le glucose, ce rapport vaut 2870 kJ/134,4 litre = 21,4 kJ litre^{-1}. Le *contenu énergétique par unité de masse* est par définition égal à l'énergie libérée divisée par la masse. Dans le cas du glucose, ce rapport vaut 2870 kJ/180 g = 15,9 kJ g^{-1}.

Aliment	Contenu énergétique par unité de masse (kJ g^{-1})	Équivalent énergétique de l'oxygène (kJ litre^{-1})
Hydrate de carbone	17,2	21,1
Protéine	17,6	18,7
Graisse	38,9	19,8
Ethanol	29,7	20,3
Moyenne		20,2

Tableau 11.2 Le contenu énergétique moyen par unité de masse des aliments, et l'équivalent énergétique de l'oxygène

Le tableau 11.2 donne les contenus énergétiques par

unité de masse ainsi que les équivalents énergétiques de l'oxygène, pour des hydrocarbures, des protéines ainsi que des graisses couramment consommées. L'équivalent énergétique de l'oxygène de toutes ces substances est le même à quelques points de pourcentage près. On utilise ainsi la valeur moyenne de 20,2 kJ litre^{-1} pour convertir la consommation d'oxygène en variation d'énergie interne. Par exemple, si une personne consomme de l'oxygène au taux élevé de 100 litres h^{-1}, le taux de variation de l'énergie interne est de

$$(100 \text{ litres h}^{-1}) \times (20,2 \text{ kJ litre}^{-1}) = 2020 \text{ kJ h}^{-1}$$
$$= 561 \text{ W}$$

11.7.1 Métabolisme basal

Tous les animaux, y compris les hommes, consomment de l'énergie interne, même pendant le sommeil. La dépense énergétique minimale correspondant au simple entretien de la vie d'une personne au repos (mais à l'état éveillé) est appelée le métabolisme basal. Il est de l'ordre de 1,2 W kg^{-1} pour un homme moyen âgé de 20 ans et de 1,1 W kg^{-1} pour une femme du même âge. Dans les anciennes unités utilisées dans les traités sur la nutrition, à savoir les kilocalories, ceci correspond à environ 1700 kcal par jour pour un homme de 70 kg et à 1400 kcal par jour pour une femme de 60 kg. Une grande partie de l'énergie consommée par une personne au repos est directement convertie en chaleur. Le reste sert à effectuer du travail dans le corps avant d'être à son tour converti en chaleur.

Les matières nutritives ne sont pas utilisées directement dans le corps. Elles doivent d'abord être transformées en des substances telles que l'ATP (triphosphate d'adénosine) qui, elles, sont directement utilisables par les tissus. Dans cette conversion, environ 55 % de l'énergie apportée par les aliments sont perdus sous forme de chaleur. Les 45 % restants sont disponibles, d'une part, pour fournir du travail mécanique dans les organismes du corps et, d'autre part, pour permettre aux muscles de se contracter et de fournir du travail sur des objets extérieurs. Lorsqu'une personne poursuit une activité telle que monter un escalier ou faire du travail ménager, le métabolisme augmente (tableau 11.2). Une partie de l'énergie interne convertie est nécessaire à la dépense de travail mécanique par la personne en question. Le reste sert à répondre aux demandes internes accrues du corps. Lors du déblayage de la neige par exemple, le métabolisme vaut environ huit fois le métabolisme basal, mais peu de travail mécanique est effectivement fourni. L'énergie métabolique est surtout utilisée par les muscles pour changer et pour maintenir la position du corps.

Le prochain exemple illustre quelques-unes des idées développées jusqu'à présent.

────────── **Exemple 11.8** ──────────

a) Calculer l'énergie interne dépensée par un homme de 65 kg qui roule à bicyclette pendant 4 h.

b) Si cette énergie est obtenue à partir du métabolisme de la graisse, quelle quantité de graisse est-elle utilisée pendant cette activité ?

Activité	$-\dfrac{1}{m}\dfrac{\Delta U}{\Delta t}$ (W kg^{-1})
Endormi	1,1
Couché	1,2
Assis	1,5
Debout	2,6
Marchant	4,3
Grelottant	Jusqu'à 7,6
Roulant à bicyclette	7,6
Déblayant de la neige	9,2
Nageant	11,0
Fendant du bois	11,0
Skiant	15,0
Courant	18,0

Tableau 11.3 Métabolismes approximatifs par unité de masse d'un homme âgé de 20 ans pendant différentes activités.

Réponse   a) Le tableau 11.2 donne 7,6 W kg^{-1} pour le métabolisme d'un cycliste roulant à allure modérée. Un homme de 65 kg dépense alors une puissance de $(7,6 \text{ W kg}^{-1}) \times (65 \text{ kg}) = 494 \text{ W}$. Après 4 h ou $1,44 \times 10^4$ s, l'énergie totale consommée vaudra

$$- \Delta U = (494 \text{ W})(1,44 \times 10^4 \text{ s})$$
$$= 7,1 \times 10^6 \text{ J}$$
$$= 7100 \text{ kJ}$$

b) Le contenu énergétique de la graisse étant de 38,9 kg J^{-1}, la masse de graisse nécessaire à la dépense énergétique calculée en a) est donnée par

$$\text{Masse de graisse} = \frac{(7100 \text{ kJ})}{(38,9 \text{ kJ g}^{-1})} = 180 \text{ g} = 0,18 \text{ kg}$$

Afin d'apprécier ce résultat, il est utile de le comparer au contenu énergétique de la nourriture d'une personne sédentaire. Celle-ci est de l'ordre de 10 500 kJ ou 2500 kcal par jour. Un exercice de 4 h à bicyclette consommera donc environ les deux tiers de l'énergie requise quotidiennement par une personne sédentaire. Ceci montre clairement que pour perdre du poids, le fait de manger moins est beaucoup plus efficace que ne l'est l'exercice physique.

────────────

11.7.2   Le rendement du corps humain

Le rendement du corps humain, utilisant L'énergie chimique des aliments pour fournir du travail utile, peut être défini de plusieurs façons. Par convention, on compare la puissance mécanique $\Delta W/ \Delta t$ effectivement fournie, à la différence entre le métabolisme effectif pendant cette activité et le métabolisme basal. Le rendement, exprimé en %, est alors donné par

$$e = \frac{100 \dfrac{\Delta W}{\Delta t}}{\left| \dfrac{\Delta U}{\Delta t} - \dfrac{\Delta U}{\Delta t_{\text{basal}}} \right|} \quad (\%) \qquad (11.16)$$

Le tableau 11.4 donne le rendement du corps humain dans différentes activités.

L'exemple 11.9 illustre le calcul du rendement du corps humain dans l'escalade d'une montagne.

Activité	Rendement en %
Déblayer la neige	3
Soulever un poids	9
Faire tourner une roue	13
Monter une échelle	19
Monter un escalier	23
Rouler à bicyclette	25
Montrer des collines (à pente de 5 %)	30

Tableau 11.4 Rendements maxima dans différentes activités. *Adapté de E. Grandjean*, Fitting the Task to the Man ; An Ergonomic Approach, *Londres, Taylor and Francis, 1969.*

────────── **Exemple 11.9** ──────────

Une femme de 20 ans et de 50 kg escalade une montagne de 1000 m en 4 h. Pendant cette activité, son métabolisme par unité de masse est de 7 W kg^{-1}.

a) Quelle est la différence entre le métabolisme effectif et le métabolisme basal ?

b) Combien vaut le travail fourni lors de l'ascension ?

c) Quel est le rendement ?

Réponse

a) Comme le métabolisme basal par unité de masse de la femme est de 1,1 W kg^{-1}, la différence par unité de masse est de $(7-1,1)$ W kg^{-1} = 5,9 W kg^{-1}. Pour avoir la différence totale des métabolismes, il suffit de multiplier par la masse :

$$\left| \frac{\Delta U}{\Delta t} - \frac{\Delta U}{\Delta t_{\text{basal}}} \right| = (50 \text{ kg})(5,9 \text{ W kg}^{-1})$$

$$= 295 \text{ W}$$

b) Le travail fourni pendant l'ascension est égal à l'augmentation de l'énergie potentielle de la femme

$$\Delta W = mgh = (50 \text{ kg})\left(9,8 \text{ m s}^{-2}\right)(1000 \text{ m})$$

$$= 4,9 \times 10^5 \text{ J}$$

Comme $\Delta t = 4$ h $= 1,44 \times 10^4$ s, la puissance vaut

$$\frac{\Delta W}{\Delta t} = \frac{4,9 \times 10^5 \text{ J}}{\left(1,44 \times 10^4 \text{ s}\right)} = 34 \text{ W}$$

c) Le rendement vaut

$$e = \frac{100 \dfrac{\Delta W}{\Delta t}}{\left| \dfrac{\Delta U}{\Delta t} - \dfrac{\Delta U}{\Delta t_{\text{basal}}} \right|} = \frac{100(34 \text{ W})}{295 \text{ W}} = 11,5 \text{ \%}$$

En général, les rendements dans les activités humaines sont inférieurs à 30 %.

La puissance mécanique du corps humain dépend évidemment de la durée de l'activité. Une personne en bonne condition physique est capable de fournir une puissance de presque 21 W kg^{-1} à bicyclette, mais seulement pendant 5 ou 6 secondes. Quand il s'agit de fournir un effort pendant une période de 5 h, le métabolisme maximum est de 6 à 7 W kg^{-1}. Pour une personne fournissant du travail manuel, le métabolisme moyen annuel ne devrait pas dépasser 4 W kg^{-1} afin d'éviter tout risque pour la santé.

Réviser

RAPPELS DE COURS

La thermodynamique est l'étude de la conversion de l'énergie. Dans ce chapitre, nous étions spécialement concernés par l'énergie interne, la chaleur et le travail mécanique. Le premier principe est une relation entre ces quantités : la variation de l'énergie interne d'un système est égale à la chaleur absorbée par le système moins le travail fourni par le système,

$$\Delta U = U_f - U_i = Q - W$$

Le travail fourni par un système sous la pression P pour produire un petit changement de volume ΔV est donné par

$$\Delta W = P\,\Delta V$$

Le second principe de la thermodynamique fait intervenir la notion d'entropie. Dans sa version microscopique, il déclare que les systèmes ont tendance à évoluer vers un désordre croissant. La version macroscopique du second principe, un peu plus subtile dans son contenu, peut être utilisée pour faire des prédictions générales sur les processus thermodynamiques et leurs rendements.

Du point de vue macroscopique, si une petite quantité de chaleur ΔQ est ajoutée à un système à température T, d'une façon réversible, la variation d'entropie du système est

$$\Delta S = \frac{\Delta Q}{T}$$

Le second principe déclare que l'entropie totale (celle du système plus celle du milieu ambiant) ne peut jamais décroître.

Carnot a montré à partir des deux principes de la thermodynamique que le rendement maximum d'une machine thermique fonctionnant entre deux températures T_2 et T_1 ($T_2 > T_1$) est donné par

$$e = 1 - \frac{T_1}{T_2}$$

Les réfrigérateurs et les pompes à chaleur peuvent aussi être décrits et analysés à l'aide des deux principes de la thermodynamique. Les coefficients de performance maximum de ces appareils sont

$$CP_R = \frac{T_1}{T_2 - T_1} \quad \text{(idéal)}$$

et

$$CP_{PC} = \frac{T_2}{T_2 - T_1} \quad \text{(idéal)}$$

PHRASES À COMPLÉTER

1. Quand un gaz se dilate de ΔV tout en restant à une pression P constante, le travail fourni par le système vaut _____.

2. Qu'entend-on par chaleur ?

3. Qu'est-ce que l'énergie interne ?

4. Un système absorbe de la chaleur et fournit un certain travail. Que vaut la différence entre ces deux quantités ?

5. _____ est une mesure du désordre dans un système.

6. Une faible quantité de chaleur ΔQ est absorbée par un système à la température absolue T. Quelle est la variation de son entropie si le processus est réversible ?

7. Le second principe de la thermodynamique déclare que l'entropie d'un système augmentée de celle du milieu ambiant ne peut jamais _____.

8. Si une machine thermique absorbe de la chaleur à une température T_2 plus élevée et en cède à une température T_1 plus basse, quel est le rendement maximum possible ?

9. Quelle est la définition du coefficient de performance d'un réfrigérateur ?

S'entraîner

QCM

Q1. Si un gaz parfait se détend de manière adiabatique,

a) la température reste constante

b) l'énergie interne reste constante

c) l'énergie interne augmente

d) l'énergie interne diminue

e) aucune de ces réponses.

Q2. L'addition d'une quantité de chaleur à un système

a) augmente l'ordre moléculaire et diminue son entropie

b) diminue l'ordre moléculaire et augmente l'entropie

c) diminue l'ordre moléculaire et l'énergie interne

d) augmente l'entropie et diminue l'énergie interne

e) aucune de ces réponses.

Q3. Lorsqu'un gaz parfait se détend d'un volume V à un volume $2V$ de manière isobare, son énergie interne

a) reste constante

b) est multipliée par 2

c) est divisée par 2

d) devient nulle

e) aucune de ces réponses.

Q4. Pour augmenter le rendement d'un cycle de Carnot opérant entre les températures T_1 et T_2 ($T_1 < T_2$), il vaut mieux

a) augmenter T_1 de $10\,°C$

b) diminuer T_1 de $10\,°C$

c) augmenter T_2 de $10\,°C$

d) diminuer T_2 de $10\,°C$

e) aucune des ces réponses.

Q5. Le rendement d'un moteur de Carnot opérant entre $10\,°C$ et $120\,°C$ est égal à

a) $8\ \%$

b) $28\ \%$

c) $38\ \%$

d) $91,6\ \%$

e) aucune de ces réponses.

Q6. Le gaz parfait contenu dans un piston est comprimé jusqu'à la moitié de son volume initial. Le travail nécessaire à cette compression est

a) plus grand si la compression est isotherme que si elle est adiabatique

b) plus grand si la compression est adiabatique que si elle est isotherme

c) identique que la compression soit isotherme ou adiabatique

d) égal à la variation d'énergie interne dans tous les cas

e) aucune de ces réponses.

Q7. Le rendement idéal d'une pompe à chaleur visant à maintenir la température d'un local à $20\,°C$, alors que la température extérieure moyenne est de $5\,°C$, vaut

a) $0,33$

b) $1,33$

c) $18,53$

d) $19,53$

e) aucune de ces réponses.

Q8. Si on double la pression d'un gaz parfait au cours d'une transformation isochore

a) l'énergie interne est divisée par 2

b) la température reste constante

c) les échanges de chaleur associés au processus sont nuls

d) le travail associé au processus est nul

e) aucun de ces réponses.

Q9. En été, lorsque la température de la pièce où il se trouve passe de $20\,°C$ à $37\,°C$, un réfrigérateur devant conserver des aliments à une température de $3\,°C$ a son rendement divisé par

a) $1,06$

b) $1,85$

c) 2

d) 4

e) aucune de ces réponses.

Q10. Un gaz peut se dilater de manière adiabatique et isotherme. L'entropie du gaz

a) augmentera dans les deux cas

b) augmentera dans le cas isotherme et diminuera dans le cas adiabatique

c) augmentera dans le cas adiabatique et restera constante dans le cas isotherme

d) augmentera dans le cas isotherme et restera constante dans le cas adiabatique

e) aucune de ces réponses.

EXERCICES CORRIGÉS

E1. Dans une machine à vapeur, la course du piston est de $l = 30$ cm et sa surface $S = 700$ cm^2. La vapeur d'eau décrit le cycle suivant.

$a \to b$: admission de la vapeur à la pression constante $P = 10$ atm jusqu'à ce que le piston soit à fond de course.

$b \to c$: détente isochore jusqu'à la pression atmosphérique (P_{atm}).

$c \to d$: expulsion de la vapeur à pression constante jusqu'au volume initial.

$d \to a$: compression isochore jusqu'à l'état initial.

On demande :

1) de représenter le cycle dans un diagramme PV ;

2) de calculer le travail total fourni et la puissance de la machine si le piston effectue 600 cycles par minute ;

3) de calculer le rendement de la machine sachant qu'elle consomme 375 kg de charbon par heure, dont la combustion dégage 8000 kcal/kg.

4) de rechercher la qualité de vapeur admise dans le cyclindre à chaque cycle si sa température d'admission est de 167 °C.

On assimilera la vapeur à un gaz parfait.

Solution

1)

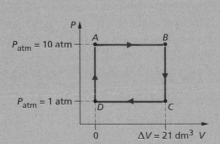

Figure 11.12

2) Le travail effectué au cours des transformations isochores est nul. Il en découle que le travail net effectué au cours d'un cycle par la vapeur est égal à

$$W = W_{ab} + W_{cd}$$
$$= P_{\text{adm}} \, \Delta V - P_{\text{atm}} \, \Delta V$$
$$= (P_{\text{adm}} - P_{\text{atm}}) \, \Delta V$$
$$= (9 \times 101\,325) \times 21 \times 10^{-3}$$
$$= 19\,150 \text{ J}$$

La durée d'un cycle est $\Delta t = \dfrac{60}{600} = 0,1$ s de sorte que la puissance développée est égale à

$$\mathcal{P} = \frac{W}{\Delta t} = \frac{19\,150}{0,1} = 191\,500 \text{ W}$$

3) La chaleur fournie à la vapeur est égale à

$$Q = 375 \times 8\ 10^6 \times 4,18 = 1,25 \times 10^{10} \text{ J/heure}$$

de sorte que le rendement vaut :

$$n = \frac{W}{Q} = \frac{19\,150 \times 600 \times 60}{1,25\ 10^{10}} = 5,5 \text{ \%}$$

4) Si la vapeur est assimilable à un gaz parfait, le nombre de moles admis dans le piston à chaque cycle vaut :

$$n = \frac{PV}{RT}$$

$$= \frac{(10 \times 101\,352)\left(21 \times 10^{-3}\right)}{8,31 \times 440}$$

$$= 5,82 \text{ moles}$$

La vapeur d'eau (H_2O) a une masse molaire de $16 + 2 = 18$ g de sorte que la quantité de vapeur admise dans le piston vaut :

$$5,82 \times 18 = 104,7 \text{ g}$$

E2. Une pièce est munie d'un climatiseur destiné à maintenir sa température à 20 °C alors que la température extérieure est de 38 °C. La quantité de chaleur entrant dans la pièce en une heure est de 5 MJ. La machine rejette vers l'extérieur la chaleur qu'elle engendre en fonctionnant à l'aide d'un ventilateur.

1) Quel est le coefficient de performance idéal du climatiseur ?

2) Quel est le travail effectué par le ventilateur pour maintenir la température de la pièce constante ?

3) Quelle est la quantité de chaleur totale rejetée vers l'extérieur ?

Solution

Le coefficient de performance du climatiseur est

$$\text{CP}_R = \frac{T_1}{T_2 - T_1} = \frac{293}{311 - 293} = 16,3$$

Le travail qui doit être effectué par le ventilateur chaque heure pour évacuer l'énergie thermique entrante est :

$$W = \frac{Q}{\text{CP}_R} = \frac{5 \times 10^6}{16,3} = 306\,748 \text{ J}$$

Cette énergie sera convertie en énergie thermique de sorte que la quantité totale de chaleur rejetée vers l'extérieur chaque heure sera égale à

$$Q = 5\ 10^6 + 306\,748 = 5,3 \text{ MJ}$$

EXERCICES

Voir réponses en fin d'ouvrage pour les exercices et problèmes dont le numéro est inscrit en noir.

Travail mécanique

11.1 a) Quel est le travail fourni par le système de la figure 11.13 quand il passe de *A* à *B* en empruntant le chemin (2) ?

b) Quel est le travail fourni si le système retourne de *B* à *A* via le même chemin ?

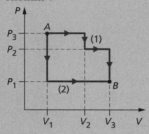

Figure 11.13 Exercices 11.1 et 11.4.

11.2 Un gaz subit une transformation isobare sous une pression $P = 10^5$ Pa. Calculer le travail fourni par le gaz si

a) $V_i = 10^{-2}$ m^3 et $V_f = 2{,}24 \times 10^{-2}$ m^3 ;

b) $V_i = 2 \times 10^{-2}$ m^3 et $V_f = 0{,}5 \times 10^{-2}$ m^3.

11.3 On applique une force de 10 N au piston de la figure 11.1. Sachant que le piston se déplace de 0,14 m, calculer le travail fourni au gaz.

Le premier principe de la thermodynamique

11.4 Un système évolue d'un état *A* vers un état *B* (figure 11.13). Quel est le travail fourni par le système s'il emprunte

a) le chemin (1) ;

b) le chemin (2) ?

c) Quelle est la variation de l'énergie interne si le processus (1) est réalisé de façon adiabatique ?

11.5 Pendant la transformation de $A \rightarrow B$ (figure 11.14), une substance voit son énergie interne augmenter de 3×10^5 J. Combien de chaleur le système absorbe-t-il ?

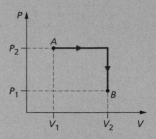

Figure 11.14 $P_1 = 1$ atm, $P_2 = 3$ atm, $V_1 = 0{,}002$ m^3 et $V_2 = 0{,}10$ m^3. Exercice 11.5.

11.6 Trouver la variation de l'énergie interne d'un système dans les cas suivants :

a) le système absorbe 2000 J de chaleur et produit 500 J de travail ;

b) le système absorbe 1100 J de chaleur et un travail de 400 J lui est fourni.

11.7 Un radiateur électrique d'une puissance de 100 W fournit de la chaleur à un gaz. Si le gaz produit du travail au taux de 75 joules par seconde pendant sa détente, de combien l'énergie interne augmente-t-elle par unité de temps ?

11.8 Si le gaz de l'exercice 11.7 est sous une pression constante d'une atm, de combien va-t-il se dilater en 10 secondes ?

11.9 On chauffe le gaz de la figure 11.1. Dans quelles conditions son énergie interne augmente-telle le plus rapidement, lorsque le piston est maintenu fixe ou lorsqu'il est libre de se déplacer vers la droite ? Expliquez votre raisonnement.

Le second principe de la thermodynamique

11.10 Un nouveau jeu de cartes a les quatre couleurs qui se suivent et, pour chaque couleur, les cartes se succèdent dans l'ordre numérique. On bat les cartes. L'entropie a-t-elle changé ? Si oui, expliquer pourquoi.

11.11 Le second principe de la thermodynamique déclare que le désordre de l'univers est soit constant, soit en augmentation.

a) Comment ceci peut-il être compatible avec le fait que le développement des plantes et des animaux tend vers des états plus ordonnés ?

b) Comment le second principe peut-il être compatible avec la théorie de l'évolution selon laquelle les êtres vivants complexes, fortement ordonnés, évoluent à partir d'espèces plus simples ?

11.12 Un système absorbe 10^4 J de chaleur, la température (300 K) restant constante et aucun travail n'étant fourni.

a) Quelle est la variation d'entropie du système ?

b) De combien son énergie interne varie-t-elle ?

11.13 Un ballon rempli d'hélium éclate et le gaz se répand uniformément dans la pièce.

a) Le processus est-il réversible ? Expliquer.

b) L'entropie de l'hélium et de l'air dans la pièce a-t-elle augmenté ou diminué ? Expliquer.

11.14 Expliquer, à l'aide de la version microscopique du second principe, pourquoi le jet répété d'une pièce de monnaie devrait donner pile environ autant de fois que face.

11.15 Une pièce de monnaie est jetée six fois.

a) De combien de façons peut-on obtenir les résultats suivants : face chaque fois, une fois pile et 5 fois face, 2 fois pile et 4 fois face, etc., 5 fois pile et une fois face, six fois pile ?

b) Quel est le résultat le plus probable ? Expliquer.

Le théorème de Carnot et la conversion de l'énergie

11.16 Quel est le rendement maximum d'une machine thermique travaillant entre 100 °C et 400 °C ?

11.17 Un moteur à combustion interne utilise du gaz naturel et de l'air comme substance de travail. La température dans la chambre à combustion vaut 2150 K après l'allumage. Pendant la phase d'échappement, elle est de 900 K. La différence entre la chaleur absorbée et le travail fourni par le moteur est de $4,6 \times 10^6$ J par seconde.

a) Quel est le rendement de Carnot idéal de ce moteur ?

b) Quelle est la puissance effective de ce moteur si son alimentation en chaleur est de $7,9 \times 10^6$ W ?

c) Quel est le rendement effectif de ce moteur ?

11.18 Sachant qu'un moteur thermique fonctionne avec un rendement de 40 % et qu'il absorbe 10^4 W de chaleur en provenance du réservoir à haute température, calculer sa puissance mécanique.

Conséquences du théorème de Carnot

11.19 Sachant que les rendements des centrales électriques conventionnelles et nucléaires valent respectivement 40 % et 30 % et que le réservoir à basse température est à 300 K dans les deux cas, calculer la température minimum de la vapeur produite dans chacun des cas.

11.20 Si la centrale électrique de l'exemple 11.6 était une centrale conventionnelle (donc à combustible fossile) avec un rendement de 40 %, quelle serait l'augmentation de la température de la rivière due à la chaleur non utilisée ?

Réfrigérateurs et pompes à chaleur

11.21 Un réfrigérateur évacue de la chaleur à partir du compartiment de congélation à raison de 100 W. La température du compartiment est de -4 °C. La chaleur est évacuée vers une pièce à 26 °C.

a) Quel est le coefficient de performance maximum du réfrigérateur ?

b) Si le CP_R effectif vaut 4, quelle puissance faut-il pour maintenir le compartiment congélateur à -3 °C ?

11.22 On se sert d'une pompe à chaleur pour chauffer une maison à raison de 5000 W. Si la pompe consomme une puissance de 2000 W, quel est le coefficient de performance de la pompe ?

Métabolisme humain

11.23 Une femme de 55 kg produit de la chaleur au taux de 1,1 W kg^{-1} quand elle est au repos.

a) Quelle est la variation par unité de temps de son énergie interne ?

b) Quelle énergie interne sera dépensée après 8 h ?

c) Si toute cette énergie provient du métabolisme des hydrates de carbone, quelle masse d'hydrate de carbone est-elle utilisée ?

11.24 Une femme suivant un régime diététique normal consomme de l'énergie interne au taux de 3 W kg^{-1}.

a) Sachant que sa masse est de 50 kg, calculer sa consommation d'oxygène par unité de temps.

b) Combien d'oxygène absorbe-t-elle en 8 h ?

11.25 Un homme de 60 kg est en train de déblayer des ordures avec un rendement de 3 %. Son métabolisme basal vaut 8 W kg^{-1}.

a) Calculer la puissance fournie.

b) Quel travail fait-il en 1 h ?

c) Que vaut la chaleur dégagée en 1 h ?

11.26 Une femme de 45 kg au repos a un métabolisme basal normal.

a) Quel volume d'oxygène absorbe-t-elle en 1 h ?

b) Si elle marche pendant 1 h et si son métabolisme vaut 4,3 W kg^{-1} pendant cette activité, combien d'oxygène consomme-t-elle ?

11.27 Un homme de 70 kg et de 20 ans consomme 1 litre d'oxygène par minute.

a) Quel est son métabolisme ?

b) S'il pouvait effectuer un travail avec un rendement de 100 %, quelle serait la puissance fournie ?

11.28 J.P. Joule découvrit en 1846 qu'un cheval était capable de soulever un poids de 10^8 N d'une hauteur de 0,3 m en 24 h. Le foin et l'avoine consommés pendant cet effort étaient équivalents à une réserve d'énergie interne de $1,2 \times 10^8$ J.

a) Quelle fraction de cette énergie interne est utilisée par le cheval en travail mécanique ?

b) Si le rendement effectif du cheval était de 30 %, quel serait le métabolisme basal du cheval ?

PROBLÈMES

11.29 Un système évolue de l'état a à l'état c via le chemin abc (figure 11.15). Pendant cette transformation il absorbe 10^5 J et il fournit un travail de 4×10^4 J.

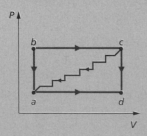

Figure 11.15 Problème 11.29.

a) Quelle est la chaleur absorbée dans le cas où le système emprunte le chemin adc tout en fournissant un travail de 10^4 J ?

b) Si le système retourne à l'état a via le chemin en zigzag ca, le travail fourni est de 2×10^4 J. Quelle est la chaleur absorbée ou dégagée par le système ?

c) Sachant que $U_a = 104$ J et $U_d = 5 \times 10^4$ J, calculer la quantité de chaleur absorbée le long des chemins ad et dc.

11.30 Huit litres d'air, initialement à température ambiante et sous la pression atmosphérique, subissent une compression isotherme jusqu'au moment où le volume occupé vaut trois litres. Ensuite, il y a une détente adiabatique jusqu'à un volume de huit litres. Représenter la transformation sur un diagramme $P - V$.

11.31 Un moteur fonctionne suivant le cycle représenté sur la figure 11.16 au moyen d'un diagramme $T - S$. Quel est le rendement du moteur ?

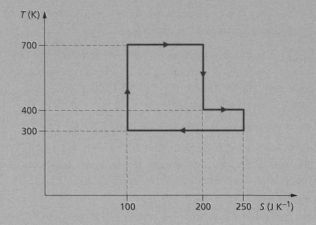

Figure 11.16 Problème 11.31.

11.32 Dessiner le diagramme $T - S$ du cycle de Carnot opérant entre les températures T_2 et T_1 ($T_2 > T_1$).

11.33 Deux dés sont jetés simultanément.

a) De combien de façons peuvent-ils retomber pour que la somme des valeurs soit égale à 2, 3, 4,... 12 ?

b) Lequel de ces totaux est le plus probable ?

c) Interpréter la réponse trouvée en b) en termes d'entropie et de désordre.

11.34 Une pompe à chaleur sert à chauffer un bâtiment. La température à l'extérieur vaut 0 °C alors que celle du bâtiment est de 25 °C. Le coefficient de performance de la pompe vaut 3,2 dans ces conditions.

a) Si la pompe à chaleur transfère la chaleur vers l'intérieur à raison de 5×10^6 J par heure, quelle puissance faut-il fournir pour maintenir cette pompe en état de marche ?

b) Quelle puissance électrique faudrait-il fournir pour chauffer la maison directement ?

c) La combustion d'un litre de fuel libère $3,7 \times 10^7$ J d'énergie. Combien de litres de mazout faut-il brûler avec un rendement de 80 % pour assurer le chauffage du bâtiment ?

d) On brûle le mazout dans le but de produire de l'énergie électrique avec un rendement de 40 %. Si cette énergie électrique sert à faire marcher la pompe à chaleur, combien de mazout faut-il brûler par heure ?

11.35 Afin de produire des cubes de glace dans une cuvette d'eau, il faut lui retirer environ 2×10^5 J de chaleur. Combien de temps mettra-t-on pour évacuer cette chaleur à l'aide d'un réfrigérateur de Carnot travaillant entre 270 K et 310 K ? Le réfrigérateur consomme 220 W.

11.36 Le moteur d'un réfrigérateur idéal (de Carnot) fournit une puissance utile de 200 W. Le compartiment de congélation du réfrigérateur est à $T_1 = 270$ K et la température de l'air de la pièce est à $T_2 = 300$ K. Trouver la quantité de chaleur maximum qu'il y a moyen d'évacuer en 1 minute.

11.37 Un réacteur nucléaire à eau bouillante porte la vapeur à une température de 285 °C. L'eau de refroidissement est à 40 °C. Le rendement effectif de la centrale est de 34 %.
a) Quel est le rendement idéal de la centrale ?
b) Quel est le rapport de la puissance effectivement perdue à celle perdue dans la situation idéale ?

11.38 La production d'électricité basée sur l'exploitation de la différence de température entre les eaux de surface et les couches profondes implique le transfert de chaleur à partir de l'eau plus chaude vers le fluide de travail et finalement vers l'eau de refroidissement. Pour augmenter d'1 K la température d'un kg d'eau, il faut fournir $4,169 \times 10^3$ J. Afin de produire 500 MW (500×10^6 W) d'électricité avec un rendement de 4 %, il faut chaque seconde élever la température d'une masse m de l'eau de refroidissement de 12 °C à 30 °C. Que vaut m ?

11.39 La différence de température entre l'eau de surface et l'eau profonde derrière les grands barrages pourrait servir de source d'énergie de la même façon que la différence de température des eaux de mer. Supposons que l'eau du fond soit constamment à 5 °C et que durant les mois de janvier et de juillet la température de l'eau de surface vaille respectivement 8 °C et 23 °C. Quel est le rendement idéal pendant ces deux mois ?

11.40 Le métabolisme de la plupart des humains décroît régulièrement à partir de l'âge de 20 ans. La diminution atteint 20 % à l'âge de 70 ans.
a) Une personne âgée va-t-elle se refroidir plus vite en hiver qu'une personne plus jeune ? Pourquoi ?
b) Si un homme de 70 ans fait un travail avec la même puissance qu'un homme plus jeune et si tous deux ont le même rendement, lequel a le métabolisme le plus élevé ? Expliquer.

11.41 Le régime diététique d'une personne de 70 kg est de $1,25 \times 10^7$ J. Calculer le travail que cette personne peut effectuer avec un rendement de 15 % et un taux métabolique de 250 W avant que toute l'énergie alimentaire ne soit consommée.

11.42 Si un homme de 90 kg fait de l'exercice physique avec un métabolisme de 7,5 W kg^{-1}, en combien de temps perdra-t-il 1 kg de graisse ?

11.43 Un coureur cycliste de 70 kg fournit une puissance de 820 W pendant un sprint qui dure 11 secondes. Si le rendement est de 20 % et si l'énergie provient uniquement des hydrates de carbone, quelle masse d'hydrate de carbone est-elle utilisée ?

11.44 Une femme de 45 kg monte un escalier de 5 m de haut en 3 secondes.
a) Quelle est la puissance mécanique fournie par la femme ?
b) Sachant que le métabolisme basal de la femme est de 1 W kg^{-1} et qu'elle travaille avec un rendement de 10 %, quel est le métabolisme de la femme pendant cet effort ?
c) Calculer le volume total d'oxygène consommé par la femme pendant cette escalade.

11.45 Si la femme du problème 11.44 descend l'escalier, son énergie potentielle diminue. Ce processus nécessite-t-il de l'énergie métabolique ? Expliquer.

11.46 Le modèle de loi d'échelle de la résistance au flambage nous a permis de conclure que le métabolisme d'un animal de masse m devrait varier comme $m^{0,75}$. Ceci signifie que le métabolisme par unité de masse varie comme $m^{0,75}/m = m^{-0,25}$. Le métabolisme basal d'un homme de 60 kg est de 1,2 W kg^{-1}. Quel est le métabolisme basal par unité de masse d'un cheval de 960 kg ?

11.47 À l'aide de la loi d'échelle décrite dans le problème précédent, calculer le métabolisme basal d'un éléphant de 6400 kg, sachant que celui d'une souris de 0,04 kg est de 0,3 W.

11.48 Un colibri doit fournir une puissance de 0,06 W afin de se maintenir en suspension dans l'air. Les consommations d'oxygène d'un colibri au repos et en suspension valent respectivement 5×10^{-6} litre s^{-1} et 35×10^{-6} litre s^{-1}. Quel est le rendement d'un colibri en suspension dans l'air ?

11.49 Une personne suit un régime qui lui procure 10 500 kJ ou 2 500 kcal par jour et elle en utilise 12 600 kJ par jour. Si le déficit est comblé par la graisse emmagasinée dans le corps, en combien de jours la personne va-t-elle perdre 1 kg ?

CHAPITRE 12

Propriétés thermiques de la matière

Mots-clefs

Calorimètre • Chaleur latente • Chaleur spécifique molaire • Chaleur spécifique • Changement de phase • Conduction • Conductivité thermique • Convection • Corps noir • Dilatation linéaire • Dilatation thermique • Énergie interne • Fréquence • Loi de Stefan • Loi de Wien • Longueur d'onde • Point critique • Point triple • Rayonnement • Thermostat • Valeur R

Introduction

Au chapitre 10, nous avons décrit la relation entre la température d'un corps et l'énergie moyenne des molécules qui le composent. Les gaz parfaits nous ont servi d'exemple. Au chapitre 11, nous avons discuté la relation entre l'énergie interne, l'énergie thermique transférée et le travail fourni par le système. Ces discussions tenaient peu compte de la spécificité des matériaux. Nous allons maintenant considérer la manière dont les propriétés des matériaux varient avec la température. Nous étudierons aussi le transfert d'énergie thermique entre matériaux. Dans chaque cas, nous tiendrons compte de la nature du matériau considéré.

Comme les propriétés de la matière dépendent de la température, l'échange d'énergie thermique joue un rôle très important dans la nature. Les processus biologiques se déroulant seulement dans un domaine étroit de température, la nature et les hommes ont façonné des méthodes pour limiter ou améliorer l'efficacité des transferts d'énergie. En voici deux exemples : l'isolation des maisons et la réaction du corps aux hautes températures par la transpiration.

Nous commencerons notre étude des propriétés thermiques de la matière par l'analyse de la dilatation thermique des solides et des liquides. Ensuite nous verrons comment la température d'un objet varie lorsque l'on lui fournit ou lorsque l'on lui enlève de la chaleur. Ceci nous amènera à discuter du transfert de l'énergie thermique. Nous emploierons ces idées pour étudier la régulation de température chez les animaux à sang chaud.

12.1 LA DILATATION THERMIQUE

Lorsque l'on chauffe une substance, on provoque généralement un accroissement de volume. Cette augmentation s'explique par l'augmentation de l'énergie cinétique des atomes ou des molécules. En effet, l'énergie cinétique supplémentaire fait augmenter la violence des chocs entre les molécules. Les molécules ont par conséquent tendance à se repousser davantage l'une l'autre et le matériau se dilate.

Au niveau macroscopique, nous pouvons aisément établir une relation entre le changement de longueur d'un objet et sa variation de température. Supposons que l soit la longueur originale de l'objet de la figure 12.1. Il se produit une petite augmentation de longueur Δl sous l'effet d'une légère augmentation de température ΔT. Si nous divisons l'objet en deux parties égales, chaque partie aura une longueur $l/2$ et se dilatera de $\Delta l/2$. On voit donc que le changement de longueur Δl est directement proportionnel à la longueur l. L'expérience montre en plus que si nous doublons la variation de température, la dilatation double également. Ces proportionnalités peuvent être exprimées par l'équation suivante :

$$\Delta l = \alpha l \, \Delta T \qquad (12.1)$$

où la constante α est le *coefficient de dilatation linéaire*. Celui-ci est une propriété d'un matériau donné. Il dépend lui-même quelque peu de la température. Des valeurs représentatives de α sont données dans le tableau 12.1. Nous voyons que α a les dimensions de l'inverse d'une température s'exprime donc en K^{-1}. *Comme c'est la variation de température qui intervient, la mesure de ΔT peut s'effectuer aussi bien en degrés Kelvin qu'en degrés Celsius.* Nous utiliserons ce fait tout au long du chapitre. Comme α dépend faiblement de la température, l'équation (12.1) n'est rigoureusement exacte que pour de très petites variations de la température T. Cependant, elle reste souvent assez précise même si ΔT vaut 100 °C ou plus, à condition d'adopter une valeur moyenne pour α.

L'exemple 12.1 illustre l'importance de la dilatation thermique.

Matériau	Température (°C)	α (K^{-1})
Aluminium	−23	2,21 ×10^{-5}
	20	2,30 ×10^{-5}
	77	2,41 ×10^{-5}
	527	3,35 ×10^{-5}
Diamant	20	1,00 ×10^{-6}
Celluloïd	50	1,09 ×10^{-4}
Verre	50	8,3 ×10^{-6}
Pyrex	50	3,2 ×10^{-6}
Glace	−5	5,07 ×10^{-5}
Acier	20	1,27 ×10^{-5}
Platine	20	8,9 ×10^{-6}

Tableau 12.1 Coefficients de dilatation linéaire de différents matériaux.

 ────────── **Exemple 12.1** ──────────

La longueur du pont de la Golden Gate à San Francisco est de 1 280 m. Certaines années, la température varie entre −12 °C et 38 °C. Calculer la variation de longueur correspondant à cette différence de température, sachant que la chaussée est supportée par des poutres en acier. Pour l'acier, α est égal à $1{,}27 \times 10^{-5}$ K^{-1}.

Réponse Avec $\Delta T = 38\,°C - (-12\,°C) = 50\,°C$ ou 50 K, on trouve :

$$\Delta l = \alpha l \, \Delta T$$
$$= \left(1{,}27 \times 10^{-5} \ \text{K}^{-1}\right)(1280 \ \text{m})(50 \ \text{K})$$
$$= 0{,}81 \ \text{m}$$

Dans la conception du pont il a évidemment fallu tenir compte de ce changement substantiel de longueur. Si la structure n'était pas capable de changer de longueur sous l'effet des changements de température, d'énormes forces se développeraient, susceptibles de provoquer d'énormes dégâts.

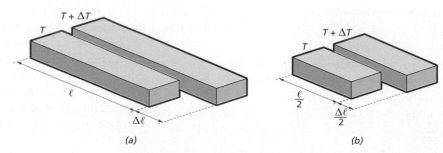

(a)   *(b)*

Figure 12.1 La dilatation d'une barre est proportionnelle à sa longueur. Lorsque la longueur de la barre diminue d'un facteur 2, la dilatation diminue également d'un facteur 2.

Le *thermostat* et *l'ultramicrotome* représentent deux applications intéressantes de la dilatation thermique. Un thermostat est un dispositif constitué de deux rubans métalliques collés l'un à l'autre (figure 12.2). Les coefficients de dilatation linéaire des deux métaux sont différents. Sous l'effet de la chaleur, cette dilatation inégale provoque la flexion des rubans. Lorsque la flexion est suffisamment grande, le thermostat ouvre ou ferme un interrupteur. Un thermostat peut ainsi servir à contrôler un système de chauffage central ou d'air conditionné, ou encore la température à l'intérieur d'un réfrigérateur.

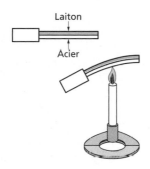

Laiton

Acier

Figure 12.2 Des rubans de laiton et d'acier fixés l'un à l'autre se dilatent de façon inégale sous l'action de la chaleur ($\alpha_{\text{laiton}} > \alpha_{\text{acier}}$).

L'*ultramicrotome* est un appareil conçu pour préparer des coupes très fines de tissus biologiques destinées à être observées au microscope. Un échantillon, fixé sur un bras métallique en rotation, passe devant une lame de couteau (figure 12.3). Si la température du bras métallique augmente régulièrement, celui-ci se dilate uniformément. Une tranche mince de l'échantillon pourra ainsi être coupée à chaque tour. On peut s'arranger pour que l'allongement du bras soit aussi lent que 1 micron (10^{-6} m) par minute.

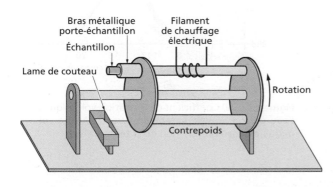

Bras métallique porte-échantillon

Filament de chauffage électrique

Échantillon

Lame de couteau

Rotation

Contrepoids

Figure 12.3 Vue schématique d'un ultramicrotone.

12.1.1 Dilatation en surface et en volume

Quand on chauffe un objet, toutes ses dimensions augmentent (figure 12.4) : la longueur des côtés, l'aire des surfaces ainsi que le volume.

Considérons la face d'un cube. Initialement, son aire vaut l^2. Lorsque la température augmente de ΔT, la longueur de chaque côté augmente et devient égale à $l + \Delta l$. L'aire de la face prend la valeur $(l+\Delta l)^2 = l^2 + 2l\Delta l + (\Delta l)^2$ et l'augmentation de surface vaut

$$\Delta A = (l + \Delta l)^2 - l^2 = 2l\,\Delta l + (\Delta l)^2$$

En général, Δl est très petit par rapport à l et on peut négliger le terme $(\Delta l)^2$.

Dans ces conditions, on a $\Delta A \simeq 2l\,\Delta l = 2l(\alpha l\,\Delta T)$. Comme l^2 représente l'aire initiale A, l'aire de la face varie de

$$\Delta A = 2\,\alpha\,A\,\Delta T \qquad (12.2)$$

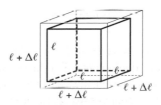

ℓ

$\ell + \Delta\ell$

ℓ

ℓ

$\ell + \Delta\ell$

$\ell + \Delta\ell$

Figure 12.4 Quand la température augmente, chaque dimension du cube passe de *l* à *l* + Δl.

Les aires augmentent donc deux fois plus vite que les longueurs. Bien que l'équation (12.2) ait été obtenue dans le cas d'une surface carrée, elle est également valable pour une forme quelconque. On utilise ce résultat dans l'exemple qui suit.

 ———— **Exemple 12.2** ————

Un disque en acier est troué en son centre. Si l'on chauffe le disque de 10 °C à 100 °C, calculer l'augmentation relative de l'aire du trou.

Réponse Toutes les dimensions du disque augmentent sous l'action de la chaleur. La superficie du trou augmente également, tout comme l'aire à l'intérieur d'un cercle marqué au crayon sur un disque solide. L'aire du trou s'accroît donc comme s'il était rempli d'acier. On peut donc directement appliquer l'équation (12.2). En utilisant la valeur de α donnée dans le tableau 12.1, on trouve pour la variation relative de A :

$$\frac{\Delta A}{A} = 2\,\alpha\,\Delta T = 2\big(1{,}27 \times 10^{-5}\ \text{K}^{-1}\big)(90\ \text{K})$$

$$= 2{,}29 \times 10^{-3}$$

Si toutes les dimensions d'un objet augmentent, le volume augmente également. La formule de la dilatation de volume est la suivante :

$$\Delta V = \beta V \, \Delta T \qquad (12.3)$$

Le coefficient β est appelé le *coefficient de dilatation* volumique. On peut le relier à α en considérant le changement du volume produit par un accroissement de température ΔT (figure 12.4). Si les côtés varient de l à $l + \Delta l$, la variation de volume est de $\Delta V = (l + \Delta l)^3 - l^3$. La variation de longueur Δl est supposée beaucoup plus petite que l, de sorte que les termes en $(\Delta l)^2$ et en $(\Delta l)^3$ sont très petits vis-à-vis des autres. En négligeant ces termes dans le développement de $(l + \Delta l)^3$, il ne reste plus que $l^3 + 3l^2 \, \Delta l$ et $\Delta V = 3l^2 \, \Delta l = 3V \, \Delta l/l$. Comme $\Delta l = \alpha l \, \Delta T$, il vient

$$\Delta V = 3 \, \alpha \, V \, \Delta T$$

La comparaison avec $\Delta V = \beta V \, \Delta T$ donne

$$\beta = 3\alpha$$

Les volumes augmentent donc trois fois plus vite que les longueurs.

Considérons maintenant un corps solide, plein, homogène, de forme quelconque. Par la pensée, isolons un petit volume à l'intérieur de ce corps. Lorsque le corps est chauffé, il se dilate uniformément et le petit volume imaginaire se dilate au même taux que lui. Si on ôte le volume imaginaire, la cavité créée doit également se dilater de manière identique. Il en résulte que lorsqu'un corps se dilate ou se contracte sous l'effet de la température, les cavités éventuelles qu'il contient se dilatent ou se contractent de la même manière que le corps lui-même, comme si elles étaient pleines. C'est ce que nous avions vu pour les aires dans l'exemple 12.2.

12.1.2 L'eau

Dans la discussion de la dilatation thermique, l'eau mérite d'être considérée en particulier. C'est en effet une des très rares substances qui présente un coefficient de dilatation volumique négatif dans un certain domaine de température. La figure 12.5 montre les variations du coefficient β et de la masse volumique de l'eau en fonction de la température. Le coefficient β varie avec la température et change même de signe à $3,98\,°C$. Quand la température augmente à partir de $0\,°C$, l'eau se *contracte* jusqu'à $3,98\,°C$, puis elle se dilate une fois cette température dépassée ; la masse volumique de l'eau est donc maximum à $3,98\,°C$.

Cette caractéristique est extrêmement importante pour la vie aquatique. Lorsque la température de l'air décroît en début d'hiver, l'eau superficielle des lacs se refroidit. Au moment où l'eau de surface atteint $3,98\,°C$, elle descend vers le fond, tandis que l'eau plus chaude et moins dense du fond remonte en surface. L'eau froide qui descend emporte de l'oxygène dissous. Lorsque le lac entier a subi ce brassage et atteint la température de $3,98\,°C$, la surface se refroidit davantage. Il y aura finalement formation de glace. La glace, de masse volumique inférieure à celle de l'eau, flotte sur l'eau. Le lac gèle donc de haut en bas. La vie aquatique peut se maintenir en hiver grâce à l'eau fraîchement oxygénée qui se trouve sous la glace.

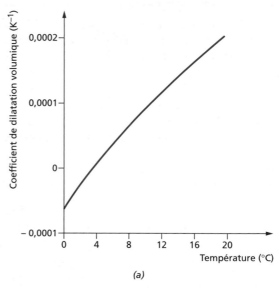

(a)

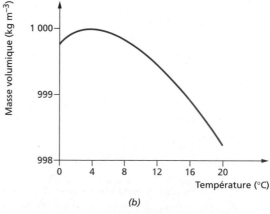

(b)

Figure 12.5 *(a)* Coefficient de dilatation volumique de l'eau en fonction de la température. *(b)* Masse volumique de l'eau en fonction de la température.

12.2 CHALEUR SPÉCIFIQUE*

Quand on place un objet à proximité ou au contact d'un autre objet à température plus élevée, un transfert d'énergie se produit de l'objet le plus chaud vers l'objet le plus froid. La température de ce dernier augmente. Le rapport de la quantité d'énergie transférée à la variation de température ΔT est appelé la *capacité calorifique*.

Si un transfert d'énergie se produit par suite d'une différence de température, on dit qu'il y a transfert d'énergie thermique ou de *chaleur*. Comme nous l'avons vu au chapitre 10 (premier principe), on peut également transférer de l'énergie à une substance en effectuant un travail, par exemple en remuant un liquide ou en comprimant un gaz.

Supposons qu'une petite quantité de chaleur ΔQ soit transférée à n moles d'une certaine substance. Le premier principe de la thermodynamique nous apprend que cet apport de chaleur peut provoquer une augmentation de l'énergie interne, ou la fourniture d'un travail. Les deux phénomènes peuvent aussi se produire simultanément. La capacité calorifique rapportée à une mole, que nous appelons la *chaleur spécifique molaire C*, est définie par la relation :

$$C = \frac{1}{n} \frac{\Delta Q}{\Delta T} \tag{12.4}$$

C est donc le rapport entre la quantité de chaleur fournie par mole et l'accroissement de température. Les substances à chaleur spécifique élevée, comme l'eau par exemple, subissent des changements de température relativement faibles quand une quantité donnée de chaleur leur est fournie.

En pratique, la chaleur spécifique est généralement mesurée dans l'une des conditions expérimentales suivantes. S'il y a transfert de chaleur alors que le volume de la substance reste *constant*, aucun travail n'est effectué. Dans ces conditions, ΔQ est égal à la variation ΔU de l'énergie interne (en vertu du premier principe) et la *chaleur spécifique molaire à volume constant* est alors donnée par la relation

$$C_V = \frac{1}{n} \frac{\Delta U}{\Delta T} \quad \text{(volume constant)} \tag{12.5}$$

La chaleur spécifique se mesure plus souvent à *pression constante*. Dans ces conditions, un apport de chaleur ΔQ entraîne une augmentation de l'énergie interne ainsi que la fourniture d'un certain travail par la substance. La chaleur spécifique à volume constant est la plus facile à calculer théoriquement. Par contre, la chaleur spécifique

à pression constante est la plus facile à mesurer. Dans le cas particulier d'un gaz parfait monoatomique, les deux grandeurs sont faciles à calculer.

Nous avons vu au chapitre 10 que l'énergie cinétique moyenne par molécule vaut

$$(K)_{\text{moy}} = \frac{3}{2} \frac{R}{N_A} T$$

dans le cas d'un gaz parfait monoatomique, R étant la constante des gaz parfaits et N_A le nombre d'Avogadro. Pour n moles, c'est-à-dire pour nN_A molécules, l'énergie interne U est égale à la somme des énergies cinétiques des molécules, qui vaut $U = nN_A(K)_{\text{moy}} = 3nRT/2$. Si le gaz ne change pas de volume sous l'effet d'un apport de chaleur ΔQ accompagné d'une augmentation de température ΔT, l'énergie interne varie de $\Delta U = 3nR\,\Delta T/2$. Par conséquent, la chaleur spécifique molaire à volume constant vaut, pour un gaz parfait monoatomique

$$C_V = \frac{1}{n} \frac{\Delta U}{\Delta T} = \frac{3R}{2} \tag{12.6}$$

Si c'est la pression qui est maintenue constante, on aura $\Delta Q = \Delta U + W$. Or nous avons vu au chapitre 10 que, dans le cas des gaz parfaits, le travail est égal à $W = P\,\Delta V$ si la pression est maintenue constante. Comme $PV = nRT$ (équation d'état des gaz parfaits), on a, toujours à pression constante, $W = P\,\Delta V = nR\,\Delta T$. Ainsi $\Delta Q = \Delta U + nR\,\Delta T$ et la chaleur spécifique molaire à pression constante est donnée par

$$C_P = \frac{1}{n} \frac{\Delta Q}{\Delta T} = \frac{1}{n} \frac{\Delta U}{\Delta T} + R$$

Mais $\Delta U/n\,\Delta T = C_V$, de sorte que pour un gaz parfait monoatomique

$$C_P = C_V + R = \frac{5R}{2} \tag{12.7}$$

Ce résultat est en excellent accord avec l'expérience dans le cas des gaz réels monoatomiques à des densités moyennes et faibles. La relation $C_P = C_V + R$ est également bien vérifiée dans le cas des gaz réels polyatomiques.

Nous avons pu calculer la chaleur spécifique molaire d'un gaz monoatomique à partir du premier principe. Cependant, le problème du calcul de l'énergie requise pour élever la température d'un gaz polyatomique, d'un liquide ou d'un solide est beaucoup plus difficile. Dans le cas des molécules polyatomiques par exemple, nous avons fait remarquer qu'il est nécessaire d'inclure les énergies de rotation et de vibration dans l'énergie interne totale.

---

* On rencontre également le terme de *chaleur massique* pour exprimer la capacité calorifique rapportée à l'unité de masse.

La physique statistique moderne prédit qu'aux basses températures la chaleur spécifique d'un gaz quelconque résulte uniquement du mouvement de translation. Ceci entraîne que C_V est égal à $(3/2)R$. Aux températures intermédiaires les rotations interviennent également et C_V vaut $(5/2)R$ pour un gaz diatomique. Aux hautes températures, les mouvements de vibration, de rotation et de translation interviennent simultanément et C_V vaut $(7/2)R$ pour un gaz diatomique. La variation de la chaleur spécifique molaire de l'hydrogène gazeux H_2 en fonction de la température est donnée dans la figure 12.6. L'effet des trois contributions apparaît clairement.

Dans le cas des liquides, on rencontre des difficultés supplémentaires dans le calcul des chaleurs spécifiques. La chaleur spécifique de la vapeur d'eau par exemple ne vaut que la moitié de celle de l'eau liquide. La différence provient du fait que les forces intermoléculaires ont des effets différents dans les deux cas. Dans un gaz, les molécules sont à grande distance les unes des autres et les forces intermoléculaires jouent un rôle négligeable. Par contre, dans un liquide, les molécules sont beaucoup plus proches les unes des autres. En conséquence, les attractions intermoléculaires deviennent significatives. Elles contribuent donc aussi à l'énergie interne. Cela rend les calculs de la chaleur spécifique encore plus compliqués. Dans les solides cristallins les chaleurs spécifiques sont de nouveau relativement faciles à calculer.

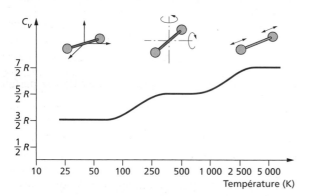

Figure 12.6 Chaleur spécifique molaire à volume constant du gaz H_2. À basse température, la chaleur spécifique est due à l'énergie cinétique de translation. À des températures plus élevées, il faut inclure l'énergie cinétique de rotation. L'énergie cinétique de vibration devient importante à des températures encore plus hautes. Noter que l'échelle de température est logarithmique.

La capacité calorifique rapportée à l'unité de masse est appelée la *chaleur spécifique c*. Elle représente la quantité de chaleur nécessaire pour accroître d'une unité la température de l'unité de masse de la substance. Elle est reliée à la chaleur spécifique molaire C par

$$c = \frac{C}{M} \qquad (12.8)$$

où M est la masse d'une mole. Pour l'hélium gazeux par exemple, $M = 4\ g = 4 \times 10^{-3}$ kg et

$$C_V = 12,47\ \text{J mole}^{-1}\text{K}^{-1}$$

Pour c_V on a donc :

$$c_V = \frac{12,47\ \text{J mole}^{-1}\text{K}^{-1}}{4 \times 10^{-3}\text{kg mole}^{-1}}$$

$$= 3,12 \times 10^3\ \text{J kg}^{-1}\ \text{K}^{-1}.$$

La chaleur requise pour produire un changement de température ΔT dans une masse m est donnée par

$$\Delta Q = mc\,\Delta T \qquad (12.9)$$

Comme c dépend de la température, cette équation n'est rigoureusement exacte que pour des petites valeurs de ΔT. De même que la formule de la dilatation thermique, elle est toutefois utilisable pour les grandes valeurs de ΔT si l'on prend soin d'employer des chaleurs spécifiques moyennes. Les chaleurs spécifiques de quelques substances représentatives sont données dans le tableau 12.2.

Substance	Chaleur spécifique, c_P
Aluminium	0,898
Acier	0,447
Diamant	0,518
Plomb	0,130
Cuivre	0,385
Hélium (He) (gaz)	5,180
Hydrogène (H_2) (gaz)	14,250
Fer	0,443
Azote (N_2) (gaz)	1,040
Oxygène (O_2) (gaz)	0,915
Eau (liquide)	4,169
Glace ($-10\ ^\circ C$ à $0\ ^\circ C$)	2,089
Vapeur ($100\ ^\circ C$ à $200\ ^\circ C$)	1,963

Tableau 12.2 Chaleurs spécifiques (en kJ kg^{-1} K^{-1}) à pression constante et à 25 °C (sauf avis contraire) de différentes substances

Le *calorimètre* est un instrument simple mais efficace pour mesurer les chaleurs spécifiques à pression constante (figure 12.7). Un filament électrique fournit une chaleur ΔQ au calorimètre qui est bien isolé. Il est équipé d'un thermomètre qui mesure la variation de température ΔT. L'échantillon de masse m et de chaleur spécifique c absorbe une chaleur égale à $mc\Delta T$. Le calorimètre absorbe lui-même une certaine chaleur ; si sa masse vaut m_c et sa chaleur spécifique c_c cette chaleur est égale à $m_c c_c\ \Delta T$.

Au total on a donc

$$\Delta Q = mc\,\Delta T + m_c c_c\,\Delta T. \qquad (12.10)$$

Le prochain exemple montre comment cette formule peut servir à déterminer la chaleur spécifique d'une substance.

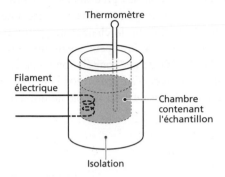

Figure 12.7 Un calorimètre

 ——————— **Exemple 12.3** ———————

On place 0,1 kg de carbone dans un calorimètre à 15 °C. Le récipient a une masse de 0,02 kg et est en aluminium. Un apport de 0,892 kJ d'énergie thermique porte la température à 28 °C. Quelle est la chaleur spécifique du carbone ? Supposer que la chaleur spécifique de l'aluminium soit égale à 0,9 kJ kg^{-1} K^{-1} dans ce domaine de température.

Réponse L'équation (12.10) donne

$$c = \frac{\Delta Q - m_c c_c\,\Delta T}{m\,\Delta T}$$

$$c = \frac{0,892\ \text{kJ} - (0,02\ \text{kg})(0,9\ \text{kJ kg}^{-1}\ \text{K}^{-1})(13\ \text{K})}{(0,10\ \text{kg})(13\ \text{K})}$$

$$= 0,506\ \text{kJ kg}^{-1}\ \text{K}^{-1}$$

Dans le cas où les chaleurs spécifiques sont connues, la même relation permet de prédire la température finale. Ceci est illustré dans l'exemple suivant.

 ——————— **Exemple 12.4** ———————

Un tube en cuivre de masse 0,5 kg est initialement à 20 °C. Après y avoir versé 0,6 kg d'eau à 98 °C, on bouche les extrémités. Quelle est la température finale du tube ? (Supposer que le tube est isolé pour éviter les pertes de chaleur.)

Réponse Un transfert d'énergie se produit de l'eau vers le tube jusqu'à ce que les deux aient atteint la même température finale T_f. La chaleur acquise par le tube est égale à sa masse multipliée par la chaleur spécifique ainsi que par sa variation de température qui vaut $T_f - 20$ °C. La chaleur cédée par l'eau est égale à sa masse multipliée par la chaleur spécifique et par la variation ΔT qui vaut 98 °C $- T_f$. Ces deux quantités de chaleur doivent être égales car, comme le système est isolé, il n'y a pas d'échange de chaleur avec le milieu extérieur. En utilisant les données du tableau 12.2, on obtient

$$(0,5\ \text{kg})\left(0,385\ \text{kJ kg}^{-1\ -1}\right)\left(T_f - 20\ °\text{C}\right)$$
$$= (0,6\ \text{kg})\left(4,169\ \text{kJ kg}^{-1}\ \text{K}^{-1}\right)\left(98\ °\text{C} - T_f\right).$$

En résolvant par rapport à T_f, on trouve

$$T_f = 92,43\ °\text{C}$$

Dans notre discussion des chaleurs spécifiques basée sur le modèle des gaz parfaits, la relation entre la chaleur et l'énergie était tout à fait évidente. Historiquement, les scientifiques ont étudié la chaleur très longtemps avant le développement de toute théorie moléculaire. Comme on ignorait à l'époque que la chaleur n'est qu'une autre forme de l'énergie, on a développé un système d'unités séparé pour mesurer la chaleur. La calorie (cal) a été définie comme étant la chaleur nécessaire pour chauffer 1 g d'eau de 14,5 °C à 15,5 °C. Plus tard on a montré que l'énergie associée à 1 calorie vaut 4,18 J. Cette équivalence fut suggérée la première fois en 1842 par Julius Robert Mayer (1814-1878). La proposition de Mayer était basée sur des observations physiologiques. Il suggéra aussi que l'énergie ne peut être ni créée, ni détruite. Son œuvre fut largement ignorée et ce n'est que quelques années plus tard, à la suite des travaux de James Prescott Joule (1818-1889), que l'équivalence de la chaleur et de l'énergie fut finalement acceptée. Le principe de la conservation de l'énergie fut également proposé, de manière indépendante, par Hermann von Helmholtz (1821-1894).

Quoique plus de 150 années se soient déjà écoulées depuis que les physiciens ont adopté une unité d'énergie commune pour le travail et la chaleur, il est toujours courant de mesurer les énergies mécaniques et électriques en joules et les énergies thermiques en calories. Pour compliquer les choses, les ingénieurs américains emploient fréquemment l'unité thermique britannique (*British thermal unit*, BTU), définie comme étant la chaleur requise pour chauffer une livre d'eau de 63 °F à 64 °F. Les diététiciens, de leur côté, mesurent en kilocalories (kcal) l'énergie fournie par les aliments. Les facteurs de conversion pour ces unités d'énergie sont repris en début d'ouvrage.

12.3 CHANGEMENTS DE PHASE

La plupart des substances peuvent exister en *phase solide*, en *phase liquide* ou en *phase gazeuse*. L'eau, par exemple, peut se présenter sous forme de glace, de liquide ou de vapeur. On appelle *changement de phase* la transition d'une substance de l'une de ces phases vers une autre. Beaucoup d'autres changements de phase se produisent dans la nature. Un solide peut changer d'une structure cristalline en une autre ; aux basses températures un matériau peut devenir magnétique ou perdre sa résistance électrique. Tous ces changements de phase ont lieu brusquement, à une température bien définie.

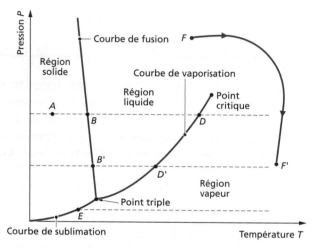

Figure 12.8 Le diagramme de phases de l'eau. Les courbes indiquent les températures et les pressions auxquelles les changements de phase se produisent.

La température à laquelle se produit un changement de phase dépend généralement d'autres variables, comme de la pression par exemple. Ceci est illustré par le *diagramme de phases* de l'eau (figure 12.8). À la température et à la pression correspondant au point *A*, l'eau ne peut exister que sous forme de glace. Si la pression est maintenue constante et si de la chaleur est fournie au système, la température augmente jusqu'à ce que le point *B* soit atteint. Si on continue à fournir de la chaleur, la température la glace n'augmente plus. La glace fond progressivement et *la température reste constante jusqu'à ce que toute la glace soit fondue* (figure 12.9). À partir de cet instant, la température s'élève de nouveau au fur et à mesure que de la chaleur est fournie au système et ce jusqu'à ce que le point *D* soit atteint. À ce moment *la température reste de nouveau constante* jusqu'à ce que tout le liquide soit converti en vapeur d'eau. Un apport de chaleur supplémentaire accroîtra ensuite la température du gaz. Si nous répétons cette expérience à une pression plus basse les

changements de phase se produiront aux points *B'* et *D'* qui correspondent à des températures différentes de celles des points *B* et *D*. À des pressions encore plus basses, la glace subit le phénomène de *sublimation*, c'est-à-dire qu'elle se transforme directement en vapeur (point *E*) sans passer par la phase liquide.

Le phénomène de sublimation joue un rôle important dans la conservation des produits alimentaires. Les aliments sont gelés et placés dans une enceinte à basse pression. On fournit de la chaleur au système, la glace sublime et on évacue la vapeur d'eau ainsi produite. Ce processus de séchage par congélation ne détériore pas la nourriture et préserve sa forme et son goût. L'aliment peut être reconstitué plus tard par simple addition d'eau.

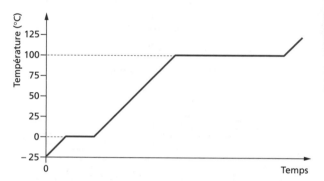

Figure 12.9 La température d'un échantillon d'eau en fonction du temps. On fournit de l'énergie à puissance constante et la pression est maintenue égale à une atmosphère.

Deux points particuliers méritent d'être considérés dans le diagramme de phase. Au *point triple*, il y a coexistence des phases solide, liquide et gazeuse. Au *point critique*, la distinction entre phases liquide et gazeuse disparaît. Si on ajuste la pression et la température de manière que l'échantillon passe du point *F* au point *F'* le long du chemin représenté dans la figure 12.8, le changement de phase liquide-vapeur n'est jamais observé.

L'énergie absorbée ou libérée lors d'un changement de phase est appelée la *chaleur latente*. La *chaleur latente de fusion* L_f, nécessaire pour faire fondre la glace sous une pression d'une atm, est de 333 kJ kg^{-1}. La *chaleur latente de vaporisation Lu*, nécessaire pour évaporer l'eau sous pression atmosphérique vaut 2 255 kJ kg^{-1}. D'autres chaleurs latentes sont données dans le tableau 12.3. La chaleur ΔQ nécessaire au changement de phase d'une masse *m* est donnée par

$$\Delta Q = Lm \qquad (12.11)$$

où *L* est la chaleur latente appropriée. Le rôle de la chaleur latente de fusion est illustré dans l'exemple 12.5.

Substance	Point de fusion (°C)	Chaleur latente de fusion (kJ kg^{-1})	Point d'ébullition (°C)	Chaleur latente de vaporisation (kJ kg^{-1})
Hélium			−268,9	21
Azote	−209,9	25,5	−195,8	201
Éthanol	−114	104	78	854
Mercure	−39	11,8	357	272
Eau	0	333	100	2 255
Argent	96	88,3	2 193	2 335
Plomb	327	24,5	1 620	912
Or	1 063	64,4	2 660	1 580

Tableau 12.3 Chaleurs latentes à pression atmosphérique normale.

——————— Exemple 12.5 ———————

Quelle quantité de chaleur faut-il pour faire fondre 5 kg de glace à 0 °C ?

Réponse Comme la chaleur latente de fusion L_f vaut 333 kJ kg^{-1}, on a

$$Q = L_f m = (333 \text{ kJ kg}^{-1})(5 \text{ kg}) = 1\,665 \text{ kJ}$$

La chaleur latente et la chaleur spécifique sont deux grandeurs importantes dans la détermination de l'état d'équilibre d'un système. L'exemple suivant le met bien en évidence.

——————— Exemple 12.6 ———————

Si 20 kg d'eau à 95 °C sont mélangés à 5 kg de glace à 0 °C, quelle sera la température finale du mélange ?

Réponse Il convient d'abord de déterminer s'il y a assez d'énergie thermique disponible dans l'eau pour faire fondre la glace. Si ce n'est pas le cas, la température d'équilibre sera de 0 °C et une partie seulement de la glace fondra. L'exemple précédent vient de nous apprendre qu'il faut fournir 1 665 kJ pour faire fondre 5 kg de glace. Si l'eau est refroidie jusqu'à 0 °C, elle cède

$$\Delta Q = mc_p \, \Delta T = (20 \text{ kg})(4,169 \text{ kJ kg}^{-1}\text{K}^{-1})(95 \text{ K})$$
$$= 7\,921 \text{ kJ}$$

Ceci est plus que suffisant pour fondre la glace. La température finale du système sera donc supérieure à 0 °C.

Si cette température est désignée par T_f, la chaleur transférée à la glace vaut 1 165 kJ + $m_g c_p (T_f - 0\,°\text{C})$. Celle cédée par l'eau vaut $mc_p (95\,°\text{C} - T_f)$; en égalant ces deux quantités, on obtient

$$1\,665 \text{ kJ} + m_g c_p (T_f - 0\,°\text{C}) = mc_p (95\,°\text{C} - T_f)$$

Après avoir substitué $m_g = 5$ kg, $m = 20$ kg et $c_p = 4,169 \text{ kJ kg}^{-1}\text{K}^{-1}$, nous trouvons $T_f = 60,0\,°\text{C}$.

L'exemple suivant nous montre comment déterminer la masse de glace fondue lorsque la température finale est de 0 °C.

——————— Exemple 12.7 ———————

Un pot de thé de 0,6 kg est à une température de 50 °C. Il est refroidi au moyen de 0,4 kg de glaçons à 0 °C. Quel sera l'équilibre thermique atteint s'il n'y a aucune perte de chaleur vers l'extérieur ?

Réponse La chaleur nécessaire à la fusion de toute la glace vaut

$$\Delta Q = L_f m_g = (333 \text{ kJ kg}^{-1})(0,4 \text{ kg}) = 133,2 \text{ kJ}$$

La chaleur cédée par le thé lors de son refroidissement jusqu'à 0 °C vaut

$$\Delta Q = (0,6 \text{ kg})(4,169 \text{ kJ kg}^{-1}\text{K}^{-1})(50 \text{ K}) = 12,510$$

Cette chaleur est donc insuffisante pour faire fondre la totalité de la glace. Ainsi une partie de la glace ne fondra pas et la température finale sera de 0 °C.

Pour trouver la masse de la glace fondue, il suffit évidemment d'égaler la chaleur cédée par le thé à la chaleur nécessaire à la fusion d'une masse m_1 de glace. On aura donc 12,51 kJ = $m_1 L_f$ avec $L_f = 333$ kJ kg^{-1}. On trouve

$$m_1 = \frac{125,1 \text{ kJ}}{333 \text{ kJ kg}^{-1}} = 0,376 \text{ kg}$$

12.4 LA CONDUCTION DE LA CHALEUR

Conformément au second principe, les échanges de chaleur se font toujours des régions à haute température vers les régions à température plus basse. Deux objets isolés du milieu ambiant atteignent donc progressivement une température commune. Le transfert de chaleur peut se faire selon trois processus : conduction, convection et rayonnement. Dans ce paragraphe nous allons discuter le phénomène de *conduction* de la chaleur entre objets en contact. Le transport de chaleur par *convection* et par *rayonnement* sera traité dans les deux paragraphes suivants.

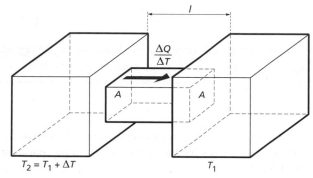

Figure 12.10 Une barre de section droite *A* et de longueur Δ*l* conduit la chaleur de l'objet à haute température vers l'objet à basse température.

Deux objets à des températures T_1 et T_2, reliés l'un à l'autre au moyen d'une barre, verront leur différence de température $\Delta T = T_2 - T_1$ diminuer progressivement (figure 12.10). Si nous coupons la barre dans le sens de la longueur, chaque partie aura une section droite $A/2$. Dans chaque partie, le flux de chaleur sera donc deux fois plus faible. La vitesse à laquelle la chaleur est transportée de l'objet le plus chaud à l'objet le plus froid est donc proportionnelle à la section A.

La conduction dépend également de ΔT et de *l*. Si on double simultanément ΔT et *l*, on ne modifie pas le flux de chaleur. Le fait de doubler ΔT tout en laissant *l* inchangé entraîne un flux de chaleur double. Le même résultat est obtenu si ΔT demeure inchangé et si la longueur est diminuée de moitié. Le flux de chaleur doit donc dépendre du rapport $\Delta T/l$ que l'on appelle le *gradient de température*. Le *flux de chaleur $H = \Delta Q/\Delta t$* peut donc s'écrire sous la forme

$$H = \kappa A \frac{\Delta T}{l} \qquad (12.12)$$

où κ est une constante de proportionnalité appelée *conductivité thermique*. L'équation (12.12) est exacte pour des ΔT très petits. La discussion du flux de chaleur se complique si κ varie avec la température ou si la géométrie est plus complexe. Dans ce chapitre nous supposons κ constant dans le domaine de température considéré.

Substance	Conductivité thermique κ
Argent	420
Cuivre	400
Aluminium	240
Acier	79
Glace	1,7
Verre, Béton	0,8
Eau	0,59
Muscle animal, Graisse	0,2
Bois, Amiante	0,08
Feutre, Laine de verre	0,04
Air	0,024
Duvet	0,019

Tableau 12.4 Conductivités thermiques en $W\,m^{-1}K^{-1}$.

Des valeurs représentatives de κ sont données dans le tableau 12.4. Les métaux sont d'excellents conducteurs de la chaleur. Leur conductivité est 10^3 à 10^4 fois supérieure à celle des isolants thermiques tels que l'amiante ou la laine de verre.

L'air est l'un des meilleurs isolants. Ceci trouve une application directe dans l'isolation des maisons et dans la fabrication des vêtements chauds. Les fibres des matériaux utilisés piègent de l'air qui agit comme un isolant. Dans les doubles vitrages, l'air enfermé entre les deux panneaux permet de réduire les pertes de chaleur par conduction.

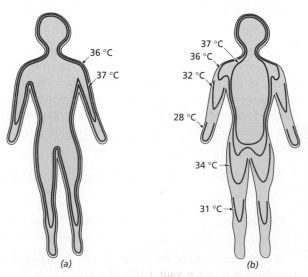

Figure 12.11 Isothermes (surfaces à température constante) dans le corps humain, *(a)* dans un environnement chaud et *(b)* dans un environnement froid. *(D'après Aschoff et Wever*, Naturwissenschaften, 45, p. 477, 1958.)

Les tissus du corps humain sont également de bons isolants. Dans un environnement chaud, la température interne du corps est tout à fait uniforme (figure 12.11*a*). Dans un milieu froid, la partie centrale du corps conserve une température élevée (figure 12.11*b*).

 ——————— Exemple 12.8 ———————

Une personne marchant à allure modérée dégage de la chaleur au taux de 280 W. Si la surface du corps vaut 1,5 m² et si l'on suppose que la chaleur est libérée à 3 cm au-dessous de la peau, quelle sera la différence de température entre la peau et l'intérieur du corps dans l'hypothèse où le transport s'effectue par conduction ? Adopter comme valeur de la conductivité thermique celle d'un muscle, à savoir 0,2 W m⁻¹K⁻¹.

Réponse Malgré la dissemblance entre une personne humaine et la barre de la figure 12.10, nous pouvons quand même appliquer l'équation (12.12) à une petite fraction de tissu et additionner ensuite les contributions associées à toutes les fractions. Le résultat sera équivalent à celui obtenu en considérant d'emblée la surface totale A du corps dans l'équation (12.12). En résolvant l'équation (12.12) par rapport à ΔT, nous obtenons

$$\Delta T = \frac{lH}{\kappa A} = \frac{(0,03 \text{ m})(280 \text{ W})}{(0,2 \text{ W m}^{-1}\text{K}^{-1})(1,5 \text{ m}^2)}$$
$$= 28 \text{ K}$$

Comme la différence de température effective n'est que de quelques degrés (figure 12.11), nous sommes en mesure de conclure que ce n'est pas par conduction que la chaleur est évacuée du corps. C'est en fait le flux sanguin qui conduit la chaleur de l'intérieur du corps vers l'extérieur plus froid et qui est le principal responsable du transport de chaleur dans le corps.

 ——————— Exemple 12.9 ———————

De l'eau chaude est contenue dans un tube en cuivre long de 2 m et épais de 0,004 m. Sa section vaut 0,12 m². Si l'eau est à 80 °C et si la température ambiante vaut 15 °C, à quel taux la chaleur sera-t-elle conduite à travers la paroi du tube ?

Réponse Si nous supposons provisoirement que la surface extérieure du tube est à 15 °C, l'équation (12.12) donne

$$H = \kappa A \frac{\Delta T}{l} = (400 \text{ W m}^{-1}\text{K}^{-1})(0,12 \text{ m}^{-1})\frac{(65 \text{ K})}{(0,004 \text{ m})}$$

$$= 780\,000 \text{ W}$$

Ce flux représente une perte énorme, beaucoup plus importante que celle observée en pratique. Comme nous le verrons plus loin, l'air est incapable d'évacuer la chaleur

à ce rythme et la surface extérieure du tube est effectivement à une température beaucoup plus élevée que 15 °C. Comme le gradient de température résultant est plus petit, la conduction de chaleur diminue. Ceci correspond d'ailleurs à l'expérience quotidienne. La surface extérieure d'un tube qui contient de l'eau chaude est très élevée. On peut s'en rendre compte au toucher.

La quantité l/κ, qui figure dans l'équation (12.12), intervient dans la résistance opposée par le matériau au transport de la chaleur par conduction. On l'appelle parfois la « valeur R ». Avec cette définition, l'expression du flux de chaleur devient :

$$H = \frac{A \Delta T}{R} \qquad (12.13)$$

Par exemple, un morceau de laine de verre, épais de 3 cm, possède une valeur R égale à

$$R = \frac{l}{\kappa} = \frac{(0,03 \text{ m})}{(0,04 \text{ W m}^{-1}\text{K}^{-1})} = 0,75 \text{ m}^2 \text{ K W}^{-1}$$

On peut montrer que les valeurs R sont additives (problème 12.66). Par exemple, si l'épaisseur d'une paroi est doublée, la valeur R double également. La perte de chaleur à travers la paroi est donc diminuée de moitié. Si l'on ajoute une seconde couche d'isolant à la première, la valeur R résultante est la somme des deux valeurs R partielles. Les ministères de l'énergie ont régulièrement augmenté les valeurs R recommandées au fur et à mesure que le prix de l'énergie s'est élevé.

12.5 TRANSFERT DE CHALEUR PAR CONVECTION

Peu de chaleur est transmise par conduction dans les liquides et les gaz. Par contre, une quantité beaucoup plus importante est souvent emportée par le mouvement du fluide lui-même. Ce phénomène s'appelle la *convection*. Dans la figure 12.12*a*, le liquide proche de la source de chaleur est chauffé et il se dilate légèrement. Il devient donc plus léger que le fluide plus froid qui se trouve au-dessus de lui. Il a donc tendance à monter et à être remplacé par du fluide plus froid et plus lourd. Une fois que le fluide plus chaud atteint la région plus froide du récipient, il commence à se refroidir et à se contracter et il finit par redescendre vers la source de chaleur. Si le récipient avait été chauffé sur sa face supérieure, la convection ne se serait pas produite. L'ensemble du fluide aurait alors été chauffé par le processus beaucoup plus lent de conduction.

Un radiateur à eau chaude ou à vapeur fournit une autre illustration de la convection (figure 12.12*b*). L'air à proximité du radiateur est chauffé et a tendance à monter. L'air qui se trouve près des murs extérieurs et des fenêtres refroidit et descend. Cela donne naissance à une circulation d'air schématisée dans la figure 12.12.

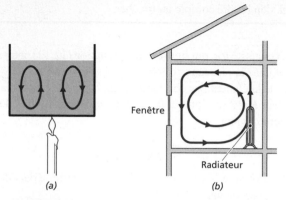

(a)   (b)

Figure 12.12 Le flux de convection *(a)* dans un récipient contenant un liquide et *(b)* dans une pièce chauffée par un radiateur.

Il n'est pas facile d'établir une théorie quantitative de la convection. Par exemple, une surface donnée perd de la chaleur plus lentement quand elle est à la verticale que quand elle est à l'horizontale. Malgré ces difficultés, il est possible d'utiliser une formule approchée. En l'absence de courant d'air, le flux de chaleur transportée par convection, à partir d'une surface d'aire A, est approximativement donné par la formule empirique

$$H = qA \, \Delta T \qquad (12.14)$$

où ΔT est la différence entre la température de la surface et celle de l'air qui se trouve à grande distance de cette surface. La *constante de convection q* dépend de la forme et de l'orientation de la surface et dans une certaine mesure de ΔT. Pour une personne nue, nous adoptons la valeur moyenne $q = 7{,}1$ W m^{-2}K^{-1}. Les pertes de chaleur par convection sont importantes pour les êtres humains, ainsi que nous le verrons dans le prochain exemple.

✎ ─────── **Exemple 12.10** ───────

Une personne nue est au repos dans une chambre bien chaude. La température de la peau est de 33 °C. Si la température de la pièce est de 29 °C et si la surface du corps vaut 1,5 m^2, quelle est la puissance calorifique perdue par convection ?

Réponse   Avec $q = 7{,}1$ W m^{-2}K^{-1}, nous obtenons

$$H = qA \, \Delta T$$
$$= \left(7{,}1 \text{ W m}^{-2} \text{ K}^{-1}\right)\left(1{,}5 \text{ m}^2\right)\left(33\,°\text{C} - 29\,°\text{C}\right)$$
$$= 43 \text{ W}$$

Dans pareille situation, une personne au repos dégage en fait de la chaleur avec une puissance deux fois plus élevée. Nous voyons donc que dans ces conditions modérées, la convection est responsable de 50 % environ des pertes de chaleur du corps. S'il y a un courant d'air ou si la température ambiante est plus basse, les pertes de chaleur par convection augmentent.

─────────────────────

Nous pouvons maintenant reconsidérer le problème du tuyau rempli d'eau chaude, afin de mieux comprendre les effets combinés de la conduction et de la convection. Dans l'exemple 12.9, nous avons trouvé que la conduction serait énorme si la surface extérieure du tuyau était à la température ambiante. Supposons maintenant que l'extérieur du tuyau ait la température de l'eau, soit 80 °C. La perte de chaleur par convection serait alors au maximum égale à (nous adoptons la valeur typique $q = 9{,}5$ W m^{-2}K^{-1} pour le tuyau)

$$H = qA \, \Delta T = \left(9{,}5 \text{ W m}^{-2}\text{K}^{-1}\right)\left(0{,}12 \text{ m}^2\right)(65 \text{ K})$$
$$= 74{,}1 \text{ W}$$

Ceci représente une valeur inférieure d'un facteur 10^4 à la perte de chaleur par conduction estimée dans l'exemple 12.9.

Le rayonnement, traité au paragraphe suivant, transfère une quantité de chaleur comparable (exercice 12.37). Nous sommes ainsi amenés à conclure que le rayonnement et la convection sont les facteurs dominants dans les pertes de chaleur de tout radiateur métallique à eau chaude ou à vapeur. Dans la plupart des systèmes de chauffage, les éléments chauffants sont munis d'ailerons pour augmenter la surface effective et la puissance calorifique dégagée par convection et par rayonnement. Revenons à l'exemple 12.9. Le tuyau en question perd toujours une puissance calorifique appréciable. Si ce tuyau sert à transporter de l'eau chaude, il se produira une perte de chaleur considérable. Pour analyser ce problème en détail, on exprime que la chaleur transmise par conduction à travers la paroi est égale à la somme des pertes par convection et par rayonnement. De cette équation, on peut alors tirer la température de la surface extérieure du tuyau (problème 12.65).

La convection joue un rôle important dans la vie quotidienne. Dans une pièce bien chauffée, l'air qui se trouve à un ou deux cm d'un carreau de fenêtre froid est plutôt froid. L'air en contact avec la vitre acquiert la même température que celle-ci ; la température de l'air augmente de façon perceptible au fur et à mesure qu'on s'éloigne de la fenêtre (figure 12.13). Une diminution progressive de la température de l'air se produit de façon tout à fait similaire de l'autre côté de la vitre. Mais la différence de température au travers de la vitre reste petite car la conduction de chaleur à travers le verre est très efficace.

Vitesse du vent (km h^{-1})	Température réelle, °C								
Calme	−10	−15	−20	−25	−30	−35	−40	−45	−50
	Température effective, °C								
10	−15	−20	−25	−30	−35	−40	−45	−50	−55
20	−20	−25	−35	−40	−45	−50	−55	−60	−65
30	−25	−30	−40	−45	−50	−60	−65	−70	−75
40	−30	−35	−45	−50	−60	−65	−70	−75	−80
50	−35	−40	−50	−55	−65	−70	−75	−80	−85
	Danger modéré				Grand danger				

Tableau 12.5 Effet du vent sur la température.

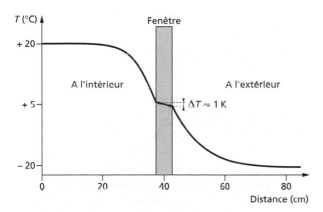

Figure 12.13 Les températures de l'air et du verre, par une journée froide sans vent. L'épaisseur de la fenêtre a été exagérée pour des raisons de clarté.

S'il y a du vent, la couche d'air chaud en contact avec la vitre extérieure est évacuée beaucoup plus rapidement que lorsque la convection est seule à agir. Il en résulte une température plus basse du côté extérieur de la fenêtre. Ceci entraîne évidemment une perte de chaleur accrue à travers la fenêtre. Tout se passe donc comme si la température extérieure était effectivement plus basse. Dans les bulletins météorologiques américains on appelle ce phénomène le facteur de refroidissement dû au vent (*wind chill factor*). La *température effective* décroît rapidement quand la vitesse du vent augmente (voir le tableau 12.5).

Les skieurs et les cyclistes, en mouvement rapide par rapport à l'air, doivent être très conscients des risques que cela comporte. La chair, exposée à une température effective de −30 °C, peut geler en une minute environ. Pour atteindre cette température, il suffit de se déplacer à 40 km h^{-1} dans l'air à −10 °C. Les températures effectives inférieures à −60 °C sont extrêmement dangereuses car la congélation peut se produire en quelques secondes.

La convection joue un rôle majeur en météorologie. Des masses d'air chaud et humide sont relativement légères et elles ont tendance à monter. Au fur et à mesure qu'elles montent dans des régions à plus basse pression, elles se dilatent. Lors de ce processus, elles effectuent un travail. D'après le premier principe, si une masse d'air fournit du travail sans recevoir de chaleur, son énergie interne doit diminuer. La température de la masse d'air va donc diminuer et une partie de l'humidité se condenser en nuages. La chaleur de vaporisation ainsi libérée ralentit le refroidissement de la masse d'air, lui permettant de monter encore plus haut. Dans certaines conditions, ce processus se poursuit jusqu'à ce qu'il y ait formation d'énormes nuages suivis d'averses violentes.

12.6 LE RAYONNEMENT

La conduction et la convection ne se produisent que dans les milieux matériels. Or nous savons que le transport de la chaleur se fait aussi à travers le vide, puisque l'énergie solaire traverse l'espace sur des millions de kilomètres avant d'atteindre la terre. Le processus en cause s'appelle le *rayonnement*. Le transport d'énergie par rayonnement se produit également dans des milieux transparents.

Le terme « rayonnement », tel qu'il est employé dans ce chapitre, n'est qu'un autre mot pour désigner les ondes électromagnétiques. Celles-ci sont des ondes d'origine électrique et magnétique. Elles transportent de l'énergie électromagnétique. Dans un objet chaud, les charges électriques atomiques sont en mouvement oscillatoire rapide, ce qui produit une émission d'énergie sous forme d'ondes électromagnétiques. Ces ondes voyagent à la vitesse de la lumière c qui est égale à 3×10^8 m s^{-1}. La lumière visible, les ondes radio et les rayons X sont des exemples d'ondes électromagnétiques (figure 12.14). L'énergie transportée par ces ondes dépend du mouvement des charges et partant de la température. Les ondes électromagnétiques seront traitées dans les chapitres ultérieurs.

Une onde est caractérisée par sa *longueur d'onde* λ et par sa *fréquence f*. La longueur d'onde est la distance entre deux crêtes successives de l'onde ; la fréquence est le nombre de crêtes qui passent par un point donné en une seconde. La fréquence de l'onde émise est égale à la fréquence de vibration de la charge émettrice de l'onde. La distance entre les crêtes multipliée par f, c'est-à-dire le nombre de crêtes qui passent par seconde en un point donné, doit être égale à la vitesse de propagation de l'onde

$$f\lambda = c \qquad (12.15)$$

La lumière rouge par exemple a une longueur d'onde de l'ordre de 7×10^{-7} m, ce qui correspond à une fréquence

$$f = \frac{c}{\lambda} = \frac{3 \times 10^8 \text{ m s}^{-1}}{7 \times 10^{-7} \text{ m}} = 4{,}2 \times 10^4 \text{ Hz}$$

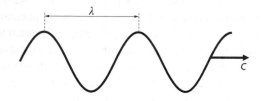

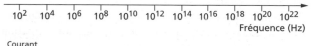

Figure 12.14 Fréquences et longueurs d'onde de différents types d'ondes électromagnétiques. Les échelles sont logarithmiques.

Tout objet qui est à une température différente du zéro absolu émet du rayonnement à toutes les longueurs d'onde. La quantité d'énergie rayonnée à chaque longueur d'onde

dépend de la température (figure 12.15). Un objet à 800 °C paraît rouge, parce qu'il émet surtout du rayonnement dont la longueur d'onde correspond à l'extrémité rouge du spectre visible. Il émet très peu dans la portion bleue du spectre. Un objet chauffé jusqu'à 3 000 °C paraît blanc parce qu'il émet un rayonnement important dans l'intégralité du spectre visible. De la même façon, les étoiles très chaudes apparaissent relativement bleues, tandis que celles plus froides sont plutôt rougeâtres.

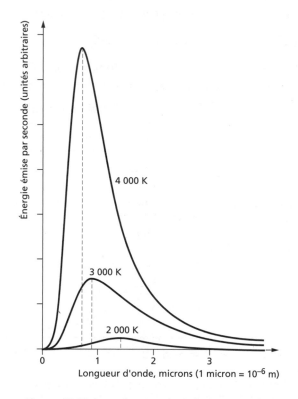

Figure 12.15 La puissance thermique rayonnée par une surface d'un m². Lorsque la température augmente. λ_{max} se déplace vers des longueurs d'onde plus courtes (traits interrompus verticaux) et l'énergie rayonnée totale augmente rapidement.

La longueur d'onde à laquelle le rayonnement est le plus intense est donnée par la *loi de Wien*

$$\lambda = \frac{B}{T} \qquad (12.16)$$

La valeur numérique de B est de $2{,}898 \times 10^{-3}$ m K.

La température du Soleil détermine la longueur d'onde à laquelle nous recevons le plus d'énergie. C'est ce que nous montre l'exemple 12.11.

———————— **Exemple 12.11** ————————

La température de la surface du Soleil est de 6 000 K. Calculer la longueur d'onde pour laquelle l'émission d'énergie est maximum.

Réponse La loi de Wien donne

$$\lambda_{max} = \frac{2,898 \times 10^{-3}\,\text{m K}}{6000\,\text{K}} = 4,83 \times 10^{-7}\,\text{m}$$

Le maximum du rayonnement solaire se trouve dans la partie visible du spectre. Ce n'est pas par hasard que les yeux des animaux sont le plus sensibles au voisinage de la longueur d'onde à laquelle un maximum de rayonnement est disponible pour la vision.

La variation de λ_{max} avec la température a de nombreuses conséquences extrêmement importantes. L'une d'elles est connue sous le nom d'*effet de serre*. Dans une serre, le rayonnement solaire incident est le plus intense à $\lambda_{max} = 4,83 \times 10^{-7}$ m et il traverse facilement le verre. Le rayonnement est absorbé par les objets qui se trouvent dans la serre. Ces objets réémettent à leur tour du rayonnement. Or, comme la température de la serre est approximativement de 300 K, la longueur d'onde correspondant à l'intensité maximum du rayonnement réémis est beaucoup plus grande :

$$\lambda_{max} = \frac{2,898 \times 10^{-3}\,\text{m K}}{300\,\text{K}} = 96,6 \times 10^{-7}\,\text{m}$$

Cette longueur d'onde se trouve dans la partie infrarouge du spectre. Le verre est relativement opaque à l'infrarouge. La serre va donc s'échauffer, puisque le rayonnement solaire incident y pénètre et que le rayonnement réémis par les objets s'y trouve piégé. Il est vrai que la partie extérieure du vitrage rayonne également. Mais cet effet compense le flux solaire incident seulement à partir d'une température suffisamment élevée de la serre. Le verre empêche aussi les pertes par convection en arrêtant le mouvement ascendant de l'air chaud.

La Terre elle-même peut être considérée comme une immense serre. L'atmosphère joue le rôle du vitrage. La vapeur d'eau et le dioxyde de carbone présents dans l'air sont d'excellents absorbants de l'infrarouge. La lumière visible traverse l'atmosphère plus facilement que ne le fait l'infrarouge. En conséquence, la température du sol est plus élevée et plus stable qu'elle ne le serait en l'absence d'atmosphère. La combustion des matières fossiles (pétrole, charbon, gaz naturel, bois) augmente la teneur en gaz carbonique. Cela provoque un accroissement de la température moyenne de la Terre et conduit à des changements climatiques majeurs. Il s'agit d'un problème important et

fort complexe qui fait d'ailleurs l'objet d'une recherche scientifique intensive.

Dans la figure 12.15, nous remarquons que l'aire au-dessous de la courbe croît très rapidement avec la température. Cette aire représente la puissance électromagnétique émise. Il existe une formule simple pour cette puissance. La puissance électromagnétique émise par une surface d'aire A à la température T est donnée par la *loi de Stefan* (1835-1893), découverte en 1879 :

$$H = e\,\sigma\,AT^4 \tag{12.17}$$

où

$$\sigma = 5,67 \times 10^{-8}\,\text{W m}^{-2}\,\text{K}^{-4}$$

est la *constante de Stefan*. La quantité e s'appelle l'*émissivité* ; sa valeur dépend de la nature et de l'état de la surface, mais elle est toujours comprise entre 0 et 1. Avant d'illustrer l'équation (12.17) à l'aide d'un exemple, nous allons faire quelques remarques sur les caractéristiques des objets rayonnants en général et la loi de Stefan en particulier.

Notons d'abord que la loi de Stefan ne contient que la température absolue de l'objet émetteur et non un ΔT comme dans la conduction et dans la convection. La loi de Stefan semble donc vouloir dire à première vue qu'un objet rayonnera de l'énergie jusqu'à ce que sa température atteigne le zéro absolu. En fait, l'objet en question émet de l'énergie vers son environnement, mais *il absorbe aussi de l'énergie en provenance de ce même environnement*. Considérons un objet à température T_2 placé dans un récipient maintenu à la température T_1. Si initialement $T_2 > T_1$, on trouve que la température de l'objet diminue jusqu'à ce que l'objet et le récipient soient à la même température T_1. Il ne se produit aucun changement de température supplémentaire. À ce stade l'objet émet de l'énergie à la puissance $e\,\sigma\,AT_1^4$ et il absorbe en même temps l'énergie rayonnée par le récipient, avec la même puissance $e\,\sigma\,AT_1^4$.

On peut décrire ce processus d'une façon quantitative. Au moment où la température T de l'objet est comprise entre T_2 et T_1, la puissance calorifique perdue vaut

$$\Delta H = H_{ém} - H_{ab} = e\,\sigma\,A\left(T^4 - T_1^4\right) \tag{12.18}$$

Quand $T = T_1$, la chaleur quittant le système s'annule au total. L'équation (12.18) est correcte, mais nous n'avons pas encore expliqué pourquoi on peut employer la même valeur de l'émissivité pour l'émission et l'absorption.

La valeur de l'émissivité dépend de la nature de la surface de l'objet. Une surface brillante a une faible valeur de e. Dans le cas d'une surface noire, l'émissivité e vaut presque 1. Étant donné qu'un objet atteint son équilibre à la température des parois, il doit absorber l'énergie au même taux qu'il l'émet. Ainsi, un bon émetteur doit aussi être un bon absorbant. Réciproquement, un bon réflecteur est un mauvais émetteur ; c'est pourquoi les petites valeurs de e correspondent à des surfaces émettant faiblement et bien réfléchissantes. De grandes valeurs de e caractérisent des surfaces aux propriétés opposées.

Un absorbant (et émetteur) parfait a une émissivité e égale à 1 et tout le rayonnement incident est absorbé ; aucune radiation n'est réfléchie. Tout objet qui absorbe le rayonnement incident à 100 % a un aspect noir (à moins qu'il ne soit suffisamment chaud pour rayonner dans le visible) ; c'est pourquoi un absorbant (et émetteur) parfait est appelé un corps noir. L'émissivité d'un *corps noir* vaut $e = 1$.

L'émissivité est généralement fonction de la longueur d'onde. La lumière solaire est la plus intense dans la région visible du spectre des ondes électromagnétiques. Cette région est située approximativement entre les longueurs d'onde 4×10^{-7} m et $\times 7 \times 10^{-7}$ m. L'émissivité de la peau humaine dans le visible varie de $e = 0,82$ pour les peaux les plus foncées à $e = 0,65$ pour les peaux les plus claires. Le rayonnement émis par des objets se trouvant à température ambiante se situe principalement dans l'infrarouge lointain. À ces longueurs d'onde, toute peau humaine a une émissivité presque égale à 1.

✎ ———————— **Exemple 12.12** ————————

La température de la peau de la personne de l'exemple 12.10 est de 33 °C = 306 K. Les murs de la pièce dans laquelle elle se trouve sont à 29 °C = 302 K. Sachant que l'émissivité est de 1 et que la surface du corps vaut 1,5 m^2, calculer la puissance perdue par rayonnement.

Réponse Il y a compétition entre deux processus. Primo, la personne rayonnera une puissance

$H_{ém} = e \, \sigma \, A T_2^4$

$\quad = (1)\left(5,67 \times 10^{-8} \text{ W m}^{-2} \text{ K}^{-4}\right)\left(1,5 \text{ m}^2\right)\left(306 \text{ K}\right)^4$

$\quad = 746 \text{ W}$

Ceci représente environ six fois le dégagement de chaleur typique par un être humain ; une personne qui perdrait autant de chaleur gèlerait rapidement. Or elle reçoit également de la chaleur de la part du milieu ambiant. Si celui-ci est à une température $T_1 = 302$ K, la puissance absorbée vaut

$H_{ab} = e \, \sigma \, A T_1^4$

$\quad = (1)\left(5,67 \times 10^{-8} \text{ W m}^{-2} \text{ K}^{-4}\right)\left(1,5 \text{ m}^2\right)\left(302 \text{ K}\right)^4$

$\quad = 707 \text{ W}$

La perte nette s'élève donc à $746 - 707 = 39$ W. Ceci correspond plus ou moins à la perte de chaleur par convection calculée dans l'exemple 12.10.

Dans presque tous les problèmes de rayonnement, il faut calculer la différence entre des puissances émises à des températures différentes. Ainsi, si l'une des températures vaut $T + \Delta T$ et l'autre T, la différence des flux vaut $\Delta H = e \, \sigma \, A\left[(T + \Delta T)^4 - T^4\right]$. Dans de nombreuses situations, ΔT est beaucoup plus petit que T, de sorte que l'on peut écrire avec une bonne approximation que $(T + \Delta T)^4 - T^4 \simeq 4T^3 \, \Delta T$. L'équation (12.18) devient alors

$$\Delta H = 4e \, \sigma \, A T^3 \, \Delta T \quad (\Delta T \ll T) \qquad (12.19)$$

L'erreur relative introduite par cette approximation est de l'ordre de $\Delta T/T$. Dans l'exemple précédent, $\Delta T/T = 0,013$ de sorte que l'on aurait commis une erreur de 1,3 % si l'on avait appliqué directement la formule approximative. L'exemple 12.13 illustre une situation pour laquelle cette formule peut être utilisée avec une grande précision.

✎ ———————— **Exemple 12.13** ————————

En comparant deux portions de peau d'aire A sur la poitrine d'une personne, on constate que les puissances émises par rayonnement diffèrent de 1 %. Quelle est la différence de température correspondante ?

Réponse Supposons que l'une des portions soit à la température $T = 37 \,°\text{C} = 310$ K et l'autre à la température $T + \Delta T$. La différence des puissances émises divisée par la perte de chaleur à 310 K vaut

$$\frac{\Delta H}{H} \simeq \frac{4e \, \sigma \, A T^3 \, \Delta T}{e \, \sigma \, A T^4} = \frac{4 \, \Delta T}{T} = 0,01$$

Ceci donne pour ΔT :

$$\Delta T = 0,01 \frac{T}{4} = (0,01)\frac{(310 \text{ K})}{4} = 0,775 \text{ K}$$

Nous voyons donc qu'une variation de température inférieure à 1 K modifie d'un pour cent le flux de rayonnement.

———————————————————

L'exemple précédent illustre le principe physique de la *thermographie*, technique utilisée dans de nombreux domaines. Dans les applications médicales, on se sert de détecteurs infrarouges spéciaux pour obtenir un enregistrement photographique du rayonnement infrarouge émis par un patient (figure 12.16). Dans ce type de photos, les régions à température plus élevée apparaissent plus sombres. Des différences très petites, de l'ordre de 0,1 °C, sont détectables. Les photographies montrent par exemple la réduction de la circulation sanguine sous l'effet du tabac. On a souvent recours à la thermographie dans les examens préliminaires de dépistage des cancers du sein, des tumeurs de la thyroïde et d'autres maladies.

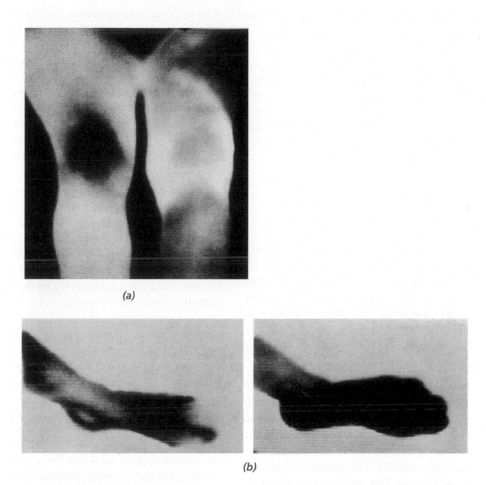

(a)

(b)

Figure 12.16 Dans les thermogrammes, les régions plus chaudes apparaissent plus sombres. *(a)* Inflammation articulaire accompagnant l'arthrite rhumatoïde. *(b)* Circulation périphérique accrue dans le pied, suite à un traitement (à droite). *(AGA Medical Division.)*

La mesure précise du faible rayonnement émis par le corps dans la région des micro-ondes de longueurs d'onde supérieures à celles des radiations infrarouges est également possible. Des expériences récentes ont montré que de telles mesures permettent au médecin de détecter des tumeurs jusqu'à 10 cm au-dessous de la surface. Le rayonnement infrarouge est au contraire plus absorbé par les tissus, ce qui fait que la thermographie est seulement sensible aux tumeurs plus proches de la peau. Ces techniques sont toutes les deux externes et aucunement dangereuses, car le patient n'est soumis à aucune source de radiation extérieure ni à quelqu'autre sonde.

Les lois de Wien et de Stefan expliquent de nombreux phénomènes de la vie quotidienne. Considérons par exemple le fait que les nuits claires sont plus froides que les nuits à ciel couvert. Par une nuit claire, la Terre rayonne de l'énergie vers l'espace à un taux proportionnel à la quatrième puissance de sa température, qui est de l'ordre de 300 K. La radiation incidente de l'espace est très faible parce que la température moyenne de l'espace est proche du zéro absolu. Si le ciel est couvert, la terre rayonne évidemment aussi à 300 K, mais les nuages absorbent ce rayonnement pour l'émettre de nouveau en direction de la Terre. L'énergie rayonnée est piégée comme dans une serre. Le refroidissement qui se produit pendant les nuits claires est souvent appelé refroidissement par rayonnement.

Pour en savoir plus...

12.7 LA RÉGULATION DE TEMPÉRATURE CHEZ LES ANIMAUX À SANG CHAUD

La plupart des processus biologiques dépendent de la température, ce qui implique que la température du corps animal doit être maintenue dans des limites étroites. Les animaux à sang chaud, tels que les oiseaux et les mammifères, contrôlent leur température au moyen d'une régulation de la perte d'énergie de leur corps. Les animaux à sang froid dépendent au contraire de leur environnement pour maintenir leur température. Il arrive souvent aux serpents, par exemple, de se chauffer au soleil sur des rochers bien chauds. Afin de faire monter la température de leurs muscles, de nombreux insectes doivent battre des ailes avant de s'envoler. Dans ce paragraphe, nous nous intéressons uniquement aux méthodes adoptées par les animaux à sang chaud pour assurer à court terme la régulation de leur température.

En plus des mécanismes employés quotidiennement, il se produit, aux échelles de temps des saisons et de l'évolution des espèces, des adaptations biologiques aux conditions climatiques changeantes. Les pelages plus épais des animaux, la migration des oiseaux et l'hibernation sont des exemples d'adaptation saisonnière. En considérant une échelle de temps plus longue, on s'aperçoit que la nature a favorisé le développement d'animaux de taille plus grande dans les climats les plus froids. De tels animaux ont des rapports volume/surface importants. Par conséquent, les rapports entre la production de chaleur et la perte de chaleur sont très élevés.

Chez les animaux à sang chaud, l'objectif principal de la régulation de température est de maintenir les organes et les muscles vitaux à une température presque idéale. Les pertes de chaleur se produisent soit en surface, soit par évaporation d'eau dans les poumons, et l'objectif visé est d'ajuster le flux de la chaleur vers les surfaces pulmonaires et corporelles. Le sang joue un rôle important dans ce processus, car c'est lui qui transporte la chaleur vers les parties extérieures du corps. C'est *l'hypothalamus*, localisé dans le cerveau, qui joue le rôle de thermostat. Il utilise la température du sang pour contrôler le système. L'hypothalamus agit de manière à maintenir sa propre température pratiquement constante. En agissant de la sorte, la température des autres organes internes peut subir des variations beaucoup plus importantes. Ceci est tout à fait analogue à ce qui se passe dans une maison équipée d'un seul thermostat dans une de ses pièces. La température de cette pièce sera pratiquement constante, tandis que celle des autres pièces peut subir des fluctuations considérables.

Le métabolisme chimique des aliments est la source de chaleur du corps. Un être humain de 70 kg, au repos, produit environ 80 W ; pendant un exercice violent la production de chaleur peut augmenter d'un facteur 20. Suivant la température de l'air et le type d'habillement, cette chaleur peut soit servir à compenser des pertes par convection et par rayonnement, soit être un déchet qu'il faut évacuer du corps.

Un animal à sang chaud a un certain nombre de mécanismes à sa disposition pour contrôler sa température.

Afin d'élever sa température, le corps réduit le débit sanguin à travers les capillaires situés à fleur de peau. Cette opération est fort efficace pour diminuer les pertes de chaleur, car la chair est un mauvais conducteur de chaleur. Une autre méthode pour augmenter l'isolation thermique consiste à hérisser l'ensemble des poils du corps. (Un vestige de ce processus se manifeste de même chez les humains, sous la forme de «chair de poule» ; le corps essaie de dresser des poils presque inexistants.) Finalement, le fait de grelotter augmente également la production de chaleur.

Le refroidissement du corps se fait par convection et par rayonnement, ainsi que par évaporation de la sueur sur la peau et de l'eau dans les poumons. Si la température interne commence à monter, le corps augmente d'abord le flux sanguin au voisinage de la surface de la peau afin de favoriser les pertes par convection et par rayonnement. Ensuite, en cas de nécessité, il a recours au mécanisme de perte de chaleur par évaporation. Chez les humains et les chevaux par exemple, la transpiration se fait à l'aide de glandes situées un peu partout sur le corps, de sorte qu'ils bénéficient d'une importante surface d'évaporation. Le corps humain peut ainsi évaporer jusqu'à 1,5 kg de sueur par heure. La chaleur latente de vaporisation de la sueur à 37 °C est environ égale à celle de l'eau à la même température, soit 2 427 kJ kg^{-1}. Noter que cette chaleur est supérieure aux 2 255 kJ kg^{-1} nécessaires à la vaporisation de l'eau à 100 °C. Dans de nombreuses situations, c'est l'évaporation de la sueur qui est le principal mécanisme de refroidissement employé par le corps.

Les animaux à fourrure, tels que les chiens, ne transpirent pas, mais profitent plus du refroidissement par évaporation dans les poumons. En haletant, ils exhalent d'importants volumes d'air. Le halètement est accompagné lui-même d'une production de chaleur, mais qui heureusement est inférieure à celle perdue par évaporation.

Les différentes contributions à la perte et à la production de chaleur, dans le cas d'un être humain, sont approximativement les suivantes. Soient A l'aire de la surface en m^2, T_e la température de la peau en °C, T_a la température de l'air en °C et r le débit de sueur exprimé en kg par heure. Alors

H_m = puissance thermique due au métabolisme :
    entre 80 et 1600 W

H_c = puissance perdue par convection (air calme) :
    $D_c A (T_e - T_a)$

H_r = puissance perdue par rayonnement :
    $D_r A (T_e - T_a)$

H_s = puissance perdue par évaporation de la sueur :
    $D_s r$

H_p = puissance perdue par évaporation dans les poumons : D_p

Les quantités D sont les constantes suivantes :

$$D_c = 7,1 \text{ W m}^{-2} \text{ K}^{-1}$$

$$D_r = 6,5 \text{ W m}^{-2} \text{ K}^{-1}$$

$$D_s = 674 \text{ W h kg}^{-1}$$

$$D_p = 10,5 \text{ W}$$

La valeur de H_p est donnée pour des rythmes respiratoires normaux ; elle augmente avec la fréquence de la respiration. Comme H_p ne représente qu'une faible fraction de la perte d'énergie totale, nous pouvons en négliger la variation.

Si la température du corps est maintenue constante, les pertes de chaleur sont reliées par l'équation suivante :

$$H_m = H_c + H_r + H_s + H_p \qquad (12.20)$$

L'exemple 12.14 illustre l'importance de la transpiration au cours d'exercices physiques modérés.

 ———— **Exemple 12.14** ————

Une personne produit de la chaleur à raison de 230 W. Quelle quantité de sueur est produite par heure si la surface est de 1 m^2 ?

Réponse Supposer que la température du corps soit de 37 °C et que celle de l'air vaille 28 °C.

La relation (12.20) donne

$$\begin{aligned}
H_s &= H_m - H_c - H_r - H_p \\
&= 230 \text{ W} - (7,1)(1,0)9 \text{ W} \\
&\quad - (6,5)(1,0)(9) \text{ W} - 10,5 \text{ W} \\
&= 97,1 \text{ W}
\end{aligned}$$

Comme $H_s = D_s r$, on obtient :

$$r = \frac{H_s}{D_s} = \frac{97,7 \text{ W}}{674 \text{ W h kg}^{-1}} = 0,14 \text{ kg h}^{-1}$$

Réviser

RAPPELS DE COURS

De nombreuses propriétés de la matière dépendent de la température. La température est une mesure des différents états de mouvement des molécules. La plupart des objets, soumis à une variation de température ΔT, subissent une variation relative de longueur proportionnelle à ΔT :

$$\frac{\Delta l}{l} = \alpha \, \Delta T$$

Les variations relatives de surface et de volume des matériaux. uniformes sont données par des formules analogues :

$$\frac{\Delta A}{A} = 2 \, \alpha \, \Delta T$$

$$\frac{\Delta V}{V} = \beta \, \Delta T = 3 \, \alpha \, \Delta T$$

où α est le coefficient de dilatation linéaire et β le coefficient de dilatation volumique.

Lorsqu'un objet absorbe de la chaleur, ou bien sa température augmente, ou bien il subit un changement de phase. Si ΔQ est la chaleur qui provoque une variation de température ΔT dans n moles d'une substance, sa chaleur spécifique molaire est donnée par

$$C = \frac{1}{n} \frac{\Delta Q}{\Delta T}$$

La chaleur spécifique par unité de masse est égale a la chaleur spécifique molaire divisée par la masse d'une mole de la substance considérée, c'est-à-dire $c = C/M$. Lorsqu'un objet de masse m subit une variation de température ΔT, la quantité de chaleur ΔQ absorbée ou cédée par l'objet est donnée par

$$\Delta Q = mc \, \Delta T$$

En pratique, les chaleurs spécifiques sont mesurées, soit à pression constante, soit à volume constant.

Si un apport de chaleur ΔQ ne produit aucun changement de température, une masse m de la substance subit un changement de phase. Lors d'un changement de phase on a

$$\Delta Q = Lm$$

où L est la chaleur latente de la transition de phase en question.

Les échanges de chaleur entre des objets à températures différentes s'effectuent par conduction, convection et rayonnement. Si un échantillon de section droite A et de longueur l présente une différence de température ΔT dans le sens de sa longueur, la puissance transférée par conduction thermique est donnée par

$$H = \kappa A \frac{\Delta T}{l}$$

où κ est la conductivité thermique du matériau. Le facteur l/κ appelé la valeur R et représente une mesure de la résistance opposée par le matériau au flux de chaleur.

La convection est un autre mécanisme de transfert de chaleur. Considérons un objet de surface A. Si sa température dépasse de ΔT celle d'un fluide pouvant circuler librement au-dessus de lui, le flux de chaleur perdue par convection est donné par

$$H = qA \, \Delta T$$

où q est la constante de convection.

Le transfert de chaleur par convection augmente de façon spectaculaire si le fluide est en déplacement forcé. C'est la raison pour laquelle les pertes de chaleur par convection sont beaucoup plus importantes par temps venteux.

Le transfert de chaleur par rayonnement se fait par émission et par absorption d'ondes électromagnétiques. Un objet à la température T rayonne principalement à des longueurs d'onde proches de

$$\lambda = \frac{B}{T}$$

où B vaut $2{,}898 \times 10^{-3}$ m K. Il est important de connaître cette longueur d'onde puisque les matériaux transmettent, absorbent et réfléchissent les rayonnements de manières différentes à des longueurs d'onde différentes. La puissance totale émise dépend de la quatrième puissance de la température :

$$H = e \, \sigma \, AT^4$$

où A est l'aire de la surface, e l'émissivité de la surface et $\sigma = 5{,}67 \times 10^{-8}$ W m^{-2} K^{-4} la constante de Stefan. La chaleur perdue par rayonnement est égale à la différence entre l'énergie émise et l'énergie absorbée par l'objet.

PHRASES À COMPLÉTER

1. La variation relative de la longueur d'un objet est proportionnelle au changement de la température. La constante de proportionnalité est appelée le _____.

2. La variation de longueur d'un objet chauffé est proportionnelle au coefficient de dilatation linéaire α.

La variation relative de l'aire est proportionnelle à _____, et la variation relative de volume est proportionnelle à _____.

3. Le rapport de la chaleur fournie à une mole d'une substance à la variation de température est appelé _____.

4. La chaleur spécifique par unité de masse est par définition égale à la chaleur spécifique molaire divisée par _____ de la substance.

5. La chaleur spécifique est généralement mesurée ou calculée à _____ constante ou _____ constant.

6. La chaleur latente de vaporisation d'une substance est la chaleur requise pour faire passer 1 kg d'une substance de l'état _____ à l'état _____.

7. Le transfert de chaleur d'un endroit à un autre par l'intermédiaire d'un déplacement de matière est appelé _____.

8. La conduction de chaleur est un mécanisme de transfert d'énergie thermique entre des objets en _____.

9. La longueur d'onde correspondant au maximum du rayonnement émis par une substance augmente lorsque la température _____.

10. La loi de Stefan décrit le fait que la chaleur perdue par rayonnement est proportionnelle à la _____ puissance de la température.

S'entraîner

QCM

Q1. La masse volumique de l'eau est maximale à une température proche de
a) 0 °C
b) 275 K
c) 42° F
d) 4 °C
e) aucune de ces réponses.

Q2. Si vous doublez l'épaisseur de l'isolation en laine de verre dans votre grenier, le flux de chaleur par conduction entre l'intérieur et l'extérieur sera multiplié par
a) 2
b) 4
c) 1/2
d) 1/4
e) aucune de ces réponses.

Q3. Vous êtes interrompu par la sonnerie du téléphone alors que vous êtes occupé à verser une tasse de café dans laquelle vous désirez encore ajouter du lait froid et du sucre. Si vous désirez boire votre café aussi chaud que possible à votre retour, il vaut mieux
a) ajouter le lait et le sucre tout de suite
b) ajouter le sucre tout de suite, remuer doucement avec la cuillère et attendre votre retour pour ajouter le lait
c) ajouter le sucre tout de suite, ne surtout pas remuer avec la cuillère et attendre votre retour pour ajouter le lait
d) attendre votre retour pour ajouter le lait et le sucre
e) aucune de ces réponses.

Q4. En été, on trouve les vêtements de couleurs pâles plus confortables que ceux de couleurs foncées en raison de la valeur plus faible de
a) leur chaleur spécifique
b) leur valeur R
c) leur émissivité
d) leur constante de convection
e) aucune de ces réponses.

Q5. Un disque métallique plat est percé d'un petit trou. Si on chauffe le disque,
a) le disque se dilate et le trou rétrécit
b) le disque se contracte et le trou s'agrandit
c) le disque se dilate et le trou s'agrandit
d) le disque se dilate et le trou reste inchangé
e) aucune de ces réponses.

Q6. Lorsque l'on marche pieds nus sur une plage en été, on s'aperçoit que le sable sec devient rapidement chaud le matin. C'est parce que le sable a une
a) faible chaleur spécifique
b) valeur R très élevée
c) couleur claire
d) constante de convection élevée
e) aucune de ces réponses.

Q7. On mélange 5 kg de glace à −10 °C avec 3 kg d'eau à 20 °C. À quelle température se trouvera le mélange final :
a) −5 °C
b) 0 °C

c) $5\,^{\circ}\text{C}$

d) $10\,^{\circ}\text{C}$

e) aucune de ces réponses.

Q8. Deux objets, initialement à des températures T_1 et T_2 et reliés entre eux au moyen d'une barre métallique, voient leur différence de température diminuer progressivement. Si la longueur de la barre métallique est multipliée par 2, le temps nécessaire pour que la différence de température devienne nulle est multipliée par

a) 2

b) 4

c) 1/2

d) 1/4

e) inchangé.

Q9. La puissance calorique perdue par rayonnement par un objet à $20\,^{\circ}\text{C}$ dans une pièce à $15\,^{\circ}\text{C}$ est P. Si la température de l'objet était de $25\,^{\circ}\text{C}$, la puissance calorique perdue par rayonnement serait approximativement égale à

a) $2P$

b) $4P$

c) $8P$

d) $16P$

e) aucune de ces réponses.

Q10. La longueur d'onde du rayonnement émis par un corps chauffé à $5\,000\,^{\circ}\text{C}$ est égale à

a) $5{,}79 \times 10^{-7}$ m

b) 549 nm

c) $4{,}83\ \mu\text{m}$

d) $52{,}9 \times 10^{-5}$ mm

e) aucune de ces réponses.

EXERCICES CORRIGÉS

E1. L'eau de la Meuse est utilisée au sein d'un échangeur thermique pour condenser la vapeur d'eau usée de la centrale nucléaire de Tihange. La température initiale de la vapeur à condenser, à la sortie des turbines, est de $130\,^{\circ}\text{C}$ et la température de l'eau résultante est de $60\,^{\circ}\text{C}$. Si l'eau puisée dans la Meuse ne peut y être rejetée à une température excédant de $5\,^{\circ}\text{C}$ sa température initiale, quelle est la quantité d'eau M

nécessaire pour condenser 1 kg de vapeur d'eau usée ? La chaleur spécifique de l'eau est de $4{,}17\ \text{J kg}^{-1}\,\text{K}^{-1}$ et celle de la vapeur d'eau de $2{,}09\ \text{kJ kg}^{-1}\,\text{K}^{-1}$. La chaleur lantente de vaporisation de l'eau est égale à $2\,255\ \text{kJ kg}^{-1}$.

Solution

Le principe à utiliser pour résoudre ce problème est la conservation de l'énergie : la chaleur perdue par la vapeur d'eau à condenser correspond à celle transférée à l'eau de la Meuse. On peut écrire :

$$1(2{,}09)(130 - 100) + 1(2255) + 1(4,17)(100 - 60) = M(4,17)(5)$$

$$M = 119{,}16\ \text{kg}$$

E2. L'air, à $26\,^{\circ}\text{C}$, d'une chambre est séparé de l'air extérieur, à $-4\,^{\circ}\text{C}$, par une vitre verticale de surface $A = 4\ \text{m}^2$ et d'épaisseur $d = 3$ mm. La vitre a une conductivité thermique $\kappa = 0{,}8\ \text{Wm}^{-1}\,\text{K}^{-1}$ et une constante de convection $q = 3{,}54\ \text{Wm}^{-2}\,\text{K}^{-1}$, supposée constante. Lorsque l'état stationnaire est établi, quelles sont les températures des faces intérieure et extérieure de la vitre ? On néglige les effets radiatifs et on suppose que la fenêtre est abritée du vent.

Solution

Appelons T_{int} et T_{ext} les températures des faces intérieure et extérieure de la vitre. À l'état stationnaire, la chaleur ne peut s'accumuler nulle part. Le flux de chaleur par unité d'aire doit donc être le même partout, qu'il soit par convection à l'intérieur, par conduction à travers la vitre ou par convection à l'extérieur :

$$\left(\frac{H}{A}\right)_{\substack{\text{convection}\\\text{intérieur}}} = \left(\frac{H}{A}\right)_{\substack{\text{conduction}\\\text{vitre}}} = \left(\frac{H}{A}\right)_{\substack{\text{convection}\\\text{extérieur}}}$$

L'égalité des flux de convection intérieur et extérieur, par unité de surface, fournit :

$$q(26 - T_{\text{int}}) = q(T_{\text{ext}} - (-4))$$
$$\Rightarrow\ T_{\text{int}} + T_{\text{ext}} = 22\,^{\circ}\text{C}$$

L'égalité des flux de convection intérieur et de conduction à travers la vitre, par unité de surface, impose :

$$q(26 - T_{\text{int}}) = (\kappa/d)(T_{\text{int}} - T_{\text{ext}})$$

En combinant les deux dernières équations, on déduit :

$$q(26 - T_{\text{int}}) = (\kappa/d)(T_{\text{int}} - 22 + T_{\text{int}})$$
$$\Rightarrow\ (2\,\kappa/d + q)T_{\text{int}} = 22(\kappa/d) + 26q$$

En introduisant les valeurs numériques, on obtient finalement :

$$T_{\text{int}} = 11{,}10\,^{\circ}\text{C} \text{ et } T_{\text{ext}} = 10{,}90\,^{\circ}\text{C}$$

EXERCICES

Voir réponses en fin d'ouvrage pour les exercices et problèmes dont le numéro est inscrit en noir.

La dilatation thermique

12.1 Un rail de chemin de fer en acier a 20 m de long à 20 °C ; quel accroissement de longueur observe-t-on à 40 °C ?

12.2 Un rail de chemin de fer en acier a 30 m de long à 0 °C. Quelle diminution de longueur observe-t-on à −20 °C ?

12.3 Une règle en aluminium a exactement 1 m de long à 20 °C. Quelle différence de longueur observe-t-on à 0 °C ? Prendre $\alpha = 2,30 \times 10^{-5}$ K.

12.4 Pour le pyrex, β vaut environ le tiers du β du verre ordinaire. Quelles sont les conséquences que cela entraîne du point de vue des tensions internes ?

12.5 Pourquoi est-il plus facile de dévisser le couvercle d'un bocal après l'avoir chauffé ?

12.6 De combien varie l'aire d'une plaque d'acier rectangulaire de 0,5 m sur 2,5 m lorsqu'on la chauffe de 0 °C à 40 °C ?

12.7 Dans une démonstration de physique très courante on utilise une bille d'acier qui ne passe pas à travers un anneau d'acier tant que ce dernier n'est pas chauffé. Sachant que le diamètre de la bille est de 3 cm à 20 °C et qu'elle passe à travers l'anneau lorsque celui-ci atteint 250 °C, calculer le diamètre intérieur de l'anneau à 20 °C.

12.8 Un récipient d'eau est rempli à ras bord. La température augmente de 8 K, mais l'eau ne déborde pas. Quelle était la température initiale de l'eau ?

Chaleur spécifique

12.9 Combien de kilojoules faut-il pour chauffer 0,15 kg d'hélium gazeux de 20 °C à 80 °C, la pression restant constante ?

12.10 On laisse tomber une boule de neige d'une hauteur de 20 m au-dessus du sol. Sa température initiale est de −10 °C. Quelle sera sa température finale si toute son énergie cinétique est convertie en énergie interne ?

12.11 Un récipient d'une masse de 0,6 kg est à une température de 20 °C. On y verse 2,5 kg d'eau bouillante et la température s'élève jusqu'à 90 °C. Quelle est la chaleur spécifique par unité de masse du récipient ?

12.12 Un calorimètre d'une masse de 0,4 kg et d'une chaleur spécifique de 0,63 kJ kg^{-1} K^{-1} contient un échantillon d'une masse de 0,55 kg. On fournit 2,45 kJ d'énergie et la température augmente de 4 °C. Quelle est la chaleur spécifique par unité de masse de l'échantillon ?

12.13 Une météorite de 5 kg heurte le sol avec une vitesse de 2 000 m s^{-1}. Combien d'énergie thermique sera libérée si toute son énergie cinétique est convertie en énergie thermique ?

12.14 La température de 15 kg d'eau augmente de 0,003 °C par seconde. Quelle est la variation par unité de temps de l'énergie interne de l'eau ? Négliger le travail effectué par l'eau.

Les changements de phase

12.15 Combien de chaleur faut-il pour faire fondre un bloc de glace de 10 kg dont la température est initialement de −10 °C ?

12.16 Quelle est la quantité de chaleur nécessaire pour porter à ébullition et pour convertir entièrement en vapeur un kilogramme d'eau initialement à 20 °C ? Supposer la pression constante et égale à 1 atm.

12.17 On mélange 0,15 kg de glace à 0 °C à 0,25 kg d'eau à 20 °C.

a) La glace va-t-elle fondre complètement ?

b) Quelle sera la température finale ?

12.18 Un cube de glace de 0,01 kg est à 0 °C. Il fond en 5 minutes. Que vaut l'augmentation de l'énergie interne par unité de temps ?

La conduction de la chaleur

12.19 Un thermos contient 1,3 kg d'eau et 0,6 kg de glace. La chaleur pénètre à travers l'isolation à raison de 35,6 W. Après combien de temps la glace sera-t-elle entièrement fondue ?

12.20 La paroi d'une cabane en bois est épaisse de 5 cm. Sa superficie est de 12 m^2. Sachant que la face extérieure est à 0 °C et celle de l'intérieur à 20 °C, calculer le taux de perte d'énergie à travers la paroi.

12.21 Calculer le flux de conduction de chaleur à travers une tige en cuivre de 4 m de long et d'une section de 0,015 m^2, sachant que l'un des bouts est à 250 °C et l'autre à 40 °C.

12.22 Calculer le flux de conduction de chaleur à travers une paroi en bois de 25 m^2 épaisse de 0,1 m. La température est de 20 °C à l'intérieur et de −10 °C à l'extérieur.

12.23 Calculer le flux de perte de chaleur par conduction à travers une vitre de 0,02 m^2 épaisse de 3 mm. La température est de 10 °C à l'intérieur et de 0 °C à l'extérieur.

12.24 a) Calculer la valeur R d'une plaque en verre épaisse de 0,5 cm et d'une superficie de 1 m^2.

b) Quelle quantité de chaleur passe à travers cette vitre en une heure si la différence de température entre les deux faces est de 10 °C ?

12.25 a) Calculer la valeur R pour de la fibre de verre épaisse de 1 cm. La conductivité thermique κ de ce matériau vaut 0,038 W m^{-1} K^{-1}.

b) Calculer la valeur R pour le même matériau épais de 15 cm.

12.26 La valeur R d'un matériau épais de 1 cm vaut $R = 0,2$ m^2 K W^{-1}. Sachant que 50 W de puissance thermique passent à travers 1 m^2 de ce matériau, calculer la différence de température entre les deux faces.

12.27 L'équation (12.12) n'est pas applicable dans le cas d'un tuyau enveloppé dans une matière isolante épaisse, car elle n'est valable que si la section est au moins approximativement uniforme. Il y a cependant moyen d'étudier de manière qualitative l'effet de l'isolation d'un tuyau d'eau. Considérer une lame de cuivre, épaisse de 2 mm, isolée à l'aide d'une couche de feutre épaisse de 2 cm. Si l'eau en contact avec le cuivre est à une température de 80 °C et si la surface extérieure du feutre est à 15 °C, que vaut la température à l'interface cuivre-feutre ?

Transfert de chaleur par convection

12.28 Calculer le flux de perte d'énergie par convection d'une personne nue dans l'air à 0 °C. L'aire du corps est de 1,4 m^2. Supposer que le q moyen soit de 7,1 W m^{-2} K^{-1} et que la température de la peau soit de 30 °C.

12.29 Une personne nue, d'une aire corporelle de 1,8 m^2, perd 128 W par convection. La température de la peau est de 31 °C et le coefficient q vaut 7,1 W m^{-2} K^{-1} en moyenne. Quelle est la température de l'air ?

12.30 Une vitre de 1,2 m^2 est à une température de 10 °C. Si la température extérieure est de 0 °C, quel est le flux de perte d'énergie par convection ? Le coefficient q de la fenêtre est de 4 W m^{-2} K^{-1}.

12.31 Dans le cas où le vent n'est pas négligeable on peut appliquer l'équation (12.14) à condition d'adopter comme température de l'air à grande distance de la surface celle donnée par le tableau 12.5. Supposer la température à proximité d'une fenêtre égale à 10 °C et celle de l'air se trouvant de la fenêtre égale à −10 °C. Trouver le rapport de la perte de chaleur par convection en présence d'un vent de 20 km h^{-1} à la perte de chaleur dans l'air calme.

Le rayonnement

12.32 Quelle est la longueur d'onde correspondant au maximum de l'intensité du rayonnement émis par une surface à 37 °C ?

12.33 Calculer l'erreur commise si l'on utilise l'équation (12.19) au lieu de l'équation (12.18). Considérer le cas où $T + \Delta T = 319$ K et $T = 270$ K.

12.34 Un corps noir de forme sphérique, ayant un volume de 0,5 dm^3, est maintenu à une température de 50 °C. Quelle est la puissance de son rayonnement ?

12.35 Une personne nue, dont l'aire corporelle est de 1,8 m^2, se trouve dans un local à 10 °C. La peau de la personne est à 33 °C. Adopter $e = 1$.

a) Que vaut la puissance rayonnée par cette personne ?

b) Que vaut la puissance perdue au total par rayonnement ?

12.36 Un objet est à une température de 300 K et un objet identique est à 900 K. Quel est le rapport de l'énergie rayonnée ? (Supposer une même émissivité pour les deux objets.)

12.37 Un tuyau de cuivre de 2 m de long contient de l'eau chaude. La surface extérieure de ce tuyau est à 80 °C. Si le milieu ambiant est à 20 °C, que vaut la puissance thermique perdue par rayonnement ? (L'aire de la surface du tuyau est de 0,12 m^2 et $e = 1$.)

12.38 Une route macadamisée est à une température de 320 K et reçoit de l'énergie solaire à raison de 700 W m^{-2}. Quelle est la puissance thermique absorbée au total par mètre carré ?

PROBLÈMES

12.39 Le pendule d'une horloge consiste en une tige mince d'acier munie d'un poids à l'un des bouts. À 20 °C, la longueur de la tige est de 1,22 m et l'horloge donne l'heure exacte.

a) De combien la longueur varie-t-elle si la température s'élève jusqu'à 40 °C ?

b) L'horloge va-t-elle avancer ou retarder ?

c) Quelle est la variation relative de la période du pendule ? (Suggestion : voir le chapitre 9.)

d) Quelle erreur observe-t-on quotidiennement sur l'horloge ?

12.40 a) Une voiture est garée au soleil, son réservoir d'essence de 40 litres étant rempli à ras bord. Si sa température augmente de 30 °C, combien d'essence débordera du réservoir ? (Pour l'essence, $\beta = 9,50 \times 10^{-5}$ K^{-1} et pour l'acier, $\beta = 3,81 \times 10^{-5}$ K^{-1}.

b) À quel moment de la journée l'essence coûte-t-elle le moins cher ?

12.41 a) Montrer que le coefficient de dilatation volumique β d'un gaz parfait vaut $1/T$, T étant la température de Kelvin. (Supposer la pression constante.)

b) Que vaut β à 20 °C ?

12.42 En supposant qu'il n'y ait aucun échange de chaleur avec l'environnement, calculer l'élévation de la température d'une rivière provoquée par une chute de 30 m. (Supposer que la vitesse de l'eau soit la même en haut et en bas de la chute.)

12.43 Une maison bien isolée de 90 m^2 de surface a son plafond à une hauteur de 2,5 m. Sachant que la température intérieure est de 21 °C et celle à l'extérieur de -10 °C, calculer la puissance perdue si toutes les trois heures tout l'air de la maison est renouvelé par de l'air extérieur. (La chaleur spécifique de l'air, à pression constante, vaut 1,0 kJ kg^{-1} K^{-1} ; la masse volumique de l'air à 20 °C vaut 1,2 kg m^{-3}.)

12.44 Une tige d'acier longue de 2 m est initialement à 20 °C. La section droite est de 10^{-3} m^2.

a) De combien sa longueur augmente-t-elle si on la chauffe jusqu'à 120 °C ?

b) Quelle force faut-il appliquer aux extrémités de la tige pour rétablir la longueur initiale ? (Le module de Young de l'acier vaut 2×10^{11} N m^{-2}.)

12.45 Un homme de 75 kg dépense de l'énergie à raison de 10 000 kJ par jour. Supposer que 10 % de cette énergie soit utilisée pour effectuer un travail et que le restant soit rejeté sous forme de chaleur. De combien la température s'élèverait-elle en moyenne par heure si le corps n'avait aucune possibilité d'évacuer de la chaleur ? (La chaleur spécifique du tissu animal est approximativement égale à celle de l'eau.)

12.46 On tire une balle de plomb dans un morceau de bois épais. Quelle doit être la vitesse de la balle pour qu'elle fonde complètement ? Supposer qu'aucune chaleur n'est absorbée par le bois. Supposer initialement $T_c = 20$ °C.

12.47 Trouver l'énergie requise pour chauffer, à volume constant, 1 kg d'hydrogène gazeux

a) de 30 K à 40 K

b) de 260 K à 270 K.

12.48 On frotte une poêle en acier à l'aide d'un tampon de laine d'acier. La force mise en jeu a une composante de 10 N dans la direction du mouvement. Le mouvement se fait par des à-coups de 0,1 m de long et à raison de 0,8 à-coups par seconde.

a) Calculer la puissance thermique produite.

b) Sachant que la masse combinée de la poêle et du tampon est de 1,25 kg, calculer la variation de leur température après une minute. (Négliger les pertes de chaleur au profit du milieu extérieur.)

12.49 Quelle quantité de chaleur faut-il pour faire fondre une mole de N$_2$ solide se trouvant initialement à son point de fusion ?

12.50 À 0 °C, une capsule en laiton (coefficient de dilatation linéaire $\alpha = 1,9 \times 10^{-5}$ K^{-1}), a un volume interne de 100 cm^3 et contient 98 cm^3 d'huile (coefficient de dilation volumique $\beta = 7,0 \times 10^{-4}$ K^{-1}). À quelle température doit-on porter l'ensemble pour que la capsule soit complètement remplie ? (on néglige les phénomènes de tension superficielle).

12.51 Le fond d'un pot est constitué d'une couche de cuivre épaisse de 5 mm et d'une couche interne d'acier épaisse de 2 mm. L'intérieur du pot est à une température de 100 °C et la partie extérieure du fond est à 103 °C.

a) Quelle est la température de la jonction cuivre-acier ?

b) Quel est le flux de chaleur si l'aire du fond est de 0,04 m^2 ?

12.52 a) Calculer le flux de chaleur à travers une paroi en bois d'une aire de 20 m^2 et d'une épaisseur de 3 cm, la différence de température étant égale à 40 °C.

b) Que vaut la chaleur conduite par seconde si une couche de laine de verre, épaisse de 4 cm, est appliquée à l'une des faces de la paroi ?

12.53 Un pot avec un fond d'acier de 1 cm est placé sur une plaque chauffante. La superficie du fond est de 0,1 m^2. L'eau à l'intérieur du pot est à 100 °C et toutes les trois minutes il y a évaporation de 0,05 kg. Trouver la température de la surface extérieure du pot en contact avec la plaque chauffante. (Négliger les pertes de chaleur au profit du milieu ambiant.)

12.54 Une glacière de camping de dimensions $0,5 \times 0,3 \times 0,35$ m est isolée au moyen d'une couche de 2 cm d'épaisseur. La conductivité thermique du matériau est de 4×10^{-2} W m^{-1} K^{-1}. La différence de température entre les deux faces de l'isolant est de 35 °C.

a) Calculer le flux de chaleur par conduction.

b) Combien de kg de glace fondront, en une heure, dans la glacière ?

12.55 Le propriétaire d'une maison baisse le thermostat de 23 °C à 18 °C. Si la température extérieure est de 0 °C, estimer l'économie relative (en %) de la consommation en mazout.

12.56 La température à l'intérieur d'une maison est de 23 °C, tandis que la température moyenne à l'extérieur est de 0 °C. Sur quelle température faut-il régler le thermostat si l'on veut réaliser une économie de 10 % ?

12.57 Considérer une surface, à une température de 20 °C, sous un ciel de nuit sans nuages.

a) Quelle est la puissance rayonnée par m^2 ? (Adopter $e = +1$.)

b) En comparaison, le rayonnement en provenance du ciel est très faible. Pourquoi ?

12.58 La température de la surface du Soleil est d'environ 6 000 K.

a) Calculer la puissance par unité de surface (H/A) émise par le Soleil.

b) Calculer la puissance par unité de surface qui atteint la haute atmosphère de la Terre. (Le diamètre du Soleil est de $1,39 \times 10^6$ km et le rayon moyen de l'orbite terrestre est de $1,49 \times 10^8$ km.)

12.59 Un homme de 1,8 m^2 de surface porte un vêtement épais de 1 cm et de 0,04 W m^{-1} K^{-1} de conductivité thermique. La peau est à une température de 34 °C et la température à l'extérieur du vêtement est de −10 °C.

a) Calculer la chaleur qu'il perd par unité de temps.

b) Est-il habillé de façon adéquate ? Expliquer.

12.60 Une jeune fille, dont la peau a une surface totale de 1,2 m^2, porte une veste et un pantalon de duvet épais de 3 cm. Sa peau est à 34 °C et elle peut perdre 84 W par conduction sans courir aucun danger. Quelle est la température ambiante la plus basse pour laquelle l'habillement est adéquat ? (Supposer que la surface extérieure des vêtements est à la même température que l'air du milieu ambiant.)

12.61 Une mince plaque de glace, dont les deux faces ont chacune une surface de 0,15 m^2, pend du haut d'un toit. La glace est à 0 °C et l'air ambiant est à 10 °C. La puissance (en provenance du Soleil et du milieu ambiant) absorbée au total par la glace est de 20 W. Sachant que $q = 9,5$ W m^{-2} K^{-1}, calculer la masse de glace qui fond en une minute.

12.62 On désire isoler le plancher d'une mansarde et obtenir une valeur R de 3 m^2 K W^{-1}. Le matériau utilisé étant de la laine de verre, quelle doit en être l'épaisseur ?

12.63 La valeur R d'un plafond de 40 m^2 est de 3,8 m^2 K W^{-1}.

a) Sachant que le ΔT est de 10 °C, calculer la quantité d'énergie perdue par conduction à travers le plafond en sept heures.

b) Un litre de mazout de chauffage fournit une énergie de $3,846 \times 10^7$ J. Calculer le coût de l'énergie perdue à travers le plafond. Le prix du mazout aux États-Unis est d'environ 39,6 cents par litre.

12.64 Calculer le coût par heure du remplacement de la chaleur perdue à travers une fenêtre à simple vitrage épaisse de 3 mm et d'une surface de 1 m^2. Les températures des surfaces intérieure et extérieure diffèrent de 10 °C. Le mazout de chauffage fournit une chaleur de $3,846 \times 10^7$ J par litre et son prix est de 39,6 cents par litre.

12.65 Un tuyau en cuivre est long de 2 m, son rayon extérieur vaut 1 cm et ses parois sont épaisses de 2 mm. Il contient de l'eau à 80 °C et il est placé dans une pièce à 20 °C. L'air est supposé calme dans la pièce et on néglige les effets radiatifs.

a) Quelle est la température de la surface extérieure du tuyau ? Adopter $q = 9,5$ W m^{-2} K^{-1}.

b) Que vaut la puissance perdue à travers les parois du tuyau ?

12.66 Montrer que si deux couches sont en contact, la valeur R effective vaut $R_1 + R_2$ (Suggestion : si les températures des deux côtés sont respectivement T_1 et T_2, trouver la température de la surface de contact entre les deux couches.)

12.67 Une personne produit de l'énergie thermique à la puissance de 175 W. Si toute cette chaleur est dissipée par évaporation, combien de sueur lui faut-il évaporer par heure ?

12.68 Une personne a une surface de 1,5 m^2, la température de sa peau vaut 40 °C et elle se trouve dans un sauna à 85 °C.

a) À quelle puissance la personne absorbe-t-elle de l'énergie émise par les parois ? Adopter $e = 1$.

b) À quelle puissance rayonne-t-elle vers le milieu ambiant ?

c) Quelle quantité de sueur doit être évaporée par heure ? Supposer qu'il n'y ait pas de transfert d'énergie par convection et négliger la production de chaleur par le métabolisme.

PARTIE 4

LES FLUIDES

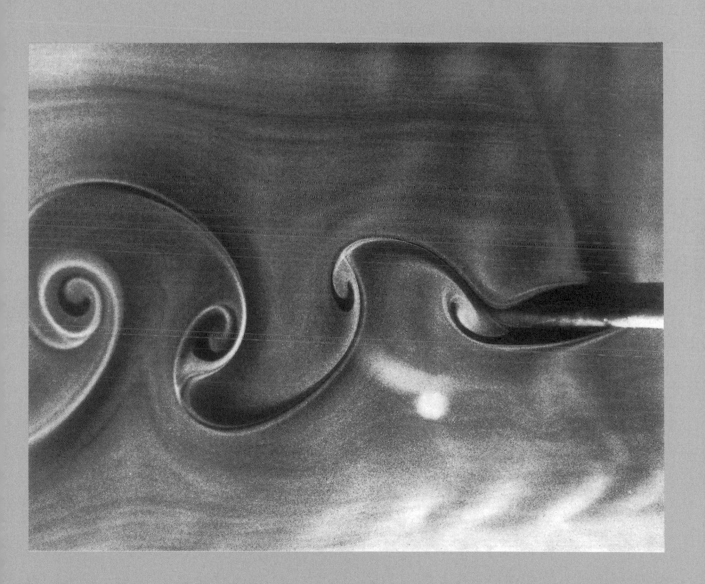

Les fluides jouent un rôle unique dans la vie quotidienne et dans les études de la science. Ceci est dû surtout à leur faculté d'écoulement ainsi qu'au fait qu'ils peuvent épouser la forme du récipient. De ce point de vue, on peut considérer les gaz comme des fluides, au même titre que les liquides.

Les animaux véhiculent des éléments nutritifs et éliminent des déchets via les fluides de leur système circulatoire. Dans les plantes, le transport de matériaux se fait de façon analogue par les fluides. Le vol des oiseaux et des avions implique un mouvement de fluide. Il en va de même en ce qui concerne les phénomènes météorologiques, les vagues et les courants marins.

L'application des principes de la mécanique aux fluides permet de décrire ces phénomènes. Une analyse complète s'avère cependant fort compliquée car les fluides ne restent pas dans une forme donnée et peuvent être comprimés. Afin de simplifier les choses, nous supposerons dans cette partie que les fluides sont *incompressibles*, c'est-à-dire que leur masse volumique reste constante. En ce qui concerne la plupart des liquides, ceci constitue une excellente première approximation. Pour les gaz par contre, nous devons nous rendre compte que nos méthodes ne s'appliqueront qu'aux seules situations où les variations de température et de pression sont faibles.

Au premier chapitre de cette partie (chapitre 13), nous supposerons qu'il n'existe pas de forces de frottement entre les couches d'un fluide en déplacement les unes par rapport aux autres. Cela constitue une excellente approximation pour les fluides au repos, de même que pour certaines applications de fluides en mouvement. Au chapitre 14, nous verrons par contre que ces effets de frottement ou de *viscosité* sont souvent fort importants. Au chapitre 15, nous discuterons quelques propriétés importantes dûes aux forces intermoléculaires dans les fluides.

CHAPITRE 13

La mécanique des fluides non visqueux

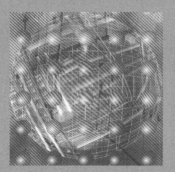

Mots-clefs

Cathétérisation • Débit • Écoulement laminaire • Écoulement turbulent • Équation de continuité • Manomètre • Poussée d'Archimède • Pression absolue • Pression de jauge • Principe d'Archimède • Sphygmomanomètre • Théorème de Bernoulli • Tube de courant • Tube de Prandtl • Tube de Venturi

Introduction

Dans ce chapitre nous traiterons les fluides au repos ainsi que les fluides parfaits (c'est-à-dire non visqueux ou dépourvus de frottement) en mouvement. Nous allons d'abord expliquer pourquoi un objet donné peut ou bien couler ou bien flotter dans un fluide au repos. Ensuite, nous établirons le *théorème de Bernoulli*. Ce théorème, qui découle du principe de la conservation de l'énergie appliqué aux fluides, est le point central de ce chapitre. Il nous permettra de comprendre pourquoi les fluides placés dans des vases communiquants tendent à avoir leur surface libre au même niveau et comment les fluides s'écoulent d'un endroit à un autre.

Dans la discussion qui va suivre nous ajoutons encore une hypothèse à celle énoncée plus haut (celle du fluide parfait). Nous supposons que le fluide est incompressible : une masse donnée de fluide occupe tout le temps le même volume, quelle que soit la forme épousée. Cette condition est décrite mathématiquement par l'*équation de continuité*, qui exprime simplement qu'il y a conservation du débit, c'est-à-dire que la quantité de fluide entrant dans un tube doit être égale à la quantité sortante. L'équation de continuité joue un rôle important en dynamique des fluides.

En mécanique newtonienne, nous avons appris que si nous pouvons identifier les forces appliquées à un objet ou à un système d'objets, nous sommes en mesure de prédire le mouvement ou l'état d'équilibre causé par ces forces. Dans notre traitement des fluides, nous allons adopter la même philosophie, mais il faudra tenir compte du fait qu'une masse donnée de fluide n'a pas une forme fixée une fois pour toutes. Afin d'éviter ce problème, on utilise les notions de *masse volumique* et de *pression* plutôt que les concepts de masse et de force employés précédemment.

En vue de préparer ce chapitre, il serait opportun de revoir les définitions de la masse volumique (masse par unité de volume) et de la pression (force par unité de surface), aux paragraphes 3.2 et 10.3 respectivement. Les masses volumiques de quelques fluides typiques sont données dans le tableau 13.1.

Fluide	Masse volumique (kg m^{-3})	Température ($^\circ$C)
Hydrogène	Q0899	0
Hélium	0,178	0
Azote	1,25	0
Dioxyde de carbone	1,98	0
Oxygène	1,43	0
Air	1,29	0
	1,20	0
	1,20	20
	0,95	100
Eau pure	1000	0
Eau pure	958	100
Eau de mer	1025	15
Alcool éthylique	791	20
Chloroforme	1490	20
Ether	736	0
Huile de lin	930	0
Glycérine	1260	0
Mercure	13600	0
Sang	1059,5	25
Plasma sanguin	1026,5	25

Tableau 13.1 Les masses volumiques de quelques fluides à pression atmosphérique.
À 0 $^\circ$C, 1 cm^3 d'eau a une masse de 1 gramme).

13.1 LE PRINCIPE D'ARCHIMÈDE

Un objet, flottant ou submergé dans un fluide, subit de la part du fluide une force ou *poussée* dirigée vers le haut. Pour comprendre l'origine de cette force (désignée par B), considérons un élément de fluide de volume V et de masse volumique ρ_0. La masse de l'élément considéré vaut donc $\rho_0 V$ et son poids est $w_0 = \rho_0 g V$ (figure 13.1a). La poussée B doit être égale et opposée au poids du fait que l'élément de fluide est en équilibre avec le fluide environnant. On a donc $B = w_0$ ou

$$B = \rho_0 g V$$

La poussée est la force exercée par le restant du fluide pour maintenir l'élément au repos.

Supposons maintenant que l'élément imaginaire soit remplacé par un objet de volume V suspendu à une corde. La masse volumique ρ de l'objet est supérieure a celle du fluide. Les forces appliquées à l'objet sont le poids $w = \rho g V$, la tension T dans la corde ainsi que la poussée B. Le fluide ne sait pas distinguer l'objet immergé du volume de fluide qu'il remplace. Par conséquent, on a de nouveau $B = \rho_0 g V$. L'objet étant en équilibre, on a $T = w - B$, ou

$$T = (\rho - \rho_0) g V \qquad (13.1)$$

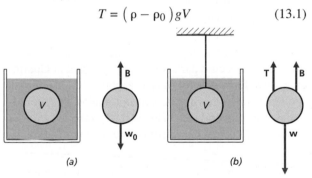

(a)   **(b)**

Figure 13.1 *(a)* Un élément imaginaire de fluide avec les forces qui s'exercent dessus. *(b)* Un objet suspendu au moyen d'une corde dans un fluide et les forces appliquées.

La tension dans la corde est réduite par le poids du fluide déplacé. Le principe qui établit que *la poussée exercée sur un objet est égale au poids du fluide déplacé*, a été découvert par Archimède (287-212 av J.-C.) et est appelé le *principe d'Archimède*. Le principe d'Archimède nous fournit une méthode commode de mesure des masses volumiques. Ceci est illustré dans l'exemple 13.1.

 ——————— **Exemple 13.1** ———————

Un morceau de métal de volume inconnu est suspendu à une corde. Avant l'immersion, la tension dans la corde vaut 10 N. Quand le métal est immergé dans de l'eau, la tension est de 8 N. Quelle est la masse volumique ρ du métal ?

Réponse Avant l'immersion, la tension vaut $T_i = \rho g V$. Quand le métal est immergé, la tension est

$$T_f = (\rho - \rho_0) g V$$

où ρ_0 est la masse volumique de l'eau, à savoir 10^3 kg m^{-3}. La division de la deuxième équation par la première élimine V et donne

$$\frac{T_f}{T_i} = \frac{\rho - \rho_0}{\rho}$$

En résolvant par rapport à ρ on trouve

$$\rho = \frac{\rho_0 T_i}{T_i - T_f}$$

$$= \frac{(1000 \text{ kg m}^{-3})(10 \text{ N})}{(10 \text{ N} - 8 \text{ N})} = 5000 \text{ kg m}^{-3}$$

Un objet moins dense que le fluide flottera tout en étant partiellement immergé. Si une portion V_s de son volume est immergée, la poussée d'Archimède vaut $\rho_0 g V_s$. Cette force doit être égale et opposée au poids $\rho_0 g V$ de l'objet, de sorte que $\rho_0 g V_s = \rho g V$ ou

$$\frac{\rho}{\rho_0} = \frac{V_s}{V}$$

Ainsi *le rapport des masses volumiques est égal à la fraction du volume immergé.* La question 13.2 illustre ceci dans le cas d'un iceberg.

 ——————— **Exemple 13.2** ———————

La masse volumique de la glace vaut 920 kg m^{-3} tandis que celle de l'eau de mer est de 1025 kg m^{-3}. Calculer la fraction du volume d'un iceberg qui se trouve immergée.

Réponse On trouve

$$\frac{V_s}{V} = \frac{\rho}{\rho_0} = \frac{920 \text{ kg m}^{-3}}{1025 \text{ kg m}^{-3}} = 0,898$$

Un iceberg est immergé à presque 90 %.

13.2 L'ÉQUATION DE CONTINUITÉ L'ÉCOULEMENT LAMINAIRE

Considérons une situation où un fluide incompressible remplit complètement un conduit tel qu'un tube ou une artère. Du fait de son incompressibilité, si une quantité supplémentaire de fluide pénètre à l'une des extrémités, une quantité égale de fluide doit quitter le conduit par l'autre extrémité. Ce principe, que l'on peut présenter sous diverses formes mathématiques, est appelé l'*équation de continuité*. Elle exprime la conservation du débit et sera fort utile dans les discussions ultérieures.

ARCHIMÈDE
(287-212 av. J.-C.)

Archimède est un mathématicien et un physicien dont le génie ne sera égalé que par celui de Newton quelque 2000 ans plus tard. Il est le fils d'un astronome. Ses bonnes relations avec le roi Hiéron II de Syracuse lui procurent une certaine indépendance matérielle ainsi que la bienveillance d'un personnage puissant.

La réputation d'Archimède est surtout basée sur ses astucieuses machines. Celles-ci jouent un rôle dans le système de défense de Syracuse contre les Romains, et finissent par séduire l'imagination populaire, qui ne tarde pas à broder des légendes autour de la personne d'Archimède. Le second siège de Syracuse par les Romains pendant la Guerre Punique dure trois ans, dans une large mesure grâce aux systèmes de défense développés par Archimède. On prétend qu'il a conçu des miroirs géants qui concentrent les rayons solaires sur les navires de guerre romains, de façon à les incendier. On se sert également de grues géantes pour soulever et renverser les bateaux. La guerre se termine fort mal pour Archimède, puisque tandis qu'il faisait de la géométrie dans le sable en refusant toute interruption, il semble qu'il ait été poignardé par un soldat romain.

Beaucoup d'histoires à propos des inventions d'Archimède sont déformées car lui-même considérait ces inventions indignes d'un pur esprit scientifique et n'en laissa jamais de trace écrite. Les écrits qu'il nous a légués comprennent des traités de géométrie dans lesquels il aborde les bases du calcul différentiel et intégral, l'équilibre statique, la notion de centre de gravité ainsi que l'hydrostatique.

Le principe de l'hydrostatique qui porte son nom résulte d'un problème concernant la teneur en or d'une couronne faite pour Hiéron. On avait demandé à Archimède de déterminer si la couronne était en or pur ou bien falsifié avec de l'argent. Après mûre réflexion, il se rend compte, alors qu'il se trouve au bain public, qu'il peut mesurer très exactement le volume de la couronne en la plaçant dans l'eau et en mesurant le volume d'eau déplacé. Il comparerait ensuite le poids de la couronne avec le poids d'un égal volume d'or. Cette découverte a apparemment au moins deux résultats immédiats. Archimède est à tel point excité par cette idée qu'il court tout nu jusque chez lui en criant « eureka, eureka ». Quant à l'orfèvre, il sera exécuté : la couronne n'était pas en or pur.

Archimède a compris et parfaitement démontré l'importance du levier. On lui attribue la conception d'un levier et d'une poulie permettant au roi de tirer lui-même un grand bateau sur la berge. C'est son travail sur les leviers et sur l'importance du centre de gravité qui constitue l'un des fondements de la mécanique moderne.

Le *débit* Q d'un fluide à travers une canalisation est défini comme étant le volume de fluide qui la traverse durant l'unité de temps. Le débit obéit donc à la formule $Q = \Delta V / \Delta t$ et il s'exprime en m^3 s^{-1}. Par suite de l'incompressibilité du fluide, le débit Q_1 à l'entrée doit être égal au débit Q_2 à la sortie. L'équation de continuité peut donc être écrite sous la forme

$$Q_1 = Q_2 \qquad (13.2)$$

Par exemple, si le fluide entre avec un débit de 1 m^3 s^{-1}, il doit sortir avec un débit de 1 m^3 s^{-1}.

Dans le cas où la totalité du fluide se déplace avec une vitesse uniforme v, l'équation (13.2) peut être mise sous une forme plus pratique. Considérons un tube de section A constante (figure 13.2). En un laps de temps Δt, le fluide se déplace d'une distance $\Delta x = v\Delta t$ et le volume du fluide quittant le tube vaut $V = A\Delta x = Av\Delta t$. Mais ΔV est aussi égal au débit Q multiplié par l'intervalle de temps Δt ou $\Delta V = Q\Delta t$. En comparant ces deux expressions de V, nous remarquons que

$$Q = Av \qquad (13.3)$$

Le débit est égal au produit de la vitesse du fluide par la section du conduit.

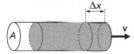

Figure 13.2 Le débit d'un fluide dans un tube vaut $Q = Av$.

Dans le cas d'un conduit dont la section change de A_1 en A_2, on peut combiner les équations (13.2) et (13.3). Ceci permet d'écrire l'équation de continuité sous la forme suivante :

$$A_1v_1 = A_2v_2 \qquad (13.4)$$

Le produit de la section du conduit par la vitesse du fluide est constant. Si la section A décroît, la vitesse v augmente. Par exemple, si l'aire diminue de moitié, alors la vitesse doit doubler.

Généralement, la vitesse d'écoulement n'est pas uniforme dans une conduite. Dans le chapitre suivant, nous rencontrerons par exemple des situations où les couches de fluide à proximité des parois du tube se déplacent moins vite que celles de la région centrale. L'équation de continuité est toujours valable dans de tels cas, à condition

bien sûr de l'écrire en termes d'une vitesse moyenne $\bar{v}$. Le débit est alors donné par $Q = A\bar{v}$ et la conservation du débit s'écrit $A_1\bar{v}_1 = A_2\bar{v}_2$.

13.2.1 Écoulement laminaire

Un type d'écoulement, l'*écoulement laminaire*, est très facile à traiter quantitativement et a de l'importance dans de nombreuses applications. Afin de fixer les idées, imaginons l'expérience simple suivante. Supposons que nous nous servions d'un compte-gouttes très fin pour injecter une petite quantité d'encre dans un liquide et ceci de manière à obtenir une traînée continue d'encre (figure 13.3a). Si le filet d'encre ainsi formé ne se disperse pas, ne se mélange pas au fluide, mais reste bien étroit et bien défini, l'élement est appelé *laminaire*

Si plusieurs compte-gouttes injectaient de l'encre côte à côte, le dessin des filets d'encre pourrait ressembler à celui de la figure 13.3b. Finalement nous pourrions imaginer un tube de lignes liquides comme dans la figure 13.3c. Si, par contre, les lignes d'encre se mettent à tourbillonner et à s'entrecroiser, l'écoulement est dit *turbulent* (figure 13.3d).

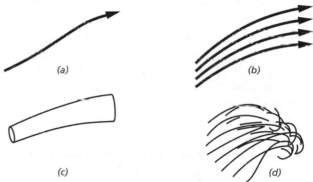

Figure 13.3 *(a)* Une ligne de courant isolée. *(b)* Un groupe de lignes de courant adjacentes. *(c)* Un tube de courant. Les parois du tube sont constituées de lignes de courant. *(d)* Écoulement turbulent.

La notion de tube de courant est un concept fort utile du fait que, par définition, les lignes de courant ne s'y croisent pas. Le fluide n'entre pas et ne sort pas par la surface latérale du tube. Aussi peut-on appliquer l'équation de continuité à ce tube de courant, *le produit Av étant le même en tous les points du tube*. Cette propriété de l'écoulement laminaire est utilisée au paragraphe 13.3.

---

* Contrairement à la plupart des auteurs, Kane et Sternheim font une distinction entre *streamline* et *laminar*. À notre connaissance, le terme *laminaire* (ou, parfois, *lamellaire*) est seul employé en français. Nous l'utiliserons donc ici et dans le chapitre suivant avec des significations légèrement différentes. Ici, on devrait plutôt parler d'écoulement en filets contigus, tandis qu'au chapitre 14, il s'agira d'écoulement sous forme de lames « glissant » les unes sur les autres où le mot laminaire a donc alors son sens étymologique. (N.d.T.).

13.3 LE THÉORÈME DE BERNOULLI

Nous allons considérer maintenant le théorème de Bernoulli*. Il découle du principe de conservation de l'énergie, d'après lequel le travail fourni à un fluide lors de son écoulement d'un endroit vers un autre est égal à la variation de son énergie mécanique. Le théorème de Bernoulli est valable dans les conditions suivantes :

1. Le fluide est incompressible ; sa masse volumique reste constante.

2. Le fluide est dépourvu de frottements appréciables ; il est non-visqueux. Par conséquent, il n'y a pas dissipation d'énergie due aux frottements.

3. L'écoulement est laminaire et non turbulent.

4. La vitesse du fluide en un point quelconque ne change pas au cours du temps. (C'est ce que l'on appelle un régime *stationnaire.*)

Dans ce paragraphe, nous verrons comment on obtient le théorème de Bernoulli à partir de la relation entre le travail et l'énergie mécanique. Les applications seront traitées dans les paragraphes suivants.

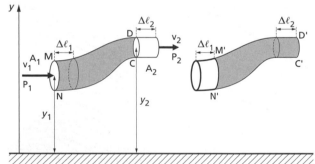

Figure 13.4 Écoulement d'un fluide dans un tube de courant de section variable

Considérons un fluide dans une portion de tube de courant de section variable (figure 13.4).

Du fait de l'équation dc continuité, la vitesse du fluide n'est plus constante : elle vaut v_1 quand le fluide traverse la section A_1, puis v_2 quand il traverse la section A_2. Examinons la partie du fluide comprise dans le volume MNDC à l'instant t (zone ombrée sur le dessin). Après

---

*Ce théorème important est généralement attribué à Daniel Bernoulli (1700-1783), qui l'a établi vers 1730. Il se peut toutefois très bien que son père, Johann Bernoulli (1667-1748), l'ait en fait obtenu un peu plus tôt. Quoi qu'il en soit, c'est le brillant mathématicien Leonhard Euler (1707-1783) qui fut le premier à établir ce théorème d'une façon tout à fait rigoureuse. Pour plus de détails sur ces querelles de famille et cet épisode de l'histoire des sciences, voir la préface par Hunter Rouse à la traduction anglaise de l'*Hydrodynamique* par Daniel Bernoulli et de l'*Hydraulique* par Johann Bernoulli, New York, Dover Publications, Inc., 1968.

un temps Δt, le fluide s'est déplacé et occupe M'N'D'C'. Comme le fluide est incompressible, le volume qui traverse la section A_1 pendant Δt doit être égale au volume qui traverse A_2 pendant ce même intervalle. On peut écrire $A_1 \, \Delta l_1 = A_2 \, \Delta l_2 = \Delta V$.

Appliquons la conservation de l'énergie.

$$\Delta K + \Delta U = W_{\text{ext}}$$

Le fluide situé à gauche de A_1 exerce une pression P_1 sur le fluide situé à droite et l'oblige à se déplacer de Δl_1. La quantité de travail exécutée par la force pressante est égale au produit de la force par le déplacement soit $P_1 A_1 \, \Delta l_1$. Par contre, durant ce processus, la force exercée par le fluide situé à droite de A_2 agit en sens opposé du mouvement du fluide et par conséquent le travail accomplit équivaut à $-P_2 A_2 \, \Delta l_2$.

Le travail fourni par le fluide s'écrit finalement

$$W = P_1 A_1 \, \Delta l_1 - P_2 A_2 \, \Delta l_2 = P_1 \, \Delta V - P_2 \, \Delta V$$

La variation d'énergie potentielle se calcule aisément si on considère que l'effet net du processus consiste à déplacer la masse $\rho \, \Delta V$ de l'altitude y_1 à y_2. La variation ΔU est donc donnée par $\Delta U = \rho \, \Delta V g (y_2 - y_1)$.

La variation d'énergie cinétique, quant à elle, s'écrira

$$\Delta K = \frac{1}{2} m v_1^2 - \frac{1}{2} m v_2^2 = \frac{1}{2} \rho \, \Delta V (v_2^2 - v_1^2)$$

D'après le théorème de la conservation de l'énergie

$$\frac{1}{2} \rho \Delta V (v_2^2 - v_1^2) + \rho \Delta V g (y_2 - y_1) = P_1 \Delta V - P_2 \Delta V$$

En divisant le tout part ΔV, on obtient :

$$\frac{1}{2} \rho \left(\mathbf{v}_2^2 - \mathbf{v}_1^2 \right) + \rho (\mathbf{y}_2 - \mathbf{y}_1) = P_1 - P_2 \qquad (13.5)$$

Le résultat, après réorganisation des termes à droites et à gauche du égal, constitue le théorème de Bernoulli.

$$P_1 + \frac{1}{2} \rho \, \mathbf{v}_1^2 + \rho g y_1 = P_2 + \frac{1}{2} \rho \, v_2^2 + \rho g y_2 \qquad (13.6)$$

La somme dc la pression et de l'énergie mécanique par unité de volume, c'est-à-dire la quantité

$$P + \rho g_y + \frac{1}{2} \rho \, v^2$$

est constante tout le long du tube de courant.

Le théorème de Bernoulli est le résultat principal de ce chapitre. Ce théorème n'est en fait qu'une reformulation de la relation entre le travail et l'énergie appropriée à la physique des fluides. Dans les paragraphes qui suivent, nous donnons des exemples d'applications du théorème de Bernoulli.

13.4 CONSÉQUENCES STATIQUES DU THÉORÈME DE BERNOULLI

Nous examinons d'abord les implications de l'équation de Bernoulli dans le cas statique (fluide au repos). Dans ce cas, la vitesse v est nulle et la quantité $P + \rho gy$ est constante.

13.4.1 Fluide au repos dans un récipient

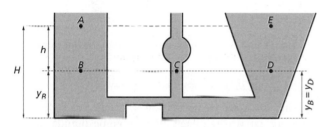

Figure 13.5 Fluide au repos dans un récipient. Le niveau des différentes surfaces libres du fluide est le même partout, comme expliqué dans le texte.

Supposons que le fluide soit au repos dans un récipient de la forme de celui de la figure 13.5. Le calcul de la pression au point B en fonction de la pression à la surface libre et de la profondeur se fait de la façon suivante. Calculons la valeur de $P + \rho gy$ aux points A et B et plaçons l'origine de l'axe des y en un point du fond du récipient. La pression en A est égale à la pression atmosphérique P_{atm} ; désignons par P_B la pression au point B. Comme $v = 0$, le théorème de Bernoulli donne $P_{\text{atm}} + \rho gH = P_B + \rho gy_B$ ou, avec $H - y_B = h$,

$$P_B = P_{\text{atm}} + \rho gh \tag{13.7}$$

La pression à une profondeur h d'un fluide au repos est donc égale à la pression à la surface libre augmentée de la quantité ρgh, qui représente la densité d'énergie potentielle correspondant à l'altitude de la surface libre. La pression P_B, c'est-à-dire la force par unité de surface exercée à une profondeur h, peut également recevoir l'interprétation suivante. Elle est égale à la somme de la pression atmosphérique P_{atm} et de la quantité ρgh qui représente la pression due au poids de la colonne de liquide se trouvant au-dessus de B.

L'application du théorème de Bernoulli aux points B et D donne $P_B + \rho gy_B = P_D + \rho gy_D$. Comme $y_B = y_D$, on trouve

$$P_B = P_D$$

Dans un fluide au repos, la pression est la même en tous les points situés à une même profondeur. En particulier, comme les pressions aux points A et E sont toutes les deux égales à la pression atmosphérique, le niveau de la surface du liquide est le même en ces deux points. Les surfaces libres des liquides au repos dans des vases communiquants de forme quelconque doivent donc être au même niveau.

Ces idées sont illustrées dans les exemples 13.3 et 13.4.

 ———————— **Exemple 13.3** ————————

Quelle est la pression éprouvée par un nageur à 5 m au-dessous de la surface d'un lac ?

Réponse La relation (13.7) donne, avec $h = 5$ m et $\rho = 1000\ \text{kg m}^{-3}$:

$$P_B = P_{\text{atm}} + \rho gh$$
$$= 1{,}013 \times 10^5\ \text{Pa} + \left(1000\ \text{kg m}^{-3}\right)\left(9{,}8\ \text{m s}^{-2}\right)(5\ \text{m})$$
$$= 1{,}50 \times 10^5\ \text{Pa}.$$

 ———————— **Exemple 13.4** ————————

On mesure la pression à 1 m au-dessus du sol et on trouve qu'elle est égale à la pression atmosphérique normale, c'est-à-dire $1{,}013 \times 10^5$ Pa. Quelle est la pression au sol, la température étant de $0\ °\text{C}$?

Réponse Ici $h = 1$ m. Le tableau 13.1 donne $1{,}29\ \text{kg m}^{-3}$ pour la masse volumique de l'air dans les conditions normales. Appliquons la formule (13.7) :

$$P_B = P_{\text{atm}} + \rho gh$$
$$= 1{,}013 \times 10^5\ \text{Pa} + \left(1{,}29\ \text{kg m}^{-3}\right)\left(9{,}8\ \text{m s}^{-2}\right)(1\ \text{m})$$
$$= \left(1{,}013 \times 10^5 + 12{,}6\right)\ \text{Pa}.$$

La pression au sol excède donc de 12,6 Pa ou de 0,01 % celle à 1 m d'altitude, ce qui est négligeable dans la plupart des cas. Contrairement à l'exemple précédent, la variation de pression est faible ici, car la masse volumique de l'air est très faible en comparaison avec celle des liquides. Au chapitre 10, les propriétés des gaz ont été discutées en supposant que la pression dans une enceinte remplie d'un gaz est la même partout. Cette hypothèse constitue une bonne approximation en général. On observera évidemment une différence considérable si la pression est mesurée à deux altitudes très différentes. La pression atmosphérique à Aspen (Colorado), à 2500 m au-dessus du niveau de la mer, vaut par exemple 80 % de celle au niveau de la mer.

13.4.2 Le manomètre

Le manomètre est un tube en U contenant un liquide de masse volumique ρ et qui sert à mesurer les pressions des gaz. Le liquide peut être du mercure ou, quand il s'agit de mesurer des pressions plus faibles, de l'eau ou de l'huile. L'une des extrémités du tube est ouverte à l'air libre et l'autre est en contact avec le gaz dont on veut mesurer la pression (figure 13.6). Le manomètre peut également servir à la mesure des pressions dans un liquide, à condition évidemment que ce liquide ne se mélange pas au fluide du manomètre. Si les hauteurs sont mesurées à partir du bas du tube en U, la quantité $P+\rho gy$ vaut $P+\rho gy_1$ à la surface du côté gauche de la colonne et $P_{atm} + \rho gy_2$ du côté droit. En égalant ces deux quantités, on obtient

$$P + \rho gy_1 = P_{atm} + \rho gy_2$$

ou

$$P = P_{atm} + \rho g(y_2 - y_1)$$
$$= P_{atm} + \rho gh \qquad (13.8)$$

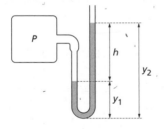

Figure 13.6 Un manomètre à tube ouvert.

La détermination de la pression P d'un gaz se ramène donc à la mesure de la différence h des hauteurs des deux colonnes du tube en U. Dans une jauge de tension artérielle, le sphygmomanomètre, la pression mesurée est celle d'un manchon gonflable enroulé autour du bras. Ce type de mesure sera décrit au paragraphe 13.6.

Dans l'équation (13.8), P désigne la *pression absolue*. La différence entre celle-ci et la pression atmosphérique, $P - P_{atm}$ est la *pression de jauge*. La pression de jauge est exactement égale à ρgh.

13.4.3 Mesure de la tension artérielle par cathétérisation

Dans beaucoup d'expériences sur des animaux anesthésiés, la tension artérielle ou veineuse est mesurée par insertion directe d'une *canule* (ou d'un *cathéter*) dans un vaisseau sanguin. La canule est un petit tuyau en verre ou en plastique contenant une solution saline plus un agent anticoagulant. La solution saline est en contact avec le liquide du manomètre. Il faut que l'interface solution-liquide soit au même niveau que le point d'insertion de la canule ; sinon il faut tenir compte de cette différence de niveau (figure 13.7). Le calcul de $P + \rho gy$ en des points convenables (Problème 13.45), fournit la valeur suivante pour la pression du sang :

$$P_B = P_{atm} + \rho gh - \rho_s gh' \qquad (13.9)$$

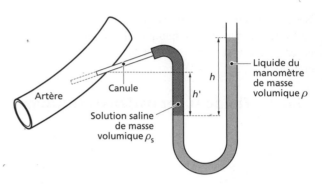

Figure 13.7 Mesure de la pression sanguine par cathétérisation.

Dans les mesures de tension artérielle, c'est le mercure qui est généralement choisi comme liquide manométrique. Cependant, les pressions dans les veines sont relativement basses et l'emploi du mercure comme liquide entraînerait une mesure peu précise à cause de la petite valeur de h. Par conséquent, c'est une solution de sel qui sert de liquide dans le manomètre.

Les physiologistes emploient souvent des manomètres électriques dans lesquels le liquide du manomètre exerce une pression contre une membrane au lieu de monter dans un tube. La flexion de la membrane est proportionnelle à la pression. Le degré de flexion de la membrane est traduit en un signal électrique. Ce signal est ensuite envoyé à un enregistreur de manière à obtenir un enregistrement automatique et continu de la pression du sang.

13.5 LE RÔLE DE LA GRAVITATION DANS LA CIRCULATION SANGUINE

L'évolution de certains animaux vers un stade de développement où ils passent une fraction significative de leur temps dans la position debout, fut nécessairement accompagnée de certaines modifications dans le système circulatoire. Le système veineux, qui ramène le sang des extrémités inférieures vers le cœur, est d'une importance particulière dans ce contexte. Les êtres humains ont été forcés de s'adapter au problème posé par le transport du sang sur une grande distance verticale, donc contre la force de gravitation. Les animaux qui n'ont pas fait cette adaptation, tels que les serpents, les anguilles et même les lapins, meurent si on les maintient la tête vers le haut. Cela se produit parce que le sang est retenu dans les extrémités inférieures et que le cœur ne reçoit plus de sang de la part du système veineux.

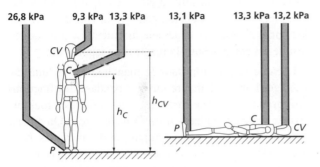

Figure 13.8 Vue schématique de la cathétérisation des artères dans différentes parties du corps humain. Les pressions indiquées sont des moyennes calculées sur le cycle cardiaque.

La figure 13.8 montre les tensions artérielles d'une personne mesurées par cathétérisation. Dans la position couchée, les pressions sont presque partout les mêmes. La faible chute de pression entre le cœur et les pieds ou le cerveau est due aux forces de frottement visqueux. Dans la position debout, les pressions en ces trois points sont cependant fort différentes. Ceci reflète évidemment les grandes différences de niveau entre ces points.

Les effets de viscosité étant faibles, nous pouvons recourir au théorème de Bernoulli ($P + \rho gh + (1/2)\, \rho\, v^2 =$ constante) pour analyser la situation. Les vitesses de circulation dans les trois artères sont petites et sensiblement égales. Nous pouvons donc négliger le terme $(1/2)\, \rho\, v^2$. Il s'ensuit que les pressions de jauge P_C au niveau du cœur, P_P au niveau du pied et P_{CV} au niveau du cerveau, obéissent à la relation

$$P_P = P_C + \rho g h_C = P_{CV} + \rho g h_{CV} \qquad (13.10)$$

ρ représentant la masse volumique du sang.

Dans les discussions du système circulatoire, il est commode d'exprimer les pressions en *kilopascal* (kPa). Mais l'ancienne unité, le *torr*, est toujours fort répandue ; 1 torr = 1 millimètre de mercure = 0,1333 kPa. Revenons-en à l'équation (13.10). Les valeurs de h_C et de h_{CV} typiques pour un adulte sont respectivement 1,3 m

et 1,7 m. Sachant que $\rho = 1,0595 \times 10^3$ kg m^{-3}, nous trouvons

$$\begin{aligned}
P_P - P_C &= \rho g h_C \\
&= \left(1,0595 \times 10^3 \text{ kg m}^{-3}\right)\left(9,8 \text{ m s}^{-2}\right)(1,3 \text{ m}) \\
&= 1,35 \times 10^4 \text{ Pa} = 13,5 \text{ kPa.}
\end{aligned}$$

La pression P_C exercée par le cœur est de l'ordre de 13,3 kPa, de sorte que $P_P \simeq 26,8$ kPa. Pour P_{CV} on trouverait 9,3 kPa. Cela explique pourquoi les pressions des parties inférieures et supérieures du corps sont très différentes pour une personne debout, alors qu'elles sont presque égales dans la position couchée.

Cet état de choses pose plusieurs problèmes. Le plus important est le drainage du sang à partir du système veineux de la partie supérieure du corps en direction du cœur et la difficulté qu'il y a de pomper le sang des extrémités inférieures vers le cœur. Afin de limiter le drainage du côté veineux de la partie supérieure du corps, et particulièrement au départ du cerveau où un volume sanguin et un débit constant sont extrêmement importants, les muscles entourant les veines se contractent et provoquent une constriction. Dans les extrémités inférieures, il y a un problème de pompage du sang vers le haut du fait que les veines ont une capacité de dilatation passive et de stockage du sang beaucoup plus importante que les artères. Les veines des extrémités comportent des valvules qui s'ouvrent chaque fois que le sang coule en direction du cœur et qui se ferment lorsque le sang se déplace dans le sens inverse. Le sang est finalement renvoyé au cœur, du moins en partie, grâce au pompage associé à la respiration et à l'action de muscles lors de la flexion de membres comme pendant la marche par exemple. Ces contractions musculaires compriment les veines et ce sont les valvules qui font que le flux sanguin résultant se déplace dans la direction du cœur. L'importance de cet effet est illustrée par le fait qu'un soldat, obligé de se tenir au garde-à-vous, peut s'évanouir à cause d'un retour sanguin insuffisant. Une fois couché, les pressions s'égalisent et le soldat reprend conscience.

13.5.1 Effets dus à l'accélération

Lorsqu'une personne en position debout subit une accélération a vers le haut, son poids effectif devient $m(g + a)$. Appliquons le théorème de Bernoulli au cerveau et au cœur, g étant remplacé par $(g + a)$. On obtient

$$P_{CV} + \rho(g + a)h_{CV} = P_C + \rho(g + a)h_C$$

ou

$$P_{CV} = P_C - \rho(g + a)\left(h_{CV} - h_C\right) \qquad (13.11)$$

La pression du sang dans le cerveau sera donc réduite encore davantage. L'expérience montre que si *a* est égal à 2 ou 3*g*, un être humain s'évanouit par suite de l'écrasement des artères dans le cerveau. Ceci limite la vitesse avec laquelle un pilote d'avion peut sortir d'un vol en piqué (chapitre 5). Un phénomène analogue est la sensation d'étourdissement qui se produit parfois quand on se lève subitement. Puisque l'activation du mécanisme de retour veineux du sang nécessite un mouvement musculaire, le sang tend à s'amasser dans les veines inférieures jusqu'au moment où une activité musculaire normale est reprise.

13.6 MESURE DE LA TENSION ARTÉRIELLE AU SPHYGMOMANOMÈTRE

La mesure de la tension artérielle faite au bras d'une personne fournit une valeur proche de la pression au voisinage du cœur puisque le bras est à peu près au même niveau que le cœur. En plus, l'artère brachiale est facile à comprimer car le bras ne comporte qu'un seul os. La pression nécessaire à cette opération est mesurée au moyen d'un instrument familier et fort pratique, appelé le *sphygmomanomètre* (figure 13.9).

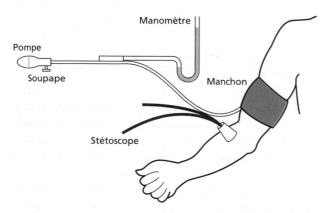

Figure 13.9 Utilisation du sphygmomanomètre pour la mesure de la tension artérielle.

Pendant un cycle cardiaque complet, la pression dans le cœur et dans le système circulatoire passe par un maximum (correspondant à la phase de pompage du cœur) et par un minimum (correspondant à la relaxation du cœur qui se remplit alors du sang renvoyé par les veines). Le sphygmomanomètre est employé pour mesurer ces pressions extrêmes. Son utilisation est basée sur le fait que l'écoulement sanguin dans les artères n'est pas toujours laminaire. L'écoulement devient turbulent quand les artères sont comprimées et donc le débit sanguin important.

Cet écoulement turbulent est bruyant et peut donc être perçu au moyen d'un stéthoscope.

Dans le sphygmomanomètre, la mesure de la pression de jauge du manchon se fait au moyen d'un manomètre ou d'une jauge de pression à cadran. La pression dans le manchon est d'abord augmentée jusqu'à ce que l'artère brachiale soit entièrement fermée. Le médecin réduit ensuite la pression doucement, tout en écoutant au stéthoscope les bruits en provenance de l'artère bracchiale. Quand la pression est légèrement inférieure à la pression *systolique* (maximum) exercée par le cœur, l'artère s'ouvre brièvement. Puisqu'elle n'est que partiellement ouverte, la vitesse d'écoulement est élevée, de sorte que le régime d'écoulement devient turbulent. Le bruit qui en résulte est entendu sous la forme d'un tapotement.

Lorsque la pression dans le manchon est réduite davantage, l'artère demeure ouverte pendant des fractions plus grandes du cycle cardiaque, mais elle reste toujours fermée pendant la phase *diastolique* du cycle. On entend donc des bruits, mais interrompus par des périodes de silence. Dès que la pression dans le sac atteint la valeur diastolique, l'artère demeure ouverte pendant l'intégralité du cycle cardiaque. À cette pression, l'écoulement est toujours turbulent et bruyant (particulièrement à la pression diastolique), mais le son émis est continu. De cette façon on peut donc mesurer les pressions systolique et diastolique sans avoir recours à la technique de la cathétérisation.

Les valeurs mesurées des pressions systolique et diastolique sont généralement présentées sous la forme d'un rapport entre les deux. Les valeurs typiques d'un adulte en bonne santé et au repos sont de l'ordre de 120/80 en torr ou 16/11 en kPa. L'hypertension commence à partir des tensions 140/90 (en torr) ou 19/12 (en kPa). Les pressions dépassant largement ce niveau doivent être surveillées de près car une tension artérielle élevée pendant une période prolongée peut comporter de sérieux risques pour le cœur et d'autres organes. Ces dernières années, on a mis l'accent sur la détection précoce des hypertensions.

13.7 CONSÉQUENCES DYNAMIQUES DU THÉORÈME DE BERNOULLI

Le terme dynamique (1/2) ρv^2 (appelé parfois la pression dynamique) n'est évidemment pas toujours négligeable vis-à-vis du terme gravitationnel ρgh. Dans ce paragraphe, ainsi que dans les paragraphes suivants, nous traiterons des exemples où ces termes dynamiques prennent de l'importance.

Figure 13.10 Un test très simple du théorème de Bernoulli. Lorsque l'on souffle entre les deux feuilles, elles se rapprochent.

Une démonstration très simple de l'effet de l'écoulement sur la pression peut être réalisée sans problème par le lecteur lui-même. Il suffit de tenir deux feuilles de papier à une distance d'environ 2 cm (figure 13.10) et de souffler dans l'espace ainsi délimité. Comme l'écoulement est horizontal, les termes gravitationnels (en y) dans l'équation de Bernoulli sont égaux et se compensent. Il reste

$$P_B + \frac{1}{2} \rho \, v_B^2 = P_0 + \frac{1}{2} \rho \, v_0^2$$

où P_B et v_B sont respectivement la pression et la vitesse entre les feuilles et P_0 et v_0 la pression et la vitesse en dehors de la région définie par les deux feuilles. En réarrangeant, il vient

$$P_0 - P_B = \frac{1}{2} \rho \left(v_B^2 - v_0^2 \right)$$

Comme la vitesse v_B de l'air entre les feuilles est supérieure à la vitesse v_0, le second membre est positif. Ceci entraîne que P_0 doit être supérieur à P_B. Il y a donc une différence de pression qui provoque un rapprochement des deux feuilles.

Le fait que la pression diminue quand la vitesse augmente dans un liquide en écoulement à une altitude constante, est évidemment une conséquence du principe de la conservation de l'énergie. L'augmentation de l'énergie cinétique nécessite la fourniture d'un travail. Ceci signifie qu'une force résultante non nulle doit agir sur le fluide en mouvement et que la pression doit être plus petite là où la vitesse est plus élevée.

Cette chute de pression associée aux vitesses d'écoulement croissantes intervient dans de nombreux phénomènes de la vie quotidienne. Il arrive par exemple qu'une voiture soit attirée par un poids lourd au moment où celui-ci la dépasse sur l'autoroute. L'air se précipite autour des deux véhicules et la partie qui passe entre les deux mobiles est forcée à travers une aire plus petite. L'équation de continuité entraîne alors que la vitesse de l'air entre les deux véhicules est plus élevée. La pression y est donc réduite et les deux véhicules sont attirés l'un vers l'autre.

Un autre exemple de l'importance du terme dynamique $(1/2) \rho \, v^2$ est celui du fameux Hancock Building à Boston, (figure 13.11), dont les fenêtres se brisaient les unes après les autres. Le problème était partiellement dû à la pression relativement basse (par rapport à celle de l'intérieur) qui régnait à l'extérieur par temps venteux.

Dans les paragraphes suivants, nous décrirons trois applications pratiques du théorème de Bernoulli.

13.8 LES DÉBITMÈTRES

Dans ce paragraphe nous appliquerons le théorème de Bernoulli à deux types de débitmètres. Avec des modifications mineures, ils peuvent servir à la mesure du débit dans les vaisseaux sanguins, de la vitesse des avions ainsi que des débits dans d'autres situations.

13.8.1 Le tube de Venturi

Le *tube de Venturi*, que nous supposerons horizontal pour ne pas devoir tenir compte des variations de hauteur, présente un rétrécissement. L'équation de continuité $v_1 A_1 = v_2 A_2$ montre que la vitesse v augmente là où la section A diminue. Cela entraîne, en vertu du théorème de Bernoulli, que la pression doit diminuer à l'endroit de l'étranglement (figure 13.12). La chute de pression étant une fonction de la vitesse d'écoulement, la détermination de celle-ci est ramenée à la mesure de la chute de pression. En pratique, cette mesure est réalisée au moyen d'étroites colonnes verticales insérées dans le tube (figure 13.12) ou encore à l'aide d'une sonde électrique.

Avant d'appliquer le théorème de Bernoulli, il faut résoudre une difficulté qui surgit du fait que le liquide dans les colonnes est au repos tandis que celui dans le tube est en déplacement. Les deux points C et D de la figure 13.12*b* n'étant pas situés dans la même ligne de courant, le théorème de Bernoulli n'est pas applicable directement. Toutefois, si les pressions en ces deux points n'étaient pas égales, le liquide coulerait d'un point vers l'autre. Ceci ne se produisant pas, on a $P_C = P_D$. La pression dans les colonnes est donc égale à la pression dans la ligne de courant (à condition évidemment que les différences de hauteur soient négligeables).

Le théorème de Bernoulli stipule que la quantité

$$P + \rho g y + \frac{1}{2} \rho \, v^2$$

est la même partout dans le tube de courant. L'application du théorème de Bernoulli à des points situés à une même hauteur, juste au-dessous des colonnes, fournit la relation

$$P_1 + \frac{1}{2} \rho \, v_1^2 = P_2 + \frac{1}{2} \rho \, v_2^2$$

Figure 13.11 Le Hancock Building à Boston, Massachusetts. En 1973, les fenêtres de ce gratte-ciel flambant neuf et inoccupé étaient recouvertes de contre-plaqué (rectangles blancs) du fait de leur tendance fâcheuse à se briser quand il y avait beaucoup de vent. Les différences de pression prédites par le théorème de Bernoulli fournissent une explication partielle du problème. *(Boston Globe.)*

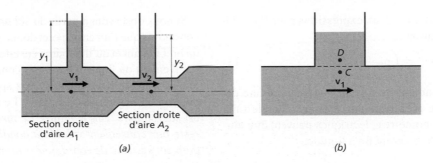

Figure 13.12 *(a)* Le tube de Venturi. *(b)* Vue agrandie de l'endroit où la colonne 1 est raccordée au tube.

L'équation de continuité $A_1 V_1 = A_2 v_2$ permet d'exprimer v_2 en fonction de v_1 :

$$v_2 = \frac{A_1}{A_2} v_1 \qquad (13.12)$$

Avec cette expression pour v_2, l'équation précédente devient

$$P_1 - P_2 = \frac{1}{2} \rho\, v_1^2 \left[\frac{A_1^2}{A_2^2} - 1 \right] \qquad (13.13)$$

La mesure de $P_1 - P_2$ et la connaissance des aires permettent donc de déterminer la vitesse v_1 ; v_2 est ensuite fournie par l'équation (13.12).

L'exemple 13.5 montre comment ce débitmètre est employé dans la mesure de la vitesse d'écoulement du sang dans une artère.

 ———————— **Exemple 13.5** ————————

Le flux sanguin à travers une artère de gros calibre d'un chien est détourné dans un débitmètre de Venturi. La partie plus large du tube a une section droite A_1 de $0{,}08$ cm^2, égale à celle de l'artère. La section droite A_2 de la partie rétrécie est de $0{,}04$ cm^2. La chute de pression dans le débitmètre est de 25 Pa. Quelle est la vitesse v, du sang dans les artères ?

Réponse   Le rapport A_1/A_2 des aires vaut $0{,}08/0{,}04 = 2$. La masse volumique du sang complet, d'après le tableau 13.1, est de 1059,5 kg m^{-3}. Remplaçons dans l'équation (13.13) :

$$25 = \frac{1}{2}(1059{,}5) v_1^2 (2^2 - 1)$$

et résolvons par rapport à v_1 :

$$v_1 = \sqrt{\frac{(2)(25)}{(1059{,}5)(2^2 - 1)}} = 0{,}125 \text{ m s}^{-1}$$

13.8.2 Le tube de Prandtl

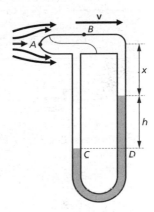

Figure 13.13 Un tube de Prandtl dans un écoulement à vitesse constante. La partie droite du tube en U communique avec une ouverte de la chambre en *B*. La partie gauche communique avec l'orifice en *A*, où la vitesse du fluide est nulle.

La figure 13.13 montre un *tube de Prandtl* plongé dans un fluide en écoulement. Il perturbe très peu l'écoulement, excepté au point *A* où la vitesse du fluide est nulle. La vitesse au point *B* est supposée être celle de la vitesse d'écoulement du fluide en l'absence du tube. Appliquons le théorème de Bernoulli tout en négligeant la faible différence de hauteur entre *A* et *B*. On obtient

$$P_A - P_B = \frac{1}{2} \rho\, v^2$$

où ρ est la masse volumique du fluide. Si le liquide du manomètre a une masse volumique ρ_m, alors $P_C = P_D$ donne

$$P_A + \rho g(h + x) = P_B + \rho g x + \rho_m g h$$

ou encore

$$P_A - P_B = (\rho_m - \rho)gh$$

La comparaison entre les deux expressions pour $P_A - P_B$ fournit alors la relation

$$\frac{1}{2}\,\rho\,v^2 = \left(\rho_m - \rho\right)gh \qquad (13.14)$$

La lecture d'un manomètre fournit donc une mesure directe de la vitesse d'écoulement. Comme dans le tube de Venturi, des manomètres électriques peuvent être employés à la place du manomètre à liquide.

13.8.3 Effet du rétrécissement d'un vaisseau sanguin

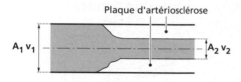

Figure 13.14

Appliquons les théorèmes de continuité et de Bernoulli à la même altitude

$$A_1 v_1 = A_2 v_2$$

et

$$P_1 + \frac{1}{2}\,\rho\,v_1^2 = P_2 + \frac{1}{2}\,\rho\,v_2^2$$

Nous obtenons alors après traitement mathématique

$$v_1 = \frac{A_2}{A_1} \;\Rightarrow\; v_1 < v_2 \text{ puisque } A_1 > A_2$$

$$P_1 = P_2 + 1/2\,\rho\,v_2^2 - 1/2\,\rho\,v_1^2$$

$$P_1 = P_2 + 1/2\,\rho\left(v_2^2 - v_1^2\right)$$

$$v_2^2 - v_1^2 > 0$$

$$\Rightarrow P_1 > P_2$$

Il y a donc dans la partie présentant la sténose un risque d'écrasement du vaisseau.

13.9 LE VOL DES ANIMAUX ET DES AVIONS

Une discussion complète du vol est beaucoup trop complexe du point de vue mathématique et dépasse le niveau de ce cours. Grâce au théorème de Bernoulli nous sommes toutefois à même d'obtenir quelques résultats qualitatifs applicables aux avions, aux oiseaux et aux insectes ainsi qu'à d'autres animaux capables de voler.

Si nous observons à partir du sol un avion en vol, nous constatons que l'air en un point donné est perturbé pendant un bref instant et qu'il retourne ensuite à son état initial. Le mouvement du fluide n'étant pas constant dans le temps, le théorème de Bernoulli n'est pas applicable. Toutefois, pour un observateur dans l'avion, l'écoulement du fluide est stationnaire dans le temps. *Le théorème de Bernoulli reste par conséquent valable à condition de l'appliquer dans un système de coordonnées au repos par rapport à l'avion.*

La figure 13.15*a* montre l'écoulement d'une masse d'air, de vitesse initiale *v* et de masse volumique ρ, autour d'une aile d'avion. Les lignes de courant au-dessus de l'aile sont plus rapprochées que celles d'en-dessous. D'après l'équation de continuité, ceci signifie que la vitesse v_a de l'air au-dessus de l'aile est supérieure à celle de l'air en-dessous (figure 13.16). Or le théorème de Bernoulli affirme que $P + \rho g y + (1/2)\,\rho\,v^2$ est constant le long d'une ligne de courant. Ceci entraîne que la pression P_a au-dessus de l'aile doit être inférieure à la pression P_b en-dessous. (Nous négligeons les termes $\rho g y$ car l'épaisseur de l'aile est faible.) Cette différence de pression donne lieu à une poussée F_L (appelée la portance) dirigée vers le haut vers la pompe et donnée par

$$F_L = \left(P_b - P_a\right)a = A\frac{\rho}{2}\left(v_a^2 - v_b^2\right)$$

où A est l'aire de l'aile. Cette expression n'est pas très utile sous cette forme car les vitesses v_a et v_b ne sont pas connues et il n'existe aucune méthode simple de prédire leurs valeurs. On peut toutefois s'attendre à ce que v_a et v_b soient toutes deux proportionnelles à la vitesse initiale v de l'air. Si tel est le cas, $\left(v_a^2 - v_b^2\right)$ est proportionnel à v^2 et la portance prend la forme

$$F_L = AC_L\frac{\rho}{2}v^2 \qquad (13.15)$$

Le facteur de proportionnalité C_L est appelé le *coefficient de lift* (ou de poussée dynamique). Dans quelques cas idéalisés, on peut le prédire théoriquement au moyen de techniques mathématiques avancées, mais en général on le mesure expérimentalement. Le coefficient de lift est une fonction compliquée de la forme géométrique de l'aile et de son *angle d'attaque* α, c'est-à-dire l'angle entre l'aile et la direction de l'écoulement de l'air. La poussée est approximativement proportionnelle à l'angle d'attaque, tant que celui-ci est petit. Cependant, si α est suffisamment grand, l'écoulement devient turbulent, la poussée diminue et l'avion peut se trouver en perte de vitesse (figure 13.15*b*).

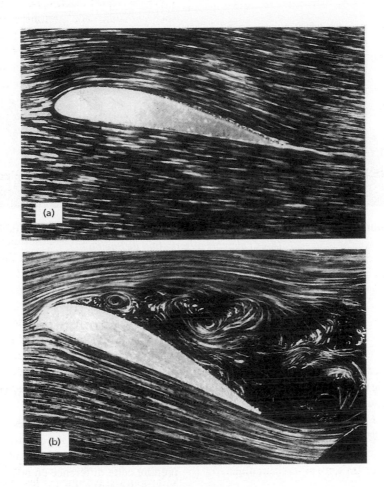

Figure 13.15 *(a)* Écoulement laminaire autour d'une aile. *(b)* Les grands angles d'attaque entraînent des turbulences, des diminutions de la poussée, ainsi que des pertes de vitesse. *(Avec l'aimable autorisation de F. Homann, Forschung auf dem Gebiete des Ingenieurwesens, 1936, VDI Verlag.)*

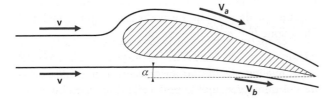

Figure 13.16 L'air au-dessus de l'aile se déplace avec une vitesse v_a, supérieure à la vitesse v_b au-dessous de l'aile. Les vitesses v_a et v_b sont toutes deux proportionnelles à v.

L'équation (13.15) de la poussée dynamique suffit amplement pour une discussion qualitative du vol. Dans le cas d'un vol à altitude constante, il faut que la poussée soit égale et opposée au poids. Les jets modernes ont des vitesses de croisière élevées, de sorte que l'aire A et l'angle α peuvent rester petits. Ceci entraîne une réduction de la résistance de l'air (traînée), mais malheureusement aussi une vitesse de décollage très élevée. Pour pouvoir quand même décoller à une vitesse modérée, il faut que les jets augmentent brusquement leur angle d'attaque une fois qu'ils ont atteint une vitesse critique (figure 13.17). Ceci augmente le coefficient de poussée et permet le décollage. Les avions à hélice, qui volent à des vitesses plus faibles, ont des surfaces d'aile ainsi que des angles d'attaque plus importants. Ces mesures rendent C_L suffisamment grand pour que le décollage puisse avoir lieu à des vitesses plus petites.

Figure 13.17 On augmente l'angle d'attaque tout juste avant le décollage du jet.
(Avec l'aimable autorisation de Boeing.)

Les ailes des animaux volants fournissant à la fois les forces de propulsion et de poussée, leur conception et leur mouvement sont beaucoup plus complexes. La poussée est toujours donnée par $F_L = (1/2)C_L \rho Av^2$, mais A, C_L et v varient pendant les différentes phases du mouvement des ailes (figure 13.18).

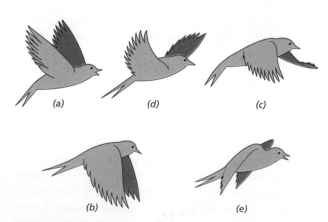

Figure 13.18 Pendant le vol à altitude constante, c'est le mouvement descendant des ailes qui fournit la plus grande force de propulsion et de lift. Pendant le mouvement ascendant, l'aile est poussée vers l'avant et vers le haut, presque parallèle à son propre plan. Cette opération fournit peu de force propulsive ou de lift, mais la perte de vitesse est faible. En plus, ce mouvement ascendant requiert peu d'énergie *(Adapté de Alexander, Animal Mechanics.)*

13.9.1 Loi d'échelle et vol des animaux

Les petits oiseaux, tels que les moineaux, et les oiseaux plus grands, tels que les canards, décollent et atterrissent de manière tout à fait différente. Il y a moyen de comprendre cette différence en nous servant une fois de plus de lois d'échelle. Adoptons l'approche la plus simple et supposons que le volume ou le poids d'un oiseau varie comme le cube d'une longueur caractéristique l. (Le procédé plus compliqué du chapitre 8, basé sur le critère de la résistance au flambage, à savoir $l \propto r^{2/3}$, conduit à des résultats tout à fait similaires à ceux obtenus ici.)

La section droite A d'une aile variant comme l^2, la poussée dynamique $F_L = AC_L \rho v^2/2$ varie comme Av^2 ou l^2v^2. Lors d'un vol horizontal, la force F_L doit être égale au poids w de l'oiseau. Le poids est proportionnel à l^3. On a donc $l^2v^2 \propto l^3$, de sorte que

$$v \propto l^{1/2} \qquad (13.16)$$

Ce résultat signifie qu'un grand oiseau a une vitesse de vol minimum supérieure à celle d'un oiseau de taille inférieure. Un petit oiseau peut sauter en l'air et atteindre la vitesse requise en un ou deux coups d'ailes. Un grand oiseau est obligé d'acquérir péniblement la vitesse minimum en courant d'abord sur le sol ou sur l'eau (figure 13.19) ou encore en plongeant d'un perchoir suffisamment élevé.

Il est intéressant de comparer deux oiseaux de tailles très différentes. La vitesse de vol minimum d'un martinet est d'environ 21 km h^{-1}. La longueur caractéristique d'une autruche vaut 25 fois celle du martinet de sorte que sa vitesse de vol minimum doit être $\sqrt{25} = 5$ fois plus importante que celle du martinet, cela correspond à 105 km h^{-1}. Il n'est guère étonnant que l'autruche ne puisse pas voler.

L'albatros est le plus grand des animaux volants actuels. Son envergure est de 3,3 m. Pendant l'ère des dinosaures, il existait des reptiles volants (ptérosauriens). Les plus grands découverts jusqu'à ce jour avaient une envergure de 15,5 m ! On suppose que des créatures tellement grandes ne pouvaient décoller qu'en plongeant du haut d'un rocher, un peu à la manière des aéroglisseurs ou des planeurs. La poursuite du vol dépendait alors de leur adresse à localiser des courants d'air ascendants (figure 13.20).

Figure 13.19 Un grand oiseau doit acquérir une certaine vitesse avant de pouvoir décoller. *(Horst Schrtfer/Photo Trends.)*

Envergure d'un aigle 2 m

Envergure d'un ptérosaurien 15,5 m

(a) *(b)*

Figure 13.20 Le ptérosaurien. *(a)* Comparaison avec la taille d'un aigle. *(b)* Reconstruction d'un ptérosaurien en plein vol.

Réviser

RAPPELS DE COURS

Les variables fondamentales employées dans la description des fluides sont la masse volumique et la pression. La pression est la force par unité de surface qu'une portion de fluide exerce sur des portions adjacentes.

La définition de la pression conduit directement au principe d'Archimède : la poussée exercée par un objet est égale au poids du fluide déplacé par l'objet.

Si un fluide peut être considéré comme incompressible, l'écoulement satisfait à l'équation de continuité. Cette équation établit que le débit Q d'un fluide en écoulement reste constant même si les dimensions du tube changent. En d'autres termes, le produit Av est constant.

Avec l'hypothèse supplémentaire que les forces de frottement visqueux sont négligeables, nous pouvons écrire que le travail effectué sur un fluide est égal à la variation de son énergie mécanique. Nous obtenons ainsi le théorème de Bernoulli d'après lequel $P + \rho gy + (1/2)\, \rho\, v^2$ est constant dans un tube de courant, l'écoulement étant du type laminaire. Le théorème de Bernoulli s'applique aux fluides en mouvement et au repos.

PHRASES À COMPLÉTER

Voir réponses en fin d'ouvrage.

1. Au lieu de décrire les fluides en termes de masses et de forces, nous utilisons _____ et _____.

2. Quelles sont les deux forces qui agissent sur une portion de fluide au repos de manière à la maintenir en équilibre ?

3. L'équation de continuité permet d'expliquer pourquoi la vitesse d'écoulement est plus grande dans les régions _____ de l'écoulement que dans les régions _____.

4. Si la section droite d'une conduite diminue de moitié, la vitesse moyenne _____.

5. Dans l'équation de Bernoulli, le terme $\rho gy+(1/2)\rho v^2$ représente _____.

6. En hydrostatique, la différence de pression entre deux points du fluide est déterminée par la masse volumique du fluide, par g ainsi que par _____.

7. Une personne qui souffre d'un étourdissement peut être soulagée en _____.

8. Dans la méthode du sphygmomanomètre, pourquoi mesure-t-on la tension artérielle généralement dans le haut du bras ?

9. Dans les fluides en mouvement, les régions à vitesse moyenne élevée tendent à avoir des pressions _____.

10. Considérons un tuyau avec un étranglement. La pression du fluide y sera-t-elle supérieure ou inférieure à celle dans la partie plus large du tuyau ?

EXERCICES CORRIGÉS

E1.

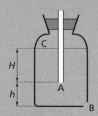

Figure 13.21

Une bouteille de section S est remplie d'un liquide de masse volumique ρ et de viscosité négligeable. La bouteille est fermée par un bouchon percé par lequel passe un tube creux. Une extrémité de ce tube se trouve à la distance h du fond de la bouteille où l'on a pratiqué une ouverture de section s, telle que $s \leqslant S$.

1) On laisse s'écouler le liquide par l'ouverture s (au point B). Le niveau dans le tube creux descend. Que vaut la pression au point A lorsque dans le tube creux le niveau a atteint le bord inférieur ?

2) Calculer alors la vitesse d'écoulement du fluide au point B tant que le niveau du liquide dans la bouteille n'a pas encore atteint le point A ($H > 0$). Cette vitesse d'écoulement reste-t-elle constante ?

3) Dans les mêmes conditions qu'au point 2, calculer l'évolution de la pression absolue au point C.

Solution

1) Vu qu'aucun liquide ne pénètre dans le tube en A, ce point est à l'air libre et dès lors

$$P_A = P_{atm}$$

2) Appliquons le théorème de Bernoulli en A et B et posons $h_B = 0$

$$P_A + 1/2\,\rho\,v^2(A) + \rho g h = P_B + 1/2\,\rho\,v^2(B) + 0$$

Or $P_B = P_A = P_{atm}$ et $v_A = 0$ (car $S \geqslant s$, l'écoulement dans le bouteille s'effectue donc à vitesse négligeable en A)

$$h_A = h$$

Donc

$$1/2\,\rho\,v^2(B) = \rho g h$$

$$v \text{ en B} = (2gh)^{1/2}$$

$$v = \text{ constante}$$

3) Le théorème de Bernoulli appliqué en C et A donne

$$P_C + \rho g H = P_A = P_{atm}$$

$$\text{donc } P_C = P_{atm} - \rho g H$$

E2. Un avion de chasse à réaction vole à la vitesse constante de 500 m s^{-1}. Il sort d'un piqué suivant une trajectoire circulaire. Supposons que les lois de l'hydrostatique soient applicables. La pression sanguine, dans des conditions normales est de 13,3 kPa à la hauteur du cœur et la masse volumique du sang est de $1\,059,5 \text{ kg m}^{-3}$.

Calculer pour quelle accélération centripète, le sang n'arrive plus au cerveau du pilote. Le pilote est supposé assis dans l'avion, sa tête étant 50 cm au-dessus du niveau du cœur. Exprimer cette accélération en nombre de g.

Solution

Effets dus à l'accélération. Appliquons le théorème de Bernoulli au cerveau et au cœur.

$$P_{cv} + \rho(g+a)h_c = P_c + \rho(g+a)h_c$$

ρ du sang vaut $1\,059,5 \text{ kg/m}^3$

$$P_{cv} = P_{cv} + \rho(g+a)h_{cv} - \rho(g+a)h_{cv}$$

$$P_{cv} = P_c + \rho(g+a)\big(h_c - h_{cv}\big)$$

$$P_{cv} = 13\,300 - 1\,059,5(g+a)0.5$$

Lorsque le sang n'arrive plus au cerveau

$$0 = 13\,300 - 1\,059,5(g+a)0.5 \text{ soit } a = xg$$

$$25 = g + xg$$

$$25 = g(x+1)$$

$x = 1,5$ d'où $a = 1,5$ g.

E3. Un vaisseau sanguin de rayon 9 mm se ramifie en 32 artérioles de rayon 2 mm. Si la vitesse dans le vaisseau le plus large est de 0,33 m/s, trouver la vitesse v dans chacun des petits vaisseaux.

Solution

La loi de conservation du débit implique :

$$0,33 \times \pi \times \big(9 \times 10^{-3}\big)^2 = v \times 32 \times \pi \times \big(2 \times 10^{-3}\big)^2$$

$$v = \frac{0,33 \times (9)^2}{32 \times (2)^2} = 0,2 \text{ m/s}$$

S'entraîner

QCM

Voir réponses en fin d'ouvrage.

Q1. Le rayon d'une conduite d'eau horizontale décroît graduellement de sorte que finalement la section est réduite d'un facteur 3. Dans la portion la plus large du tuyau, la vitesse moyenne vaut $v_1 = 0,029$ m/s et la pression vaut P_1. Trouver la pression P_2 (en Pa) dans la partie étroite

a) $P_1 - 2,5$

b) $P_1 - 3,36$

c) $P_1 - 4,36$

d) $P_1 - 5,48$

Q2. Le rayon d'une conduite d'eau décroît de r_1 à r_2. La vitesse moyenne dans la portion la plus large du tuyau vaut 2,4 m/s. Trouver la vitesse moyenne (en m/s) dans la partie étroite ($r_1 = 24$ cm, $r_2 = 13$ cm)

a) 9,60

b) 8,82

c) 8,18

d) 7,65

Q3. Au moyen d'un tuyau d'arrosage de rayon $r = 1,5$ cm, on remplit un seau de contenance $V = 11,3$ litres en 19 secondes. Calculer la vitesse moyenne en m/s du fluide.

a) 1,7

b) 1,42

c) 1,18

d) 0,84

Q4. Un garçon tient dans ses mains une pierre de poids $W = 122$ N et de volume $V = 1,8$ litres. S'il place sa main et la pierre sous l'eau, quelle force W' (en N) doit-il exercer pour maintenir la pierre ?

a) 104

b) 116

c) 128

d) 140

Q5. En un certain point A d'un tube de courant, la pression, la vitesse et l'altitude valent respectivement 100 kPa, 2 m/s et 1 m. Connaissant la pression P_2 (95 kPa) et l'altitude h_2 (1,1 m) en un point B, calculer la vitesse v_2 du fluide (eau) en ce point B.

a) 3,46

b) 3,74

c) 4

d) 4,24

Q6. Le fluide parfait de la figure 13.22 est en écoulement stationnaire dans un tube horizontal de section constante ouvert à l'extrémité *A*. À quelle hauteur se situe le niveau du liquide dans le manomètre M ?

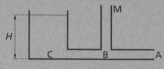

Figure 13.22

a) $h = 0$

b) $h = H$

c) $h = H/2$

d) pas assez d'élément pour répondre

Q7. Un dinosaure de masse m $(2,2 \times 10^6$ kg$)$ et d'un volume V de 2 000 m^3 est en train de patauger dans une eau peu profonde. 30 % de son corps sont immergés dans l'eau. Quel est le poids que les jambes du dinosaure doivent supporter ?

a) $1,29 \times 10^7$ N

b) $6,47 \times 10^6$ N

c) $2,2 \times 10^6$ N

d) $1,57 \times 10^7$ N

Q8. Pour combattre un incendie dans un immeuble, les pompiers utilisent un tuyau de 7 cm de diamètre afin de lancer, à raison de 1 000 L/min, de l'eau jusqu'à une hauteur de 20 m. Avec quelle vitesse v_A l'eau doit-elle quitter la bouche de la lance pour tout juste atteindre cette hauteur ?

a) 19,81 m/s

b) 4,33 m/s

c) 1,84 m/s

d) 12 m/s

Q9. Un objet homogène flotte sur l'eau. La moitié de son volume est immergé. Quelle est sa masse volumique ?

a) 1 000 kg/m^3

b) 500 kg/m^3

c) 2 000 kg/m^3

d) pas assez d'élément pour répondre

Q10. Un tube en U ouvert à ses extrémités contient deux liquides non miscibles de masses volumiques ρ_1 et ρ_2 comme indiqué sur la figure 13.23. Que vaut le rapport h_1/h_2 en fonction de ρ_1 et ρ_2 ?

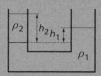

Figure 13.23

a) ρ_1/ρ_2

b) ρ_2/ρ_1

c) $\rho_1 - \rho_2$

d) $\rho_2 - \rho_1$

EXERCICES

Voir réponses en fin d'ouvrage pour les exercices et problèmes dont le numéro est inscrit en noir.

Le principe d'Archimède

13.1 Un homme de 75 kg flotte dans l'eau douce. La quasi-totalité de son corps se trouve sous la surface. Quel est son volume ?

13.2 Un objet pèse 100 N dans l'air et 75 N quand il est plongé dans l'eau. Quelle est la densité de cet objet ?

13.3 Un réservoir d'eau placé sur une balance pèse 200 N. On y introduit un saumon d'un poids de 12 N qui nage dans le réservoir. Quelles sont les mesures relevées sur la balance ?

13.4 Un ballon a une capacité de 0,1 m^3. Rempli d'hélium, quel poids peut-il soulever ? Utiliser les masses volumiques de l'hélium et de l'air dans les conditions normales (tableau 13.1).

13.5 On laisse tomber une bûche de 40 kg dans une rivière à 0 °C. Si la densité de la bûche est égale à 0,8, quelle fraction du volume de la bûche émergera de l'eau ?

L'équation de continuité ; l'écoulement laminaire

13.6 Le rayon d'une conduite d'eau décroît de 0,2 à 0,1 m. La vitesse moyenne dans la portion la plus large du tuyau est égale à 3 m s^{-1}. Trouver la vitesse moyenne dans la partie étroite.

13.7 Un tuyau d'arrosage d'une section de 2 cm^2 a un débit de 200 cm^{3}s^{-1}. Calculer la vitesse moyenne de l'eau.

13.8 Un vaisseau sanguin de rayon r se ramifie en quatre vaisseaux, chacun de rayon $r/3$. Si la vitesse moyenne dans le vaisseau le plus large est égale à v, trouver la vitesse moyenne dans chacun des petits vaisseaux.

Le théorème de Bernoulli

13.9 Peut-on employer le théorème de Bernoulli pour décrire l'écoulement de l'eau dans les rapides d'un fleuve ? Expliquer.

13.10 Une balle de base-ball est lancée par un joueur. Elle décrit une trajectoire incurvée. Peut-on appliquer le théorème de Bernoulli à ce problème en utilisant un système de référence,

a) se déplaçant avec la balle ;

b) fixe par rapport au sol ? Expliquer.

13.11 Si l'eau monte du rez-de-chaussée au premier étage à travers des tuyaux à section constante, la pression est-elle partout la même ? Expliquer.

13.12 Une conduite d'eau traverse verticalement un building de plusieurs étages. Au niveau du sol, un manomètre indique que la pression de l'eau est égale à 343 350 Pa. Au niveau du toit, la conduite est ouverte au-dessus d'un réservoir dans lequel l'eau coule à raison de 200 litres par minute. Déterminer la hauteur du building sachant que le diamètre de la conduite est de 3 cm au niveau du sol et de 2 cm au niveau du réservoir. La pression atmosphérique est égale à 101325 Pa et la masse volumique de l'eau est de 1 000 kg/m^3.

13.13 De l'eau de mer, de masse volumique 1 030 kg/m^3 occupe sur une hauteur $h = 1,2$ m un réservoir hermétique. Une pression $P = 108\,080$ Pa règne au-dessus du liquide. Le tuyau d'évacuation horizontal a d'abord une section $A_1 = 18$ cm^2 puis se rétrécit jusqu'à une section $A_2 = 9$ cm^2. La partie de section large est munie d'un tube vertical à extrémité ouverte (tube manométrique).

a) Calculer le débit de ce système.

b) Calculer la hauteur d'eau dans le tube manométrique pendant la vidange.

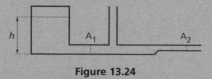

Figure 13.24

Conséquences statiques du théorème de Bernoulli

13.14 Des photos sous-marines ont été prises à une profondeur de 8000 m. Quelle est la pression à cette profondeur ? Quelle est la force exercée sur l'objectif, si celui-ci mesure 0,1 m sur 0,15 m ?

13.15 Quelle est la différence de pression entre le cœur et le cerveau d'une girafe si le cerveau se trouve à 2 m au-dessus du cœur ? (Supposer que la vitesse du sang est la même aux deux endroits.)

13.16 Estimer la différence de pression atmosphérique entre le niveau de la mer et le sommet d'une colline haute de 500 m. ($T = 0\ ^\circ$C.)

13.17 Jusqu'à quelle hauteur l'eau peut-elle s'élever dans les tuyaux d'un immeuble si la pression de jauge au niveau du rez-de-chaussée est égale à 2×10^5 Pa ?

13.18 Un sous-marin plonge à une profondeur de 100 m dans la mer. De quelle pression de jauge devra-t-on disposer afin de chasser l'eau des ballasts ?

13.19 Une certaine pression peut supporter une colonne d'eau pure d'une hauteur de 0,7 m. La même pression supportera une colonne d'une solution saline de 0,6 m de haut. Quelle est la masse volumique de la solution saline ?

13.20 On introduit une canule dans une grosse artère. On se sert d'une solution saline de masse volumique de 1300 kg m^{-3} comme liquide de manomètre. Quelle est la pression du sang (pression de jauge) si la différence de hauteur dans les tubes du manomètre est de 0,67 m ?

Le rôle de la gravitation dans la circulation sanguine

13.21 Le cerveau d'un être humain en position debout se trouve à 0,5 m au-dessus du cœur. Si une personne se penche de façon que son cerveau soit à 0,4 m au-dessous du cœur, quel est le changement de la pression du sang dans le cerveau ?

13.22 Expliquer pourquoi la position penchée, c'est-à-dire la tête plus basse que le cœur, nous est inconfortable.

13.23 Lors d'une manœuvre, un pilote subit une accélération de 4g dirigée vers le bas. Quelle est la pression du sang au niveau de son cerveau ? Supposer que le pilote se tienne droit.

13.24 Un pilote d'avion à réaction redresse son avion après un vol en piqué. Il subit une accélération de 3g dirigée vers le haut. Pouvez-vous prédire la pression du sang au niveau du cerveau ?

13.25 Considérons le cas d'une personne en position debout. Pouvez-vous prédire à quelle valeur de l'accélération la pression du sang dans le cerveau tombera à zéro ? (Supposer qu'aucun mécanisme corporel n'intervient pour compenser l'effet de cette accélération.)

13.26 Une personne se trouve dans un ascenseur qui accélère vers le haut à raison de 9,8 m s^{-2}.

a) Quelle est la pression moyenne du sang dans le cerveau et dans les pieds en supposant que la personne est en position debout ?

b) Si l'ascenseur descend avec une accélération de 9,8 m s^{-2}, quelle est la pression moyenne du sang dans le cerveau et dans les pieds ?

Mesure de la tension artérielle au sphygmomanomètre

13.27 Supposons que l'on se serve d'un sphygmomanomètre pour mesurer la pression du sang dans la jambe d'une personne au repos et en position assise. Les résultats obtenus donnent-ils la pression du sang au niveau du cœur ? Expliquer.

13.28 Un individu entre en courant dans le cabinet d'un médecin et on mesure immédiatement sa tension artérielle. Des valeurs au-dessus de la normale de 120/80 torr (ou 16/11 kPa) indiquent-elles que l'individu souffre d'hypertension ? Expliquer.

Les débitmètres

13.29 Un tube de Venturi a un rayon de 1 cm dans sa partie la plus étroite et un rayon de 2 cm dans sa partie la plus large où la vitesse de l'eau est de 0,1 m s^{-1}. Trouver

a) la chute de pression,

b) la vitesse dans la partie étroite.

13.30 On se sert d'un tube de Prandtl pour mesurer la vitesse du sang dans l'aorte d'un chien. Si le liquide du manomètre est de l'eau, quelle est la différence de hauteur h dans le tube du manomètre lorsque la vitesse du sang est de 0,1 m s^{-1} ?

13.31 Considérer le tube de Venturi de la figure 13.12. Montrer que

$$g\left(y_1 - y_2\right) = \frac{1}{2}v_1^2 \left(\frac{A_1^2}{A_2^2} - 1\right)$$

13.32 Dans une démonstration de physique, une balle de ping-pong reste en suspension dans un entonnoir tenu à l'envers lorsque l'on souffle de l'air par l'embouchure étroite de cet entonnoir (figure 13.25). Expliquer brièvement pourquoi la balle ne tombe pas.

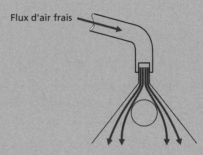

Flux d'air frais

Figure 13.25 Une balle de ping-pong reste en suspension dans un entonnoir renversé quand on y souffle de l'air.

Le vol des animaux et des avions

13.33 Un avion de 9000 kg doit atteindre une vitesse de 120 m s^{-1} avant de pouvoir décoller. Quelle doit être sa vitesse minimum de décollage s'il porte une charge supplémentaire de 7000 kg ?

13.34 Pourquoi les très grands avions ont-ils généralement besoin d'une si longue piste d'envol ?

13.35 La vitesse minimum de vol d'un martinet de 0,05 kg est de 6 m s^{-1}. Calculer la vitesse minimum de vol d'une oie de 3,2 kg.

13.36 Le martinet a une envergure d'environ 0,25 m, tandis que celle du ptérosaurien était de 16 m. La vitesse de vol minimum du martinet est de 6 m s^{-1}.

a) Estimer la vitesse minimum de vol du ptérosaurien en vous servant du facteur d'échelle.

b) Commenter la validité de ce procédé dans le cas présent.

PROBLÈMES

13.37 Un morceau de chêne pèse 90 N dans l'air. Un bloc de plomb pèse 130 N quand il est immergé dans l'eau. Attachés l'un à l'autre, ils pèsent 100 N dans l'eau. Quelle est la masse volumique du bois ?

13.38 Trouver l'accélération initiale d'une bille d'acier (la densité de l'acier est de l'ordre de 8) placée

a) dans l'eau et

b) dans le mercure.

c) Spécifier la direction de l'accélération dans chacun des cas.

13.39 Un homme transporte de grosses pierres dans son bateau. Arrivé au centre du lac, il les jette par-dessus bord. Une fois l'opération terminée, le niveau du lac a-t-il monté, descendu ou gardé la même valeur ? Expliquer.

13.40 Un cube de glace flotte dans un verre d'eau rempli à ras bord. Que devient le niveau de l'eau une fois que tout le cube est fondu ? Expliquer.

13.41 Un *cric hydraulique* est construit de la façon montrée dans la figure 13.15. Les sections droites des pistons sont A_1 et A_2. Montrer qu'à l'équilibre les forces F_1 et F_2 satisfont à la relation

$$\frac{F_1}{A_1} = \frac{F_2}{A_2}.$$

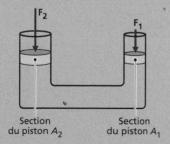

Figure 13.26 Un cric hydraulique.

13.42 Un *vérin hydraulique* similaire à celui de la figure 13.15 a des pistons de section 1500 cm² et 75 cm². Il est employé pour soulever un fauteuil de dentiste d'un poids de 1500 N.

a) Quelle force faut-il exercer sur le petit piston pour soulever le fauteuil ?

b) Quelle distance le petit piston doit-il parcourir pour que le fauteuil soit levé de 0,1 m ?

13.43 Un réservoir contient de l'oxygène gazeux à 0 °C. La pression au fond du réservoir vaut 100 atm. Sachant que le réservoir est profond de 1 m, calculer la pression en haut du réservoir. (Supposer que la masse volumique moyenne de l'oxygène est de 143 kg m⁻³.)

13.44 Le procédé de construction d'un *baromètre* est le suivant. On remplit un long tube avec du mercure pour le plonger ensuite, l'ouverture vers le bas, dans un récipient de mercure (figure 13.27).

a) Montrer que la pression atmosphérique P_{atm} est égale à $\rho g h$, où ρ est la masse volumique du mercure.

b) Quelle est la hauteur h si $P_{atm} = 1{,}013 \times 10^5$ Pa ?

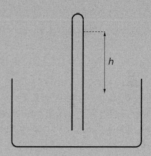

Figure 13.27 Un baromètre à mercure. Problème 13.44

13.45 Lors d'une transfusion de sang complet, l'aiguille est insérée dans une veine où la pression est de 2000 Pa. À quelle hauteur, par rapport à la veine, faut-il placer le récipient de sang pour que le sang puisse tout juste entrer dans la veine ?

13.46 Dans le paragraphe 13.5 nous avions supposé que la vitesse du sang était la même dans les différentes artères de gros calibre. Supposons maintenant que la vitesse dans l'artère proche du cœur soit de 20 cm s⁻¹ et que la vitesse dans l'artère près du pied soit de 1 cm s⁻¹. Calculer l'erreur relative que cela introduit dans $P_P - P_C$.

13.47 Pour vider un réservoir d'eau, on se sert d'un *siphon* d'une section de 3×10^{-4} m². On procède comme suit. On ferme les deux bouts du siphon initialement rempli d'eau. Ensuite on place l'un des bouts à 25 cm au-dessous de la surface libre du réservoir. L'autre extrémité, on la laisse pendre librement à l'extérieur du récipient, à 50 cm au-dessous du bout immergé.

a) Calculer la vitesse de l'eau à la sortie du siphon, peu de temps après l'ouverture des extrémités du siphon.

b) Le débit est-il constant ?

c) Quelle est la vitesse de l'eau à la sortie quand la surface libre du réservoir se trouve à 10 cm au-dessus du bout immergé ?

13.48 On veut vider un réservoir d'essence au moyen d'un siphon. L'une des extrémités du siphon est insérée dans le réservoir à une profondeur de 0,3 m tandis que l'autre est placée à l'extérieur, à 0,2 m au-dessous du niveau du bout immergé. La section droite interne du siphon est de 4×10^{-4} m^2. Calculer

a) la vitesse d'écoulement de l'essence,

b) le débit.

13.49 Il arrive qu'un vaisseau sanguin soit partiellement obstrué (*occlusion*) à la suite de la réduction, par une substance quelconque, de sa section sur une petite partie de sa longueur.

a) La vitesse va-t-elle changer dans la région obstruée ?

b) La pression va-t-elle changer dans la partie occluse ?

13.50 On mesure la tension artérielle à l'aide d'une canule (figure 13.7). La canule contient une solution saline de masse volumique ρ_s. La masse volumique du liquide du manomètre vaut ρ. Montrer que la tension artérielle est donnée par l'équation (13.9).

13.51 Afin de rester en suspension dans l'air, un oiseau-mouche (ou un hélicoptère) doit développer une puissance

$$\mathcal{P}_H = \sqrt{\frac{w^3}{2\,\rho\,A}}$$

où w est le poids de l'oiseau, A l'aire balayée par les ailes dans leur mouvement de va-et-vient, et ρ la masse volumique de l'air.

a) Montrer que le second membre de l'équation a bien les dimensions d'une puissance.

b) Y a-t-il moyen de trouver une autre expression de la forme $w^a \rho^b A^c$ qui aurait les dimensions d'une puissance ?

13.52 Utiliser la formule du problème précédent pour trouver la loi d'échelle liant la puissance à la longueur caractéristique d'un oiseau.

13.53 Pour se maintenir en suspension, un oiseau-mouche d'une masse de 3×10^{-3} kg balaye de ses ailes une aire de 3×10^{-3} m^2.

a) Trouver la puissance développée à 20 °C au moyen de la formule du problème 13.51.

b) Les muscles de l'oiseau ont une masse de $0,75 \times 10^{-3}$ kg. Comparer leur puissance avec les 80 W kg^{-1} qu'un muscle humain peut développer.

13.54 Appliquer la loi d'échelle $l^3 \propto r^2$ au vol des oiseaux. Comment l'équation (13.16) est-elle modifiée ?

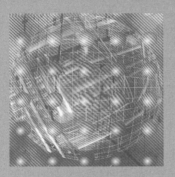

Écoulement des fluides visqueux

CHAPITRE 14

Mots-clefs

Analyse dimensionnelle • Écoulement laminaire • Forces de frottement visqueux • Gradient de pression • Lit vasculaire • Loi de Poiseuille • Nombre de Reynolds • Parallèle • Résistance à l'écoulement • Série • Viscosité

Introduction

Dans le chapitre précédent, nous avons explicitement négligé les effets des forces de frottement ou de viscosité qui existent toujours en pratique dans les fluides en mouvement. Le théorème de Bernoulli n'est plus applicable dès que le travail mis en jeu pour vaincre ces forces dissipatives devient comparable au travail total effectué sur le fluide ou à la variation de son énergie mécanique. Dans le cas des fluides au repos, le théorème de Bernoulli reste valable, car les forces de viscosité ne se manifestent que lorsque les différentes couches du fluide sont animées de vitesses différentes. Dans les fluides en mouvement il faut par contre éventuellement tenir compte de forces de viscosité. Le théorème de Bernoulli fournit par exemple une description tout à fait adéquate de l'écoulement du sang dans les grosses artères d'un mammifère, alors qu'il n'est plus valable dans les vaisseaux sanguins plus étroits.

Dans ce chapitre, nous allons d'abord donner la définition de la *viscosité* d'un fluide. Ensuite nous examinerons l'effet des forces de viscosité sur l'écoulement d'un fluide dans un tube. Nous verrons également que la viscosité est responsable de la force de résistance à l'écoulement agissant sur un petit objet qui se déplace à faible vitesse dans le fluide. C'est cette force qui détermine les vitesses de sédimentation des molécules et des petites particules d'un soluté dans une centrifugeuse.

14.1 VISCOSITÉ DANS LE CAS D'UN ÉCOULEMENT LAMINAIRE

Considérons deux lames absolument planes séparées par une couche mince d'un fluide (figure 14.1). Si la lame inférieure est maintenue fixe, il faut exercer une force pour déplacer la lame supérieure avec une vitesse constante. Cette force est nécessaire pour vaincre les forces de viscosité dues au liquide. Cette force est plus grande dans les liquides très visqueux, comme dans les mélasses par exemple, et plus petite dans les fluides moins visqueux, tels que l'eau.

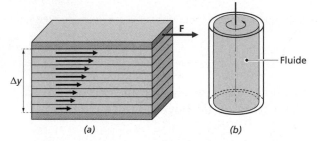

Figure 14.1 *(a)* Visualisation des effets de la viscosité sur les couches liquides comprises entre deux plaques animées de vitesses différentes. *(b)* Viscosimètre à entraînement, composé de deux cylindres concentriques, l'un fixe, l'autre en rotation.

14.1.1 Écoulement laminaire

La couche de fluide qui est en contact avec la lame en mouvement (figure 14.1) est animée de la même vitesse que la lame. La couche de fluide adjacente est entraînée avec une vitesse légèrement inférieure et les couches successives se déplacent avec des vitesses de plus en plus petites. La couche en contact avec la lame au repos a une vitesse nulle. Cette structure en couches est la caractéristique de l'*écoulement laminaire* d'un fluide visqueux à faible vitesse. L'écoulement devient turbulent à des vitesses plus élevées.

L'écoulement turbulent est à éviter, car il dissipe plus d'énergie mécanique que l'écoulement laminaire. C'est la raison pour laquelle on rend les avions et les voitures aussi aérodynamiques que possible. La nature s'est également arrangée pour que l'écoulement dans les vaisseaux sanguins soit normalement du type laminaire, plutôt que du type turbulent. Ces points seront traités en détail dans les paragraphes ultérieurs.

14.1.2 Viscosité

La force F à exercer pour déplacer la lame supérieure, est proportionnelle à l'aire A des deux lames et à la vi-

tesse relative Δv, elle est inversement proportionnelle à la distance Δy entre les deux lames :

$$F = \eta A \frac{\Delta v}{\Delta y} \qquad (14.1)$$

La constante de proportionnalité η (êta) est appelée la viscosité. Les dimensions de la viscosité sont :

$$[\eta] = \left[\frac{F/A}{\Delta v / \Delta y} \right] = \left[\frac{MLT^{-2}/L^2}{LT^{-1}/L} \right] = [ML^{-1}T^{-1}] \qquad (14.2)$$

où M, L et T représentent respectivement la masse, la longueur et le temps. L'unité S.I. de la viscosité est donc le kg m^{-1}s^{-1} ou le Pa s.

La définition rigoureuse de la viscosité est en fait

$$F = \eta A \frac{dv}{dy} \qquad (14.3)$$

où dv/dy est le gradient de vitesse entre les plaques c'est-à-dire le taux de variation de la vitesse par unité de distance mesurée perpendiculairement à la direction de cette vitesse.

Quelques viscosités typiques sont reprises dans le tableau 14.1. La viscosité des liquides augmente généralement lorsque la température diminue. Cet effet est facile à observer dans le cas de l'huile de graissage, du miel et d'autres liquides visqueux. Les gaz deviennent au contraire moins visqueux lorsque la température diminue.

Comme les forces de viscosité sont généralement faibles par rapport aux forces de frottement sec, les liquides servent fréquemment de lubrifiant, afin de réduire le frottement entre deux pièces en mouvement. Ceci est illustré dans l'exemple 14.1.

 ——————— **Exemple 14.1** ———————

Une table à coussin d'air, utilisée dans les démonstrations de physique, supporte un chariot qui se déplace sur un mince coussin d'air d'une épaisseur de 1 mm et d'une aire de 0,04 m^2. Sachant que la viscosité de l'air est de $1,8 \times 10^{-5}$ Pa s, trouver la force qu'il faut exercer sur le chariot pour le déplacer avec une vitesse constante de 0,2 m s^{-1}.

Réponse La force requise vaut

$$F = \eta A \frac{\Delta v}{\Delta y}$$

$$= (1,8 \times 10^{-5} \text{ Pa s})(0,04 \text{ m}^2) \frac{(0,2 \text{ m s}^{-1})}{(10^{-3} \text{ m})}$$

$$= 1,44 \times 10^{-4} \text{ N}$$

Cette force est très faible. C'est la raison pour laquelle on peut considérer une table à coussin d'air comme pratiquement dépourvue de frottement.

Tableau 14.1 Viscosité de quelques substances en Pa s.

Température °C	Huile de ricin	Eau	Air	Sang complet[*]	Plasma sanguin[*]
0	5,3	$1,792 \times 10^{-3}$	$1,71 \times 10^{-5}$		
20	0,986	$1,005 \times 10^{-3}$	$1,81 \times 10^{-5}$	$3,015 \times 10^{-3}$	$1,810 \times 10^{-3}$
37	—	$0,6947 \times 10^{-3}$	$1,87 \times 10^{-5}$	$2,084 \times 10^{-3}$	$1,257 \times 10^{-3}$
40	0,231	$0,656 \times 10^{-3}$	$1,90 \times 10^{-5}$		
60	0,080	$0,469 \times 10^{-3}$	$2,00 \times 10^{-5}$		
80	0,030	$0,357 \times 10^{-3}$	$2,09 \times 10^{-5}$		
100	0,017	$0,284 \times 10^{-3}$	$2,18 \times 10^{-5}$		

[*] Les viscosités relatives (η/η_{eau}) du sang et du plasma demeurent presque constantes pour des températures comprises entre 0 °C et 37 °C.

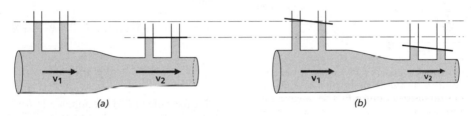

(a)   *(b)*

Figure 14.2 Les pressions dans un liquide en écoulement dans un tube horizontal. *(a)* Cas d'un fluide parfait (donc non visqueux). La pression ne change pas le long du tube, tant que la section est constante (Théorème de Bernoulli). *(b)* Cas d'un fluide visqueux. La pression diminue le long du tube à cause du travail dépensé pour compenser l'effet des forces de frottement.

14.2 ÉCOULEMENT LAMINAIRE DANS UN TUBE ; LOI DE POISEUILLE

L'équation de Bernoulli vue au chapitre précédent laisse prévoir que la pression d'un fluide le long d'un tube horizontal ne change pas à la condition que la section du tube reste constante. Lorsque le fluide est visqueux, la pression diminue le long du tube de section constante (figure 14.2*b*). Ceci est dû au fait que pour entretenir un régime permanent d'écoulement, il faut dépenser un travail pour vaincre les forces de viscosité. Dans le cas où la section droite varie ou si le tube n'est pas horizontal, il se produit des variations supplémentaires en accord avec le théorème de Bernoulli. La chute de pression $\Delta P = P_1 - P_2$ le long d'un tube horizontal de section constante est appelée perte de charge.

De nombreuses applications intéressantes de la mécanique des fluides impliquent l'écoulement laminaire d'un fluide dans des tubes cylindriques, tels que les artères ou les tuyaux en cuivre. Dans ce paragraphe, nous allons nous intéresser de près à la *loi de Poiseuille* qui donne le débit d'un fluide en écoulement laminaire. Elle fut découverte expérimentalement par un médecin, Jean Louis Ma-

rie Poiseuille (1799-1869), qui faisait des recherches sur l'écoulement du sang dans les vaisseaux. La loi de Poiseuille donne la relation entre le débit et la viscosité du fluide, la chute de pression et les dimensions du tube.

14.2.1 La loi de Poiseuille

Considérons un fluide s'écoulant dans un tube cylindrique de rayon R, suffisamment lentement pour que le régime soit laminaire. Comme nous l'avons déjà mentionné au paragraphe précédent, la couche du fluide en contact direct avec la paroi du tube adhère à celle-ci et la vitesse d'écoulement est donc nulle au contact de la paroi du tube. La mince couche cylindrique de fluide adjacente à cette couche immobile est animée d'une faible vitesse, et les couches de fluide successives se déplacent avec des vitesses de plus en plus grandes (figure 14.3). Si le tube est étroit, la vitesse augmente donc au fur et à mesure que la distance par rapport aux parois s'accroît et elle est maximum au centre du tube. Cherchons l'expression de la vitesse du fluide à une distance r de la ligne centrale passant par le milieu du tube (figure 14.4). Au sein du fluide, délimitons un cylindre de rayon r (avec $r < R$) et de longueur l.

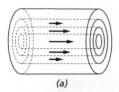 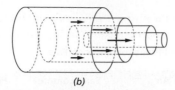

(a)

(b)

Figure 14.3 L'écoulement laminaire dans un tube. Le liquide en contact avec la paroi est au repos et les couches cylindriques successives se déplacent avec des vitesses de plus en plus grandes. La vitesse du liquide est maximum au centre. À l'instant initial, le liquide occupe la position indiquée en *(a)* ; peu après, les couches se sont déplacées sur des distances différentes *(b)*.

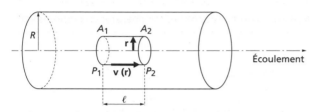

Figure 14.4 Établissement de la formule de Poiseuille à partir d'un cylindre de fluide de rayon $r < R$, $P_2 < P_1$. La différence de pression entre P_1 et P_2 résulte de la perte de charge.

Ce cylindre est soumis à des forces de pression sur ces deux bases A_1 et A_2 dont la résultante s'écrit sous la forme

$$F = \pi r^2 (P_1 - P_2)$$

De plus, il est ralenti par les forces de frottement visqueux sur sa paroi latérale dont l'aire est égale à $2\,\pi\,rl$.

$$F = -\,\eta\,(2\,\pi\,rl)\frac{\mathrm{d}v}{\mathrm{d}r}$$

Comme il n'y a pas d'accélération puisque le fluide s'écoule de façon régulière, les deux forces doivent être égales

$$\pi r^2 (P_1 - P_2) = -\,\eta\,(2\,\pi\,rl)\frac{\mathrm{d}v}{\mathrm{d}r}$$

On peut alors écrire

$$\frac{\mathrm{d}v}{\mathrm{d}r} = -\frac{(P_1 - P_2)r}{2\,\eta\,l}$$

On intègre ce résultat et on obtient

$$\int \mathrm{d}v = -\frac{(P_1 - P_2)}{2\,\eta\,l}\int r\,\mathrm{d}r$$

$$v = -\frac{(P_1 - P_2)}{2\,\eta\,l}\frac{r^2}{2} + \text{constante}$$

Les conditions limites donnent que si $r = R$ (sur les parois du tube), la vitesse est nulle, d'où

$$\text{constante} = \frac{(P_1 - P_2)}{2\,\eta\,l}\frac{R^2}{2}$$

On peut donc écrire

$$v = \frac{(P_1 - P_2)}{4\,\eta\,l}(R^2 - r^2)$$

Si $r = 0$, c'est-à-dire au centre du tube, la vitesse est maximum et vaut

$$v_{\max} = \frac{(P_1 - P_2)}{4\,\eta\,l}R^2 \qquad (14.4)$$

L'expérience montre que la vitesse moyenne du fluide est égale à la moitié de cette vitesse maximum.

$$\bar{v} = \frac{1}{2}v_{\max} = \frac{(P_1 - P_2)}{8\,\eta\,l}R^2 = \frac{\Delta P}{8\,\eta\,l}R^2$$

$$\bar{v} = \frac{\Delta P}{8\,\eta\,l}R^2 \qquad (14.5)$$

L'équation de continuité montre alors que le débit est égal à

$$Q = A\bar{v} = A\frac{\Delta P}{8\,\eta\,l}R^2 = \pi R^4\frac{\Delta P}{8\,\eta\,l}$$

$$Q = \pi R^4\frac{\Delta P}{8\,\eta\,l} \qquad (14.6)$$

La formule (14.6) est appelée la *loi de Poiseuille*. Elle indique qu'une viscosité élevée entraîne des débits faibles, ce qui est raisonnable. Le fait que le débit dépende si fortement de R est plus surprenant ; cette dépendance en R^4 implique par exemple que de faibles variations du rayon des vaisseaux sanguins entraînent d'importantes variations dans le débit. Si le rayon d'une artère diminue (artériosclérose), alors ΔP doit être grand pour maintenir un débit constant et le cœur travaille plus. De plus, suffit que le rayon passe de R à $1,19R$ (soit une augmentation de 19 %) pour que le débit augmente d'un facteur $(1,19)^2 = 2$. Nous illustrerons les résultats de ce paragraphe en considérant le débit du sang dans les artères.

 Exemple 14.2

Le rayon intérieur d'une grosse artère d'un chien est de 4 mm. Le débit du sang à travers l'artère est de 1 cm^3 s^{-1}. Trouver

a) les vitesses moyenne et maximum du sang ;

b) la chute de pression le long de l'artère sur une longueur de 0,1 m.

Réponse a) La vitesse moyenne vaut

$$\bar{v} = \frac{Q}{A} = \frac{Q}{\pi R^2}$$

$$\bar{v} = \frac{10^{-6}\ \text{m}^3\ \text{s}^{-1}}{\pi(4\times 10^{-3}\ \text{m})^2}$$

$$\bar{v} = 1,99\times 10^{-2}\ \text{m s}^{-1}$$

La vitesse du sang est maximum au centre de l'artère et vaut

$$v_{max} = 2\bar{v} = 2\left(1,99 \times 10^{-2} \text{ m s}^{-1}\right)$$
$$= 3,98 \times 10^{-2} \text{ m s}^{-1}$$

b) La viscosité du sang est de $2,084 \times 10^{-3}$ Pa s (tableau 14.1). La perte de charge est alors obtenue en résolvant l'équation (14.5) par rapport à ΔP :

$$\Delta P = \frac{8\,\eta\,\bar{v}}{R^2}$$

$$= \frac{8\left(2,084 \times 10^{-3} \text{ Pa s}\right)}{\left(4 \times 10^{-3} \text{ m}\right)^2}(0,1 \text{ m})\left(1,99 \times 10^{-2} \text{ m s}^{-1}\right)$$

$$= 2,07 \text{ Pa}$$

14.2.2 Dissipation de l'énergie mécanique

Nous sommes maintenant en mesure de calculer la puissance dissipée par les forces de frottement visqueux. Cette puissance est évidemment égale à celle qu'il faut fournir pour maintenir l'écoulement.

La résultante des forces appliquées à une tranche de fluide (figure 14.4) est égale à la différence de pression multipliée par la section A ; on a donc

$$F = (P_1 - P_2)A = A\,\Delta P$$

La puissance moyenne requise pour maintenir le régime permanent de l'écoulement est donnée par

$$\mathcal{P} = F\bar{v} = \Delta P A \bar{v}$$

Comme $A\bar{v}$ représente le débit Q, on obtient finalement

$$\mathcal{P} = \Delta P Q \qquad (14.7)$$

Dans le cas particulier où l'écoulement se fait dans un tube cylindrique de rayon R, on a $A = \pi R^2$ et l'équation (14.7) devient

$$\mathcal{P} = \Delta P\left(\pi R^2\right)\bar{v} \quad \text{(tube cylindrique)} \qquad (14.8)$$

Ce résultat s'applique particulièrement bien à l'écoulement dans les vaisseaux sanguins, comme le montre l'exemple suivant.

✎ ———————— **Exemple 14.3** ————————

Quelle est la puissance requise pour entretenir l'écoulement sanguin dans l'artère du chien de l'exemple 14.2 ?

Réponse En substituant les résultats de l'exemple 14.2 dans l'équation (14.7), nous obtenons pour la puissance à fournir

$$\mathcal{P} = \Delta P\left(\pi R^2\right)\bar{v}$$

$$= (2,07 \text{ Pa})\,\pi\left(4 \times 10^{-3} \text{ m}\right)^2\left(1,99 \times 10^{-2} \text{ m s}^{-1}\right)$$

$$= 2,07 \times 10^{-6} \text{ W}$$

Le métabolisme d'un chien est supérieur ou égal à 10 W. La puissance à dépenser pour pomper le sang à travers les grosses artères est donc tout à fait négligeable. Nous verrons au paragraphe 14.4 que la majeure partie de la chute de pression et de la perte d'énergie dues aux forces de viscosité se produit dans les petites ramifications artérielles ainsi que dans les capillaires.

14.3 ÉCOULEMENT TURBULENT

Les lois de Poiseuille ne sont valables que pour l'écoulement laminaire. L'écoulement est toutefois fréquemment turbulent. Les traînées d'encre utilisées au chapitre 13 se mélangeraient et s'estomperaient dans un écoulement turbulent. Quelques exemples d'écoulement turbulent sont montrés figure 14.5.

Nous avons mentionné plus haut que la dissipation d'énergie mécanique est plus importante dans l'écoulement turbulent que dans l'écoulement laminaire. C'est pourquoi on essaie souvent d'empêcher l'écoulement de devenir turbulent.

L'écoulement turbulent est beaucoup plus difficile à analyser que l'écoulement laminaire. Par exemple, pour le débit dans l'écoulement turbulent, il n'existe pas de formule aussi simple que celle de Poiseuille. En pratique, l'écoulement turbulent est traité au moyen de quelques règles empiriques, obtenues à partir de nombreuses expériences.

L'une de ces règles sert à déterminer dans quelles conditions l'écoulement est laminaire ou turbulent. Selon cette règle, c'est la valeur d'une quantité sans dimension, appelée le *nombre de Reynolds N_R*, qui détermine si l'écoulement est turbulent ou laminaire. Considérons un fluide de viscosité η et de masse volumique ρ. S'il coule avec une vitesse moyenne $\bar{v}$ dans un tube de rayon R, le nombre de Reynolds est défini par

$$N_R = \frac{2\,\rho\,\bar{v}\,R}{\eta} \text{ (écoulement dans un tube de rayon } R) (14.9)$$

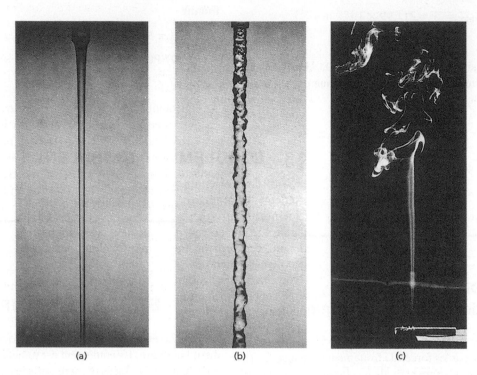

Figure 14.5 *(a)* Écoulement laminaire et *(b)* écoulement turbulent de l'eau. *(c)* Fumée de cigarette, d'abord en régime laminaire, ensuite en régime turbulent. *(Adapté de Sears, Zemansky et Young*, University Physics, *cinquième édition,* ©*1976, Addison-Wesley, Reading, Mass.)*

Pour l'écoulement dans des *tubes*, l'expérience a montré que si

$$N_R < 2000, \text{ l'écoulement est laminaire}$$

$$N_R > 3000, \text{ l'écoulement est turbulent}$$

$$2000 < N_R < 3000, \text{ l'écoulement est instable (il peut}$$
(passer du régime laminaire au régime turbulent et vice versa)

$$(14.10)$$

Ainsi, le type d'écoulement est déterminé par une combinaison particulière des variables ; le caractère de l'écoulement ne change pas si on double le rayon du tube, tout en diminuant de moitié la vitesse moyenne.

Le nombre de Reynolds indique aussi si l'écoulement autour d'un obstacle, tel que la coque d'un bateau ou l'aile d'un avion, sera turbulent ou laminaire. En général, le nombre de Reynolds critique (c'est-à-dire le nombre de Reynolds à partir duquel le régime devient turbulent) dépend fortement de la forme de l'obstacle. Ce nombre *n'est pas* donné par les équations (14.9) ou (14.10).

Dans le paragraphe précédent, nous avons calculé le débit dans une artère à l'aide de la loi de Poiseuille, valable seulement si l'écoulement est laminaire. A présent, nous allons calculer le nombre de Reynolds pour ce cas afin de voir si l'écoulement est laminaire ou turbulent.

 ———————— **Exemple 14.4** ————————

Dans l'exemple 14.2, le rayon de l'artère est de 4 mm, la vitesse moyenne du sang est de 1,99 cm s^{-1} et la viscosité vaut $2,084 \times 10^{-3}$ Pa s. La masse volumique du sang est de $1,0595 \times 10^3$ kg m^{-3} (tableau 13.1). Trouver le nombre de Reynolds et déterminer si l'écoulement est bien laminaire.

Réponse Le nombre de Reynolds vaut

$$N_R = \frac{2\left(1,0595 \times 10^3 \text{ kg m}^{-3}\right)}{2,084 \times 10^{-3} \text{ Pa s}}$$
$$\times \left(1,99 \times 10^{-2} \text{ m s}^{-1}\right)\left(4 \times 10^{-3} \text{ m}\right)$$
$$= 80,9$$

L'écoulement est laminaire.

Dans l'écoulement turbulent, l'énergie est dissipée sous forme sonore et sous forme de chaleur. Le bruit accompagnant l'écoulement turbulent dans les artères facilite la mesure des tensions artérielles (chapitre 13) et rend possible la détection de certaines anomalies cardiaques.

14.4 L'ÉCOULEMENT DU SANG DANS LE SYSTÈME CIRCULATOIRE

Nous appliquerons maintenant quelques-unes de ces idées à la circulation sanguine. Pour ce faire, il serait utile de résumer sommairement quelques aspects du système cardio-vasculaire.

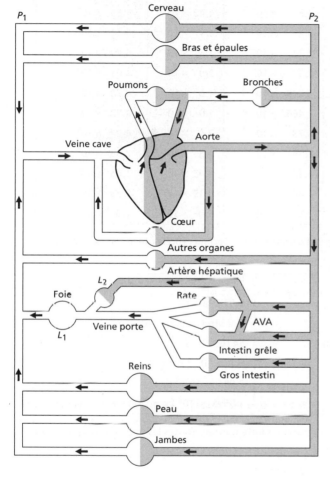

P_1 ... Cerveau ... P_2
Bras et épaules
Poumons ... Bronches
Veine cave ... Aorte
Cœur
Autres organes
Artère hépatique
L_2
Foie ... Rate
Veine porte ... AVA
L_1
Intestin grêle
Reins ... Gros intestin
Peau
Jambes

Figure 14.6 Diagramme schématique du système circulatoire chez les mammifères. Les cercles représentent des lits vasculaires. Les petites flèches indiquent la direction de l'écoulement sanguin. Les plages colorées représentent celles où le sang est riche en oxygène. Le système circulatoire artériel se trouve sur la droite, à pression P_2 et le système circulatoire veineux sur la gauche, à pression P_1.

14.4.1 Le sang

Le système circulatoire apporte au corps les matériaux nutritifs ainsi que l'oxygène qui lui sont nécessaires. En plus, il débarrasse les cellules des déchets organiques de leur métabolisme. Afin de pouvoir remplir un grand nombre de fonctions, le sang est composé de divers éléments,

tels que globules rouges, globules blancs, plaquettes sanguines et protéines. Nous allons cependant nous borner à considérer le sang comme étant un liquide uniforme de viscosité $\eta = 2,084 \times 10^{-3}$ Pa s et de masse volumique $\rho = 1,0595 \times 10^3$ kg m^{-3}, à température normale du corps. Une description plus complète s'avère nécessaire si l'on veut tenir compte de propriétés physiques plus subtiles du système circulatoire.

14.4.2 Le système cardio-vasculaire

Le système cardio-vasculaire est composé du cœur et d'un système étendu d'*artères* et de *lits vasculaires* comprenant des *capillaires* et des *veines* (figure 14.6). Les artères distribuent le sang aux organes, aux muscles et à la peau, et le sang revient au cœur par les veines. Les grosses artères se ramifient en différentes petites artères qui à leur tour donnent naissance à d'autres ramifications. Le sang atteint finalement les lits vasculaires qui sont le siège des échanges qui assurent la nutrition cellulaire. Le processus de ramification est inversé dans le système veineux, et c'est finalement la *veine cave* qui ramène le sang au cœur. Le tableau 14.2 indique le nombre ainsi que les dimensions de différents vaisseaux sanguins dans un lit vasculaire. Le tableau 14.3 indique les propriétés du système cardio-vasculaire humain.

L'*anastomose artério-veineuse* (AVA), appelée aussi le *shunt*, représente un phénomène intéressant du système cardio-vasculaire. La figure 14.6 montre seulement l'une des nombreuses anastomoses artérioveineuses présentes dans le corps. Ces shunts sont particulièrement importants du fait que le tissu lisse du muscle adjacent peut ajuster le diamètre du vaisseau. À l'intérieur du corps, ils aident à ajuster le flux sanguin vers les différents organes si les conditions changent. Des shunts de moindre dimension sont ouverts dans l'épiderme, soit si le corps doit évacuer de la chaleur, soit si la température de l'épiderme doit augmenter. Dans des conditions plus modérées, ces shunts sont fermés afin de réduire la tâche du coeur et de diriger l'apport du sang vers d'autres parties du corps.

14.4.3 Résistance à l'écoulement

La *résistance à l'écoulement* R_f (appelée en physiologie la *résistance vasculaire*), est définie comme étant le rapport de la perte de charge au débit :

$$R_f = \frac{\Delta P}{Q} \qquad (14.11)$$

Si l'écoulement est laminaire, la comparaison de la définition (14.11) avec l'équation (14.6) montre que

$$R_f = \frac{8\,\eta\,l}{\pi R^4} \quad \text{(écoulement laminaire)} \qquad (14.12)$$

Structure	Nombre N	Rayon interne R (m)	Section efficace totale, $N \pi R^2$ (m)^2	Longueur l m	Résistance vasculaire équivalente R_{f1}/N (kPa s m^{-3})
Artère mésentérique	1	$1,5 \times 10^{-3}$	$7,0 \times 10^{-6}$	$6,0 \times 10^{-2}$	$6,67 \times 10^3$
Rameaux principaux	15	$5,0 \times 10^{-4}$	$1,2 \times 10^{-5}$	$4,5 \times 10^{-2}$	$2,55 \times 10^5$
Rameaux secondaires	45	$3,0 \times 10^{-4}$	$1,3 \times 10^{-5}$	$3,91 \times 10^{-2}$	$5,69 \times 10^5$
Rameaux tertiaires	1 900	$7,0 \times 10^{-5}$	$2,9 \times 10^{-5}$	$1,42 \times 10^{-2}$	$1,65 \times 10^6$
Artères terminales	26 600	$2,5 \times 10^{-5}$	$5,2 \times 10^{-5}$	$1,1 \times 10^{-3}$	$5,61 \times 10^5$
Rameaux terminaux	328 500	$1,5 \times 10^{-5}$	$2,32 \times 10^{-4}$	$1,5 \times 10^{-3}$	$4,79 \times 10^5$
Artérioles	1 050 000	$1,0 \times 10^{-5}$	$3,3 \times 10^{-4}$	$2,0 \times 10^{-3}$	$1,01 \times 10^6$
Capillaires	47 300 000	$4,0 \times 10^{-6}$	$2,378 \times 10^{-3}$	$1,0 \times 10^{-3}$	$4,38 \times 10^5$
Veinules	2 100 000	$1,5 \times 10^{-5}$	$1,484 \times 10^{-3}$	$1,0 \times 10^{-3}$	$4,93 \times 10^4$
Rameaux terminaux	160 000	$3,7 \times 10^{-5}$	$6,73 \times 10^{-4}$	$2,4 \times 10^{-3}$	$4,27 \times 10^4$
Veines terminales	18 000	$6,5 \times 10^{-5}$	$2,39 \times 10^{-4}$	$1,5 \times 10^{-3}$	$2,53 \times 10^4$
Veines tertiaires	1 900	$1,4 \times 10^{-4}$	$1,17 \times 10^{-4}$	$1,42 \times 10^{-2}$	$1,03 \times 10^5$
Veines secondaires	60	$8,0 \times 10^{-4}$	$1,47 \times 10^{-4}$	$4,19 \times 10^{-2}$	$9,33 \times 10^2$
Veine mésentérique	1	$3,0 \times 10^{-3}$	$2,8 \times 10^{-5}$	$6,0 \times 10^{-2}$	$4,0 \times 10^2$

Tableau 14.2 Structure détaillée du lit vasculaire mésentérique d'un petit chien. Ceci ne représente qu'un exemple parmi les nombreux lits vasculaires dans le corps.

Pression moyenne dans les artères	12,8 kPa
Pression moyenne dans les veines	1,07 kPa
Volume du sang (corps humain de 70 kg)	5, 2 litres $= 5,2 \times 10^{-3}$ m^3
Temps requis pour un cycle complet (au repos)	54 secondes
Débit cardiaque (au repos)	$9,7 \times 10^{-5}$ m^3 s^{-1}
Viscosité du sang (37 $^\circ$C)	$2,084 \times 10^{-3}$ Pa s
Masse volumique du sang (37 $^\circ$C)	$1,0595 \times 10^3$ kg m^{-3}

Tableau 14.3 Propriétés du système cardio-vasculaire humain pour un adulte normal. Toutes les pressions données sont des pressions de jauge. (1 atm $= 1,013 \times 10^5$ Pa $= 101,3$ kPa).

La résistance à l'écoulement est difficile à calculer directement pour des systèmes physiologiques en raison de la complexité de ces systèmes. Généralement, on l'obtient indirectement par des mesures séparées de ΔP et de Q. L'équation (14.11) fournit alors la valeur de R_f. Noter que la relation $R_f = \Delta P/Q$ définit la résistance vasculaire pour un écoulement quelconque, qu'il soit laminaire ou non. L'équation (14.12) n'est valable que pour un écoulement laminaire.

La définition de la résistance à l'écoulement entraîne que son unité est celle d'une pression divisée par un volume par unité de temps. L'unité S.I. de la résistance vasculaire est donc le pascal-seconde par mètre cube ; nous adoptons le kilopascal-seconde par mètre cube (kPa s m^{-3}). Dans la littérature de physiologie, les pressions sont généralement exprimées en torr et les longueurs en cm, de sorte que l'unité de résistance à l'écoulement y est

$$1 \text{ torr s cm}^{-3} = 1,333 \times 10^5 \text{ kPa s m}^{-3}$$

Avec nos unités il est nécessaire d'exprimer Q en m^3 s^{-1} et ΔP en kPa.

L'exemple 14.5 va nous montrer que la résistance vasculaire d'une grosse artère est relativement faible. Ceci explique pourquoi la perte de charge dans de telles artères est si petite.

 —————— **Exemple 14.5** ——————

Le rayon de l'aorte d'un adulte moyen est de 1,3 cm. Sachant que le débit est de 10^{-4} m^3 s^{-1}, calculer la résistance et la perte de charge sur une distance de 0,2 m.

Réponse Le tableau 14.3 donne $\eta = 2{,}084 \times 10^{-3}$ Pa s pour la viscosité du sang. Appliquons la formule (14.12) :

$$R_f = \frac{8\,\eta\,l}{\pi R^4} = \frac{8}{\pi}\frac{(2{,}084 \times 10^{-3}\ \text{Pa s})(0{,}2\ \text{m})}{(1{,}3 \times 10^{-2}\ \text{m})^4}$$

$$= 3{,}72 \times 10^4\ \text{Pa s m}^{-3}$$

$$= 37{,}2\ \text{kPa s m}^{-3}$$

La chute de pression sur une distance de 0,2 m vaut

$$\Delta P = R_f Q$$

$$= (37{,}2\ \text{kPa s m}^{-3})(10^{-4}\ \text{m}^3\text{s}^{-1})$$

$$= 0{,}00372\ \text{kPa}$$

Cette valeur est très petite en comparaison de la perte de charge totale du système qui est de l'ordre de 13,3 kPa. La majeure partie des résistances vasculaires et des pertes de charge se produit dans les artères de petit calibre, ainsi que dans les lits vasculaires du corps (tableau 14.4).

	Débit cardiaque ($m^3\ s^{-1}$)	Résistance à l'écoulement ($kPa\ s\ m^{-3}$)
Cerveau	$12{,}5 \times 10^{-6}$	$9{,}3 \times 10^5$
Bras et épaules	$6{,}8 \times 10^{-6}$	$1{,}7 \times 10^6$
Poumons	$97{,}0 \times 10^{-6}$	$9{,}0 \times 10^3$
Bronches	$1{,}0 \times 10^{-6}$	$1{,}2 \times 10^7$
Cœur	$4{,}2 \times 10^{-6}$	$2{,}8 \times 10^6$
Autres organes	$10{,}0 \times 10^{-6}$	$1{,}2 \times 10^6$
Foie, L_1	$25{,}0 \times 10^{-6}$	$4{,}0 \times 10^4$
Foie, L_2	$5{,}0 \times 10^{-6}$	$2{,}2 \times 10^6$
Rate	$8{,}3 \times 10^{-6}$	$1{,}3 \times 10^6$
Intestin grêle	$8{,}8 \times 10^{-6}$	$1{,}2 \times 10^6$
Gros intestin	$2{,}9 \times 10^{-6}$	$3{,}7 \times 10^6$
Reins	$18{,}3 \times 10^{-6}$	$6{,}4 \times 10^5$
Peau	$5{,}5 \times 10^{-6}$	$2{,}1 \times 10^6$
Jambes	$13{,}7 \times 10^{-6}$	$8{,}5 \times 10^5$

Tableau 14.4 Valeurs approximatives de débit cardiaque et résistances à l'écoulement, pour un adulte au repos, en position couchée. La valeur totale du débit cardiaque, à partir de l'aorte, est de l'ordre de $9{,}7 \times 10^{-5}\ \text{m}^3\ \text{s}^{-1}$ et la perte de charge moyenne à travers les lits est égale à 11,7 kPa (se référer à la figure 14.6 en ce qui concerne les relations entre les différents lits).

La résistance vasculaire d'un système d'artères, comme par exemple le lit mésentérique d'un chien, peut être mesurée ou calculée. Le calcul se fait en considérant séparément chaque catégorie d'artère.

Nous supposons que toutes les artères de même calibre sont en *parallèle* ; de cette manière le débit à travers chaque artère est le même. Si Q_1 est le débit à travers une artère de résistance R_f, alors l'équation (14.11) entraîne que

$$Q_1 = \frac{\Delta P}{R_{f1}}$$

ΔP représente ici la différence de pression entre les extrémités de toutes les artères du même type. S'il y a N artères identiques, le débit total vaut $Q = Q_1 + Q_2 + Q_3 + \cdots + Q_N$ ou

$$Q = \frac{N\,\Delta P}{R_{f1}}$$

Si la résistance équivalente R_P de cet arrangement est définie par $Q = \Delta P/R_P$, alors

$$R_P = \frac{R_{f1}}{N} \tag{14.13}$$

La notion de résistance vasculaire équivalente est illustrée dans l'exemple qui suit.

✎ —————— **Exemple 14.6** ——————

Le rayon d'un capillaire est de 4×10^{-6} m et sa longueur est de 1 mm. Quelle est la résistance équivalente des $4{,}73 \times 10^7$ capillaires du lit mésentérique d'un chien s'ils sont tous supposés être en parallèle ?

Réponse Avec $\eta = 2{,}084 \times 10^{-3}$ Pa s, nous obtenons pour la résistance d'un capillaire :

$$R_{f1} = \frac{8\,\eta\,l}{\pi R^4}$$

$$= \frac{8(2{,}084 \times 10^{-3}\ \text{Pa s})(10^{-3}\ \text{m})}{\pi(4 \times 10^{-6}\ \text{m})^4}$$

$$= 2{,}073 \times 10^{16}\ \text{Pa s m}^{-3}$$

$$= 2{,}073 \times 10^{13}\ \text{kPa s m}^{-3}$$

Comme il y a en tout $N = 4{,}73 \times 10^7$ capillaires en parallèle, la résistance équivalente vaut

$$R_f = \frac{R_{f1}}{N} = \frac{2{,}073 \times 10^{13}\ \text{kPa s m}^{-3}}{4{,}73 \times 10^7}$$

$$= 4{,}38 \times 10^5\ \text{kPa s m}^{-3}$$

L'hypothèse que tous les capillaires sont en parallèle n'est qu'approximativement vérifiée. Nous avons également supposé que la loi de Poiseuille est applicable à l'écoulement du sang dans une veine. Ceci est de nouveau une approximation, car les rayons des capillaires sont comparables aux dimensions de certaines particules du sang. Les résultats de tels calculs sont néanmoins en accord grossier avec les valeurs trouvées par la méthode indirecte basée sur les mesures de ΔP et Q et sur la relation $R_f = \Delta P/Q$.

Des calculs semblables sur d'autres parties du lit vasculaire ont fourni les résultats qui sont reproduits dans la dernière colonne du tableau 14.2. Ces résultats peuvent servir à obtenir les résistances de plusieurs portions du lit vasculaire ou de la totalité du lit. Considérons N portions assemblées en série et supposons connue la résistance vasculaire de chacune d'elles. La perte de charge totale est alors donnée par $\Delta P = \Delta P_{f1} + \Delta P_{f2} + \cdots + \Delta P_{fN}$. Chaque chute de pression individuelle, par exemple $\Delta P_1 = QR_{f1}$, est égale au débit total Q multiplié par la résistance de chaque portion. La somme de toutes les chutes de pression vaut $\Delta P = Q(R_{f1} + R_{f2} + \cdots + R_{fN})$. Nous voyons donc que la résistance vasculaire R_s de ces vaisseaux branchés en *série* est égale à la somme des résistances :

$$R_s = R_{f1} + R_{f2} + \cdots + R_{fN} \qquad (14.14)$$

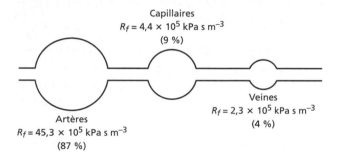

Capillaires
$R_f = 4{,}4 \times 10^5 \text{ kPa s m}^{-3}$
(9 %)

Veines
$R_f = 2{,}3 \times 10^5 \text{ kPa s m}^{-3}$
(4 %)

Artères
$R_f = 45{,}3 \times 10^5 \text{ kPa s m}^{-3}$
(87 %)

Figure 14.7 Diagramme simplifié de la résistance vasculaire du lit vasculaire mésentérique d'un chien. La résistance équivalente totale est de $(45{,}3 + 4{,}4 + 2{,}3) \times 10^5 \text{ kPa s m}^{-3}$.

En additionnant toutes les résistances des portions artérielles du lit vasculaire du tableau 14.2, nous obtenons $R_s = 45{,}3 \times 10^5 \text{ kPa s m}^{-3}$. Le même procédé peut être utilisé pour la partie veineuse du lit. Ces résultats sont résumés dans la figure 14.7. Les artères du lit vasculaire interviennent pour 87 % dans la résistance totale et dans la perte de charge. La contribution des capillaires est de 9 % et celle de la partie veineuse n'est que de 4 % On trouve des résultats semblables pour d'autres lits vasculaires ; la résistance des artères est la plus grande, les capillaires ont une résistance relativement petite et celle des veines est la plus faible.

Le fait que la majeure partie de la chute de pression et de la résistance se produise dans les systèmes artériels a d'importantes conséquences sur la façon dont se fait la régulation de la circulation dans le corps. Les subdivisions artérielles les plus petites, les artérioles, ainsi que quelques-unes des branches plus larges dans le lit vasculaire, sont entourées de fibres musculaires. Celles-ci peuvent se contracter et ainsi réduire les rayons des vaisseaux et augmenter leur résistance. Comme la résistance varie comme la quatrième puissance du rayon, le corps dispose d'un moyen très efficace pour ajuster l'écoulement du sang à ses besoins variables.

Comme le sang dans les artères est à pression élevée, le sectionnement d'une artère peut entraîner une perte de sang importante. Le risque que cela se produise est réduit du fait que de nombreuses artères sont situées très profondément dans le corps. Lorsqu'il se produit une chute dans la tension artérielle à la suite d'une hémorragie, le corps répond en resserrant les vaisseaux dans de nombreux lits vasculaires. Ceci assure temporairement le ravitaillement sanguin du cœur et du cerveau. Les vaisseaux de lits vasculaires finissent néanmoins par se dilater à cause des déchets métaboliques qu'il faut évacuer et à cause du manque d'oxygène. Cela entraîne une diminution supplémentaire de la tension artérielle et le corps est alors dans un état instable et déréglé, appelé choc.

Pour en savoir plus...

14.5 FORCES DE RÉSISTANCE VISQUEUSE

Il suffit de sortir la main de la fenêtre d'une voiture en marche pour remarquer qu'un objet se déplaçant dans un fluide subit une force qui augmente rapidement avec la vitesse. Aux très faibles vitesses, cette *résistance* résulte principalement des forces de viscosité qui sont proportionnelles à la vitesse v. À des vitesses légèrement plus élevées, mais toujours relativement faibles, l'objet accélère le fluide en déplacement autour de lui, ce qui fait que la force varie approximativement comme v^2. Dans ce paragraphe, nous allons considérer les *forces de résistance visqueuse* qui se manifestent aux faibles vitesses. Dans le paragraphe suivant, nous traiterons la résistance des fluides lorsque les vitesses sont plus élevées.

La résistance opposée par des fluides visqueux au déplacement d'un objet s'explique comme suit. La couche de fluide qui est en contact direct avec l'objet reste immobile par rapport à lui. Les autres couches glissent sur elle, ce qui donne naissance aux forces de viscosité (vu les différences de vitesse entre les couches successives) qui tendent à ralentir le mouvement.

Il est très difficile d'établir l'expression exacte de la force de résistance visqueuse. Ce n'est d'ailleurs que dans les cas les plus simples qu'elle a été obtenue. Or, vu la proportionnalité directe entre la force de freinage et la vitesse, observée aux vitesses faibles, nous pouvons cependant obtenir la forme générale de la force en ayant recours une fois de plus à l'analyse dimensionnelle.

Considérons un objet sphérique de rayon R se déplaçant avec une faible vitesse v à travers un fluide de viscosité η et de masse volumique ρ_0 (figure 14.8). En régime laminaire, nous pouvons admettre, outre la dépendance linéaire en v, que la résistance est proportionnelle à une certaine puissance de la viscosité η.

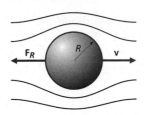

Figure 14.8 $\mathbf{v}$ représente la vitesse de l'objet sphérique et $\mathbf{F}_R$ la force de résistance visqueuse. Les lignes de courant laminaires sont également représentées.

En outre, il ne faut pas exclure une dépendance par rapport au rayon R de l'objet et à la masse volumique ρ_0 du fluide. La résistance a donc la forme $F_r = \phi R^a \eta^b \rho_0^c v$. Ici, ϕ représente un facteur numérique sans dimension. Les exposants a, b et c doivent être choisis de manière à donner les dimensions correctes à F_R. Le calcul est analogue à celui du paragraphe 14.2. On trouve que la force de résistance visqueuse exercée sur un objet en mouvement doit avoir la forme

$$F_R = \phi R v \eta \qquad (14.15)$$

Il est à noter que la masse volumique ρ_0 du fluide n'intervient pas dans ce résultat. Ceci n'est pas surprenant, car la relation de définition de la force de viscosité, $F = \eta A \Delta v / \Delta y$, ne dépend pas non plus de la masse volumique du fluide.

Ce résultat est valable chaque fois que la vitesse est suffisamment petite. En termes du nombre de Reynolds pour une sphère de rayon R, la condition de validité de la formule (14.15) est

$$N_R = \frac{\rho_0 v R}{\eta} < 1 \quad \text{(sphère de rayon } R) \qquad (14.16)$$

Si $N_R \gtrsim 1$, la résistance devient proportionnelle à v^2. (Le symbole $\gtrsim$ signifie « supérieur ou approximativement égal à »). Ceci se produit à des vitesses bien inférieures à celles où le régime turbulent s'amorce. La dépendance en v^2 provient du fait que l'objet en mouvement communique de l'énergie cinétique aux particules du fluide.

Pour une sphère, le facteur ϕ vaut exactement 6π, de sorte que

$$F_R = 6 \pi R v \eta \quad \text{(sphère)} \qquad (14.17)$$

C'est la *loi de Stokes*. Pour des objets de forme plus complexe, on peut toujours employer l'équation (14.15) à condition d'utiliser un facteur déterminé par l'expérience et d'interpréter R comme représentant une longueur caractéristique d'un objet, comme par exemple le rayon moyen

d'un globule rouge.

Il est parfois possible d'obtenir des informations sur la taille ou la forme d'un objet, si l'on arrive à déterminer la force de viscosité à partir du mouvement de l'objet. Cette idée est à la base des applications de la centrifugeuse, qui seront traitées au paragraphe 14.7.

Afin d'illustrer la formule de Stokes, calculons la vitesse limite v_l d'une petite sphère de rayon R et de masse volumique ρ en chute dans un fluide de viscosité η et de masse volumique ρ_0. La vitesse limite est atteinte lorsque la résistance $\mathbf{F}_R$ compense exactement le poids $\mathbf{w}$ et la poussée d'Archimède $\mathbf{B}$ (figure 14.9).

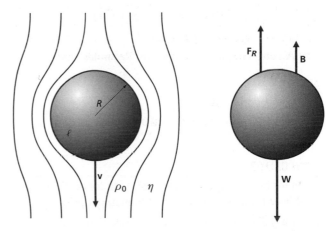

Figure 14.9 Une sphère, en train de tomber dans un fluide visqueux. La vitesse limite est atteinte lorsque $F_R = w - B$.

Le volume de la sphère est $V = (4/3) \pi R^3$ et son poids est $w = \rho V g$. La poussée d'Archimède est égale au poids du fluide déplacé ; donc $B = \rho_0 V g$. Lorsque la vitesse limite v_l est atteinte, la force de résistance visqueuse vaut $F_R = 6 \pi \eta R v_l$. À cette vitesse on a $F_R = w - B$ ou

$$6 \pi R v_l \eta = \frac{4}{3} \pi R^3 \rho g - \frac{4}{3} \pi R^3 \rho_0 g$$

En résolvant par rapport à v_l, on trouve

$$v_l = \frac{2}{9} \frac{R^2}{\eta} g (\rho - \rho_0) \qquad (14.18)$$

Cette équation permet de déterminer la viscosité d'un fluide. Il suffit de mesurer v_l et R. Dans l'exemple qui suit, nous calculerons la vitesse limite d'une particule de poussière.

 ——————— **Exemple 14.7** ———————

a) Quelle est la vitesse limite d'une particule de poussière d'un rayon de 10^{-5} m et d'une masse volumique de 2000 kg m^{-3} ? La température de l'air est de 20 °C.

b) Que vaut le nombre de Reynolds à cette vitesse ?

c) Trouver la valeur de la résistance à la vitesse limite.

Réponse a) À 20 °C, la masse volumique de l'air est de 1,2 kg m^{-3}, ce qui est négligeable en comparaison avec celle de la particule. La viscosité de l'air est de 1,81 × 10^{-5} Pa s (tableau 14.1). Supposons que la vitesse limite soit suffisamment basse pour que la loi de Stokes soit applicable. Nous obtenons, à partir de la relation (14.18) :

$$v_l = \frac{2}{9} \frac{R^2}{\eta} g(\rho - \rho_0)$$

$$= \frac{2}{9} \frac{(10^{-5}\, \text{m})^2}{(1{,}81 \times 10^{-5}\, \text{Pa s})}$$

$$\times (9{,}8\, \text{m s}^{-2})(2 \times 10^3\, \text{kg m}^{-3})$$

$$= 2{,}41 \times 10^{-2}\, \text{ms}^{-1}$$

b) À cette vitesse, le nombre de Reynolds vaut

$$N_R = \frac{\rho_0\, vR}{\eta}$$

$$= \frac{(1{,}22\, \text{kg m}^{-3})(2{,}41 \times 10^{-2}\, \text{m s}^{-1})(10^{-5}\, \text{m})}{(1{,}81 \times 10^{-5}\, \text{Pa s})}$$

$$= 0{,}0162$$

N_R étant beaucoup plus petit que 1, la loi de Stokes est valable et l'équation (14.18) est bien applicable.

c) La résistance due à la viscosité de l'air vaut

$$F_R = 6\,\pi\, Rv\eta$$

$$= 6\,\pi\, (10^{-5}\, \text{m})(2{,}41 \times 10^{-2}\, \text{m s}^{-1})$$

$$(1{,}81 \times 10^{-5}\, \text{Pa s})$$

$$= 8{,}23 \times 10^{-11}\, \text{N}$$

La formule (14.18) de la vitesse limite ne convient que pour des objets de taille très faible, comme les poussières ou les macromolécules en solution. Pour des objets plus grands, le nombre de Reynolds est nettement supérieur à 1, même aux vitesses faibles, de sorte que la loi de Stokes n'est plus valable.

14.6 RÉSISTANCE DES FLUIDES À « HAUTE VITESSE »

Au début du paragraphe précédent, nous avons mentionné que si le nombre de Reynolds $N_R = \rho_0 vR/\eta \gtrsim 1$, la résistance n'est plus proportionnelle à v. Elle devient alors plutôt proportionnelle à v^2. La loi en v^2 donne une bonne description de la résistance opposée par un fluide au mouvement des objets macroscopiques.

La formule pour la résistance en v^2 peut de nouveau être trouvée à l'aide de l'analyse dimensionnelle. La force est supposée être proportionnelle à v^2 et à des puissances

inconnues du rayon R, de la viscosité η et de la masse volumique ρ_0 du fluide. Le calcul détaillé fait l'objet du problème 14-52. On trouve que F_R est proportionnel à $R^2 \rho_0 v^2$, de sorte que

$$F_R = C_X A \frac{\rho_0\, v^2}{2} \qquad (14.19)$$

A représente la section droite πR^2 de l'objet sphérique en mouvement, $\rho_0 v^2/2$ l'énergie cinétique par unité de volume du fluide à la vitesse v. C_x est un nombre sans dimension qui dépend de la forme géométrique de l'obstacle et qui doit être obtenu expérimentalement. La résistance du fluide ne dépend pas de la viscosité. Ceci est cohérent avec l'idée que la résistance aux vitesses élevées est due à l'accélération du fluide en mouvement autour de la sphère et non aux effets visqueux.

La formule (14.19) est valable pour des objets de forme quelconque. La figure 14.10 donne les valeurs expérimentales de C_X en fonction du nombre de Reynolds pour un cylindre très long se déplaçant perpendiculairement à son axe. On voit que C_X varie lentement avec le nombre de Reynolds ; il varie entre 0,3 et 3,0 lorsque N_R varie de 10 à 10^6. Ceci se produit malgré le fait que le mouvement de fluide autour du cylindre change du régime laminaire au régime turbulent à $N_R \simeq 100$.

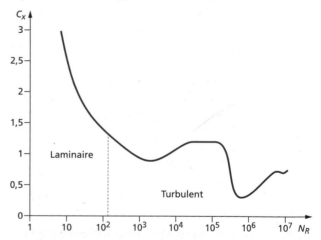

Figure 14.10 Le C_X d'un long cylindre, se déplaçant perpendiculairement à son axe, en fonction du nombre de Reynolds. Ici, $N_R = \rho_0 vR/\eta$ où R est le rayon du cylindre.

On peut obtenir la vitesse limite d'un objet macroscopique en chute verticale à partir de l'équation (14.19). Pour un objet de section droite A, de longueur L et de masse ρAL, elle vaut

$$v_l = \sqrt{\frac{(\rho - \rho_0)}{\rho_0} \frac{2gL}{C_X}} \qquad (14.20)$$

Noter que l'aire A de la section droite n'apparaît pas dans cette formule. L'établissement de cette formule et les exemples numériques sont laissés comme exercices.

14.7 CENTRIFUGATION

Les centrifugeuses mettent à profit les très grandes accélérations subies par des objets en rotation rapide pour accomplir de nombreuses tâches dans les laboratoires de médecine et de biologie. Les centrifugeuses peuvent par exemple séparer les grandes particules des petites particules. La vitesse d'une molécule dans une centrifugeuse est déterminée par la force de résistance visqueuse ainsi que par sa masse moléculaire. La mesure de cette vitesse peut par conséquent servir à la détermination de la masse de la molécule.

Une centrifugeuse est essentiellement constituée par un système en rotation rapide qui entraîne l'échantillon à étudier (figure 14.11). L'échantillon cst donc soumis à une accélération centripète $a_r = \omega^2 r$, ω étant la vitesse angulaire et r la distance au centre de rotation. Nous avons vu au chapitre 5 que le poids effectif d'un objet de masse m en rotation est donné par $\mathbf{w}^e = m(\mathbf{g} - \mathbf{a}_r)$. Comme a_r peut prendre des valeurs aussi grandes que $500\,000\ g$, l'accélération g due à la pesanteur est négligeable par rapport à l'accélération centripète et on a $\mathbf{w}^e \simeq -\mathbf{m}\mathbf{a}_r$. L'échantillon se comporte donc comme s'il était sur une planète où l'accélération gravitationnelle serait égale à $g^e = \omega^2 r$. Sous l'cffet de ce poids effectif élevé, les molécules plus denses que le solvant vont se déplacer vers le fond du récipient avec une vitesse limite ou de *sédimentation* de loin supérieure à celle qui existerait dans une solution au repos.

La vitesse de sédimentation v_s des particules est déterminée par leur poids effectif, par la poussée d'Archimède B exercée par le fluide, ainsi que par la force de résistance visqueuse F_R (figure 14.12). Pour trouver la vitesse de sédimentation de particules sphériques, on peut employer l'équation (14.18), obtenue à partir de la loi de Stokes, à condition de remplacer g par l'accélération effective $g^e = \omega^2 r$. Il existe cependant une autre expression pour v_s qui est souvent plus utile.

Pour obtenir cette expression nous employons la forme générale pour la force de résistance visqueuse, c'est-à-dire l'équation (14.15)

$$F_R = \phi R v \eta$$

où R représente une dimension caractéristique de la particule. Si les particules ont une masse m et un volume V, leur masse volumique vaut $\rho = m/V$ et leur poids effectif est $w^e = mg^e$. Si la masse volumique du fluide est ρ_0, la poussée d'Archimède vaut $B = \rho_0 g^e V = (\rho_0 / \rho)mg^e$. À la vitesse v_s, les forces en jeu s'équilibrent. Ceci entraîne $F_R = w^e - B$, ou

$$\phi R v_s \eta = mg^e - \frac{\rho_0}{\rho}mg^e$$

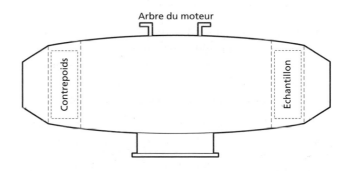

Figure 14.11 Une centrifugeuse à réfrigération. On réalise des vitesses de rotation jusqu'à 6000 tours par minute avec cet appareil. L'accélération correspondante est de 6835 g. D'autres types de centrifugeuses tournent à 6000 tours/minute, et produisent 500 000 g. *(Avec l'aimable autorisation de Beckman Instruments, Inc.)*

D'où :

$$v_s = \frac{mg^e}{\phi R \eta}\left(1 - \frac{\rho_0}{\rho}\right) \tag{14.21}$$

C'est l'expression de la vitesse de sédimentation des molécules en solution soumises à une accélération effective $g^e = \omega^2 r$.

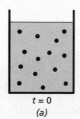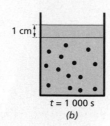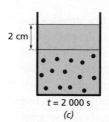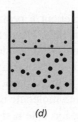

$t = 0$
(a)

$t = 1\,000$ s
(b)

$t = 2\,000$ s
(c)

(d)

Figure 14.13 *(a), (b)* et *(c)*. Les molécules centrifugées animées d'une vitesse de sédimentation $v_s = 10^{-3}$ *cm s^{-1}*. Une ligne de démarcation nette, entre la solution et le solvant pur, se déplace en direction du fond avec la vitesse v_s. *(d)* Dans un mélange de deux types de solutés, les molécules plus grandes (points noirs), migrent plus vite que les molécules plus petites (points colorés).

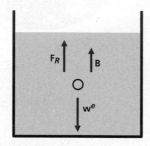

Figure 14.12 Les forces appliquées à une particule dans une centrifugeuse. La particule se déplace vers le bas avec une vitesse de sédimentation v_s.

Ce résultat peut être utilisé de différentes façons. Si les termes du second membre sont connus, la vitesse de sédimentation peut être calculée, ce qui permet de déterminer le temps que mettra le matériau pour se déposer au fond du récipient (figure 14.13). D'autre part, on peut mesurer la vitesse de sédimentation en éclairant l'échantillon en mouvement rotatif et en exploitant le fait que les protéines et de nombreuses autres substances absorbent la lumière à des longueurs d'ondes spécifiques. La mesure de la vitesse procure alors des informations sur les autres variables dans la formule (14.21). Ainsi il y aura moyen par exemple de déterminer les masses moléculaires, car le produit ϕR peut être obtenu par des mesures de diffusion et les masses volumiques sont facilement mesurables. Dans le cas où plusieurs molécules de tailles différentes sont présentes, la vitesse de sédimentation v_s sera différente pour chaque type de molécule. Ceci permet d'identifier les différentes composantes d'un mélange.

 ───── **Exemple 14.8** ─────

L'hémoglobine a une masse volumique de $1,35 \times 10^3$ kg m^{-3} et une masse moléculaire de 68 000 u. Le facteur ϕR, pour l'hémoglobine dans l'eau, vaut $9,46 \times 10^{-8}$ m. Sachant que dans une centrifugeuse elle est soumise à une accélération centripète de $10^5\,g$, trouver sa vitesse de sédimentation dans l'eau à 37 °C.

Réponse La masse de la molécule est de
$$(68\,000 \text{ uma}) \times (1,66 \times 10^{-27} \text{ kg uma}^{-1})$$
$$= 1,129 \times 10^{-22} \text{ kg}.$$

La masse volumique de l'eau est de 10^3 kg m^{-3}. Appliquons la formule (14.21) :

$$v_s = \frac{mg^e}{\phi R \eta}\left(1 - \frac{\rho_0}{\rho}\right)$$

$$= \frac{\left(1,129 \times 10^{-22} \text{ kg}\right)\left(10^5\right)\left(9,8 \text{ m s}^{-2}\right)}{\left(9,46 \times 10^{-8} \text{ m}\right)\left(0,695 \times 10^{-3} \text{ Pa s}\right)}\left(1 - \frac{1}{1,35}\right)$$

$$= 4,37 \times 10^{-7} \text{ m s}^{-1}$$

Animée de cette vitesse, la molécule mettra 24 heures pour parcourir 3,7 cm. Nous voyons donc pourquoi il faut faire tourner les centrifugeuses pendant des heures et des heures.

 ───── **Exemple 14.9** ─────

Une protéine de masse volumique 1300 kg m^{-3} est centrifugée avec une accélération de 10^6 m s^{-2}. Elle acquiert une vitesse de sédimentation de 10^{-6} m s^{-1}. À cette vitesse, la résistance visqueuse est de $2,07 \times 10^{-16}$ N. Trouver la masse moléculaire de la protéine.

Réponse Résolvons l'équation (14.21) par rapport à la masse moléculaire :

$$m = \frac{\phi R \eta v_s}{g^e}\frac{1}{1 - \rho_0/\rho}$$

Comme $\phi R \eta v_s$ représente la résistance et comme $\rho_0 = 1000$ kg m^{-3}, on a

$$m = \frac{\left(2,07 \times 10^{-16} \text{ N}\right)}{\left(10^6 \text{ m s}^{-2}\right)}\frac{1}{1 - 1/1,3}$$

$$= \left(7,98 \times 10^{-22} \text{ kg}\right)\left(\frac{1 \text{ uma}}{1,66 \times 10^{-27} \text{ kg}}\right)$$

$$= 481\,000 \text{ uma}$$

Réviser

RAPPELS DE COURS

On ne peut plus négliger les forces de frottement visqueux dans les fluides, lorsque le travail nécessaire pour les vaincre devient appréciable. Les forces de viscosité sont proportionnelles à la viscosité du fluide ainsi qu'à la différence de vitesse entre les couches du fluide,

$$F = \eta A \frac{\Delta v}{\Delta y}$$

Si la vitesse est suffisamment faible, l'écoulement d'un fluide visqueux a une structure laminaire, caractérisée par une variation continue de la vitesse de couche en couche.

Dans un tube de rayon R, le débit en régime laminaire est proportionnel au gradient de la pression et à R^4 :

$$Q = \frac{\Delta P \, \pi \, R^4}{8 \, \eta \, l}$$

La vitesse du fluide est maximum au centre du tube et décroît progressivement dans les couches successives pour atteindre la valeur 0 au contact avec les parois du tube.

Le régime turbulent de l'écoulement s'amorce à partir d'une vitesse suffisamment élevée. Le nombre de Reynolds est une combinaison sans dimension des variables ρ, R, $\bar{v}$ et η. Il sert à déterminer le caractère d'un écoulement donné.

La résistance à l'écoulement (appelée également résistance vasculaire) est définie par

$$R_f = \frac{\Delta P}{Q}$$

Si l'écoulement est laminaire, on a

$$R_f = \frac{8 \, \eta \, l}{\pi R^4} \quad \text{(écoulement laminaire)}$$

La résistance équivalente de N résistances identiques R_{f1} groupées en parallèle est donnée par

$$R_p = \frac{R_{f1}}{N}$$

La résistance équivalente de N résistances mises en série est donnée par

$$R_s = R_{f1} + R_{f2} + \cdots + R_{fN}$$

PHRASES À COMPLÉTER

Voir réponses en fin d'ouvrage.

1. La viscosité caractérise la force entre des _____ de fluide en mouvement.

2. Existe-t-il une force de frottement visqueux entre un fluide en déplacement et les parois du récipient ?

3. L'écoulement non turbulent d'un fluide visqueux est appelé écoulement _____.

4. L'analyse dimensionnelle peut parfois être utilisée pour obtenir les expressions de certaines grandeurs physiques. Peut-on de la même façon obtenir le coefficient numérique ?

5. La loi de Poiseuille donne le _____ d'un fluide à travers un conduit.

6. Le nombre de Reynolds sert à déterminer le type d'écoulement. En gros, on peut dire que les petits nombres de Reynolds correspondent à un écoulement _____.

7. Chaque catégorie de sections artérielles dans un lit vasculaire est composée d'un nombre d'artères pratiquement identiques disposées en _____.

8. Les différentes sections artérielles d'un lit vasculaire sont disposées _____.

9. La résistance vasculaire est-elle définie uniquement pour l'écoulement laminaire ?

10. Si on pompe un fluide dans un conduit, quel type d'écoulement requiert le moins d'énergie : l'écoulement laminaire ou l'écoulement turbulent ?

EXERCICES CORRIGÉS

E1. Au cours d'activités violentes, le débit sanguin cardiaque est de 500 cm^3/s.

1) En supposant que l'écoulement obéisse à la loi de Poiseuille et que l'aorte ait une diamètre de 2,5 cm, que valent :

– la vitesse moyenne de l'écoulement sanguin,

– le gradient de la pression $\Delta P/l$,

– le nombre de Reynolds pour cet écoulement.

2) Déterminer la valeur du débit sanguin cardiaque critique pour laquelle l'écoulement dans l'aorte passe du type turbulent au type laminaire.

On donne :

– la masse volumique du sang = 1 060 kg/m^3,

– la viscosité du sang = 2 084 × 10^{-3} Pa s.

Solution

1) Calculons la vitesse moyenne à partir de la formule

$$Q = A\bar{v} = \pi R^2 \bar{v}$$

$$\bar{v} = Q/\pi R^2 = 1 \text{ m/s}$$

Le gradient de pression s'obtient alors facilement à partir de la loi de Poiseuille

$$Q = \pi R^4 \frac{\Delta P}{8\eta l}$$

$$\frac{\Delta P}{l} = \frac{8\eta Q}{\pi R^4} = 108,7 \text{ Pa/m}$$

Le nombre de Reynolds pour cet écoulement vaut

$$N_R = \frac{2\rho \bar{v}R}{\eta} = 12\,954$$

2) L'écoulement devient laminaire à partir de $N_R = 2\,000$, soit :

$$N_R = \frac{2\rho\bar{v}R}{\eta} = 2\,000 \quad \text{or} \quad \bar{v} = \frac{Q}{\pi R^2}$$

$$2\,000 = \frac{2\rho R}{\eta}\frac{Q}{\pi R^2}$$

Donc

$$Q = 2\,000\frac{\eta\,\pi R}{2\rho}$$

$$Q = 9,64 \times 10^{-5} \text{ m}^3/\text{s}$$

E2. Considérons une bifurcation constituée d'un tuyau cylindrique de rayon r_1 et de longueur l_1, et de deux tuyaux également rigides de rayons r_2 et r_3, et de longueurs l_2 et l_3. Un débit constant Q passe par le tuyau de rayon r_1 ($Q = 10^{-5}$ m^3/s). L'écoulement est laminaire. $\eta = 10^{-3}$ Pa s

$$l_1 = 5 \text{ cm} \quad r_1 = 2 \text{ cm}$$
$$l_2 = 5 \text{ cm} \quad r_2 = 1,5 \text{ cm}$$
$$l_3 = 5 \text{ cm} \quad r_3 = 1 \text{ cm}$$

1) Quelle est la résistance à l'écoulement du tuyau 1, du tuyau 2 et du tuyau 3 ?

2) Quelle est la résistance à l'écoulement totale opposée par les tuyaux 2 et 3 ?

3) Quel débit de fluide passe dans le tuyau 3 ?

4) Supposons qu'une sténose se forme dans le tuyau 3. Cette sténose sera schématisée par un rétrécissement

de rayon $r = 0,2$ cm et de longueur $l = 2$ cm. Quelle est alors la résistance du tuyau 3 ? Quel est le nouveau débit dans le tuyau 3 ?

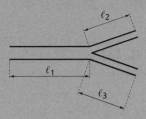

Figure 14.14

Solution

1) Calculons tout d'abord les résistances à l'écoulement de chaque portion en utilisant la formule suivante

$$R_f = \frac{8\eta l}{\pi R^4}$$

En remplaçant les données numériques dans la formule, on obtient pour chaque branche les valeurs

$$R_1 = 796 \text{ Pa s m}^{-3}$$
$$R_2 = 2\,516 \text{ Pa s m}^{-3}$$
$$R_3 = 12\,738 \text{ Pa s m}^{-3}$$

2) Les tuyaux 2 et 3 sont en parallèles donc la résistance équivalente à ce système est donnée par la formule

$$\frac{1}{R_{\text{équivalent}}} = \frac{1}{R_2} + \frac{1}{R_3}$$

$$R_{\text{équivalent}} = 2\,101 \text{ Pa s m}^{-3}$$

3) Pour trouver le débit de fluide dans le tube 3, il faut se rappeler que la résistance à l'écoulement est définie comme

$$R_f = \frac{\Delta P}{Q}$$

Nous avons déjà calculé la résistance équivalente aux résistances R_2 et R_3

$$R_{\text{équivalent}} = 2\,101 \text{ Pa s m}^{-3}$$

La différence de pression ΔP correspondante vaut

$$\Delta P = R_{\text{équivalent}}Q \text{ avec } Q = 10^{-5} \text{ m}^3/\text{s}$$

Dans ces conditions $\Delta P = 2,1 \times 10^{-2}$ Pa.

Mais ΔP est également égale à la différence de pression ΔP entre les extrémités de R_3 puisque R_3 et R_2 sont en parallèle.

Puisque $R_3 = 12\,738$ Pa s m^{-3}, alors le débit dans le tube 3

$$Q_3 = R_3\,\Delta P = 1,64 \times 10^{-6} \text{m}^3/\text{s}$$

4) La sténose est schématisée par un rétrécissement de rayon $r = 0,2$ cm et de longueur $l = 2$ cm.

La résistance de la partie étroite est égale à

$$R_f = \frac{8\,\eta\,l}{\pi R^4} = \frac{8 \times 10^{-3} \times 2 \times 10^{-2}}{\pi\,(0{,}2 \times 10^{-2})^4}$$

$$R_{\text{étroite}} = 31{,}8 \times 10^5 \text{ Pa s m}^{-3}$$

En utilisant la même formule, on peut trouver la résistance de la portion large (rayon = 1 cm) de 3 cm de long

$$R_{\text{large}} = 7{,}643 \text{ Pa s m}^{-3}$$

La résistance totale des deux parties en série est égale à $31{,}87 \times 10^5$ Pa s m^{-3}.

Puisque la chute de pression est restée égale à $2{,}1 \times 10^{-2}$ Pa, le nouveau débit dans le tuyau 3 est alors égale à

$$Q = \frac{\Delta P}{R_f} = \frac{2{,}1 \times 10^{-2}}{31{,}87 \times 10^5} = 6{,}5 \times 10^{-3} \text{ cm}^3\text{/s}$$

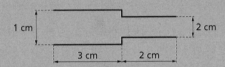

Figure 14.15

E3. Le sang est constitué d'une suspension cellulaire dans un liquide visqueux, électriquement neutre, appelé plasma de viscosité η et de masse volumique ρ. Si on laisse au repos du sang non coagulable, on constate qu'une sédimentation des éléments cellulaires de masse volumique ρ' et de diamètre moyen d se fait progressivement avec une certaine vitesse. Quelles sont les forces qui agissent sur les éléments cellulaires ? Montrer qu'au bout d'un certain temps, la vitesse des éléments cellulaires tend vers une limite. Calculer cette vitesse limite.

Solution

Les forces qui agissent sur les éléments cellulaires sont :
– la force de pesanteur,
– la poussée d'Archimède,
– la force de résistance visqueuse.

Les éléments cellulaires ont un volume égal à

$$V = \frac{4}{3}\,\pi\,R^3$$

La force de pesanteur qui agit sur eux s'exprime par

$$mg = \rho' g V$$

La poussée d'Archimède due au plasma vaut

$$\rho g V$$

La force de résistance visqueuse est donnée par la loi de Stokes

$$6\,\pi\,\eta R v$$

Écrivons l'équation de Newton

$$\rho' V g - \rho V g - 6\,\pi\,\eta R v = ma$$

Lorsque la vitesse limite est atteinte, l'accélération s'annule. On peut écrire

$$\rho' V g - \rho V g - 6\,\pi\,\eta R v = 0$$

$$v_{\text{limite}} = \frac{\rho' V g - \rho V g}{6\,\pi\,\eta R} = \frac{V g}{6\,\pi\,\eta R}\,(\rho' - \rho)$$

$$= \frac{2R^2 g}{9\eta}\,(\rho' - \rho)$$

S'entraîner

QCM

Voir réponses en fin d'ouvrage.

Q1. Considérer l'écoulement du sang dans une artère de rayon $r = 1{,}6$ mm. Jusqu'à quelle vitesse moyenne (en m/s) du sang l'écoulement reste-t-il laminaire ? ($\rho_{\text{sang}} = 1060$ kg/m^3, $\eta_{\text{sang}} = 3 \times 10^{-3}$ Pa s)

a) 1,76

b) 0,79

c) 0.83

d) 0,88

c) 0.94

Q2. Connaissant le gradient de pression $\Delta P/l$ (570 Pa/m) d'un vaisseau sanguin ainsi que son rayon $r = 1{,}3$ mm, calculer le nombre de Reynolds. Supposer l'écoulement laminaire.

a) 30

b) 37

c) 44

d) 53

e) 62

Q3. Connaissant le gradient de pression $\Delta P/l$ (550 Pa/m) d'un vaisseau sanguin ainsi que son rayon $r = 1{,}4$ mm, trouver la vitesse moyenne du sang en cm/s. Supposer l'écoulement laminaire.

a) 3,540

b) 4,014

c) 4,492

d) 4,969

e) 5,440

Q4. Connaissant le gradient de pression $\Delta P/l$ (590 Pa/m) d'un vaisseau sanguin ainsi que son rayon $r = 1{,}2$ mm, trouver le débit du sang en mililitre/s. Supposer l'écoulement laminaire.

a) 0,160

b) 0,213

c) 0,277

d) 0,351

e) 0,438

Q5. Un fluide visqueux s'écoule avec un débit Q_0 à travers un capillaire de rayon R_0 et le longueur l_0. Quel serait le débit Q_1 du même fluide à travers un capillaire de rayon $R_1 = 2R_0$ et de longueur $l_1 = 16_0$, la différence de pression restant la même ?

a) $(2/16)\, Q_0$

b) $8\, Q_0$

c) $32\, Q_0$

d) Q_0

Q6. Dans une artère, le nombre de Reynolds vaut 100 lorsque le débit est de 10^{-6} m^3 s^{-1}. À partir de quel débit l'écoulement devient-il turbulent ?

a) 10^{-5} m^3 s^{-1}

b) 5×10^{-8} m^3 s^{-1}

c) 3×10^{-5} m^3 s^{-1}

d) 5×10^{-7} m^3 s^{-1}

Q7. Le cœur d'un adulte moyen au repos a un débit de $9{,}7 \times 10^{-5}$ m^3 s^{-1}. La résistance vasculaire du système circulatoire est supposée égale à $1{,}2 \times 10^8$ Pa s m^{-3}. Quelle est la perte de charge moyenne à travers les lits vasculaires ?

a) $1{,}164 \times 10^4$ Pa

b) $11{,}64 \times 10^4$ Pa

c) 3×10^{-5} Pa

d) 8×10^{-3} Pa

Q8. De quel facteur varie la vitesse moyenne d'écoulement d'un fluide visqueux dans un capillaire lorsque le diamètre de celui-ci est doublé, les autres conditions restant constantes ?

a) facteur 4

b) facteur 2

c) facteur 1/2

d) facteur 1/4

Q9. On laisse tomber une bille de verre de rayon 1 mm dans de l'huile. La vitesse limite de chute est de 3 mm/s. Quel est le coefficient de viscosité de l'huile ?

$\rho_{verre} = 2\,000$ kg/m^3, $\rho_{huile} = 970$ kg/m^3

a) 11,3 Pa s

b) 0,76 Pa s

c) 7,6 Pa s

d) 22,8 Pa s

Q10. Quelle est la vitesse limite d'une bulle d'air de 1 mm de rayon (invariable par hypothèse) qui s'élève dans une huile de viscosité de 0,2 Pa s et d'une masse volumique de 900 kg/m^3. ($\rho_{air} = 1{,}27$ kg/m^3).

a) 10^{-2} m/s

b) $9{,}8 \times 10^{-3}$ m/s

c) 5×10^{-3} m/s

d) pas assez de donnée pour répondre.

EXERCICES

Voir réponses en fin d'ouvrage pour les exercices et problèmes dont le numéro est inscrit en noir.

Utiliser 1,2 kg m^{-3} pour la masse volumique de l'air et 1000 kg m^{-3} pour la masse volumique de l'eau.

Viscosité

14.1 Dans la figure 14.1, en quel point du fluide la vitesse vaut-elle la moitié de celle de la lame supérieure ? Expliquer.

14.2 Pourquoi les fabricants d'automobiles recommandent-ils l'usage d'une huile de graissage multigrade (multiviscosity, en anglais) par temps froid ?

14.3 Une voiture expérimentale se déplace sur un coussin d'air épais de 0,06 m et d'une aire de 15 m^2. Quelle puissance faut-il dépenser contre les forces de viscosité pour maintenir une vitesse de 20 m s^{-1} ? La viscosité de l'air est de $1{,}8 \times 10^{-5}$ Pa s.

14.4 Le chariot sur la table à coussin d'air de l'exemple 14.1 a une masse de 0,5 kg. Sa vitesse initiale est de 1 m s^{-1}. Quelle est la vitesse du chariot après qu'il ait parcouru 2 m ?

Écoulement laminaire dans un tube ; analyse dimensionnelle

14.5 Le gradient de pression $\Delta P/l$ d'un vaisseau sanguin d'un rayon de 10^{-3} m vaut 600 Pa m^{-1}. Supposer l'écoulement laminaire.

a) Quel est le débit du sang à 37 °C ?

b) Quelle est la vitesse maximum du sang dans le vaisseau ?

14.6 Le rayon intérieur d'une artère est de 2 mm. La température est de 37 °C, la vitesse moyenne du sang vaut 3 cm s^{-1} et l'écoulement est laminaire. Trouver
a) la vitesse maximum ;
b) le débit ;
c) la perte de charge sur 0,05 m, si l'artère est en position horizontale.

14.7 La perte de charge le long d'une artère horizontale est de 100 Pa. Le rayon de l'artère vaut 1 cm et l'écoulement est laminaire.
a) Quelle est la force résultante appliquée au sang ?
b) Sachant que la vitesse moyenne du sang est de $1,5 \times 10^{-2}$ m s^{-1}, trouver la puissance qu'il faut dépenser pour entretenir l'écoulement.

14.8 Le rayon d'une artère augmente d'un facteur 1,5.
a) Si la perte de charge reste la même, qu'arrive-t-il au débit ?
b) Si le débit ne change pas, qu'arrive-t-il à la perte de charge ? Supposer l'écoulement laminaire.

14.9 Une aiguille à injection hypodermique est longue de 2 cm. Son rayon intérieur vaut 0,3 mm. Le débit de l'eau forcée à travers l'aiguille est de 10^{-7} m^{3}s^{-1}. La température de l'eau est de 20 °C.
a) Calculer la vitesse moyenne de l'eau. Supposer l'écoulement laminaire.
b) Quelle est la perte de charge nécessaire pour avoir un tel débit ?

Écoulement turbulent

14.10 Dans un conduit d'un rayon de 0,1 m, la vitesse moyenne de l'eau est de 0,2 m s^{-1}. La température de l'eau est de 20 °C.
a) L'écoulement est-il laminaire ou turbulent ?
b) Quel est le débit ?

14.11 Le débit de l'eau dans un tuyau d'un rayon de 0,02 m vaut 0,01 m^3 s^{-1} à 20 °C.
a) Quelle est la vitesse moyenne de l'eau ?
b) L'écoulement est-il laminaire ou turbulent ?
c) Y a-t-il assez d'informations pour déterminer la vitesse maximum de l'eau dans le tuyau ?

14.12 Calculer le nombre de Reynold pour la situation décrite dans l'exercice 14.9. L'écoulement est-il bien laminaire ?

14.13 a) Considérer l'écoulement du sang à 37 °C dans une artère de 2 mm de rayon. Jusqu'à quelle vitesse moyenne du sang l'écoulement restet-il laminaire ?
b) Quel est le débit Q correspondant ?

L'écoulement du sang dans le système circulatoire

14.14 Un vaisseau sanguin de rayon R se ramifie en différents vaisseaux de rayon $r < R$. Sachant que la vitesse moyenne dans un vaisseau étroit vaut la moitié de celle dans l'artère large, quel doit être le nombre de vaisseaux sanguins de rayon r ?

14.15 Quelles sont les diverses parties du système artériel dans le lit vasculaire du tableau 14.2 pour lesquelles la perte de charge est
a) maximum ?
b) minimum ?

14.16 Une petite artère a une longueur de 0,11 cm et un rayon de $2,5 \times 10^{-5}$ m.
a) Calculer sa résistance.
b) Si la perte de charge le long de l'artère est de 1,3 kPa, quel est le débit ?

14.17 Un tube en verre a un rayon de 1 mm et une longueur de 0,1 m.
a) Quelle est la résistance à l'écoulement d'un liquide dont la viscosité est de 10^{-3} Pa s ?
b) Si la perte de charge le long du tube est de 10^3 Pa, quel est le débit ?

Forces de résistance visqueuse

14.18 Un globule de sang d'une masse volumique de $1,3 \times 10^3$ kg m^{-3} et d'un rayon de 5×10^{-6} m se trouve dans l'eau. Calculer sa vitesse de sédimentation à 37 °C. (Supposer la loi de Stokes valable.)

14.19 Une grosse molécule sphérique a un rayon de 2×10^{-8} m et une masse volumique de $1,5 \times 10^3$ kg m^{-3}.
a) Quelle est la vitesse limite de chute de cette molécule dans de l'eau à 20 °C ?
b) Quelle est la vitesse maximum pour laquelle la loi de Stokes reste valable ?

14.20 Soient des particules de poussière sphériques d'une masse volumique de 3×10^3 kg m^{-3}. Trouver le rayon maximum pour lequel on peut toujours utiliser la loi de Stokes dans le calcul de la vitesse limite
a) dans l'air à 20 °C ;
b) dans l'eau à 20 °C.

14.21   La vitesse limite d'une gouttelette d'huile de forme sphérique, lors de sa chute dans de l'air à 20 °C, est de 2×10^{-7} m s^{-1}. Quel est l e rayon de cette gouttelette, si sa masse volumique est de 930 kg m^{-3} ? (Supposer la loi de Stokes applicable.)

Résistances des fluides à « haute vitesse »

14.22   On jette un caillou sphérique dans un étang. Le rayon du caillou est de 4 cm, sa masse volumique vaut 3000 kg m^{-3} et son C_X est de 1. Estimer sa vitesse limite.

14.23   Estimer la force exercée sur une personne par un vent qui souffle à 20 m s^{-1}. Adopter un $C_X = 1$.

14.24   Un poisson qui nage dans l'eau à une vitesse de 0,3 m s^{-1} subit une force de résistance proportionnelle au carré de sa vitesse. La section droite du poisson est de $2,2 \times 10^{-3}$ m^2.

a) Calculer la résistance du fluide à l'avancement du poisson. Adopter un C_X égal à 1.

b) Quelle est la puissance dépensée par le poisson contre la force de résistance fluide ?

14.25   La masse d'une balle de base-ball est de 0,149 kg et celle d'une balle de ping-pong vaut 3×10^{-3} kg. Leurs rayons sont respectivement de 37 mm et de 18 mm. Les deux balles sont lancées dans l'air avec une même vitesse horizontale initiale de 15 m s^{-1}.

a) Quel est le rapport des forces de résistance de l'air exercées sur les deux balles ?

b) Si $C_X = 1$, quelle est la décélération initiale provoquée par la résistance de l'air sur chacune des balles ?

14.26   Une balle de base-ball a une masse de 0,149 kg et un rayon de 37 mm.

a) Calculer la vitesse limite dans de l'air à 0 °C. Utiliser l'équation (14.17).

b) Calculer la vitesse limite à partir de l'équation (14.19), en supposant C_X égal à 1.

c) Expliquer la différence entre les résultats obtenus en a) et b).

Centrifugation

14.27   Une molécule de protéine a une masse de 105 u et une masse volumique de 1 350 kg m^{-3}. Elle est centrifugée avec une accélération de 2×10^5 g. Si elle se trouve dans de l'eau, calculer

a) son poids effectif ;

b) la poussée d'Archimède.

14.28   Un échantillon se trouve dans une centrifugeuse à 0,1 m de l'axe de rotation. Sachant que son accélération centripète est de 200 000 g, calculer le nombre de tours par minute qu'effectue la centrifugeuse.

14.29   Le virus du rabougrissement a une masse moléculaire de $1,06 \times 10^7$ u et une masse volumique de $1,35 \times 10^3$ kg m^{-3}. Son facteur ϕR vaut $3,58 \times 10^{-7}$ m dans l'eau à 20 °C. Combien de temps mettra la molécule pour sédimenter sur une distance de 1 cm, si l'accélération de la centrifugeuse vaut 10^5 g ?

14.30   Un globule rouge peut être considéré, en première approximation, comme une sphère de rayon 2×10^{-6} m et d'une masse volumique de $1,3 \times 10^3$ kg m^{-3}. Combien de temps mettra-t-il pour sédimenter sur une distance de 1 cm dans le sang à 37 °C

a) sous l'influence du champ de gravitation terrestre ;

b) dans une centrifugeuse où l'accélération est de 10^5 g ? (La masse volumique du sang est de $1,0595 \times 10^3$ kg m^{-3}.)

14.31   Le virus de la mosaïque du tabac a une masse volumique de 1 370 kg m^{-3} et $\phi R = 1,16 \times 10^{-6}$ m à 37 °C. Si l'accélération dans la centrifugeuse est de 2×10^5 g, la vitesse de sédimentation dans l'eau à 300 K vaut $3,7 \times 10^{-5}$ m s^{-1}. Quelle est la masse moléculaire du virus de la mosaïque du tabac ?

PROBLÈMES

14.32   On déplace une plaque en verre de 0,25 m^2 parallèlement à une plaque en verre plus grande, avec une vitesse de 0, 1 m s^{-1}. Quelle force faut-il appliquer à la plaque en mouvement si l'espace entre les plaques est de 3 mm et est rempli

a) d'eau ($\eta = 1,005 \times 10^{-3}$ Pa s) ;

b) d'huile ($\eta = 0,01$ Pa s) ?

c) Pourquoi préfère-t-on l'huile à l'eau pour la lubrification ?

14.33   Le débit moyen du sang à travers l'aorte est de $4,20 \times 10^{-6}$ m^3 s^{-1}. Le rayon de l'aorte est de $1,3 \times 10^{-2}$ m.

a) Quelle est la vitesse moyenne du sang dans l'aorte ?

b) Quelle est la perte de charge sur une longueur de 0,1 m de l'aorte ?

c) Quelle est la puissance nécessaire au pompage du sang à travers cette partie de l'aorte ?

14.34 De l'eau à 20 °C coule dans un tuyau d'un rayon de 2 cm. La perte de charge par unité de longueur $\Delta P/l$ est de 100 Pa m^{-1}.
a) Calculer le débit.
b) Calculer la vitesse moyenne.
c) L'écoulement est-il laminaire ? Expliquer.

14.35 Un fluide est pompé dans une conduite. Le débit vaut 0,01 m^3 s^{-1}. La perte de puissance est de 1,5 W par mètre. Que vaut la résistance à l'écoulement par unité de longueur ?

14.36 Le débit d'un fluide dans un tuyau est de 0,15 m^3 s^{-1}. Que vaut la puissance dissipée si la résistance à l'écoulement est de 4×10^4 Pa s m^{-3} ?

14.37 a) Estimer la perte de puissance due aux effets visqueux dans le tuyau d'une pompe à essence. La viscosité de l'essence est de $0,8 \times 10^{-3}$ Pa s.
b) La puissance effectivement dépensée est-elle beaucoup plus grande ? Expliquer. (La masse volumique de l'essence est de 670 kg m^{-3}.)

14.38 Lors du pompage d'un fluide avec un débit Q dans un tuyau de rayon R, la perte de puissance due à la viscosité est $\mathcal{P}_0$. Quelle est la perte de puissance correspondant au même débit, si l'on utilise dix tuyaux de même longueur que le premier et de rayon $R/8$?

14.39 Deux tuyaux, chacun de rayon R et de longueur L, servent à alimenter un autre tuyau de rayon $1,5\,R$ et de longueur $1,5\,L$. Quelle est la résistance vasculaire de l'ensemble dans le cas d'un fluide de viscosité η ? (Supposer l'écoulement laminaire.)

14.40 a) Utiliser les résistances du tableau 14.4 pour calculer les pertes de charge dans les jambes et dans les poumons.
b) Expliquer les différences. Qu'est-ce que cela implique pour le ventricule droit, qui pompe le sang en direction des poumons ?

14.41 Lequel des lits vasculaires dans le tableau 14.4, à l'exclusion des poumons, dissipe
a) le plus de puissance ?
b) le moins de puissance ?

14.42 On augmente progressivement la perte de charge le long d'un tube en mesurant les débits correspondants.
a) Comment peut-on déduire la résistance vasculaire à partir de ces données ?
b) Qu'arriverait-il à la résistance, si la pression devenait suffisamment grande pour que l'écoulement devienne turbulent ? Expliquer.

14.43 Dans le tableau 14.2, on remarque que la somme des sections droites de tous les capillaires d'un lit vasculaire est de $2,378 \times 10^{-3}$ m^2, tandis que l'aire correspondante des branches principales n'est que de $1,2 \times 10^{-5}$ m^2. Comment peut-on réconcilier cela avec le fait que les branches principales ont une résistance beaucoup plus faible ?

14.44 La chute de pression le long d'un tube en cuivre est de 1000 Pa et le débit du liquide y est de 0,01 m^3 s^{-1}.
a) Calculer la résistance à l'écoulement.
b) Quelle est la puissance nécessaire au maintien de cet écoulement ?
c) Faut-il supposer que l'écoulement est laminaire dans ce calcul ? Expliquer.

14.45 Le cœur d'un veau au repos pompe le sang avec un débit de 6×10^{-5} m^3 s^{-1}. La chute de pression ΔP entre le système artériel et le système veineux est de 12 kPa.
a) Quelle est la résistance vasculaire du système circulatoire du veau ?
b) Quelle est la puissance fournie par le cœur ?
c) On implante, à la place du cœur de l'animal, un cœur artificiel mû par une pompe électrique. Si la pompe a un rendement de 50 %, quelle est la puissance électrique nécessaire à son fonctionnement ?

14.46 a) Calculer la résistance à l'écoulement d'un capillaire humain typique. Le rayon est de 2×10^{-6} m et la longueur vaut 1 mm.
b) Estimer le nombre de capillaires dans le corps humain, étant donné que le débit à travers l'aorte est de $9,7 \times 10^{-5}$ m^3 s^{-1} et que la différence de pression entre le système artériel et le système veineux est de 11,6 kPa. Supposer que tous les capillaires sont en parallèle et que la perte de charge dans les capillaires correspond à 9 % de la perte de charge totale.

14.47 Les globules rouges ne sont généralement pas de forme sphérique. Que vaut le produit ϕR, qui intervient dans l'équation (14.14), d'un globule d'une masse de 10^{-12} kg, si la vitesse limite dans l'eau à 37 °C vaut 10^{-5} m s^{-1} ? (La masse volumique du globule vaut $1,3 \times 10^3$ kg m^{-3}.)

14.48 Estimer la vitesse maximum à laquelle la loi de Stokes s'applique dans le cas d'un poisson.

14.49 Établir l'équation (14.15) au moyen de l'analyse dimensionnelle.

14.50 Établir l'équation (14.19) à l'aide de l'analyse dimensionnelle.

14.51 Considérer la chute d'un objet de densité ρ dans un fluide de masse volumique ρ_0. Montrer que lorsque la résistance du fluide est proportionnelle à v^2, la vitesse limite de l'objet est donnée par l'équation (14.19).

14.52 Pour une molécule sphérique de rayon R dans un fluide de viscosité η, la résistance du fluide est donnée par $F_R = 6\pi\eta Rv$ (loi de Stokes) ainsi que par $F_R = \phi\eta Rv$. Quel est le produit ϕR pour une molécule sphérique d'un rayon de 10^{-8} m ?

14.53 Le «nucléohistone» a une masse de $2,1 \times 10^6$ u et une masse volumique de $1\,520$ kg m^{-3}.

a) Quel est son volume ?

b) Si cette molécule est sphérique, quel est son rayon ?

c) Supposer la molécule sphérique et utiliser la loi de Stokes pour trouver le produit ϕR dans l'eau à 20 °C.

d) Le produit ϕR vaut en fait $4,33 \times 10^{-7}$ m. La molécule est-elle sphérique ? Expliquer.

14.54 a) Quelle est l'accélération d'une grosse bulle d'air dans l'eau à 20 °C quand elle atteint la moitié de sa vitesse limite ? (La masse volumique de l'eau est de 990 kg m^{-3}. À 20 °CC, la masse volumique de l'eau est de 990 kg m^{-3}, celle de l'air vaut 1,20 kg m^{-3}.

b) L'accélération trouvée en a) est très grande. Quelle en est la conséquence en ce qui concerne le temps nécessaire pour s'approcher de la vitesse limite ?

14.55 Certains animaux ont des formes très aérodynamiques et des C_X relativement faibles. Le C_X d'un dauphin par exemple ne vaut que 0,055.

a) Si le dauphin présente à l'eau une aire de 0,11 m^2 quand il nage avec une vitesse de 8,3 m s^{-1}, quelle est la force de la résistance de l'eau appliquée au dauphin ?

b) Environ 15 % de la masse corporelle (90 kg) d'un dauphin sont des muscles qui participent aux mouvements de la nage. Estimer la puissance fournie par unité de masse des muscles d'un dauphin.

c) Calculer le rapport de ce résultat à la puissance maximum fournie par les muscles humains, à savoir 40 W kg^{-1}. (La valeur élevée de ce rapport a incité des chercheurs à étudier si les muscles du dauphin ont un rendement plus élevé ou si l'écoulement le long du corps est moins turbulent que prévu.)

14.56 Considérer deux nageurs, A et B, qui nagent tous les deux les cent mètres en 80 secondes. A y arrive en parcourant chaque trajet de 25 m en 20 s. B, moins régulier, couvre les quatre trajets en respectivement 15 s, 15 s, 25 s et 25 s. Lequel des deux nageurs effectue le plus de travail contre la résistance de l'eau ?

14.57 Une bulle d'air d'un rayon de 0,5 mm s'élève dans un liquide d'une masse volumique de 900 kg m^{-3} et d'une viscosité de $8,37 \times 10^{-3}$ Pa s. Trouver la vitesse limite de la bulle. Justifier la réponse à l'aide du nombre de Reynolds. La masse volumique de l'air vaut 1,2 kg m^{-3} (adopter $C_X = 1$).

Force de cohésion dans les liquides

Mots-clefs

Angle de contact • Capillarité • Forces de cohésion • Hydrophile • Hydrophobe • Loi de Laplace • Membrane sphérique • Ménisque • Pression négative • Tension superficielle

Introduction

Quand nous parlons d'étirer une substance jusqu'à la rupture, nous pensons généralement à des solides. Toutefois, les liquides ont également une forte tendance à rester intacts. Par exemple, après avoir pressé de l'eau pure, ne contenant aucun air dissous, entre deux lames bien lisses, il faut exercer une force énorme pour séparer ces deux lames.

Tout comme dans les solides, la cohésion des liquides est la conséquence directe des forces d'attraction interatomiques ou intermoléculaires. C'est à cause de ces attractions que les liquides ont des surfaces bien définies qui, à la façon d'une membrane tendue, tendent spontanément à occuper une aire superficielle minimale. Les rides à la surface calme d'un étang meurent, parce qu'elles entraînent une augmentation de l'aire superficielle. Les insectes aquatiques sont capables de se déplacer sur l'eau du fait que leur poids est compensé par la résistance de la surface à toute déformation.

En plus des forces d'attraction entre elles, les molécules d'un liquide sont également soumises aux interactions attractives ou répulsives avec les molécules d'autres substances en présence. Citons comme exemples l'ascension de l'eau à proximité d'une surface de verre, et l'effet contraire dans le cas du mercure.

L'addition d'infimes quantités d'autres substances est susceptible de changer radicalement les propriétés cohésives des liquides. Les molécules d'huile, par exemple, sont *hydrophobes* (craignant l'eau) et de ce fait, les huiles ne se dissolvent pas dans l'eau pure. Les molécules des savons et des détergents ont à la fois des parties hydrophobes et *hydrophiles* (aimant l'eau). La partie hydrophile assure l'ancrage de la molécule à la surface de l'eau, tandis que le groupe hydrophobe est tourné vers l'huile ou la graisse. Cette propriété est exploitée dans le nettoyage des taches d'huile et de graisse.

Dans ce chapitre, nous considérerons quelques effets dus à la cohésion des liquides. Les sujets traités concernent l'ascension des liquides dans les tubes étroits appelés *capillaires*, la formation des bulles, ainsi que l'ascension de la sève dans les arbres.

15.1 TENSION SUPERFICIELLE

Considérons l'appareil montré figure 15.1. Il est composé d'un fil métallique en U, d'un fil mobile capable de coulisser le long du premier, ainsi que d'un poids w_2 suspendu à ce fil mobile de poids w_1. On forme un film mince dans l'aire délimitée par les fils. Lorque le poids total $w = w_1 + w_2$ a une valeur appropriée, les deux surfaces du film exercent une force égale et opposée à ce poids et le fil mobile reste stationnaire. Dans cette situation, le module de la force F due à la tension superficielle est donc égal à w.

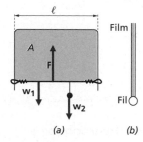

Figure 15.1 *(a)* Un film liquide remplit la surface A et exerce une force F égale et opposée à $w = w_1 + w_2$. *(b)* Une vue de la section droite du fil mobile et du film qui y adhère. Le film a deux surfaces.

Liquide	Tension superficielle (N m^{-1})	Température (°C)
Ethanol	$2{,}23 \times 10^{-2}$	20
Huile d'olive	$3{,}20 \times 10^{-2}$	20
Glycérine	$6{,}31 \times 10^{-2}$	20
Eau	$7{,}56 \times 10^{-2}$	0
	$7{,}28 \times 10^{-2}$	20
	$6{,}62 \times 10^{-2}$	60
	$5{,}89 \times 10^{-2}$	100
Mercure	$0{,}465$	20
Argent	$0{,}800$	970
Or	$1{,}000$	1070
Cuivre	$1{,}100$	1130
Oxygène	$1{,}57 \times 10^{-2}$	−193
Néon	$5{,}15 \times 10^{-3}$	−247

Tableau 15.1 Tension superficielle de quelques liquides en contact avec l'air.

La *tension superficielle* γ (gamma) est définie comme étant la force par unité de longueur exercée par *une* surface. Dans la situation présente, la force s'exerce sur une longueur l, de sorte que la résultante des forces (dirigées vers le haut) exercées par les deux surfaces vaut $F = 2\gamma l$. La tension superficielle obéit donc à la relation

$$\gamma = \frac{F}{2l} \qquad (15.1)$$

La tension superficielle de quelques liquides est donnée dans le tableau 15.1.

On pourrait se demander pourquoi la force F dans la figure 15.1 est attribuée aux surfaces. C'est qu'en fait le film liquide ne se comporte pas tout à fait comme une membrane tendue. L'expérience montre en effet que l'équilibre se maintient pour une position quelconque du film mobile, c'est-à-dire quelle que soit l'étendue de la surface de la lame. On voit donc que la surface d'un liquide se comporte différemment de la membrane d'un solide élastique dont la tension croît avec l'extension. L'épaisseur du fil n'intervient donc aucunement dans la force F. Lors de l'extension du film, les molécules de l'intérieur du volume remontent à la surface et l'aire de la surface augmente.

Comme la force reste constante, alors que l'épaisseur du film varie, on est obligé d'attribuer la force à la surface du film.

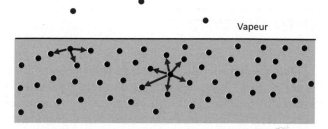

Figure 15.2 Les molécules d'une substance dans les phases liquide et gazeuse (vapeur) coexistantes. Les forces d'attraction entre les molécules à proximité de la surface et celles au sein du liquide sont représentées par des flèches.

On peut comprendre la raison de ce comportement à l'aide d'une description microscopique de l'interface entre le liquide et sa vapeur (figure 15.2). Une molécule localisée au sein du liquide interagit avec toutes ses voisines, ce qui entraîne une diminution de son énergie potentielle. Une molécule dans la région superficielle est entourée de moins de voisines immédiates et son énergie potentielle est moins basse. Les molécules de la zone superficielle ont tendance par conséquent à s'adjoindre autant de voisines que possible. Dans ce processus, elles rendent minimum l'aire de la surface en même temps que l'énergie potentielle. La force de tension superficielle traduit précisément cette tendance des liquides à rendre minimum leur énergie potentielle via la diminution de l'aire superficielle. L'exemple 15.1 va nous montrer que ces forces superficielles sont relativement faibles.

––––––––– **Exemple 15.1** –––––––––

Le fil métallique en U (figure 15.1) est plongé dans de l'eau à 20 °C. Le fil mobile est long de 0,1 m et sa masse m_1 est de 1 g.

a) Quelle est la valeur de la force de tension superficielle ?

b) Si le fil est en équilibre, que vaut la masse m_2 suspendue à ce fil ?

Réponse a) D'après le tableau 15.1,
$$\gamma = 7,28 \times 10^{-2} \text{ N m}^{-1}.$$

La force due aux deux surfaces du film d'eau vaut donc
$$F = 2\gamma l = 2(7,28 \times 10^{-2} \text{ N m}^{-1})(0,1 \text{ m})$$
$$= 1,46 \times 10^{-2} \text{ N}$$

b) À l'équilibre, la force F doit être égale au poids total $m_1 g + m_2 g$. En résolvant par rapport à m_2, nous trouvons
$$m_2 = \frac{F}{g} - m_1 = \frac{1,46 \times 10^{-2} \text{ N}}{9,8 \text{ m s}^{-2}} - 10^{-3} \text{ kg}$$
$$= 0,49 \times 10^{-3} \text{ kg} = 0,49 \text{ g}$$

Les forces superficielles supportent le poids d'une masse totale $(m_1 + m_2)$ qui est approximativement égale à 1,5 g.

___

Dans tout ce qui précède nous n'avons pas tenu compte des molécules de matière se trouvant au-dessus du liquide considéré. Lorsqu'au-dessus de la surface du liquide se trouve un gaz dense, un autre liquide ou un corps solide, la valeur de γ change. De manière générale, la tension superficielle d'un liquide est d'autant plus faible que les forces d'attraction exercées par les molécules de la substance contiguë sont plus grandes. Dans le cas d'un liquide au contact d'une substance quelconque, on parle plutôt de tension interfaciale. Le terme de tension superficielle est réservé au cas où le liquide est au contact avec l'air ou de sa vapeur.

15.2 ANGLES DE CONTACT ET CAPILLARITÉ

La surface d'un liquide en contact avec une surface solide fait un certain angle avec cette surface solide (figure 15.3). L'*angle de contact* θ est le résultat de la compétition entre les forces moléculaires liquide-liquide et liquide-solide et dépend de la nature du solide et du liquide en présence (tableau 15.2). De plus, il dépend de l'état de propreté et du degré de poli de la surface du solide.

Si θ est inférieur à 90°, la surface liquide se présente comme dans la figure 15.3*a* ; dans un tube étroit, ce même liquide va s'élever, malgré la pesanteur, à une hauteur h

(figure 15.4*a*). Si θ est supérieur à 90°, le liquide se présente comme dans la figure 15.3*b* ; dans un tube capillaire, ce même liquide subira une dépression. Si θ = 90°, le niveau du liquide restera inchangé. L'ascension et la dépression d'un liquide dans un tube capillaire sont appelées phénomènes de *capillarité*.

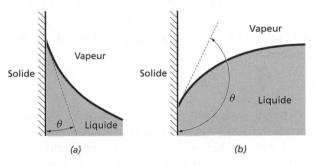

Figure 15.3 L'angle de contact pour deux liquides en contact avec une surface solide. *(a)* 0 < 90° *(b)* 0 > 90°.

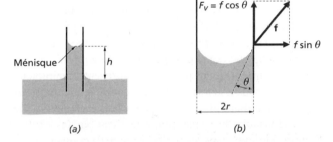

Figure 15.4 Ascension d'un liquide dans un tube capillaire de rayon r. La hauteur d'ascension vaut h et l'angle de contact est θ. La force sur une petite parcelle de liquide en contact avec le tube vaut **f**.

Interface	Angle de contact
Eau – verre propre	0°
Ethanol – verre propre	0°
Mercure – verre	140°
Eau – argent	90°
Eau – paraffine	107°
Iodure de méthylène – verre Pyrex	30°

Tableau 15.2 Angles de contact pour quelques interfaces liquide-solide.

Examinons maintenant la relation entre la hauteur d'ascension du liquide dans le capillaire et l'angle de contact. Considérons un liquide de masse volumique ρ dans un tube de rayon r (figure 15.4). L'angle de contact est inférieur à 90°. La force résultante verticale est égale à la composante verticale de la tension superficielle multipliée par la longueur l de la surface liquide en contact avec le tube ; cette longueur l est égale à la circonférence $2\pi r$ du

tube. La résultante verticale vaut donc

$$F_v = 2 \pi r \gamma \cos \theta \qquad (15.2)$$

Le volume de la colonne de liquide sous la surface incurvée du liquide, appelée *ménisque*, vaut $V = \pi r^2 h$ et son poids est $w = \rho g V = \rho g \pi r^2 h$. Le liquide s'élève jusqu'à ce que $F_v = w$. Ceci entraîne

$$2 \pi r \gamma \cos \theta = \rho g \pi r^2 h$$

Cette relation fournit la hauteur d'ascension du liquide dans un tube capillaire :

$$h = \frac{2 \gamma \cos \theta}{\rho g r} \qquad (15.3)$$

Cette relation a les propriétés suivantes. Si $\theta = 90°$, alors $h = 0$ et il n'y a ni ascension, ni dépression, Si θ est supérieur à $90°$, $\cos \theta$ et par conséquent h sont négatifs et il y a dépression. La hauteur (d'ascension ou de dépression) est proportionnelle à γ et inversement proportionnelle à r. Les effets de la capillarité sont donc les plus spectaculaires pour les faibles valeurs de r.

L'équation (15.3) n'est valable que pour une section droite circulaire. Mais ceci ne veut pas dire que l'ascension capillaire ne se produit pas dans des tubes de forme géométrique quelconque. Dans le cas général, la hauteur dépend toujours de $\gamma / \rho g r$ où r représente maintenant une dimension caractéristique, et le coefficient numérique n'est évidemment plus le même. La tension superficielle est responsable de l'absorption de l'eau par les étoffes fines et poreuses dans lesquelles l'angle de contact est inférieur à $90°$. Elle intervient également dans l'ascension de la sève dans les arbres.

 —————— **Exemple 15.2** ——————

La sève des arbres, qui est principalement constituée d'eau pendant l'été, s'élève dans un système de capillaires de rayon $r = 2,5 \times 10^{-5}$ m. L'angle de contact est nul. La masse volumique de l'eau est de 1000 kg m^{-1}. Calculer la hauteur d'ascension de l'eau dans un arbre, à une température de 20 °C.

Réponse Le tableau 15.1 donne $\gamma = 7,28 \times 10^{-2}$ N m^{-1} pour la tension superficielle de l'eau. Appliquons la formule (15.3) :

$$h = \frac{2 \gamma \cos \theta}{\rho g r}$$

$$= \frac{2(2,78 \times 10^{-2} \, \text{N m}^{-1})}{(10^3 \, \text{kg m}^{-3})(9,8 \, \text{m s}^{-2})(2,5 \times 10^{-5} \, \text{m})}$$

$$= 0,594 \, \text{m}$$

Les arbres atteignent des hauteurs de plusieurs dizaines de mètres, l'ascension capillaire est incapable de rendre compte du ravitaillement en eau des arbres.

La figure 15.5*a* montre la forme d'une goutte d'eau sur de la paraffine. Sous l'effet. d'un agent mouillant, dont les molécules comportent des parties hydrophobe et hydrophile, la goutte prendrait plutôt la forme montrée dans la figure 15.5*b*. La partie hydrophile de la molécule s'attache à la surface de l'eau, tandis que la partie hydrophobe évite les molécules d'eau et est attirée vers la surface de la paraffine. Des agents imperméabilisants ont l'effet contraire. Ils entraînent une augmentation de l'angle ontact, ce qui fait que l'eau pénètre plus difficilement dans les pores fins d'une étoffe.

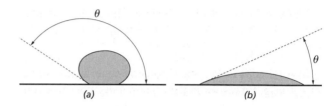

Figure 15.5 Des gouttes d'eau sur de la paraffine. *(a)* Eau pure. *(b)* Avec addition d'un agent mouillant.

15.3 LOI DE LAPLACE

La loi de Laplace est une relation liant la différence de pression entre les deux faces d'une membrane élastique ou d'un film liquide à la tension régnant dans cette membrane ou ce film.

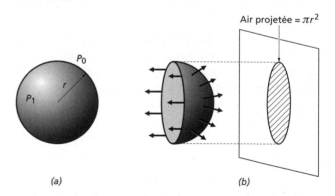

Figure 15.6 *(a)* Une membrane ou un ballon sphérique, avec des pressions intérieure et extérieure P_i et P_0. *(b)* La sphère est coupée en deux par un plan imaginaire. Les flèches orientées vers la gauche représentent des forces exercées par la paroi. Les flèches normales à la surface représentent les forces dues à la différence de pression.

Considérons une membrane sphérique remplie d'un fluide. La paroi de la membrane exerce une force par unité de longueur que l'on peut appeler tension de paroi γ (figure 15.6) ; cette force par unité de longueur dépend de l'épaisseur de la paroi et est donc associée à la membrane dans son ensemble, et *non* aux deux surfaces seulement, comme c'est le cas dans un film liquide. Les poumons et le cœur peuvent être décrits approximativement au moyen d'un modèle de membrane élastique.

Soit $\Delta P = P_i - P_0$ la différence entre les pressions intérieure et extérieure et calculons la relation qui existe entre ΔP et la tension de paroi dans le cas d'une membrane sphérique de rayon r. Supposons la sphère coupée en deux par le plan d'un grand cercle (figure 15.6*b*). La force totale exercée par la tension de paroi sur l'hémisphère de droite est égale au produit de γ par la circonférence $2\pi r$ de l'hémisphère. Cette force, égale en module à $2\pi r\gamma$, est dirigée vers la gauche. Elle doit être égale et opposée à la résultante des forces que la surpression ΔP produit sur les divers éléments de surface de l'hémisphère. Les forces dues à cette pression sont en chaque point perpendiculaires à la surface. Par raison de symétrie, toutes les composantes s'annulent, à l'exception de celles qui pointent vers la droite. La résultante de celles-ci est égale à ΔP multipliée par l'*aire projetée* πr^2. Comme il y a équilibre, on a

$$2\pi r\gamma = \left(P_i - P_0\right)\pi r^2$$

ou

$$P_i - P_0 = \frac{2\gamma}{r} \quad \text{(membrane sphérique)} \qquad (15.4)$$

C'est la *loi de Laplace pour une membrane sphérique*. Elle est ainsi nommée en l'honneur du Marquis Pierre Simon de Laplace (1749-1827), physicien et mathématicien français.

Il découle de la loi de Laplace que la différence de pression requise pour conserver sa forme à une petite sphère est supérieure à celle nécessaire pour une grande sphère. La loi de Laplace n'est pas seulement valable pour le modèle considéré, une membrane ou un ballon, mais également pour une goutte liquide sphérique.

 ———————— **Exemple 15.3** ————————

Considérons un ballon gonflé de rayon $r = 0,1$ m. La pression à l'intérieur du ballon est de $1,001 \times 10^5$ Pa et la pression extérieure vaut 10^5 Pa. Que vaut la tension de paroi ?

Réponse Appliquons la loi de Laplace :

$$\gamma = \frac{r}{2}\left(P_i - P_0\right) = \left(\frac{0,1\ \text{m}}{2}\right)\left(1,001 \times 10^5\ \text{Pa} - 10^5\ \text{Pa}\right)$$

$$= (0,05\ \text{m})\left(10^2\ \text{Pa}\right) = 5\ \text{N m}^{-1}$$

Ce résultat représente la tension qui règne dans la paroi du ballon gonflé. Comme le ballon est élastique, la tension de la paroi augmente avec le rayon.

———————————————————————

Lorsqu'un liquide est en équilibre avec sa propre va-

peur, la pression de la phase gazeuse est appelée la *tension de vapeur*. On peut l'envisager comme étant la pression nécessaire pour empêcher le liquide de s'évaporer davantage ; elle doit contrebalancer la différence de pression $P_i - P_0$ au travers d'une interface liquide-vapeur. Une goutte liquide en équilibre avec sa vapeur doit donc avoir une surpression $P_i - P_0$ égale à la tension de vapeur.

 ———————— **Exemple 15.4** ————————

La tension superficielle de l'eau est de $7,28 \times 10^{-2}\ \text{N m}^{-1}$ à $20\,^{\circ}\text{C}$. La pression de vapeur de l'eau à $20\,^{\circ}\text{C}$ vaut $2,33 \times 10^3$ Pa. Quel est le rayon de la gouttelette d'eau la plus petite que l'on puisse former sans qu'elle s'évapore ?

Réponse La différence de pression ne doit pas être supérieure à $2,33 \times 10^3$ Pa. Résolvons l'équation de Laplace par rapport à r :

$$r = \frac{2\gamma}{P_i - P_0} = \frac{2\left(7,28 \times 10^{-2}\ \text{N m}^{-1}\right)}{2,33 \times 10^3\ \text{Pa}}$$

$$= 6,25 \times 10^{-5}\ \text{m}$$

———————————————————————

Quand on passe de l'extérieur à l'intérieur d'une bulle de savon, on traverse deux surfaces sphériques. Chacune d'elles est le siège d'une force de tension superficielle. Ceci entraîne un facteur 2 supplémentaire pour la surpression à l'intérieur d'une bulle :

$$P_i - P_0 = \frac{4\gamma}{r} \quad \text{(bulle sphérique)} \qquad (15.5)$$

Pour une membrane cylindrique de rayon r, la loi de Laplace s'écrit :

$$P_i - P_0 = \frac{\gamma}{r} \quad \text{(tube cylindrique)} \qquad (15.6)$$

En physiologie, la quantité $P_i - P_0$ est appelée la *pression transmurale*, c'est-à-dire la surpression dans un vaisseau sanguin. Il ne faut pas confondre cette pression avec la pression motrice responsable de l'écoulement du fluide à travers le vaisseau.

Examinons maintenant la variation du rayon d'une bulle de savon avec la pression extérieure. Supposons que l'on réduise la pression extérieure progressivement jusqu'à 0. Alors $P_i - P_0$ est remplacé par P_i et l'équation de Laplace s'écrit

$$P_i = \frac{4\gamma}{r}$$

Comme P_i est supérieur à $P_i - P_0$, le premier membre de cette équation est supérieur à ce qu'il était précédemment. Comme γ est constant, le second membre ne peut augmenter et rétablir l'égalité que si r diminue ! Mais ceci est contraire à l'expérience ; nous savons que la bulle de savon se dilatera. L'explication en est que la pression interne P_i ne reste pas constante lorsque P_0 diminue. L'exemple 15.5 traite ce problème en détail.

———— Exemple 15.5 ————

La pression à l'extérieur d'une bulle de savon de rayon r est initialement égale à la moitié de la pression intérieure. Ensuite, on réduit la pression extérieure jusqu'à $P'_0 = 0$. Trouver la nouvelle pression P'_i ; et le nouveau rayon r' en supposant que la tension superficielle et la température restent constantes.

Réponse Initialement, $P_0 = P_i/2$ et $P_i - P_0 = P_i/2$. Appliquons la loi de Laplace :

$$\frac{1}{2}P_i = \frac{4\gamma}{r} \qquad \text{(i)}$$

Après avoir réduit la pression extérieure jusqu'à une valeur nulle, nous avons $P'_i - P'_0 = P'_i$ et

$$P'_i = \frac{4\gamma}{r'} \qquad \text{(ii)}$$

La division de l'équation (ii) par (i) entraîne

$$\frac{P'_i}{P_i} = \frac{r}{2r'}$$

Comme la température reste constante, l'équation d'état des gaz parfaits donne $P_i V = P'_i V'$. Le volume d'une sphère étant égal à $4\pi r^3/3$, nous trouvons seconde relation entre P_i et P'_i :

$$\frac{P'_i}{P_i} = \frac{V}{V'} = \frac{r^3}{r'^3}$$

En égalant ces deux expressions de P'_i/P_i, nous trouvons $r'^2 = 2r^2$ ou $r' = 1{,}41\,r$. Le rayon a donc augmenté comme prévu.

15.4 LES MOLÉCULES TENSIO-ACTIVES

Le savon fait partie de la famille des surfactants. Les molécules de surfactant sont constituées d'une tête hydrophile (c'est souvent une fonction acide) et d'une chaîne hydrophobe (chaîne aliphatique). Si on plonge une telle molécule dans l'eau, sa chaîne aliphatique ne songe qu'à fuir l'eau à l'inverse de la tête hydrophile. Pour résoudre ce problème, les molécules de surfactant peuvent former une monocouche (couche monomoléculaire) à l'interface eau/air. Elles ont alors la tête dans l'eau et les chaînes à l'air sont perpendiculaires à la surface (figure 15.7).

15.4.1 Surfactant dans les poumons

Les petites poches d'air des poumons, les alvéoles, se dilatent et se contractent en moyenne 15 000 fois par jour

(figure 15.9). Le transport de l'oxygène et du dioxyde de carbone se fait à travers la membrane des alvéoles. La tension des parois dépend à la fois du tissu de la membrane et d'un liquide sur les parois qui contient une longue lipoprotéine, le surfactant. Nous verrons que le surfactant donne à la membrane l'élasticité nécessaire pour faire les ajustements requis dans la tension de paroi.

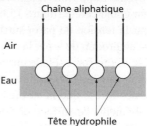

Figure 15.7 Les molécules de surfactant sont des agents tensio-actifs car leur absorption à la surface du liquide modifie la valeur de la tension superficielle.

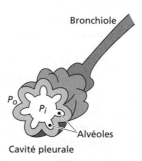

Figure 15.8 Une coupe, montrant les alvéoles à l'extrémité d'une bronchiole, ramification terminale des bronches. La pression à l'intérieur des alvéoles vaut P_i ; la pression du liquide dans la cavité pleurale vaut P_0. La cavité pleurale entoure l'intégralité du poumon.

On peut considérer les alvéoles comme de petites sphères munies d'orifices minuscules. Appliquons la loi de Laplace sous la forme

$$r(P_i - P_0) = r\,\Delta P = 2\gamma \qquad \text{(15.7)}$$

Cette relation montre que pour une membrane sphérique en équilibre, le produit du rayon par la différence de pression ΔP doit être égal à 2γ. Dans les alvéoles, il faut résoudre un problème spécial. La pression pleurale P_0 augmente pendant l'expiration, de sorte que ΔP diminue. En même temps, la contraction musculaire réduit les rayons des alvéoles. Si r et ΔP diminuent tous les deux, et si γ est constant, la condition d'équilibre (15.7) ne peut plus être satisfaite. La force due aux parois et exercée vers l'intérieur l'emporte sur celle due à la différence de pression et dirigée vers l'extérieur. Il se produira un collapsus des alvéoles. Pendant la phase d'inspiration, l'effet inverse se produirait si la tension γ était constante. La diminution de la pression pleurale P_0, accompagnée d'une augmentation du rayon, fait de nouveau que la condition d'équilibre ne soit pas satisfaite. Les alvéoles auraient alors tendance à se dilater et à se rompre, la force due à la différence de pression dépassant la force due à la paroi.

C'est grâce au surfactant que la nature résout ce problème. Les longues molécules du surfactant ont tendance à se mettre en parallèle, ce qui a pour effet de rendre la membrane fort élastique. Pendant l'inspiration, l'augmentation du rayon tend à séparer les molécules, ce qui entraîne une augmentation de la tension de paroi. Par conséquent, lorsque le produit $r \Delta P$ augmente, γ augmente également et l'équation (15.7) est satisfaite. Pendant l'expiration, les molécules se rapprochent de nouveau les unes des autres de sorte que la tension et le produit $r \Delta P$ décroissent simultanément. Le rôle du surfactant consiste donc à modifier la tension de la paroi de manière que l'équilibre soit maintenu. Une quantité insuffisante de surfactant dans les poumons est la cause du décès de beaucoup de nouveau-nés.

15.5 LE CŒUR EN TANT QUE POMPE

Comme dernière application de la physique des fluides au système circulaire, nous examinerons les propriétés mécaniques du cœur. Nous allons calculer le travail effectué par le cœur pendant le pompage du sang et nous comparerons le résultat à l'énergie métabolique totale dépensée.

Dans le paragraphe 14.2, nous avons vu que la puissance qu'il faut fournir pour maintenir l'écoulement d'un fluide visqueux est égale à $\mathcal{P} = Q \Delta P$. Appliquons ce résultat au cœur.

Le débit cardiaque d'un adulte au repos est de $97 \, \text{cm}^3 \text{s}^{-1}$. La perte de charge (chute de pression) entre les systèmes artériel et veineux est de $11,7 \, \text{kPa}$. La puissance mécanique dépensée par le cœur pour vaincre les forces visqueuses vaut par conséquent

$$\mathcal{P} = Q \Delta P$$
$$= (9,7 \times 10^{-5} \, \text{m}^3\text{s}^{-1})(11,7 \, \text{kPa})$$
$$= 1,1 \times 10^{-3} \, \text{kW} = 1,1 \, \text{W}$$

Noter que $1 \, \text{Pa m}^3\text{s}^{-1} = 1 \, \text{watt} = 1 \, \text{W}$.

L'estimation de l'énergie métabolique totale consommée par le cœur peut se faire à partir de la mesure de la consommation d'oxygène. On a ainsi mesuré que le cœur d'un homme de 70 kg, au repos, utilise une puissance de 5,5 W. De cette puissance, 2,5 W sont disponibles pour effectuer un travail mécanique utile ; le reste est directement converti en chaleur pendant le métabolisme. Nous venons de voir que 1,1 W sont utilisés pour le travail mé-

canique du pompage du sang. Une fraction significative des 1,4 W restants sert à maintenir la tension de paroi du cœur.

Pour comprendre un peu mieux ce qu'est cette tension de paroi, considérons le modèle qui décrit la chambre cardiaque (le ventricule gauche) qui pompe le sang vers le corps, comme étant une sphère. Lors de la contraction du ventricule, sa paroi doit être sous tension active afin de produire une pression accrue. La force par unité de longueur (ou la tension γ) exercée par la paroi est liée à la différence de pression $\Delta P = P_i - P_0$ et le rayon r par la loi de Laplace $\Delta P = 2\gamma/r$ ou $\gamma = r \Delta P/2$. La force totale produite le long d'une coupure imaginaire dans la paroi (figure 15.6b) vaut alors

$$F = 2\pi r \gamma = \pi r^2 \Delta P$$

L'énergie requise par le muscle cardiaque dépend d'une manière très complexe de cette force. Il y a pourtant moyen de comprendre qualitativement ce qui se passe. Si une personne souffre d'hypertension, ΔP est grand et la puissance $Q \Delta P$ à dépenser par le cœur est supérieure à la normale. L'énergie nécessaire au maintien de la tension de paroi est alors également plus grande. Après des mois ou des années, cette hypertension peut amener un élargissement du cœur. Comme la tension de paroi augmente avec r^2, une énergie encore plus élevée sera requise et les besoins du cœur en oxygène s'en trouveront accrus. Quand l'apport d'oxygène est insuffisant pour satisfaire les exigences du muscle cardiaque il peut se produire un arrêt du cœur par congestion.

15.6 L'ASCENSION DE LA SÈVE DANS LES ARBRES ; PRESSIONS NÉGATIVES

La sève est composée d'eau additionnée des produits de la photosynthèse, y compris le sucre. Le fait que la sève pouvait atteindre la cime des sapins Douglas, hauts de 60 m et plus, est longtemps resté énigmatique. Nous avons déjà vu que la pression osmotique (chapitre 10) et l'ascension capillaire (exemple 15.2) sont incapables d'expliquer le phénomène.

Les *pressions négatives* engendrées par les forces de cohésion dans l'eau semblent pouvoir fournir une réponse. Ces forces de cohésion peuvent être mesurées à l'aide d'un appareil tel que celui de la figure 15.9. Lorsque l'on tire le piston vers le haut, l'eau se dilate très légèrement tout en exerçant sur le piston une force dirigée vers le bas. L'expérience montre que la force par unité de surface exercée sur le piston, à l'instant de la rupture de la colonne, est comprise entre 25 et 300 atm. Cette pression porte le nom de pression négative, puisque l'eau tire sur le piston au lieu de le pousser. Les forces d'attraction entre les molécules de l'eau et celles du piston font que l'eau et le piston se comportent comme une barre solide qui résiste aux forces de tension appliquées à ses extrémités.

La sève des arbres se meut à travers le *xylème*, qui forme des canaux dont les rayons varient de $2,5 \times 10^{-5}$ à $2,5 \times 10^{-4}$ m. Les canaux du xylème sont remplis d'eau jusque dans les feuilles. Lorsque l'eau s'évapore dans la feuille, la colonne d'eau se déplace vers le haut afin de rester intacte. Vérifions si les valeurs expérimentales observées pour les pressions négatives sont cohérentes avec l'ascension de l'eau dans les arbres.

Si la pression à la base du tronc de l'arbre est égale à la pression atmosphérique P_A, la pression à une hauteur h au-dessus du sol vaut

$$P_h = P_A - \rho g h \qquad (15.8)$$

Si h est suffisamment grand, P_h peut devenir négatif. Pour un arbre de 60 m de haut, $P_h = -4,8$ atm. Ceci correspond bien à l'ordre de grandeur des pressions négatives observées. C'est pourquoi on croit aujourd'hui que ce sont les

forces de cohésion entre les molécules d'eau qui sont responsables de l'ascension de la sève dans les arbres.

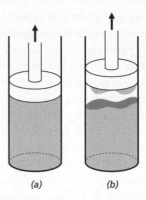

(a) *(b)*

Figure 15.9 *(a)* De l'eau pure, ne contenant pas de gaz dissous. remplit le volume au-dessous du piston. On tire le piston vers le haut. L'eau tire vers le bas. *(b)* L'eau se détache finalement du piston, laissant derrière elle des gouttes d'eau sur le piston, ainsi que de la vapeur.

RAPPELS DE COURS

Les molécules à la surface d'un liquide sont soumises à des forces qui les attirent vers le sein du liquide. C'est à cause de ces forces que les molécules du liquide tendent à s'agglomérer et donnent lieu à la tension superficielle. La tension superficielle γ est définie comme étant la force par unité de longueur exercée par la surface du liquide.

Lorsqu'un liquide entre en contact avec un solide, il y a compétition entre les forces moléculaires liquide-liquide et liquide-solide pour les molécules proches de la zone de contact. C'est le résultat de cette compétition qui détermine la forme de la surface liquide ainsi que l'angle de contact entre les surfaces du solide et du liquide. Si les forces liquide-liquide sont dominantes, la surface liquide subit une dépression quand un tube est plongé dans un liquide. Il se produit une ascension du liquide dans le cas où ce sont les forces liquide-solide qui dominent.

La loi de Laplace donne la relation entre la différence de pression entre les surfaces d'une membrane fermée et la tension de cette membrane. Elle est particulièrement utile dans la compréhension de la relation entre la taille de la membrane et la pression. Ce point est illustré par la discussion du rôle joué par le surfactant dans les poumons et de la capacité de pompage du cœur.

PHRASES À COMPLÉTER

Voir réponses en fin d'ouvrage.

1. La tension superficielle est-elle définie comme une force ou comme une force par unité de longueur ?

2. Les molécules au sein du fluide ne jouent absolument aucun rôle dans la tension superficielle. Vrai ou faux ?

3. L'_____ entre les surfaces liquides et solides dépend des forces moléculaires liquide-liquide et solide-liquide.

4. Si l'angle de contact à une interface liquide-solide est inférieur à 90°, le liquide _____ dans un tube étroit fabriqué dans ce matériau solide.

5. Le rôle d'un agent mouillant consiste à _____ les angles de contact entre un solide et un liquide.

6. Une conséquence générale de la loi de Laplace est qu'une membrane (du type considéré dans le texte)

a besoin d'une différence de pression _____ pour soutenir une surface de faible rayon que pour en soutenir une de grand rayon.

7. La présence d'un surfactant dans les poumons assure la variation de la tension de paroi des alvéoles avec _____ .

8. La force de la paroi du cœur, nécessaire pour maintenir la circulation du sang, dépend de la pression du sang et du _____ du cœur.

9. Le phénomène de _____ dans les arbres est dû aux forces de cohésion d'un liquide.

EXERCICES CORRIGÉS

E1. Considérons un liquide de masse volumique ρ et de tension superficielle γ dans un capillaire de rayon r. L'angle de contact vaut zéro (le ménisque est tangent à la paroi du tube).

1) Sachant que $\rho = 10^3$ kg/m^3, $\gamma = 7{,}5 \times 10^{-2}$ N/m et $r = 0{,}5$ mm, calculer la hauteur d'ascension capillaire h.

2) Sachant que la pression atmosphérique vaut $P_{atm} = 1{,}013 \times 10^5$ Pa, calculer la valeur de la pression au point A et au point B situé à une profondeur $H = 2$ cm en dessous du ménisque.

3) Supposer que la pression atmosphérique diminue de 10 %. De combien la hauteur d'ascension capillaire change-t-elle ?

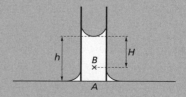

Figure 15.10

Solution

1) Le ménisque désigne la surface incurvée du liquide. L'angle de contact est l'angle entre la tangente à la surface du liquide et la paroi du tube située du côté du liquide. L'angle de contact est égal à 0°, cela signifie que la surface du liquide est parallèle à la paroi du tube au point de contact.

La relation

$$h = \frac{2\,\gamma\,\cos\theta}{\rho g r}$$

fournit la hauteur du liquide

$$h = \frac{2\,\gamma\,\cos\theta}{\rho g r} = \frac{2 \times 7,5 \times 10^{-2}\cos 0}{10^3 \times 10 \times 5 \times 10^{-4}} = 3 \times 10^{-2}\,\text{m}$$

2) La pression au point A est égale à la pression atmosphérique puisque ce point se trouve au même niveau que la surface libre. Pour trouver la pression en B, appliquons Bernoulli dans le cas d'un fluide au repos

$$P_A = P_B + \rho g(H - h)$$
$$P_B = P_A - \rho g(H - h)$$
$$P_B = 1,013 \times 10^5 - 10^3 \times 10 \times (0,03 - 0,02)$$
$$= 1,012 \times 10^5\,\text{Pa}$$

La pression en B est donc égale à $1,012 \times 10^5$ Pa.

3) Si la pression atmosphérique diminue de 10 %, il n'y a pass de changement puisque la hauteur d'ascension ne dépend pas de la pression.

E2. La figure montre un fil plié en U et fermé avec une tige mobile de masse négligeable et de longueur $l = 0,1$ m. À cette barre est accrochée une masse m. Un film de glycérine est formé à l'intérieur du rectangle. La tige mobile a une vitesse constante. Que vaut la masse m ? ($\gamma_{\text{glycérine}} = 63 \times 10^{-3}$ N/m).

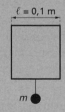

Figure 15.11

Solution

La tension superficielle est définie comme étant la force par unité de longueur exercée par *une* surface.

$$\gamma = \frac{F}{l}$$

Le film de glycérine comporte *deux* surfaces et par conséquent la force dirigée vers le haut exercée sur la tige par ces deux surfaces est égale à

$$F = 2\,\gamma\,l = 2 \times 63 \times 10^{-3} \times 0,1 = 0,0126\,\text{N}$$

La tige se déplace à vitesse constante donc son accélération est égale à zéro. Dans ces conditions, la somme des forces agissant sur la tige doit valoir 0 en vertu de la deuxième loi de Newton. Par conséquent, cette force doit être égale au point de la masse accrochée à la tige de

masse négligeable.

$$0,126 = mg$$
$$m = 0,00126\,\text{kg} = 1,26\,\text{g}$$

E3. Déterminer la dépression du niveau de mercure à l'intérieur d'un tube de verre de 0,2 mm de rayon dont l'extrémité est plantée verticalement dans un bain de mercure dont la masse volumique est $13,6 \times 10^3$ kg m³. L'angle de contact est égal à 130° et la tension superficielle du mercure à la température de l'expérience est égale à 0,49 N m^{-1}.

Solution

La relation

$$h = \frac{2\,\gamma\,\cos\theta}{\rho g r}$$

permet le calcul de la hauteur. Dans ce cas l'angle de contact vaut 130°. Il est supérieur à 90°. Le liquide se présente dans le tube de la façon suivante

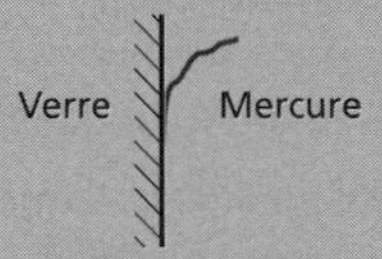

Verre   Mercure

Figure 15.12

$$h = \frac{2 \times 0,49 \times \cos 130°}{13,6 \times 10^3 \times 10 \times 2 \times 10^{-4}} = -2,36\,\text{cm}$$

Le signe moins indique qu'il s'agit d'une dépression.

S'entraîner

QCM

Voir réponses en fin d'ouvrage.

Q1. Dans la bande dessinée *Les aventures de Tintin* « *On a marché sur la Lune* », le Capitaine Haddock boit du whisky à l'intérieur de la fusée. À un moment donné, il se retrouve en apesanteur

a) le whisky sort du verre en formant une boule

b) le whisky reste dans le verre car l'eau est un liquide mouillant pour le verre

c) le liquide sort du verre et se disperse dans l'espace

d) trop peu d'élément pour répondre

Q2. Si le tissu vasculaire d'une plante (l'ensemble des fins tubes transparents transportant les éléments nutritifs vers le haut de la tige) a un rayon de 0,001 cm, jusqu'à quelle hauteur peut-on s'attendre à ce que l'eau s'y élève grâce à la tension superficielle ? On suppose l'angle de contact est égal à 0°.

a) 14,56 cm

b) 1,456 cm

c) 3 cm

d) 1 cm

Q3. Prenons un cadre métallique de forme circulaire avec un fil lâche qui le traverse. Trempons-le dans l'eau savonneuse et retirons-le doucement. Il se forme une lame d'eau savonneuse qui recouvre tout l'intérieur du cadre. Perçons la lame du côté 1,

a) le fil se tend en agrandissant la surface 2

b) le fil reste identique à lui-même

c) le fil se tend en diminuant la surface 2

d) la surface 2 éclate

Figure 15.13

Q4. Quelle est la tension superficielle d'un liquide qui monte à une hauteur de 50 cm dans un tube capillaire cylindrique de 0,04 mm de diamètre ? La masse volumique du liquide est égale à 800 kg m^{-3} et l'angle de contact est égal à 20°.

a) $10,3 \times 10^{-3}$ N m^{-1}

b) $22,3 \times 10^{-3}$ N m^{-1}

c) 64×10^{-3} N m^{-1}

d) 42×10^{-3} N m^{-1}

Q5. Une spire métallique très légère de rayon $R = 2,5$ cm est au contact d'un bain d'alcool. Pour séparer la spire du liquide, on doit vaincre la force de tension superficielle en exerçant une force de $6,96 \times 10^{-3}$ N pour arracher la spire. Déterminer la tension superficielle de l'alcool ?

a) $10,3 \times 10^{-3}$ N m^{-1}

b) $22,3 \times 10^{-3}$ N m^{-1}

c) 64×10^{-3} N m^{-1}

d) 42×10^{-3} N m^{-1}

Q6. Un cadre métallique carré de 5 cm de côté est déposé dans un bain à mazout. Pour séparer le cadre du liquide, il faut exercer une force de $7,32 \times 10^{-3}$ N. Calculer la tension superficielle du mazout.

a) $18,3 \times 10^{-3}$ N m^{-1}

b) $22,3 \times 10^{-3}$ N m^{-1}

c) 64×10^{-3} N m^{-1}

d) 42×10^{-3} N m^{-1}

Q7. Un tube capillaire de 0,25 mm de rayon interne est plongé dans une eau savonneuse dont la masse volumique est supposée être égale à celle de l'eau pure. On observe une ascension du liquide de 2 cm et un angle de contact de 0°. Avec cette eau savonneuse on gonfle une bulle de savon de 1 cm de rayon. Quelle est la différence de pression entre l'intérieur et l'extérieur de la bulle ?

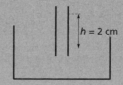

Figure 15.14

a) 0,025 Pa

b) 100 Pa

c) 10 Pa

d) 15 Pa

Q8. Formons deux bulles de savon aux deux extrémités d'un tube comportant en son milieu un robinet à trois voies. Lorsque l'on met les deux bulles en communication

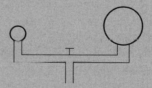

Figure 15.15

a) la plus petite se dégonfle dans la plus grande

b) la plus grande se dégonfle dans la plus petite

c) les deux bulles restent identiques et rien ne se passe

d) la grosse bulle se dégonfle et la petite se gonfle jusqu'à l'équilibre

Q9. Que vaut la surpression à l'intérieur d'une goutte de glycérine ? La tension superficielle de la glycérine vaut 63×10^{-3} N m^{-1}.

a) 100 Pa

b) 14 Pa

c) 0,1 Pa

d) 84 Pa

Q10. Déterminer la surpression créée par la tension superficielle à l'intérieur d'une bulle de savon de 2 cm de diamètre, si la tension superficielle est égale à 35×10^{-3} N m^{-1}.

a) 100 Pa

b) 14 Pa

c) 0,1 Pa

d) 84 Pa

EXERCICES

Voir réponses en fin d'ouvrage pour les exercices et problèmes dont le numéro est inscrit en noir.

Tension superficielle

15.1 La tension superficielle d'un liquide est mesurée au moyen de l'appareil de la figure 15.1. Le fil mobile est long de 5 cm. Le poids total (celui du fil plus les poids attachés) est de 2×10^{-3} N. Calculer la tension superficielle du liquide.

15.2 La tension superficielle d'un liquide est de 0,03 N m^{-1} et la longueur du fil métallique mobile est de 20 cm. Quel poids total le liquide peut-il supporter dans l'appareil de la figure 15.1 ?

15.3 La figure 15.16 montre une boucle de fil de soie déposée sur la lame liquide d'un anneau métallique qui a été plongé dans une solution savonneuse. Pourquoi la boucle prend-elle une forme circulaire après que l'on a percé le film à l'intérieur de la boucle ?

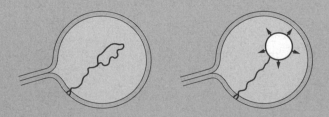

Figure 15.16 Exercice 15.3.

Angles de contact et capillarité

15.4 Calculer la hauteur d'ascension de l'eau dans un tube capillaire

a) en verre ;

b) en paraffine. La température est de 0 °C et le rayon du tube vaut 10^{-3} m.

15.5 Calculer la dépression du ménisque du mercure dans un tube de 10^{-4} m de rayon.

15.6 Un tube en verre de 1 mm de rayon est utilisé dans la construction d'un baromètre à mercure (figure 15.17).

a) De quelle distance la surface du mercure sera-t-elle déplacée par les effets de capillarité ? La surface va-t-elle monter ou descendre ?

b) Sachant que la hauteur de la colonne de mercure est de 0,76 m, calculer l'erreur relative commise si l'on néglige les effets capillaires.

15.7 La pression atmosphérique normale supporte une colonne de mercure d'une hauteur de 0,76 m. Un baromètre à mercure consiste en un tube en verre rempli de mercure (figure 15.17). Si les effets de capillarité doivent être inférieurs à 0,01 % de la hauteur de la colonne, quel doit être le rayon minimum du tube ?

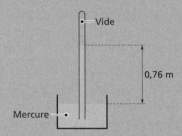

Figure 15.17 Exercices 15.6 et 15.7.

15.8 Calculer la hauteur d'ascension de l'alcool éthylique dans un tube en verre de 0,04 mm de diamètre. La masse volumique de l'éthanol est de 791 kg m^{-3}.

Les molécules tensio-actives

15.9 Une bulle de savon a un rayon de 5 cm. La différence de pression entre l'intérieur et l'extérieur vaut 2 Pa. Calculer la tension superficielle du film de savon.

15.10 Une alvéole typique a un rayon de 0,1 mm. La tension de la paroi est de 0,05 N m^{-1}.

a) Quelle est la surpression à l'intérieur de l'alvéole ?

b) Il existe une force normale, dirigée vers l'extérieur, en tous les points de la surface alvéolaire. Sachant que la surface d'une sphère est égale à $4 \pi r^2$, trouver la somme des modules de ces forces.

15.11 À la fin de la phase d'expiration, le rayon des alvéoles est de 0,05 mm. La pression de jauge à l'intérieur des alvéoles est de -400 Pa. Elle vaut -535 Pa dans la cavité pleurale. Quelle est la tension de la paroi des alvéoles ? Comparer avec la tension de la paroi qui vaut $0,05$ N m^{-1} en l'absence d'un surfactant.

15.12 Pourquoi les artères de faible rayon ont-elles des parois plus minces que les artères à rayon plus important, alors que les pressions sont les mêmes ?

15.13 Une bulle de savon sphérique a un rayon de 2 cm. Sa tension superficielle vaut $0,02$ N m^{-1}. Calculer la surpression dans la bulle.

15.14 Établir l'équation (15.5).

15.15 Établir l'équation (15.6).

15.16 Que vaut la surpression dans une gouttelette de glycérine d'un rayon de 0,1 mm ?

Le cœur en tant que pompe

15.17 Supposer qu'un ventricule puisse être considéré en première approximation comme sphérique. De quel facteur la force exercée par la paroi doit elle augmenter lorsque le rayon du ventricule augmente de 10 % ?

15.18 Un homme faisant des exercices violents fournit une puissance 10 fois plus élevée que lorsqu'il est au repos. Sa tension artérielle augmente de 50 % par rapport à la valeur normale au repos. Supposer que le débit du sang soit proportionnel au métabolisme et estimer

a) le débit sanguin de cette personne ;

b) la puissance fournie par le cœur contre les forces visqueuses. (Le débit sanguin normal pour une personne au repos est de 97 cm^{3}s^{-1}.)

L'ascension de la sève
dans les arbres ; pressions négatives

15.19 Si la pression de la sève dans un arbre est négative, du fluide s'écoulera-t-il d'un tube inséré dans le xylème ?

15.20 On mesure la pression de la sève en deux points du xylème. La distance verticale entre ces deux points est de 1 m. Quelle est la différence de pression observée ?

15.21 Quelle est la pression négative à la base d'un arbre haut de 20 m ?

15.22 Montrer que si la pression est mesurée en atm et h en m, l'équation (15.8) peut être écrite sous la forme $P_h = 1 - \left(0,0967\,\text{m}^{-1}\right)h$.

PROBLÈMES

15.23 Un anneau métallique de poids w et de rayon r est en contact avec un liquide de tension superficielle γ (figure 15.18). Quelle force F faut-il exercer pour arracher l'anneau ?

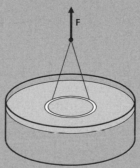

Figure 15.18 Problème 15.23.

15.24 Un insecte est en sustentation sur de l'eau à 20 °C. Chaque patte y produit une dépression de 1 mm de rayon (figure 15.19). L'angle de raccordement est de 30 °.

a) Calculer la force de tension superficielle agissant sur chacune des 6 pattes.

b) Quel est le poids de l'insecte ?

Figure 15.19 La patte d'un insecte supportée par l'eau. Problème 15.24.

15.25 On plonge un tube cylindrique étroit de rayon r dans un liquide de tension superficielle γ. La profondeur d'immersion est faible (figure 15.20). On souffle dans l'extrémité supérieure du tube de manière à former une bulle hémisphérique à l'extrémité inférieure. Montrer que la pression P dans le tube est donnée par $P = P_A + 2\,\gamma/r$, où P_A est la pression atmosphérique.

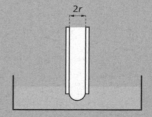

Figure 15.20 Problème 15.25.

15.26 Deux bulles de rayons r et R se trouvent aux extrémités d'un tube fermé au moyen d'un robinet (figure 15.21). Qu'arrive-t-il aux deux bulles une fois que l'on ouvre le robinet ?

Figure 15.21 Problème 15.26.

15.27 On forme une bulle de savon de la manière suivante. On plonge l'une des extrémités d'un tube de rayon r dans une solution de savon. On souffle ensuite dans l'autre extrémité jusqu'à ce que la bulle soit hémisphérique et de même rayon que le tube. Montrer que la pression P dans le tube est reliée à la pression atmosphérique P_A par

$$P = P_A + \frac{4\gamma}{r}$$

15.28 On construit un tube capillaire de la manière montrée figure 15.22. La partie inférieure de longueur l a un rayon de $2r$. Le rayon de la partie supérieure vaut r. Quelle est la hauteur d'ascension d'un liquide de tension superficielle γ dans la partie supérieure du tube capillaire ? Supposer $\gamma > 2rl\,\rho\,g$ et l'angle de contact égal à zéro.

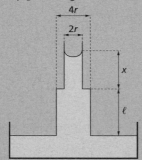

Figure 15.22 Problème 15.28.

15.29 Quand un tube en verre est plongé dans de l'eau à 20 °C, l'eau monte jusqu'à une hauteur de 0,2 m. Quand le tube est plongé dans un liquide d'une masse volumique de 700 kg m^{-3}, la hauteur d'ascension est de 0,15 m et l'angle de contact est nul. Quelle est la tension superficielle de ce liquide ? (La masse volumique de l'eau à 20 °C est de 990 kg m^{-3}.)

15.30 Une autre façon de définir la tension superficielle consiste à la considérer comme une énergie potentielle de surface. Cette énergie de surface correspond à l'énergie qu'il faut fournir pour augmenter d'une unité l'aire d'une surface.

a) Quel travail faut-il fournir pour descendre le fil mobile (figure 15.1) d'une distance d ?

b) Quelle est l'augmentation de l'aire des deux surfaces ?

c) Montrer que le rapport entre le travail fourni et la variation de l'aire est égal à la tension superficielle.

15.31 On gonfle une bulle de savon et son rayon passe de 3 à 5 cm. La tension superficielle du film est de $2,5 \times 10^{-2}$ N m^{-1}.

a) Quel travail faut-il fournir contre la pression atmosphérique ?

b) Utiliser le résultat du problème précédent pour trouver le travail qu'il faut effectuer pour agrandir la surface.

15.32 Un fil d'un rayon de 0,05 mm est plongé verticalement dans de l'eau à 20 °C. L'eau fait un angle de contact nul avec le fil. De quelle longueur le fil est-il plongé dans l'eau lorsque la poussée d'Archimède compense exactement la force (dirigée vers le bas) exercée par la surface de l'eau sur le fil ?

15.33 a) Quelle est la hauteur d'ascension de l'eau dans un tube capillaire vertical en verre, d'un rayon de 0,03 mm ?

b) Si le tube n'a qu'une longueur de 0,2 m, l'eau débordera-t-elle à l'extrémité supérieure du tube ? (Supposer que l'extrémité supérieure du tube est bien arrondie et que l'eau à 0 °C.)

15.34 L'ascension ou la dépression capillaire n'est pas limitée aux tubes cylindriques. Montrer que la hauteur d'ascension entre deux plaques, placées verticalement dans un liquide, est donnée par $h = 2\,\gamma\cos\theta\,/\,\rho\,gd$. Dans cette formule, γ représente la tension superficielle du fluide, ρ sa masse volumique, θ l'angle de contact et d la distance entre les deux plaques.

15.35 Utiliser le résultat du problème précédent pour trouver la hauteur d'ascension de l'eau à 20 °C entre deux plaques de verre séparées de 0,3 mm.

PARTIE 5

ÉLECTRICITÉ
ET MAGNÉTISME

Une puce de mémoire à bulles magnétique. Elle stocke plus de cinq milllions de « bits » d'information par pouce carré.
(Avec l'aimable autorisation de la compagnie I.B.M.)

Bien que les forces électriques et magnétiques aient été observées depuis plusieurs siècles, la plupart des lois gouvernant ces forces ne furent découvertes qu'au XIXe siècle. À ce jour l'étude des implications théoriques de ces lois remarquables et le développement de leurs applications pratiques restent des domaines de recherche très actifs.

Nous avons différentes raisons d'étudier les propriétés des forces électriques et magnétiques en détails. Ces forces représentent des lois naturelles fondamentales. Elles sont responsables de la structure et de l'existence même des atomes, des molécules et de la matière condensée. En conséquence, toute tentative sérieuse de comprendre les propriétés d'atomes ou d'agrégats d'atomes dépend de la connaissance de ces forces. Au niveau macroscopique, des flux de charge électrique ou courants sont présents dans des systèmes aussi différents que les circuits des postes de télévision et les fibres nerveuses des animaux. Comme les courants électriques exercent des forces, effectuent un travail, transmettent de l'information et produisent des ondes électromagnétiques, ils ont une importance considérable.

Le premier des cinq chapitres de cette partie traite des propriétés fondamentales des forces électriques et les deux suivants sont consacrés aux courants électriques, respectivement dans les circuits et dans les nerfs. Le quatrième chapitre explore les forces magnétiques et le chapitre final discute des relations surprenantes qui existent entre phénomènes électriques et magnétiques.

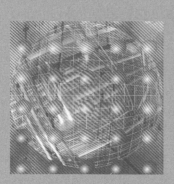

CHAPITRE 16

Forces électriques, champs et potentiels

Mots-clefs

Capacité • Champ électrique • Conducteur • Constante diélectrique • Diélectrique • Dipôle électrique • Isolant • Lignes de force du champ électrique • Loi de Coulomb • Moment dipolaire induit • Potentiel électrique • Rigidité diélectrique • Surface équipotentielle • Tube à rayons cathodiques • Voltage

Introduction

Nous avons déjà effleuré la question des charges et forces électriques (chapitre 5). Dans ce chapitre, nous explorons plus en profondeur ces concepts et d'autres questions connexes pour dégager une meilleure compréhension de la manière dont les charges interagissent. Nous ferons fréquemment usage par la suite des idées développées ici.

16.1   FORCES ÉLECTRIQUES

La loi de Coulomb exprime que la force entre deux charges électriques est proportionnelle au produit des charges et inversement proportionnelle au carré de leur distance. Si une charge q est à une distance r d'une seconde charge Q, alors la force sur q (figure 16.1) est

$$\mathbf{F} = \frac{kqQ}{r^2}\hat{\mathbf{r}} \qquad (16.1)$$

La force agit le long de la droite qui joint les charges. On trouve dans la nature deux sortes de charges électriques, l'une positive et l'autre négative. Les charges de même signe se repoussent, les charges de signes opposés s'attirent.

Ici, $\hat{\mathbf{r}}$ est un vecteur unité dirigé vers q. En unités S.I., la charge est mesurée en coulombs. La constante k s'exprime en fonction d'une autre constante appelée la permittivité. Dans le vide, la permittivité

$$\varepsilon_0 = 8{,}85 \times 10^{-12}\mathrm{C}^2/\mathrm{N} \times \mathrm{m}^2$$

et la constante k prend la valeur :

$$\mathrm{k} = \frac{1}{4\,\pi\,\varepsilon_0} = 9{,}0 \times 10^9 \ \mathrm{Nm}^2\mathrm{C}^{-2} \qquad (16.2)$$

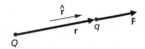

Figure 16.1 Quand les charges ont le même signe, la force **F** sur q est répulsive, c'est-à-dire dirigée à l'opposé de Q.

Quand une charge q est placée près de deux autres charges, ou plus, la force résultante sur q est la somme vectorielle des forces dues à chacune des autres charges. L'exemple suivant illustre ce point.

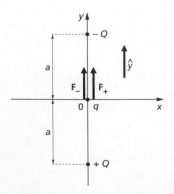

Figure 16.2 Les charges q et Q sont toutes deux positives. La force $\mathbf{F_+}$ sur q due à la charge Q est répulsive, de sorte qu'elle est dirigée vers le haut dans la direction de $\hat{\mathbf{y}}$. La force $\mathbf{F_-}$ sur q due à $-Q$ est attractive et est aussi dirigée vers le haut.

 ——————— **Exemple 16.1** ———————

Une charge positive q se trouve au voisinage d'une charge positive Q et d'une charge négative $-Q$ (figure 16.2).

a) Trouver l'amplitude et la direction de la force sur q.

b) Si $q = 10^{-6}$ C. $Q = 2 \times 10^{-6}$ C et $a = 1$ m, trouver la force sur q.

Réponse   a) La distance de Q à q est a et le vecteur unité $\hat{\mathbf{r}}$ dirigé de Q vers q est $\hat{\mathbf{y}}$. Donc la force sur q due à cette charge vaut

$$\mathbf{F_+} = \frac{1}{4\,\pi\,\varepsilon_0}\frac{qQ}{a^2}\hat{\mathbf{y}}$$

Puisque q et Q sont positives, la force est parallèle à $\hat{\mathbf{y}}$, c'est-à-dire dirigée vers le haut. De façon similaire, la distance de $-Q$ à q est a ; ici $\hat{\mathbf{r}}$ est orienté suivant la direction $-y$, de sorte que $\hat{\mathbf{r}} = -\hat{\mathbf{y}}$ et la force due à cette charge est

$$\mathbf{F_-} = \frac{1}{4\,\pi\,\varepsilon_0}\frac{q(-Q)}{a^2}\left(-\hat{\mathbf{y}}\right) = \frac{1}{4\,\pi\,\varepsilon_0}\frac{qQ}{a^2}\hat{\mathbf{y}}$$

De nouveau, la force est parallèle à $\hat{\mathbf{y}}$. Puisque $\mathbf{F_+}$ et $\mathbf{F_-}$ sont dans le même sens, la force résultante sur la charge q est

$$\mathbf{F} = \mathbf{F_+} + \mathbf{F_-} = \frac{2}{4\,\pi\,\varepsilon_0}\frac{qQ}{a^2}\hat{\mathbf{y}}$$

b) En substituant les valeurs numériques données, la force résultante sur q devient

$$\mathbf{F} = \frac{2\left(9\times 10^9 \ \mathrm{N\ m^2 C^{-2}}\right)\left(10^{-6}\ \mathrm{C}\right)\left(2\times 10^{-6}\ \mathrm{C}\right)}{\left(1\ \mathrm{m}\right)^2}\hat{\mathbf{y}}$$

$$= 3{,}6 \times 10^{-2}\hat{\mathbf{y}} \ \mathrm{N}$$

La force est dirigée vers le haut.

16.2   LE CHAMP ÉLECTRIQUE

Nous avons vu que quand deux charges, ou plus, exercent des forces sur une charge donnée q, la force résultante est la somme vectorielle des forces. Quand il y a plusieurs charges, il est souvent plus commode de faire cette somme indirectement en introduisant une quantité appelée *champ électrique*. Le champ électrique est également utile parce qu'il caractérise les effets des autres charges sans référence explicite à la charge q.

Avant de considérer les champs électriques, il est utile d'examiner des exemples d'objets soumis aux forces de gravitation. Nous ressentons l'attraction de gravitation de la Terre : celle-ci nous attire vers son centre avec une force décrite par la loi de gravitation universelle, $F = GmM/r^2$. D'une autre façon, nous pouvons dire que la

Terre produit un champ de gravitation dans son voisinage et que ce champ à son tour exerce une force sur nous. De manière similaire, un vaisseau spatial envoyé vers Mars subit les forces de gravitation dues au Soleil, à la Terre, à Mars et aux autres planètes. La force de gravitation résultante sur le vaisseau spatial en un point quelconque sera déterminée par le champ de gravitation régnant en ce point. Ce champ est produit par le Soleil, la Terre, etc. (figure 16.3). La force de gravitation sur le vaisseau spatial est proportionnelle à sa masse : plus le vaisseau est gros, plus la force de gravitation est élevée. Elle est aussi proportionnelle à l'importance du champ de gravitation qui est déterminée par les masses et les positions du Soleil et des planètes.

Figure 16.3 Un vaisseau spatial rencontre des forces de gravitation dues au Soleil et aux planètes. De façon équivalente, on peut dire qu'il rencontre une force proportionnelle à sa masse et au champ de gravitation total produit par le Soleil et les planètes.

Pour les applications considérées dans ce texte, le concept d'un champ de gravitation n'est pas particulièrement utile et nous ne le poursuivrons pas en détail. Nous verrons que les champs électrique et magnétique sont par contre des notions très importantes.

Quand nous avons une ou plusieurs charges électriques, nous pouvons dire qu'elles produisent un champ électrique dans leur voisinage. Si une autre charge q est présente, elle subit une force proportionnelle au champ électrique $\mathbf{E}$ et à q elle-même :

$$\mathbf{F} = q\mathbf{E} \qquad (16.3)$$

Puisque la force $\mathbf{F}$ est un vecteur, le champ électrique $\mathbf{E}$ doit aussi être un vecteur. Si q est une charge positive, la force due au champ électrique est dans le sens du champ. Si q est négative, $\mathbf{F}$ est proportionnelle à $-\mathbf{E}$, de sorte que la force est dans le sens opposé à $\mathbf{E}$. *Des charges positives*

subissent des forces dans le sens du champ et des charges négatives subissent des forces dans le sens opposé au champ. De l'équation (16.3), il résulte que les unités du champ électrique sont celles d'une force divisée par une charge. Donc, dans les unités S.I., le champ électrique a pour unité des newtons par coulomb ($N\,C^{-1}$).

Pour déterminer le champ électrique en un point, on mesure la force qui s'exerce sur une charge d'essai positive en ce point. Comme nous l'avons vu, la loi de Coulomb nous donne la force sur une charge q due à une charge Q à une distance r dans le vide.

$$\mathbf{F} = \frac{1}{4\pi\,\varepsilon_0}\frac{qQ}{r^2}\widehat{\mathbf{r}}$$

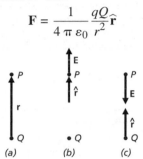

Figure 16.4 *(a)* Un point P est à une distance $\mathbf{r}$ d'une charge Q. *(b)* Si la charge Q est positive, le champ électrique $\mathbf{E}$ en P s'éloigne de Q ou est dirigé dans le sens de $\widehat{\mathbf{r}}$. *(c)* Si Q est négative, le champ est aligné suivant $\widehat{\mathbf{r}}$.

Ici, $\widehat{\mathbf{r}}$ est un vecteur unité dirigé de la charge Q vers le point P où q est située (figure 16.4). La force électrique sur q peut également être écrite comme $\mathbf{F} = q\mathbf{E}$. Il s'ensuit alors que, au point P, le champ dû à Q est $\mathbf{E} = \mathbf{F}/q$ ou

$$\mathbf{E} = \frac{1}{4\pi\,\varepsilon_0}\frac{Q}{r^2}\widehat{\mathbf{r}} \qquad (16.4)$$

Si Q est positive, $\mathbf{E}$ est dirigé de la charge Q vers la charge positive q en P ; si Q est négative, $\mathbf{E}$ est dirigé dans le sens inverse, c'est-à-dire vers Q. *Le champ électrique dû à une charge pointe dans la direction opposée à la charge si elle est positive et vers elle si la charge est négative* (figure 16.4).

Quand il y a plusieurs charges $Q_1, Q_2, \cdots$ en différentes positions, le champ électrique $\mathbf{E}$ en un point P est la somme vectorielle des champs électriques individuels $\mathbf{E}_1, \mathbf{E}_2, \cdots$ dus à toutes les charges. Si une charge q positive est placée en P, alors la force sur celle-ci est de nouveau donnée par $\mathbf{F} = q\mathbf{E}$. Ceci revient à énoncer que la force totale sur q est la somme des forces dues aux charges individuelles.

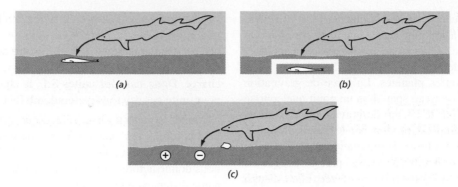

Figure 16.5 Les requins sont sensibles aux champs électriques infimes produits par la contraction des muscles de leur proie. *(a)* Le requin attaque un poisson caché dans le sable. *(b)* Un habitacle arrête tout échange, sauf les stimuli électriques, et le requin continue d'attaquer. *(c)* Un champ électrique produit artificiellement induit la même réponse. Ici, le requin néglige un morceau de nourriture pour suivre le stimulus électrique.

Une fois que nous avons mesuré le champ électrique en un point, nous pouvons immédiatement trouver la force sur n'importe quelle charge placée en ce point. Il n'est pas nécessaire de connaître l'importance et la position des charges produisant le champ. Par exemple, un ion Na$^+$ a une charge $q = e = 1{,}6 \times 10^{-19}$ C. Si le champ dans la membrane d'une cellule est 10^6 NC^{-1}, la force sur l'ion a une valeur $F = qE = \left(1{,}6 \times 10^{-19} \text{ C}\right)$ $\left(10^6 \text{ NC}^{-1}\right) = 1{,}6 \times 10^{-13}$ N et est dirigée dans le sens du champ électrique.

L'exemple suivant montre comment calculer le champ électrique dû à deux charges ponctuelles et la force exercée par ce champ sur une autre charge.

✎ ———— **Exemple 16.2** ————

La figure 16.6 montre de nouveau les charges Q et $-Q$ de l'exemple précédent.

a) Si $Q = 2 \times 10^{-6}$ C et $a = 1$ m, trouver le champ électrique à l'origine.

b) Trouver la force sur la charge $q = 10^{-6}$ C placée à l'origine.

Réponse   a) Comme auparavant, la distance de la charge Q à l'origine est a et $\hat{\mathbf{r}} = \hat{\mathbf{y}}$. En utilisant l'équation (16.4), le champ à l'origine dû à cette charge s'écrit

$$\mathbf{E}_+ = \frac{1}{4\,\pi\,\varepsilon_0}\frac{Q}{a^2}\hat{\mathbf{y}}$$

Le champ pointe vers le haut, s'éloignant de la charge positive. La distance de la charge $-Q$ à l'origine est également a, et $\hat{\mathbf{r}} = -\hat{\mathbf{y}}$, de sorte que le champ de cette dernière charge vaut à l'origine

$$\mathbf{E}_- = \frac{1}{4\,\pi\,\varepsilon_0}\frac{(-Q)}{a^2}\left(-\hat{\mathbf{y}}\right) = \frac{1}{4\,\pi\,\varepsilon_0}\frac{Q}{a^2}\hat{\mathbf{y}}$$

Ce champ pointe aussi vers le haut ; *il est dirigé vers la charge négative*. Le champ électrique total à l'origine est la somme

$$\mathbf{E} = \mathbf{E}_+ + \mathbf{E}_- = \frac{2}{4\,\pi\,\varepsilon_0}\frac{Q}{a^2}\hat{\mathbf{y}}$$

$$= \frac{2\left(9 \times 10^9 \text{ N m}^2\text{C}^{-2}\right)\left(2 \times 10^{-6}\text{C}\right)}{(1 \text{ m})^2}\hat{\mathbf{y}}$$

$$= 3{,}6 \times 10^4 \hat{\mathbf{y}} \ \ \text{N C}^{-1}$$

Le champ total est dirigé vers le haut.

b) La force sur une charge $q = 10^{-6}$ C à l'origine vaut

$$\mathbf{F} = q\mathbf{E} = \left(10^{-6} \text{ C}\right)\left(3{,}6 \times 10^4\right)\hat{\mathbf{y}} \ \ \text{N C}^{-1}$$

$$= 3{,}6 \times 10^{-2}\hat{\mathbf{y}} \ \ \text{N}$$

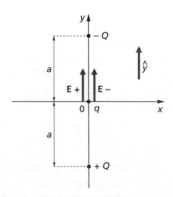

Figure 16.6 Le champ électrique dû à une charge positive est dirigé à l'opposé de la charge, tandis que le champ dû à une charge négative est dirigé vers la charge. Donc, les deux contributions au champ total à l'origine sont dirigées le long de la direction +y.

Comme on s'y attendait, ceci restitue la force calculée à l'exemple précédent par l'emploi direct de la loi de Coulomb.

16.2.1 Diagrammes de champs électriques

Les figures 16.7*a* et *b* montrent les vecteurs de champ électrique calculés à partir de l'équation (16.4) en différents points au voisinage de charges ponctuelles. Le champ s'écarte de la charge positive et est dirigé vers la charge négative. Dans les deux cas, le champ décroît quand la distance à la charge augmente, puisqu'il varie comme $1/r^2$.

Un autre type de diagramme de champ électrique, ou carte, peut être tracé en joignant les vecteurs par des *lignes* continues, comme figures 16.7*c* et *d**. Dans un tel diagramme, la direction des lignes en chaque point y donne la direction du champ. De plus, comme les lignes s'écartent davantage quand le champ devient plus faible, l'espacement des lignes indique l'importance du champ. De tels diagrammes sont particulièrement utiles pour comprendre les champs électriques dus à des arrangements complexes de charges. L'usage est d'appeler les lignes de force, lignes de champ électrique.

Nous pouvons faire apparaître les lignes de force d'un champ électrique en exploitant le fait que des objets oblongs, comme des graines d'herbe, suspendus dans un liquide, tendent à s'aligner le long de ces lignes (figure 16.8). La figure qui se forme ainsi au voisinage d'une charge ponctuelle isolée présente une ressemblance frappante avec celle de la figure 16.7. Nous rencontrerons dans un moment d'autres similitudes, pour des arrangements de charges plus complexes.

Pour résumer cette introduction aux champs électriques, nous dirons qu'une charge produit un champ électrique dans son voisinage et que ce champ exerce une force sur toute autre charge présente. Bien que ce point de vue soit mathématiquement équivalent à utiliser la loi de Coulomb, il est d'une utilité certaine, car on peut souvent trouver une façon convenable de mesurer ou de calculer le champ électrique. De plus, les diagrammes de champs électriques contiennent toute l'information sur les effets d'une charge ou d'un ensemble de charges sur *n'importe* quelle autre charge amenée dans le champ.

Plus précisément, les propriétés des lignes de champ (ou de force) sont :

1. La direction du champ électrique en un point est tangente à la ligne de champ.
2. Les lignes de champ vont toujours des charges positives vers les charges négatives.
3. Plus les lignes sont rapprochées, plus l'intensité du champ est grande dans cette zone.
4. Les lignes de champ ne se coupent jamais.

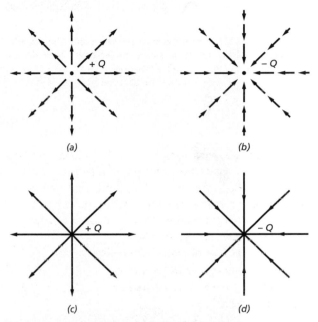

(a) (b)

(c) (d)

Figure 16.7 *(a)* et *(b)* Vecteurs de champ électrique en différents points du voisinage de charges qui sont *(a)* positives, *(b)* négatives. Les lignes de force du champ électrique sont représentées en *(c)* et *(d)*.

16.3 LE CHAMP ÉLECTRIQUE DÛ À DES DISTRIBUTIONS DE CHARGES

Le champ électrique total dû à deux charges ou plus est la somme de leurs champs électriques individuels. Si les champs individuels sont orientés dans des directions différentes, le champ électrique résultant est la somme vectorielle des différentes contributions. Cette addition vectorielle peut amener le champ total à varier avec la position d'une façon qui est très différente de la dépendance en l'inverse du carré de la distance que l'on rencontre dans le cas de charges ponctuelles individuelles. Nous verrons, par exemple, que le champ peut varier comme $1/r^3$ ou même être uniforme.

---

* En français, ces lignes sont généralement appelées *lignes de force* (N.d.T.).

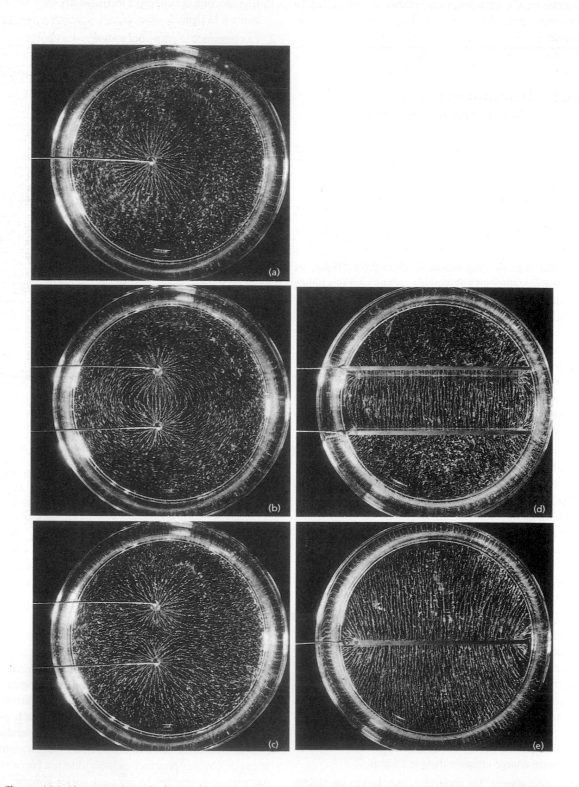

Figure 16.8 Photographies de figures formées par des graines d'herbe dans un liquide près de différentes dispositions de charge. *(a)* Une charge ponctuelle. *(b)* Deux charges ponctuelles, de signes opposés. *(c)* Deux charges ponctuelles, de même signe. *(d)* Deux plaques de métal chargées, de signes opposés. *(e)* Une plaque de métal chargée. *(Avec l'aimable autorisation de l'éditeur de PSSC* Physics, *quatrième édition, 1976, D.C. Health and Company. Lexington. Massachusetts.)*

16.3.1 Le champ d'un dipôle électrique

Une paire de charges égales mais opposées, $+q$ et $-q$, est appelée un dipôle électrique (figure 16.9). Au point P, les champs $\mathbf{E}_+$ dû à $+q$ et $\mathbf{E}_-$ dû à $-q$ sont

$$\mathbf{E}_+ = \frac{1}{4\pi\varepsilon_0}\frac{q}{(r-a)^2}\widehat{\mathbf{y}}, \quad \mathbf{E}_- = \frac{1}{4\pi\varepsilon_0}\frac{-q}{(r+a)^2}\widehat{\mathbf{y}}$$

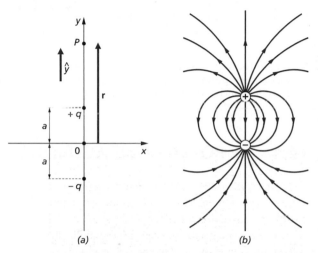

Figure 16.9 *(a)* Un dipôle est une paire de charges égales mais opposées. *(b)* Le champ dû à un dipôle. Remarquer que les lignes vont de la charge positive à la négative. Noter aussi la similitude avec la figure 16.8*b*.

Le champ total en P est

$$\mathbf{E} = \mathbf{E}_+ + \mathbf{E}_- = \frac{q}{4\pi\varepsilon_0}\left[\frac{1}{(r-a)^2} - \frac{1}{(r+a)^2}\right]\widehat{\mathbf{y}}$$

Si r est grand par rapport à a, le champ total $\mathbf{E}$ est très petit, puisque les champs dus aux deux charges se compensent presque entièrement. Si nous récrivons $\mathbf{E}$ en réduisant les deux termes au même dénominateur, des termes se compensent dans le numérateur et nous trouvons

$$\mathbf{E} = \frac{qar}{\pi\varepsilon_0(r^2-a^2)^2}\widehat{\mathbf{y}}$$

Quand r est beaucoup plus grand que a, nous pouvons négliger a dans le dénominateur. Alors

$$\mathbf{E} = \frac{qa}{\pi\varepsilon_0 r^3}\widehat{\mathbf{y}}$$

Ainsi, le champ diminue comme $1/r^3$ à grande distance, ce qui est un taux de décroissance plus rapide que le $1/r^2$ associé à une seule charge. Si nous répétons ce calcul pour un point distant sur l'axe des x ou quelque part ailleurs, la valeur numérique globale et la direction du champ seront modifiées, mais le champ diminuera de nouveau comme $1/r^3$.

16.3.2 Le champ d'un plan uniformément chargé

Près d'une surface plane portant un grand nombre de charges distribuées uniformément, le champ est presque constant en direction et en grandeur (figure 16.10*a*). La figure 16.10*b* montre les effets de compensation qui en sont la cause. Les champs en P dus aux charges en A et B ont des composantes verticales qui se compensent, de sorte que leur somme vectorielle est horizontale. De façon similaire, toutes les autres paires de charges situées symétriquement autour du point C ont un champ résultant horizontal et le champ total en P est également horizontal. Si P n'est pas au centre de la surface, il reste d'un côté des charges non appariées. Cependant, les champs de ces charges éloignées sont sans importance si P est au voisinage immédiat du plan et loin des bords. Un calcul montre que le champ près d'une surface portant sur une charge σ par unité de surface est

$$\mathbf{E} = \frac{\sigma}{2\varepsilon_0}\widehat{\mathbf{x}} \qquad (16.5)$$

σ est la densité surfacique de charge et est définie par :

$$\sigma = \frac{Q}{A}$$

Ici $\widehat{\mathbf{x}}$ est un vecteur unité *s'écartant du plan*.

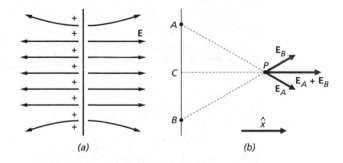

Figure 16.10 *(a)* Le champ électrique près d'un plan chargé uniformément est uniforme excepté près des bords. Noter la similitude avec la figure 16.8*e*. *(b)* Les champs au point P dus à une paire de charges localisées symétriquement autour du point C ont des composantes verticales qui se compensent.

Dans le cas de deux surfaces planes d'aire A et portant des charges égales et opposées $+Q$ et $-Q$ (figure 16.11), les champs s'*ajoutent* entre les plans et se *compensent* ailleurs. Par conséquent, entre les plans,

$$\mathbf{E} = \frac{\sigma}{\varepsilon_0}\widehat{\mathbf{x}} \qquad (16.6)$$

On peut facilement produire ce type de champ uniforme en utilisant des plaques métalliques. Quand une plaque métallique possède une charge globale non nulle, la répulsion mutuelle des charges les force à se distribuer d'une façon presque uniforme. Deux plaques portant des charges de signes opposés produisent un champ presque uniforme entre elles. Une particule chargée, comme par exemple un électron, se déplaçant dans le champ uniforme, subit une force constante et, par conséquent, a une accélération constante. Nous verrons plus tard comment cette propriété est utilisée en pratique dans l'oscilloscope. Les champs électriques dans les membranes de cellules sont aussi approximativement uniformes, comme on peut le voir dans l'exemple suivant.

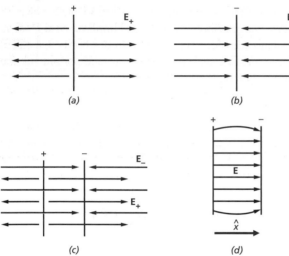

(a)

(b)

(c)

(d)

Figure 16.11 *(a)* Le champ d'un plan chargé positivement. *(b)* Le champ d'un plan chargé négativement (en couleur). *(c)* Les lignes de champ dues aux deux plans quand ils sont proches l'un de l'autre. *(d)* Le champ total dû aux deux plans chargés. Remarquer la similitude avec la figure 16.8*d*. Le champ n'est pas tout à fait uniforme près des bords. Ces effets de bord peuvent souvent être négligés.

✎ ———————— **Exemple 16.3** ————————

Une fine membrane plane sépare une couche d'ions positifs à l'extérieur d'une cellule, d'une couche d'ions négatifs à l'intérieur (figure 16.12). Si le champ électrique dû à ces charges est $10^7\ \mathrm{N\,C^{-1}}$, trouver la charge par unité de surface σ dans les couches ioniques de chaque côté de la membrane.

Réponse Puisque la membrane est plane, les charges disposées de chaque côté forment des plans chargés uniformément. En utilisant

$$\mathbf{E} = \frac{\sigma}{\varepsilon_0}$$

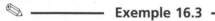

$$\sigma = \mathbf{E}\varepsilon_0 = 10^7 \times 8{,}85 \times 10^{-12} = 8{,}85\ \mu\mathrm{C\,cm^{-2}}$$

où nous avons fait usage de 1 microcoulomb = 1 μC = 10^{-6} C. Ainsi, 1 m^2 de membrane porterait une charge nette de +88,5 μC sur la surface extérieure et une charge nette de $-88{,}5$ μC sur la surface intérieure.

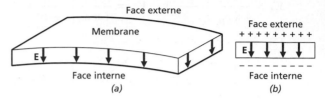

Figure 16.12 *(a)* Une partie d'une membrane de cellule vue en perspective. *(b)* Une vue en coupe montrant les couches de charge.

16.4 LE POTENTIEL ÉLECTRIQUE

Les forces électriques entre charges au repos sont conservatives car elles ont la même forme mathématique que les forces gravitationnelles (chapitre 6). Leurs effets peuvent donc être inclus dans l'énergie potentielle du système considéré. Quand on déplace une charge dans un champ électrique, son énergie potentielle électrique varie. Nous allons maintenant introduire le concept de potentiel électrique ou tout simplement le potentiel, qui est l'énergie potentielle électrique que possède un objet chargé par unité de charge.

Supposons qu'une charge q possède, en un point déterminé, une énergie potentielle U. *Alors, le potentiel électrique V, en ce point, est défini comme étant l'énergie potentielle divisée par la charge,*

$$V = \frac{U}{q} \tag{16.7}$$

L'unité de potentiel est le volt (V), où, d'après cette définition, 1 volt = 1 joule par coulomb. (Ne pas confondre l'abréviation standard V pour volt avec le symbole V utilisé pour le potentiel). En langage familier, on appelle souvent *voltages* les différences de potentiel. Nous verrons au chapitre suivant que ce sont les potentiels plutôt que les champs qui sont les plus utiles pour discuter les circuits électriques.

Nous avons vu au chapitre 6, que l'on peut résoudre très rapidement de nombreux problèmes de mécanique si on connaît les énergies potentielles en deux points. De façon similaire, si nous connaissons la différence de potentiel entre deux points, nous pouvons faire un grand nombre de prédictions sur le mouvement de particules chargées, sans utiliser d'informations détaillées sur les forces ou les champs électriques. Ceci est illustré par l'exemple suivant.

─────────── **Exemple 16.4** ───────────

Dans le tube à rayons cathodiques d'un oscilloscope ou d'un poste de télévision, les électrons sont accélérés, à partir du repos, par une différence de potentiel de +20 000 V. Quelle est leur vitesse ? (La masse de l'électron est $9,11 \times 10^{-31}$ kg et la charge est $-e = -1,6 \times 10^{-19}$ C.)

Réponse De la définition du potentiel électrique, on tire la modification d'énergie potentielle,

$$\Delta U = q\Delta V = (-e)\,\Delta V,$$

où $\Delta V = 20\,000$ V. Ensuite, la conservation de l'énergie donne

$$\frac{1}{2}mv^2 = e\Delta V$$

Ainsi,

$$v = \sqrt{\frac{2e\,\Delta V}{m}}$$

$$= \sqrt{\frac{2\left(1,60 \times 10^{-19}\ \text{C}\right)(20\,000\ \text{V})}{9,11 \times 10^{-31}\ \text{kg}}}$$

$$= 8,38 \times 10^7\ \text{m s}^{-1}$$

───────────────────────────

Il est souvent très commode d'exprimer les énergies d'électrons ou d'autres particules en unités d'*électron-volts* (eV). Un électron-volt est l'énergie cinétique gagnée quand une charge e est accélérée par une différence de potentiel d'un volt,

$$1\ \text{eV} = \left(1,60 \times 10^{-19}\ \text{C}\right)(1\ \text{V})$$
$$= 1,60 \times 10^{-19}\ \text{J}$$

Par exemple, quand un électron est accéléré par une différence de potentiel de 20 000 V, il acquiert une énergie cinétique de 20 000 eV, ou de

$$(20\,000\ \text{eV})\frac{1,60 \times 10^{-19}\ \text{J}}{1\ \text{eV}} = 3,2 \times 10^{-15}\ \text{J}$$

Nous ferons un large usage de l'électron-volt et des multiples de cette unité dans notre étude des phénomènes atomiques et moléculaires, lors de chapitres ultérieurs.

Nous pouvons trouver une relation entre le potentiel électrique et le champ en considérant une charge positive q dans un champ électrique uniforme **E** (figure 16.13). Supposons qu'une force **F**, égale mais opposée à la force électrique $q\mathbf{E}$, soit appliquée à la charge considérée, de sorte qu'elle se déplace de A à B à vitesse constante. Quand la charge parcourt une distance l en sens opposé au champ, la force appliquée effectue un travail $Fl = qEl$. Puisque l'énergie cinétique reste constante, ce travail doit être égal à la variation d'énergie potentielle de la charge :

$$\Delta U = qEl \tag{16.8}$$

En divisant par q, nous obtenons la variation de potentiel électrique,

$$\Delta V = El \tag{16.9}$$

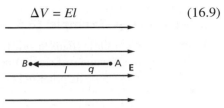

Figure 16.13 Quand une charge positive q est déplacée de A à B en sens opposé au champ, son énergie potentielle augmente de $\Delta U = q\Delta V = qEl$.

L'énergie potentielle d'une charge *positive* augmente quand on la déplace dans le sens *opposé* au champ, exactement comme l'énergie potentielle d'une masse augmente quand on effectue un déplacement dans le sens opposé à la force de gravitation, c'est-à-dire quand on l'amène à une hauteur supérieure. Comme la force électrique sur une charge négative est opposée au champ, l'énergie potentielle de cette charge augmente quand elle se déplace dans le sens du champ.

Observons que, d'après l'équation (16.9), les unités du champ électrique sont celles de $\Delta V/l$, ou des volts par mètre. Donc le champ peut être mesuré soit en newtons par coulomb (NC^{-1}) soit en volts par mètre (Vm^{-1}).

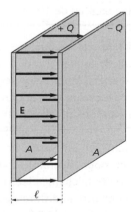

Figure 16.14 La différence de potentiel entre les plaques est $\Delta V = El$. La plaque chargée positivement est au potentiel supérieur, puisque l'on doit effectuer un travail contre le champ pour déplacer une charge positive $+q$ de la plaque négative à la plaque positive.

Nous avons vu au paragraphe précédent que le champ entre deux plaques portant des charges de signes opposés est uniforme. Si la surface des plaques est A et que les charges sont $+Q$ et $-Q$, le champ dans le vide vaut en grandeur $Q/\varepsilon_0 A$. Donc, si l désigne la distance les séparant (figure 16.14), la différence de potentiel entre ces plaques vaut $\Delta V = El$, ou

$$\Delta V = \frac{Q}{\varepsilon_0 A}l \quad \begin{array}{l}\text{(plaques avec des charges}\\ \text{de signes opposés)}\end{array} \tag{16.10}$$

La plaque positive est à un potentiel plus élevé. Ce résultat est illustré par l'exemple suivant.

 ———— Exemple 16.5 ————

Deux plaques parallèles dans le vide portant des charges de signes opposés ont une surface de 1 m^2 et sont distantes de 0,01 m. La différence de potentiel entre les plaques est 100 V. Trouver

a) le champ entre les plaques et

b) l'importance de la charge d'une plaque.

Réponse a) Comme le champ est uniforme, on peut utiliser $\Delta V = El$ et

$$E = \frac{\Delta V}{l} = \frac{100 \text{ V}}{0,01 \text{ m}} = 10^4 \text{ V m}^{-1}$$

Le champ est dirigé de la plaque positive vers la plaque négative.

b) En utilisant l'équation (16.10), on trouve que la charge sur une lame vaut

$$Q = \frac{\varepsilon_0 \, A \, \Delta V}{\ell} = \frac{8,85 \ 10^{-12} \times 1 \times 100}{10^{-2}}$$

$$= 8,88 \times 10^{-8} \text{ C}$$

Remarquer qu'il suffit d'une faible charge pour produire une différence de potentiel de 100 V.

Une énergie potentielle, de quelque nature qu'elle soit, dépend seulement de la position de l'objet et non de la façon dont il y est arrivé. En d'autres termes, le travail effectué par la force électrique conservative est indépendant du chemin suivi entre les positions initiale et finale. Par conséquent, nous pouvons obtenir la différence de potentiel entre deux points, en utilisant n'importe quel chemin qui soit commode pour obtenir le travail par unité de charge effectué contre le champ électrique. Par exemple, si nous voulons connaître la différence de potentiel entre les points A et C de la figure 16.15, nous pouvons choisir le trajet ABC. AB est un déplacement dans le sens opposé au champ, de sorte que $\Delta V = El$ BC est perpendiculaire au champ, de sorte qu'aucun travail n'est effectué et le potentiel est le même en B qu'en C. En utilisant le trajet en pointillés AC, nous trouverions la même différence de potentiel. Cependant, le calcul serait légèrement plus compliqué.

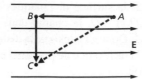

Figure 16.15 Le travail effectué par la force électrique conservative est le même pour les trajets *ABC* et *AC*.

16.4.1 Le potentiel dû à une charge ponctuelle

Trouver la différence de potentiel entre deux points est plus compliqué quand le champ n'est pas uniforme ; le trajet doit être décomposé en segments tels que le champ soit presque constant sur chacun d'eux. Dans le cas de deux charges ponctuelles q et Q à une distance r l'une de l'autre, la force électrique a une forme mathématique identique à celle de la force gravitationnelle (chaitre 6). Nous pouvons donc immédiatement affirmer que la force électrique est conservative. On obtient l'expression de l'énergie potentielle des deux charges q et Q

$$\mathcal{U} = (qQ)/(4 \, \pi \, \varepsilon_0 r)$$

Comme $V = \mathcal{U}/q$, le potentiel à une distance r de la charge ponctuelle Q est

$$V = \frac{Q}{4 \, \pi \, \varepsilon_0 r} \quad \text{(charge ponctuelle)} \quad (16.11)$$

Cette expression implique que le potentiel électrique a été choisi égal à zéro en $r = \infty$. Nous pouvons opérer ce choix, car seules les différences de potentiel sont mesurables : nous pouvons donc définir le potentiel égal à zéro en un point de référence commode, ce qui est le cas de $r = \infty$.

S'il y a plusieurs charges, la somme algébrique de leurs potentiels en un point est le potentiel résultant, car le potentiel est une grandeur scalaire. Des annulations entre certains de ces potentiels peuvent conduire à différentes formes de dépendance en fonction de la distance. L'exemple suivant en est une illustration.

 ———— Exemple 16.6 ————

Pour le dipôle de la figure 16.16, trouver le potentiel électrique

a) en un point éloigné P_1, sur l'axe y, et

b) en un point P_2 sur l'axe x.

Réponse a) En P_1, les potentiels dus aux deux charges sont

$$V_+ = \frac{q}{4 \, \pi \, \varepsilon_0 (r - a)}, \quad V_- = \frac{-q}{4 \, \pi \, \varepsilon_0 (r + a)}$$

Le potentiel électrique total est alors

$$V = V_+ + V_- = \frac{qa}{2 \, \pi \, \varepsilon_0 (r^2 - a^2)}$$

Si r est grand par rapport à a, on peut alors négliger ce a dans le dénominateur, de sorte que

$$V = \frac{qa}{2 \, \pi \, \varepsilon_0 r^2}$$

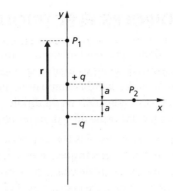

Figure 16.16 Exemple 16.6.

Donc, même si le potentiel dû à une charge ponctuelle isolée varie en $1/r$, cette combinaison de deux charges ponctuelles d'égale grandeur et de signes opposés a un potentiel qui décroît en $1/r^2$.

b) Les deux charges sont à des distances égales de *tout* point de l'axe x. Donc, en P_2, les deux potentiels ont la même valeur absolue mais des signes opposés et leur somme donne zéro. Le potentiel total du dipôle est nul partout sur l'axe x.

16.5 SURFACES ÉQUIPOTENTIELLES

En chaque point de la surface d'une sphère imaginaire de rayon r centrée sur une charge pontuelle Q, le potentiel a la même valeur,

$$V = \frac{1}{4 \pi \varepsilon_0} \frac{Q}{r}$$

Une surface sur laquelle le potentiel est le même partout est appelée une *surface équipotentielle**. Ainsi, pour une charge ponctuelle, les surfaces équipotentielles sont des sphères concentriques (figure 16.17). Les surfaces équipotentielles dans le cas d'un champ électrique uniforme sont des plans normaux au champ.

Quand une charge se déplace à angle droit avec le champ électrique, aucun travail n'est effectué contre les forces électriques, de sorte que son énergie potentielle reste constante. Pour cette raison, *les surfaces équipotentielles sont toujours perpendiculaires aux lignes de force du champ électrique*. On peut déplacer des charges sur une surface équipotentielle sans changer leur énergie potentielle.

16.5.1 Conducteurs et isolants

La plupart des substances peuvent être considérées soit comme des *conducteurs* électriques, soit comme des *isolants*. Un conducteur est une substance, comme un métal ou une solution ionique, dans laquelle des charges sont relativement libres de se déplacer. Dans un isolant, comme le papier ou le verre, toutes les charges sont pratiquement immobiles.

Le champ électrique associé à un conducteur chargé possède des propriétés intéressantes. En effet, dans une situation statique, les charges sont par définition immobiles, par conséquent elles ne peuvent subir de déplacement dû au champ électrique en conséquence :

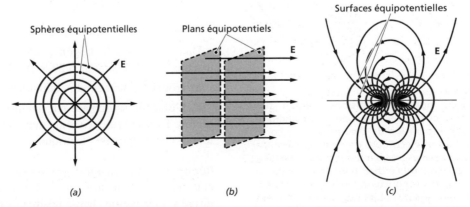

(a)   *(b)*   *(c)*

Figure 16.17 Surfaces équipotentielles pour *(a)* une charge ponctuelle ; *(b)* un champ électrique uniforme ; *(c)* un dipôle. Remarquer que les surfaces équipotentielles et les lignes de force du champ électrique sont toujours mutuellement perpendiculaires.

---

* Certains disent aussi *isopotentielle* (N.d.T.).

– le champ électrique à l'intérieur doit être nul ;

– toute charge en excès se répartit à la surface externe du conducteur ;

– le champ électrique est toujours perpendiculaire à la surface d'un conducteur, car si le champ électrique possédait une composante parallèle à la surface, les charges se déplaceraient.

Dans le cas d'un conducteur creux, ces propriétés restent toujours vraies dans la cavité si celle-ci ne contient aucune charge.

Ce phénomène est à la base de la notion de cage de Faraday ou de blindage électrostatique d'après laquelle à l'intérieur d'une cavité d'un conducteur, on est à l'abri des phénomènes électriques de l'extérieur.

Par exemple, à l'intérieur d'une automobile, on ne court aucun danger à la suite d'une rupture d'une ligne à haute tension qui heurte le véhicule, dans la mesure où on ne sort pas du véhicule. De même, un avion en vol ne doit pas craindre la foudre pour ses systèmes électriques.

Les conducteurs présentent donc la propriété importante de constituer des objets équipotentiels, quand il n'y a pas de charge en mouvement.

L'effet d'un conducteur sur un champ électrique est illustré à la figure 16.18.

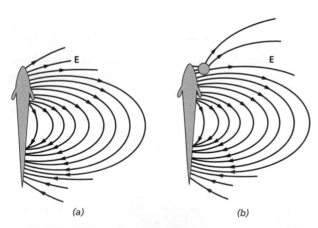

(a)   *(b)*

Figure 16.18 De nombreux poissons utilisent des champs électriques pour la détection et la communication. *(a)* Une séparation de charges dans le corps produit des champs électriques de type dipolaire. La force du champ est mesurée par des récepteurs le long du corps du poisson. *(b)* Le champ est déformé par la présence d'un corps conducteur. Les lignes de champ intersectent la surface de l'objet perpendiculairement à la surface, qui est une équipotentielle. La distorsion du champ qui en résulte se manifeste au niveau du corps du poisson et les récepteurs perçoivent le changement. C'est ainsi que le poisson «voit» en utilisant des champs électriques.

16.6   DIPÔLES ÉLECTRIQUES

Nous avons défini précédemment un dipôle électrique comme une paire de charges égales et opposées et nous avons brièvement discuté du champ et du potentiel dus à ce dipôle. Ici, nous considérons un dipôle placé dans un champ électrique uniforme dû à d'autres charges.

Les atomes et les molécules fournissent de nombreuses illustrations de dipôles électriques. Par exemple. une molécule d'eau a un excédent de charge négative près de son atome d'oxygène et un excès positif égal près des atomes d'hydrogène. Il en résulte qu'elle se comporte comme un petit dipôle électrique et bon nombre de ses propriétés physiques et chimiques sont reliées à son caractère dipolaire.

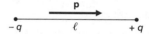

Figure 16.19 Un dipôle électrique consiste en charges égales et opposées, $+q$ et $-q$. Le moment dipolaire électrique est $\mathbf{p} = ql$.

Un dipôle est caractérisé par son moment dipolaire électrique (figure 16.19). Si $\mathbf{l}$ est le vecteur distance de $-q$ à $+q$, alors le moment dipolaire électrique est défini par

$$\mathbf{p} = q\mathbf{l} \qquad (16.12)$$

Ceci est la définition que l'on donne habituellement dans les manuels de physique. Il ne faut pas confondre le $\mathbf{p}$ du moment dipolaire et la quantité de mouvement. Le calcul du moment électrique dipolaire est illustré par l'exemple suivant.

Exemple 16.7

Dans un atome d'hydrogène, l'électron et le proton sont distants l'un de l'autre de $5,29 \times 10^{-11}$ m.

a) Trouver le moment dipolaire électrique instantané.

b) L'électron se déplace sur une trajectoire autour du proton. Trouver la moyenne sur une orbite entière du vecteur moment dipolaire électrique.

Réponse   a) La charge du proton est $e = 1,60 \times 10^{-19}$ C et la charge de l'électron est $-e$. Le moment dipolaire est dirigé vers le proton chargé positivement et a une valeur de

$$p = ql = \left(1,60 \times 10^{-19} \text{ C}\right)\left(5,29 \times 10^{-11} \text{ m}\right)$$
$$= 8,46 \times 10^{-30} \text{ C m}$$

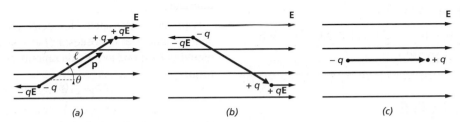

Figure 16.20 Le couple sur le dipôle tend à produire des rotations qui sont *(a)* dans le sens des aiguilles d'une montre ; *(b)* dans le sens opposé aux aiguilles d'une montre. *(c)* Le dipôle est en équilibre.

b) Si le dipôle électrique est initialement orienté dans une direction déterminée, une demi-orbite plus tard, il sera dirigé dans le sens opposé. La moyenne de deux vecteurs égaux en grandeur mais de sens opposés est zéro. Donc la moyenne du vecteur moment électrique dipolaire sur une orbite circulaire complète doit être nulle. Pour cette raison, l'atome d'hydrogène n'a pas de moment dipolaire électrique permanent.

La figure 16.20 montre un dipôle électrique dans un champ **E** uniforme. La force sur la charge positive est $q\mathbf{E}$ et la force sur la charge négative est $-q\mathbf{E}$. Leur somme est nulle, de sorte que la *force résultante sur un dipôle électrique dans un champ électrique uniforme est nulle.*

Cependant, le moment résultant sur le dipôle n'est pas nul, car les forces égales et opposées ont des lignes d'action différentes et forment un couple. Le moment d'un couple est le même par rapport à n'importe quel point, de sorte que nous pouvons choisir de calculer les moments par rapport à la charge $-q$. La force sur $-q$ n'a alors pas de bras de levier et elle ne donne lieu à aucun moment. La charge $+q$ est soumise à une force $q\mathbf{E}$ qui agit à une distance **l**. Donc le moment $\tau = \mathbf{r} \times \mathbf{F}$ devient

$$\tau = \mathbf{l} \times (q\mathbf{E}) = \mathbf{p} \times \mathbf{E} \qquad (16.13)$$

Le module du moment est $pE \sin\theta$ et il est orienté de sorte que le dipôle tend à s'aligner dans le sens du champ. Quand le dipôle est orienté comme sur la figure 16.20a, le moment est dirigé vers le livre, tendant à faire tourner le dipôle dans le sens des aiguilles d'une montre. Le moment est dirigé sortant du livre sur la figure 16.20b et tend à faire tourner le dipôle dans le sens opposé des aiguilles d'une montre. Le moment est nul et le dipôle est en équilibre stable quand il est dirigé parallèlement au champ (figure 16.20c).

Par convention, l'énergie potentielle $\mathcal{U}$ d'un dipôle dans un champ uniforme est prise égale à zéro quand $\theta = 90°$; le dipôle est alors perpendiculaire au champ (figure 16.21a). L'énergie est minimum quand le dipôle est parallèle au champ. Donc, quand le dipôle est dans la position indiquée sur la figure 16.21b, son énergie potentielle

doit être négative. Nous pouvons trouver une expression pour $\mathcal{U}$ en imaginant que l'on fasse tourner le dipôle depuis $\theta = 90°$, où $\mathcal{U} = 0$, jusqu'à θ. Si la rotation est accomplie avec $-q$ maintenue en place, l'énergie de la charge négative reste inchangée. Pour effectuer une rotation du dipôle de l'angle θ_1 et θ_2, le champ électrique accomplit un travail donné par

$$w = \int_{\theta_1}^{\theta_2} \tau \, d\theta = pE \int_{\theta_1}^{\theta_2} \sin\theta \, d\theta$$
$$= -pE(\cos\theta_1 - \cos\theta_2) \qquad (16.14)$$

Pour $\mathcal{U} = 0$ lorsque $\theta = 90°$

alors $\mathcal{U} = -pE\cos\theta = -\mathbf{p} \cdot \mathbf{E}$

Ces idées sont illustrées par l'exemple suivant.

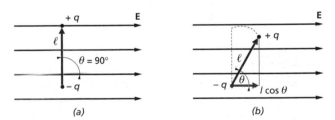

Figure 16.21 L'énergie $\mathcal{U}$ du dipôle est nulle en *(a)* ; négative en *(b)*.

✎ ———— **Exemple 16.8** ————

Un atome de moment électrique dipolaire $8,46 \times 10^{-30}$ C m est placé dans un champ électrique uniforme de 10^4 N C^{-1}. Si l'angle entre **p** et **E** est 30°, trouver

a) le module du moment et

b) l'énergie potentielle.

Réponse a) Quand $\theta = 30°$, $\sin\theta = 0,5$ et le moment a un module de

$$\tau = pE \sin\theta$$
$$= (8,46 \times 10^{-30} \text{ C m})(10^4 \text{ NC}^{-1})(0,5)$$
$$= 4,23 \times 10^{-26} \text{ N m}$$

b) Pour $\theta = 30°$, $\cos\theta = 0,866$ et l'énergie potentielle est

$$\mathcal{U} = -pE\cos\theta$$
$$= -\left((8,46 \times 10^{-30} \text{ C m})(10^4 \text{ NC}^{-1})(0,866)\right)$$
$$= -7,33 \times 10^{-26} \text{ J}$$

16.7 CAPACITÉ

Un des problèmes en électrostatique est de pouvoir emmagasiner des charges de manière à pouvoir les utiliser par la suite.

Supposons que deux conducteurs soient initialement neutres et que nous enlevions ensuite de faibles quantités de charge de l'un et les placions sur l'autre. Au cours de ce processus, il se développe une différence de potentiel. La quantité de charge (Q) qu'un corps peut emmagasiner pour une différence de potentiel donnée (V) dépend de ses caractéristiques physiques et est définie comme étant la capacité (C) du corps.

Plus la charge est grande et plus la capacité est grande, plus la différence de potentiel est faible et plus la capacité sera grande.

La capacité est une mesure de la charge transférée sous une différence de potentiel donnée. Autrement dit, la capacité électrique C est proportionnelle à Q et inversement proportionnelle à V

$$C = \frac{Q}{V}$$

On trouve habituellement que le rapport est une constante indépendante de la charge.

Le transfert de charge entre deux conducteurs séparés par le vide ou par un isolant permet d'accroître la capacité du système est est appelé un condensateur.

L'énergie requise pour séparer les charges est emmagasinée dans le condensateur. La capacité est donc également une mesure du pouvoir d'accumuler l'énergie.

On peut trouver des exemples de condensateurs dans la nature. Par exemple, les membranes des cellules séparent des fines couches d'ions dans le fluide à l'intérieur et à l'extérieur de la cellule. On peut, par conséquent, considérer que la membrane et les fluides adjacents possèdent une capacité électrique.

Les condensateurs sont largement utilisés dans les circuits électriques. On les emploie dans les circuits d'accord de radio et de télévision, dans les systèmes d'allumage de voitures et dans les circuits de démarrage de moteurs électriques. Les condensateurs influencent aussi la façon dont les courants changent au cours du temps. Dans les cellules nerveuses, le taux de transmission d'une impulsion nerveuse dépend de la capacité de la membrane. Nous dis-

cuterons certaines de ces applications dans des chapitres ultérieurs.

Pour un condensateur, les deux conducteurs ont des charges égales et opposées $\pm Q$ et une différence de potentiel correspondante V. Le rapport est la capacité électrique

$$C = \frac{Q}{V} \qquad (16.15)$$

Remarquer que l'on définit V comme étant le potentiel de la lame positive moins celui de la lame négative, de sorte que C est positif.

L'unité de capacité est le *farad* (F) ; 1 F = 1 C V^{-1}. Puisque le coulomb est une unité élevée, le farad est grand lui aussi et la plupart des condensateurs ont de faibles valeurs si elles sont exprimées en farads. D'où l'intérêt de définir le microfarad et le picofarad, qui sont

$$1 \ \mu\text{F} = 10^{-6} \text{ F}, \quad 1 \text{ pF} = 10^{-12} \text{ F}$$

La capacité d'un être humain isolé du sol est de l'ordre de grandeur d'une centaine de pF, mais celle-ci dépend d'une façon importante de l'isolation vis-à-vis de la terre.

Le condensateur à lames parallèles

Le condensateur le plus simple est composé de deux lames parallèles dans le vide. Les lames ont des surfaces A, des charges $\pm Q$ et sont distantes de l (figure 16.22). D'après l'équation (16.10),

$$V = \frac{Ql}{\varepsilon_0 A}$$

Donc, la capacité $C = Q/V$ vaut

$$C = \frac{\varepsilon_0 A}{l} \qquad (16.16)$$

Remarquer que C dépend seulement de la géométrie du système et pas de la charge Q. La capacité augmente avec la surface des lames et décroît avec leur éloignement. Ceci est également vrai pour des condensateurs de forme plus compliquée. Des exemples numériques de condensateurs à lames parallèles sont donnés au paragraphe suivant.

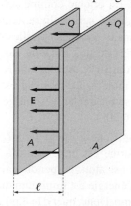

Figure 16.22 Un condensateur à lames parallèles.

16.8 EFFETS DES DIÉLECTRIQUES

Si on introduit un isolant ou *diélectrique* entre les lames d'un condensateur à lames parallèles, on en augmente la capacité. Cet effet se produit parce que le champ électrique dû aux charges sur les lames déforme la distribution de charge des molécules du diélectrique, apportant ainsi à chaque molécule un faible moment dipolaire électrique *induit*. Ces dipôles, à leur tour, réduisent le champ électrique total et, par conséquent, la différence de potentiel entre les lames.

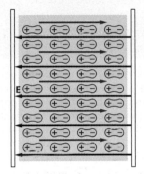

Figure 16.23 Les molécules d'un diélectrique sont déformées par le champ électrique **E** entre les lames parallèles. La charge sur les lames est la même avant et après que le diélectrique est introduit.

Pour étudier ce phénomène en détail, considérons une molécule neutre dont, normalement, les centres des charges positives et négatives coïncident, de sorte qu'elle n'a pas de moment dipolaire permanent. Quand on applique un champ électrique extérieur, les centres des charges se séparent d'une distance proportionnelle à l'intensité du champ (figure 16.23). Donc, chaque molécule acquiert un moment dipolaire électrique *induit*.

À l'intérieur du diélectrique, les effets des charges déplacées, positives et négatives, se compensent. Cependant, à la surface de gauche, il y a un excès de charge positive et à la surface de droite, il y a un excès de charge négative. Ceci produit un champ électrique $\mathbf{E}'$ dirigé dans le sens opposé à **E**. Aussi le champ électrique existant réellement entre les lames est-il réduit à une valeur efficace

$$E_{\text{eff}} = E - E'$$

Puisque la séparation des charges dans le diélectrique augmente avec **E**, le champ $\mathbf{E}'$ qu'elles produisent est également proportionnel à **E**. Donc nous pouvons écrire

$$\mathbf{E}_{\text{eff}} = \frac{1}{K}\mathbf{E} \qquad (16.17)$$

La *constante diélectrique K* est un nombre sans dimension qui indique la réduction du champ due au diélectrique.

K vaut 1 pour le vide et est plus grand que 1 pour un diélectrique.

Le tableau 16.1 donne une liste de constantes diélectriques typiques. Dans certaines substances, comme l'eau, les molécules ont des moments dipolaires électriques permanents qui tendent à s'aligner parallèlement au champ. Le degré d'alignement croît avec le champ, mais décroît quand la température s'élève, à cause du désordre thermique. Donc K dépend alors de la température.

Substance	Température °C	Constante diélectrique K
Air (sec, à 1 atm)	20	1,00059
Verre	25	5 — 10
Eau	25	78
	80	61
Plastiques	20	3 — 20
Dioxyde de titane	20	100
Membrane d'axone (non myélinisée)	37	8
Papier	20	3,5

Tableau 16.1 Constantes diélectriques de plusieurs isolants courants. Remarquer que pour l'air, on peut habituellement prendre $K = 1$, la valeur pour le vide.

La différence de potentiel entre les lames est $V = E_{\text{eff}}l = El/K$.

Puisque K est supérieur à 1, V diminue quand on insère un diélectrique entre les lames du condensateur. Par conséquent, la capacité $C = Q/V$ augmente d'un facteur K. Un accroissement de C se produit pour tout condensateur et pas seulement dans le cas de lames planes disposées parallèlement l'une à l'autre. Dans un condensateur à lames parallèles, la capacité passe de $\varepsilon_0 A/l$ à

$$C = \frac{K\,\varepsilon_0\,A}{l} \qquad (16.18)$$

L'exemple suivant illustre les effets des diélectriques sur la capacité électrique.

 —————— **Exemple 16.9** ——————

Un condensateur est formé de deux feuilles, chacune d'une surface de 1 m^2, séparées par du papier de 0,05 mm = 5×10^{-5} m d'épaisseur. Quelle en est la capacité ?

Réponse   D'après le tableau 16.1, $K = 3,5$ pour le papier. La capacité est donc

$$C = \frac{K \, \varepsilon_0 \, A}{l}$$

$$= \frac{(3,5)(8,85 \times 10^{-12} \, \text{C}^2\text{N}^{-1}\text{m}^{-2})(1 \, \text{m}^2)}{(5 \times 10^{-5} \, \text{m})}$$

$$= 6,19 \times 10^{-7} \, \text{F} = 0,619 \ \mu\text{F}$$

 ———————— **Exemple 16.10** ————————

Les ions à l'intérieur et à l'extérieur d'une cellule sont séparés par une membrane plane de 10^{-8} m d'épaisseur et de constante diélectrique $K = 8$. Trouver la capacité d'1 cm^2 de membrane (figure 16.24).

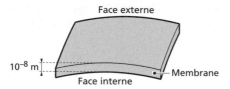

Figure 16.24 Une petite portion d'une membrane cellulaire.

Réponse   Pour une surface $A = 1 \ \text{cm}^2 = 10^{-4} \ \text{m}^2$, la capacité vaut

$$C = \frac{K \, \varepsilon_0 \, A}{l} = \frac{8(8,85 \times 10^{-12} \, \text{C}^2 \, \text{N}^{-1}\text{m}^{-2})(10^{-4} \, \text{m}^2)}{10^{-8} \, \text{m}}$$

$$= 7,08 \times 10^{-7} \, \text{F} = 0,708 \ \mu \, \text{F}$$

Quand le champ électrique dans un diélectrique devient suffisamment fort, il peut produire un nombre élevé d'électrons libres et d'ions et la substance devient un excellent conducteur. Ce *claquage* se produit à un champ électrique critique appelé la *rigidité diélectrique*. L'éclair est un exemple spectaculaire de ce phénomène, dans lequel l'air devient conducteur (figure 16.25). Les condensateurs commerciaux sont marqués du voltage maximum qui peut leur être appliqué sans risque d'excéder la rigidité diélectrique et d'abîmer le condensateur ou d'autres pièces du circuit.

16.9 ÉNERGIE EMMAGASINÉE DANS UN CONDENSATEUR

Un condensateur chargé emmagasine de l'énergie électrique. Si on en connecte les lames par un fil conducteur, des électrons vont se déplacer dans le fil, de la lame négative à la lame positive. Cet écoulement de charge

Figure 16.25 Quand des nuages bas accumulent une charge, il y a une différence de potentiel entre le nuage et le sol. Si cette différence de potentiel est suffisamment élevée, le champ électrique dépasse la rigidité diélectrique de l'air. L'air alors s'ionise et devient un bon conducteur électrique *(Wide World Photos.)*

ou *courant* continue jusqu'à ce que les lames redeviennent neutres et peut être utilisé pour faire fonctionner un flash électronique ou déclencher un défibrillateur cardiaque. Ainsi, de l'énergie électrique emmagasinée peut être transformée en d'autres formes d'énergie.

L'énergie électrique emmagasinée dans un condensateur est égale au travail accompli pour le charger. Une pile ou une batterie connectée au condensateur maintient une différence de potentiel V entre les plaques du condensateur et des électrons « s'écoulent » d'une plaque à l'autre à travers la pile. Plus la charge s'accumule sur le condensateur, plus la quantité de travail nécessaire pour l'accroître est importante. Pour une différence de potentiel V entre les armatures du condensateur, l'élément de travail requis dw pour apporter un supplément de charge dq se traduit par

$$\mathrm{d}w = V \, \mathrm{d}q$$

$$\text{comme } V = \frac{Q}{C}$$

le travail nécessaire pour charger un condensateur d'une charge Q correspond à :

$$w = \int_0^Q V \, \mathrm{d}q = \frac{1}{C} \int_0^Q q \, \mathrm{d}q = \frac{1}{2} \frac{Q^2}{C}$$

En utilisant $C = Q/V$, on peut exprimer l'énergie sous trois formes équivalentes

$$\mathcal{U} = \frac{1}{2}QV = \frac{1}{2}\frac{Q^2}{C} = \frac{1}{2}CV^2 \qquad (16.19)$$

L'énergie électrique d'une membrane cellulaire est calculée dans l'exemple suivant.

Exemple 16.11

Un centimètre carré de membrane a une capacité de $7{,}08 \times 10^{-7}$ F. Si la différence de potentiel entre les faces de la membrane est 0,1 V, trouver l'énergie électrique de 1 cm^2 de membrane.

Réponse Comme nous connaissons C et V, nous écrirons l'énergie sous la forme $(1/2)CV^2$. Alors

$$\mathcal{U} = \frac{1}{2}CV^2 = \frac{1}{2}\left(7{,}08 \times 10^{-7}\ \text{F}\right)(0{,}1V)^2$$

$$= 3{,}54 \times 10^{-9}\ \text{J}$$

Exemple 16.12

Un défibrillateur cardiaque est constitué d'un condensateur de 60 µF où on a emmagasiné de l'énergie électrique en le portant grâce à une pile et un circuit électronique, à une tension de 4 000 v. Un quart de l'énergie est transféré au patient en 2 ms. Calculer la puissance fournie.

Réponse La quantité d'énergie emmagasinée dans le condensateur est de

$$U = \frac{1}{2}CV^2 = \frac{1}{2}60 \times 10^{-6}(4\,000)^2 = 480\ \text{J}$$

Un quart de cette énergie est transféré au patient en 2 ms, la puissance fournie est donc de

$$P = \frac{U}{t} = \frac{120}{2 \times 10^{-3}} = 60\ \text{kW}$$

ce qui constitue une puissance fournie importante vis-à-vis de la pile qui a permis de charger le défibrillateur.

16.10 L'OSCILLOSCOPE

À l'exception de quelques appareils de mesure simples, aucun instrument scientifique n'est probablement d'un usage aussi répandu que *l'oscilloscope*. Les circuits électriques contenus dans un oscilloscope sont très compliqués, et les modèles sophistiqués ont tellement d'interrupteurs et de boutons de contrôle qu'il faut un certain temps pour se familiariser avec son maniement. Cependant, les principes de base de la composante principale, le *tube cathodique*, peuvent être compris entièrement grâce aux concepts développés dans ce chapitre.

Dans la première partie du tube, qui est le canon à électrons, une différence de potentiel constante accélère des électrons émis par un filament chaud (figure 16.26). S'il n'y a pas d'autres forces sur l'électron, ils se déplacent en ligne droite et frappent le centre de l'écran fluorescent, produisant un point brillant appelé spot, d'après le terme anglais. On peut produire une déflexion horizontale de ce spot, au moyen d'un champ électrique horizontal engendré par les lames parallèles marquées 1 sur la figure 16.26. Ces lames sont distantes de l. Si elles sont à une différence de potentiel V_1, il existe un champ électrique horizontal uniforme $E_1 = V_1/l$ entre elles. Ce champ accélère les électrons, qui frappent alors l'écran à une distance horizontale du centre proportionnelle à V_1. Si on accroît graduellement V_1, le spot se déplace progressivement ou *balaie* l'écran ; quand V_1 reprend sa valeur originale, le spot retourne à son point de départ. Si ce balayage est répété à une fréquence suffisamment élevée, la persistance de l'image sur l'écran et dans l'œil cache le mouvement et on perçoit un segment de ligne droite (figure 16.27b).

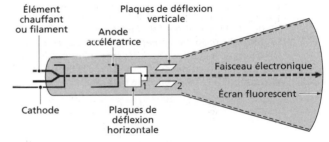

Figure 16.26 Un tube cathodique. Les électrons sont accélérés de la cathode négative vers l'anode accélératrice positive et passent alors entre deux paires de plaques de déflexion. Quand ils frappent l'écran fluorescent, il y a émission de lumière.

De la même façon, une différence de potentiel V_2 appliquée aux plaques marquées 2 sur la figure 16.26 produira une déflexion verticale. Par exemple, un V_2 constant déplacera la ligne comme indiqué sur la figure 16.27c. Habituellement la déflexion verticale est produite par une différence de potentiel inconnue V_2, qui oscille à une fréquence déterminée f. On ajuste la fréquence de balayage jusqu'à ce qu'elle soit égale à f (ou f divisée par un nombre entier), de sorte que chaque fois que le signal vertical V_2 se répète, le balayage horizontal est au même point de son cycle. Donc le faisceau frappe de façon répétée les mêmes points sur l'écran et on distingue alors une forme stable (figure 16.27d,e). De cette façon, on peut aisément opérer des mesures précises tant de la fréquence que de l'amplitude de la différence de potentiel inconnue.

Puisqu'il est possible de convertir presque toutes les sortes d'information en différences de potentiel électrique, on utilise les oscilloscopes dans pour ainsi dire tous les types de laboratoire. Ils sont extrêmement précieux dans les études qualitatives et quantitatives, non seulement de variables électriques, mais aussi de grandeurs mé-caniques, acoustiques et autres. Les microphones et les caméras de télévision sont des exemples de dispositifs qui convertissent d'autres formes d'énergie en potentiels électriques variables. En général, les dispositifs qui con-vertissent une forme d'énergie en une autre sont appelés des *capteurs*.

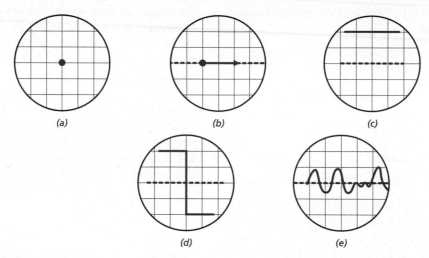

Figure 16.27 *(a)* S'il n'y a pas de champs déflecteurs, on voit une tache brillante au centre de l'écran de l'oscillo-scope. *(b)* En changeant progressivement la différence de potentiel horizontale, on force la tache du faisceau à se déplacer progressivement sur l'écran. Si ce balayage est répété assez vite, on perçoit une ligne continue. *(c)* Un champ constant vertical déplace la ligne. *(d)* Si le champ vertical se renverse après chaque demi-balayage, on voit la figure représentée ici. *(e)* On peut mettre en évidence des variations temporelles du champ vertical si elles se répètent à la fréquence de balayage.

Réviser

RAPPELS DE COURS

Une charge Q exerce sur une seconde charge q, une force électrique qui est donnée par la loi de Coulomb

$$\mathbf{F} = \frac{1}{4\pi\varepsilon_0}\frac{qQ}{r^2}\hat{\mathbf{r}} \quad \text{(loi de Coulomb)}$$

Une alternative possible consiste à dire que le champ électrique dû à une charge ponctuelle Q est

$$\mathbf{E} = \frac{1}{4\pi\varepsilon_0}\frac{Q}{r^2}\hat{\mathbf{r}} \quad \text{(charge ponctuelle } Q)$$

La force sur q est alors le produit de sa charge et du champ électrique qui règne à son emplacement, $\mathbf{F} = q\mathbf{E}$.

Quand plusieurs charges sont la source de champs électriques, le champ résultant peut dépendre de nombreuses façons de la position dans l'espace. Le champ entre une paire de lames métalliques portant des charges de signes opposés est presque uniforme et est donné par

$$\mathbf{E} = \frac{\sigma}{\varepsilon_0}\hat{\mathbf{x}} \quad \text{(lames parallèles)}$$

À l'extérieur des lames, le champ est nul.

Le potentiel électrique est l'énergie potentielle d'une charge divisée par cette charge

$$V = \frac{U}{q}$$

Le potentiel dû à une charge ponctuelle vaut

$$V = \frac{1}{4\pi\varepsilon_0}\frac{Q}{r}$$

Un déplacement l dans le sens opposé à $\mathbf{E}$ donne un accroissement de V

$$\Delta V = El$$

Dans le cas de deux lames parallèles portant des charges de signes opposés, la lame chargée positivement a un potentiel supérieur à celui de l'autre, la différence valant

$$V = \frac{Q\ell}{\varepsilon_0 A} \quad \text{(lames parallèles)}$$

Deux charges $+q$ et $-q$ séparées par une distance $\mathbf{l}$ ont un moment dipolaire $\mathbf{p} = q\mathbf{l}$. Dans un champ électrique uniforme, il n'y a pas de force résultante sur un dipôle, mais il y a un couple de forces tendant à l'aligner parallèlement au champ. Le moment du couple sur le dipôle est

$$\tau = \mathbf{p} \times \mathbf{E}$$

et son énergie potentielle vaut

$$U = -p \cdot E = -pE\cos\theta$$

Un condensateur est une paire de conducteurs séparés par un espace vide ou un isolant. Si on apporte des charges égales mais opposées aux conducteurs, le rapport $C = Q/V$ de la charge à la différence de potentiel qui en résulte est la capacité du condensateur. D'autres arrangements de conducteurs et d'isolants, comme ceux des cellules vivantes, peuvent être considérés comme possédant une capacité électrique.

Quand un isolant est placé entre les lames d'un condensateur chargé, des dipôles électriques sont induits dans la substance. Les champs des dipôles s'opposent au champ appliqué et réduisent la différence de potentiel entre les lames, accroissant de ce fait la capacité. Les condensateurs emmagasinent de l'énergie électrique suivant la relation $U = (1/2)QV$.

PHRASES À COMPLÉTER

Voir réponses en fin d'ouvrage.

1. La force entre deux charges de signes opposés est _____.

2. La force sur une charge q dans un champ électrique $\mathbf{E}$ vaut _____.

3. La force électrique sur une charge positive est _____ au champ ; la force électrique sur une charge négative est _____ au champ.

4. Le champ électrique dû à une charge positive _____ la charge ; le champ dû à une charge négative est _____ la charge.

5. L'espacement des lignes de force du champ électrique donne _____, et leur direction indique _____.

6. Le champ entre deux plaques métalliques de charges opposées est pratiquement _____.

7. La variation d'énergie potentielle d'une charge q déplacée dans une différence de potentiel ΔV vaut _____.

8. Les surfaces équipotentielles près d'une charge ponctuelle sont des _____.

9. Deux charges $+q$ et $-q$, séparées par une distance l, ont un moment dipolaire de module _____ dirigé vers _____.

10. L'énergie potentielle d'un dipôle est minimum quand il est _____.

11. Si un condensateur a une capacité C et que ses lames portent des charges $+Q$ et $-Q$, la différence de potentiel vaut _____.

12. Insérer un diélectrique entre deux plaques chargées _____ le champ, _____ la différence de potentiel et _____ la capacité.

13. Si on double le voltage aux bornes d'un condensateur, l'énergie emmagasinée change d'un facteur _____.

EXERCICE CORRIGÉ

Un électron est introduit avec une vitesse v_0 dans un champ électrique uniforme.

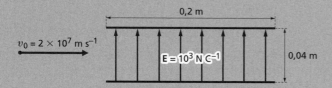

Figure 16.28

(Négliger la force de pesanteur de l'électron.)

a) Trouver la direction et le module de son accélération.

b) Combien de temps restera-t-il dans le champ ?

c) Quelle est l'importance de la déviation verticale lorsqu'il sort du champ ?

d) Trouver l'angle entre la vitesse à la sortie et la direction initiale.

Solution

a) L'électron chargé négativement est soumis à une force $F = qE$ de sens opposé à celui du champ électrique appliqué ; il en résulte une accélération $\mathbf{a} = \mathbf{F}/m$ dirigée vers le bas et de grandeur :

$$a = \frac{eE}{m_e} = \frac{1,6 \times 10^{-19} \times 10^3}{9,11 \times 10^{-31}} = 1,7 \times 10^{14} \text{ m s}^{-2}$$

b) Le mouvement selon l'horizontale de l'électron est rectiligne uniforme (pas d'accélération selon l'horizontale) de sorte que :

$$v_x = \frac{x}{t} \quad \text{ou} \quad v_x = v_0$$

et $x =$ longueur l des plaques horizontales entre lesquelles s'applique E.

On peut donc calculer $t = \dfrac{l}{v_0} = \dfrac{0,2}{2 \times 10^7} = 10^{-8}$ s.

c) L'électron reste dans le champ électrique pendant le temps t, à la sortie des plaques il aura subi une déviation vers le bas.

$$\Delta y = \frac{1}{2}at^2 = \frac{1}{2}1,7 \; 10^{14} \times 10^{-6} = 0,85 \times 10^{-2} \text{ m}$$

d) L'angle à la sortie se calcule par

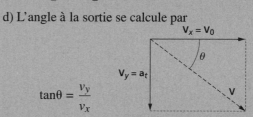

$$\tan\theta = \frac{v_y}{v_x}$$

Figure 16.29

donc $\tan\theta = \dfrac{1,7 \times 10^{14} \times 10^{-8}}{2 \times 10^7} = 0,085$ et $\theta = 4,86°$.

S'entraîner

QCM

Voir réponses en fin d'ouvrage.

Q1. Dans une molécule NaCl, l'ion Na^+ de charge e se trouve à $2,3 \times 10^{-10}$ m d'un ion Cl^- de charge $-e$. La force d'attraction entre ces ions vaut

a) $4,36 \times 10^{-9}$ N

b) $2,72 \times 10^{10}$ N

c) $1,0017 \times 10^{18}$ N

d) $6,26$ N.

Q2. Quand deux charges électriques de même signe ($+3C$ et $+9C$) sont mises en présence, des forces $\mathbf{F}_1$ et $\mathbf{F}_2$ s'exercent sur chacune d'elles ; on peut dire que :

a) $|\mathbf{F}_2| = |\mathbf{F}_1|$

b) $\mathbf{F}_2 = 3\mathbf{F}_1$

c) $\mathbf{F}_2 = -\mathbf{F}_1$

d) $\mathbf{F}_2 = -3\mathbf{F}_1$

e) $|\mathbf{F}_1| = -3\,|\mathbf{F}_2|$.

Q3. *cf.* figure 16.30. Le champ électrique $\mathbf{E}$ au point P, est orienté

a) vers la gauche

b) vers le bas

c) vers le haut

d) vers la droite.

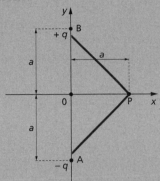

Figure 16.30

Q4. Dans un champ électrique uniforme d'intensité E, l'accélération a d'une particule de masse m et de charge e vaut

a) $a = \dfrac{1}{4\pi\varepsilon_0}\dfrac{e\mathrm{E}}{r^2}$

b) $a = 0$

c) $a = \dfrac{e\mathrm{E}}{m}$

d) On ne dispose pas de suffisamment de données pour répondre à cette question.

Q5. Dans un conducteur chargé à l'équilibre :

a) le champ électrique est nul à l'intérieur, normal à la surface et le conducteur est équipotentiel

b) le champ électrique est variable dans le volume et invariable à la surface

c) le potentiel électrique dépend de la position du point où on se trouve dans le conducteur

d) le champ est nul partout, sinon le conducteur serait le lieu de courants électriques et ne serait donc pas à l'équilibre

e) le champ est nul sur la surface car les charges se trouvent à l'intérieur.

Q6. Le champ électrique créé par un dipôle en un point P situé sur la médiatrice du dipôle à une grande distance r de celui-ci est inversement proportionnel à :

a) r

b) r^2

c) r^3

d) r^4

e) r^5.

Q7. Soient E (en kV/m) et V (en kV) respectivement le champ et le potentiel au point P. Quelle est la réponse correcte ? ($q = 1\,\mu\mathrm{C}$, $r = 1\mathrm{m}$)

a) $E = 18,\quad V = 0$,

b) $E = 0,\quad V = 18$,

c) $E = 2,25,\quad V = 0$,

d) $E = 36,\quad V = 4,5$,

e) $E = 0,\quad V = 0$.

Figure 16.31

Q8. Soit le condensateur à lames parallèles et de dimensions infinies représenté en coupe sur la figure 16.32. Soit V la différence de potentiel entre les lames. Une particule de charge q positive et de masse m se déplace de A à B. On néglige les effets de gravitation. En A sa vitesse est nulle. En B, elle vaut

a) $(qV/2m)$,

b) V,

c) $(2qV/m)^{1/2}$,

d) 0,

e) $(qV/m)^{1/2}$

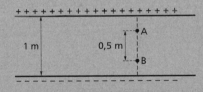

Figure 16.32

Q9. Une charge $q' = 1$ C est déplacée du point P de la figure 16.31 jusqu'à l'infini. Le travail des forces électriques vaut

($q = 3\,\mu\mathrm{C}$, $r = 1$ m)

a) 18 kJ

b) 72 kJ

c) 0 kJ

d) 36 kJ

e) 54 kJ.

Q10. On dispose de deux condensateurs de capacité $C_1 = 2\,\mu\mathrm{F}$ et $C_2 = 4\,\mu\mathrm{F}$. Pour obtenir une capacité équivalente de 1,333 µF, il faut les assembler

a) en parallèle

b) en série

c) impossible

d) il faut intercaler une résistance.

EXERCICES

Voir réponses en fin d'ouvrage pour les exercices et problèmes dont le numéro est inscrit en noir.

Plusieurs des exercices suivants font intervenir des grandeurs atomiques. La valeur absolue de la charge d'un électron ou d'un proton est $e = 1,60 \times 10^{-19}$ C et la masse de l'électron vaut $9,11 \times 10^{-31}$ kg.

Forces électriques

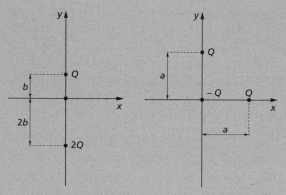

Figure 16.33 Exercices 16.1, 16.2, 16.3, 16.11 et 16.12.

Figure 16.34 Exercice 16.4.

16.1 Trouver le module et la direction de la force sur la charge Q de la figure 16.33.

16.2 Si $Q = 10^{-6}$ C et $b = 0,1$ m, quelles sont la grandeur et la direction de la force sur la charge $2Q$ de la figure 16.33 ?

16.3 On place une charge additionnelle Q à l'origine de la figure 16.33. Que vaut la force sur cette charge ?

16.4 Trouver le module et la direction de la force sur la charge $-Q$ de la figure 16.34.

16.5 Dans une molécule NaCl, un ion Na$^+$ de charge e est à $2,3 \times 10^{-10}$ m d'un ion Cl$^-$ de charge $-e$. Quelle est la grandeur de la force entre eux ?

16.6 Une membrane de cellule d'épaisseur 10^{-8} m porte des ions positifs d'un côté et des ions négatifs de l'autre. Que vaut la force entre deux ions de charges $+e$ et $-e$ à cette distance ?

Le champ électrique
Le champ électrique dû
à des distributions de charges

16.7 Un noyau d'uranium a une charge de $92e$.

a) Que valent la direction et la grandeur du champ électrique dû au noyau, à une distance de 10^{-10} m de celui-ci ?

b) Que valent la direction et la grandeur de la force sur un électron à cette distance ?

16.8 Que vaut la force sur un électron dans un champ de 10^5 N C^{-1} ?

16.9 Un champ électrique communique une accélération de 10^8 m s^{-2} à un électron. Quels sont la direction et le module de ce champ ?

16.10 Trouver le module et la direction du champ électrique à $0,1$ m d'une charge de -10^{-4} C.

16.11 Sur la figure 16.33, trouver le champ électrique à l'origine.

16.12 Sur la figure 16.33, trouver le champ en $x = 0$, $y = -b$.

16.13 Le champ électrique près d'une plaque circulaire uniformément chargée de surface $0,1$ m^2 est dirigé vers la plaque et vaut 10^4 N C^{-1}. Trouver la charge sur la plaque.

16.14 Deux plaques carrées de $0,1$ m de côté portent des charges égales et opposées de $\pm 10^{-6}$ C qui sont distribuées de façon uniforme. Les plaques sont à une distance de 10^{-2} m.

a) Quelles sont l'amplitude et la direction du champ électrique ?

b) Que valent l'amplitude et la direction de la force sur un électron placé dans ce champ ?

c) Quel travail doit-on effectuer contre le champ pour déplacer un électron de la plaque positive à la plaque négative ?

Le potentiel électrique

16.15 Les noyaux de carbone ont une charge de $+6e$. À une distance de 10^{-10} m d'un noyau de carbone, trouver

a) le potentiel électrique

b) l'énergie potentielle d'un électron en électron-volts et en joules.

16.16 Sur la figure 16.35, que vaut le potentiel

a) à l'origine ;

b) en $x = 3a$, $y = 0$?

16.17 En quels points de l'axe x de la figure 16.35 le potentiel est-il nul ?

16.18 Deux plaques métalliques chargées uniformément et distantes de 0,04 m produisent entre elles un champ uniforme de 10^4 N C^{-1}. Trouver

a) la charge par unité de surface Q/A portée par les plaques

b) la différence de potentiel entre ces plaques.

16.19 Au centre du carré de la figure 16.36, trouver

a) le champ électrique et

b) le potentiel.

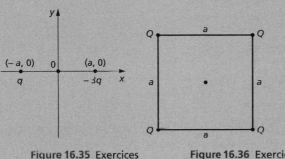

Figure 16.35 Exercices 16.16 et 16.17.

Figure 16.36 Exercice 16.19.

16.20 Une particule α est un noyau d'hélium avec une charge de $2e$ et une masse de $6,64 \times 10^{-27}$ kg. Supposons qu'une particule α soit accélérée du repos jusqu'à une vitesse de 10^7 m s^{-1} par des forces électriques dans le premier tronçon d'un accélérateur de particules. Quelle différence de potentiel faut-il pour obtenir cette accélération ?

16.21 Un électron et un proton sont tous deux placés au repos à mi-chemin entre deux plaques métalliques chargées.

a) Dans quelle direction l'électron sera-t-il accéléré ?

b) Dans quelle direction le proton sera-t-il accéléré ?

c) Quelle particule, s'il y en a une, aura acquis plus d'énergie cinétique que l'autre juste au moment de frapper une plaque ?

d) Quel est le rapport de leurs vitesses juste avant qu'elles frappent les plaques ?

16.22 Dans le modèle de Bohr de l'atome d'hydrogène, l'électron se déplace sur un cercle de rayon $5,29 \times 10^{-11}$ m. Trouver

a) le potentiel électrique dû au proton au niveau de ce cercle

b) l'énergie potentielle de l'électron en électron-volts et en joules.

Dipôles électriques

16.23 La molécule NH_3 a un moment dipolaire électrique permanent de $5,0 \times 10^{-30}$ C m. Si ce moment dipolaire est dû à des charges $+e$ et $-e$ situées en deux points de la molécule, quelle est la distance entre ces points ?

16.24 Bien qu'au total, un neutron n'ait pas de charge résultante, il présente une distribution de charge consistant en couches sphériques positives et négatives. Son moment dipolaire électrique n'a pas été détecté ; s'il possède un moment, celui-ci doit être inférieur à 10^{-45} C m d'après des expériences récentes. Le diamètre d'un neutron est environ 10^{-15} m. Quelles valeurs doivent avoir des charges égales et opposées, distantes de 10^{-15} m, pour produire un moment électrique dipolaire de 10^{-45} C m ? Exprimer le résultat en multiples de e.

16.25 Quelle énergie faut-il fournir pour retourner un dipôle électrique **p** d'une orientation parallèle à un champ électrique **E** à l'orientation antiparallèle ?

16.26 Un dipôle électrique consiste en deux charges de $\pm 10^{-4}$ C distantes de 10^{-5} m.

a) Que vaut le moment électrique dipolaire ?

b) Si le dipôle est dans un champ de 10^3 N C^{-1}, trouver les valeurs minimum et maximum de son énergie potentielle.

16.27 Un dipôle électrique est constitué de charges $\pm e$ distantes de 10^{-10} m. Il est placé dans un champ de 10^6 N C^{-1}. Que vaut le moment du couple sur le dipôle quand celui-ci est

a) parallèle au champ

b) à angle droit avec le champ

c) dans le sens opposé au champ ?

Capacité

16.28 Quelle est la charge d'un condensateur de 100 μF quand la différence de potentiel est 1 000 V ?

16.29 La différence de potentiel aux bornes d'un condensateur est de 100 V quand ses lames portent des charges de 10^{-5} C. Quelle est sa capacité électrique ?

16.30 Deux plaques métalliques carrées de 0,1 m de côté sont distantes de 10^{-3} m dans le vide. Trouver leur capacité.

Effets des diélectriques

16.31 On trouve qu'un condensateur, fait de fines feuilles d'aluminium séparées par du papier de 10^{-4} m d'épaisseur, a une capacité de 1 μF. Quelle est la surface d'une feuille ?

16.32 Des plaques métalliques sont placées de chaque côté d'une feuille de verre. La mesure de leur capacité donne 10^{-5} F. Si on les place à la même distance dans l'air, on trouve que leur capacité est 2×10^{-6} F. Que vaut la constante diélectrique du verre ?

16.33 Un éclair parcourt 500 m d'un nuage au sommet d'une montagne. Quelle est la différence de potentiel entre le nuage et le sommet ? (Supposer que le champ électrique est uniforme et que l'air « claque » et devient conducteur quand le champ atteint 8×10^5 V m^{-1}.)

16.34 Un condensateur à lames parallèles a une capacité de 2 μF quand les lames sont séparées par le vide. Les lames sont à 10^{-3} m l'une de l'autre et sont connectées à une pile qui maintient une différence de potentiel de 50 V entre elles.

a) Quelle est la charge des lames ?

b) Que vaut le champ électrique entre les lames ?

c) Si une feuille d'isolant, de constante diélectrique égale à 5, est insérée entre les lames, quelle est la nouvelle charge ?

d) Quel est le champ électrique avec la feuille isolante en place ?

16.35 Un condensateur est fait de feuilles métalliques d'épaisseur 5×10^{-5} m et séparées par du papier de 10^{-4} m d'épaisseur.

a) Quelle est la surface de la feuille dont on a besoin pour faire un condensateur de 0,1 μF ?

b) Si on roule de façon serrée le condensateur pour en faire un cylindre de 10 cm de long, quel en est le rayon ?

Énergie emmagasinée dans un condensateur

16.36 Un condensateur de 50 μF dans un flash électronique fournit une puissance moyenne de 10^4 W pendant 2×10^{-3} seconde.

a) À quelle différence de potentiel doit-on initialement charger le condensateur ?

b) Quelle est sa charge initiale ?

16.37 Un flash électronique utilise l'énergie emmagasinée dans un condensateur.

a) Quelle doit en être la capacité pour fournir une énergie de 30 J, s'il est chargé sous 1 000 V ?

b) Quelle charge portent les plaques ?

16.38 Une voiture peut-elle rouler sur l'énergie emmagasinée dans un condensateur ? Faire une estimation grossière pour étayer la réponse.

16.39 Deux plaques métalliques parallèles de 0,1 m^2 de surface sont distantes dans l'air de 0,01 m. Leur différence de potentiel est 1 000 V. Trouver

a) la charge des plaques et

b) l'énergie accumulée.

c) Une lame de diélectrique, de $K = 10$, est insérée de façon à remplir l'espace entre les plaques. La charge sur les plaques reste la même. Trouver la nouvelle différence de potentiel et l'énergie emmagasinée.

d) S'il y a des modifications de l'énergie accumulée, en expliquer la raison.

PROBLÈMES

16.40 Un électron est accéléré par un champ électrique constant, depuis le repos jusqu'à une vitesse de 10^6 m s^{-1}. Si la région d'accélération a 0,2 m de long, quelle est l'importance du champ électrique ?

16.41 La charge de l'électron a été déterminée pour la première fois par Millikan en 1909, en mesurant le champ électrique nécessaire pour compenser la force de pesanteur agissant sur une minuscule goutte d'huile. Supposons que la charge résultante de la goutte soit due à un électron en excès et que la masse de cette goutte soit 10^{-18} kg. Trouver le module et la direction du champ électrique vertical requis pour maintenir la goutte immobile.

16.42 Une charge de -10^{-6} C est placée à l'origine d'un plan *x-y*. Trouver le module et la direction du champ électrique en

a) $x = 1$ m, $y = 0$

b) $x = 0$, $y = -2$ m

c) = 2 m, $y = 2$ m.

16.43 Une plaque métallique circulaire de 0,2 m de rayon porte un excès de 10^{10} électrons distribués uniformément sur ses surfaces. Quels sont le module et la direction du champ juste à l'extérieur de la plaque, près de son centre ?

16.44 Estimer le module et la direction du champ à une distance de 10 m du centre de la plaque dans le problème précédent.

16.45 On place une charge q à l'origine et une charge $2q$ en $x = a$, $y = 0$. Trouver le potentiel en $x = a$, $y = a$.

16.46 Une particule de masse m et de charge positive q est injectée avec une vitesse $\mathbf{v}$ dans une région où règne un champ électrique uniforme $\mathbf{E}$ en sens opposé de $\mathbf{v}$. Quelle distance la particule parcourra-t-elle avant de s'arrêter et de repartir en sens inverse ?

16.47 Si on place un atome dans un champ électrique $\mathbf{E}$, sa distribution de charge est déformée de sorte qu'il en résulte un moment électrique dipolaire $\mathbf{p} = \alpha\mathbf{E}$, où α est la *polarisabilité* de l'atome.

a) Un atome de polarisabilité α est à une distance r d'un ion de charge $+e$, où r est grand par rapport à la taille de l'atome. Que vaut le moment dipolaire induit ?

b) Que vaut l'énergie potentielle d'interaction atome-ion ?

16.48 Deux dipôles $\mathbf{p}_1$ et $\mathbf{p}_2$ sont à une distance R l'un de l'autre. Cette distance est grande par rapport à celle entre les charges des dipôles. Trouver l'énergie électrique totale des dipôles quand ils sont orientés comme indiqué les figures 16.37*a* et *b*. (Un dipôle situé à l'origine et dirigé le long de l'axe y a un champ électrique en un point éloigné de l'axe x qui vaut $\mathbf{E} = -kp\hat{\mathbf{y}}/x^3$ et, sur l'axe y, le champ vaut $\mathbf{E} = 2kp\hat{\mathbf{y}}/y^3$.)

16.49 Le moment électrique dipolaire d'une molécule d'eau vaut $6,13 \times 10^{-30}$ C m.

a) Si ce moment dipolaire était dû à une paire de charges ponctuelles $\pm e$, à quelle distance devraient-elles être l'une de l'autre ? Trouver le rapport de cette distance au rayon d'un atome d'hydrogène, $5,29 \times 10^{-11}$ m.

b) Si le dipôle est parallèle à un champ électrique de 10^6 V m−1, quelle énergie, en joules et en électron-volts, faut-il pour retourner le dipôle dans le sens opposé au champ ?

c) À température ambiante, l'énergie cinétique moyenne d'une molécule est environ 0,04 eV. Quelle implication ceci a-t-il sur l'orientation des molécules d'eau dans un champ relativement élevé de 10^6 V m^{-1} ?

16.50 La figure 16.38 montre un modèle de molécule d'eau. Chaque atome d'hydrogène a une charge résultante positive q et l'atome d'oxygène a une charge résultante $-2q$. La distance l est $9,65 \times 10^{-11}$ m. La charge positive sur un atome d'hydrogène et la moitié de la charge négative sur l'atome d'oxygène forment un dipôle. Le moment dipolaire électrique total $\mathbf{p}$ de la molécule est la somme vectorielle des deux moments dipolaires H–O.

a) Quelle est la direction de $\mathbf{p}$?

b) Si $p = 6,0 \times 10^{-30}$ C m, quelle est la charge q en multiples de la charge e du proton ?

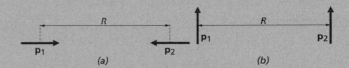

Figure 16.37 Problème 16.48.

16.51 Une fibre nerveuse d'un certain type (axone) est un cylindre de 10^{-4} m de diamètre et 0,1 m de long. L'intérieur est à un potentiel 0,09 V au-dessous de celui du fluide environnant ; il est séparé de ce fluide par une fine membrane. Des ions Na$^+$ sont transportés par une réaction chimique hors de la fibre à un taux de 3×10^{-11} mole par seconde et par cm^2 de membrane.

a) Quelle charge, en coulombs, est transportée par heure hors de la fibre ?

b) Que vaut le travail qui doit être effectué, par heure, contre les forces électriques ?

16.52 Les deux condensateurs de la figure 16.39 sont dits connectés en *parallèle*. Ils sont raccordés à une pile, de sorte que la différence de potentiel aux bornes de chacun est V. Montrer qu'un condensateur unique C_p prendrait la même charge si $C_p = C_1 + C_2$. (C_p est appelée la *capacité équivalente*.)

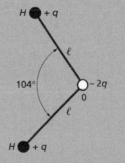

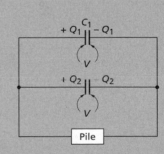

Figure 16.38 Problème 16.50.

Figure 16.39 Problèmes 16.52 et 16.53.

16.53 Sur la figure 16.39, $C_1 = 2$ µF et $C_2 = 4$ µF. En utilisant le résultat du problème précédent, trouver la capacité du condensateur équivalent qui prendrait la même charge quand on le connecte à la pile.

16.54 En utilisant le résultat du problème 16.52, montrer comment on peut assembler des condensateurs de 2 µF pour obtenir une capacité équivalente de 10 µF.

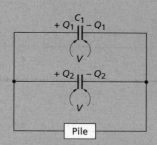

Figure 16.40 Problèmes 16.55 et 16.56.

16.55 On dit que les condensateurs de la figure 16.40 sont en *série*. Quand on les connecte à la pile de la façon indiquée sur la figure, ils prennent chacun la même charge Q. Montrer qu'un seul condensateur C, de charge Q aura une différence de potentiel $V = V_1 + V_2$ si

$$\frac{1}{C_s} = \frac{1}{C_1} + \frac{1}{C_2}$$

(C_s est appelée la capacité équivalente.)

16.56 Sur la figure 16.40, $C_1 = 2$ μF et $C_2 = 4$ μF. En utilisant le résultat du problème précédent, trouver la capacité équivalente qui maintiendrait la même différence de potentiel $V = V_1 + V_2$ avec la même charge Q.

Courants continus

CHAPITRE 17

Mots-clefs

Ampère • Ampèremètre • Conductivité • Courant électrique • Courants transitoires, stationnaires • Court-circuit • Constante de temps • Électrons de conduction • FEM • Kilowatt-heure • Galvanomètre • Loi d'Ohm • Prise de terre • Règles de Kirchhoff • Résistivité • Résistance • Résistances en série, en parallèle • Surcharge • Vitesse de dérive • Voltmètre

Introduction

La plupart des applications de l'électricité et du magnétisme font intervenir des charges en mouvement ou *courants* électriques dans des conducteurs. Des courants continus (cc) sont produits quand un chemin conducteur existe entre les bornes d'une pile, d'une batterie, ou de tout générateur continu. Ces dispositifs tendent à maintenir une différence de potentiel constante entre leurs bornes et convertissent d'autres formes d'énergie, comme de l'énergie chimique ou mécanique, en énergie électrique. Un courant alternatif (ca) est produit par un générateur alternatif, dont la différence de potentiel change de signe à une certaine fréquence caractéristique. Bon nombre des idées que nous développons dans ce chapitre peuvent être appliquées immédiatement, ou avec des changements mineurs, aux courants alternatifs aussi bien qu'aux courants continus.

Nous commencerons ce chapitre en définissant le courant électrique et la résistance. Nous considérerons ensuite les sources d'énergie et la transformation d'énergie dans les circuits. Enfin, nous discuterons les méthodes d'analyse des circuits complexes, les appareils de mesure électriques, la charge d'un condensateur à travers une résistance et la sécurité électrique.

17.1 COURANT ÉLECTRIQUE

Le *courant électrique* dans un fil est le débit de charge dans ce fil. Prenons, par exemple, la figure 17.1 ; des charges s'y déplacent dans un fil conducteur sous l'influence d'un champ électrique appliqué. Si une charge totale ΔQ traverse la surface de la section colorée en un temps Δt, le *courant moyen* est

$$\bar{I} = \frac{\Delta Q}{\Delta t} \qquad (17.1)$$

et le *courant instantané* est

$$I = \frac{dQ}{dt} \qquad (17.2)$$

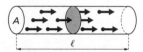

Figure 17.1 Un segment de fil conducteur. Les charges entrent par l'extrémité de gauche et sortent par l'extrémité de droite.

L'unité S.I. de courant est l'*ampère* (A). Il est souvent commode d'utiliser le *milliampère* (mA) ; 1 mA = 10^{-3} A. De la définition, on déduit qu'un ampère est un coulomb par seconde. (L'ampère est défini par la force magnétique entre deux courants dans des conditions bien spécifiées. Ceci, en conséquence, définit le coulomb. Voir paragraphe 19.8.) La définition du courant est utilisée dans l'exemple suivant, emprunté à l'électrochimie.

 ———————— **Exemple 17.1** ————————

Une cellule électrochimique consiste en deux électrodes d'argent placées dans une solution aqueuse de nitrate d'argent. On fait passer un courant constant de 0,5 A dans la cellule pendant 1 heure.

a) Que vaut la charge totale transportée à travers la cellule, exprimée en coulombs et en multiples de la charge de l'électron ?

b) Chaque électron atteignant la cellule neutralise un ion d'argent chargé positivement, qui se dépose alors sur l'électrode négative (cathode). Quelle est la masse totale de l'argent déposé ? (La masse atomique de l'argent est 107,9 uma.)

Réponse a) Puisque le courant est constant

$$\Delta Q = I \, \Delta t = (0,5 \text{ A})(1 \text{ h})$$
$$= (0,5 \text{ C s}^{-1})(3\,600 \text{ s}) = 1\,800 \text{ C}$$

Le rapport de ΔQ à la charge de l'électron est

$$N = \frac{\Delta Q}{e} = \frac{1\,800 \text{ C}}{1,60 \times 10^{-19} \text{ C}} = 1,13 \times 10^{22}$$

Ceci est le nombre d'ions d'argent transportés dans la cellule et déposés en une heure.

b) La masse de l'argent déposé est le nombre d'atomes multiplié par la masse d'un atome. En utilisant 1 uma = $1,66 \times 10^{-27}$ kg,

$$m = (1,13 \times 10^{22})(107,9 \text{ uma})(1,66 \times 10^{-27} \text{ kg uma}^{-1})$$
$$= 2,02 \times 10^{-3} \text{ kg}$$

Par convention, on suppose que le courant est dans le sens du mouvement des charges positives. Cependant, dans les conducteurs métalliques, les charges en mouvement sont des électrons. Dans les métaux, certains des électrons deviennent libres, laissant derrière eux des ions chargés positivement. Les ions lourds forment un réseau cristallin régulier et vibrent autour de leur position d'équilibre avec une énergie et une amplitude qui augmentent avec la température. Les *électrons de conduction* libres se déplacent au hasard entre les ions. En l'absence de champ électrique appliqué, la charge moyenne qui « s'écoule » dans toute direction est nulle. Quand on applique un champ électrique, les électrons acquièrent une *vitesse de dérive* moyenne dans le sens opposé du champ et il y a un courant résultant.

Nous pouvons relier le courant dans un fil à la densité d'électrons de conduction et à leur vitesse de dérive v. S'il y a n électrons par unité de volume, le nombre total d'électrons dans un volume V est alors nV. Le segment de fil de la figure 17.1 a une longueur ℓ et une section de surface A de sorte que son volume est $V = \ell A$. Il y a par conséquent $n\ell$ électrons dans le fil dont la charge totale vaut $en\ell A$. Le temps nécessaire pour que tous passent par l'extrémité du segment représenté est $\Delta t = \ell/v$ de sorte que le courant vaut

$$I = \frac{\Delta Q}{\Delta t} = \frac{en\ell A}{\ell/v} = enAv \qquad (17.3)$$

Le courant est le produit de la charge de l'électron, de la densité des électrons de conduction, de la surface et de la vitesse de dérive moyenne. Remarquons qu'un courant de charges positives dans une direction est équivalent à un courant de charges négatives dans la direction opposée. L'exemple suivant montre que la vitesse de dérive dans un métal typique est étonnamment faible.

 ———————— **Exemple 17.2** ————————

Du fil de cuivre de rayon 1 mm est souvent utilisé pour raccorder les prises électriques d'une installation domestique. S'il transporte un courant de 10 A, quelle est la vitesse de dérive des électrons ? (Le cuivre a un électron de conduction par atome, la masse atomique du cuivre est de 64 uma et la masse volumique du cuivre vaut 8900 kgm^{-3}.)

Réponse De l'équation (17.3), on tire que la vitesse de dérive est $v = I/neA$. On nous donne le courant I et nous pouvons immédiatement trouver la surface A à partir du rayon du fil, ce qui laisse seulement à déterminer la densité des électrons. Puisque le cuivre a un électron de conduction par atome, n est égal au nombre d'atomes par unité de volume. Le nombre d'atomes par unité de volume multiplié par la masse d'un atome M donne la masse d'une unité de volume de cuivre, qui est sa masse volumique d. (Ici, nous utiliserons d pour la masse volumique, plutôt que ρ comme au chapitre 3, pour éviter la confusion avec la résistivité ρ définie plus loin.) Ainsi donc $nM = d$, ou

$$n = \frac{d}{M} = \frac{8\,900 \text{ kg m}^{-3}}{(64 \text{ uma})\left(1,66 \times 10^{-27} \text{ kg uma}^{-1}\right)}$$

$$= 8,38 \times 10^{28} \text{ m}^{-3}$$

La vitesse de dérive est alors

$$v = \frac{I}{neA} = \frac{1}{ne\,\pi\,r^2}$$

$$= \frac{(10 \text{ A})}{\left(8,38 \times 10^{28} \text{ m}^{-3}\right)\left(1,6 \times 10^{-19} \text{ C}\right) \pi \left(10^{-3} \text{ m}\right)^2}$$

$$= 2,37 \times 10^{-4} \text{ m s}^{-1}$$

Les électrons se déplacent donc très lentement, contrairement à ce que l'on pourrait supposer : il leur faut à peu près 4 200 secondes, ou plus d'une heure, pour parcourir un mètre ! La vitesse moyenne thermique des électrons à température ambiante est d'environ 10^5 m s^{-1}, ce qui vaut à peu près 10^{10} fois la vitesse de dérive. D'autre part, les variations de champ électrique se propagent dans un fil à une vitesse proche de celle de la lumière. Ceci est analogue à la situation dans un fluide tel que l'air ou l'eau, où les effets des variations de pression se déplacent plus vite que le fluide lui-même.

17.2 LA RÉSISTANCE

17.2.1 La loi d'Ohm

Au chapitre 14, nous avons défini la résistance d'une section de tuyau à l'écoulement d'un fluide, comme étant la différence de pression divisée par le débit. De façon similaire, la *résistance électrique R* d'un conducteur est la différence de potentiel V entre ses extrémités divisée par le courant I,

$$R = \frac{V}{I} \tag{17.4}$$

L'unité S.I. de résistance est l'*ohm* ; un ohm est un volt par ampère.

Dans le cas de nombreuses substances, la différence de potentiel et le courant sont directement proportionnels, de sorte que la résistance est une constante indépendante du courant. Ceci est illustré à la figure 17.2 pour une longueur de fil de cuivre présentant, entre ses extrémités, une différence de potentiel ajustable V. Le courant augmente linéairement avec V et change de direction quand on inverse V, de sorte que le rapport $R = V/I$ est constant. On dit que des substances possédant une résistance constante obéissent à la *loi d'Ohm* et on les appelle les *conducteurs ohmiques*.

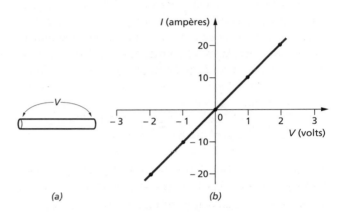

Figure 17.2 *(a)* Un fil de cuivre a une différence de potentiel V entre ses extrémités. *(b)* Le courant varie linéairement avec la différence de potentiel dans le fil, de sorte que c'est un conducteur ohmique.

La résistance de certains conducteurs varie avec l'importance ou la polarité de la différence de potentiel appliquée. Le fonctionnement de nombreux dispositifs électroniques, comme les tubes électroniques et les transistors, est basé sur leur caractère *non-ohmique* (figure 17.3). Le calcul de la résistance à partir de la définition $R = V/I$ pour un conducteur ohmique est illustré par l'exemple suivant.

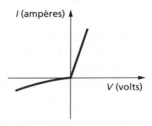

Figure 17.3 Graphe donnant le courant en fonction de la différence de potentiel pour un transistor redresseur. Le voltage appliqué, qui produit un courant élevé dans une direction, donne seulement un faible courant dans la direction opposée. Ceci est un exemple d'un conducteur qui ne satisfait pas à la loi d'Ohm.

Exemple 17.3

Trouver la résistance du fil de la figure 17.2.

Réponse La différence de potentiel est proportionnelle au courant, de sorte que la résistance est constante. Quand le courant vaut 10 A, la différence de potentiel est 1 V et

$$R = \frac{V}{I} = \frac{1\text{ V}}{10\text{ A}} = 0,1\text{ ohm}$$

17.2.2 La résistivité

La résistance d'un conducteur dépend de sa taille, de sa forme et de sa composition. Nous pouvons comprendre l'effet de la taille et de la forme au moyen de l'argument suivant. Si nous plaçons deux fils identiques côte à côte, le courant double et par conséquent, la résistance est réduite de moitié. Ainsi donc, R doit varier de façon inversement proportionnelle à la surface A de la section. Ensuite, si nous divisons par deux la longueur ℓ, la différence de potentiel et donc la résistance sont également divisées par deux, de sorte que R doit être proportionnelle à ℓ. Donc, nous pouvons écrire la résistance en termes de facteurs numériques et d'une constante, sous la forme

$$R = \frac{\rho\,\ell}{A} \qquad (17.5)$$

La constante de proportionnalité ρ (rhô) dépend seulement des propriétés de la substance et est appelée sa *résistivité*. L'unité S.I. pour la résistivité est l'ohm-mètre. Une liste de résistivités typiques est donnée par le tableau 17.1.

	Substance	Résistivité (ohm-mètres)
Conducteurs	Argent	$1,47 \times 10^{-8}$
	Cuivre	$1,72 \times 10^{-8}$
	Aluminium	$2,63 \times 10^{-8}$
Semi-conducteurs	Germanium	$0,60$
	Silicium	2300
Isolants	Soufre	10^{15}
	Verre	$10^{10} - 10^{14}$
Conducteurs ioniques	Fluides du corps humain	approx. $0,15$

Tableau 17.1 Résistivités à 20 °C, en ohm-mètres.

La *conductivité* σ (sigma), définie par

$$\sigma = \frac{1}{\rho} \qquad (17.6)$$

est quelquefois utilisée au lieu de la résistivité, pour caractériser les conducteurs. L'unité S.I. de conductivité est l'ohm^{-1} m^{-1}. Le calcul de la résistance d'un fil est illustré par l'exemple suivant.

Exemple 17.4

Trouver la résistance à température ambiante d'un fil de cuivre de 100 m de long et de rayon 1 mm = 10^{-3} m.

Réponse D'après le tableau 17.1, la résistivité du cuivre à température ambiante (20 °C) est $1,72 \times 10^{-8}$ ohm m. Par conséquent, la résistance de ce fil vaut

$$R = \frac{\rho\,\ell}{A} = \frac{\rho\,\ell}{\pi r^2}$$

$$= \frac{\left(1,72 \times 10^{-8}\text{ ohm m}\right)(100\,m)}{\pi\left(10^{-3}\text{ m}\right)^2}$$

$$= 0,547\text{ ohm}$$

17.3 THÉORIE ATOMIQUE DE LA RÉSISTANCE

Nous allons maintenant discuter un modèle atomique simple qui donne un aperçu de l'origine physique de la résistance électrique. Le modèle suppose que les électrons de conduction d'un métal se déplacent librement parmi les ions positifs avec une *vitesse thermique u* déterminée par la température. La direction de leur déplacement est fréquemment modifiée par des collisions avec les ions. La distance moyenne entre les collisions est appelée le *libre parcours moyen* λ (lambda) et joue un rôle clé dans la détermination de la résistance.

En l'absence de champ électrique, les électrons se déplacent au hasard et il n'y a de courant résultant dans aucune direction. Quand on maintient un champ électrique **E** dans le métal, les électrons chargés négativement subissent une force dans le sens opposé à **E** et ils acquièrent une vitesse de dérive moyenne parallèle à la force. Bien que cette vitesse de dérive v soit très petite par rapport à la vitesse thermique u, elle est responsable du courant (figure 17.4).

Supposons qu'une différence de potentiel V soit maintenue entre les extrémités d'un fil de longueur ℓ. Si le champ est uniforme, alors $E = V/\ell$. La force sur un électron vaut $eE = eV/\ell$ et l'accélération est

$$a = \frac{eV}{m\ell}$$

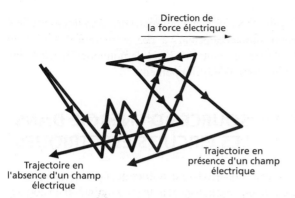

Direction de la force électrique

Trajectoire en présence d'un champ électrique

Trajectoire en l'absence d'un champ électrique

Figure 17.4 Une trajectoire aléatoire typique d'un électron avec et sans champ électrique appliqué. Une force électrique donne lieu à une faible vitesse de dérive résultante dans la direction de la force électrique. Remarquer comment le champ dévie constamment l'électron vers la droite.

Chaque fois qu'un électron subit une collision avec un ion, il est dévié au hasard et n'a plus tendance à se mouvoir parallèlement à la force électrique. La collision suivante a lieu après un temps t qui satisfait à $ut = \lambda$ ou $t = \lambda/u$. Entre les collisions, il acquiert une vitesse at. La vitesse de dérive moyenne v est la moitié de cette vitesse acquise entre deux collisions. de sorte que

$$v = \frac{1}{2}\frac{eV}{m\ell}\frac{\lambda}{u}$$

Si le fil a une section de surface A et qu'il y a n électrons de conduction par unité de volume, le courant résultant vaut alors

$$I = envA = \frac{ne^2\lambda}{2mu}\frac{A}{\ell}V$$

Ce résultat exprime que le courant est proportionnel à la différence de potentiel. Ainsi donc, notre modèle conduit à la loi d'Ohm, que l'on sait expérimentalement décrire de façon correcte le comportement de la plupart des métaux. En utilisant ensuite $R = \rho\ell/A$, l'expression du courant $I = V/R$ devient

$$I = \frac{V}{\rho\ell/A} = \frac{VA}{\rho\ell}$$

Si l'on compare ces deux expressions de I, on trouve que, dans le cadre du présent modèle, la résistivité est donnée par

$$\rho = \frac{2m\mu}{ne^2\lambda} \tag{17.7}$$

Seuls les facteurs n et λ dans cette formule de la résistivité dépendent du choix de la substance, puisque la charge e et la masse m de l'électron sont constantes et que la vitesse thermique u est déterminée par la température. Pour un métal, le nombre d'électrons de conduction est généralement d'un ou deux par atome. Estimer le libre parcours moyen λ est un peu plus difficile. La mécanique classique suggère que λ est comparable à la distance interatomique, mais cette valeur conduit à surestimer la résistivité à température ambiante par un facteur 100 ou plus. La théorie atomique moderne conduit au résultat remarquable, mais vérifié expérimentalement, que les électrons se déplacent tout à fait librement dans le réseau du cristal jusqu'à ce qu'ils rencontrent une irrégularité de ce réseau (figure 17.5). Cette imperfection peut être une impureté ou un ion du réseau déplacé à une certaine distance de sa position d'équilibre du fait de son mouvement de vibration thermique. À très basse température, l'amplitude des vibrations des ions du réseau est très petite, de sorte que, dans les métaux très purs, le libre parcours moyen d'un électron peut atteindre des milliers de fois la distance interatomique.

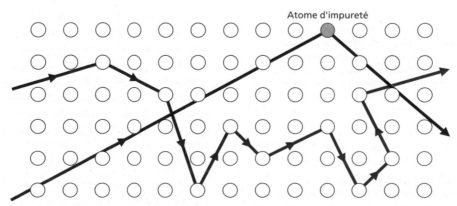

Atome d'impureté

Figure 17.5 La mécanique classique suggère que le libre parcours moyen pour un électron dans le réseau d'un cristal est comparable à la distance interatomique (trajectoire en noir). D'après la théorie atomique moderne, des collisions ont seulement lieu lorsqu'un électron rencontre une imperfection dans le réseau, telle que l'atome d'impureté dans la ligne supérieure (trajectoire en couleur). La théorie moderne est en accord avec les résistivités mesurées.

Les résistivités des isolants électriques dépassent celles des conducteurs d'un facteur pouvant aller jusqu'à 10^{22}. C'est là un facteur énorme, bien supérieur à celui de 10^4 entre les bons conducteurs thermiques et les isolants thermiques. Les substances qui sont de bons conducteurs électriques sont d'habitude de bons conducteurs thermiques, parce que les électrons libres transportent à la fois une charge et de l'énergie thermique. Les isolants ont très peu d'électrons libres, de sorte qu'ils ne conduisent aisément ni l'électricité, ni la chaleur. Certaines substances appelées *semi-conducteurs* ont des résistivités intermédiaires entre celles des conducteurs et des isolants. Ils n'ont qu'un nombre restreint de porteurs de charge, qui peuvent être soit des électrons, soit des charges positives dues à une absence d'électrons (trous). On emploie ces matériaux dans la fabrication de transistors et d'autres composants électroniques à semi-conducteur.

Lorsque l'on augmente la température, la vitesse moyenne des électrons s'accroît. De plus, le libre parcours moyen diminue, puisque l'amplitude de vibration des ions du réseau augmente. Par conséquent, l'équation (17.7) prédit que la résistivité doit également augmenter ; c'est bien ce que l'on observe expérimentalement dans les métaux (figure 17.6*a*). Cependant la résistivité d'un semi-conducteur décroît lorsque la température s'élève (figure 17.6*b*), parce que le nombre de porteurs de charge augmente rapidement avec la température, ce qui fait plus que compenser les variations du libre parcours λ et de la vitesse u dans l'équation (17.7).

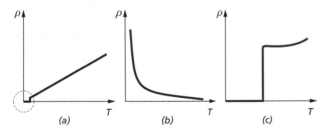

Figure 17.6 La résistivité en fonction de la température pour *(a)* un conducteur ; *(b)* un semi-conducteur. *(c)* À température suffisamment basse, un conducteur peut devenir supraconducteur. Ce graphique donne une vue agrandie de la partie entourée d'un cercle dans *(a)*.

À des températures de quelques degrés au-dessus du zéro absolu, certains corps deviennent supraconducteurs : leur résistance tombe apparemment à zéro (figure 17.6*c*). Une fois que l'on a établi un courant dans une boucle supraconductrice, il persiste pendant des années ; aucun générateur n'est nécessaire pour maintenir ce courant. Découvert par Heike Kamerlingh Onnes (1853-1926) en 1911, cet effet spectaculaire a été très étudié par les physiciens et présente un certain nombre d'applications utiles.

Depuis 1986, de nouvelles matières céramiques peuvent devenir supraconducteurs à des températures beaucoup plus élevées comme 140 K, et de nouvelles applications sont en cours de développement.

17.4 SOURCES D'ÉNERGIE DANS LES CIRCUITS ÉLECTRIQUES

Une source non électrique d'énergie, comme une pile ou un générateur, est indispensable pour maintenir un courant continu dans un chemin conducteur fermé ou *circuit*. Une source d'énergie de ce genre est appelée une *source de FEM*, qui est une abréviation pour le terme archaïque de force électromotrice. La FEM, que nous définirons plus bas, a les dimensions d'un potentiel électrique et non d'une force.

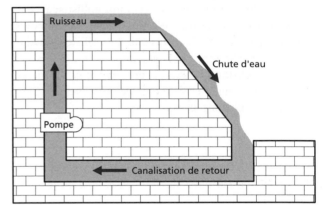

Figure 17.7 Le travail effectué par la pompe est égal à l'énergie dissipée en chaleur par la chute d'eau. La force conservative de gravitation n'effectue pas de travail sur l'eau qui exécute un tour complet du système.

Pour clarifier le rôle d'une FEM dans un circuit, considérons la situation analogue constituée par de l'eau se déplaçant sous l'effet de forces de pesanteur. La figure 17.7 montre un ruisseau artificiel et une chute d'eau construits dans un jardin à des fins de décoration. Dans les chutes, l'eau descend d'une distance verticale h, de sorte que l'énergie potentielle de pesanteur d'une masse m diminue de mgh. Cette énergie est convertie en énergie cinétique durant l'accélération de l'eau et est finalement transformée en chaleur, $Q = mgh$, quand l'eau gicle parmi les rochers des chutes. Si on n'amène pas d'eau en haut du ruisseau, l'écoulement s'arrête presque immédiatement. Cependant l'eau est reconduite au ruisseau par une pompe qui effectue un travail $w = mgh$ contre la force de pesanteur. La force conservative de gravitation apporte à l'eau un travail positif égal à mgh quand elle descend, et un travail négatif $-mgh$ quand elle monte.

Ces travaux se compensent exactement, de sorte que la force conservative de gravitation n'effectue aucun travail résultant quand l'eau effectue un tour complet du système. L'énergie W apportée par la pompe est exactement égale à l'énergie calorifique Q engendrée dans la chute. Remarquer que, si nous introduisons dans la chute d'eau une roue à aubes faisant tourner une machine, une partie de l'énergie apportée par la pompe sera alors utilisée pour effectuer un travail mécanique au lieu d'être convertie en chaleur.

La figure 17.8 montre un système électrique qui est l'analogue d'une chute d'eau *sans* pompe. Deux conducteurs portent des charges égales et opposées, de sorte qu'il y a une différence de potentiel entre eux. Quand on les connecte par un fil métallique, il se produit, pendant un court instant, un déplacement de charges, qui s'arrête lorsque les charges se sont neutralisées et que la différence de potentiel est réduite à zéro.

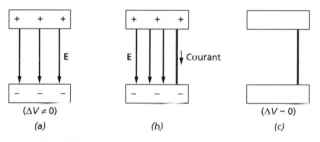

Figure 17.8 L'analogue électrique d'une chute d'eau sans pompe.

Pour maintenir un courant stationnaire, une *pompe* ou source de FEM doit fournir de l'énergie. Sur la figure 17.9, une pile est connectée à la résistance par des fils qui sont des conducteurs parfaits. Quand une charge traverse la pile, elle est *pompée* par des forces non électriques jusqu'à

une position d'énergie potentielle supérieure. L'énergie requise à cet effet est fournie par des réactions chimiques ayant lieu dans la pile. Dans la résistance, la charge se déplace dans le sens de la force électrique et l'énergie cinétique qu'elle acquiert est transformée en chaleur. La force conservative du champ électrique effectue un travail positif dans la résistance, un travail négatif dans la pile et un travail total nul quand la charge effectue un tour complet du circuit. L'effet résultant des différents transferts d'énergie est que l'énergie chimique en réserve dans la pile est transformée en chaleur dans la résistance. On a une analogie complète avec l'énergie fournie par la pompe, qui est convertie en chaleur dans la chute d'eau.

Deux autres aspects de l'analogie valent d'être observés. On peut remplacer la résistance dans le circuit par n'importe quel autre type de charge*, comme un moteur électrique, par exemple. L'énergie chimique de la pile est alors convertie en énergie mécanique, tout comme l'énergie fournie par la pompe est utilisée pour effectuer un travail mécanique si on introduit une roue à aubes. De plus, de la même façon que la pompe a fourni de l'énergie, mais n'a pas modifié le volume d'eau disponible, la pile ne peut ni produire ni détruire des charges. Quel que soit le courant qui entre dans la pile de la figure 17.9, il doit en ressortir tel quel, et le courant dans la résistance ainsi que dans les fils de connexion doit aussi avoir la même valeur. *Une pile, ou un générateur, convertit une autre forme d'énergie en énergie électrique, mais n'est pas une source de charge électrique.*

La FEM $\mathcal{E}$ de la pile, ou générateur, est définie comme le *travail effectué par unité de charge, par les forces non électriques*. Son unité S.I. est un joule par coulomb, ou volt, qui est aussi l'unité du potentiel électrique.

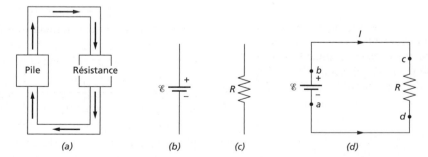

Figure 17.9 *(a)* Une pile est connectée par des fils parfaitement conducteurs à une résistance. *(b)* Le symbole pour une FEM utilisé dans les diagrammes de circuits. Le trait le plus long et le symbole + indiquent la borne de potentiel le plus élevé. *(c)* Le symbole pour une résistance. *(d)* Le circuit de *(a)* redessiné avec les symboles conventionnels.

---

* Ne pas confondre charge, dans le sens de circuit électrique extérieur consommant du courant, et charge électrique.

Dans le cas du circuit de la figure 17.9, nous pouvons relier le courant I à la FEM $\mathcal{E}$ et à la résistance R, en utilisant les variations de potentiel observées quand nous effectuons un tour complet du circuit. Ceci est équivalent à trouver les variations d'énergie potentielle pour une unité de charge positive. En procédant dans le sens des aiguilles d'une montre, ces variations sont :

De a à b : V augmente de $\mathcal{E}(\Delta V = \mathcal{E})$; l'accroissement de potentiel dans la batterie est égal à la FEM.

De b à c : V est constant ($\Delta V = 0$) ; en effet, la différence de potentiel est égale à IR, le courant multiplié par la résistance, et la résistance est nulle pour un conducteur parfait.

De c à d : V *décroît* de $IR(\Delta V = -IR)$.

De d à a : V est constant ($\Delta V = 0$) ; de nouveau, aucune modification de potentiel ne se produit dans un conducteur parfait. Quand une charge se déplace le long d'un trajet fermé et revient à son point de départ, son énergie potentielle doit reprendre la valeur initiale, puisque les forces électriques sont conservatives et donc, au total, n'effectuent aucun travail. La somme des variations de potentiel doit alors être nulle, c'est-à-dire $\mathcal{E} - IR = 0$. Il est équivalent de dire que l'augmentation de potentiel dans la pile doit être égale à la diminution dans la résistance :

$$\mathcal{E} = IR \qquad (17.8)$$

Ce résultat est illustré par l'exemple suivant.

 ———————— **Exemple 17.5** ————————

Une pile sèche de FEM égale à 6 V est raccordée à une ampoule de 4 ohms de résistance. Trouver le courant.

Réponse Comme $\mathcal{E} = IR$, le courant vaut

$$I = \frac{\mathcal{E}}{\mathcal{R}} = \frac{6 \text{ V}}{4 \text{ ohms}} = 1{,}5 \text{ A}$$

Habituellement, des effets dissipatifs de diverse nature se produisent dans les piles et les générateurs réels. On peut se représenter ces effets comme des *résistances internes*. Ils ont pour conséquence que le voltage aux bornes du générateur est différent de la FEM ; ils peuvent aussi entraîner une importante dissipation de chaleur. Par exemple, l'électrolyte dans les batteries peut se mettre à bouillir si le courant est suffisamment élevé. Ces effets sont illustrés dans les deux exemples suivants.

 ———————— **Exemple 17.6** ————————

Une pile de 6 V de FEM et de résistance interne $r = 2$ ohms est raccordée à une ampoule de $R = 4$ ohms (figure 17.10). Trouver

a) le courant et

b) la différence de potentiel aux bornes de la pile.

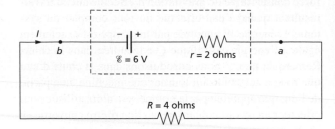

Figure 17.10 Ici, le voltage aux bornes de la pile est plus faible que la FEM à cause de la résistance interne.

Réponse a) L'augmentation de potentiel due à la FEM doit être égale au total des chutes de potentiel dans les résistances, de sorte que

$$\mathcal{E} = IR + Ir$$

et

$$I = \frac{\mathcal{E}}{R + 2} = \frac{6 \text{ V}}{(2 + 4) \text{ ohms}} = 1 \text{ A}$$

b) Le voltage aux bornes de la pile est la différence de potentiel V_{ab} entre les points a et b. Il est égal à la FEM moins la chute de potentiel associée à la résistance interne, de sorte que

$$V_{ab} = \mathcal{E} - Ir = 6 \text{ V} - (1 \text{ A})(2 \text{ ohms}) = 4 \text{ V}$$

Nous pouvons obtenir le même résultat à partir de

$$V_{ab} = IR = (1 \text{ A})(4 \text{ ohms}) = 4 \text{ V}$$

Nous voyons que la différence de potentiel aux bornes d'une pile réelle est différente de la FEM quand elle débite un courant.

 ———————— **Exemple 17.7** ————————

Deux piles sont connectées à une résistance suivant le schéma de la figure 17.11. Trouver

a) le courant et

b) la différence de potentiel aux bornes de chaque pile.

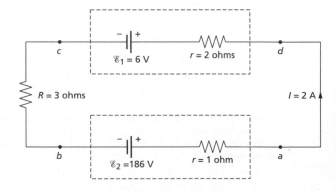

Figure 17.11 Exemples 17.7 et 17.8.

Réponse a) Puisque les piles sont connectées de manière que leurs polarités soient opposées, la direction du courant est déterminée par la FEM la plus élevée et, sur la figure 17.11, circule dans le sens contraire des aiguilles d'une montre. En parcourant le circuit dans le sens du courant, le potentiel *s'accroît* de $\mathcal{E}_2$ dans le générateur qui a la plus grande FEM et *décroît* de $\mathcal{E}_1$ dans l'autre générateur. On obtient le courant à partir de

$$\mathcal{E}_2 - \mathcal{E}_1 = I(r_1 + r_2 + R)$$

Donc

$$I = \frac{\mathcal{E}_2 - \mathcal{E}_1}{r_1 + r_2 + R} = \frac{(18 - 6)\ \text{V}}{(2 + 1 + 3)\ \text{ohms}} = 2\ \text{A}$$

b) Les différences de potentiel aux bornes des piles sont

$$V_{ab} = \mathcal{E}_2 - Ir_2 = 18\ \text{V} - (2\ \text{A})(1\ \text{ohm}) = 16\ \text{V}$$
$$V_{dc} = \mathcal{E}_1 + Ir_1 = 6\ \text{V} + (2\ \text{A})(2\ \text{ohms}) = 10\ \text{V}$$

Remarquer que la différence de potentiel V_{dc} aux bornes du premier générateur est, dans ce cas, supérieure à la FEM. En calculant la différence de potentiel entre les points c et d, nous nous déplaçons dans le sens opposé au courant. Nous observons donc un *accroissement* de potentiel dans la résistance aussi bien que dans la FEM. La différence de potentiel dépasse la FEM seulement quand le courant est forcé de circuler « à l'envers » dans la pile par une autre FEM supérieure.

17.5 LA PUISSANCE DES CIRCUITS ÉLECTRIQUES

Dans un circuit, l'énergie est initialement convertie, à partir d'une autre forme d'énergie, en énergie potentielle électrique par une pile ou un générateur. Elle est ensuite transformée en chaleur, en énergie mécanique ou en toute autre forme d'énergie, dans la charge constituée par le circuit connecté au générateur. Dans ce paragraphe, nous calculons la puissance, ou taux de conversion d'énergie, dans différentes parties d'un circuit.

La figure 17.12 montre un *élément de circuit* (une partie d'un circuit) présentant une différence de potentiel V entre ses bornes et parcouru par un courant I. Si l'élément est une pile, ou une batterie, V est son voltage ; si c'est une résistance R, V est alors, en grandeur, égal à IR. En un temps Δt, une charge électrique ΔQ passe par l'élément. La modification d'énergie potentielle de cette charge est $V\Delta Q = VI\Delta t$ qui doit être égale au travail ΔW apporté par l'élément à la charge électrique considérée. En divisant ce travail par le temps Δt, on obtient l'expression de la puissance valable dans tout élément de circuit

$$\mathcal{P} = \frac{\Delta W}{\Delta t} = IV \quad \text{(pour tout élément de circuit)} \quad (17.9)$$

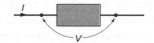

Figure 17.12 Un élément de circuit est une partie d'un circuit complet, par exemple une pile ou une résistance.

Si le courant circule dans le sens des potentiels croissants, l'élément de circuit fournit de l'énergie. Quand le courant est dans la direction des V décroissants, comme c'est le cas pour une résistance ou un moteur, l'élément reçoit ou dissipe de l'énergie. Pour une FEM, la différence de potentiel est $\mathcal{E}$, de sorte que

$$\mathcal{P} = I\mathcal{E} \quad \text{(FEM)} \quad (17.10)$$

Pour une résistance, $V = IR$ et

$$\mathcal{P} = I^2R \quad (17.11)$$

Dans tout circuit électrique, la puissance fournie est toujours égale à la puissance dissipée, sauf en présence d'un condensateur ou d'un autre dispositif capable d'emmagasiner de l'énergie. L'exemple suivant illustre les idées que nous venons de développer.

✎ —————— **Exemple 17.8** ——————

Calculer la puissance fournie à (ou par) chaque élément du circuit de la figure 17.11.

Réponse Dans la pile ou batterie la plus forte, la FEM fournit une puissance $I\mathcal{E}_2$ et la résistance interne dissipe de la chaleur avec une puissance de I^2r_2. Donc, la puissance nette fournie par cette pile vaut

$$\mathcal{P}_2 = I\mathcal{E}_2 - I^2r_2$$
$$= (2\ \text{A})(18\ \text{V}) - (2\ \text{A})^2(1\ \text{ohm})$$
$$= 32\ \text{W}$$

L'autre pile ou batterie *reçoit du travail* effectué par le courant, puisque la charge se déplace de la borne à potentiel élevé vers celle à potentiel bas. La puissance absorbée par cette batterie est

$$\mathcal{P}_1 = I\mathcal{E}_1 + I^2r_1$$
$$= (2\ \text{A})(6\ \text{V}) + (2\ \text{A})^2(2\ \text{ohms})$$
$$= 20\ \text{W}$$

Enfin, la résistance R dégage de la chaleur au taux de

$$\mathcal{P}_R = I^2R = (2\ \text{A})^2(3\ \text{ohms}) = 12\ \text{W}$$

Remarquer que la puissance fournie par la pile ou batterie la plus forte est égale à la puissance dissipée dans R plus la puissance absorbée par la batterie la plus faible. Ceci n'est rien d'autre que la loi de conservation de l'énergie écrite sous une autre forme.

Les compagnies d'électricité font payer à leurs clients l'énergie électrique utilisée, qui est le produit de la puissance électrique par le temps. L'énergie électrique est habituellement vendue au kilowatt-heure (kWh), qui correspond à une puissance de un kilowatt pendant une heure, de sorte que

$$1 \text{ kWh} = (10^3 \text{ W})(3\,600 \text{ s})$$
$$= 3,6 \times 10^6 \text{ J} \qquad (17.12)$$

Le plus souvent, l'électricité domestique en Amérique du Nord est équivalente à du 120 V continu, bien qu'en réalité il s'agisse de courant alternatif à une fréquence de 60 Hz*. Comme nous le verrons au chapitre 20, pour des circuits résistifs et des calculs de puissance, un voltage *efficace* de 120 V alternatif a les mêmes effets qu'un de 120 V continu. Le calcul du prix de fonctionnement d'un dispositif électrique typique est illustré par l'exemple suivant.

 —————— **Exemple 17.9** ——————

Pour une lampe d'éclairage domestique de 60 W fonctionnant en 120 V aux États-Unis, trouver

a) le courant ;

b) la résistance ;

c) le coût de fonctionnement pendant 24 heures, si l'énergie coûte 10 cents au kilowatt-heure.

Réponse   a) Puisque la puissance de tout élément de circuit est égale à *VI*,

$$I = \frac{\mathcal{P}}{V} = \frac{60 \text{ W}}{120 \text{ V}} = 0,5 \text{ A}$$

b) La résistance vaut

$$R = \frac{V}{I} = \frac{120 \text{ V}}{0,5 \text{ A}} = 240 \text{ ohms}$$

c) La puissance de l'ampoule est de 60 W ou 0,060 kW. Le coût d'utilisation pour 24 heures est donc

$$(0,06 \text{ kW})(24 \text{ h})\left[10 \text{ cents (kWh)}^{-1}\right] = 14,4 \text{ cents}$$

17.6 RÉSISTANCES EN SÉRIE ET EN PARALLÈLE ; LES RÈGLES DE KIRCHHOFF

Si on examine l'intérieur d'un poste de télévision ou d'un amplificateur stéréophonique, on découvre rapidement que les circuits sont souvent très complexes. Il reste cependant possible d'analyser un circuit continu, aussi complexe soit-il, pour trouver les courants et les voltages

en chaque point, au moyen de deux règles de base formulées par Kirchhoff. On peut également généraliser ces règles pour travailler avec des circuits alternatifs. Nous montrerons ici comment on peut les utiliser pour simplifier la discussion de circuits contenant certaines combinaisons de résistances.

La première règle nous est déjà familière et se déduit de la nature conservative des forces électriques :

1. La somme des différences de potentiel le long de tout chemin fermé est nulle.

La seconde règle est une reformulation d'un autre principe de base, la conservation de la charge. Supposons qu'un courant se divise en deux ou plusieurs courants, en un point où un certain nombre de fils électriques se rejoignent. Aucune charge ne peut être perdue ou créée ; il ne peut non plus y avoir accumulation de charge en ce point. Par conséquent :

2. En tout point d'un circuit, le courant entrant doit être égal au courant sortant.

Nous pouvons utiliser les règles de Kirchhoff pour discuter les combinaisons de résistances en série et en parallèle. Deux ou plusieurs résistances sont en *série* si le même courant parcourt chacune d'elles (figure 17.13). D'après la première règle, la somme des différences de potentiel le long du circuit est nulle, c'est-à-dire

$$\mathcal{E} - IR_1 - IR_2 - IR_3 = 0$$

Donc

$$I = \frac{\mathcal{E}}{R_1 + R_2 + R_3}$$

Une résistance équivalente unique R_s connectée à la pile produira le même courant si $I = \mathcal{E}/R_s$, c'est-à-dire si

$$R_s = R_1 + R_2 + R_3 + \cdots \qquad (17.13)$$

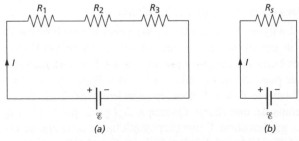

Figure 17.13 *(a)* Trois résistances en série. *(b)* La résistance équivalente R_s conduit au même courant *I*.

---

* En Europe : 220 V, 50 Hz (N.d.T.)

Deux ou plusieurs résistances sont en *parallèle* si elles ont une différence de potentiel commune (figure 17.14). D'après la seconde règle, le courant entrant au point *a* doit être égal au courant sortant, c'est-à-dire

$$I = I_1 + I_2 + I_3$$

En appliquant $I = \mathcal{E}/R$ à chaque résistance, on obtient

$$I_1 = \mathcal{E}/R_1, \quad I_2 = \mathcal{E}/R_2 \quad \text{et} \quad I_3 = \mathcal{E}/R_3$$

d'où
$$I = \frac{\mathcal{E}}{R_1} + \frac{\mathcal{E}}{R_2} + \frac{\mathcal{E}}{R_3}$$

Une résistance équivalente unique R_p donnera lieu au même courant *I* si

$$I = \frac{\mathcal{E}}{R_p}$$

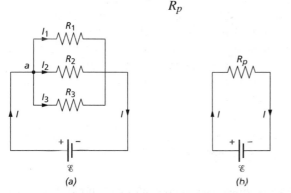

Figure 17.14 *(a)* Trois résistances en parallèle. *(b)* La résistance équivalente unique R_p produit le même courant *I*.

En comparant les formules, nous voyons que

$$\frac{1}{R_p} = \frac{1}{R_1} + \frac{1}{R_2} + \frac{1}{R_3} + \cdots \qquad (17.14)$$

L'exemple suivant illustre comment on peut parfois utiliser en même temps les formules de résistances en série et en parallèle pour analyser des ensembles complexes de résistances.

Exemple 17.10

a) Trouver la résistance équivalente des résistances de la figure 17.15*a*.

b) Trouver le courant dans chaque résistance.

Réponse a) Au point *a*, le courant *I* se sépare en deux courants I_1 et I_2. I_1 circule dans chaque résistance de 1 ohm, de sorte que ces résistances sont en série. Leur résistance équivalente vaut alors

$$R_s = 1 \text{ ohm} + 1 \text{ ohm} + 1 \text{ ohm} = 3 \text{ ohms}$$

Ceci réduit le circuit à deux résistances de 3 ohms en parallèle (figure 17.15*b*). La résistance effective de l'ensemble du système s'obtient à partir de

$$\frac{1}{R_p} = \frac{1}{3 \text{ ohms}} + \frac{3}{3 \text{ ohms}} = \frac{2}{3 \text{ ohms}}$$

Donc

$$R_p = 1{,}5 \text{ ohm}$$

comme le montre la figure 17.15*c*.

b) On calcule le courant *I* dans la pile en utilisant la résistance équivalente du système, 1,5 ohms. Ainsi donc

$$I = \frac{\mathcal{E}}{R} = \frac{6 \text{ V}}{1{,}5 \text{ ohm}} = 4 \text{ A}$$

Comme on le voit facilement sur la figure 17.15*b*, on doit avoir la même chute de potentiel dans chacune des deux résistances. Puisque les résistances sont égales, le courant dans chacune d'elles doit aussi être le même. On en déduit que chaque courant est la moitié du courant total, c'est-à-dire que

$$I_1 = I_2 = \frac{1}{2}I = \frac{1}{2}(4 \text{ A}) = 2 \text{ A}$$

Le courant dans chaque résistance est 2 A.

Certains circuits ne peuvent être analysés au moyen des formules de résistances en série et en parallèle. On doit alors appliquer directement les règles de Kirchhoff.

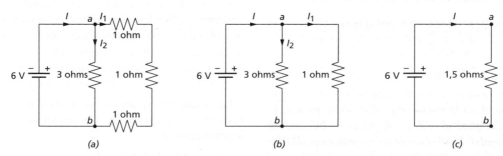

Figure 17.15 *(a)* Le réseau complet. *(b)* Le réseau équivalent simplifié obtenu en utilisant la formule des résistances en série. *(c)* Le réseau équivalent final obtenu au moyen de la formule des résistances en parallèle.

17.7 LES RÈGLES DE KIRCHHOFF DANS DES CIRCUITS COMPLEXES

Nous venons de remarquer que les règles de Kirchhoff permettent d'analyser n'importe quel circuit en courant continu, y compris les circuits trop complexes pour que les formules de résistances en parallèle et en série soient applicables. La procédure est simple en principe, mais il faut faire attention, lorsqu'on établit les équations, d'écrire les termes avec le signe correct.

Rappelons les règles :

1. Choisir arbitrairement un sens pour les intensités dans chaque branche.

2. Définir arbitrairement un sens positif de parcours dans les mailles.

3. La somme des courants en un nœud est égale à zéro (première loi de Kirchhoff).

4. La seconde loi de Kirchhoff appliquée aux mailles donne en respectant le sens positif de parcours

$$\Sigma R_i I_i = \Sigma E_i$$

Le produit $R_i I_i$ sera positif si le courant a été choisi dans le sens positif du parcours ; de même un générateur E_i sera positif si le sens de parcours entre par le pôle négatif.

Il est nécessaire d'écrire autant d'équations que d'inconnues. Si la résolution des équations conduit à des intensités négatives, cela signifie que ces courants sont, en réalité, de sens contraires à ceux choisis.

Pour une branche AB parcourue dans le sens de A vers B, les signes de E_i et I suivent les mêmes conventions que précédemment, alors on peut écrire

$$V_A - V_B = \sum_i R_i I - \sum_i E_i$$

Nous allons illustrer l'application de ces règles au moyen de l'exemple suivant.

✎ —————— Exemple 17.11 ——————

Trouver les courants dans le circuit de la figure 17.16.

Réponse Nous commencerons par appliquer la seconde règle au point d, où I_1 et I_3 entrent et I_2 sort. D'après la règle,

$$I_1 + I_3 = I_2 \tag{i}$$

Nous pouvons aussi appliquer cette règle au point a, mais nous obtenons alors la même équation, avec partout le signe moins. En général, *s'il y a n points de bifurcation de courant (nœuds), la seconde règle ne peut nous donner que n − 1 équations indépendantes.*

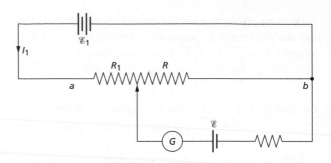

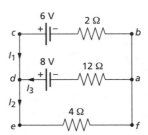

Figure 17.16 Exemple 17.11.

Nous appliquerons maintenant la première règle aux boucles *abcda* et *adefa*. En négligeant les unités, nous obtenons

$$-2I_1 + 6 - 8 + 12i_3 = 0 \tag{ii}$$
$$-12I_3 + 8 - 4I_2 = 0 \tag{iii}$$

Nous pouvons aussi appliquer la première règle à la boucle extérieure *abcdefa* ; cela donne la même équation que celle que nous obtiendrions en additionnant l'équation (ii) et l'équation (iii) de sorte que nous n'avons ainsi rien obtenu de neuf. En général, *une fois que l'on a appliqué la première règle à chaque petite boucle, on a extrait toute l'information que cette règle peut fournir.*

Pour résoudre ce problème à trois courants inconnus, il nous faut trois équations indépendantes ; nous avons maintenant trouvé ces trois équations. Résoudre trois équations linéaires à trois inconnues est immédiat si on sait comment utiliser les déterminants. Une autre méthode est de combiner deux de ces équations pour éliminer une inconnue, réduisant ainsi le problème à deux équations à deux inconnues. On peut ensuite résoudre ces équations en suivant la méthode de l'appendice B4.

Le système d'équations que nous avons ici est relativement simple à résoudre. De l'équation (ii), nous tirons immédiatement

$$I_1 = 6I_3 - 1 \tag{iv}$$

L'équation (iii) donne

$$I_2 = 2 - 3I_3 \qquad (v)$$

Si nous remplaçons I_1 et I_2 par ces expressions dans l'équation (i), nous obtenons

$$(6I_3 - 1) + I_3 = (2 - 3I_3)$$

En résolvant, nous avons

$$I_3 = 0,3 \text{ A}$$

En substituant ce résultat dans les équations (iv) et (v), nous obtenons

$$I_1 = 0,8 \text{ A}, \quad I_2 = 1,1 \text{ A}$$

17.8 VOLTMÈTRES ET AMPÈREMÈTRES

Les appareils de mesure les plus fondamentaux en courant continu sont le *voltmètre* et l'*ampèremètre* qui mesurent respectivement des différences de potentiel et des courants. L'un et l'autre contiennent un *galvanomètre*, qui consiste en un bobinage de fil formant un cadre suspendu dans le champ magnétique d'un aimant. Ce cadre est attaché à un fil de torsion, qui s'oppose à sa rotation. Quand l'enroulement est parcouru par un courant, la force magnétique sur les charges en mouvement oblige le cadre à tourner d'un angle proportionnel à ce courant. En général, quelques milliampères produisent une déviation maximum et la résistance de l'enroulement est de 10 à 100 ohms environ.

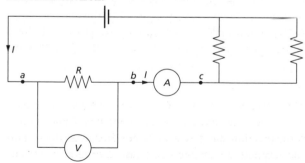

Figure 17.17 Le voltmètre (V) est placé en parallèle avec la résistance R. Il indique la différence de potentiel aux bornes de R. L'ampèremètre (A) est en série avec R et donne le courant qui parcourt R.

La figure 17.17 illustre comment on emploie un voltmètre et un ampèremètre. Pour mesurer la différence de potentiel aux bornes d'un élément de circuit, on connecte le *voltmètre en parallèle* avec cet élément. La formule de résistances en parallèle montre que la résistance du voltmètre doit être grande en comparaison de celle de

l'élément, afin d'éviter des modifications importantes de courant dans le circuit. Pour mesurer le courant dans un élément, on doit insérer l'*ampèremètre en série* avec cet élément. Par conséquent, comme le montre la formule des résistances en série, la résistance de l'ampèremètre doit être faible pour rendre minimum les modifications de courant.

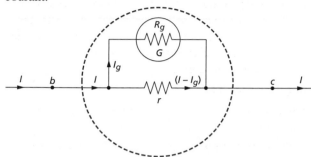

Figure 17.18 Un ampèremètre est un appareil à cadre mobile en parallèle avec une résistance de faible valeur r. Les deux points b et c marquent des points du circuit de la figure 17.13. I est le courant que l'on mesure.

Pour construire un ampèremètre, on connecte une résistance r de faible valeur, souvent appelée *shunt*, en parallèle avec un galvanomètre à cadre mobile (figure 17.18). Si le courant dans le circuit est I, une faible partie de ce courant, I_g, passe par la résistance relativement élevée de l'enroulement du cadre du galvanomètre. Le courant restant, $I - I_g$, traverse r. Puisque la chute de potentiel dans le galvanomètre et dans la résistance en parallèle doivent être les mêmes, il s'ensuit que

$$I_g R_g = (I - I_g) r \qquad (17.15)$$

Le choix de r est déterminé par la gamme de mesure recherchée. Ceci est illustré par l'exemple suivant.

Exemple 17.12

Un galvanomètre de 100 ohms de résistance, donne une déviation maximum pour un courant de 1 mA.

a) De quel shunt a-t-on besoin pour le convertir en un ampèremètre dont la gamme de mesure soit de 0 à 20 A ?

b) Quelle est la résistance de l'ampèremètre ?

Réponse a) En utilisant l'équation (17.15),

$$r = \frac{R_g I_g}{(I - I_g)} = \frac{(100 \text{ ohms})(0,001 \text{ A})}{(20 \text{ A} - 0,001 \text{ A})}$$

Puisque nous travaillons avec trois chiffres significatifs, nous pouvons négliger le terme de 0,001 A dans le dénominateur. D'où

$$r \simeq \frac{(100 \text{ ohms})(0,001 \text{ A})}{20 \text{ A}} = 0,005 \text{ ohm}$$

($\simeq$ signifie approximativement égal).

b) Puisque r est beaucoup plus petit que R_g, la résistance de l'ampèremètre est très proche de r :

$$\frac{1}{R_A} = \frac{1}{r} + \frac{1}{R_g}$$

$$= \frac{1}{0,005 \text{ ohm}} + \frac{1}{100 \text{ ohms}} \simeq \frac{1}{0,005 \text{ ohm}}$$

et $R_A = 0,005$ ohm.

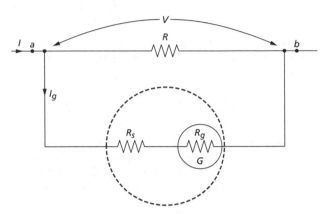

Figure 17.19 Un voltmètre est un galvanomètre en série avec une résistance R_s, de valeur élevée. Les points a et b marquent des points dans le circuit de la figure 17.13. V est la différence de potentiel entre a et b que l'on est en train de mesurer.

Pour réaliser un voltmètre, on place une résistance R_s de valeur élevée en série avec le cadre du galvanomètre (figure 17.19). La différence de potentiel V aux bornes du voltmètre est

$$V = I_g \left(R_g + R_s \right)$$

de sorte que

$$R_s = \frac{V}{I_g} - R_g \qquad (17.16)$$

De nouveau la gamme de mesure recherchée détermine R_s, comme on le voit dans l'exemple suivant.

 ────────── **Exemple 17.13** ──────────

Le galvanomètre de l'exemple 17.12 a une résistance de 100 ohms et donne une déviation maximum pour un courant de 1 mA.

a) Comment peut-on le convertir en un voltmètre pouvant mesurer de 0 à 100 V ?

b) Quelle est la résistance du voltmètre ?

Réponse   a) La résistance en série requise vaut

$$R_s = \frac{V}{I_g} - R_g = \frac{100 \text{ V}}{0,001 \text{ A}} - 100 \text{ ohms}$$

$$(100\,000 - 100) \text{ ohms} = 99\,900 \text{ ohms}$$

b) La résistance totale du voltmètre est

$$R_V = R_s + R_g = 99\,900 \text{ ohms} + 100 \text{ ohms}$$

$$= 100\,000 \text{ ohms}$$

17.9 CIRCUITS CONTENANT UNE RÉSISTANCE ET UN CONDENSATEUR

Si nous connectons un condensateur non chargé à une pile ou une batterie, des charges se déplacent d'une lame du condensateur à l'autre à travers la batterie et les fils de connexion. Ce courant s'arrête une fois que la différence de potentiel aux bornes du condensateur est égale à la FEM de la batterie. De même, si on relie les lames d'un condensateur chargé par un fil électrique, un courant circulera dans ce fil jusqu'à ce que le condensateur soit entièrement déchargé. Ces courants de courte durée sont appelés *transitoires*. Les courants constants que nous avons discutés jusqu'à présent sont appelés des courants *stationnaires*.

Considérons d'abord les courants transitoires associés à la charge d'un condensateur. La figure 17.20a montre un circuit contenant un condensateur de capacité C, initialement non chargé, une résistance R, et une FEM. Si au temps $t = 0$, on ferme l'interrupteur, la charge q du condensateur et le courant i dans le circuit évoluent au cours du temps comme le montrent les figures 17.20b et c. Comme nous le verrons par la suite, le temps requis pour que q atteigne une fraction déterminée de sa valeur finale, ou que i atteigne une fraction de sa valeur initiale, est proportionnel à une constante de temps T donnée par

$$T = RC \qquad (17.17)$$

Plus la résistance ou la capacité sont élevées, plus la charge du condensateur prend longtemps. Cela se comprend physiquement, puisqu'un condensateur plus important requiert une charge finale plus élevée et qu'une résistance plus forte conduit à des courants de charge plus faibles.

Pour étudier ceci plus en détail, nous calculerons la différence de potentiel aux bornes des éléments du circuit pendant l'opération de charge. Supposons qu'au temps t la charge du condensateur soit q et que le courant dans le circuit soit i. En parcourant le circuit dans le sens opposé des aiguilles d'une montre, on rencontre une augmentation de potentiel $\mathcal{E}$, due à la FEM, et une chute de potentiel, iR, dans la résistance. Pour le condensateur, $C = qV$, de sorte que la diminution de potentiel est q/C. La somme de ces variations est nulle. Donc

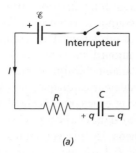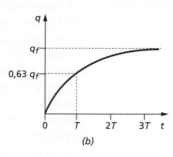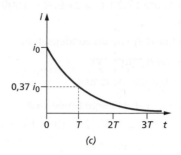

Figure 17.20 *(a)* Un circuit contenant une résistance, un condensateur et une FEM. *(b)* et *(c)* Si le condensateur n'est initialement pas chargé et que l'on ferme l'interrupteur au temps $t = 0$, la charge q et le courant i varient en fonction du temps comme indiqué. La constante de temps T est égale à RC.

$$\mathcal{E} - iR - \frac{q}{C} = 0$$

ou
$$i = \frac{\mathcal{E}}{R} - \frac{q}{RC} \qquad (17.18)$$

Cette équation donne directement le courant i à $t = 0$ et à $t = \infty$. À $t = 0$, quand on vient juste de fermer l'interrupteur, la charge q du condensateur a la valeur initiale, zéro. Le courant i_0 à $t = 0$ est donc

$$i_0 = \frac{\mathcal{E}}{R} \quad (t = 0) \qquad (17.19)$$

Cette valeur est égale au courant constant qu'il y aurait si on ne connectait en série que la résistance et la FEM. Si nous attendons un temps très long, le condensateur sera chargé à fond, et sa différence de potentiel devra être égale à la FEM $\mathcal{E}$. La charge q sera alors

$$q_f = \mathcal{E}C \quad (t = \infty) \qquad (17.20)$$

Si nous substituons q_f à q dans l'équation (17.18), nous trouvons que le courant est nul. Comme on s'y attendait, le courant cesse une fois que le condensateur est complètement chargé.

On peut obtenir la charge et le courant à tout instant t en résolvant l'équation (17.18),

$$i = \frac{\mathcal{E}}{R} - \frac{q}{RC}$$

On notera que q et i varient en fonction du temps tandis que $\mathcal{E}$, R et C sont des constantes.

Nous avons vu que $i = \dfrac{dq}{dt}$ (17.2)

On peut donc écrire que :

$$i = \frac{\mathcal{E}}{R} - \frac{q}{RC} \qquad iRC = \mathcal{E}C - q$$

$$\frac{dq}{dt}RC = \mathcal{E}C - q$$

$$\frac{dq}{\mathcal{E}C - q} = \frac{dt}{RC} \qquad \frac{dq}{q - \mathcal{E}C} = -\frac{dt}{RC}$$

En intégrant

$$\int \frac{dq}{q - \mathcal{E}C} = -\frac{1}{RC} \int dt$$

$$\ln(q - \mathcal{E}C) = -\frac{t}{RC} + K$$

en $t = 0$, $q = 0$ et la constante $K = \ln(-\mathcal{E}C)$

$$\ln \frac{q - \mathcal{E}C}{-\mathcal{E}C} = -\frac{t}{RC}$$

$$1 - \frac{q}{\mathcal{E}C} = e^{-\frac{t}{RC}} \qquad q = \mathcal{E}C\left(1 - e^{-\frac{t}{RC}}\right)$$

$$q = q_f\left(1 - e^{-\frac{t}{RC}}\right) \qquad (17.21)$$

$$I = \frac{dq}{dt} = \frac{\mathcal{E}}{R}e^{-\frac{t}{RC}}$$
$$\qquad (17.22)$$
$$= i_0 e^{-\frac{t}{RC}}$$

Comme $e^{-1} = 0{,}37$, après qu'il s'est écoulé un temps égal à la constante de temps, le courant est tombé à environ 37 % de sa valeur initiale, i_0. De même, puisque

$$\left(1 - e^{-1}\right) = 1 - 0{,}37... = 0{,}63...$$

après qu'un temps T s'est écoulé, $q = 0{,}63q_f$. Ceci signifie que la charge du condensateur est alors approximativement égale à 63 % de sa valeur finale q_f. Nous pouvons dire, d'une autre façon, qu'elle n'est plus qu'à 37 % de sa valeur finale. Quand le temps écoulé est le double de la constante de temps, on a $e^{-t/T} = e^{-2} = 0{,}14...$ À ce moment, la charge est $(1 - 0{,}14)q_f = 0{,}86q_f$ et le courant est $0{,}14i_0$. Après un temps égal à plusieurs fois la constante de temps, la charge q et le courant i sont très proches de leur valeur finale, comme on peut le voir sur la figure 17.20. L'exemple suivant illustre le calcul de certaines de ces grandeurs.

———————— **Exemple 17.14** ————————

Sur la figure 17.20, $C = 2\,\mu F$, $R = 1000$ ohms et $E = 6$ V. Trouver

a) la charge finale du condensateur,

b) le courant initial et

c) la constante de temps.

Réponse   a) La charge finale vaut

$$q_f = \mathcal{E}C = (6\text{ V})(2 \times 10^{-6}\text{ F}) = 1,2 \times 10^{-5}\text{ C}$$

b) Le courant initial est

$$i_0 = \frac{\mathcal{E}}{R} = \frac{6\text{ V}}{1\,000\text{ ohms}} = 6 \times 10^{-3}\text{ A}$$

c) La constante de temps vaut

$$T = RC = (1\,000\text{ ohms})(2 \times 10^{-6}\text{ F})$$
$$= 2 \times 10^{-3}\text{ s}$$

Nous avons vu que la constante de temps $T = RC$ détermine la vitesse à laquelle la charge d'un condensateur augmente. La constante de temps détermine aussi la vitesse à laquelle la charge *décroît*. Par exemple, sur la figure 17.21, un condensateur se décharge dans une résistance R quand l'interrupteur est fermé. Si, initialement, il possède une charge q_0, après un temps t, la charge q est réduite à

$$q = q_0 e^{-t/T} \tag{17.23}$$

La différence de potentiel initiale aux bornes du condensateur est $V_0 = q_0/C$ et le courant initial, circulant de la lame positive vers la lame négative, vaut $i_0 = V_0/R$. Le courant après un temps t est

$$i = i_0 e^{-t/T} \tag{17.24}$$

Ainsi, la charge du condensateur et le courant dans le circuit décroissent tous deux sans cesse, atteignant de très faibles valeurs après quelques constantes de temps. Le stimulateur cardiaque fournit un exemple de circuit dans lequel un condensateur est, sans arrêt, alternativement chargé puis déchargé.

 ———————— **Exemple 17.15** ————————

Chaque cycle du cœur humain commence par une impulsion électrique assurant le rythme cardiaque (en anglais : *pacemaker*) et provenant d'un groupe de fibres nerveuses. On peut aujourd'hui venir en aide à certains malades en leur implantant chirurgicalement un pacemaker artificiel, ou stimulateur cardiaque, qui est un circuit alimenté par une pile et émettant des impulsions si l'organisme du patient est déficient. Un modèle produit des impulsions déclenchées 75 fois par minute, au moyen d'un condensateur de 0,4 μF qui se charge rapidement à travers une résistance r de très faible valeur et se décharge ensuite lentement dans une résistance élevée R (figure 17.22). Quand la charge tombe à $e^{-1} = 0,37$ fois la valeur initiale, des transistors transmettent une brève impulsion au cœur et rechargent ensuite, presque instantanément, le condensateur à travers r.

a) Trouver la constante de temps du circuit RC de décharge, en négligeant le court instant requis pour recharger le condensateur à travers r.

b) Trouver la résistance R.

Réponse   a) Il y a 75 impulsions par minute, donc 75/60 = 1,25 par seconde, c'est-à-dire que chaque impulsion dure 1/1,25 = 0,8 seconde. Cette durée est égale à celle durant laquelle la charge du condensateur tombe à e^{-1} fois sa valeur initiale, puisque le temps de recharge est négligeable. Cette décroissance de la charge a lieu sur une constante de temps, de sorte que $T = 0,8$ seconde.

b) De $T = RC$, en utilisant $C = 0,4$ μF, on tire

$$R = \frac{T}{C} = \frac{0,8\text{ s}}{0,4 \times 10^{-6}\text{ F}} = 2 \times 10^{6}\text{ ohms}$$

Dans cet exemple, le pacemaker artificiel stimule le cœur à une fréquence fixe. Des stimulateurs plus élaborés ne se déclenchent que si le pacemaker naturel du patient n'a pas fonctionné pendant un temps spécifié.

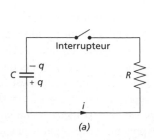
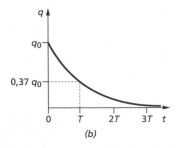
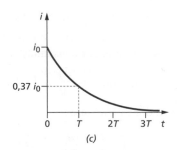

(a)   (b)   (c)

Figure 17.21 *(a)* Un condensateur, initialement chargé, se déchargeant dans une résistance. *(b)* La charge du condensateur en fonction du temps. *(c)* Le courant dans le circuit en fonction du temps.

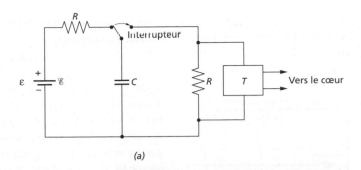

(a)

(b)

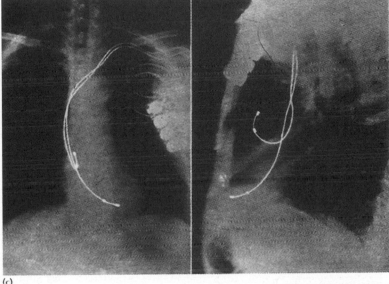

(c)

Figure 17.22 *(a)* Le schéma de principe de la base de temps d'un stimulateur cardiaque. Le condensateur *C* est rapidement chargé à travers la résistance *r* de faible valeur. Ensuite, «l'interrupteur», qui est en fait un transistor, change de position et le condensateur se décharge lentement dans la résistance *R* de valeur élevée. Quand le voltage aux bornes de *R* atteint un niveau fixé à l'avance, le circuit de déclenchement *T* envoie une impulsion au cœur. *(b)* Ce pacemaker artificiel assure la stimulation de ventricules et des oreillettes en cas de défaut de stimulation cardiaque naturelle. Il a 6 cm de haut, pèse 150 g et contient quatre piles au chromate d'argent-lithium, qui assurent l'alimentation électrique pour plus de quatre ans. *(c)* Le pacemaker implanté et ses fils de connexion. [*(b)* et *(c)* avec l'aimable autorisation de l'*American Pacemaker Corporation.*]

Pour en savoir plus...

17.10 SÉCURITÉ ÉLECTRIQUE

L'appareillage électrique doit être conçu avec soin pour éviter les risques d'incendie e t d'électrocution. Dans ce paragraphe, nous étudions ces dangers et les moyens de les réduire.

L'électricité dans les maisons et les bureaux d'Amérique est fournie par un courant alternatif 120 V, 60 Hz*. Les prises et points lumineux de chaque bâtiment sont connectés en parallèle aux deux fils d'une ligne de secteur provenant d'une sous-station proche (figure 17.23). Un des fils de la ligne est raccordé à la terre, qui est un bon conducteur. Ce fil est dit *mis à la terre*. L'autre fil est chaud ; son potentiel oscille par rapport à celui du fil à la terre, que l'on prend comme zéro de potentiel.

Chaque circuit d'un bâtiment est protégé par un *fusible* ou un *disjoncteur*. Si le courant dépasse un maximum choisi avec une grande marge de sécurité, le fusible fond ou le disjoncteur se déclenche, coupant le circuit. Cela réduit le danger d'incendie dû à la chaleur engendrée par des courants excessifs. Une cause possible de ces courants excessifs est une *surcharge* : trop d'appareils en service en même temps sur un circuit. Une autre cause

---

* Rappel : 220 V, 50 Hz en Europe (N.d.T).

possible est un *court-circuit* : un chemin de très faible résistance entre les deux fils de la ligne qui donne lieu à un courant très élevé. Ceci arrive parfois quand l'isolation électrique devient défectueuse du fait de l'usure ou d'une détérioration graduelle.

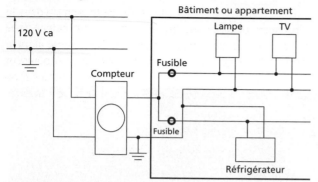

Figure 17.23 Les circuits de toutes les maisons d'un quartier sont connectés en parallèle au secteur. Chaque circuit contient un fusible ou un disjoncteur. Le compteur est normalement placé en série avec la ligne qui alimente le bâtiment.

L'électrocution est un péril sérieux, puisque des courants relativement faibles dans le torse humain peuvent entraîner des blessures ou même la mort. En moyenne, un adulte peut ressentir un courant aussi faible que 1 mA = 10^{-3} A ; un courant continu de cette intensité produit une légère sensation de chaleur tandis qu'un courant alternatif de 60 Hz donne un picotement. Quelqu'un réagissant involontairement à un courant faible inattendu peut lâcher une casserole chaude ou tomber d'une échelle, de sorte que l'on a fixé à moins de 1 mA les courants de fuite maximum admissibles. Des réactions musculaires considérables et des douleurs apparaissent à quelques milliampères. Un courant entre 10 et 20 mA est capable de paralyser certains muscles et d'empêcher une personne de lâcher un conducteur sous tension ; 18 mA environ entraînent la contraction des muscles de la cage thoracique et l'arrêt de la respiration. Un évanouissement et la mort se produiront au bout de quelques minutes si le courant ne s'arrête pas. 100 mA pendant quelques secondes entraînent la fibrillation ventriculaire, c'est-à-dire de rapides mouvements non coordonnés du muscle cardiaque, qui l'empêchent d'assurer la circulation du sang. Il est rare que la fibrillation s'arrête spontanément, de sorte que la mort en résulte habituellement, sauf si on peut appliquer rapidement un traitement médical approprié.

17.10.1 Mise à la terre

Dans le domaine de la sécurité électrique, il est important de comprendre le rôle de la mise à la terre. Considérons une clôture électrique dans une ferme. Dans ce cas, on connecte une des bornes d'une source de FEM à un fil qui est électriquement isolé de tout autre objet. L'autre borne est connectée à une barre métallique enfoncée en terre et est dite mise à la terre (figure 17.24). Si un animal, en contact avec le sol, touche le fil, il ferme un circuit conducteur allant d'une borne de la FEM à l'autre, à travers le fil et le sol. Ainsi donc, un courant va passer dans l'animal et celui-ci subira un choc électrique. D'autre part, si un oiseau se pose sur le fil, son corps est au même potentiel que ce fil. Il ne reçoit pas de choc, puisqu'il ne forme pas un élément d'un circuit conducteur fermé.

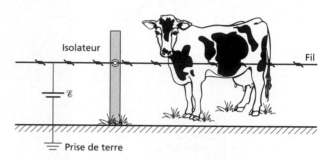

Figure 17.24 Une personne ou un animal qui touche la clôture ferme un circuit à la terre et reçoit un léger choc.

L'intérêt de cet exemple est que les lignes électriques ont habituellement un fil à la terre. Si un objet quelconque est simultanément en contact avec le sol et avec un élément du circuit dont le potentiel est différent de celui de la terre, des charges s'écouleront dans cet objet.

Les accidents électriques se produisent d'habitude quand une personne vient en contact avec le fil chaud du secteur et un point mis à la terre. Le courant dans le corps est déterminé par sa résistance électrique, qui est hautement variable. La peau sèche a une résistance de 10^5 ohms par centimètre carré ou plus. mais la résistance peut diminuer d'un facteur 100 quand la peau est humide. Une personne se trouvant dans l'eau d'une baignoire est en excellent contact électrique avec la terre par l'intermédiaire des tuyaux d'eau. Si cette personne empoigne un appareil électrique défectueux, la résistance du corps peut être aussi basse que 500 ohms. Sous 120 V, le courant résultant est $I = V/R = 120$ V/500 ohms = 0,240 A = 240 mA, ce qui est mortel.

La résistance entre les deux mains d'une personne transpirant légèrement vaut environ 1500 ohms, ce qui correspond à un courant de 80 mA sous 120 V. Là encore, ce courant peut être fatal s'il persiste pendant quelques secondes.

Une cause possible d'électrocution est illustrée par la figure 17.25a. L'élément chauffant d'un séchoir à linge, représenté par la résistance R, est branché sur le secteur par une fiche de type courant, à deux broches. Par conséquent, le fil à la terre et le fil chaud sont déterminés par le sens dans lequel la fiche est insérée dans la prise. Puisque les deux sens sont possibles, on ne peut permettre à aucun fil dans le séchoir de toucher le boîtier métallique. Si un fil vient à être en contact avec le boîtier, celui-ci sera au potentiel soit de la terre, soit du fil chaud, suivant la façon dont la fiche a été introduite dans la prise. Une personne touchant simultanément le boîtier « chaud » et un robinet ou le sol en béton pourrait recevoir un choc électrique mortel.

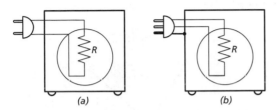

Figure 17.25 Un sèche-linge électrique. *(a)* Dans un circuit à deux fils, l'armature métallique n'est pas à la terre. Par conséquent, un défaut dans le câblage peut mettre l'armature métallique sous tension. *(b)* Dans un circuit à trois fils, l'armature métallique est connectée directement à la terre.

Pour diminuer ce risque le plus possible, les appareils électriques, comme ceux des buanderies, ou les outils électriques, devraient être mis à la terre. On le fait parfois en connectant leur enveloppe métallique ou leur boîtier à des tuyaux d'eau ou à d'autres conducteurs électriquement en contact avec la terre.

Un moyen plus sûr de mettre des appareils à la terre est fourni par les installations électriques domestiques modernes qui ont un troisième fil séparé. Ce fil est mis à la terre et connecté à une troisième broche des prises électriques. Ainsi donc, quand on enfonce la fiche à trois broches d'un appareil électrique dans une prise de ce type, le boîtier métallique de celui-ci est automatiquement mis à la terre (figure 17.25*b*). Quand le boîtier est mis à la terre, un contact accidentel entre le fil chaud et le boîtier entraînera un court-circuit et le fusible ou le disjoncteur coupera le circuit. Cela élimine le risque d'électrocution.

17.10.2 Disjoncteur de courant de fuite à la terre

Si un appareil ou instrument électrique a une panne donnant lieu à un courant suffisamment fort qui fuit à la terre, le fusible ou le disjoncteur ouvre le circuit, éliminant tout danger d'électrocution. Cependant, si la panne est telle que le courant fuyant à la terre est trop faible pour faire fondre le fusible ou déclencher le disjoncteur, une

personne touchant alors une partie métallique de l'appareil qui n'est pas tout à fait au potentiel du sol peut subir un choc électrique sévère.

À l'heure actuelle, aux États-Unis, on installe parfois un dispositif appelé *interrupteur de fuite à la terre*, dans le fil de terre des circuits à trois fils. Si le courant dans le fil de terre dépasse une limite de très faible valeur fixée à l'avance, par exemple 5 mA, ce système coupe alors le circuit[*]. La majorité des électrocutions qui se produisent dans les foyers pourraient probablement être évitées si on généralisait l'usage de ces interrupteurs de fuite à la terre.

17.10.3 Construction en double isolation

Ces dernières années, on a vu apparaître sur le marché de nombreux outils électriques et appareils ménagers construits avec une double isolation. Ils sont conçus de telle façon que, même en cas de détérioration de l'isolation, aucune pièce métallique accessible n'est électriquement « chaude ». Ces dispositifs n'exigent pas de mise à la terre et représentent un progrès important en sécurité électrique.

17.10.4 Hôpitaux

Les dangers d'électrocution dans les hôpitaux sont généralement similaires à ceux que l'on rencontre dans les maisons d'habitation et les bureaux, bien que l'utilisation d'appareils électriques près de lits métalliques en contact électrique avec le sol, ainsi qu'en présence d'eau ou d'autres liquides, puisse conduire à des problèmes sérieux. Au surplus, un patient avec des cathéters, des sondes et des aiguilles enfoncées dans le corps est hautement vulnérable à de très faibles courants électriques, puisque 0,02 mA appliqués directement au cœur sont suffisants pour produire la fibrillation ventriculaire. Comme on ne peut distinguer les décès dus à des courants si faibles de ceux dus à des causes naturelles, leur fréquence reste un sujet de controverse. Les dangers particuliers que courent les patients connectés directement à des circuits électriques, ont conduit à recommander que leurs lits soient spécialement isolés, d'une façon telle qu'ils ne soient pas mis à la terre et qu'aucun autre objet à portée du patient ne soit à la terre. Alors, tout comme l'oiseau sur la clôture électrique, ces patients ne peuvent fermer un circuit conducteur allant au sol. Le chapitre 20 discute comment on peut également utiliser des appareils appelés transformateurs pour réduire les risques d'électrocution.

---

[*] En Europe, on utilise des disjoncteurs différentiels ; ceux-ci se déclenchent lorsque la différence entre le courant qui entre dans le circuit et celui qui en sort dépasse une valeur déterminée. (N.d.T.)

17.11 APPLICATIONS DES MESURES DE RÉSISTANCE

Les mesures de résistance donnent souvent de très utiles informations. La variation de résistance de certains semi-conducteurs atteint jusqu'à 5 % pour des changements de température de 1 °C. Un semi-conducteur en forme de perle, ou thermistance, peut rapidement détecter, dans de larges gammes de température, des variations aussi faibles que 10^{-3} degré (figure 17.26).

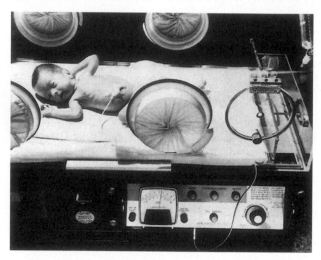

Figure 17.26 La résistance de la thermistance fixée par un ruban adhésif à l'abdomen de l'enfant varie rapidement avec la température. Ceci fournit une information à un circuit électronique qui contrôle la température de la couveuse, compensant les irrégularités de contrôle de température chez le bébé. *(Avec l'aimable autorisation de Air Shields, Inc.)*

Les *jauges de contrainte* exploitent la dépendance de la résistance d'un fil en fonction de sa forme. Une grille de fils de petite dimension est déposée sur un substrat élastique auquel elle adhère fermement ; ce substrat est fixé sur un diaphragme flexible ; l'ensemble est couvert de caoutchouc. Si le diaphragme s'enfonce, la grille de fils se déforme et sa résistance varie. On peut faire avaler cette jauge de contrainte et les fils de connexion qui y sont attachés par un patient, afin de mesurer les pressions dans l'appareil digestif, ou l'insérer, au moyen d'un cathéter, dans les veines ou les artères pour mesurer les pressions sanguines.

Les mesures de résistance sont utiles dans les laboratoires de chimie et de biochimie. On mesure la résistivité d'une solution conductrice, ou encore *électrolytique*, au moyen d'une *cellule de conductivité* qui consiste en deux plaques métalliques immergées dans la solution. On calibre la cellule en l'utilisant pour mesurer la résistance d'une solution de résistivité connue. Un exemple d'ap-

plication est le suivant : les solutions fortement acides ou basiques ont un grand nombre d'ions libres et, par conséquent, présentent une faible résistivité ou une forte conductivité. Si on ajoute graduellement des quantités mesurées d'une solution basique à une solution acide de concentration inconnue, la conductivité de l'échantillon tombe brusquement lorsque l'on approche du point exact de neutralisation acide-base et le nombre d'ions libres devient très petit. Cette procédure est appelée *titrage* et peut être utilisée pour trouver la concentration d'un acide (figure 17.27).

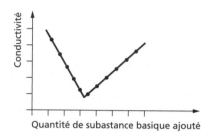

Figure 17.27 La conductivité d'une solution est minimum au point exact de neutralisation acide-base. (La conductivité σ est l'inverse de la résistivité ρ.)

On utilise aussi les mesures de résistance pour étudier les modifications des cellules vivantes. Une diminution de la résistance d'une cellule signifie que les ions peuvent plus aisément passer à travers sa membrane. Par conséquent, les variations de résistance qui se produisent lorsque l'on ajoute diverses substances à l'environnement d'une cellule aident à comprendre les effets de ces substances sur la membrane cellulaire.

17.12 ÉLECTROPHORÈSE

L'électrophorèse est une technique efficace pour séparer et analyser les mélanges de protéines que l'on trouve dans le sang humain et dans d'autres milieux biologiques. Elle est basée sur le fait que les vitesses de dérive des molécules dans un champ électrique dépendent de leur masse. Quand on place une solution dans un champ électrique, les grosses molécules de protéine avec une charge totale de quelques fois celle de l'électron, mais avec des masses de milliers d'unités de masse atomique, subissent de faibles accélérations. Aussi sont-elles entraînées bien plus lentement que les petits ions, comme Na^+ ou Cl^-.

Dans une technique d'électrophorèse communément utilisée pour le diagnostic médical, on plonge une extrémité d'une bande de papier filtre humide dans la solution de protéines. On applique une différence de potentiel entre les extrémités de la bande ; les molécules de protéines de tailles différentes ne migrent pas à la même vitesse le long de cette bande. Si on arrête le processus après un certain temps, les protéines ont parcouru des distances différentes en fonction de leur taille et sont séparées en plusieurs composantes (figure 17.39). La comparaison avec des résultats normaux indique alors l'existence ou non de certaines anomalies. Des techniques d'électrophorèse plus élaborées permettent de séparer jusqu'à 40 protéines dans le plasma sanguin humain.

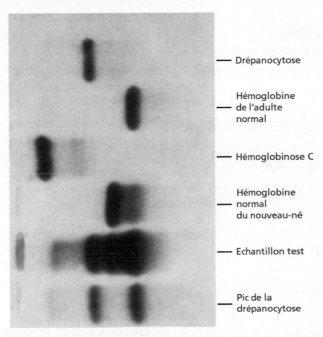

Figure 17.28 On peut utiliser l'électrophorèse d'échantillons d'hémoglobine pour aider à diagnostiquer de nombreuses maladies. *(Avec l'aimable autorisation des laboratoires Helena.)*

Réviser

RAPPELS DE COURS

Si une charge ΔQ passe dans la section d'un fil en un temps Δt, le courant moyen vaut

$$I = \frac{\Delta Q}{\Delta t}$$

Dans un conducteur métallique, les électrons de conduction peuvent se déplacer librement parmi les ions positifs du réseau. Quand un champ électrique règne dans un fil, les électrons acquièrent une faible vitesse de dérive résultante v, parallèle à la force électrique. S'il y a n électrons de conduction par unité de volume, et que le fil a une section de surface A, le courant vaut

$$I = enAv$$

Le rapport de la chute de potentiel au courant dans un fil est sa résistance,

$$R = \frac{V}{I}$$

On dit que les substances dont la résistance est indépendante du courant obéissent à la loi d'Ohm. La résistance est déterminée par la géométrie et par la résistivité ρ de la substance, conformément à

$$R = \rho \frac{\ell}{A}$$

Dans un circuit électrique, il ne peut y avoir de courant continu que si l'énergie est fournie par une FEM. La puissance fournie par (ou à) un élément de circuit est VI, où I est le courant dans l'élément et V la différence de potentiel entre les extrémités de cet élément. La puissance est I^2R pour une résistance et $I\mathcal{E}$ pour une FEM.

Les règles de Kirchhoff énoncent que la somme des différences de potentiel le long de tout circuit fermé est nulle et que le courant pénétrant en tout point du circuit doit être égal au courant sortant de ce point. Ces règles peuvent être utilisées pour analyser n'importe quel circuit en courant continu et conduisent, pour les résistances en série et en parallèle, aux formules suivantes :

$$R_s = R_1 + R_2 + R_3 + \cdots$$

$$\frac{1}{R_p} = \frac{1}{R_1} + \frac{1}{R_2} + \frac{1}{R_3} + \cdots$$

Un galvanomètre est un appareil servant à mesurer des courants. On réalise un voltmètre en ajoutant une résistance élevée en série avec le galvanomètre ; il donne la tension aux bornes d'un élément de circuit quand on le place en parallèle avec cet élément. Pour construire un ampèremètre, on dispose d'une résistance de faible valeur en parallèle avec un galvanomètre. Placé en série dans une branche d'un circuit, l'ampèremètre y mesure le courant.

Quand on connecte les lames d'un condensateur C à une FEM à travers une résistance R, la vitesse à laquelle la charge de ce condensateur varie est déterminée par la constante de temps

$$T = RC$$

La charge d'un condensateur, initialement non chargé, atteint 37 % de sa valeur finale après un temps égal à T. De façon similaire, la charge d'un condensateur initialement chargé et que l'on décharge dans une résistance, tombe à 37 % de sa valeur initiale sur une constante de temps.

PHRASES À COMPLÉTER

Voir réponses en fin d'ouvrage.

1. Si 3C de charge passent en un point d'un fil en 10 s, le courant vaut _____.

2. La résistance d'un fil est le rapport entre la différence de potentiel aux extrémités du fil et le _____.

3. Dans un conducteur ohmique, la résistance est indépendante du _____.

4. Si une substance est un bon conducteur, sa résistivité est _____.

5. Une pile convertit de l'énergie _____ en énergie _____.

6. On vend l'électricité au _____.

7. La puissance fournie à (ou par) un élément de circuit est le produit du _____ par la _____.

8. Si deux résistances identiques R sont connectées en série, la résistance équivalente est _____ ; si elles sont connectées en parallèle, la résistance équivalente est _____.

9. On utilise un voltmètre en _____ avec l'élément de circuit dont on mesure la différence de potentiel.

10. Un ampèremètre doit avoir une résistance _____ pour éviter de perturber le circuit dans lequel il est placé.

11. Quand une résistance et un condensateur sont connectés en série à une pile, le courant a une valeur maximum à _____ et tombe à $1/e = 0,37...$ de sa valeur de pointe après un temps de _____.

12. Les appareils ménagers doivent être _____ pour rendre minimum les risques de _____.

EXERCICES CORRIGÉS

E1. Trouver les courants ainsi que la différence de potentiel dans le circuit ci-dessous.

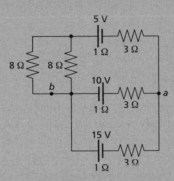

Figure 17.29

Solution

R_5 et R_4 sont en parallèle, il leur équivaut une résistance unique R_4' donnée par :

$$\frac{1}{R_4'} = \frac{1}{8} + \frac{1}{8} = \frac{1}{4} \rightarrow R_4' = 4\Omega$$

Le circuit proposé est donc équivalent à celui représenté ci-dessous où i_1, i_2 et i_3 ont des sens choisis arbitrairement. Le sens de parcours des mailles a été choisi dans le sens trigonométrique. Pour déterminer le valeur des intensités, 3 équations sont nécessaires :

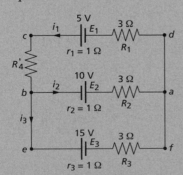

Figure 17.30

a) loi des nœuds en B

$$i_1 = i_2 + i_3 \tag{1}$$

b) Considérons la maille *adcba* et appliquons la 1ère loi de Kirchoff en appliquant les convections des signes usuelles

$$E_1 + E_2 = (R_1 + r_1 + R_4')i_1 + (r_2 + R_2)i_2$$
$$15 = 8i_1 + 4i_2 \tag{2}$$

c) Considérons ensuite la maille *cefdc*

$$E_1 - E_3 = (R_1 + r_1 + R_4')i_1 + (r_3 + R_3)i_3$$
$$-10 = 8i_1 + 4i_3 \tag{3}$$

Nous avons donc 3 équations à 3 inconnues

$$\begin{cases} i_1 = i_2 + i_3 & (1) \\ 15 = 8i_1 + 4i_2 \quad \rightarrow \times 2 \quad 30 = 24i_2 + 16i_3 & (2') \\ -10 = 8i_1 + 4i_3 \quad \rightarrow \times 3 \quad -30 = 24i_2 + 36i_3 & (3') \end{cases}$$

$(2') - (3') \quad \rightarrow 60 = -20i_3 \qquad \rightarrow \underline{i_3 = -3\text{A}}$

$(3) \qquad \rightarrow -10 = 8i_2 + 12(-3) \rightarrow \underline{i_2 = 3,25\text{A}}$

$(1) \qquad \rightarrow i_1 = 3,25 - 3 \qquad \rightarrow \underline{i_1 = -0,25\text{A}}$

$$V_A - V_B = E_2 - i_2(R_2 + r_2)$$
$$= 10 - 3,25 \times 4$$
$$= -3 \text{ V}$$
$$\Rightarrow \quad \boldsymbol{V_B - V_A = 3\text{V}}$$

E2. Pour le réseau ci-dessous, calculer l'énergie emmagasinée par le condensateur de 7 μF.

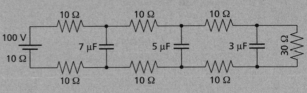

Figure 17.31

Solution

L'énergie emmagasinée par un condensateur de capacité C est égale à $(1/2)CV^2$ où V représente la différence de potentiel aux bornes de ce condensateur.

Pour calculer cette ddp, il est nécessaire de connaître l'intensité des courants circulant dans le réseau ; étant donné qu'aucun courant ne traverse les condensateurs, un seul et même courant I parcourt toutes les résistances du réseau.

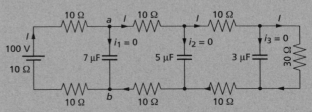

Figure 17.32

Le courant I est donné par

$$I = \frac{E}{\sum r_i} = \frac{100}{(6 \times 10 + 30 + 10)} = 1 \text{ A}$$

La différence de potentiel $V_a - V_b$ aux bornes du condensateur de 7 μF peut se calculer de deux façons différentes en considérant :

– soit la partie du réseau à gauche de AB

$$\Rightarrow \quad V_a - V_b = 100 - 30I = 70 \text{ V}$$

– soit celle à droite de AB

$$\Rightarrow \quad V_a - V_b = (4 \times 10 + 30)I = 70 \text{ V}$$

(résultat identique au précédent).

On peut dès lors facilement calculer l'énergie emmagasinée par le condensateur de 7 μF.

$$w = \frac{1}{2}CV^2 = \frac{1}{2}7 \times 10^{-6}(70)^2 = 171,5 \times 10^{-4} \text{ J}$$

S'entraîner

QCM

Voir réponses en fin d'ouvrage.

Q1. Un fil de cuivre a une résistance de 8 Ω. Un second fil de cuivre est deux fois plus long et son diamètre est réduit de moitié. Sa résistance vaut :

a) 2 Ω

b) 16 Ω

c) 32 Ω

d) 64 Ω

Q2. La différence de potentiel entre a et b (*cf.* figure 17.33)

a) $\mathcal{E} - R^i$

b) $\mathcal{E} - ri^2$

c) ri

d) $\dfrac{R}{R+r}\mathcal{E}$

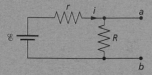

Figure 17.33

Q3. Dans le circuit de la figure 17.33, l'intensité du courant vaut

a) $\mathcal{E}/r$

b) $\dfrac{\mathcal{E}}{r}$

c) $\mathcal{E}\left(\dfrac{1}{r} + \dfrac{1}{r}\right)$

d) $\dfrac{\mathcal{E}}{R+r}$

Q4. Soit $i = 1,5$ A l'intensité du courant du circuit de la figure 17.33. La puissance dissipée par effet Joule dans ce circuit vaut ($r = 1$; $R = 2$ Ω)

a) 4,5 W

b) 2,25 W

c) 3 W

d) 6,75 W

Q5. Un condensateur de 2 μF initialement chargé se décharge dans une résistance de 2 000 Ω. Après combien de temps, le condensateur aura-t-il perdu 63 % de sa charge initiale ?

a) 10^{-3} s

b) 2×10^{-3} s

c) 4×10^{-3} s

d) 8×10^{-3} s

Q6. La résistance équivalente du circuit de la figure 17.34 vaut

a) 1 Ω

b) 9 Ω

c) 3,3 Ω

d) 4,5 Ω

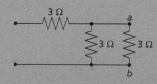

Figure 17.34

Q7. Quelle est le charge Q qui traverse en 4 s une branche d'un circuit fermé où règne un courant d'intensité 5 A ?

a) 40 C

b) 10 C

c) 20 C

d) 5 C

Q8. Que devient la résistance d'un fil de cuivre lorsque l'on augmente sa température de $-20\,^\circ$C à $50\,^\circ$C ?

a) elle reste la même

b) elle augmente

c) elle diminue

d) aucune de ces réponses.

Q9. La loi d'Ohm caractérise un milieu conducteur. Pour un milieu homogène et isotrope, la conductivité est

a) constante et positive

b) constante et négative car les charges qui se déplacent sont des électrons

c) une grandeur vectorielle

d) nulle pour un conducteur.

Q10. La f.e.m. d'une pile est de 5 V lorsqu'elle fournit 20 W à une résistance externe, la différence de potentiel à ses bornes est de 4 V.

La résistance interne de la pile est de :

a) 0,2 Ω

b) 0,25 Ω

c) 0,5 Ω

d) 1 Ω.

EXERCICES

Voir réponses en fin d'ouvrage pour les exercices et problèmes dont le numéro est inscrit en noir.

Les résistivités nécessaires pour certains exercices sont données par le tableau 17.1.

Courant électrique

17.1 Un accélérateur de protons produit un faisceau de courant 10^{-6} A. Combien de protons accélère-t-il par seconde ?

17.2 Dans une expérience d'électrochimie, une cellule est parcourue par un courant de 0,5 A pendant 1 heure. S'il faut deux électrons pour neutraliser un ion, combien d'ions sont neutralisés au total ?

17.3 L'argent a $5,8 \times 10^{28}$ électrons libres par mètre cube. Si le courant dans un fil d'argent vaut 10 A et que le fil a un rayon de 10^{-3} m, que vaut la vitesse de dérive des électrons ?

17.4 Dans un tube à décharge à hydrogène, des ions positifs d'hydrogène (des protons) et des électrons négatifs circulent en sens opposés sous l'effet d'un champ électrique. Trouver le sens et la valeur, en ampères, du courant si 8×10^{18} électrons et 3×10^{18} protons atteignent les électrodes en 1 seconde.

17.5 Deux lames de cuivre sont immergées dans une solution de sulfate de cuivre et raccordées à une batterie. Si on maintient un courant de 0,4 A pendant 1 heure, quelle est la masse de cuivre déposée sur les plaques ? (La masse atomique du cuivre est 63,6 uma et il faut deux électrons pour neutraliser un ion de cuivre.)

17.6 Pour certaines applications, on peut considérer les électrons de conduction d'un métal comme un gaz parfait.

a) Que vaut l'énergie cinétique thermique moyenne $(3/2)k_B T$ d'un électron à 300 K ?

b) Que vaut la vitesse correspondant à cette énergie ?

c) Calculer le rapport de cette vitesse à la vitesse de dérive obtenue à l'exemple 17.2.

La résistance

17.7 Il apparaît une différence de potentiel de 10 V entre les extrémités d'un fil quand il est parcouru par un courant de 4 A. Que vaut sa résistance ?

17.8 Un courant de 10 A dans un fil entraîne une différence de potentiel de 2 V entre ses extrémités. Si c'est un conducteur ohmique, quel courant produira une différence de potentiel de 6 V ?

17.9 Le fil de cuivre le plus fin fabriqué normalement a un rayon de 4×10^{-5} m. Trouver la résistance d'un segment de 10 m de long.

17.10 Une fibre nerveuse (axone) peut être considérée, en première approximation, comme un long cylindre. Si son diamètre est de 10^{-5} m et sa résistivité de 2 ohm m, que vaut la résistance d'une fibre de 0,3 m de long ?

17.11 Un fil de cuivre de 2 m de long a une résistance de 0,01 ohm. Trouver son rayon.

17.12 On fait varier la différence de potentiel aux bornes d'une résistance et on mesure le courant. Les résultats sont $\Delta V = 2$ V, $I = 0,4$ A ; 4 V, 0,8 A ; 6 V, 1,2 A ; 8 V, 1,6 A.

a) Quelle résistance donne la mesure à 2 V ?

b) Quelle résistance donne la mesure à 8 V ?

c) La résistance est-elle ohmique ? Expliquer.

Sources d'énergie dans les circuits électriques

17.13 Le courant dans l'élément chauffant d'un chauffe-eau est de 20 A quand on le connecte à un secteur de 230 V. Que vaut sa résistance ?

17.14 Le courant dans une lampe d'une automobile est de 1,2 A quand elle est connectée à une batterie de 12 V. Que vaut sa résistance ?

17.15 Le courant dans un fer à repasser électrique est de 6 A quand il est branché sur une prise de 120 V. Que vaut sa résistance ?

17.16 Une ligne du secteur 120 V contient un fusible qui coupe le circuit lorsque le courant dépasse 15 A. Quelle est la résistance minimum des appareils ménagers que l'on peut brancher sur cette ligne ?

17.17 Une batterie de 12 V est connectée à une résistance de 2 ohms.

a) Que vaut le courant ?

b) Que vaut la charge parcourant le circuit en 10 secondes ?

c) Que vaut le travail effectué par le champ électrique dans la batterie ?

d) Que vaut le travail effectué par le champ électrique dans la résistance ?

e) Que vaut le travail total effectué par le champ électrique ?

f) Que vaut l'énergie convertie en chaleur ?

g) Quelle est la source de cette énergie ?

17.18 Dans le circuit de la figure 17.35, trouver

a) le courant et

b) la différence de potentiel pour chaque résistance.

17.19 a) Trouver le courant dans le circuit de la figure 17.36.

b) Trouver la différence de potentiel pour chaque élément du circuit.

17.21 a) Une batterie de voiture de 12 V a une résistance interne de 0,004 ohm. Trouver le courant et la puissance dissipée quand on connecte les bornes entre elles par un conducteur de résistance négligeable.

b) La batterie fournit 80 A au démarreur. Quelle résistance consommerait le même courant ?

c) Que vaut la puissance fournie au démarreur ? Que devient cette puissance ?

d) Que vaut la puissance dissipée dans la batterie ?

17.22 Un grille-pain américain consomme 1 500 W quand on le branche sur du 120 V. Il faut 1 minute pour griller une tranche de pain. Si l'énergie électrique coûte 6 cents au kilowatt-heure, quel est le coût de cette opération ?

17.23 a) Quelle est la résistance d'une ampoule de 100 W conçue pour fonctionner sur 120 V ?

b) Que vaut le courant qu'elle consomme ?

17.24 Un circuit de 20 A dans une habitation est câblé avec du fil de cuivre n° 12. Un fil n° 12 de 1 m de long a une résistance de $5{,}2 \times 10^{-3}$ ohms. Si une ligne formée de 2 fils transporte 20 A sur 30 m, trouver

a) la chute de potentiel dans chaque fil et

b) la puissance totale dissipée.

17.25 Pour le circuit de la figure 17.37, trouver

a) le courant,

b) la puissance fournie par chaque pile et

c) la puissance dissipée dans chaque résistance.

17.26 a) Sur la figure 17.38, que vaut la FEM $\mathcal{E}$?

b) Trouver la puissance électrique fournie à chacune des deux résistances.

c) Trouver la puissance de chaque FEM. Comparer les résultats avec ceux du point b).

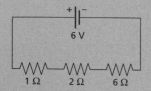

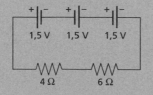

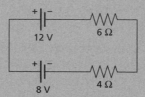

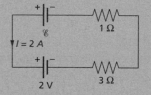

Figure 17.35 Exercices 17.18 et 17.20.

Figure 17.36 Exercice 17.19.

Figure 17.37 Exercices 17.25.

Figure 17.38 Exercice 17.26.

La puissance des circuits électriques

17.20 Trouver la puissance fournie à, ou par, chaque élément de circuit de la figure 17.35.

17.27 Un système d'air conditionné américain utilise 900 W de puissance électrique. S'il fonctionne en moyenne 12 heures par jour, trouver le coût d'utilisation quotidien à 6 cents le kilowatt-heure.

17.28 Un radiateur consomme une puissance de 1 400 W quand on le branche sur du 120 V.

a) Quelle est sa résistance ?

b) Que vaut l'intensité du courant ?

c) Quelle puissance le radiateur consomme-t-il si le voltage du secteur est réduit à 112 V ? (Supposer que la résistance reste constante.)

Résistances en série et en parallèle ; les règles de Kirchhoff

17.29 Une guirlande électrique pour arbre de Noël est formée de 25 ampoules connectées en série. Elle consomme 500 W quand on la branche sur le secteur de 120 V.

a) Que vaut le courant dans les ampoules ?

b) Que vaut la résistance de chaque ampoule prise isolément ?

17.30 Des guirlandes électriques pour arbres de Noël sont câblées en série, et d'autres en parallèle. Quel type est le moins perturbé lorsqu'une ampoule est grillée ? Expliquer le raisonnement.

17.31 Une habitation chauffée à l'électricité est alimentée par un courant de 200 A sous 230 V. Combien d'appareils de 100 W peut-on faire fonctionner simultanément dans cette habitation ?

17.32 Un radiateur électrique consomme 1 800 W quand on le branche sur une source de 120 V.

a) Quelle est la résistance du radiateur ?

b) On raccorde le radiateur à un cordon de rallonge fait de fil n° 18, qui n'est prévu que pour des lampes et des appareils ménagers de faible puissance. La résistance d'un mètre d'un fil unique n° 18 vaut 0,021 ohm. Quelle est la puissance dissipée dans le cordon ?

17.33 Un appareil d'éclairage utilise six ampoules de 60 W branchées en parallèle sur le secteur de 120 V.

a) Que vaut la résistance d'une ampoule ?

b) Quelle est la résistance effective des six ampoules ?

17.34 Deux ampoules d'éclairage consomment chacune 100 W quand on les branche séparément sur le secteur de 120 V.

a) Si on les raccorde en série au même secteur, quelle puissance vont-elles consommer ? (Supposer que la résistance de chaque ampoule ne change pas quand on les utilise de cette façon.)

b) Les ampoules seront-elles plus ou moins brillantes que précédemment ? Expliquer.

17.35 Trouver la résistance équivalente du réseau de la figure 17.39.

17.36 Trouver la résistance équivalente du réseau de la figure 17.40.

17.37 Dans le cas du circuit de la figure 17.41, trouver

a) le courant dans la résistance de 2 ohms ;

b) la différence de potentiel entre les extrémités de la résistance de 3 ohms ;

c) le courant dans la résistance de 3 ohms.

17.38 Trouver le courant dans le générateur de la figure 17.42.

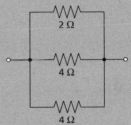

Figure 17.39 Exercice 17.35.

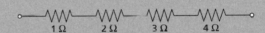

Figure 17.40 Exercice 17.36.

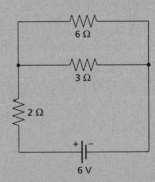

Figure 17.41 Exercice 17.37.

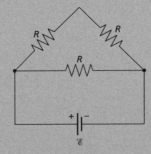

Figure 17.42 Exercice 17.38.

Voltmètres et ampèremètres

17.39 Un galvanomètre a une résistance de 10 ohms et donne une déviation maximum pour un courant de 10^{-3} A. Comment peut-on le convertir en un voltmètre mesurant des différences de potentiel de 0 à 0,1 V ?

17.40 Un galvanomètre a une résistance interne de 100 ohms et une déviation maximum pour un courant de 10^{-5} A.

a) Concevoir un voltmètre avec déviation maximum pour 10 V.

b) Concevoir un ampèremètre avec déviation maximum pour 10 A.

Circuits contenant une résistance et un condensateur

17.41 On connecte un condensateur de 1 µF à une batterie de 12 V par des fils de cuivre. Le courant initial est de 120 A.

a) Que vaut la résistance totale des fils et de la batterie ?

b) Quelle est la constante de temps du circuit ?

17.42 Une résistance de 1 000 ohms et un condensateur de 10^{-5} F sont connectés en série à une FEM de 100 V.

a) Déterminer la constante de temps.

b) Que vaut la charge finale du condensateur ?

17.43 On décharge un condensateur de 10^{-4} F dans une résistance de 100 ohms. Après combien de temps la charge du condensateur est-elle tombée à $1/e^2$ de sa valeur initiale ?

17.44 Vérifier que le produit RC a les dimensions d'un temps. (Suggestion : utiliser les relations qui définissent R et C.)

17.45 On connecte une résistance de 500 ohms en série avec une batterie de 6 V et un condensateur de 10 µF.

a) Que vaut le courant initial ?

(b) Combien de temps faut-il pour que le courant tombe à $1/e$ de sa valeur initiale ?

Sécurité électrique

17.46 a) Si une personne ayant les mains humides empoigne deux conducteurs et a une résistance de 1 000 ohms, que vaut la différence de potentiel capable de produire un courant de 10 mA ? Un tel courant est suffisant pour empêcher, par paralysie, de lâcher les conducteurs.

b) Quelle est la différence de potentiel capable de produire un courant de 100 mA qui causera la fibrillation ventriculaire en une seconde environ ?

17.47 a) Y a-t-il un risque de recevoir un choc électrique dangereux d'une batterie d'automobile de 12 V ?

b) Quels autres risques possibles sont associés à ce type de batteries ?

Applications des mesures de résistance

17.48 Les deux électrodes parallèles dans une cellule de conductivité ont chacune une surface de $1,4 \times 10^{-4}$ m^2 et sont distantes de 4×10^{-2} m. La cellule a une résistance de 370 ohms quand on la remplit d'une solution d'un électrolyte donné. Trouver la résistivité de la solution.

17.49 On calibre une cellule de conductivité en la remplissant d'une solution de conductivité connue σ et en mesurant sa résistance R. La *constante de la cellule*, k, est définie comme étant égale à $R\sigma$.

a) Quand la cellule est remplie d'une solution aqueuse de chlorure de potassium dont la conductivité est 0,277 ohm^{-1} m^{-1}, la résistance est de 190 ohms. Que vaut la constante de la cellule ?

b) Si la surface de chaque lame vaut $1,2 \times 10^{-4}$ m^2, quelle est leur séparation moyenne ?

17.50 La résistance R et la résistivité ρ d'un échantillon dans une cellule de conductivité sont liées par $\rho = R/k$ où k est la *constante de la cellule*. La constante d'une cellule donnée vaut 42 m^{-1}.

a) Sa résistance vaut 570 ohms quand on la remplit d'une solution de sulfate de potassium. Que vaut la résistivité de la solution ?

b) Que vaut la conductivité de la solution ?

17.51 Une cellule de conductivité a une résistance de 156 ohms lorsqu'elle est remplie d'une solution de chlorure de potassium dont la conductivité vaut 0,277 ohm^{-1} m^{-1}. Sa résistance est de 755 ohms quand elle est remplie d'une solution de chlorure de sodium. Trouver la conductivité de la solution de chlorure de sodium.

PROBLÈMES

17.52 Dans une détermination du nombre d'Avogadro, un courant constant de 4 A passe pendant 30 minutes dans une cellule qui consiste en deux électrodes d'argent plongées dans une solution de nitrate d'argent.

a) Que vaut, en coulombs, la charge parcourant le système ?

b) Combien d'électrons sont transportés ?

c) Si on trouve que 7,84 g d'argent sont déposés sur les plaques, quelle valeur du nombre d'Avogadro obtient-on ? (Chaque électron neutralise un ion et la masse atomique de l'argent est de 107,9 uma.)

17.53 La résistivité des fluides corporels est environ 0,15 ohm m. Estimer la résistance d'un doigt, d'un bout à l'autre, en négligeant la résistance de la peau.

17.54 a) Que vaut la résistance, à température ambiante, d'un fil d'aluminium de 1 m de long et 0,002 m de rayon ?

b) Que vaut le rayon d'un fil de cuivre de 1 m de long ayant la même résistance ?

c) Comparer les masses des deux fils. (La masse volumique du cuivre est de 8 900 kg m^{-3} et celle de l'aluminium est de 2 700 kg m^{-3}.)

17.55 Quand on relie les bornes d'une pile sèche par un fil électrique, le courant vaut 2,2 A et la tension aux bornes est de 1,4 V. Quand on coupe le circuit, le voltage aux bornes devient 1,52 V. Trouver la résistance interne et la FEM, en négligeant les erreurs dues aux appareils de mesure.

17.56 Un séchoir électrique branché sur un réseau de 230 V consomme 20 A.

a) Quelle puissance consomme-t-il ?

b) S'il faut 2600 J pour évaporer 1 g d'eau, combien de temps faudra-t-il pour sécher une charge de linge humide contenant 4 kg d'eau ? (Supposer qu'il n'y a pas de chaleur perdue dans l'environnement.)

17.57 Un moteur fonctionne sur une batterie de 12 V ; ce moteur constitue une charge équivalente à une résistance de 0,2 ohm.

a) Que vaut le courant ?

b) Que vaut la puissance fournie au moteur ?

c) Si le moteur fonctionne avec un rendement de 80 %, à quelle vitesse peut-il soulever un poids de 100 N ?

17.58 Dans une expérience de laboratoire pour étudiants, destinée à mesurer l'équivalent mécanique de la chaleur, une résistance immergée dans 0,7 kg d'eau est parcourue par un courant de 4,2 A sous une différence de potentiel de 12 V.

a) Combien d'énergie est fournie en 5 minutes ?

b) S'il n'y a pas de chaleur perdue dans l'environnement, quelle est la variation de température de l'eau ?

17.59 On utilise un calorimètre pour mesurer la chaleur latente de fusion d'une substance. Le calorimètre comporte une résistance de 50 ohms connectée à un réseau de 120 volts continu. Une fois que l'échantillon a atteint la température de fusion, il faut 2 minutes pour en faire fondre 0,3 kg. Que vaut la chaleur latente de fusion de la substance ?

17.60 Un accumulateur de 12 V et de 0,003 ohm de résistance interne est chargé par un générateur débitant 20 A.

a) Quelle borne de la batterie connecte-t-on à la borne positive du générateur (donc de potentiel le plus élevé) ?

b) Que vaut la puissance fournie par le générateur ?

c) Que vaut la tension aux bornes de la batterie pendant que l'on la charge ?

17.61 Trouver la résistance équivalente du circuit de la figure 17.43.

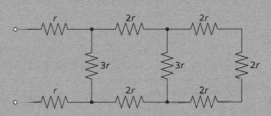

Figure 17.43 Problème 17.61

17.62 Si une FEM $\mathcal{E}$ est connectée aux bornes du réseau de résistances de la figure 17.44, que vaut le courant dans

a) la FEM

b) la résistance de $3/2r$ au bas de la figure ?

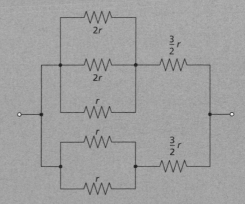

Figure 17.44 Problème 17.62

17.63 On dispose d'une grande quantité de résistances de 20 ohms. Quelle est la façon la plus simple de combiner plusieurs de ces résistances pour obtenir une résistance équivalente de

a) 60 ohms

b) 70 ohms

c) 75 ohms ?

17.64 Le condensateur d'un flash électronique a une capacité de 100 μF et est chargé sous 1 000 V.

a) Que vaut la charge sur les lames du condensateur ?

b) Le condensateur se décharge dans la lampe du flash et 0,001 seconde après que l'on a fermé l'interrupteur, la charge restante vaut 0,37 fois la charge initiale. Que vaut la résistance du circuit ?

c) Que vaut le courant après 0,001 seconde ?

17.65 Si un condensateur C initialement non chargé est connecté en série avec une résistance R, à une FEM, combien de temps faut-il pour que la charge atteigne 99 % de sa valeur finale ?

17.66 La figure 17.45 montre un *pont de Wheatstone*, un appareil utilisé pour mesurer les résistances. R_1 et R_2 valent 10 ohms et on ajuste R_3 jusqu'à ce que le courant I_g dans le galvanomètre soit nul. Si R_3 vaut alors 98,2 ohms, trouver la résistance inconnue R_x.

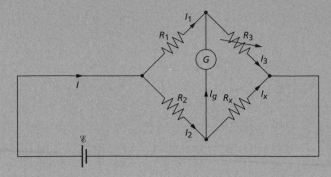

Figure 17.45 Problème 17.66

17.67 La figure 17.46 montre un *potentiomètre*, que l'on utilise pour mesurer la FEM d'une pile sans qu'elle débite de courant. On déplace le curseur C le long du fil résistif ab jusqu'à ce que le courant du galvanomètre soit nul. Lorsque cette condition est réalisée, quelle est la relation qui lie la FEM $\mathcal{E}$ inconnue à $\mathcal{E}_1$, R et R_1 ?

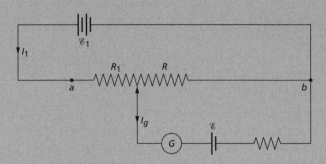

Figure 17.46 Problème 17.67

CHAPITRE 18

Conduction nerveuse

Mots-clefs

Amplification • Axone • Circuit analogique de l'axone • Constante de longueur • Différence de potentiel d'équilibre • ECG • EEG • Équation de Nernst • Gaine de myéline • Nœuds de Ranvier • Pompe à Na-K • Potentiel d'action • Résistance de fuite

Introduction

Au chapitre précédent, nous avons appliqué les concepts de potentiel électrique, de courant, de résistance et de capacité à des circuits et à des appareils électriques. On peut également appliquer ces concepts au phénomène biologique de la conduction nerveuse.

L'information est transmise dans le corps humain par des impulsions électriques dans des fibres nerveuses appelées *axones*. Ces impulsions sont très différentes des impulsions dans les fils téléphoniques en cuivre, car un axone est une structure complexe dans laquelle des processus biochimiques jouent un rôle important. Un axone a une très forte résistance et est faiblement isolé de son environnement, de sorte que les impulsions nerveuses subissent une forte atténuation sur une très courte distance et doivent être amplifiées. En comparaison, les communications téléphoniques ne doivent être amplifiées qu'après avoir parcouru bien des kilomètres. De plus, la vitesse d'une impulsion nerveuse n'est que d'environ un millionième de celle d'une impulsion dans un fil électrique ; celle-ci se propage avec une vitesse presque égale à celle de la lumière.

L'exposé de ce chapitre est centré sur la compréhension de deux types de potentiel électrique observés dans les nerfs. Dans son état non perturbé ou *état de repos*, l'intérieur d'un axone est à un potentiel inférieur à celui du *fluide interstitiel* environnant. Ce potentiel est le *potentiel de repos*. Quand un nerf est stimulé de façon appropriée, une impulsion de courant se propage le long de l'axone. La variation transitoire de potentiel associée à cette impulsion est appelée le *potentiel d'action*.

18.1 LA STRUCTURE DES CELLULES NERVEUSES

Comme les autres cellules, une cellule nerveuse est séparée de son environnement par une membrane qui limite les échanges de matière. Elle a cependant une forme atypique (figure 18.1). Des protubérances appelées *dendrites*, ainsi qu'une structure longue et fine, l'axone, sont attachées à la partie centrale de la cellule qui est le *corps cellulaire*. Les axones ont habituellement 1 à 20 micromètres de diamètre (1 micromètre = 1 μm = 10^{-6} m) et peuvent être très longs. Par exemple, les nerfs contrôlant les muscles ont leur corps cellulaire dans la colonne vertébrale. Comme certains axones atteignent des points aussi éloignés que le pied, un axone humain peut avoir 1 m de long. Les dendrites sont en général plus courtes et plus fines mais, tout comme les axones, elles peuvent présenter des ramifications. Une cellule nerveuse peut en influencer d'autres en des points, appelés *synapses*, où il y a un contact fonctionnel entre les dendrites.

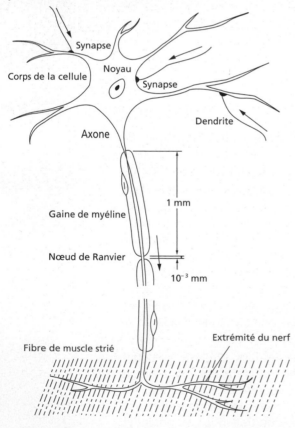

Figure 18.1 Un nerf typique. Les flèches indiquent le sens de propagation de l'impulsion nerveuse.

Certains axones d'animaux évolués sont entourés de *cellules de Schwann* qui forment une *gaine de myéline*, réduisant la capacité de la membrane et accroissant sa résistance. Cette gaine permet aux impulsions nerveuses de se propager sur une plus grande distance sans amplification, ce qui réduit l'énergie métabolique requise par la cellule nerveuse. Chaque cellule de Schwann a environ 1 mm = 10^{-3} m de long, mais la distance entre des cellules de Schwann successives est seulement de 1 μm = 10^{-6} m environ. Dans ces espacements entre cellules successives, appelés *nœuds de Ranvier*, l'axone est en contact direct avec le fluide interstitiel environnant. Nous verrons que c'est aux nœuds que l'amplification des impulsions nerveuses a lieu dans un nerf myélinisé. Ainsi donc, un axone myélinisé ressemble à un câble intercontinental sous-marin muni, à intervalles réguliers, d'amplificateurs dont le but est d'empêcher le signal de devenir trop faible. Par contraste, des signaux dans des axones non myélinisés s'atténuent sur une distance très courte et requièrent une amplification pour ainsi dire continuelle.

18.2 PROPRIÉTÉS ÉLECTRIQUES STATIQUES

Nous pouvons comprendre bon nombre des propriétés électriques d'un axone à l'aide d'un modèle qui assimile ce dernier à un câble électrique imparfaitement isolé, de sorte que des fuites de courant vers le milieu environnant se produisent en de nombreux endroits. De façon plus précise, nous supposerons que l'axone consiste en une membrane cylindrique contenant un fluide conducteur, l'*axoplasme* (figure 18.2). Le courant peut circuler dans ce fluide, le long de l'axone, et peut aussi fuir vers l'extérieur à travers la membrane.

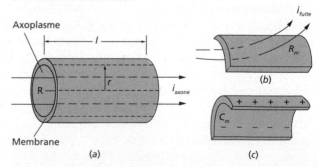

Figure 18.2 *(a)* L'axoplasme conducteur a une résistance R au courant longitudinal i_{axone}. *(b)* La résistance d'une unité de surface au courant de fuite i_{fuite} est R_m. *(c)* Des charges peuvent s'accumuler sur les deux faces de la membrane. La capacité d'une unité de surface est C_m.

Les propriétés électriques de l'axone sont déterminées par plusieurs grandeurs. La résistance R d'un segment d'axone, qui s'oppose au passage du courant longitudinal i_{axone} est proportionnelle à la résistivité de l'axoplasme, ρ_a. La résistance par unité de surface de la membrane, qui s'oppose au courant de fuite i_{fuite} est désignée par R_m.

La membrane a aussi une capacité électrique puisque des charges de signes opposés s'accumulent sur ses deux faces (figure 18.2). Il est possible à l'aide de micro-électrodes de mesurer la différence de potentiel entre l'axoplasme (V_i) et le liquide interstitiel à l'extérieur de la cellule (V_0). Par convention, on prend V_0 comme zéro de potentiel.

Si la fibre nerveuse est au repos, V_i est inférieur d'environ 70 mV à V_0 de sorte que $V_i = -70$ mV. En raccourci, on parle de potentiel de membrane. Comme le potentiel de membrane d'un neurone au repos n'est pas nul, on dit que la cellule nerveuse présente un potentiel de repos. La valeur de $V_i - V_0$ varie selon les espèces entre -40 et -100 mV. La charge par unité de surface, divisée par la différence de potentiel qui en résulte est la capacité par unité de surface C_m.

De l'équation (17.5), on tire que la résistance d'un fil de longueur ℓ, de section $A = \pi r^2$ et de résistivité ρ_a est $R = \rho_a \ell / A$. En utilisant les valeurs typiques des paramètres données au tableau 18.1, on obtient qu'un axone de 1 cm $= 10^{-2}$ m de long a une résistance de

$$R = \frac{\rho_a \ell}{\pi r^2} = \frac{(2 \text{ ohm m})(0,01 \text{ m})}{\pi (5 \times 10^{-6} \text{ m})^2} \qquad (18.1)$$
$$= 2,5 \times 10^8 \text{ ohms}$$

C'est une résistance énorme ! Elle équivaut à celle d'une longueur de 70 000 kilomètres de fil de cuivre n° 40, le fil le plus fin fabriqué couramment, qui a un diamètre de 0,08 mm. Paradoxalement, la nature a élaboré un système de communication efficace, tout en utilisant un fil que l'on considérerait habituellement comme un bon isolant.

La membrane est très fine, l'épaisseur de celle-ci (70×10^{-10} m) est très faible devant le rayon de l'axoplasme (5×10^{-6} m), de sorte qu'une petite section apparaît presque plane (figure 18.3). Dans ces conditions, on peut assimiler localement la membrane à deux plans parallèles.

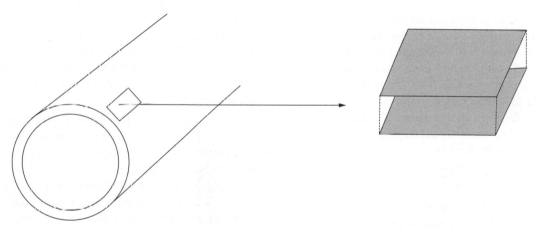

Figure 18.3 L'épaisseur de la membrane est beaucoup plus faible que le rayon de l'axoplasme. On peut assimiler localement la membrane à un condensateur plan.

Grandeur	Axone myélinisé	Axone non myélinisé
Résistivité de l'axoplasme, ρ_a	2 ohm m	2 ohm m
Capacité par unité de surface de la membrane, C_m	5×10^{-5} F m^{-2}	10^{-2} F m^{-2}
Résistance par unité de surface de la membrane, R_m	40 ohm m^{-2}	0,2 ohm m^{-2}
Rayon, r	5 $\mu m = 5 \times 10^{-6}$ m	5 $\mu m = 5 \times 10^{-6}$ m

Tableau 18.1 Valeurs des paramètres utilisés dans les exemples. Les valeurs mesurées varient quelque peu avec le type d'axone. (La résistivité du fluide intersitiel est faible et peut être négligée.)

Cela nous permet d'utiliser la formule (16.19) du condensateur à lames planes et parallèles qui énonce que la capacité est proportionnelle à la surface des lames A. Une longueur de membrane ℓ a une surface $A = 2\pi r\ell$. Comme la capacité par unité de surface est C_m, la capacité de la longueur ℓ de l'axone est

$$C = C_m(2\pi r\ell) \qquad (18.2)$$

En utilisant les données du tableau 18.1, on obtient que 1 cm de longueur d'un axone non myélinisé de 5 μ m de rayon a une capacité de $3,1 \times 10^{-9}$ F. La distance entre le fluide interstitiel et l'axoplasme est beaucoup plus grande pour un segment similaire d'axone myélinisé. Par conséquent, sa capacité est inférieure par un facteur d'environ 200, parce que la capacité de tout condensateur diminue quand on augmente la séparation entre les deux conducteurs.

Le champ électrique à l'intérieur de la membrane peut également être calculé en utilisant la formule 16.9. Pour $V_i = -70$ mV, on trouve une valeur énorme :

$$E = \frac{70 \times 10^{-3}}{70 \times 10^{-10}} = 10^7 \text{ V m}^{-1}$$

Puisqu'une membrane n'est pas un isolant parfait, des charges sortent de l'axoplasme, à travers la membrane, vers le fluide interstitiel. La résistance d'un conducteur est inversement proportionnelle à la surface de sa section. Si la résistance aux courants de fuite à travers une unité de surface de la membrane est R_m, alors un segment de membrane, de surface A, a une résistance $R' = R_m/A$. Pour une longueur ℓ de l'axone, la surface de la membrane vaut $2\pi r\ell$ et sa résistance de fuite est

$$R' = \frac{R_m}{2\pi r\ell} \qquad (18.3)$$

Les valeurs du tableau 18.1 conduisent au résultat suivant : une longueur de 1 cm d'un axone non myélinisé a une résistance de fuite de $R' = 6,4 \times 10^5$ ohms, ce qui est moins de 1 % de la résistance R de l'axoplasme. Par conséquent, la majeure partie du courant pénétrant dans un segment d'axone en sort par des fuites à travers les parois sur nettement moins de 1 cm.

D'après notre modèle, la résistance R de l'axoplasme est proportionnelle à la longueur ℓ du segment de l'axone et la résistance de fuite R' est proportionnelle à $1/\ell$. Il existe donc une distance λ (lambda) pour laquelle les résistances R et R' sont égales. D'après les équations (18.1) et (18.3) pour R et R', respectivement, λ doit satisfaire à

$$\frac{\rho_a \lambda}{\pi r^2} = \frac{R_m}{2\pi r\lambda}$$

ou

$$\lambda = \sqrt{\frac{R_m r}{2\rho_a}} \qquad (18.4)$$

La distance λ, appelée la *constante de longueur*, caractérise la distance que le courant parcourt avant que la majorité en ait fui à travers la membrane. Le tableau 18.1 donne une valeur typique de $\lambda = 0,05$ cm pour l'axone non myélinisé et de 0,7 cm pour l'axone myélinisé. Ainsi donc, une impulsion de courant peut parcourir, sans amplification, une distance bien plus importante dans un nerf myélinisé.

Il est donc impossible de transmettre un signal électrique par simple conduction dans l'axoplasme sur des distances supérieure au maximum à 1 cm. Un mécanisme entièrement différent doit donc être envisagé.

18.3 CONCENTRATIONS IONIQUES ET POTENTIEL DE REPOS

18.3.1 Milieux intra- et extracellulaires

Jusqu'ici, nous avons étudié la capacité et les résistances associées à un axone. Ce paragraphe traite d'informations supplémentaires indispensables à la compréhension du comportement d'un axone dans son état non perturbé ou état de repos. Ces informations concernent les différences de concentration et les potentiels à l'intérieur et à l'extérieur de l'axone.

La figure 18.4 donne une liste des concentrations des différents ions à l'intérieur, c_i, et à l'extérieur, c_0, d'un axone au repos. Parmi les ions qui peuvent traverser la membrane, ceux de sodium (Na^+) et de chlore (Cl^-) sont beaucoup plus nombreux à l'extérieur, tandis que le potassium (K^+) a une concentration supérieure à l'intérieur. Pour un axone de mammifère, le potentiel à l'intérieur de l'axone est inférieur de 90 mV au potentiel V_0 de sorte que $V_i = -90$ mV.

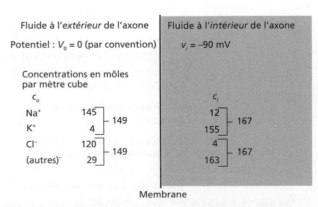

Figure 18.4 Concentrations et potentiels de repos à l'intérieur et à l'extérieur d'un axone typique de mammifère.

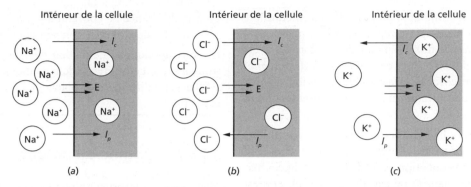

Figure 18.5 Courants ioniques, I_c dus aux différences de concentrations et I_p dus à la différence de potentiel. *(a)* Les deux flux de Na$^+$ entrent dans la cellule. *(b)* Les flux se compensent exactement pour Cl$^-$. *(c)* Pour K$^+$, I_c est légèrement supérieur à I_p et il y a un faible flux sortant.

Comme le montre la figure 18.5, les nombres d'ions positifs et négatifs sont égaux tant à l'intérieur qu'à l'extérieur de la cellule. Il y a cependant une différence de potentiel de part et d'autre de la membrane, de sorte qu'il doit y avoir des charges résultantes faibles $\pm Q$ sur les faces de la membrane. On peut en calculer l'importance en utilisant $Q = CV$ et la valeur de la capacité trouvée précédemment, ainsi que celle du potentiel de repos. On trouve que l'excès des ions négatifs sur les ions positifs à l'intérieur de la cellule est seulement d'environ $1/100\,000^{\mathrm{e}}$ du nombre total d'ions négatifs dans la cellule. Un même nombre d'ions positifs en excès est présent dans le fluide interstitiel. Les ions en excès forment de fines couches de charges de chaque côté de la membrane.

18.3.2 La loi de Nernst

La membrane de l'axone sépare donc deux compartiments (le milieu intra et le milieu extracellulaire) dans lesquels certaines espèces ioniques se trouvent à des concentrations différentes. Essayons de comprendre à l'aide d'un exemple simple, le lien entre cette différence de concentration et l'existence d'une différence de potentiel membranaire. Prenons un récipient rempli d'eau et séparons-le en deux parties (voir figure 18.6). Les compartiments 1 et 2 sont séparés par une membrane semi-perméable qui laisse passer les ions chlorure mais est imperméable aux ions sodium. Au départ, il y a plus de chlorure de sodium dans le premier compartiment que dans le second, donc une concentration en ions Na$^+$ et Cl$^-$ plus importante. Que va-t-il se passer ? Comme nous l'avons vu au chapitre 10, du fait de leur agitation thermique aléatoire, les ions vont diffuser de l'endroit où ils sont le plus concentrés vers l'endroit où ils le sont moins. Comme la membrane ne laisse pas passer les ions Na$^+$, seuls les ions Cl$^-$ peuvent passer du compartiment 1 vers le compartiment 2. Or lorsque l'ion Cl$^-$ passe dans le compartiment 2, il y

introduit une charge négative. Dans le compartiment 1, il reste un ion sodium isolé porteur d'une charge positive qui n'est plus neutralisée. Il apparaît donc une charge négative dans le compartiment 2 et une charge positive dans le 1. Le processus se répète à chaque fois qu'un ion Cl$^-$ traverse. Cependant, au fur et à mesure que les Cl$^-$ traversent, le compartiment 2 devient de plus en plus négatif et le compartiment 1 positif. Or les charges électriques de même signe se repoussent. À un moment, tout nouvel ion Cl$^-$ qui voudrait traverser se voit repoussé par les charges négatives accumulées dans le deuxième compartiment. On est à l'équilibre. La tendance à diffuser des ions suite à la différence de concentration est contre-balancée par la force électrique résultant de la différence de potentiel qui apparaît de part et d'autre de la membrane. Cette différence de potentiel peut être calculée grâce à une loi appelée loi de Nernst. Les transferts d'ions nécessaire à l'établissement de l'équilibre de Nernst ne modifient pratiquement pas les concentrations d'ions de départ dans les compartiments. Cette loi permet de comprendre les mécanismes de fonctionnement des neurones.

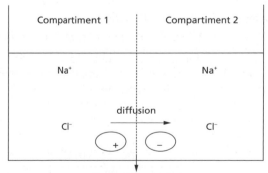

Figure 18.6 Récipient rempli d'eau, coupé en deux par une membrane perméable au Cl$^-$ et imperméable au Na$^+$. La concentration en NaCl est plus importante au départ dans le compartiment 1.

18.3.3 L'équation de Nernst

Nous pouvons déterminer si un ion est bien en équilibre en calculant un potentiel de repos théorique pour lequel il n'y aurait pas de flux résultant de cet ion à travers la membrane cellulaire. Pour cette *différence de potentiel d'équilibre* entre les faces de la membrane, les flux dus aux différences de concentration et de potentiel se compensent exactement.

On peut trouver la différence de potentiel d'équilibre pour un ion à partir de l'*équation de Nernst*. Bien que l'obtention de cette équation exige des connaissances mathématiques dépassant le niveau de ce manuel, elle est basée sur un modèle qui traite les ions dans une solution diluée comme un gaz parfait. Une différence de potentiel transmembranaire engendre un écart entre les concentrations de part et d'autre de la membrane. L'équilibre est atteint quand l'énergie potentielle d'un ion de charge q, $q(V_i - V_0)$, est égale au travail nécessaire pour le transférer à la région de concentration supérieure. En accord avec le modèle utilisé dans la théorie de Nernst, ce travail est $k_B T \ln(c_0/c_i)$, où k_B est la constante de Boltzmann, T la température en Kelvin et $\ln(c_0/c_i)$ le logarithme naturel (de base e) du rapport des concentrations. (On trouvera une description des propriétés des logarithmes à l'appendice B10.) Par conséquent, l'ion est en équilibre si les concentrations satisfont à l'équation de Nernst

$$q(V_i - V_0) = k_B T \ln \frac{c_0}{c_i} \qquad (18.5)$$

L'exemple 18.1 illustre l'utilisation de l'équation de Nernst en l'appliquant aux concentrations de K^+.

 —————— **Exemple 18.1** ——————

Comparer la différence de potentiel d'équilibre de K^+ avec le potentiel de repos observé, -90 mV. (Utiliser les données de la figure 18.4 et supposer une température de $37\,°C = 310$ K.)

Réponse La charge e d'un ion K^+ est

$$q = e = 1{,}60 \times 10^{-19}\,C \text{ et } k_B = 1{,}38 \times 19^{-23}\,JK^{-1}$$

La figure 18.4 donne $\ln c_0/c_i = \ln 4/155 = -\ln 155/4$. Par conséquent, l'equation de Nernst conduit à la différence de potentiel à l'équilibre suivante :

$$V_i - V_0 = \frac{k_B T}{q} \ln \frac{c_0}{c_i}$$

$$= \frac{(1{,}38 \times 10^{-23}\,JK^{-1})(310\,K)}{(1{,}60 \times 10^{-19}\,C)} \left(-\ln \frac{155}{4}\right)$$

$$= -98\,mV$$

Ce résultat est, en valeur absolue, légèrement supérieur au potentiel de repos, -90 mV. Par conséquent, dans un axone au repos, le flux entrant dû à la différence de potentiel n'est pas tout à fait aussi élevé que le flux sortant dû à la différence de concentration. Si $(V_i - V_0)$ valait -98 mV, les deux flux se compenseraient exactement.

Si nous appliquons l'équation de Nernst à Cl^-, nous trouvons que la différence de potentiel à l'équilibre vaut -90 mV. La différence de potentiel d'équilibre pour Na^+ est $+66$ mV.

18.3.4 Origine du potentiel de repos

Nous pouvons désormais répondre à la question : pourquoi existe-t-il une différence de potentiel au repos ?

En effet, nous pouvons considérer que la cellule nerveuse comporte deux compartiments, les milieux intra et extracellulaires, séparés par une membrane, la membrane qui délimite le neurone. De part et d'autre de cette membrane, les concentrations ioniques sont différentes puisque les ions Na^+ et Cl^- ont une concentration plus élevée dans le milieu extracellulaire et l'ion K^+ a une concentration plus élevée à l'intérieur de la cellule (figure 18.4).

Considérons maintenant les effets provenant de ce que la concentration de K^+ est beaucoup plus élevée à l'intérieur de la cellule qu'à l'extérieur. Supposons que la membrane du neurone soit uniquement perméable aux ions K^+. La perméabilité d'une membrane cellulaire est une mesure de la facilité avec laquelle une molécule ou un ion donnés peuvent traverser cette membrane. Les ions K^+ dans ce cas ont tendance à sortir de la cellule, la membrane se charge positivement à l'extérieur et une différence de potentiel membranaire apparaît. Celle-ci va causer un mouvement des ions vers l'intérieur à cause du sens du champ électrique membranaire. Nous pouvons calculer grâce à la loi de Nernst, la différence de potentiel d'équilibre des ions K^+ qui vaut -98 mV (voir exemple 18.1). Pour cette différence de potentiel, le flux sortant dû à la différence de concentration et le flux entrant dû à la différence de potentiel se compenseraient exactement et le flux résultant serait nul. Si nous faisions le même type de raisonnement pour les ions Cl^- plus concentré à l'extérieur qu'à l'extérieur, nous aurions un flux entrant dû à la différence de concentration et un flux sortant résultant de l'apparition de charge négative à l'intérieur de la cellule. Le potentiel d'équilibre pour ces ions si la membrane n'était perméable qu'à eux serait égal à -90 mV. Dans le cas des ions Na^+, si la membrane était (et dans ce cas il s'agit bien d'une hypothèse lorsque le neurone est au repos) uniquement perméable au Na^+, leur concentration étant plus élevée dans le milieu extérieur qu'intérieur, ils entreraient. La membrane deviendrait chargée positivement à l'intérieur et la différence de potentiel d'équilibre serait cette fois de +66 mV. Les situations théoriques que nous venons de décrire, à savoir une membrane qui ne serait perméable qu'aux ions Cl⁻ ou aux ions K⁺ ou aux ions Na⁺, ne correspondent pas à la réalité. En effet, au repos, la perméabilité de la membrane de la cellule nerveuse varie avec le type d'ions et elle est 100 fois plus perméable aux ions K⁺ qu'aux ions Na⁺.

Comme la membrane est beaucoup plus perméable aux ions K⁺ qu'aux autres ions, la différence de potentiel réel de part et d'autre de la membrane du neurone tend vers le potentiel d'équilibre des K⁺. Si le potentiel de repos (−90 mV) n'est pas strictement égal au potentiel d'équilibre du K⁺ c'est parce que la membrane montre une certaine perméabilité aux ions Cl⁻ et Na⁺.

Ions	$V_{équilibre}$
Na⁺	+ 66 mV
K⁺	− 98 mV
Cl⁻	− 90 mV

Tableau 18.2 Différence de potentiel d'équilibre des ions.

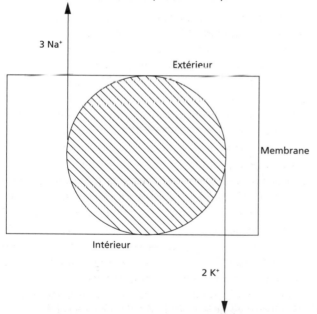

Figure 18.7 La pompe Na⁺ K⁺ responsable du transport actif des ions.

Concrètement, la valeur du potentiel de repos effectivement mesuré de part et d'autre de la membrane est exactement égale à la différence de potentiel d'équilibre des ions Cl⁻ de sorte que les flux entrant et sortant dus respectivement à la différence de potentiel et à la différence de concentration se compensent exactement. Il n'y a donc pas de transport global d'ions Cl⁻. Par contre, pour les ions K⁺, le flux global est faible et dirigé vers l'extérieur puisque l'effet de la différence de concentration dépasse celui de la différence de potentiel (voir exemple 18.1).

Il y a donc un transport résultant des ions K⁺ vers l'extérieur. Les ions Na⁺ vont diffuser vers l'intérieur de la membrane de la cellule à une vitesse proportionnelle à leur différence de concentration $C_0 − C_i$ et à la perméabilité de la membrane à ces ions. Le potentiel de repos est négatif de sorte que le champ électrique est dirigé vers l'intérieur de la membrane ce qui entraîne un flux supplémentaire d'ions positifs Na⁺ à travers la membrane vers l'intérieur de la cellule. Comme la concentration en Na⁺ reste nettement plus élevée à l'extérieur, le sodium doit être constamment ramené à l'extérieur contre les forces électriques et la différence de concentration. Ce processus de transport demande une dépense continuelle d'énergie métabolique. Comme dans le cas du sodium, il doit exister un mécanisme qui retourne le potassium dans la cellule et maintient les concentrations hors équilibre.

Les flux résultants de Na⁺ vers l'intérieur de la cellule et de K⁺ vers l'extérieur, dus à la diffusion et aux forces électriques, sont dits *flux passifs* parce qu'ils ont lieu sans dépense d'énergie. Un autre processus, non encore déterminé, transporte les Na⁺ et K⁺ en sens inverse à travers la membrane et maintient les concentrations hors d'équilibre. Ce processus, qui dépense de l'énergie, est appelé le *transport actif* de Na-K ou la *pompe* à Na-K (figure 18.7).

Comme nous l'avons déjà signalé, dans l'état de repos, la membrane d'un axone est 100 fois plus perméable à K⁺ qu'à Na⁺. Cela signifie que les mêmes différences de concentration ou de potentiel produiraient des flux beaucoup plus importants des ions potassium que des ions sodium. Cependant, le flux passif total de sodium et celui de potassium sont à peu près égaux, car le potentiel de repos est nettement plus proche du potentiel d'équilibre de K⁺ que de celui de Na⁺.

Au départ, on pensait que la pompe transportait un ion K⁺ à l'intérieur de la cellule pour chaque ion Na⁺ qu'elle faisait passer vers l'extérieur. Ceci garantissait l'électroneutralité des compartiments intérieur et extérieur. En réalité, les phénomènes sont un peu plus compliqués, la pompe met en jeu 3 Na⁺ pour 2 K⁺ et la neutralité de la solution impose donc un transport associé de cations qui peut être assuré par des courants de fuite.

En résumé, les valeurs observées du potentiel et des concentrations ioniques à l'état de repos impliquent des flux passifs d'ions Na⁺ qui entrent dans l'axone et d'ions K⁺ qui en sortent ; ces flux résultent de la diffusion et de l'action des forces électriques. Le maintien de cet état hors d'équilibre est dû à la pompe à Na-K qui transporte activement Na⁺ à l'extérieur de la cellule et K⁺ à l'intérieur, tout en dépensant de l'énergie métabolique. L'importance numérique et le signe du potentiel sont, à leur tour, largement déterminés par le rapport des perméabilités de la membrane aux ions K⁺ et Na⁺.

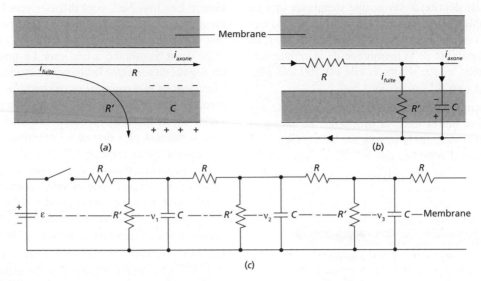

Figure 18.8 *(a)* Un petit segment d'un axone. *(b)* Le circuit analogique équivalent pour le segment. *(c)* Le circuit analogique pour plusieurs segments d'axone. La FEM ε représente le stimulus.

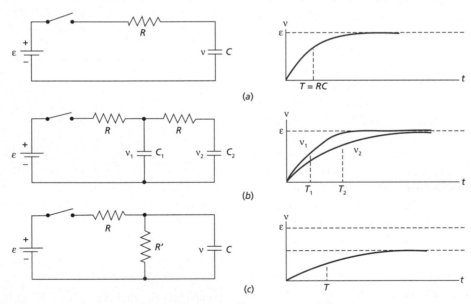

Figure 18.9 Diagrammes des circuits et différences de potentiel des condensateurs en fonction du temps. Initialement les condensateurs ne sont pas chargés et on enclenche l'interrupteur à $t = 0$. *(a)* Le circuit *RC* le plus simple. *(b)* V^2 croît plus lentement que V_1 mais atteint finalement la même valeur, égale à la FEM ε de la pile. *(c)* Si une résistance de fuite est placée en parallèle avec le condensateur, la différence de potentiel finale *v* est inférieure à ε.

18.4 LA RÉPONSE À DES STIMULI FAIBLES

Après avoir discuté l'état de repos d'un axone, nous examinerons maintenant la réponse de ce dernier à un stimulus faible. Dans la plupart des expériences, on utilise des stimuli électriques que l'on contrôle plus facilement et qui ne blessent pas la cellule s'ils sont suffisamment faibles. Pour un stimulus électrique au-dessous d'un seuil critique, la réponse de l'axone est similaire à celle d'un réseau de résistances et de condensateurs. Plus précisément, si on applique un stimulus faible en un point de l'axone, aucun changement significatif du potentiel de celui-ci ne se produit au-delà de quelques millimètres. Par contraste, un stimulus au-dessus du niveau de seuil produit une impulsion de courant qui se propage tout le long de l'axone sans atténuation. Nous étudierons cette impulsion de courant et le potentiel d'action qui y est associé au paragraphe suivant.

Nous pouvons obtenir le circuit analogique de l'axone en divisant ce dernier en un grand nombre de petits segments. Le fluide interstitiel entourant l'axone a une très faible résistance et peut être représenté par un conducteur parfait. Chaque segment de l'axone a une résistance R au courant longitudinal i_{axone}. La membrane a une résistance R' aux fuites de courant i_{fuite} plus une capacité électrique C (figure 18.8a, b). L'ensemble de tous les segments est alors analogue au réseau complexe de résistances et de condensateurs de la figure 18.8c. La FEM représentée sur cette même figure schématise le stimulus appliqué.

On comprend plus facilement le comportement de ce circuit analogique complexe si on considère d'abord le réseau RC plus simple de la figure 18.9a. Supposons que la charge initiale q de C soit nulle et que l'on ferme l'interrupteur à $t = 0$. La charge q et la différence de potentiel $v = q/C$ vont augmenter graduellement. Comme nous l'avons vu au chapitre 17, le temps requis pour atteindre une fraction caractéristique des valeurs finales de q et de v est déterminé par la constante de temps, $T = RC$.

Quand il y a deux résistances et deux condensateurs, comme à la figure 18.9b, le processus de charge est plus compliqué. La différence de potentiel v_2 aux bornes de C_2 doit croître plus lentement que la différence de potentiel v_1 aux bornes de C_1, puisque le circuit qui connecte le générateur à C_2 a une résistance de $2R$. Si l'on ajoute un nombre croissant de paires RC, la différence de potentiel aux bornes de chaque condensateur supplémentaire croît encore plus lentement. Par conséquent, dans le circuit analogique de l'axone (figure 18.8c), v_2 changera plus lentement que v_1, v_3 encore plus lentement, et ainsi de suite.

La figure 18.9c montre l'effet d'une résistance de fuite. À tout moment, il subsiste un courant dans le circuit à cause du chemin conducteur passant par R et R'. Il en résulte une chute de potentiel dans R et la différence de potentiel finale aux bornes du condensateur est inférieure à la FEM. Dans le circuit analogique de l'axone, la différence de potentiel finale décroît lorsque l'on se déplace vers la droite, à cause des pertes de courant dans les résistances de fuite R'.

Pour résumer, quand on ferme l'interrupteur ou que l'on applique un «stimulus» au circuit analogique de l'axone, les différences de potentiel aux bornes des condensateurs changent progressivement. Si l'on s'écarte du point où le stimulus est appliqué, la variation devient plus lente et la valeur finale plus faible (figure 18.10).

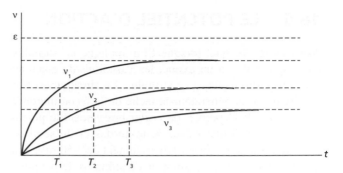

Figure 18.10 Les différences de potentiel aux bornes des condensateurs pour le circuit analogique de l'axone de la figure 18.8c, en supposant que l'interrupteur soit enclenché en $t = 0$. Chaque différence de potentiel croît plus lentement que la précédente et atteint une valeur finale plus faible.

On observe un comportement très similaire quand on stimule faiblement un axone non myélinisé, comme le montre la figure 18.11. Une sonde connectée à une pile est insérée dans l'axone en $x = 0$ et on modifie progressivement le potentiel V_i en ce point, de −90 à −60 mV. Le temps requis par cette variation est déterminé par la capacité électrique de la membrane et la résistance extérieure en série r. En d'autres valeurs de x, les potentiels changent plus lentement, atteignant une valeur finale entre −90 mV et −60 mV. Tout comme dans le circuit analogique de l'axone, le temps pour que le potentiel change de façon appréciable augmente avec la distance x, mesurée par rapport au point d'application du stimulus. Ceci reflète le temps nécessaire pour modifier la charge sur la membrane. La valeur finale des variations de potentiel diminue lorsque x augmente, à cause du courant de fuite à travers la membrane. Ainsi donc, les effets d'un stimulus faible se propagent plutôt lentement et deviennent négligeables après quelques millimètres.

Nous avons utilisé le circuit analogique de l'axone pour faire des prédictions qualitatives quant à la réponse d'un axone à un stimulus faible. Ce circuit peut aussi fournir des prédictions quantitatives, reliant le potentiel final de l'axone mesuré à la distance x par rapport au point d'application du stimulus, à la constante de longueur λ définie au paragraphe 18.2. On obtient ces prédictions en appliquant la loi d'Ohm aux courants de fuite à travers la membrane et à celui circulant le long de l'axone.

Si la différence entre le potentiel final et celui de repos est V_d en $x = 0$, on trouve alors que celle en x est

$$V(x) = V_d e^{-x/\lambda} \tag{18.6}$$

Si λ vaut 0,05 cm, une valeur fréquente pour un axone non myélinisé, alors $V(x)$ devient $V_d e^{-1} = 0,37 V_d$ après 0,05 cm, $V_d e^{-2} = 0,135 V_d$ après 0,1 cm et ainsi de suite. Cette prédiction pour la dépendance en fonction de x est en accord avec les résultats expérimentaux.

18.5 LE POTENTIEL D'ACTION

Nous avons vu que, lorsque l'on applique un stimulus électrique faible à un axone, les variations de potentiel sont proportionnelles à ce stimulus. La situation est très différente si un générateur branché de la façon indiquée à la figure 18.11 permet de porter brièvement le potentiel en $x = 0$ à une valeur juste au-dessus du seuil de potentiel d'action, qui est généralement de -50 mV. Peu de temps après l'application de ce stimulus, le potentiel

de l'axone en x croît soudainement et devient positif, atteignant une valeur jusqu'à +50 mV pour certains axones (figure 18.12*a*). Le potentiel retourne ensuite progressivement à sa valeur de repos. La forme du potentiel d'action et la valeur du maximum sont *indépendantes du dépassement du seuil par le stimulus initial* et de la distance, sauf très près de $x = 0$. Ainsi donc, le potentiel d'action n'est pas proportionnel au stimulus. C'est, au contraire, une réponse transitoire de *tout ou rien*.

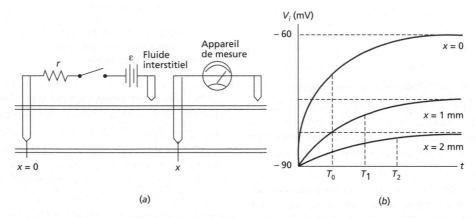

Figure 18.11 *(a)* Appareil pour modifier le potentiel de l'axone en $x = 0$ et observer les modifications résultantes à la position x. L'appareil de mesure est habituellement un oscilloscope à tube cathodique. *(b)* Le potentiel d'axone en fonction du temps en $x = 0$, 1 et 2 mm. Remarquer les similitudes avec la figure 18.10.

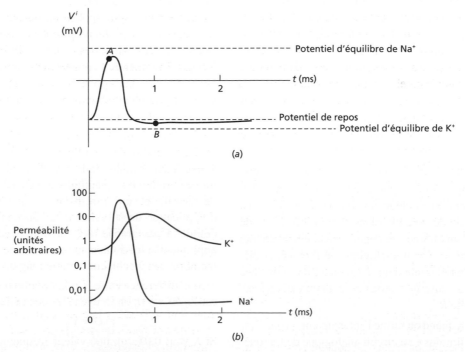

Figure 18.12 *(a)* Le potentiel de l'axone en un point à une certaine distance de celui où on applique le stimulus. *(b)* Les changements dans les perméabilités de la membrane qui y sont associés. Remarquer que l'échelle verticale est logarithmique.

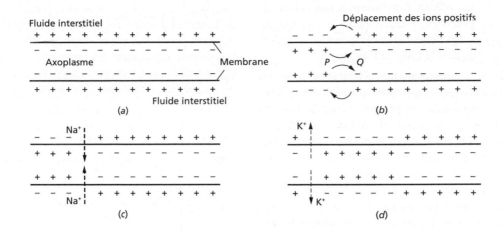

Figure 18.13 Propagation d'un potentiel d'action dans un axone *non myélinisé*. *(a)* L'état de repos. *(b)* Une impulsion de potentiel d'action s'est propagée dans le segment de l'axone jusqu'au point *P*. À l'intérieur de l'axone, les ions positifs s'éloignent de *P* en se déplaçant vers la droite. À l'extérieur, ils se déplacent de la droite vers *P*. Les charges au point adjacent *Q*, disposées de part et d'autre de la membrane, diminuent graduellement en valeur absolue et le potentiel augmente, se rapprochant du seuil de potentiel d'action. *(c)* Une fois que le seuil est atteint, la membrane admet un flux entrant d'ions sodium (flèches en pointillés). Le potentiel de l'axone en ce point augmente maintenant rapidement et devient positif. *(d)* L'impulsion de potentiel d'action s'est propagée plus loin le long de l'axone et l'extrémité gauche du segment est retournée à un potentiel négatif proche du potentiel de repos. Ce retour rapide à un potentiel d'axone négatif est dû à un flux sortant d'ions potassium (flèches en pointillés) produit par un accroissement de la perméabilité à K⁺. La pompe active à Na-K ramène le potentiel et les concentrations à leurs valeurs de repos sur un intervalle de temps beaucoup plus long.

Dans un axone non myélinisé, le potentiel d'action est accompagné de changements spectaculaires dans la perméabilité de la membrane aux Na^+ et aux K^+. Ceci est dû à l'existence de canaux protéiques dans la membrane cellulaire à travers lesquels les ions peuvent diffuser ou non suivant que le canal est ouvert ou pas. Dans les membranes des axones, le fait que les canaux soient ouverts ou fermés dépend de la différence de potentiel transmembranaire. On dit que l'ouverture des canaux est réglée par la tension. Les canaux Na^+ réglés par la tension sont fermés lorsque le neurone est au repos. Ils ne s'ouvrent que sous l'action d'un changement de potentiel de membrane.

Quand, dans un axone non myélinisé, le potentiel V_i dépasse le seuil de potentiel d'action en un point quelconque, la perméabilité au Na^+ augmente soudainement en ce point par un facteur de plus de 1 000. Ceci entraîne presque instantanément une entrée d'ions de sodium positifs qui fait passer le signe de V_i de négatif à positif. Après 0,3 ms environ, le potentiel approche de la valeur d'équilibre pour le Na^+ (point *A* de la figure 18.12*a*), donnée par l'équation de Nernst, et le flux de sodium entrant diminue. La perméabilité au sodium commence également à baisser, tendant vers son niveau normal nettement plus faible. Entre-temps, la perméabilité au potassium a pro-

gressivement augmenté par un facteur d'environ 30. En conséquence, les ions de potassium commencent maintenant à sortir rapidement de la cellule et V_i redevient négatif. En fait, V_i atteint une valeur située au-dessous du potentiel de repos (point *B* de la figure 18.12*a*), proche du potentiel d'équilibre de K^+ qui, comme nous l'avons vu plus haut, est légèrement plus négatif que le potentiel de repos. Ce retour en 1 ms environ à un potentiel proche du potentiel de repos est dû aux variations de la perméabilité à K^+ et *non* aux effets de la pompe à Na-K qui agit beaucoup plus lentement. La pompe rétablit bien les concentrations de repos de Na^+ et K^+ qui ont été légèrement altérées pendant l'impulsion de potentiel d'action ; cependant ce processus prend environ 50 ms.

Nous allons maintenant voir comment ce mécanisme amplifie une impulsion et permet à un potentiel d'action de se propager tout le long d'un axone, sans atténuation. La figure 18.13 montre un segment d'axone non myélinisé que l'on a excité à une extrémité, de sorte que V_i est positif en ce point. Des ions positifs se déplacent vers cette extrémité à l'extérieur de la membrane et s'en éloignent à l'intérieur. Cela entraîne une diminution de charge dans la région adjacente de la membrane, de sorte que le potentiel de l'axoplasme y devient moins négatif et croît jusqu'au seuil de potentiel d'action. Ceci amorce un accroissement de perméabilité au sodium, conduisant à une entrée de sodium et à un potentiel d'action dans le segment de membrane voisin. De cette façon, le potentiel d'action progresse pas à pas tout le long de l'axone.

On qualifie d'« amplification » l'opération mise en œuvre chaque fois qu'un potentiel d'action est engendré dans la propagation de l'impulsion le long de l'axone, car c'est alors qu'il y a apport d'énergie. La pompe à Na-K maintient continuellement le potentiel de repos et les écarts de concentration transmembranaires des ions Na$^+$ et K$^+$. De ce fait, une énergie potentielle électrique considérable est emmagasinée dans la membrane, un peu comme l'eau est mise en réserve dans un barrage. Un potentiel d'action a lieu du fait de l'accroissement de perméabilité aux ions Na$^+$ et K$^+$ que subit la membrane. Ces augmentations de perméabilité jouent un rôle analogue à l'ouverture du déversoir d'un barrage. Il se produit alors un flux soudain d'ions au travers de la membrane cellulaire, dont la cause réside dans les différences de concentration, et c'est ce flux d'ions qui fournit le courant du potentiel d'action. La pompe à Na-K fonctionne alors de façon analogue à une pompe hydraulique, qui ramènerait l'eau au barrage-réservoir pour la décharge suivante. Tout comme cette pompe hydraulique, celle à Na-K prend, pour restaurer l'état ionique initial, un temps bien plus long que la durée du potentiel d'action.

18.5.1 L'axone myélinisé

Dans un nerf myélinisé, un nombre relativement faible d'ions franchit la gaine de myéline en dehors des nœuds de Ranvier qui sont distants d'environ 1 mm (figure 18.14). À ces nœuds, la membrane répond à un stimulus dépassant le seuil comme dans un axone non myélinisé : la perméabilité à Na$^+$ augmente rapidement, ce qui donne lieu à une entrée de Na$^+$ et déclenche l'impulsion caractéristique de potentiel d'action. Ceci, à son tour, produit des flux d'ions positifs qui s'écartent du nœud à l'intérieur de l'axone et, à l'extérieur, se dirigent vers ce nœud. Une part du courant de l'axone fuit à travers la membrane ; cependant, la plus grande partie atteint le nœud suivant, puisque la distance de 1 mm entre les nœuds est petite par rapport à la constante de longueur λ, qui vaut en général plusieurs millimètres dans un axone myélinisé. Le courant dans l'axone réduit les charges sur la membrane et accroît le potentiel au nœud suivant jusqu'à ce qu'il atteigne le niveau de seuil de potentiel d'action. Il en résulte que ce nœud est activé à son tour. Le potentiel d'action se propage donc ainsi le long de l'axone.

Comme l'amplification et les transferts ioniques qui lui sont associés n'ont lieu qu'aux nœuds, la consommation d'énergie métabolique pour ramener un axone myélinisé

à son état de repos après potentiel d'action est moindre que dans le cas d'un axone non myélinisé. La propagation du potentiel d'action est aussi plus rapide dans un axone myélinisé. Ainsi donc, ces axones sont mieux adaptés à transmettre rapidement les quantités élevées d'information requises par les animaux supérieurs ; ils représentent un progrès important dans l'évolution des espèces.

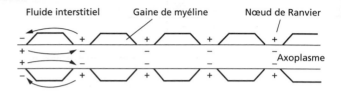

Figure 18.14 Propagation d'un potentiel d'action dans un axone myélinisé. Un potentiel d'action supralaminaire à un nœud déclenche une entrée de sodium et une impulsion de potentiel d'action qui, à son tour, excite le nœud suivant.

On peut prédire la vitesse de propagation du potentiel d'action entre deux nœuds d'un axone myélinisé au moyen du modèle simple de l'axone introduit plus haut, parce qu'il n'y a amplification qu'en ces nœuds. Une démonstration rigoureuse impliquerait l'emploi de notions mathématiques complexes ; nous pouvons cependant obtenir rapidement la formule correcte de la vitesse au moyen d'arguments physiques simples. Cette formule est intéressante car elle montre quels sont les compromis admis par la nature au cours de l'évolution.

La vitesse v du potentiel d'action est la distance X entre deux nœuds, divisée par le temps T requis pour diminuer la charge de la membrane et accroître le potentiel au second nœud jusqu'au niveau de seuil. Ce temps est comparable à la constante de temps RC du circuit série contenant la résistance R de l'axoplasme et la capacité C de la membrane. R est la résistance mesurée à partir du premier nœud jusqu'à $X/2$, c'est-à-dire jusqu'au milieu du « condensateur » que le processus met en charge. En utilisant $\ell = X/2$ dans l'équation (18.1) qui donne R et $\ell = X$ dans l'équation (18.2) qui fournit C, on trouve, pour un axone de rayon r,

$$T = RC = \left(\frac{\rho_a X}{2 \pi r^2} \right) (2 \pi r X C_m) = \rho_a C_m \frac{X^2}{r}$$

et

$$v = \frac{X}{T} = \frac{r}{\rho_a C_m X} = 10r \text{ m s}^{-1} \text{ } \mu \text{ m}^{-1} \qquad (18.7)$$

On obtient cette dernière expression en utilisant $X = 1$ mm et les valeurs de ρ_a et C_m du tableau 18.1. Les valeurs expérimentales de v, en mètres par seconde, sont d'habitude

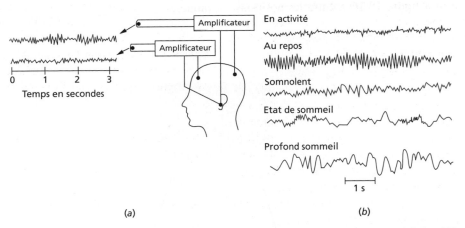

(a)   *(b)*

Figure 18.15 L'électroencéphalographe. *(a)* Une électrode fixée à l'oreille donne le potentiel de référence. Les deux enregistrements sont typiques de la réponse de différentes régions. *(b)* Figures EEG caractéristiques de différents degrés d'éveil d'un patient.

entre $12r$ et $17r$ (où r est exprimé en μm) de sorte que le modèle simple de l'axone utilisé ici, donne des résultats raisonnables.

L'équation (18.7) montre que les impulsions nerveuses se propagent plutôt lentement. Par exemple, si $r = 5$ μm, v vaut alors 50 m s^{-1} et il faut $0{,}08$ s pour que, si on marche sur un objet pointu, un message parcoure le trajet aller-retour entre l'orteil blessé et le cerveau. Accroître le rayon d'un axone augmente la vitesse, mais cela augmente également les exigences en énergie métabolique, de sorte qu'un compromis doit être trouvé. Il est clair que les axones longs qui transmettent de l'information exigeant une réponse rapide doivent avoir des rayons importants, alors que cela n'est pas nécessaire pour les autres axones. Par conséquent, bien que ce ne soit certainement pas le cas de tous, un grand nombre d'axones longs ont un rayon important. Par exemple, environ 60 % des axones allant aux muscles ont entre 6 et 10,5 μm de rayon. Au contraire, dans des parties du cerveau où les nerfs sont très courts, 90 % des axones ont 2 μm, ou moins, de rayon.

Le choix de l'espacement optimum entre les nœuds implique aussi un processus subtil, puisque la vitesse varie comme $1/X$. Si on accroît X, la vitesse diminue, ce qui est indésirable, mais les exigences d'énergie métabolique sont également réduites. Ainsi donc, de nouveau, un compromis doit être trouvé entre une vitesse élevée et une consommation faible d'énergie. Dans la nature, X varie dans une gamme relativement étroite, allant de 1 à 2 mm ; cela suggère que sortir de cette gamme rendrait l'axone moins apte à remplir sa fonction.

18.6 ÉLECTROENCÉPHALOGRAPHE ET ÉLECTROCARDIOGRAPHE

L'observation directe des impulsions nerveuses exige qu'une sonde soit insérée dans le nerf, ce qui est impraticable dans le diagnostic médical de routine. Heureusement, des électrodes placées sur la peau peuvent capter des signaux faibles liés à l'activité électrique globale dans le corps. Ceci rend possible l'électroencéphalographe (EEG) et l'électrocardiographe (ECG), instruments qui apportent une aide précieuse dans l'étude, respectivement, des troubles cérébraux et cardiaques.

Des signaux électriques qui prennent naissance dans l'organisme se propagent jusqu'à la peau, car la résistance du fluide interstitiel n'est pas complètement nulle. Si de nombreux axones sont simultanément actifs en un endroit déterminé, le potentiel au voisinage de cet emplacement change par rapport au potentiel moyen de l'organisme. Bien que les variations observées à la surface soient au plus de 50 μV, c'est-à-dire environ 0,1 % d'un potentiel d'action complet, on peut les mesurer ou les enregistrer après amplification.

La figure 18.15 montre un électroencéphalographe ainsi que des EEG typiques de différents états d'éveil. On enregistre les signaux émis par des électrodes placées sur le crâne, en différentes positions standard. Les déviations par rapport à la normale peuvent aider dans le diagnostic de l'épilepsie, de tumeurs, d'altérations cérébrales dues à des accidents et d'affections diverses.

Un électrocardiographe enregistre l'activité électrique associée au cœur. La figure 18.16 montre les positions habituelles des électrodes, ainsi que des tracés ECG typiques.

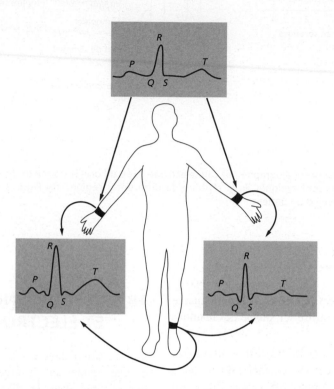

Figure 18.16 Disposition standard des électrodes en électrocardiographie et forme typique des signaux enregistrés avec ces connexions standard. Le pic *P* correspond à l'impulsion électrique initiale qui déclenche un cycle cardiaque. L'intervalle de *P* à *Q* dure environ 0,12 à 0,20 seconde chez une personne normale et correspond à la propagation de l'impulsion dans les oreillettes (les «chambres» supérieures du cœur). L'intervalle *QRS* dure environ 0,06 à 0,10 seconde et correspond à la propagation de l'impulsion dans les ventricules (chambres inférieures). Le pic *T* est associé au retour du cœur à son état normal après une impulsion.

Réviser

RAPPELS DE COURS

Un axone ressemble à un câble électrique mal isolé. On peut comprendre bon nombre de ses propriétés électriques en utilisant un modèle de câble ou un réseau *RC* équivalent.

Un axone au repos a un potentiel inférieur à celui du fluide interstitiel environnant. Le potentiel de repos et les concentrations hors d'équilibre des ions Na^+ et K^+ sont maintenus par le mécanisme de la pompe active à Na-K, qui compense les flux ioniques passifs dus à la diffusion et aux forces électriques.

Des stimuli électriques faibles induisent, dans l'axone, des réponses proportionnelles qui sont similaires à celles du circuit analogique *RC* et diminuent rapidement avec la distance. Un stimulus qui amène le potentiel de l'axone au-dessus d'un seuil critique déclenche une impulsion de courant et le potentiel d'action qui y est associé. Ceux-ci se propagent sans atténuation tout le long de l'axone, amplifiés par des processus associés à des modifications des perméabilités ioniques de la membrane.

La vitesse des impulsions nerveuses d'un axone myélinisé est proportionnelle au rayon de l'axone et inversement proportionnelle à la distance entre les nœuds de Ranvier où l'amplification se produit. Ainsi donc, il y a un compromis évolutif délicat entre la vitesse et l'utilisation économique de l'énergie.

PHRASES À COMPLÉTER

Voir réponses en fin d'ouvrage.

1. Comparé à un téléphone, un axone a une résistance beaucoup plus _____, est nettement isolé et nécessite une amplification beaucoup _____fréquente.

2. Un axone myélinisé est entouré de _____.

3. La distance qu'un courant peut parcourir sans amplification est caractérisée par la _____.

4. Dans un axone à l'état de repos, il y a beaucoup plus d'ions _____ à l'extérieur qu'à l'intérieur de la membrane et beaucoup plus d'ions _____ à l'intérieur qu'à l'extérieur.

5. L'équation de Nernst relie la différence de potentiel entre les faces de la membrane, au rapport des _____ à l'équilibre.

6. Quand un axone est soumis à un stimulus faible, les différences de potentiel changent à une vitesse plus _____ et avec une amplitude finale plus _____, quand on s'éloigne du stimulus.

7. Le potentiel d'action entraîne une augmentation soudaine de la perméabilité de la membrane aux ions _____.

8. Dans un axone myélinisé, l'amplification a lieu aux _____.

9. Si on double le rayon d'un axone myélinisé, la vitesse du potentiel d'action change d'un facteur _____.

10. Des axones de rayon plus grand demandent plus _____ que ceux de rayon plus petit.

EXERCICE CORRIGÉ

Un segment d'axone non myélinisé de 1 cm de long a une capacité de 3×10^{-9} F. Si le potentiel de l'axoplasme varie de -90 mV à $+40$ mV, que vaut la variation de la charge de chaque côté de la membrane ? Si cette variation est due à une entrée d'ions sodium, quel est le nombre de ces ions qui pénètrent dans l'axone ?

Solution

La membrane cellulaire agit comme un condensateur puisque des charges s'accumulent sur les deux faces de la membrane. Nous pouvons donc utiliser la formule qui lie la capacité d'un condensateur à la charge et à la différence de potentiel.

Potentiel -90 mV :

$Q = CV$

$Q = -\left(3 \times 10^{-9}\right) \times \left(-90 \times 10^{-3}\right) = -270 \times 10^{-12}$ C

Potentiel $+40$ mV :

$Q = \left(3 \times 10^{-9}\right) \times \left(40 \times 10^{-3}\right) = 120 \times 10^{-12}$ C

$\Delta Q = 390 \times 10^{-12} = 3,9 \times 10^{-10}$ C

Pour trouver le nombre d'ions Na^+ ($z = +1$), il suffit de diviser la charge totale par la grandeur de la charge de l'e^- :

Nombre d'ions sodium $= \dfrac{3,9 \times 10^{-10}}{1,6 \times 10^{-19}} = 2,43 \times 10^9$.

S'entraîner

QCM

Voir réponses en fin d'ouvrage.

Q1. Un électrocardiographe est un instrument qui mesure et enregistre

a) des variations de potentiel électrique

b) des courants électriques

c) le potentiel d'action des cellules

d) aucune de ces réponses.

Q2. Le potentiel de repos d'une cellule résulte

a) de la différence de concentration ionique de part et d'autre de la membrane

b) de la perméabilité sélective de la membrane

c) d'un changement dans la perméabilité membranaire

d) à la fois de la différence de concentration ionique de part et d'autre de la membrane et de la perméabilité sélective de la membrane.

Q3. Le potentiel d'action des neurones a une valeur de

a) -50 mV

b) $+50$ mV

c) -70 mV

d) 0 mV

Q4. Le milieu intracellulaire est

a) à un potentiel négatif par rapport à l'extérieur

b) à un potentiel positif par rapport à l'extérieur

c) à un potentiel pris par convention égal à 0

d) aucune de ces réponses.

Q5. Lorsque le potentiel d'action dans un axone est déclenché

a) la cellule devient très perméable aux Na^+

b) la cellule devient très perméable au K^+

c) la cellule devient très perméable au Cl^-

d) rien ne change dans la perméabilité.

Q6. Il n'est pas possible de transmettre un signal électrique par simple conduction dans l'axoplasme à cause des fuites de courant à travers la membrane.

Vrai/faux.

Q7. La forme et la valeur du potentiel d'action s'expliquent par une variation brutale de la perméabilité de la membrane aux ions Na^+, K^+.

Vrai/faux.

Q8. D'importants gradients de concentration existent de part et d'autre de la membrane. Ces ions sont en équilibre grâce à la diffusion et au transport électrique.

Vrai/faux.

Q9. La membrane de l'axone a une résistance inférieure à celle de l'axoplasme.

Vrai/faux.

Q10. La gaine de myéline augmente la résistance de la membrane et augmente la capacité.

Vrai/faux.

EXERCICES

Voir réponses en fin d'ouvrage pour les exercices et problèmes dont le numéro est inscrit en noir.

Quand les valeurs numériques nécessaires à la résolution ne figurent pas dans l'énoncé de l'exercice, on pourra utiliser celles du tableau 18.1 et de la figure 18.4.

La structure des cellules nerveuses

18.1 Estimer le nombre d'axones dans la colonne vertébrale humaine si, en moyenne, le diamètre d'un axone est de 10 μm et celui de la colonne vertébrale de 1 cm.

18.2 Un axone d'un mètre de long a des nœuds de Ranvier tous les 10^{-3} m. Combien de fois une impulsion nerveuse est-elle amplifiée durant sa propagation le long de cet axone ?

Résistance et capacité d'un axone

18.3 Calculer la résistance de l'axoplasme d'un segment d'axone non myélinisé de 1 cm de long et de 2 μm de rayon.

18.4 Calculer la résistance de l'axoplasme d'un segment d'axone myélinisé de 1 cm de long et de 2 μm de rayon.

18.5 Un segment d'axone non myélinisé a un rayon de 2 μm et une longueur de 1 cm. Trouver

a) la capacité et

b) la résistance de fuite de sa membrane.

18.6 Un segment d'axone myélinisé a un rayon de 2 μm et une longueur de 1 cm. Trouver

a) la capacité et

b) la résistance de fuite de sa membrane.

18.7 Une membrane d'axone a une épaisseur de $7,5 \times 10^{-9}$ m.

a) À l'état de repos, le potentiel de l'axone est -90 mV. Quelles sont la direction et la grandeur du champ électrique dans la membrane ?

b) Si la membrane a une capacité de $0,01$ F m^{-2}, que vaut sa constante diélectrique ?

18.8 Trouver la constante de longueur d'un axone de rayon 0,2 μm, s'il est

a) myélinisé

b) non myélinisé.

18.9 La différence de potentiel entre les faces d'une membrane est de 90 mV. Que vaut la charge par mètre carré sur chaque face, si l'axone est

a) myélinisé

b) non myélinisé ?

18.10 Quelle est la constante de longueur d'un axone de 3 μm de rayon, s'il est

a) non myélinisé

b) myélinisé ?

18.11 Un axone myélinisé a une constante de longueur de 1 cm. Trouver son rayon.

18.12 Un axone myélinisé et un axone non myélinisé ont la même constante de longueur. Trouver le rapport de leurs rayons.

18.13 Trouver le rayon d'un axone non myélinisé de constante de longueur égale à 2×10^{-4} m.

Concentrations ioniques et potentiel de repos

18.14 Combien d'ions de potassium y a-t-il dans un segment d'axone de 1 cm de long et de 2 μm de rayon ?

18.15 Combien d'ions de sodium y a-t-il dans un segment d'axone de 1 cm de long et de 6 μm de rayon ?

18.16 La concentration d'un type d'ion est de 100 moles m^{-3}. Combien d'ions y a-t-il dans 1 m^3 ?

18.17 Trouver le potentiel d'équilibre à 37 °C pour un ion de charge $+e$, si sa concentration à l'extérieur de l'axone est de 160 moles m^{-3} et celle à l'intérieur de 10 moles m^{-3}.

18.18 Le potentiel d'équilibre, à 37 °C, pour des ions Cl$^-$ dans un axone donné est -80 mV. Si la concentration en Cl$^-$ à l'extérieur de la cellule est de 110 moles par m^3, que vaut la concentration à l'intérieur ?

18.19 Le transport actif de sodium, dû à la pompe à Na$^+$K, se fait à la vitesse de 3×10^{-7} moles m^{-2}s^{-1}. Pour 1 m^2 de membrane, trouver

a) le courant en ampères dû aux ions de sodium

b) la puissance dépensée contre les forces électriques, si le potentiel de repos est de -90 mV.

18.20 La concentration en K$^+$ à l'intérieur d'un axone est de 165 moles par m^3 et, à l'extérieur, de 8 moles par m^3.

a) Que vaut le potentiel d'équilibre à 37 °C ?

b) Dans quel sens se font les flux de potassium dus à la diffusion et champ électrique, si le potentiel de l'axone est de -90 mV ? Lequel de ces flux est le plus grand ?

La réponse à des stimuli faibles

18.21 Estimer la constante de longueur de l'axone de la figure 18.11b.

18.22 On stimule un axone myélinisé, de 3 μm de rayon, de façon que le potentiel en $x = 0$ soit -100 mV, ce qui est 10 mV au-dessous du potentiel de repos.

a) Que vaut la constante de longueur ?

b) Esquisser le graphe du potentiel de l'axone en fonction de la distance, quand ce potentiel a atteint la valeur finale correspondant au nouvel état stationnaire.

18.23 On perturbe, en un point donné, un nerf myélinisé, dont la constante de longueur vaut 0,5 cm, de sorte que son potentiel augmente de la valeur de repos, -90 mV, à -80 mV. Trouver le potentiel dans le nouvel état stationnaire, à des distances de ce point égales à

a) 0,5 cm

b) 1 cm.

Le potentiel d'action

18.24 Une sonde, dont la résistance vaut 10^7 ohms, relie un circuit électrique à un axone. Estimer la constante de temps pour charger un segment d'axone de 1 cm de long, en prenant $C_m = 10^{-2}$ F m^{-2}, $\rho_a = 0$, $R_m = \infty$ et un rayon égal à 5 μm.

18.25 Trouver la vitesse de propagation d'un potentiel d'action et le temps qu'il met à parcourir 2 m dans un nerf myélinisé

a) de 1 μm de rayon

b) de 20 μm de rayon.

18.26 Une impulsion nerveuse peut parcourir un axone de 0,5 m de longueur en 0,05 s. Que vaut son rayon ?

PROBLÈMES

Utiliser les données du tableau 18.1 et de la figure 18.4, quand les valeurs numériques requises ne sont pas fournies dans l'énoncé du problème.

18.27 Un mètre carré de membrane d'un axone a une résistance de 0,2 ohm. L'épaisseur de la membrane est $7,5 \times 10^{-9}$ m.

a) Que vaut la résistivité de la membrane ?

b) Supposer que la résistance de la membrane soit due à des pores cylindriques remplis de fluides et traversant la membrane. Les pores ont un rayon de $3,5 \times 10^{-10}$ m et une longueur égale à l'épaisseur de la membrane, $7,5 \times 10^{-9}$ m. Le fluide dans les pores a une résistivité de 0,15 ohm m et le reste de la membrane est supposé parfaitement isolant. Combien de pores devrait-il y avoir dans 1 m² pour rendre compte de la résistance observée ?

c) Si les pores sont disposés en carré, à quelle distance sont-ils les uns des autres ?

18.28 Si un ion dans un champ électrique E a une vitesse de dérive v, la *mobilité* de cet ion est alors $\mu = v/E$.

a) Montrer que la résistivité d'un fluide contenant un seul type d'ion est $(qn\mu)^{-1}$, où q est la charge d'un ion en valeur absolue et n le nombre d'ions par unité de volume.

b) Montrer que s'il y a m différentes sortes d'ions, la résistivité est $\left(q_1 n_1 \mu_1 + q_2 n_2 \mu_2 + \cdots + q_m n_m \mu_m\right)^{-1}$.

18.29 En utilisant la relation entre la mobilité et la résistivité donnée au problème précédent, ainsi que les concentrations ioniques de la figure 18.4, estimer les résistivités de l'axoplasme et du fluide interstitiel. Expliquer toute différence qu'il y aurait entre le résultat calculé pour ρ_a et la valeur du tableau 18.1. (Les mobilités de Na$^+$, K$^+$ et Cl$^-$ sont respectivement $5,20 \times 10^{-8}$, $7,64 \times 10^{-8}$ et $7,91 \times 10^{-8}$ m² V^{-1}s^{-1}. Négliger les effets des « autres » ions.)

18.30 Un segment d'axone myélinisé de 1 cm de long a un rayon de 10^{-5} m. Sa capacité vaut 6×10^{-9} F et le potentiel de repos est -90 mV.

a) Ce potentiel de repos est dû à un excès d'ions positifs le long de la membrane, à l'extérieur de l'axone, et à un même excédent de charges négatives à l'intérieur. Que vaut la charge excédentaire de chaque côté de la membrane ?

b) Si ces excédents de charge sont dus à des ions monovalents, combien d'ions excédentaires y a-t-il de part et d'autre ?

c) Trouver le rapport du nombre de ces ions au nombre total d'ions négatifs à l'intérieur du segment d'axone.

18.31 Un segment d'axone non myélinisé de 1 cm de long a une capacité de 3×10^{-9} F.

a) Si le potentiel de l'axoplasme varie de -90 à $+40$ mV, que vaut la variation de la charge de chaque côté de la membrane ?

b) Si cette variation est due à une entrée d'ions sodium, quel est le nombre de ces ions qui pénètrent dans l'axone ?

18.32 Un segment d'axone non myélinisé, de 1 cm de long, a un rayon de 5×10^{-6} m et une capacité de 3×10^{-9} F.

a) Si le potentiel de l'axoplasme varie de $+40$ à -96 mV, que vaut la variation de la charge de chaque côté de la membrane ?

b) Si cette variation est due à un flux d'ions potassium sortant, combien d'ions quittent l'intérieur du segment d'axone considéré ?

c) Si la concentration initiale de potassium à l'intérieur de l'axone est de 155 moles m^{-3}, quel pourcentage d'ions potassium sort de l'axone ?

18.33 On peut compléter le réseau analogique de l'axone, représenté à la figure 18.8c, en ajoutant des FEM qui simulent le potentiel de repos. Montrer comment on peut procéder.

18.34 L'*équation de Goldman*

$$V_i - V_0 = \frac{k_B T}{e} \ln \left[\frac{c_{o\text{Na}} + c_{o\text{K}}\left(P_\text{K}/P_\text{Na}\right)}{c_{i\text{Na}} + c_{i\text{K}}\left(P_\text{K}/P_\text{Na}\right)} \right]$$

donne la différence de potentiel totale d'un axone au repos, où P_K/P_Na est le rapport des perméabilités membranaires au potassium et au sodium, les c sont les concentrations ioniques et e représente la charge d'un proton. Supposer que $T = 310$ K.

a) Si le potentiel de repos est -90 mV, que vaut le rapport des perméabilités ?

b) Un stimulus supraliminaire entraîne une altération des perméabilités, de sorte que le potentiel monte brusquement à $+40$ mV. Que vaut le nouveau rapport des perméabilités ?

c) Expliquer jusqu'à quel point il est correct d'utiliser les mêmes concentrations en a) qu'en b).

18.35 Tracer schématiquement le graphe du potentiel de repos en fonction du rapport des perméabilités, en utilisant l'équation de Goldman donnée dans l'énoncé du problème 18.34.

$$V_i - V_0 = \frac{k_B T}{e} \ln \left[\frac{c_{o\text{Na}} + c_{o\text{K}} (P_\text{K}/P_\text{Na})}{c_{i\text{Na}} + c_{i\text{K}} (P_\text{K}/P_\text{Na})} \right]$$

18.36 En utilisant l'équation de Goldman du problème 18-34, trouver le potentiel de repos d'un axone si les concentrations sont celles de la figure 18.4 et si le rapport de la perméabilité du potassium à celle du sodium vaut 100.

18.37 Le flux entrant total de Na^+ pendant la transmission d'un potentiel d'action isolé vaut 4×10^{-8} moles par m^2 de surface d'axone activé.

a) Combien d'impulsions un nerf non-myélinisé de 5 μm de rayon peut-il transmettre avant que la concentration en Na^+ à l'intérieur de l'axone soit accrue de 10 % ? (Négliger les effets de la pompe à Na^+K.)

b) Combien d'impulsions faut-il dans un axone myélinisé de 5 μm pour accroître la concentration en Na^+ de 10 % ? (Supposer qu'il n'y a de surface active qu'aux nœuds, qui ont 1 μm de long et sont à une distance de 1 mm les uns des autres. Négliger, de nouveau, les effets de la pompe à Na^+K.)

CHAPITRE 19

Le magnétisme

Mots-clefs

Champ magnétique • Dipôle magnétique • Force magnétique sur une charge en mouvement • Force magnétique sur un fil parcouru par un courant • Galvanomètre • Loi de Biot-Savart • Moteur • Solénoïde

Introduction

La plupart d'entre nous avons déjà eu l'occasion d'observer les propriétés fascinantes des aimants permanents. Le pôle nord d'un aimant attire le pôle sud et repousse le pôle nord d'un autre aimant. Les deux pôles d'un aimant attirent des objets en fer ou en acier, non aimantés, et, quand ces objets sont en contact avec un aimant, ils attirent à leur tour d'autres objets, également en fer ou en acier.

Depuis l'Antiquité, on sait que le minerai appelé *magnétite* (oxyde de fer) est capable d'attirer les objets en fer. On sait aussi, depuis longtemps, que la terre est un grand aimant, comme le montre son effet sur les aiguilles des boussoles. Cependant, ce n'est qu'en 1820 que Hans Christian Oersted (1777-1851) découvrit que le courant dans un fil électrique est capable de faire dévier l'aiguille d'une boussole. Les courants dans des fils électriques, aussi bien que des charges en mouvement dans le vide, produisent des champs magnétiques identiques à ceux dus à des aimants permanents. Comme les courants exercent des forces sur les aimants, on s'attend, en vertu de la troisième loi de Newton reliant les forces d'action et de réaction, à ce que les aimants produisent également des forces sur les courants électriques. L'expérience confirme bien l'existence de telles forces.

Dans la discussion des forces électriques, nous avons jugé avantageux d'éviter l'emploi direct de la loi de Coulomb pour décrire la force entre deux charges. Au lieu de cela, nous avons dit qu'une charge produit un champ électrique **E** qui, à son tour, exerce une force sur la seconde charge. De la même façon, nous considérerons qu'un aimant ou une charge en mouvement produit un champ magnétique **B**. Ce champ magnétique exerce alors une force sur un autre aimant ou sur une charge en déplacement.

Nous commencerons ce chapitre par la description des champs magnétiques. Nous discuterons ensuite les forces magnétiques sur les charges en mouvement et sur les courants électriques, ainsi qu'un certain nombre d'applications. Finalement nous montrerons comment on peut calculer le champ produit par un courant électrique.

19.1 LE CHAMP MAGNÉTIQUE

On peut déterminer la direction et la grandeur d'un champ magnétique **B** produit par un aimant au moyen d'une boussole, qui est une aiguille d'acier aimantée montée sur un pivot. L'orientation de l'aiguille à l'équilibre donne la direction du champ, (figure 19.1).

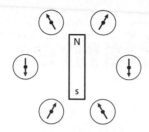

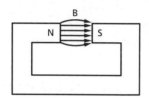

Figure 19.1 L'orientation de l'aiguille d'une boussole à l'équilibre donne la direction du champ magnétique.

Figure 19.2 Le champ dans l'entrefer d'un aimant est presque uniforme si les faces polaires sont suffisamment proches l'une de l'autre.

On peut représenter le champ magnétique par des diagrammes ou des cartes similaires à ceux utilisés pour les champs électriques. Ici aussi, les lignes donnent l'orientation du champ et ce champ est plus élevé là où les lignes sont plus serrées (figures 19.2 et 19.3). *Remarquer que, par convention, les lignes de force du champ magnétique sont toujours orientées, à l'extérieur de l'aimant, du pôle nord vers le pôle sud.* On peut mettre en évidence les

lignes de force au voisinage d'un aimant en répandant de la limaille de fer sur une feuille de papier. Les grains de la limaille s'aimantent et tendent à s'aligner parallèlement au champ (figure 19.3).

Comme nous l'avons remarqué précédemment, les courants électriques produisent également des champs magnétiques (figures 19.4, 19.5 et 19.6). Le champ dû à un courant dans un long solénoïde (bobine de fil) ressemble fort à celui d'un long barreau aimanté et le champ d'une boucle de fil est similaire à celui d'un aimant mince et plat. Le courant dans un fil long et rectiligne donne lieu à un champ magnétique dont les lignes de force sont circulaires.

Il existe une règle commode pour se souvenir de la relation entre les directions du champ magnétique et du courant. Nous pouvons nous servir du fil rectiligne comme exemple. Si on place le pouce de la main droite le long du fil dans le sens du courant, les doigts se ferment dans le sens du champ (figure 19.7*a*). De façon similaire, pour la boucle circulaire de la figure 19.7*b*, cette règle montre qu'à l'intérieur de la boucle, **B** sort du plan du dessin vers le haut ; en dehors de la boucle, **B** est orienté vers le bas, entrant dans le plan du dessin.

La similitude entre les champs magnétiques produits par des courants et par des aimants permanents a conduit André Marie Ampère (1775-1836) à comprendre que ce sont des courants microscopiques au niveau des atomes ou des molécules qui sont la source du champ dans ces aimants permanents. Dans un aimant permanent, les atomes sont alignés, de sorte que les courants correspondants circulent tous dans le même sens (figure 19.8*a*). En volume, les courants circulent par paires en sens opposés, de sorte que leurs champs se compensent exactement.

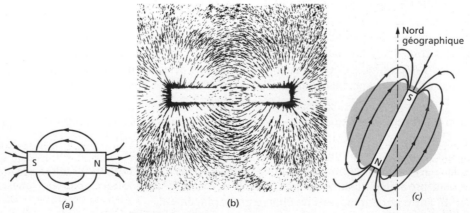

Figure 19.3 *(a)* Champ magnétique d'un barreau aimanté. *(b)* Figure formée par de la limaille de fer près d'un barreau aimanté. *(c)* Le champ magnétique terrestre ressemble à celui d'un barreau aimanté. Le pôle sud *magnétique* est situé au voisinage du pôle nord *géographique* ; il attire le pôle nord de l'aiguille d'une boussole. *(Partie (b) reproduite avec l'aimable autorisation de l'éditeur de PSSC Physics, quatrième édition, 1976, D.C. Heath and Company, Lexington, Massachusetts.)*

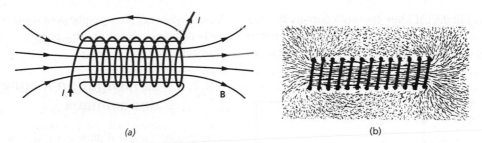

(a)   *(b)*

Figure 19.4 *(a)* Lignes de force du champ magnétique et *(b)* figure formée par de la limaille de fer, dans le cas d'un bobinage de grande longueur parcouru par un courant. Remarquer la similitude avec les lignes de force du long barreau aimanté de la figure 19.3. *(Partie (b) reproduite avec l'aimable autorisation de l'éditeur de* PSSC Physics, *quatrième édition, 1976. D.C. Heath and Company Lexington, Massachusetts.)*

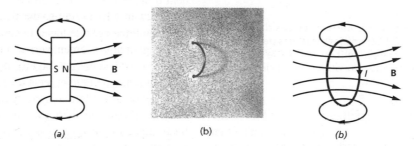

(a)   *(b)*   *(b)*

Figure 19.5 *(a)* Lignes de force du champ magnétique d'un barreau aimanté court. *(b)* Figure formée par de la limaille de fer et *(c)* lignes de force du champ magnétique d'une boucle circulaire de courant. *(Partie (b) reproduite avec l'aimable autorisation de l'éditeur de* PSSC Physics, *quatrième édition, 1976, D.C. Heath and Company, Lexington, Massachusetts.)*

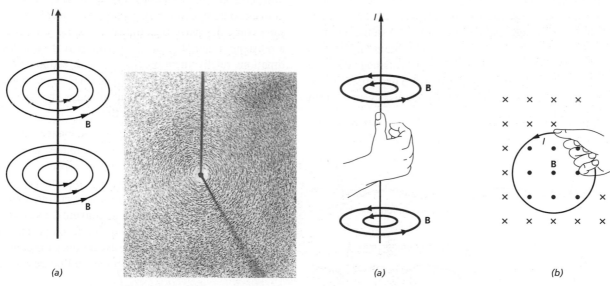

(a)   *(a)*   *(b)*

Figure 19.6 *(a)* Lignes de force du champ magnétique et *(b)* figure formée par de la limaille de fer dans le cas d'un courant dans un long fil rectiligne. *(Partie (b) reproduite arec l'aimable autorisation de l'éditeur de* PSSC Physics, *quatrième édition. 1976. D.C. Heath and Company, Lexington, Massachusetts.)*

Figure 19.7 *(a)* Lorsqu'on ferme la main, le pouce étant orienté dans le sens du courant, on plie les autres doigts dans le sens du champ magnétique. *(b)* À l'intérieur de la boucle, **B** est orienté dans le sens sortant de bas en haut du plan du dessin : à l'extérieur de la boucle, **B** pénètre, de haut en bas, dans le plan du dessin.

Le champ résultant est alors dû aux courants le long de la surface de l'aimant et est identique à celui produit par un courant électrique dans un fil de même forme (figure 19.8*b*).

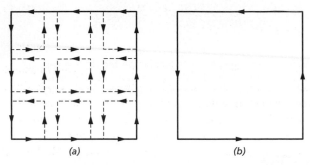

Figure 19.8 *(a)* Les courants microscopiques dans un aimant permanent. *(b)* Comme les effets des paires de courants opposés se compensent en volume, le champ résultant est le même que celui d'un courant circulant sur le pourtour de l'aimant.

L'unité S.I. de champ magnétique, le *tesla* (T), est une unité plutôt grande. Les champs les plus forts réalisés en permanence en laboratoire sont d'environ 20 T ; on peut produire des champs jusqu'à environ 100 T pendant des durées très brèves. Le champ magnétique terrestre vaut environ 10^{-4} T au voisinage du sol. À un centimètre d'un long fil rectiligne parcouru par un courant, relativement important, de 100 A, le champ n'est que de 2×10^{-3} T. Les courants électriques faibles associés au système nerveux humain produisent des champs extrêmement faibles. Ces champs sont de l'ordre de 10^{-11} T au voisinage du torse (figure 19.9). Le champ magnétique dû à une impulsion de courant dans un axone isolé (fibre nerveuse) vaut environ 10^{-10} T à la surface du nerf.

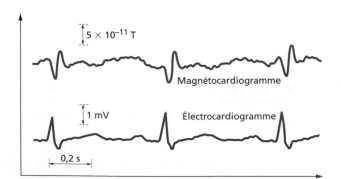

5×10^{-11} T

Magnétocardiogramme

1 mV

Électrocardiogramme

0,2 s

Figure 19.9 L'évolution temporelle du champ magnétique près du torse humain est très proche de celle de la différence de potentiel électrique enregistrée à l'électrocardiographe.

Actuellement on peut mesurer des champs magnétiques très faibles (10^{-13} T) produits par le cerveau et le cœur.

Le magnétoencéphalographe peut localiser un signal nerveux dans le cerveau avec une précision de quelques millimètres.

19.1.1 La navigation magnétique des animaux

Une grande variété d'animaux utilise le champ magnétique terrestre pour s'orienter. Par temps couvert, quand ils ne peuvent pas utiliser le Soleil pour se diriger, les pigeons sont désorientés si on leur attache de petits aimants à la tête. Les rouges-gorges européens que l'on garde en cage durant la période de migration se tournent d'après l'orientation du champ magnétique dans la cage. Les abeilles exécutent des figures liées à la direction du champ magnétique local. Les bactéries vivant dans la vase nagent normalement vers le bas, recherchant la boue molle qui est leur habitat. Si, au moyen d'aimants, on crée un champ magnétique inverse du champ magnétique terrestre, elles se mettent à nager vers le haut. De plus, des bactéries de l'hémisphère austral – où la composante verticale du champ magnétique est dans le sens opposé par rapport à l'hémisphère nord – nagent vers le haut quand on les transporte aux États-Unis, tandis que les bactéries de vase du Brésil – où le champ est horizontal – nagent indifféremment dans toute direction par rapport au champ magnétique. Un chercheur a même montré que les êtres humains ont une certaine capacité à retrouver leur chemin sans voir ; des personnes transportées, les yeux bandés, à plusieurs kilomètres de chez elles, purent faire des estimations relativement précises de la direction de retour. Cette capacité était diminuée quand les sujets portaient des aimants sur eux. Cependant, d'autres chercheurs ont été incapables d'observer ces effets.

Des études ont détecté des grains de magnétite aimantée chez les pigeons voyageurs, les rouges-gorges, les abeilles et les bactéries de vase. Ces espèces possèdent de petits aimants permanents qui se comportent apparemment comme des aiguilles de boussole et sont soumis à des couples de forces quand ils se trouvent dans un champ magnétique (figure 19.10). De quelle façon précise cette information est perçue et traitée est une question complexe que de nombreux chercheurs étudient à l'heure actuelle.

19.2 LA FORCE MAGNÉTIQUE SUR UNE CHARGE EN MOUVEMENT

Des charges électriques en mouvement au voisinage d'un aimant sont soumises à des forces que l'on peut facilement mettre en évidence. Par exemple, un aimant amené au voisinage d'un tube cathodique produit une déviation du faisceau électronique et modifie la position de son point d'impact sur l'écran fluorescent (figure 19.11).

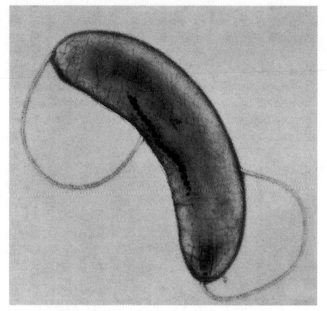

Figure 19.10 Photographie au microscope électronique d'une bactérie *magnéto-sensible*, c'est-à-dire sensible aux champs magnétiques. La chaîne de particules sombres est formée de cristaux de magnétite qui agissent comme une boussole, tendant à aligner la bactérie le long du champ magnétique terrestre. L'existence de bactéries magnéto-sensibles a été découverte en 1975 par Richard P. Blakemore, alors étudiant à l'Université du Massachusetts à Amherst. De nombreux types différents de bactéries magnéto-sensibles ont été trouvés depuis lors. *(Photographie aimablement fournie par Richard P. Blakemore et Nancy Blakemore.)*

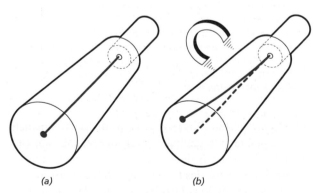

(a)   (b)

Figure 19.11 *(a)* Les électrons dans un tube cathodique viennent frapper un écran fluorescent. *(b)* Les électrons sont déviés par un aimant.

La loi donnant la force magnétique a une forme plus compliquée que celle de la force électrique, $\mathbf{F} = q\mathbf{E}$. Une charge q, se déplaçant à la vitesse $\mathbf{v}$ dans un champ

magnétique $\mathbf{B}$, subit une force perpendiculaire à $\mathbf{v}$ et à $\mathbf{B}$. Le module de cette force est égal au produit de q, de v et de la composante de $\mathbf{B}$ perpendiculaire à $\mathbf{v}$. Avec la notation du produit vectoriel introduite au chapitre 4, la force magnétique $\mathbf{F}$ est donnée par (figure 19.12) :

$$\mathbf{F} = q\mathbf{v} \times \mathbf{B} \qquad (19.1)$$

Le module de cette force vaut

$$F = |q|\, vB \sin \theta \qquad (19.2)$$

où θ est l'angle entre v et $\mathbf{B}$. La force est maximum quand $\sin \theta = 1$, ou encore quand la vitesse fait un angle droit avec le champ. Elle est nulle quand $\sin \theta = 0$, c'est-à-dire quand le déplacement est parallèle à $\mathbf{B}$, que ce soit dans le même sens ou dans le sens opposé (figure 19.13). Remarquer qu'une charge au repos ne subit pas de force ; les champs magnétiques n'exercent de force que sur les charges en mouvement. L'exemple suivant illustre le calcul de la force magnétique sur une charge en mouvement.

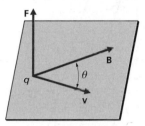

Figure 19.12 La force magnétique $\mathbf{F}$ sur une charge positive q vaut, en module, $qbB \sin \theta$ et est orientée comme le montre la figure, perpendiculairement au plan défini par $\mathbf{v}$ et $\mathbf{B}$.

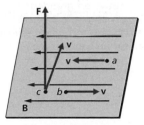

Figure 19.13 Des particules chargées (ici positives) se déplaçant dans un champ magnétique ne subissent pas de force si la vitesse est parallèle *(a)* ou antiparallèle *(b)* au champ. La force prend sa valeur maximum qvB quand $\mathbf{v}$ est perpendiculaire au champ *(c)*.

 ———————— **Exemple 19.1** ————————

À Boston, dans le Massachusetts, le champ magnétique terrestre fait un angle de $17°$ avec la verticale et son module vaut $5{,}8 \times 10^{-5}$ T (figure 19.14).

a) Trouver la force $\mathbf{F}$ sur un électron qui se déplace verticalement vers le bas à la vitesse de 10^5 m s^{-1}.

b) Trouver le rapport de F au poids mg.

Réponse   a) Comme $q = -e = -1,6 \times 10^{-19}$ C et $\sin 17° = 0,292$, le module de la force magnétique vaut

$F = evB \sin \theta$

$= (1,6 \times 10^{-19} \text{ C})(10^5 \text{ m s}^{-1})(5,8 \times 10^{-5} \text{ T})(0,292)$

$= 2,71 \times 10^{-19}$ N

Puisque $\mathbf{F} = -e\mathbf{v} \times \mathbf{B}$, la force est en sens opposé de $\mathbf{v} \times \mathbf{B}$, c'est-à-dire pénétrant de haut en bas dans le plan de la figure 19.14.

b) La masse d'un électron vaut $9,1 \times 10^{-31}$ kg, de sorte que

$$\frac{F}{mg} = \frac{2,71 \times 10^{-19} \text{ N}}{(9,1 \times 10^{-31} \text{ kg})(9,8 \text{ m s}^{-2})}$$

$$= 3,04 \times 10^{10}$$

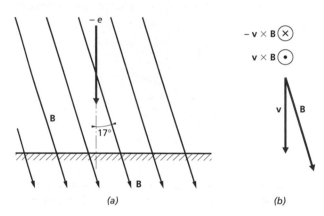

Figure 19.14 *(a)* Le champ magnétique terrestre varie d'un point à l'autre, en grandeur et en direction. À Boston, il fait un angle de 17° avec la verticale. *(b)* $\mathbf{v} \times \mathbf{B}$ est dans le sens sortant du plan de la figure. La force agissant sur un électron vaut $\mathbf{F} = -e\mathbf{v} \times \mathbf{B}$ et est dans le sens opposé de $\mathbf{v} \times \mathbf{B}$, c'est-à-dire s'enfonçant dans le plan de la figure.

La force agissant sur l'électron due au champ magnétique terrestre, bien que relativement faible, dépasse son poids par un facteur de plus de 10^{10}. Pour cette raison, le mouvement des particules du rayonnement cosmique pénétrant dans la haute atmosphère est déterminé principalement par le champ magnétique terrestre et non par les forces de gravitation.

La force magnétique $q\mathbf{v} \times \mathbf{B}$ est perpendiculaire à la vitesse, de sorte qu'elle est capable de modifier la direction du mouvement de la particule, mais pas la valeur de la vitesse. Les forces magnétiques ne modifient jamais l'énergie cinétique, puisqu'elles sont toujours perpendiculaires au déplacement et n'effectuent donc pas de travail.

19.3 DÉBITMÈTRES ÉLECTROMAGNÉTIQUES

Les débitmètres électromagnétiques, qui emploient la force agissant sur les charges en mouvement dans un champ magnétique, fournissent un excellent moyen de mesurer les débits sanguins chez des patients pendant une opération cardiaque ou vasculaire. À l'opposé des débitmètres discutés au chapitre 13, ils ne requièrent pas l'insertion d'une sonde dans un vaisseau sanguin et peuvent être utilisés même lorsque l'écoulement n'est plus laminaire, mais est devenu turbulent.

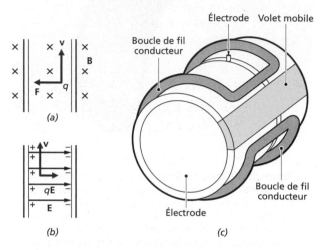

Figure 19.15 Un débitmètre électromagnétique, du type utilisé pour des mesures d'écoulement sanguin. *(a)* Quand le champ magnétique est orienté dans le sens pénétrant de haut en bas dans le plan de la figure, la force magnétique sur les ions positifs est dirigée vers la gauche. *(b)* Des charges s'accumulent près des parois, donnant lieu à un champ électrique $\mathbf{E}$ qui exerce, sur ces ions positifs, une force vers la droite. À l'équilibre, la force électrique contrebalance la force magnétique. *(c)* Dans un type d'appareil, l'artère est introduite dans un manchon de métal par une fente que l'on ouvre au moyen d'un volet mobile. Le champ magnétique est assuré par le courant dans une boucle unique. La différence de potentiel entre les électrodes est proportionnelle au débit.

La figure 19.15*a* illustre le principe de fonctionnement de cet appareil. On applique un champ magnétique perpendiculairement à la direction d'écoulement du sang. Ce champ donne lieu à des forces magnétiques agissant vers la gauche sur les ions positifs présents dans le sang et vers la droite sur les ions négatifs. De ce fait, il y a accumulation de charges près des parois du vaisseau sanguin. L'équilibre s'établit lorsque le champ électrique dû à cette accumulation de charges donne lieu à une force qE sur l'ion de charge q, contrebalançant exactement la force magnétique qvB, c'est-à-dire lorsque $E = vB$ (figure 19.15*b*). La différence de potentiel associée au champ électrique est alors proportionnelle à la vitesse moyenne *v* du sang et peut être mesurée au moyen d'un voltmètre suffisamment sensible.

Dans une version de cet instrument utilisée pour des artères de 4 mm de diamètre ou plus, on place un manchon métallique soigneusement ajusté autour de l'artère, pour s'assurer que le diamètre de celle-ci reste constant (figure 19.15*c*). Un courant dans une boucle de fil unique fournit un champ magnétique faible dont on alterne rapidement le sens pour éviter qu'il y ait *polarisation*, c'est-à-dire formation d'une couche isolante de gaz. On connecte les fils du voltmètre à des électrodes placées en regard l'une de l'autre sur le pourtour du manchon. On calibre l'appareil en l'utilisant sur une artère dont le débit est connu.

19.4 LA FORCE MAGNÉTIQUE SUR UN FIL PARCOURU PAR UN COURANT

On peut facilement obtenir l'expression de la force magnétique sur un fil parcouru par un courant à partir de celle de la force $\mathbf{F} = q\mathbf{v} \times \mathbf{B}$ sur une charge en mouvement. Considérons un segment de fil rectiligne de longueur ℓ qui fait partie d'un circuit fermé parcouru par un courant *I* (figure 19.16). Si les charges se déplacent dans le fil à la vitesse *v*, elles parcourent la longueur du segment en un temps $t = \ell/v$. La charge totale *q* en mouvement est le produit du courant par le temps

$$q = It = \frac{I\ell}{v} \qquad (19.3)$$

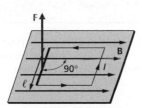

Figure 19.16 Quand le segment de fil parcouru par un courant *I* est perpendiculaire au champ, la force vaut, en module, $F = I\ell B$.

Si le champ magnétique **B** est perpendiculaire au fil, la force magnétique sur le fil vaut alors

$$F = qvB = \left(\frac{I\ell}{v}\right) vB$$

ou encore

$$F = I\ell B \quad (\ell \text{ perpendiculaire à } \mathbf{B}) \qquad (19.4)$$

Si le fil et le champ ne sont pas perpendiculaires, $\mathbf{F} = q\mathbf{v} \times \mathbf{B}$ conduit à

$$\mathbf{F} = I\boldsymbol{\ell} \times \mathbf{B} \qquad (19.5)$$

où $\boldsymbol{\ell}$ est un vecteur pris le long du fil dans le sens du courant (figure 19.17). Si le fil n'est pas rectiligne, ou si **B** varie dans l'espace, on peut considérer que le fil est constitué d'un grand nombre de segments infiniment petits d$\boldsymbol{\ell}$ sur lesquels agit une force infinitésimale d*F* de la manière suivante :

$$dF = \mathbf{I}d\boldsymbol{\ell} \times \mathbf{B}$$

On détermine alors la force totale qui s'exerce sur le conducteur par intégration

$$\mathbf{F} = \int d\mathbf{F}$$

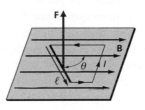

Figure 19.17 Si le segment fait un angle θ avec le champ, le module de la force vaut $F = I\ell B \sin\theta$.

Dans l'exemple suivant, nous allons voir que la force due au champ magnétique terrestre sur un fil parcouru par un courant est relativement faible.

✎ ─────── **Exemple 19.2** ───────

Le champ magnétique terrestre à Boston, Massachusetts, est incliné à 17° de la verticale et vaut $5,8 \times 10^{-5}$ T (figure 19.18). Un fil vertical est parcouru par un courant de 10 A. Trouver la force agissant sur une longueur de 2 m de ce fil.

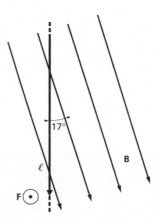

Figure 19.18 La force sur le fil parcouru par un courant est orientée dans le sens sortant du plan du dessin.

Le module de la force vaut

$$F = I\ell B \sin\theta$$

$$= (10 \text{ A})(2 \text{ m})\left(5,8 \times 10^{-5} \text{ T}\left(\sin 17°\right)\right.$$

$$= 3,39 \times 10^{-4} \text{ N}$$

En appliquant la règle de la main droite pour le produit vectoriel, on obtient que la force sort du plan de la figure 19.18.

19.5 DIPÔLES MAGNÉTIQUES

Au chapitre 16, nous avons étudié le dipôle électrique, deux charges électriques $+q$ et $-q$ proches l'une de l'autre. Une boucle de fil parcourue par un courant se comporte, dans un champ magnétique, d'une façon très similaire à un dipôle électrique dans un champ électrique. On l'appelle donc *dipôle magnétique*. Les dipôles magnétiques associés à des charges sur des orbites fermées ou tournant sur elles-mêmes jouent un rôle important dans la discussion des propriétés magnétiques des atomes et molécules, y compris de nombreuses molécules de grand intérêt en biochimie.

Nous avons vu au chapitre 16 que les forces agissant sur un dipôle électrique placé dans un champ électrique uniforme ont une résultante nulle, tandis que le moment total est différent de zéro. La boucle rectangulaire de la figure 19.19 est un exemple de dipôle magnétique. La boucle rectangulaire de côté a et b est parcourue par un courant I. Elle se trouve dans un champ magnétique uniforme **B** orienté selon l'axe y formant un angle θ avec la normale $\hat{\mathbf{n}}$ au plan de la boucle.

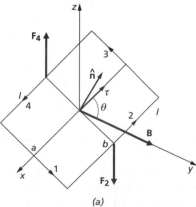

Figure 19.19 Un dipôle magnétique ne subit pas de force résultante dans un champ magnétique uniforme, mais est soumis à un couple de forces.

Les forces qui agissent sur les côtés 1 et 3 sont d'égales grandeurs et de directions opposées. Elles s'annulent et

ne produisent aucun moment de force sur la boucle. Par contre, les côtés 2 et 4 sont perpendiculaires au champ magnétique **B** et subissent des forces $\mathbf{F}_2$ et $\mathbf{F}_4$ égales à IbB. Ces deux forces s'orientent l'une vers le haut et l'autre vers le bas et forment un couple de forces.

Nous avons montré au chapitre 4 que le moment d'un couple de forces est indépendant de la position de l'axe de rotation. Un choix commode est de prendre l'axe le long du côté 4 ; le moment de $\mathbf{F}_4$ est alors nul. Le bras de levier de $\mathbf{F}_2$ est égal à $a \sin\theta$ de sorte que son moment $\tau = a \sin\theta \cdot IbB$. Puisque $\mathbf{a} \cdot \mathbf{b} = A$ est la surface de la boucle $\tau = IAB \sin\theta$ et est orienté comme le montre la figure 19.19.

On peut écrire ce résultat sous forme vectorielle de la façon suivante :

$$\tau = IA\hat{\mathbf{n}} \times \mathbf{B}$$

Ici, $\hat{\mathbf{n}}$ représente un vecteur unitaire perpendiculaire, ou encore *normal*, au plan de la boucle ; on obtient le sens de ce vecteur au moyen de la règle de la main droite décrite à la figure 19.20. Le *moment magnétique dipolaire* **μ** (mu) est défini par :

$$\boldsymbol{\mu} = IA\hat{\mathbf{n}} \qquad (19.6)$$

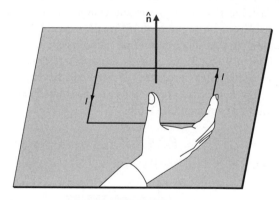

Figure 19.20 Le pouce de la main droite donne le sens de la normale $\hat{\mathbf{n}}$ (ici, vers le haut) quand on place les autres doigts dans le sens du courant.

Avec cette définition, l'expression du moment des forces sur un dipôle magnétique dans un champ magnétique uniforme devient

$$\boldsymbol{\tau} = \boldsymbol{\mu} \times \mathbf{B} \qquad (19.7)$$

Ce résultat est valable pour une boucle de courant de forme *quelconque*. Il est formellement identique à l'expression du moment $\mathbf{p} \times \mathbf{E}$ pour un dipôle électrique dans un champ électrique uniforme.

Le couple de forces dû au champ magnétique tend à aligner le moment dipolaire **μ** parallèlement à **B**. Dans cette orientation, $\boldsymbol{\mu} \times \mathbf{B} = 0$ et le dipôle est en équilibre stable ; une faible rotation du dipôle donne lieu à un couple de forces s'opposant à cette rotation. Le moment s'annule également lorsque **μ** est dans le sens opposé de **B**, mais cette situation correspond à un équilibre instable ; une petite rotation entraîne un couple de forces dont le moment tend à accroître cette rotation.

L'énergie potentielle $\mathcal{U}$ d'un dipôle électrique dont le moment **p** fait un angle θ avec un champ électrique uniforme **E** est $-pE\cos\theta$. De la même façon, un dipôle magnétique dont le moment **μ** fait un angle θ avec un champ magnétique uniforme a une énergie potentielle

$$\mathcal{U} = -\mu B \cos\theta \qquad (19.8)$$

L'énergie potentielle atteint sa valeur minimum, $-\mu B$, pour $\cos\theta = 1$, ou encore θ = 0°, ce qui est l'orientation correspondant à l'équilibre stable. Elle a la valeur maximum, $+\mu B$, lorsque $\cos\theta = -1$ ou θ = 180°.

L'exemple suivant sert d'illustration à ces résultats.

 ───────── **Exemple 19.3** ─────────

Une boucle circulaire de fil de 0,5 m de rayon est parcourue par un courant de 4 A.

a) Que vaut son moment magnétique?

b) Si la normale au plan de la boucle fait un angle de 90° avec un champ de 2 T, que vaut le moment du couple de forces?

c) Que vaut l'énergie potentielle pour cette même orientation ?

Réponse a) La surface de la boucle est πr^2, de sorte que son moment magnétique vaut

$$\mu = IA = I\pi r^2 = (4\text{ A})\pi(0,5\text{ m})^2 = 3,14\text{ Am}^2$$

b) Avec $\sin 90° = 1$,

$$\tau = \mu B \sin\theta = (3,14\text{ Am}^2)(2\text{ T})(1) = 6,28\text{ N m}$$

La figure 19.21 donne l'orientation de ce moment.

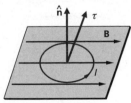

Figure 19.21 Exemple 19.3.

c) Puisque $\cos 90° = 0$, l'énergie potentielle de la boucle est $\mathcal{U} = -\mu B \cos\theta = 0$.

19.5.1 Moment magnétique d'une charge sur une orbite fermée

Quand un électron est en mouvement autour du noyau d'un atome, il y a un déplacement de charge, c'est-à-dire un courant. Le moment dipolaire magnétique qui lui correspond détermine l'interaction de cet électron avec le champ magnétique appliqué. Nous allons obtenir une expression du moment dipolaire d'une charge en mouvement orbital, qui nous sera utile plus loin.

Supposons qu'une particule de masse m et de charge q (figure 19.22) se déplace sur une orbite circulaire. Pour trouver le moment magnétique $\mu = IA$, nous avons besoin du courant I et de la surface A. Le temps t requis par la charge pour effectuer un tour complet de l'orbite de rayon r à la vitesse v satisfait à $vt = 2\pi r$ ou $t = 2\pi r/v$. La valeur de I est alors

$$I = \frac{q}{t} = \frac{q}{2\pi r/v} = \frac{qv}{2\pi r}$$

Comme la surface de l'orbite est πr^2, le moment magnétique vaut

$$\mu = IA = \frac{qv}{2\pi r}\pi r^2 = \frac{qrv}{2}$$

On peut mettre ce résultat sous une autre forme, qui fait intervenir le moment cinétique de la particule. Nous avons vu au chapitre 7 que le moment cinétique d'une particule est donné par $\mathbf{L} = \mathbf{r} \times \mathbf{p}$ et que, lorsque la quantité de mouvement $\mathbf{p} = m\mathbf{v}$ est perpendiculaire au vecteur distance $\mathbf{r}$, le module de ce moment cinétique vaut $L = mvr$. Par conséquent $rv = L/m$ et on peut écrire le moment magnétique dipolaire sous la forme vectorielle suivante :

$$\boldsymbol{\mu} = \frac{q}{2m}\mathbf{L} \qquad (19.9)$$

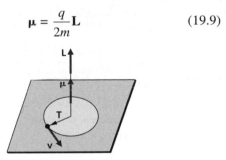

Figure 19.22 Le moment magnétique orbital d'une particule de charge positive est parallèle et dans le même sens que son moment cinétique.

Le moment magnétique d'une particule chargée est proportionnel à son moment cinétique ; il est dans le même sens que ce moment cinétique pour une charge positive et dans le sens opposé pour une charge négative (figure 19.22). L'exemple suivant illustre ce résultat.

 ───────── **Exemple 19.4** ─────────

Dans le modèle de Bohr de l'atome d'hydrogène, l'électron est en mouvement circulaire sur des orbites dont le moment cinétique vaut $L = nh/2\pi$ où n est un nombre entier et h la constante de Planck : $h = 6,63 \times 10^{-34}$ J s.

a) Trouver le moment magnétique dû au mouvement orbital sur l'orbite la plus basse ($n = 1$).

b) Supposer que le moment d'un électron sur l'orbite $n = 1$ soit parallèle à un champ magnétique de 10 T. Que vaut, en électron-volts, l'énergie que l'on doit fournir pour inverser l'orientation du moment ?

Réponse a) Pour $n = 1$, le moment cinétique vaut $L = h/2\pi$. Comme $q = -e$, le moment magnétique a pour valeur

$$\mu = \frac{e}{2m}L = \frac{eh}{4\pi m}$$

En tenant compte de $e = 1,6 \times 10^{-19}$ C et $m = 9,11 \times 10^{-31}$ kg, on a

$$\mu = \frac{\left(1,60 \times 10^{-19}\,\text{C}\right)\left(6,63 \times 10^{-34}\,\text{Js}\right)}{4\pi\left(9,11 \times 10^{-31}\,\text{kg}\right)})$$

$$= 9,26 \times 10^{-24}\,\text{A m}^2$$

b) Puisque l'énergie potentielle d'un dipôle magnétique est $\mathcal{U} = -\mu B\cos\theta$, elle vaut $-\mu B$ quand $\boldsymbol{\mu}$ est dans le sens du champ et $+\mu B$ quand $\boldsymbol{\mu}$ est dans le sens opposé à ce champ ; par conséquent, l'énergie requise pour inverser la direction du dipôle est

$$2\mu B = 2\left(9,26 \times 10^{-24}\,\text{A m}^2\right)(10\,\text{T})$$

$$= 1,85 \times 10^{-22}\,\text{J}\left(\frac{1\,\text{eV}}{1,60 \times 10^{-19}\,\text{J}}\right)$$

$$= 1,16 \times 10^{-3}\,\text{eV}$$

Nous utiliserons la relation entre les moments, magnétique dipolaire et cinétique, d'une particule dans des applications atomiques et moléculaires rencontrées aux chapitres 28 et 29. Nous verrons alors que l'énergie requise pour retourner le moment dipolaire peut être fournie par un champ magnétique variable.

19.6 MOTEURS ET GALVANOMÈTRES

La force magnétique sur un fil parcouru par un courant a de nombreuses applications utiles. Deux des plus importantes sont les moteurs électriques et les galvanomètres.

La figure 19.23 illustre le principe du moteur continu. Une boucle connectée à une FEM est montée de façon à pouvoir tourner dans un champ magnétique qui est produit soit par un aimant permanent, soit par un électro-aimant. Quand la normale au plan de la boucle devient parallèle au champ, le *collecteur*, anneau cylindrique divisé en quartiers, inverse le sens du courant. Il en résulte que le couple de forces sur la boucle agit toujours dans le même sens. Ce

couple provoque la rotation de la boucle et lui permet d'effectuer un travail sur une charge mécanique éventuelle. En pratique les moteurs continus ont de nombreuses bobines présentant entre elles un léger décalage angulaire, de sorte que le couple est pour ainsi dire constant durant la rotation du moteur. On utilise aussi couramment des moteurs à courant alternatif de différents types. Dans certains types, les électro-aimants sont alimentés en alternatif, de sorte que le champ s'inverse en même temps que le courant dans la bobine. Le fonctionnement est alors très similaire à celui d'un moteur continu.

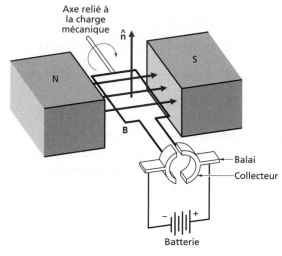

Figure 19.23 Les principaux éléments d'un moteur continu.

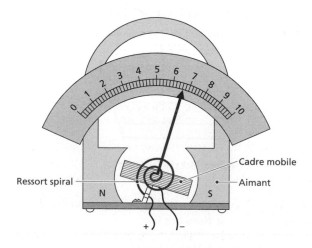

Figure 19.24 Un galvanomètre.

Le galvanomètre à bobine mobile utilisé dans des voltmètres et des ampèremètres, possède une bobine suspendue dans un champ magnétique radial (figure 19.24). Des ressorts en spirale donnent un couple de forces de rappel proportionnel à l'angle Φ de torsion $\tau = K\Phi$. Quand la bobine est parcourue par un courant, le couple de forces dues au champ magnétique la fait tourner jusqu'à atteindre la position d'équilibre. On utilise une aiguille pour indiquer la rotation de la bobine et une échelle calibrée donne le courant correspondant.

19.7 CHAMPS MAGNÉTIQUES PRODUITS PAR DES COURANTS

Nous avons calculé le champ électrique dû à une distribution de charges dans l'espace. Nous allons maintenant étudier la procédure analogue pour obtenir le champ magnétique dû à un courant électrique.

La loi fondamentale pour le champ magnétique est l'expression donnant le champ d'un petit segment de fil parcouru par un courant. On l'appelle la *loi de Biot-Savart*, du nom des deux physiciens qui l'ont établie à partir d'études expérimentales peu de temps après qu'Oersted eut découvert que le courant électrique donne lieu à un champ magnétique. Considérons un segment de longueur infinitésimale $d\ell$ parcouru par un courant I. Le champ magnétique $d\mathbf{B}$ créé en un point P par cet élément de courant vaut (figure 19.25)

$$d\mathbf{B} = \frac{\mu_0}{4\pi} \frac{I d\ell \times \hat{\mathbf{r}}}{r^2} \qquad (19.10)$$

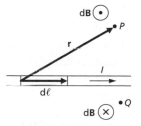

Figure 19.25 Le champ $d\mathbf{B}$ dû au courant dans $d\ell$ sort du plan de la figure en P et s'y enfonce en Q.

Ici, $\hat{\mathbf{r}}$ désigne un vecteur unitaire orienté parallèlement à $\mathbf{r}$. Le champ magnétique résultant $\mathbf{B}$ en P est la somme des champs dus à tous les éléments du circuit complet. En unités SI, $(\mu_0)/(4\pi)$ est le facteur de proportionnalité entre $d\mathbf{B}$ et $I d\ell$ et a exactement la valeur

$$\frac{\mu_0}{4\pi} = 10^{-7} \text{ TmA}^{-1} \text{ ou NA}^{-2} \qquad (19.11)$$

où la constante μ_0 est la perméabilité du vide.

L'équation (19.10) porte le nom de loi de Biot et Savart. On a

$$d\mathbf{B} = \frac{\mu_0 \, I d\ell \sin\theta}{4\pi \, r^2}$$

où θ est l'angle entre $d\ell$ et r (figure 19.25). On calcule le champ magnétique total au point P en effectuant une somme par intégration de tous les éléments $I d\ell$ de courant :

$$B = \int dB = \int \frac{\mu_0 \, I d\ell \sin\theta}{4\pi \, r^2}$$

Comme la loi de Coulomb pour le champ électrique d'une charge ponctuelle, la loi de Biot-Savart est une loi en l'inverse du carré de la distance. Elle est cependant plus complexe, puisqu'elle fait intervenir un produit vectoriel. De plus, on ne peut jamais directement observer le champ $d\mathbf{B}$ représenté à la figure 19.25, qui serait dû à un seul élément ; en effet, seul le champ résultant $\mathbf{B}$, dû à tout le circuit, est observable.

19.7.1 Champ magnétique d'une boucle de courant circulaire

Pour illustrer l'emploi de la loi de Biot-Savart, nous allons calculer le champ au centre d'une boucle de fil de rayon a parcourue par un courant I (figure 19.26).

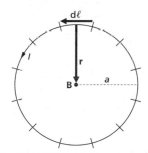

Figure 19.26 Pour calculer le champ magnétique d'une boucle de fil circulaire parcourue par un courant, on la divise en un grand nombre de petits segments. Le champ au centre du cercle est orienté dans le sens sortant du plan du dessin.

Divisons la boucle en éléments de courant $I d\ell$. Comme $d\ell$ est perpendiculaire au vecteur $\mathbf{r}$, $d\ell \times \hat{\mathbf{r}}$ est un vecteur qui sort du plan de la figure. Ainsi donc le champ $\mathbf{B}$ dû à la somme de tous les $d\ell$ sort aussi du plan de la figure. On a

$$B = \int dB = \int_0^{2\pi a} \frac{\mu_0 \, I d\ell \sin\theta}{4\pi \, r^2}$$

où $r = a$ et $\theta = 90°$.

L'intégration s'effectue sur la circonférence $2\pi a$. Le champ résultant vaut

$$B = \frac{\mu_0 I}{4\pi a^2} \int_0^{2\pi a} d\ell = \frac{\mu_0 I}{2a} \qquad (19.12)$$

Ainsi donc, au centre du cercle, $\mathbf{B}$ varie suivant l'inverse du rayon à la première puissance, même si la loi fondamentale de Biot-Savart varie en $1/r^2$. (Une description détaillée du champ a été donnée précédemment figure 19.5.)

Une boucle isolée parcourue par un courant relativement important donne lieu à un champ plutôt faible. Pour cette raison, un nombre élevé de spires de fil est nécessaire pour produire des champs même de valeur modeste. Ceci est illustré dans l'exemple suivant.

✎ ———— Exemple 19.5 ————

Une bobine est formée de 1 000 spires circulaires de fil fin, dont le rayon moyen est de 0,1 m (figure 19.27). Si le courant dans la bobine est de 10 A, trouver le champ magnétique en son centre dû à

a) une seule spire,

b) la bobine tout entière.

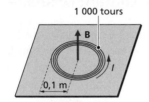

Figure 19.27 Exemple 19.5.

Réponse a) Pour chaque spire, le champ vaut

$$B = \frac{\mu_0 I}{2a} = \frac{4\pi \times 10^{-7} 10}{2 \times 0,1}$$

$$= 6,28 \times 10^{-5} \text{ T}$$

b) Puisque le champ dû à chaque spire a la même orientation, le champ résultant est 1 000 fois le champ d'une spire ou $(1\,000) \times (6,28 \times 10^{-5} \text{ T}) = 0,0628$ T.

Nous verrons au chapitre suivant que l'on peut obtenir des champs plus importants en plaçant dans la bobine un noyau d'un matériau approprié, comme du fer par exemple.

Dans la plupart des situations rencontrées en pratique, l'emploi de la loi de Biot-Savart requiert des connaissances mathématiques dépassant le niveau de cet ouvrage. Néanmoins, les formules qui en résultent sont parfois raisonnablement simples. Deux illustrations de ce fait sont le solénoïde et le fil long et rectiligne.

19.7.2 Champ magnétique d'un solénoïde

Une bobine de grande longueur, comportant un nombre élevé de spires circulaires enroulées côte à côte, est appelée un *solénoïde*. C'est un système particulièrement utile,

car le champ magnétique à l'intérieur du solénoïde est presque uniforme (figure 19.28). Un solénoïde de longueur ℓ et comportant N spires a $n = N/\ell$ spires par unité de longueur. Le champ dans le solénoïde vaut

$$B = \mu_0 nI \quad \text{(solénoïde)} \tag{19.13}$$

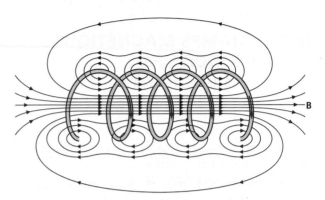

Figure 19.28 Le champ d'un solénoïde bobiné lâche. Le champ est presque uniforme à l'intérieur du solénoïde.

19.7.3 Champ magnétique d'un long fil rectiligne

À une distance r d'un long fil rectiligne, le champ magnétique vaut approximativement

$$B = \frac{\mu_0 I}{2\pi r} \quad \text{(fil rectiligne long)} \tag{19.14}$$

Cette formule est valable si r est petit par rapport à la longueur du fil. Les lignes de force de **B** forment des cercles centrés sur le fil, comme on l'a montré précédemment figure 19.6. L'exemple suivant illustre comment on obtient le champ dû à deux fils.

✎ ———— Exemple 19.6 ————

Deux fils rectilignes, longs et parallèles sont placés à une distance d l'un de l'autre et transportent chacun un courant I dans le même sens (figure 19.29). Trouver le champ magnétique résultant

a) à mi-chemin entre les fils ;

b) aux points P et Q de la figure 19.29.

Réponse a) En appliquant la règle de la main droite, on obtient que le champ **B** dû au fil de gauche, entre dans le plan du dessin dans la région entre les fils. De façon similaire, on trouve que le champ $\mathbf{B}_r$, dû au fil de droite, sort du plan de la figure dans la même région. Au point médian, les distances à chaque fil sont égales, de sorte que $\mathbf{B}_l$ et $\mathbf{B}_r$ sont égaux en grandeur. Puisqu'ils sont orientés en sens opposé, leur somme vectorielle donne zéro.

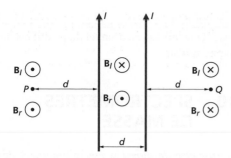

Figure 19.29 Dans le plan des fils, les champs dus aux deux courants sont en sens opposé dans la région entre les deux fils et dans le même sens ailleurs.

b) Au point P, les champs dus aux fils sortent tous deux du plan du dessin. En utilisant $B = \dfrac{\mu_0 I}{2 \pi r}$, on a

$$B_\ell = \frac{\mu_0 I}{2 \pi d} \ , \ B_r = \frac{\mu_0 I}{4 \pi d}$$

$$B = B_\ell + B_r = \frac{3 \mu_0 I}{4 \pi d}$$

Au point Q, le champ a la même valeur, mais il est orienté dans le sens entrant, de haut en bas, dans le plan du dessin.

19.8 LA FORCE ENTRE DEUX FILS PARALLÈLES PARCOURUS PAR UN COURANT

Deux fils longs et parallèles s'attirent mutuellement quand les courants sont dans le même sens et se repoussent quand les courants sont en sens opposés. Chaque courant produit un champ magnétique $B = (\mu_0 I)/(2 \pi r)$ dont l'autre subit l'effet. Considérons le cas de la figure 19.30 où I et I' sont dans le même sens et à une distance d l'un de l'autre. Le champ B dû à I' au niveau du segment $\Delta \ell$ est dirigé de haut en bas, entrant dans le plan de la figure. La force **F** sur ce segment vaut $I \Delta \ell \times B$. La règle de la main droite pour le produit vectoriel montre que **F** est dirigée vers la gauche, c'est-à-dire vers l'autre fil, de sorte que la force est attractive, comme nous l'avions annoncé précédemment. Puisque $\Delta \ell$ est perpendiculaire à B

$$F = I \, \Delta \ell B = I \frac{\Delta \ell \, \mu_0 \, I'}{2 \pi d}$$

La force par unité de longueur de fil est

$$\frac{F}{\Delta \ell} = \frac{\mu_0 \, II'}{2 \pi d} \tag{19.15}$$

L'exemple suivant illustre ce résultat.

 —————— **Exemple 19.7** ——————

Un courant de 10 A circule dans deux fils parallèles à une distance de 1 mm = 10^{-3} m l'un de l'autre. Que vaut la force sur un segment de fil de 2 m de long ?

Réponse La force par unité de longueur vaut

$$\frac{F}{\Delta \ell} = \frac{\mu_0 \, II'}{2 \pi d} = \frac{4 \, \pi \times 10^{-7} \, 10 \, 10}{2 \, \pi \ \ 10^{-3}} = 0,02 \, \text{Nm}^{-1}$$

La force sur un segment de fil de 1 m est donc 0,02 N. La force sur un segment de 2 m est le double de ce résultat, c'est-à-dire 0,04 N.

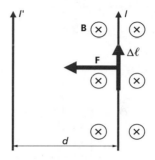

Figure 19.30 Deux courants de même sens s'attirent mutuellement. *B* est le champ dû à *I'*.

Un dispositif standard de ce type est utilisé pour définir l'ampère comme étant le courant qui donne lieu à une force de valeur fixée entre deux fils. L'unité de charge, le coulomb, est alors définie comme étant la charge transportée par un courant d'un ampère en une seconde.

Pour en savoir plus...

19.9 LA MESURE DU RAPPORT DE LA CHARGE À LA MASSE

Dans ce paragraphe et dans les deux suivants, nous allons étudier quelques utilisations de la force magnétique sur une charge en mouvement. Nous discuterons ici des arrangements de champs électrique et magnétique que l'on peut employer pour mesurer le rapport de la charge à la masse d'une particule chargée.

La figure 19.31 montre une particule de masse m et de charge q accélérée à partir du repos par une différence de potentiel V connue. Puisque la somme des énergies cinétique et potentielle doit rester constante, la vitesse finale **v** obéit à $(1/2)mv^2 = qV$ et le rapport de la charge à la masse vaut

$$\frac{q}{m} = \frac{v^2}{2V} \qquad (19.16)$$

Ainsi donc, on peut trouver le rapport q/m de la charge à la masse pour la particule considérée, si l'on est capable d'en mesurer la vitesse. On peut effectuer cette mesure au moyen de champs électrique et magnétique *croisés*, c'est-à-dire perpendiculaires l'un à l'autre, comme le montre la figure 19.31. La force magnétique agissant sur la particule est $q\mathbf{v} \times \mathbf{B}$ tandis que la force électrique vaut $q\mathbf{E}$. Puisque $\mathbf{v} \times \mathbf{B}$ est orienté vers le haut, c'est-à-dire dans le sens opposé à $\mathbf{E}$, ces deux forces se contrebalancent exactement quand $qvB = qE$, ou

$$v = \frac{E}{B} \qquad (19.17)$$

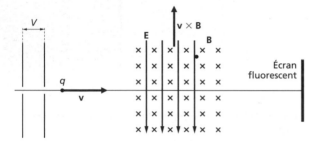

Figure 19.31 La particule chargée est accélérée du repos à la vitesse **v** par une différence de potentiel *V*. Le champ magnétique **B** est orienté dans le sens entrant dans le plan du dessin. Le vecteur **v** × **B** est dans le sens opposé à **E**, de sorte que la force résultante **F** = *q***E** + *q***v** × **B** est nulle pour une valeur déterminée de *E*, *B*.

On peut donc déterminer la vitesse en ajustant les champs croisés pour ramener le spot sur l'écran fluorescent à la position qu'il occupait en l'absence de champ.

J.J. Thomson (1856-1940) a utilisé un dispositif de ce genre pour mesurer le rapport de la charge à la masse des rayons cathodiques négatifs d'un tube cathodique. Il conclut que ces rayons cathodiques étaient des particules chargées négativement (électrons). Il trouva également que leur vitesse, dans son appareil, était environ un dixième de la vitesse de la lumière, ce qui est bien supérieur aux vitesses observées auparavant.

Une autre propriété de cet appareillage vaut d'être signalée. Les champs **E** et **B** permettent à des particules chargées de les traverser sans déflexion si la condition $v = E/B$ est satisfaite, quelles que soient la charge et la masse de ces particules. Si un faisceau de plusieurs sortes de particules chargées, douées de vitesses différentes, passe au travers d'une telle région de champs croisés, les particules qui en sortent sans avoir subi de déflexion ont toutes la même vitesse. Ainsi donc, des champs élec-

trique et magnétique croisés se comportent en *sélecteur de vitesse*. Une utilisation d'un tel dispositif est décrite au paragraphe suivant.

19.10 SPECTROMÈTRES DE MASSE

Le *spectromètre de masse* a été initialement développé dans des buts de recherche en physique nucléaire. Aujourd'hui, les spectromètres de masse sont couramment utilisés dans de nombreux types de laboratoires pour mesurer et identifier de minimes quantités de substances diverses.

On peut comprendre le principe du spectromètre de masse en considérant une particule de charge positive q et de masse m qui se déplace perpendiculairement à un champ magnétique uniforme $\mathbf{B}$ (figure 19.32). La force magnétique $\mathbf{F} = q\mathbf{v} \times \mathbf{B}$ est perpendiculaire à la vitesse $\mathbf{v}$, de sorte qu'elle en change la direction, mais pas la grandeur. Le module de la force, qvB, reste inchangé puisque $\mathbf{v}$ et $\mathbf{B}$ sont constants en grandeur et perpendiculaires l'un à l'autre.

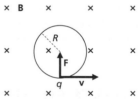

Figure 19.32 Une particule chargée se déplace avec une vitesse **v**, perpendiculairement à un champ magnétique uniforme **B** orienté dans le sens entrant dans le plan du dessin. Comme la force et l'accélération sont constamment perpendiculaires à **v** et restent inchangées en module, la particule est en mouvement circulaire uniforme.

Puisque l'accélération $\mathbf{a} = \mathbf{F}/m$ est constante en grandeur et reste toujours perpendiculaire à $\mathbf{v}$, la particule décrit une orbite circulaire à vitesse constante. L'accélération centripète $a_r = v^2/R$ est assurée par la force magnétique. Aussi le rayon R de l'orbite doit-il satisfaire à $qvB = mv^2/R$, ce qui donne

$$R = \frac{mv}{qB} \qquad (19.18)$$

L'exemple suivant illustre l'emploi de cette formule.

✎ ─────── **Exemple 19.8** ───────

Quel champ magnétique faut-il pour qu'un ion O_2^+ se déplace sur une orbite circulaire de rayon 2 m, sa vitesse étant de 10^6 m s^{-1} ? (La masse de l'ion O_2^+ est approximativement 32 uma, où 1 uma = $1{,}66 \times 10^{-27}$ kg.)

Réponse La charge de l'ion est $e = 1,60 \times 10^{-19}$ C. En utilisant $R = mr/qB$, on obtient que le champ magnétique vaut

$$B = \frac{mv}{qR}$$

$$= \frac{(32 \times 1,66 \times 10^{-27} \text{ kg})(10^6 \text{ m s}^{-1})}{(1,60 \times 10^{-19} \text{ C})(2\,m)}$$

$$= 0,167 \text{ T}$$

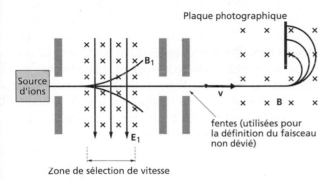

Figure 19.33 Un spectromètre de masse. Des champs croisés, E_1 et B_1 sélectionnent les particules qui ont une vitesse donnée. Le rayon de la trajectoire circulaire dans le champ **B** détermine alors m/q.

La figure 19.33 montre les principaux composants d'un spectromètre de masse. Dans la source d'ions, on ionise les molécules en les bombardant avec des électrons ; les ions sont ensuite extraits de la source par un champ électrique. Dans le sélecteur de vitesse, des champs électrique et magnétique croisés permettent aux seuls ions de vitesse $v = E_1/B_1$ de ne pas subir de déflexion et donc d'atteindre la fente d'entrée dans la région de champ uniforme **B**. Dans cette région, les ions se déplacent sur des trajectoires circulaires de rayon $R = mv/qB$, jusqu'à ce qu'ils atteignent la plaque à des distances augmentant proportionnellement à leur masse, puisque le rayon de courbure croît avec cette masse. Ceci permet de séparer les ions de même charge mais de masse différente.

Historiquement, le spectromètre de masse rendit possible l'étude systématique des isotopes. Les isotopes sont des formes distinctes d'un même élément, possédant presque exactement les mêmes propriétés chimiques, mais dont les noyaux ont des nombres de neutrons différents, ce qui entraîne des masses atomiques différentes. Plus tard, le spectromètre de masse fut également utilisé dans le cas de l'uranium, pour séparer l'isotope 235 fissile du ^{238}U, plus abondant, ceci dans le cadre du développement d'armes nucléaires pendant la Deuxième Guerre mondiale.

La capacité du spectromètre de masse à différencier les isotopes d'un corps en fait un outil de recherche inestimable dans les études qui impliquent des isotopes stables plutôt que des isotopes *radioactifs*. Ces derniers se transforment spontanément en d'autres espèces nucléaires, en émettant un rayonnement ionisant. Si on administre une substance radioactive à une plante ou à un animal, on peut suivre son trajet dans l'organisme en détectant l'ionisation produite par le rayonnement. Ces *traceurs radioactifs* sont universellement utilisés en recherche biologique et dans le diagnostic médical. Cependant, des éléments importants biologiquement, comme l'azote et l'oxygène, ne possèdent pas d'isotopes radioactifs appropriés, alors qu'ils ont évidemment des isotopes stables. Par exemple, l'oxygène normal comporte 99,756 % d'oxygène 16, qui est un noyau contenant 8 protons et 8 neutrons ; 0,039 % d'oxygène 17, qui a un neutron de plus ; et 0,205 % d'oxygène 18, qui a encore un neutron en plus. Si on administre à un organisme vivant des substances contenant de l'oxygène enrichi en un ou plusieurs de ces isotopes rares, on peut prélever, à différents moments, des échantillons à cet organisme et les analyser avec un spectromètre de masse. La présence des isotopes rares de l'oxygène signale l'arrivée de la substance administrée ou de ses dérivés métaboliques. Ainsi donc, le spectromètre de masse rend possible l'utilisation d'isotopes stables comme traceurs. On l'utilise aussi pour identifier les rapports d'abondance d'isotopes stables dans des échantillons géologiques, dans le but d'aider à la détermination de leur source ou de leur âge.

Les masses des isotopes d'un élément déterminé ont des différences relatives appréciables pour les éléments les plus légers ; dans ce cas, des variations significatives, bien que faibles, se manifestent parfois dans les vitesses de réactions chimiques, d'évaporation, etc. Il en résulte que des variations mesurables apparaissent dans les rapports des isotopes, entre autres, de l'hydrogène, du carbone et de l'oxygène présents dans les minéraux, les grandes masses d'eau et les organismes vivants. De nombreuses recherches contemporaines en biologie, en géologie, en océanographie et en archéologie sont rendues possibles par l'emploi de spectromètres de masse pour étudier ces variations minimes de rapports isotopiques. Par exemple, des chercheurs sont remontés à la source du carbone utilisé par le plancton dans un lac et ont pu, par cette méthode, trier les fragments de plusieurs colonnes grecques portant des inscriptions.

On emploie parfois des spectromètres de masse dans des cas où on ne s'intéresse pas à la composition isotopique. On les a utilisés pour analyser les gaz exhalés par des patients présentant des affections diverses et pour étudier la composition du gaz au voisinage de plantes durant la photosynthèse. On les utilise aussi dans l'industrie pétrolière pour distinguer des composés complexes qui ont des compositions chimiques identiques mais des configurations moléculaires différentes et un spectromètre de masse fut l'un des instruments emportés par les sondes spatiales qui se posèrent sur Mars et sur Vénus.

19.11 CYCLOTRONS

Le *cyclotron*, inventé par Ernest O. Lawrence (1901-1958) en 1930, fut la première machine réalisée pour accélérer des particules chargées jusqu'à des vitesses élevées, en les faisant passer de façon répétée à travers la même région d'accélération. Son fonctionnement repose sur le fait remarquable que la période, c'est-à-dire le temps requis par une particule chargée pour effectuer un tour complet sur une orbite circulaire dans un champ magnétique uniforme **B**, est indépendante de la vitesse *v* de la particule.

Au paragraphe précédent, nous avons montré que, pour une particule de charge *q* et de masse *m*, le rayon *R* de l'orbite est $R = mv/qB$. La période *T* obéit à $vT = 2\pi R$, ce qui donne

$$T = \frac{2\pi R}{v} = \frac{2\pi m}{qB} \qquad (19.19)$$

Donc, accroître la vitesse augmente le rayon de l'orbite, mais n'a pas d'effet sur la période *T* ou sur la fréquence orbitale $f = 1/T$.

Un cyclotron consiste en deux demi-cylindres (appelés « dees ») de métal, creux et dans lesquels on a fait le vide. Ils sont placés dans un champ magnétique uniforme, perpendiculaire au plan de leur base (figure 19.34). Des protons ou d'autres ions positifs sont injectés près du centre. Un générateur électrique inverse la différence de potentiel entre les demi-cylindres à la fréquence du mouvement orbital des ions, de sorte qu'ils sont accélérés à chaque passage dans l'intervalle entre ces demi-cylindres. On augmente ainsi leur vitesse et, par conséquent, le rayon de leur orbite $R = mv/qB$, sans cependant modifier la période du mouvement.

Le fonctionnement du cyclotron repose sur le fait que la période ne dépend pas de la vitesse. Cependant, on trouve que la masse d'inertie d'une particule augmente rapidement quand sa vitesse s'approche de la vitesse de la lumière. Ce fait a été prédit pour la première fois en 1905, par Einstein, dans le cadre de sa théorie de la relativité restreinte ; cette prédiction fut confirmée par la suite. Cet accroissement de masse entraîne une augmentation de la période et limite la vitesse et l'énergie cinétique maximum que l'on puisse atteindre avec un cyclotron. On peut obtenir des énergies plus élevées au moyen d'accélérateurs plus complexes, dans lesquels on fait varier progressivement le champ magnétique ou la fréquence du générateur électrique, au fur et à mesure que les ions sont accélérés.

Développés initialement pour la recherche en physique nucléaire, les cyclotrons ont été en grande partie remplacés dans ce domaine par des machines plus modernes. Cependant, aujourd'hui, on les utilise quelquefois dans les hôpitaux pour induire, par bombardement de cibles diverses, des réactions nucléaires qui produisent des substances radioactives pour applications médicales. La majorité des produits radioactifs sont en réalité fournis aux hôpitaux par les centres disposant de réacteurs nucléaires. Cependant, certains radio-isotopes ont une vie si courte que l'on ne peut pas les transporter à grande distance. D'autres ne peuvent être produits qu'au moyen de cyclotrons.

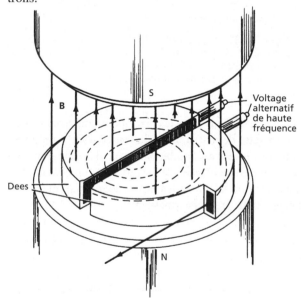

Figure 19.34 Le principe du cyclotron. Un champ magnétique perpendiculaire au plan des demi-cylindres maintient les ions sur des orbites circulaires. Le rayon de l'orbite augmente au fur et à mesure que les ions sont accélérés par la différence de potentiel entre les demi-cylindres. Cette différence de potentiel est alternative, à la même fréquence que le mouvement orbital des ions.

Réviser

RAPPELS DE COURS

Les champs magnétiques sont produits par des aimants permanents et des charges en déplacement. Ces champs, à leur tour, exercent des forces sur d'autres aimants permanents et sur des charges en mouvement. La force magnétique sur une charge q se déplaçant à la vitesse $\mathbf{v}$ dans un champ magnétique $\mathbf{B}$ est

$$\mathbf{F} = q\mathbf{v} \times \mathbf{B}$$

De l'expression de la force magnétique sur une charge en mouvement, on tire que la force magnétique sur un segment de fil de longueur ℓ, parcouru par un courant I, vaut

$$\mathbf{F} = I\ell \times \mathbf{B}$$

Dans un champ magnétique uniforme, une boucle de courant est soumise à un couple de forces, dont la résultante est nulle. Une boucle de ce type est appelée dipôle magnétique et son moment dipolaire est $\boldsymbol{\mu} = IA\hat{\mathbf{n}}$. Son comportement dans un champ magnétique est très similaire à celui d'un dipôle électrique dans un champ électrique.

On peut trouver le champ magnétique produit par un courant donné en appliquant la loi de Biot-Savart,

$$d\mathbf{B} = \frac{\mu_0}{4\pi} \frac{I d\ell \times \hat{\mathbf{r}}}{r^2}$$

$$\mu_0 = 4\pi \times 10^{-7} \text{ T m A}^{-1}$$

Au centre d'une boule circulaire,

$$B = \frac{\mu_0 I}{2a}$$

Dans un solénoïde ayant n spires par unité de longueur

$$B = \mu_0 n I$$

Près d'un fil rectiligne

$$B = \frac{\mu_0 I}{2\pi r}$$

Deux fils longs et parallèles s'attirent mutuellement quand les courants sont dans le même sens et se repoussent quand ils sont en sens opposés. La force par unité de longueur a pour valeur

$$\frac{F}{\Delta\ell} = \frac{\mu_0 II'}{2\pi d}$$

PHRASES À COMPLÉTER

Voir réponses en fin d'ouvrage.

1. Le champ magnétique est plus élevé à l'endroit où les lignes de force sont _____.

2. La force sur une charge en mouvement dans un champ magnétique est maximum quand la vitesse est _____ au champ magnétique.

3. Si une charge positive est soumise à une force magnétique dirigée vers le haut, une charge négative se déplaçant dans la même direction subira une force vers _____.

4. La force magnétique sur un fil parcouru par un courant est nulle lorsque le champ magnétique est _____ ou _____ au courant.

5. Les dipôles magnétiques tendent à s'aligner _____ au champ magnétique.

6. La force résultante sur un dipôle magnétique est _____ quand il est placé dans un champ magnétique uniforme.

7. Dans un galvanomètre, la déviation de l'aiguille est proportionnelle au _____ et au _____.

8. Le module du champ magnétique dû à un petit segment d'un circuit varie comme _____ de la distance.

9. On trouve un champ magnétique presque uniforme dans _____.

10. Le champ dû à un long fil rectiligne varie comme _____ de la distance.

EXERCICES CORRIGÉS

E1. Une boucle de forme rectangulaire est parcourue par un courant constant I, produit par un générateur de force électromotrice $E = 10$ V. Les dimensions de la boucle sont $a = 0,5$ m et $b = 1$ m. La résistance de la boucle est de 20 Ω.

1) Calculer le moment magnétique $\boldsymbol{\mu}$ de la boucle.

2) La boucle est placée dans un champ magnétique homogène et constant $\mathbf{B} = 0,2$ T, faisant un angle de 30° avec la normale à la boucle (figure 19.35).

a) Calculer le moment de force agissant sur la boucle.

b) Calculer l'énergie magnétique de la boucle.

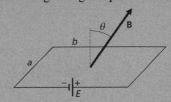

Figure 19.35

Solution

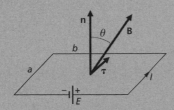

Figure 19.36

1) Le moment magnétique dipolaire μ est défini par

$$\mu = IA\mathbf{n}$$

et est donc orienté selon $\hat{\mathbf{n}}$ (représenté sur la figure 19.36) sa grandeur est :

$$\mu = IA = \frac{E}{R}A = \frac{10}{20}(0{,}5 \times 1) = 0{,}25 \text{ A m}^2$$

2) a) Le moment de force agissant sur la boucle est donné par :

$$\boldsymbol{\tau} = \boldsymbol{\mu} \times \mathbf{B}$$

Le vecteur est perpendiculaire au plan formé par $\boldsymbol{\mu}$ et $\mathbf{B}$; il se trouve donc dans le plan de la boucle et est orienté comme indiqué sur la figure 19.36, sa grandeur est donnée par :

$$\tau = \mu B \sin \theta$$
$$= 0{,}25 \times 0{,}2 \sim 30° = 0{,}025 \text{ Nm}$$

b) L'énergie magnétique de la boucle est donnée par :

$$U = -\mu B \cos \theta$$
$$= -0{,}25 \times 0{,}2 \cos 30° = -0{,}043 \text{ J}$$

E2. On injecte des électrons dans un champ magnétique uniforme $\mathbf{B}$. La vitesse $\mathbf{v}$ de ces électrons fait un angle de 30° avec $\mathbf{B}$.

a) Déterminer, en grandeur et en direction, l'accélération des électrons.

b) Trouver la composante de la vitesse suivant le champ magnétique. Comment cette composante varie-t-elle au cours du temps ?

c) Trouver la composante de la vitesse perpendiculaire au champ. Montrer que cette composante est

en rotation autour du champ et trouver le rayon qui correspond à cette rotation.

d) Quelle est la distance parcourue parallélement au champ durant une rotation complète ?

e) Quelle sera l'allure de la trajectoire ?

Solution

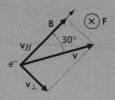

Figure 19.37

a) Des électrons animés d'une vitesse $\mathbf{v}$ et progressant dans un champ magnétique $\mathbf{B}$ sont soumis à une force $\mathbf{F}$ donnée par $\mathbf{F} = q\mathbf{v} \times \mathbf{B} = -e\mathbf{v} \times \mathbf{B}$; cette force est perpendiculaire au plan formé par $\mathbf{v}$ et $\mathbf{B}$ et orientée comme indiqué sur la figure 19.37.

Selon la loi de Newton $\mathbf{F} = m\mathbf{a}$, il résulte de cette force une accélération sur les électrons ; cette accélération est orientée de la même façon que $\mathbf{F}$ et sa grandeur vaut

$$a = \frac{F}{m_e} = \frac{evB \sin 30°}{m_e} = \frac{evB}{2m_e}$$

b) La composante de la vitesse selon $\mathbf{B}\,(\mathbf{v}_{\parallel})$ est égale à $v \cos 30°$ c'est-à-dire $(\sqrt{3}/2)v$, cette composante ne varie pas au cours du temps vu que lorsque $\mathbf{B}$ et $\mathbf{v}$ sont parallèles, la force magnétique et donc l'accélération sont nulles.

c) La composante de la vitesse perpendiculaire à $\mathbf{B}\,(\mathbf{v}_{\perp})$ est égale à $v \sin 30°$ c'est-à-dire $v/2$ et est responsable de la force magnétique $evB/2$, cette force étant perpendiculaire à $\mathbf{v}_{\perp}$ en entraîne donc la rotation.

Le rayon correspondant à cette rotation s'obtient en exprimant que cette force magnétique est la force centripète associée au mouvement de rotation :

$$Bqv = m\frac{v^2}{R}$$

en remplaçant v par $v/2$ (valeur de la composante $\perp$ à $\mathbf{B}$ de $\mathbf{v}$) et q par e, on obtient

$$Be\frac{v}{2} = m\frac{v^2}{4R}$$

et

$$R = \frac{mv}{2\mathbf{b}e}$$

d) La distance parcourue parallèlement au champ durant une rotation complète est égale à $\mathbf{v}_{\perp}t$ où t est le temps d'une rotation complète c'est-à-dire

$$t = \frac{2\pi R}{(v/2)} = 4\pi \frac{R}{v} = \frac{2\pi m}{Be}$$

donc

$$d = \frac{v\sqrt{3}}{2}\left(\frac{2\pi m}{Be}\right) = \sqrt{3}\,\pi\,\frac{vm}{B\ell}$$

$$= 1{,}732\,\pi\,\frac{vm}{Be}$$

e) L'électron se déplaçant en MRU selon **B** et en mouvement circulaire uniforme perpendiculairement à **B**, la trajectoire résultante est hélicoïdale.

S'entraîner

QCM

Voir réponses en fin d'ouvrage.

Q1. Les lignes de force d'un champ magnétique déterminent

a) seulement la direction du champ

b) la force relative du champ

c) la direction du champ et aussi la force relative du champ

d) le taux de variation du champ.

Q2. Une charge q ($q > 0$) se déplace à la vitesse **v** dans un champ magnétique B. La force qu'elle subit est :

a) parallèle à **v**, de même sens que **v** et de norme égale à qvB

b) perpendiculaire à **v**, parallèle et de même sens que B et de norme égale à qvB

c) perpendiculaire à **v** et perpendiculaire à B

d) perpendiculaire à B et parallèle à **v**.

Q3. Placé dans un champ magnétique **B** uniforme et statique, un dipôle magnétique va s'orienter de manière telle que son énergie soit :

a) nulle

b) égale à mc^2

c) maximale

d) minimale.

Q4. L'équation $\displaystyle\int \mathbf{B}\cdot\widehat{\mathbf{n}}\,dA = 0$, où **B** est le champ magnétique, $\widehat{\mathbf{n}}$ est la normale unitaire de l'élément de surface dA et A est une surface fermée quelconque :

a) signifie qu'il n'existe pas de monopôle magnétique

b) signifie que les lignes de force du champ magnétique sont fermées

c) signifie que le flux d'induction magnétique au travers d'une surface fermée est nul

d) est la loi de Gauss pour l'induction magnétique.

Q5. À trois centimètres d'un long fil électrique, on mesure un champ magnétique de 3×10^{-5} T. Quelle est la valeur du courant dans le fil ?

a) 2 A

b) 4,5 A

c) 3,5 A

d) 3 A.

Q6. Deux fils conducteurs, infinis et parallèles sont parcourus par des courants constants d'une intensité de 0,5 A et se déplaçant dans des sens opposés. La force par unité de longueur qui s'exerce entre les deux fils séparés de 2 m est :

a) attractive et a une norme de $1{,}25 \cdot 10^{-8}$ N/m

b) attractive et a une norme de $2{,}5 \cdot 10^{-8}$ N/m

c) répulsive et a une norme de $1{,}25 \cdot 10^{-8}$ N/m

d) répulsive et a une norme de $2{,}5 \cdot 10^{-8}$ N/m.

Q7. Le champ magnétique créé en un point de l'espace par un courant i constant parcourant un fil rectiligne infini :

a) est tel que les lignes de force ne sont pas fermées

b) a une direction perpendiculaire au fil et qui passe par ce fil, et elle a une norme proportionnelle à i

c) est tangent au cercle passant par ce point et centré sur le fil, et a une norme proportionnelle à i

d) a une composante parallèle au fil qui n'exerce aucune force sur les charges se déplaçant dans le fil.

Q8. Un fil formant un cercle de rayon R est parcouru par un courant d'intensité i constant. Le champ magnétique **B** créé par ce courant au centre du cercle :

a) est nul

b) a une direction parallèle au plan de la boucle et qui tourne à la vitesse des électrons se déplaçant dans le fil

c) a une direction perpendiculaire au plan du cercle, un sens donné par la progression du tire-bouchon qui tournerait dans le même sens que i et a une norme proportionnelle à R^2

d) a une direction perpendiculaire au plan du cercle, un sens donné par la progression du tire-bouchon qui tournerait dans le même sens que *i* et a une norme proportionnelle à *i*.

Q9. Une particule de masse *m* et de charge *q* (*q* > 0) se déplace à la vitesse **v** dans un champ magnétique **B** perpendiculaire à **v**. Le rayon de sa trajectoire circulaire est :

a) mv/qB

b) ma/qB, où *a* est l'accélération centripète de la particule

c) ma/v^2

d) ma/qvB.

Q10. Un ion de masse *m* et de charge électrique *q* décrit une trajectoire circulaire de rayon *R* dans un spectrographe de masse. La période du mouvement circulaire

a) est indépendante de la vitesse

b) est égale à $2\pi\sqrt{r/g}$

c) augmente avec la vitesse

d) diminue avec la vitesse.

EXERCICES

Voir réponses en fin d'ouvrage pour les exercices et problèmes dont le numéro est inscrit en noir.

Le champ magnétique

19.1 Considérons le champ magnétique de la figure 19.38 aux points P_1, P_2, P_3, P_4.

a) En lequel de ces points le champ est-il le plus important ?

b) Où est-il le plus faible ?

19.2 Considérons le champ magnétique de la figure 19.38 ; au voisinage de quel point ce champ est-il le plus uniforme ?

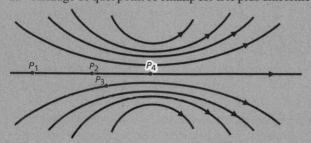

Figure 19.38 Exercices 19.1 et 19.2.

La force magnétique sur une charge en mouvement

19.3 Un électron passe à travers un appareil sans subir de déviation. Cela implique-t-il que le champ magnétique dans l'appareil soit nul ? Expliquer.

19.4 Une particule de charge 10^{-6} C se déplace dans la direction +*y* à la vitesse de 10^4 m s^{-1} et à angle droit avec un champ magnétique de 2 T (figure 19.39).

a) Trouver la grandeur et l'orientation de la force agissant sur la particule.

b) Que vaudrait la force si la vitesse était dans le sens −*y* ?

19.5 Une particule de charge +*q* et de masse *m* se déplace avec une vitesse **v** dans un champ magnétique **B** (figure 19.39). Trouver la grandeur et l'orientation de l'accélération si **v** est

a) dans la direction +*x*

b) dans la direction −*x*

c) dans la direction +*y*

d) dans la direction −*y*

e) dans la direction sortant du plan du dessin

f) dans celle entrant dans le plan du dessin.

19.6 Une particule de charge négative se déplace dans un champ magnétique uniforme (figure 19.39). Trouver la direction de la force sur la particule lorsqu'elle se déplace

a) dans la direction +*x*

b) dans la direction +*y*

c) dans la direction −*y*

d) dans la direction sortant du plan du dessin

e) dans celle entrant dans le plan du dessin.

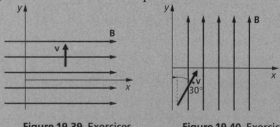

Figure 19.39 Exercices 19.4, 19.5, 19.6.

Figure 19.40 Exercice 19.7.

19.7 Un objet de masse 0,01 kg se déplace à la vitesse de 100 m s^{-1} dans une direction faisant un angle de 30° avec un champ magnétique de 10^{-2} T (figure 19.40). Si sa charge vaut -10^{-3} C, trouver l'importance et l'orientation

a) de la force magnétique

b) de l'accélération.

19.8 La vitesse d'un ion hydrogène (un proton) à température ambiante est généralement de 3 000 m s^{-1} environ.

a) Si le champ magnétique terrestre est de 10^{-4}T, quelle est la valeur maximum de la force magnétique agissant sur l'ion hydrogène ?

b) Trouver le rapport de cette force à la force électrique entre deux protons distants l'un de l'autre de 10^{-10} m, valeur typique des distances interatomiques.

c) Est-il probable que le champ magnétique terrestre puisse affecter des processus biochimiques ? Expliquer.

La force magnétique sur un fil parcouru par un courant

19.9 Un segment de fil de 0,5 m de long, parcouru par un courant de 20 A, subit une force de 5 N quand il est perpendiculaire à un champ magnétique. Quelle est la valeur de ce champ ?

19.10 Un fil horizontal subit une force de 10 N dirigée vers le haut quand il est parcouru par un courant de 5 A vers la droite. Que vaut la force quand le courant est inversé et doublé ?

19.11 Un segment de circuit, rectiligne et de 2 m de long, fait un angle de 30° avec un champ magnétique.

a) Si le champ est de 3 T et le courant de 10 A, trouver la valeur de la force agissant sur le segment.

b) Représenter l'orientation de la force à l'aide d'un croquis.

19.12 Une ligne haute tension transporte un courant de 1 000 A. Le champ magnétique terrestre fait un angle de 73° avec cette ligne et a une valeur de 7 × 10^{-5} T. Trouver la valeur et l'orientation de la force magnétique sur une section de cette ligne, de 100 m de long.

19.13 a) Trouver la valeur et l'orientation de la force sur chacun des trois segments rectilignes de la figure 19.41.

b) Quelle est la force résultante sur le circuit ?

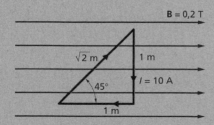

Figure 19.41 Exercices 19.13 et 19.14.

Dipôles magnétiques

19.14 Que vaut le moment du couple de forces sur le circuit de la figure 19.41 ?

19.15 Une boucle de fil carrée de 0,1 m de côté parcourue par un courant de 10 A est placée dans un champ magnétique de 0,1 T.

a) Que vaut le moment magnétique dipolaire de cette boucle ?

b) Quelle est la valeur maximum du moment des forces dues à l'action du champ sur la boucle de fil ?

c) Pour quelle orientation de la boucle le moment atteint-il cette valeur maximum ?

19.16 Quelle orientation d'un dipôle magnétique donne lieu

a) à une énergie nulle ?

b) au couple maximum ?

19.17 Une spire de fil carrée parcourue par un courant est placée dans un champ magnétique qui pénètre de haut en bas dans le plan du dessin (figure 19.42). Le module de **B** est croissant en fonction de x. Les forces agissant sur la spire ont-elles une résultante non nulle ? Si oui, quelle est son orientation ? Expliquer.

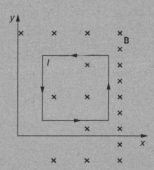

Figure 19.42 Exercices 19.17.

19.18 La composante z du moment magnétique dipolaire dû au spin d'un électron est $\mu_z = \pm eh/4\pi m$, où $h = 6,63 \times 10^{-34}$ J s est la constante de Planck.

a) Si μ_z est parallèle à un champ magnétique de 10 T, quelle énergie, en électron-volts, doit-on fournir pour l'amener dans le sens opposé ?

b) Trouver le rapport de cette énergie aux 13,6 eV nécessaires pour enlever un électron à un atome d'hydrogène normal.

Champs magnétiques produits par des courants

19.19 Une spire de fil circulaire de 0,2 m de rayon a une résistance de 100 ohms et est connectée à une batterie de 12 V. Que vaut le champ magnétique au centre de la spire ?

19.20 Le champ magnétique au centre d'une boucle de fil circulaire est de 0,05 T. Si la boucle a un rayon de 1,2 m, trouver le courant dans cette boucle.

19.21 On bobine serré cinquante spires de fil circulaires, de telle sorte qu'elles aient toutes un rayon très proche de 0,05 m. Si un courant de 2 A circule dans le fil, que vaut le champ magnétique au centre des spires ?

19.22 On désire obtenir un champ de 0,1 T dans un solénoïde. Combien de spires par unité de longueur doit-on utiliser si le courant est de 10 A ?

19.23 On bobine mille spires de fil sur un tube étroit de 0,4 m de long. Si le courant dans le fil a une intensité de 2 A, trouver le champ dans le tube.

19.24 Le champ magnétique à 0,1 m d'un long fil rectiligne est 10^{-4} T. Que vaut le courant dans le fil ?

19.25 Un courant de 4 A circule dans un long fil rectiligne. Trouver, en grandeur et en orientation, le champ à une distance de

a) 0,1 m et

b) 1 m.

19.26 Montrer que les deux ensembles d'unités utilisés pour μ_0 dans l'équation (19.11) sont équivalents.

19.27 On trouve que le champ magnétique dû à une impulsion de courant dans un axone (fibre nerveuse) long et rectiligne vaut $1,2 \times 10^{-10}$ T à une distance de 1,3 mm = 0,0013 m de l'axone. Que vaut le courant dans l'axone ?

La force entre deux fils parallèles parcourus par un courant

19.28 Deux fils rectilignes, longs et parallèles, à une distance de 0,1 m l'un de l'autre, sont parcourus par un courant de 10 A. Trouver l'orientation et la grandeur de la force agissant sur un segment de l'un de ces fils, long de 0,5 m, si les courants sont

a) dans le même sens

b) dans des sens opposés.

19.29 Un segment de fil de 10 m de long est parcouru par un courant de 5 A et pèse 0,5 N. Il est suspendu, de façon à ne pouvoir se déplacer que verticalement, et pas horizontalement, au-dessus d'un autre fil parcouru par un courant de 10 A dans le sens opposé.

a) Pour quelle distance entre les fils le poids du premier est-il compensé par la force magnétique ?

b) Si les fils ont tous deux un rayon de 1 mm = 10^{-3} m, seront-ils alors en contact ?

19.30 Trois fils sont disposés en parallèle dans le même plan. La distance entre fils adjacents est de 0,1 m. Les trois fils sont parcourus par un courant de 10 A dans le même sens. Trouver la valeur de la force résultante par unité de longueur, agissant sur

a) le fil central

b) un des fils extérieurs.

19.31 La force d'attraction mutuelle entre deux fils parallèles vaut 10^{-4} N par mètre. Les fils sont à une distance de 0,01 m l'un de l'autre. Le courant dans un des fils est de 20 A. Que vaut le courant dans l'autre fil ? Dans quel sens circule-t-il ?

Spectromètres de masse

19.32 Un faisceau de particules de charge $+e$ est en mouvement circulaire sur une orbite de 3 m de rayon dans un champ magnétique de 0,2 T.

a) Que vaut la quantité de mouvement des particules ?

b) Si les particules sont des protons, quelle est leur vitesse ? (La masse du proton est $1,67 \times 10^{-27}$ kg.)

19.33 Un électron se déplace dans un champ magnétique à la vitesse de 10 m s^{-1}. La trajectoire circulaire a un rayon de 2 m.

a) Que vaut le champ ?

b) Que vaut l'accélération de l'électron ?

c) Faire un schéma représentant l'orientation de la trajectoire de l'électron et celle du champ.

19.34 Des protons dont l'énergie cinétique est 5 MeV = 5×10^6 eV sont en mouvement circulaire dans un champ magnétique. Des particules alpha, qui sont des noyaux d'hélium, ont une charge double et une masse approximativement quadruple de celles du proton. Que vaut l'énergie de ces particules pour la même trajectoire circulaire ?

19.35 Dans un spectromètre de masse, un faisceau d'ions traverse un sélecteur de vitesse dont le champ électrique est $1,4 \times 10^5$ N C^{-1}.

a) Que vaut le champ magnétique dans le sélecteur de vitesse si les ions en sortent à la vitesse de 2×10^5 m s^{-1} ?

b) Le champ magnétique dans la région de déflexion est de 1 T. Quel est le rayon de la trajectoire d'un ion He$^+$ de charge e et de masse $6,68 \times 10^{-27}$ kg ?

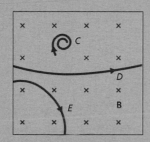

Figure 19.43 Exercices 19.35 et 19.36.

19.36 Les particules chargées qui passent dans une chambre à bulles laissent des traces visibles formées de très petites bulles d'hydrogène gazeux dans de l'hydrogène liquide maintenu à une température proche de l'ébullition. La figure 19.43 représente un champ magnétique qui s'enfonce dans le plan du dessin et des traces de particules se déplaçant dans le plan de la figure, dans le sens indiqué par les flèches.

a) Laquelle (ou lesquelles) de ces traces correspond à des particules chargées positivement ?

b) Si les trois particules ont toutes la même masse et la même charge en valeur absolue, laquelle se déplace à la vitesse la plus élevée ?

c) Si les trois particules ont la même vitesse, laquelle a la plus grande masse ?

Cyclotrons

19.37 Des noyaux d'hélium de masse $6,68 \times 10^{-27}$ kg et de charge $2e$ sont accélérés dans un cyclotron. La période orbitale est 10^{-7} s.

a) Que vaut le champ magnétique ?

b) Si le rayon maximum des orbites vaut 2 m, quelle est la vitesse maximum atteinte par les particules ?

PROBLÈMES

19.38 Un électron, se déplaçant à la vitesse de 10^5 m s^{-1}, se rapproche perpendiculairement d'un long fil rectiligne parcouru par un courant de 50 A.

a) Trouver la force qui agit sur l'électron quand il arrive

à 0,5 m du fil. (Indiquer l'orientation de la force sur un croquis.)

b) Trouver l'accélération due à cette force.

19.39 La figure 19.44 représente des électrons dans un conducteur, qui pénètrent de haut en bas dans le plan du dessin. Leur vitesse de dérive est $\mathbf{v}_d$. Un champ magnétique $\mathbf{B}$ est appliqué perpendiculairement à $\mathbf{v}_d$.

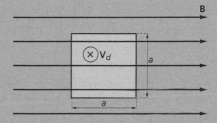

Figure 19.44 Problème 19.39.

a) Trouver, en grandeur et en direction, la force magnétique agissant sur les électrons.

b) Trouver, toujours en grandeur et en direction, le champ électrique $\mathbf{E}$ qui donnerait, sur les électrons, une force égale et opposée.

c) Quelle différence de potentiel devrait-on appliquer entre les faces du conducteur pour produire ce champ électrique ?

d) Si aucun champ électrique extérieur n'est appliqué, les électrons se mettent alors à se déplacer vers une face du conducteur, jusqu'à établir, sur l'épaisseur de ce conducteur, une différence de potentiel stationnaire. Que vaut cette différence de potentiel ? (L'apparition d'une différence de potentiel sur l'épaisseur d'un conducteur plongé dans un champ magnétique est appelée l'*effet Hall*.)

e) Trouver la différence de potentiel de Hall lorsque $v_d = 10^{-3}$ m s^{-1}, $B = 2$ T et $a = 10^{-2}$ m.

f) Quel est le sens du courant ?

g) Dans certains conducteurs, les porteurs de charge sont des lacunes d'électrons, ou « trous », qui se comportent comme des charges positives. La différence de potentiel de Hall est-elle la même que pour des porteurs de charge négatifs ? Expliquer.

19.40 Afin d'accumuler l'énergie nécessaire aux périodes de pointe de consommation électrique, on a envisagé de construire d'énormes aimants faits de bobines supraconductrices. Dans un des projets, on utiliserait des spires de 100 m de rayon avec un courant de 150 000 A. Le champ moyen produit par ce courant serait de 5 T. L'aimant serait placé dans un tunnel creusé dans la roche pour obtenir une structure porteuse suffisamment résistante. Chaque segment de fil serait en effet soumis à d'importantes forces dues au champ.

a) Si le champ magnétique est parallèle à l'axe de la bobine et donc perpendiculaire aux fils, que vaut la force par mètre de fil ?

b) Montrer que cette force est radiale et dans le sens s'éloignant de l'axe de la bobine.

c) Si la bobine comprenait 10 spires par mètre de longueur, que vaudrait la pression moyenne qu'elle exercerait sur le rocher le long de son pourtour ?

19.41 Une boucle de fil, de résistance 10 ohms, a la forme d'un rectangle de 0,5 m sur 0,8 m. Elle est connectée à une batterie de 6 V.

a) Que vaut le moment dipolaire de la boucle ?

b) On place la boucle dans un champ magnétique de 0,5 T. Que vaut, au maximum, le moment du couple de forces agissant sur la boucle ?

c) Quelle est l'orientation de cette boucle lorsque le moment des forces est minimum ?

19.42 Supposer que l'on donne à la boucle du problème précédent la forme correspondant au moment dipolaire magnétique maximum.

a) Quelle est alors la forme de la boucle ?

b) Que vaut le moment dipolaire correspondant ?

19.43 Trouver la force résultante agissant sur la boucle de la figure 19.45.

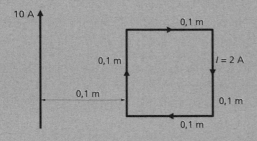

Figure 19.45 Problème 19.43.

19.44 Sur la figure 19.46, $I = I'$. Montrer que le champ entre les fils et à une distance x de l'origine est
$$4k'Ix/(a^2 - x^2) \quad \text{si} \quad |x| < a$$
(Les valeurs positives de B correspondent à une orientation sortant du plan de la figure et les valeurs négatives correspondent au sens inverse.)

19.45 Considérons le cas de la figure 19.46 avec $I = 10$ A, $I' = 5$ A et $a = 0,1$ m. Déterminer B, en grandeur et en orientation, en

a) $x = 0$

b) $x = 0,2$ m

c) $x = -0,2$ m

d) Où le champ est il nul ?

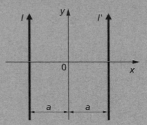

Figure 19.46 Problèmes 19.44 et 19.45

19.46 Le cadre d'un galvanomètre comporte 100 spires de 10^{-3} m² de surface. Le champ vaut 0,02 T et est tel qu'il reste constamment orienté dans le plan des spires. Un courant de 1 mA = 10^{-3} A produit une rotation de $\theta = 10°$. Si le moment du couple du ressort spiral est $k\theta$, trouver, en newton-mètre par radian, la constante k du ressort.

19.47 Cinq cents mètres de fil sont enroulés sur un tube de 0,5 m de long et 0,2 m de circonférence. Quel courant faut-il pour produire un champ de 0,1 T à l'intérieur du tube ?

19.48 a) Montrer que le champ magnétique sur l'axe d'une boucle de fil circulaire de rayon a, parcourue par un courant I à une distance y de son centre, vaut

$$2\pi \frac{\mu_0}{4\pi} a^2/\left(a^2 + y^2\right)^{3/2} \quad \text{(figure 19.47)}.$$

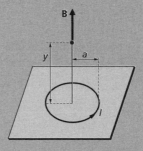

Figure 19.47 Problème 16.48

b) Trouver une expression approchée du champ en fonction du moment dipolaire et de y, quand y est grand par rapport à a.

c) Comparer ce résultat à la formule correspondante pour le champ électrique dû à un dipôle électrique (chapitre 16).

19.49 Dans le modèle de Bohr de l'atome d'hydrogène normal, l'électron se déplace en orbite circulaire autour du proton. La fréquence orbitale est de $6,8 \times 10^{15}$ Hz et le rayon de l'orbite vaut $5,1 \times 10^{-11}$ m.

a) Que vaut le courant dû à ce mouvement orbital de l'électron ?

b) Quelle est la valeur du champ magnétique produit par ce courant à l'emplacement du proton ?

19.50 Un courant se sépare en deux courants égaux (figure 19.48). Que vaut le champ magnétique au centre c du cercle ?

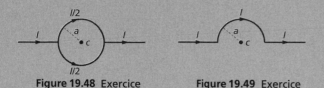

Figure 19.48 Exercice 19.50. **Figure 19.49** Exercice 19.51.

19.51 Que vaut le champ magnétique au centre c du demi-cercle de la figure 19.49 ?

19.52 À l'emplacement d'un laboratoire, le champ magnétique terrestre vaut 6×10^{-5} T et est incliné de 20° sur la verticale ; sa composante verticale est orientée vers le bas. Dans une expérience destinée à étudier la perception magnétique de bactéries, on désire inverser ce champ.

a) Si on utilise un solénoïde de 1 000 spires par mètre, de quel courant a-t-on besoin ?

b) Quelles seront les orientations du solénoïde et du courant ?

19.53 Les champs électrique et magnétique dans le sélecteur de vitesse d'un spectromètre de masse sont respectivement 10^5 N C^{-1} et 0,6 T. Dans la région de déflexion, le champ magnétique est de 0,8 T.

a) Quelle est la vitesse des ions à la sortie du sélecteur de vitesse ?

b) Trouver la séparation spatiale entre les isotopes 20 et 22 du néon, ionisés une fois (charge $+e$), après déflexion en demi-cercle. (Les néons 20 et 22 ont respectivement des masses de 20 uma et 22 uma environ, 1 uma (ou u) $= 1{,}66 \times 10^{-27}$ kg.)

19.54 Un cyclotron est utilisé pour accélérer des protons de masse $1{,}67 \times 10^{-27}$ kg jusqu'à la vitesse de 3×10^7 m s^{-1}, le dixième de celle de la lumière. Le champ magnétique est 1,5 T. Trouver le rayon orbital maximum et la fréquence de rotation.

19.55 Dans un tube de télévision, les électrons, initialement au repos, sont accélérés par une différence de potentiel de 2×10^4 V.

a) Quelle est leur vitesse ?

b) Si le champ magnétique terrestre est perpendiculaire au faisceau d'électrons et vaut 6×10^{-5} T, quelle est la force magnétique agissant sur un électron ?

c) Estimer la déviation résultant de cette force, lorsque le faisceau parcourt une distance de 0,15 m dans le tube.

CHAPITRE 20

Courants et champs induits

Mots-clefs

Amplitude • Champ électrique induit • Champ magnétique induit • Courant induit • Courants de Foucault • Diamagnétisme • Domaines magnétiques • Enroulements primaire, secondaire • Ferromagnétisme • Flux magnétique • Générateur • Henry • Loi de Faraday • Loi de Lenz • Ondes électromagnétiques • Paramagnétisme • Self-induction • Transformateur • Weber

Introduction

Nous avons montré l'existence de forces électriques sur des objets chargés au repos ainsi que celle des forces électriques et des forces magnétiques sur des objets chargés en mouvement. Cependant. nous n'avons pas encore rencontré de situation où les forces électriques et les forces magnétiques sont liées les unes aux autres ; jusqu'ici, l'électricité et le magnétisme nous sont apparus comme des phénomènes essentiellement distincts. Nous allons voir dans ce chapitre que, lorsque des champs électriques et magnétiques varient au cours du temps, ils sont en fait liés les uns aux autres d'une façon remarquable. Un champ magnétique variable produit un champ électrique *induit* et un champ électrique variable produit un champ magnétique *induit*. Une conséquence importante de ces effets est l'existence d'*ondes électromagnétiques*, qui se propagent à la vitesse de la lumière.

20.1 LA LOI DE FARADAY

Comme nous l'avons vu au chapitre précédent. Oersted découvrit en 1820 que des courants électriques produisent des champs magnétiques. Michael Faraday (1791–1867), un physicien et chimiste autodidacte anglais, émit l'hypothèse que des champs magnétiques pourraient également produire des courants électriques. Il trouva que ce n'était pas le cas lorsque la boucle de fil et l'aimant restent tous deux immobiles. Cependant, il découvrit en 1831 que lorsque le champ magnétique dans la boucle varie, il *induit* un courant dans cette boucle.

On peut illustrer ce phénomène, appelé la loi de Faraday, au moyen d'une bobine de fil conducteur connectée à une batterie et d'une boucle de fil distincte reliée à un ampèremètre (figure 20.1). Quand on ferme l'interrupteur, l'ampèremètre indique qu'un courant parcourt momentanément la seconde boucle ; quand on l'ouvre de nouveau, on observe un bref courant dans le sens opposé. Écarter la boucle de la bobine ou réduire la surface qu'elle délimite en pliant les fils, produit un courant dans le même sens que lorsqu'on ouvre l'interrupteur. Faire tourner la boucle pour l'amener dans un plan non-horizontal induit aussi un courant.

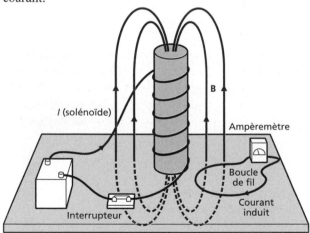

Figure 20.1 Quand on ferme l'interrupteur, un courant, circulant dans le sens indiqué, apparaît temporairement dans la boucle de fil ; on produit un courant circulant dans le sens opposé quand on ouvre l'interrupteur. Si on laisse l'interrupteur fermé de sorte que le champ magnétique reste constant, déplacer la boucle, changer sa taille ou son orientation donnent également lieu à un courant.

Les recherches de Faraday le conduisirent à conclure qu'un processus unique commun intervenait dans ces phénomènes et dans des phénomènes connexes : une modification de la « quantité » de champ magnétique passant dans la boucle qui est parcourue par le courant induit. Supposons, par exemple, que nous comptions le nombre

de lignes de force du champ magnétique qui passent dans la boucle de la figure 20.1. Un courant est induit dans la boucle chaque fois qu'il se produit une modification du nombre de lignes de force qui percent la surface délimitée par cette boucle. De telles modifications ont lieu dans toutes les situations que nous avons décrites ci-dessus.

Pour préciser cette idée. nous allons définir la notion de *flux magnétique*. Nous allons voir dans un moment que le flux magnétique est proportionnel au nombre de lignes de force qui passent à travers la surface considérée. Supposons d'abord qu'une boucle d'aire A de forme quelconque est traversée par un champ magnétique uniforme **B**. Lorsque le champ magnétique est perpendiculaire à la surface, le flux magnétique Φ qui la traverse est une grandeur scalaire définie par

$$\Phi = BA$$

Par contre, lorsque la surface A est orientée de sorte que son vecteur normal $\hat{\mathbf{n}}$ fasse un angle θ avec le champ magnétique uniforme **B** (figure 20.2), un nombre réduit de lignes de forces passent à travers elle ; on définit alors le flux magnétique par

$$\Phi = BA\cos\theta = B_nA$$

où B_n est la composante du champ magnétique suivant la direction normale à la boucle.

Ainsi donc, le flux magnétique à travers une surface est une grandeur donnée par un produit scalaire

$$\Phi = \mathbf{B}\cdot\hat{\mathbf{n}}A \qquad (20.1)$$

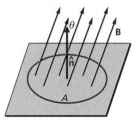

Figure 20.2 Le flux magnétique Φ dans la boucle est $BA\cos\theta = B_nA$.

Remarquer que le flux est proportionnel à la surface, comme il se doit puisqu'une surface plus grande est traversée par un plus grand nombre de lignes de force. Le facteur $\cos\theta$ indique que le nombre de lignes de force de **B** traversant la surface est maximum quand $\hat{\mathbf{n}}$ et **B** sont parallèles et que ce nombre décroît quand on fait tourner la boucle, jusqu'à ce que plus aucune ligne de force ne la traverse lorsque $\theta = 90°$. Nous verrons dans un moment que ce sont les variations de flux magnétique qui sont le plus directement liées aux courants induits.

La définition du flux magnétique que nous venons de donner n'est valable que si le champ magnétique est uniforme dans toute la surface de la boucle. Si **B** varie d'un point à l'autre, on doit subdiviser la boucle en éléments de surface suffisamment petits pour que le champ soit pratiquement uniforme dans chacun d'eux. Chaque petit élément d'aire $\hat{n}_i \, \Delta A_i$ est assez petit pour être considéré comme plat et où le champ magnétique peut y paraître uniforme. Alors, on a approximativement

$$\Phi = \sum_{i=1}^{n} \mathbf{B}_i \cdot \hat{n}_i \, \Delta A_i$$

à la limite lorsque ΔA_i tend vers zéro, la somme devient une intégrale

$$\Phi = \int \mathbf{B} \cdot \hat{n} dA$$

En unités S.I., le flux magnétique est mesuré en *webers* (Wb). Comme le champ **B** est mesuré en teslas et la surface en mètres carrés,

$$1 \text{ weber} = 1 \text{ tesla (mètre)}^2 = 1 \text{ T m}^2 \qquad (20.2)$$

On donne parfois les champs magnétiques en webers par mètre carré (Wbm^{-2}) au lieu de teslas.

L'exemple suivant illustre le calcul du flux magnétique.

 —————— **Exemple 20.1** ——————

La boucle de la figure 20.3 a une surface de $0,1 \text{ m}^2$. Le champ magnétique est uniforme et perpendiculaire au plan de la boucle. Il vaut $0,2$ T en module. Trouver le flux magnétique dans la boucle.

Figure 20.3 On choisit $\hat{n}$ dans le sens entrant dans le plan de la figure. (Avec ce choix, les courants circulant dans le sens des aiguilles d'une montre sont positifs ; ceux dans le sens opposé sont négatifs.) **B** a alors la même orientation que $\hat{n}$ et $B_n = B$.

Réponse Le vecteur normal $\hat{n}$ est nécessairement perpendiculaire au plan de la boucle ; le choix de son sens est cependant arbitraire. Si nous prenons $\hat{n}$ dans le sens entrant dans le plan du dessin, alors, en vertu de la convention discutée au chapitre précédent, les courants dans le sens des aiguilles d'une montre seront positifs et ceux en sens inverse, négatifs (voir paragraphe 19.5). Puisque **B** est parallèle à $\hat{n}$, $B_n = B$ et

$$\Phi = B_n A = BA$$
$$= (0,2 \text{ T})(0,1 \text{ m}^2) = 0,02 \text{ Wb}$$

Nous pouvons maintenant écrire la loi de Faraday en fonction du flux magnétique. Supposons que le flux ma-

gnétique dans la surface de la boucle varie de $\Delta\Phi$ en un temps Δt.

La loi de Faraday énonce que la FEM moyenne induite dans le circuit est égale à la vitesse moyenne de variation du flux :

$$\overline{\mathcal{E}} = -\frac{\Delta\Phi}{\Delta t} \qquad (20.3a)$$

La FEM instantanée est

$$\mathcal{E} = -\frac{d\Phi}{dt} \qquad (20.3b)$$

Les signes moins donnent le sens de la FEM et du courant induits, comme on pourra le voir plus loin dans les exemples. *Remarquer que la loi de Faraday ne fait intervenir que la vitesse de variation du flux et ne dépend pas de la façon dont on réalise cette variation.* Ceci est en accord avec le fait que, (figure 20.1), éloigner la boucle, réduire sa surface ou la faire tourner, tout cela a, qualitativement, le même effet que réduire le champ ; toutes ces opérations ont pour résultat de réduire le flux. L'exemple suivant illustre le calcul de la FEM induite et du courant qui en résulte.

 —————— **Exemple 20.2** ——————

Une boucle de fil conducteur de $0,1 \text{ m}^2$ de surface a une résistance de 10 ohms (figure 20.4). Un champ magnétique **B** normal à la boucle vaut initialement $0,2$ T. On le réduit à vitesse constante jusqu'à zéro, en un temps de 10^{-4} s. Trouver la FEM induite et le courant résultant.

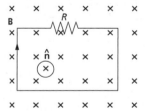

Figure 20.4 Exemple 20-2.

Réponse Prenons $\hat{n}$ dans le sens du champ, c'est-à-dire entrant dans le plan du dessin, de sorte que le courant est positif s'il circule dans le sens des aiguilles d'une montre. Le flux initial est $\Phi_i = BA$ et le flux final Φ_f est nul, donc $\Delta\Phi = \Phi_f - \Phi_i = -BA$. Alors

$$\mathcal{E} = -\frac{\Delta\Phi}{\Delta t} = -\frac{(-BA)}{\Delta t} = \frac{BA}{\Delta t}$$

$$= \frac{(0,1 \text{ m}^2)(0,2 \text{ T})}{10^{-4} \text{ s}} = 200 \text{ V}$$

et

$$I = \frac{\mathcal{E}}{R} = \frac{200 \text{ V}}{10 \text{ ohms}} = 20 \text{ A}$$

Puisque I est positif, il circule dans le sens des aiguilles d'une montre. Remarquer que l'on pourrait choisir $\hat{\mathbf{n}}$ sortant de la page. Le courant dans le sens contraire des aiguilles d'une montre serait alors positif. Avec ce choix de $\hat{\mathbf{n}}$, $\Delta\Phi$ serait positif et la FEM, ainsi que le courant, seraient négatifs. Puisque, avec cette convention, un courant négatif circule dans le sens des aiguilles d'une montre, nous obtiendrions le même résultat que précédemment.

Il est important de remarquer que le courant induit produit aussi un champ magnétique. Dans l'exemple précédent, le courant induit est dans le sens des aiguilles d'une montre. On trouve le sens du champ qui en résulte au moyen de la règle de la main droite, donnée au chapitre précédent (voir figure 19.7). Pour appliquer cette règle de la main droite, nous plaçons le pouce dans le sens du courant ; les doigts de la main montrent que le courant donne lieu, à l'intérieur de la boucle, à un champ entrant dans le plan de la figure. On voit donc que, dans la boucle, le champ dû au courant induit est dans le même sens que le champ initial et *tend à ralentir la diminution du champ et du flux*. D'une façon similaire, si le champ original est croissant, le champ produit par le courant induit est en sens opposé à ce champ original, *tendant à retarder sa croissance*. Par exemple, si à la figure 20.4, **B** entre dans le plan du dessin et est croissant, le courant induit produit alors un champ sortant du dessin et doit donc circuler dans le sens opposé des aiguilles d'une montre. *Une FEM induite fait toujours apparaître un courant dont le champ magnétique s'oppose à la variation initiale de flux magnétique, c'est la loi de Lentz.*

Dans la résolution de problèmes, il est souvent plus facile de faire appel à la loi de Lenz pour trouver le sens du courant induit que de tenir compte minutieusement des signes moins dans l'application de la loi de Faraday. Cependant, nous devons nous souvenir de ce que le courant induit s'oppose aux *changements* du flux et non au flux lui-même. Nous allons rencontrer de nouveau ce fait dans le prochain exemple.

✎ ——————— **Exemple 20.3** ———————

D'après la loi de Faraday, il apparaît une FEM induite lorsque l'on modifie le flux dans une boucle en changeant sa surface. Pour illustrer ce fait, considérons une barre métallique de longueur l glissant à la vitesse **v** sur deux rails conducteurs, le tout formant un circuit fermé (figure 20.5). Ce système est plongé dans un champ magnétique uniforme entrant dans le plan du dessin. Que vaut la FEM ?

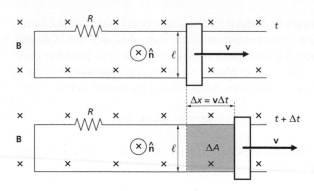

Figure 20.5 Exemple 20.3.

Réponse Nous choisirons le vecteur normal $\hat{\mathbf{n}}$ parallèle à **B**, donc dans le sens entrant dans le plan de la figure ; avec ce choix, les courants dans le sens des aiguilles d'une montre sont positifs. Si la surface délimitée par le circuit est A, le flux vaut alors $\Phi = BA$. Un court instant Δt plus tard, la barre se sera déplacée d'une distance $\Delta x = v\,\Delta t$. La surface aura donc augmenté de $\Delta A = l\,\Delta x = lv\,\Delta t$ et le flux, de $\Delta\Phi = B\,\Delta A = Blv\,\Delta t$. La FEM induite sera par conséquent

$$\mathcal{E} = -\frac{\Delta\Phi}{\Delta t} = -Blv$$

Le signe moins indique que le courant induit, $I = \mathcal{E}/R$, sera négatif, c'est-à-dire dans le sens contraire des aiguilles d'une montre. En utilisant la règle de la main droite, nous voyons que le champ à l'intérieur de la boucle et dû à ce courant sera dans le sens sortant de la feuille, c'est-à-dire opposé à **B**. Le courant s'oppose donc à l'augmentation de flux qui se produit lorsque la surface croît, et, de nouveau, notre résultat est en accord avec la loi de Lenz.

20.2 COURANTS DE FOUCAULT

Jusqu'ici nous avons rencontré des exemples de courants induits dans des circuits où le trajet conducteur a une forme simple. Cependant, chaque fois que le flux magnétique dans un objet conducteur varie, il y a apparition de FEM et de courants induits. De tels courants, appelés *courants de Foucault*, se produisent, par exemple, dans les machines électriques. Comme nous le verrons au paragraphe 20.5, le fer a la propriété d'accroître fortement le champ magnétique appliqué. Pour cette raison, les moteurs et les générateurs comportent des masses relativement élevées de fer dans des régions de champ magnétique important. Puisque le flux dans ces pièces de fer varie constamment, il se produit des courants de Foucault qui engendrent de la chaleur et réduisent le rendement de la machine. On rend cet effet plus faible en utilisant de fines feuilles de fer séparées par des revêtements isolants plutôt que des pièces massives. Ceci augmente la résistance de ces pièces métalliques et diminue les courants de Foucault et, par conséquent, la dissipation d'énergie en chaleur (figure 20.6).

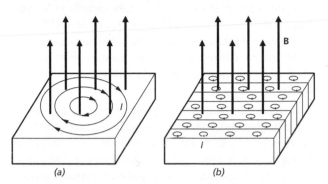

Figure 20.6 *(a)* Un champ magnétique croissant induit des courants de Foucault dans un corps conducteur. *(b)* Si ce corps est fait de fines lames conductrices séparées par des couches isolantes, les courants induits sont confinés dans l'épaisseur des lames individuelles. Le courant moyen est inférieur à celui du cas *(a)* et moins d'énergie est dissipée en chaleur.

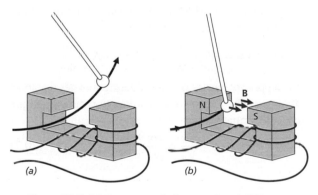

Figure 20.7 *(a)* Si on coupe l'alimentation de l'électro-aimant, le pendule de métal oscille librement entre les pôles. *(b)* Quand on met en marche l'alimentation, le pendule ralentit brutalement lorsqu'il entre dans le champ magnétique ; ce freinage est dû aux forces magnétiques sur les courants de Foucault induits dans le pendule.

Les courants de Foucault se produisent aussi quand le flux dans un conducteur change du fait du mouvement de ce dernier. Par exemple, si on fait osciller un pendule métallique entre les pôles d'un puissant aimant, il s'arrête rapidement (figure 20.7). Ceci est dû au courant induit par la variation de flux et à la force magnétique sur ce courant. Cette force agit dans le sens opposé au mouvement du pendule. L'énergie cinétique perdue par le pendule est dissipée en chaleur par les courants de Foucault.

Des courants de Foucault peuvent également être induits dans des conducteurs non métalliques, comme des tissus biologiques. Par exemple, un champ alternatif à 60 Hz, de 1 T environ, produit, dans la rétine de l'œil humain, un courant suffisamment fort pour donner une sensation d'intense clarté.

20.3 GÉNÉRATEURS ÉLECTRIQUES

La loi de Faraday est le principe physique fondamental à la base du fonctionnement des générateurs électriques. Pour comprendre leur fonctionnement, considérons une boucle de fil conducteur de surface A, mise en rotation à la vitesse angulaire ω, dans un champ magnétique, par une source d'énergie mécanique quelconque (figure 20.8a). Les extrémités de la boucle glissent sur deux anneaux métalliques fixes. À un instant donné, l'angle entre le vecteur normal $\hat{\mathbf{n}}$ et le champ $\mathbf{B}$ est $\theta = \omega t$; le flux dans la boucle vaut alors

$$\Phi = \mathbf{B} \cdot \hat{\mathbf{n}} A = BA \cos \omega t \qquad (20.4)$$

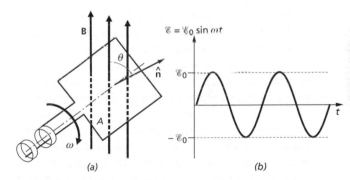

Figure 20.8 *(a)* Un générateur alternatif simplifié est constitué d'une boucle de fil électrique tournant dans un champ magnétique. *(b)* La différence de potentiel entre les anneaux collecteurs.

Comme le flux varie constamment, il y a une FEM induite dans la boucle, qui est la tension du générateur.

On peut obtenir la FEM d'un générateur par dérivation de l'expression du flux dans la boucle du fil conducteur

$$\varepsilon = -\frac{d\phi}{dt}$$

avec $$\Phi = BA \cos \omega t$$

ce qui donne comme résultat

$$\varepsilon = -\frac{d\Phi}{dt} = \omega BA \sin \omega t$$

La FEM varie donc au cours du temps suivant

$$\varepsilon = \varepsilon_0 \sin \omega t \qquad (20.5)$$

où l'*amplitude* ε_0 est

$$\varepsilon_0 = \omega BA \qquad (20.6)$$

Comme sin ωt varie entre $+1$ et -1, la différence de potentiel entre les deux extrémités oscille entre $+\varepsilon_0$ et $-\varepsilon_0$ à la fréquence $f = \omega/2\pi$ (figure 20.8b). Par conséquent, cette boucle en rotation est un générateur de courant alternatif (ca).

Les générateurs de courant continu, ou générateurs cc, fournissent une FEM qui ne change pas de polarité. Les deux anneaux du générateur ca sont remplacés par un seul *anneau fendu* ou *collecteur* (figure 20.9a). Les connexions sont ainsi renversées chaque demi-tour, ce qui donne lieu à la FEM représentée (figure 20.9b). Les générateurs réalisés en pratique possèdent des bobinages formés d'un grand nombre de boucles, chacun dans une orientation angulaire légèrement différente, de sorte que la FEM résultante est presque constante (figure 20.9c).

20.4 TRANSFORMATEURS

Un transformateur est un appareil servant à augmenter ou à diminuer une tension alternative.

Le fait que l'on puisse augmenter ou diminuer, sans perte élevée, une tension alternative au moyen d'un *transformateur* est de grande importance pratique pour le transport et la distribution de l'énergie électrique. Pour en comprendre la raison, rappelons que le taux de dissipation d'énergie électrique en chaleur dans une ligne de résistance R parcourue par un courant i est i^2R. La puissance fournie par une ligne, avec v comme différence de potentiel entre les fils est iv. Par conséquent, choisir la tension la plus élevée utilisable en pratique, et donc un courant aussi faible que possible, réduit les pertes en chaleur. Un exemple est l'énergie électrique transportée

sur des centaines de kilomètres, depuis des centrales hydroélectriques jusqu'aux villes, en utilisant des tensions de centaines de milliers de volts. Les lignes haute tension utilisées ont des fils de section raisonnable. Au contraire, si l'énergie était transportée sous basse tension, sur les mêmes distances, des quantités énormes de cuivre seraient nécessaires à la réalisation de lignes présentant des pertes acceptables. Cependant, la sécurité et les problèmes d'isolation imposent que l'électricité soit fournie sous basse tension aux utilisateurs. On satisfait à cette condition en utilisant des transformateurs pour réduire, en plusieurs étapes, la tension du système de distribution locale.

La figure 20.10 illustre le principe du transformateur. Les enroulements *primaire* et *secondaire*, comportant respectivement N_P et N_S tours, sont bobinés sur un noyau de fer (laminé pour empêcher les pertes dues aux courants de Foucault). Un courant variable i_P dans le primaire produit un flux magnétique variable qui traverse l'enroulement secondaire. Le noyau de fer sert à renforcer et à confiner le champ magnétique et réalise ainsi un couplage entre les deux bobines. La FEM induite sur une spire de chaque enroulement est $- \Delta\Phi/\Delta t$; la FEM totale induite dans un bobinage est cette tension multipliée par le nombre de spires.

La grandeur de la FEM ou de la tension V totale induite dans chaque bobinage s'exprime par

$$V_P = -N_P\frac{\mathrm{d}\Phi_P}{\mathrm{d}t} \qquad V_S = -N_S\frac{\mathrm{d}\Phi_S}{\mathrm{d}t}$$

En supposant que les pertes d'énergie sont négligeables $\mathrm{d}\Phi_P/dt = \mathrm{d}\Phi_S/dt$ et on obtient l'équation caractéristique d'un transformateur

$$\frac{V_S}{V_P} = \frac{N_S}{N_P} \qquad (20.7)$$

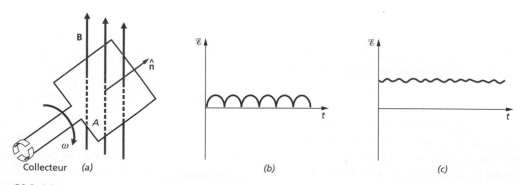

Figure 20.9 *(a)* Un anneau fendu, ou collecteur, inverse les connexions à chaque demi-tour. *(b)* La tension mesurée entre les deux demi-anneaux. *(c)* La FEM totale due à un grand nombre d'enroulements dans des orientations légèrement différentes.

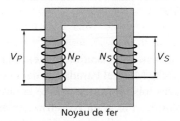

Figure 20.10 Un transformateur est constitué d'un enroulement primaire et d'un enroulement secondaire, bobinés sur un noyau habituellement en fer, pour accroître le champ et le flux.

Dans l'exemple suivant, nous allons voir que si l'enroulement secondaire comporte plus de tours que le primaire, le transformateur a pour effet d'accroître la FEM.

 ———————— **Exemple 20.4** ————————

L'enroulement primaire d'un transformateur comporte 100 tours et est connecté à une ligne de secteur de 120 V alternatif. Quelle est la tension aux bornes de l'enroulement secondaire, s'il comporte 1 000 tours ?

Réponse D'après l'équation (20.7),

$$V_S = \frac{N_S}{N_P} V_p = \left(\frac{1\,000}{100} \right) 120 \text{ V}$$

$$= 1\,200 \text{ V}$$

Les transformateurs sont utiles pour l'amélioration de la sécurité électrique. Puisque les enroulements primaire et secondaire ne sont pas directement connectés entre eux, le secondaire est électriquement « flottant », c'est-à-dire que son potentiel par rapport à la terre est indépendant de celui du primaire. Si quelqu'un vient simultanément en contact avec un fil du circuit secondaire et la terre, il met ce fil à la terre, mais sans qu'aucun courant ne le traverse. Ceci est particulièrement utile pour réduire les risques associés à l'emploi de tensions élevées. De même, la vulnérabilité élevée des patients connectés à des ECG, des stimulateurs cardiaques et d'autres appareils médicaux a conduit à proposer que les unités hospitalières dont les patients demandent des soins de ce genre aient toute leur instrumentation alimentée par des transformateurs d'isolement soigneusement conçus.

20.5 LES SUBSTANCES MAGNÉTIQUES

Nous avons vu au chapitre 16 que l'introduction d'un diélectrique dans un champ électrique extérieur **E** réduit le champ à la valeur **E**/*K*, où *K* est la constante diélectrique. De façon similaire, l'introduction de corps dans un champ magnétique extérieur **B** change la valeur de ce champ en $K_m \mathbf{B}$, où K_m est la *constante magnétique*.

Il y a trois classes principales de substances magnétiques. Dans les substances *diamagnétiques*, K_m est légèrement inférieur à 1. Dans les substances *paramagnétiques*, K_m est légèrement supérieur à 1. Enfin, dans les substances *ferromagnétiques*, K_m dépend du champ appliqué et du traitement que l'on a fait subir au corps considéré ; cependant, il est généralement beaucoup plus grand que 1.

Quand un corps diamagnétique est placé dans un champ magnétique extérieur variable, des modifications apparaissent dans les courants dus au mouvement des électrons dans les atomes. Quand le champ appliqué croît, celui dû aux courants induits s'oppose à ce champ extérieur, en accord avec la loi de Lenz, de sorte que le champ résultant est inférieur au champ appliqué. Le diamagnétisme est un effet faible ; typiquement, dans les corps diamagnétiques, K_m est inférieur à 1 de 0,001 à 0,01 %. Le diamagnétisme existe dans toutes les substances, bien qu'il soit parfois masqué par d'autres effets.

Dans la plupart des cas, en l'absence de champ magnétique extérieur, les effets magnétiques associés aux mouvements orbitaux et de spin des électrons atomiques se compensent exactement. Cependant, dans les substances qui sont appelées paramagnétiques, les atomes individuels possèdent un moment dipolaire magnétique résiduel permanent. En l'absence de champ appliqué, l'agitation thermique oriente ces dipôles au hasard et on n'observe pas de champ magnétique macroscopique. Cependant, si on place une telle substance paramagnétique dans un champ magnétique, les dipôles tendent à s'aligner, leurs moments pointant dans le sens du champ, ce qui accroît le champ total dans la substance. Comme les effets de dipôles permanents sont habituellement supérieurs à ceux de courants induits, le paramagnétisme, quand il existe, masque les effets diamagnétiques. Les substances paramagnétiques ont généralement des valeurs de K_m supérieures à 1 d'environ 0,01 %.

MICHAEL FARADAY
(1791-1867)

L'absence d'éducation conventionnelle n'a pas empêché Michael Faraday de découvrir de nombreuses lois fondamentales de la physique et de la chimie. Fils d'un forgeron anglais, il est, à l'âge de 14 ans, l'apprenti d'un libraire et relieur. Il lit tous les livres de science de la librairie et suit les cours donnés au *Royal Institute* par différents hommes de science, parmi lesquels Sir Humphrey Davy, qui découvrit douze éléments chimiques. En 1812, il postule à un emploi auprès de Davy, mentionnant son intérêt pour la science et montrant les notes de cours détaillées qu'il a prises. Davy engage Faraday pour l'assister dans ses recherches et ses démonstrations de cours.

Peu après, Faraday entreprend des recherches personnelles, soumettant deux articles de chimie à la *Royal Society* en 1820. Cette même année, Oersted découvrait qu'un courant dans un fil fait dévier l'aiguille d'une boussole. Faraday répète les expériences d'Oersted et trouve qu'un aimant produit aussi une force sur un fil parcouru par un courant. Un peu plus tard, il montre également comment liquéfier le chlore et il isole le benzène, un composé utilisé couramment aujourd'hui dans la préparation de produits chimiques.

Les importantes découvertes de Faraday lui valent une réputation considérable, beaucoup trop grande au goût de Davy, qui juge qu'il devrait partager le crédit de certaines de ses découvertes. Davy considère plutôt Faraday comme un assistant technique et le force même à lui servir de valet dans une grande tournée des centres de recherche européens. Malgré les objections de Davy, Faraday est élu à la *Royal Society* en 1824 et nommé directeur de laboratoire au *Royal Institute* en 1825.

Après que Faraday a découvert, en 1831, qu'un champ magnétique variable peut induire un courant, il réalise une série d'expériences qui montrent clairement que la FEM induite est égale à la vitesse de variation du flux magnétique. Partant de l'observation des figures formées par la limaille de fer au voisinage d'aimants, il invente également le concept de lignes de force des champs magnétique et électrique. Faraday qui connaît peu de mathématiques trouve cette approche concrète de l'électricité et du magnétisme bien plus utile que les équations qui expriment les forces entre charges et courants. Il suggère aussi que la propagation de la lumière dans l'espace est assurée par des vibrations de ces lignes de force. Sa conception des champs électrique et magnétique sera, une génération plus tard, mise sous forme mathématique par Maxwell qui montrera que la lumière est bien une perturbation électromagnétique oscillante.

Faraday est l'auteur de bien d'autres contributions remarquables. Il réalise le premier générateur électrique, qui consistait en un disque de cuivre tournant entre les pôles d'un aimant. Il découvre les lois correctes de l'électrochimie, après avoir prouvé que les théories précédentes étaient en désaccord avec l'expérience. Il étudie les phénomènes optiques et trouve que, lorsque la lumière traverse certains milieux, l'application d'un champ magnétique fait tourner la direction du champ électrique oscillant. Ignorant le dédain de ses contemporains, il tente, sans succès, de mettre en évidence par des expériences de laboratoire un lien entre la gravitation et l'électromagnétisme. Une telle relation sera observée 70 ans plus tard dans un test de la théorie de la relativité générale d'Einstein, lorsque l'on découvrira que les rayons lumineux passant près du Soleil subissent une déviation.

Malgré ses succès, Faraday demeure humble et modeste. Il refuse d'être anobli ou de recevoir des titres honorifiques et n'accepte qu'avec réticence une petite pension, lorsqu'il prend sa retraite en 1858.

Cinq éléments (Fe, Co, Ni, Gd et Dy) sont ferromagnétiques, ainsi que de nombreux alliages. Les ferromagnétiques sont caractérisés par des interactions fortes entre les dipôles atomiques voisins, suffisantes pour forcer ces dipôles à s'aligner spontanément, même en l'absence de tout champ magnétique extérieur.

Bien que les dipôles s'alignent sans champ appliqué, les champs produits en dehors du corps magnétique sont souvent très faibles. Ceci est dû à l'existence de *domaines magnétiques*, régions à l'intérieur desquelles tous les dipôles ont la même orientation. Si les orientations de ces domaines sont suffisamment différentes, le champ résultant sera faible. Ces domaines sont assez stables ; cependant, lorsqu'on applique un champ magnétique extérieur, les domaines orientés plus ou moins parfaitement dans la direction du champ croissent en taille au détriment des autres. Les domaines peuvent également tourner pour s'aligner dans la direction du champ. Dans les deux cas, l'alignement des dipôles renforce le champ par un facteur pouvant atteindre 1 000 ou plus. C'est pour cette raison que les substances ferromagnétiques jouent un rôle important dans les transformateurs et les autres dispositifs nécessitant des champs magnétiques élevés. Quand on supprime le champ extérieur, les domaines d'un ferromagnétique peuvent rester partiellement ordonnés. Dans ce cas, le corps étudié est un aimant permanent (figure 20.11).

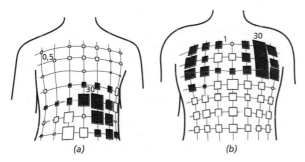

(a)   *(b)*

Figure 20.11 On peut détecter des particules ferromagnétiques dans l'organisme en les aimantant par un champ magnétique élevé et en observant les champs qu'elles produisent ensuite. *(a)* Cet homme a mangé des haricots en boîte et son estomac contient environ 10^{-4} gramme d'oxyde de fer. Les surfaces des carrés sont proportionnelles à la valeur du champ en leur centre ; la valeur la plus élevée et la plus faible non nulle sont inscrites en unités de 10^{-11} T. Les carrés noirs indiquent que le champ pointe dans une direction déterminée et les carrés blancs qu'il pointe dans la direction opposée. *(b)* La même représentation dans le cas d'un homme ayant inhalé 5×10^{-4} gramme d'oxyde de fer dans les poumons en soudant à l'arc électrique. Comme l'asbeste contient de faibles quantités d'oxyde de fer adhérentes aux fibres, on peut également utiliser des mesures de ce type pour déterminer la quantité de poussière dangereuse d'asbeste inhalée par des ouvriers. *(D. Cohen, Physics Today, août 1975, p. 41, ©American Institute of Physics.)*

20.6 SELF-INDUCTION (OU AUTO-INDUCTION)

Un courant dans un circuit produit toujours un champ magnétique et un flux magnétique dans la surface délimitée par ce circuit. Si ce courant varie, il en va de même du flux ; cela donne lieu dans le circuit à une FEM *self-induite* (ou *auto-induite*). En vertu de la loi de Lenz, le courant induit s'oppose à la variation de flux et, par conséquent, s'oppose à la modification de courant. *Ainsi donc, les FEM de self-induction tendent à empêcher les variations rapides de courant dans les circuits.*

Un exemple familier de l'effet d'une FEM de self-induction dans la limitation des modifications de courant est l'étincelle que l'on peut voir quand on débranche par erreur un appareil ménager exigeant un courant élevé en cours d'utilisation. Cette étincelle, ou arc, se produit parce que la variation soudaine de courant induit une FEM élevée qui produit un champ électrique suffisamment fort pour ioniser l'air et permettre le passage du courant pendant un temps bref.

On peut relier la FEM de self-induction dans un circuit à la vitesse de variation du courant dans ce même circuit. La FEM est en effet proportionnelle à la vitesse de variation du flux. Ce flux, à son tour, est proportionnel au champ, et donc au courant. Par conséquent, la FEM induite est proportionnelle à la vitesse de variation du courant et donc en moyenne vaut

$$\overline{\mathcal{E}} = -L\frac{\Delta i}{\Delta t} \qquad (20.8a)$$

La constante L est appelée l'*inductance*, ou encore le *coefficient de self-induction* du circuit. Le signe moins indique que la FEM s'oppose aux variations de courant. La FEM instantanée est

$$\mathcal{E} = -L\frac{di}{dt} \qquad (20.8b)$$

L'inductance dépend de la géométrie du circuit et des matériaux magnétiques présents dans le voisinage immédiat. En unités S.I., L est mesurée en *henry* (H). Cette unité est nommée d'après Joseph Henry (1797-1878), un Américain contemporain de Faraday qui, indépendamment de ce dernier, découvrit aussi les FEM induites.

Nous pouvons calculer L si nous connaissons le flux Φ dans le circuit. Dans une bobine où le flux Φ a la même valeur dans chacune des N spires, la FEM moyenne induite au total est $-N\Delta\Phi/\Delta t$. En comparant ce résultat avec l'équation (20.8) on a

$$Li = N\Phi \qquad (20.9)$$

Considérons, par exemple, un enroulement ayant n tours de fil par unité de longueur, une longueur ℓ et une section A, bobiné sur un noyau de constante magnétique K_m (figure 20.12). D'après le chapitre 19, le champ dans la bobine est $B = K_m \mu_0 ni$, où nous avons ajouté un facteur K_m à la formule (19.13) pour tenir compte du noyau magnétique.

L'inductance est alors $L = N \Phi /i = (n\ell)(BA))/i$

$$L = K_m \mu_0 n^2 \ell A \tag{20.10}$$

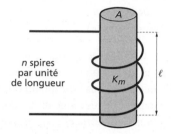

Figure 20.12 Un solénoïde bobiné sur un noyau de constante magnétique K_m.

Remarquer que l'inductance est proportionnelle à K_m et au volume $A\ell$ de la bobine. On appelle ce genre de bobine une *bobine de self-induction* ou, tout simplement, une *self*. L'exemple suivant en illustre les effets.

 ──────── **Exemple 20.5** ────────

Un solénoïde de 1 000 spires de fil a une section de 1 cm² $= 10^{-4}$ m² et une longueur de 0,1 m.

a) Si K_m vaut 1, en trouver l'inductance.

b) Le courant croît de 0 à 1 A en 10^{-3} s. Trouver la FEM moyenne du solénoïde.

Réponse   a) En utilisant l'équation (20.10), on trouve que l'inductance vaut

$$L = 4\pi (1)\left(10^{-7} \text{ T m A}^{-1}\right)\left(\frac{1\,000}{0,1 \text{ m}}\right)^2 (10^{-4} \text{ m}^2)(0,1 \text{ m})$$

$$= 1,26 \times 10^{-3} \text{ H} = 1,26 \text{ mH}$$

Remarquer que cette bobine de taille relativement importante n'a qu'une inductance valant une faible fraction de henry. Le henry est une unité de valeur plutôt élevée.

b) La FEM moyenne induite dans la bobine est

$$\overline{\mathcal{E}} = -L\frac{\Delta i}{\Delta t} = -\left(1,26 \times 10^{-3} \text{ H}\right)\frac{1 \text{ A}}{10^{-3} \text{ s}} = -1,26 \text{ V}$$

Le signe moins indique que la FEM s'oppose à la variation du courant.

───────────────────────────────────

Un courant dans un circuit peut donner lieu à un flux magnétique dans un autre circuit. Si c'est le cas, une variation de ce courant va induire une FEM dans le second

circuit. Le rapport de la FEM induite dans ce second circuit à la vitesse de variation du courant dans le premier est le *coefficient d'induction mutuelle* des deux circuits (voir problème 20.40). Ce phénomène donne un moyen de transférer de l'énergie et de l'information d'un circuit à un autre. C'est aussi une source potentielle de difficultés dans les systèmes électroniques complexes, car des signaux indésirables, émis par une partie du dispositif, peuvent être captés ailleurs. On réduit ces effets par une disposition judicieuse des composants. De plus, les champs magnétiques ne pénètrent pas profondément dans les métaux, sauf à très basse fréquence, de sorte que l'on utilise parfois des écrans métalliques.

20.7 ÉNERGIE ACCUMULÉE DANS UNE SELF

Tout comme un condensateur est capable de stocker de l'énergie électrique, une bobine de self-induction accumule de l'énergie magnétique. Pour calculer cette énergie, remarquons que la puissance que l'on doit fournir pour faire varier le courant i dans une self à la vitesse di/ dt est $P = -\mathcal{E}i = Li(\text{d}i/\text{d}t)$ (d'après l'équation 20.8b).

On peut calculer le travail dw accompli dans un intervalle de temps dt, par :

$$\text{d}w = P\,\text{d}t = Li\,\text{d}i$$

L'énergie accumulée dans une bobine de self-induction dans laquelle circule un courant I est égale au travail effectué pour accroître le courant de 0 à I. Alors

$$W = \int \text{d}w = \int_0^I Li\,\text{d}i = \frac{1}{2}LI^2$$

Ceci donne, pour l'énergie accumulée dans une bobine de self-induction,

$$\mathcal{U} = \frac{1}{2}LI^2 \tag{20.11}$$

Par exemple, si une self de 10^{-2} H est parcourue par un courant de 1 A, l'énergie accumulée est

$$\frac{1}{2}LI^2 = \frac{1}{2}\left(10^{-2} \text{ H}\right)(1 \text{ A})^2 = 5 \times 10^{-3} \text{ J}$$

Les effets quantitatifs de la self-induction sur les circuits sont étudiés dans les compléments à la fin de ce chapitre.

20.8 CIRCUITS *RL*

Nous avons vu au paragraphe 20.6 que tout circuit a une inductance. L'effet de self-induction retarde les variations de courant, mais n'a pas d'effet sur les courants constants. Nous allons maintenant examiner ce point plus en détail pour un circuit comportant, en série, une résistance R, une

FEM $\mathcal{E}$ fournie par une batterie et une self L (figure 20.13). Quand on ferme l'interrupteur du circuit, la self empêche un accroissement soudain de courant. Au contraire, le courant croît progressivement de zéro jusqu'à la valeur prédite par la loi d'Ohm,

$$i_f = \frac{\mathcal{E}}{R}$$

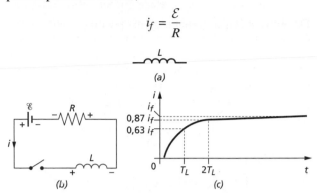

(a)

(b)

(c)

Figure 20.13 *(a)* Représentation symbolique d'une self. *(b)* Circuit RL série. On ferme l'interrupteur en $t = 0$. *(c)* Le courant dans le circuit en fonction du temps.

D'après la loi des mailles de Kirchoff, nous avons à tout instant

$$\mathcal{E} = L\frac{di}{dt} + Ri \qquad (20.12)$$

Les grandeurs $\mathcal{E}$, R et L sont des constantes mais i varie avec le temps. On peut obtenir une expression mathématique de i en fonction du temps en résolvant l'équation (20.12).

Pour cela, on utilise la méthode de séparation des variables en regroupant tous les termes qui dépendent de i

$$\frac{\mathcal{E} - Ri}{di} = \frac{L}{dt} \quad \text{ou} \quad \frac{di}{\mathcal{E} - Ri} = \frac{dt}{L}$$

en intégrant entre les limites 0 à t, ce qui correspond à une intensité qui varie de 0 à i, on obtient :

$$\int_0^i \frac{di}{\mathcal{E} - Ri} = \int_0^t \frac{dt}{L}$$

$$-\frac{1}{R}\ln\frac{\mathcal{E} - Ri}{\mathcal{E}} = \frac{t}{L} \quad \text{soit} \quad \frac{\mathcal{E} - Ri}{\mathcal{E}} = e^{-\frac{tR}{L}}$$

Si T_L est la constante de temps qui caractérise la croissance de l'intensité, elle est proportionnelle à L,

$$T_L = \frac{L}{R} \qquad (20.13)$$

$$i = \frac{\mathcal{E}}{R}\left(1 - e^{-\frac{t}{T_L}}\right) = i_f\left(1 - e^{-\frac{t}{T_L}}\right) \qquad (20.14)$$

en accord avec le fait que plus l'inductance est élevée, plus il faut de temps pour atteindre la valeur finale du courant. Si la résistance R est grande, l'importance de la variation totale de courant est faible et on atteint le courant final plus rapidement.

Cette constante de temps joue, dans le circuit RL série, un rôle très similaire à la constante $T_C = RC$ du circuit RC série. Supposons que l'on ferme l'interrupteur en $t = 0$. Quand $t = T_L$, le courant diffère encore de sa valeur finale i_f d'une quantité $i_f e^{-1} = 0,37 i_f$; quand $t = 2T_L$, la différence est tombée à $0,14 i_f$, et ainsi de suite. À tout moment t, le courant i est donné par la figure 20.13c).

L'exemple suivant illustre ce résultat.

 ———— **Exemple 20.6** ————

On branche une self de résistance 10 ohms et d'inductance 0,1 H sur une batterie de 12 volts.

a) Trouver la constante de temps.

b) Que vaut le courant final ?

c) Trouver le courant après 0,03 s.

Réponse a) La constante de temps est

$$T_L = \frac{L}{R} = \frac{0,1 \text{ H}}{10 \text{ ohms}} = 0,01 \text{ s}$$

b) De la loi d'Ohm, on tire que le courant final vaut

$$i_f = \frac{\mathcal{E}}{R} = \frac{12 \text{ V}}{10 \text{ ohms}} = 1,2 \text{ A}$$

c) Puisque 0,03 s est égal à 3 T_L, le courant vaut, à cet instant,

$$i = i_f\left(1 - e^{-t/T_L}\right) = (1,2 \text{ A})\left(1 - e^{-3}\right) = 1,14 \text{ A}$$

Le courant est à quelques points de pourcentage de sa valeur finale.

20.9 VALEURS EFFICACES DES TENSIONS ET DES COURANTS ALTERNATIFS

La dernière partie de ce chapitre sera consacrée aux propriétés fondamentales des courants alternatifs, en débutant ici avec le concept de *valeur efficace* (ou *quadratique moyenne*) des *courants* et *tensions*. Les courants alternatifs ont une grande importance dans de nombreuses applications. Comme nous l'avons déjà signalé, l'énergie électrique est normalement fournie en courant alternatif 50 Hz en Europe et 60 Hz aux États-Unis. Les circuits produisant des ondes radio au moyen d'antennes, ou des ondes sonores par l'intermédiaire de haut-parleurs, utilisent des courants de fréquence plus élevée. Le cas de combinaisons de courants de nombreuses fréquences différentes est également fréquent. Par exemple, le courant alimentant un haut-parleur pour reproduire un son musical ou la voix humaine, a une forme complexe qui résulte de la superposition d'un grand nombre de courants alternatifs de faibles amplitudes et de fréquences différentes. On peut faire l'étude de ces courants complexes en analysant séparément chaque composante.

Dans la discussion des circuits alternatifs, on utilise habituellement la valeur efficace des courants et tensions, car cette notion est bien adaptée au calcul de la puissance. Normalement, les ampèremètres et voltmètres alternatifs sont calibrés de façon à donner la valeur efficace, plutôt que l'amplitude, ou valeur de pointe.

Pour définir le courant efficace, considérons un circuit connecté à un générateur alternatif (paragraphe 20.3). La FEM du générateur varie au cours du temps selon $\sin \omega t$ où ω dépend de la fréquence du générateur $f = \omega / 2\pi$.

La FEM alternative fournie par le générateur électrique prend donc une forme sinusoïdale que l'on peut exprimer par la formule

$$\mathcal{E}(t) = \mathcal{E}_0 \sin \omega t$$

La loi des mailles de Kirchhoff appliquée au circuit fermé de la figure 20.14a donne $\varepsilon - v^R = 0$ soit

$$\varepsilon_0 \sin \omega t = v_0^R \sin \omega t$$

où v^R est le tension instantanée aux bornes de la résistance et peut varier entre $+v_0$ et $-v_0$, v_0 désignant la tension maximale. La tension appliquée à une résistance produit une intensité instantanée $i(t)$ qui obéit à loi d'Ohm

$$i = \frac{v^R}{R} \tag{20.15}$$

$$i = \frac{v_0^R}{R} \sin \omega t = i_0 \sin \omega t \tag{20.16}$$

Puisque $\sin \omega t$ est positif durant un demi-cycle et négatif pendant l'autre, le courant, pris en moyenne sur un cycle complet, est nul. Le courant a néanmoins des effets observables ; par exemple, il échauffe une résistance R avec une puissance instantanée $\mathcal{P} = i^2 R$. Comme i^2 n'est jamais négatif, sa valeur moyenne ne peut pas être nulle. D'après l'équation (B.13) de l'appendice B, la moyenne de $\sin^2 \omega t$, prise sur un cycle entier, vaut $1/2$. Par conséquent la valeur moyenne de $i^2 = i_0^2 \sin^2 \omega t$ est $i_0^2/2$ et la puissance dissipée en moyenne dans la résistance vaut

$$\overline{\mathcal{P}} = \frac{i_0^2}{2} R = i_e^2 R \tag{20.17}$$

Nous avons ici défini le *courant efficace* ou *quadratique moyen* i_e par la relation

$$i_e = \frac{i_0}{\sqrt{2}} \tag{20.18}$$

Ainsi donc, un courant alternatif de 1 ampère en valeur efficace dissipe dans une résistance exactement la même chaleur qu'un courant continu de 1 ampère. Remarquer que, par définition, i_0 et i_e sont des grandeurs positives.

On définit les tensions alternatives efficaces d'une façon similaire. Si la tension a une amplitude v_0, la *tension efficace ou quadratique moyenne* est

$$v_e = \frac{v_0}{\sqrt{2}} \tag{20.19}$$

De nouveau, v_0 et v_e sont toujours positifs.

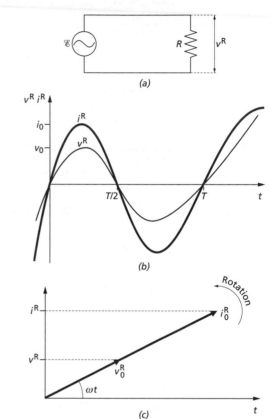

Figure 20.14 *(a)* une résistance R est branchée à une FEM ε alternative, *(b)* graphique de v^R et i^R en fonction du temps, *(c)* diagramme de Fresnel pour une résistance.

En élevant au carré la relation (20.15) et prenant ensuite la moyenne, on peut aisément montrer que la différence de potentiel v_e^R aux bornes d'une résistance est liée au courant par la loi d'Ohm

$$v_e^R = i_e R \tag{20.20}$$

On peut alors facilement exprimer la puissance moyenne dissipée dans une résistance comme étant

$$\overline{\mathcal{P}} = \frac{\left(v_e^R\right)^2}{R} = i_e v_e^R \tag{20.21}$$

Ainsi donc, en utilisant les valeurs efficaces, on a exactement les mêmes formules que pour la dissipation de puissance en courant continu. L'exemple suivant montre comment utiliser en pratique ces valeurs efficaces.

Les tensions et les courants en régime alternatif sinusoïdal peuvent être représentées graphiquement par des vecteurs qui tournent avec une vitesse angulaire ωt autour d'une origine — (diagramme de Fresnel). La rotation s'effectue dans le sens trigonométrique. La longueur des vecteurs représente l'amplitude de la quantité alternative soit v_0 ou i_0. La projection sur l'axe vertical fournit la valeur instantanée de la grandeur alternative au temps t. L'angle entre les vecteurs nous donne la phase existant entre ceux-ci (figures 20.14c ; 20.15c ; 20.16c).

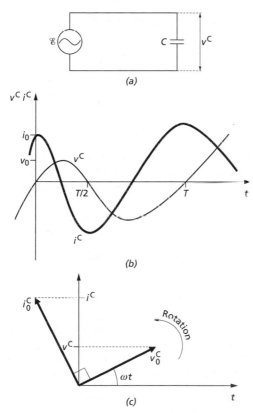

Figure 20.15 *(a)* un condensateur est branché à une FEM alternative ; *(b)* représentation graphique de v^c et i_c en fonction du temps ; *(c)* diagramme de Fresnel.

 ──────── **Exemple 20.7** ────────

Trouver pour un grill consommant 1 000 W sous 120 V efficaces

a) l'amplitude de la tension du secteur

b) la valeur efficace du courant

c) l'amplitude du courant.

Réponse   a) Puisque la tension efficace est 120 V, $v_e = v_0/\sqrt{2}$ donne, pour l'amplitude, ou tension de pointe

$$v_0 = \sqrt{2}v_e = 1{,}414(120\ \text{V}) = 170\ \text{V}$$

b) En utilisant $\overline{\mathcal{P}} = i_e v_e^R$, où v_e^R est égal à la tension efficace du secteur, on obtient le courant efficace

$$i_e = \frac{\overline{\mathcal{P}}}{v_e^R} = \frac{1\ 000\ \text{W}}{120\ \text{V}} = 8{,}33\ \text{A}$$

c) De $i_e = i_0/\sqrt{2}$, on tire que l'amplitude du courant vaut

$$i_0 = \sqrt{2}i_e = 1{,}414(8{,}33\ \text{A}) = 11{,}8\ \text{A}$$

20.10   RÉACTANCE

Dans un circuit alternatif, les valeurs efficaces du courant et de la chute de potentiel dans une résistance sont liées par la résistance R. Les grandeurs correspondantes dans le cas de selfs et de condensateurs sont appelées *réactances*. On peut les utiliser pour déterminer les différences de potentiel effectives et instantanées en courant alternatif.

Comme nous l'avons vu au paragraphe précédent, une FEM alternative peut être décrite en fonction du temps par $\mathcal{E} = \mathcal{E}_0 \sin \omega t$.

Si nous appliquons cette FEM alternative à un condensateur, celui-ci se charge, se décharge, puis se recharge en sens contraire pour se décharger à nouveau. Ainsi le circuit contenant le condensateur est lui-même parcouru par un courant alternatif.

Dans un circuit fermé (figure 20.15a), la charge d'un condensateur peut être décrite à chaque instant en appliquant la relation (16.15) $Q = Cv^C$ où v^C est la tension aux bornes du condensateur et la loi des mailles dans le circuit fermé nous donne

$$v^C = \mathcal{E}_0 \sin \omega t$$

On a

$$Q = C\mathcal{E}_0 \sin \omega t \tag{20.22}$$

Cette relation montre que la charge est en phase avec la tension.

Par contre, l'intensité du courant est donnée par

$$i = \frac{\mathrm{d}Q}{\mathrm{d}T} = \omega C\mathcal{E}_0 \cos \omega t \tag{20.23}$$

Comme $\cos \omega t = \sin \left(\omega t + 90° \right)$ on constate que $i = \omega C\mathcal{E}_0 \sin \left(\omega t + 90° \right)$ ce qui signifie que le courant n'est pas en phase avec la tension mais qu'il la devance de 90° (figure 20.15b). Inversement, la tension est en retard sur le courant de 90°. La figure 20.15c nous montre le diagramme de Fresnel qui décrit le phénomène.

En introduisant la réactance capacitive

$$X_c = \frac{1}{\omega c} \tag{20.24}$$

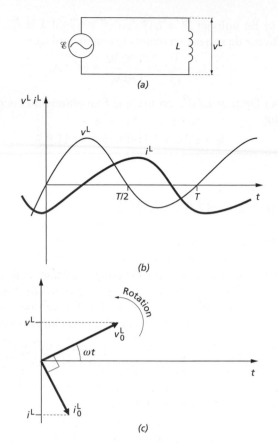

Figure 20.16 *(a)* Un inducteur est branché à une FEM alternative ; *(b)* Représentation graphique de v^L et i^L en fonction du temps ; *(c)* Diagramme de Fresnel.

nous pouvons alors écrire la relation (20.23) sous une forme similaire à la loi d'Ohm

$$i = \frac{\mathcal{E}_0}{X_C} \cos \omega t \qquad (20.25)$$

pour

$$i_0 = \frac{\mathcal{E}_0}{X_C} \quad i = i_0 \cos \omega t$$

En utilisant la notion de valeurs efficaces, nous pouvons nous affranchir du déphasage entre le courant et la tension aux bornes du condensateur

$$v_e^c = i_e X_c \qquad (20.26)$$

cette relation est formellement similaire à celle de la chute de potentiel dans une résistance $v_e^R = i_e R$.

L'analyse d'une bobine d'induction peut se faire selon un schéma similaire.

Cependant, le cas que nous allons considérer maintenant est purement théorique car une bobine d'induction possède toujours une certaine résistance.

Suite à l'application d'une FEM alternative

$$\mathcal{E} = \mathcal{E}_0 \sin \omega t$$

un courant variable parcourt le circuit. Une FEM auto-

induite $L(\mathrm{d}i/\mathrm{d}t)$ se développe chaque fois qu'une variation d'intensité parcourt le circuit. Nous savons, par la loi des mailles, que la somme des différences de potentiel dans un circuit fermé (figure 20.16*a*) est à chaque instant égale à zéro, ce qui se traduit par

$$\mathcal{E} - L\frac{\mathrm{d}i}{\mathrm{d}t} = 0$$

$$\mathcal{E}_0 \sin \omega t = L\frac{\mathrm{d}i}{\mathrm{d}t}$$

$$\frac{\mathcal{E}_0}{L} \sin \omega t \, \mathrm{d}t = \mathrm{d}i$$

$$\frac{\mathcal{E}_0}{L} \int \sin \omega t \, \mathrm{d}t = \int \mathrm{d}i$$

$$i = -\frac{\mathcal{E}_0}{\omega L} \cos \omega t$$

comme

$$-\cos \omega t = \sin \left(\omega t - 90° \right)$$

$$i = \frac{\mathcal{E}_0}{\omega L} \sin \left(\omega t - 90° \right)$$

Le courant dans une bobine d'induction est donc en retard de phase de 90° sur la tension (figures 20.16*b* et *c*). Inversement, la tension est en avance sur le courant de 90°.

Si nous définissons la réactance inductive par

$$X_L = \omega L \qquad (20.27)$$

On retrouve à nouveau une relation similaire à la loi d'Ohm

$$i = -\frac{\mathcal{E}_0}{X_L} \cos \omega t \qquad (20.28)$$

Les valeurs efficaces de la tension et du courant nous permettent d'écrire

$$v_e^L = i_e X_L \qquad (20.29)$$

En résumé, dans un circuit alimenté en courant alternatif sinusoïdal (figure 20.17) :

– la tension aux bornes d'une résistance est en phase avec l'intensité

$$v^R = R i_0 \sin \omega t \qquad (20.30)$$

et l'amplitude de v^R est donnée par $v_0^R = i_0 R$;

– la tension aux bornes d'un condensateur est en retard de 90° sur l'intensité

$$v^c = -X_c i_0 \cos \omega t \qquad (20.31)$$

et l'amplitude de v^c est donnée par $v_0^c = i_0 X_c$;

– la tension aux bornes d'une bobine d'induction est en avance de 90° sur l'intensité

$$v^L = X_L i_0 \cos \omega t \qquad (20.32)$$

et l'amplitude v^L est donnée par $v_0^L = i_0 X_L$.

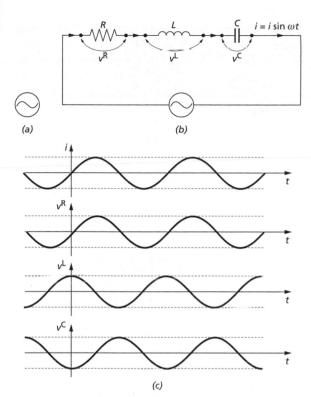

Figure 20.17 *(a)* Représentation symbolique d'un générateur alternatif, *(b)* Un circuit *RLC* série. *(c)* Les chutes de potentiel dans chacun des éléments et le courant, en fonction du temps.

———— Exemple 20.8 ————

Une self de 5 mH = 5×10^{-3} H est branchée sur le secteur de 120 V, 60 Hz. Trouver

a) la réactance inductive et

b) le courant efficace.

Réponse   a) Comme la fréquence f est 60 Hz, la réactance inductive vaut

$$X_L = \omega L = 2\pi f L = 2\pi \left(60\ s^{-1}\right)\left(5 \times 10^{-3}\ H\right)$$
$$= 1,88\ \text{ohm}$$

b) Comme la tension efficace aux bornes de la self est 120 V, $v_e = i_e X_L$ donne

$$i_e = \frac{v_e^L}{X_L} = \frac{120\ \text{V}}{1,88\ \text{ohm}} = 63,8\ \text{A}$$

———— Exemple 20.9 ————

Sur la figure 20.18, le courant a une amplitude de 0,5 A et une fréquence $f = \omega/2\pi = 159$ Hz, de sorte que $\omega = 1\ 000\ s^{-1}$.

a) Trouver, en $t = 0$, les différences de potentiel instantanées aux bornes de chaque élément du circuit.

b) Trouver la différence de potentiel v entre les points a et b à un instant t arbitraire ainsi que la tension efficace entre ces points.

c) Trouver les tensions efficaces dues aux réactances X_L et X_C.

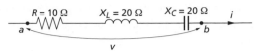

Figure 20.18 Exemple 20.9.

Réponse   a) En $t = 0$,

$$\sin \omega t = \sin 0 = 0$$
$$\text{et} \qquad \cos \omega t = \cos 0 = 1$$

Comme $X_L = X_C = 20$ ohms, les différences de potentiel sont

$$v^R = i_0 R \sin \omega t = 0$$
$$v^L = i_0 X_L \cos \omega t = (0,5\ \text{A})(20\ \text{ohms})(1) = 10\ \text{V}$$
$$v^e = -i_0 X_e \cos \omega t = -(0,5\ \text{A})(20\ \text{ohms}$$
$$(1) = -10\ \text{V}$$

Ainsi donc, si à cet instant on se déplace le long du circuit dans le sens positif du courant, on ne trouve pas de chute de potentiel dans la résistance ; on trouve une chute de 10 V dans la self et une élévation de potentiel de 10 V entre les bornes du condensateur.

b) Comme X_L et X_C sont égaux, $v^L = -v^C$ à tout moment. Ainsi, la somme $v^R + v^L + v^C$ des chutes de potentiel dans les trois éléments du circuit est égale à v_R et, avec $R = 10$ ohms, on obtient que la chute de potentiel totale du point a au point b est

$$v = v^R = i_0 R \sin \omega t$$
$$= (0,5\ \text{A})(10\ \text{ohms}) \sin(1\ 000t)$$
$$= 5 \sin(1\ 000t)\ \text{V}$$

Comme l'amplitude de la différence de potentiel est 5 V, la tension efficace vaut

$$v_e = v_e^R = \frac{v_0}{\sqrt{2}} = \frac{(5\ \text{V})}{1,414} = 3,54\ \text{V}$$

c) Les différences de potentiel aux bornes de la self et du condensateur ont, l'une et l'autre, l'amplitude $v_0 = i_0 X_L = i_0 X_C = (0,5\ \text{A})(20\ \text{ohms}) = 10\ \text{V}$, de sorte que

$$v_e^L = v_e^C = \frac{v_0}{\sqrt{2}} = \frac{(10\ \text{V})}{1,414} = 7,07\ \text{V}$$

Grâce à cet exemple, on voit qu'il *ne* serait *pas* correct de travailler par analogie avec les courants continus et de simplement additionner les tensions alternatives efficaces. Des voltmètres alternatifs branchés aux bornes de la résistance, de la self et du condensateur donneraient des tensions efficaces respectivement de 3,54, 7,07 et 7,07 V. La somme de ces tensions est de 17,68 V, alors que la différence de potentiel efficace aux bornes de l'ensemble des trois éléments est de 3,54 V, comme le montre la partie b) de l'exemple (figure 20.19). Le paragraphe suivant étudie la procédure à appliquer pour combiner les tensions alternatives.

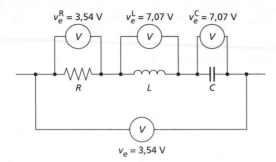

Figure 20.19 Les tensions efficaces *ne* sont *pas* additives.

20.11   IMPÉDANCE

On peut trouver le courant dans un réseau de résistances connecté à une FEM continue en calculant la résistance équivalente de ce réseau et en utilisant ensuite la loi d'Ohm. De façon analogue, on peut obtenir le courant dans un réseau de résistances, selfs et condensateurs en calculant l'*impédance* équivalente Z du réseau et en utilisant une loi analogue à celle d'Ohm.

Comme nous l'avons vu au paragraphe précédent, la chute de potentiel instantanée v du point a au point b de la figure 20.20 est la somme des chutes de potentiel individuelles

$$v = v^R + v^L + v^C$$

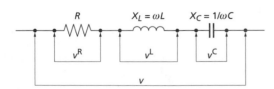

Figure 20.20 Réactances et tensions dans un circuit *RLC*.

Mais les trois tensions ne sont pas en phase et on ne peut pas effectuer une simple addition de leurs valeurs efficaces.

De même, la tension maximale v_0 de la source n'est plus égale à la somme des tensions maximales des différents éléments du circuit v_0^R, v_0^L et v_0^c.

La solution peut être obtenue assez simplement en utilisant les diagrammes de Fresnel (figures 20.21 et 20.22).

À tous moments, les vecteurs tournants v^c et v^L sont déphasés vis-à-vis de v^R, de $-90°$ pour v^e et de $+90°$ pour v^L (figures 20.15c et 20.16c). La somme vectorielle des trois vecteurs nous donne la tension aux bornes du circuit et s'obtient simplement en appliquant le théorème de Pythagore

$$v_0 = \sqrt{\left(v_0^R\right)^2 + \left(v_0^L - v_0^c\right)^2}$$

$$\text{ou} \quad v_0 = \sqrt{i_0^2 R^2 + \left(i_0 X_L - i_0 X_c\right)^2}$$

$$v_0 = i_0 \sqrt{R^2 + \left(X_L - X_c\right)^2}$$

$$i_0 Z = i_0 \sqrt{R^2 + \left(\omega L - \frac{1}{\omega c}\right)^2}$$

avec

$$Z = \sqrt{R^2 + \left(\omega L - \frac{1}{\omega c}\right)^2} \qquad (20.33)$$

$$\text{ou} \quad Z = \sqrt{R^2 + \left(X_L - X_c\right)^2} \qquad (20.34)$$

Z est l'impédance du circuit à une fréquence angulaire ω.

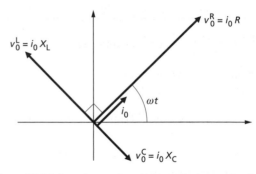

Figure 20.21 Représentation de Fresnel pour un circuit *RCL* en série.

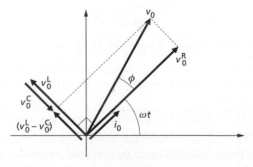

Figure 20.22 Somme vectorielle v_0 dans un circuit *RCL* série.

En outre, toujours à l'aide de la même figure, on peut déterminer l'angle de phase ϕ entre la tension totale et le courant

$$\tan \phi = \frac{v_0^L - v_0^e}{v_0^R} = \frac{X_L - X_c}{R} \qquad (20.35)$$

$$\text{et} \quad \cos \phi = \frac{v_0^R}{v_0} = \frac{i_0 R}{i_0 Z} = \frac{R}{Z} \qquad (20.36)$$

Ce résultat est formellement similaire à la loi d'Ohm où la résistance est remplacée par l'impédance Z. Cette relation est également vérifiée pour les valeurs efficaces.

$$v_e = i_e Z$$

 ———— Exemple 20.10 ————

Un circuit RLC série est connecté à un générateur alternatif (figure 20.23). Si $\omega = 1\,000$ rad s^{-1}, trouver

a) l'impédance et

b) le courant efficace.

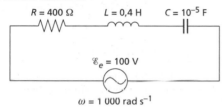

R = 400 Ω   L = 0,4 H   C = 10^{-5} F

$\mathcal{E}_e$ = 100 V

ω = 1 000 rad s^{-1}

Figure 20.23 Exemples 20.10, 20.11 et 20.12.

Réponse   a) La réactance totale est

$$X = X_L - X_C = \omega L - \frac{1}{\omega C}$$

$$= \left(1\,000 \text{ rad s}^{-1}\right)(0,4 \text{ H}) - \frac{1}{\left(1\,000 \text{ rad s}^{-1}\right)\left(10^{-5} \text{ F}\right)}$$

$$= 400 \text{ ohms} - 100 \text{ ohms} = 300 \text{ ohms}$$

L'impédance est donc

$$Z = \left(R^2 + X^2\right)^{1/2}$$

$$= \left[(400 \text{ ohms})^2 + (300 \text{ ohms})^2\right]^{1/2}$$

$$= 500 \text{ ohms}$$

b) La différence de potentiel efficace aux bornes du réseau RLC série doit être égale à la tension efficace du générateur $\mathcal{E}_e$, de sorte que $v_e = i_e Z$ donne

$$i_e = \frac{\mathcal{E}_e}{Z} = \frac{100 \text{ V}}{500 \text{ ohms}} = 0,2 \text{ A}$$

Au paragraphe précédent, nous avons également vu que la somme des tensions alternatives efficaces n'est *pas* égale à la différence de potentiel efficace v_e aux bornes de deux, ou plus, éléments du circuit. On peut trouver la procédure correcte pour combiner ces différences de potentiel à partir de l'équation (20.31) de l'impédance. Si nous multiplions celle-ci par i_e, nous obtenons alors

$$i_e Z = \left[\left(i_e R\right)^2 + \left(i_e X_L - i_e X_C\right)^2\right]^{1/2}$$

Comme $i_e Z = v_e$, $i_e R = v_e^R$, $i_e X_L = v_e^L$ et $i_e X^C = v_e^C$, alors

$$v_e = \left[\left(v_e^R\right)^2 + \left(v_e^L - v_e^C\right)^2\right]^{1/2} \qquad (20.37)$$

Les deux exemples suivants illustrent ces idées.

 ———— Exemple 20.11 ————

a) Trouver la valeur efficace de la chute de potentiel dans chacun des éléments de l'exemple précédent, avec $i_e = 0,2$ A, $X_L = 400$ ohms, $X_C = 100$ ohms et $R = 400$ ohms.

b) Calculer la tension aux bornes de l'ensemble des trois éléments et montrer qu'elle est égale à 100 V, la FEM efficace du générateur.

Réponse   a) Les valeurs efficaces des chutes de potentiel dans les trois éléments sont

$$v_e^R = i_e R = (0,2 \text{ A})(400 \text{ ohms}) = 80 \text{ V}$$

$$v_e^L = i_e X_L = (0,2 \text{ A})(400 \text{ ohms}) = 80 \text{ V}$$

$$v_e^C = i_e X_C = (0,2 \text{ A})(100 \text{ ohms}) = 20 \text{ V}$$

b) L'équation (20.35) donne

$$v_e = \left[(80 \text{ V})^2 + (80 \text{ V} - 20 \text{ V})^2\right]^{1/2}$$

$$= \left[10\,000 \text{ V}^2\right]^{1/2} = 100 \text{ V}$$

 ———— Exemple 20.12 ————

Supposons que l'on fasse varier la fréquence du générateur de la figure 20.24.

a) Pour quelle valeur de $\omega = 2\pi f$ l'impédance est-elle minimum ?

b) Trouver le courant efficace pour cette valeur de ω.

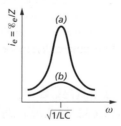

Figure 20.24 Courant efficace en fonction de la fréquence pour deux circuits de même fréquence de résonance, avec la même FEM. La courbe *(a)* présentant le pic le plus étroit correspond à un circuit de faible résistance. La courbe *(b)* de maximum plus large correspond à un circuit de résistance élevée.

Réponse a) Comme $Z = \left[R^2 + \left(X_L - X_C\right)^2\right]^{1/2}$, le minimum est atteint quand $X_L - X_C = \omega L - 1/\omega C = 0$, c'est-à-dire lorsque $\omega L = 1/\omega C$. Donc $\omega^2 = 1/LC$ ou

$$\omega = \sqrt{\frac{1}{LC}}$$

$$= \sqrt{\frac{1}{(0{,}4\ \text{H})\left(10^{-5}\ \text{F}\right)}} = 500\ \text{rad s}^{-1}$$

b) Puisque $X_L - X_C$ est nul, $Z = R$ et le courant efficace est

$$i_e = \frac{v_e}{Z} = \frac{v_e}{R} = \frac{100\ \text{V}}{400\ \text{ohms}} = 0{,}25\ \text{A}$$

Ce dernier exemple illustre le phénomène appelé résonance. À une fréquence au-dessous ou au-dessus de la fréquence de résonance, l'impédance est plus élevée, de sorte que, pour un générateur de FEM donnée, le courant est plus faible (figure 20.24). Ce comportement est très similaire à celui d'un oscillateur mécanique. Au chapitre 9, nous avons trouvé que l'amplitude du mouvement d'un objet en oscillation est maximum lorsque la force appliquée oscille à la fréquence caractéristique de l'oscillateur. La similitude de comportement du circuit *RLC* et de l'oscillateur mécanique reflète le fait que les deux systèmes satisfont à la même équation de mouvement, exception faite de la dénomination des variables.

Les circuits résonnants alternatifs ont de nombreuses applications. Par exemple, les courants dans les antennes de télévision ou de radio sont produits par des ondes électromagnétiques émises à des fréquences différentes par de nombreuses stations. Le récepteur comporte un circuit d'accord qui contient une self et un condensateur variable dont la capacité est ajustée de façon que la fréquence de résonance corresponde à celle de la station recherchée. Comme la résistance du circuit d'accord est faible, l'impédance augmente rapidement quand la fréquence s'écarte de la valeur de résonance et, par conséquent, on ne reçoit ainsi normalement qu'une seule station.

20.12 PUISSANCE EN COURANT ALTERNATIF

L'équation de la puissance dissipée par un courant alternatif est quelque peu différente de la formule valable en courant continu. Pendant la moitié de chaque cycle, la charge du condensateur augmente, de sorte qu'il absorbe de l'énergie. Cependant cette énergie électrique accumu-

lée est restituée au circuit pendant l'autre demi-cycle, lorsque le condensateur se décharge. De façon similaire, la self accumule temporairement de l'énergie sous forme magnétique et la restitue ensuite. Ces éléments du circuit, l'un comme l'autre, n'absorbent *au total* aucune énergie sur un cycle entier. En revanche, comme nous l'avons vu au paragraphe 20.9, une résistance dissipe de l'énergie en chaleur ; la puissance moyenne dissipée est $\overline{\mathcal{P}} = i_e^2 R$. Comme $v_e = i_e Z$, on peut aussi mettre cette relation sous la forme $\overline{\mathcal{P}} = i_e \left(v_e/Z\right) R$, ou encore

$$\overline{\mathcal{P}} = i_e v_e \left(\frac{R}{Z}\right) \tag{20.38}$$

$$\text{ou } \overline{\mathcal{P}} = i_e v_e \cos \phi \tag{20.39}$$

La puissance dissipée en courant continu vaut iv ; par rapport à ce résultat, la loi pour les courants alternatifs comporte un facteur supplémentaire (R/Z) appelé le *facteur de puissance*. Il est toujours inférieur à 1 quand le circuit a une réactance non nulle. Si R est faible par rapport à Z, le circuit dissipe alors très peu de puissance, même si i_e est élevé ; l'énergie est absorbée et ensuite restituée par la self et le condensateur, mais il n'y a que peu de dégagement de chaleur dans la résistance. Le facteur de puissance est également plus petit que 1 dans les moteurs alternatifs, comme l'illustre l'exemple suivant.

 —————— Exemple 20.13 ——————

Un moteur alternatif est branché sur un secteur de 120 V efficaces. On peut le représenter par un circuit équivalent (c'est-à-dire de même impédance) constitué d'une résistance de 80 ohms en série avec une self de réactance inductive égale à 60 ohms. Trouver

a) le courant efficace et

b) la puissance consommée par le moteur.

Réponse a) Pour trouver le courant efficace, calculons d'abord l'impédance

$$Z = \left[R^2 + X^2\right]^{1/2}$$

$$= \left[(80\ \text{ohms})^2 + (60\ \text{ohms})^2\right]^{1/2}$$

$$= 100\ \text{ohms}$$

Ensuite

$$i_e = \frac{v_e}{Z} = \frac{120\ \text{V}}{100\ \text{ohms}} = 1{,}2\ \text{A}$$

b) La puissance consommée par le moteur vaut

$$\overline{\mathcal{P}} = i_e v_e \left(\frac{R}{Z}\right) = (1{,}2\ \text{A})(120\ \text{V}) \left(\frac{80\ \text{ohms}}{100\ \text{ohms}}\right)$$

$$= 115\ \text{W}$$

Pour en savoir plus...

20.13 ADAPTATION D'IMPÉDANCE

Il est souvent souhaitable que la puissance transférée de la source au circuit de charge soit aussi élevée que possible. Pour cette source et cette charge, il peut s'agir d'une batterie et d'une résistance, comme dans l'exemple que nous allons traiter dans un moment. Il pourrait aussi s'agir d'un amplificateur et d'un haut-parleur ou d'électrodes connectées à un patient et d'un enregistreur d'ECG. *En général, le transfert de puissance est maximum quand les impédances de la source et de la charge sont bien adaptées l'une à l'autre.*

Nous commencerons par le cas de courants continus. La figure 20.25 montre une batterie de FEM $\mathcal{E}$ et de résistance interne R, connectée à une résistance de charge R_l. En vertu de la loi d'Ohm, le courant est

$$I = \frac{\mathcal{E}}{(R_s + R_l)}$$

La puissance fournie à la charge vaut alors

$$\mathcal{P} = I^2 R_l = \frac{R_l}{(R_l + R_s)^2} \mathcal{E}^2$$

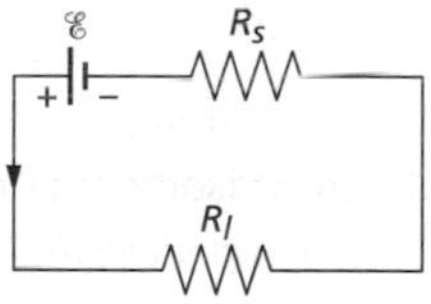

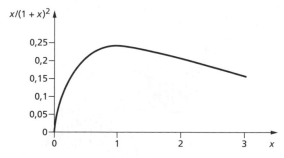

Figure 20.25 La puissance délivrée à R_l est maximum lorsque les résistances sont adaptées l'une à l'autre ($R_l = R_s$).

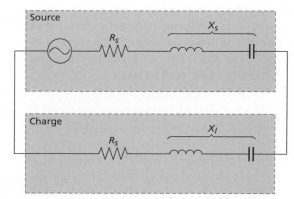

Figure 20.26 Le maximum de puissance fournie à la charge correspond à $x = R_l / R_s = 1$.

Étudions la dépendance de cette puissance en fonction du rapport $x = R_l / R_s$ de la résistance de charge à celle de la source. Pour cela, mettons en évidence un facteur R_s^2 dans le dénominateur. La puissance se met alors sous la forme

$$\mathcal{P} = \frac{\mathcal{E}^2}{R_s} \frac{x}{(1 + x)^2}$$

Le facteur $\mathcal{E}^2 / R_s$ est la puissance qui serait dissipée dans la batterie si la résistance de charge R_l était nulle, c'est-à-dire si on mettait cette batterie en court-circuit. Le second facteur est proportionnel à x, quand x est petit par rapport à 1 (figure 20.26). Il est maximum lorsque $x = 1$, c'est-à-dire quand $R_l = R_s$.

> La puissance transférée en courant continu est maximum lorsque les résistances de la source et de la charge sont égales.

Remarquons que, lorsque $x = 1$, la puissance fournie à R, est $(1/4)(\mathcal{E}^2 / R_s)$, c'est-à-dire un quart de la puissance dissipée dans la source en court-circuit.

Considérons maintenant le cas d'un générateur alternatif de FEM $\mathcal{E}_e$, résistance interne R_s et réactance interne X_s, connecté à une charge de résistance R_l et de réactance totale X_l (figure 20.27). Nous nous demandons de nouveau pour quelle charge le transfert de puissance est maximum. Si on reprend la même analyse que ci-dessus, avec les formules appropriées au cas des courants alternatifs, on obtient que la puissance transférée est maximum si

$$R_l = R_s \quad \text{et} \quad X_l = -X_s \tag{20.40}$$

> Ceci signifie que la puissance dans un circuit en courant alternatif est maximum quand les résistances de la source et de la charge sont égales et que les réactances se compensent, de sorte que la réactance totale du circuit $X_l + X_s$ est nulle.

Figure 20.27 La puissance délivrée à la charge est maximum quand les impédances sont adaptées l'une à l'autre. ($R_l = R_s$, $X_l = -X_s$).

Rappelons que la réactance totale est $X = X_L - X_C$, ce qui peut être positif ou négatif. Ainsi donc, par exemple, si la source a une résistance de 50 ohms et une réactance inductive de 100 ohms, alors, pour que l'adaptation des impédances soit correcte, la charge doit avoir une résistance de 50 ohms et une réactance capacitive de 100 ohms.

Adapter les impédances est important chaque fois que, au laboratoire, on connecte des appareils entre eux. Même si on peut souvent ignorer les détails internes d'appareils électroniques complexes, on doit être sûr qu'il n'y a pas une trop mauvaise adaptation entre les impédances électriques d'entrée et de sortie des instruments en interconnexion. Une bonne adaptation d'impédance est également importante dans d'autres applications que les circuits électriques. Par exemple, il n'y a transmission efficace du son d'un milieu à un autre que s'il y a une bonne adaptation entre les *impédances acoustiques* des deux milieux. Ainsi donc, l'adaptation des impédances est un concept dont le champ d'application est très large.

20.14 CHAMPS INDUITS ET ONDES ÉLECTROMAGNÉTIQUES

Nous avons vu qu'un champ magnétique variable induit une FEM dans une boucle de fil conducteur. Cette FEM effectue un travail durant le déplacement des charges dans le conducteur, assurant ainsi la circulation du courant induit. Un autre point de vue consiste à dire que *le champ magnétique variable* **B** *produit un champ électrique induit* **E** tout le long de la boucle et que c'est ce champ électrique qui est responsable de la force électrique sur les charges.

Puisqu'il *effectue un travail non nul* sur une charge parcourant une trajectoire fermée, ce *champ électrique induit n'est pas conservatif*. À cet égard, le champ électrique dû à un champ magnétique variable est très différent du champ électrostatique conservatif produit par des charges électriques, pour lequel le travail le long d'une trajectoire fermée est nul au total.

La présence d'un conducteur dans le champ magnétique variable n'est pas indispensable pour observer les effets du champ électrique induit. Un exemple en est fourni par le *bêtatron*, qui accélère des électrons jusqu'à des énergies d'environ 100 MeV = 10^8 eV. Lorsque les électrons rencontrent une cible placée dans le faisceau, ils produisent des rayons X pénétrants que l'on peut utiliser dans le traitement du cancer. Dans le bêtatron, les électrons sont maintenus sur des orbites circulaires par un champ magnétique, tout comme dans le cyclotron (chapitre 19). Cependant, le champ magnétique ne reste pas constant. Au contraire, on l'augmente progressivement dans le temps et c'est le champ électrique induit par cette variation qui ac-

célère les électrons. Avec un choix convenable du champ magnétique, le rayon des orbites des électrons reste constant durant la phase d'accélération et d'accroissement du champ. Ainsi donc, on peut confiner les électrons dans un tube de forme torique (comme celle d'une chambre à air de bicyclette) au lieu de devoir utiliser une chambre à vide de grande dimension comme dans le cas du cyclotron.

Introduire l'idée d'un champ électrique induit, résultant d'un champ magnétique variable, exprime l'existence d'un lien fondamental entre les phénomènes électriques et magnétiques. Cependant, la situation n'est pas symétrique, sauf si nous supposons également qu'un champ électrique variable peut induire un champ magnétique.

L'hypothèse de Maxwell et les ondes électromagnétiques

James Clerk Maxwell (1831-1879) émit, en 1864, la brillante hypothèse qu'*un champ électrique variable induit bien un champ magnétique*. Il fut conduit à cette idée en considérant les relations entre les lois fondamentales de l'électromagnétisme qui avaient été découvertes des décades auparavant. Ces lois sont

1. La loi de Coulomb donnant la force entre deux charges ou, ce qui est équivalent, le champ électrique dû à une charge ponctuelle.
2. La loi de Biot-Savart donnant le champ magnétique dû à un courant.
3. La loi de Faraday qui exprime qu'un champ magnétique variable induit un champ électrique.
4. La conservation de la charge électrique.

Maxwell montra que ces lois ne sont pas cohérentes lorsque le champ électrique varie au cours du temps. Cependant, l'incohérence est levée si on suppose qu'un champ électrique variable induit un champ magnétique.

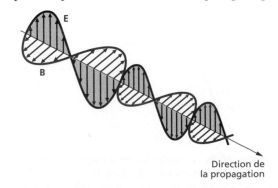

Figure 20.28 Une onde électromagnétique. Un champ magnétique oscillant induit un champ électrique également oscillant, lequel, à son tour, induit un champ magnétique oscillant, et ainsi de suite. Cette perturbation électromagnétique se propage à la vitesse de la lumière.

Bien que basée sur un raisonnement purement théorique, l'hypothèse de Maxwell conduisit immédiatement à prédire que des *ondes électromagnétiques* peuvent être engendrées par des charges ou des courants oscillants. Supposons, par exemple, qu'un courant oscille (en renversant continuellement son sens) à une fréquence déterminée. Ce courant produit à proximité un champ magnétique qui oscille à la même fréquence. D'après la loi de Faraday, le champ magnétique induit dans son voisinage un champ électrique oscillant. L'hypothèse de Maxwell fournit l'étape cruciale suivante : *le champ électrique variable induit un champ magnétique*. Ce champ magnétique, à son tour, induit un champ électrique, et ainsi de suite (figure 20.28).

Maxwell montra qu'une perturbation électromagnétique de ce type se propagerait dans l'espace à partir de la zone de courant oscillant, à une vitesse égale à

$$v^2 = \frac{1}{\mu_0 \mathcal{E}_0}$$

où μ_0 et $\mathcal{E}_0$ sont les constantes fondamentales de perméabilité et de permittivité du vide. Comme cette vitesse est, à la précision obtenue à l'époque, égale à celle de la lumière, il en conclut que celle-ci est une onde électromagnétique.

La première vérification expérimentale de la prédiction par Maxwell de l'existence des ondes électromagnétiques vint près d'un quart de siècle après qu'il eut publié ses travaux et plusieurs années après sa mort. En 1887, Heinrich Hertz (1857-1894) construisit deux circuits qui tendaient à osciller à la même fréquence. Il trouva que si l'un des circuits était connecté à une FEM produisant un courant oscillant, l'autre circuit, placé à une certaine distance, était, lui aussi, parcouru par un courant.

Les retombées technologiques de cette démonstration de l'existence des ondes électromagnétiques suivirent rapidement. En 1890, Guglielmo Marconi (1874-1937) s'intéressa à la télégraphie sans fil et en 1901, il réussit à transmettre des signaux au-dessus de l'Atlantique. Aujourd'hui, nous bénéficions de la radio, de la télévision et d'autres systèmes de communication, basés sur des ondes électromagnétiques produites par des courants oscillants.

La longueur d'onde des radiations émises par des circuits électriques va de quelques millimètres à des kilomètres ou même plus, tandis que la lumière visible a des longueurs d'onde entre 4×10^{-7} et 7×10^{-7} m. On a pu vérifier, avec une très grande précision, que toutes les ondes produites par des courants oscillants ont la même vitesse que la lumière visible. Ainsi donc, les prédictions théoriques remarquables de Maxwell ont été pleinement vérifiées.

Réviser

RAPPELS DE COURS

Dans un champ magnétique uniforme, le flux magnétique dans une boucle de surface *A* est

$$\phi = \mathbf{B} \cdot \widehat{\mathbf{n}} A$$

Chaque fois que le flux subit une modification, il apparaît dans la boucle, comme le prédit la loi de Faraday, une FEM égale à la variation de flux par unité de temps

$$\mathcal{E} = -\frac{d\Phi}{dt}$$

La loi de Lenz énonce que le courant dû à une FEM induite produit un champ magnétique qui tend toujours à retarder les modifications du flux. La FEM induite ne dépend que de la variation du flux. Peu importe que ce soit le champ magnétique ou la surface de la boucle qui varie.

Quand le flux du champ magnétique traversant un objet conducteur varie, il produit des courants de Foucault. Les modifications de flux magnétique dans l'enroulement (ou les enroulements) d'un générateur sont la source de la FEM de ce générateur. Dans un transformateur, un flux variable, dû au courant dans l'enroulement primaire, induit une FEM dans l'enroulement secondaire. Le rapport des FEM est égal à celui des nombres de tours,

$$\frac{V_S}{V_P} = \frac{N_S}{N_P}$$

Un champ magnétique variable induit une FEM même en l'absence de conducteur ; le fonctionnement du bétatron en est une illustration. Ceci revient à dire qu'un champ magnétique variable induit un champ électrique non conservatif. Comme un champ électrique variable induit aussi un champ magnétique, des charges ou des courants oscillants produisent des ondes électromagnétiques qui se propagent à la vitesse de la lumière.

La FEM de self-induction dans un circuit ralentit les variations de courant. Elle est proportionnelle à l'inductance et à la vitesse de variation du courant,

$$\mathcal{E} = -L\frac{di}{dt}$$

L'énergie accumulée dans une bobine de self-induction est

$$\mathcal{U} = \frac{1}{2}LI^2$$

Un condensateur et une self opposent à la circulation d'un courant alternatif une impédance.

L'intensité du courant instantanée dans un condensateur est en avance sur la tension instantanée de 90°. La réactance capacitive est $X_C = 1/\omega c$.

L'intensité du courant instantanée dans une self est en retard sur la tension de 90°. La réactance inductive est $X_L = \omega L$.

Dans un circuit *RLC*, l'impédance est donnée par

$$Z = \sqrt{R^2 + \left(X_L - X_C\right)^2}$$

La loi d'Ohm en courant alternatif pour le circuit *RCL* devient

$$\mathcal{E}_0 = i_0 Z$$

ou en valeurs efficaces

$$E_e = i_e Z$$

PHRASES À COMPLÉTER

Voir réponses en fin d'ouvrage.

1. Le flux dans une boucle est le produit de sa surface par _____.

2. La FEM induite est égale à _____.

3. Le flux magnétique est mesuré en _____.

4. Le courant induit produit un champ magnétique qui tend à _____ aux variations du flux.

5. Dans la construction de machines électriques, on s'efforce de réduire les courants de Foucault pour limiter _____.

6. Dans un générateur cc, les connexions sont inversées à chaque _____.

7. Si l'enroulement secondaire d'un transformateur comporte plus de spires de fil que le primaire, la FEM est _____ dans le secondaire.

8. Maxwell émit l'idée qu'un champ _____ variable induit un champ _____.

9. Maxwell prédit l'existence d'_____ qui se propagent à la vitesse de _____.

10. Les substances diamagnétiques _____ légèrement le champ magnétique, tandis que les substances paramagnétiques _____ légèrement ce champ.

11. Les effets magnétiques forts dans les corps ferromagnétiques proviennent de l'alignement des _____.

12. Les FEM de self-induction tendent à empêcher les _____dans les circuits.

13. Si le courant dans une bobine de self-induction est doublé, l'énergie accumulée est augmentée par un facteur _____.

EXERCICES CORRIGÉS

E1. Deux rails parallèles verticaux AA′ et BB′ sont distants de 0,25 m. Une barre horizontale A″B″ dont la masse vaut 0,4 kg a ses extrémités fixées aux rails et peut coulisser le long de ceux-ci. Les extrémités supérieures A et B sont reliées par un fil conducteur. Les rails sont dans un plan perpendiculaire aux lignes de force d'un champ magnétique de 1 T.

1) Montrer que la barre atteindra une vitesse limite constante lorsqu'elle tombe en chute libre.

2) Calculer cette vitesse, la force électromotrice induite dans la barre et l'intensité du courant lorsque la vitesse limite est atteinte.

On admet que la résistance totale du circuit reste constante et égale à 32 μ Ω et on suppose négligeable l'interaction entre les courants circulant dans la barre mobile et dans le fil conducteur AB.

Solution

1)

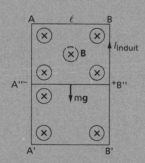

Figure 20.29

Le flux magnétique dans la boucle ABB″A″ est égal au produit du champ magnétique B par l'aire de la boucle ABB″A″ vu que B est perpendiculaire au plan de la boucle.

La barre étant en chute libre, cette aire varie au cours du temps, il en résulte une force électromotrice induite $\mathcal{E} = -(\mathrm{d}\phi/\mathrm{d}t)$

$$\mathcal{E} = -B\frac{\mathrm{d}A}{\mathrm{d}t} = -B\ell\frac{\mathrm{d}(AA'')}{\mathrm{d}t} = -B\ell v$$

où v est la vitesse de chute de la barre A″B″.

Le sens de I induit est conforme à la loi de Faraday, le champ induit qu'il produit s'oppose au champ magnétique **B**.

Cette force électromotrice induite crée donc un courant dont l'interaction avec le champ tend à freiner le mouvement qui lui a donné naissance. Cette force f augmentant avec la vitesse de chute libre finira par compenser le poids de la barre et le mouvement atteindra une vitesse limite.

Écrivons l'équation de mouvement de la barre :

$$m\mathbf{a} = m\mathbf{g} + \mathbf{F}$$

où $\mathbf{F} = I\ell\,B$ est orientée vers le haut avec

$$I = \frac{\mathcal{E}}{R} = \frac{Bv\ell}{R}$$

F s'écrit donc $\mathbf{F} = \dfrac{vB^2\ell^2}{R}$

et l'équation du mouvement devient

$$m\frac{\mathrm{d}v}{\mathrm{d}t} = mg - \left(\frac{B^2\ell^2}{R}\right)v$$

Quand la vitesse limite est atteinte, l'accélération $\mathrm{d}v/\mathrm{d}t$ est évidemment nulle et on aura

$$mg = \mathbf{F} = \left(\frac{B^2\ell^2}{R}\right)v_{\text{limite}}$$

et

$$v_{\text{limite}} = \frac{mgR}{B^2\ell^2} = \frac{0,4 \times 9,8 \times 32 \times 10^{-6}}{1 \times (0,25)^2}$$

$$= 2 \times 10^{-3}\ \text{m/s}$$

$$\mathcal{E}_{\text{lim}} = Bv_{\text{lim}}\ell$$

$$= 1 \times 2 \times 10^{-3} \times 0,25 = 0,5\ \text{mV}$$

$$I = \frac{\mathcal{E}_{\text{lim}}}{R} = \frac{0,5 \times 10^{-3}}{32 \times 10^{-6}} = 15,6\ \text{A}$$

E2. Un conducteur OA de longeur ℓ tourne d'un mouvement uniforme autour de son extrémité 0, avec une vitesse angulaire ω. Il est plongé dans un champ magnétique **B** parallèle à l'axe de rotation. Calculer la différence de potentiel induite entre les extrémités de ce conducteur.

Application numérique $\ell = 1$ m ; $\omega = 2$ rad s^{-1} ; B = 4 T.

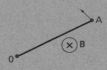

Figure 20.30

Solution

$$\mathcal{E} = -\frac{d\phi}{dt} = -\frac{d}{dt}BA = -B\frac{dA}{dt}$$

où $\dfrac{dA}{dt}$ est la surface balayée par un unité de temps.

Supposons qu'a l'instant initial, le conducteur se trouve dans la position OA′. Après t secondes, il se trouve dans la position OA. Limitons la surface ainsi balayée par des fils imaginaires OA′ et A′A de manière à former un cricuit fermé sous la forme d'un secteur circulaire.

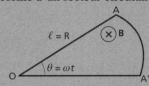

Figure 20.31

À l'instant t la surface balayée vaut :

$$A(t) = \frac{1}{2}\,\theta\,R^2 = \frac{1}{2}\,\omega\,R^2 t \text{ et } \frac{dA}{dt} = \frac{1}{2}\,\omega\,R^2$$

Donc $\mathcal{E} = \dfrac{1}{2}\,\omega\,R^2 B = \dfrac{1}{2}\times 2\times 1\times 4 = 4\text{ V}.$

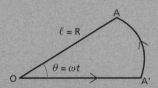

Figure 20.32

Selon la loi de Faraday, le courant doit circuler comme indiqué sur la figure 20.32 (de telle sorte que le champ induit soit de sens opposé à **B**) et $v_0 > v_A$, donc

$$\Delta v = v_0 - v_A = 4\text{ V}$$

S'entraîner

QCM

Voir réponses en fin d'ouvrage.

Q1. La FEM produite par un générateur électrique est maximum

a) lorsque la vitesse de rotation est constante

b) lorsque la vitesse de rotation est maximum

c) au démarrage de la rotation

d) à l'arrêt de la rotation.

Q2. Un barreau aimanté est introduit à l'intérieur d'une bobine, la FEM est la plus grande quand

a) le pôle nord est introduit en premier

b) l'aimant est introduit le plus rapidement

c) l'aimant est retiré lentement

d) l'aimant est au repos dans la bobine.

Q3. Quand une boucle est mise en rotation dans un champ magnétique, la FEM change de sens après

a) 1/4 de révolution

b) 2 révolutions

c) 1 révolution

d) 1/2 révolution.

Q4. Un fil de 20 cm se déplace dans un plan perpendiculaire à un champ magnétique de 0,2 T. Quelle est la vitesse de déplacement du fil si celui-ci est le siège d'une FEM de 0,4 V ?

a) 2 m/s

b) 4 m/s

c) 10 m/s

d) 5 m/s

Q5. Un transformateur parfait possède un primaire constitué de 200 spires et un secondaire de 50 spires. La puissance fournie au primaire est de 600 W sous une tension de 120 V. Quelle est la puissance obtenue aux bornes du secondaire ?

a) 2 400 W

b) 150 W

c) 160 W

d) 600 W.

Q6. Un transformateur parfait possède un primaire constitué de 200 spires et un secondaire de 50 spires. La puissance fournie au primaire est de 600 W sous une tension de 120 V. Quelle est la tension obtenue aux bornes du secondaire ?

a) 120 V

b) 60 V

c) 240 V

d) 30 V.

Q7. Dans un circuit RL série alimenté en alternatif à 220 V, lorsque l'on augmente L, on observe que

a) l'impédance du circuit diminue

b) la valeur efficace du courant diminue

c) la tension d'alimentation chute

d) aucune de ces réponses n'est correcte.

Q8. On multiplie par deux le nombre de spires d'une self tout en réduisant de moitié le courant qui la traverse. L'inductance de la bobine

a) reste la même

b) diminue de moitié

c) est multipliée par deux

d) est quatre fois plus grande.

Q9. Une simple bobine de résistance interne négligeable est connectée à une source alternative. À tout instant, le produit Li est proportionnel

a) à l'énergie thermique dissipée

b) au flux magnétique au travers de la bobine

c) à la FEM

d) au champ magnétique au centre de la bobine.

Q10. Dans un circuit RLC en série et en alternatif si la réactance inductive et la réactance capacitive sont égales

a) l'intensité est maximum

b) la résistance est nulle

c) le montage est en cour-circuit

d) le courant est multiplié par $\sqrt{2}$.

EXERCICES

Voir réponses en fin d'ouvrage pour les exercices et problèmes dont le numéro est inscrit en noir.

La loi de Faraday

20.1 Le champ magnétique de la figure 20.33 est uniforme dans toute la région représentée et pénètre dans le plan du dessin. Une boucle de fil est disposée dans ce même plan. Dire s'il y a courant induit quand la boucle est déplacée

a) de P_1 à P_2

b) de P_2 à P_3

c) de P_3 à P_1 . Justifier les réponses.

20.2 On déplace la boucle de fil de la figure 20.33 de la position P_1 à P_2. S'il y a courant induit, en trouver le sens.

20.3 Une boucle de fil de cuivre et une autre boucle en caoutchouc, de même taille et de même forme, sont placées dans un champ magnétique uniforme perpendiculaire au plan des boucles. On augmente progressivement ce champ. Discuter

a) les FEM induites dans les deux boucles

b) les courants induits dans les deux boucles.

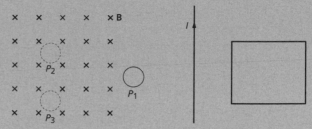

Figure 20.33 Exercices 20.1 et 20.2.

Figure 20.34 Exercice 20.4.

20.4 Sur la figure 20.34,

a) quelle est l'orientation, à l'intérieur de la boucle de fil rectangulaire, du champ dû à un courant I circulant dans le long fil rectiligne ?

b) Si on augmente I, dans quel sens le courant est-il induit dans la boucle ?

c) Si I est constant et que l'on déplace la boucle vers la droite, quel est le sens du courant induit ?

20.5 Une boucle de fil de 0,1 m de rayon a une résistance de 2 ohms. Un champ magnétique uniforme, perpendiculaire au plan de la boucle, croît de zéro à 2 T en 0,01 s. Trouver le courant moyen induit.

20.6 Une boucle de fil circulaire a une résistance de 10 ohms et un rayon de 0,1 m. Elle est placée dans un champ magnétique uniforme de 3 T, la normale à son plan étant parallèle au champ. On fait tourner la boucle de sorte qu'en 0,3 s la normale devienne perpendiculaire au champ ; trouver

a) la FEM moyenne induite

b) le courant moyen induit.

20.7 Une boucle de 0,1 m² de surface fait un angle droit avec un champ magnétique uniforme. Le sens du champ est alternativement inversé à la fréquence de 60 Hz, son amplitude (valeur maximum) est de 2 T.

a) Que vaut la FEM moyenne induite pendant le demi-cycle qui correspond au champ passant de la valeur maximum à zéro puis de nouveau à la valeur maximum, mais avec une orientation dans le sens opposé ?

b) Que vaut la FEM moyenne sur un cycle entier ?

20.8 Sur la figure 20.5, la résistance de la boucle vaut 100 ohms, la vitesse du conducteur en mouvement est 0,7 m s⁻¹, sa longueur est de 0,05 m et B vaut 0,5 T. Trouver le courant induit.

Courants de Foucault

20.9 Sur la figure 20.35, le champ qui traverse le conducteur est dirigé vers le haut et augmente en grandeur. Quel est le sens des courants de Foucault ?

20.10 Admettons que le champ de la figure 20.35 soit constant et que l'on déplace le conducteur graduellement vers la gauche. Quel est le sens des courants de Foucault induits ?

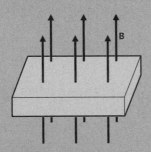

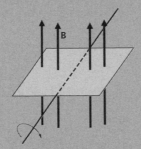

Figure 20.35 Exercices 20.9 et 20.10.

Figure 20.36 Exercice 20.12.

Générateurs électriques

20.11 Trouver la FEM moyenne induite pendant le quart de cycle qui correspond à une rotation du vecteur normal de la figure 20.8, de l'orientation parallèle au champ à celle perpendiculaire à ce champ. (Exprimer le résultat en fonction de A, B et ω.)

20.12 Une boucle de fil carrée de 10 ohms de résistance et dont les côtés ont 0,2 m tourne à 100 rotations par seconde autour d'un axe horizontal (figure 20.36). Le champ magnétique est vertical et vaut 0,5 T. Trouver l'amplitude du courant induit.

20.13 Quand un générateur tourne à 60 Hz, l'amplitude de la FEM induite est de 50 V. Que vaut cette amplitude quand il tourne à 180 Hz, le champ magnétique gardant la même valeur ?

Transformateurs

20.14 Le tube d'un appareil à rayons X requiert une tension alternative de 50 000 V. Si on l'obtient à partir d'un réseau de 120 V, quel rapport N_p/N_s doit-on utiliser entre les nombres de tours des enroulements secondaire et primaire ?

20.15 Dans un transformateur utilisé pour des trains miniatures, la tension de secteur 120 V alternatif est abaissée à 9 V. Que vaut le rapport N_p/N_s des nombres de spires des enroulements ?

20.16 Les enroulements d'un transformateur ont respectivement 100 spires et 500 spires. On le connecte au secteur 120 V ca. Quelle est la tension aux bornes du secondaire si

a) l'enroulement de 100 spires est connecté au secteur

b) l'enroulement de 500 spires est connecté au secteur ?

Les substances magnétiques

20.17 Le champ sur l'axe d'un solénoïde est 0,5 T dans le vide. On place un barreau dans le solénoïde, ce qui fait tomber le champ à 0,498 T.

a) Que vaut la perméabilité magnétique du corps utilisé ?

b) De quel type de substance magnétique le barreau est-il fait ?

Self-induction (ou auto-induction)

20.18 Pourquoi est-il important que les matières utilisées dans des interrupteurs et des prises de courant, ou dans leur voisinage immédiat, soient résistantes au feu ?

20.19 Comment peut-on réaliser une bobine d'inductance variable ?

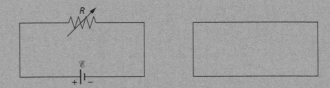

Figure 20.37 Exercice 20.20.

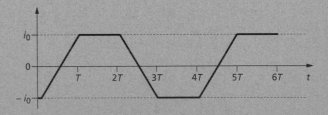

Figure 20.38 Exercice 20.22.

20.20 On augmente la résistance variable placée dans la boucle de gauche de la figure 20.37. Trouver le sens du courant induit dans

a) la boucle de gauche

b) la boucle de droite.

20.21 On fait croître de zéro à 10 A, en 0,1 s, le courant qui circule dans une self de 0,2 H. Trouver la FEM induite.

20.22 La figure 20.38 donne le courant dans un solénoïde pendant un intervalle de temps déterminé. Représenter graphiquement la FEM aux bornes du solénoïde, dans le même intervalle de temps.

20.23 Un solénoïde est formé de 1 000 spires sur un noyau de 0,01 m de rayon et 0,2 m de long. La constante magnétique du noyau est 1 000. Trouver l'inductance de la bobine.

20.24 Montrer que 1 henry = 1 ohm-seconde = 1 weber-ampère^{-1}.

Énergie accumulée dans une self

20.25 Quand on fait croître uniformément le courant dans un solénoïde de zéro à 10 A en 2 s, la FEM de self-induction est 8 V.
a) Que vaut l'inductance de la self ?
b) Que vaut l'énergie accumulée dans la self quand le courant atteint 10 A ?

20.26 L'énergie magnétique d'une self atteint 4 J quand le courant est 5 A. Que vaut l'inductance de la self ?

20.27 Une self a une énergie de 50 J quand le courant est 10 A. Quel courant faut-il pour que l'énergie atteigne 450 J ?

20.28 Montrer que 1 henry = 1 joule-ampère^{-2}.

Circuits *RL*

20.29 En utilisant les définitions de l'inductance et de la résistance, montrer que L/R a les dimensions d'un temps.

20.30 Une résistance de 10 ohms et une self de 0,2 H sont connectées en série à une batterie de 12 V.
a) Que vaut le courant final ?
b) Quelle est la constante de temps ?
c) Que vaut le courant après un temps égal à une fois cette constante de temps ?
d) Que vaut-il après 4 secondes ?

20.31 Une bobine de fil électrique est connectée à une batterie de 6 V. Le courant atteint 0,063 A après 0,01 seconde et un courant de 0,1 A après quelques secondes ;
a) Quelle est sa résistance ?
b) Que vaut la constante de temps ?
c) Quelle est son inductance ?

20.32 Un circuit RL a une constante de temps de 4 s et un courant final de 8 A. L'inductance vaut 0,1 H. Que vaut l'énergie accumulée dans la self 8 s après la fermeture de l'interrupteur ?

20.33 Une bobine de 10 ohms de résistance et de 0,5 H d'inductance est branchée sur une batterie de 12 V.
a) Quel est le courant final ?
b) Que vaut l'énergie accumulée dans la bobine quand le courant atteint cette valeur finale ?
c) Quelle est la puissance dissipée dans la bobine à cause de sa résistance, quand le courant a atteint la valeur finale ?

Valeurs efficaces des tensions et des courants alternatifs

20.34 Un fusible est conçu pour couper le circuit lorsque le courant dépasse 20 A efficaces. Quel est le courant de pointe permis si on utilise le fusible en courant alternatif ?

20.35 Une ampoule, branchée sur le secteur de 120 V, 60 Hz, consomme 60 W.
a) Quelle est la valeur efficace du courant ?
b) Quelle est sa valeur de pointe ?
c) Combien de fois par seconde le courant atteint-il cette valeur de pointe ?

20.36 Une ampoule branchée sur un générateur de courant continu 120 V consomme 1,67 A.
a) Quelle est la puissance consommée par l'ampoule ?
b) Si on l'utilise sur un secteur alternatif de 120 V efficaces, quelle est la valeur efficace du courant ?
c) Quelle est la valeur de pointe du courant quand l'ampoule est branchée sur le secteur alternatif ?

20.37 Un radiateur électrique est conçu pour consommer une puissance de 1 500 W quand on le branche sur un secteur alternatif de 120 V efficaces. On le branche par erreur sur un secteur alternatif de 240 V efficaces. En admettant que sa résistance n'ait pas changé et n'ait pas brûlé, quelle est alors la puissance consommée ?

20.38 Le courant maximum admis dans du fil électrique n°14 est 15 A. Quelle puissance peut-on fournir en utilisant ce type de fil
a) en alternatif 120 V efficaces
b) en alternatif 240 V efficaces ?

20.39 La FEM d'un générateur est donnée par
$$\mathcal{E} = 100 \sin(1\,000t) \text{ V}$$
a) Quelle est la fréquence f du générateur ?
b) Quelle est la valeur efficace de la tension ?

20.40 Un générateur tourne à 400 Hz et a une FEM efficace de 1000 V. Trouver la formule donnant la FEM en fonction du temps.

Réactance

20.41 Un condensateur a une réactance de 10 ohms à 400 Hz.

a) Trouver sa capacité.

b) Que vaut la réactance à 60 Hz ?

c) Que vaut la valeur efficace de la chute de potentiel dans le condensateur si on le branche sur le secteur 240 V, 60 Hz ?

20.42 Trouver la réactance, à 60 Hz, de

a) une self de 0,05 H

b) un condensateur de 1 μ F = 10^{-6} F

c) à quelle fréquence les réactances inductive et capacitive sont-elles égales ?

20.43 À 1 000 Hz, une self et un condensateur ont des réactances égales. Quel est le rapport entre les réactances capacitive et inductive à 100 Hz ?

20.44 Un condensateur de 10^{-4} F est branché sur le secteur alternatif de 120 V, 60 Hz. Trouver

a) la valeur efficace du courant

b) sa valeur de pointe.

20.45 Quand on branche une self de 0,4 H sur le secteur alternatif de 120 V, 60 Hz, que vaut le courant

a) efficace

b) de pointe ?

20.46 On branche une self de 2 H sur le secteur alternatif de 120 V, 60 Hz.

a) Trouver sa réactance.

b) Trouver la valeur efficace de la différence de potentiel aux bornes de la self.

c) Quelle en est la valeur de pointe ?

Impédance

20.47 Une résistance de 100 ohms et une self de 0,2 H sont connectées en série à un générateur alternatif de 240 V efficaces, 60 Hz.

a) Trouver la réactance de la self.

b) Trouver l'impédance du circuit.

c) Trouver la valeur efficace du courant.

20.48 Pour le circuit de l'exercice précédent, montrer, par des croquis, comment les grandeurs suivantes se comportent au cours du temps :

a) le courant

b) la différence de potentiel aux bornes de la résistance

c) la différence de potentiel aux bornes de la self.

20.49 On connecte une résistance de 100 ohms, un condensateur de 10^{-4} F et une self de 0,1 H en série à un générateur de 120 V efficaces. Si la fréquence du générateur est de 60 Hz, trouver

a) l'impédance et

b) la valeur efficace du courant.

20.50 Une résistance de 30 ohms et un condensateur de 40 ohms de réactance sont connectés en série à un générateur alternatif de 50 V efficaces.

a) Quelle est la valeur efficace du courant ?

b) Quelle en est la valeur de pointe ?

20.51 Le circuit d'accord d'un émetteur radio est constitué d'une self de 10^{-6} H en série avec un condensateur de 10^{-12} F. Trouver

a) la fréquence des ondes émises

b) leur longueur d'onde.

20.52 Le circuit d'accord d'un poste de radio est constitué d'une bobine de self de 2×10^{-5} H en série avec un condensateur variable. Quelle en est la capacité si le poste est accordé pour recevoir une station émettant à la fréquence $f = \omega/2\pi = 10^6$ Hz ?

20.53 On branche des voltmètres alternatifs aux bornes d'une self, d'un condensateur et d'une résistance montés en série. Ils indiquent respectivement 100 V, 300 V et 150 V. Quelle est la différence de potentiel efficace appliquée à l'ensemble du circuit ?

Puissance en courant alternatif

20.54 Un climatiseur est branché sur un réseau alternatif de 120 V efficaces. On peut le représenter par un circuit équivalent constitué d'une résistance de 10 ohms et d'une self de 1 ohm de réactance inductive.

a) Quelle est son impédance ?

b) Quelle est la puissance consommée par cet appareil ?

20.55 Une résistance de 5 ohms, une self de 10 ohms de réactance inductive et un condensateur de 22 ohms de réactance capacitive sont branchés en série sur un générateur alternatif de 120 V efficaces.

a) Trouver l'impédance de ce circuit.

b) Quelle est la puissance dissipée dans la résistance ?

20.56 Une résistance de 5 ohms, une self de 0,01 H et un condensateur de 10^{-4} F sont branchés en série sur un générateur alternatif de fréquence variable.

a) Pour quelle valeur de ω le courant est-il maximum ?

b) Quelle est alors la fréquence *f* ?

c) Que vaut la puissance dissipée à cette fréquence, si le générateur a une FEM efficace de 10 V ?

20.57 Pour le circuit de l'exercice précédent, trouver

a) l'impédance à $\omega = 2\,000$ rad s^{-1}

b) la puissance dissipée par la résistance à cette fréquence, si la FEM est de 10 V.

Adaptation d'impédance

20.58 Une batterie de 12 V a une résistance interne de 0,005 ohm. On branche sur cette batterie une résistance R.

a) Si $R = 0,005$ ohm, trouver le rapport de la puissance dissipée par la résistance interne à celle dissipée dans R.

b) Trouver ce rapport quand $R = 0,05$ ohm.

20.59 Un générateur continu a une résistance interne de 10^{-4} ohm. On souhaite que pas plus de 1 % de la puissance fournie au total ne soit dissipé dans le générateur lui-même. Quelle est la valeur minimum de la résistance que l'on peut brancher sur le générateur ?

PROBLÈMES

20.60 Une résistance de 10 ohms et une self de 0,1 H sont branchées en série sur une batterie.

a) Que vaut la constante de temps de ce circuit ?

b) Après combien de temps le courant atteint-il 99 % de sa valeur finale ?

20.61 Une bobine de résistance R et d'inductance L est connectée à une batterie de FEM $\mathcal{E}$ et de résistance interne négligeable. Montrer que, lorsque le courant a atteint sa valeur finale, l'énergie emmagasinée dans la bobine est $(1/2)\mathcal{E}^2 T_L/R$.

20.62 a) Montrer que la vitesse initiale de variation du courant dans un circuit RL, au moment où on le branche sur une batterie, est $i_f R/L$.

b) Si le courant continuait à croître à cette vitesse initiale, combien de temps faudrait-il pour qu'il atteigne la valeur i_f ?

20.63 Le courant dans un circuit RL atteint la moitié de sa valeur finale en 4 s. Quelle est la constante de temps du circuit ?

20.64 Supposer que l'on branche une lampe d'éclairage et une self variable en série sur un secteur alternatif.

a) Comment varie la luminosité de l'ampoule quand on accroît l'inductance de la self ?

b) On peut aussi faire varier la luminosité de la lampe en utilisant une résistance variable au lieu de la self. Pourquoi cette solution est-elle moins satisfaisante ?

20.65 Un circuit d'accord de poste récepteur de radio est formé d'une bobine de 10^{-5} H d'inductance et d'un condensateur variable.

a) Quelle est la capacité de ce condensateur si le récepteur est accordé sur la fréquence $f_0 = 1,4 \times 10^6$ Hz ?

b) Trouver la réactance à une fréquence 1 % au-dessus de f_0.

c) À cette fréquence plus élevée, l'impédance a augmenté d'un facteur 4 par rapport à la valeur pour f_0. Trouver la résistance du circuit.

20.66 Vérifier que, si l'on choisit les valeurs de la résistance et de la réactance d'un circuit de charge de façon à satisfaire à l'équation (20.40). La puissance délivrée à ce circuit est alors maximum.

20.67 Une batterie de FEM $\mathcal{E}$, et de résistance interne R, est connectée à une résistance R_s. Comparer la puissance dissipée dans la batterie et dans la charge si

a) $R_l = R_s$

b) R_l est nettement plus grand que R_s.

20.68 a) Sur la figure 20.5, quelle est la force magnétique sur une charge q dans le conducteur en déplacement ?

b) Si cette charge se déplace de la longueur l du conducteur mobile, que vaut le travail W de la force magnétique ?

c) La FEM est définie comme le travail effectué par unité de charge, W/q. Comparer ce résultat avec la valeur de la FEM obtenue dans l'exemple 20.3.

20.69 Une boucle de fil de résistance R et de surface A est orientée de sorte que sa normale soit dans la direction d'un champ magnétique uniforme B. On retourne alors la boucle, en un temps Δt, de façon à amener la normale dans la direction opposée au champ.

a) Calculer la FEM moyenne induite.

b) Trouver le courant moyen induit.

c) Dans quel sens le courant circule-t-il dans la boucle ?

d) Quelle est la charge totale transportée dans le circuit pendant Δt ? (Il se trouve que cette charge est indépendante de Δt et est proportionnelle au champ. Il est donc possible de déterminer le champ magnétique en mesurant la charge totale qui circule dans une bobine utilisée de la façon décrite ci-dessus.)

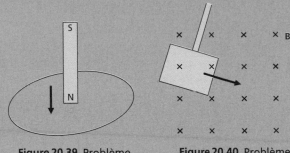

Figure 20.39 Problème 20.70. **Figure 20.40** Problème 20.71.

20.70 On laisse tomber un barreau magnétique à l'intérieur d'une boucle de fil conducteur (figure 20.39). Trouver le sens du courant induit quand l'aimant est

a) au-dessus de la boucle

b) engagé à moitié dans la boucle

c) au-dessous de la boucle. Dessiner un graphe approximatif du courant induit en fonction du temps, en supposant que la vitesse de l'aimant est constante.

20.71 Sur la figure 20.40, un pendule métallique est en mouvement dans un champ magnétique uniforme.

a) Les courants de Foucault sont-ils généralement dans le sens des aiguilles d'une montre ou dans le sens opposé ?

b) Quelle est l'orientation de la force magnétique agissant sur le pendule ? (Expliquer les réponses aux deux parties de la question.)

20.72 Quand un enroulement de moteur est en rotation, le champ magnétique dans le moteur induit, dans cet enroulement, une force contre-électromotrice qui s'oppose au passage du courant.

a) Comment la force contre-électromotrice depend-elle de la vitesse du moteur ?

b) Quel est l'effet de cette FEM sur le courant ?

c) Quand le moteur est couplé à une charge mécanique élevée, sa vitesse diminue. Quel effet cela a-t-il sur le courant du moteur ?

d) Pourquoi y a-t-il un risque de brûler le moteur quand la charge devient excessive ?

20.73 On a proposé de construire de très grands aimants en utilisant du fil supraconducteur qui n'a pas de résistance et, par conséquent, ne dissipe pas d'énergie en chaleur. Dans un des projets, une bobine de 100 m de haut, encastrée dans le roc ($K_m = 1$), comporterait 1 000 spires de 100 m de rayon.

a) En utilisant la formule de l'inductance d'un solénoïde, en estimer la valeur pour cette bobine. (Il s'agit seulement d'une estimation grossière, car la bobine n'a pas une longueur grande par rapport à sa largeur.)

b) Estimer l'énergie accumulée si le courant est de $1,5 \times 10^5$ A.

c) Un réacteur nucléaire ou une centrale thermique de très grande taille fournissent une puissance de 10^9 W. Pendant combien de temps l'aimant supraconducteur est-il capable de fournir de l'énergie à cette puissance, si le courant initial est de $1,5 \times 10^5$ A ?

20.74 Un solénoïde de N spires, surface A, longueur l et constante magnétique K_m est parcouru par un courant I.

a) Que vaut le champ magnétique B dans le solénoïde ?

b) Quelle est l'énergie par unité de volume accumulée dans le solénoïde ?

c) L'énergie par unité de volume accumulée dans un champ magnétique est proportionnelle à B^2/K_m. Utiliser le résultat du point b) pour trouver la constante de proportionnalité.

20.75 Une modification du courant i_1 dans une boucle (1) induit une FEM dans une seconde boucle (2) placée près de la première. L'*inductance mutuelle M* est définie par $\bar{\mathcal{E}}_2 = -M \Delta i_1 / \Delta t$. Deux solénoïdes, comportant respectivement N_1 et N_2 spires, sont bobinés sur un noyau commun, de surface A, longueur ℓ et constante magnétique K_m.

Montrer que l'inductance mutuelle vaut alors

$$M = \mu_0 K_m \frac{N_1 N_2}{\ell} A$$

20.76 Montrer que deux selfs L_1 et L_2, connectées en série, ont une inductance équivalente égale à $L_1 + L_2$.

20.77 Montrer que deux selfs L_1 et L_2 en parallèle sont équivalentes à une seule self d'inductance L, où

$$\frac{1}{L} = \frac{1}{L_1} + \frac{1}{L_2}$$

20.78 En utilisant les résultats des problèmes 20-76 et 20-77, trouver l'inductance équivalente de deux selfs, l'une de 2 H et l'autre de 4 H, branchées

a) en parallèle

b) en série.

PARTIE 6

LES ONDES

Les phénomènes ondulatoires qui nous sont les plus familiers sont les déplacements collectifs d'un grand nombre de particules ou d'objets. Dans un mouvement ondulatoire, chaque particule ne subit qu'un faible déplacement, mais les ébranlements peuvent par contre se propager sur de grandes distances, et transporter l'énergie et la quantité de mouvements engendrées par la source. La trajectoire des particules varie d'un système à l'autre. Dans le cas d'une vague à la surface de l'eau, on trouve des trajectoires à peu près circulaires. Les ondes sonores se caractérisent par des déplacements d'ensemble d'avant en arrière dans la direction de propagation. Enfin, sur une corde tendue, le mouvement est transversal, perpendiculaire à la direction de la corde.

Les ondes lumineuses sont aussi des perturbations qui se propagent sur de grandes distances. Elles mettent en jeu des variations de champs électriques et magnétiques et ne nécessitent pas de support matériel pour se propager et transporter énergie et quantité de mouvement. La description mathématique de ces ondes est toutefois très proche de celle des ondes mécaniques mentionnées ci-dessus.

Les perturbations ondulatoires présentent de nombreuses caractéristiques communes. Beaucoup de celles-ci sont décrites dans le premier chapitre de cette partie (chapitre 21) où nous nous reporterons principalement aux cordes tendues et aux ressorts pour nos illustrations. Le cas particulier des ondes sonores est abordé au chapitre 22 et les problèmes liés à la propagation des ondes lumineuses sont couvert par les chapitres 23 et 24.

L'importance des phénomènes ondulatoires en physique est lié à la transmission de l'énergie et la qualité de mouvement d'un endroit à un autre ou d'une source à un détecteur. L'étude des mouvements vibratoires repose entièrement sur les idées développées en mécanique et en électromagnétisme. Leurs propriétés découlent des principes exposés dans les chapitres précédents et nous ne ferons que souligner les aspects collectifs ou coordonnés du comportement de systèmes que nous avons déjà étudiés.

La physique du début du XXe siècle a été littéralement ébranlée lorsqu'on a compris que la distinction nette entre le comportement d'ensemble de type ondulatoire et le mouvement de corpuscules individuels cessait de s'appliquer dans le cas d'objets tels que les atomes ou les molécules. Cette constatation a entraîné une véritable révolution dans notre manière de décrire les phénomènes naturels. La physique quantique moderne développée pour rendre compte des propriétés microscopiques des molécules, atomes et noyaux nous a forcés à conférer aux particules certains comportements propres aux ondes, et à considérer les ondes comme manifestant la présence de particules ou *quanta*. Cette dualité onde-corpuscule intervenant dans notre description de la nature pourrait apparaître comme une incapacité de comprendre véritablement les comportements des objets microscopiques ou en tout cas d'exprimer clairement cette compréhension. Quoi qu'il en soit, à l'aide du langage dont nous disposons, nous devons par exemple décrire un électron comme une entité qui présente tantôt un comportement corpusculaire, tantôt un comportement ondulatoire.

Cette révolution en physique moderne ne signifie pas que toutes les études antérieures doivent être rejetées. Elle signifie seulement que si l'on examine des questions qui mettent en jeu des objets de très petites dimensions, nous devons obligatoirement affiner notre description. Les derniers chapitres de ce livre sont consacrés à l'étude de tels raffinements.

CHAPITRE 21

Les ondes

Mots-clefs

Amplitude • Extrémité • Fréquence de battement • Fréquence des harmoniques • Fréquence fondamentale • Harmonique • Intensité • Interférence destructive • Longueur d'onde • Nœud • Onde longitudinale • Onde périodique • Onde polarisée • Onde pulsée • Onde sinusoïdale • Onde stationnaire • Phase • Superposition • Vitesse de propagation

Introduction

Ce chapitre introduit les concepts communs à tous les types de comportement ondulatoire. L'exemple que nous examinerons le plus souvent est celui d'une onde qui se propage sur une corde tendue ou sur un ressort. Ces cas précis faciles à visualiser nous permettront d'imaginer par analogie des phénomènes ondulatoires d'observation plus difficile.

Lorsque l'on jette une pierre dans l'eau ou lorsqu'on soumet une corde à une brève secousse, on observe la propagation d'une onde impulsionnelle isolée. Mais les ondes peuvent aussi apparaître sous la forme d'une série régulière et continue d'impulsions. Il s'agit alors d'ondes *périodiques*. Par exemple, un diapason mis en état de vibration produit une succession de compressions et de détentes de l'air environnant. Ces perturbations sont perçues comme un son à la fréquence du diapason.

Lorsqu'une corde tendue dans une certaine direction est mise en vibration, tous ses points se déplacent dans une direction perpendiculaire. Les ondes caractérisées par des déplacements perpendiculaires à la direction de propagation sont appelées *ondes transversales*. La lumière est une onde transversale. Les ondes caractérisées par des déplacements dans la direction de propagation sont des *ondes longitudinales*. On trouve dans cette catégorie les ondes sonores et les ondes de compression sur un ressort à boudin.

Toutes les ondes que nous allons considérer jouissent de la propriété importante de *linéarité*. On entend par là que lorsque deux ou plusieurs ondes passent par un même point, l'amplitude résultante est simplement la somme des amplitudes de chaque onde. Dans ces circonstances, après que deux impulsions se sont croisées, elles poursuivent leur chemin comme si aucune rencontre ne s'était produite. Dans l'exemple des crêtes d'ondes circulaires formées à partir des points de chute de deux cailloux dans l'eau, on constate une déformation résultant de l'addition des amplitudes au moment et à l'endroit où elles se croisent. Par la suite, les crêtes reprennent leur forme initiale. La propriété de linéarité est aussi communément appelée *principe de superposition*.

21.1 REPRÉSENTATION D'UN MOUVEMENT ONDULATOIRE

La figure 21.1 montre une série d'impulsions ondulatoires isolées se propageant sur une corde et sur un ressort. Dans les deux cas, l'onde impulsionnelle est produite à l'extrémité gauche et se déplace vers la droite dans le sens des x positifs.

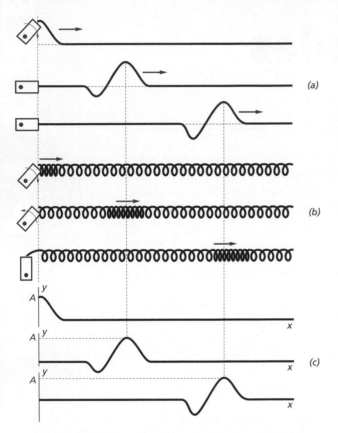

Figure 21.1 *(a)* Une impulsion isolée est produite à l'extrémité gauche de la corde. L'état de la corde est montré à trois instants différents. Noter le mouvement transversal des points de la corde. *(b)* Une impulsion semblable sur un ressort à boudin. Chaque spire du ressort est successivement comprimée et dilatée dans la direction de propagation, et l'onde est longitudinale. *(c)* Chacune de ces ondes peut être représentée par un même diagramme. Dans le cas de la corde, y est le déplacement d'un point de la corde par rapport à sa position de repos ; les déplacements au-dessus de la position d'équilibre sont comptés positivement. Dans le cas du ressort, y mesure la compression ou la dilatation du ressort. La compression est considérée comme un déplacement positif.

Lorsque l'onde arrive en un point x de la corde ou du ressort après un temps t, la déformation est identique à celle produite par la source, puisque nous supposerons qu'il n'y a pas d'amortissement. On pourra donc représenter la déformation par une fonction de la distance à la source x,

et du temps écoulé t soit $y(x, t)$. Comme la perturbation observée répète exactement ce qui s'est passé à la source $x = 0$ mais avec un retard de temps de $t_r = x/v$ où v est la vitesse de propagation de l'onde, on peut écrire

$$y(x, t) = y\left(0, t - \frac{x}{v}\right) \qquad (21.1)$$

La figure 21.2 montre des ondes périodiques produites par des oscillations imprimées aux mêmes extrémités. Les ondes sur la corde sont transversales et les ondes sur le ressort sont longitudinales. Malgré cette différence, les deux types d'onde peuvent être représentées graphiquement sur un même type de diagramme.

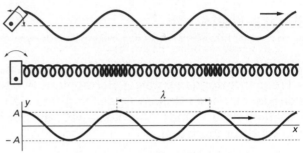

Figure 21.2 *(a)* Une perturbation périodique produite par les oscillations d'un levier se propage vers la droite. Le pointillé indique la position de repos de la corde. *(b)* Un ressort est alternativement comprimé et dilaté. *(c)* Un même diagramme peut représenter ces deux ondes.

La nature produit de nombreux types de phénomènes ondulatoires. La lumière est une onde électromagnétique transversale, avec des variations de champs électrique et magnétique perpendiculaires l'une à l'autre et perpendiculaires à la direction de propagation. Le son correspond à une compression ou une dilatation du milieu traversé dans la direction de propagation et constitue donc une onde longitudinale. Les ondes qui prennent naissance à la surface de l'eau apparaissent comme un mélange d'ondes longitudinale et transversale, conduisant à un mouvement pratiquement circulaire des molécules d'eau. Tous ces phénomènes ondulatoires peuvent être représentés par des diagrammes semblables à ceux qui décrivent les cordes tendues et les ressorts et présentent de ce fait beaucoup de propriétés communes (figure 21.3).

Les ondes qui se propagent uniquement dans un milieu matériel sont dites mécaniques. Bien qu'elle voyage dans la matière, une onde n'est pas une quantité matérielle. Les distances parcourues par l'onde peuvent être très grandes alors que le milieu ne bouge que de façon très limitée.

Les ondes électromagnétiques ne sont pas des ondes matérielles car elles se propagent dans le vide, cependant elles sont également produites par des oscillations mais de charges électriques. D'une façon générale, presque tous les systèmes en vibration produisent des ondes.

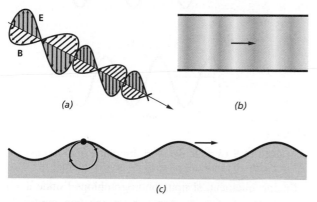

Figure 21.3 *(a)* Une onde électromagnétique. *(b)* Une onde sonore. *(c)* Une onde à la surface de l'eau. Tous ces phénomènes ondulatoires peuvent se représenter par le même type de diagramme que celui qui est utilisé pour la corde tendue et le ressort.

Nous savons que la source d'une onde est une vibration qui en se propageant constitue l'onde. Lorsque la vibration se répète à intervalles de temps réguliers, elle produit une onde progressive continue ou périodique.

Quelle que soit leur origine physique, les ondes périodiques sont toutes caractérisées par les mêmes paramètres. Une vibration selon un mouvement harmonique simple de la source, produit une onde périodique sinusoïdale. L'observation de l'onde à un moment donné fait apparaître une succession de crêtes et de creux qui dans un milieu parfaitement élastique se répètent à intervalle régulier (figure 21.2).

L'ordonnée y du point le plus haut de la crête par rapport au niveau d'équilibre est l'amplitude A. L'amplitude est donc la grandeur maximale du déplacement, pour une *onde mécanique* le déplacement de matière est faible et limité entre $-A$ et $+A$.

La distance qui sépare deux crêtes successives est la *longueur d'onde* λ, cette distance se retrouve également entre toutes paires de points successifs qui vibrent en concordance.

En un point de l'espace le nombre de crêtes passant par seconde définit la *fréquence f* de l'onde.

C'est une caractéristique de l'onde qui est déterminée par la source. Dans le cas de la corde ou du ressort de la figure 21.2, par exemple, la fréquence est le nombre d'oscillations imprimées par seconde à l'extrémité gauche. La *période T* est le temps qui s'écoule entre le passage au même point de deux crêtes successives, ou encore l'inverse de la fréquence : $T = 1/f$.

Pour décrire complètement une onde, il est nécessaire de tenir compte d'une double périodicité, en temps (T) et dans l'espace (γ).

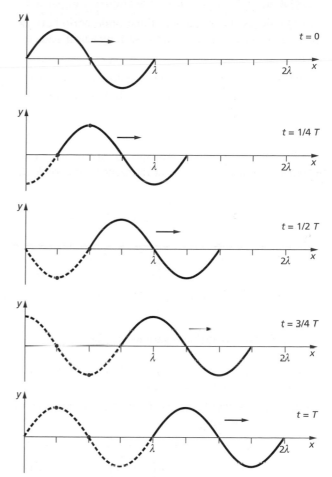

Figure 21.4 Diagramme des élongations à différents instants séparés par un quart de période. En une période T, les crêtes d'onde parcourent une distance égale à une longueur d'onde λ et tous les points décrivent une oscillation entière. Par exemple, en $x = \lambda/4$, le déplacement est maximal en $t = 0$ et en $t = T$ (points noirs). Le déplacement en $x = \lambda/2$ prend les mêmes valeurs mais avec un retard de $T/4$ (points de couleur).

La relation liant la fréquence, la longueur d'onde et la vitesse de propagation est illustrée par la figure 21.4. Sur une période T, c'est-à-dire sur le temps nécessaire pour exécuter une oscillation complète, l'onde progresse d'une distance égale à la longueur d'onde λ. La vitesse de propagation est le rapport entre l'espace parcouru par une crête et le temps mis pour le parcourir, donc $v = \lambda/T$. Puisque $T = 1/f$, ceci implique

$$f\lambda = v \qquad (21.2)$$

Les exemples suivants illustrent cette relation.

✎ ──────── **Exemple 21.1** ────────

Une onde pulsée sur une corde tendue parcourt une distance de 10 m en 0,05 s.

a) Quelle est la vitesse de propagation de l'impulsion?

b) Quelle est la fréquence d'une onde périodique se propageant sur la même corde si sa longueur d'onde est 0,8 m ?

Réponse a) La vitesse de propagation de l'impulsion est $v = \Delta x / \Delta t$, où $\Delta x = 10$ m et $\Delta t = 0,05$ s, de sorte que

$$v = \frac{10 \text{ m}}{0,05 \text{ s}} = 200 \text{ m s}^{-1}$$

b) L'onde périodique se propage à la même vitesse de 200 m s^{-1}. Puisque $f\lambda = v$, la fréquence d'une onde de 0,8 m est

$$f = \frac{v}{\lambda} = \frac{200 \text{ m s}^{-1}}{0,8 \text{ m}} = 250 \text{ s}^{-1} = 250 \text{ Hz}$$

─────────────────────────

La représentation mathématique d'une onde progressive sinusoïdale prendra en $x = 0$, la forme

$$y(0, t) = A \sin \omega t \qquad (21.3)$$

où ω, que l'on appelle la pulsation, est égale à $\dfrac{2\pi}{T}$.

On respecte ainsi la périodicité de l'onde qui se répète après chaque période de temps T.

À une distance x de l'origine, l'onde périodique sera en retard sur la source de $t_r = x/v$

$$y(x, t) = A \sin \omega \left(t - \frac{x}{v} \right) \qquad (21.4)$$

$$y(x, t) = A \sin \omega \left(t - \frac{xT}{\lambda} \right)$$

$$= A \sin \left(\omega t - \frac{2\pi x}{\lambda} \right)$$

$$y(x, t) = A \sin \left(\omega t - Kx \right) \qquad (21.5)$$

où $K = 2\pi / \lambda$ est le *nombre d'ondes*.

L'équation de l'onde progressive que nous venons d'établir montre mathématiquement le mouvement périodique dans le temps et dans l'espace. En effet, si nous considérons un point fixe de l'espace par exemple en $x = x_0$, nous pouvons observer un mouvement périodique qui dépend du temps selon (figure 21.5a)

$$y(x_0, t) = A \sin \left(\omega t - Kx_0 \right) \qquad (21.6)$$

où la constante Kx_0 peut être appelée la phase en un point fixe de l'espace, le déplacement y est identique à un mouvement harmonique simple.

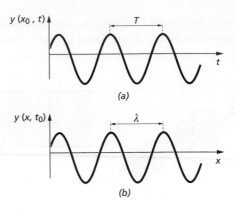

Figure 21.5 La double périodicité d'une onde *(a)* périodicité en temps *(b)* périodicité en déplacement.

Réciproquement, si nous photographions l'onde à un instant donné, $t = t_0$ nous observons une sinusoïde (figure 21.5b)

$$y(x, t_0) = A \sin \left(\omega t_0 - Kx \right)$$
$$= -A \sin \left(Kx - \omega t_0 \right) \qquad (21.7)$$

où dans ce cas, la constante ωt_0 sera la phase du mouvement périodique.

Selon l'angle de phase imposé, le plus souvent par les conditions aux limites, l'équation d'une onde progressive pourra s'écrire sous la forme

$$A \sin(\omega t - Kx) \text{ ou } A \sin(Kx - \omega t)$$

Le passage de l'une à l'autre équation introduit simplement un angle de phase π car

$$A \sin(Kx - \omega t) = -A \sin(\omega t - Kx) = A \sin(\omega t - Kx + \pi)$$

Il est aisé au départ de la représentation mathématique d'une onde progressive de démontrer à une dimension une relation plus générale « l'équation d'onde ». Nous utiliserons les notations des dérivées partielles car, comme nous l'avons vu, le déplacement $y(x, t)$ est une fonction de deux variables x et t.

$$y(x, t) = A \sin(\omega t - Kx)$$

$$\frac{\partial y}{\partial t} = \omega A \cos(\omega t - Kx)$$

$$\frac{\partial^2 y}{\partial t^2} = -\omega^2 A \sin(\omega t - Kx)$$

$$A \sin(\omega t - Kx) = -\frac{1}{\omega^2} \frac{\partial^2 y}{\partial t^2}$$

$$\frac{\partial y}{\partial x} = -KA \cos(\omega t - Kx)$$

$$\frac{\partial^2 y}{\partial x^2} = -K^2 A \sin(\omega t - Kx)$$

$$A \sin(\omega t - Kx) = -\frac{1}{K^2} \frac{\partial^2 y}{\partial x^2}$$

$$-\frac{1}{\omega^2}\frac{\partial^2 y}{\partial t^2} = -\frac{1}{K^2}\frac{\partial^2 y}{\partial x^2}$$

$$\frac{\partial^2 y}{\partial t^2} = \frac{\omega^2}{K^2}\frac{\partial^2 y}{\partial x^2}$$

$$\frac{\omega^2}{K^2} = \left(\frac{2\pi}{T}\frac{\lambda}{2\pi}\right)^2 = \left(\frac{\lambda}{T}\right) = v^2$$

$$\boxed{\frac{\partial^2 y}{\partial t^2} = v^2\frac{\partial^2 y}{\partial x^2}} \qquad (21.8)$$

21.2 LA VITESSE DE PROPAGATION DES ONDES

Bien que le comportement ondulatoire puisse être décrit de manière tout à fait générale, chaque perturbation ondulatoire a sa propre origine physique. De ce fait, chaque cas particulier d'onde donnera lieu à une vitesse de propagation spécifique.

Les ondes électromagnétiques sont particulières en ce qu'elles ne requièrent aucun milieu matériel pour se propager. Comme nous l'avons souligné au chapitre 20, ces ondes traduisent des variations de champ électrique et magnétique qui s'induisent mutuellement. Dans le vide, ces ondes se propagent à la vitesse de 3×10^8 m s^{-1} ; dans un milieu matériel leur vitesse est toujours moins élevée.

Le son est un ébranlement mécanique qui met en jeu collectivement un grand nombre de molécules. Ces molécules sont déplacées et peuvent éventuellement entrer en collision au moment du passage de l'onde. En moyenne, elles ne subissent cependant aucun changement net de position. Comme nous le montrons dans le prochain chapitre, la vitesse de propagation du son dans la matière dépend de la manière dont la pression varie si un changement de densité se produit. La vitesse du son dans l'air à 30 °C est 344 m s^{-1}. Elle est beaucoup plus élevée dans les solides ; dans l'aluminium, par exemple, $v = 5\,000$ m s^{-1}. Dans les matériaux solides, des ondes transversales viennent s'ajouter aux ondes longitudinales. Ces deux types d'ondes se propagent à des vitesses différentes, comme dans les ondes sismiques.

Il est possible de prédire la vitesse de propagation d'une onde à partir des lois physiques qui décrivent le comportement du système qui subit l'ébranlement. Par exemple, nous avons vu au chapitre 20 que Maxwell est parvenu à exprimer la vitesse des ondes électromagnétiques à partir des propriétés fondamentales des champs électrique et magnétique. À partir des lois de Newton il est également possible de prédire la vitesse de propagation de divers ébranlements mécaniques comme les ondes sonores et les ondes supportées par les cordes tendues, les ressorts ou la surface de l'eau. De tels calculs ne seront pas détaillés ici à cause de leur complexité mathématique. Il est toutefois important de se rappeler que la vitesse de propagation d'une onde dépend du type de déplacements qu'elle implique, des propriétés inertielles et élastiques du milieu et parfois de la fréquence. Ceci dit, nous pouvons examiner plus précisément le cas d'une onde qui se propage sur une corde.

Lorsqu'une corde tendue est écartée de sa conformation d'équilibre, la force de rappel est proportionnelle à la tension de la corde. De plus, une corde massive répondra plus lentement à cette force de rappel qu'une corde légère. Il est dès lors prévisible que la vitesse de propagation dépende de la tension F_T et de la masse par unité de longueur μ de la corde. C'est effectivement ce que nous montre une analyse détaillée du mouvement ondulatoire d'une corde : la vitesse de propagation est déterminée par l'expression

$$v = \sqrt{\frac{F_T}{\mu}} \qquad (21.9)$$

Ce résultat vérifie bien les données intuitives décrites ci-dessus. Dans l'exemple suivant nous trouverons une valeur typique de la vitesse de propagation d'une onde sur une corde.

 —————— **Exemple 21.2** ——————

La tension de la plus longue corde d'un piano à queue est 1 098 N, et sa masse par unité de longueur est de 0,065 kg/m. Quelle est la vitesse de propagation de l'onde sur cette corde ?

Réponse On trouve, en utilisant le résultat précédent,

$$v = \sqrt{\frac{F_T}{\mu}} = \sqrt{\frac{1\,098\ \text{N}}{0,065\ \text{kg m}^{-1}}} = 130\ \text{m s}^{-1}$$

21.3 INTERFÉRENCES

Lorsque deux ou plusieurs ondes se propagent dans la matière, l'onde résultante est la somme des déplacements associés aux perturbations individuelles. Cette propriété constitue le *principe de linéarité* ou *principe de superposition* et est applicable à tous les phénomènes ondulatoires que nous étudierons ici. Comme nous l'avons remarqué, l'onde résultante peut prendre une forme compliquée au moment où les ondes se recouvrent mais chacune des perturbations individuelles reprend sa forme initiale quand elles se séparent. Comme les élongations s'additionnent algébriquement, l'élongation résultante peut être plus grande ou plus petite que celle des ondes qui se recouvrent, suivant le signe de celles-ci. Cette interaction caractéristique est appelée *interférence* et conduit à de nombreux effets intéressants ou inattendus.

Pour illustrer ces concepts, considérons d'abord une corde soutenue à ses extrémités par deux personnes qui lui impriment simultanément un mouvement impulsionnel, l'un vers le haut, l'autre vers le bas. La seule différence entre les deux impulsions est que chacune est l'image inversée de l'autre (figure 21.6). Lorsque les impulsions se rencontrent au même point de la corde, le déplacement résultant est obtenu en additionnant les déplacements associés à chaque impulsion.

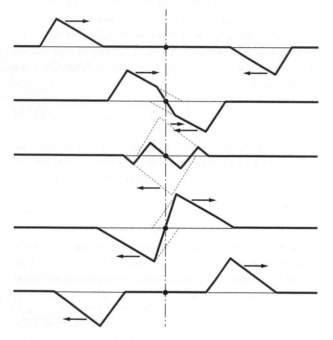

Figure 21.6 Deux ondes impulsionnelles inversées l'une par rapport à l'autre sont produites aux extrémités d'une corde tendue. Au moment où les impulsions se croisent, la corde prend une forme complexe mais le point repéré par la ligne pointillée est constamment au repos. La forme instantanée de la corde est déterminée en additionnant les déplacements créés par les deux impulsions en chacun de ses points.

Un aspect important de cette expérience particulière est que malgré la forme complexe de l'onde résultante, il existe un point de la corde qui ne subit jamais aucun déplacement. On appelle ce point un nœud. On pourrait parfaitement fixer la corde en ce point sans affecter les résultats de cette expérience. On dit que les impulsions interfèrent *destructivement* en ce point.

La même expérience peut être réalisée à l'aide de deux ondes périodiques progressant dans des directions opposées, mais de même amplitude et de même longueur d'onde.

Les figures 21.7 illustrent les cas où les deux ondes périodiques se propagent en sens inverse sur une corde. Les deux ondes peuvent être représentées par les fonctions

$$y_1(x, t) = A \sin(\omega t + Kx)$$
$$y_2(x, t) = -A \sin(\omega t - Kx)$$

Le principe de superposition nous donne

$$y(x, t) = A \sin(\omega t + Kx) - A \sin(\omega t - Kx)$$
$$= 2A \sin Kx \cos \omega t \qquad (21.10)$$

Au temps $t = 0$, $y(x, 0) = 2A \sin Kx$.

On observe une interférence constructive dont l'amplitude est double $2A$.

Au temps $t = \dfrac{T}{4}$; $y\left(x, \dfrac{T}{4}\right) = 2A \sin Kx \cos \dfrac{2\pi}{T}\dfrac{T}{4}$, le $\cos(\pi/2)$ est nul et nous avons une interférence destructive. La figure 21.7 illustre également la situation de la corde où se propagent les deux ondes aux temps $t = T/2$ et $t = 3T/4$.

L'analyse des interférences entre deux ondes peur être réalisée en introduisant la notion de différence de phase entre les ondes. L'équation de l'onde peut s'écrire sous la forme

$$y(x, t) = A \sin(\omega t - Kx + \phi)$$

où ϕ est l'angle de phase.

Les effets d'interférence dépendront de la différence de phase entre les ondes en chaque point de l'espace. Si deux ondes (y_1 et y_2) qui atteignent un point donné passent par la même valeur en même temps, elles sont en phase et interfèrent constructivement (figure 21.8*a*)

$$y_1 = A \sin(\omega t - Kx)$$
$$y_2 = A \sin(\omega t - Kx)$$

Si l'amplitude maximale de l'une d'elles coïncide avec le minimum de l'autre, elles sont déphasées d'une demilongueur d'onde et interfèrent de manière destructive (figure 21.8*b*)

$$y_1 = A \sin(\omega t - Kx)$$
$$y_2 = A \sin(\omega t - Kx + \pi)$$

Dans ces conditions, on dit que les ondes sont exactement en opposition de phase. Dans le cas le plus général, la différence de phase entre deux ondes peut être complètement arbitraire (figure 21.8*c*)

$$y_1 = A \sin(\omega t - Kx)$$
$$y_2 = A \sin(\omega t - Kx + \phi)$$

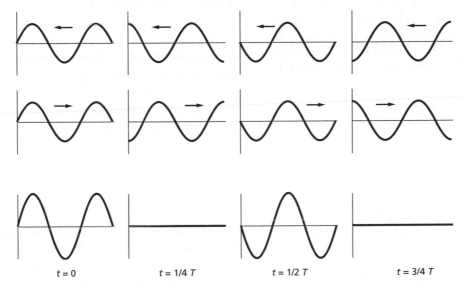

Figure 21.7 *(a)* Ondes sur une corde décrites à des intervalles de temps de *T*/4. En haut, l'onde se déplace vers la gauche, en bas, l'onde se déplace vers la droite. *(b)* Aspect de la corde lorsque les deux ondes voyagent sur la même corde.

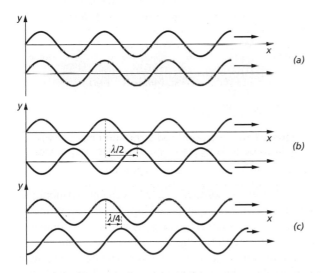

Figure 21.8 *(a)* Deux ondes exactement en phase. *(b)* Deux ondes en opposition de phase. L'addition de ces deux ondes conduirait à une interférence destructive. *(c)* Deux ondes déphasées d'un quart de longueur d'onde.

21.4   ONDES STATIONNAIRES RÉSONNANTES

Lorsque des ondes voyagent dans des directions opposées, elles peuvent se combiner pour former une perturbation que l'on appelle une onde stationnaire.

Le terme «onde stationnaire» signifie que l'application du principe de superposition conduit à une onde résultante qui paraît immobile. On observe des points d'interférence destructive appelés nœuds et des points d'interférence constructive appelés ventre qui demeurent à des positions fixes.

Une onde qui rencontre un point séparant deux milieux différents se décompose en deux nouvelles ondes, l'une réfléchie qui reste dans le milieu d'incidence et l'autre transmise dans le second milieu. Les amplitudes respectives de ces nouvelles ondes sont fixées par la nature des deux milieux en contact. Dans ce paragraphe nous considérons deux cas particuliers de frontière. Nous considérerons une corde de longueur finie, dont les extrémités sont ou fermement maintenues en place ou complètement libres de se mouvoir. Nous supposerons que dans les deux cas, l'onde est presque complètement réfléchie et que la corde conserve constamment toute son énergie.

La figure 21.9 décrit le comportement d'une impulsion qui vient buter sur une extrémité fixe ou libre de la corde. Si l'extrémité est fixe, l'onde réfléchie est l'image symétrique inversée de l'onde incidente. Sa longueur d'onde ou sa forme est inchangée. Si l'extrémité est libre, l'onde réfléchie est l'image symétrique de l'onde incidente, *mais n'est pas inversée.*

On comprend facilement ces résultats à partir des lois de la mécanique. Au moment où l'impulsion aborde un point fixe de la corde, celle-ci exerce une poussée vers le haut sur le support. Le support exerce en retour sur la corde une *force égale et opposée* (troisième loi de Newton), produisant une impulsion réfléchie opposée à l'impulsion incidente. Une onde périodique, dans les mêmes conditions, serait réfléchie en opposition de phase. Si l'impulsion rencontre l'extrémité libre d'une corde, les particules de matière acquièrent une quantité de mouvement vers le haut. Au moment où elle atteint la hauteur maximale de l'impulsion, cette quantité de mouvement ne s'est pas encore annulée et la corde continue à se déplacer vers le haut. C'est maintenant l'extrémité libre elle-même qui exerce une force sur le reste de la corde et produit une onde réfléchie dont la forme est identique à celle de l'onde incidente. Il ne se produit pas d'inversion dans ce cas et la phase reste inchangée.

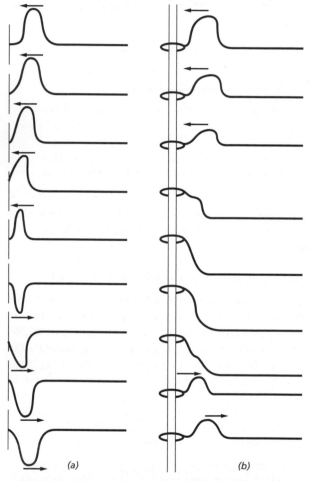

Figure 21.9 La réflexion d'une impulsion ondulatoire sur une corde *(a)* à une extrémité fixe et *(b)* à une extrémité libre.

Ayant décrit le comportement d'une impulsion ondulatoire à la frontière entre deux milieux, nous pouvons aborder la question du comportement d'une onde périodique. Si une onde sinusoïdale rencontre une extrémité fixe, l'onde réfléchie sera l'image symétrique inversée de l'onde incidente donc déphasée de π. Deux ondes sont donc présentes sur la corde et se propagent dans des directions opposées. Les ondes incidente et réfléchie interfèrent pour produire une onde stationnaire avec un nœud à l'extrémité fixe.

On peut exprimer la superposition des deux ondes par l'équation vue précédemment (21.10).

$$y(x, t) = 2A \sin Kx \cos \omega t$$

Selon les conditions aux limites, seuls certains états de vibration peuvent exister. Pour une corde de longueur L, fixée aux deux extrémités, on a :

en $x = 0$, $y(0, t) = 0$

en $x = L$, $y(L, t) = 2A \sin KL \cos \omega t = 0$ si $KL = n\pi$

où n est un nombre entier.

Comme $K = \dfrac{2\pi}{\lambda}$, on a $\dfrac{2\pi}{\lambda}L = n\pi$

$$L = \frac{n\lambda}{2} \text{ ou } \lambda = \frac{2L}{\lambda} \tag{21.11}$$

La longueur de la corde correspond à un multiple entier de la demi-longueur d'onde.

La figure 21.10 montre une série de photographies superposées d'une corde qui vibre dans ces conditions. On peut remarquer que cette situation ne permet pas de déceler la présence d'ondes progressives. On observe la trace d'une onde stationnaire, c'est-à-dire une onde présentant des nœuds et des ventres en certains points fixes.

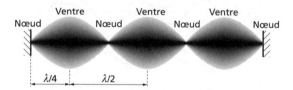

Figure 21.10 Superposition d'un grand nombre de vues de la corde de la figure 21.9 à différents instants très rapprochés.

Au chapitre 9 consacré au mouvement harmonique, nous avons montré que beaucoup de structures mécaniques présentent des fréquences de vibration résonnantes spécifiques, pour lesquelles on observe des mouvements de grande amplitude. Les ondes stationnaires constituent un exemple d'objet vibrant en résonance. Lorsque la fréquence des ondes est un multiple entier de la fréquence la plus basse qui donne lieu à une onde stationnaire, on observe dans l'objet vibrant un phénomène qui peut atteindre également une grande amplitude. Les instruments de musique, l'appareil vocal fonctionnent grâce à des systèmes qui mettent en jeu la vibration de cordes ou de colonnes d'air en contact avec des structures présentant certaines fréquences de résonance.

On peut mettre en évidence les fréquences de résonance spécifiques d'une corde en attachant l'une de ses extrémités et en agitant l'autre. Après quelques essais, on trouve que les ondes stationnaires n'apparaissent qu'à certaines fréquences particulières. Pour les autres fréquences, la corde vibre de manière erratique et avec une faible amplitude.

Pour comprendre pourquoi seules certaines fréquences donnent lieu à des ondes stationnaires, considérons une corde de longueur l. Si ses deux extrémités sont fixées on ne pourra produire que des ondes stationnaires qui y forment des nœuds. La figure 21.11 montre les cinq ondes stationnaires de plus grandes longueurs d'onde pour une corde dont les extrémités sont fixes, c'est-à-dire les ondes stationnaires les plus longues qui présentent un nœud à chaque extrémité. Les ondes adaptées à une corde sont appelées ses *harmoniques*. La plus longue est la *fondamentale* ou première harmonique ; ce sont donc les cinq premières harmoniques de la corde à extrémités fixes qui sont représentées sur la figure 21.11.

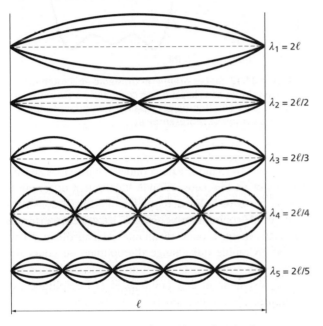

Figure 21.11 Les cinq ondes stationnaires de plus grandes longueurs d'onde sur une corde de longueur *l* fixée à ses extrémités.

Sur la figure 21.11 les longueurs d'onde sont étiquetées par l'indice n, où n est un entier positif. Pour la n-ème harmonique nous voyons que

$$\lambda_n = \frac{2l}{n}$$

$n = 1, 2, 3, ...$ (extrémités fixes)

La relation $f_n \lambda_n = v$, où v est la vitesse de propagation de l'onde sur la corde, conduit donc pour une corde de longueur l à la suite de fréquences

$$f_n = \frac{n}{2l} v \tag{21.12}$$

$n = 1, 2, 3, ...$ (extrémités fixes)

Puisque, par ailleurs, la vitesse de propagation sur une corde est donnée par $v = \sqrt{F_T/\mu}$ nous pouvons également écrire

$$f_n = \frac{n}{2l} \sqrt{\frac{F_T}{\mu}} \tag{21.13}$$

$n = 1, 2, 3, ...$ (extrémités fixes)

Les exemples suivants illustrent ces résultats.

 ———————— **Exemple 21.3** ————————

Quelles sont les fréquences des trois premières harmoniques de la corde la plus longue d'un piano de concert ? Sa longueur est de 1,98 m et la vitesse de propagation de l'onde sur la corde vaut $v = 130$ m s^{-1}.

Réponse Le résultat (21.12) nous donne pour $n = 1$

$$f_1 = \frac{v}{2l} = \frac{130 \text{ m s}^{-1}}{2(1,98 \text{ m})} = 32,8 \text{ Hz}$$

La deuxième harmonique a une fréquence double, soit $2(32,8) = 65,6$ Hz et la troisième harmonique se trouve à $3(32,8) = 98,4$ Hz.

 ———————— **Exemple 21.4** ————————

La vitesse de propagation d'une onde sur la corde la plus aiguë d'un violon est de 435 m s^{-1} et sa longueur l est de 0,33 m. Lorsque le violoniste appuie légèrement sur la corde à une distance $l/3$ de l'extrémité de cette corde, il y produit un nœud. Quelle est la fréquence la plus basse que peut produire cette corde dans ces conditions ?

Réponse Nous reportant à la figure 21.11, nous constatons que la troisième harmonique correspond précisément à la longueur d'onde la plus grande et donc la fréquence la plus basse compatible avec l'existence d'un nœud au tiers de la longueur de la corde. Donc, avec une longueur d'onde de $2l/3$,

$$f_3 = \frac{v}{\lambda_3} = \frac{v}{(2l/3)} = \frac{3v}{2l} = \frac{3(435 \text{ m s}^{-1})}{2(0,33 \text{ m})} = 1\,977 \text{ Hz}$$

Un violoniste peut, en appuyant légèrement sur une corde à un endroit précis, y forcer un nœud de vibration et n'exciter ainsi que les harmoniques qui forment un nœud en ce point. Si par contre la corde est pincée contre la touche du violon, sa longueur effective est réduite et les fréquences de toutes ses harmoniques sont déplacées vers le haut.

La relation entre la fréquence et la masse par unité de longueur de corde est discutée dans l'exemple suivant.

 ———————— **Exemple 21.5** ————————

Les cordes de plus haute et de plus basse fréquence d'un piano sont accordées sur les fréquences fondamentales $f_H = 4\,186$ Hz et $f_B = 32,8$ Hz. Les longueurs sont respectivement 0,051 m et 1,98 m. Si les tensions de ces deux cordes sont les mêmes, quel doit être le rapport des masses par unité de longueur ?

Réponse En se reportant à l'équation (21.13) et en la résolvant par rapport à μ, on trouve pour la fondamentale, $n = 1$,

$$\mu = \frac{F_T}{(2lf_1)^2}$$

Le rapport des masses linéiques μ_B pour la corde de basse fréquence et μ_H pour la corde de haute fréquence est donné par

$$\frac{\mu_B}{\mu_H} = \frac{\dfrac{F_T}{(2l_Bf_B)^2}}{\dfrac{F_T}{(2l_Hf_H)^2}} = \frac{(l_Hf_H)^2}{(l_Bf_B)^2}$$

$$= \left[\frac{(0,051 \ \text{m})(4186 \ \text{Hz})}{(1,98 \ \text{m})(32, \text{Hz})}\right]^2 = 10,8$$

La différence de masses linéiques est très grande. Les facteurs de piano se sont aperçus qu'une corde solide massive ne produisait pas un son agréable. Cela est dû apparemment à la trop grande rigidité d'une telle corde. La solution qui s'est avérée la meilleure consiste à enrouler la corde en spires serrées en se servant d'un fil rigide rectiligne, pour arriver à une longueur de 1,98 m. On arrive ainsi à augmenter la masse par unité de longueur sans trop changer la rigidité de la corde.

21.5 ONDES COMPLEXES ET BATTEMENTS

Lorsque des ondes stationnaires sont produites dans une colonne d'air ou sur une corde, le mode de mouvement excité ne se limite pas à la vibration à la fréquence fondamentale. Généralement, un certain nombre d'harmoniques apparaissent également. Nous étudierons au chapitre suivant certaines situations où seules les harmoniques d'ordre impair sont présentes.

Les harmoniques ne sont pas toutes excitées avec la même amplitude. L'amplitude décroît généralement avec l'ordre de l'harmonique. Si plusieurs harmoniques sont excitées simultanément sur une corde, la forme prise par la corde à un instant donné peut être fort complexe (figure 21.12). Toute onde complexe peut être considérée comme une superposition d'un grand nombre d'ondes sinusoïdales.

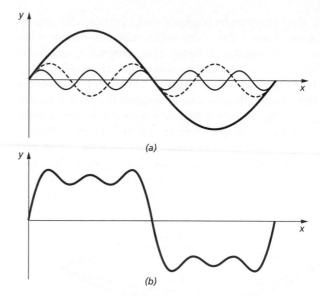

Figure 21.12 *(a)* Les première, troisième et cinquième harmoniques dans le cas d'une corde fixée à ses extrémités. *(b)* L'addition de ces trois harmoniques produit l'onde complexe représentée ici.

La figure 21.13 montre deux ondes progressives de fréquences et de longueurs d'onde légèrement différentes. Aux points B et D les deux ondes interfèrent constructivement. Au point intermédiaire C les ondes interfèrent destructivement. L'onde résultante est constituée d'une oscillation rapide qui change d'amplitude au cours du temps. Aux points A, C et E l'amplitude de l'onde résultante est nulle et aux points B et D l'amplitude est maximum. C'est le phénomène de *battement*.

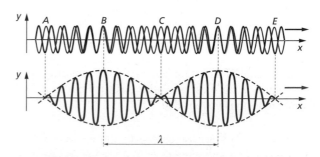

Figure 21.13 *(a)* Deux ondes de fréquences légèrement différentes f_1 (en couleur) et f_2, s'ajoutent pour former l'onde résultante en *(b)*. Les lignes pointillées montrent comment l'amplitude varie dans l'espace.

Pour analyser comment se produisent les battements, nous allons considérer deux ondes de même amplitude et de fréquences f_1 et f_2 légèrement différentes.

$$y_1(x, t) = A \sin (2\pi f_1 t - Kx)$$
$$y_2(x, t) = A \sin (2\pi f_2 t - Kx)$$

Le principe de superposition donne le déplacement résultant en utilisant la relation trigonométrique

$$\sin A + \sin B = 2 \cos \frac{1}{2}(A - B) \sin \frac{1}{2}(A + B)$$

$$y(x, t) =$$

$$2A \cos \left(2\,\pi\,\frac{f_1 - f_2}{2}\,t \right) \sin \left(2\,\pi\,\frac{f_1 + f_2}{2}\,t - Kx \right) \quad (21.14)$$

La superposition des deux ondes produit une onde dont la fréquence est la moyenne des fréquences des deux ondes $(f_1 + f_2)/2$. Le terme

$$\cos \left(2\,\pi\,\frac{f_1 - f_2}{2}\,t \right)$$

engendre une dépendance de l'amplitude avec le temps entre les limites $2A$ et zéro. Un battement se produit toutes les fois où le cos est égal à $+1$ ou -1, autrement dit deux fois par cycle.

La fréquence avec laquelle le battement f_B se produit est donc de $2 \times (f_1 - f_2)/2$ soit $f_1 - f_2$ (figure 21.13).

$$f_B = f_1 - f_2 \quad (21.15)$$

Ce résultat est tout à fait général. La fréquence des battements est exactement la différence des fréquences des deux ondes qui produisent cet effet.

Chez l'homme, l'oreille est sensible aux battements depuis une fréquence pratiquement nulle jusqu'à une fréquence d'environ 20 Hz, même si les ondes n'ont pas exactement la même amplitude. L'exemple suivant illustre une utilisation pratique du phénomène de battement.

✎ —————— **Exemple 21.6** ——————

Un diapason de fréquence 520 Hz est mis en vibration en même temps qu'une corde de violon. On perçoit alors des battements à la fréquence de 5 Hz. À quelle fréquence la corde de violon vibre-t-elle ?

Réponse La discussion précédente indique que la différence des fréquences entre le diapason et la corde de violon est 5 Hz. Ceci ne nous permet toutefois pas de dire si la corde de violon vibre à une fréquence plus haute ou plus basse que celle du diapason. Comme le diapason vibre à 520 Hz, la corde vibre à 525 Hz ou à 515 Hz.

Il est possible de résoudre cette ambiguïté en agissant sur la tension de la corde du violon. L'équation (21.13) montre que la fréquence d'une corde tendue est proportionnelle à la racine carrée de la tension. Si en réduisant la tension, on constate une diminution de la fréquence des battements, c'est que le violon était accordé sur 525 Hz.

Si la corde vibrait à 515 Hz, la tension devrait être accrue pour réduire la fréquence des battements.

C'est aussi le phénomène de battement qui est utilisé lorsque l'on accorde un piano. La plupart des touches du clavier permettent de frapper trois cordes qui sont supposées rendre toutes trois exactement la même note. L'accordeur étouffe d'abord deux de ces cordes et ajuste la tension de la troisième pour qu'elle se synchronise avec un oscillateur électronique réglé à la fréquence voulue. Ensuite, les deux autres cordes sont relâchées l'une après l'autre et ajustées pour éliminer les battements. Une note isolée jouée sur un piano mal accordé présente des battements souvent trop rapides pour être entendus distinctement, mais qui contribuent à former un son discordant, voire déplaisant. C'est le son que produit un piano de qualité médiocre, qui se désaccorde rapidement.

Certaines méthodes modernes permettant l'étude de grandes molécules font astucieusement usage du phénomène de battement. Un faisceau de lumière laser est séparé en deux. Une partie est envoyée dans une chambre d'expérimentation où sa fréquence est modifiée par l'interaction avec les molécules. Les deux parties du faisceau ont maintenant des fréquences différentes et s'ils sont à nouveau réunis, ils produisent des battements permettant de mesurer avec précision les changements de fréquence. De nombreuses informations concernant ces molécules peuvent alors être déduites de ces variations de fréquence.

21.6 ÉNERGIE ET QUANTITÉ DE MOUVEMENT TRANSPORTÉES PAR LES ONDES

Même si ce n'est pas toujours visible, tous les types d'ondes propagent une énergie et une quantité de mouvement empruntées à la source. Quelques exemples familiers illustreront aisément ce fait. La lumière qui nous vient du Soleil apporte l'énergie nécessaire au maintien de la vie sur notre planète. Les vagues qui se propagent à la surface des océans transforment graduellement le tracé des côtes. Quiconque s'est déjà trouvé au bord de la mer, même en eau peu profonde, a ressenti la force non négligeable que les vagues peuvent exercer. Des ondes sonores intenses sont capables de briser des fenêtres ou de causer des dommages à certains assemblages mécaniques comme ceux qui constituent l'oreille.

Le calcul de l'énergie et de la quantité de mouvement transportées dépend de la nature du phénomène ondulatoire. Toutefois, pour toute onde sinusoïdale, l'énergie et la quantité de mouvement propagées sont toujours proportionnelles au carré de son amplitude.

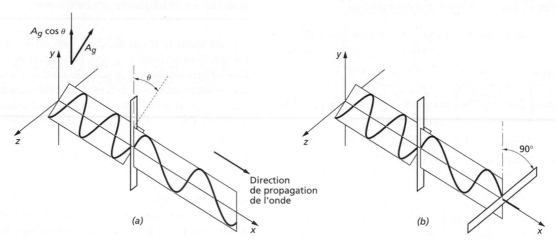

Figure 21.14 *(a)* Une onde portée par une corde vibre dans une direction arbitraire. Après passage par la fente, elle est polarisée dans la direction *y* et voit son amplitude réduite. *(b)* Après passage dans une seconde fente perpendiculaire à la première, l'onde est complètement éteinte. Si les deux fentes n'étaient pas perpendiculaires, l'onde finale sortirait polarisée dans la direction de la seconde fente.

On peut facilement comprendre cette relation par analogie avec le cas d'un simple oscillateur harmonique fait d'une masse attachée à un ressort. Un tel oscillateur présente un déplacement qui varie au cours du temps de manière sinusoïdale. Nous pouvons donc dire que tout point d'un milieu propageant une onde sinusoïdale est soumis à un mouvement harmonique simple. Dans le cas d'un oscillateur, l'énergie potentielle $(1/2)kx^2$ est proportionnelle au carré du déplacement et donc au carré de l'amplitude. L'énergie cinétique $(1/2)mv^2$ et donc l'énergie totale sont aussi proportionnelles au carré de l'amplitude. En conséquence, en chaque point d'une onde sinusoïdale l'énergie emmagasinée est proportionnelle au carré de l'amplitude. Si l'onde est une onde stationnaire, il n'y a pas d'énergie transportée ; l'énergie emmagasinée sera continuellement transformée d'énergie potentielle en énergie cinétique et *vice versa*, mais restera localisée au même point de l'espace. Si par contre l'onde progresse dans une direction, elle transportera l'énergie dans cette direction.

Les discussions concernant les ondes sonores ou lumineuses font fréquemment usage de la notion d'*intensité I* de l'onde. Il s'agit de la puissance transportée à travers une section unitaire perpendiculaire à la direction de propagation de l'onde. Dans le système S.I. l'intensité se mesure en watts par mètre carré. De la discussion qui précède on conclut que l'intensité d'une onde est proportionnelle *au carré de son amplitude*, soit

$$I \propto A^2 \qquad (21.16)$$

La quantité de mouvement transportée par l'onde varie également comme le carré de l'amplitude.

21.7 LA POLARISATION DES ONDES TRANSVERSALES

Les ondes transversales ont une propriété dont ne peuvent jouir les ondes longitudinales. Par exemple, sur la figure 21.14, une onde se propage sur une corde dans la direction *x*. La déformation transversale peut se produire dans n'importe quelle direction perpendiculaire à la direction de propagation. Si le déplacement de la corde s'effectue toujours dans la même direction, l'onde est dite *polarisée* dans cette direction. Une onde dont la direction d'oscillation change de manière aléatoire au cours du temps ou qui est composée d'une superposition d'un grand nombre d'ondes de polarisation aléatoire, est dite *non polarisée*.

Certains dispositifs appelés *polariseurs* peuvent produire une polarisation des ondes. Pour la corde de la figure 21.14*a*, le polariseur est constitué d'une fente. Après le passage par cette fente, la corde ne peut plus vibrer que dans la direction *y*. Sur la figure 21.14*b*, on a placé une seconde fente. Lorsque les deux fentes sont perpendiculaires, l'onde est totalement éliminée après le passage dans la seconde.

L'amplitude de l'onde qui a traversé un dispositif polariseur est réduite du fait que seule la composante de l'onde incidente parallèle à la direction de polarisation traverse le système sans subir d'amortissement. Sur la figure 21.14*a* l'amplitude de l'onde du côté gauche de la fente est A_g et son intensité est $I_g \propto A^2 g$. L'angle formé par les plans de polarisation à gauche et à droite de la fente est désigné par θ. L'amplitude de l'onde du côté droit de la fente est $A_d = A_g \cos \theta$. L'intensité est donc donnée par

$$I_d = I_g \cos^2 \theta \qquad (21.17)$$

Sur la figure 21.14*b* les deux fentes sont perpendiculaires. Puisque $\cos 90° = 0$, l'amplitude de l'onde transmise est réduite à zéro.

Les ondes électromagnétiques sont des ondes transversales. La direction de polarisation est fixée par la direction d'oscillation du vecteur champ électrique. Les verres de lunettes Polaroïd utilisent le fait que la lumière est une vibration transversale pour réduire considérablement les reflets. La lumière réfléchie par une surface horizontale tend à être polarisée dans la direction horizontale. Les verres Polaroïd suppriment presque totalement la composante de la lumière dans une direction spécifique et sont orientés de telle sorte que seule la composante polarisée verticalement se trouve transmise. Si l'on fait tourner un verre Polaroïd par rapport à un second, l'intensité de la lumière transmise décroît jusqu'à atteindre une valeur pratiquement nulle quand les axes de polarisation sont perpendiculaires. Une description plus approfondie des propriétés de polarisation de la lumière sera développée au chapitre 23.

21.8 L'EFFET DOPPLER

Lorsque l'on assiste au passage d'un train, la fréquence de son sifflement s'abaisse brusquement au moment où le train est à sa distance minimale. Cet *effet Doppler* se produit parce que, à mesure que la source s'approche de l'observateur, le nombre de fronts d'onde qui par seconde atteignent l'observateur est plus grand que le nombre de fronts d'onde émis durant le même laps de temps. Inversement, lorsque la source s'éloigne, le nombre de fronts d'onde reçus est inférieur au nombre de fronts d'onde émis. Un effet semblable se produit lorsque l'observateur est en mouvement et que la source est immobile.

Les ondes de toutes espèces donnent lieu à l'effet Doppler. Toutefois, les résultats quantitatifs obtenus pour la radiation lumineuse sont quelque peu différents de ceux qui concernent les autres types d'ondes. Dans ce paragraphe, nous décrirons l'effet Doppler en détail pour le son et les autres ondes mécaniques.

Considérons un observateur au repos et une source qui se déplace à la vitesse $\mathbf{v}_S$ dans une direction qui forme un angle θ_S par rapport à la direction source observateur (figure 21.15).

La source émet un signal en $t = 0$ et un autre après une période T. L'observateur recevra le premier signal après un temps

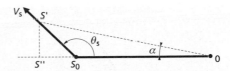

Figure 21.15 Un observateur fixe en 0 et une source S en mouvement à la vitesse $\mathbf{v}_S$.

$$t_1 = \frac{S_0 0}{v}$$

où v est la vitesse de propagation de l'onde. Le second signal sera émis par la source lorsqu'elle se trouvera en S' après avoir parcouru la distance $S_0 S'$ en un temps T, on a

$$S_0 S' = v_s T$$

L'observateur recevera le second signal après un temps

$$t_2 = T + \frac{S'_0}{v}$$

Pour l'observateur les deux signaux sont donc espacés d'une période

$$T' = t_2 - t_1 = T \frac{S'0}{v} - \frac{S_0 0}{v}$$

Le déplacement de la source s'effectue généralement à une vitesse v_s très faible vis-à-vis de la vitesse de propagation de l'onde. Dans ces conditions, la source n'aura parcouru qu'une faible distance pendant la période T. L'angle α est très petit et la différence $S'0 - S_0 0$ peut en première approximation être calculée en projetant $S'0$ sur $S_0 0$. On a

$$S'0 - S_0 0 = S''S_0 = S_0 S' \cos \left(180° - \theta_S \right)$$
$$= -v_s T \cos \theta_s$$

La période de l'onde reçue par l'observateur devient :

$$T' = T - \frac{v_s T \cos \theta_s}{v}$$

$$T' = T \left(1 - \frac{v_s \cos \theta_s}{v} \right)$$

La fréquence apparente reçue par l'observateur vérifie la relation

$$f' = f \frac{v}{v - v_s \cos \theta_s} \qquad (21.18)$$

Lorsque la source s'éloigne de l'observateur, le $\cos \theta_S$ est négatif et la fréquence reçue est plus basse, inversement cette fréquence est plus haute si la source se rapproche (figure 21.16).

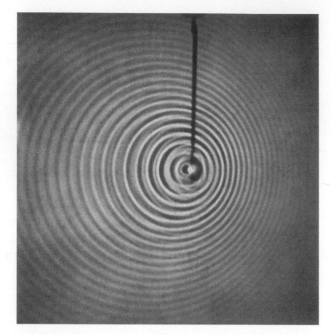

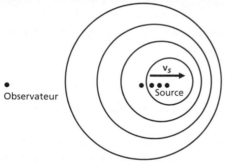

Figure 21.16 *(a)* Une source en mouvement dans une cuve à ondes produit des fronts d'ondes rapprochés dans la direction du mouvement et écartés dans la direction opposée. *(b)* Avec une source sonore se déplaçant à la vitesse v_s, un observateur entendra un son de longueur d'onde plus grande que celle que produit une source au repos. *((a) Education Development Center, Inc., Newton, Massachusetts, U.S.A.)*

 ━━━━━━━━ **Exemple 21.7** ━━━━━━━━

Une voiture de police munie d'une sirène de 1 000 Hz se déplace à la vitesse de 15 m s^{-1}. Quelle est sa fréquence apparente pour un observateur immobile lorsqu'elle (a) s'éloigne ; (b) se rapproche de l'observateur ?

Réponse a) En s'éloignant $\theta_S = 180°$ et $\cos\theta_s = -1$

$$f' = f\frac{v}{v + v_s}$$

$$= (1\,000\text{ Hz})\frac{344\text{ m s}^{-1}}{344\text{ m s}^{-1} + 15\text{ m s}^{-1}}$$

$$= 958\text{ Hz}$$

b) Lorsque la source s'approche $\theta_S = 0°$, $\cos 0° = 1$

$$f' = f\frac{v}{v - v_s}$$

$$= (1\,000\text{ Hz})\frac{344\text{ m s}^{-1}}{344\text{ m s}^{-1} - 15\text{ m s}^{-1}}$$

$$= 1\,046\text{ Hz}$$

Lorsque l'observateur est en mouvement, nous pouvons effectuer un raisonnement analogue (figure 21.17).

Figure 21.17 Une source fixe en *S* et un observateur en mouvement à la vitesse v_0.

On obtient

$$T' = T + \frac{SO' - SO}{v}$$

et $\qquad SO' - SO \simeq OO'' = v_0 T' \cos\theta_0$

$$T'\left(1 - \frac{v_0\cos\theta_0}{v}\right) = T$$

$$T' = T\frac{v}{v - v_0\cos\theta_0}$$

La fréquence apparente reçue par l'observateur vérifie la relation

$$f' = f\frac{v - v_0\cos\theta_0}{v} \qquad (21.19)$$

 ━━━━━━━━ **Exemple 21.8** ━━━━━━━━

Une sirène d'alerte fixe émet un son de fréquence égale à 1 000 Hz. Quelle est la fréquence perçue par un automobiliste qui se déplace à 15 m s^{-1} (a) en s'éloignant de la sirène ; (b) en se rapprochant de la sirène ? La vitesse du son dans l'air est 344 m s^{-1}.

a) En se déplaçant à la vitesse $v_0 = 15$ m s^{-1}, les conducteurs qui s'éloignent de la sirène perçoivent la fréquence

$$f' = f\frac{v - v_0\cos 0°}{v}$$

$$= (1\,000\text{ Hz})\left(\frac{344\text{ m s}^{-1} - 15\text{ m s}^{-1}}{344\text{ m s}^{-1}}\right)$$

$$= 956\text{ Hz}$$

b) Pour les conducteurs qui se rapprochent de la source, $\theta_0 = 180°$ et $\cos 180° = -1$

$$f' = f\frac{v + v_0}{v}$$

$$= (1\,000 \text{ Hz})\left(\frac{344 \text{ m s}^{-1} + 15 \text{ m s}^{-1}}{344 \text{ m s}^{-1}}\right)$$

$$= 1\,044 \text{ Hz}$$

Enfin, source et réception en mouvement conduisent à la formule générale de l'effet Doppler.

$$f' = f\frac{v - v_0\cos\theta_0}{v - v_s\cos\theta_s} \tag{21.20}$$

Les angles θ_S et θ_0 doivent être déterminés de façon identique en partant de la direction source observateur vers le déplacement (figure 21.18).

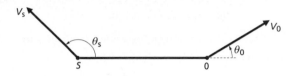

Figure 21.18 Observateur et source en mouvement.

Il est intéressant de noter que les fréquences obtenues dans les exercices 21.7 et 21.8 ne conduisent pas aux mêmes valeurs des fréquences alors que les vitesses relatives sont identiques.

Pour en savoir plus...

21.9   DÉBITMÈTRE DOPPLER

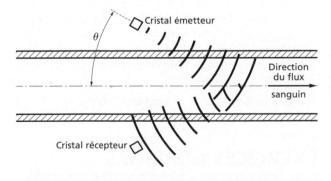

Figure 21.19 Une vue schématique de l'utilisation d'un débitmètre Doppler.

Le déplacement en fréquence dû à l'effet Doppler peut être utilisé pour mesurer les vitesses d'écoulement du sang. On

place, d'un côté du vaisseau sanguin, une source sonore de haute fréquence, et de l'autre, un détecteur adéquat (figure 21.19). Le son émanant de la source est réfléchi par les globules rouges en mouvement à la vitesse v_c et l'onde sonore réfléchie est détectée. Si l'angle θ est petit, la fréquence du son qui atteint les globules rouges est donnée par l'équation (21.19),

$$f_1 = f\left(\frac{v - v_c}{v}\right)$$

v est la vitesse du son dans le sang. Les globules deviennent alors eux-mêmes des sources sonores de fréquence f_1 en mouvement. L'équation (21.18) donne alors la fréquence f_r mesurable par le détecteur :

$$f_r = f_1\left(\frac{v}{v + v_c}\right) = f\left(\frac{v - v_c}{v}\right)\left(\frac{v}{v + v_c}\right)$$

$$f_r = f\left(\frac{v - v_c}{v + v_c}\right) \tag{21.21}$$

21.10   DÉPLACEMENT DOPPLER POUR LA LUMIÈRE

On observe également un effet Doppler dans le cas des ondes lumineuses, mais cet effet est légèrement différent de celui qui vient d'être décrit pour les ondes sonores. Cette différence tient au fait que la lumière n'a pas besoin d'un milieu matériel pour se propager. Il n'y a dès lors aucun moyen de distinguer le mouvement de la source par rapport à l'observateur de celui de l'observateur par rapport à la source. Tout ce qu'on peut dire est qu'il y a un mouvement de l'un par rapport à l'autre. Cette remarque constitue ce que l'on appelle le *principe de relativité*. Nous reviendrons sur celui-ci au chapitre 25.

Une analyse détaillée montre que si la source de fréquence f et l'observateur s'éloignent l'un de l'autre avec une vitesse relative u, la fréquence observée est donnée par

$$f' = f\frac{c - u}{\sqrt{c^2 - u^2}} \tag{21.22}$$

où c est la vitesse de la lumière.

La vitesse u sera négative si la source et l'observateur se rapprochent. Ce résultat coïncide avec la fréquence trouvée précédemment [équation (21.19)] lorsque u^2/c^2 est négligeable devant 1.

Réviser

RAPPELS DE COURS

Un certain nombre de propriétés sont communes à toutes les ondes. Les ondes périodiques sont caractérisées par leur fréquence f, leur longueur d'onde λ, et leur vitesse de propagation v, ces quantités étant liées entre elles par la relation $f\lambda = v$. La vitesse de l'onde dépend des propriétés du milieu de propagation et dans certains cas de la fréquence. L'amplitude d'une onde est la valeur maximale du déplacement qui lui est associé.

Deux ondes peuvent interférer. Lorsque deux ondes sont présentes au même point, l'onde résultante est donnée par la somme algébrique des déplacements associés à chacune d'elles. Deux ondes en phase interfèrent de manière constructive, mais deux ondes déphasées d'une demi-longueur d'onde interfèrent d'une manière destructive. La faculté de combiner les ondes par addition de déplacements constitue le principe de superposition ou principe de linéarité.

Les ondes qui rencontrent la séparation entre deux milieux peuvent être transmises, absorbées ou réfléchies. Une onde qui parvient à une extrémité fixe est réfléchie et après réflexion voit sa forme inversée spatialement. Réfléchie sur une extrémité libre, l'onde n'est pas inversée.

Des ondes stationnaires se forment lorsque deux ondes de même amplitude mais voyageant dans des directions opposées interfèrent. Les ondes stationnaires sur une corde tendue ne peuvent persister qu'à certaines fréquences, appelées harmoniques, déterminées par la longueur de la corde et la vitesse de propagation sur celle-ci.

Lorsque deux ondes de fréquences légèrement différentes se rejoignent en un point, l'amplitude en ce point varie au cours du temps à la fréquence de battement qui est égale à la différence des fréquences des deux ondes. On peut percevoir des battements entre des ondes sonores jusqu'à une fréquence d'environ 20 Hz.

L'énergie et la quantité de mouvement emmagasinées par une onde sinusoïdale sont proportionnelles au carré de son amplitude. L'intensité d'une onde définie comme étant la puissance transportée par l'onde à travers une surface unitaire varie également en raison directe du carré de l'amplitude.

Si les déplacements associés à une onde transversale s'effectuent toujours dans la même direction perpendiculaire à la direction de propagation, l'onde est dite polarisée dans cette direction. Si la direction des oscillations change au cours du temps de façon aléatoire, l'onde est non polarisée.

L'effet Doppler est le décalage en fréquence de l'onde dû au mouvement soit de la source soit de l'observateur. Lorsque la distance entre la source et l'observateur diminue la fréquence augmente, lorsque la distance augmente la fréquence diminue.

PHRASES À COMPLÉTER

Voir réponses en fin d'ouvrage.

1. Pour un type d'onde donné, les ondes périodiques de fréquence plus élevée ont une longueur d'onde _____que les ondes de fréquence plus basse.

2. Vrai ou faux : toutes les ondes se propagent à la même vitesse sur toutes les cordes.

3. Vrai ou faux : on observe une onde stationnaire sur une corde si tous les points de la corde sont au repos.

4. Les ondes stationnaires peuvent être considérées comme _____de deux ondes progressives.

5. Vrai ou faux : si l'une des extrémités d'une corde est fixée, les ondes stationnaires possibles sont les mêmes, que la seconde extrémité soit fixe ou libre.

6. Vrai ou faux : les longueurs d'onde des ondes stationnaires résonantes sur une corde ne dépendent que de la longueur de la corde et des conditions aux limites.

7. Les battements se produisent parce que les ondes _____les unes avec les autres.

8. Deux ondes du même type mais de fréquences différentes f_1 et f_2 produiront des battements à la fréquence _____.

9. L'énergie transportée par une onde est proportionnelle _____de l'onde.

10. Seules les ondes _____peuvent être polarisées.

EXERCICES CORRIGÉS

E1. Un câble d'acier de 5 m de long est soumis à une oscillation transversale à la fréquence de 200 Hz. L'amplitude de l'onde est de 4 cm, au temps $t = 0$, l'extrémité du câble est à 2,83 cm au-dessus de son point d'équilibre en montant. Déterminer

a) la longeur d'onde des ondes produites sachant que le câble a une masse de 0,5 kg et est soumis à une tension de 160 N

b) l'équation de l'onde.

c) Calculer la fréquence minimum à réaliser pour mettre le câble dans un état d'ondes stationnaires.

Solution

La vitesse de propagation de l'onde est donnée par

$$v = \sqrt{\frac{F_T}{\mu}}$$

où F_T est la tension dans le câble (160 N) et μ la masse par unité de longueur

$$\mu = \frac{0,5}{5} = 0,1 \text{ kg/m}$$

$$v = \sqrt{\frac{160}{0,1}} = 40 \text{ m/s}$$

La longeur d'onde est donnée par l'équation

$$\lambda = \frac{v}{f} = \frac{40}{200} = 0,2 \text{ m}$$

L'équation de l'onde s'écrit

$$y(x, t) = A \sin(\omega t - Kx + \phi)$$

avec $K = \dfrac{2\pi}{\lambda} = \dfrac{2\pi}{0,2} = 10\pi$ et $\omega = 2\pi f = 400\pi$.

L'angle de phase ϕ s'obtient grâce aux conditions à l'origine

$$\text{en } t = 0 \text{ et } x = 0 \quad y = 2,83$$

$$2,83 = 4 \sin \phi \quad \phi = \frac{\pi}{4}$$

d'où l'équation

$$y(x, t) = 4 \sin \left(400\,\pi\,t - 10\,\pi\,x + \frac{\pi}{4} \right)$$

Fréquence fondamentale correspond à

$$\lambda = 2L = 10 \text{ m}$$

donc $f = \dfrac{v}{\lambda} = \dfrac{40}{10} = 4$ Hz.

E2. Un hélicoptère de police en reconnaissance décrit, à basse altitude (60 m), des cercles horizontaux concentriques de 80 m de rayon. Il émet un signal sonore dont la fréquence est 450 Hz. Un observateur est situé au sol, à la verticale du centre des cercles C (figure 21.20).

a) Quelle est la fréquence entendue par cet observateur si la vitesse du son est de 340 m/s ?

À un moment donné, l'hélicoptère bifurque radialement vers le centre des cercles.

b) Quelle est la fréquence entendue par l'observateur au moment où l'hélicoptère est en A, à 70 m de C et se dirige vers C à la vitesse de 72 km/h ?

c) Quelle est la fréquence entendue au moment où l'hélicoptère passe par C ?

d) Que vaut cette fréquence quand il passe par B (70 m de C) avec la même vitesse ?

e) Que vaut la fréquence lorsque l'hélicoptère est très éloigné ?

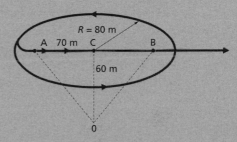

Figure 21.20

Solution

La fréquence entendue par l'observateur est donnée par la formule 21.18 de l'effet Doppler.

$$f' = f \frac{v}{v - v_S \cos \theta_S}$$

a) L'angle θ_S entre la droite joignant l'observateur à la source et la direction de la vitesse de l'hélicoptère est de 90°, la fréquence entendue est de

$$f' = f \frac{v}{v - 0} = 450 \frac{340}{340} = 450 \text{ Hz}$$

b) Lorsque l'hélicoptère est au point A, l'angle θ_S est donné par :

$$60 = 70 \tan \theta_S \quad \theta_S = 40°,6$$

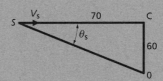

Figure 21.21

La fréquence entendue en 0

$$f' = 450 \frac{340}{340 - 20 \cos 40°,6} = 471 \text{ Hz}$$

c) Lors du passage en C, l'angle θ_S devient égal à 90°

$$f' = 450 \frac{340}{340 - 20 \cos 90°} = 450 \text{ Hz}$$

d)

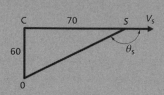

Figure 21.22

L'angle θ_S devient : $180° - 40°,6 = 139°,4$.
La fréquence entendue est de

$$f' = 450\frac{340}{340 - 30\cos 139°,4} = 431\ \text{Hz}$$

e) Lorsque l'hélicoptère est très éloigné, l'angle θ_S devient voisin de $180°$ et la fréquence est encore plus basse

$$f' = 450\frac{340}{340 - 20\cos 180°} = 425\ \text{Hz}$$

S'entraîner

QCM

Voir réponses en fin d'ouvrage.

Q1. Une corde dont la longueur est de 2 m possède une masse de 0,5 kg. Quelle tension doit-on exercer sur la corde pour qu'une onde s'y propage à la vitesse de 2 m/s ?

a) 2 N

b) 1 N

c) 0,5 N

d) 0,25 N.

Q2. Une masse attachée à l'extrémité d'un ressort oscille sinusoïdalement. L'accélération maximum

a) dépend du carré de l'amplitude

b) est indépendante de la fréquence

c) dépend du carré de la fréquence

d) est indépendante de l'amplitude.

Q3. Une corde sous tension constante est soumise à une onde dont la fréquence augmente, on observe

a) que la longueur d'onde diminue

b) que la longueur d'onde augmente

c) que la vitesse de propagation de l'onde diminue

d) que la vitesse de propagation de l'onde augmente.

Q4. Une onde sinusoïdale qui se propage dans une corde est caractérisée par

a) une vitesse, un déplacement et une accélération en phase

b) une vitesse et une accélération en phase

c) une accélération et un déplacement en phase

d) une phase différente pour vitesse, déplacement et accélération.

Q5. Dans le cas d'ondes stationnaires provoquées par la réflexion d'un phénomène périodique se propageant sur un support linéaire, la distance entre un maximum et un minimum d'amplitude de l'onde stationnaire vaut

a) λ

b) $\lambda/2$

c) $\lambda/4$

d) $\lambda/8$

e) aucune des propositions précédentes n'est exacte.

Q6. Dans un milieu élastique soumis à une vibration sinusoïdale continue, deux points A et B sont distants de 115 centimètres. Si la longueur d'onde λ de la vibration est égale à 10 cm, les points A et B vibrent

a) en phase

b) en opposition de phase

c) en quadrature

d) de façon désordonnée.

Q7. Un tuyau ouvert à ses extrémités possède une fréquence fondamentale f, si on ferme les deux extrémités, la fréquence fondamentale devient

a) $2f$

b) f

c) $f/2$

d) $f/4$.

Q8. Par rapport au cas où il est immobile, un récepteur qui *s'éloigne* de la source d'une onde matérielle reçoit

a) le même nombre d'ondes en moins de temps

b) le même nombre d'ondes en un même temps

c) des ondes dont la vitesse, par rapport au sol, lui paraît inchangée

d) des ondes dont la vitesse, par rapport à lui, lui paraît diminuée

e) des ondes dont la longueur d'onde lui paraît réduite.

Q9. Dans l'effet Doppler produit par une source se rapprochant du récepteur, la durée de réception du train d'onde

a) est égale à la durée d'émission

b) est égale à la durée de réception, source immobile

c) est la fois 1) et 2)

d) est inférieure à la durée d'émission

e) est supérieure à la durée de réception source immobile.

Q10. L'amplitude d'une onde sinusoïdale est proportionnelle à

a) sa fréquence

b) la racine carrée de l'énergie propagée

c) la quantité de mouvement propagée

d) son intensité.

EXERCICES

Voir réponses en fin d'ouvrage pour les exercices et problèmes dont le numéro est inscrit en noir.

Représentation d'un mouvement ondulatoire

21.1 Quelle est la longueur d'onde d'une onde sonore de fréquence 1 000 Hz se propageant à la vitesse de 344 m s^{-1} ?

21.2 Quelle est la fréquence d'une onde qui se propage à la vitesse de 200 m s^{-1} et dont la longueur d'onde est 0,5 m ?

21.3 Une antenne radar émet une radiation électromagnétique ($c = 3 \times 10^8$ m s^{-1}) de 0,03 m de longueur d'onde pendant 0,5 s.

a) Quelle est la fréquence de la radiation ?

b) Combien d'ondes complètes sont-elles émises pendant ce laps de temps ?

c) Après 0,5 s, à quelle distance de l'antenne le front d'onde se trouvera-t-il ?

21.4 Une station TV émet des ondes de 2 m. Quelle est la fréquence d'émission si la vitesse de propagation est 3×10^8 m s^{-1} ?

21.5 Un radiotélescope est construit pour permettre l'écoute de micro-ondes émises par l'hydrogène interstellaire à des fréquences proches de $1,4 \times 10^9$ Hz. Le pouvoir séparateur d'un télescope est déterminé par le rapport de son diamètre à la longueur d'onde de la radiation. Le diamètre est choisi égal à 1000 longueurs d'onde. Quel doit être ce diamètre ?

21.6 Une onde lumineuse a une fréquence de 6×10^{14} Hz.

a) Quelle est sa période ?

b) Quelle est sa longueur d'onde dans le vide ?

c) Lorsque la lumière pénètre dans l'eau, sa vitesse n'est plus que 0,75 fois sa vitesse dans le vide. Que deviennent la fréquence et la longueur d'onde ?

La vitesse de propagation des ondes

21.7 Une corde de guitare a une masse par unité de longueur de 3×10^{-3} kg m^{-1}. Si la corde est tendue à 90 N, quelle est la vitesse de propagation de l'onde sur la corde ?

21.8 La tension d'une corde est quatre fois celle d'une autre corde identique. Quel est le rapport des vitesses de propagation des ondes sur ces cordes ?

21.9 La vitesse de propagation d'une onde sur une corde est de 160 m s^{-1} lorsque la tension de la corde est de 100 N. Jusqu'à quelle valeur doit-on augmenter la tension pour atteindre une vitesse de 200 m s^{-1} ?

21.10 Lorsque la lumière pénètre le verre flint lourd, sa vitesse de propagation est réduite par rapport à sa valeur dans le vide d'un facteur 1,647. Quelle est sa vitesse de propagation dans ce type de verre ?

Interférences

21.11 Deux ondes impulsionnelles (figure 21.23) voyagent l'une vers l'autre à la vitesse de 1 m s^{-1}. Dessiner la forme de la corde 1, 1,25 et 1,5 s après l'instant représenté.

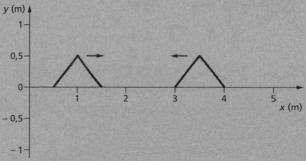

Figure 21.23 Exercice 21.11.

21.12 Deux impulsions d'onde voyagent l'une vers l'autre sur une corde (figure 21.24). Si la vitesse de l'onde est 2 m s^{-1}, dessiner la corde 1, 1,25 et 1,5 s après l'instant représenté.

21.13 Faire un croquis de la corde de la figure 21.25, 1, 1,25 et 1,5 s après l'instant représenté. La vitesse de propagation de l'onde est 1 m s^{-1}.

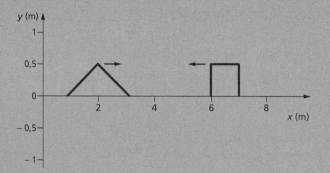

Figure 21.24 Exercice 21.12.

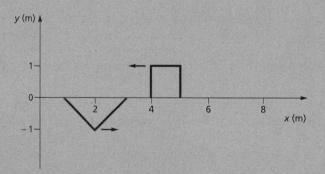

Figure 21.25 Exercice 21.13.

Les conditions aux limites

21.14 Faire un croquis de la forme d'une impulsion carrée se propageant sur une corde (figure 21.26) si celle-ci est totalement réfléchie par une extrémité fixe.

21.15 Faire un croquis de la forme d'une impulsion carrée se propageant sur une corde (figure 21.26) si celle-ci est totalement réfléchie par une extrémité libre.

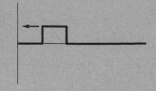

Figure 21.26 Exercices 21.14 et 21.15.

Ondes stationnaires résonnantes

21.16 La corde produisant la fréquence la plus basse sur un violon mesure 0,33 m et est soumise à une tension de 55 N. Sa fréquence fondamentale est 196 Hz. Quelle est sa masse par unité de longueur ?

21.17 La corde « mi » d'un violon mesure 0,33 m et produit une fréquence fondamentale de 659 Hz. La tension de la corde est 55 N.
a) Quelle est la vitesse de propagation des ondes sur la corde ?
b) Quelle est la masse par unité de longueur de la corde ?

21.18 Si la corde la plus lourde et la corde la plus légère d'un violon ont des masses linéiques de $3 \times 10^{-3} \text{ kg m}^{-1}$ et $2,9 \times 10^{-4} \text{ kg m}^{-1}$, quel est le rapport des rayons de ces cordes ?

21.19 La fréquence fondamentale d'une corde dont les extrémités sont fixes est 100 Hz, et la vitesse de propagation est 350 m s^{-1}.
a) Quelle est la longueur d'onde de la fondamentale ?
b) Quelle est la longueur de la corde ?

21.20 Si la vitesse de propagation sur une corde de guitare de 0,5 m est de 170 m s^{-1}, quelle en est la fréquence fondamentale ?

21.21 La corde « do » la plus haute sur un piano vibre à une fréquence de 4 186 Hz et mesure 0,051 m. La corde « do » la plus basse a une fréquence de 32,8 Hz. Si ces cordes subissaient la même tension et présentaient la même masse linéique, quelle serait la longueur de la corde « mi » la plus basse ?

21.22 La corde « la » d'un violon mesure 0,33 m et est accordée sur la fréquence fondamentale de 440 Hz. À quelle distance de son extrémité doit-on pincer cette corde contre la touche pour produire la même fréquence fondamentale, 659 Hz, que la corde « mi » ?

21.23 Une corde de harpe de 0,5 m est accordée sur la fréquence fondamentale de 650 Hz.
a) Quelle est la longueur d'onde de la quatrième harmonique de la corde ?
b) Quelle est la longueur d'onde du son produit dans l'air si la quatrième harmonique est excitée (utiliser $v = 344 \text{ m s}^{-1}$ dans l'air) ?

21.24 Si une corde d'un instrument est effleurée en un point situé au tiers de sa longueur, un nœud de vibration se forme en ce point. Quelles harmoniques de la corde peuvent-elles alors être excitées ?

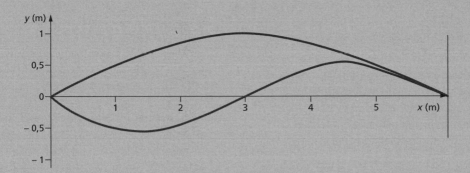

Figure 21.27 Exercice 21.25.

Ondes complexes et battements

21.25 La première et seconde harmoniques d'une corde sont excitées. Ces harmoniques sont représentées à un instant donné sur la figure 21.27. Faire un croquis montrant la forme de la corde à cet instant.

21.26 La fréquence fondamentale de la corde la plus massive d'un violoncelle est 65,4 Hz. Quelle est la fréquence de battement de la troisième harmonique de cette corde avec la fondamentale de 196 Hz de la corde la plus massive d'un violon ?

21.27 Quelle fréquence de battement entend-on si deux diapasons vibrent avec les fréquences $f_1 = 200$ Hz et $f_2 = 205$ Hz ?

21.28 Quelles sont les fréquences possibles pour un diapason qui produit une fréquence de battement de 4 Hz avec un diapason calibré à 300 Hz ?

Énergie et quantité de mouvement transportées par les ondes
La polarisation des ondes transversales

21.29 Une onde progressive sur une corde a une amplitude verticale de 0,1 m. Elle passe à travers une fente inclinée à 30° par rapport à la verticale. Quelle est l'amplitude de l'onde après son passage à travers la fente ?

21.30 Une onde progresse sur une corde avec une amplitude verticale de 0,2 m. Elle passe à travers deux fentes successives. La première fait un angle de 45° avec la verticale et la seconde est verticale. Quelle est l'amplitude de l'onde après être passée par les deux fentes ?

21.31 Quel est le rapport des intensités de l'onde de l'exercice 21.30 avant et après son passage à travers les deux fentes ?

21.32 Sur la figure 21.7b, deuxième et quatrième croquis, on représente la superposition de deux ondes et on constate un déplacement nul. Qu'est-il advenu de l'énergie transportée par l'onde ?

21.33 Une onde impulsionnelle symétrique voyage vers la droite sur une corde tendue et une impulsion identique, de signe contraire, voyage vers la gauche. Lorsqu'elles se rencontrent, ces ondes se détruisent mutuellement, de sorte que le déplacement est nul. Qu'est-il advenu de l'énergie transportée par ces impulsions et comment se fait-il que ces ondes réapparaissent soudainement ?

L'effet Doppler

21.34 Une locomotive roule à la vitesse de 40 m s^{-1}. Son sifflet émet une onde sonore de 2 000 Hz. Quelle est la fréquence perçue par un observateur fixe lorsque la locomotive
a) se rapproche
b) s'éloigne de lui ?

21.35 Une automobile se déplace à la vitesse de 20 m s^{-1} vers une sirène d'usine émettant à 1 000 Hz. Quelle est la fréquence perçue par les occupants de cette voiture ?

21.36 Une source s'éloigne d'un observateur immobile. Si la fréquence perçue est de 8 % plus basse que la fréquence de la source, quelle est la vitesse de la source ?

21.37 De deux diapasons identiques réglés sur 500 Hz, l'un est au repos, l'autre est en mouvement. Ils produisent des battements de 5 Hz.
a) Quelles sont les vitesses possibles du diapason mobile ?
b) Disposons-nous de suffisamment d'information pour savoir si le diapason mobile se rapproche ou s'éloigne du diapason fixe ? Si nécessaire, quelle information supplémentaire serait-il utile de connaître pour déterminer ce point ?

21.38 Une galaxie s'éloigne de nous avec une vitesse de 3×10^7 m s^{-1}. Quelle est la fréquence de la lumière observée si elle est émise à 6×10^{14} Hz ?

21.39 La lumière émise par les galaxies éloignées subit un décalage vers le rouge ; la longueur d'onde de la lumière observée est plus grande que celle de la lumière émise par la galaxie. Quel est le changement de longueur d'onde observé dans le cas de la galaxie de l'exercice 21.38 ?

PROBLÈMES

21.40 En utilisant des arguments dimensionnels, montrer que la vitesse de propagation d'une onde sur une corde de masse linéique μ et subissant une tension F_T est proportionnelle à $\sqrt{F_T/\mu}$.

21.41 La force de rappel agissant pour former les vagues de grande longueur d'onde à la surface de l'eau est due en eau profonde à l'action de la pesanteur. Sur la base d'arguments dimensionnels, montrer que la vitesse de propagation des ondes de grande longueur d'onde à la surface de l'eau est donnée, pour une longueur d'onde λ, par une expression de la forme

$$c = A\sqrt{g\lambda}$$

où g est l'accélération de la pesanteur et A un coefficient numérique sans dimension. (Un calcul détaillé montrerait que $A = \sqrt{1/8\pi}$.)

21.42 En raisonnant sur les équations aux dimensions, montrer que pour de très courtes longueurs d'onde, la vitesse de propagation des ondes formées à la surface de l'eau, et dépendant pour l'essentiel des forces dues à la tension superficielle, doit prendre la forme

$$c = B\sqrt{\frac{\gamma}{\rho\lambda}}$$

Ici, γ est la tension superficielle, ρ est la masse volumique de l'eau et B un coefficient numérique sans dimension (un calcul détaillé donne $B = \sqrt{9\pi/2}$).

21.43 En utilisant les résultats fournis par la résolution du problème 21.41, évaluer la vitesse de propagation des vagues de 30 m de longueur d'onde.

21.44 L'expression générale donnant la vitesse de propagation des ondes de longueur d'onde λ à la surface de l'eau s'écrit

$$c = \frac{1}{2}\sqrt{\frac{g\lambda}{2\pi} + \frac{18\pi\gamma}{\rho\lambda}}$$

où ρ est la masse volumique, g l'accélération de la pesanteur et γ la tension superficielle. Pour quelle longueur d'onde assiste-t-on à la transition entre le régime où la

formation des vagues est dominée par l'action de la pesanteur et le régime où elle est dominée par l'action de la tension superficielle ? (Ce résultat ne sera valable que si la profondeur de l'eau est grande devant la longueur d'onde des vagues et la hauteur des creux.)

21.45 Combien de temps mettra le front d'onde formé par un bateau pour atteindre la rive, à 25 m ? (voir problème 21.41.

21.46 La corde « la » d'un violon mesure 0,33 m et est accordée sur la fréquence fondamentale de 440 Hz. La corde « la » de 0,69 m d'un violoncelle est accordée sur 220 Hz. Si les deux cordes subissent la même tension, quel est le rapport des masses par unité de longueur de ces cordes ?

21.47 La corde « mi » d'un violon mesure 0,33 m et la vitesse de propagation des ondes sur cette corde est 435 m s^{-1}.

a) Quel est le temps nécessaire pour que l'onde impulsionnelle produite en pinçant la corde effectue un circuit complet et revienne à l'endroit où elle a été produite ?

b) Ce résultat a-t-il une incidence sur la fréquence du son produit en pinçant la corde entre les doigts par rapport à celui que produit le frottement de l'archet ?

21.48 Si l'une des trois cordes correspondant au « do » moyen d'un piano est ajustée à la fréquence correcte de 261,6 Hz et est frappée, en même temps qu'une corde désaccordée, de sorte qu'un battement de fréquence 10 Hz se manifeste,

a) quelles sont les deux valeurs possibles pour la fréquence de la corde désaccordée ?

b) Si la tension de la corde de référence est de 1 160 N, quelles sont les tensions possibles pour la corde désaccordée ?

21.49 Sur une plage, l'amplitude de la lumière polarisée horizontalement est deux fois plus grande que l'amplitude de la lumière polarisée verticalement. Si une personne debout chausse des lunettes de soleil Polaroïd, seule une partie négligeable de la composante horizontale atteint ses yeux.

a) De quel facteur l'énergie lumineuse est-elle réduite lorsque la personne chausse ses lunettes ?

b) Même question dans le cas où la personne est couchée sur le côté quand elle chausse ses lunettes. (Indication : l'amplitude totale d'une onde est la somme vectorielle de ses composantes horizontale et verticale.)

21.50 Une corde de longueur l propage les ondes à la vitesse v. Trouver les fréquences des ondes stationnaires caractéristiques si la corde est

a) attachée à une extrémité et libre à l'autre

b) libre aux deux extrémités.

21.51 Un globule rouge typique a un rayon de l'ordre de 5×10^{-6} m. Le fonctionnement des débitmètres Doppler dépend du processus de réflexion d'ultrasons par ces cellules.

a) Si la source émet une fréquence de 10^7 Hz, combien de globules doit-on placer côte à côte pour former une chaîne de longueur égale à la longueur d'onde du son ?

b) Pourquoi est-il nécessaire d'utiliser de très hautes fréquences ?

21.52 Un diapason de fréquence 500 Hz s'éloigne d'un observateur immobile et s'approche d'un mur fixe à la vitesse de 2 m s^{-1}.

a) Quelle est la fréquence du son reçu par l'observateur en provenance directe de la source ?

b) Quelle est la fréquence associée au son réfléchi par le mur ?

c) Quelle est la fréquence du battement perçu par l'observateur ?

21.53 La discussion donnée dans le texte indique que la fréquence du son réfléchi par un objet qui s'éloigne d'un détecteur est donnée par [équation (21.21)] :

$$f_r = f\left(\frac{v - v_c}{v + v_c}\right)$$

a) Montrer que si $v_c \ll c$, on trouve

$$\Delta f = f_r - f \simeq -2f\frac{v_c}{v}$$

b) Si l'objet se déplace vers le détecteur, montrer que

$$\Delta f = f_r - f \simeq 2f\frac{v_c}{v}$$

21.54 Une chauve-souris émet des cris brefs à la fréquence de 80 000 Hz. Si la chauve-souris vole vers un obstacle à la vitesse de 20 m s^{-1}, quelle est la fréquence de l'onde réfléchie perçue par l'animal ?

21.55 Une chauve-souris s'approche d'un obstacle immobile. Elle émet des sons à la fréquence de 50 000 Hz et détecte une onde réfléchie à la fréquence de 51 000 Hz. À quelle vitesse vole-t-elle ?

21.56 Montrer que la fréquence des battements, détectés lorsque l'onde réfléchie par un objet qui s'éloigne ou se rapproche, à la vitesse v d'une source fixe, se superposant à l'onde incidente de fréquence inchangée f est donnée par

$$f_B = 2f\frac{v_0}{v}$$

(On supposera que v_0, la vitesse de l'objet, est nettement inférieure à la vitesse de propagation de l'onde v.)

21.57 Si on s'approche d'une source de lumière rouge de longueur d'onde $6,5 \times 10^{-7}$ m à la vitesse de 108 m s^{-1}, quelle est la longueur d'onde observée ?

21.58 Montrer que si $u^2/c^2 \ll 1$, la formule de l'effet Doppler pour la lumière, équation (21.22), est la même que celle qui s'applique au son [équation (21.19)].

21.59 Deux diapasons produisent un battement de 5 Hz. Celui qui émet la fréquence la plus haute vibre à 1 000 Hz.

a) Si le diapason de haute fréquence est mis en mouvement, dans quelle direction et à quelle vitesse se déplace-t-il si les battements ne se manifestent plus ?

b) Dans quelle direction et à quelle vitesse doit-on déplacer le diapason de basse fréquence pour qu'un observateur immobile ne perçoive plus aucun battement ?

21.60 Sur une même route, deux voitures de police disposant de sirènes identiques émettant un son de 1 500 Hz se déplacent vers le sud. Leurs vitesses sont respectivement 80 km h^{-1} et 70 km h^{-1}. Quelle est la fréquence de battement perçue par un observateur immobile situé encore plus au sud ?

21.61 Une source sonore s'écarte d'un observateur avec une vitesse v, mesurée par rapport à l'air, tandis que l'observateur s'écarte de la source avec une vitesse v_0, mesurée elle aussi par rapport à l'air. Montrer que l'observateur perçoit une fréquence

$$f' = f\left(\frac{v - v_0}{v + v_s}\right)$$

où f est la fréquence de la source.

21.62 En utilisant le résultat obtenu au problème précédent, trouver la fréquence du son perçu par une chauve-souris lorsque son cri est réfléchi par un insecte approchant avec une vitesse relative de 3 m s^{-1}. On supposera que la chauve-souris vole en direction de l'insecte à la vitesse de 8 m s^{-1} et que la fréquence de son cri est de 50 000 Hz.

21.63 Une espèce particulière de chauve-souris utilise une onde sonore pure de 83 kHz pour détecter des proies en mouvement. Lorsqu'une onde ayant subi un déplacement en fréquence est détectée, la chauve-souris abaisse sa propre fréquence d'émission jusqu'à ce que l'onde renvoyée s'ajuste à 83 kHz. Quelle est la fréquence d'émission appropriée au cas d'une chauve-souris qui se déplace à la vitesse de 10 m s^{-1} vers une proie qui se rapproche d'elle à la vitesse de 2 m s^{-1} ?

CHAPITRE 22

Les ondes sonores

Mots-clefs

Formant • Hauteur • Haut-parleur • Intensité sonore • Module de compressibilité • Ondes stationnaires • Oreille interne • Oreille moyenne • Seuil d'audibilité • Source de vibration • Spectre sonore • Structure résonnante • Seuil de la douleur • Timbre • Variations de pression • Volume sonore

Introduction

Lorsque dans un gaz, un liquide ou un solide on produit des déformations, ces déformations se propagent souvent sous la forme d'ondes sonores. Ce type d'onde est caractérisé par un mouvement d'ensemble des molécules constituant le milieu de propagation, qui vibrent et entrent en collision les unes avec les autres mais gardent constante leur position moyenne. C'est la corrélation des mouvements individuels qui entraîne la formation d'une onde et le transport d'énergie même si aucun déplacement net de matière ne se manifeste.

La vitesse du son dépend des propriétés mécaniques du matériau traversé. Lorsque le son rencontre la surface de contact entre deux matériaux caractérisés par des vitesses de propagation différentes, une partie de l'énergie transportée est transmise, le reste est réfléchi. Ainsi une étude de la production, de la propagation, de la détection et de l'utilisation du son se ramène nécessairement à une étude des modes de transfert de l'énergie mécanique.

Les animaux utilisent le son pour échanger des signaux et pour détecter et localiser des objets dans leur environnement. Certaines espèces de chauves-souris et de marsouins utilisent le son pour se diriger et repérer leur nourriture lorsqu'elles se trouvent dans des conditions de luminosité inadéquates. Les hommes utilisent également les sons de la même manière qu'ils utilisent la lumière, ou même les rayons X. Le *sonar*, par exemple, est un outil de navigation et d'observation sous-marine. Les sons de hautes fréquences ou *ultrasons* sont aujourd'hui communément utilisés en médecine comme moyen de diagnostic ou comme moyen thérapeutique. Les sons de très basse fréquence sont également d'une grande utilité pour les géophysiciens.

La première partie de ce chapitre traite de quelques propriétés fondamentales du son, comprenant l'étude de la vitesse de propagation et du mode de transport de l'énergie sonore. Par la suite on décrira les détecteurs et les sources sonores en insistant particulièrement sur l'oreille et l'appareil vocal de l'homme. Ces appareils constituent des exemples de *transducteurs*, dispositifs capables de convertir une forme d'énergie en une autre. Finalement, le reste du chapitre examinera quelques applications spécifiques des ondes sonores.

22.1 LA NATURE PHYSIQUE ET LA VITESSE DE PROPAGATION DU SON

Lorsque nous avons étudié la mécanique des fluides, nous avons remarqué l'impossibilité pratique d'appliquer directement les lois de Newton à d'innombrables petits éléments de fluide ou à l'ensemble des molécules prises individuellement. Nous avons alors introduit les concepts de masse volumique et de pression et nous avons exploré les relations qui s'établissent entre ces variables. Ces mêmes variables peuvent aussi caractériser les ondes sonores qui mettent en jeu des millions de molécules sur une seule longueur d'onde.

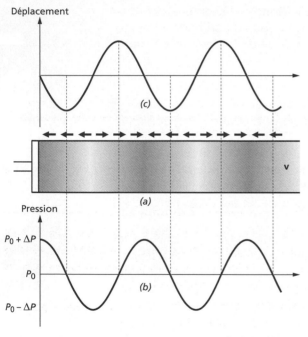

Figure 22.1 *(a)* Le piston en mouvement produit des variations de masse volumique et de pression qui se propagent vers la droite à la vitesse *v* (les flèches représentent les déplacements). *(b)* Diagramme montrant la valeur de la pression en fonction de la position. P_0 est la pression d'équilibre. *c)* Les déplacements longitudinaux à un instant donné sont représentés par le diagramme du haut. Un déplacement nul correspond à un maximum ou minimum de la pression.

La figure 22.1 illustre la production d'une onde sonore dans un milieu matériel sous l'effet des oscillations d'un piston à la fréquence *f*. Lorsque le piston se déplace vers l'avant, il augmente devant lui la densité du matériau et une onde de compression est émise. Quand le piston revient en arrière il produit une région de pression réduite correspondant à un *milieu raréfié*. Cette perturbation

s'éloigne également du piston. Il faut noter que les molécules elles-mêmes ne se déplacent pas sur des distances appréciables : elles ne font ici qu'osciller autour de leur position moyenne.

Le piston de la figure 22.1 en se déplaçant vers l'avant produit une compression, c'est-à-dire une augmentation de pression ΔP au-dessus de la valeur d'équilibre P_0.

Inversement, lorsqu'il se déplace vers l'arrière, il produit une raréfaction, c'est-à-dire une diminution de pression de ΔP par rapport à P_0. Cette perturbation par rapport à l'équilibre se propage sous forme d'onde sonore.

Lorsque les molécules convergent à gauche et à droite pour entraîner une augmentation ΔP de la pression en un point, le déplacement de ce point devient nul à cet instant.

De même, lorsque les molécules s'éloignent à gauche et à droite d'un point, elles créent une dépression ΔP et entraînent un déplacement nul en ce point. On observe donc que les points où la variation de pression est maximale correspondent à un déplacement nul.

Autrement dit, il y a déphasage de 90° au π/2 rad entre les fluctuations de pression et le déplacement.

La vitesse *v* à laquelle une onde sonore voyage dans un milieu matériel est déterminée par la grandeur des forces qui lient les molécules entre elles. Au niveau macroscopique, ces forces sont caractérisées par le *module de compressibilité K*. Cette quantité mesure la résistance à la compression d'une substance. Lorsque la pression sur un objet augmente, son volume diminue ; sa masse volumique, c'est-à-dire le rapport de la masse au volume, augmente. Le module de compressibilité lie la variation relative de masse volumique $\Delta\rho/\rho$ à la variation de pression ΔP,

$$\Delta P = K\left(\Delta\rho/\rho\right) \tag{22.1}$$

Un matériau tel que l'air, qui se comprime facilement, a un module de compressibilité très petit ; les matériaux résistants comme l'acier ont un module de compressibilité très élevé. La vitesse du son dans un matériau ne dépend que du module de compressibilité et de la masse volumique du milieu traversé. Des arguments dimensionnels indiquent que la vitesse du son est proportionnelle à $\sqrt{K/p}$ et un calcul détaillé donne la valeur 1 à la constante de proportionnalité. On a donc

$$v = \sqrt{K/\rho} \tag{22.2}$$

Il est important de noter que dans cette équation, *K* représente le *module de compressibilité adiabatique*, et non le module de compressibilité isotherme dont on a également dressé des tables. Cela tient au fait que les compressions et détentes qui accompagnent une onde sonore sont trop rapides pour permettre un transport efficace de la chaleur, et que dans ces conditions les variations de masse volumique s'accompagnent de variations de température.

Matériau	Masse volumique kg m^{-3}	Vitesse du son m s^{-1}
Air	1, 20	344
Dioxyde de carbone (0 °C)	1, 98	259
Hydrogène (H$_2$) (0 °C)	0, 0899	1 284
Alcool (éthylique)	790	1 207
Benzène	870	1 295
Eau (pure)	998	1 498
Aluminium	2 700	5 000
Cuivre	8 930	3 750
Fer	7 900	5 120
Verre (Pyrex)	2 320	5 170
Sang (37 °C)	1 056	1 570
Tissu biologique (37 °C)	1 047	1 570

Tableau 22.1 Masses volumiques et vitesses de propagation du son. Pour les solides, la vitesse donnée est celle des ondes longitudinales dans une barre mince. La température est de 20 °C si elle n'est pas donnée explicitement.

Une série de valeurs représentatives de la vitesse longitudinale du son v est donnée au tableau 22.1, en regard de la masse volumique du matériau correspondant.

L'exemple suivant s'intéresse à l'écart entre les vitesses du son dans l'air et dans le fer.

 —————— **Exemple 22.1** ——————

Deux enfants se tiennent aux extrémités d'un tuyau de fer. L'un d'eux frappe le tuyau à l'aide d'une pierre. Quel est le rapport des temps mis par le son pour se propager dans l'air et dans le fer jusqu'à l'autre enfant ?

Réponse   Le temps nécessaire à la propagation d'une onde sonore de vitesse v à travers un tuyau de longueur d est déduit de la relation $d = vt$ et est calculé par $t = d/v$. D'après les valeurs du tableau 22.1 le rapport des temps de propagation dans l'air et le fer est donné par

$$\frac{t_{\text{air}}}{t_{\text{fer}}} = \frac{d/v_{\text{air}}}{d/v_{\text{fer}}} = \frac{v_{\text{fer}}}{v_{\text{air}}} = \frac{5\,120 \text{ m s}^{-1}}{344 \text{ m s}^{-1}} = 14,9$$

On note que les ondes sonores se propagent plus rapidement dans le matériau le plus dense. Les vitesses de propagation sont généralement plus grandes dans les solides et les liquides que dans les gaz.

———————————————————————

Comme pour tous les autres mouvements ondulatoires, la vitesse du son, la longueur d'onde et la fréquence sont liées par la relation $f\lambda = v$. Les deux exemples suivants

fournissent des ordres de grandeur typiques des longueurs d'ondes sonores.

 —————— **Exemple 22.2** ——————

En général, un jeune adulte perçoit les sons composés de fréquences s'étendant de 20 à 20 000 Hz. Quelles sont dans l'air les longueurs d'onde des ondes sonores correspondant à ces fréquences ?

Réponse   Dans l'air, $v = 344$ m s^{-1}, donc à partir de $f\lambda = v$ et prenant $f = 20$ Hz, on trouve

$$\lambda = \frac{v}{f} = \frac{344 \text{ m s}^{-1}}{20 \text{ s}^{-1}} = 17,2 \text{ m}$$

À 20 000 Hz,

$$\lambda = \frac{344 \text{ m s}^{-1}}{20\,000 \text{ m s}^{-1}} = 0,0172 \text{ m} = 1,72 \text{ cm}$$

 —————— **Exemple 22.3** ——————

Une chauve-souris peut percevoir des sons dont la fréquence atteint 120 000 Hz. Quelle est la longueur d'onde du son dans l'air à cette fréquence ?

Réponse   Nous utilisons à nouveau

$$\lambda = \frac{v}{f} = \frac{344 \text{ m s}^{-1}}{120\,000 \text{ s}^{-1}} = 2,87 \times 10^{-3} \text{ m}$$

$$= 0,287 \text{ cm}$$

———————————————————————

On peut se demander pourquoi la chauve-souris utilise des ondes sonores de fréquences aussi élevées, c'est-à-dire d'aussi courtes longueurs d'onde. La réponse tient au fait qu'une onde ne sera diffusée que par des objets de dimension comparable ou plus grande que la longueur d'onde ; des objets plus petits auront peu d'effet sur leur propagation. Une chauve-souris est presque aveugle. Elle fait usage du son pour éviter les obstacles et trouver sa nourriture. Pour cela, elle émet une série de cris et apprécie le temps mis par chacun d'eux pour lui revenir après s'être réfléchi sur un objet. La longueur d'onde utilisée doit être suffisamment courte pour permettre la réflexion sur des objets de petite taille. Les marsouins sont sensibles à des fréquences atteignant 2×10^5 Hz et utilisent un procédé analogue pour la navigation et le repérage sous-marin.

22.1.1 Les ondes sonores dans les solides

Dans les solides on trouve aussi bien des ondes transversales que des ondes longitudinales. Ces ondes transversales se manifestent dans les solides parce que les forces liant entre elles les molécules n'agissent pas seulement dans la direction de propagation des ondes, mais aussi dans une direction perpendiculaire. Ainsi une molécule ou un atome peut se déplacer comme il le fait dans un gaz, d'avant en arrière dans le sens de la propagation des ondes ou perpendiculairement à cette direction, comme le fait l'une des molécules d'une corde quand celle-ci est soumise au passage d'une onde. Du fait que les forces de rappel sont plus faibles dans cette direction, la vitesse de propagation de ces ondes transversales est systématiquement plus basse que celle des ondes longitudinales. C'est cette différence de vitesse de propagation qui permet de déterminer la distance entre un séismographe et l'épicentre d'un tremblement de terre, sur la base des temps d'arrivée des différentes ondes sismiques. Dans ce chapitre, nous limiterons notre attention aux ondes longitudinales.

22.2 ONDES SONORES STATIONNAIRES

Au chapitre précédent, nous n'avons discuté la formation d'ondes stationnaires que pour des cordes tendues. Les ondes stationnaires peuvent aussi se manifester dans tous les autres types de phénomènes ondulatoires. En particulier, les ondes stationnaires interviennent dans le fonctionnement de beaucoup d'instruments acoustiques.

Nous avons vu que l'on peut décrire les ondes sonores aussi bien en termes de déplacement de molécules qu'en termes de variations de pression.

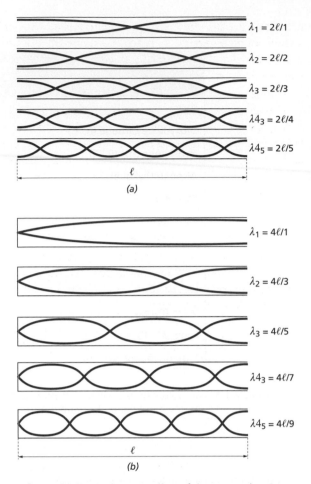

Figure 22.2 Les cinq premières fréquences de résonance d'une colonne d'air présentant *(a)* deux extrémités ouvertes, *(b)* une extrémité ouverte.

Le déphasage de 90° entre le déplacement et la pression entraîne pour les ondes stationnaires qu'un nœud de l'un est situé à l'endroit où se produit un ventre de l'autre.

Dans ce paragraphe, il est préférable de considérer l'onde de déplacement, mais dans le paragraphe suivant où nous discuterons des intensités sonores, nous utiliserons plutôt l'amplitude de pression.

Considérons les ondes qui se propagent dans de longs tubes étroits formant des colonnes d'air. Les ondes stationnaires se forment exactement comme dans le cas des cordes tendues ; les ondes périodiques sont réfléchies aux extrémités du tube et l'onde réfléchie se superpose à l'onde incidente pour former une onde stationnaire.

Les ondes sonores peuvent se réfléchir aussi bien sur une extrémité ouverte que sur une extrémité fermée. À l'extrémité fermée d'une colonne d'air, les molécules ne peuvent pas osciller normalement ; celles qui touchent la paroi ne se déplacent pas du tout, et il se forme un nœud en ce point. À une extrémité ouverte, une partie de l'onde est transmise et une autre est réfléchie. Puisque les molécules peuvent se déplacer librement à une extrémité ouverte, on y trouvera un ventre de vibration. La figure 22.2 décrit quelques ondes stationnaires de grande longueur d'onde pour les deux types de colonnes d'air.

Dans le cas d'une colonne dont les deux extrémités sont ouvertes, il doit se former au moins deux ventres, un à chaque extrémité. Les longueurs d'onde λ_n sont liées à la longueur de la colonne d'air par la relation $\lambda_n = 2l/n$, où n est un nombre entier (figure 22.2a). De la relation $f_n\lambda_n = v$ on tire les fréquences des ondes stationnaires

$$f_n = \frac{v}{\lambda_n} = \frac{nv}{2l} \qquad (22.3)$$

$$n = 1, 2, 3, \dots \text{ (deux extrémités ouvertes)}$$

Ces fréquences sont les mêmes que celles que l'on trouve sur une corde tendue fixée à ses extrémités. Rappelons-nous toutefois que sur une corde, les extrémités sont des nœuds plutôt que des ventres.

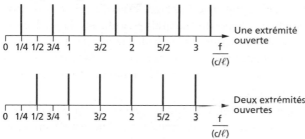

Figure 22.3 Les fréquences les plus basses permises pour des colonnes d'air présentant une ou deux extrémités ouvertes.

Pour une colonne dont une extrémité est fermée et l'autre ouverte, $\lambda_n = 4l/(2n - 1)$, où n est entier. (On notera que $2n - 1$ est toujours un entier impair.)

Les fréquences pour une telle colonne sont données par

$$f_n = \frac{v}{\lambda_n} = \frac{(2n - 1)v}{4l} \qquad (22.4)$$

$$n = 1, 2, 3, \dots \text{ (une extrémité ouverte)}$$

Seules les harmoniques qui sont des multiples impairs de la fondamentale $f_1 = v/4l$ sont permises sur ce type de colonne. Les fréquences les plus basses pour les deux types de colonnes discutées sont représentées à la figure 22.3. On y retrouve la fondamentale et les premières harmoniques pour ces deux colonnes.

La clarinette est un exemple d'instrument utilisant une colonne d'air à une extrémité ouverte.

 ——————— **Exemple 22.4** ———————

Un instrument comme la clarinette utilise une colonne d'air à une extrémité ouverte. Quelle est la longueur effective d'une clarinette dont la fréquence fondamentale est 147 Hz ?

Réponse La fréquence fondamentale est donnée par la relation 22.4, écrite pour $n = 1$.

$$l = \frac{v}{4f_1} = \frac{344 \text{ m s}^{-1}}{4(147 \text{ Hz})} 0,585 \text{ m}$$

Du fait que l'extrémité d'une clarinette est évasée, sa longueur est en réalité de 0,67 m. On retrouve une différence semblable pour beaucoup d'instruments.

22.3 L'INTENSITÉ DES ONDES SONORES

Il est souvent plus important de connaître la puissance reçue par unité de surface, c'est-à-dire l'intensité du son, que l'énergie totale transportée pendant une période donnée. Par exemple, le bruit d'un moteur à réaction aura sur les personnes et les objets environnants des effets très différents de ceux que produit le son d'un violon perçu pendant un laps de temps plus long, même si l'énergie sonore produite est la même dans les deux cas. On peut remarquer toutefois que le son d'un réacteur lointain peut ne pas être aussi intense que celui d'un violon beaucoup plus rapproché, du fait que les ondes sonores se dispersent en s'éloignant de la source (figure 22.4). De plus, une partie de l'énergie sonore se dissipe à cause de la viscosité des milieux traversés. Cette dissipation est habituellement faible et, dans ce qui suit, nous la négligerons.

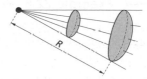

Figure 22.4 Les ondes sonores s'étalent à mesure qu'elles s'éloignent de la source. Comme l'aire d'une surface sphérique de rayon R est $4\pi R^2$, l'aire d'un front d'onde varie proportionnellement à R^2, et l'intensité ou la puissance par unité de surface varie comme $1/R^2$.

Comme nous l'avons noté dans le chapitre précédent, l'intensité d'une onde est proportionnelle au carré de son amplitude. L'intensité d'une onde sonore dont l'amplitude de pression est ΔP est proportionnelle à $(\Delta P)^2$ et est donnée exactement par

$$I = \frac{(\Delta P)^2}{2\rho v} \qquad (22.5)$$

L'exemple suivant met en jeu des valeurs typiques des pressions et des intensités pour des ondes sonores audibles.

Exemple 22.5

L'amplitude de pression maximale supportable par l'oreille humaine est d'environ 28 Pa.

a) Quelle fraction de la pression atmosphérique normale représente cette variation de pression ?

b) À quelle intensité sonore correspond cette variation de pression à température normale ?

Réponse   a) La pression atmosphérique normale est de $1,013 \times 10^5$ Pa,

$$\frac{\Delta P}{P} = \frac{28 \text{ Pa}}{1,013 \times 10^5 \text{ Pa}} = 2,77 \times 10^{-4}$$

On voit que les sons de très grande intensité correspondent à des fluctuations de pression qui ne représentent qu'une fraction de point de pourcentage de la pression atmosphérique.

b) On lit, sur le tableau 22.1, $\rho = 1,20$ kg m^{-3} et $v = 344$ m s^{-1} ; donc

$$I = \frac{(\Delta P)^2}{2 \rho v} = \frac{(28 \text{ Pa})^2}{2(1,20 \text{ kg m}^{-3})(344 \text{ m s}^{-1})}$$
$$= 0,950 \text{ W m}^{-2}$$

Du fait que l'intensité du son décroît comme l'inverse du carré de la distance, les effets des ondes sonores tendent à disparaître rapidement à mesure que l'on s'éloigne de la source.

Exemple 22.6

Le haut-parleur de basse fréquence d'une puissante chaîne stéréo présente une surface de 0,05 m^2 et produit 1 W de puissance acoustique.

a) Quelle est l'intensité du son au niveau du haut-parleur ?

b) Si le haut-parleur projette le son uniformément dans un hémisphère entier, à quelle distance du haut parleur l'intensité tombe-t-elle à une valeur de 0,1 W m^{-2} ?

Réponse   a) À l'endroit où se trouve le haut-parleur, l'intensité est

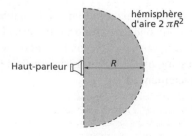

Figure 22.5 Exemple 22.6

$$I = \frac{\mathcal{P}}{A} = \frac{1 \text{ W}}{0,05 \text{ m}^2} = 20 \text{ W m}^{-2}$$

b) À une distance R du haut-parleur, l'onde s'est étendue à une surface hémisphérique de grandeur $(1/2)(4 \pi R^2)$ (figure 22.5). Donc $I = \mathcal{P}/2 \pi R^2$ ou

$$R = \sqrt{\frac{\mathcal{P}}{2 \pi I}} = \sqrt{\frac{1 \text{ W}}{2 \pi (0,1 \text{ W m}^{-2})}} = 1,26 \text{ m}$$

22.4   LES SOURCES SONORES

Toute activité mécanique s'accompagne inévitablement d'une émission sonore. Par exemple, la combustion explosive d'un hydrocarbure dans un moteur se traduit par des trépidations difficiles à contrôler. Ce bruit n'est pas seulement gênant : il est aussi à l'origine d'une déperdition non négligeable d'énergie. Dans d'autres cas, pour de nombreux dispositifs naturels et artificiels, la production de son est précisément le résultat recherché. Ces dispositifs sont pratiquement toujours composés de deux parties essentielles : une source de vibration et une *structure résonnante*.

Les instruments de musique présentent une grande variété de formes et une grande diversité dans leurs principes de fonctionnement. Dans le cas du violon, ce sont des cordes qui sont mises en état de vibration et ces vibrations sont efficacement transmises à l'atmosphère environnante grâce à la caisse de résonance de l'instrument. Dans le cas des bois et des cuivres, les vibrations sont produites au niveau de l'embouchure où l'air est injecté ou forcé par bouffées, amenant une série de remous et de tourbillons. Dans les bois, ces mouvements entraînent la vibration de l'anche et dans les cuivres, ce sont les lèvres mêmes du musicien qui se mettent à vibrer lorsque l'air est insufflé. Dans les deux cas le flux oscillant de l'air résulte en une excitation des ondes stationnaires dans la longue colonne creuse que constitue l'instrument, et l'énergie est ainsi efficacement transmise à l'extérieur. De même, chez l'homme, la cavité formée par la bouche et le nez sert de structure résonante pour les vibrations produites au niveau des cordes vocales.

L'expérience schématisée à la figure 22.6 peut nous aider à mieux comprendre le fonctionnement de ces systèmes complexes. Nous savons qu'un cylindre de longueur l ouvert à chaque extrémité développe des ondes stationnaires de fréquences $f_n = nv/2l$, où n est un nombre entier. L'expérience utilise un grand nombre de diapasons de fréquences différentes mais très rapprochées, et consiste à mesurer l'intensité du son transmis de l'autre côté du tube au moyen d'un microphone. Si un diapason a une fréquence égale à l'une des fréquences de résonance du tube, des ondes stationnaires se développent et une intensité sonore élevée est transmise au microphone. Les autres diapasons produisent des sons incapables d'exciter les ondes stationnaires du tube. Dans ce dernier cas, très peu d'énergie est transportée à travers le tube. Quantitativement, l'intensité transmise dépend fortement de la proximité d'une fréquence de résonance (figure 22.7).

Au moment où le son pénètre à l'intérieur du tube, l'air qui y est enfermé est mis en mouvement. Ce mouvement entraîne une dissipation d'énergie liée à l'existence de forces de viscosité. Ici, ces forces se manifestent principalement au voisinage des parois intérieures du tube. Comme nous l'avons vu dans les cas de l'oscillateur harmonique amorti et du circuit *RLC*, chaque fois qu'on augmente la dissipation d'énergie dans un système résonnant, le spectre, c'est-à-dire la courbe donnant l'intensité en fonction de la fréquence, s'abaisse et s'élargit. Si un tube de même longueur mais de plus petite section est utilisé, l'élargissement des résonances est plus prononcé du fait de l'augmentation relative de la quantité d'air au voisinage des parois et du renforcement consécutif des effets de viscosité (figure 22.7*c*). L'énergie qui ne parvient pas au microphone est pour une partie réfléchie à l'entrée du tube et pour le reste dissipée dans les parois.

On peut conclure de cette discussion que le tube agit comme une structure résonante qui transmet sélectivement les sons de fréquences proches de ses résonances et atténue les autres. Une transmission sélective du même type se produit dans le cas d'instruments tels que le violon ou l'appareil vocal de l'homme.

22.4.1 Le violon

La caisse d'un violon est une structure résonante plus complexe que le tube dont nous venons de parler. Lorsque les cordes d'un violon sont pincées ou frottées à l'aide de l'archet, leur vibration est transférée à la caisse par l'intermédiaire du chevalet (figure 22.8). Bien que les cordes puissent vibrer en superposant de nombreuses fréquences, la caisse, par le jeu des résonances, amplifie seulement certaines d'entre elles.

La caisse du violon vibre de telle sorte que son volume varie et l'air est successivement aspiré et expulsé par les ouïes. Ce type de résonance est une résonance d'air. Le dos et la table d'harmonie peuvent aussi se mettre à vibrer à des fréquences appelées résonances de caisse. Comme dans le cas d'une corde tendue, il existe plusieurs de ces résonances (figure 22.9). Les fréquences de résonance d'air et de caisse doivent idéalement coïncider avec les

fréquences fondamentales des cordes. Si cette condition n'est pas remplie, certaines notes seront étouffées ou altérées.

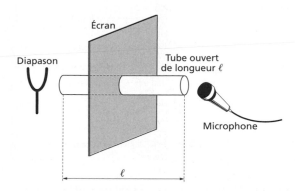

Figure 22.6 Un diapason placé à gauche d'un écran de séparation produit un son à une fréquence isolée. Le son ne peut atteindre le microphone qu'en passant à travers le tube.

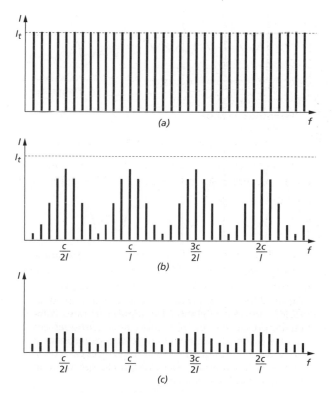

Figure 22.7 *(a)* L'expérience décrite à la figure 22.6 met en œuvre une série de diapasons de fréquences différentes. Chacun d'eux produit un son d'intensité I_t à l'entrée du tube. Les fréquences étudiées sont très rapprochées. *(b)* L'intensité qui atteint le microphone est plus élevée au voisinage des fréquences de résonance du tube. *(c)* L'intensité reçue par le microphone à travers un tube de section plus faible qu'en *b* est moins localisée autour des fréquences de résonance.

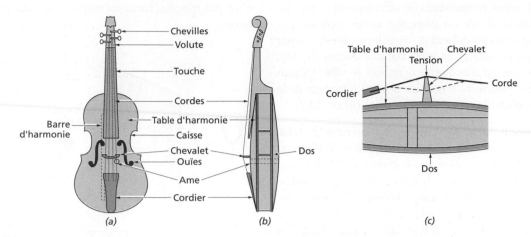

Figure 22.8 Vue *(a)* de face et *(b)* de profil d'un violon. *(c)* Une vue détaillée du chevalet et d'une partie de la caisse.

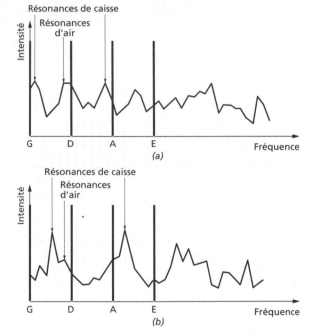

Figure 22.9 *(a)* Le graphe intensité-fréquence d'un violon de bonne qualité. Les lignes verticales colorées représentent les fréquences caractéristiques des quatre cordes du violon. On note que les résonances apparaissent pratiquement aux fréquences caractéristiques de la vibration des cordes. *(b)* Le spectre d'un violon de qualité médiocre.

22.4.2 La voix

Chez l'homme, ce sont les cordes vocales qui déclenchent la vibration de l'air ; la gorge et la cavité bucco-nasale servent de structure résonante (figure 22.10). La capacité remarquable de l'homme de produire des sons aussi diversifiés a deux origines. D'abord, la tension des cordes vocales peut être variée ; de ce fait les fréquences pro-

duites et la distribution des harmoniques peut être changée. Ensuite, les structures résonantes, et en particulier la cavité buccale, peuvent changer de forme et de dimension de manière à modifier le contenu en fréquence des sons amplifiés. (Ces considérations s'appliquent aux sons voisés, par opposition aux sons soufflés, tels que « ch » dans « chute » ou « f » dans « fête », qui ne requièrent pas l'usage des cordes vocales.) En temps normal, les cordes vocales sont relâchées et n'obstruent pas le larynx, de sorte que l'air peut y circuler librement. Lorsque l'appareil vocal se prépare à émettre un son, la tension des cordes vocales augmente et le larynx se ferme (figure 22.11). La pression de l'air sur les cordes vocales augmente jusqu'à une valeur suffisante pour forcer l'ouverture de celles-ci. L'air se précipite alors par l'ouverture et met les cordes vocales en état de vibration.

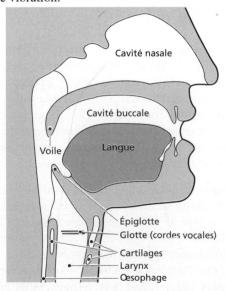

Figure 22.10 Les éléments essentiels de l'organe vocal chez l'homme.

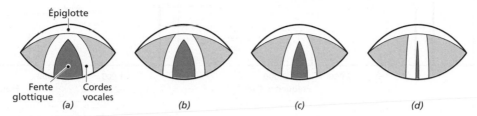

Figure 22.11 *(a)* Les cordes vocales sont relâchées pour la respiration normale. Lorsque l'émission vocale commence, la tension des cordes vocales augmente, *(b)*, *(c)* et le larynx se ferme *(d)*.

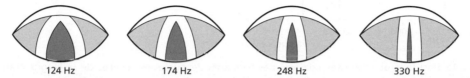

Figure 22.12 Ces figures montrent l'aspect des cordes vocales d'un chanteur produisant des sons de différentes fréquences. Des fréquences plus élevées se développent quand la tension augmente. Remarquer l'étirement des cordes vocales, à comparer à l'augmentation de tension que doit subir une corde pour élever sa fréquence fondamentale.

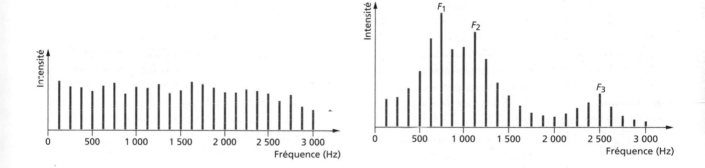

Figure 22.13 Un exemple de la fondamentale et des harmoniques produites par les cordes vocales pour la formation d'un son. Ce spectre se modifie avec la tension des cordes vocales.

Figure 22.14 Le spectre des intensités en fonction de la fréquence du son «a» dans le mot «âne». Les formants sont des résonances larges désignées par F_1, F_2 et F_3. Les lignes verticales indiquent comment les fréquences des cordes vocales (figure 22.13) sont sélectionnées par la structure résonante.

La vibration des cordes vocales peut être comprise à partir du théorème de Bernoulli (chapitre 13). Au moment où l'air franchit l'ouverture entre les cordes vocales, sa vitesse est passablement élevée et la pression est assez basse pour permettre aux cordes vocales de se refermer. Dès que l'ouverture est suffisamment étroite, la pression sous les cordes vocales augmente et celles-ci sont à nouveau forcées de s'ouvrir. Ce mouvement continue tant que l'exhalation persiste. À ce moment, la fréquence fondamentale et les harmoniques des cordes vocales sont amplement excitées (figures 22.12 et 22.13).

Comme on le voit sur la figure 22.13, le spectre du son produit par les cordes vocales est très uniforme jusqu'à une fréquence d'environ 3 000 Hz, c'est-à-dire dans la plage de fréquences dont il est fait usage au cours d'une conversation normale. Sans filtrage adéquat, cette superposition d'harmoniques ne produirait que du bruit. La sélection des fréquences se produit au niveau de la cavité bucco-nasale qui agit comme une structure résonante.

La cavité buccale présente une structure complexe, mais, curieusement, ses propriétés acoustiques sont assez proches de celles d'un modèle simple. Considérons un tube de 0,17 m de long dont une extrémité (la bouche et le nez) est ouverte, et l'autre pratiquement fermée (les cordes vocales). Les fréquences de résonance de ce tube ouvert à une extrémité nous sont connues :

$$f_n = \frac{(2n-1)v}{4l}, \quad n = 1, 2, 3, \ldots \quad (22.6)$$

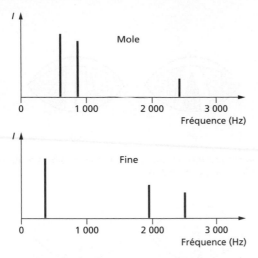

Figure 22.15 Positions et intensités relatives des formants de quelques voyelles de la langue française (voix masculine).

Pour la parole, les fréquences importantes se situent entre 300 et 3 000 Hz. Si nous prenons $v = 344$ m s^{-1} et $l = 0,17$ m, nous obtenons trois fréquences dans cet intervalle : la fondamentale, aux environs de 500 Hz, et deux harmoniques, celles de 1 500 et de 2 500 Hz. Lorsque l'on analyse un son typique, on trouve habituellement trois pics résonants proches des fréquences de résonance du modèle que nous venons de décrire. Ces résonances sont dénommées *formants*. Par exemple, le son « a » dans « mat » a des formants au voisinage de 600, 1 700 et 2 300 Hz.

À partir de la figure 22.14, nous pouvons imaginer l'extrême variété des manières de superposer les formants pour produire les différents sons constituant un langage. Les formants peuvent être larges ou étroits et peuvent subir un déplacement en fréquence. La figure 22.15 donne les positions et intensités des formants de quelques voyelles françaises.

22.4.3 Le haut-parleur

La reproduction et l'amplification des sons à l'aide d'équipements électroniques a profondément modifié les modes de communication entre les hommes. Le son peut être traduit en signaux électriques, modifié par des systèmes électroniques et reconverti en ondes sonores par un haut-parleur. Les haut-parleurs les plus couramment utilisés sont constitués d'un aimant permanent entouré d'un enroulement soumis au passage d'un courant (figure 22.16). Ce courant, issu d'un amplificateur, varie au cours du temps et détermine à l'intérieur de l'enroulement un champ magnétique variable. Ce champ entraîne l'apparition d'une force variant au cours du temps appliquée à l'aimant permanent. Les déplacements de l'aimant entraînent alors les mouvements du diaphragme, lesquels produisent les ondes sonores transmises à l'air environnant.

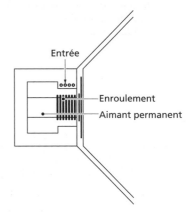

Figure 22.16 Un haut-parleur est muni d'un aimant permanent libre de se déplacer dans le sens de sa longueur. L'une de ses extrémités est attachée au diaphragme. L'aimant est entouré d'un enroulement soumis au passage d'un courant.

22.5 LES DÉTECTEURS SONORES

La détection du son requiert la conversion des vibrations mécaniques ou ondes sonores en une forme d'énergie qui permette l'analyse de leur fréquence et de leur intensité. Dans ce paragraphe, nous discutons la manière dont le microphone et l'oreille exécutent cette transformation.

Le microphone à condensateur contient une membrane flexible sur laquelle est déposée une mince couche conductrice. Cette membrane est montée en regard d'un conducteur rigide, de sorte que, ensemble, ils forment un condensateur dont la capacité varie avec les vibrations de la membrane. Dans un circuit, cette variation de capacité entraîne une variation de courant. Une fois amplifié au moyen d'un circuit électronique, ce courant variable peut alimenter un haut-parleur ou une tête d'enregistrement magnétique.

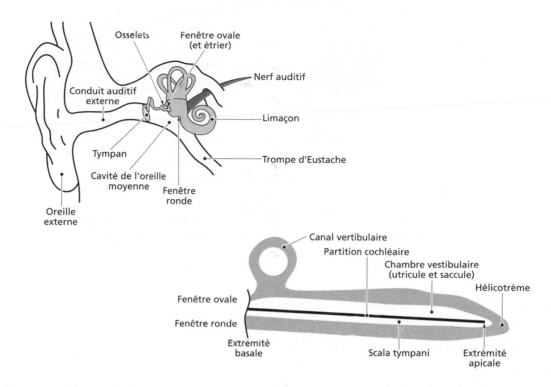

Figure 22.17 *(a)* Schéma de l'oreille chez l'homme. *(b)* L'oreille interne déroulée.

Un détecteur sonore doit répondre avec précision aux variations de fréquence et d'intensité du son. L'oreille est un détecteur remarquable en ce qu'elle répond parfaitement à ces conditions et que, de plus, elle n'est pratiquement pas affectée par les mouvements et les vibrations du corps ou par les bruits associés à la circulation sanguine ou le fonctionnement des organes internes. L'appareil auditif de l'homme permet aussi la localisation des sons et l'extraction de signaux sonores spécifiques dans un environnement de sons confus.

La figure 22.17*a* présente l'anatomie de l'oreille humaine. L'oreille externe recueille les ondes sonores et les transmet au tympan. Une série d'os, les *osselets*, situés dans l'oreille moyenne transmettent le son, à travers la *fenêtre ovale*, au fluide contenu dans les canaux de l'oreille interne. Les osselets fonctionnent comme une presse hydraulique et amplifient la force appliquée à la fenêtre ovale jusqu'à une valeur de l'ordre de quinze fois celle qui est appliquée au tympan. Des muscles attachés aux osselets contrôlent l'amplitude de leur mouvement, pour éviter que des sons trop intenses n'endommagent l'oreille interne.

L'oreille interne (figure 22.17*b*) est munie de deux canaux remplis d'un fluide. Le *conduit cochléaire*, porteur de terminaisons nerveuses au niveau de l'*organe de Corti*, divise ces deux chambres, en laissant une ouverture à l'ex-

trémité opposée aux fenêtres. La fenêtre ovale est actionnée par les osselets. Une *fenêtre circulaire flexible* dans la seconde chambre se déforme sous la pression du liquide, de sorte que le volume de l'oreille interne reste constant. Du fait que le conduit cochléaire est plus épais au niveau de l'extrémité étroite du limaçon, différentes fréquences de vibration du fluide entraînent le fléchissement de la séparation en des points différents. La déformation est détectée par les terminaisons nerveuses dans la région excitée, et l'influx nerveux propage alors l'information auditive jusqu'au cerveau.

Le fonctionnement mécanique de l'oreille est aujourd'hui bien compris ; la perception des sons implique toutefois un traitement neurologique complexe de l'information qui n'a pas encore été complètement élucidé. Un exemple instructif est donné par l'usage d'écouteurs. Un haut-parleur ne peut pas produire efficacement des sons de longueur d'onde beaucoup plus grande que son diamètre. Les écouteurs sont donc trop petits pour reproduire la fondamentale de beaucoup de sons musicaux, même s'ils peuvent aisément reproduire ses harmoniques avec précision. Le son entendu par l'intermédiaire des écouteurs paraît néanmoins porteur des sons de basses fréquences parce que le cerveau, reconnaissant les harmoniques, ajoute spontanément la fondamentale.

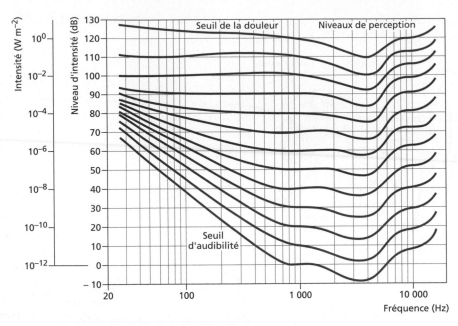

Figure 22.18 Graphe logarithmique décrivant la plage d'intensités audibles en fonction de la fréquence du son. Chez l'homme, l'oreille est principalement sensible aux fréquences avoisinant 3 000 Hz. La plage d'audibilité s'étend de 20 Hz à 20 000 Hz. Les courbes représentées indiquent les intensités requises pour produire la même impression subjective d'intensité pour des sons purs à différentes fréquences

22.6 LA RÉPONSE AUDITIVE

L'oreille des êtres vivants est une structure mécanique remarquable. Chez l'homme elle peut répondre confortablement à des intensités aussi basses que 10^{-12} W m^{-2} et aussi grandes que 1 W m^{-2}, c'est-à-dire sur une plage d'intensités s'étendant sur 12 ordres de grandeur. Sans cette latitude, beaucoup de composantes de notre environnement sonore nous seraient inaccessibles ou insupportables.

La mesure de la réponse auditive est quelque peu subjective, mais deux caractéristiques objectives ont pu être assez bien dégagées. L'une d'elles est le *seuil d'audibilité* ; il est défini comme l'intensité minimale audible à une fréquence donnée. Il est représenté par la courbe la plus basse de la figure 22.18. La seconde est le *seuil de la douleur*. À cette intensité on ressent une irritation lorsque les osselets vibrent avec une amplitude telle qu'il leur arrive de toucher la paroi de l'oreille moyenne. La plage d'audition normale s'étend entre ces deux courbes caractéristiques.

Si l'oreille peut travailler dans un éventail aussi large d'intensités, c'est en partie grâce à l'action de muscles entourant le tympan et les osselets qui répondent aux commandes rétroactives du cerveau en modifiant les tensions appliquées à ces organes. Le tympan ressemble donc à une peau de tambour de tension variable.

Source	Niveau d'intensité (en décibels)
Grand orchestre (maximum)	98
Riveteuse	95
Grosse caisse (maximum)	94
Trompette (maximum)	75
Trafic en ville	70
Clarinette (maximum)	67
Conversation normale	65
Poste de radio (calme)	40
Conversation à voix basse	20

Tableau 22.2 Le niveau d'intensité de quelques sources sonores familières, exprimé en décibels.

Du fait de la grande variété des ordres de grandeur applicables aux intensités sonores perceptibles, on a coutume de mesurer ces intensités en utilisant une échelle logarithmique, en décibels (dB). Le *niveau d'intensité* est lié à l'intensité par la relation

$$\beta = 10 \log \frac{I}{I_0} \tag{22.7}$$

où β est mesuré en décibels, I est l'intensité du son et $I_0 = 10^{-12}$ W m^{-2} est un niveau de référence arbitrairement choisi aux environs de la plus basse intensité normalement perceptible, et le symbole log désigne le logarithme en base 10 (voir l'appendice B10 pour un rappel des propriétés des logarithmes). À 1 000 Hz, les niveaux d'intensité audible se situent entre environ 0 dB et 120 dB (figure 22.18). Le tableau 22.2 donne les niveaux d'intensité sonore de quelques sources usuelles.

L'exemple suivant illustre la relation entre le niveau d'intensité et la perception des sons.

─────── **Exemple 22.7** ───────

Si un son de 30 dB varie en fréquence de 20 à 30 000 Hz, quelles sont les fréquences audibles à une oreille normale ?

Réponse Sur la figure 22.18, nous notons que la droite horizontale associée à un niveau d'intensité de 30 dB coupe la courbe du seuil d'audibilité aux environs de 150 Hz et 10 000 Hz. Dès lors, seules les fréquences comprises entre ces deux valeurs sont audibles.

Lorsque plus d'une source sonore est présente, le niveau d'intensité n'augmente normalement pas de manière considérable. C'est ce que montre l'exemple suivant.

─────── **Exemple 22.8** ───────

Si le niveau d'intensité moyen de deux postes de radio est pour chacun d'eux de 45 dB, quel est le niveau d'intensité moyen des deux postes allumés et accordés sur deux stations différentes ?

Réponse L'intensité d'un poste de radio étant I_r, le niveau d'intensité est

$$\beta_1 = 45 \text{ dB} = 10 \log \frac{I_r}{I_0}$$

Avec les deux postes en fonctionnement, l'intensité est $I_r + I_r = 2I_r$, de sorte que le niveau d'intensité passe à

$$\beta_2 = 10 \log \frac{2I_r}{I_0} = 10 \log 2 + 10 \log \frac{I_r}{I_0}$$

$$= 10 \log 2 + \beta_1$$

Le terme $10 \log 2$ vaut approximativement 3 et

$$\beta_2 = 3 \text{ dB} + 45 \text{ dB} = 48 \text{ dB}$$

On note que bien que l'intensité I_1 ait doublé, le niveau sonore n'a augmenté que de 3 dB.

22.6.1 Facteurs subjectifs

Des propriétés telles que le *volume*, la *hauteur* et le *timbre* sont souvent utilisées pour exprimer les qualités d'un son. Ces concepts ne sont pas faciles à maîtriser parce qu'il y intervient une grande part de subjectivité. Par exemple, un son de 20 dB à 1 000 Hz paraît plus fort qu'un son de 20 dB à 400 Hz (figure 22.18). Le volume sonore perçu dépend à la fois de l'intensité et de la fréquence du son. La hauteur d'un son est intimement liée à sa fréquence. Toutefois, au-dessus de 3 000 Hz la hauteur augmente avec l'intensité du son, même si la fréquence reste constante. Au-dessous de 2 000 Hz, la hauteur décroît lorsque l'intensité augmente.

Le timbre d'un son est une notion encore plus ambiguë. Nous reconnaissons comme agréables quelques types de sons qui contiennent certaines harmoniques avec des intensités relatives spécifiques. Nous ne pouvons toutefois pas caractériser le timbre par la donnée précise d'un ensemble de paramètres physiques mesurables.

La combinaison de la structure mécanique de l'oreille, du traitement neurologique du son et des aspects psychologiques de la perception nous permet de classer, mais non de comprendre, les qualités subjectives du son. Des études poussées de ces aspects sont menées actuellement par les chercheurs concernés par les problèmes liés aux défauts auditifs et par la science des sons musicaux.

22.6.2 La localisation des sources sonores

Nous pouvons souvent repérer une source sonore en tournant la tête du fait que l'oreille la plus proche de la source entend un son plus intense. On peut toutefois souvent localiser correctement une source sans tourner la tête, sauf si celle-ci se trouve juste en face ou juste derrière soi. L'explication est différente à basse et à haute fréquence.

Chez l'homme, la tête est, en première approximation, une sphère de 0,2 m de diamètre, ce qui correspond à la longueur d'onde dans l'air d'un son de 1 700 Hz. La propagation des ondes sonores de plus grande longueur d'onde ou de plus basse fréquence n'est pratiquement pas affectée par la présence de la tête. Si, à un instant donné, une oreille est soumise à un maximum de pression en raison du passage de l'onde, l'autre oreille subira au même instant une pression moindre. Les impulsions nerveuses provenant des deux oreilles portent donc une information permettant de retrouver la différence de pression instantanée appliquée aux deux oreilles. C'est cette information que le cerveau utilise pour localiser une source. Ce mécanisme est particulièrement efficace à des fréquences inférieures à 1 000 Hz.

Les ondes sonores de longueur d'onde très inférieure à 0,2 m tendent à se réfléchir lorsqu'elles atteignent la face exposée de la tête, laissant un cône d'ombre du côté de la face opposée qui reçoit peu ou pas d'intensité sonore. Ainsi, au-dessus de 5 000 Hz, la source est habituellement localisée parce que le volume perçu est distinctement plus élevé au niveau de l'oreille la plus proche. Entre 1 000 et 5 000 Hz, les deux mécanismes sont mis en jeu, mais la localisation est moins précise.

La taille des mammifères varie considérablement suivant les espèces. Chez ces animaux, on a remarqué une corrélation intéressante entre la faculté de localisation auditive et la plage des fréquences audibles. Comme nous l'avons noté, la fréquence de transition séparant les deux mécanismes de localisation auditive est déterminée par la distance entre les deux oreilles. Plus exactement, pour inclure les mammifères marins, cette fréquence doit être évaluée en divisant l'inverse de la distance séparant les oreilles par la vitesse de propagation du son dans le milieu environnant, l'air ou l'eau.

Ceci fait, on trouve que les mammifères présentant une séparation importante des oreilles (et donc une basse fréquence de transition) présentent aussi un spectre de fréquences audibles décalé vers les basses fréquences. Par exemple, un diagramme analogue à celui de la figure 22.18, mais tracé pour un éléphant, garde le même aspect, mais décale sa fréquence minimale vers le bas et ne s'étend pas au-delà de 10 000 Hz vers les hautes fréquences. On trouve un décalage inverse pour les petits mammifères : ils n'entendent pas aussi bien les basses fréquences mais entendent parfaitement des fréquences nettement plus hautes que l'homme. La fréquence limite supérieure pour les mammifères suivants reflète cette constatation : pour les humains, 19 000 Hz ; pour les chiens, 44 000 Hz ; pour les rats, 72 000 Hz.

Il existe donc une très forte corrélation entre l'intervalle de fréquences des sources qu'un mammifère peut localiser et la plage des fréquences qu'il perçoit efficacement. Il apparaît qu'un mammifère ne perçoit que les fréquences strictement nécessaires à la localisation efficace des sources sonores. Les mammifères qui font un usage particulier du son, comme les chauves-souris et les marsouins, vérifient également cette tendance empirique.

22.7 LES ULTRASONS

Dans ce paragraphe, nous considérons les propriétés et les applications médicales des ultrasons, c'est-à-dire des sons de fréquence supérieure à 20 000 Hz. Les ultrasons peuvent être couramment produits à des fréquences aussi élevées que 10^9 Hz. Ils sont largement utilisés comme moyens de diagnostic, comme moyen thérapeutique et comme outil en chirurgie et dans un nombre croissant d'applications industrielles.

22.7.1 Physique des ultrasons et limitations d'applicabilité

Dans la plupart des applications, les ultrasons sont émis sous forme d'impulsions brèves destinées à être partiellement réfléchies. Entre deux émissions, le transmetteur est utilisé comme récepteur et détecte l'onde réfléchie ou écho. Localiser à distance avec précision des petits objets requiert un faisceau étroit d'ultrasons pénétrant sur de longues distances. Ces critères sont assez contradictoires car les ultrasons sont d'autant plus rapidement absorbés qu'ils ont une plus courte longueur d'onde ou une plus haute fréquence. Par exemple, à la fréquence de 1 mégahertz (1 mégahertz = 1 MHz = 10^6 Hz), l'intensité diminue de 50 % dans 7 cm de tissu musculaire. Bien que dans certaines situations l'intensité soit limitée par les performances des appareillages, dans la plupart des applications médicales les intensités employées sont limitées par l'effet destructeur des faisceaux intenses sur les tissus vivants.

Les ondes ultrasonores sont spécialement intéressantes parce qu'elles sont aisément réfléchies par la jonction de deux milieux de densités proches et peuvent être utilisées sans dommage apparent dans les situations où les rayons X peuvent présenter un danger. Ainsi, le balayage ultrasonique de l'utérus pendant une grossesse est considéré comme inoffensif alors que l'examen aux rayons X est proscrit.

L'évaluation de la fraction d'intensité incidente réfléchie à la jonction entre deux milieux requiert des méthodes mathématiques trop avancées pour être exposées ici. Si une onde se propage à la vitesse v_1 dans un milieu de masse volumique ρ_1 et à la vitesse v_2 dans un milieu de masse volumique ρ_2, le rapport de l'intensité réfléchie à l'intensité incidente est donné, pour une propagation perpendiculaire à l'interface, par

$$\frac{I_r}{I_i} = \left[\frac{\rho_1 v_1 - \rho_2 v_2}{\rho_1 v_1 + \rho_2 v_2} \right]^2 \qquad (22.8)$$

Du fait que la vitesse du son varie peu, l'amplitude de l'onde réfléchie dépend principalement de la différence des masses volumiques. C'est cette dépendance qui explique les réflexions sur les interfaces rencontrées. Ces réflexions restent détectables même si l'écart entre les masses volumiques est faible. C'est ce que montre l'exemple suivant.

──────── **Exemple 22.9** ────────

Les masses volumiques de deux types de tissus jointifs sont respectivement 1 026 kg m^{-3} et 1 068 kg m^{-3}. Quel est le rapport des intensités de l'onde incidente et réfléchie si celle-ci passe du milieu le plus dense au milieu le moins dense ? (On supposera une vitesse du son constante.)

Réponse Avec les intensités données et après simplification de l'équation (22.7) suite à l'approximation $v_1 = v_2$, nous trouvons

$$\frac{I_r}{I_i} = \left[\frac{1\,068\text{ kg m}^{-3} - 1\,026\text{ kg m}^{-3}}{1\,068\text{ kg m}^{-3} + 1\,026\text{ kg m}^{-3}}\right]^2 = 0{,}00040$$

Bien que ce rapport soit faible, l'onde réfléchie est encore détectable. La partie non réfléchie de l'onde continue sa propagation et plusieurs réflexions peuvent encore se produire.

───────────────

L'équation (22.7) se simplifie si nous supposons égales les vitesses de propagation v_1 et v_2. Nous aurons dans ce cas

$$\frac{I_r}{I_i} = \frac{\left(\rho_1 - \rho_2\right)^2}{\left(\rho_1 + \rho_2\right)^2}$$

La réflexion est minimale lorsque ρ_1 et ρ_2 sont proches l'une de l'autre. Inversement, si l'une des masses volumiques est beaucoup plus grande que l'autre, l'intensité réfléchie est notablement plus grande.

On peut partiellement comprendre ce résultat en se référant au modèle mécanique discuté en détail au paragraphe 7.4. Celui-ci traitait du problème de la collision élastique d'un objet de masse m_1 contre un objet de masse m_2 initialement au repos. La conservation de l'énergie et de la quantité de mouvement a été exploitée dans le cas d'une collision qui conduit à un mouvement parallèle à la direction d'incidence. Dans le contexte des questions de transmission d'ondes sonores, l'énergie transmise est à associer à l'énergie acquise par l'objet qui subit l'impact. Nous avons vu que si les deux objets ont des masses égales – le cas des boules de billard – la masse incidente m_1 s'arrête et m_2 absorbe intégralement l'énergie cinétique de la masse m_1. L'énergie est donc entièrement transmise : il ne se produit aucune réflexion. Si, par contre, les masses sont inégales, la masse m_2 emporte encore de l'énergie, mais dans une proportion qui diminue lorsque l'écart entre les masses augmente. Si la masse m_1 est beaucoup plus grande ou beaucoup plus petite que la masse m_2, la plus grande partie de l'énergie est conservée par l'objet incident de masse m_1, c'est-à-dire réfléchie, et très peu d'énergie est transmise.

On trouve une situation analogue au cas des masses très différentes dans l'interface entre l'air et le tissu vivant, où pratiquement toute l'intensité est réfléchie parce que la différence des masses est grande. Dans la plupart des applications médicales cela entraîne l'obligation d'interposer un liquide entre le transducteur et le tissu pour permettre une transmission efficace. La réflexion est presque totale sur les jonctions air-tissu à l'intérieur du corps.

22.7.2 Les effets destructeurs

Les ultrasons de haute intensité produisent des variations importantes de pression et de masse volumique sur la courte distance d'une longueur d'onde. Ceci fait apparaître de fortes contraintes qui amènent des déplacements non négligeables des molécules. Il s'ensuit souvent une production de chaleur qui peut se traduire dans les liquides et les tissus biologiques par le développement du phénomène de *cavitation*. La cavitation est la formation de bulles de vapeur causée par une rupture mécanique dans une région où la pression s'est amoindrie. Ce phénomène est notamment utilisé dans certaines techniques de nettoyage. Les bulles formées dans le liquide peuvent se refermer violemment et chaque implosion contribue à produire dans le liquide des microcourants capables d'entraîner les impuretés indésirables. La cavitation peut également être utilisée pour fractionner un liquide en gouttelettes microscopiques. Les produits utilisés dans les traitements par inhalation peuvent ainsi être dispersés par ultrasons en gouttelettes suffisamment fines pour pénétrer les alvéoles pulmonaires.

À forte intensité, les ultrasons peuvent même provoquer une rupture des membranes de la cellule et la dispersion de ses constituants, parmi lesquels on trouve, par exemple, les chromosomes (figure 22.19). La plus grande partie de l'énergie dissipée dans les tissus est absorbée par les protéines.

Tous ces effets limitent les usages thérapeutiques des ultrasons à des intensités qui ne dépassent pas 3×10^4 W m^{-2}. On peut comparer cette valeur aux intensités de 25×10^4 W m^{-2} utilisées dans les applications chirurgicales.

22.7.3 Appareillage et imagerie

Les sources ultrasonores sont habituellement des cristaux *piézoélectriques* ou *magnétostrictifs*. Un cristal piézoélectrique est un cristal dont les atomes subissent un déplacement sous l'effet d'un champ électrique extérieur produisant une déformation macroscopique du cristal. Si le champ appliqué varie périodiquement dans le temps, le cristal se met à vibrer et émet un son. Les matériaux

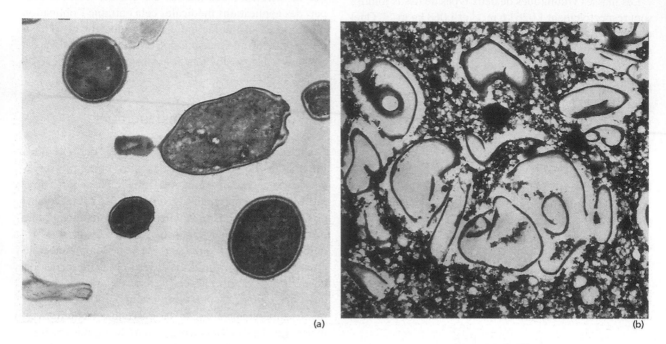

Figure 22.19 Photographie en microscopie électronique de cellules de levure *(a)* avant et *(b)* après exposition aux ultrasons *(Avec l'aimable autorisation de Heat Systems-Ultrasonics, Inc.).*

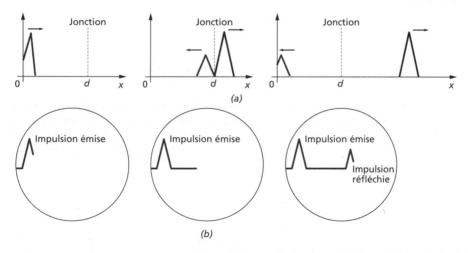

Figure 22.20 *(a)* Une impulsion est émise et se propage vers la jonction entre deux tissus située à une distance *d*. Une partie de l'impulsion (en couleur) est réfléchie à la jonction et retourne vers le transducteur. *(b)* La trace de l'oscilloscope montre l'impulsion émise et l'impulsion réfléchie qui arrive à un instant $t = 2d/c$ après l'émission. Ces événements se produisent avec une telle rapidité que l'œil de l'utilisateur ne perçoit que la trace finale dans son ensemble.

magnétostrictifs ont un comportement semblable mais répondent cette fois à l'application d'un champ magnétique extérieur. Ces deux types de transducteurs peuvent également fonctionner comme récepteurs : dans ces matériaux, les vibrations mécaniques s'accompagnent de champs électriques et magnétiques qui peuvent être détectés et utilisés pour caractériser les ondes sonores incidentes.

Dans un but diagnostique, deux techniques de balayage et d'imagerie sont largement répandues. Dans un balayage de type A, les plaques de déflection verticale d'un oscilloscope reçoivent les variations de tension associées à l'émission ou la réception des impulsions sonores. La vitesse de balayage horizontal du faisceau d'électrons est ajustée pour permettre une observation de l'impulsion initiale et de ses échos (figures 22.20 et 22.21).

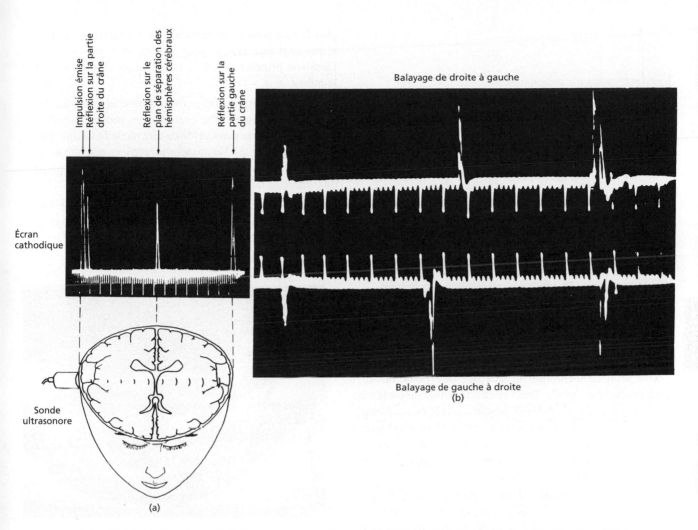

Figure 22.21 *(a)* Un échoencéphalogramme permettant la localisation du plan de séparation des deux hémisphères cérébraux pour une personne normale. *(b)* Balayages (type A) de droite à gauche et de gauche à droite montrant un déplacement pathologique du plan de séparation entre les hémisphères. Ce déplacement est associé à un développement plus important du cerveau droit. *(Document emprunté à J.R. Frederic,* Ultrasonic Engineering, C *1965, John Wiley and sons, New York, avec l'aimable autorisation de l'éditeur.)*

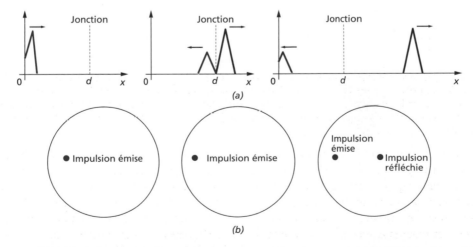

Figure 22.22 La suite d'événements représentés en *(a)* apparaît comme une série de points brillants *(b)* au cours d'un balayage de l'écran par le faisceau de l'oscilloscope.

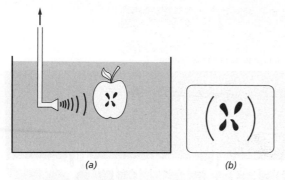

(a)   (b)

Figure 22.23 Un balayage complet (type B) d'une pomme (représentée par une de ses sections). *(a)* La pomme et le transducteur sont immergés dans une cuve d'eau pour optimiser la transmission. Le faisceau ultrasonique est dirigé vers la droite, et une réflection partielle se produit au niveau de la surface et des pépins de la pomme. Le récepteur est déplacé vers le haut à chaque nouvelle impulsion de balayage. Ce déplacement permet la construction sur l'oscilloscope de l'image représentée en *(b)*.

Une seconde technique, le balayage de type B, utilise un transducteur mobile. Dans ce cas, la tension associée à l'impulsion et à ses échos est ajoutée à la tension accélératrice du canon à électrons installé sur le tube cathodique. La brillance de l'oscilloscope est ajustée de telle sorte que le spot n'est visible qu'au moment où une impulsion ou un écho est détecté (figure 22.22).

Les échos apparaissent alors sur l'écran sous la forme de points. La brillance de ces points mesure l'intensité des échos. Lorsque le transducteur se déplace parallèlement à la surface du corps, une tension est appliquée aux plaques de déflection verticale de manière à déplacer la trace le long de lignes horizontales superposées (figures 22.23 et 22.24). Les instruments les plus récents ne requièrent

plus le mouvement du transducteur. Le faisceau ultrasonique peut être orienté pour balayer la région étudiée. Dans son principe toutefois, la technique d'imagerie est la même.

Les ondes ultrasonores peuvent être utilisées pour détecter le mouvement. Par exemple, on peut détecter les mouvements de la paroi ventriculaire ou de la valvule mitrale (figure 22.25). Des sondes émettrices peuvent aussi être utilisées pour réaliser un balayage ultrasonore à partir de l'intérieur même du cœur.

L'effet Doppler peut être utilisé pour détecter les battements de cœur d'un fœtus ou la pulsation des parois artérielles.

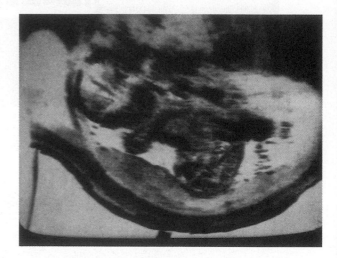

Figure 22.24 Échogramme (type B) d'un fœtus pendant le dernier trimestre de la grossesse. Le transducteur est dirigé vers le bas et déplacé mécaniquement d'avant en arrière pour obtenir ce résultat. *(Avec l'aimable autorisation de la Picker Corporation.)*

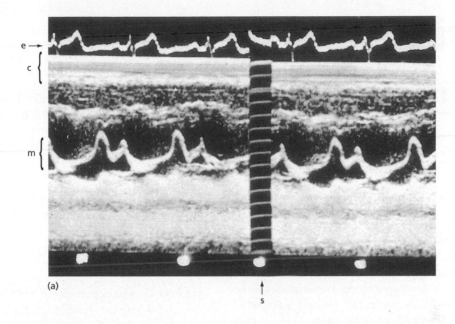

(a)

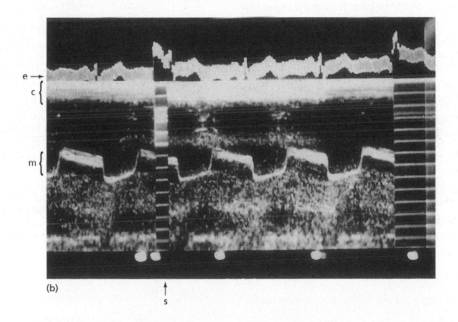

(b)

Figure 22.25 Représentation échographique de l'activité normale *(a)* et pathologique *(b)* de la valvule mitrale. Ici, le transducteur est maintenu immobile et l'axe des abscisses est l'axe des temps. Une échelle graduée en cm apparaît en *s*. Les réflexions correspondant à la région *c* se produisent au niveau de la peau et celles de la région *m* proviennent de la valvule mitrale. L'électrocardiogramme correspondant est ajouté en *e*. *(Extrait de J.R. Frederick*, Ultrasonic Engineering, C *1965, John Wiley and Sons, avec l'aimable autorisation de l'éditeur.)*

Réviser

RAPPELS DE COURS

Les ondes sonores résultent d'une perturbation mécanique d'un milieu matériel. La vitesse du son dépend de la variation de pression nécessaire pour produire une variation de masse volumique donnée. Cette relation dépend des propriétés microscopiques du matériau au niveau moléculaire.

Des ondes sonores stationnaires sont souvent produites dans des géométries particulières et jouent un rôle important dans la production et la détection du son. Dans les sources sonores, une structure résonante détermine quelles ondes stationnaires sont produites, laissant s'amplifier certaines fréquences, et étouffant les autres. Un récepteur sonore a des caractéristiques semblables.

L'intensité du son, ou puissance transportée par unité de surface, est proportionnelle au carré de l'amplitude de la variation de pression propagée par l'onde. À mesure que l'onde sonore s'éloigne de la source, son intensité décroît comme l'inverse de la distance à la source. Le niveau d'intensité sonore en décibels est souvent utilisé dans la discussion de réponses auditives. Cette échelle logarithmique en décibels permet de décrire efficacement l'énorme plage de sensibilité de l'oreille chez l'homme et les animaux.

PHRASES À COMPLÉTER

Voir réponses en fin d'ouvrage.

1. Pourquoi le son ne se propage-t-il pas dans le vide ?

2. Si le milieu matériel est difficile à comprimer, la vitesse du son y est _____.

3. Les ondes sonores de haute fréquence ont une _____ longueur d'onde.

4. Les ondes sonores stationnaires se produisent à cause de la présence _____ dans la région où l'onde se propage.

5. Pour une onde sonore, les nœuds de déplacement se produisent à une extrémité _____ d'un tube et les ventres à une extrémité _____.

6. L'intensité d'une onde sonore dépend du _____ de l'amplitude de _____.

7. Les appareils destinés à la production du son sont composés habituellement d'un mécanisme produisant les vibrations et _____.

8. Le son produit par une source est souvent représenté par son spectre, un graphe donnant _____ en fonction de _____.

9. Typiquement, le spectre d'un son voisé est composé de trois _____.

10. De quel organe est constituée la structure résonnante de l'oreille ?

11. Pour décrire la perception auditive, le niveau d'intensité d'un son s'exprime ordinairement en _____ à cause de l'étendue du domaine d'intensités audibles.

EXERCICES CORRIGÉS

E1. On constate que l'intensité d'un son entre sa source et un récepteur distant de 10 m, subit un affaiblissement A de $-8,7$ décibels.

a) Sachant que le son s'amortit exponentiellement avec la distance soit

$$I_x = I_0 \, e^{\frac{x}{e}}$$

déterminer la longueur de l'amortissement ℓ.

b) À quelle distance de la source l'intensité sera-t-elle réduite au 100e de sa valeur initiale. Chiffrer l'affaiblissement en décibels ($A = 10 \log (I_x/I_0)$).

Solution

a) $10 \log \dfrac{I_x}{I_0} = A = -8,7$ décibels

$$\rightarrow \log \frac{I_x}{I_0} = -\frac{8,7}{10} = -0,87$$

Or, $\dfrac{I_x}{I_0} = e^{-\frac{x}{e}}$ $\quad \log \dfrac{I_x}{I_0} = \dfrac{-x}{\ell} \log e = \dfrac{x}{e} 0,4343$

$$0,87 = \frac{x}{\ell} 0,4343$$

$$\ell = x \frac{0,4343}{0,87} = 10 \frac{0,4343}{0,87} = 5 \text{ m}$$

$$I_x = I_0 \, e^{-\frac{x}{5}}$$

b) On veut $\dfrac{I_x}{I_0} = \dfrac{1}{100} = \mathrm{e}^{\frac{x}{5}} \rightarrow 100 = \mathrm{e}^{\frac{x}{5}}$

$$x = 5\ln 100$$
$$= 5 \times 2,3 \times 2$$
$$\mathbf{x = 23\ m}$$

$A = 10\log \dfrac{I_x}{I_0} = 10\log \dfrac{1}{100} = \underline{-20\ \text{décibels}}.$

E2. On observe, à l'aide d'un stroboscope, une corde (de piano par exemple) tendue entre 2 points fixes distants de 60 cm. La corde émettant le son fondamental paraît immobile lorsque le stroboscope, qui compte 24 trous, tourne à la vitesse maximum de 300 tours/min. Calculer :

a) la fréquence et la période du son émis

b) la vitesse de propagation de la déformation dans la corde

c) la longueur d'onde du son émis si la célérité du son est de 342 m/s.

Solution

a) Fréquence du stroboscope : $f = 24\,\dfrac{300}{60} = 120$ Hz.

Le fait que la corde revient à la même position tous les $1/120^e$ de seconde signifie que sa période est un sous-multiple de $1/120^e$: elle a effectué un nombre entier de vibrations en un cent vingtième de seconde.

Donc la fréquence de la corde est multiple de 120 Hz.

Cependant, puisqu'il s'agit du son fondamental d'une part, et que d'autre part, il n'y a pas de vitesse supérieure du stroboscope qui fasse paraître la corde immobile, nous devons prendre la plus basse fréquence.

$$f = 120\ \text{Hz} \quad T = \dfrac{1}{120}\ \text{sec}$$

b) Puisque la corde est fixée à ses 2 extrémités et donne le son fondamental, on a :

$$\boxed{\ell = \dfrac{\lambda}{2}}$$

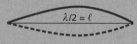

Figure 22.26

D'où : $\lambda = 2\ell = 1,2$ m.

Et, par la relation : $\lambda = vT = \dfrac{v}{f}$, il vient

$$v = \lambda f = 1,2 \times 120 = 144\ \text{m/s}$$

c) Pour le son émis, on a

$$\lambda = \dfrac{v}{f} = \dfrac{342}{120} = 2,85\ \text{m}$$

S'entraîner

QCM

Voir réponses en fin d'ouvrage.

Q1. Une source émet un son caractérisé physiquement par un certain nombre d'harmoniques. De ces harmoniques dépend l'un des caractères suivants

a) la hauteur

b) l'intensité

c) le timbre.

Q2. Une onde sonore de fréquence 400 Hz se propage dans une tige métallique avec une célérité de 3 000 m/s.

a) L'onde est stationnaire

b) deux points distants de 20 m sont en phase

c) deux points distants de 26,25 m sont en opposition de phase

d) deux points distants de 35 m sont en opposition de phase.

Q3. La célérité du son dans l'air est de 340 m/s. Une note musicale a pour fondamental de la_3 correspondant à 426 vibrations par seconde. Quelle est environ la longueur d'onde ?

a) 8 cm

b) 20 cm

c) 40 cm

d) 80 cm

e) 125 cm.

Q4. Le niveau d'intensité d'un son est de 100 dB. Combien de fois est-il plus intense qu'un son de 60 dB ?

a) 10^4

b) 400

c) 40

d) 4

e) 100.

Q5. Plus la hauteur d'une onde sonore dans l'air est grande, plus

a) la vitesse de propagation est grande

b) la longueur d'onde est grande

c) la longueur d'onde est courte

d) la fréquence est basse.

Q6. La fréquence fondamentale de résonance d'une colonne d'air dans un tuyau ouvert aux deux extrémités est

a) indépendante de la longueur du tuyau

b) deux fois plus grande que pour le même tuyau fermé à une extrémité

c) deux fois plus petite que pour le même tuyau fermé à une extrémité

d) constante quelles que soient les dimensions du tuyau.

Q7. La puissance par unité de surface d'une onde sonore à une distance R de la source, est

a) indépendante de la distance R

b) proportionnelle à R

c) proportionnelle à $1/R$

d) proportionnelle à $1/R^2$.

Q8. Si on multiplie par quatre l'intensité d'une onde sonore, le niveau de l'intensité va augmenter de

a) 2 dB

b) 6 dB

c) 4 dB

d) 10 dB.

Q9. La longueur d'onde de la quatrième fréquence de résonance d'un tuyau de longueur 1,4 m fermé à une extrémité est de

a) 0,7 m

b) 1,2 m

c) 0,8 m

d) 0,4 m.

Q10. Le niveau d'intensité sonore est de 80 dB, cela correspond à une intensité de

a) 10^{-4} wm^{-2}

b) 10^{-8} wm^{-2}

c) 10^{4} wm^{-2}

d) 10^{-6} wm^{-2}.

EXERCICES

Voir réponses en fin d'ouvrage pour les exercices et problèmes dont le numéro est inscrit en noir.

La nature physique et la vitesse de propagation du son

22.1 Un haut-parleur hi-fi a un diamètre de 0,3 m. Quelle est la fréquence du son produit avec une longueur d'onde égale à la circonférence du pavillon ? (Celle-ci est comparable à la fréquence de résonance du haut-parleur et l'enceinte acoustique doit être étudiée pour éviter que le haut-parleur ne dissipe presque toute son énergie en émettant cette fréquence.)

22.2 Au cours d'un orage, un observateur entend le tonnerre 5 secondes après avoir vu l'éclair. Déterminer approximativement la distance séparant l'observateur du nuage où s'est produite la décharge.

22.3 On lâche une pierre dans un puits. Le bruit de l'impact dans l'eau se fait entendre trois secondes plus tard. Quelle est la profondeur du puits ?

22.4 Si on frappe l'une des extrémités d'un tuyau de cuivre on note, à l'autre extrémité, un délai de 1 seconde entre les instants d'arrivée du son propagé dans l'air et dans le cuivre. Quelle est la longueur du tuyau ?

22.5 La profondeur d'une masse d'eau peut être déterminée en émettant des impulsions sonores à partir de la surface et en détectant l'onde réfléchie par le fond. Si l'intervalle de temps qui s'écoule entre ces deux événements est 2 secondes, quelle est la profondeur de l'eau ?

22.6 Une fanfare marche à la cadence d'un pas toutes les 0,8 seconde. À quelle distance la cadence des marcheurs sera-t-elle décalée d'un demi-pas par rapport à la musique interprétée ?

22.7 En approchant d'un objet, une chauve-souris réduit la durée de ses cris et la longueur de l'intervalle de temps entre deux cris. Si un cri dure 3×10^{-4} s, quelle est la distance minimale pour laquelle le front de l'écho se superpose à l'émission de la fin du cri ?

22.8 Le téléphone est étudié pour transmettre efficacement les fréquences variant entre 50 Hz et 3 000 Hz. Quelle est la longueur d'onde dans l'air du son correspondant à ces fréquences ?

22.9 Les chauves-souris font usage de sons de fréquence atteignant environ $1,2 \times 10^5$ Hz et les marsouins perçoivent des fréquences jusqu'à 2×10^5 Hz. Pourquoi peut-on s'attendre à ce que les marsouins perçoivent une plage de fréquences plus étendue ?

Ondes sonores stationnaires

22.10 La fréquence fondamentale du tuyau le plus long d'un orgue est 16,35 Hz. Si le tuyau est ouvert aux deux extrémités, quelle est sa longueur ?

22.11 Un bugle a les mêmes caractéristiques qu'un tube cylindrique de 1,3 m dont les deux extrémités sont ouvertes. Quelles sont les fréquences des quatre premières harmoniques ?

22.12 Une clarinette a une fréquence fondamentale de 147 Hz et, quand on en joue, elle peut être considérée comme un tube à une extrémité fermée.

a) Combien d'harmoniques apparaissent-elles au-dessous de 1 350 Hz ?

b) Si un tube ouvert aux deux extrémités vibre à la même fréquence fondamentale, combien d'harmoniques se situent-elles au-dessous de 1 350 Hz ?

22.13 Un orgue, équipé de tuyaux dont les extrémités sont ouvertes, couvre les fréquences de 65 à 2 090 Hz. Déterminer la longueur du tuyau d'orgue le plus long et la longueur du plus court.

22.14 L'oreille externe peut être considérée comme un tube de $2,7 \times 10^{-2}$ m de long à une extrémité fermée.

a) Sur la base de ce modèle, quelle est la fréquence du son que l'oreille devrait détecter le plus efficacement ?

b) Comparer ce résultat à la fréquence donnée par le minimum de la courbe décrivant le seuil d'audibilité (figure 22.18).

L'intensité des ondes sonores

22.15 Quelle est l'amplitude des variations de pression associée à un coup de tonnerre d'intensité $0,1$ W m^{-2} ?

22.16 Quelle est la puissance totale émise par un haut-parleur pour lequel l'intensité mesurée sur la surface d'un hémisphère de 10 m de rayon est 10^{-4} W m^{-2} ?

22.17 Deux ondes sonores de même intensité se propagent dans l'air et dans l'eau. Quel est le rapport des amplitudes de pression dans les deux matériaux ?

22.18 Si les amplitudes de pression sont les mêmes pour deux sons se propageant l'un dans l'air, l'autre dans l'eau, quel est le rapport de leurs intensités ?

22.19 Si une onde sonore a une amplitude de pression double d'une autre dans le même milieu, quel est le rapport des intensités de ces ondes ?

22.20 Le rapport entre les intensités maximales d'un piano et d'une flûte est 8. Quel est le rapport des amplitudes de pression produites par le piano et la flûte ?

22.21 L'intensité produite par un grand orchestre vaut celle de 216 trompettes. Quel est le rapport des amplitudes de pression produites par un orchestre et une trompette ?

22.22 Quelle est l'intensité d'une onde sonore correspondant à une amplitude de pression de 1 Pa dans l'air ?

22.23 Quelle est dans l'eau l'amplitude de pression d'un son d'intensité $I = 10^{-12}$ W m^{-2} ?

22.24 Quelle est l'amplitude de pression associée à un son qui se propage dans l'air avec une intensité correspondant au seuil de la douleur $I = 1$ W m^{-2} ?

Les sources sonores
Les détecteurs sonores

22.25 Comme les êtres humains, les chauves-souris ont besoin des deux oreilles pour localiser les sources sonores. Si la distance entre les oreilles est 0,01 m, quelle est la fréquence la plus basse pour laquelle la séparation entre les oreilles est au moins une demi-longueur d'onde ? (On supposera que le son provient d'une source située directement sur le côté de la tête.)

22.26 Un test d'audition consiste à écouter un son de fréquence donnée dont l'intensité est progressivement réduite jusqu'à ce qu'il devienne inaudible. Pourquoi utilise-t-on des sons de différentes fréquences au cours de ce test ?

22.27 Chez l'homme, un son est perçu lorsque les vibrations sont transmises à l'oreille interne par les osselets. L'oreille externe et l'oreille moyenne n'ont pas de sensibilité propre.

a) Suggérer un moyen de contrôler l'audition de sorte qu'il soit possible de conclure à l'existence de dommages, au seul niveau de l'oreille interne ou au niveau de l'oreille moyenne et de l'oreille interne.

b) Quels types de défaut d'audition nécessitent-ils l'usage d'appareils capables de transmettre les vibrations sonores aux os de la boîte cranienne ?

22.28 Comparé à l'air, le tissu osseux conduit mieux les sons de basse fréquence. Pourquoi a-t-on tendance à imaginer sa propre voix plus grave qu'elle ne l'est en réalité ?

22.29 Pourquoi une infection des sinus qui se communique aux trompes d'Eustache gêne-t-elle souvent l'audition ?

La réponse auditive

22.30 Deux ondes sonores ont des intensités respectives de 10^{-9} W m^{-2} et 5×10^{-8} W m^{-2}. Quelle est la différence entre les niveaux d'intensité de ces sons ?

22.31 Donner le rapport des intensités de deux sons dont la puissance diffère de dix décibels.

22.32 Quel est le niveau d'intensité d'ultrasons dont l'intensité vaut 25×10^4 W m^{-2} ?

22.33 Si le niveau d'intensité correspondant à la conversation d'une personne vaut 50 dB, quel est le niveau d'intensité correspondant à 10 personnes ?

22.34 Quelle est l'intensité d'un son qui dépasse de 5 dB un son de 10^{-9} W m^{-2} ?

22.35 L'aire du tympan est environ 8×10^{-5} m^2. Quelle est la puissance transmise au tympan par une onde sonore de 40 dB si on néglige toute réflexion ?

Les ultrasons

22.36 a) Si le son se propage de l'air dans l'eau perpendiculairement à l'interface, quel est le pourcentage d'intensité réfléchie ?

b) Si le son se propage de l'eau dans l'air, quel est le pourcentage d'intensité transmise ?

22.37 Un microscope à ultrasons développé récemment utilise des fréquences de l'ordre de 3×10^9 Hz. Quelle est la longueur d'onde de ces vibrations dans l'eau à 20 °C ?

22.38 L'énergie dissipée par une onde ultrasonore est proportionnelle au carré de la fréquence. Quel est le rapport des pertes d'énergie pour des ondes de fréquences respectives 1 MHz et 3 000 MHz ?

PROBLÈMES

22.39 Les chauves-souris, qui utilisent le repérage par écho pour leur orientation, émettent des cris de 2×10^{-3} s séparés par des intervalles de 7×10^{-2} s. Jusqu'à quelle distance peuvent-elles approcher d'un objet pour que le début du cri, réfléchi, n'interfère pas avec le début du cri suivant ?

22.40 L'équation (22.2) donnant la vitesse du son, $v = \sqrt{K/\rho}$, décrit en partie la physique de la propagation du son. Elle montre en particulier que v est plus élevée pour des substances de masse volumique élevée que pour des substances de faible masse volumique (voir tableau 22.1). Si des dominos sont disposés debout côte à côte et que le premier est renversé, la file entière s'effondre.

Discuter la relation entre la vitesse du son et la densité du milieu traversé en tenant compte du fait qu'une file de dominos s'effondre plus rapidement lorsque ceux-ci sont plus rapprochés.

22.41 En vol normal, une chauve-souris émet des cris séparés par un intervalle de temps de 7×10^{-2} s. À quelle distance d'un objet la chauve-souris doit-elle se trouver pour que l'onde réfléchie complète lui revienne avant que le cri suivant soit émis ?

22.42 Dans le cas d'un gaz parfait le module de compressibilité adiabatique est donné par $K = \gamma P$, où P est la pression et γ le rapport des chaleurs spécifiques à pression et à volume constants, $\gamma = c_P/c_V$.

a) Montrer que la loi des gaz parfaits peut s'écrire $P/\rho = RT/M$, où ρ est la masse volumique et M le poids moléculaire du gaz.

b) Montrer que la vitesse du son dans un gaz parfait est donnée par $v = \sqrt{\gamma RT/M}$.

22.43 Le problème 22.39 donne la vitesse du son dans un gaz parfait sous la forme $v = \sqrt{\gamma RT/M}$. En utilisant cette expression, peut-on rendre compte de la différence des vitesses du son dans l'air et dans l'hydrogène ?

22.44 Une chauve-souris s'oriente en analysant les échos de ses cris. Chaque cri a une durée de $0,3 \times 10^{-3}$ s et est séparé du suivant par un intervalle de temps de 5×10^{-3} s.

a) À quelle distance d'un objet la chauve-souris se trouve-t-elle si le début du cri est réfléchi au moment où l'émission du cri se termine ?

b) Quel laps de temps s'est-il écoulé entre la fin de l'écho et l'émission du cri suivant ?

22.45 Une source sonar utilisée pour la détection sous-marine émet des impulsions d'une durée de 0,1 s toutes les T secondes. Quelle est la valeur minimale acceptable pour T si l'écho et l'impulsion suivante ne doivent pas se recouvrir dans le cas de la détection d'objets se trouvant à

a) 50 m

b) 1 km ?

22.46 Un tube vertical de 2 m de long peut être rempli d'eau jusqu'à n'importe quel niveau. Le son qui entre par l'extrémité ouverte du tube est réfléchi à la surface de l'eau, ce qui entraîne à cet endroit la formation d'un nœud.

a) Si le tube est rempli d'eau jusqu'à un niveau de 1 m, quelle est la fréquence de résonance la plus basse ?

b) Quelle est l'épaisseur d'eau si la fréquence de résonance la plus basse est 500 Hz ?

22.47 Chez l'homme, l'amplitude de pression maximale tolérable par l'oreille est $\Delta P = 28$ Pa. Quel est le rapport entre la variation de masse volumique correspondante et la densité moyenne

a) dans l'air et

b) dans l'eau ?

22.48 L'intensité acoustique produite par l'explosion d'une grenade anti-aérienne à une altitude de 1 000 m est de 10^3 W m^{-2} au niveau du sol.

a) Quelle est la puissance acoustique totale émise ?

b) Quelle est l'énergie émise lors d'une explosion dont la durée est estimée à 0,1 seconde ?

22.49 Si les résonances d'air ou de caisse d'un violon étaient très étroites, l'instrument pourrait ne pas fonctionner correctement. Expliquer pourquoi.

22.50 Un avion à réaction croisant à une altitude de 3 000 m produit un bruit de 40 dB au niveau du sol. Quel serait le niveau d'intensité si l'altitude était réduite à 1 000 m ? (On supposera constante l'énergie acoustique totale émise.)

22.51 Un système de sonorisation extérieure est réglé sur un niveau de 70 dB pour des auditeurs distants de 10 m. Quel niveau d'intensité perçoit-on à 50 m ?

22.52 Le niveau sonore moyen émis par un poste de radio est ajusté sur 40 dB à 10 m.

a) Quelle est l'intensité en watt par mètre carré à cette distance ?

b) Quel est le niveau d'intensité en décibels à 3 m du poste ?

c) Quelle est en watt la puissance acoustique rayonnée par la radio si le son est réparti uniformément dans une région hémisphérique ?

22.53 Chez l'homme, l'oreille peut distinguer des différences de niveau d'intensité de l'ordre de 0,6 dB à une fréquence donnée. Quelle augmentation relative de puissance (en pourcentage) permet-elle d'élever le niveau d'intensité de 0,6 dB ?

22.54 On trouve souvent le guàcharo (*Steatornis caripensis*) volant dans des cavernes où règne une parfaite obscurité. Il utilise le son pour éviter les obstacles mais ne peut émettre et détecter que des fréquences inférieures à 8 000 Hz.

a) Estimer la taille des objets les plus petits dont il peut percevoir la présence.

b) On peut observer que le diamètre minimal des objets à peu près sphériques qu'il arrive à éviter systématiquement est de 0,2 mètre. Que peut-on dès lors suggérer au sujet de l'intervalle des fréquences réellement utilisées par l'oiseau ?

22.55 On peut comparer entre elles les limites supérieures des fréquences audibles chez les mammifères si l'on suppose que celles-ci sont déterminées par la distance séparant les oreilles.

a) En faisant cette hypothèse et en utilisant le modèle décrit au chapitre 8, $r \propto m^{3/8}$, quelle est la limite supérieure des fréquences audibles de l'éléphant et du rat, dont les masses sont respectivement de l'ordre de 3×10^3 kg et 2×10^{-1} kg ? On utilisera le fait que la limite supérieure des fréquences audibles d'un homme de 70 kg est 19 000 Hz.

b) Les limites observées pour les éléphants et les rats sont respectivement 11 000 Hz et 72 000 Hz. En utilisant ces données, déterminer une valeur expérimentale de l'exposant apparaissant dans la relation liant la fréquence maximale à la masse du mammifère.

22.56 L'écho rendu par le plan de séparation des hémisphères cérébraux est détecté sur un oscilloscope 10^{-4} s après l'impulsion envoyée par la source. À quelle distance de la source se trouve ce plan ? (On supposera une vitesse de propagation du son de 1 540 m s^{-1} dans les tissus cérébraux.) Négliger la correction associée à la traversée des os de la boîte crânienne.

22.57 Quel est à votre avis l'ordre de grandeur de l'incertitude sur la mesure des distances dans un matériau biologique si l'on utilise une onde sonore l'énergie cinétique de 10^6 Hz.

22.58 Sur un échogramme du cerveau, le côté droit du crâne, la séparation des hémisphères et le côté gauche du crâne sont observés après des temps respectifs de $0,10 \times 10^{-4}$, $1,26 \times 10^{-4}$ et $2,40 \times 10^{-4}$. Si on admet une vitesse du son de 1540 m s^{-1},

a) quel est le déplacement du plan de séparation des hémisphères cérébraux ?

b) Quel hémisphère est-il le plus développé ?

22.59 Un objet de masse m_1 et de vitesse v rencontre de front une masse m_2 initialement au repos. La collision est supposée élastique. Nous définissons la fraction d'énergie transmise comme le rapport entre l'énergie cinétique finale de m_2 et l'énergie cinétique de m_1 avant la collision. La fraction d'énergie réfléchie est le rapport des énergies cinétiques de m_1 après et avant la collision.

a) Montrer que la fraction d'énergie transmise est donnée par

$$\frac{4m_1 m_2}{(m_1 + m_2)^2}$$

b) Montrer que la fraction d'énergie réfléchie est donnée par

$$\left[\frac{m_1 - m_2}{m_1 + m_2} \right]^2$$

c) Quelles fractions de l'énergie sont transmises et réfléchies si $m_1 = m_2$, $m_1 = 10m_2$ et $m_2 = 100\, m_1$?

Propriétés ondulatoires de la lumière

CHAPITRE 23

Mots-clefs

Analyseur • Angle critique • Angle de Brewster • Angle d'incidence • Angle de réflexion • Angle de réfraction • Cohérence • Condition de Bragg • Critère de Rayleigh • Dispersion • Enveloppe • Fibre optique • Front d'onde • Indice de réfraction • Interférences • Loi de Malus • Lumière blanche • Ondelettes de Huyghens • Polariseur • Principe de Huyghens • Rayon • Réflexion diffuse, spéculaire • Réflexion totale • Réseau de diffraction • Résolution • Spectre de raies, continu • Taches de Laue

Introduction

La théorie ondulatoire de la lumière n'a pas été immédiatement acceptée. Beaucoup d'observations pouvaient en effet aisément s'expliquer en termes d'un modèle qui identifiait la lumière à un faisceau de particules. Cette théorie corpusculaire et la théorie ondulatoire étaient toutes deux capables de décrire de manière adéquate la *réflexion* de la lumière et le phénomène de *réfraction*, c'est-à-dire la déviation du rayonnement lumineux au passage de la surface de séparation entre deux milieux. Les ondes présentent la particularité de contourner les obstacles. Ce phénomène est facilement observé dans le cas des ondes sonores ou des ondes qui se propagent à la surface de l'eau. Le fait qu'il soit impossible de voir une source lumineuse placée derrière un obstacle opaque paraît constituer de ce fait une évidence à l'encontre de la théorie ondulatoire. Il a fallu attendre le début du XIXe siècle pour voir se développer des expériences qui mettent en évidence les effets d'interférence lumineuse. Ces expériences ont également montré que la déviation de rayons lumineux autour des objets de dimensions courantes était difficile à observer parce que la longueur d'onde de la lumière visible est extrêmement courte. Plus tard, les travaux de Maxwell en électromagnétisme ont donné au modèle ondulatoire une solide base théorique.

Par la suite, malgré ses multiples succès, la théorie ondulatoire de la lumière s'est avérée incapable de décrire correctement certains phénomènes liés à l'absorption ou à l'émission de lumière par la matière. La *théorie quantique* moderne développée au début du XXe siècle considère la lumière comme formée de *quanta* ou *photons*. Ceux-ci sont constitués d'ondes lumineuses d'amplitude fixe, transportant une énergie proportionnelle à leur fréquence. Les photons présentent un aspect corpusculaire, associé à la distribution discrète de leur énergie en plus de leur caractère ondulatoire. La théorie quantique de la lumière sera discutée au chapitre 26, mais pour la compréhension de cette partie 6 la théorie électromagnétique classique est suffisante.

Dans la première partie de ce chapitre, nous examinons les questions liées à la vitesse de propagation de la lumière, la réflexion et la réfraction. Les paragraphes suivants considèrent quelques exemples décrivant les interférences lumineuses et le chapitre se termine sur une brève discussion de la polarisation des ondes lumineuses. Les applications de ces concepts et résultats aux instruments d'optique font l'objet du chapitre suivant.

Bien que le présent chapitre soit consacré principalement aux propriétés de la lumière visible, beaucoup des concepts discutés et des résultats obtenus sont également applicables aux autres types d'ondes électromagnétiques et à beaucoup d'autres phénomènes ondulatoires.

23.1 L'INDICE DE RÉFRACTION

Les ondes électromagnétiques, quelle que soit leur fréquence, se propagent toutes dans le vide avec la même vitesse $c = 3,00 \times 10^8$ m s^{-1}. Dans un milieu matériel, la vitesse de propagation v dépend de la *fréquence* de l'onde mais ne dépasse jamais la vitesse de propagation dans le vide c. Le rapport entre ces vitesses de propagation est l'*indice de réfraction* du milieu,

$$n = \frac{c}{v} \qquad (23.1)$$

Comme v n'est jamais supérieure à c, l'indice de réfraction n'est jamais inférieur à 1. De deux milieux, celui qui présente l'indice de réfraction le plus élevé est qualifié de *plus réfringent*. Le tableau 23.1 donne une série d'indices de réfraction mesurés en lumière jaune. L'indice de réfraction varie quelque peu avec la fréquence. Dans un matériau comme le verre, la variation est de 1 % ou 2 % sur toute l'étendue du spectre visible.

Matériau	Indice
Air	1,00029
Dioxyde de carbone	1,00045
Eau	1,333
Alcool éthylique	1,362
Benzène	1,501
Disulfure de carbone	1,628
Verre, Crown léger	1,517
Verre, Flint lourd	1,647
Fluorine	1,434
Diamant	2,417

Tableau 23.1 Indices de réfraction de quelques matériaux typiques, mesurés en lumière jaune produite par une lampe au sodium ($\lambda = 589$ nanomètres). Pour l'air, nous utilisons la valeur approchée $n = 1$ et pour l'eau, $n = 4/3$.

La fréquence de l'onde lumineuse est fixée par la source et n'est pas modifiée lorsque la lumière passe d'un milieu dans un autre. Comme $f\lambda = v = c/n$, c'est la longueur d'onde qui change avec l'indice de réfraction. Si un faisceau de lumière passe d'un milieu d'indice n_1 dans un autre d'indice n_2, sa longueur d'onde change pour respecter les relations $f\lambda_1 = c/n_1$ et $f\lambda_2 = c/n_2$. Divisant ces deux équations membre à membre, on trouve

$$\frac{\lambda_2}{\lambda_1} = \frac{1/n_2}{1/n_1} = \frac{n_1}{n_2} \qquad (23.2)$$

Cette relation exprime que la longueur d'onde est plus courte dans le milieu le plus réfringent. C'est ce qu'illustre l'exemple suivant.

✎ ─────────── **Exemple 23.1** ───────────

Un faisceau de lumière verte, de longueur d'onde égale à 5×10^{-7} m dans le vide, pénètre une plaque de verre dont l'indice de réfraction vaut 1,5.

a) Quelle est la vitesse de la lumière dans le verre ?

b) Quelle est la longueur d'onde de la lumière dans le verre ?

Réponse a) Partant de la définition $n = c/v$, la vitesse de propagation pour le verre est donnée par

$$v = \frac{c}{n} = \frac{3,00 \times 10^8 \text{ m s}^{-1}}{1,5}$$

$$= 2,00 \times 10^8 \text{ m s}^{-1}$$

b) Dans le vide, $v = c$ et $n = 1$. Donc,

$$\lambda_2 = \lambda_1 \frac{n_1}{n_2} = \left(5 \times 10^{-7} \text{ m}\right)\left(\frac{1}{1,5}\right)$$

$$= 3,33 \times 10^{-7} \text{ m}$$

La discussion des propriétés des ondes électromagnétiques requiert l'usage de diverses unités de longueur. Le mètre, le centimètre et le millimètre sont bien adaptés aux ondes radio et aux micro-ondes. L'étude des instruments d'optique et des applications biologiques de la lumière visible demande souvent l'emploi du nanomètre (nm), où

$$1 \text{ nanomètre} = 1 \text{ nm} = 10^{-9} \text{ m}$$

La fraction du spectre, visible par l'homme, s'étend approximativement de 400 nm (violet) à 700 nm (rouge) (figure 23.1). Les rayons X sont des ondes électromagnétiques de très haute fréquence. Ils ont de nombreuses applications médicales, dans le domaine thérapeutique et diagnostique. Ils sont également utilisés comme sonde pour l'exploration de la structure de molécules complexes. La longueur d'onde qui les caractérise est de l'ordre de 0,1 nm ou 10^{-10} m.

23.2 LE PRINCIPE DE HUYGENS

En 1678, près de deux siècles avant les travaux de Maxwell sur les ondes électromagnétiques, Christian Huygens (1629-1695) proposa une théorie ondulatoire des phénomènes optiques. Cette théorie est encore utile aujourd'hui pour comprendre les aspects essentiels du comportement ondulatoire de la lumière. Elle est de plus applicable à toutes les formes de propagation ondulatoire.

a)

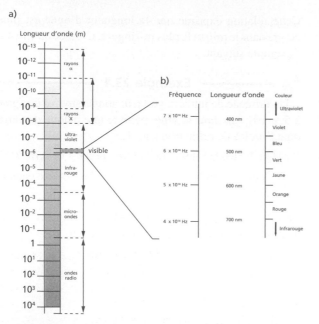

Figure 23.1 *(a)* Le spectre des ondes électromagnétiques. *(b)* Le spectre de la lumière visible (la position des couleurs (dégradés de gris) est approximative).

L'idée de Huygens, maintenant communément dénommée *principe de Huygens*, est facilement comprise si on introduit le concept de *front d'onde*. Nous avons vu au chapitre 21 que deux mouvements vibratoires de même fréquence pour lesquels les amplitudes maximales sont atteintes au même moment sont dits *en phase*. En revanche, si l'une des élongations passe par un maximum pendant que l'autre passe par un minimum, les deux ondes sont dites en *opposition de phase*. Les *fronts d'onde* sont des surfaces formées par l'ensemble des points de l'espace où les ondes vibrent en phase. Ils s'éloignent de la source à la vitesse de propagation de l'onde. Un croquis décrivant plusieurs fronts d'onde à un instant donné (figure 23.2) est fréquemment utilisé pour représenter une onde. Une

onde développant des fronts d'onde sphériques est appelée *onde sphérique*. Une onde qui se propage dans une seule direction et dont les fronts d'onde sont des plans est appelée *onde plane*. Une ligne qui coupe à angle droit tous les fronts d'onde est un *rayon*. Un rayon indique la direction de propagation de l'onde. Il est parfois plus facile de représenter les rayons lumineux plutôt que les fronts d'onde.

Le principe de Huygens nous permet de prédire la forme et la position d'un front d'onde à tout instant à partir de sa configuration à un instant donné. Il exprime que *chaque point d'un front d'onde peut être considéré comme source d'une nouvelle onde sphérique en phase avec l'onde incidente* (figure 23.3). Le front d'onde considéré à un instant ultérieur est la surface tangente à toutes ces ondes sphériques, c'est-à-dire leur *enveloppe*.

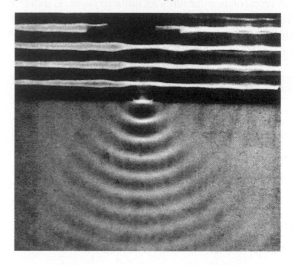

Figure 23.3 Des ondes de surface formées dans une cuve à ondes rencontrent une fente étroite pratiquée dans un écran. Il se forme des ondes sphériques qui progressent vers la gauche. *(Avec l'aimable autorisation de l'Educational Development Center Inc., Newton, Massachusetts, U.S.A.)*

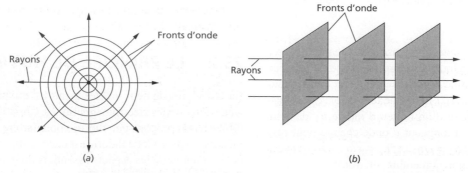

Figure 23.2 *(a)* Les fronts d'onde correspondant à des maxima successifs d'une onde sphérique. *(b)* Les fronts d'onde dans le cas d'une onde plane.

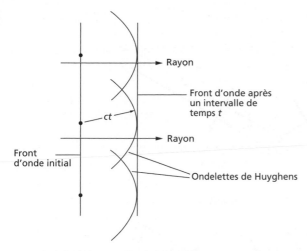

Figure 23.4 En un laps de temps *t*, le front d'onde s'est déplacé sur une distance *ct*.

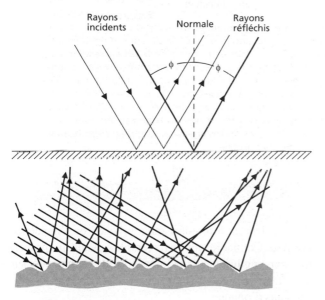

Figure 23.5 *(a)* Réflexion spéculaire sur une surface lisse. Le rayon réfléchi se trouve dans un plan qui contient la normale et le rayon incident. L'angle de réflexion est éfgal à l'angle d'incidence. *(b)* Réflexion diffuse sur une surface rugueuse.

Nous pouvons illustrer l'application du principe de Huygens en considérant le cas d'une onde plane (figure 23.4). À partir de plusieurs points du front d'onde, nous dessinons des sphères de rayon $r = ct$ représentant la distance parcourue par chaque ondelette sphérique en un temps t. La tangente à ces sphères est un plan distant de ct du front d'onde initial. Le principe de Huygens prédit bien la progression du front d'onde de la distance voulue dans le laps de temps considéré.

Dans sa formulation initiale, le principe de Huygens prévoyait une intensité uniforme émise dans toutes les directions à partir de chaque point du front d'onde. Cela

implique que chaque front d'onde génère deux ondes qui se déplacent dans des directions opposées, contrairement à ce que l'on observe. Au XIXe siècle, Fresnel et Kirchhoff sont arrivés à décrire le principe de Huygens sous une forme mathématique rigoureuse et ont pu montrer que l'intensité des ondelettes est maximale dans la direction de propagation, et décroît graduellement dans la direction opposée. Cela suffit à expliquer qu'il ne se forme pas d'onde progressant dans la direction opposée à la direction initiale.

Dans les deux paragraphes suivants, nous appliquons le principe de Huygens à des situations où les fronts d'onde atteignent la limite entre deux milieux différents. Les dimensions de la surface de contact sont grandes par rapport à la longueur d'onde. Dans ces situations, le comportement des rayons est très facile à décrire. Plus loin dans ce chapitre, nous considérons des faisceaux lumineux qui tombent sur des objets de dimensions comparables à la longueur d'onde. Les effets d'interférence peuvent alors se révéler beaucoup plus complexes.

23.3 LA RÉFLEXION

Lorsqu'un faisceau de lumière atteint la limite entre deux milieux, une partie de la lumière est transmise, une autre est absorbée, et le reste est réfléchi. La surface lisse d'un morceau de verre ou la surface d'un métal poli réfléchit la lumière dans une direction particulière. On assiste ici à une réflexion *spéculaire*. Dans d'autres cas, la réflexion est *diffuse*, et la lumière réfléchie est réémise dans toutes les directions. On assiste à ce type de réflexion lorsque la lumière frappe une surface telle que celle d'une feuille de papier ou un mur peint, c'est-à-dire des objets qui présentent une rugosité à une échelle de distances nettement supérieure à la longueur d'onde de la lumière. Chaque point d'une telle surface donne lieu à une réflexion spéculaire mais, à cause de la diversité des orientations de ces éléments, les rayons réfléchis n'ont pas de direction commune.

Dans le cas de la réflexion spéculaire (figure 23.5*a*), la direction des rayons réfléchis est liée à la direction des rayons incidents par une relation simple :

> Le rayon réfléchi, le rayon incident et la normale au miroir forment un même plan. L'angle d'incidence et l'angle de réflexion, mesurés à partir de la normale au miroir, sont égaux.

L'égalité entre les angles d'incidence et de réflexion est une propriété générale des ondes. Elle se déduit du principe de Huygens et s'applique également au cas des ondes sonores et des ondes se propageant à la surface de l'eau (figure 23.6).

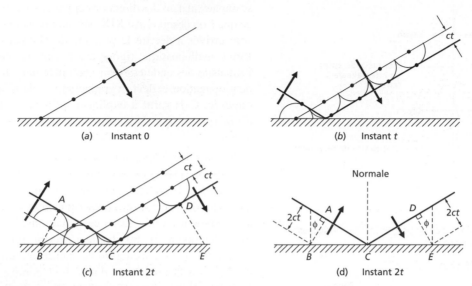

(a) Instant 0

(b) Instant *t*

(c) Instant 2*t*

(d) Instant 2*t*

Figure 23.6 Le principe de Huygens permet d'expliquer la loi de la réflexion. *(a)* Un front d'onde atteint une surface réfléchissante. *(b)* Après une courte période *t*, les ondelettes secondaires issues de cinq points équidistants sur le front d'onde initial se sont développées sur une distance *ct*. Le nouveau front d'onde est représenté par une droite tangente aux ondelettes. *(c)* Les ondelettes issues de points sur ce nouveau front d'onde se sont propagées sur une distance *ct*. *(d)* Les deux triangles rectangles sont redessinés à partir du schéma *(c)*. L'onde réfléchie s'est propagée de *B* vers *A* en un temps 2*t* et l'onde incidente progressera de *D* à *E* dans le même temps. Donc *AB = DE*. De plus, puisque les points considérés sur le front d'onde sont équidistants, *AC = CD*. Ceci veut dire que les triangles *ABC* et *CDE* ont un angle égal compris entre deux côtés égaux. Ces triangles ont donc leurs éléments homologues égaux. Les deux fronts d'onde forment donc des angles égaux avec le plan réfléchissant et les deux rayons correspondants forment des angles égaux avec la normale.

Les ondes lumineuses réfléchies manifestent deux propriétés remarquables. D'abord, comme nous l'avons vu au chapitre 21, une onde qui atteint l'extrémité fixe d'une corde subit une inversion, c'est-à-dire voit son élongation changer de signe. Cette inversion se produit également lorsqu'une onde lumineuse rencontre la limite de séparation entre deux milieux en se propageant vers le milieu le plus réfringent. Par exemple, une onde lumineuse se propageant dans l'air subit une inversion de phase lorsqu'elle est réfléchie par la surface d'un bloc de verre, plus réfringent. Il ne se produit pas d'inversion de phase lorsque la lumière est réfléchie dans le verre, contre la surface de séparation entre le verre et l'air.

Par ailleurs, l'intensité I_r de l'onde réfléchie est déterminée par les indices de réfraction n_1 et n_2 des deux milieux en contact. Si l'intensité incidente est I_0, on trouve, pour une incidence normale ($\phi = 0$) :

$$\frac{I_r}{I_0} = \left[\frac{n_2 - n_1}{n_2 + n_1}\right]^2 \quad \text{(incidence normale)} \quad (23.3)$$

Cette formule est encore approximativement correcte pour des incidences différentes mais proches de l'incidence normale. Comme le montre l'exemple suivant, une proportion non négligeable de la lumière peut être réfléchie sur la surface de séparation de l'air et du verre dans les instruments d'optique.

 ———— **Exemple 23.2** ————

Quelle proportion de lumière est-elle réfléchie à incidence normale sur une lentille de verre d'indice de réfraction égal à 1,5 ?

Réponse Pour $n_1 = 1$ et $n_2 = 1,5$,

$$\frac{I_r}{I_0} = \left[\frac{n_2 - n_1}{n_2 + n_1}\right]^2 = \left[\frac{1,5 - 1}{1,5 + 1}\right]^2 = 0,040$$

On trouve 4 % de lumière réfléchie. Dans un microscope ou une caméra alignant plusieurs lentilles, on perd environ 4 % de l'intensité pour chaque surface de lentille traversée. Nous discuterons plus loin dans ce chapitre de méthodes permettant de minimiser ce type de pertes.

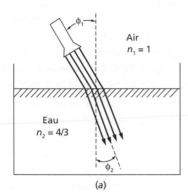 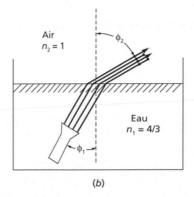

Figure 23.7 *(a)* La lumière est déviée vers la normale lorsqu'elle pénètre dans un milieu plus réfringent. *(b)* Elle s'écarte de la normale quand elle passe dans un milieu moins réfringent.

23.4 LA RÉFRACTION

23.4.1 Loi de Snell

Si les rayons lumineux passent d'un milieu transparent dans un autre, ils sont *réfractés*, c'est-à-dire déviés par rapport à leur direction d'incidence (figure 23.7). Comme dans le cas de la réflexion, le principe de Huygens permet de déterminer la direction des rayons réfractées en connaissant la direction des rayons incidents et l'orientation de la surface de séparation (problème 23.58). Cette relation entre les directions d'incidence et de réfraction est connue sous le nom de *loi de Snell*, d'après Willebrord Snell (1591-1626), qui l'a mise en évidence expérimentalement. Si les indices de réfraction des milieux traversés sont n_1 et n_2 et si l'angle d'incidence ϕ_1 et l'angle de réfraction ϕ_2 sont mesurés à partir de la direction normale, on écrit

$$n_1 \sin \phi_1 = n_2 \sin \phi_2 \qquad (23.4)$$

Comme dans le cas de la réflexion, le rayon incident, le rayon réfracté et la normale restent dans un même plan. La loi de Snell implique qu'une augmentation de l'indice de réfraction s'accompagne d'une diminution de l'angle ϕ entre le rayon lumineux et la normale. Ainsi, un rayon lumineux se rapproche de la normale lorsqu'il pénètre dans un milieu plus réfringent ($n_2 > n_1$) et s'écarte de la normale lorsqu'il pénètre dans un milieu moins réfringent. Les deux exemples suivants décrivent des applications de la loi de Snell.

 ———————— **Exemple 23.3** ————————

Un faisceau de lumière se propage dans l'air et pénètre dans l'eau sous une incidence de 30°. Une partie de la lumière est réfléchie et le reste est réfracté (figure 23.8). Déterminer la direction prise par les deux faisceaux émergents.

Réponse Le rayon incident et le rayon réfléchi forment avec la normale des angles égaux. L'angle de réflexion est donc

$$\phi_1' = \phi_1 = 30°$$

La loi de Snell, appliquée au cas où $n_1 = 1$ et $n_2 = 4/3$ et $\sin \phi_1 = \sin 30° = 0{,}5$ donne l'angle de réfraction :

$$\sin \phi_2 = \frac{n_1}{n_2} \sin \phi_1 = \frac{1}{4/3} 0{,}5 = 0{,}375$$

d'où

$$\phi_2 = 22°$$

Figure 23.8 Exemple 23.3

 ———————— **Exemple 23.4** ————————

Un rayon de lumière se propageant dans l'air rencontre une lame de verre plat d'indice de réfraction n_2 sous une incidence ϕ_1 (figure 23.9). Sous quel angle par rapport à la normale le rayon qui a traversé la lame émerge-t-il ?

Réponse Au niveau de la première surface, $n_1 = 1$ et la loi de Snell s'écrit

$$n_2 \sin \phi_2 = n_1 \sin \phi_1 = \sin \phi_1$$

Pour la seconde surface, $n_3 = 1$ et

$$n_2 \sin \phi_2 = n_3 \sin \phi_3 = \sin \phi_3$$

Comparant ces deux relations, on trouve $\sin \phi_1 = \sin \phi_3$ et donc $\phi_1 = \phi_3$.

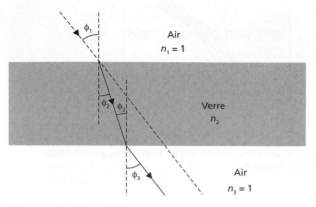

Figure 23.9 Exemple 23.4.

Cet exemple montre qu'une lame à faces parallèles ne modifie pas la direction des rayons lumineux, mais introduit un déplacement latéral proportionnel à l'épaisseur de la lame. Ce résultat nous sera utile au moment où nous discuterons les propriétés des lentilles au chapitre suivant.

Notons encore que la réfraction est la cause de nombreuses illusions d'optique. Ainsi un objet placé dans un liquide plus réfringent que l'air semble toujours plus proche de la surface qu'il ne l'est en réalité (voir problème 23.57). Cela est dû au fait que, quand la lumière émerge de l'eau dans l'air, les rayons s'éloignent de la normale. Le cerveau de l'observateur suppose néanmoins que les rayons se sont propagés en ligne droite, et extrapole la position de l'objet à un endroit fictif plus proche de la surface qu'il ne s'y trouve réellement. Cela explique par exemple qu'un bâton que l'on immerge partiellement dans l'eau peut sembler cassé : sa partie immergée semblera plus haute que le prolongement de la partie qui est dans l'air.

23.4.2 La dispersion

Comme nous l'avons évoqué dans la section 23.1, l'indice de réfraction d'un matériau varie en fonction de la longueur d'onde de la lumière. Cette dépendance est généralement faible mais néanmoins significative. Pour la plupart des matériaux transparents, l'indice de réfraction augmente lorsque la longueur d'onde diminue tel que c'est illustré à la figure 23.10.

La lumière blanche comme la lumière solaire ou celle produite par des ampoules à incandescence est formée par un ensemble de longueurs d'onde s'étendant sur tout le spectre visible et même au-delà. Puisque l'indice de réfraction varie avec la longueur d'onde, lorsqu'une telle lumière arrive sous une incidence non nulle à l'interface entre deux milieux, les rayons de différentes longueurs d'onde seront réfractés selon des directions différentes et les différentes composantes de la lumière blanche vont de séparer. Ce phénomène est appelé la *dispersion*.

On peut l'observer à l'aide d'un prisme de verre tel que schématisé à la figure 23.11. Lors du passage à travers les deux interfaces, la lumière blanche incidente se sépare en un faisceau divergent dont l'impact sur un écran produit un arc-en-ciel de couleurs allant du rouge au violet. Puisque l'indice de réfraction est généralement plus grand pour la lumière violette (400 nm) que pour la lumière rouge (700 nm), le rayon violet est plus fortement dévié que le rouge.

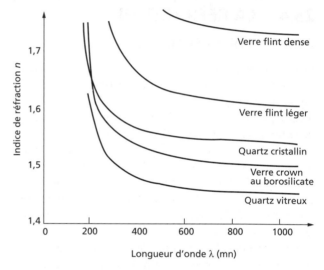

Figure 23.10 Variation de l'indice de réfraction de différents matériaux avec la longueur d'onde.

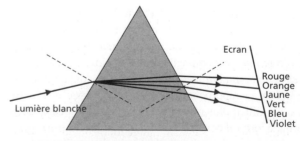

Figure 23.11 La variation de l'indice de réfraction avec la longueur d'onde produit une dispersion des différentes couleurs d'un faisceau de lumière blanche dans un prisme.

Les arcs-en-ciel constituent une illustration spectaculaire de la décomposition spectrale de la lumière du Soleil par des gouttes de pluie. On peut les observer lorsque l'on regarde tomber la pluie au loin avec le Soleil dans le dos (figure 23.12).

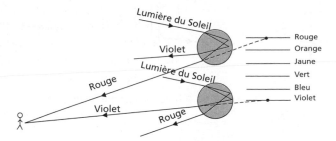

Figure 23.12 Formation d'un arc-en-ciel. Les gouttelettes d'eau sphériques séparent les rayons rouges et violets en les réfractant différemment puis en les réfléchissant sur leur face arrière. L'indice de réfraction du rouge étant plus faible, il est moins réfléchi et n'atteint l'observateur qu'au départ de gouttes de pluie situées plus haut dans le ciel. Le sommet de l'arc-en-ciel est donc de couleur rouge.

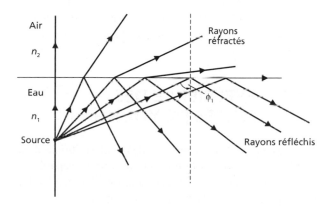

Figure 23.13 La réflexion totale se produit lorsque l'angle d'incidence est supérieur à l'angle critique ϕ_c.

23.5 LA RÉFLEXION TOTALE

La figure 23.13 montre le trajet des rayons lumineux issus d'une source de lumière placée à l'intérieur d'une cuve à eau. Quand les rayons atteignent la surface, une partie de la lumière passe dans l'air et le reste est réfléchi. On observe que l'intensité réfléchie se renforce progressivement lorsque l'angle d'incidence augmente. L'intensité transmise décroît parallèlement et s'annule lorsque l'angle de réfraction atteint 90°. À ce moment, l'angle d'incidence est l'angle critique ϕ_c. Si l'angle d'incidence est supérieur à ϕ_c, on n'observe plus de rayon réfracté et toute la lumière est réfléchie. C'est le phénomène de *réflexion totale*.

La loi de Snell nous permet de prévoir la valeur de l'angle critique ϕ_c. Il correspond à l'angle d'incidence pour lequel l'angle de réfraction vaut 90°. Cela donne

$$n_1 \sin \phi_c = n_2 \text{, ou}$$

$$\sin \phi_c = \frac{n_2}{n_1} \qquad (23.5)$$

Si l'on substitue dans la loi de Snell un angle d'incidence plus grand que l'angle critique on trouve une valeur de $\sin \phi_2$ supérieure à 1. Le fait qu'il n'existe aucune valeur du sinus d'un angle qui soit supérieure à 1 traduit ici simplement qu'il n'existe plus, dans ce cas, de rayon réfracté. Pour tous les angles supérieurs à ϕ_c, le rayon est entièrement réfléchi.

Insistons sur le fait que le phénomène de réflexion totale ne peut se produire que lors du passage de la lumière d'un milieu plus réfringent vers un milieu moins réfringent ($n_1 > n_2$). Dans le cas contraire ($n_1 < n_2$), le faisceau réfracté est toujours plus proche de la normale que le rayon incident et il n'existe pas d'angle critique. Cela se traduit par le fait que l'équation (23.5) ne possèdera une solution que si $n_2/n_1 \leq 1$.

✎ ———————— **Exemple 23.5** ————————

Quel est l'angle critique pour la lumière qui se propage du verre (indice de réfraction 1,5) dans l'air ?

Réponse Avec $n_1 = 1,5$ et $n_2 = 1$,

$$\sin \phi_c = \frac{n_2}{n_1} = \frac{1}{1,5} = 0,667$$

et $\phi_c = 42°$. Ainsi, la lumière qui tombe sur la surface de séparation verre-air sera complètement réfléchie si l'angle d'incidence dans le verre est supérieur à 42°. Au contraire, la lumière issue de l'air et passant dans le verre peut pénétrer sous n'importe quelle incidence.

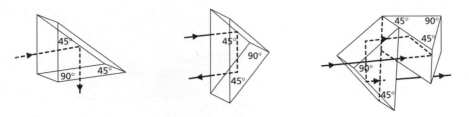

Figure 23.14 Prismes à réflexion totale.

Lors d'une réflexion spéculaire ordinaire, le faisceau réfléchi est toujours moins intense que le faisceau incident, même si la surface de jonction des deux milieux est parfaitement polie. Pour une réflexion totale, *il ne se produit aucune perte d'intensité.* C'est pour cette raison que l'on remplace souvent les miroirs par des prismes à réflexion totale dans les jumelles, les périscopes ou les appareils photographiques reflex (figure 23.14). Aucune diminution d'intensité ne se manifeste au moment de la réflexion totale de la lumière dans le prisme. Les pertes par réflexion sont réduites à la réflexion sur les faces d'entrée et de sortie du prisme.

La conservation de l'intensité au cours d'une réflexion totale est également utilisée dans la transmission de lumière le long de *fibres optiques*. Le principe de fonctionnement de ces fibres est illustré par la figure 23.15*a*, qui représente une portion d'un long cylindre transparent éventuellement courbé. Un rayon lumineux entrant par une extrémité est totalement réfléchi si l'angle d'incidence est suffisamment grand à l'endroit où le rayon lumineux entre en contact avec la surface. Même si la fibre cylindrique est légèrement courbée, les rayons lumineux la traverseront entièrement et parviendront à l'autre extrémité pratiquement sans atténuation après de multiples réflexions. En conséquence, une seule fibre transparente peut transmettre très efficacement l'énergie lumineuse suivant des trajectoires très variées. Suite aux multiples réflexions, les rayons issus de différents points de l'extrémité accolée à la source arrivent en désordre à l'autre extrémité. Une seule fibre ne peut pas transmettre une image. Celles-ci peuvent toutefois être transportées au moyen d'une botte de fibres parallèles très fines dont chacune transmet les rayons issus d'une très petite portion de l'objet examiné. La qualité de l'image est déterminée en grande partie par le diamètre des fibres, qui peut être réduit jusqu'à des valeurs de l'ordre de 10^{-6} m.

Les fibres optiques trouvent des applications médicales nombreuses qui ont bénéficié de la construction d'endoscopes permettant l'exploration, par exemple, des voies urinaires ou des bronches. Ils sont également utilisés pour transmettre vers l'intérieur du corps des faisceaux lumineux intenses utilisés dans un but chirurgical. Les fibres optiques sont capables de transmettre la lumière sur des centaines de kilomètres et permettent la construction de systèmes de communication optiques. Comme la lumière a des fréquences nettement plus élevées que les ondes radio ou les micro-ondes et comme la capacité de transmission d'une onde est proportionnelle à sa fréquence, l'avènement des systèmes de communication optique a constitué une véritable révolution dans le domaine des télécommunications.

23.6 EXPÉRIENCE DES FENTES DE YOUNG

Nous avons vu que si deux ondes sont simultanément présentes sur une corde ou dans un milieu capable de propager des ondes acoustiques, leur interférence produit une onde formée de la somme des élongations associées à chacune d'elles (principe de superposition). Cela conduit, selon les cas, à des ondes stationnaires ou à des battements.

L'existence des effets d'interférence dans la propagation de la lumière a été démontrée pour la première fois en 1803 par Thomas Young (1773-1829), un médecin, physicien et égyptologue anglais. Dans l'expérience de Young (figure 23.16), de la lumière monochromatique, c'est-à-dire formée d'une radiation ne présentant qu'une seule longueur d'onde, passe par un jeu de deux fentes étroites percées dans une feuille opaque et séparées par moins d'un millimètre. Elle tombe ensuite sur un écran placé derrière les fentes. Si la lumière consistait en de simples particules, seules deux lignes brillantes devraient apparaître à l'écran. Or Young observa une série de franges alternativement claires et sombres. Il montra que celles-ci proviennent de l'interférence entre les ondelettes de Huygens issues de chacune des fentes, agissant comme une source ponctuelle d'onde secondaire. Il démontra de ce fait la nature *ondulatoire* de la lumière.

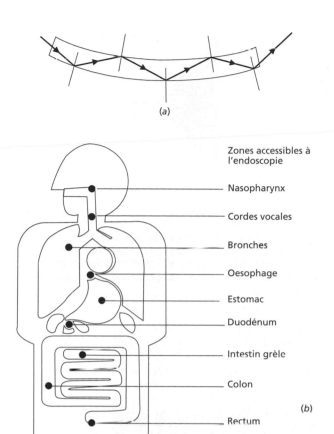

(a)

Zones accessibles à l'endoscopie

Nasopharynx

Cordes vocales

Bronches

Oesophage

Estomac

Duodénum

Intestin grèle

Colon

Rectum

(b)

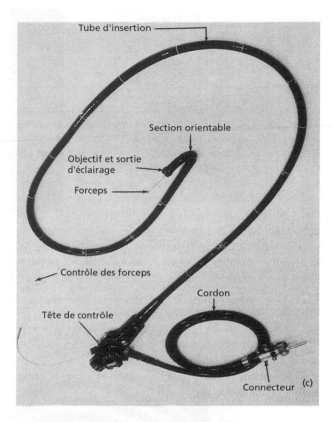

Tube d'insertion

Section orientable

Objectif et sortie d'éclairage

Forceps

Contrôle des forceps

Cordon

Tête de contrôle

Connecteur

(c)

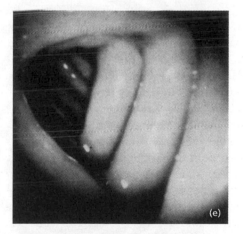

(e)

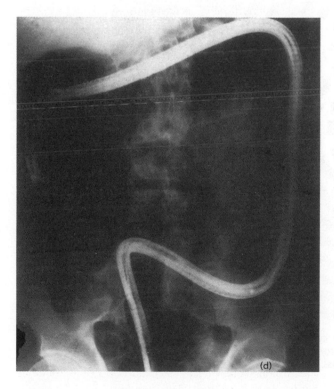

(d)

Figure 23.15 *(a)* Dans une fibre optique, la lumière subit des réflexions totales répétées et est transmise sans perte d'intensité. *(b)* Un ensemble de fibres parallèles peut transmettre une image détaillée même à travers un parcours sinueux. Ceci permet au médecin de sonder visuellement un grand nombre d'organes sans recourir à une intervention chirurgicale. *(c)* Un endoscope. Cet instrument est équipé d'une source de lumière et peut être utilisé pour enlever des excroissances pathologiques. *(d)* Une radiographie montrant l'endoscope en place. *(e)* Une photographie de l'intérieur d'un colon normal prise au moyen de l'endoscope placé comme sur la radiographie *(d)*. *(Avec l'aimable autorisation de Olympus Corporation. Photos (d) et (e) par le Dr. Hiromi Shinya, Beth Israel Hospital, New York.)*

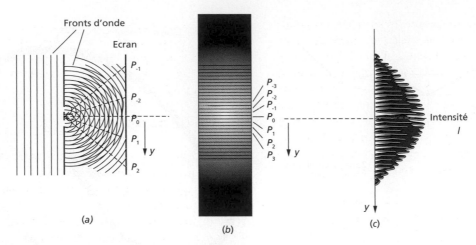

(a)

(b)

(c)

Figure 23.16 *(a)* Expérience des fentes de Young. Si les distances d'un point de l'écran aux deux fentes diffèrent d'un nombre entier de longueurs d'ondes, une interférence constructive maximale se produit en ce point. *(b)* Une photographie des franges d'interférence qui se forment sur l'écran. *(c)* Un graphe montrant la variation de l'intensité *I* en fonction de la position *y* sur l'écran. *((bh) D'après Sears, Zemanskv et Young*, University Physics, *cinquième édition, 1976. Addison-Wesley, Reading, Mass., U.S.A.)*

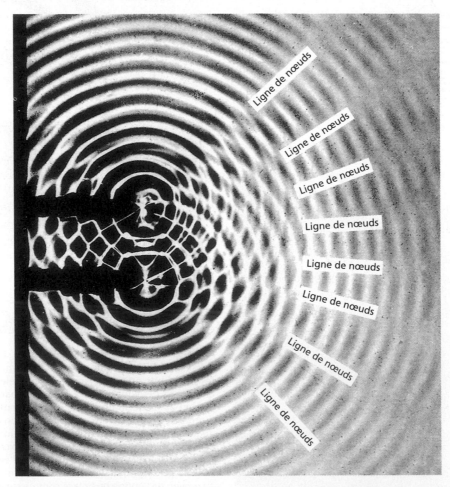

Figure 23.17 Interférence d'ondes de surface sur une cuve à onde. Les deux ondes sont produites par des mouvements vibratoires synchrones. *(Avec l'aimable autorisation de l'éditeur, extrait de* PSSC Physics, *quatrième édition, 1976, D. C. Heath and Company, Lexington, Mass.)*

Les *nœuds* (franges sombres) correspondent aux points pour lesquels les ondes issues respectivement des deux fentes sont en opposition de phase et interfèrent destructivement. Les ventres de vibrations (franges brillantes) se produisent aux points où les ondes issues des deux fentes sont en phase et interfèrent constructivement. Une figure d'interférence semblable peut-être observée pour tous les types d'ondes, comme, par exemple, celles qui se développent à la surface de l'eau dans une cuve à onde (figure 23.17) ou les ondes sonores produites par deux hauts-parleurs.

23.6.1 Phénomène d'interférence

Nous avons déjà introduit précédemment la notion d'interférence : si deux ondes de même fréquence se superposent elles peuvent se combiner constructivement ou destructivement selon leur phase relative. Considérons ici deux sources lumineuses ponctuelles S_1 et S_2 émettant en phase des ondes identiques de la forme $E(r, t) = E_0 \sin(\omega t - Kr)$. En un point P, situé à une distance r_1 de S_1 et r_2 de S_2, les ondes produites par chacune des sources vont se superposer pour donner une amplitude globale

$$E(P, t) = E_0 \sin\left(\omega t - Kr_1\right) + E_0 \sin\left(\omega t - Kr_2\right)$$
$$= 2E_0 \sin\left(\omega t - Kr_m\right) \cos(Kx/2)$$

où $r_m = (r_1 + r_2)/2$ est la distance moyenne séparant P des deux sources, et $x = (r_2 - r_1)$ est la différence de distance parcourue par les deux ondes pour atteindre le point P. La longueur x est appelée *différence de marche*. En raison de cette différence de marche, l'interférence au point P peut être soit contructive soit destructive.

On observera une interférence constructive au point P lorsque $\cos(Kx/2) = 1$ soit lorsque $(Kx/2) = m\pi$ où m est un nombre entier ($m = 0, \pm 1, \pm 2...$). Comme $K = 2\pi/\lambda$, cela se produit lorsque : $x = m\lambda$. On aura donc un *ventre* lorsque la différence de marche entre les deux ondes est égale à un *nombre entier* de longueur d'onde.

À l'inverse, on observera un *nœud* au point P ($E(P, t) = 0$) lorsque $\cos(Kx/2) = 0$, soit lorsque $(Kx/2) = (m + 1/2)\pi$. Cela correspond à $x = (m + 1/2)\lambda$ c'est-à-dire à une différence de marche égale à un nombre *impair de demi-longueur d'onde*.

23.6.2 Dispositif de Young

Le résultat précédent peut être utilisé pour déterminer la position des maxima et minima dans l'expérience de Young. Les deux fentes agissent comme des sources ponctuelles assimilables à S_1 et S_2. À partir d'un point P sur l'écran (figure 23.18a) on mesure les distances r_1 et r_2. On suppose que la distance d entre les fentes est très inférieure à la distance D entre les fentes et l'écran. Les rayons provenant des deux fentes sont donc quasi parallèles et sont orientés selon une direction θ par rapport à la normale au plan défini par les fentes. Si on trace un cercle de rayon r_1 autour du point P, l'arc AB peut être approché par un segment de droite perpendiculaire à la fois à AP et BP. Nous voyons sur la figure 23.18b que la différence de marche des rayons $x = r_2 - r_1$ est égale à $d \sin θ$. Une interférence constructive maximale se produit lorsque cette différence est exactement un nombre entier de longueur d'onde, c'est-à-dire si

$$d \sin θ = m\lambda \qquad m = 0, \pm 1, \pm 2... \qquad (23.6)$$

On observe donc des *maxima* d'intensité (franges brillantes) pour les points P de l'écran correspondant à des directions θ qui satisfont à la relation (23.6). La valeur de m s'appelle *l'ordre* de la frange d'interférence. En pratique sa valeur maximale est limitée par le fait que $\sin θ$ ne peut pas prendre de valeur supérieure à 1. Inversement, on observe des *nœuds* (franges sombres) lorsque x est égal à un nombre demi-entier de λ

$$d \sin θ = (m + 1/2)\lambda \qquad m = 0, \pm 1, \pm 2... \qquad (23.7)$$

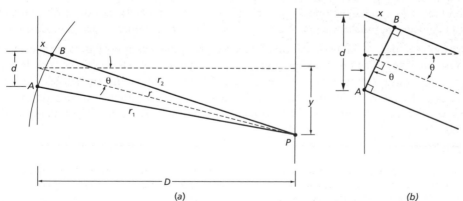

Figure 23.18 *(a)* La géométrie de l'appareil à deux fentes de Young. L'échelle est modifiée par souci de clarté ; la distance D à l'écran est en réalité bien supérieure à l'écart d entre les fentes. *(b)* Agrandissement de la région proche des fentes $x = d \sin θ$.

THOMAS YOUNG
(1773-1829)

Thomas Young est un médecin et physicien anglais extraordinairement doué. Il lit couramment à l'âge de deux ans, à quatre ans il a déjà lu deux fois la Bible et à l'âge de 14 ans, il connaît huit langues. Toute sa vie d'adulte, il s'occupera activement de médecine et de physique, et à côté de ces occupations, il trouvera encore le temps de contribuer au décryptage des hiéroglyphes égyptiens.

Young a travaillé différentes questions de physique des fluides et a apporté de nombreuses réponses aux questions touchant la tension superficielle, la capillarité et les marées. Il est le premier à introduire le concept d'énergie en tant que capacité de produire un travail, et amène de solides arguments à l'encontre de la théorie du calorique longtemps utilisée pour expliquer le transport de la chaleur. On lui doit aussi une étude des propriétés élastiques de la matière ; comme on l'a signalé au chapitre 8, son nom est toujours associé aux paramètres qui caractérisent les déformations élastiques. Mais malgré l'importance de toutes ces contributions, ses découvertes les plus prestigieuses sont celles qui concernent les propriétés de la lumière.

Pendant ses études de médecine, Young découvre comment le cristallin modifie sa forme pour focaliser sur la rétine les images d'objets situés à différentes distances de l'œil. Il est diplômé de Göttingen en Allemagne en 1796 et s'installe à Londres en 1799. Deux ans plus tard, il découvre les causes de l'astigmatisme dans les irrégularités de la cornée et quelque temps plus tard, il avance une théorie de la perception des couleurs fondée sur la reconnaissance de trois couleurs fondamentales. Mélangées dans des proportions convenables, elles peuvent composer toutes les teintes perceptibles. Cette théorie sera par la suite affinée par Helmholtz et est connue aujourd'hui sous le nom de théorie de Young-Helmholz.

Portant son attention vers l'étude de la radiation lumineuse elle-même, Young réalise quelques expériences qui restent cruciales pour démontrer le caractère ondulatoire de la lumière. En 1803, il montre que si on éclaire un écran à travers une fente étroite, il se forme des franges très lumineuses en des points qui auraient dû rester dans l'ombre si la lumière s'était propagée en ligne droite. Plus étonnantes encore sont ses expériences réalisées au moyen d'une double fente, qui montrent que deux rayons lumineux peuvent se combiner pour produire une alternance de bandes claires et sombres. Les bandes sombres indiquent une destruction mutuelle des deux faisceaux qui peut se comprendre aisément dans une approche ondulatoire et s'explique très difficilement dans un modèle corpusculaire.

La démonstration apportée par Young de la nature ondulatoire de la lumière n'est pas reçue avec enthousiasme en Angleterre, où Newton et ses élèves ont opté pour un modèle corpusculaire. De ce fait, ce sont deux physiciens français, Fresnel et Arago, qui travailleront à l'édification de l'optique ondulatoire suivant les idées de Thomas Young. Il est intéressant de noter, à l'inverse, que les physiciens français auront beaucoup de mal à admettre l'échec de la théorie « française » du calorique. Il faudra attendre plusieurs décennies pour que cette théorie soit définitivement écartée.

Les maxima d'intensité se développent symétriquement par rapport au maximum central se rapportant à $m = 0$. Les nombres négatifs repèrent les maxima situés dans la partie supérieure de l'écran, comme l'indiquent les points P_{-1}, P_{-2}, $\cdots$ sur la figure 23.16.

L'exemple suivant donne la position d'un maximum.

————— Exemple 23.6 —————

Trouver l'angle correspondant à la frange $m = 3$ si deux fentes distantes de 0, 4 mm $= 4 \times 10^{-4}$ m sont éclairées par de la lumière jaune de 600 nm.

Réponse En substituant la valeur $m = 3$ dans la relation $d \sin \theta = m\lambda$, on trouve

$$\sin \theta = \frac{m\lambda}{d} = \frac{3\left(600 \times 10^{-9} \text{ m}\right)}{4 \times 10^{-4} \text{ m}}$$

$$= 4{,}50 \times 10^{-3}$$

Lorsque le sinus est très petit devant 1, nous pouvons approcher sa valeur par la valeur de l'angle en radian, $\sin \theta = \theta$. Donc,

$$\theta = 4{,}50 \times 10^{-3} \text{rad} \left(\frac{180°}{\pi \text{ rad}}\right)$$

$$= 0{,}258°$$

Cet angle est assez petit, mais les franges sont facilement visibles si l'écran est situé à au moins un mètre des fentes.

On trouve facilement la position, y, des franges brillantes sur l'écran. La figure 23.18*a* indique que la distance r entre le point médian équidistant des deux fentes et la frange considérée est à peu près égale à D si l'angle θ n'est pas trop grand. De ce fait, $\sin \theta = y/r \simeq y/D$. Introduisant ce résultat dans l'équation (23.6), on trouve $d(y/D) = m\lambda$, et

$$y = m \lambda \frac{D}{d}, \quad m = 0, \pm 1, \pm 2, \cdots \qquad (23.8)$$

Lorsque la séparation entre les fentes est connue, la figure d'interférence peut être utilisée pour déterminer la longueur d'onde de la lumière.

————— Exemple 23.7 —————

Deux fentes distantes de 4×10^{-4} m sont placées à 1 m d'un écran. Si la distance y entre la frange centrale et la frange correspondant à $m = 1$ est de 1 mm $= 10^{-3}$ m, quelle est la longueur d'onde de la lumière utilisée ?

Réponse En résolvant l'équation $y = m \lambda D/d$ par rapport à λ, nous avons, pour $m = 1$,

$$\lambda = \frac{yd}{mD} = \frac{\left(10^{-3} \text{ m}\right)\left(4 \times 10^{-4} \text{ m}\right)}{(1)(1 \text{ m})}$$

$$= 4 \times 10^{-7} \text{ m} = 400 \text{ nm}$$

En pratique, il est difficile de mesurer avec précision la position des maxima dans le cas d'une expérience réalisée avec une double fente. Le réseau de diffraction discuté au paragraphe 23.8 permet une détermination beaucoup plus précise des longueurs d'onde.

L'intensité dans une bande claire n'est pas simplement la somme des intensités des ondes issues des deux fentes. L'intensité d'une onde est proportionnelle au carré de son amplitude. Si l'amplitude de chaque onde est E_0, lorsque deux ondes sont en phase et se superposent, elles produisent une amplitude $2E_0$. L'intensité maximale pour les franges de Young est donc proportionnelle à $\left(2E_0\right)^2 = 4E_0^2$, soit quatre fois l'intensité issue d'une seule fente. Lorsque la figure d'interférence produite par la double fente est moyennée sur les maxima et minima, on trouve alors que l'intensité moyenne est deux fois l'intensité associée à une seule fente. C'est le résultat qu'impose la conservation de l'énergie, puisque l'énergie qui atteint l'écran est alors exactement la somme des énergies qui traversent les deux fentes.

En principe, considérant des fentes *ponctuelles*, l'intensité des franges brillantes devrait être *constante* et indépendante de l'ordre de la frange. En pratique, on observe cependant que les franges d'interférence formées par une double fente (figure 23.16) diminuent d'intensité de manière appréciable après les quelques premiers maxima de part et d'autre du maximum central. Cette décroissance est due à la largeur *finie* des fentes et à l'interférence des ondelettes issues de différents points d'une *même fente*. Ce phénomène connu sous le nom de *diffraction*, sera discuté plus tard dans ce chapitre.

23.7 LA COHÉRENCE

Pour former des franges dans une expérience de Young, la lumière qui passe par les deux fentes doit provenir d'une *même* source. Si les fentes étaient éclairées par des ampoules différentes, l'éclairement de l'écran serait pratiquement uniforme. Cela tient au fait que la lumière issue d'une source ordinaire n'est pas une onde continue, mais plutôt une succession d'impulsions indépendantes émises de manière aléatoire. De ce fait, le déphasage des ondes lumineuses émises par deux lampes différentes change fréquemment, de même que la position des maxima et minima d'intensité sur la figure d'interférence. Aucune figure particulière ne persiste suffisamment longtemps pour être perceptible. Les deux lampes sont des sources lumineuses incohérentes. Seules les ondes *cohérentes*, c'est-à-dire celles qui présentent une relation de phases stable, peuvent produire des effets d'interférence.

Le fonctionnement des sources cohérentes et incohérentes peut être illustré par le mouvement de deux vibreurs dans une cuve à onde. Si les vibreurs oscillent à l'unisson, ils produisent des ondes cohérentes et on voit se dessiner les nœuds et les ventres comme sur la figure 23.17. Si par contre l'un des oscillateurs est régulièrement interrompu pendant une période brève mais aléatoire, les deux sources ne peuvent plus vibrer en phase. Il se produira encore des nœuds et des ventres de vibration aux points correspondant à des interférences destructives et constructives, mais chaque fois qu'un vibreur s'arrête et repart, la position de ces points va changer. Si ces déplacements se produisent suffisamment souvent, il sera impossible de discerner une figure d'interférence.

Les ondes électromagnétiques produites par des sources lumineuses communes, telles que les filaments chauffés et les flammes, sont émises au hasard par des molécules ou des atomes isolés. Ces émetteurs fonctionnent indépendamment les uns des autres, comme les deux vibreurs qui illustraient l'émission d'ondes incohérentes. Typiquement, les atomes produisent des trains d'onde d'une durée d'environ 10^{-8} seconde, ce qui représente une longueur de quelques mètres. De telles sources peuvent produire des effets d'interférence si on en réduit la taille au moyen d'un écran percé d'un trou de petit diamètre et si on les munit d'un filtre coloré. La lumière filtrée est presque monochromatique et, provenant d'une très petite partie de la source, elle est au moins partiellement cohérente et produira des franges dans un montage de Young.

Très répandus et offrant de multiples applications, les lasers sont des sources de lumière intenses et cohérentes, les *lasers*, ont été développées. Dans un laser, les atomes émettent une lumière de phase constante, plutôt qu'aléatoire ou incohérente. Cette lumière est hautement monochromatique et présente un degré de cohérence élevé. De ce fait, la lumière d'un faisceau laser prise en deux points du faisceau ou émise à des instants raisonnablement rapprochés peut être utilisée pour produire des interférences.

23.8 LE RÉSEAU DE DIFFRACTION

La longueur d'onde d'un faisceau de lumière peut se déduire de la mesure de l'écart entre les maxima d'interférence obtenus dans l'expérience des fentes de Young. Il est toutefois difficile de réaliser cette mesure avec précision, du fait de la largeur relativement grande des franges et de leur faible intensité. Un *réseau de diffraction* est constitué d'une série de fentes rapprochées et permet une détermination bien plus aisée et plus précise des longueurs d'onde. Nous allons voir que, comme dans le cas d'une

double fente, la *distance* entre les fentes d'un réseau détermine la *position des franges*. Leur *étroitesse* dépend du *nombre des fentes*.

Le principe de fonctionnement d'un réseau est illustré par le cas de six fentes équidistantes (figure 23.19). Si la différence $x = d \sin \theta$ des distances d'un point de l'écran à deux fentes adjacentes est un nombre entier de longueurs d'onde, toutes les ondes arrivant en ce point sont en phase. On observe dès lors un maximum d'intensité lorsque

$$d \sin \theta = m \lambda \qquad m = 0, \pm 1, \pm 2, \cdots \qquad (23.9)$$

m est l'ordre de la frange ou du spectre produit par le réseau.

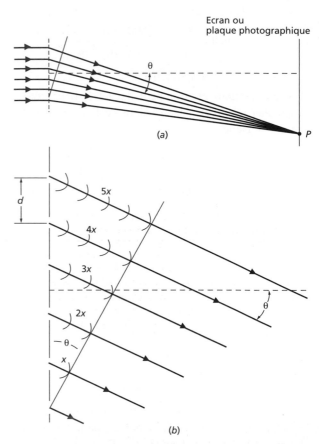

Figure 23.19 *(a)* Les rayons lumineux concourent au point *P* sur l'écran à partir de six fentes rapprochées. (On ne montre pas les rayons lumineux qui concourent aux autres points de l'écran.) *(b)* Vue agrandie de la région proche des fentes.

Cette relation est identique à celle qui détermine la position angulaire des franges dans l'expérience de Young. Les *intensités* sont toutefois beaucoup plus élevées ici du fait que les amplitudes des six fentes s'ajoutent (figure 23.20). Si chaque onde a une amplitude E_0 (intensité $I_0 \propto E_0^2$), leur superposition constructive produit une amplitude $6E_0$ et une intensité proportionnelle à $6^2 I_0$.

Généralisant ceci pour N fentes rayonnant une intensité I_0, l'intensité des maxima est proportionnelle au carré du nombre de fentes

$$I = N^2 I_0 \qquad (23.10)$$

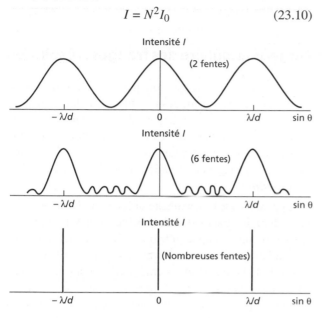

Figure 23.20 Maximum central et maxima donnés par $m = \pm 1$ pour 2, 6 et un grand nombre de fentes. Les intensités dans les trois graphiques ne sont pas données à la même échelle ; les hauteurs des maxima sont proportionnelles au carré du nombre de fentes alors que leur largeur décroît en $1/N$. Remarquer que les franges deviennent intenses et plus étroites lorsque le nombre de fentes s'accroît. Dans le cas de six fentes, on constate une destruction significative, bien que toujours partielle, des ondes issues de l'ensemble des fentes, excepté lorsque $d \sin\theta = m\lambda$. Lorsque le nombre de fentes est très grand, la destruction est pratiquement complète.

Il est important de noter également que la *largeur* des franges a fortement diminué. Pour un dispositif à six fentes, le premier minimum se produira lorsque les fentes séparées de $3d$ sont en opposition de phase c'est-à-dire lorsque $\sin\theta = (1/2)\,\lambda\,/3d$. La largeur L du pic central dans un graphique donnant l'intensité en fonction de $\sin\theta$ est dès lors égale à $2\lambda/6d$. Pour un dispositif à N fentes, cette expression devient

$$L = 2\,\lambda\,/Nd \qquad (23.11)$$

En augmentant le nombre de fentes, on accroît dès lors l'intensité des franges et on accentue leur étroitesse. L'intensité moyenne sur l'écran dépend du produit de l'intensité des franges par leur largeur et évolue donc bien proportionnellement au nombre de fentes ($I \times L \propto N$) en accord avec le principe de conservation de l'énergie.

Les réseaux sont fabriqués en traçant des sillons parallèles sur une lame à l'aide d'une machine-outil à contrôle automatique. Ceux qui sont utilisés pour mesurer les longueurs d'onde dans la région du spectre visible présentent

couramment des densités de 4 000 à 120 000 traits par centimètre. L'écart entre les fentes est maintenu proche de la longueur d'onde de la lumière avec laquelle le réseau sera éclairé, de sorte que l'angle entre deux franges restera suffisamment grand pour être mesuré avec précision. L'exemple suivant donne une idée des positions angulaires qui se rencontrent couramment.

 Exemple 23.8

Un réseau présente une densité de 4 000 lignes par centimètre. Sous quels angles trouve-t-on les maxima d'intensité en lumière jaune de 600 nm de longueur d'onde ?

Réponse L'écart entre les fentes est

$$d = \frac{1}{4\,000}\text{ cm} = 2,5 \times 10^{-4}\text{ cm}$$

$$= 2,5 \times 10^3\text{ nm}$$

Avec $\lambda = 600$ nm, $d \sin\theta = m\lambda$ donne

$$\sin\theta = \frac{m\lambda}{d} = \frac{m(600\text{ nm})}{\left(2,5 \times 10^3\text{ nm}\right)}$$

$$= m(0,240)$$

La substitution $m = 1$ fournit $\sin\theta = 0,24$ ou $\theta = 14°$; les maxima d'intensité sont donc formés dans une direction inclinée à $14°$ de part et d'autre du maximum central $m = 0$. De même, $m = 2$, 3 et 4 donnent des maxima sous $29°$, $46°$ et $74°$ respectivement. Il n'existe pas d'autre maximum : $m = 5$ requiert $\sin\theta = 1,2$ et il n'existe aucun angle dont le sinus soit supérieur à 1.

Lorsque la lumière illuminant un réseau de diffraction n'est pas monochromatique (c'est-à-dire est composée de deux ou plusieurs longueurs d'onde distinctes), on déduit de la relation (23.6) que chaque longueur d'onde produira un maximum à un angle θ différent pour les ordres différents de $m = 0$. Si la lumière incidente est blanche, le maximum central est net et blanc mais, pour tous les autres ordres, le maximum constitue un arc-en-ciel de couleurs distinctes réparti sur une certaines plage angulaire. Un réseau est donc capable de séparer la lumière en ses différentes composantes spectrales, comme le faisait un prisme.

Si la lumière est formée d'un mélange discret de fréquences, des traits se forment pour chacune d'elles et le réseau forme un *spectre de raies* (figure 23.21). De tels spectres se forment par exemple lorsque des atomes ou des molécules d'un gaz sont traversés par une décharge électrique. La mesure des longueurs d'onde caractéristiques sur les spectres de raies donne des renseignements importants sur la structure des atomes ou des molécules. C'est le principe de la spectroscopie. D'autres sources, telles que les lampes à incandescence, produisent de la lumière blanche, formée d'une distribution continue de fréquences. Elles donnent lieu à un spectre *continu*. L'exemple suivant traite des figures formées par un réseau éclairé par de la lumière blanche.

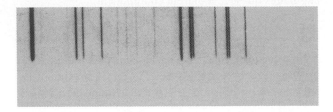

Figure 23.21 Le spectre de raies du fer. Cette photographie est un négatif, les lignes noires correspondent à des raies brillantes formées par le réseau de diffraction. *(Avec l'aimable autorisation des Observatoires Lick.)*

 ─────── **Exemple 23.9** ───────

Un réseau est formé de lignes distantes de $2{,}5 \times 10^3$ nm et est éclairé par un faisceau de lumière dont les longueurs d'onde s'étendent de 400 à 700 nm. Décrire le spectre obtenu à l'aide de ce réseau.

Réponse Avec $m = 1$ et $\lambda = 400$ nm,

$$\sin \theta = \frac{m\lambda}{d} = \frac{(1)(400 \text{ nm})}{2{,}5 \times 10^3 \text{ nm}} = 0{,}16$$

et $\theta = 9°$. Pour $m = 1$ et $\lambda = 700$ nm, $\theta = 16°$. Le spectre d'ordre 1 s'étend donc entre 9° et 16° de chaque côté d'un maximum central blanc. La longueur d'onde la plus courte (violet) correspond à l'angle le plus petit. De la même façon, on trouve un spectre d'ordre 2 entre 19° et 34° et un spectre d'ordre 3 entre 29° et 57°. Il est intéressant de noter que les spectres d'ordre 2 et d'ordre 3 se

recouvrent partiellement. En général, le spectre de premier ordre visible d'un réseau est isolé et les spectres d'ordres plus élevés se chevauchent.

─────────────────────────

Largeur angulaire des franges ; résolution

Nous venons de voir que lorsque le nombre de fentes augmente, les raies formées par un réseau deviennent de plus en plus étroites. La largeur d'une frange détermine la précision avec laquelle les longueurs d'onde peuvent être mesurées et impose une limite sur le pouvoir de séparation des longueurs d'onde par le réseau, c'est-à-dire sa *résolution*.

Supposons que l'on souhaite utiliser un réseau pour séparer deux longueurs d'onde voisines λ et $\lambda + \Delta\lambda$. Cette séparation ne sera apparente que si les deux franges correspondantes ne se recouvrent pas trop. Lord Raleigh (1842-1919) a introduit un critère définissant une limite conventionnelle au recouvrement des raies. Le *critère de Raleigh* stipule que la limite pour que deux franges puissent être résolues est atteinte lorsque *le maximum de la figure de diffraction de l'une coïncide exactement avec le premier minimum de la figure de diffraction de l'autre.*

Ceci est illustré à la figure 23.22. D'une part, d'après l'équation (23.6), la distance entre les maxima pour les fréquences voisines dans le graphe donnant l'intensité en fonction de $\sin\theta$ vaut $m\,\Delta\lambda/d$. D'autre part, le minimum du premier pic est à une distance $L/2$ (équation 23.10) de son maximum, soit λ/Nd. Le critère de Raleigh est satisfait lorsque ces deux quantités sont égales. On trouve donc que deux raies du spectre d'ordre n peuvent être résolues si $\Delta\lambda$ n'est pas inférieur à la valeur satisfaisant la condition suivante :

$$\Delta\lambda/\lambda = 1/(Nm) \qquad (23.12)$$

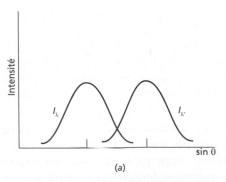
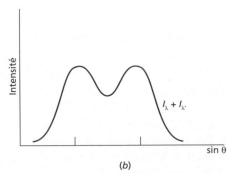

Figure 23.22 Distributions des intensités dans une très petite région angulaire d'un spectre formé par un réseau de diffraction. *(a)* La lumière de longueur d'onde λ produit le maximum décrit par la courbe en noir, alors que la lumière de longueur d'onde λ' produit un maximum décrit par la courbe en couleur. *(b)* Lorsque les deux ondes sont présentes, l'intensité observée est la somme des deux intensités représentées en *(a)*. Dans le cas considéré, les deux maxima sont à la limite de la discernabilité.

On voit que la résolution augmente (Δλ diminue) proportionnellement au nombre de fentes. Ceci explique qu'il faille utiliser un réseau comportant un nombre suffisant de fentes pour observer la décomposition spectrale de la lumière. En pratique, les réseaux permettent d'atteindre des résolutions remarquables. L'exemple suivant nous donne un ordre de grandeur.

 ─── Exemple 23.10 ───

La présence de traces de sodium dans une flamme est responsable de l'émission d'une radiation jaune due à un *doublet*. Celui-ci est formé de deux ondes lumineuses de longueurs d'onde très voisines, 589,59 nm et 589,00 nm. Un réseau dont la densité est 10 000 traits par centimètre peut-il résoudre ce doublet dans le spectre du premier ordre ?

Réponse   L'écart relatif entre les deux longueurs d'onde du doublet jaune du sodium est

$$\frac{\Delta \lambda}{\lambda} = \frac{(589,59 - 589,00) \text{ nm}}{589 \text{ nm}} = 10^{-3}$$

Le plus petit écart résoluble dans le spectre du premier ordre pour le réseau considéré vérifie

$$\frac{\Delta \lambda}{\lambda} = \frac{1}{Nm} = \frac{1}{(10^4)(1)} = 10^{-4}$$

Comme ce rapport est dix fois plus petit que nécessaire, le réseau pourra aisément résoudre ce doublet.

Le critère de Rayleigh s'applique à la résolution qui peut être obtenue par une analyse visuelle des spectres. Il est possible de réduire encore l'écart entre les longueurs d'onde séparables en mesurant et en analysant de manière détaillée les courbes d'intensité (figure 23.22b).

23.9 LE PHÉNOMÈNE DE DIFFRACTION

Jusqu'ici, nous avons discuté quelques exemples d'interférence entre des ondes émises par des sources ponctuelles, comme lors d'une expérience réalisée au moyen d'un dispositif à deux fentes ou d'un réseau de diffraction. Dans le cas d'une source étendue, les ondes émises par différents points de la source peuvent également interférer si leur différence de phase reste constante, c'est-à-dire si la source présente une *cohérence spatiale* suffisante. Ce type d'interférence cause des effets tels que la déviation de la lumière au passage à proximité d'un bord d'écran. L'interférence des ondes issues d'une source étendue a reçu le nom de *diffraction* et se produit pour tous les types de propagation d'onde.

La figure 23.23 montre l'ombre portée par une lame de rasoir placée entre une source monochromatique et une plaque photographique. On constate qu'une partie de la lumière est déviée vers la zone d'*ombre géométrique*, la région qui se trouverait totalement obscure s'il n'y avait aucune déviation. À proximité des bords de la zone d'ombre, il apparaît une alternance de zones claires et sombres qui constituent la figure de diffraction. On voit que même dans cette situation simple, la figure de diffraction est déjà relativement complexe.

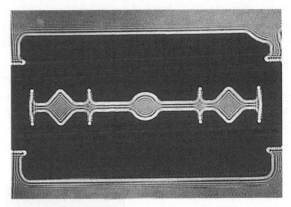

Figure 23.23 L'ombre produite lorsqu'une lame de rasoir est éclairée par une source ponctuelle monochromatique. *(Tiré de Sears, Zemansky et Young, University Physics, cinquième édition, 1976, Addison-Wesley, Reading, Mass.)*

Dans les situations ordinaires, nous remarquons rarement les effets de la diffraction de la lumière. Les sources lumineuses courantes telles que les lampes à incandescence ou le soleil sont loin d'être monochromatiques et spatialement cohérentes. Les différentes figures de diffraction qui se superposent alors se détruisent mutuellement. Il arrive cependant qu'on puisse observer des effets de diffraction lorsque l'on regarde dans la direction de sources éloignées, par exemple à travers un mince interstice laissé entre les doigts, ou à travers la trame de la toile d'un parapluie. Au contraire, la diffraction des ondes sonores est difficile à éviter. Le son se propage facilement derrière les objets de dimension courante et trouve aisément moyen d'atteindre uniformément tous les recoins d'une pièce encombrée de meubles. Cette différence de comportement entre l'onde lumineuse et l'onde sonore tient à la différence des longueurs d'onde, 5×10^{-7} m et 1 m respectivement. *Les effets de diffraction ne sont importants que lorsque les obstacles ou les ouvertures rencontrés par l'onde ont des dimensions comparables à la longueur d'onde.*

23.9.1 Diffraction par une fente étroite

Le calcul des figures de diffraction est en règle générale un travail difficile. Dans le cas du passage de la lumière par une fente étroite, on peut toutefois mettre en évidence l'essentiel du comportement des ondes lumineuses sans mathématiques élaborées. L'examen de ces résultats sera également utile pour comprendre le phénomène de diffraction dans beaucoup d'autres situations.

La figure 23.24 montre un faisceau de lumière monochromatique qui traverse une ouverture dont la largeur a est comparable à la longueur d'onde λ et qui tombe sur une plaque photographique ou un écran disposé à une distance suffisante de la fente. Les ondelettes de Huygens émises par les différents points de la source interfèrent pour produire la figure de diffraction représentée à la figure 23.25.

Nous pouvons repérer les minima d'intensité sur cette figure en divisant la largeur de la fente en deux parties (AB et BC sur la figure 23.26). La distance à l'écran pour l'ondelette issue de A est plus grande que pour l'onde-lette issue de B, et l'écart entre ces distances est donné par $x = (a/2)\sin\theta$. Les ondelettes issues d'un point situé entre A et B et du point correspondant, distant de $a/2$, entre B et C présenteront la même différence de marche. En conséquence, si x vaut exactement $\lambda/2$, toutes les paires d'ondelettes seront en opposition de phase et elles s'annuleront exactement, donnant lieu à un minimum. On observe donc un minimum d'intensité lorsque $x = (1/2)a\sin\theta = \lambda/2$, c'est-à-dire si

$$a\sin\theta = \lambda$$

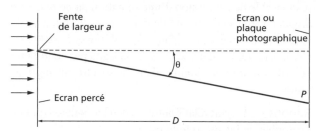

Figure 23.24 Géométrie de l'expérience de diffraction par une fente mince. La figure recueillie sur l'écran est décrite à la figure 23.25.

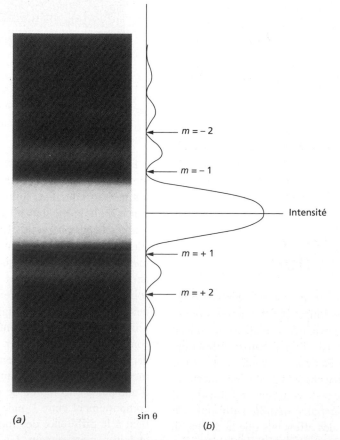

Figure 23.25 *(a)* Photographie de la figure de diffraction produite par une fente mince éclairée en lumière monochromatique suivant l'arrangement de la figure 23.23. *(b)* Graphique donnant l'intensité pour cette figure de diffraction. *(Tiré de Sears, Zemansky et Young, University Physics, cinquième édition, 1976, Addison-Wesley, Reading, Mass.)*

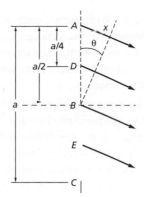

Figure 23.26 Un minimum de diffraction se produit lorsque les ondelettes provenant de différentes parties de la fente interfèrent de manière destructive.

On pourrait supposer qu'un maximum se produit lorsque $x = \lambda$, puisque les ondelettes seront cette fois en phase. Ce n'est toutefois pas exact. On le voit facilement en divisant la fente en quatre parties égales (figure 23.26). Les ondelettes issues de A et D présentent une différence de marche $(1/2)x = (1/2)\lambda$, de sorte qu'elles sont en opposition de phase et s'annulent. Ceci est vrai aussi pour toutes ondes issues de deux points distants de $a/4$, de sorte que $x = \lambda$ implique également un minimum. Nous pouvons de la même façon diviser la fente en 6, 8,... parties égales et montrer qu'une *interférence destructive* se produit lorsque

$$x = \frac{1}{2}a\sin\theta = \frac{1}{2}\lambda, \lambda, \frac{3}{2}\lambda, 2\lambda, \ldots$$

Ainsi, en général, des *minima de diffraction* se produisent sous des angles tels que

$$a\sin\theta = m\lambda, \quad m = \pm1, \pm2, \ldots \quad (23.13)$$

(minima de diffraction)

Les nombres négatifs correspondent aux minima de diffraction situés sur la partie supérieure de l'axe de la figure 23.25. Les valeurs distinctes que peut prendre m sont restreintes par le fait que $\sin\theta$ ne peut pas être supérieur à 1. Si $a < \lambda$, on n'observera aucun minimum.

Les *maxima* sont situés à peu près à mi-chemin entre les minima. On les observera donc sous des angles tels que

$$a\sin\theta = m\lambda, \quad m = 0, \pm3/2, \pm5/2\ldots \quad (23.14)$$

(maxima de diffraction)

Le maximum correspondant à $m = 0$ est très intense : lorsque $\theta = 0$, toutes les ondelettes ont la même distance à parcourir jusqu'à l'écran (différence de marche nulle) et arrivent toutes en phase de sorte que l'intensité du maximum est proportionnelle à la largeur a. Pour les autres maxima, l'intensité est beaucoup plus faible et diminue rapidement lorsque m augmente (figure 23.25).

Cette décroissance est due au fait que, pour ces maxima, les ondelettes issues de certaines paires de points de la fente se trouvent en opposition de phase. Considérons d'abord le maximum $m = 3/2$. Dans ce cas, la condition (23.13) peut se réécrire $(a/3)\sin\theta = \lambda/2$ mettant en lumière que, selon la direction θ correspondante, les paires de points de la fente séparés de $a/3$ fournissent des ondes qui arrivent en opposition de phase sur l'écran. Les ondes produites par les points des deux premiers tiers de la fente se compensent donc deux à deux et seul le dernier *tiers* contribue à fournir une intensité non nulle. Si nous considérons le maximum suivant, $m = 5/2$, la condition (23.13) peut se réécrire $a/5\sin\theta = \lambda/2$. Dans ce cas, les paires de points séparés de $a/5$ fournissent des ondes en opposition de phase. Les ondes des premier et second cinquième de fente se compenseront ainsi celles des troisième et quatrième cinquième de sorte que seule la lumière provenant d'un *cinquième* de fente fournira une intensité non nulle sur l'écran. Généralisant pour les maxima successifs, on voit qu'une fraction de plus en plus faible de la fente contribue à fournir une intensité non nulle sur l'écran. À mesure que l'ordre et l'angle de diffraction augmente, la compensation partielle d'amplitude devient de plus en plus effective et l'intensité diminue.

L'exemple suivant montre que l'ouverture angulaire de la figure de diffraction dépend de la largeur de la fente.

 ———— Exemple 23.11 ————

Une fente est éclairée par de la lumière de longueur d'onde λ. Donner la position angulaire du premier minimum de diffraction lorsque la largeur de la fente passe de λ à 5λ et à 10λ.

Réponse Prenant $m = 1$ et $a = \lambda$, dans la relation $a\sin\theta = m\lambda$, nous trouvons

$$\sin\theta = m\frac{\lambda}{a} = (1)\frac{\lambda}{\lambda} = 1$$

et $\theta = 90°$. De même, pour $a = 5\lambda$, $\sin\theta = 0,2$ et $\theta = 12°$; enfin, $a = 10\lambda$ donne $\sin\theta = 0,1$ et $\theta = 6°$. Donc, lorsque la fente augmente de largeur, la frange de diffraction centrale devient plus étroite. On observerait un rétrécissement semblable avec une fente de largeur constante et une longueur d'onde qui diminue.

Le phénomène de diffraction explique certains points de l'expérience des fentes de Young que nous avons négligés jusqu'ici. Au paragraphe 23.6, nous avons fait l'hypothèse que les fentes étaient ponctuelles.

Ceci équivaut à supposer que les fentes ont une largeur négligeable devant la longueur d'onde de la lumière et que la figure de diffraction correspondante est très étendue. Si la largeur des fentes devient comparable à la longueur d'onde, la diffraction produite au sein de chaque fente va modifier la figure d'interférence décrite dans l'expérience des fentes de Young mais dans laquelle l'amplitude des maxima est modulée par une *enveloppe* identique à la figure de diffraction d'une fente isolée. Cela est illustré à la figure 23.27.

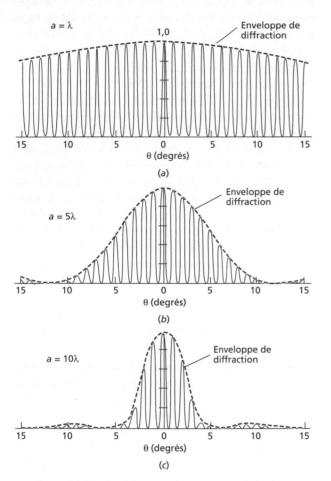

Figure 23.27 Figures d'interférence pour deux fentes séparées par une distance $d = 50\lambda$. Les franges sont centrées sur les maxima de la courbe en trait plein. Remarquer la modification de la figure lorsque la largeur a des fentes augmente et que l'enveloppe liée aux effets de diffraction est rendue plus étroite. *(Tiré de Halliday et Resnick, Physics, IIe Partie, troisième édition. ©1978, John Wiley and Sons, New York.)*

Le nombre de pics d'interférence à l'intérieur d'un pic de diffraction n'est pas arbitraire. Les minima de diffraction sont donnés par l'équation (23.12) et le premier minimum apparaîtra pour $\sin\theta = \lambda/a$. Les maxima d'interférence obéissent quant à eux à l'équation (23.6) et sont situés selon les directions $\sin\theta = \lambda/md$. Si $d = 50\lambda$ et $a = 5\lambda$, comme dans le dernier panneau de la figure 23.27, le premier minimum de diffraction apparaît dans la figure d'interférence lorsque $\lambda/md = \lambda/a$, soit pour l'ordre

$m = d/a = 5$. Le pic de diffraction central enveloppe donc 9 pics d'interférence, le pic central et ceux staisfaisant $-4 \leqslant m \leqslant 4$. Le pic d'ordre 5 n'apparaît pas vu qu'il correspond à un minimum de diffraction : on dira qu'il s'agit d'un ordre *manquant*.

Notons que les figures d'interférence et de diffraction résultent du *même* phénomène physique : la superposition d'ondes cohérentes de phases différentes. La distinction entre les deux n'est donc pas physique. Elle constitue une simple commodité de présentation permettant de séparer fictivement ce qui se passe au sein d'une fente (diffraction) et entre fentes distinctes (interférences). En général, on parlera d'*interférence* quand on superpose les ondes émises par un petit nombre de sources cohérentes séparées. On utilisera plutôt le terme *diffraction* lorsque l'on est en présence d'un grand nombre de sources contiguës (fente large, réseau).

23.9.2 La diffraction par une ouverture circulaire

Lorsqu'une onde lumineuse pénètre un instrument d'optique présentant une ouverture circulaire, une figure de diffraction se forme également à cause de l'interférence des ondelettes issues de chaque point de l'ouverture. La figure de diffraction associée à une source ponctuelle éloignée apparaît comme une zone brillante circulaire entourée d'anneaux concentriques alternativement clairs et sombres (figure 23.28). Une analyse détaillée de ce phénomène indique que dans le cas d'une ouverture circulaire de diamètre d, le premier minimum se produit lorsque

$$\sin\theta = 1{,}22\frac{\lambda}{d} \qquad (23.15)$$

Figure 23.28 L'image d'une étoile formée par un télescope sur une plaque photographique. Un maximum central et un maximum secondaire en forme d'anneau se distinguent clairement. D'autres maxima se forment encore, mais leur intensité est trop faible pour qu'ils soient perceptibles. *(Tiré de Halliday et Resnick, Physics, IIe Partie, troisième édition, Copyright 1978, John Wiley and Sons, New York.)*

Figure 23.29 Des micro-ondes polarisées de telle sorte que leur composante électrique vibre verticalement sont dirigées vers un détecteur. *(a)* Des fils métalliques disposés horizontalement permettent aux ondes de passer sans être absorbées. *(b)* Des fils disposés verticalement absorbent les ondes, comme l'indique la réduction substantielle de l'intensité enregistrée par le détecteur. *(Avec l'aimable autorisation de Worth Publishers, tiré de P.A. Tipler,* Physics, *1976. Photo Larry Langrill.)*

Ce résultat est à rapprocher de celui que nous avons obtenu pour une fente, $\sin \theta = \lambda/a$, mais la géométrie circulaire introduit un facteur 1,22.

Nous verrons au prochain chapitre comment le phénomène de diffraction limite la résolution des images formées par les instruments d'optique et par l'œil.

23.10 LA POLARISATION DE LA LUMIÈRE

23.10.1 Absorption, réflexion et diffusion

Au chapitre 21, nous avons noté que la lumière pouvait présenter une polarisation. Nous allons examiner cette particularité en détail. Les ondes électromagnétiques présentent une composante électrique et une composante magnétique qui oscillent perpendiculairement l'une à l'autre. Si le champ électrique oscille toujours dans la même direction, on dit que l'onde est *polarisée linéairement* dans cette direction. La radiation émise par un atome isolé est polarisée, mais comme les atomes ou les molécules émettent des trains d'onde indépendants, la plupart des sources produisent une lumière non polarisée. À un instant donné, le champ électrique peut pointer avec une égale probabilité dans une direction quelconque perpendiculaire à la direction de propagation. Si nous décomposons ce type d'onde suivant des axes transverses perpendiculaires, les intensités des deux composantes seront égales.

On peut produire une lumière polarisée à partir d'un faisceau non polarisé de différentes manières, principalement par *absorption*, par *réflexion* ou par *diffusion*. Le moyen le plus commun est d'utiliser la capacité d'absorption sélective d'un filtre Polaroïd, déjà mentionnée au chapitre 21. Ces filtres contiennent de longues chaînes moléculaires alignées. Lorsque l'onde lumineuse incidente est polarisée dans la direction d'alignement de ces molécules, un courant électrique s'établit le long des chaînes et la lumière est absorbée. Au contraire, lorsque la lumière est polarisée dans une direction perpendiculaire aux molécules, très peu d'énergie lumineuse est absorbée. On peut démontrer cet effet de manière très convaincante en utilisant des micro-ondes, c'est-à-dire des ondes électromagnétiques de longueurs d'onde de l'ordre du centimètre (figure 23.29). Les micro-ondes dont la composante électrique est verticale passent facilement à travers un ensemble de fils conducteurs disposés horizontalement. Si les mêmes fils sont disposés verticalement, le champ électrique associé à la radiation provoque l'apparition de courants dans les fils et les micro-ondes sont absorbées.

La lumière peut aussi être polarisée par *réflexion* sur la surface d'un matériau non conducteur. Mis à part le cas de l'incidence normale, la fraction de lumière réfléchie dépend de son état de polarisation. Sir David Brewster (1781-1868) découvrit en 1812 que le faisceau de lumière réfléchi est complètement polarisé pour un angle d'incidence ϕ_p qui est déterminé par les indices de réfraction des deux milieux en contact (figure 23.30). Cet angle particulier est *l'angle de Brewster*, donné par

$$\tan\phi_p = n_2/n_1 \qquad (23.16)$$

Si un faisceau lumineux non polarisé rencontre la surface sous cette incidence, le faisceau réfléchi, d'intensité relativement faible, sera complètement polarisé dans la direction perpendiculaire au *plan d'incidence* défini par la direction du rayon incident et la normale à la surface. Le faisceau transmis dans le second milieu, plus intense, sera partiellement polarisé. L'exemple suivant fournit un ordre de grandeur de l'angle d'incidence de Brewster.

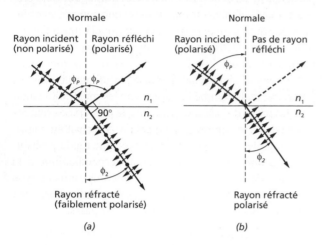

(a) (b)

Figure 23.30 Polarisation par réflexion.
(a) En moyenne, le faisceau incident non polarisé présente un champ électrique aussi élevé dans une direction perpendiculaire au plan d'incidence (points) que dans le plan d'incidence (flèches). Lorsque le faisceau tombe sur la surface réfléchissante sous l'incidence de Brewster, le faisceau réfléchi est entièrement polarisé. Le faisceau transmis n'est que faiblement polarisé parce qu'une petite fraction seulement de la lumière est réfléchie. *(b)* Si l'angle d'incidence correspond à l'angle de Brewster, une onde polarisée dans le plan d'incidence est complètement transmise.

 —————— **Exemple 23.12** ——————

La lumière du Soleil, réfléchie sur la surface d'un lac, est complètement polarisée. Quel est l'angle d'incidence de la lumière sur le lac ?

Réponse Comme $n_1 = 1$ pour l'air et $n_2 = 4/3$ pour l'eau, le faisceau réfléchi est polarisé horizontalement lorsque

$$\tan\phi_p = \frac{n_2}{n_1} = \frac{4/3}{1} = 1{,}333$$

c'est-à-dire $\phi_p = 53°$. La lumière réfléchie par le lac sous des incidences proches de $53°$ sera pour l'essentiel polarisée dans une direction horizontale.

La lumière peut également être polarisée par *diffusion*, c'est-à-dire par un processus d'absorption suivi d'une ré-

émission de lumière. La polarisation de la lumière diffusée peut être mise en évidence par une expérience réalisée à l'aide d'une cuve d'eau contenant une suspension de particules, obtenue par exemple à partir de lait en poudre ou de savon. En interposant un filtre Polaroïd sur le trajet du faisceau incident, on montre que la lumière diffusée perpendiculairement à la direction d'incidence est polarisée suivant la normale au plan formé par le rayon incident et le rayon diffusé (figure 22.31). Si un filtre polarise le rayon incident dans la direction verticale, on ne constate pas de modification de l'intensité du faisceau diffusé horizontalement, mais la lumière diffusée verticalement a maintenant disparu.

Ces observations s'expliquent par le fait que la lumière incidente fait osciller parallèlement au champ électrique les charges constitutives des atomes. Ces charges oscillantes réémettent alors une radiation polarisée dans la direction de leur mouvement. Comme les ondes électromagnétiques sont transversales, ceci implique qu'il n'y ait aucune onde émise dans la direction des oscillations. Le faisceau diffusé horizontalement provient donc d'oscillateurs verticaux et est polarisé verticalement.

Pendant la journée, le ciel paraît bleu parce que les courtes longueurs d'onde sont les plus fortement diffusées. Lorsqu'elle est diffusée à angle droit, la lumière du soleil est complètement polarisée. Sinon, elle est au moins partiellement polarisée. Les abeilles sont capables de percevoir la direction de la polarisation de la lumière du jour et peuvent utiliser cette information pour déterminer la direction du soleil à partir d'une image d'une très petite portion du ciel.

23.10.2 Les polariseurs et les analyseurs

On peut réaliser, au moyen de filtres polarisants, de nombreuses expériences simples mais passionnantes. L'une d'elles est représentée à la figure 23.32. Un faisceau de lumière non polarisée traverse deux filtres que nous appellerons respectivement un *polariseur* et un *analyseur*. Les champs dans la direction de transmission du polariseur (axe des x) et dans la direction perpendiculaire (axe des y) ont la même amplitude E_0. Après passage par le polariseur, le faisceau est polarisé suivant l'axe du polariseur (dans la direction x), avec une amplitude E_0. Comme l'intensité est proportionnelle à $E^2 = E_x^2 + E_y^2$, l'intensité I_0 avant le passage dans le polariseur est proportionnelle à $E_0^2 + E_0^2 = 2E_0^2$, alors que l'intensité après passage est proportionnelle à E_0^2. *Ainsi, l'intensité après passage dans le polariseur est réduite de moitié :*

$$I_1 = \frac{1}{2}I_0 \quad \text{(polariseur)} \qquad (23.17)$$

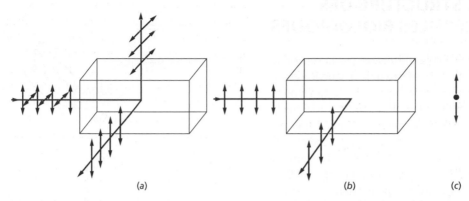

Figure 23.31 *(a)* Un faisceau de lumière tombe sur une cuve d'eau contenant une suspension de lait en poudre ou de savon et est diffusé dans toutes les directions. La lumière diffusée perpendiculairement à la direction d'incidence est entièrement polarisée. *(b)* Si la lumière incidente est polarisée verticalement, le faisceau diffusé verticalement disparaît. *(c)* Un faisceau incident polarisé verticalement force une oscillation des charges dans la direction verticale. Ces charges oscillantes produisent une radiation dont la composante électrique est parallèle à la direction des oscillations.

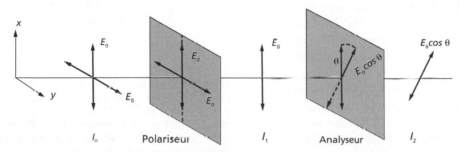

Figure 23.32 Un faisceau de lumière se polarise en traversant un filtre Polaroïd et émerge avec une amplitude électrique E_0. Après l'analyseur, la lumière est polarisée dans la direction de son axe et voit son amplitude réduite à $E_0 \cos \theta$. Le polariseur réduit l'intensité de moitié et l'analyseur la réduit d'un facteur $\cos^2 \theta$.

L'axe de l'analyseur fait un angle θ avec l'axe du polariseur. Le champ électrique aborde l'analyseur avec une amplitude $E_0 \cos \theta$ dans la direction de l'axe de celui-ci. Cette composante passe l'analyseur pratiquement sans subir d'absorption, alors que la composante qui lui est perpendiculaire est arrêtée. L'intensité I_2 après l'analyseur est donc proportionnelle à $E_0^2 \cos^2 \theta$, et nous trouvons

$$I_2 = I_1 \cos^2 \theta \quad \text{(analyseur)} \quad (23.18)$$

Cette relation, que nous avons déjà rencontrée au chapitre 21, a été découverte expérimentalement en 1809 par Étienne Louis Malus (1775-1812) et porte le nom de *loi de Malus*.

L'exemple suivant montre que la polarisation de la lumière peut donner lieu à des effets inattendus.

 ———— Exemple 23.13 ————

On fait passer un faisceau de lumière non polarisée d'intensité I_0 par trois filtres Polaroïd successifs. Le second est orienté à 45° par rapport au premier et le troisième subit une rotation supplémentaire de 45°, de sorte que son axe fait un angle de 90° avec l'axe du premier.

a) Quelle est l'intensité transmise après le dernier filtre ?

b) Si le second filtre est enlevé sans modifier la position des deux autres, quelle sera l'intensité transmise ?

Réponse a) Le premier filtre agit comme un polariseur et réduit donc l'intensité à $I_1 = (1/2)I_0$. Le second est un analyseur qui réduit l'intensité d'un facteur

$$\cos^2 \theta = \cos^2 45° = 1/2$$

donc $I_2 = (1/2)(1/2)I_0 = I_0/4$. De la même façon, le troisième filtre réduit encore l'intensité d'un facteur $\cos^2 45° = 1/2$, pour donner une intensité finale

$$I_3 = (1/8)I_0$$

b) Le deuxième filtre enlevé, les deux Polaroïds restants ont leurs axes perpendiculaires. Le premier réduit toujours l'intensité de moitié, mais le suivant la réduit d'un facteur $\cos^2 90° = 0$. Enlever le second filtre réduit l'intensité à zéro !

23.11 DIFFRACTION DES RAYONS X ET STRUCTURE DES MOLÉCULES BIOLOGIQUES

Du fait que les ondes sont peu affectées par la rencontre d'objets de dimensions très inférieures à leur longueur d'onde, il est nécessaire, pour examiner l'arrangement des atomes dans les molécules, d'utiliser des longueurs d'onde de l'ordre de la distance interatomique. En général, cette distance est de l'ordre de quelques dixièmes de nanomètres, où 1 nanomètre = 10^{-9} mètre. La lumière visible, avec une longueur d'onde variant entre 400 et 700 nm, ne peut pas être utilisée pour étudier les structures moléculaires. Les rayons X, en revanche, sont des ondes électromagnétiques dont la longueur d'onde peut être choisie aux environs du dixième de nm, et sont de ce fait parfaitement adaptés à ce type d'investigation. Un matériau cristallin est constitué d'un arrangement régulier d'atomes et présente, à trois dimensions, les propriétés d'un réseau de diffraction. Les informations recueillies en étudiant ces figures de diffraction ont permis de déterminer la structure de molécules biologiques complexes telles que les protéines ou l'ADN, porteur du code génétique.

Les rayons X ont été découverts accidentellement par Wilhelm Konrad Röntgen (1845-1923) en 1895 alors qu'il étudiait les propriétés des rayons cathodiques (les électrons) dans un tube à décharge. Bien que le tube soit enfermé à l'intérieur d'une boîte, il observa sur un écran de platinocyanure de barium une émission de lumière dès que le tube était en fonctionnement. Il baptisa « rayons X » ces radiations invisibles, car il ignorait leur nature. L'aptitude de ces radiations à pénétrer la matière a été rapidement utilisée en médecine, domaine où ils constituent toujours un outil diagnostique efficace. Nous verrons au chapitre 31 que les dangers présentés par l'utilisation des rayons X n'ont été que progressivement reconnus.

Lorsque les électrons émis par un filament chauffé subissent une accélération sous une forte différence de potentiel et entrent en collision avec une électrode métallique, ils provoquent l'émission de rayons X présentant une distribution continue de fréquences (figure 23.33). Si de telles radiations viennent à frapper un cristal, elles sont réfléchies par les plans d'alignement des atomes et forment sur un écran ou une plaque photographique une série de taches claires appelées *taches de Laue* (figure 23.34). Ces taches sont produites par l'interférence constructive des ondelettes réémises par l'ensemble du cristal.

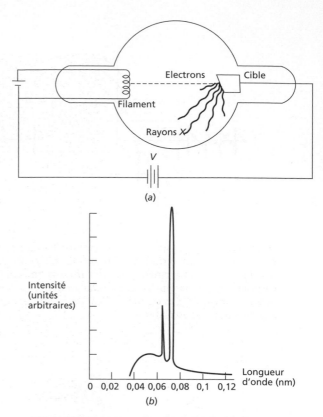

Figure 23.33 *(a)* Un tube destiné à la production de rayons X. Les électrons émis par le filament chauffé sont accélérés sous une différence de potentiel *V*, et provoquent l'émission de rayons X par impact sur une cible constituant l'anode. *(b)* Le spectre de rayons X produit par une source typique.

Pour comprendre comment ces taches se forment, considérons un cristal formé d'atomes identiques disposés dans un environnement cubique. Celui-ci est exposé à un faisceau de rayons X de différentes longueurs d'onde. Nous pouvons facilement imaginer que les atomes forment une série de plans partiellement réfléchissants (les plans *réticulaires*), de sorte que les rayons X se trouvent réfléchis au niveau de chacun de ces plans (figure 23.35). Si la distance entre deux plans successifs est *d*, les longueurs du trajet de deux ondes réfléchies sur des plans successifs diffèrent de $2x = 2(d \sin \alpha)$ où α est l'angle formé par le rayon incident et le plan de réflexion (c'est une habitude des cristallographes que d'utiliser l'angle α plutôt que les angles d'incidence et de réflexion, mesurés à partir de la normale). Une interférence constructive se produit entre les ondes réfléchies par un empilement de plans réticulaires si la différence de marche coïncide avec un nombre entier de longueurs d'onde, c'est-à-dire lorsque

$$2d \sin \alpha = m\lambda, \quad m = 1, 2, 3, \dots \quad (23.19)$$

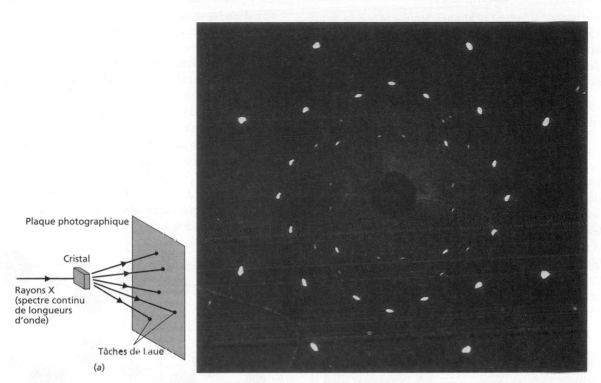

Figure 23.34 *(a)* Un faisceau étroit de rayons X tombe sur un cristal et forme une série de taches de Laue sur une plaque photographique. *(b)* Les taches de Laue produites par un cristal de chlorure de sodium *((b) Tiré de Halliday et Resnick, Physics, IIe Partie, trosième édition, Copyright 1978, John Wiley and Sons, New York.)*

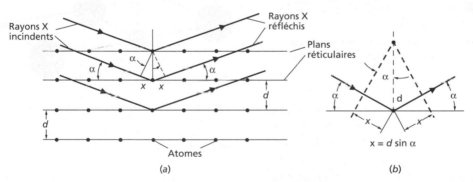

Figure 23.35 *(a)* Les rayons X sont réfléchis par les plans réticulaires d'un cristal. *(b)* Une vue agrandie de la géométrie de réflexion.

Cette relation a été obtenue pour la première fois par Sir William Henry Bragg (1862-1942), l'un des pionniers de la physique des rayons X. Elle est de ce fait connue sous le nom de *condition de Bragg*.

Bien que le faisceau incident soit constitué de radiations à différentes longueurs d'onde, les taches n'apparaîtront, pour une incidence donnée α, que pour les longueurs d'onde qui satisfont la relation (23.19). Le reste du faisceau est absorbé ou transmis à travers le cristal sans dé-

viation : du fait du grand nombre de plans de réflexion empilés, l'interférence entre les ondes qui ne vérifient pas la condition de Bragg est totalement destructive. On remarquera que les taches de Laue sont ponctuelles, et n'apparaissent pas comme des franges du fait que le faisceau incident est très étroit et très directionnel et formerait une tache quasi ponctuelle s'il n'était pas dévié.

L'exemple 23.14 met en lumière le comportement sélectif d'un cristal vis-à-vis des longueurs d'onde incidentes.

✎ ———————— **Exemple 23.14** ————————

La distance d entre les atomes représentés à la figure 23.35 est 0,2 nm, et l'angle α vaut $10°$. Si la longueur d'onde la plus courte propagée dans le faisceau incident est de 0,04 nm, quelles seront les longueurs d'onde réfléchies le plus intensément par les plans considérés ?

Réponse Les réflexions les plus intenses satisfont la condition $m\lambda = 2d \sin \alpha$. Avec $m = 1$ et $\sin 10° = 0,174$,

$$\lambda = \frac{2d \sin \alpha}{m} = 2\frac{(0,2 \text{ nm})}{(1)}(0,174) = 0,0696 \text{ nm}$$

Pour $m = 2$, on obtient la moitié de cette longueur d'onde, soit 0,0348 nm, une valeur inférieure à la longueur d'onde minimale du faisceau. Ainsi, seuls les rayons X de 0,0696 nm interfèrent de manière constructive et le faisceau réfléchi présentera un très haut degré de monochromaticité. La diffraction par un cristal est une technique universellement utilisée pour produire des faisceaux de rayons X monochromatiques.

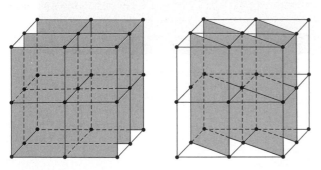

Figure 23.36 Deux des nombreux plans réticulaires du cristal NaCl. Les rayons X sont réfléchis par ces plans.

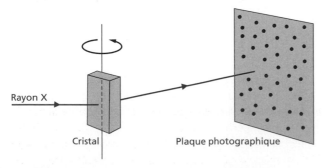

Figure 23.37 Les rayons X monochromatiques sont diffractés par un cristal en rotation, formant une série de taches caractéristiques de la structure cristalline.

Le diagramme de Laue représenté sur la figure 23.34 montre un grand nombre de taches. Cette profusion est liée à la grande variété des orientations des plans de réflexion définis par le réseau cristallin (figure 23.36). Chaque empilement de plans parallèles donne lieu à une ou plusieurs taches ponctuelles déterminées par la condition de Bragg.

La figure formée par les taches de Laue obtenues à l'aide d'un faisceau de rayons X mélangeant différentes longueurs d'onde ne peut pas être utilisée pour déterminer le paramètre cristallin. Il n'est en effet pas possible de déterminer la longueur d'onde associée à une réflexion précise. Pour obtenir une telle information, il est nécessaire d'utiliser des faisceaux de rayons X monochromatiques. Malheureusement, avec de tels faisceaux et pour la plupart des orientations du cristal, la condition de Bragg n'est vérifiée pour aucun ensemble de plans réticulaires et il ne se forme aucune tache de diffraction. Pour remédier à cette difficulté, on peut faire tourner le cristal autour d'un axe (figure 23.37). Des taches se forment alors sur la plaque photographique dès qu'un ensemble de plans parallèles se présente sous l'incidence voulue.

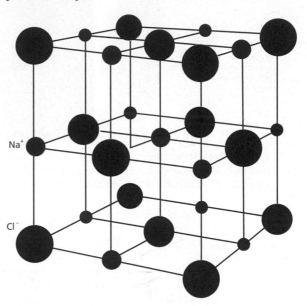

Figure 23.38 La structure cristalline du chlorure de sodium. *(Tiré de Halliday et Resnick*, Physics, *IIe Partie, troisième édition, Copyright 1978, John Wiley and Sons, New York.)*

La position et l'intensité de ces réflexions renferment une information remarquablement détaillée sur la structure cristalline. Comme une tache se forme chaque fois que la condition de Bragg est vérifiée, leur position ne dépend que de la structure géométrique du cristal et de la distance entre les atomes. Par exemple, le chlorure de sodium (figure 23.38) et tous les autres cristaux cubiques donnent lieu à la même figure de diffraction mis à part un facteur d'échelle lié à la distance interatomique. Les *intensités relatives* des taches sont pour leur part liées à la composition chimique du cristal. Les rayons X sont en effet essentiellement diffusés par le nuage électronique entourant le noyau des atomes. Les atomes lourds, qui sont constitués d'électrons en plus grande densité, sont des centres de diffusion plus efficaces. On voit par exemple, sur la figure 23.38, que les plans réticulaires d'orientations différentes contiennent une proportion variable d'ions Na^+ et Cl^-. Les variations observées dans la répartion des intensités entre les taches reflètent le pouvoir de diffusion variable des plans réticulaires.

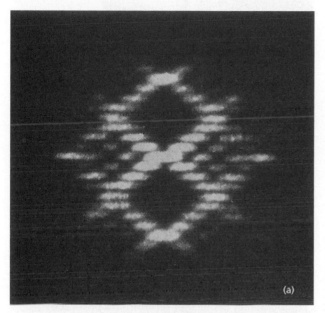

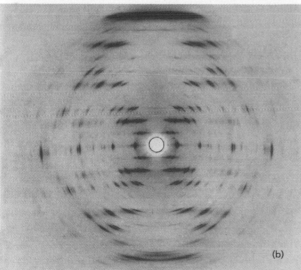

Figure 23.39 *(a)* Une simulation de la diffraction de rayons X par un réseau d'hélices. *(b)* La figure de diffraction d'un sel de lithium de l'ADN. Les structures en hélice produisent toujours les régions claires caractéristiques observées dans les deux figures. *((a) D'après A.R. Stokes, « The Theory of X-ray Fibre Diagrams », Prog. Biophysics, 5, 1955, p. 140. (b) Avec l'aimable autorisation du Professeur M.H.F. Wilkins, Département de Biophysique du King's College à Londres.)*

Si la diffraction des rayons X a d'abord été appliquée à des cristaux inorganiques relativement simples, elle a également connu des succès spectaculaires dans le cas de molécules biologiques comme les protéines et les acides nucléiques, qui peuvent être préparés sous forme cristalline. Dans les années 1950, Max Ferdinand Perutz (né en 1914) a étudié la position et les intensités des milliers de taches de diffraction produites par l'hémoglobine et les a comparées aux figures attendues à partir de différents modèles plausibles pour cette molécule. Il a trouvé que cette protéine, vecteur de l'oxygène dans le sang, consiste en un assemblage d'environ 10 000 atomes formant un ensemble de quatre chaînes hélicoïdales cintrées en plusieurs endroits. En rassemblant les données obtenues par diffraction de rayons X et les résultats d'analyses chimiques permettant la détermination de la séquence des aminoacides de la molécule d'hémoglobine, il est parvenu à construire une représentation détaillée de la structure stéréoscopique de la molécule et à déterminer quantitativement les distances interatomiques. Perutz a également montré comment la molécule d'hémoglobine change de forme lorsqu'elle acquiert ou perd de l'oxygène.

Un autre progrès décisif de la biologie, fondé en partie sur des études cristallographiques par rayons X, est la découverte en 1953 par Crick et Watson de la structure en double hélice de l'acide nucléique ADN. La structure de l'ADN apparaît clairement sur la figure de diffraction qui lui est associée, si celle-ci est comparée à celle que l'on peut prévoir pour un réseau d'hélices (figure 23.39).

Pour en savoir plus...

23.12 L'HOLOGRAPHIE

Les concepts introduits dans ce chapitre nous permettent à présent d'étudier certaines techniques, telles que l'*holographie*. Un hologramme est une photographie de la figure d'interférence produite lorsqu'un faisceau de lumière monochromatique réfléchi ou transmis par un objet interfère avec un faisceau cohérent de *référence*. Lorsqu'un hologramme est éclairé par une source de lumière cohérente, une image de l'objet initial se forme. Contrairement aux photographies ordinaires à deux dimensions, cette image est reconstruite à *trois* dimensions. Une de ces caractéristiques est donc de restituer les effets de *parallaxe*, c'est-à-dire le mouvement relatif des objets proches devant les objets distants lorsque l'image est examinée sous différents angles (figure 23.40).

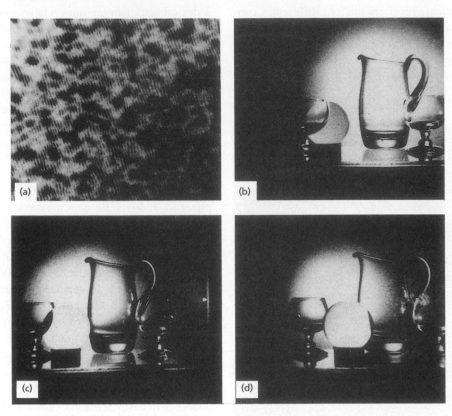

Figure 23.40 *(a)* Un hologramme. *(b)*, *(c)* et *(d)* sont des photographies des images reconstruites prises sous différents angles. L'effet de parallaxe montre que l'holographie reconstruit les images à trois dimensions. *(D'après Howard K. Smith*, Principles of holography, *deuxième édition. Copyright 1975, John Wiley and Sons, New York.)*

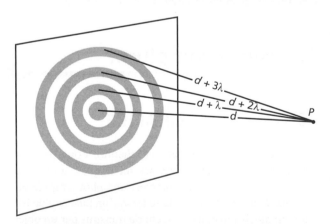

Figure 23.41 Une plaque zonée comporte une série de régions circulaires alternativement opaques et transparentes. Toutes les ondelettes arrivant au point P sont en phase et interfèrent constructivement.

L'holographie a été inventée en 1947 par D. Gabor, qui pour cette contribution importante, s'est vu attribuer le prix Nobel de physique en 1971. Jusqu'en 1960 son utilité restait toutefois fortement limitée par le fait qu'il n'existait pas de source de lumière suffisamment cohérente pour les réaliser. Depuis l'invention du laser, des applications de plus en plus nombreuses, variées et ingénieuses de l'holographie n'ont cessé de se développer.

Pour comprendre les principes de l'holographie, il est utile de considérer d'abord le comportement optique d'une *lame zonée* (figure 23.41) éclairée par une lumière monochromatique cohérente de longueur d'onde λ. Les zones sont des régions circulaires alternativement opaques et transparentes. Du centre vers l'extérieur, la distance moyenne d'un point P de l'axe à une zone claire augmente d'une longueur d'onde d'une zone à la suivante.

De ce fait les ondelettes de Huygens issues de toutes les zones transparentes arrivent au point P approximativement en phase, formant un point brillant dû aux interférences constructives (figure 23.42*a*). Les ondelettes issues d'un point P', à la distance d à gauche de la lame zonée sont aussi en phase. S'il advient qu'elles soient focalisées en un point par une lentille, comme dans l'œil ou dans un appareil photographique, elles interféreront constructivement. Dès lors, si nous regardons au travers d'une lame zonée on voit un point brillant en P', bien que ce point ne soit pas réellement une source de lumière (figure 23.42*b*). Une telle image est appelée une *image virtuelle* et le point brillant réellement formé en P est une image réelle.

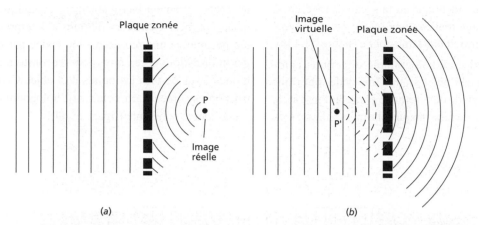

Figure 23.42 *(a)* Une onde monochromatique cohérente tombant sur une plaque zonée se voit arrêtée en certains points. Une partie de la lumière transmise forme *(a)* une image réelle en *P* et *(b)* une image virtuelle en P'.

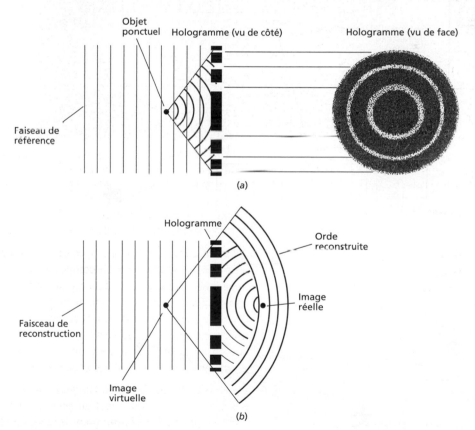

Figure 23.43 *(a)* Principe de la réalisation d'un hologramme d'un objet ponctuel. *(b)* La reconstruction de l'image réelle et de l'image virtuelle.

L'hologramme produit par un objet ponctuel est très semblable à une lame zonée. Dans l'arrangement idéalisé représenté à la figure 23.43*a*, un faisceau laser est dirigé vers un objet ponctuel, produisant des ondelettes de Huygens. En certains points de la plaque photographique, l'onde sphérique issue de l'objet et l'onde de référence non perturbée interfèrent constructivement et forment des zones fortement éclairées. En d'autres points, les deux ondes sont en opposition de phase : il se produit une interférence qui annule l'intensité lumineuse. La figure d'interférence prend l'aspect d'une plaque zonée, à part le fait que dans ce cas, des changements brusques entre les zones opaques et transparentes sont remplacés par des variations plus progressives d'intensité.

Si la plaque photographique est développée et exposée à un faisceau lumineux identique au faisceau de référence, elle produit une image réelle et une image virtuelle semblable à celle que produit une lame zonée (figure 23.43*b*).

Lorsque l'on réalise un hologramme d'un objet complexe, chaque point de l'objet produit une onde sphérique qui interfère avec l'onde de référence et produit une série de zones annulaires sur la plaque photographique. Ces anneaux se superposent et l'hologramme résultant est un enchevêtrement incroyablement compliqué de traits et de courbes. Cet amas difficile à interpréter constitue néanmoins une représentation codée par diffraction des informations nécessaires pour renconstruire les fronts d'onde issus de tous les points de l'objet. Cette reconstruction est obtenue en éclairant l'hologramme à l'aide d'une source cohérente (figure 23.44).

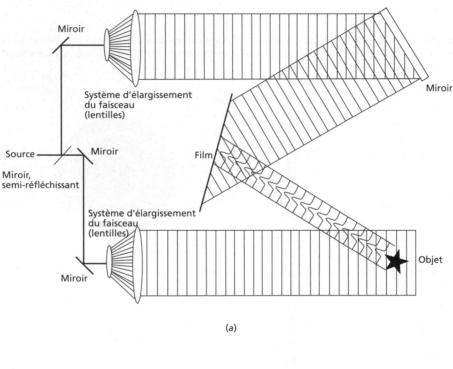

(a)

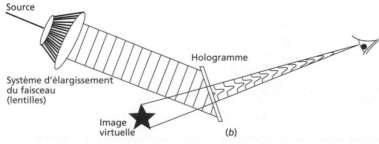

(b)

Figure 23.44 *(a)* Réalisation de l'hologramme d'un objet complexe. Un faisceau de lumière cohérente, produit par une source laser est séparé en deux par un miroir semi-réfléchissant. Les faisceaux résultants sont élargis au moyen de lentilles sans perte de cohérence. L'un des faisceaux éclaire l'objet ; l'autre sert de faisceau de référence. L'hologramme se forme par l'interférence de ces deux faisceaux sur la plaque photographique. *(b)* La reconstruction de l'image. Une image réelle et une image virtuelle se forment. Seule l'image virtuelle est représentée ici.

23.12.1 Applications de l'holographie

L'holographie permet de s'affranchir d'une limitation importante rencontrée en microscopie. Si le grossissement d'un microscope est élevé, la profondeur de champ, c'est-à-dire l'intervalle dans lequel un objet est au point, est très étroite. Les échantillons biologiques se présentent souvent en suspension dans un fluide et sont donc généralement en mouvement. Ils entrent et sortent continuellement de la région sur laquelle l'instrument est mis au point, à moins que leur mouvement ne soit entravé par une préparation sous forme solide ou une préparation extrêmement mince. Si on réalise un cliché holographique de l'objet, le mouvement peut être « gelé » en préservant l'information tridimensionnelle. L'image tridimensionnelle reconstruite peut être à nouveau examinée au microscope. Lorsque l'échantillon se modifie progressivement au cours du temps, il est possible de construire une série d'hologrammes permettant, par reconstruction holographique, d'étudier un échantillon à des instants différents et à des profondeurs variables.

L'holographie peut aussi être utilisée de diverses façons pour détecter de petites modifications dans la forme d'un objet. Si un objet et son image holographique sont mis en coïncidence, éclairés par la source de référence, l'onde émise par l'objet et l'onde produite par l'hologramme vont interférer. Tout changement de forme de l'objet va donner lieu à des franges claires et sombres qui indiquent très clairement des modifications géométriques imperceptibles à l'œil nu. Des différences ténues entre des pièces de machines soigneusement usinées peuvent être mises en évidence de la même façon.

Une technique très voisine consiste à produire deux hologrammes successifs sur la même plaque photographique par une technique de double exposition. Lorsque l'image est reconstruite, des interférences vont se manifester si, entre les deux expositions, l'objet a légèrement modifié sa forme. Une photographie remarquable, réalisée par une technique de double exposition, est présentée à la figure 23.45.

Jusqu'ici, nous n'avons examiné que des situations où la source et le faisceau servant à la reconstruction ont la même longueur d'onde. Ce choix n'est pas strictement nécessaire. Si une longueur d'onde plus courte est choisie pour reconstruire les fronts d'onde, l'effet immédiat sera de donner une plus grande profondeur à l'image. Il n'est pas non plus nécessaire que l'onde initiale et l'onde de reconstruction aient la même origine physique. En utilisant des techniques photographiques particulières, on a pu réaliser des hologrammes à partir de l'interférence de faisceaux d'ondes ultrasonores. On a également réalisé des hologrammes au moyen de rayons X. Dans les deux cas, on utilise de la lumière visible pour reconstruire l'image. La particularité des rayons X et des ultrasons de pouvoir pénétrer des régions inaccessibles à la lumière visible s'ajoute alors à la flexibilité des techniques de manipulation d'images que permettent les instruments tels que les lentilles dans le domaine de la lumière visible.

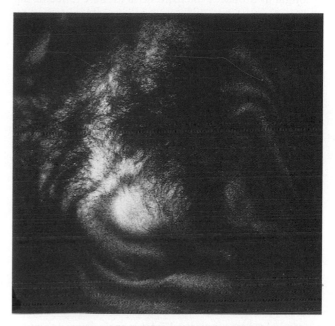

Figure 23.45 Deux hologrammes sont réalisés sur la même plaque photographique en éclairant le sujet au moyen de deux impulsions lumineuses brèves séparées par $1,5 \times 10^{-4}$ s. Cette photographie montre les franges d'interférence produites lorsque le double hologramme est éclairé et que les fronts d'onde sont reconstruits. Une interférence destructive se produit lorsque le thorax du patient s'est déplacé suffisamment pour que les ondes reconstruites soient en opposition de phase. Les franges sont plus serrées dans les régions où le mouvement est le plus rapide. Ce patient a subi l'ablation du poumon gauche et est en train d'inhaler. Ce cliché montre la distorsion de l'action musculaire. *(Avec l'aimable autorisation de l'Athletic Institute, tiré d'un article de S.M. Zivi dans* Biomechanics, *1971.)*

23.13 LES EFFETS D'INTERFÉRENCE DANS LES FILMS MINCES

Les couleurs que l'on peut observer sur les bulles de savon ou les films d'huile, l'irisation de certaines parties des plumes de paon ou des ailes de papillon et la teinte violette ou ambrée des lentilles utilisées comme objectifs d'appareils photographiques sont dues à l'interférence des rayons réfléchis par les deux surfaces de films minces.

Lorsque les deux faisceaux réfléchis sont en phase, une interférence constructive se produit et le faisceau réfléchi prend une intensité maximale. Par contre, lorsque les deux faisceaux sont en opposition de phase, l'interférence destructive réduit l'intensité de la lumière réfléchie. Comme les conditions d'interférence dépendent de la longueur d'onde, l'intensité de la lumière réfléchie par un film donné dans une direction donnée dépend considérablement de la longueur d'onde. C'est cette dépendance qui cause les effets de coloration mentionnés ci-dessus lorsque le film est éclairé par de la lumière blanche.

23.13.1 Réflexion par un film mince

L'optique ondulatoire permet d'expliquer quantitativement le phénomène de réflexion cohérente par un film mince. La figure 23.46 représente un faisceau de lumière monochromatique qui rencontre dans l'air un film mince d'épaisseur d et d'indice de réfraction n. Sous une incidence normale, la lumière réfléchie par la seconde surface parcourt, par comparaison au faisceau réfléchi par la première surface, une distance supplémentaire égale à $2d$. Si la longueur d'onde dans le vide ou dans l'air est λ, la longueur d'onde dans le film est $\lambda' = \lambda/n$. La lumière réfléchie sur la première surface subit une inversion de phase. La lumière réfléchie par la seconde surface n'est pas inversée, puisque l'inversion de phase ne se produit que lorsque la lumière provient du milieu le moins réfringent. Ainsi, si $2d$ est exactement égal à une longueur d'onde, les ondes réfléchies sortent en opposition de phase et interfèrent destructivement. En général, une interférence destructive se produit si $2d$ est un multiple entier de λ', ou si $2d = m\lambda' = m\lambda/n$. Dès lors, l'intensité réfléchie est minimale si

$$2nd = m\lambda, \quad m = 0, 1, 2, \cdots \quad (23.20)$$

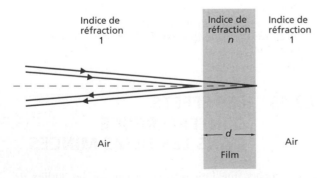

Figure 23.46 Lorsqu'un faisceau de lumière tombe sur un film mince, une partie importante de l'intensité est transmise. Le reste est réfléchi par les deux surfaces. Sous une incidence normale, la lumière réfléchie par la seconde surface aura parcouru une distance plus grande que celle qui se réfléchit sur la première surface. La différence de marche est $2d$.

De même, l'interférence constructive et l'intensité réfléchie sont maximales lorsque

$$2nd = \left(m + \frac{1}{2}\right)\lambda, \quad m = 0, 1, 2, \cdots \quad (23.21)$$

Ces deux équations sont également adéquates pour décrire un film moins réfringent que le milieu environnant. Dans le cas d'un film de réfringence intermédiaire entre celles des milieux environnants, les conditions d'obtention d'un maximum et d'un minimum doivent être inversées : ou les deux faisceaux subissent une inversion de phase ou aucun d'eux ne la subit. L'exemple suivant illustre les propriétés de réflexion d'un film mince.

 ———— **Exemple 23.15** ————

Un film formé d'une solution de savon ($n = 1,33$) est juste assez épais pour provoquer un maximum de réflexion pour une onde lumineuse rouge de 700 nm de longueur d'onde sous une incidence normale.

a) Quelle est l'épaisseur du film ?

b) Le film est éclairé en lumière blanche sous une incidence proche de la normale. Si un observateur perçoit la lumière réfléchie, quelle est la couleur apparente du film ?

Réponse a) En insérant la valeur $m = 0$ dans l'équation (23.21) correspondant à l'intensité maximum réfléchie,

$$d = \frac{(m + 1/2)\lambda}{2n} = \frac{(1/2)(700\ \text{nm})}{2(1,33)} = 132\ \text{nm}$$

b) La distance d'un aller-retour à l'intérieur du film est égale à une demi-longueur d'onde à 700 mn, de sorte qu'elle vaut une longueur d'onde entière à 350 mn. Cette longueur d'onde est la plus grande pour laquelle la lumière réfléchie passe par un minimum d'intensité et se situe juste en deçà de la limite inférieure du spectre visible, 400 nm. Cela signifie qu'une interférence destructive partielle se produit également pour la lumière visible proche de 400 nm, et relativement peu de lumière de courte longueur d'onde est réfléchie. Au contraire, la réflexion des longueurs d'onde proches de l'autre extrémité du spectre, proche de la lumière rouge, sera renforcée. Donc, si l'observateur perçoit la lumière produite sous une incidence proche de la normale, le film lui apparaîtra teinté de rouge. Toutefois, si le film constitue une portion de surface courbée ou une bulle, l'angle d'incidence et la différence de marche entre les rayons réfléchis variera de point en point sur le film et ceux-ci réfléchiront des couleurs variées.

23.13.2 Couches antireflet

Le paragraphe 23.3 nous a montré qu'environ 4 % de la lumière est réfléchie à chaque surface de séparation entre l'air et le verre dans un instrument d'optique, tel que l'appareil photographique ou le microscope. On comprend aisément que la réduction de ces pertes d'intensité, rendue possible par l'utilisation d'une couche antireflet, soit d'une portée pratique considérable.

La figure 23.47 représente une couche antireflet. Un film mince de matériau d'indice de réfraction n_c est évaporé sur un substrat de verre d'indice n_v. Comme on choisit n_c inférieur à n_v, les ondes réfléchies sur *les deux* faces du film subissent une inversion de phase. Dès lors, l'interférence destructive maximale et la réflexion minimale se produisent lorsque la différence de marche des rayons vaut une demi-longueur d'onde. Pour une incidence normale, ceci se produit si l'épaisseur du film vaut un quart de longueur d'onde. Pour une onde lumineuse qui présente dans l'air une longueur d'onde λ, la longueur d'onde dans la couche déposée est λ/n_c et $d = \lambda/4n_c$. L'exemple suivant illustre ce résultat.

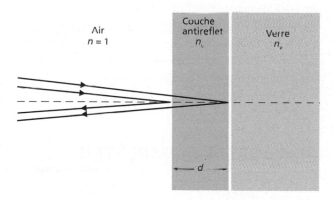

Figure 23.47 Une couche antireflet sur le verre. L'indice de réfraction de la couche déposée est inférieur à l'indice de réfraction du verre.

 ——————— **Exemple 23.16** ———————

Une lentille d'appareil photographique est traitée par application d'une couche de fluorure de magnésium, dont l'indice de réfraction est 1,38. Si l'intensité réfléchie en incidence normale est minimale pour une lumière bleue de 500 nm de longueur d'onde, quelle est l'épaisseur de la couche déposée ?

Réponse La discussion précédente indique que l'épaisseur de la couche doit être

$$d = \frac{\lambda}{4n_c} = \frac{500 \text{ nm}}{4(1,38)} = 90,6 \text{ nm}$$

Une destruction complète par interférence, c'est-à-dire une intensité réfléchie réduite à zéro, ne se produira que si les deux rayons réfléchis ont la même intensité. L'équation (23.3) indique que les intensités seront égales si $n_c = \sqrt{n_v}$. Dans le cas d'un verre d'indice 1,5, ce résultat impose que l'indice de la couche antireflet soit $\sqrt{1,5} = 1,22$. On ne connaît pas de matériau ayant cet indice de réfraction et présentant la dureté voulue. Un choix de compromis s'est porté sur le fluorure de magnésium dont l'indice de réfraction vaut 1,38.

Une seule couche antireflet sur une lentille réduit l'intensité réfléchie avec une efficacité variable sur l'ensemble du spectre visible. Les lentilles développées pour la photographie en couleur sont moins réfléchissantes en lumière bleue et paraissent ambrées parce que la réflexion est plus accentuée pour les grandes longueurs d'onde. Les lentilles étudiées pour la photographie en noir et blanc présentent un minimum de réflectivité en lumière verte. Elles réfléchissent une partie plus importante de lumière rouge et violette, ce qui explique qu'elles apparaissent pourprées. Récemment, de nouvelles techniques permettant l'évaporation contrôlée de deux ou même trois couches successives ont été élaborées. Bien que compliquées et onéreuses, ces techniques permettent de réduire encore l'intensité réfléchie (figure 23.48).

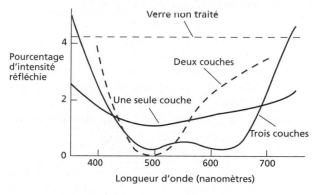

Figure 23.48 Pourcentage de l'intensité lumineuse réfléchie par le verre, avec une, deux ou trois couches antireflet.

Réviser

RAPPELS DE COURS

Les ondes électromagnétiques de toutes fréquences se propagent dans le vide à la vitesse $c = 3,00 \times 10^8$ m s^{-1}. Dans un milieu matériel, la vitesse est $v = c/n$, où n, l'indice de réfraction, n'est jamais inférieur à 1.

Un grand nombre d'effets d'interférence indiquent que la lumière est de nature ondulatoire. Le principe de Huygens énonce que chaque point d'un front d'onde peut être considéré comme une source d'ondelettes secondaires, dont la superposition décrit l'état du front d'onde à tout instant ultérieur. Ce principe permet la discussion de beaucoup de propriétés des ondes lumineuses.

Lorsque la lumière est réfléchie ou réfractée par des objets de grande taille, le caractère ondulatoire de la lumière a peu d'importance et peut en général être négligé. Un rayon de lumière réfléchi par une surface polie présente un angle de réflexion égal à l'angle d'incidence. Lorsque le rayon de lumière pénètre un milieu d'indice de réfraction différent, il est dévié de sa trajectoire rectiligne ou réfracté. Les angles d'incidence et de réfraction sont liés par la loi de Snell,

$$n_1 \sin \phi_1 = n_2 \sin \phi_2$$

Un rayon se rapproche de la normale lorsqu'il pénètre un milieu plus réfringent et s'en écarte lorsqu'il pénètre un milieu moins réfringent. Une réflexion totale se produit si la loi de Snell donne une valeur supérieure à 1 pour le sinus de l'angle de réfraction.

Le principe de Huygens prédit, dans le cas de deux fentes minces éclairées par un faisceau monochromatique, une figure constituée de franges alternativement claires et sombres visibles sur un écran placé à une certaine distance. Celles-ci apparaissent sous des angles correspondant à des interférences respectivement constructives et destructives. Les maxima apparaissent pour des angles tels que

$$d \sin \theta = m\lambda, \quad m = 0, \pm 1, \pm 2, \cdots$$

Dans le cas d'un réseau de diffraction, constitué d'un grand nombre de fentes minces rapprochées, une interférence destructive presque complète se produit, excepté pour des régions angulaires très étroites. Les maxima se produisent aux mêmes angles que pour deux fentes, mais ils sont plus intenses (intensité en N^2) et plus étroits (largeur en $1/N$).

Deux longueurs d'onde voisines pourront être séparées à l'aide d'un réseau de diffraction si le critère de Raleigh est satisfait

$$\Delta \lambda / \lambda = 1/Nm$$

Les ondelettes de Huygens issues de différents points d'une source étendue interfèrent également. Cette diffraction donne lieu à une déviation faible, mais détectable, des rayons lumineux passant à proximité des bords d'un objet opaque et impose une limite à la résolution des instruments d'optique. Si la lumière passe par une fente mince, des *minima* de diffraction se produisent lorsque

$$a \sin \theta = m\lambda, \quad m = \pm 1, \pm 2, \cdots$$

Les maxima se situent approximativement à mi-chemin entre les minima.

Lorsque la composante électrique d'une onde électromagnétique est toujours dirigée dans la même direction, on dit que l'onde est polarisée dans cette direction. La lumière peut être polarisée de diverses façons, par exemple par absorption, par réflexion ou par diffusion. Un polariseur réduit de moitié l'intensité d'un faisceau non polarisé. S'il est suivi d'un analyseur dont l'axe est incliné d'un angle θ par rapport à celui du polariseur, l'intensité est alors encore réduite d'un facteur $\cos^2 \theta$ (loi de Malus).

Un cristal joue le rôle d'un réseau de diffraction pour les rayons X. Si α est l'angle entre le faisceau incident et un plan d'atomes du cristal, on observe une interférence constructive lorsque la condition de Bragg est satisfaite,

$$2d \sin \alpha = m\lambda, \quad m = 1, 2, 3, \cdots$$

PHRASES À COMPLÉTER

Voir réponses en fin d'ouvrage.

1. Si l'indice de réfraction vaut 2, la vitesse de propagation de la lumière vaut _____ de sa vitesse de propagation dans le vide.

2. La longueur d'onde d'un faisceau de lumière _____ lorsqu'il passe de l'air dans l'eau, et sa fréquence _____.

3. Tous les points d'un front d'onde vibrent _____.

4. Lorsqu'un rayon lumineux est réfléchi, l'angle de réflexion est égal à _____.

5. Lorsque la lumière passe d'un milieu plus réfringent à un milieu moins réfringent, les rayons _____.

6. La réflexion totale se manifeste lorsque la lumière passe d'un milieu _____ réfringent à un milieu _____ réfringent. Elle se produit dès que le sinus de l'angle de réfraction devient _____.

7. Sur la figure d'interférence créée par une double fente, les franges claires se produisent à l'endroit où les ondes issues de chaque fente sont _____.

8. Pour que les phénomènes d'interférence se manifestent, les sources lumineuses doivent être _____.

9. Si on ajoute des fentes à un réseau, les franges deviennent _____.

10. La figure de diffraction formée par un faisceau de lumière passant par une ouverture étroite s'explique par l'interférence entre _____.

11. La lumière peut être polarisée par _____, par _____ et par _____.

12. La distance entre atomes dans un cristal est comparable à la longueur d'onde _____.

EXERCICES CORRIGÉS

E1. On envoie sur un prisme équilatéral en verre un faisceau contenant deux longueurs d'onde, $\lambda_1 = 500$ nm et $\lambda_2 = 712$ nm, pour lesquelles l'indice de réfraction avec le verre vaut respectivement 1,4810 et 1,4742. Le faisceau incident est parallèle à la base du prisme. Quelle sera la séparation angulaire des deux faisceaux émergeant du prisme ?

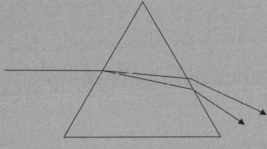

Figure 23.49

Solution

Le faisceau incident arrive sur la première face du prisme selon une direction horizontale faisant un angle de 30° avec la normale à la face. En vertu de la loi de Snell, les deux longueurs d'ondes distinctes seront réfractées selon des directions θ_i telles que $\sin \theta_i = \sin 30°/n_i$. On déduit

$$\theta_1 = 19,73° \text{ et } \theta_2 = 19,83°$$

Ces deux faisceaux arriveront ensuite sur la deuxième face du prisme selon des directions faisant un angle $\phi_i = 180 - 120 - \theta_i$ avec sa normale. On obtient $\phi_1 = 40,27°$ et $\phi_2 = 40,17°$. Ces faisceaux seront à nouveau réfractés selon la loi de Snell et émergeront selon les directions ξ_i telles que $\sin \xi_i = n_i \sin \phi_i$. On obtient : $\xi_i = 73,20°$ et

$\xi_i = 71,98$ de sorte que la séparation angulaire est égale à 1,22°.

E2. Un spectroscope est un dispositif permettant d'envoyer la lumière monochromatique émise par une source sur un réseau de diffraction et d'identifier les directions dans lesquelles on observe des maxima d'intensité. Sur Terre, la longueur d'onde de la lumière émise par la source est égale à 500 nm et le maximum d'intensité d'ordre 1 se produit dans une direction $\theta = 20°$. Emporté sur une autre planète lors d'une mission spatiale, le même dispositif produit un maximum d'intensité d'ordre 1 dans une direction $\theta' = 18°$. Quel est l'indice de réfraction de l'atmosphère de cette planète, si celui de l'atmosphère terrestre est égal à 1 ?

Solution

Sur la Terre, le maximum d'ordre 1 se situe dans une direction $\theta = 20°$ pour $\lambda = 500$ nm, de sorte que le pas du réseau, d, est égal à

$$d = \lambda / \sin \theta = 1\,461,90 \text{ nm}$$

Sur l'autre planète, le maximum d'ordre 1 est dans la direction $\theta' = 18°$ de sorte que la longueur d'onde du rayonnement, λ', y vaut

$$\lambda' = d \sin \theta' = 451,75 \text{ nm}$$

L'indice de réfraction sur l'autre planète, n', se déduit du changement de longueur d'onde

$$n' = \lambda / \lambda' = 1,107$$

S'entraîner

QCM

Voir réponses en fin d'ouvrage.

Q1. Lorsque l'on fait passer un faisceau de lumière blanche à travers un prisme en verre, laquelle des couleurs suivantes est la plus déviée

a) le rouge

b) le vert

c) le jaune

d) le bleu

e) le violet.

Q2. Lorsqu'un faisceau lumineux passe de l'air à l'eau, il subit une modification

a) de fréquence seulement

b) de vitesse seulement

c) de longueur d'onde seulement

d) de fréquence et de vitesse

e) de vitesse et de longueur d'onde.

Q3. Qu'arrive-t-il si on effectue la diffraction d'une lumière monochromatique dans l'eau plutôt que dans l'air ? Le pic central de diffraction

a) s'élargit

b) s'amincit

c) reste le même

d) diminue d'intensité

e) se décale vers la droite.

Q4. Lorsqu'un faisceau lumineux passe d'un milieu à un autre d'indice de réfraction différent, il est dévié en raison d'une variation de

a) son amplitude

b) sa vitesse

c) sa fréquence

d) sa période

e) aucune de ces réponses.

Q5. Dans l'expérience des fentes de Young, le centre du maximum de second ordre correspond à un point pour lequel la différence de marche des ondes produites par les deux sources est

a) $\lambda/2$

b) $\lambda/4$

c) 0

d) λ

e) 2λ.

Q6. Si une lumière blanche nbaturelle de 200 W/m^2 arrive sur deux filtres polarisants placés l'un derrière l'autre avec leurs axes de transmissions parallèles, l'intensité de la lumière transmise sera égale à

a) 400 W/m^2

b) 200 W/m^2

c) 100 W/m^2

d) 50 W/m^2

e) 0 W/m^2.

Q7. Lorsque l'on fait passer un faisceau de lumière blanche à travers un réseau de diffraction, laquelle des couleurs suivantes est la plus déviée

a) le rouge

b) le vert

c) le jaune

d) le bleu

e) le violet.

Q8. Une lumière monochromatique polarisée dans le plan d'incidence et arrivant sur l'interface entre deux milieux selon un angle d'incidence correspondant à l'angle de Brewster sera

a) complètement réfléchie et changera de polarisation

b) complètement réfractée et conservera sa polarisation

c) partiellement réfractée et partiellement réfléchie

d) réfléchie dans une direction perpendiculaire au faisceau incident

e) aucune de ces réponses.

Q9. Combien de franges d'interférences observera-t-on à l'intérieur du premier pic de diffraction dans l'expérience de la double fente, lorsque $a = 5\lambda$ et $d = 20\lambda$

a) 3

b) 5

c) 7

d) 20

e) aucune de ces réponses.

Q10. Combien un réseau large de 2 cm doit-il contenir de traits par centimètre pour permettre de résoudre deux longueurs d'ondes de 487,23 nm et 487,32 nm dans le premier ordre

a) $7,4 \times 10^3$

b) $5,4 \times 10^3$

c) $2,7 \times 10^3$

d) $1,4 \times 10^3$

e) $0,3 \times 10^3$.

EXERCICES

Voir réponses en fin d'ouvrage pour les exercices et problèmes dont le numéro est inscrit en noir.

L'indice de réfraction

23.1 Trouver la valeur de la vitesse de la lumière dans l'eau.

23.2 Quelle est la vitesse lumière dans le diamant ?

23.3 Une lampe émet une lumière jaune de 600 nm de longueur d'onde dans l'air.

a) Quelle est la longueur d'onde de la lumière dans l'eau ?

b) De quelle couleur apparaît-elle à un plongeur qui ne porte pas de masque ? Expliquer.

23.4 Un faisceau de lumière a une longueur d'onde de 640 nm dans un verre d'indice de réfraction égal à 1,5. Quelle est la fréquence de cette onde lumineuse ?

23.5 Une onde lumineuse de 500 nm de longueur d'onde dans l'air passe dans une cuve d'eau. Quelle est sa longueur d'onde dans l'eau ?

23.6 Une lampe émet de la lumière à la fréquence de 5×10^{14} Hz.

a) Donner la longueur d'onde dans l'air.

b) Si la lumière passe dans un bloc de verre d'indice de réfraction égal à 1,5, quelles seront sa fréquence et sa longueur d'onde ?

La réflexion

23.7 Quelle est la fraction d'intensité qui est réfléchie dans le cas où de la lumière se propageant dans l'air rencontre une surface d'eau sous une incidence normale ?

23.8 Dans quelle direction une onde lumineuse doit-elle se propager pour subir une inversion de phase à la surface de séparation

a) entre l'eau et l'air ;

b) entre l'eau et le verre ?

23.9 Un faisceau de lumière se propageant dans l'eau tombe sous une incidence normale sur une lame de verre d'indice de réfraction égal à 1,5. Quelle fraction de l'intensité lumineuse est-elle transmise dans le verre ?

23.10 Un faisceau de lumière se propageant dans l'air tombe sous une incidence normale sur une lentille taillée dans un verre d'indice 1,6.

a) Quelle est la fraction d'intensité lumineuse réfléchie ?

b) Quelle est la fraction transmise ?

c) Si la lumière émerge de la deuxième surface sous une incidence normale, quelle fraction de l'intensité initiale a-t-elle traversé la lentille ?

23.11 Un faisceau lumineux se propageant dans l'air tombe sur une surface sous une incidence normale. On constate que 6 % de l'intensité incidente est réfléchie. Quel est l'indice de réfraction du matériau rencontré ?

La réfraction

23.12 Un rayon lumineux se propageant dans un verre d'indice de réfraction égal à 1,5 rencontre une surface d'eau sous un angle de 45°. Quel est l'angle de réfraction ?

23.13 Un faisceau de lumière tombe sous une incidence de 15° dans l'air sur la surface de séparation entre l'air et l'eau. Quel est l'angle

a) entre la normale et le rayon réfléchi ;

b) entre la normale et le rayon réfracté ?

23.14 Un faisceau de lumière se propageant dans l'eau tombe sur la surface de séparation entre l'air et l'eau en formant avec la normale un angle de 30°. Quelles sont les valeurs des angles de réfraction et de réflexion ?

23.15 Un rayon de lumière tombe sur la surface d'un matériau inconnu. L'angle d'incidence dans l'air est 30°. L'angle de réfraction est 25°. Quel est l'indice de réfraction du matériau ?

23.16 Un étudiant note dans son carnet de travaux pratiques qu'un faisceau de lumière qui dans l'air présente un angle d'incidence de 40° donne lieu dans une lame de plastique à un angle de réfraction de 50°. Ce résultat est-il raisonnable ? Expliquer.

23.17 L'indice de réfraction de l'air dépend de sa masse volumique. Comment cette dépendance peut-elle expliquer l'apparence mouillée des portions distantes de routes asphaltées les jours de canicule ?

La réflexion totale

23.18 Quel est l'angle critique pour la réflexion totale dans le diamant ? (On supposera que le diamant est entouré d'air.)

23.19 Une fibre optique de verre fonctionnant dans l'air permettra des réflexions totales si l'angle d'incidence est supérieur à 39°. Quel sera l'angle d'incidence minimal pour une réflexion totale si la fibre est plongée dans l'eau ?

23.20 L'angle critique, pour la lumière passant du verre dans l'air, est 36°. Quel est l'indice de réfraction du verre ?

Expérience des fentes de Young

23.21 Deux fentes étroites sont éclairées au moyen d'un faisceau lumineux dont la longueur d'onde est 500 nm. Deux maxima successifs au voisinage du centre de la figure d'interférence sont séparés par un angle de 1,5°. Quelle est la distance entre les fentes ?

23.22 Deux fentes étroites séparées par 0,2 mm = 2×10^{-4} m sont éclairées en lumière rouge de longueur d'onde égale à 700 nm. Sous quels angles se forment les cinq franges les plus proches du centre de la figure d'interférence ?

23.23 Un dispositif d'interférence à deux fentes est éclairé par de la lumière jaune au sodium (λ = 589 nm). Les maxima, formés sur un écran éloigné de 1 m, sont distants de 1 cm. Quelle distance sépare les deux fentes ?

23.24 Deux fentes distantes de 10^{-4} m sont éclairées au moyen d'un faisceau de lumière monochromatique et forment une figure de diffraction sur un écran éloigné de 2 m. Le cinquième maximum, sans compter le maximum central, est à 6 cm du centre de la figure. Quelle est la longueur d'onde de la lumière ?

La cohérence

23.25 Un dispositif à deux fentes est éclairé par un mince faisceau de lumière blanche issu d'une portion quasi ponctuelle d'une lampe ordinaire. Un filtre qui ne permet que le passage de la lumière rouge est placé en face d'une des fentes, et un filtre n'autorisant que le passage de la lumière verte est placé en face de l'autre. Observera-t-on une figure d'interférence de Young sur l'écran ? Expliquer.

Le réseau de diffraction

23.26 Un réseau de diffraction comportant 5 000 traits par centimètre est éclairé en lumière jaune de 589 nm de longueur d'onde.

a) Quelle est la position angulaire de la raie d'ordre 1 ($m = 1$) ?

b) Combien d'ordres peut-on observer ?

23.27 Un réseau comporte 4 000 traits par centimètre. Quelle est la longueur d'onde la plus grande pour laquelle il existe encore une raie de quatrième ordre ?

23.28 Une source émet un doublet rouge aux environs de 656 nm. L'écart entre les longueurs d'onde est de 0,2 nm.

a) Sous quels angles les raies du doublet se forment-elles avec un réseau de 8 000 traits par centimètre ?

b) Quelle densité de traits doit-on prévoir sur le réseau pour que le doublet commence à se résoudre ?

23.29 Quelle est la densité de traits requise sur un réseau pour résoudre le doublet du sodium à 589,59 et 589,00 nm dans le spectre de deuxième ordre ?

23.30 Un réseau de diffraction comportant 8 000 traits par centimètre est éclairé par de la lumière produite par une lampe à hydrogène. Dans le spectre de premier ordre, quelle est la séparation angulaire entre les raies à 656 nm et 410 nm émises par l'hydrogène atomique ?

23.31 Expliquer pourquoi les réseaux de diffraction comportent

a) des fentes très rapprochées ;

b) un grand nombre de fentes.

23.32 Un réseau comporte 8 000 traits par centimètre et est placé à 0,5 m d'un écran. Lorsqu'il est éclairé par de la lumière de 550 nm, à quelle distance du centre de l'écran trouvera-t-on la raie de premier ordre ?

23.33 Un réseau compte 6 000 traits par centimètre. Il est disposé à 0,7 m d'un écran. La première raie se manifeste à 0,32 m du centre de l'écran. Quelle est la longueur d'onde de la lumière ?

Le phénomène de diffraction

23.34 Une fente étroite est éclairée en lumière blanche. Qu'observe-t-on sur un écran placé derrière la fente ?

23.35 Une fente mince est éclairée par de la lumière jaune de 589 nm de longueur d'onde. Si le maximum de diffraction central s'étend de 0° à 40°, quelle est la largeur de la fente ?

23.36 Une fente de 1 000 nm de largeur est éclairée par un faisceau de 600 nm de longueur d'onde. À quel angle trouve-t-on le premier minimum de diffraction ?

23.37 Une fente de 1 600 nm de large est placée à 0,5 m d'un écran. Elle est éclairée par une radiation de 400 nm de longueur d'onde. Quelle distance sépare les deux premiers minima de part et d'autre du maximum central ?

23.38 Une ouverture circulaire de 10^{-5} m de rayon est éclairée par un faisceau de lumière de 500 nm de longueur d'onde. Sous quel angle trouve-t-on le premier minimum de diffraction ?

23.39 Une ouverture circulaire de 800 nm est éclairée par de la lumière de 600 nm de longueur d'onde. Le premier minimum de diffraction apparaît comme un cercle sur un écran éloigné de 0,3 m de l'ouverture. Quel est le rayon de ce cercle ?

La polarisation de la lumière

23.40 Un faisceau de lumière se propageant dans l'air tombe sur la surface d'un bloc de verre d'indice 1,5. Sous quelle incidence la lumière réfléchie sera-t-elle complètement polarisée ?

23.41 Lorsqu'un faisceau de lumière passe de l'air dans un milieu fait de matière plastique, on constate que le rayon réfléchi est complètement polarisé si l'angle d'incidence est de 60°. Si la lumière passe du plastique dans l'air, sous quel angle d'incidence obtiendra-t-on une polarisation complète du rayon réfléchi ?

23.42 Un faisceau lumineux non polarisé traverse un filtre Polaroïd. Si le faisceau émergent a une intensité de 10 W m^{-2}, quelle est l'intensité du faisceau incident ?

23.43 Un faisceau de lumière est partiellement polarisé de sorte qu'il présente une amplitude moyenne E_0 suivant un axe et $2E_0$ suivant l'axe perpendiculaire. Si on fait tourner un filtre Polaroïd dans le faisceau, quelles seront

a) la fraction minimale d'intensité transmise et

b) la fraction maximale transmise ?

23.44 Un faisceau de lumière non polarisée passe à travers trois filtres. Le premier a son axe disposé verticalement, le deuxième à 30° de la verticale et le troisième à 60° de la verticale, soit à 30° du deuxième.

a) Quelle fraction de l'intensité est transmise à travers les trois filtres ?

b) Si le deuxième et le troisième filtres sont intervertis sans modifier leur orientation, quelle fraction de l'intensité est-elle transmise ?

23.45 Si un faisceau de lumière non polarisée passe à travers deux filtres Polaroïd, son intensité se voit réduite de 90 %. Quel est l'angle entre les axes des filtres ?

Diffraction des rayons X et structure des molécules biologiques

23.46 On trouve une forte réflexion de rayons X par des plans d'atomes d'un cristal séparés par une distance de 0,2 nm lorsque ces plans forment un angle de 20° avec le faisceau incident. Quelle est la plus grande longueur d'onde présente dans le faisceau pour ces rayons X ?

23.47 Un ensemble de plans parallèles d'un cristal présente une séparation de 0,3 nm. Si un faisceau monochromatique de rayons X de 0,1 nm de longueur d'onde est dirigé vers ce cristal, quel est l'angle le plus petit pour lequel on obtiendra une interférence constructive ?

23.48 Un faisceau de rayons X est réfléchi par des plans d'atomes séparés par une distance de 0,3 nm. L'angle entre le faisceau et les plans est de 12°. Si le faisceau contient des longueurs d'onde aussi courtes que 0,2 nm, quelles longueurs d'onde seront le plus fortement réfléchies ?

L'holographie

23.49 Un objet est disposé de telle sorte que la lumière diffractée par chacun de ses points interfère avec un faisceau de référence sur une plaque photographique.

a) Si l'hologramme résultant est coupé en deux et qu'une moitié est éclairée par le faisceau de référence, quelle portion de l'objet peut-on voir ?

b) Comparer cette situation à celle qui consiste à utiliser un réseau de diffraction coupé en deux dans le sens des traits.

Les effets d'interférence dans les films minces

23.50 Une lentille taillée dans un matériau d'indice de réfraction 1,6 est recouverte d'une couche de fluorure de magnésium d'indice 1,38.

a) Si cette couche est étudiée pour ne pas réfléchir la lumière verte de 550 nm de longueur d'onde, quelle est l'épaisseur du film ?

b) Si cette lentille est utilisée dans l'eau, s'opposera-t-elle à la réflexion de la lumière verte ? Expliquer.

23.51 Un film d'eau savonneuse d'indice de réfraction 1,33 est juste assez épais pour produire, sous incidence normale, une interférence destructive pour la plus courte longueur d'onde du spectre visible (400 nm). Quelle est l'épaisseur du film ?

23.52 L'acoustique d'une pièce peut être modifiée en creusant des rainures dans les murs.

a) Quelle profondeur devraient avoir ces rainures pour minimiser la réflexion des sons de 500 Hz ? (Prendre une vitesse de propagation du son égale à 344 m s^{-1}.)

b) Quel effet auront ces rainures sur des sons de fréquence égale à 1000 Hz ?

PROBLÈMES

23.53 Un rayon de lumière monochromatique pénètre dans le prisme représenté par la figure 23.50 sous une incidence de 30°. L'indice de réfraction est 1,5. Sous quel angle θ le rayon émerge-t-il du prisme ?

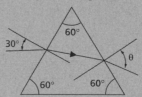

Figure 23.50 Problème 23.53

23.54 Un faisceau de lumière se propageant dans l'air pénètre obliquement un cube de verre par sa face supérieure. Le rayon rencontre une des faces du cube par l'intérieur. Si l'indice de réfraction 1,5, le faisceau peut-il sortir du cube par l'une des faces latérales ? Expliquer votre réponse à l'aide d'un diagramme.

23.55 Une petite lampe est plongée à dix mètres sous la surface d'un lac. Elle émet de la lumière dans toutes les directions. Un bateau, parti d'une position située à la verticale de la lampe, se déplace jusqu'au point où la lampe n'est plus visible. Sur quelle distance s'est-il déplacé ?

23.56 Une lame de verre d'indice de réfraction 1,5 est disposée sur le trajet d'un faisceau lumineux de manière à former un angle d'incidence de 30°.

a) Quelle est la direction du rayon réfracté à l'intérieur de la lame ?

b) Quelle est la direction du rayon émergent dans l'air du côté opposé à l'incidence du faisceau ?

c) Sur quelle distance le faisceau est-il déplacé latéralement si la lame a une épaisseur de 0,02 m ?

23.57 On observe, dans l'air, un objet immergé à 1 m sous l'eau.

a) Quel est l'angle de réfraction pour un rayon de lumière qui atteint la surface avec un angle d'incidence de 10° ?

b) Quelle est la profondeur apparente de l'objet ? (Suggestion : calculer la position du point de rencontre du rayon réfracté et de la normale, comme sur la figure 23.51. Q est la position réelle et Q' est la position apparente.)

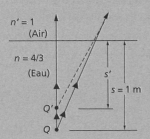

Figure 23.51 Problème 23.57

23.58 On peut retrouver la loi de Snell à partir du principe de Huygens en suivant une démarche semblable à celle qui a permis de comprendre la loi de la réflexion illustrée par la figure 23.6.

a) Dessiner une série de diagrammes montrant l'évolution des fronts d'onde lorsqu'ils se propagent d'un milieu où la vitesse de la lumière est v_1 à un milieu où la vitesse de la lumière est v_2.

b) Démontrer la loi de Snell en utilisant les propriétés des triangles semblables.

23.59 Rechercher une formule explicite donnant les positions angulaires des minima dans une expérience d'interférence par deux fentes.

23.60 On ne perçoit généralement pas d'effet d'interférence entre les sons produits par les deux haut-parleurs d'un système stéréophonique. Pourquoi ?

23.61 Imaginer une expérience simple montrant les effets d'interférence entre deux sources sonores.

23.62 Quelle figure d'interférence peut-on créer au moyen de deux fentes éclairées en lumière blanche ? Expliquer.

23.63 On produit un faisceau de lumière cohérente en plaçant un filtre et une fente de largeur variable devant une lampe à incandescence. Ce faisceau tombe sur un écran percé de deux fentes et forme une figure d'interférence sur un écran. Décrire ce qui doit arriver à cette figure d'interférence lorsque la largeur de la fente est progressivement augmentée. (Négliger la diffraction par l'ouverture créée par la fente réglable.)

23.64 Un réseau de diffraction comportant 6 000 traits par centimètre est éclairé en lumière blanche.

a) Quel est l'ordre le plus élevé qui contienne encore la totalité du spectre visible ?

b) Quel est l'ordre le plus élevé qui contienne encore au moins une partie du spectre visible ?

23.65 Un réseau comportant 4 000 traits par centimètre produit une raie dans une direction faisant un angle de 45° avec la direction d'incidence.

a) Quelles sont les longueurs d'onde possibles de la lumière incidente ?

b) Comment peut-on lever toute ambiguïté sur la valeur de la longueur d'onde ?

23.66 Lorsqu'on éclaire un petit disque opaque au moyen d'une onde lumineuse cohérente, on observe la formation d'une tache claire au centre de la zone d'ombre géométrique déterminée sur un écran éloigné. Expliquer cette observation.

23.67 Un faisceau de lumière tombe sur un réseau suivant une direction formant un angle ϕ avec la normale au plan du réseau (figure 23.52). (Dans ce chapitre, ϕ a toujours été considéré égal à zéro.)

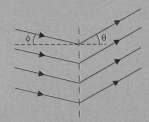

Figure 23.52 Problème 23.67.

Montrer que les maxima d'interférence se produisent dans des directions déterminées par un angle θ donné par $d(\sin\phi + \sin\theta) = m\lambda$, où $m = 0, 1, 2, \cdots$ et où d est la distance entre deux fentes successives.

23.68 Une fente de 10^{-5} m de large est éclairée par de la lumière de longueur d'onde égale à 500 nm. Quelle est la largeur de la frange de diffraction centrale sur un écran placé à 0,5 m ?

23.69 Une lentille est positionnée pour donner d'une source ponctuelle distante, émettant une radiation de 550 nm de longueur d'onde, une image sur un écran situé à 0,2 m de son centre. L'image est une tache de $0,1$ mm $= 10^{-4}$ m de diamètre. Si la taille de cette tache est due uniquement au phénomène de diffraction, quel est le diamètre de la lentille ?

23.70 Pourquoi les haut-parleurs de haute fréquence (tweeters) sont-ils plus directionnels que les haut-parleurs de basse fréquence (woofers) ? (Suggestion : considérer le haut-parleur comme une ouverture circulaire à travers laquelle l'onde sonore va se propager.)

23.71 En utilisant la loi de Snell, montrer que lorsque la lumière tombe sur la surface de séparation entre deux milieux sous une incidence de Brewster, le rayon réfléchi et le rayon réfracté sont perpendiculaires.

23.72 Un cristal de chlorure de sodium est réduit en poudre de sorte qu'il forme un ensemble de microcristaux orientés de manière aléatoire. Si un faisceau de rayons X monochromatiques est dirigé vers cette poudre, à quel type de figure de diffraction devons-nous nous attendre ? (Suggestion : qu'advient-il des taches de diffraction de la figure 23.34 si on change l'axe de rotation ?)

23.73 La plaque zonée de la figure 23.41 est construite de telle façon que le m^{e} anneau opaque est situé à une distance $d_m = d + m\lambda$ du point P.

a) Montrer que la distance r_m séparant le centre des zones de ce m^{e} anneau vérifie la relation

$$r_m^2 = d_m^2 - d^2$$

b) Montrer que lorsque la distance d est très supérieure à la longueur d'onde λ,

$$r_m^2 = 2md\lambda$$

est une bonne approximation du résultat.

23.74 a) Si un hologramme est réalisé au moyen d'ondes ultrasonores et utilisé en lumière visible, la profondeur de l'image subit une forte distorsion. En considérant les résultats du problème précédent, expliquer cette observation.

b) Donner une estimation numérique de cet effet.

23.75 Une plaque zonée est étudiée pour produire un point brillant à 0,1 m de la plaque lorsqu'elle est utilisée avec une radiation rouge de 700 nm de longueur d'onde. Sur la base des résultats du problème 23.73, déterminer la manière dont elle fonctionnera en lumière jaune de 600 nm de longueur d'onde.

23.76 À partir des résultats du problème 23.73, décrire le fonctionnement d'une plaque zonée utilisée en lumière blanche.

23.77 Expliquer pourquoi un film d'eau savonneuse paraît noir lorsqu'il est éclairé par un faisceau de lumière blanche si son épaisseur est nettement inférieure à la longueur d'onde moyenne de la lumière visible.

23.78 Montrer que si une lentille d'indice n_v est recouverte d'une couche d'indice n_c, le rapport des intensités I_r/I_0 est le même pour les deux faisceaux réfléchis par les deux surfaces du film lorsque $n_c^2 = n_v$. (On supposera que la lentille est utilisée dans le vide et que l'incidence de la lumière est normale.)

23.79 Expliquer pourquoi les réflexions provenant d'une fine couche d'huile sont vivement colorées alors que celles qui proviennent d'une couche épaisse ne le sont pas.

23.80 Deux lames de verre sont rapprochées et une feuille de papier est insérée d'un côté de sorte qu'elles forment entre elles un angle de 0,0005 rad. Si les lames sont éclairées sous incidence normale par de la lumière de 600 nm de longueur d'onde, quel sera l'écart entre les franges claires et sombres observées ?

CHAPITRE 24

Miroirs, lentilles et instruments d'optique

Mots-clefs

Aberration • Accommodation • Acuité visuelle • Axe optique • Couleurs • Défauts optiques de l'œil • Distance focale • Formule des lentilles minces • Grossissement • Image droite, renversée • Indice de réfraction • Lentille convergente, divergente • Miroir • Objet et image virtuels, réels • Rayon de courbure

Introduction

Les appareils photographiques, les microscopes, les télescopes et l'œil sont des instruments d'optique qui font usage de lentilles et dans certains cas de miroirs. Les lentilles dont il est question ici sont des objets de dimension nettement supérieure à la longueur d'onde de la lumière visible, de sorte que leur fonctionnement peut être étudié sans tenir compte des phénomènes d'interférence ou de diffraction. Toutefois, comme l'ont suggéré les chapitres précédents, la nature ondulatoire de la lumière impose une limite à la résolution des instruments d'optique ou à la netteté des images que forment ces instruments. Les propriétés des miroirs et des lentilles font l'objet de la première partie de ce chapitre. Le reste de l'exposé est consacré à la description de quelques applications des instruments d'optique les plus simples.

24.1 LES MIROIRS

Si nous nous plaçons à un mètre d'un miroir plan et que nous regardons dans la direction de ce miroir, nous y voyons un personnage qui paraît se trouver à un mètre derrière la glace et qui nous ressemble trait pour trait, mis à part le fait qu'il s'est coiffé du mauvais côté. La lumière captée par nos yeux paraît provenir d'un point – appelé *image* – situé derrière le miroir. Cette image est virtuelle plutôt que réelle du fait que la lumière ne passe jamais réellement par l'endroit où elle se forme. Il s'agit d'une image droite, dans laquelle le haut et le bas ne sont pas *inversés*.

Il est utile de se rendre compte que ces observations sont la conséquence directe de l'égalité des angles d'incidence et de réflexion. Le raisonnement que nous utiliserons peut également s'appliquer à des situations plus complexes comme, par exemple, la formation d'une image au moyen d'une lentille. La figure 24.1*a* montre deux des nombreux rayons de lumière émis par la source ou *objet* ponctuel placé en *O*, à une distance *d* du miroir. Le rayon incident tombant suivant la normale est réfléchi sur lui-même et paraît provenir d'un point situé sur la normale derrière le miroir. Pour une incidence φ, le rayon réfléchi prend une direction formant avec la normale un angle φ égal à l'angle d'incidence et paraît provenir d'un point situé sur son prolongement derrière le miroir. Les prolongements des deux rayons réfléchis se rencontrent au point I qui définit ainsi la position de l'image. Sur la figure 24.1*b*, les deux triangles rectangles tracés en couleur ont un côté commun *x* et un angle égal φ. Ces triangles sont donc égaux et tous leurs angles et côtés sont égaux. *Ceci implique que la distance d'entre le miroir et l'image est identique à la distance d'entre le miroir et l'objet.*

Lorsqu'un objet complexe éclairé est placé devant un miroir, chacun de ses points a son image juste en face.

(figure 24.2). On dit parfois que le miroir inverse la gauche et la droite mais n'inverse pas le haut et le bas. Cette formule n'est pas réellement judicieuse, comme on peut s'en rendre compte lorsque l'on se couche de côté devant un miroir. Nous percevons alors une image inversée de haut en bas et non inversée suivant l'horizontale !

Figure 24.2 Dans un miroir plan, l'image de chaque point d'un objet se trouve directement en face de lui. *(K. Bendo.)*

24.2 LES LENTILLES

Une lentille est une pièce taillée dans un matériau transparent conformée pour focaliser les rayons lumineux de manière à créer une image. Les lentilles que l'on trouve dans les instruments d'optique construits par l'homme sont faites le plus souvent de verre ou de matière plastique, alors que la lentille qui équipe l'œil est constituée d'une membrane remplie d'un liquide transparent. Dans ce texte, nous ne décrirons que les *lentilles sphériques minces*. Celles-ci sont limitées par deux surfaces sphériques ou une surface sphérique et une surface plane et leur épaisseur est faible en regard des rayons de courbure.

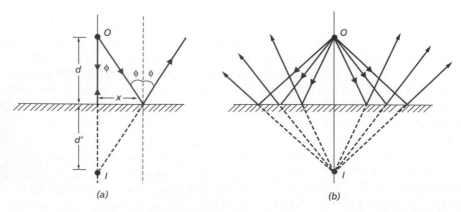

Figure 24.1 *(a)* Les deux triangles tracés en couleur sont égaux et $d = d'$. (*O* est l'objet et *I* est son image.) *(b)* La lumière réfléchie par le miroir paraît provenir de l'image *I*.

Figure 24.3 *(a)* Lentilles convergentes. *(b)* Lentilles divergentes.

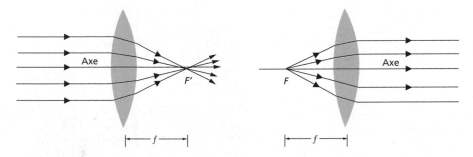

Figure 24.4 Les foyers d'une lentille convergente. La distance focale *f* est positive pour une lentille convergente.

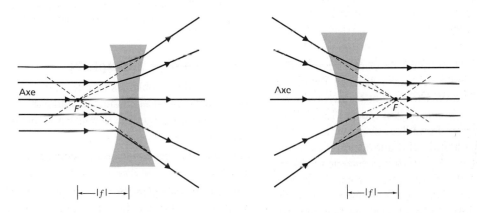

Figure 24.5 Les foyers d'une lentille divergente. La distance focale *f* est négative pour une lentille divergente.

Nous considérerons deux catégories de lentilles : les lentilles *convergentes* et les lentilles *divergentes*. Une lentille convergente s'amincit du centre vers le bord et une lentille divergente s'épaissit vers le bord. Cette définition suppose que la lentille soit taillée dans un matériau d'indice de réfraction plus élevé que celui du milieu extérieur (figure 24.3). Une lentille convergente dévie la lumière dans la direction de son axe optique, c'est-à-dire la droite passant par les deux centres de courbure, de sorte qu'un faisceau de rayons parallèles à l'axe converge en un même point (figure 24.4). Une lentille convergente peut par exemple produire un point lumineux suffisamment intense pour calciner du papier. Une lentille divergente dévie les rayons lumineux de manière qu'ils s'écartent de l'axe.

Considérons un objet très distant placé sur l'axe même de la lentille. Les rayons émis par cet objet arrivent prati-

quement parallèles. Une lentille convergente déviera ces rayons parallèles pour qu'ils se rencontrent ou forment une image au *foyer F′* de l'autre côté de la lentille ; une lentille divergente les déviera de telle sorte qu'ils *semblent émaner du foyer F′* situé en avant de la lentille (figures 24.4 et 24.5). La distance entre le centre de la lentille et le foyer est la *distance focale f*. Par convention, *f* est définie comme positive pour les lentilles convergentes et négative pour les lentilles divergentes.

Les lentilles ont un second foyer. Si un objet est placé au point *F*, à une distance *f* du centre d'une lentille convergente, les rayons lumineux qu'il émet vers la lentille émergeront parallèlement à l'axe de celle-ci (figure 24.4). De même, les rayons lumineux qui se dirigent vers un point *F* situé à une distance *f* en arrière d'une lentille divergente émergeront aussi parallèlement à l'axe optique (figure 24.5).

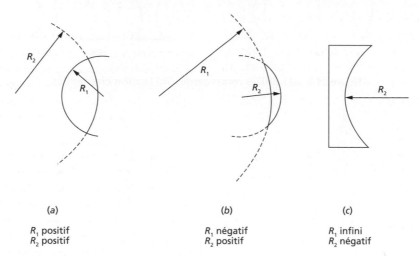

(a)

R_1 positif
R_2 positif

(b)

R_1 négatif
R_2 positif

(c)

R_1 infini
R_2 négatif

Figure 24.6 Convention des signes des rayons de courbure. De gauche à droite, les surfaces sont *(a)* convexe ; *(b)* concave ; *(c)* plane, concave.

La puissance d'une lentille est déterminée par sa distance focale. Une lentille de courte distance focale est plus puissante et dévie plus fortement les rayons lumineux qu'une lentille de grande distance focale. La distance focale dépend d'une part des indices de réfraction du milieu extérieur et de la lentille et d'autre part de sa forme ou, plus précisément, des *rayons de courbure* de ses faces. Les surfaces des lentilles peuvent être convexes, concaves ou planes. (Une surface convexe est bombée vers l'extérieur de la lentille et une surface concave est bombée vers l'intérieur.) Nous utiliserons la convention suivante pour caractériser les surfaces des lentilles :

1. Une surface convexe a un rayon de courbure positif.

2. Une surface concave a un rayon de courbure négatif.

3. Une surface plane a un rayon de courbure infini.

Cette convention est reprise dans la figure 24.6.

La distance focale d'une lentille est liée à son indice de réfraction n et aux rayons de courbure R_1 et R_2 de ses surfaces par une formule qui peut être établie à partir de la loi de Snell et qui reste valable tant que les angles d'incidence sont petits. L'établissement de cette relation ne sera pas détaillé ici. Nous ne ferons que présenter le résultat final. La distance focale d'une lentille d'indice n dans un milieu d'indice de réfraction 1 est donnée par

$$\frac{1}{f} = (n-1)\left(\frac{1}{R_1} + \frac{1}{R_2}\right) \qquad (24.1)$$

Cette relation constitue la *formule des opticiens*.

 ———— **Exemple 24.1** ————

Les lentilles semblables à celles qui sont représentées aux figures 24.6*a* et 24.6*e* sont taillées dans un verre d'indice de réfraction 1,5. Quelle est la distance focale si elles présentent

a) deux surfaces convexes de rayons de courbure 0,1 m et 0,2 m ;

b) une surface plane et une surface concave de rayon 4 m?

Réponse   a) D'après nos conventions, les surfaces convexes ont un rayon de courbure positif : $R_1 = 0,1$ m et $R_2 = 0,2$ m.

Dès lors, la formule donne

$$\frac{1}{f} = (n-1)\left(\frac{1}{R_1} + \frac{1}{R_2}\right)$$

$$= (1,5-1)\left(\frac{1}{0,1 \text{ m}} + \frac{1}{0,2 \text{ m}}\right)$$

$$= (0,5)(10+5) \text{ m}^{-1} = 7,5 \text{ m}^{-1}$$

où $f = 0,133$ m.

b) Une surface plane a un rayon de courbure infini, de sorte que $1/R_1 = 1/\infty = 0$. Une surface concave a un rayon de courbure négatif. Donc $R_2 = -4$ m,

$$\frac{1}{f} = (1,5-1)\left[0 + \frac{1}{(-4 \text{ m})}\right] = -0,125 \text{ m}^{-1}$$

et $f = -8$ m. Le signe moins indique qu'il s'agit d'une lentille divergente.

La formule des lentilles minces, exprimée sous la forme donnée par l'équation (24.1), suppose que la lentille est utilisée dans un milieu dont l'indice de réfraction est 1. Si la lentille n'est pas utilisée dans l'air ou le vide, le symbole *n* apparaissant dans l'équation doit être interprété comme l'*indice de réfraction relatif*, *n*(lentille)/*n*(milieu). Comme le montre l'exemple suivant, les lentilles ont une distance focale plus grande dans l'eau que dans l'air.

✎ ———————— **Exemple 24.2** ————————

Quelle est la distance focale de la lentille de l'exemple 24.1*a* si celle-ci est placée dans l'eau ?

Réponse   Comme l'eau a un indice de réfraction de 1,333, nous devons utiliser $n = 1,5/1,333 = 1,125$ dans la formule des opticiens. Avec $R_1 = 0,1$ m et $R_2 = 0,2$ m, nous trouvons

$$\frac{1}{f} = (n-1)\left(\frac{1}{R_1} + \frac{1}{R_2}\right)$$

$$= (1,125 - 1)\left(\frac{1}{0,1 \text{ m}} + \frac{1}{0,2 \text{ m}}\right)$$

soit $f = 0,533$ m. Cette distance focale est quatre fois plus grande que celle que nous avons trouvée dans l'exemple précédent.

L'accroissement de distance focale d'une lentille lorsqu'elle est utilisée dans l'eau explique pourquoi notre vision sous l'eau est aussi mauvaise. Nos yeux contiennent des fluides dont les indices de réfraction sont proches de celui de l'eau. La lumière est réfractée principalement au niveau de la *cornée*, au moment où elle pénètre à l'intérieur de l'œil. Dans l'eau, la déviation est très faible et l'œil produit une image très mal focalisée. Lorsqu'un plongeur porte un masque, la lumière traverse la vitre sous une incidence presque normale et se trouve peu déviée en pénétrant dans l'air. La lumière est alors déviée de la manière habituelle en pénétrant dans l'œil à partir de l'air et la vision est pratiquement normale.

24.3 LA FORMATION DE L'IMAGE

Nous avons vu que les rayons lumineux émis par une source ponctuelle située à grande distance d'une lentille se rencontrent et forment une image au foyer de celle-ci. Les rayons issus d'autres points forment des images dont la position peut être déterminée par une méthode graphique ou par l'algèbre si la distance focale de la lentille est connue.

Les images peuvent être *réelles* ou *virtuelles*. Une image réelle se forme au point de rencontre de rayons lumineux réels et constitue un point de forte concentration d'énergie lumineuse ; une telle image peut être recueillie sur un écran (figure 24.7). Dans le cas d'une image virtuelle, les rayons émergents semblent provenir du point où elle se forme. Si nous plaçons un écran à cet endroit, il ne s'y formera évidemment aucune image (figure 24.8*a*). Dans la plupart des cas, les objets sont réels ; la lumière diverge à partir de chacun des points de l'objet. Des objets virtuels doivent parfois être considérés dans le cas de systèmes de lentilles, lorsque les rayons rendus convergents par une première lentille sont interceptés par une seconde lentille avant qu'ils ne se rencontrent (figure 24.8*b*).

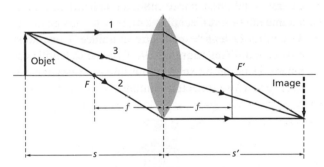

Figure 24.7 Trois rayons utilisés pour déterminer graphiquement la position d'une image.

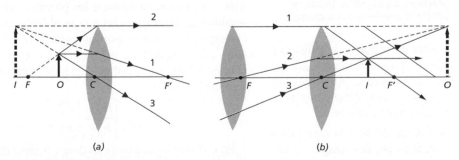

Figure 24.8 *a)* Objet réel et image virtuelle. *(b)* Objet virtuel et image réelle. L'objet virtuel est formé par la lentille représentée en couleur.

Pour le tracé des rayons lumineux en vue de déterminer la position de l'image d'un point, nous nous conformerons aux conventions suivantes :

1. La lumière se propagera toujours de gauche à droite.
2. Les objets réels seront toujours situés à gauche de la lentille et les images réelles à sa droite.
3. Les images virtuelles seront toujours situées à gauche de la lentille et les objets virtuels à sa droite.

Trois des nombreux rayons issus d'un point choisi en dehors de l'axe de la lentille ont des parcours immédiatement prévisibles. Leur intersection détermine la position de l'image. Deux rayons sont en fait suffisants pour déterminer cette position ; le troisième peut servir de contrôle. Le procédé de détermination graphique des images est illustré par la figure 24.7, où une flèche lumineuse figure un objet réel situé à une *distance s de la lentille*. Celle-ci forme une image à une *distance s'*. Les trois rayons numérotés sur le diagramme sont tracés à partir de la pointe de la flèche de la manière suivante :

1. Le rayon issu de la source et se propageant parallèlement à l'axe de la lentille est dévié de telle sorte qu'il passe par le foyer F', en accord avec la définition du foyer.
2. Le rayon qui passe par le foyer émerge parallèlement à l'axe optique de la lentille.
3. Le rayon qui passe par le centre de la lentille ne subit aucune déviation. Ceci provient de ce qu'aux environs du centre, la lentille peut être assimilée à une lame à faces parallèles (figure 24.9). Comme la lentille est mince, le rayon ne subit qu'un décalage négligeable par rapport à sa trajectoire initiale.

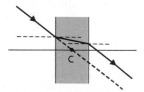

Figure 24.9 Un rayon passant par une lame plane à faces parallèles est déplacé parallèlement à lui-même et ne change pas de direction. De la même façon, un rayon passant par le centre d'une lentille ne change pas de direction.

Les points situés au-dessous de la pointe de la flèche à la même distance s de la lentille donnent des images qui sont toutes situées à la même distance s'. Ainsi, dès que la position de l'image de la pointe a été déterminée, nous pouvons dessiner l'image de la flèche entière.

Le tracé des rayons est encore décrit à la figure 24.8 pour des situations où entrent en jeu des images ou des objets virtuels. Dans ces cas, les rayons passant par F et F' et le centre de la lentille sont tracés et leur intersection

localisée. Nous utiliserons encore la méthode graphique de détermination des images plus tard dans ce chapitre.

Bien que le tracé des rayons nous apporte une intuition immédiate de la manière dont se forment les images par une lentille ou un système de lentilles, il est préférable, pour l'évaluation précise de la position des images, d'utiliser des expressions algébriques. Pour développer et appliquer ces formules, nous adopterons les conventions suivantes pour les quantités décrites à la figure 24.10 :

1. s est positif pour un objet réel et négatif pour un objet virtuel.
2. s' est positif pour une image réelle et négatif pour une image virtuelle.
3. La *hauteur de l'objet h* est positive s'il pointe au-dessus de l'axe de la lentille et négative s'il pointe en-dessous.
4. La *hauteur de l'image h'* est positive si celle-ci pointe au-dessus de l'axe de la lentille et négative si elle pointe en-dessous.

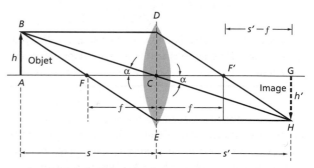

Figure 24.10 La distance à l'objet s, la distance à l'image s' et la distance focale f sont des quantités liées par la formule des lentilles minces.

Le *facteur d'agrandissement linéaire* ou, simplement le grandissement linéaire m est le rapport de la hauteur de l'image à celle de l'objet, h'/h. Ce facteur d'agrandissement est négatif lorsque l'image est renversée par rapport à l'objet comme sur la figure 24.7 ; il est positif lorsque l'image est droite, comme sur la figure 24.8*a*.

Nous pouvons découvrir les relations qui lient les quantités s, s', f et m en utilisant les propriétés des triangles semblables. Deux triangles sont semblables et leurs côtés correspondants sont proportionnels lorsqu'ils ont deux de leurs angles égaux. Sur la figure 24.10, les triangles rectangles ACB et GCH ont un angle aigu égal et sont donc semblables. Donc,

$$\left|\frac{h'}{h}\right| = \left|\frac{s'}{s}\right|$$

En utilisant les conventions données précédemment, h' est négatif sur la figure 24.10, de sorte que le *facteur d'agrandissement linéaire m* peut s'écrire

$$m = \frac{h'}{h} = -\frac{s'}{s} \qquad (24.2)$$

De plus, les triangles CDF' et GHF' sont semblables, de sorte que l'on peut aussi écrire

$$m = \frac{h'}{h} = -\left(\frac{s'-f}{f}\right) \qquad (24.3)$$

En comparant ces équations, nous trouvons

$$\frac{s'}{s} = \frac{s'-f}{f}$$

et si nous divisons cette relation par s' et que nous réarrangeons quelque peu les différents termes, nous obtenons la *formule des lentilles minces*,

$$\frac{1}{s} + \frac{1}{s'} = \frac{1}{f} \qquad (24.4)$$

Nous pouvons aisément nous assurer que cette équation fournira les mêmes résultats que ceux qui ont été obtenus par la méthode graphique. Pour un objet très distant, s est infini et $1/s$ s'annule, de sorte que la formule des lentilles minces donne $1/s' = 1/f$ ou $s' = f$. On peut remarquer que pour une distance focale donnée, la distance à l'image s' ne dépend que de la distance à l'objet s, et ne dépend pas de la hauteur h de l'objet. *Ceci veut dire que tous les objets ponctuels situés à une distance s de la lentille ont leur image dans un même plan.* Les exemples suivants illustrent l'utilisation de la formule des lentilles minces.

 ——————— Exemple 24.3 ———————

On considère une lentille de $+0,1$ m de distance focale. Déterminer la distance de la lentille à l'image si la distance à l'objet est a) 0,5 m ; b) 0,08 m.

Réponse   a) La formule des lentilles minces nous donne

$$\frac{1}{s'} = \frac{1}{f} - \frac{1}{s} = \frac{1}{0,1 \text{ m}} - \frac{1}{0,5 \text{ m}} = 8 \text{ m}^{-1}$$

et $s' = 0,125$ m. Nous remarquons que s' est positif, ce qui signifie que l'image est réelle (figure 24.11a).

b) En utilisant à nouveau la formule des lentilles minces,

$$\frac{1}{s'} = \frac{1}{f} - \frac{1}{s} = \frac{1}{0,1 \text{ m}} - \frac{1}{0,08 \text{ m}} = -2,5 \text{ m}^{-1}$$

On trouve cette fois $s' = -0,4$ m. Ici, s' est négatif et l'image est virtuelle (figure 24.11b).

 ——————— Exemple 24.4 ———————

Un objectif d'appareil photographique a une distance focale de $+0,1$ m.

a) Si l'appareil est mis au point sur un enfant qui se tient à 2 m de l'objectif, quelle doit être la distance entre la pellicule et la lentille (figure 24.12) ?

b) Si l'enfant mesure 1 m, quelle est la taille de son image sur le film ?

Réponse   a) Si l'image formée sur la pellicule est nette, la distance entre l'objectif et la lentille doit être la distance s'. La formule des lentilles minces donne alors

$$\frac{1}{s'} = \frac{1}{f} - \frac{1}{s} = \frac{1}{0,1 \text{ m}} - \frac{1}{2 \text{ m}} = 9,5 \text{ m}^{-1}$$

et $s' = 0,105$ m. La pellicule doit donc se trouver à une distance légèrement plus grande que la distance focale, 0,1 m. Mis à part les situations où on devrait prendre une photographie à très courte distance, la distance à l'objet est toujours nettement plus grande que la distance focale f, de sorte que l'image et la pellicule doivent se trouver juste au-delà du foyer.

b) La hauteur de l'image peut être déterminée à partir de la taille de l'objet, $h = 1$ m, et le facteur d'agrandissement linéaire, $m = h'/h = -s'/s$ peut être évalué en tenant compte du fait que $s' \simeq f$, la remarque faite ci-dessus :

$$m = -\frac{s'}{s} \simeq -\frac{f}{s} = \frac{-0,1 \text{ m}}{2 \text{ m}} = -0,05$$

d'où $\qquad h' = mh = -(0,05)(1 \text{ m}) = -0,05$ m

On trouve une image de hauteur égale à 0,05 m. Le signe moins indique que l'image est renversée.

Comme le facteur d'agrandissement est à peu près proportionnel à la distance focale, les appareils photographiques sont généralement équipés de plusieurs objectifs interchangeables présentant des distances focales variées. Les dimensions de la pellicule restent constantes. C'est le champ de vision qui diminue à mesure que la distance focale ou le facteur d'agrandissement augmente.

 ——————— Exemple 24.5 ———————

Une lentille divergente a une distance focale de $-0,4$ m.

a) Déterminer la position de l'image d'un objet placé à 2 m de la lentille.

b) S'il se forme une image réelle à 1 m de la lentille, où se trouve l'objet ?

Réponse   a) Comme l'objet est réel, $s = +2$ m. Donc,

$$\frac{1}{s'} = \frac{1}{f} - \frac{1}{s} = \frac{1}{(-0,4 \text{ m})} - \frac{1}{2 \text{ m}} = -3 \text{ m}^{-1}$$

et $s' = -0,333$ m. L'image est virtuelle et est localisée entre le foyer F' et la lentille (figure 24.13a).

b) Avec $s' = +1$ m,

$$\frac{1}{s} = \frac{1}{f} - \frac{1}{s'} = \frac{1}{(-0,4 \text{ m})} - \frac{1}{(1 \text{ m})} = -3,5 \text{ m}^{-1}$$

de sorte que $s = -0,286$ m. L'objet est virtuel, et doit être formé par une autre lentille. L'objet est placé entre le foyer F et la lentille (figure 24.13b).

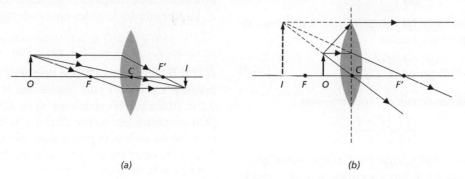

(a)   *(b)*

Figure 24.11 *(a)* Lorsque la distance entre un objet réel et une lentille convergente est supérieure à la distance focale, une image réelle se forme. *(b)* Lorsque l'objet se trouve entre le foyer et la lentille l'image est virtuelle.

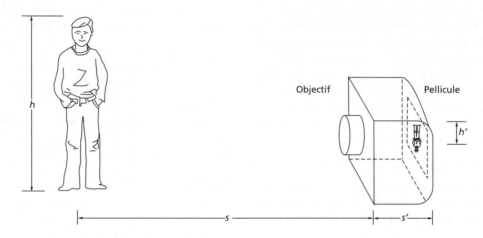

Figure 24.12 Principe de fonctionnement de l'appareil photographique.

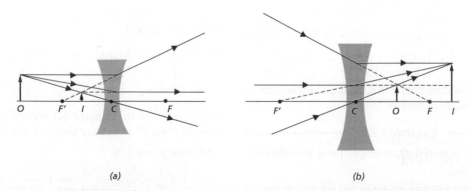

(a)   *(b)*

Figure 24.13 *(a)* Une lentille divergente forme toujours une image virtuelle d'un objet réel. *(b)* Lorsqu'un objet virtuel est formé par une autre lentille (non représentée) entre une lentille divergente et son foyer *F*, celle-ci en donne une image réelle.

24.4 LA PUISSANCE DES LENTILLES ; LES ABERRATIONS

Pour la discussion des propriétés des lentilles, il est parfois plus commode d'exprimer la convergence en termes de l'inverse de la distance focale, c'est-à-dire de la puissance de la lentille :

$$P = \frac{1}{f} \qquad (24.5)$$

L'acception du mot puissance en optique n'a évidemment rien de commun avec celle qui intervient dans le contexte de la mécanique, où la puissance exprime un travail effectué par unité de temps.

Si la distance focale f est mesurée en mètres, la puissance P s'exprime en *dioptries* ; 1 dioptrie = 1 m^{-1}. Par exemple, une lentille dont la distance focale est $-0,4$ m a une puissance $P = 1/(-0,4$ m$) = -2,5$ dioptries. Une lentille de courte distance focale, qui réfracte fortement la lumière, est une lentille de forte puissance.

Nous laisserons au lecteur le soin de démontrer (problème 24.59) que deux lentilles minces accolées, de distances focales f_1 et f_2, sont équivalentes à une seule lentille dont la distance focale f vérifie

$$\frac{1}{f} = \frac{1}{f_1} + \frac{1}{f_2} \qquad (24.6)$$

Cette relation est équivalente à la suivante, qui fait intervenir les puissances $P_1 = 1/f_1$ et $P_2 = 1/f_2$. La puissance de l'ensemble des deux lentilles accolées est donnée par

$$P = P_1 + P_2 \qquad (24.7)$$

Les puissances des deux lentilles accolées s'ajoutent pour donner la puissance totale de l'ensemble. De ce fait, l'usage du concept de puissance permet d'éviter une manipulation parfois fastidieuse de nombres fractionnaires. Par exemple, un ophtalmologiste sait que s'il place une lentille de 3 dioptries et une lentille de 0,25 dioptrie devant les yeux d'un patient, l'assemblage est équivalent à une lentille de 3,25 dioptries.

Nous verrons au paragraphe suivant comment l'additivité des puissances peut être utilisée pour réduire l'aberration chromatique.

24.4.1 Les aberrations optiques des lentilles

Quelle que soit la perfection de la taille des lentilles, celles-ci présentent toujours certains défauts ou *aberrations* qui limitent la netteté des images indépendamment des effets de diffraction. Comme l'indice de réfraction varie avec la longueur d'onde de la lumière, la distance focale d'une lentille varie également avec celle-ci. Lorsqu'un objet est éclairé en lumière blanche et que son image est au point pour une composante de couleur particulière, elle ne peut pas être parfaitement nette pour les autres composantes. On appelle ce défaut l'*aberration chromatique*. Par ailleurs, la relation liant la distance focale aux caractéristiques de la lentille (équation 24.1) n'est précise que dans le cas où les rayons forment avec la direction de l'axe optique des angles suffisamment petits. Si des corrections sont apportées à cette relation, on constate que les rayons parallèles à l'axe forment des images dont la position dépend de leur distance à celui-ci. De ce fait, un faisceau de rayons parallèles forme une image de dimensions finies et ne se réduit pas à un point (figure 24.14). Les aberrations de ce type sont des *aberrations monochromatiques*. Pour réduire ces aberrations on est amené à remplacer une lentille par un système comportant de nombreux éléments, dont les aberrations individuelles tendent à se compenser dans l'ensemble (figure 24.15).

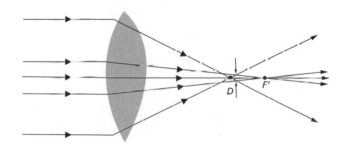

Figure 24.14 Les rayons monochromatiques proches de l'axe optique se rencontrent en F', alors que les rayons marginaux se croisent en D. Les flèches indiquent l'endroit où le faisceau émergent présente son diamètre minimal.

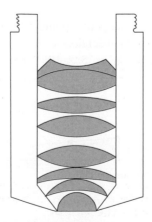

Figure 24.15 Un objectif multiélément utilisé sur un microscope moderne.

Nous pouvons illustrer ce procédé en considérant un *doublet*, c'est-à-dire un ensemble de deux lentilles en contact (figure 24.16). La lentille 1 présente deux surfaces convexes et est constituée de verre «crown». La lentille 2 présente une surface plane et une surface concave et est taillée dans du verre « flint». Toutes les surfaces sphériques ont un rayon de courbure de 10 cm. Dans les deux types de verre, l'indice de réfraction varie de 1 % d'une extrémité à l'autre du spectre visible. Les puissances P_1 et P_2 peuvent être évaluées à partir de l'équation

$$P = \frac{1}{f} = (n - 1)\left(\frac{1}{R_1} + \frac{1}{R_2}\right)$$

Comme le montre la figure 24.16, P_1 varie de 2 % sur tout le spectre et P_2 de 3 %. Toutefois, lorsque les deux lentilles sont mises en contact, $P = P_1 + P_2$ est constant ! Le doublet ne présente plus aucune aberration chromatique.

	656 nm Rouge	589 nm Jaune	486 nm Bleu
Indices de réfraction			
Verre "Crown"	1,517	1,520	1,527
Verre "flint"	1,644	1,650	1,664
Puissances:			
P_1 (crown)	10,34	10,40	10,54
P_2 (flint)	– 6,44	– 6,50	– 6,64
$P = P_1 + P_2$	3,90	3,90	3,90

Figure 24.16 Un doublet est composé de deux lentilles taillées dans des verres différents. Il est conçu pour diminuer les effets de l'aberration chromatique. Toutes les surfaces courbes ont un rayon de courbure de 0,1 m. Remarquer que la puissance totale est indépendante de la longueur d'onde.

24.5 LA LOUPE

L'œil humain normal peut à peine distinguer deux objets ponctuels voisins bien éclairés si leur séparation angulaire est de l'ordre de $\theta_0 \simeq 5 \times 10^{-4}$ rad $\simeq 0,03°$. Cette séparation angulaire minimale s'appelle l'*acuité visuelle* et peut être considérablement réduite à l'aide d'une *loupe*.

Pour pouvoir observer des détails ténus, une personne tiendra un objet de manière à le rapprocher le plus possible de l'œil. Elle le placera au *punctum optimum*, c'est-à-dire au point le plus proche où l'œil peut accommoder longuement sans fatigue. Pour un jeune adulte, ce point est normalement situé à une distance x_n, égale à 0,25 m (figure 24.17*a*). Au punctum optimum, deux points séparés par une distance y présentent une séparation angulaire $\theta \simeq \tan\theta = y/x_n$, si la distance y est suffisamment petite devant x_n. Si θ vaut $\theta_0 = 5 \times 10^{-4}$ rad,

$$y = x_n\theta = (0,25 \text{ m})(5 \times 10^{-4})$$
$$= 1,25 \times 10^{-4} \text{ m}$$
$$= 0,125 \text{ mm}$$

Les détails les plus fins qui puissent être discernés à l'œil nu sont donc de l'ordre du dixième de millimètre.

La loupe est une lentille convergente qui permet de rapprocher considérablement l'objet de l'œil en conservant une vision nette. L'objet est alors vu sous un angle plus grand et des détails plus fins peuvent ainsi être observés. D'ordinaire, l'objet est placé juste en deçà du foyer de la loupe et la loupe est maintenue très près de l'œil (figure 24.17*b*). L'image virtuelle résultante est alors suffisamment éloignée de l'œil pour être observée confortablement. L'angle sous lequel on voit l'objet est donné par

$$\theta' \simeq \tan\theta' = \frac{y}{f}$$

Le *grossissement* G est le rapport (figure 24.17*b*)

$$G = \frac{\theta'}{\theta} = \frac{\tan\theta'}{\tan\theta} = \frac{y/f}{y/x_n} = \frac{x_n}{f}$$

ou, en prenant $x_n = 0,25$ m,

$$G = \frac{0,25 \text{ m}}{f} \tag{24.8}$$

L'exemple suivant illustre la manière dont on utilise une loupe.

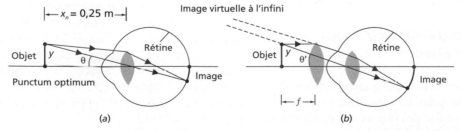

Figure 24.17 La loupe. Cette lentille convergente permet de rapprocher les objets de l'œil et dès lors de les examiner sous un angle plus grand.

———— **Exemple 24.6** ————

Un collectionneur utilise une loupe de 0,1 m de distance focale pour examiner un timbre. Quel est le grossissement fourni par cette loupe ?

Réponse Le grossissement est

$$G = \frac{0,25 \text{ m}}{f} = \frac{0,25 \text{ m}}{0,1 \text{ m}} = 2,5$$

Cette loupe permettra de distinguer des détails 2,5 fois plus fins qu'à l'œil nu.

Les lentilles dont la distance focale est très inférieure à la distance de 0,1 m considérée dans l'exemple ci-dessus donneraient des grossissements beaucoup plus importants, mais nécessiteraient de placer l'objet à proximité immédiate de la lentille. De plus, elles présentent des aberrations très prononcées. Pour ces raisons, on limite en pratique le grossissement des loupes simples à un facteur deux ou trois. Des oculaires utilisés de la même façon que la loupe et composés de deux lentilles ou plus peuvent sans inconvénient présenter un grossissement plus important du fait que pour des systèmes de lentilles, les aberrations peuvent être grandement corrigées.

24.6 LE MICROSCOPE OPTIQUE

Bien que le microscope soit l'un des plus anciens instruments scientifiques utilisés par les biologistes et les médecins, on en a vu apparaître, dans les dernières décennies, plusieurs types nouveaux. Ceux-ci permettent des études plus détaillées des structures cellulaires et rendent parfois inutile le recours à des méthodes destructives lors de l'observation des cellules vivantes.

La figure 24.18 explique le principe de fonctionnement du microscope. L'objet à étudier est placé légèrement au-delà du foyer de l'objectif, de sorte que $s_1 \simeq f_1$. L'image rendue par l'objectif est réelle et renversée et se trouve très agrandie par rapport à l'objet. Le facteur d'agrandissement est $g_1 = -s_1'/s_1 \simeq -s_1'/f_1$, généralement de l'ordre de 50. Cette image sert d'objet à l'oculaire, qui fonctionne comme une loupe pour produire une image virtuelle à une distance qui en permette une observation confortable.

Comme le grossissement de l'oculaire est donné par $g_2 = (0,25 \text{ m})/f_2$, le grossissement du microscope dans son ensemble est le produit

$$g = g_1 g_2 = \frac{-s_1' \times 0,25 \text{ m}}{f_1 f_2} \qquad (24.9)$$

Ce résultat est illustré par l'exemple suivant.

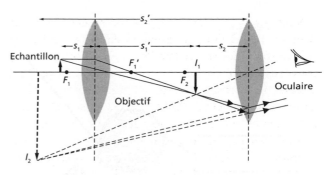

Figure 24.18 Le microscope optique. En pratique, l'oculaire et l'objectif sont des systèmes de lentilles.

 ———— **Exemple 24.7** ————

Un objectif de distance focale égale à 0,4 cm = 4 × 10^{-3} m et un oculaire de 3,2 cm = 3,2 × 10^{-2} m de distance focale sont montés sur un microscope. L'image formée par l'objectif est située à 0,2 m de celui-ci.

a) Où se trouve l'objet ?

b) Quel est le grossissement ?

c) En négligeant tout effet de diffraction, quelle est la distance entre les points les plus rapprochés qui peuvent encore être distingués à l'aide de cet instrument ?

Réponse a) À partir de la formule des lentilles minces, on trouve que la distance entre l'objet et l'objectif est donnée par

$$\frac{1}{s_1} = \frac{1}{f_1} - \frac{1}{s_1'} = \frac{1}{4 \times 10^{-3} \text{ m}} - \frac{1}{0,2 \text{ m}} = 245 \text{ m}^{-1}$$

soit $s_1 = 4,08 \times 10^{-3}$ m. L'objet est juste au-delà du foyer, puisque $f_1 = 4 \times 10^{-3}$ m.

b) Le grossissement vaut

$$g = \frac{-s_1' \times 0,25 \text{ m}}{f_1 f_2}$$

$$= \frac{-(0,2 \text{ m})(0,25 \text{ m})}{(4 \times 10^{-3} \text{ m})(3,2 \times 10^{-2} \text{ m})}$$

$$= -391$$

Le signe moins indique que l'image est renversée.

c) La plus petite distance entre deux points résolus à l'œil nu est d'environ 0,1 mm = 10^{-4} m. Si la distance angulaire est réduite d'un facteur 391 $\simeq$ 400, la séparation minimale devient $10^{-4}/400 = 2,5 \times 10^{-7}$ m = 250 nm, c'est-à-dire à peu près la moitié de la longueur d'onde moyenne de la lumière visible. Cette séparation est comparable à la limite de résolution du microscope imposée par les effets de diffraction.

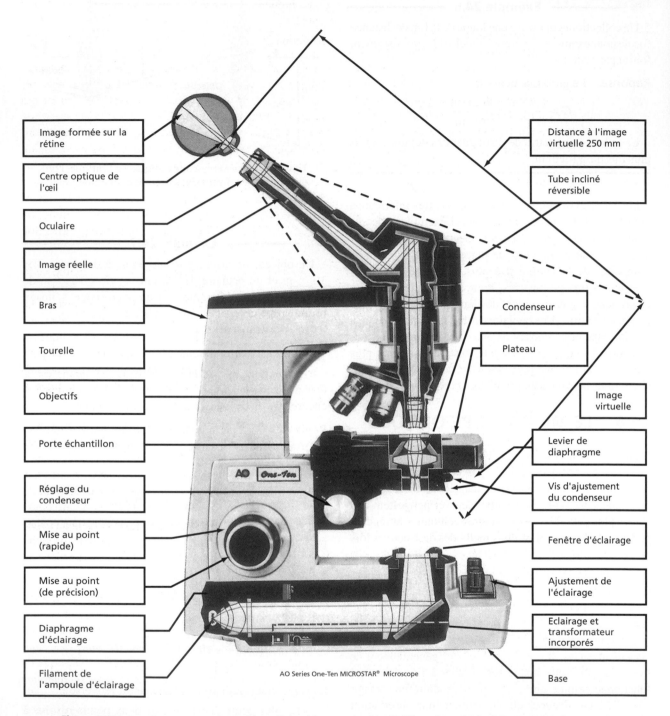

Figure 24.19 Le microscope optique. *(Avec l'aimable autorisation de l'American Optical Corporation.)*

La figure 24.19 montre un microscope optique, du type de ceux que l'on trouve communément dans les laboratoires de biologie. Les lentilles du *condenseur* dirigent la lumière incidente vers l'échantillon étudié et le *diaphragme* en règle l'intensité. Le grossissement, plus ou moins important, est déterminé par les distances focales de l'*objectif* et de l'*oculaire*. En pratique, ces dispositifs sont composés de plusieurs lentilles.

La résolution et le contraste dans un microscope optique sont discutés en section 24.9 de ce chapitre. On trouvera aussi en 24.10 une description des microscopes polarisants, à interférences et à contraste de phase.

24.7 L'ŒIL

L'œil humain est un appareil qui s'est développé de manière remarquable. Il peut fontionner dans une plage d'intensités variant sur neuf ordres de grandeur (un facteur 10^9), couvre un champ visuel de l'ordre de $180°$, peut modifier rapidement son état de mise au point d'une très courte distance à l'infini, et présente une résolution proche de la limite imposée par les phénomènes de diffraction. Nous verrons aussi, au chapitre 26, que son seuil de sensibilité est comparable à la limite théorique imposée par les propriétés quantiques de la lumière.

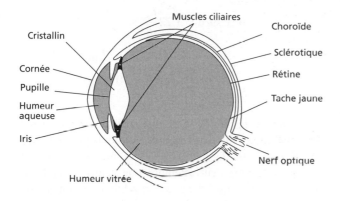

Figure 24.20 L'œil humain.

L'œil et l'appareil photographique présentent beaucoup de points communs. Dans les deux cas, un système optique convergent forme une image réelle renversée sur une surface sensible à la lumière. Le globe oculaire présente une forme à peu près sphérique avec un diamètre de 2,3 cm (figure 24.20). Son enveloppe extérieure est constituée d'une couche fibreuse pratiquement opaque appelée *sclérotique*. À l'intérieur de celle-ci on trouve une membrane de couleur sombre, la *choroïde*, qui a pour fonction d'absorber toute lumière parasite, comme la peinture noire dont est revêtue intérieurement la chambre d'un appareil photographique. La surface intérieure du globe oculaire est constituée par la *rétine*, une membrane contenant de nombreuses terminaisons nerveuses et des vaisseaux sanguins. Les fibres nerveuses aboutissent sur des *cônes* et des *bâtonnets* qui répondent à la lumière en émettant des impulsions nerveuses. L'œil présente un maximum de sensibilité au niveau d'une petite dépression de la rétine, la *tache jaune*. Sa partie centrale, la *fovea centralis*, mesure environ 1/4 de mm de diamètre et ne contient que des cônes en densité élevée. L'œil tourne dans son orbite de telle sorte que l'objet à examiner soit constamment projeté sur la fovea.

La lumière pénètre dans l'œil à travers une membrane appelée *cornée*, qui recouvre une légère excroissance transparente à la surface du globe oculaire. L'*iris* est un anneau coloré situé derrière la cornée. Il agit de la même manière qu'un diaphragme d'appareil photographique pour ajuster le diamètre de la *pupille* et ainsi régler, dans une certaine mesure, la quantité de lumière qui pénètre à l'intérieur de l'œil. Le *cristallin* est constitué d'une gelée fibreuse. Sa forme et sa distance focale sont contrôlées par les *muscles ciliaires*. L'espace qui sépare la cornée du cristallin contient un fluide appelé *humeur aqueuse* et au-delà du cristallin, on trouve une gelée plus fine, l'*humeur vitrée*. Ces deux humeurs présentent un indice de réfraction égal à 1,336, très proche de l'indice de l'eau, 1,333. Le cristallin présente un indice de réfraction moyen légèrement supérieur, 1,437.

De manière quelque peu surprenante, l'essentiel de la réfraction des rayons lumineux se produit au niveau de la cornée. La raison en est que la cornée présente un rayon de courbure assez petit (0,8 cm) et que le saut d'indice de réfraction entre l'air ($n = 1$) et l'humeur aqueuse ($n = 1,336$) est très important. Le cristallin n'a en fait pour fonction que d'apporter la correction de convergence nécessaire pour parfaire la mise au point sur des objets à différentes distances.

Lorsque les muscles ciliaires se relâchent, la surface du cristallin présente une courbure assez faible, et ce sont les images des objets lointains qui coïncident avec la position de la rétine. Si les muscles ciliaires se contractent, le cristallin voit sa courbure augmenter et la distance focale qui lui est associée diminue. C'est alors la lumière émise par les objets proches qui converge sur la rétine. L'ajustement de la distance focale du cristallin pour produire une image nette des objets situés dans différents plans est l'*accommodation*.

Le *pouvoir d'accommodation* de l'œil est la variation maximale de sa puissance lorsqu'il met au point sur des objets proches et lointains. Lorsque le cristallin est relâché, les objets situés dans un plan à une distance spécifique x_f sont perçus avec netteté. Le point de l'axe optique de l'œil situé à cette distance est appelé le *punctum remotum* qui, pour une personne présentant une vision normale, est rejeté à l'infini. La distance entre le centre optique de l'œil et l'image, s', est légèrement inférieure au diamètre de l'œil. Nous utiliserons la valeur $D = 2$ cm $= 0,02$ m pour faciliter les calculs. La valeur réelle est légèrement inférieure, mais ceci n'est pas crucial pour ce qui nous occupe. Au punctum remotum, la puissance P_f de l'œil est

$$P_f = \frac{1}{f} = \frac{1}{s} + \frac{1}{s'} = \frac{1}{x_f} + \frac{1}{D} \qquad (24.10)$$

Dans le cas d'une vision normale, $x_f = \infty$, et la puissance est alors de $P_f = 1/0,02$ m = 50 dioptries. Lorsque l'œil ajuste sa distance focale pour fixer un objet au punctum optimum ($s = x_n$), l'image se forme encore à une distance $s' = D$ et la puissance de l'œil est cette fois

$$P_n = \frac{1}{f} = \frac{1}{s} + \frac{1}{s'} = \frac{1}{x_n} + \frac{1}{D} \qquad (24.11)$$

Pour un jeune adulte possédant des capacités de vision normale, $x_n = 0,25$ m et

$$P_n = (1/0,25 \text{ m}) + (1/0,02 \text{ m}) = 54 \text{ dioptries.}$$

Le pouvoir d'accomodation est alors la différence

$$A = P_n - P_f \qquad (24.12)$$

Pour un adulte présentant une vision normale, le pouvoir d'accomodation est voisin de

$$A = (54 - 50) \text{ dioptries} = 4 \text{ dioptries}$$

Les jeunes enfants ont un pouvoir d'accomodation nettement plus grand et peuvent souvent lire un livre qu'ils tiennent très près de leurs yeux. Le pouvoir d'accomodation diminue avec l'âge et la plupart des gens voient leur punctum optimum s'éloigner au point de ne plus pouvoir lire confortablement sans verres correcteurs. La correction des défauts visuels est traitée en section 24.11 de ce chapitre.

24.7.1 L'acuité visuelle

Nous avons noté dans notre discussion de la loupe que l'acuité visuelle d'une personne normale est de l'ordre de 5×10^{-4} rad ; les objets qui présentent une séparation angulaire inférieure ne peuvent plus être distingués. Il est intéressant de se demander si cette limite est due ou non à des effets de diffraction. Si un faisceau de lumière passe par une ouverture circulaire de diamètre d, on trouve un premier minimum de diffraction pour $\sin \theta = 1,22/d$ (chapitre 23). Nous pouvons estimer l'étendue de la tache de diffraction pour l'œil en supposant une ouverture de l'iris de 5 mm = 5×10^{-3} m, et une longueur d'onde 500 nm = 5×10^{-7} m. Comme θ est un petit angle, et en ne conservant que le premier chiffre significatif,

$$\theta \simeq \sin \theta = 1,22 \frac{\lambda}{d}$$

$$= 1,22 \frac{(5 \times 10^{-7} \text{ m})}{(5 \times 10^{-3} \text{ m})}$$

$$= 10^{-4} \text{ rad}$$

Suivant le critère de Rayleigh, deux objets pourront être distingués s'ils sont séparés au moins par cette distance angulaire (figure 24.21). Des mesures montrent que personne ne peut atteindre une acuité visuelle de 10^{-4} rad, bien que dans des conditions optimales on puisse observer des acuités de l'ordre du double de la limite imposée par la diffraction, soit 2×10^{-4} rad.

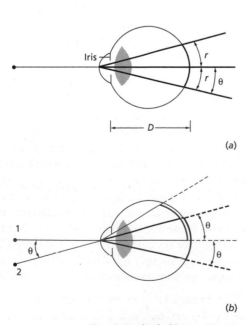
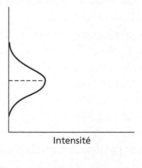
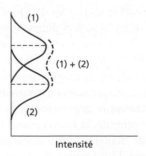

Figure 24.21 *(a)* La taille minimale de l'image d'un point compte tenu de la diffraction au passage de l'iris. *(b)* Si deux points sont séparés par une distance angulaire θ, leurs images seront difficilement discernables.

La connaissance de la structure de la rétine nous permet, dans une certaine mesure, de comprendre la raison de notre incapacité d'atteindre la limite théorique de résolution optique. Sur la figure 24.21*a*, le rayon de la tache image est donné par

$$r = D\tan\theta \simeq D\theta$$
$$= (2,3 \times 10^{-2} \text{ m})(10^{-4})$$
$$= 2,3 \times 10^{-6} \text{ m}$$

Nous trouvons une distance de l'ordre de la distance séparant deux cônes dans la fovea, la partie la plus sensible de la rétine. Cette région ne comporte que des cônes, et ne contient aucun bâtonnet. Si la meilleure résolution observée correspond à un angle de 2×10^{-4} rad, c'est-à-dire à deux taches de diffraction dont les centres sont écartés de $4,6 \times 10^{-6}$ m, on constate que *pour distinguer deux petits objets il est nécessaire qu'il existe au moins un cône non excité entre les deux cônes excités par les deux objets.*

Figure 24.22 L'image représentée ici est gênante parce que le résultat de l'analyse neurologique qu'elle subit est en contradiction avec notre expérience.
(M.C. Escher, « chute d'eau », Fondation Escher – Musée municipal de La Haye.)

abordé aujourd'hui sur la base de théories récentes traitant de la reconnaissance des formes et de simulations sur ordinateur. Devant une scène complexe, le cerveau se verrouille brusquement sur une interprétation qui lui paraît « correcte » (figure 24.22).

24.7.2 La sensibilité de l'œil

Le *seuil* ou *minimum d'intensité* requis pour observer une impulsion lumineuse dépend de la longueur d'onde. La cornée est opaque aux longueurs d'onde inférieures à 300 nm et le cristallin aux longueurs d'onde inférieures à 380 nm, de sorte que la partie ultraviolette du spectre ne contribue normalement pas à la vision. Chez certaines personnes, toutefois, lorsque l'on a été amené à procéder à l'ablation d'éléments du système optique de l'œil qui se sont opacifiés suite au développement d'une cataracte, une sensibilité particulière peut être observée. Les personnes ainsi traitées montrent une acuité visuelle très limitée et ne sont plus capables d'accomoder, mais peuvent aisément distinguer des objets éclairés par de la lumière ultraviolette. Ces objets leur apparaissent violets.

Dans la région des grandes longueurs d'onde, on observe une limite à la sensibilité, imposée par une forte absorption de la lumière par l'eau dans la cornée et l'humeur aqueuse, aux longueurs d'onde supérieures à 1200 nm. La sensibilité de l'œil décroît déjà au-dessus de 700 nm. On pense que les molécules photosensibles des cônes et des bâtonnets ne répondent plus aussi parfaitement à des longueurs d'onde aussi grandes.

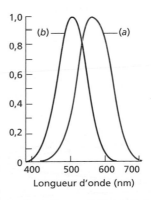

Figure 24.23 Courbes de sensibilité relative pour *(a)* la vision diurne et *(b)* la vision nocturne. Bien que l'œil soit plus sensible en état de vision nocturne, les deux courbes ont été tracées en imposant la même valeur maximale. *(D'après Eugene Ackerman,* Biophysical Science, *Prentice-Hall, Englewood Cliffs, N.J., 1962.)*

La figure 24.23 montre les variations de la *sensibilité* de l'œil (l'inverse du seuil de sensibilité) pour différentes longueurs d'onde et pour la *vision nocturne* et la *vision diurne.* Lorsque nous passons de la lumière du jour à une pièce peu éclairée, l'œil s'adapte progressivement à l'intensité ambiante et des détails initialement invisibles apparaissent peu à peu. Cette adaptation peut prendre jusqu'à une demi-heure pour être complète. En état de vision nocturne, l'œil est beaucoup plus sensible. Sur la figure 24.23, les deux courbes ont été ajustées pour présenter la même valeur maximale.

Les cônes ne sont actifs que pour la vision diurne, alors que les bâtonnets le sont toujours. De ce fait, la fovea, dépourvue de bâtonnets et présentant une concentration maximale de cônes, est spécifiquement utilisée pour la vision diurne alors que les parties extérieures de la rétine sont au contraire plus sensibles en vision nocturne, parce que mieux garnies en bâtonnets. L'acuité visuelle est considérablement dégradée en état de vision nocturne.

La figure 24.23 montre que la sensibilité est maximale au voisinage de 500 et 550 nm pour la vision nocturne et la vision diurne respectivement. Ces deux longueurs d'onde correspondent à des couleurs vertes. Les verres de lunettes solaires ou les vitres teintées sont souvent constitués de filtres verts. Comme ces filtres absorbent la lumière verte beaucoup moins que les autres longueurs d'onde, ils réduisent efficacement l'intensité totale en conservant un maximum de la lumière à laquelle l'œil est le plus sensible.

En état de vision nocturne, l'œil répond à un large spectre de longueurs d'onde, mais la reconnaissance des couleurs n'est possible qu'en état de vision diurne. La perception des couleurs est l'un des thèmes traités dans la suite.

Pour en savoir plus...

24.8   L'APPAREIL PHOTOGRAPHIQUE

Les éléments essentiels de tout appareil photographique sont la chambre noire, l'objectif, l'obturateur, permettant l'admission de lumière pendant un temps suffisamment court, et une pellicule photosensible pour l'enregistrement de l'image. Pour produire des expositions très courtes, on doit utiliser un objectif de grande ouverture. Ceci implique, pour un appareil de haute qualité, un objectif complexe où les aberrations des éléments tendent à se compenser mutuellement.

Les objectifs d'appareil photographique sont caractérisés par deux paramètres. L'un d'eux est sa distance focale f. Comme l'a montré l'exemple 24.4, la taille de l'image est à peu près proportionnelle à la distance focale. Le second paramètre est le diamètre de l'objectif. D'habitude on l'exprime par rapport à la distance focale. Un objectif $f/8$, par exemple, a un diamètre $d = f/8$, c'est-à-dire un huitième de la distance focale. L'intensité de l'image formée sur la pellicule est fonction de l'aire de l'objectif, c'est-à-dire du carré de son diamètre. Pratiquement tous les appareils photographiques ont un objectif muni d'un diaphragme pour pouvoir modifier son ouverture, c'est-à-dire son diamètre effectif. Par exemple, changer le diaphragme de la valeur notée $f/8$ à $f/16$ signifie diminuer d'un facteur 2 le diamètre effectif, c'est-à-dire réduire l'aire de l'objectif d'un facteur $2^2 = 4$. L'obturateur doit alors s'ouvrir pendant un laps de temps 4 fois plus long pour admettre la même énergie lumineuse.

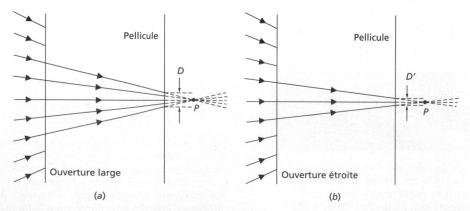

Figure 24.24 Effet de l'ouverture de l'objectif sur la profondeur de champ. L'objectif (non représenté) est positionné pour produire une image nette des objets situés à l'infini. *(a)* Les rayons de lumière issus d'un point plus proche de l'objectif convergent en un point *P* situé au-delà du film. (Les effets de diffraction et les aberrations agrandiraient encore le diamètre de la tache formée sur la pellicule.) *(b)* Si l'aire de l'ouverture est diminuée, le faisceau de lumière est plus étroit et le diamètre D' de l'image est plus petit. De ce fait l'image gagne en définition et les objets situés sur une plus grande plage de distances apparaissent suffisamment nets. L'intensité lumineuse est cependant réduite et des temps d'exposition plus longs sont requis.

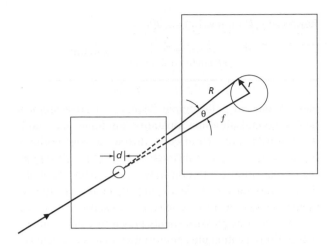

Figure 24.25 Le cercle de diffraction central pour un faisceau qui traverse une ouverture circulaire de diamètre *d*.

À cause des aberrations, l'image d'un objet ponctuel photographié sera toujours une tache de diamètre fini, quel que soit le soin apporté à la mise au point. La taille de cette image peut être réduite en diminuant le diamètre effectif de l'objectif à l'aide d'un diaphragme. Réduire l'ouverture accroît aussi la *profondeur de champ*, c'est-à-dire l'étendue des positions d'objets qui se trouvent focalisés sur des taches suffisamment petites (figure 24.24). Ainsi, un photographe doit le plus souvent trouver un compromis entre la brièveté de l'exposition requise pour obtenir un instantané d'une scène se déroulant rapidement et la nécessité d'utiliser des ouvertures suffisamment petites pour réduire les aberrations et augmenter la profondeur de champ.

Lorsque l'ouverture de l'objectif est petite, les effets de diffraction peuvent intervenir pour limiter la netteté de l'image. Nous avons vu au chapitre 23 que lorsque la lumière passe à travers une petite ouverture, il se forme une figure de diffraction constituée d'un disque central brillant entouré d'anneaux concentriques de faible inten-

sité. Si le diamètre de l'ouverture est *d*, le maximum central s'étend jusqu'au premier minimum de diffraction en $\sin \theta = r/R \simeq r/f$ (figure 24.25). Avec $\sin \theta = 1{,}22 \lambda /d$, nous trouvons

$$r = 1{,}22 \lambda \, (f/d) \qquad (24.13)$$

Ce résultat indique que lorsqu'un appareil photographique est correctement mis au point sur un objet ponctuel, l'image formée sur le film sera un cercle de rayon *r*, même en l'absence d'aberration. (Les anneaux de diffraction autour du maximum central ne sont normalement pas suffisamment intenses pour être perceptibles.) Comme le rayon est proportionnel à *f/d*, les effets de diffraction se manifestent de plus en plus à mesure que le diaphragme est refermé (figure 24.26). Ceci impose une limite inférieure aux diamètres qui peuvent être utilisés en pratique.

L'exemple suivant indique l'ordre de grandeur de cette limite.

✎ ———— Exemple 24.8 ————

L'objectif d'un appareil photographique 35 mm est fermé à *f*/22. Quels effets produisent les phénomènes de diffraction ? (Le format du film dans un appareil 35 mm est 24 × 36 mm.)

Réponse Suivant notre discussion, chaque point d'une scène photographiée formera une image qui, au mieux, est constituée d'un disque brillant dont le rayon *r* est déterminé par les lois de la diffraction. Si la scène est exposée en lumière blanche, les longueurs d'onde utiles vont de 400 à 700 nm, c'est-à-dire se situent au voisinage de la longueur d'onde moyenne de 550 nm. Avec cette longueur d'onde et *f/d* = 22.

$$r = 1{,}22 \lambda \, \frac{f}{d} = 1{,}22 \, (550 \times 10^{-9} \text{ m})(22)$$

$$= 1{,}5 \times 10^{-5} \text{ m}$$

$$= 0{,}015 \text{ mm}$$

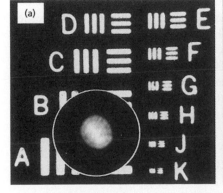
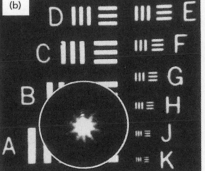
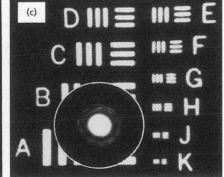

Figure 24.26 Dans ces agrandissements, les aberrations limitent la qualité de l'image aux grandes ouvertures *(a)* et la diffraction impose une limite à la résolution aux petites ouvertures *(b, c)*. *(Avec l'aimable autorisation de Eastman Kodak.)*

Ce résultat montre que tous les détails qui, au niveau de l'image, s'étendent sur moins de 0,015 mm ne peuvent être rendus avec netteté à cause du recouvrement des figures de diffraction. Un agrandissement d'un facteur 10 produira une image de 35 sur 24 cm et accroîtra le diamètre des taches de diffraction jusqu'à 0,15 mm. Cette taille les rend discernables à l'œil nu. C'est pour cette raison que l'on ne trouve pas d'ouverture plus petite que *f*/22 sur un appareil de 35 mm. Si les intensités doivent être réduites davantage, on utilise plutôt des filtres.

24.9 RÉSOLUTION ET CONTRASTE DES MICROSCOPES

Lorsque la séparation entre deux points d'un échantillon examiné au microscope devient comparable à la longueur d'onde λ de la lumière, on doit s'attendre à d'importants effets de diffraction. Une analyse détaillée montre que la séparation minimale *d* qui peut être résolue au moyen d'un microscope optique est donnée par

$$d = \frac{\lambda}{2n \sin \theta} \qquad (24.14)$$

La longueur d'onde λ utilisée ici est mesurée dans l'air, *n* est l'indice de réfraction du milieu séparant l'objectif de la préparation étudiée et θ est l'angle sous-tendu par l'objectif (figure 24.27). Le produit *n* sin θ est l'*ouverture numérique* qui figure parfois sur l'instrument. Si deux points sont séparés par une distance inférieure à *d*, leurs figures de diffraction se recouvrent tellement que les deux points ne peuvent plus être distingués.

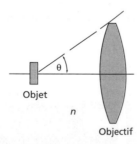

Figure 24.27 L'ouverture numérique de cette lentille est *n* sin θ, où *n* est l'indice de réfraction du milieu séparant l'objet de la lentille.

L'exemple suivant donne une valeur typique de cette séparation minimale.

 ——— Exemple 24.9 ———

Quelle est la séparation minimale acceptable pour des objets exposés à l'air et éclairés en lumière verte (500 nm) ? L'angle sous-tendu par l'objectif est de 90°.

Réponse Pour *n* = 1 et sin 90° = 1,

$$d = \frac{\lambda}{2n \sin \theta} = \frac{500 \text{ nm}}{2(1)(1)} = 250 \text{ nm}$$

Nous avons vu à l'exemple 24.7 qu'un grossissement de 400 conduisait à une séparation minimale acceptable d'environ 250 nm si les effets de diffraction sont négligés. Nous voyons ici que la diffraction ne peut pas être ignorée du fait qu'elle introduit indépendamment une limite de résolution de l'ordre de 250 nm. Dès lors, le grossissement utile pour un microscope optique est limité à une valeur de 400. Les grossissements plus importants peuvent rendre l'observation plus confortable, mais ne révéleront pas plus de détails. Comme une cellule bactérienne a un diamètre de l'ordre de 1 000 nm, il n'est pas possible d'entreprendre des études de la structure interne des bactéries à l'aide d'un microscope optique. L'équation (24.14) suggère deux méthodes pour l'amélioration de la résolution d'un microscope : l'utilisation d'une lumière de longueur d'onde plus courte ou un milieu d'indice de réfraction plus élevé. Avec les *objectifs à immersion*, on obtient une amélioration de la résolution en plongeant l'objet dans un milieu transparent comme l'huile de cèdre, dont l'indice de réfraction vaut *n* = 1,4. Les *microscopes à rayonnement ultraviolet* utilisent une radiation de longueur d'onde un peu plus courte que celle de la lumière visible. Outre le fait qu'il améliore la résolution, ce type de microscope s'avère utile parce que beaucoup de substances telles que les acides nucléiques ou les protéines absorbent fortement le rayonnement ultraviolet. Le contraste obtenu est alors particulièrement bon, ce qui est également favorable à une amélioration de la résolution.

Des résolutions encore bien meilleures peuvent être obtenues au moyen de *microscopes électroniques*. Dans ces instruments, des électrons sont accélérés sous une différence de potentiel et focalisés par des champs d'induction magnétique. Bien que les électrons se comportent dans bien des cas comme des particules, ils peuvent également manifester un comportement ondulatoire. Cette question est examinée en détail au chapitre 27. La longueur d'onde associée aux électrons accélérés sous une différence de potentiel de 50 000 V est de 5×10^{-3} nm, soit $1/10^5$ fois celle de la lumière visible. En pratique, la résolution est limitée à environ 0,2 nm, ce qui représente une résolution à peu près 1 000 fois meilleure que celle du microscope optique.

24.9.1 Le contraste

Pour que l'on puisse distinguer un objet de son environnement, il doit produire un contraste suffisant par rapport à l'intensité transmise par le milieu dans lequel il se trouve.

Sans un contraste suffisant, la résolution atteinte en pratique sera nettement inférieure à celle que permet la construction du microscope. On peut améliorer le contraste par une *coloration* de la préparation au moyen de colorants absorbés différemment par les divers éléments de l'objet étudié. D'autres types de substances peuvent être utilisés pour produire une *fluorescence* de l'échantillon. Dans ce cas, on éclaire l'objet au moyen de lumière ultraviolette et les constituants fluorescents émettent une radiation de plus grande longueur d'onde. La lumière émise est détectée après que le rayonnement ultraviolet a été éliminé du faisceau par absorption dans un filtre.

24.10 MICROSCOPES POLARISANTS, À INTERFÉRENCE ET À CONTRASTE DE PHASE

Nous allons maintenant brièvement décrire les microscopes *polarisants*, *à interférence* et *à contraste de phase*. Ces instruments exploitent de manière ingénieuse les propriétés ondulatoires de la lumière pour améliorer le contraste des structures transparentes.

Dans un microscope *polarisant*, le faisceau de lumière utilisé pour éclairer l'objet est polarisé. Lorsque l'objet à étudier présente une parfaite isotropie du point de vue de ses propriétés optiques, le faisceau traverse l'échantillon sans modifier son état de polarisation. Ce faisceau sera éteint par un filtre analyseur orienté à 90° de la direction de polarisation initiale. Si par contre l'échantillon contient des matériaux *biréfringents*, dont l'indice de réfraction dépend de la direction de la radiation et de l'orientation du champ électrique qui lui est associé, le vecteur de polarisation subira une rotation et une partie de la lumière traversera l'analyseur (figure 24.28). Les protéines et les acides nucléiques sont des matériaux biréfringents et peuvent être facilement observés à l'aide de ce microscope.

Dans un microscope à *interférence*, le faisceau d'éclairage est séparé en deux (figure 24.29). L'une des deux parties du faisceau traverse l'échantillon dont l'indice de réfraction varie de point en point. La phase en différents points de la section du faisceau émergent varie donc également. La seconde partie du faisceau suit un trajet semblable, à ceci près qu'il ne traverse pas l'échantillon. Lorsque les deux parties du faisceau sont réunies, leur interférence produit des variations d'intensité. Ainsi, beaucoup de structures peuvent se révéler même si l'échantillon est complètement transparent.

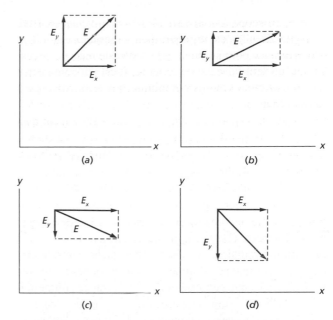

Figure 24.28 La polarisation d'une onde électromagnétique est parallèle à sa composante électrique **E**. Dans un milieu biréfringent, les ondes dont la composante électrique pointe dans des directions différentes se propagent avec des vitesses différentes. *(a)* L'onde pénètre un milieu biréfringent en se propageant perpendiculairement à cette page. Le champ initial est formé de composantes x et y qui se propagent avec des vitesses différentes. *(b)* En un point à l'intérieur du milieu biréfringent, E_x passe par un maximum à un instant donné. L'onde correspondant à la composante y se propage plus lentement et n'a pas encore atteint son maximum. De ce fait, le vecteur **E** a tourné d'un certain angle par rapport à sa direction initiale. *(c)* À une profondeur plus grande dans le milieu, E_y est encore négative lorsque E_x est maximale. *(d)* En progressant encore on trouve E_y à sa valeur la plus négative lorsque E_x est maximale. La polarisation a tourné d'un angle de 90° après que l'onde a traversé une épaisseur suffisante de matériau biréfringent.

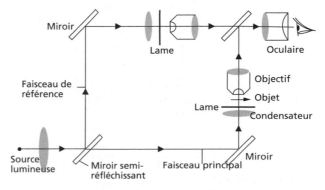

Figure 24.29 Le microscope à interférence. Le fonctionnement est expliqué dans le texte.

Le microscope *à contraste de phase*, inventé en 1932 par Fritz Zernike, est un instrument ingénieux qui utilise l'interférence pour augmenter le contraste mais ne nécessite qu'un seul faisceau de lumière. Il est par conséquent moins coûteux et moins compliqué que le microscope à interférence.

Comme le fonctionnement de ce microscope dépend d'effets de diffraction, nous aurons d'abord à considérer quelques aspects de ce phénomène de diffraction. Nous avons vu au chapitre 23 que lorsqu'un faisceau collimaté de lumière monochromatique traverse une fente mince, il se forme sur un écran placé derrière la fente une ligne centrale brillante accompagnée, de chaque côté, de franges moins intenses. (De la même manière, dans le cas d'une ouverture circulaire, on observe une tache centrale circulaire accompagnée d'anneaux concentriques moins intenses). La frange centrale et l'une des franges immédiatement voisines sont déphasées d'un quart de longueur d'onde. Supposons maintenant que l'écran soit enlevé et que l'on force le faisceau intense central à passer par une lame de verre spécialement traitée pour absorber partiellement ce faisceau et réduire son intensité à une valeur comparable à celle du premier faisceau diffracté adjacent

(figure 24.30*a*). Ce dernier, de son côté, passe par une lame transparente d'épaisseur choisie pour introduire un retard de phase *supplémentaire* d'un quart de longueur d'onde par rapport au faisceau central. Les deux faisceaux sont donc maintenant déphasés d'une demi-longueur d'onde et sont d'amplitude égale et de signes contraires. Ils interfèrent donc de manière destructive lorsqu'ils sont focalisés en un point par une lentille.

Bien que la géométrie soit un peu différente, c'est la même idée qui pour l'essentiel est appliquée dans le cas du microscope à contraste de phase (figure 24.30*b*). Un anneau transparent est disposé en face de la source de lumière, produisant un cône lumineux convergeant vers l'échantillon. En l'absence d'échantillon, ce faisceau forme une image circulaire brillante juste au-delà du foyer de l'objectif. Cette image se forme de la même manière si l'échantillon étudié est uniformément transparent. Si par contre on suppose que la préparation présente une modification locale de l'indice de réfraction, celle-ci donnera lieu à une diffraction qui produira un disque central brillant et des anneaux concentriques d'intensité moindre (figure 24.30*c*).

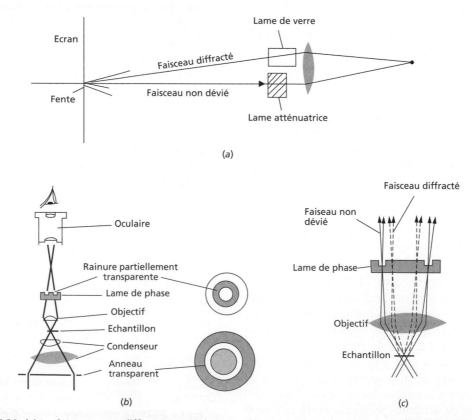

Figure 24.30 *(a)* Le faisceau non diffracté issu d'une ouverture étroite présente une différence de phase d'un quart de longueur d'onde par rapport au faisceau diffracté voisin. Si la phase du faisceau diffracté est modifiée d'un quart de longueur d'onde supplémentaire à l'aide d'une lame de verre d'épaisseur convenable, ce faisceau sera exactement en opposition de phase avec le faisceau non diffracté. *(b)* Un microscope à contraste de phase. *(c)* Une vue agrandie de la région de l'objectif.

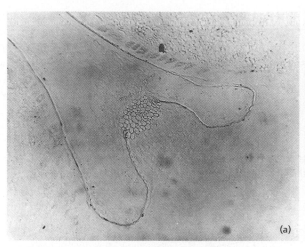 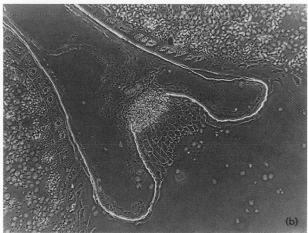

Figure 24.31 *(a)* Une coupe non colorée d'un grain de blé examinée à l'aide d'un microscope optique ordinaire. *(b)* Le même échantillon examiné à l'aide d'un microscope à contraste de phase. *(Avec l'aimable autorisation de Bausch & Lomb.)*

Les faisceaux diffractés adjacents sont encore déphasés d'un quart de longueur d'onde par rapport au faisceau central non dévié. Une *lame de phase* est placée à l'endroit où se forme l'image de l'anneau transparent placé devant la source. Cette lame est amincie et recouverte d'une couche partiellement absorbante dans la région où converge le faisceau correspondant à l'ensemble des franges de diffraction centrales. L'amplitude de ce faisceau est réduite pour égaler celle du faisceau diffracté. Ce dernier traverse une portion plus épaisse de la lame de phase et émerge en opposition de phase avec le faisceau non dévié. Une interférence destructive se produit alors lorsque l'on réunit les faisceaux à l'endroit où se forme l'image de la préparation. On forme ainsi un point sombre qui constitue l'image d'une structure présentant un indice de réfraction légèrement différent de l'indice du reste d'un objet uniformément transparent (figure 24.31).

24.11 LES DÉFAUTS OPTIQUES DE L'ŒIL

Quatre des défauts optiques les plus communs peuvent être corrigés par le port d'une paire de lunettes. Dans le cas des trois premiers, les verres sont utilisés pour déplacer la position apparente de l'objet, de sorte que l'œil défectueux peut aisément accommoder sur celle-ci. Dans le cas du quatrième, l'*astigmatisme*, les verres corrigent une distorsion introduite par le système optique de l'œil.

Dans les cas de *myopie*, les rayons parallèles issus d'un objet éloigné sont focalisés en l'absence d'accommodation sur un point situé à l'intérieur du globe oculaire (figure 24.32). De ce fait, une personne atteinte de myopie ne peut pas distinguer nettement les objets situés au-delà du punctum remotum, situé à distance finie, x_f. Ce problème se pose parce que la puissance du système optique de l'œil est trop élevée, soit que la cornée présente une courbure trop grande ou que le globe oculaire a un diamètre plus élevé que la normale. Des lentilles divergentes, dont la puissance est négative, corrigeront ce défaut.

Pour calculer la correction de convergence nécessaire, nous devons évaluer la puissance de l'œil fixant le punctum remotum et choisir une lentille dont la puissance permet de renvoyer ce point à l'infini. Nous utilisons la formule des lentilles minces, $1/f = 1/s + 1/s'$, réécrite en termes de la puissance $P = 1/f$:

$$P = \frac{1}{s} + \frac{1}{D} \qquad (24.15)$$

Ici, D est la distance à laquelle se forme l'image dans l'œil, approximativement 0,02 m. La procédure est illustrée par l'exemple suivant.

 ———— **Exemple 24.10** ————

Une personne atteinte de myopie a son punctum remotum à 0,2 m. Son pouvoir d'accommodation est de 4 dioptries.

a) Quelle puissance de verres correcteurs doit-on lui prescrire ?

b) Où se trouve le punctum optimum en l'absence de verres correcteurs ?

c) Où se trouve le punctum optimum du patient lorsqu'il porte ses verres ?

Réponse a) Au punctum remotum, $s = 0{,}2$ m. Par conséquent, lorsque le cristallin est complètement relâché, l'équation (24.15) nous donne la puissance

$$P_f = \frac{1}{0{,}2 \text{ m}} + \frac{1}{0{,}02 \text{ m}} = 55 \text{ dioptries}$$

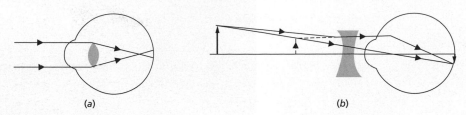

Figure 24.32 *(a)* Les rayons parallèles issus d'objets distants sont focalisés avant la rétine dans le cas d'un œil myope. *(b)* Une lentille divergente dévie les rayons de telle sorte qu'ils paraissent provenir d'un point rapproché et permet la focalisation sur la rétine.

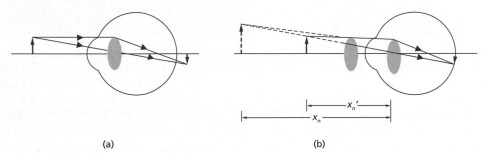

Figure 24.33 *(a)* Dans le cas d'un œil hypermétrope, les rayons provenant d'un objet proche convergent derrière la rétine. *(b)* Une lentille convergente dévie les rayons lumineux de telle sorte qu'ils paraissent provenir d'un point plus éloigné. La distance x'_n au punctum optimum corrigé par le port de verres convergents est inférieure à la distance x_n correspondant à la vision à l'œil nu.

Pour rejeter le punctum remotum à l'infini, nous devons obtenir une puissance de

$$P'_f = \frac{1}{\infty} + \frac{1}{0,02 \text{ m}} = 50 \text{ dioptries}$$

Lorsque le patient porte ses verres, la somme des puissances de l'œil et du verre correcteur donne la puissance totale effective. Ainsi, s'il porte des verres d'une puissance de $(50 - 55) = -5$ dioptries, il aura une puissance nette de 50 dioptries et verra avec netteté les objets distants.

b) Comme le pouvoir d'accommodation est

$$A = P_n - P_f = 4 \text{ dioptries}$$

$$P_n = P_f + A = (55 + 4) \text{ dioptries} = 59 \text{ dioptries}$$

Avec cette puissance, la mise au point est réalisée sur le point x_n qui vérifie

$$P_n = \frac{1}{x_n} + \frac{1}{D}$$

soit

$$59 \text{ dioptries} = \frac{1}{x_n} + \frac{1}{0,02 \text{ m}} = \frac{1}{x_n} + 50 \text{ dioptries}$$

$$x_n = 0,11 \text{ m}$$

c) Avec les verres correcteurs,

$$P'_n = P'_f + A = (50 + 4) \text{ dioptries} = 54 \text{ dioptries}$$

Dès lors,

$$P_n = \frac{1}{x'_n} + \frac{1}{D}$$

$$54 \text{ dioptries} = \frac{1}{x'_n} + \frac{1}{0,02 \text{ m}} = \frac{1}{x'_n} + 50 \text{ dioptries}$$

$$x'_n = 0,25 \text{ m}$$

Cette distance correspond au punctum optimum d'une personne présentant une vision normale et un pouvoir d'accommodation moyen. Le verre considéré a donc parfaitement corrigé la vision.

L'*hypermétropie* est le défaut inverse de la myopie. La lumière émise par un objet rapproché se forme en un point situé en arrière de la rétine, même si les muscles ciliaires donnent au cristallin sa puissance maximale (figure 24.33). Une lentille convergente ajoutera la puissance nécessaire pour ramener cette image sur la rétine, comme dans l'exemple suivant.

✎ ──────────── **Exemple 24.11** ────────────

Le punctum optimum d'une personne est situé à 1 m. Quelle puissance doivent présenter ses verres correcteurs pour ramener le punctum optimum à 0,25 m de ses yeux ?

Réponse   À partir de l'équation (24.25), on trouve la puissance du système optique de l'œil nu,

$$P_n = \frac{1}{1 \text{ m}} + \frac{1}{0,02 \text{ m}} = 51 \text{ dioptries}$$

Pour obtenir une image nette d'un objet situé à 0,25 m, la puissance doit être de

$$P'_n = \frac{1}{0,25 \text{ m}} + \frac{1}{0,02 \text{ m}} = 54 \text{ dioptries}$$

Une lentille de puissance +3 dioptries ajoutera donc la puissance requise pour ramener le punctum optimum à sa position normale.

La *presbytie*, c'est-à-dire la réduction de pouvoir d'accommodation qui se produit avec l'âge, est le résultat de l'affaiblissement des muscles ciliaires et de la perte d'élasticité du cristallin. Le punctum optimum d'un jeune adulte présentant une vision normale peut avec l'âge s'éloigner suffisamment pour qu'une correction soit nécessaire pour l'observation à courte distance. Ce sont alors des verres convergents qui seront prescrits, comme dans le cas de l'hypermétropie. Le plus souvent, la correction de vision requiert dans ce cas le port de lentilles bifocales, dont la portion supérieure est adaptée à la vision distante et la partie inférieure à la vision rapprochée. Par exemple, une personne âgée présentant le défaut de myopie utilisera des verres divergents dans leur partie supérieure et moins divergents dans leur partie inférieure.

Une personne présentant le défaut d'*astigmatisme* ne peut pas réaliser simultanément la mise au point sur les lignes verticales et horizontales. Ce défaut est dû ordinairement au fait que la cornée n'est pas parfaitement sphérique, de sorte qu'elle présente des rayons de courbure différents dans différentes directions. On ne rencontre que très rarement des formes d'astigmatisme causées par d'autres irrégularités de l'œil. L'astigmatisme peut être corrigé par des lentilles cylindriques orientées de manière à corriger les distorsions (figure 24.34). Si une correction simultanée de myopie ou d'hypermétropie est nécessaire, on utilisera des lentilles toriques dont les rayons de courbure extrêmes sont choisis pour corriger les deux défauts.

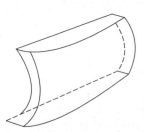

Figure 24.34 Une lentille cylindrique utilisée pour la correction de l'astigmatisme.

Les lentilles de contact permettent la correction des défauts optiques d'une manière assez différente des verres ordinaires et présentent certains avantages (figure 24.35).

Figure 24.35 Insertion d'une lentille de contact souple. *(Avec l'aimable autorisation de Bausch & Lomb, Soflens Division.)*

Les lentilles de contact dures sont réalisées en une matière plastique rigide et présentent une épaisseur d'environ 1 mm pour un diamètre de l'ordre de 1 cm. Placées directement au contact de l'œil, elles *remplacent la cornée dans sa fonction de dioptre convergent*. Comme la lumière pénètre l'œil par une surface de révolution, le défaut d'astigmatisme est automatiquement corrigé. De plus, comme la lentille cornéenne se déplace avec l'œil, elle évite les aberrations qui provoquent une distorsion de la vision au voisinage du bord des verres correcteurs épais. Les lentilles de contact souples sont un peu plus grandes que les lentilles rigides. Elles s'adaptent à la forme de la cornée et sont souvent plus confortables. Du fait que la plupart des lentilles souples ne conservent pas leur forme sphérique lorsqu'elles s'adaptent à une cornée présentant des irrégularités de courbure, elles ne corrigent pas l'astigmatisme. Les lentilles cornéennes toriques souples, relativement coûteuses et parfois peu confortables, sont taillées de manière à compenser les irrégularités et corrigent ainsi l'astigmatisme.

Actuellement les chirurgiens corrigent la vision de patients atteints de myopie et d'hypermétropie en intervenant directement sur la forme de la cornée. L'un des procédés en usage depuis les années 1960 consiste à enlever la partie centrale de la cornée et à la retailler dans un tour sous le contrôle d'un ordinateur. Pour un patient atteint d'hypermétropie, la cornée est amincie à l'extérieur, ce qui augmente sa courbure et sa convergence. Dans d'autres cas, le tissu emprunté à la cornée d'un donneur est convenablement taillé et placé sous le centre de la cornée pour augmenter sa courbure. Pareillement, dans un cas de myopie, la cornée est amincie au centre pour diminuer sa puissance. Plus récemment, pour corriger la myopie, on a utilisé une méthode qui consiste à pratiquer dans la cornée une quinzaine d'entailles peu profondes disposées de l'extérieur vers le centre, comme les rayons d'une roue de bicyclette. Ces entailles tendent à aplatir la cornée et à diminuer sa convergence. De tels procédés chirurgicaux en sont encore au stade expérimental et on dispose de peu de données sur la réussite à long terme ou les problèmes soulevés par ces opérations.

24.12 LA PERCEPTION DES COULEURS

Les hommes de science, les artistes et les fabricants de peinture s'intéressent depuis longtemps à la manière dont nous percevons les couleurs et à la relation qui existe entre les propriétés physiques de la lumière et ses qualités perceptibles comme la *teinte*, la *brillance* et la *saturation*.

La teinte est ce que nous appelons communément la couleur ; elle qualifie les radiations du spectre visible réduites à une seule longueur d'onde, rouge, jaune, bleu,

etc., et quelques teintes hors-spectre, comme les teintes mauves et pourpres, formées d'un mélange de lumière violette et rouge, c'est-à-dire de radiations situées aux deux extrêmes du spectre visible. La brillance est l'impression subjective d'intensité. Ces deux notions diffèrent essentiellement du fait que la sensibilité de l'œil dépend de la longueur d'onde. La saturation se rapporte à la pureté de la couleur ; mélangée à une couleur neutre comme le blanc, le gris ou le noir, une couleur se désature : le blanc ajouté au rouge produit une couleur rose. La teinte, la brillance et la saturation peuvent toutes trois être modifiées par une variation de l'un des paramètres physiques caractérisant la lumière, la longueur d'onde, l'intensité ou la composition spectrale, de même que par des modifications dans l'environnement. La perception des couleurs est, comme on le voit, un phénomène complexe.

La reconnaissance des couleurs est due à l'existence de trois types de cellules coniques dans la rétine, chacune d'elles présentant une pigmentation photosensible spécifique. Chaque pigment peut absorber la lumière dans un intervalle de longueurs d'onde relativement large, mais ils sont particulièrement sensibles à certaines longueurs d'onde : 445 nm, 535 nm, 575 nm (figure 24.36). Une lumière de longueur d'onde donnée excitera les trois types de cônes avec une efficacité dépendant de la proximité du maximum correspondant. Bien que l'existence de trois types de détecteurs n'ait été confirmée que récemment par des mesures directes, cette hypothèse avait déjà été suggérée au siècle dernier par Young, Helmholz et Maxwell sur la base d'observations des impressions produites par des mélanges de lumières de différentes longueurs d'onde.

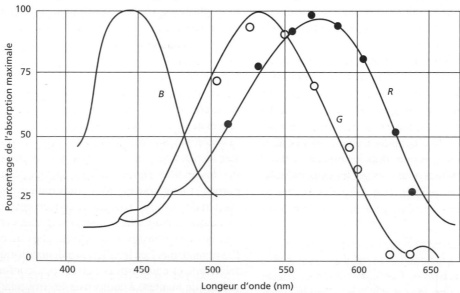

Figure 24.36 Fraction (en pourcentage) de l'absorption maximale à différentes longueurs d'onde pour chacun de trois pigments portés par les cônes. Les courbes rapportent des mesures réalisées sur un cône isolé prélevé sur la rétine chez l'homme et le singe. Les points ont été obtenus par des études d'absorption de lumière sur l'œil d'un sujet humain vivant. *(D'après W.A.H. Rushion,* Visual Pigments and Color Blindness, *Scientific American, vol. 232, Mars 1975.)*

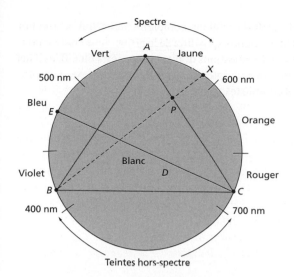

Figure 24.37 Un modèle simple de la composition des couleurs. Beaucoup d'observations peuvent être prédites par ce modèle. Les points du périmètre représentent les couleurs complètement saturées : le centre représente le blanc pur et la saturation décroît lorsque l'on se rapproche du centre. Le mélange des trois primaires *A*, *B* et *C* dans des proportions diverses produit une couleur telle que *D* à l'intérieur du triangle qu'elles définissent. La couleur saturée *X* est située à l'extérieur du triangle et ne peut pas être reproduite en mélangeant les primaires. Toutefois, si la primaire *B* est mélangée à *X* en proportion convenable, on obtient une couleur représentée par le point *P*. Cette couleur peut aussi être obtenue en mélangeant *A* et *C*. La couleur complémentaire de *C* est *E*. Lorsque ces deux couleurs sont mélangées elles produisent une impression de blanc.

À chaque couleur correspond une *couleur complémentaire*. Leur mélange dans des proportions convenables produit la même sensation de lumière blanche qu'un faisceau de lumière contenant l'intégralité du spectre visible. Par exemple, le rouge (*R*), ajouté à une teinte intermédiaire entre le bleu et le cyan (*C*) produit une sensation de blanc (*W*). Symboliquement, nous écrirons $W = R + C$ ou $C = W − R$. Si un faisceau de lumière blanche traverse un filtre renfermant des pigments capables d'absorber une couleur donnée, le faisceau émerge avec la couleur complémentaire.

Toute couleur, si elle ne présente pas une trop grande saturation, peut être reproduite par un mélange convenable de trois couleurs primaires suffisamment distantes dans le spectre, comme le rouge, le vert et le bleu. C'est la raison pour laquelle les écrans de télévision reproduisant la couleur utilisent trois sortes de points colorés et que la photographie en couleur nécessite trois émulsions. Mélanger deux ou plusieurs couleurs résulte toujours en une dimi-

nution de la saturation, de sorte qu'une couleur saturée qui n'a pas été choisie comme primaire ne peut pas être parfaitement reproduite par un mélange. Toutefois, si l'une des primaires est ajoutée à cette couleur en proportion suffisante comme dénaturant, le résultat du mélange peut être reproduit également en mélangeant les deux autres primaires. Ces observations montrent que *toute couleur peut être représentée mathématiquement par une base de trois primaires*, pour autant qu'un désaturant soit traité comme une composante négative.

La figure 24.37 décrit un modèle simple qui rend bien compte de ces propriétés générales des mélanges de couleurs. Les trois primaires *A*, *B* et *C* définissent un triangle qui représente pratiquement toutes les couleurs qui peuvent être obtenues en mélangeant ces trois primaires. Il permet également l'identification des couleurs complémentaires. Les couleurs saturées telles que *C* et *E*, que l'on trouve à l'extrémité d'un segment passant par le point représentatif du blanc W, sont complémentaires. La représentation des couleurs en termes de trois primaires peut être exprimée sous une forme symbolique compacte. Les primaires choisies sont désignées par *X*, *Y* et *Z*. La proportion de chacune d'elles dans le mélange est donnée par les coordonnées chromatiques *x*, *y* et *z* dont la somme est égale à 1 :

$$x + y + z = 1 \qquad (24.16)$$

Si *x* et *y* sont connus, $z = 1 − x − y$ est connu également. Par conséquent, une couleur représentée par les coordonnées *x*, *y* et *z* peut être représentée dans un plan *xy*, appelé *diagramme chromatique*.

Un diagramme chromatique standard a été adopté pour caractériser les couleurs (figure 24.38). Il utilise des couleurs primaires fictives pour éviter les valeurs négatives des coordonnées chromatiques correspondant aux composantes désaturantes. La courbe colorée représente l'ensemble des couleurs saturées. Si, à partir de cette courbe, on se déplace vers l'intérieur du diagramme, la saturation décroît pour atteindre le blanc en un point central du triangle. L'échelle d'intensité des primaires a été ajustée de telle sorte que $x = 1/3$, $y = 1/3$ et $z = 1/3$ reproduise la sensation de blanc. Ce diagramme permet de prédire avec une bonne certitude le résultat d'un mélange de couleurs. Par exemple, le mélange des couleurs saturées *A* et *B* dans des proportions variées donne des couleurs représentées sur le segment *AB*. Au point *P*, $x = 0,2$, $y = 0,4$ et $z = (1 − 0,2 − 0,4) = 0,4$. La même couleur peut être produite par un mélange des primaires *A* et *B* dans une proportion 5:3. Cette proportion est l'inverse du rapport des distances de *P* à *A* et de *P* à *B*. Les équivalences prédites par ce diagramme se vérifient sur une plage très large de niveaux de brillance, bien que, dans certains cas, les teintes perçues varient lorsque l'on modifie la brillance.

En soi, l'existence de trois sortes de détecteurs n'explique pas tous les phénomènes liés à la vision des couleurs, comme les couleurs particulières perçues par les daltoniens chez qui l'un des pigments est absent, ou l'apparition d'images rémanentes négatives, c'est-à-dire la sensation de la couleur complémentaire qui se produit après une longue exposition de la rétine à une couleur donnée. Bien des questions doivent encore être élucidées dans ces situations où interviennent des mécanismes neurologiques complexes.

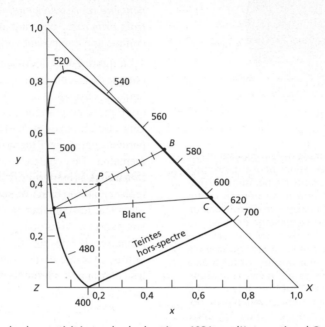

Figure 24.38 Le diagramme de chromaticité standard adopté en 1931 par l'*International Commission on Illumination*. Un point du diagramme correspond à une couleur dont les coordonnées chromatiques sont *x*, *y* et *z* = 1 − *x* − *y*. Ces coordonnées expriment la proportion des primaires fictives *X*, *F* et *Z*. Les points figurant sur la courbe tracée en couleur sont étiquetés par leur longueur, d'onde exprimée en nanomètres et correspondent aux teintes spectrales saturées. *C* est le complément de *A*.

Réviser

RAPPELS DE COURS

Un miroir plan forme d'un objet une image virtuelle située à la même distance du miroir que l'objet. L'image de chaque point d'un objet complexe apparaît directement en face de ce point.

Une lentille convergente dévie les rayons lumineux tombant sous une incidence parallèle à l'axe, de telle manière qu'ils se rencontrent au foyer. Une lentille divergente les écarte de l'axe, de sorte qu'ils paraissent avoir été émis par une source ponctuelle située au foyer du côté d'incidence. La distance focale est déterminée par l'indice de réfraction de la lentille et les rayons de courbure de ses surfaces. On écrit

$$\frac{1}{f} = (n - 1) \left(\frac{1}{R_1} + \frac{1}{R_2} \right)$$

Le rayon de courbure est positif pour une surface convexe et négatif pour une surface concave.

L'intersection de trois rayons particuliers détermine la position de l'image d'un point d'un objet. Un rayon parallèle à l'axe est dévié vers le foyer F', un rayon issu du foyer F émerge parallèle à l'axe et le rayon passant par le centre de la lentille n'est pas dévié. En d'autres termes, la distance de la lentille à l'image s' est liée à la distance de l'objet à la lentille par la formule des lentilles minces

$$\frac{1}{s} + \frac{1}{s'} = \frac{1}{f}$$

Le facteur d'agrandissement d'une lentille mince est donné par

$$g = \frac{h'}{h} = \frac{-s'}{s}$$

Une loupe produit un grossissement de l'ordre de

$$G = \frac{0,25 \text{ m}}{f}$$

Les systèmes de lentilles tels que les microscopes se décrivent en considérant l'image donnée par une première lentille comme un objet pour la lentille suivante. Le microscope optique consiste en un objectif et un oculaire. L'objectif forme une image réelle située juste en deçà du foyer objet de l'oculaire. L'oculaire en forme alors une image virtuelle qui est examinée par l'observateur. Pour un microscope, le grossissement est donné par

$$G = \frac{-s'_1 \times 0,25 \text{ m}}{f_1 f_2}$$

Dans le cas de l'œil, la réfraction de la lumière est la plus forte au niveau de la cornée. Le cristallin apporte le complément de convergence nécessaire pour permettre l'accommodation, c'est-à-dire la variation de mise au point pour des objets à différentes distances. La limite de résolution de l'œil correspond à la situation où les taches de diffraction correspondant aux images de deux objets tombent sur deux cônes séparés par au moins un cône non excité.

PHRASES À COMPLÉTER

Voir réponses en fin d'ouvrage.

1. Un miroir plan forme une image à une distance égale à _____ .

2. Les lentilles convergentes ont une distance focale _____ . Les lentilles divergentes ont une distance focale _____ .

3. Le foyer F' est le point où les rayons _____ se rencontrent après leur passage à travers une lentille convergente.

4. Une face plane d'une lentille présente un rayon de courbure _____ .

5. Lorsqu'une lentille passe de l'air dans l'eau, elle voit sa convergence _____ et sa distance focale _____ .

6. Un rayon passant par le centre d'une lentille émerge _____ .

7. Un rayon passant par le foyer F émerge de la lentille _____ .

8. Si la distance à laquelle se forme l'image est double de la distance à l'objet, et de même signe, l'image est _____ et présente un facteur d'agrandissement de _____ .

9. La variation de l'indice de réfraction du verre avec la longueur d'onde est responsable de l'aberration _____ .

10. Lorsque l'on utilise une loupe, on place l'objet étudié _____ .

11. Si une lentille présente une distance focale de -2 m, sa puissance est de _____ .

12. Pour que l'œil puisse distinguer deux points rapprochés d'un objet, il faut que ces deux points excitent deux cônes séparés par au moins _____.

13. L'œil présente une sensibilité optimale pour la lumière _____.

EXERCICES CORRIGÉS

E1. Une lentille divergente de 20 cm de distance focale est placée à gauche d'une lentille convergente de 8 cm de distance focale, de manière à ce que les axes des deux lentilles coïncident.

À 15 cm à gauche de la lentille divergente, on place sur l'axe optique un objet éclairé de 2 cm de hauteur. L'image nette obtenue sur un écran se forme à 11 cm à droite de la lentille convergente. Quelle est la distance entre les deux lentilles, la hauteur de l'image finale ainsi que la position et la nature de l'image intermédiaire ?

Solution

Commençons par réaliser un schéma afin de visualiser la position des lentilles.

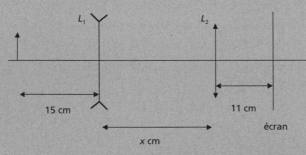

Figure 24.39

Appliquons la formule des lentilles à la lentille divergente L_1

$$\frac{1}{s_1} + \frac{1}{s_1'} = \frac{1}{f_1}$$

L'objet réel se trouve à une distance de 15 cm de L_1 donc $s_1 = +15$ cm. La lentille est divergente ce qui implique que $f_1 = -20$ cm.

$$\frac{1}{15} + \frac{1}{s_1'} = \frac{1}{-20}$$

On trouve $s_1' = -8,57$ cm. Cette image est virtuelle. L'image intermédiaire se trouve à gauche de la lentille divergente. Cette image intermédiaire devient un objet pour la deuxième lentille. Appliquons à nouveau la formule des lentilles mais cette fois à la lentille convergente

L_2 dont la distance focale égale $f_2 = +8$ cm.

$$\frac{1}{s_2} + \frac{1}{s_2'} = \frac{1}{f_2}$$

Cette fois $s_2 = 8,57 + x$ et $s_2' = +11$ cm puisque l'image finale est réelle et se forme sur l'écran à 11 cm de la lentille convergente.

$$\frac{1}{s_2} + \frac{1}{11} = \frac{1}{8}$$

$s_2 = 29,33$ cm. La distance x entre les deux lentilles vaut 20,76 cm.

Cherchons maintenant la hauteur de l'image finale.

Utilisons la formule

$$\frac{I}{O} = -\frac{s'}{s}$$

Appliquée à la première lentille, elle donne

$$I_1/O = -(-8,57)/(15) = 0,57$$

Puisque l'objet mesure 2 cm, l'image I_1 mesure

$$0,57 \times 2 = 1,14 \text{ cm}$$

Elle est plus petite que l'objet et droite.

I_1 devient objet pour la deuxième lentille

$$I_2/I_1 = -11/29,33 = -0,375$$

La taille de l'image finale

$$I_2 = -0,375 I_1 = -0,375 \times 1,14 = -0,42 \text{ cm}$$

L'image finale est réelle et inversée.

E2. L'oculaire d'un microscope a une distance focale de 2,6 cm et la distance focale de l'objectif est de 0,8 cm. Si un objet est placé à 0,85 cm de l'objectif, calculer la distance entre les lentilles quand le microscope est ajusté pour un œil normal observant l'image sans accommodation.

Solution

Un microscope est constitué de deux lentilles convergentes. L'image finale doit être virtuelle et située à l'infini pour que l'œil normal observe sans accommodation.

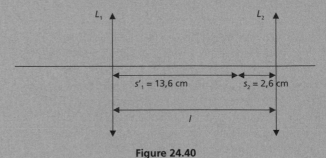

Figure 24.40

Reprenons la formule des lentilles et appliquons cette formule à la lentille L_2 (oculaire)

$$\frac{1}{s_2} + \frac{1}{s'_2} = \frac{1}{f_2}$$

Puisque l'image finale est à l'infini $1/s'_2 = 0$ et $s_2 = f_2 = 2,6$ cm.

L'objet pour la lentille oculaire doit se trouver à gauche de cette lentille à une distance de 2,6 cm. Or, c'est l'image obtenue par la lentille L_1 qui sert d'objet pour la lentille L_2.

Calculons où se trouve cette image en appliquant la formule des lentilles à la lentille L_1

$$\frac{1}{s_1} + \frac{1}{s'_1} = \frac{1}{f_1}$$

L'objet se trouve à 0,85 cm de la première lentille donc $s_1 = +0,85$ cm. La lentille est convergente de distance focale $f_1 = 0,8$ cm. En remplaçant dans la formule, on obtient

$$\frac{1}{+0,85} + \frac{1}{s'_1} = \frac{1}{+0,8}$$

et $s'_1 = +13,6$ cm.

La distance l entre les deux lentilles est donnée par

$$l = s'_1 + s_2 = 13,6 + 2,6 = 16,2 \text{ cm}$$

S'entraîner

QCM

Voir réponses en fin d'ouvrage.

Q1. Le diaphragme d'un appareil photographique sert à

a) filtrer certaines couleurs

b) limiter le cône de rayons lumineux qui atteignent le film

c) redresser l'image

d) agrandir l'image.

Q2. Un myope a son point de vision rapprochée à 0,2 m et son point de vision éloignée à 2 m. On corrigera sa vision avec des verres dont la puissance vaut

a) 0,5 dioptrie

b) aucune bonne réponse

c) −5 dioptries

d) −4,5 dioptries.

Q3. Un myope ne peut percevoir distinctement les objets situés à plus de 80 cm de son œil. Pour qu'il puisse voir correctement les objets éloignés, il faudra lui fournir des verres dont la puissance sera

a) −1,25 dioptries

b) −0,8 dioptrie

c) +1,25 dioptries

d) +0,8 dioptrie.

Q4. Dans un microscope,

a) l'objectif et l'oculaire sont des lentilles convergentes

b) l'objectif et l'oculaire sont des lentilles divergentes

c) l'objectif est une lentille convergente et l'oculaire une lentille divergente

d) l'objectif est une lentille divergente et l'oculaire une lentille convergente.

Q5. Un myope voit distinctement les objets situés entre 20 et 40 cm de l'œil. De quelles espèces de lentilles devra-t-il se servir pour voir nettement sans accommoder les objets très éloignés et quelle devra être la distance focale de cette lentille

a) lentille convergente de 40 cm de distance focale

b) lentille convergente de 20 cm de distance focale

c) lentille divergente de 40 cm de distance focale

d) lentille divergente de 20 cm de distance focale.

Q6. Un œil hypermétrope

a) converge trop

b) ne converge pas assez

c) est afocal.

Q7. Une lentille a une surface convexe dont le rayon de courbure est $R_1 = 20$ cm et une surface concave dont le rayon de courbure est $R_2 = -40$ cm. L'indice de réfraction moyen du verre est de 1,54. Trouver la distance focale de la lentille

a) +74 cm

b) −74 cm

c) +24 cm

d) −24 cm.

Q8. Quel est le grossissement G d'une loupe de 10 cm de distance focale ?

a) 10 fois

b) 2 fois

c) 40 fois

d) 2,5 fois.

Q9. Pour obtenir une image réelle en utilisant une lentille divergente, il faut placer un objet

   a) réel entre le foyer objet et la lentille

   b) réel entre le foyer image et la lentille

   c) virtuel entre le foyer objet et la lentille

   d) virtuel entre le foyer image et la lentille.

Q10. Un objet est placé à 27 cm devant une lentille convergente de 18 cm de distance focale. Où se trouve l'image formée par une lentille divergente de 12 cm de distance focale située au-delà de la lentille convergente à une distance de celle-ci valant 33 cm ?

   a) 28 cm avant la lentille divergente

   b) 15 cm après la lentille divergente

   c) 1 m après la lentille convergente

   d) 15 cm devant la lentille convergente.

EXERCICES

Voir réponses en fin d'ouvrage pour les exercices et problèmes dont le numéro est inscrit en noir.

Les miroirs

24.1 Une personne se tient debout à 2 m d'un miroir plan dressé verticalement. Quelle distance sépare cette personne de son image ?

24.2 Un chat voit son image dans un miroir plan. Le chat se tient à 1 m du miroir.

a) Où se forme son image ?

b) Le chat s'approche du miroir à la vitesse de 2 m par seconde. À quelle vitesse le chat s'approche-t-il de son image ?

24.3 Un myope ne peut pas voir nettement au-delà de 40 cm. À quelle distance doit-il s'approcher d'un miroir pour se raser ?

Les lentilles

24.4 Un verre de lunettes présente une surface concave de 0,5 m de rayon et une surface convexe de 0,7 m de rayon de courbure. Si l'indice de réfraction du matériau dans lequel il est taillé est 1,6 quelle est sa distance focale ?

24.5 Une lentille est fabriquée en matière plastique d'indice de réfraction égal à 1,4. L'une de ses faces est plane et l'autre est concave et présente un rayon de courbure de 0,2 m. Quelle est la distance focale de cette lentille ?

24.6 Une lentille est taillée dans un verre d'indice de réfraction égal à 1,5. L'une de ses faces est convexe et présente un rayon de courbure égal à 0,1 m. Déterminer le rayon de courbure de l'autre face et représenter la lentille dans les cas suivants :

a) $f = 0,15$ m ;

b) $f = 0,1$ m ;

c) $f = -0,15$ m.

24.7 Une lentille taillée dans un verre d'indice 1,6 présente dans l'air une distance focale de 0,5 m. Quelle est sa distance focale dans l'eau ?

24.8 Le verre crown a un indice de réfraction de 1,523 en lumière bleue et 1,517 en lumière rouge. Si une lentille réalisée dans ce matériau a une distance focale de 1 m en lumière rouge, quelle sera sa distance focale en lumière bleue ?

24.9 Le verre flint a un indice de réfraction de 1,645 en lumière bleue et 1,629 en lumière rouge. Une lentille est réalisée en verre flint avec des faces convexes de 0,1 m de rayon de courbure. Quelles distances focales obtient-on en lumière bleue et en lumière rouge ?

La formation de l'image

24.10 Une lentille présente une distance focale de 0,2 m. Un objet réel est placé à 0,08 m de cette lentille.

a) Localiser cette image par une méthode graphique.

b) Déterminer par le calcul la position de l'image.

c) Quel est le facteur d'agrandissement ?

24.11 Un objet est placé à 1 m d'une lentille dont la distance focale est de $-0,5$ m. Localiser l'image

a) par une méthode graphique ;

b) par le calcul.

24.12 Une lentille placée à 0,1 m d'une lampe en forme une image réelle agrandie 10 fois. Quelle est la distance focale de cette lentille ?

24.13 Une lentille de 0,1 m de distance focale est placée à 0,08 m d'un insecte.

a) Où se forme l'image de l'insecte ?

b) Quel est le facteur d'agrandissement de l'image ? L'image est-elle droite ou renversée ?

24.14 Un verre de lunettes a une distance focale de -2 m. S'il est placé à 4 m d'un livre, où se forme l'image du livre ?

24.15 Un appareil photographique est mis au point sur un groupe de personnes à 3 m de l'objectif. La distance focale de l'objectif est 50 mm = 0,05 m.

a) Quelle est la distance entre l'objectif et la pellicule ?

b) Quel est le facteur d'agrandissement ?

c) Si la hauteur du film est 24 mm = 0,024 m, quelle est la taille maximale d'une personne dont l'image tiendra en entier sur la photo ?

24.16 On peut se procurer des accessoires d'appareil photographique qui permettent d'augmenter la distance entre le film et l'objectif pour les photographies très rapprochées. Pourquoi ces accessoires sont-ils nécessaires ?

24.17 Un photographe remplace un objectif de 50 mm de distance focale par un objectif de 200 mm. Comment se modife la taille de l'image pour les objets lointains ?

La puissance des lentilles ; les aberrations

24.18 Un médecin estime qu'un de ses patients, myope, doit porter un verre de −8 dioptries pour un œil et de −6 dioptries pour l'autre. Quelle est la distance focale des verres correcteurs prescrits ?

24.19 Quelle est la distance focale d'une lentille de puissance égale à 4 dioptries ?

24.20 Une personne porte des verres de lecture de 2 m de distance focale. Quelle est leur puissance ?

24.21 Un oculiste recherche la puissance de verres correcteurs dont a besoin un patient. Il place un verre de 0,25 dioptrie au contact d'un verre de 4,5 dioptries.

a) Quelle est la puissance de cette combinaison ?

b) Quelle est la distance focale de cette combinaison ?

24.22 Une lentille présente une distance focale de 2 m. Lorsqu'une seconde lentille lui est accolée, l'ensemble présente une distance focale de 1,5 m. Quelle est la distance focale de la seconde lentille ?

24.23 Une dame de 50 ans est myope et porte des verres d'une puissance de −5, 5 dioptries pour regarder les objets lointains. Son ophtalmologue lui prescrit une correction de +2 dioptries dans la partie de ses verres à double foyer réservée à la vision rapprochée. Cette correction est mesurée par rapport à la puissance de la partie principale de ses verres.

a) Quelle est la distance focale de la partie réservée à la vision distante ?

b) Quelle est la distance focale de la partie réservée à la vision rapprochée ?

La loupe

24.24 Une lentille de 0,1 m de distance focale est utilisée comme loupe. Quel est son grossissement ?

24.25 Une personne atteinte d'hypermétropie a son punctum optimum à 1 m des yeux. Si son acuité visuelle est de 10^{-3} rad, quelle est la distance minimale entre deux points qu'elle puisse distinguer à l'œil nu ?

24.26 Une loupe donne un grossissement de 6. Quelle est sa distance focale ?

Le microscope optique

24.27 Un insecte mesure 2 mm = 2×10^{-3} m et est observé au microscope dont le grossissement est 100. Quelle devrait être la taille de l'insecte pour qu'il puisse être observé avec les mêmes détails à l'œil nu ?

24.28 Un objectif de microscope de distance focale égale à 5 mm forme une image à 150 mm de l'objectif. Si l'oculaire a une distance focale de 28 mm, quel est le grossissement du microscope ?

24.29 Un microscope est muni d'un objectif de 4 mm de distance focale et d'un oculaire de 30 mm de distance focale. Les deux lentilles sont séparées par 0,16 m et l'image finale est produite à 0,25 m de l'oculaire.

a) Où se forme l'image créée par l'objectif ?

b) Où se trouve l'objet par rapport à l'objectif ?

c) Quel est le grossissement du microscope ?

24.30 Un microscope présente un grossissement de 150. Quelle est la séparation minimale entre deux points qui peuvent être distingués à l'aide de cet instrument ?

L'œil

24.31 Expliquer pourquoi on voit mieux les étoiles faibles en les regardant «du coin de l'œil», plutôt qu'en les fixant de face.

24.32 Pour quelle raison est-on amené à croire que la perception des couleurs est spécifiquement associée au fonctionnement des cônes et non des bâtonnets ?

24.33 a) Pour quelle longueur d'onde la sensibilité de l'œil en vision diurne vaut-elle la moitié de sa valeur maximale ?

b) Quelle est la longueur d'onde correspondante pour la vision nocturne ?

24.34 Une étoile brillante peut être suffisamment intense pour que le deuxième anneau de diffraction dépasse le seuil de sensibilité de l'œil. Quel effet cela aura-t-il sur le diamètre apparent de l'étoile ?

24.35 a) Dans des conditions optimales, le plus petit point noir que l'on puisse distinguer est sous-tendu par un angle de $2,3 \times 10^{-6}$ rad. Si un point est regardé à une distance de 0,25 m, c'est-à-dire au punctum optimum d'un adulte moyen, quel est le diamètre minimal qu'il doive présenter pour pouvoir encore être perçu ?

b) La résolution maximale est obtenue lorsque l'image se forme sur la fovea centralis. À 10° à l'extérieur de cette région, l'acuité visuelle est dix fois moindre. Quel est le diamètre de la plus petite tache perceptible sous cet angle et dans ces conditions ?

24.36 Il est possible à une personne bien entraînée d'aligner deux traits sur une règle à calcul ou un vernier avec une précision correspondant à moins de 9×10^{-6} rad, c'est-à-dire beaucoup mieux que la séparation minimale nécessaire pour distinguer deux points. Quelle est l'erreur d'alignement lorsque l'instrument est maintenu à 0,25 m des yeux ?

24.37 Les images formées sur la rétine sont inversées. Expliquer l'origine de cette inversion. Comment se fait-il que nous voyions correctement orientés les objets qui nous entourent ?

L'appareil photographique

24.38 Un objectif d'appareil photographique $f/1,4$ a une distance focale de 50 mm = 0,05 m. Quel est le diamètre de cet objectif ?

24.39 Sous certaines conditions d'éclairage, un photographe estime qu'un temps d'exposition de 1/25 de seconde doit être utilisé pour une ouverture de $f/16$. Quelle exposition doit-on utiliser avec une ouverture de $f/8$?

24.40 Le diaphragme d'un objectif est refermé de $f/2$ à $f/16$. De quel facteur l'intensité est-elle réduite ?

24.41 Pourquoi les téléobjectifs (des objectifs de longue distance focale) ont-ils habituellement des nombres f plus grands que les objectifs habituels de même coût et de même qualité ?

24.42 Un objectif d'appareil photographique est mis au point sur un sujet éloigné éclairé en lumière blanche. Quel est le rayon des taches de diffraction sur la pellicule pour des ouvertures de

a) $f/2$

b) $f/32$?

Résolution et contraste des microscopes

24.43 Un microscope à immersion utilise l'huile de cèdre dont l'indice de réfraction est 1,4. Si l'objectif sous-tend un angle de 80°, déterminer

a) l'ouverture numérique et

b) le pouvoir séparateur pour une longueur d'onde de 400 nm.

Les défauts optiques de l'œil

24.44 Une personne âgée a son punctum optimum distant de 2 m. Quelle puissance de verres correcteurs lui permettrait-elle de lire confortablement à 0,25 m ?

24.45 Une personne a un punctum remotum à 0,5 m.

a) Si elle doit regarder des objets lointains, quels verres correcteurs doit-elle porter ?

b) Si son pouvoir d'accommodation est de 4 dioptries, où se trouvera son punctum optimum en l'absence de toute correction optique ?

c) Où se trouvera son punctum optimum lorsqu'elle portera ses verres ?

24.46 Une personne atteinte d'hypermétropie montre un pouvoir d'accommodation de 3 dioptries et un punctum optimum à 2 m.

a) Quelle puissance de verres correcteurs permettrait-elle de rapprocher ce punctum optimum à 0,25 m des yeux ?

b) Où se trouve le punctum remotum avec ces verres ?

24.47 Une personne atteinte d'une forte myopie a son punctum optimum à 0,1 m. Son pouvoir d'accommodation est de 4 dioptries.

a) Où se trouve son punctum remotum ?

b) Quelle puissance de verres correcteurs doit-on prescrire pour soigner cette myopie ?

c) Où se trouve le punctum optimum lorsque de tels verres sont portés ?

24.48 Une personne atteinte de myopie porte des verres correcteurs de −6 dioptries pour voir nettement les objets éloignés. Où se trouve son punctum remotum lorsqu'elle enlève ses lunettes ?

24.49 Une personne atteinte d'hypermétropie porte des verres de +3 dioptries pour lire à une distance de 0,25 m. Où se trouve son punctum optimum lorsqu'elle enlève ses lunettes ?

La perception des couleurs

24.50 a) Sur la figure 24.37, déterminer pour quelle longueur d'onde les pigments B et G absorbent des pourcentages identiques de leur capacité d'absorption maximale.

b) Quel est le pourcentage correspondant pour le pigment R à cette longueur d'onde ?

24.51 Déterminer sur la figure 24.37 les pourcentages de leur capacité d'absorption maximale pour les pigments G et R dans le cas d'un rayonnement de 600 nm de longueur d'onde tombant sur la rétine.

24.52 Quelles sont les composantes chromatiques et la longueur d'onde de la couleur complémentaire de la teinte spectrale

a) 480 (bleu)

b) 520 (vert) ? (Se servir de la figure 24.38.)

24.53 a) Quelles sont les coordonnées chromatiques d'un mélange constitué pour moitié de la teinte spectrale 500 (vert) et pour moitié de la teinte spectrale 580 (orange-jaune) ?

b) Quelle teinte spectrale peut-on ajouter au blanc, et dans quelle proportion, pour produire le même résultat ? (Faire usage de la figure 24.38).

PROBLÈMES

24.54 Une jeune fille mesure 1,5 m et se tient devant un miroir plan dressé verticalement. Le miroir est juste assez grand pour qu'elle s'y voie en entier. Quelle est la hauteur du miroir ?

24.55 Une personne tient un miroir plan de 0,1 m de hauteur à une distance de 0,25 m de ses yeux et remarque que la hauteur d'un bâtiment occupe exactement la hauteur du miroir. Quelle est la hauteur du bâtiment si celui-ci se trouve à 200 m du miroir ?

24.56 Montrer qu'un rayon de lumière parcourt la plus petite distance possible en passant d'un point p à un point q en passant par une réflexion sur un miroir plan (figure 24.41). (Indication : tracer une ligne droite de q à l'image de p.)

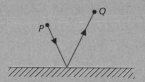

Figure 24.41 Problème 24.56

24.57 Dans le cas d'une lentille de distance focale positive f

a) calculer la position de l'image pour $s = 0$, $f/2$, f, $3f/2$ et $3f$.

b) Représenter graphiquement les positions de l'image lorsque la position de l'objet s varie de zéro à l'infini.

24.58 Une lentille présente une distance focale de -1 m.

a) Calculer la position de l'image lorsque l'objet se trouve en $s = 0$, $0,5$, 1, $1,5$ et 3 m de la lentille.

b) Représenter graphiquement les positions prises par l'image lorsque s varie de zéro à l'infini.

24.59 Montrer que si deux lentilles minces de distances focales f_1 et f_2 sont mises en contact, elles sont équivalentes à une seule lentille de distance focale f donnée par

$$\frac{1}{f} = \frac{1}{f_1} + \frac{1}{f_2}$$

(Indication : l'image formée par la première lentille constitue un objet pour la seconde et $s_2 = -s'_1$.)

24.60 Un objet se trouve à 1 m d'un écran. En quels points peut-on placer une lentille de 0,05 m de distance focale pour produire une image nette sur l'écran ? Quels sont les grossissements correspondants ?

24.61 Une lentille est taillée dans un matériau d'indice de réfraction égal à 1,5 et présente une face plane et une face concave de 0,2 m de rayon. La lentille est placée horizontalement et sa face concave est remplie d'eau. Quelle est la distance focale du système optique ainsi formé ? (Indication : traiter ce système comme une paire de lentilles accolées.)

24.62 Un objectif de projecteur de diapositive est placé à 3 m d'un écran et présente une distance focale de 0,08 m.

a) Où se trouve la diapositive lorsque l'image est nette sur l'écran ?

b) Un enfant est reproduit sur l'écran sur une hauteur de 10 cm. Quelle est la taille de son image sur la diapositive ?

c) Si nous voulons doubler la taille de l'image sur l'écran, où doit-on placer le projecteur ?

d) Si nous souhaitons doubler la taille de l'image sur l'écran sans déplacer le projecteur, quelle distance focale d'objectif faut-il utiliser ?

24.63 Une lentille convergente a une distance focale f. Pour quelle position de l'objet le facteur d'agrandissement est-il égal à -1 ?

24.64 Le rayon de courbure de la cornée est généralement de 7,7 mm. On construit une lentille dans un matériau d'indice de réfraction 1,37 (le même que celui de la cornée), avec une face convexe de 7,7 mm de rayon et une surface plane. Quelle est la puissance de cette lentille ? (Ce calcul montre que l'essentiel de la convergence du système optique de l'œil provient de la réfraction au niveau de la cornée).

24.65 La distance focale d'une lentille convergente peut être aisément déterminée en examinant la position de l'image d'un point éloigné. Comment cette mesure peut-elle être effectuée dans le cas d'une lentille divergente, si on dispose en outre d'une lentille convergente de puissance connue ?

24.66 Un oculaire consiste en un système de deux lentilles minces de 5 cm de distance focale, séparées par une distance de 2,5 cm. Où vont converger les rayons issus d'une source distante ?

24.67 Un adulte myope a son punctum optimum à 0,1 m et présente un pouvoir d'accommodation de 2 dioptries. Déterminer son punctum remotum

a) sans verres correcteurs et

b) avec les verres qui éloignent son punctum optimum à 0,25 m.

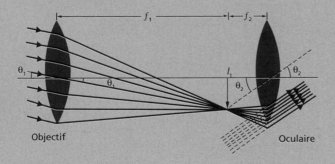

Figure 24.42 Une lunette astronomique. Problème 24.68.

24.68 Une lunette astronomique (figure 24.42) mise au point sur un objet astronomique forme une image à l'infini.

a) Montrer que si les distances focales de l'objectif et de l'oculaire sont respectivement f_1 et f_2, la séparation entre les lentilles est $f_1 + f_2$.

b) Dans l'approximation des petits angles, montrer que le grossissement angulaire $G = \theta_2/\theta_1$ vérifie $G = -f_1/f_2$.

24.69 On a construit un télescope à l'aide de lentilles de distances focales respectives de 2 m et 0,1 m. Au vu des résultats du problème précédent, quel est son grossissement ?

24.70 L'oculaire d'un télescope à réflexion présente une distance focale de 0,1 m. Si la longueur du télescope est de 3 m, quel est son grossissement ? (Utiliser les résultats du problème 24-68.)

24.71 La discussion des mélanges de couleur donnée dans le texte considère la superposition de radiations de différentes longueurs d'ondes et leur perception en termes de couleur. Les couleurs des surfaces suivent des règles différentes du fait que les surfaces absorbent une partie du spectre visible et transmettent ou réfléchissent le reste. De ce fait, un pigment ou un colorant qui absorbe fortement une couleur particulière donnera à la surface l'aspect de la couleur complémentaire. Supposons que les couleurs primaires soient le rouge (R), le vert (G) et le bleu (B). Les couleurs complémentaires sont respectivement le cyan (C), le magenta (M) et le jaune (Y).

a) Quelles sont les couleurs primaires réfléchies par les peintures magenta ?

b) Quelles sont les couleurs primaires réfléchies par les peintures jaunes ?

c) Quelles couleurs primaires seront-elles réfléchies si ces couleurs sont mélangées ? (Indication : le blanc peut s'exprimer comme une combinaison $W = R + G + B$.)

PARTIE 7

PHYSIQUE MODERNE

À la fin du XIXe siècle, la physique était considérée par beaucoup comme une science parachevée. Les lois fondamentales du mouvement et de l'électromagnétisme, y compris les ondes lumineuses, étaient bien comprises et il semblait que seules des difficultés de calcul et d'expérimentation auraient pu entraver les progrès ultérieurs. Cependant, vingt ans seulement après le début du XXe siècle, cette description du monde physique était sérieusement remise en question. Les quelques problèmes non encore résolus en 1900 ne s'avérèrent explicables que par des hypothèses révolutionnaires sans précédent historique. L'illusion d'une science parachevée se révéla due à l'absence d'expériences effectuées à l'échelle atomique ou à des vitesses proches de celle de la lumière.

En 1912, les travaux de Max Planck, Niels Bohr et Albert Einstein avaient donné de notre univers une image tout à fait neuve. Ces trois physiciens jetèrent les bases de la physique quantique. Pendant la même période, Einstein développa également la théorie de la relativité restreinte. La mécanique quantique et la relativité constituent maintenant la base de notre compréhension de la nature. Comme leurs prédictions sont en accord avec de nombreuses expériences de types les plus divers, on ne peut certainement plus les considérer comme des spéculations, mais bien comme une description correcte de la nature.

Les trois chapitres de cette partie décrivent respectivement les concepts fondamentaux de la relativité restreinte, la nature corpusculaire de la lumière et la nature ondulatoire de la matière. Ces concepts constituent les fondements des derniers chapitres de ce livre, qui couvrent l'étude des atomes, des molécules et des noyaux atomiques.

Avant tout chose, il faut se rendre compte que, bien que la physique moderne nous donne une compréhension nouvelle des processus naturels, les lois de l'ancienne mécanique, ou mécanique classique, restent essentiellement correctes, sous certaines conditions. Ces conditions sont que les objets étudiés soient grands par rapport à la taille des atomes et que leur vitesse soit nettement plus petite que celle de la lumière. Ces conditions sont bien satisfaites dans presque toutes les situations que nous avons rencontrées jusqu'à présent.

CHAPITRE 25

La relativité restreinte

Mots-clefs

Contraction des longueurs • Conservation de la vitesse de la lumière • Dilatation du temps • Énergie cinétique relativiste • Énergie au repos • Principe de relativité • Quantité de mouvement relativiste • Relation énergie-quantité de mouvement • Système d'axes d'inertie

Introduction

À la fin du XIXe siècle, les physiciens se trouvaient confrontés à plusieurs problèmes fondamentaux non encore résolus. Un premier groupe de problèmes conduisit finalement aux concepts révolutionnaires de la mécanique quantique ; le développement de ces concepts requit les efforts conjugués de nombreux physiciens pendant plusieurs décennies. Un second groupe de problèmes fut résolu d'un seul coup, par Einstein, quand il publia sa théorie de la relativité restreinte en 1905.

La difficulté notée par Einstein était suffisamment cachée pour avoir échappé à la majorité des physiciens. La solution qu'il apporta aux problèmes posés eut cependant un effet profond sur la conception actuelle du monde physique. La *théorie de la relativité restreinte* relie les mesures de temps et de longueur effectuées par des observateurs galiléens, c'est-à-dire se déplaçant à des vitesses constantes les uns par rapport aux autres. La *théorie de la relativité générale*, qu'Einstein entreprit de développer en 1911, traite des systèmes en accélération et des forces de gravitation. Dans ce livre, cependant, nous ne discuterons que de la théorie de la relativité restreinte.

Le problème auquel Einstein s'intéressa initialement était la violation apparente d'une règle fondamentale de la physique. Cette règle est appelée le principe de relativité et fut développée initialement par Galilée. Elle énonce que les lois de la physique devraient être les mêmes pour tous les observateurs se déplaçant à des vitesses constantes les uns par rapport aux autres. Nous approfondirons cette idée au paragraphe suivant. Ici, il nous faut seulement remarquer que les lois de Newton de la mécanique sont en accord avec cette règle, mais que cela ne paraît pas être le cas des lois de l'électricité et du magnétisme. Il semble que les effets mutuels de charges en mouvement dépendent de quelles charges sont effectivement en déplacement. Si c'était bien le cas, des observateurs en mouvement à des vitesses différentes obtiendraient aussi des résultats différents pour les mesures de ces effets.

Einstein montra que l'électromagnétisme serait en accord avec le principe de relativité si l'on admettait que la vitesse de la lumière dans le vide est la même pour tous les observateurs, donc indépendante des mouvements de la source et du détecteur. Ainsi donc, les ondes lumineuses seraient différentes du son ou des ondes à la surface de l'eau, dont la vitesse dépend du mouvement du milieu dans lequel ils se propagent. Le point de vue d'Einstein, qui est maintenant corroboré par l'expérience, était que les ondes électromagnétiques ne requièrent pas l'existence d'un milieu de propagation.

Si on accepte les principes d'Einstein selon lesquels les lois de la physique et la vitesse de la lumière sont les mêmes pour tous les observateurs galiléens, on est directement conduit à certaines conclusions remarquables. Des horloges en mouvement retardent et des objets en mouvement se raccourcissent. Ainsi donc, par rapport à un observateur terrestre, un astronaute en déplacement rapide vit plus longtemps et son vaisseau spatial est plus court qu'avant le lancer. De même, des événements qui semblent simultanés pour l'astronaute ne le sont plus, vus de la Terre.

Puisque les concepts d'espace et de temps sont modifiés pour des objets en mouvement rapide, on doit également apporter, dans ce cas, des modifications aux lois de la mécanique. On doit changer les définitions de l'énergie et de la quantité de mouvement si on veut qu'elles continuent d'obéir aux lois de conservation habituelles. Si un objet a une masse m et une vitesse v, son énergie relativiste est

$$E = \frac{mc^2}{\sqrt{1 - v^2/c^2}}$$

Quand la vitesse est nulle, l'énergie devient l'*énergie de repos*

$$E_0 = mc^2$$

Cela est l'équation la plus célèbre de la physique du XXe siècle. Elle affirme que la masse (ou, si l'on préfère, la matière) et l'énergie sont deux propriétés physiques équivalentes. La masse est convertie en énergie dans les réactions nucléaires qui sont la source de l'énergie du Soleil, ainsi que dans les explosions et les réacteurs nucléaires. Si seulement 1 kg de matière est converti en énergie, l'énergie libérée est

$$mc^2 = (1 \text{ kg})(3 \times 10^8 \text{ m s}^{-1})^2 = 9 \times 10^{16} \text{ J}$$

Cette valeur est comparable à l'énergie électrique totale utilisée journellement aux États-Unis.

25.1 LES PRINCIPES FONDAMENTAUX DE LA RELATIVITÉ RESTREINTE

Nous avons vu au chapitre 3 que les lois de Newton ne s'appliquent qu'à des mesures effectuées par rapport à un système de référence galiléen. De tels systèmes d'axes vérifient la première loi de Newton : en l'absence de forces, un objet reste au repos ou est en mouvement à vitesse constante. Un contre-exemple est celui d'un observateur dans un véhicule en accélération ou sur un carrousel en rotation. Cet observateur ne peut pas appliquer directement les lois de Newton aux résultats de ses observations. La relativité restreinte, elle aussi, ne traite que des mesures effectuées par des observateurs dans des systèmes d'axes galiléens.

La théorie de la relativité restreinte est basée sur deux principes fondamentaux :

> 1. Toutes les lois de la physique (et de la nature) ont exactement la même forme dans tout système de référence d'inertie (ou galiléen). C'est le principe de relativité.
>
> 2. La vitesse de la lumière dans le vide est la même pour tous les observateurs dans des systèmes de référence galiléens.

Les implications profondes de ces concepts deviendront progressivement plus claires dans la suite de ce chapitre ; nous pouvons cependant en voir tout de suite certaines conséquences. Par exemple, le premier principe implique que deux personnes qui se déplacent à vitesse constante l'une par rapport à l'autre ne peuvent jamais décider qui est en mouvement et qui est au repos. Il en est ainsi parce que toutes les lois physiques sont les mêmes dans les systèmes galiléens liés à ces deux personnes et qu'elles ne dépendent en aucune façon de leur vitesse absolue. Ainsi donc, les observateurs ne peuvent déterminer que leur mouvement relatif. Par exemple, une femme dans un train se déplaçant à vitesse constante par rapport au sol, pourrait dire qu'elle est immobile et que c'est la Terre qui se déplace par rapport au train. Aucune expérience ne permet de décider si cette affirmation est correcte ou fausse. L'hypothèse que la Terre est au repos et que c'est le train qui se déplace n'est ni plus ni moins valable.

---

* En réalité, la Terre n'est pas exactement un système d'axes d'inertie (ou galiléen) ; comme elle tourne autour du Soleil et aussi sur elle-même, les objets à sa surface subissent une accélération centripète. Dans la plupart des cas, les effets de cette accélération sont faibles, c'est pour cette raison que nous admettons, dans ce chapitre, que la Terre est un système de référence galiléen.

Nous tournant vers le second principe, nous voyons que, puisque la vitesse de la lumière est la même pour tous les observateurs galiléens, la lumière doit être différente de tous les autres types d'ondes que nous avons étudiés. Par exemple, un auditeur se déplaçant vers une source sonore observera une vitesse de propagation du son supérieure à celle mesurée par quelqu'un au repos par rapport à l'air. Rien de semblable ne se passe pour la lumière.

Pendant longtemps, on a pensé qu'il existait un milieu, l'*éther*, dans lequel la lumière se déplaçait à la vitesse c. Cet éther était l'équivalent du milieu dans lequel le son se propage. Ainsi donc, si l'on était en mouvement par rapport à l'éther, la vitesse de la lumière apparaîtrait différente de c. Cependant, aucune expérience n'a jamais permis de détecter l'éther ou de mesurer des modifications de la vitesse de la lumière dues à un déplacement par rapport à cet éther ; donc, pour autant que l'on puisse en juger à l'heure actuelle, cet éther n'existe pas. En réalité, l'évidence la plus forte que nous avons de l'absence de l'éther est le succès de la théorie de la relativité, qui ne pourrait être correcte si l'éther existait.

Dans le développement de la théorie de la relativité, la motivation d'Einstein était l'élimination des contradictions qu'il y avait alors entre les lois de la mécanique et celles de l'électromagnétisme. À l'objection que ses résultats étaient troublants et allaient à l'encontre du sens commun des choses, il répondit : « Le sens commun est cette couche de préjugés déposée dans notre esprit avant dix-huit ans. »

25.2 HORLOGES EN MOUVEMENT ET DILATATION DU TEMPS

La théorie d'Einstein prédit que, si une horloge est en mouvement par rapport à un observateur dans un système d'axes d'inertie, cet observateur la verra fonctionner plus lentement qu'une horloge qui est au repos par rapport à lui. On dit que cette dernière horloge est dans le système d'*axes propres* ou *de repos* de l'observateur. Pour montrer comment ceci résulte directement des principes de la relativité restreinte, considérons d'abord un type particulier d'horloge que nous appellerons *horloge à lumière*.

Ce type d'horloge est constitué d'une barre de longueur l portant un miroir R et un photodétecteur P à ses extrémités (figure 25.1). Une impulsion lumineuse, émise à une extrémité, est réfléchie par le miroir à l'autre bout et revient au photodétecteur près de la source lumineuse. Chaque fois que le détecteur reçoit une impulsion lumineuse, l'horloge avance d'un cran et émet une autre impulsion.

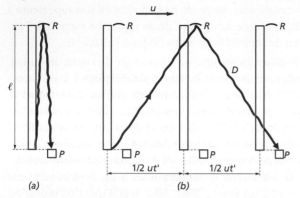

(a)   (b)

Figure 25.1 *(a)* Chaque fois qu'une impulsion lumineuse est réfléchie par le miroir *R* et revient au photodétecteur *P* près de la source, l'horloge à lumière compte un coup et émet une nouvelle impulsion. *(b)* La même horloge se déplaçant vers la droite à une vitesse constante **u**. L'impulsion lumineuse doit parcourir la distance 2*D* pour revenir au photodétecteur *P*.

Nous pouvons facilement relier le temps *t* entre deux battements successifs de l'horloge, à la longueur *l* mesurée quand l'horloge est au repos dans le laboratoire. La figure 25.1*a* montre que la distance totale parcourue par l'impulsion lumineuse est *x* = 2*l* ; la vitesse de la lumière est *c*. Donc *x* = *vt* devient 2*l* = *ct* ou encore *l* = *ct*/2, où *t* est le temps entre deux battements de l'horloge.

Quand l'horloge se déplace à la vitesse *u* par rapport au laboratoire, la vitesse de la lumière reste égale à *c* (principe n°2), mais la distance qu'elle parcourt entre deux battements est 2*D* (figure 25.1*b*). Le théorème de Pythagore donne

$$D^2 = l^2 + \left(\frac{1}{2}ut'\right)^2$$

où *t'* est le temps mis par la lumière pour effectuer l'aller-retour de la source au photodétecteur de l'horloge en mouvement. Mais nous savons aussi que 2*D* = *ct'*, ou encore *D* = *ct'*/2, et que *l* = *ct*/2. En remplaçant *D* et *l* par ces expressions dans l'équation ci-dessus, on obtient

$$\left(\frac{ct'}{2}\right)^2 = \left(\frac{ct}{2}\right)^2 + \left(\frac{ut'}{2}\right)^2$$

En résolvant par rapport à *t'*, on a

$$t' = \frac{t}{\sqrt{1 - u^2/c^2}} \tag{25.1}$$

Le temps *t'* est plus grand que *t*, car le facteur $\sqrt{1 - u^2/c^2}$ est inférieur à 1. (Nous verrons plus loin que *u* doit être inférieure à *c*.) Ce résultat décrit ce que l'on appelle la *dilatation du temps*. Il énonce que, par rapport au temps mesuré par l'observateur au repos dans le laboratoire, le temps ne s'écoule pas aussi rapidement dans le système en mouvement. Remarquez que nous n'avons *pas* conclu qu'un observateur se déplaçant avec l'horloge constaterait une modification de l'intervalle de temps entre les battements de son horloge. Il observerait cependant qu'une horloge au repos dans le laboratoire retarde exactement par le même facteur de dilatation du temps. *Chaque observateur constate que les horloges de l'autre observateur retardent*. Pour illustrer les implications remarquables de la dilatation du temps, considérons un monde imaginaire dans lequel les effets de la relativité restreinte seraient très marqués, ce qui est réalisable en admettant que la vitesse de la lumière ne soit pas 3×10^8 m s^{-1}, mais soit comparable aux vitesses rencontrées dans la vie de tous les jours.

✎ ———— **Exemple 25.1** ————

Dans cet exemple, supposons que la vitesse de la lumière soit de 100 km h^{-1}. Une femme raconte l'histoire de la naissance de son bébé. Elle dit qu'elle se rend à l'hôpital situé, d'après les poteaux indicateurs, à une distance de 100 km, en conduisant à 80 km h^{-1}. Elle affirme également que, d'après sa montre, le bébé naquit 1 heure après son départ. Le bébé est-il né à l'hôpital ?

Réponse En utilisant un raisonnement classique, nous répondrions non, puisqu'il faudrait

$$t = x/u = 100 \text{ km}/80 \text{ km h}^{-1} = 1,25 \text{ heure}$$

pour se rendre à l'hôpital. Cependant, à cause de la dilatation du temps, comme elle voyage à 80 km h^{-1}, nous voyons que sa montre ralentit. Ainsi donc, quand sa montre indique 1 heure, notre montre indique que le temps écoulé est

$$t' = \frac{t}{\sqrt{1 - u^2/c^2}} = \frac{1 \text{ h}}{\sqrt{1 - \left(\dfrac{80 \text{ km h}^{-1}}{100 \text{ km h}^{-1}}\right)^2}}$$

$$t' = \frac{1 \text{ h}}{0,6} = 1,67 \text{ h}$$

Comme toutes les horloges, y compris les *horloges biologiques*, doivent se comporter de la même façon, en 1 heure de son temps, elle peut parcourir

$$\left(80 \text{ km h}^{-1}\right) \times (1,67 \text{ h}) = 133,6 \text{ km}$$

L'hôpital n'est qu'à 100 km, de sorte qu'elle doit être arrivée à temps.

Dans cet exemple, on peut émettre des objections à l'idée que la montre de cette femme et ses processus biologiques obéissent à la loi que nous avons obtenue pour l'horloge à lumière. Cependant, *toutes* les horloges et tous les processus doivent obéir à cette loi ; sinon, le principe de relativité serait violé. Par exemple, nous pouvons synchroniser une horloge à lumière et plusieurs autres types d'horloges quand elle sont toutes au repos. Quand on les met en mouvement à la même vitesse, toutes les horloges doivent se comporter de la même façon. Si une partie seulement de ces horloges ralentissait, on pourrait dire que celles qui ne retardent pas ne fonctionnent correctement que dans un seul système de référence.

Il reste un point à clarifier au sujet de cet exemple. Du point de vue de la femme, quand elle est en mouvement, les horloges des gens restés immobiles lui paraissent fonctionner plus lentement. Cependant, quand elle arrive, sa montre retarde par rapport à celles des employés de l'hôpital. La différence provient de ce que le mouvement de la femme comporte au moins une phase d'accélération et une de décélération. Puisqu'elle n'est pas restée constamment dans un système d'inertie, son mouvement se distingue de celui des observateurs liés à la terre ; ceci explique que sa montre puisse paraître retarder quand elle arrive à l'hôpital.

Le désaccord flagrant entre les conclusions de cet exemple et les prévisions basées sur le sens commun provient de ce que, dans notre monde, les vitesses sont normalement très faibles par rapport à celle de la lumière. Notre intuition nous induit en erreur quand les vitesses approchent de *c*. L'exemple suivant décrit une expérience qui représente une des nombreuses confirmations directes de la relativité restreinte.

✎ ───────── **Exemple 25.2** ─────────

Des particules subatomiques à courte vie, appelées mésons mu, sont créées par les rayons cosmiques dans la haute atmosphère, approximativement 10 000 m au-dessus du niveau de la mer. Elles se déplacent à une vitesse de $0{,}999c$ ($c = 3 \times 10^8$ m s^{-1}). Dans des expériences de laboratoire sur des mésons mu au repos, on leur trouve une vie moyenne de $2{,}2 \times 10^{-6}$ s.

a) Quelle est la durée de vie apparente de ces particules en mouvement pour un observateur terrestre ?

b) En moyenne, les mésons atteignent-ils la Terre ?

Réponse a) La durée de vie moyenne des mésons en mouvement apparaîtra plus longue à un observateur sur Terre. Cette durée de vie semblera être

$$t' = \frac{t}{\sqrt{1 - u^2/c^2}} = \frac{2{,}2 \times 10^{-6} \text{ s}}{\sqrt{1 - (0{,}999c/c)^2}}$$

$$= 4{,}92 \times 10^{-5} \text{ s}$$

Cette durée de vie est plus de 20 fois la vie d'un méson mu au repos.

b) En utilisant le résultat précédent pour la vie moyenne, on trouve qu'un observateur terrestre voit les mésons parcourir une distance

$$D = vt'$$

$$= (0{,}999)\left(3 \times 10^8 \text{ m s}^{-1}\right)\left(4{,}92 \times 10^{-5} \text{ s}\right)$$

$$= 14{,}700 \text{ m}$$

Ceci est supérieur à la hauteur de 10 000 m à laquelle ils ont été produits, de sorte que, en moyenne, les mésons atteignent la Terre. Si la durée de vie était $2{,}2 \times 10^{-6}$ s, un méson ne parcourrait que 660 m et on ne pourrait les observer à la surface de la Terre. Comme on observe des mésons mu au niveau du sol, on a ainsi une confirmation directe de la dilatation du temps.

25.3 CONTRACTION DES LONGUEURS

Un objet en mouvement est plus court qu'au repos. Cet effet est appelé la *contraction des longueurs* et est une conséquence immédiate de la dilatation du temps. Pour prendre un cas concret, considérons de nouveau la femme de l'exemple 25.1. Elle-même et un observateur au repos par rapport à la route, doivent trouver tous deux la même valeur de la vitesse relative de l'un par rapport à l'autre, en accord avec le principe de relativité. Pour autant qu'elle puisse s'en rendre compte, sa montre fonctionne normalement. Par conséquent, elle tiendra le raisonnement suivant : si elle a été capable d'atteindre l'hôpital à temps, c'est que la distance qu'elle devait parcourir était inférieure à la distance de 100 km annoncée sur le poteau indicateur. En d'autres termes, la longueur de la route, mesurée par cet observateur en mouvement, a diminué.

D'après un observateur immobile, la vitesse de la femme était de $u = l/t'$, où t' est le temps mesuré par *une horloge au repos par rapport à la route* et l la longueur de la route. La femme mesure la même vitesse. Ainsi que nous l'avons vu au paragraphe précédent, d'après *sa montre*, le temps écoulé t est diminué par rapport à t' du facteur de dilatation du temps, de sorte que

$$t = t'\sqrt{1 - \frac{u^2}{c^2}}$$

Donc la longueur l' de la route, telle qu'elle apparaît à la femme, est $l' = ut = \left(l/t'\right)\left(t'\sqrt{1 - u^2/c^2}\right)$, ou encore

$$l' = l\sqrt{1 - \frac{u^2}{c^2}} \qquad (25.2)$$

Cela signifie que la route, mesurée par un observateur en mouvement, est trouvée plus courte d'un facteur

$$\sqrt{(1 - u^2/c^2)}$$

Un observateur se déplaçant le long d'un objet trouve que celui-ci subit une diminution de longueur ou contraction. Réexaminons, de ce nouveau point de vue, l'exemple du méson mu.

 ──────── **Exemple 25.3** ────────

Un méson mu se déplace vers le sol à partir d'une altitude de 10 000 m et à la vitesse de 0,999 c. Quelle est l'épaisseur apparente de l'atmosphère traversée, pour un observateur se déplaçant à la vitesse du méson ?

Réponse   En utilisant la formule de contraction des longueurs, le résultat obtenu par cet observateur est

$$l' = l\sqrt{1 - \frac{u^2}{c^2}}$$
$$= (10^4 \text{ m})\sqrt{1 - (0,999)^2}$$
$$= 447 \text{ m}$$

Puisque l'atmosphère se déplace à la vitesse de 0,999 c par rapport au méson, celui-ci atteint le sol en

$$(447 \text{ m})/(0,999 \times 3 \times 10^8 \text{ m s}^{-1}) = 1,49 \times 10^{-6} \text{ s}$$

ce qui est inférieur à sa vie moyenne qui est de $2,2 \times 10^{-6}$ s. Ainsi donc, en moyenne, les mésons atteignent la surface de la Terre, en accord avec nos conclusions précédentes.

──────────────────────

Les effets relativistes sont très importants dans les accélérateurs de particules où les vitesses de celles-ci approchent celle de la lumière. Les effets de la relativité sont également importants dans les microscopes électroniques, comme nous allons le voir dans l'exemple suivant.

 ──────── **Exemple 25.4** ────────

Un électron traverse un segment de microscope électronique de 0,1 m de long à la vitesse de 0,3 c. Quelle est la longueur de ce segment mesurée dans le système d'axes propres de l'électron ?

Réponse   Dans le système d'axes de référence où l'électron est au repos, la distance de 0,1 m est contractée en

$$l' = l\sqrt{1 - \frac{u^2}{c^2}}$$
$$= (0,1 \text{ m})\sqrt{1 - \left(\frac{0,3\,c}{c}\right)^2}$$
$$= (0,1 \text{ m})(0,954) = 0,0954 \text{ m}$$

Dans les microscopes électroniques, les électrons sont déviés par des lentilles magnétiques et la force agissant sur les électrons dans ces lentilles est proportionnelle à leur vitesse. Le calcul de la puissance de ces lentilles doit tenir compte des effets relativistes pour éviter des erreurs non négligeables.

──────────────────────

Un observateur en déplacement ne voit aucune modification de longueur d'un objet dans la direction perpendiculaire à son mouvement. Nous laissons à un problème (problème 25.28) le soin de montrer que ce fait est une conséquence directe du principe de relativité.

25.4   QUANTITÉ DE MOUVEMENT ET ÉNERGIE

Au chapitre 7, nous avons vu que la quantité de mouvement $p = mv$ est une grandeur utile en mécanique non relativiste. En effet, la quantité de mouvement d'un système se conserve dans une collision. Quand des objets se déplaçant à des vitesses proches de celle de la lumière entrent en collision, on trouve que la quantité de mouvement n'est pas conservée si on utilise la définition non relativiste. Cependant, on peut redéfinir la quantité de mouvement pour qu'elle soit conservée dans les collisions. De manière plus précise, on trouve, en étudiant les collisions, que la définition correcte de la quantité de mouvement relativiste d'un objet de masse m et de vitesse v est

$$p = \frac{mv}{\sqrt{1 - v^2/c^2}} \qquad (25.3)$$

Remarquer que la racine carrée devient égale à 1 à faible vitesse, de sorte que l'on retrouve alors l'expression non relativiste de quantité de mouvement.

Dans cette équation, de même que partout ailleurs dans ce chapitre, m est la masse habituelle de l'objet mesurée dans son système d'inertie. (Certains livres appellent cette grandeur masse au repos et définissent, par ailleurs, une masse dépendant de la vitesse. Nous ne nous rangerons pas à cette façon de voir.)

En mécanique non relativiste, la seconde loi de Newton est $f = ma = m\,\Delta v/\Delta t$ ou encore

$$F = \frac{\Delta p}{\Delta t} \qquad (25.4)$$

La force est égale à la variation de quantité de mouvement par unité de temps. Sous cette forme, la deuxième loi de Newton reste valable en mécanique relativiste.

ALBERT EINSTEIN
(1879-1955)

Avant la fin de 1905, à l'âge de 26 ans, Albert Einstein a déjà développé la théorie de la relativité restreinte et expliqué l'effet photo-électrique. Il est aussi fort avancé dans la formulation de la théorie de la relativité générale. Cette activité précoce n'a été annoncée par aucun signe de génie. Au contraire, Einstein a abandonné l'école secondaire dans son Allemagne natale et n'est ensuite retourné en classe que parce qu'il ne pouvait passer l'examen d'entrée à l'université sans préparation complémentaire. Il termine ses études à l'université de Zurich en 1900 et se contente d'un emploi au bureau suisse des brevets, à Berne, car ses résultats médiocres excluent la possibilité d'obtenir un poste académique.

Le bureau des brevets est calme et lui laisse le temps de faire de la recherche en physique théorique. À cause de son isolement des autres chercheurs intéressés aux problèmes contemporains, certaines de ses recherches constituent une duplication de travaux antérieurs. Cependant, en 1905, Einstein travaille sur des problèmes non encore résolus et progresse avec succès dans le développement d'idées et de concepts entièrement originaux. Son travail sur l'effet photo-électrique lui vaudra plus tard le prix Nobel de physique. La théorie de la relativité restreinte non seulement permet d'élucider un certain nombre de problèmes fondamentaux en physique, mais aussi change notre conception de l'espace et du temps. Cette même année, Einstein termine sa thèse de doctorat et, en 1907, commence à enseigner à l'université de Zurich. Avant la fin de 1913, son travail lui vaudra une renommée professionnelle élogieuse, un poste important à l'université de Berlin et une réputation croissante auprès du grand public. Des descriptions vulgarisées de la théorie de la relativité captivent l'imagination de ses contemporains.

La théorie de la relativité générale paraît en 1916. Elle prédit notamment la déviation de la lumière par le champ de gravitation ; cette prédiction sera confirmée expérimentalement en Angleterre, en 1919. Les soubresauts de la Première Guerre mondiale vont affecter l'œuvre scientifique d'un physicien né en Allemagne. Dans les termes d'Einstein : « Aujourd'hui, en Allemagne, on m'appelle un homme de science allemand et en Angleterre, on me présente comme un Juif suisse. Si ma théorie est infirmée, cette façon de voir sera renversée et je deviendrai un Juif suisse pour les Allemands et un Allemand pour les Anglais. »

Bien que sa théorie n'ait jamais été prise en défaut, la situation n'en change pas moins. Au fur et à mesure que les Nazis renforcent leur pouvoir, son ascendance juive, et son plaidoyer en faveur d'un gouvernement mondial et du désarmement, lui valent des attaques virulentes. Cela le pousse à émigrer aux États-Unis en 1933 ; il ne rentrera jamais dans son pays natal.

Bien que, comme nous le verrons, il contribue aussi au développement de la mécanique quantique, il trouve l'évolution des concepts de celle-ci peu satisfaisante. La mécanique quantique moderne affirme que l'on ne peut pas prédire de façon absolue le résultat d'une mesure bien spécifique. Seules les probabilités relatives des différents résultats possibles sont calculables.

Einstein n'aime pas cette notion de « Dieu jouant aux dés avec l'Univers ». Tout en gardant un rôle important de consultant et de critique sympathisant dans le développement de la mécanique quantique, Einstein concentre ses efforts, à la fin de sa vie, sur des tentatives de développement d'une théorie unifiée de la gravitation et de l'électromagnétisme. Sa philosophie de la physique et l'orientation de ses travaux l'entraînent en dehors du courant principal des recherches contemporaines, bien que ses contributions initiales continuent à jouer un rôle important dans la théorie de la physique moderne.

La réputation d'Einstein est plus grande et plus durable que celle de n'importe quel autre homme de science. Son nom est encore utilisé comme synonyme de développement révolutionnaire des sciences naturelles modernes.

Si un objet est initialement au repos, le travail qu'une force effectue pour le mettre en mouvement est égal à son énergie cinétique finale. Le travail est le produit du déplacement et de la force $F = \Delta p / \Delta t$. En utilisant cette approche, on trouve que l'énergie cinétique d'un objet de masse m et de vitesse v vaut

$$K = mc^2 \left(\frac{1}{\sqrt{1 - v^2/c^2}} - 1 \right) \tag{25.5}$$

Si on développe le dénominateur en puissances de v^2/c^2, cette expression se ramène, à faible vitesse, à celle de l'énergie cinétique non relativiste, $(1/2)mv^2$. Cependant, l'énergie cinétique d'un objet en mouvement rapide est nettement supérieure à $(1/2)mv^2$.

L'exemple suivant montre que, pour amener un objet à une vitesse très élevée, il faut dépenser un travail bien plus élevé que la valeur prédite par la mécanique non relativiste.

 ──────── **Exemple 25.5** ────────

Un objet de masse m a une vitesse $v = 0,9\,c$. Quel est le rapport des énergies cinétiques non relativiste et relativiste de cet objet ?

Réponse   L'énergie cinétique non relativiste vaut

$$K_n = \frac{1}{2}mv^2 = \frac{1}{2}m(0,9\,c)^2 = 0,405\,mc^2$$

L'énergie cinétique relativiste est

$$K_r = mc^2 \left(\frac{1}{\sqrt{1 - v^2/c^2}} - 1 \right)$$

$$= mc^2 \left(\frac{1}{\sqrt{1 - (0,9)^2}} - 1 \right)$$

$$= 1,29\,mc^2$$

Ainsi donc l'énergie relativiste vaut plus de trois fois l'énergie non relativiste. Cela signifie que le travail pour accélérer un objet du repos à une vitesse $v = 0,9\,c$ vaut plus de trois fois ce que nous aurions prédit par la mécanique non relativiste. Lorsque la vitesse approche de celle de la lumière, l'énergie cinétique d'un objet croît très rapidement. Par conséquent, il faut proportionnellement plus de travail pour atteindre des vitesses très élevées. En fait, il faudrait un travail de valeur infinie pour amener un objet à une vitesse égale à c. C'est une façon de montrer que *des objets de masse non nulle ne peuvent atteindre la vitesse de la lumière.*

On définit l'*énergie au repos* d'un objet de masse m par

$$E_0 = mc^2 \tag{25.6}$$

Ceci revient à dire que la masse m d'un objet est équivalente à une énergie mc^2. L'*énergie totale* de cet objet est alors la somme de l'énergie au repos et de l'énergie cinétique, $E = E_0 + K$, ce qui donne

$$E = \frac{mc^2}{\sqrt{1 - v^2/c^2}} \tag{25.7}$$

Cela revient à affirmer que la masse et l'énergie sont deux formes d'une même propriété physique et que l'on peut convertir l'une en l'autre. Cette idée paraissait révolutionnaire quand Einstein l'introduisit ; elle est maintenant très bien confirmée par l'expérience.

Avant que nous examinions quelques-unes des preuves expérimentales en faveur de l'équivalence de la masse et de l'énergie, considérons une expérience imaginaire dans laquelle deux masses m identiques entrent en collision et restent ensuite soudées ensemble (figure 25.2). Elles forment alors un objet unique de masse M se déplaçant à la vitesse v_y, qui n'a pas changé, puisque, par symétrie, aucun des objets ne peut exercer de force verticale sur l'autre. Nous pouvons déterminer la masse de cet objet au moyen la conservation de la quantité de mouvement.

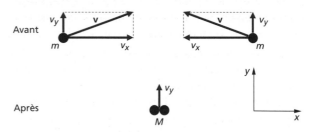

Figure 25.2 Deux objets, de même masse m, entrent en collision et restent agglutinés après le choc.

La composante x de la quantité de mouvement totale du système est nulle avant et après la collision. En égalant les valeurs initiale et finale de la composante y, nous obtenons

$$\frac{Mv_y}{\sqrt{1 - v_y^2/c^2}} = \frac{2mv_y}{\sqrt{1 - v^2/c^2}}$$

Après simplification par v_y et multiplication par c^2,

$$\frac{Mc^2}{\sqrt{1 - v_y^2/c^2}} = \frac{2mc^2}{\sqrt{1 - v^2/c^2}}$$

Cette équation est valable pour *toute* valeur de v_y. En particulier, si v_y est très petit, on a

$$Mc^2 = \frac{2mc^2}{\sqrt{1 - v^2/c^2}}$$

C'est là un résultat remarquable. Il énonce que l'énergie au repos de l'objet global est égale à l'énergie totale – cinétique et de repos – des deux objets initiaux ; *l'énergie cinétique a été convertie en masse.* Remarquons que ce résultat se déduit directement de la conservation de la quantité de mouvement relativiste. Ainsi l'équivalence de la masse et de l'énergie est une conséquence automatique de la conservation de la quantité de mouvement.

On rencontre souvent des situations où l'inverse se produit, c'est-à-dire qu'il y a conversion de masse en énergie. Chaque *particule* possède son *antiparticule*, qui a la même masse et une charge égale mais de signe opposé. Notre monde est fait de particules, mais il arrive qu'un petit nombre de paires particule-antiparticule soient créées par des rayons cosmiques de très haute énergie pénétrant dans l'atmosphère ou par les faisceaux de particules provenant d'accélérateurs et bombardant une cible. Si, par exemple, un *antiproton* de charge $-e$ rencontre un proton de charge e, il peut arriver que toute leur masse soit convertie en rayons gamma, qui sont des ondes électromagnétiques de très haute fréquence. Le proton et l'antiproton ont alors tous deux cessé d'exister.

D'autres exemples de conversion de matière en énergie sont donnés par la *fission* et la *fusion* nucléaires. Dans la fission nucléaire, un noyau d'uranium se scinde en deux noyaux plus petits, dont la masse totale est inférieure d'environ 0,25 uma à celle du noyau d'uranium initial. Cette perte de masse vaut approximativement 0,1 % de la masse initiale et est équivalente à une énergie de

$$E_0 = mc^2 = (0,25 \text{ uma})\left(1,66 \times 10^{-27} \text{ kg uma}^{-1}\right)$$
$$\times \left(3 \times 10^8 \text{ m s}^{-1}\right)^2$$
$$= 3,7 \times 10^{-11} \text{ J} = 2,3 \times 10^8 \text{ eV}$$

C'est environ 10^8 fois l'énergie typique libérée dans une réaction chimique, qui est de quelques électronvolts. Nous voyons donc ainsi que les réacteurs et les explosions nucléaires utilisent des sources d'énergie gigantesques.

La fusion nucléaire, dans laquelle deux noyaux légers fusionnent pour former un plus gros noyau, dégage encore plus d'énergie en proportion de la masse des constituants. C'est la fusion qui est la source de l'énergie des étoiles et qui pourrait finalement nous procurer une énergie presque illimitée. Nous discuterons plus en détail de la fission et de la fusion au chapitre 30.

La masse est également convertie en énergie dans les réactions chimiques. Cependant, comme les énergies dégagées sont alors très faibles par rapport à l'énergie au repos des atomes, les modifications de masse sont trop petites pour que l'on puisse les mesurer directement.

Relation entre énergie et quantité de mouvement

Si l'on élève au carré les équations qui définissent, en relativité, l'énergie E et la quantité de mouvement p, on trouve que

$$E = \sqrt{p^2 c^2 + m^2 c^4} \qquad (25.8)$$

Quand v/c est faible, pc est petit par rapport à mc^2 et on peut alors développer cette équation en puissances de p, ce qui donne $E = mc^2 + p^2/2m$. Le premier terme est l'énergie au repos. On peut récrire le second terme sous la forme $(mv)^2/2m = mv^2/2$, ce qui est le résultat bien connu pour l'énergie cinétique non relativiste.

Si la masse m est nulle, ce qui est le cas pour la lumière, l'équation (25.8) devient

$$E = pc \quad (m = 0) \qquad (25.9)$$

L'énergie est égale à la quantité de mouvement multi-pliée par la vitesse de la lumière. Maxwell avait obtenu exactement le même résultat plusieurs décennies plus tôt, quand il calcula l'énergie et la quantité de mouvement transportée par une onde électromagnétique. C'est là une indication supplémentaire que la théorie d'Einstein de la relativité restreinte est en accord complet avec la théorie de Maxwell de l'électromagnétisme.

Pour en savoir plus...

25.5 LE PROBLÈME DES ÉVÉNEMENTS SIMULTANÉS

Nous avons vu que les postulats d'Einstein conduisent à la conclusion que le temps écoulé entre deux événements n'est pas une grandeur absolue ; il dépend au contraire du mouvement de l'observateur. Les observations sur les mésons mu, décrites dans l'exemple 25.2, représentent une vérification expérimentale, parmi beaucoup d'autres, de cette prédiction. Une autre conséquence des postulats d'Einstein est que des observateurs peuvent très bien être en désaccord sur la question de savoir si deux événements se produisant à des endroits différents sont simultanés. Pour avoir une vue qualitative des choses, supposons qu'un observateur S se trouvant au centre d'une chambre envoie deux impulsions lumineuses simultanément vers les murs à l'avant et à l'arrière de la chambre. Puisque les distances aux deux murs sont les mêmes, les impulsions, d'après cet observateur, frappent les murs au même instant. Supposons qu'un observateur M, se déplaçant à la vitesse u, passe au niveau de S au moment de l'émission des impulsions. Lui aussi voit les deux impulsions se propager à la vitesse c vers les murs (principe n°2).

Cependant, il voit un des murs s'approcher à la vitesse u et l'autre s'éloigner à la même vitesse. Par conséquent, M voit la lumière atteindre en premier le mur qui s'approche et il n'est pas d'accord avec l'observation de S que les deux impulsions arrivent simultanément aux murs.

Pour étudier cette question de la simultanéité de façon quantitative, considérons ce qui se passe lorsqu'un observateur S synchronise deux horloges placées en des endroits différents. Supposons que S soit au repos par rapport à un support de longueur l portant une horloge à chaque extrémité. Pour synchroniser les horloges de façon à leur faire indiquer $t = 0$ au même instant, S envoie une impulsion lumineuse à partir d'une des horloges en $t = 0$. Cette impulsion parcourt la distance l jusqu'à la seconde horloge en un temps $t = l/c$. Si la seconde horloge indique $t = l/c$ au moment où l'impulsion arrive, S conclura que ses horloges indiquaient toutes deux $t = 0$ quand l'impulsion fut émise et qu'elles sont bien synchronisées (figure 25.3).

Demandons-nous maintenant comment un observateur M, se déplaçant à la vitesse u par rapport au système des horloges, voit ces événements (figure 25.4). Il est d'accord avec S sur le fait que l'impulsion lumineuse est émise quand l'horloge de S située en A indique $t = 0$ et que l'impulsion atteint l'horloge B quand celle-ci indique $t = l/c$. D'après S, le temps mis par l'impulsion lumineuse pour se propager de l'horloge A à l'horloge B est $t = l/c$. M ne partage pas cet avis, puisqu'il observe que la distance entre les horloges s'est contractée en $l' = l\sqrt{1 - u^2/c^2}$. Il voit aussi l'horloge B se déplacer vers l'impulsion lumineuse. D'après M, l'impulsion doit parcourir une distance $ct' = l' - ut'$. Ainsi donc

$$t' = \frac{l'}{c + u} = \frac{l\sqrt{1 - u^2/c^2}}{c(1 + u/c)}$$

Ceci est la durée t' du trajet de l'impulsion observée par M *en utilisant son horloge propre*. Elle est inférieure à l'intervalle de temps l/c mesuré par S. Supposons maintenant que M observe les *horloges de S*. D'après M, ces horloges retardent d'un facteur égal à celui de la dilatation du temps. Par conséquent, quand il s'est écoulé un temps t' aux horloges de M, M observera que les horloges de S indiquent un temps t donné par $t = t'\sqrt{1 - u^2/c^2}$. Avec le résultat ci-dessus pour t', ceci devient

$$t = \frac{l}{c}\frac{1 - u^2/c^2}{1 + u/c} = \frac{l}{c}\left(1 - \frac{u}{c}\right)$$

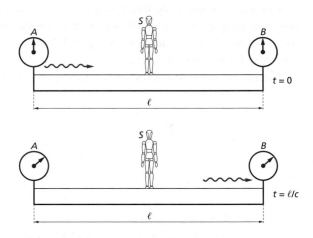

Figure 25.3 Un observateur S est au repos par rapport au support et aux horloges représentées sur le dessin. Il affirmera que les horloges fonctionnent en synchronisme si l'horloge A indique $t = 0$ quand l'impulsion lumineuse est émise et si l'horloge B indique $t = l/c$ quand elle reçoit l'impulsion.

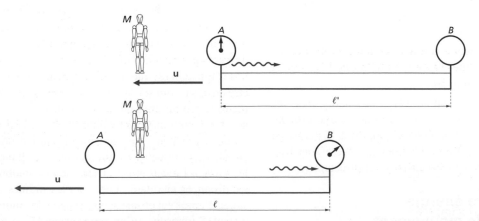

Figure 25.4 Un observateur M en mouvement par rapport au support observe que celui-ci et les horloges de la figure 25.3 passent devant lui à la vitesse u. M observe que l'impulsion est émise quand l'horloge A indique $t = 0$ et la voit arriver à l'horloge B quand celle-ci indique $t = l/c$. Quand M mesure la longueur du support en déplacement, il trouve que sa longueur subit une contraction et devient $l' = l\sqrt{1 - u^2/c^2}$.

On obtient de cette façon la durée du trajet de l'impulsion observée par M au moyen des horloges de S. Ainsi donc, M conclut que, même d'après les horloges de S, le trajet de l'impulsion lumineuse ne prend pas autant de temps que la valeur l/c mesurée par S. En fait, M tient le raisonnement que, puisque l'impulsion arrive à l'horloge B lorsque celle-ci indique $t = l/c$, cette même horloge indiquait $t = lu/c^2$, lorsque l'impulsion fut émise, et non $t = 0$, comme S le prétend ! Tandis que S affirme que les horloges indiquaient ensemble $t = 0$, M déclare que, lorsque l'horloge A indiquait $t = 0$, l'horloge B indiquait $t = lu/c^2$. Cette différence existe réellement ; ni M ni S n'ont tort.

On peut reformuler ce résultat en termes plus généraux. Supposons qu'un observateur, dans le système de référence de deux horloges distantes de l, les mette en synchronisme. Si elles sont en mouvement à la vitesse u par rapport à un autre observateur, celui-ci constate que l'horloge placée *à l'arrière* avance de

$$\Delta t = \frac{lu}{c^2} \qquad (25.10)$$

L'exemple suivant met en lumière les implications de ce résultat.

Exemple 25.6

Une fusée de longueur $l = 30$ m, voyageant vers la Terre à une vitesse de $u = 0,6\,c$, allume simultanément ses feux avant et arrière (figure 25.5). Qu'observe-t-on de la Terre ?

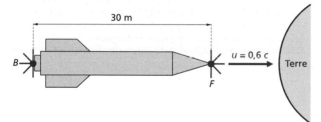

Figure 25.5 Les feux F et B d'une fusée sont allumés à des instants simultanés pour un observateur dans la fusée.

Réponse De la Terre, on observe que le feu arrière B est allumé un temps Δt avant le feu avant F, avec

$$\Delta t = \frac{lu}{c^2} = \frac{(30\text{ m})(0,6c)}{c^2}$$

$$= \frac{(30\text{ m})(0,6)}{3 \times 10^8\text{ m s}^{-1}} = 6 \times 10^{-8}\text{ s}$$

Ceci est le temps mesuré au moyen d'*horloges emportées par la fusée*. Si on utilise des *horloges terrestres*, on trouve que le feu B est allumé un temps $\Delta t'$ avant F, avec

$$\Delta t' = \frac{\Delta t}{\sqrt{1 - u^2/c^2}} = \frac{6 \times 10^{-8}\text{ s}}{\sqrt{1 - (0,6c/c)^2}}$$

$$= \frac{6 \times 10^{-8}\text{ s}}{0,8}$$

$$= 7,5 \times 10^{-8}\text{ s}$$

Les résultats que nous venons d'obtenir dans ce paragraphe peuvent parfois conduire à des paradoxes curieux. L'exemple suivant, qui se situe dans un monde imaginaire où c est comparable aux vitesses de la vie courante, illustre un de ces paradoxes.

Exemple 25.7

(Dans cet exemple, on admet que la vitesse de la lumière est $c = 5$ m s^{-1}.) Trois personnes possèdent des planches de 5 m de long et une grange de 4 m de large. Elles savent qu'un objet en mouvement subit une contraction de longueur. Elles décident, par conséquent, de déplacer les planches à la vitesse $u = 3$ m s^{-1}, pour que la longueur des planches devienne, par contraction,

$$l' = l\sqrt{1 - \frac{u^2}{c^2}} = 5\text{ m}\sqrt{1 - \left(\frac{3}{5}\right)^2}$$

$$= (5\text{ m})(0,8) = 4\text{ m}$$

On pourra alors faire tenir les planches dans la grange. Une personne B se place à la porte arrière de la grange et une autre, F, à la porte d'entrée. La troisième, M, court en portant une planche (figure 25.6). F et B sont chargées de fermer simultanément les portes quand la planche est exactement dans la grange.

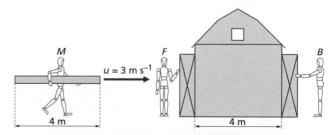

Figure 25.6 La grange et la planche *vues par les observateurs F et B qui sont au repos par rapport à la grange. F et B veulent fermer ensemble les portes de la grange au moment où la planche est à l'intérieur. Au repos, la planche a une longueur de 5 m.*

Le paradoxe est que M, se déplaçant avec la planche, lui trouve une longueur de 5 m, tandis que la largeur de la grange lui apparaît contractée en $(4\text{ m})(0,8) = 3,2$ m. Comment ces deux types d'observations sont-ils compatibles ?

Considérons d'abord la situation telle qu'elle est observée par *F* et *B*, au repos par rapport à la grange. *F* et *B* observent que

1. La planche et la grange ont la même longueur.

2. Quand la planche est exactement dans la grange, ils ferment les deux portes.

3. Ils constatent tous deux que la planche fracasse la porte arrière, juste après qu'ils ont fermé les portes.

Cependant, les observations faites par *M* lui montrent que (figure 25.7) :

1. La grange a 3,2 m de long et la planche, 5 m.

2. *B* ferme bien sa porte juste au moment où l'avant de la planche arrive à son niveau, mais l'arrière de la planche est encore 5 m − 3,2 m = 1,8 m en dehors de la grange.

3. *F* ne ferme pas sa porte en même temps que *B*. En mesurant le temps avec les horloges de *F* et *B*, *M* voit *F* fermer sa porte, un temps

$$\Delta t = \frac{lu}{c^2} = \frac{(4\ \mathrm{m})(3\ \mathrm{m\ s^{-1}})}{(5\ \mathrm{m\ s^{-1}})^2} = 0,48\ \mathrm{s}$$

après *B*. Dans les axes de *M*, ce délai vaut

$$\Delta t' = \frac{0,48\ \mathrm{s}}{\sqrt{1 - (3/5)^2}} = 0,6\ \mathrm{s}$$

Mais, en 0,6 s, *M* voit la grange avancer vers lui de $u\,\Delta t' = (3\ \mathrm{m\ s^{-1}})(0,6\ \mathrm{s}) = 1,8\ \mathrm{m}$. C'est juste la distance qui amène la fin de la planche dans la grange quand *F* ferme sa porte.

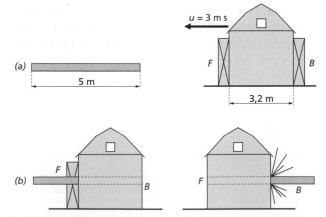

Figure 25.7 *(a)* La planche et la grange vues par *M*, la personne qui porte la planche. *(b)* On ferme la porte de derrière lorsque la planche arrive à sa hauteur. Juste après, la planche passe à travers cette porte. *(c)* On ferme la porte d'entrée plus tard, quand l'extrémité de la planche est entrée dans la grange.

Nous voyons donc que tous les observateurs sont d'accord pour dire que l'on a fermé la porte de derrière juste

avant que la planche arrive à son niveau et la porte d'entrée, juste après que la fin de la planche a pénétré dans la grange. Où les observateurs ne sont plus d'accord, c'est quand ils déterminent l'instant où la planche est entrée en contact avec la porte de derrière. *F* et *B* disent que cela s'est produit juste après qu'ils ont fermé les portes ensemble, tandis que *M* dit que cela se produisit juste après que *B* eut fermé sa porte mais avant que *F* n'ait fermé la sienne. Ce désaccord est bien réel et est typique de ce qui se produit quand deux groupes d'observateurs mesurent des événements qui se produisent à des endroits différents.

25.6 L'ADDITION DES VITESSES

En relativité restreinte, deux observateurs en mouvement relatif sont en désaccord sur les propriétés de leurs mètres et de leurs horloges. Il en résulte que, lorsqu'ils mesurent la vitesse d'un objet en mouvement par rapport à l'un et à l'autre, les descriptions de leurs observations reflètent ces désaccords.

On peut étudier ce problème par une méthode similaire à celles des paragraphes précédents, bien que les calculs soient plus longs ; aussi nous n'en donnerons que le résultat. Considérons deux observateurs en mouvement à la vitesse *u* l'un par rapport à l'autre. Un objet se déplace le long de l'axe *x* à la vitesse *v'*, d'après *O'* (figure 25.8). D'après *O*, la vitesse de l'objet est

$$v = \frac{v' + u}{1 + \dfrac{uv'}{c^2}} \tag{25.11}$$

Cette relation est appelée la *formule d'addition des vitesses.*

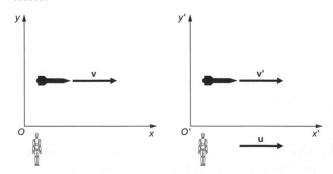

Figure 25.8 L'observateur *O'* se déplace par rapport à *O* à la vitesse **u**. Un objet a une vitesse **v'** pour *O'* et **v** pour *O*.

Quand les vitesses sont faibles, on peut négliger *u/c* et *v'/c*. On obtient alors le résultat habituel, non relativiste, $v = v' + u$. Cependant, lorsque *v'* est comparable ou égal à *c*, les résultats sont alors très différents. En particulier, si

v' et u sont tous deux inférieurs à c, mais que $v' + u$ est plus grand que c, v reste cependant inférieure à c. Ceci signifie que l'on ne peut pas observer d'objet se déplaçant plus vite que la lumière. Le cas $v' = c$ est décrit dans l'exemple suivant.

 ——————— **Exemple 25.8** ———————

Un observateur, s'éloignant de la Terre à la vitesse de $0,5\,c$, envoie une impulsion lumineuse dans la direction de son mouvement. Il en mesure la vitesse, qu'il trouve égale à c. Quelle est la vitesse de cette impulsion pour un observateur terrestre ?

Réponse Ici $v' = c$ et $u = 0,5\,c$. En utilisant la formule d'addition des vitesses, on obtient que la vitesse vaut, pour un observateur terrestre,

$$v = \frac{v' + u}{1 + \dfrac{v'u}{c^2}} = \frac{c + 0,5\,c}{1 + \dfrac{(c)(0,5\,c)}{c^2}} = c$$

Ainsi donc, les deux observateurs mesurent la même vitesse de la lumière, en accord avec le second principe d'Einstein.

Quand le déplacement de l'objet n'est pas parallèle à l'axe x, l'addition des vitesses fait intervenir des expressions plus compliquées. De nouveau, cependant, ces expressions sont telles que l'observation de la vitesse d'un objet ne peut jamais fournir de valeur supérieure à la vitesse de la lumière.

Réviser

RAPPELS DE COURS

La théorie de la relativité restreinte est basée sur deux propriétés fondamentales de notre Univers. D'abord, il est totalement impossible pour des observateurs galiléens, c'est-à-dire se déplaçant, sans accélération, à vitesse constante les uns par rapport aux autres, de déterminer lesquels sont au repos ou en mouvement, puisque toutes les lois de la nature sont les mêmes pour tous ces observateurs. Ensuite, la vitesse d'un faisceau lumineux dans le vide est 3×10^8 m s^{-1}, quel que soit l'observateur galiléen qui opère la mesure. Ces deux faits sont les clés de notre compréhension de la nature de l'espace et du temps et conduisent à un certain nombre de résultats intéressants.

Si deux observateurs se déplacent à vitesse relative constante, chacun d'eux observera que les objets utilisés par l'autre sont contractés dans la direction du mouvement. Un observateur en mouvement par rapport à un objet le voit contracté en accord avec la relation

$$l' = l\sqrt{1 - \frac{u^2}{c^2}}$$

Chacun des deux observateurs dira aussi que le temps t entre deux battements de l'horloge de l'autre observateur s'est dilaté et vaut

$$t' = \frac{l}{\sqrt{1 - \frac{u^2}{c^2}}}$$

L'énergie totale d'un objet est l'énergie au repos

$$E_0 = mc^2$$

plus l'énergie cinétique, $E = E_0 + K$. Pour un objet de vitesse v,

$$E = \frac{mc^2}{\sqrt{1 - \frac{v^2}{c^2}}}$$

Ces changements dans notre conception de l'espace et du temps requièrent des modifications correspondantes dans la définition de la quantité de mouvement et de l'énergie. Le travail nécessaire pour accroître la vitesse d'un objet d'une certaine quantité augmente avec celle-ci. Cet accroissement est tel qu'une valeur infinie de l'énergie est nécessaire pour amener un objet de masse non nulle à se déplacer à la vitesse de la lumière.

PHRASES À COMPLÉTER

Voir réponses en fin d'ouvrage.

1. Un système d'axes d'inertie est en mouvement à vitesse _____.

2. Un postulat de la relativité restreinte énonce que la vitesse de la lumière est la même pour tous les observateurs dans des _____.

3. Un observateur A, se déplaçant à vitesse constante non nulle par rapport à un autre observateur B, constate que les horloges de B retardent par rapport à celles de A. B, à son tour, constate que les horloges de A _____ par rapport à celles de B.

4. Vrai ou faux ? Toutes les horloges, quel que soit leur principe de fonctionnement, doivent indiquer le même temps, si elles sont dans le même système d'axes d'inertie.

5. Vrai ou faux ? Un observateur au repos constate que les dimensions d'un objet en mouvement sont dilatées dans la direction du mouvement.

6. Vrai ou faux ? Le travail requis pour accroître l'énergie cinétique d'un objet de masse m de zéro à la vitesse de la lumière est $mc^2/2$.

7. L'idée que masse et énergie sont des formes différentes d'une même grandeur est exprimée par l'équation $E_0 = $ _____.

8. Pourquoi un objet de masse m ne peut-il se déplacer à une vitesse supérieure à celle de la lumière ?

9. Pourquoi $E_0 = mc^2$ est-elle appelée l'énergie au repos d'un objet ?

EXERCICE CORRIGÉ

Un électron est accéléré par une différence de potentiel de 5×10^4 V.

Calculer la vitesse et la masse de l'électron à la fin de l'accélération et faire une comparaison entre les valeurs obtenues en mécanique classique et relativiste.

Solution

L'énergie cinétique acquise par l'électron est donnée par

$$E_K = q \, \Delta V$$

où q est la charge de l'électron $1,602 \times 10^{-19}$ C et ΔV la différence de potentiel.

$$E_K = (1,602 \times 10^{-19}) \times (5 \times 10^4) = 8 \times 10^{-15} \text{ J}$$

En mécanique classique, la masse de l'électron est une constante égale à $9,109 \times 10^{-31}$ kg.

La vitesse est donnée par $E_k = (1/2)m_e v^2$

$$v = \sqrt{\frac{2E_K}{m_e}} = \sqrt{\frac{2 \times (8 \times 10^{-15})}{9,109 \times 10^{-31}}} = 1,32 \times 10^8 \text{ m/s}$$

En mécanique relativiste, la masse n'est plus une constante et dépend de la vitesse. Soit m_0 la masse de l'électron au repos, on a : $E_k = mc^2 - m_0 c^2$

$$m = \frac{E_K}{c^2} + m_0 = \frac{8 \times 10^{-15}}{9 \times 10^{16}} + 9,109 \times 10^{-31}$$

$$m = 9,998 \times 10^{-31} \text{ kg}$$

soit une augmentation de masse de 9,7 % vis-à-vis de la masse au repos de l'électron.

La vitesse de l'électron peut s'obtenir par :

$$m = \frac{m_0}{\sqrt{1 - \frac{v^2}{c^2}}} \qquad \frac{v^2}{c^2} = 1 - \left(\frac{m_0}{m}\right)^2$$

et $\quad v = c\sqrt{1 - \left(\frac{m_0}{m}\right)^2}$

$$v = 3 \times 10^8 \sqrt{1 - \left(\frac{9,109}{9,998}\right)^2} = 1,23 \times 10^8 \text{ m/s}$$

soit environ 40 % de la vitesse de la lumière.

S'entraîner

QCM

Voir réponses en fin d'ouvrage.

Q1. Parmi les affirmations suivantes, quelle est celle qui constitue un des principes de base de la relativité restreinte ?

a) il est possible de faire des mesures dans un système d'axes non galiléens

b) les lois de la physique sont identiques dans tout système de référence galiléen

c) tous les mouvements sont relatifs

d) la vitesse de la lumière est constante quel que soit le milieu traversé.

Q2. La relativité restreinte permet d'expliquer

a) l'existence de l'éther

b) la vitesse de la lumière

c) que l'éther se déplace à la vitesse c

d) que l'éther n'existe pas.

Q3. Deux horloges identiques sont en fonctionnement, l'une sur Terre, l'autre dans un vaisseau spatial dont la vitesse est uniforme par rapport à la Terre. Parmi les affirmations suivantes, laquelle est correcte ?

a) l'observateur du vaisseau spatial trouve que l'horloge sur Terre est en avance

b) l'observateur sur Terre trouve que l'horloge dans le vaisseau est en avance

c) les deux observateurs trouvent que l'horloge de l'autre est en retard

d) les deux observateurs trouvent que les deux horloges sont en concordance.

Q4. Pour une astronaute qui se déplace à la vitesse $0,8 \, c$ par rapport à la Terre, la période d'oscillation d'un pendule est de 2,4 s. Quelle est la période observée pour l'observateur sur Terre ?

a) 1,9 s

b) 3 s

c) 4 s

d) 3,5 s.

Q5. Un observateur qui se déplace à la vitesse de $0,95 \, c$ perpendiculairement à un objet de 10 m de long mesure une longueur de

a) 3,1 m

b) 13,9 m

c) 10 m

d) 32 m.

Q6. Lorsque l'on se déplace à très grande vitesse dans un vaisseau spatial, il est possible de mesurer sa vitesse grâce à

a) la diminution des longueurs dans le vaisseau

b) le ralentissement des horloges de bord

c) l'augmentation de la masse des astronautes

d) aucune des réponses n'est correcte.

Q7. On observe à 2 000 m d'altitude des particules qui pénètrent dans l'atmosphère terrestre à la vitesse 0,9 *c*. Pour la particule, quelle distance la sépare de la Terre ?

a) 2 000 m

b) 871,8 m

c) 4 588 m

d) 1 486,5 m.

Q8. Pour un photon

a) on ne peut pas définir une quantité de mouvement car sa masse est nulle

b) son énergie est nulle car sa masse est nulle

c) la quantité de mouvement est définie par l'énergie divisée par la vitesse de la lumière

d) il est impossible qu'il subisse un effet Doppler.

Q9. Quel est l'équivalent en énergie d'un proton au repos ?

a) 0,511 MeV

b) 938,3 MeV

c) 93,9 MeV

d) 676 MeV

Q10. Un vaisseau qui se dirige à la vitesse de 0,8 *c* vers un observateur fixe lance dans sa direction un projectile de 10 kg à la vitesse de 0,6 *c* par rapport à lui. Pour l'observateur, quelle est la masse du projectile ?

a) 30,8 kg

b) 10 kg

c) 9,4 kg

d) 20,4 kg.

EXERCICES

Voir réponses en fin d'ouvrage pour les exercices et problèmes dont le numéro est inscrit en noir.

Utiliser $c = 3 \times 10^8$ m s^{-1}, sauf si l'énoncé donne une autre valeur.

Les principes fondamentaux de la relativité restreinte

25.1 Un observateur au repos sur Terre voit un avion à réaction passer au-dessus de lui à une vitesse constante de 2 000 km h^{-1}. À quelle vitesse le pilote voit-il défiler le sol ?

25.2 Un engin spatial s'éloigne de la Terre à la vitesse constante de *c*/2. Une lampe au sol émet une impulsion lumineuse se propageant vers la fusée. Trouver la vitesse de l'impulsion lumineuse mesurée par un observateur

a) sur Terre et

b) sur la fusée.

25.3 Un engin spatial s'éloignant de la Terre à une vitesse de *c*/4 émet une impulsion lumineuse quand il est à une distance qu'un observateur terrestre trouve égale à 3×10^{10} m. Quel est le temps, mesuré par une horloge terrestre, mis par l'impulsion lumineuse pour atteindre le sol ?

Horloges en mouvement et dilatation du temps

25.4 Un passager d'un vaisseau spatial voyage pendant 1 an (temps mesuré par une horloge terrestre) à la vitesse de 0,95 *c*.

a) Que vaut le temps écoulé, mesuré par le passager ?

b) Quelle distance le passager pense-t-il avoir parcourue ?

25.5 Un faisceau de mésons pi a une vitesse de 0,6 *c*. Leur durée de vie moyenne au repos est de 3×10^{-8} s.

a) Quelle vie moyenne un observateur au repos trouve-t-il pour les mésons pi en mouvement ?

b) Quelle distance parcourent-ils pendant ce temps ?

25.6 Des jumeaux *A* et *B* ont 20 ans quand *B* part pour un voyage aller-retour jusqu'à une étoile située à une distance de 10 années-lumière. S'il voyage à une vitesse moyenne de *u* = 0,99 *c*, quel est l'âge de chacun des jumeaux au retour de *B* ?

Contraction des longueurs

25.7 Un méson pi est en mouvement à une vitesse de 0,9 *c* par rapport à un aimant. Si l'aimant a 2 m de long dans son système d'axes d'inertie, quelle est sa longueur dans les axes d'inertie du méson ?

25.8 (Pour cet exercice, supposer que la vitesse de la lumière est $c = 100$ m s^{-1}.) Supposons que vous conduisiez une voiture de course à Indianapolis. D'après les spectateurs, la ligne droite des tribunes a 1 300 m de long et vous conduisez à 90 m s^{-1}.

a) Quelle longueur cette ligne droite vous paraît-elle avoir ?

b) Combien, pensez-vous, vous faudra-t-il de temps pour parcourir cette distance ?

c) Combien de temps, d'après les spectateurs, vous a-t-il fallu pour la parcourir ?

25.9 À quelle vitesse une règle d'1 m apparaît-elle avoir 0,5 m de long à un observateur au repos ?

25.10 Supposons que nous observions un poteau qui se déplace parallèlement à sa longueur, à la vitesse de $0,6\,c$. Quelle longueur lui trouverons-nous s'il a 20 m de long dans son système d'axes d'inertie ?

Quantité de mouvement et énergie

25.11 L'énergie cinétique et l'énergie au repos d'une particule sont égales. Quelle est la vitesse de la particule ?

25.12 L'énergie obtenue en brûlant un gramme de charbon est environ 3×10^4 J. Que vaut le rapport entre cette énergie et l'énergie au repos de 1 g de charbon ?

25.13 L'énergie dégagée dans des réactions chimiques a un ordre de grandeur de 5 eV par molécule.

a) Estimer la modification de masse en unités de masse atomique (1 uma = $1,66 \times 10^{-27}$ kg).

b) Si la masse des atomes constitutifs est 30 uma, quelle est la fraction de masse perdue ?

25.14 Une centrale nucléaire produit une puissance électrique de 10^9 W et dissipe simultanément 2×10^9 W en chaleur.

a) Quelle masse est convertie en énergie par unité de temps ?

b) Que vaut la masse convertie en 1 an ?

(1 an = $3,15 \times 10^7$ secondes.)

c) Quelle fraction des 10^5 kg d'oxyde d'uranium présents dans le cœur du réacteur cette masse représente-t-elle ?

25.15 Dans la désintégration d'un neutron au repos en un proton, un électron e^- et un antineutrino $\bar{v}$, on observe un dégagement d'énergie cinétique totale de $1,25 \times 10^{-13}$ J. Quelle est la différence entre la somme des masses du proton et de l'électron et celle du neutron ? (L'antineutrino a une masse nulle.)

25.16 Bien que notre monde soit fait de matière, on a émis l'hypothèse que certaines galaxies pourraient être constituées d'antimatière. Si un météore de 10 kg d'antimatière frappait la Terre,

a) quelle masse serait convertie en énergie ?

b) Quelle serait l'énergie dégagée ?

25.17 Un proton a une énergie au repos de 938 MeV (1 MeV = 10^6 eV). Quand sa vitesse est $0,9\,c$, que valent

a) son énergie totale et

b) son énergie cinétique ?

25.18 Un électron a une énergie au repos de $0,51 \times 10^6$ eV.

a) Que vaut son énergie totale s'il est accéléré, à partir du repos, par une différence de potentiel de 12×10^6 V ?

b) Quelle est alors sa vitesse ?

Le problème des événements simultanés

25.19 Un observateur dans un satellite artificiel de la Terre, se déplaçant à 8×10^3 m s^{-1} par rapport à celle-ci, observe des lancers de fusées à New York et Los Angeles. Ces lancers de fusées lui paraissent simultanés.

a) La distance entre les deux villes est $4,5 \times 10^6$ m. Quel est l'intervalle de temps entre les deux lancers pour des observateurs terrestres ? (Le satellite se déplace en ligne droite de Los Angeles à New York.)

b) Dans laquelle de ces villes le lancer de fusée a-t-il lieu en premier, toujours pour des observateurs terrestres ?

25.20 Un passager d'un train observe deux lampes émettant des impulsions lumineuses sur le quai d'une gare. Il note que la lampe *A* émet une impulsion 0,8 seconde après la lampe *B* (figure 25.9). Il observe que les lampes sont à une distance de 100 m l'une de l'autre. Si le train roule à 16 m s^{-1} et que la vitesse de la lumière est $c = 20$ m s^{-1},

a) quelle distance un observateur au repos sur le quai trouve-t-il entre les lampes ?

b) Quelle lampe paraît s'éclairer en premier pour cet observateur au repos ?

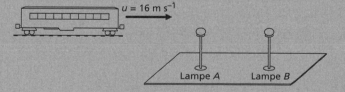

Figure 25.9 Exercice 25.20

L'addition des vitesses

25.21 Dans un gros accélérateur de particules, deux faisceaux de protons, dirigés en sens opposés, se rencontrent. Chaque faisceau a une vitesse, mesurée dans le laboratoire, égale à $0,8\,c$. Quelle est la vitesse d'un des faisceaux, mesurée par un observateur au repos par rapport au second faisceau ?

25.22 Un vaisseau spatial, s'approchant de la Terre à la vitesse de $0,6\,c$, tire une fusée dont la vitesse est de $0,6\,c$ par rapport au vaisseau spatial. Pour un observateur terrestre, quelle est la vitesse de la fusée si elle est tirée

a) vers la Terre

b) dans le sens opposé à la Terre ?

25.23 Un méson pi se désintègre en un méson mu et un neutrino. Dans les axes propres du méson pi, on trouve que la vitesse du méson mu est toujours de $0,507\,c$. Supposons que le méson pi, quand il s'est désintégré, se déplaçait à la vitesse de $0,6\,c$ par rapport au laboratoire et qu'il ait émis le méson mu dans la direction de son déplacement. Que vaut la vitesse du méson mu par rapport au laboratoire ?

25.24 Une particule A se désintègre en deux particules, B et C. Quand la particule A est au repos, on trouve que B a toujours une vitesse de $0,6\,c$. Si la particule A, au moment de sa désintégration, se déplace à la vitesse de $0,4\,c$ par rapport au laboratoire, trouver la vitesse de la particule B dans les axes du laboratoire, lorsque cette particule B se déplace

a) parallèlement à A

b) dans le sens opposé à A.

25.28 Deux bâtons identiques portent des épingles à leurs extrémités et laissent des marques l'un sur l'autre, lorsqu'ils viennent en contact. Supposons que l'on les mette en mouvement l'un par rapport à l'autre, dans la direction perpendiculaire à leur longueur, comme le montre la figure 25.10. Montrer que, d'après le principe de relativité, leur longueur ne peut pas subir de modification.

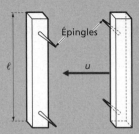

Figure 25.10 Deux bâtons identiques, dont la longueur dans leur système de référence galiléen est l, sont en mouvement relatif, perpendiculairement à leur longueur (Problème 25.28).

PROBLÈMES

25.25 Un astronaute dans une fusée se déplace à la vitesse u, vers une étoile qui, d'après lui, est située à une année-lumière de la Terre. Un observateur terrestre voit la fusée se déplacer à cette même vitesse u, mais constate que l'étoile est distante de 10 années-lumière.

a) Quelle sera la durée du trajet mesurée par l'astronaute ?

b) Quelle sera la durée de ce trajet mesurée par l'observateur terrestre ?

c) Discuter lequel a raison.

25.26 Si la vitesse de la lumière était $c = 100\ \mathrm{m\,s^{-1}}$, que vaut, d'après le coureur, le temps mis pour courir $100\,\mathrm{m}$? (Les chronométreurs officiels annoncent un temps de 10 secondes.)

25.27 Considérons deux îles à 10 km l'une de l'autre, sur une rivière coulant à la vitesse de $3\ \mathrm{km\,h^{-1}}$. Si on utilise un bateau qui se déplace à $5\ \mathrm{km\,h^{-1}}$ par rapport à l'eau,

a) quelle est la durée du trajet, en remontée, d'une île à l'autre ?

b) Quelle est la durée de la descente ?

c) Quelle est la durée du trajet aller-retour ?

d) Comparer cette durée avec celle du même trajet sur eau stagnante.

e) Discuter l'analogie entre les résultats de ce problème et l'obtention de l'équation (25.1).

25.29 Le flux de l'énergie solaire sur Terre est, en moyenne, de $1\ \mathrm{kW\,m^{-2}}$ environ (24 heures par jour). Quelle est la masse du Soleil qui atteint, sous forme d'énergie, chaque mètre carré de la Terre, chaque année ?
($1\ \mathrm{an} = 3,15 \times 10^7$ secondes.)

25.30 a) En utilisant les expressions relativistes de la quantité de mouvement et de l'énergie, montrer que la vitesse d'une particule satisfait à $v = pc^2/E$.

b) Montrer comment cette expression se transforme en l'expression non relativiste correcte quand v/c est petit.

25.31 On accélère un électron initialement au repos, au moyen d'une différence de potentiel de 60 000 V.

a) Quel est le rapport de l'énergie totale de l'électron en mouvement à son énergie au repos ?

b) Quelle est la vitesse finale de l'électron ?

c) Quelle serait la vitesse finale de cet électron d'après la mécanique non relativiste ?

25.32 Vérifier que $E = \sqrt{p^2c^2 + m^2c^4}$ résulte bien des définitions de E et p.

25.33 Du théorème binomial, on déduit que

$$(1 - x)^{-1/2} = 1 + \frac{1}{2}x + \frac{3}{8}x^2 + \cdots$$

Utiliser ce résultat pour montrer que l'expression relativiste de l'énergie cinétique se réduit bien à la formule non relativiste quand v/c est petit.

25.34 Un observateur terrestre note qu'une fusée P s'éloigne de la Terre à la vitesse de 2×10^8 m s^{-1}. P dépasse une seconde fusée Q, qui s'éloigne de la Terre à la vitesse de $1,5 \times 10^8$ m s^{-1}. Trouver la vitesse de

a) P mesurée par un observateur dans Q ;

b) Q mesurée par un observateur dans P.

25.35 Une fusée se déplace à la vitesse $u = 0,6\,c$. Elle passe devant deux observateurs, A et B, au repos. A et B trouvent qu'ils sont à 5 m l'un de l'autre. Ils tirent un coup de revolver au même instant touchant la fusée en A' et B' (figure 25.11).

a) Quelle est la distance entre A et B, mesurée par un observateur dans la fusée ?

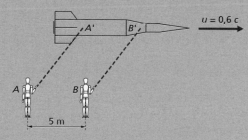

Figure 25.11 Problème 25.35

b) Si les observateurs au repos et dans la fusée s'accordent pour dire que B a tiré en $t = 0$, à quel moment un observateur dans la fusée trouve-t-il que A a tiré ?

c) Quelle distance un passager de la fusée mesure-t-il entre A' et B' ?

25.36 Deux observateurs O et O' sont en mouvement l'un par rapport à l'autre, le long de leurs axes x et à une vitesse u. Si O' observe un objet en mouvement le long de l'axe y' à la vitesse v', alors O observe que cet objet a une vitesse avec des composantes x et y données par

$$v_x = u, \quad v_y = v'\sqrt{1 - \frac{u^2}{c^2}}$$

Si $v' = c$, déterminer $v = \sqrt{v_x^2 + v_y^2}$.

25.37 Un observateur O' note qu'une fusée se déplace le long de la direction y à la vitesse de $0,9\,c$. O' se déplace, par rapport à l'observateur O, à la vitesse de $0,8\,c$ le long de la direction x. En utilisant les formules du problème précédent, trouver les composantes de la vitesse de la fusée observée par O et montrer que v est inférieur à c.

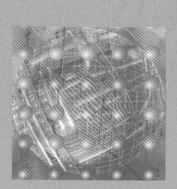

Propriétés corpusculaires de la lumière : le photon

CHAPITRE 26

Mots-clefs

Constante de Planck • Corps noir • Corpuscule • Dualité onde-corpuscule • Effet Compton • Effet photo-électrique • Loi de Planck • Photon • Rayonnement du corps noir • Seuil absolu de vision • Spectre de rayons X • Travail d'extraction

Introduction

À l'aube du XXe siècle, très peu de phénomènes physiques restaient inexpliqués. Toutefois, ces quelques phénomènes furent à la base d'une révolution scientifique extraordinaire qui allait déboucher sur le développement de la mécanique quantique. À cette époque, la théorie ondulatoire de la lumière et du rayonnement électromagnétique semblait particulièrement bien établie grâce aux travaux de Maxwell et d'autres physiciens. C'est seulement dans le cas particulier de certaines expériences portant sur l'interaction de la lumière avec la matière que la théorie paraissait incomplète. Ces expériences concernaient l'interaction de la lumière avec des atomes isolés, des molécules ou des électrons. Mais, comme ces expériences ne devinrent possibles et ne furent réalisées qu'à la fin du XIXe siècle, leur nombre était relativement limité.

Bien que ces expériences aient été peu nombreuses, leur interprétation conduisit à une hypothèse selon laquelle la lumière présente parfois des propriétés ondulatoires et parfois des propriétés corpusculaires. Les corpuscules de lumière furent appelés *photons*. Ces photons sont des petits grains de lumière ayant une énergie bien déterminée. Cette hypothèse, bien que révolutionnaire, fut rapidement acceptée, car elle fournissait une interprétation complète des nouvelles observations. Par la suite, au fur et à mesure des développements de la mécanique quantique dans les premières décennies du XXe siècle, le concept de photon s'inscrivit naturellement dans cette nouvelle théorie.

Rétrospectivement, on comprend facilement pourquoi le rayonnement électromagnétique et la lumière furent longtemps considérés comme des ondes. Les propriétés corpusculaires étaient en effet masquées par le nombre énorme de quanta habituellement présents. Cette situation est comparable à celle de l'électrostatique où le nombre de charges présentes est habituellement très grand. Dans ces conditions, le fait que les charges sont des grandeurs discrètes est sans importance. Dans ce chapitre, nous décrirons les propriétés corpusculaires de la lumière et nous montrerons comment ces notions permettent d'expliquer plusieurs expériences capitales.

26.1 L'EFFET PHOTO-ÉLECTRIQUE

La première expérience qui illustre clairement les propriétés corpusculaires de la lumière est aussi celle qui a conduit Einstein à développer le concept de photon. Nous allons décrire cette expérience.

L'appareil qui permet de mettre en évidence l'effet photo-électrique est représenté figure 26.1. Une lumière monochromatique incidente frappe une plaque métallique. Cette radiation possède une énergie suffisante pour que les électrons soient extraits du métal. Certains électrons émis atteignent le collecteur, et l'ampèremètre mesure le *courant photo-électrique* résultant. On peut faire varier l'intensité et la fréquence de la lumière incidente ainsi que la différence de potentiel V entre la plaque de métal et le collecteur.

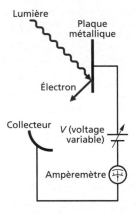

Figure 26.1 Schéma d'un appareil qui permet de mettre en évidence l'effet photo-électrique. La lumière incidente sur la plaque métallique provoque l'émission d'électrons. Ces électrons atteignent le collecteur et donnent naissance à un courant.

Les électrons de conduction du métal se déplacent dans le champ électrique attractif créé par les ions positifs du réseau cristallin. Puisque les électrons se déplacent presque librement dans le métal, l'énergie minimum requise pour les en extraire est relativement faible. Cette énergie minimale est le *travail d'extraction W*. Il dépend de la nature et des propriétés de surface du métal. Si un électron acquiert une énergie E supérieure à W, il peut quitter le métal et son énergie cinétique maximum vaut

$$\frac{1}{2}mv_{max}^2 = E - W$$

On peut résumer les résultats de l'expérience de l'effet photo-électrique comme suit :

1. Si $V = 0$, les photo-électrons sont émis dès que le métal est éclairé, pour autant que la fréquence f de la lumière soit supérieure à une fréquence seuil f_0. Si la fréquence est inférieure à f_0, aucun électron n'est émis, quelle que soit l'intensité lumineuse.

2. Pour chaque fréquence supérieure au seuil, le potentiel V peut être augmenté jusqu'à une valeur V_0 pour laquelle le courant s'annule. Si l'émetteur et le collecteur sont construits avec le même matériau, l'annulation du courant intervient lorsque la différence d'énergie potentielle eV_0 d'un électron de charge $-e$ est exactement égale à l'énergie cinétique *maximum* des électrons émis

$$eV_0 = \frac{1}{2}mv_{max}^2$$

La figure 26.2*a* représente un graphe du potentiel d'arrêt V_0 en fonction de la fréquence de la lumière incidente.

3. Lorsque la fréquence est supérieure au seuil, un accroissement d'intensité produit un accroissement du nombre de photo-électrons. Toutefois, l'énergie cinétique maximum des électrons n'est pas fonction de l'intensité lumineuse incidente.

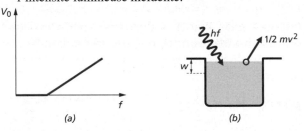

(a)   (b)

Figure 26.2 *(a)* Graphe du potentiel d'arrêt V_0 fonction de la fréquence de la lumière incidente. Si f est inférieure à f_0, aucun courant n'est observé, même si le potentiel d'arrêt est nul. Au-dessus de f_0, le potentiel d'arrêt augmente linéairement avec f. Ce graphe est valable pour toute intensité lumineuse non nulle. *(b)* Les électrons dans un métal ont des énergies qui varient dans un domaine schématisé par la surface colorée. L'énergie minimum requise pour extraire un électron du métal est le travail d'extraction W. Si un électron qui possède l'énergie la plus grande (sommet de la zone colorée) absorbe un photon d'énergie hf, il acquiert une énergie cinétique $(1/2)mv_{max}^2 = eV_0 = hf - W$. Les autres électrons acquièrent des énergies cinétiques plus faibles en absorbant des photons.

Ces observations contredisent les prévisions qui peuvent être faites sur la base des propriétés ondulatoires de la lumière. Si on considérait la lumière comme une onde classique, les électrons devraient absorber l'énergie de façon continue. Quelle que soit l'intensité, il suffirait d'attendre le temps nécessaire pour que les électrons acquièrent l'énergie suffisante pour leur permettre de quitter le métal. Dans ces conditions, on ne pourrait pas expliquer l'existence d'une fréquence seuil. Par contre, aux faibles intensités, on pourrait s'attendre à un délai dans l'émission des photo-électrons correspondant au temps nécessaire à l'accumulation d'énergie lumineuse par le matériau en cause. En outre, aux fortes intensités, les électrons recevraient plus d'énergie et le potentiel d'arrêt devrait augmenter. Aucun de ces effets n'est observé expérimentalement.

26.1.1 Explication d'Einstein

En 1905, Einstein a découvert que les expériences d'effet photo-électrique peuvent s'interpréter facilement si on admet que l'énergie associée à la lumière incidente est fournie de façon discrète plutôt que de façon continue. Il a suggéré, en outre, que la quantité d'énergie associée à chaque *quantum lumineux*, ou photon, dépend seulement de la fréquence de la lumière et non de son intensité. L'intensité d'un faisceau de lumière est déterminée par le nombre de photons présents. L'énergie de chaque photon dépend uniquement de la fréquence.

Les quanta de lumière se comportent comme des particules qui se déplacent à la vitesse de la lumière. Si la lumière possède une fréquence f et une longueur d'onde $\lambda = c/f$, chaque photon possède une énergie qui vaut

$$E = hf \quad \text{(énergie du photon)} \quad (26.1)$$

L'intensité d'une lumière monochromatique est proportionnelle au nombre de photons. Un faisceau de lumière blanche contient des photons d'énergies très différentes. La grandeur h est une constante de proportionnalité qui est déterminée expérimentalement. En fait h a été introduite pour la première fois en 1900 par Max Planck (1858-1947) dans une théorie moins complète se rapportant aux propriétés discrètes des radiations. C'est pour cette raison que h est appelée la constante de Planck. Sa valeur est égale à

$$h = 6,625 \times 10^{-34} \text{ J s} = 4,135 \times 10^{-15} \text{ eV s}$$

La faible valeur de cette constante est une première indication qui suggère que la physique classique ne s'applique pas lorsque l'on considère des énergies extrêmement faibles.

La théorie corpusculaire de la lumière offre une explication complète de l'effet photo-électrique. Un électron quittera le métal si, et seulement si, le métal absorbe un photon dont l'énergie est supérieure au travail d'extraction W (figure 26.2b). Le seuil représente la fréquence à laquelle l'énergie du photon hf_0 est égale au travail W, c'est-à-dire

$$f_0 = \frac{W}{h} \quad (26.2)$$

Si la fréquence du photon est supérieure à ce seuil, l'énergie excédentaire se retrouve sous forme d'énergie cinétique du photo-électron. Puisque W représente l'énergie minimum nécessaire à l'extraction de l'électron, l'énergie

cinétique maximum est donnée par

$$\frac{1}{2}mv_{\max}^2 = hf - hf_0 = hf - W \quad (26.3)$$

Si on accroît l'intensité lumineuse en maintenant f constante, on augmente le nombre d'électrons émis mais l'énergie cinétique maximum reste inchangée.

Puisque le potentiel d'arrêt V_0 est ajusté pour que $eV_0 = \frac{1}{2}mv_{\max}^2$, on en déduit que $eV_0 = hf - W$ ou encore

$$V_0 = \frac{h}{e}f - \frac{W}{e} \quad (26.4)$$

C'est un résultat important, puisqu'il prévoit que la pente de la droite représentant la variation de V_0 en fonction de f vaut h/e. La constante de Planck h et la charge de l'électron e étaient des grandeurs connues à l'époque de l'interprétation de l'effet photo-électrique. La pente de la figure 26.2 fut donc mesurée. On trouva qu'elle était en accord avec la prévision théorique. Cette convaincante démonstration représente une des premières étapes qui ont conduit à l'acceptation de la théorie corpusculaire du rayonnement électromagnétique.

L'exemple 26.1 illustre les idées qui viennent d'être développées.

 ——————— **Exemple 26.1** ———————

On éclaire une surface métallique pour laquelle le travail d'extraction vaut 2 eV.

a) Quelle doit être la fréquence minimum du rayonnement pour qu'il y ait une émission d'électrons ?

b) Si la fréquence de la lumière incidente vaut 6×10^{14} Hz, quelle sera l'énergie cinétique maximum des photo-électrons ?

Réponse a) À la fréquence seuil, l'énergie du photon est égale au travail d'extraction, de sorte que $hf = W$ ou encore

$$f = \frac{W}{h} = \frac{2 \text{ eV})}{(4,135 \times 10^{-15} \text{ eV s})} = 4,84 \times 10^{14} \text{ Hz}$$

b) L'énergie d'un photon de fréquence égale à 6×10^{14} Hz vaut

$$E = hf = \left(4,135 \times 10^{-15} \text{ eV s}\right)\left(6 \times 10^{14} \text{ Hz}\right)$$
$$= 2,48 \text{ eV}$$

de sorte que l'énergie cinétique maximum est égale à la différence

$$\frac{1}{2}mv_{\max}^2 = (2,48 \text{ eV}) - (2 \text{ eV}) = 0,48 \text{ eV}$$

26.2 LE PHOTON

Comme nous venons de le voir, un faisceau de lumière se compose de quanta. Dans le cas d'une lumière monochromatique de fréquence f, chaque quantum de lumière, ou photon, possède une énergie hf. Le nombre de photons présents détermine l'intensité. L'exemple suivant montre que, dans les conditions habituelles, le nombre de photons présents est tellement grand que l'aspect quantique ne se manifeste pas.

 —————— **Exemple 26.2** ——————

Un laser émet de la lumière verte monochromatique dont la fréquence vaut 6×10^{14} Hz. La puissance émise est de 2×10^{-3} W.

a) Que vaut l'énergie d'un photon du faisceau ?

b) Combien de photons sont émis par seconde ?

Réponse (a) Chaque photon possède une énergie qui vaut

$$E = hf = \left(6{,}63 \times 10^{-34} \text{ J s}\right)\left(6 \times 10^{14} \text{ s}^{-1}\right)$$
$$= 3{,}98 \times 10^{-19} \text{ J}$$

b) Soit N le nombre de photons émis par seconde. La puissance $\mathcal{P}$ du laser doit être égale au produit de N par l'énergie d'un photon, $\mathcal{P} = N E$. En conséquence,

$$N = \frac{\mathcal{P}}{E} = \frac{2 \times 10^{-3} \text{ W}}{3{,}98 \times 10^{-19} \text{ J}}$$
$$= 5{,}03 \times 10^{15} \text{ photons par seconde}$$

26.2.1 Rayonnement du corps noir

Comme nous l'avons signalé, Max Planck fut le premier à suggérer que la lumière possède des énergies discrètes proportionnelles à la fréquence. Planck cherchait à expliquer la relation établie expérimentalement entre la puissance rayonnée par un objet chauffé et la longueur d'onde (ou la fréquence) du rayonnement correspondant.

Au chapitre 12, nous avons montré que la puissance rayonnée par un objet chaud dépend de la longueur d'onde du rayonnement. La manière précise dont varie cette puissance en fonction de la longueur d'onde et de la température dépend habituellement des propriétés de l'objet. Cependant, le rayonnement émis à travers une petite ouverture pratiquée dans un objet creux ne dépend pas du matériau constituant les parois de cette cavité ni de la forme de cette cavité, pas plus d'ailleurs que de la forme de l'ouverture. Le rayonnement émis par la cavité obéit à une loi universelle de la nature et la cavité se comporte comme un corps noir parfait : c'est-à-dire un absorbeur

et un émetteur parfait caractérisé par une émissivité égale à 1 (figure 26.3).

De nombreux efforts furent accomplis pour expliquer la courbe de rayonnement d'un corps noir (figure 26.3). Toutes les tentatives qui se basaient sur la théorie classique de l'électromagnétisme échouèrent. La tentative la plus célèbre fut celle de Rayleigh-Jeans. Cette interprétation expliquait bien les résultats expérimentaux aux grandes longueurs d'onde. Par contre, aux courtes longueurs d'onde, la puissance émise devenait infinie. Cet échec porte dans l'histoire de la physique le nom de catastrophe ultraviolette (courtes longueurs d'onde).

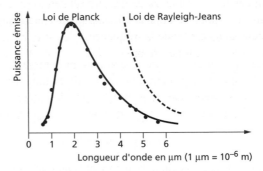

Figure 26.3 Rayonnement d'un corps noir à 1 600 K. La courbe prévue par la loi de Planck passe par les points expérimentaux. La loi de Rayleigh-Jeans prédit des puissances émises extrêmement élevées aux courtes longueurs d'onde.

Planck a montré qu'en ajoutant deux hypothèses nouvelles à la théorie classique, on obtenait un excellent accord avec les résultats expérimentaux. Ces hypothèses rejoignent la notion de photon utilisée par Einstein pour expliquer l'effet photo-électrique.

Planck a supposé que, dans la cavité, le rayonnement est émis ou absorbé par des oscillateurs atomiques situés dans les parois. Ces oscillateurs possèdent deux caractéristiques essentielles :

1. Les oscillateurs ne peuvent posséder que des énergies données par la relation

$$E = nhf, \quad n = 0, 1, 2, 3, 4, \cdots \quad (26.5)$$

où f est la fréquence de l'oscillateur. La constante de proportionnalité h s'appelle la *constante de Planck*.

2. Les oscillateurs peuvent émettre de l'énergie par valeurs discrètes ou quantifiées. Ces valeurs correspondent à une variation unitaire de n. En conséquence

$$E_{n+1} - E_n = (n + 1)hf - nhf = hf$$

On comprend qu'un oscillateur émette un photon lorsqu'il perd de l'énergie.

Planck a pu établir une formule de la puissance rayonnée à partir de ces deux hypothèses. Cette formule rend parfaitement compte des résultats expérimentaux (figure 26.3) et a permis la première détermination de h.

26.2.2 L'effet Compton

Des expériences ultérieures ont montré de façon convaincante que l'aspect corpusculaire de la lumière était correct. Une d'entre elles fut réalisée en 1923 par A.H. Compton (1892-1962). Cette expérience implique l'observation de rayons X diffusés par des électrons libres. Compton a observé que les rayons X diffusés possédaient une fréquence plus petite que les rayons incidents. Il a montré que cet effet correspondait à une collision photon-électron et que celle-ci était semblable à une collision élastique intervenant entre deux billes de billard (figure 26.4). Lorsqu'un photon d'énergie hf entre en collision avec un électron au repos, l'électron subit un effet de recul et son énergie est égale à E_e. Le photon diffusé possède une énergie hf' où f' est inférieur à f en vertu de la loi de la conservation de l'énergie qui s'écrit :

$$hf' = hf - E_e$$

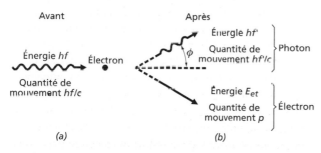

Figure 26.4 *(a)* Un photon incident entre en collision avec un électron au repos. Il subit une diffusion d'un angle ϕ. *(b)* L'énergie et la quantité de mouvement perdues par le photon sont acquises par l'électron.

L'analogie avec les boules de billard implique que la quantité de mouvement totale des photons et de l'électron soit conservée. En utilisant la théorie classique de l'électromagnétisme, Maxwell a montré que l'énergie E associée à une onde lumineuse est liée à sa quantité de mouvement par la relation $E = pc$ où c est la vitesse de la lumière. (Ce résultat correspond à celui obtenu en relativité dans le cas d'une particule de masse nulle.) En conséquence, la quantité de mouvement d'un photon est donnée par

$$p = \frac{E}{c} = \frac{hf}{c} \qquad (26.6)$$

Lorsque l'on applique la conservation de l'énergie et de la quantité de mouvement à la collision de la figure

26.4, on en déduit une dépendance de la variation de fréquence $f - f'$ en fonction de l'angle θ. Cette relation est en excellent accord avec les résultats expérimentaux. Ainsi donc, l'effet Compton constitue une nouvelle preuve de la nature corpusculaire de la lumière.

26.2.3 Spectre de rayons X

Les rayons X fournissent une autre vérification importante de la théorie du photon. Nous avons vu au chapitre 23 que, lorsqu'un faisceau d'électrons accéléré dans le vide entre en collision avec une cible, il y a émission de rayons X. Ces rayons ont des fréquences variables qui vont jusqu'à une fréquence maximum f_{max} (figure 26.5).

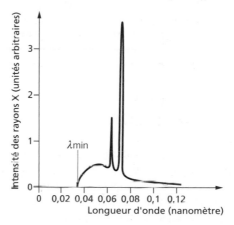

Figure 26.5 Les rayons X sont produits au cours du bombardement d'une cible par des électrons. Ce sont des photons dont la fréquence maximum vaut $f_{max} = eV/h$ et la longueur d'onde minimum $\lambda_{min} = c/f_{max}$. Les pics apparaissent à différentes longueurs d'onde suivant la nature de la cible. Ils sont associés à des réarrangements d'électrons déplacés de leurs orbites atomiques normales.

On a montré que f_{max} dépend seulement de la différence de potentiel V qui produit l'accélération des électrons et est indépendant du nombre d'électrons présents dans le faisceau. Ces observations sont difficiles à interpréter classiquement. Par contre, la théorie du photon fournit une interprétation immédiate. Si les électrons au repos sont accélérés par une différence de potentiel V, leur énergie cinétique vaut eV. Les électrons perdent une partie ou la totalité de leur énergie cinétique lorsqu'ils interagissent avec un atome de la cible. La fréquence du photon sera maximum lorsque la totalité de l'énergie cinétique de l'électron sera convertie en énergie d'un seul photon, soit quand

$$hf_{max} = eV \qquad (26.7)$$

Cette équation est en excellent accord avec les observations expérimentales.

Exemple 26.3

Quelles seront a) la fréquence maximum et b) la longueur d'onde minimum associées à des rayons X produits par des électrons accélérés par une différence de potentiel de 40 000 V ?

Réponse a) À partir de l'équation (26.7), on détermine la fréquence du photon

$$f_{max} = \frac{eV}{h} = \frac{\left(1,60 \times 10^{-19}\ \text{C}\right)\left(4 \times 10^4\ \text{V}\right)}{6,63 \times 10^{-34}\ \text{J s}}$$

$$= 9,65 \times 10^{18}\ \text{Hz}$$

b) La longueur d'onde minimum correspondante vaut

$$\lambda_{min} = \frac{c}{f_{max}} = \frac{3 \times 10^8\ \text{m s}^{-1}}{9,65 \times 10^{18}\ \text{Hz}}$$

$$= 3,11 \times 10^{-11}\ \text{m} = 0,0311\ \text{nm}$$

26.3 DUALITÉ ONDE-CORPUSCULE

Après avoir discuté plusieurs expériences dans lesquelles la théorie corpusculaire ou quantique de la lumière intervient, nous voudrons rappeler que de nombreux phénomènes s'interprètent sur la base de la théorie ondulatoire. Or ces deux points de vue semblent tout à fait contradictoires.

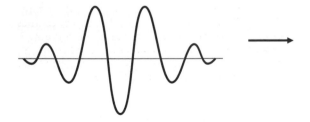

Figure 26.6 On représente le photon comme un paquet d'onde qui se déplace à la vitesse de la lumière. Il s'agit d'un paquet d'onde électromagnétique qui a une énergie hf.

Il est possible de les réconcilier si on représente le photon comme *un petit paquet d'énergie auquel est associée une onde* (figure 26.6). Cette illustration constitue une représentation de la formulation mathématique de la mécanique quantique. Elle montre l'onde qui se déplace à la vitesse de la lumière. L'énergie totale associée à l'onde vaut hf. Si la fréquence f augmente, l'énergie du paquet d'onde augmente également. L'énergie associée à une onde dépend donc de la fréquence. Ce paquet d'énergie constitue donc une perturbation ondulatoire localisée dans une petite région de l'espace. Un grand nombre de photons à la même fréquence se comportent comme une

onde continue lorsqu'ils traversent une fente, se réfléchissent sur un objet, etc.

La dualité onde-corpuscule constitue aujourd'hui une base de la théorie de la lumière et de la matière. Sa formulation mathématique fait apparaître à la fois un aspect corpusculaire et un aspect ondulatoire et permet d'interpréter n'importe quelle situation expérimentale. Par ailleurs, la description qualitative des propriétés de la lumière n'est pas tellement ambiguë. Comme règle empirique, on peut admettre que la lumière présente des propriétés ondulatoires lorsqu'aucune absorption ou émission de lumière n'intervient. Chaque fois qu'il y a absorption de lumière, l'aspect corpusculaire se manifeste.

26.4 PHOTONS ET VISION

L'énergie lumineuse est captée par les photorécepteurs de la rétine. Ces photorécepteurs sont des cellules en forme de cônes ou de bâtonnets. Cette absorption d'énergie a lieu par valeurs discrètes, en nombre entier de photons. En conséquence, il faut un nombre minimum de photons pour déclencher un processus visuel. Ce nombre minimum représente *le seuil absolu de vision*.

Il convient de faire une distinction entre le nombre de photons incidents sur la cornée et le nombre de photons qui produisent l'excitation des photorécepteurs. Environ 90 % des photons incidents sur l'œil sont absorbés ou diffusés par le cristallin et par les humeurs aqueuse et vitrée. En outre, moins de 40 % des photons qui atteignent la rétine sont effectivement absorbés par les photorécepteurs. En conséquence, le nombre de photons incidents sur l'œil est largement supérieur au nombre de photons servant à l'excitation des photorécepteurs et à la perception visuelle. La discussion qui suit ne prend en considération que les photons réellement absorbés par les photorécepteurs.

On pourrait penser qu'un photon seul est suffisant pour la vision. Cependant, des arguments théoriques et expérimentaux semblent exclure cette possibilité. D'un point de vue théorique, nous savons que les molécules dans l'œil possèdent une énergie thermique moyenne qui est relativement faible. Cependant, il y a une probabilité non nulle qu'à l'occasion, un atome ou une molécule possède une énergie suffisante pour émettre un photon susceptible de provoquer l'excitation d'un photorécepteur. En multipliant cette probabilité par le nombre élevé de molécules et de photorécepteurs présents, on arrive à démontrer qu'environ un photon pourrait être détecté par seconde. Ces photons n'ont évidemment rien à voir avec la vision d'une scène extérieure. Leur perception représenterait en fait une source constante de désagrément et de confusion. Ce *bruit de fond* peut être éliminé par une contrainte imposant la coïncidence des détections, c'est-à-dire la nécessité que plusieurs photons soient absorbés quasi simultanément pour produire une stimulation visuelle.

Expérimentalement, cette absorption de photons en coïncidence semble devoir être détectée dans une région qui se situe au niveau des synapses, c'est-à-dire à l'endroit où les neurones sont interconnectés. Cette région correspond à environ 100 bâtonnets dans le cas d'un œil adapté à l'obscurité. Si, dans cette région, une coïncidence ne se produit pas au cours du «temps de mémorisation» de l'œil qui dure environ 0,2 seconde, le photon absorbé ne produit pas d'excitation visuelle. En conséquence, la mémoire visuelle relative à l'absorption d'un photon dure environ 0,2 seconde.

En pratique, on effectue les expériences en utilisant des éclairs qui illuminent environ 100 bâtonnets. Ces éclairs durent approximativement 0,2 seconde. On demande aux sujets de signaler chaque fois qu'ils perçoivent un éclair. On établit un graphe du pourcentage de réponses positives en fonction de l'énergie moyenne d'un éclair $\overline{E}$ (figure 26.7). Le nombre moyen de photons absorbés par les bâtonnets ($\overline{n}$) est proportionnel à $\overline{E}$:

$$\overline{n} = A\overline{E} \qquad (26.8)$$

A représente une constante qui est déterminée expérimentalement.

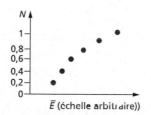

Figure 26.7 Les points expérimentaux indiquent les proportions de réponses positives pour des éclairs lumineux d'énergie moyenne variable $\overline{E}$.

Une source de lumière émet des photons distribués de façon aléatoire dans le temps. En conséquence, chaque éclair d'un groupe dont l'énergie moyenne vaut $\overline{E}$ ne donne pas lieu à une absorption de n photons exactement. Pour chaque éclair d'un groupe donné, auquel correspond une absorption moyenne de n photons, il y a une probabilité $P(k, \overline{n})$ qu'au moins k photons soient effectivement absorbés.

Ceci est tout à fait comparable à la situation suivante. Lorsqu'il pleut sur un trottoir, le nombre moyen de gouttes par pavé $\overline{n}$ est égal au nombre total de gouttes qui tombent sur le trottoir divisé par le nombre de pavés. Cependant certains pavés reçoivent un nombre de gouttes supérieur à cette moyenne ; d'autres en reçoivent moins. Si on divise

le nombre de pavés ayant reçu k gouttes ou plus par le nombre total de pavés, on obtient $P(k, \overline{n})$.

L'expérience du seuil de vision permet de mesurer effectivement $P(k, \overline{n})$, où k représente le nombre minimum de photons requis pour la vision. En clair, il devrait y avoir une correspondance entre le graphe de la figure 26.7 et celui qui représente la valeur théorique de $P(k, \overline{n})$ en fonction de $\overline{n}$ (figure 26.8).

La difficulté réside dans le fait que ni k ni la constante A de l'équation (26.8) ne sont connus. En représentant le nombre de réponses positives en fonction de $\overline{n}$ et en considérant A comme un paramètre ajustable, on peut comparer la valeur N de la figure 26.7 à la probabilité $P(k, \overline{n})$. Des résultats représentatifs sont donnés dans la figure 26.9. On trouve un accord acceptable pour des valeurs de k comprises entre 2 et 6. On en déduit qu'il faut au moins deux photons pour produire une excitation visuelle, mais cette excitation requiert en tout cas moins de sept photons.

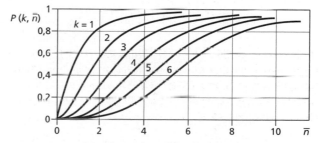

Figure 26.8 Graphe des valeurs de $P(k, \overline{n})$ en fonction de $\overline{n}$ pour $k = 1, 2, \cdots, 6$. Une de ces courbes devrait correspondre aux résultats de la figure 26.7. (*Adapté de R.K. Clayton*. Light and Living Matter, Volume II : The Biological Part. *McGraw-Hill, New York, 1971. Avec l'autorisation de l'éditeur.*)

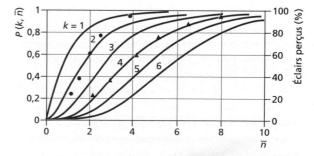

Figure 26.9 Les courbes donnent la probabilité d'absorption d'au moins k photons en fonction du nombre moyen de photons $\overline{n}$. Les symboles ● et ▲ correspondent à deux essais d'ajustement d'une série de données, aux courbes correspondant à $k = 2$ et $k = 4$. L'ajustement se réalise en faisant varier la valeur de A dans l'équation (26.8). (*Adapté de Clayton.*)

Réviser

RAPPELS DE COURS

À la fin du XIXe siècle, la nature ondulatoire de la lumière semblait être un fait bien établi. Cependant, plusieurs expériences, dont le rayonnement du corps noir et l'effet photo-électrique, n'étaient pas interprétables dans le cadre de cette théorie. La première tentative d'explication fut proposée par Max Planck qui émit l'hypothèse que les vibrations des atomes peuvent conduire à l'émission de quantités discrètes d'énergie lumineuse. Par la suite, Einstein a étendu cette idée en affirmant que la lumière elle-même se compose de quanta appelés photons.

Ces photons transportent une quantité définie d'énergie qui s'exprime par le produit de la constante de Planck et de la fréquence de la lumière :

$$E = hf$$

Les études réalisées par Compton sur les collisions photons-électrons ont apporté une preuve supplémentaire de la nature corpusculaire de la lumière. Ces études ont également confirmé que les photons possèdent une énergie et une quantité de mouvement bien précises. La production des rayons X s'explique également à partir de la notion de photon.

Pour autant que l'on sache, les théories actuelles décrivent de manière correcte la dualité onde-corpuscule en électromagnétisme. Lorsque l'on interprète des résultats expérimentaux relatifs à l'interaction entre la lumière et la matière, en dehors d'un cadre mathématique précis, c'est la nature de l'expérience qui indique s'il faut avoir recours à la description ondulatoire ou corpusculaire pour interpréter les résultats. L'œil constitue un excellent exemple d'application de ce principe. Les problèmes de transmission et de focalisation de la lumière sont correctement analysés sur la base de la théorie ondulatoire. Par contre l'interprétation de l'absorption de la lumière par les cônes et les bâtonnets requiert la notion de photon.

PHRASES À COMPLÉTER

Voir réponses en fin d'ouvrage.

1. Vrai ou faux ? Si la lumière avait seulement des propriétés ondulatoires, des électrons seraient émis du métal quelle que soit la fréquence.

2. L'énergie maximum d'un électron émis dans l'effet photo-électrique est déterminée par la _____ du photon absorbé.

3. L'intensité d'un faisceau lumineux est déterminée par le _____ de photons présents dans le faisceau.

4. La fréquence de la lumière associée à des photons d'énergie E vaut _____.

5. Lorsqu'un corps noir émet du rayonnement, les oscillateurs présents dans la matière ont une énergie qui diminue suite à l'émission de _____.

6. On peut analyser la collision entre un électron et un photon en considérant qu'il y a conservation de l'_____ totale et de la _____ totale.

7. Lorsque des photons sont produits par collisions d'électrons avec des atomes, un photon de fréquence _____ est émis lorsque toute l'énergie cinétique d'un électron est convertie en énergie associée à un seul photon.

EXERCICES CORRIGÉS

E1. Le travail d'extraction du sodium est de 2,3 eV. On éclaire une cathode de sodium avec une radiation de 6 800 Å, y a-t-il effet photoélectrique ? Quel est le seuil photoélectrique ? On éclaire la cathode avec une radiation de longueur d'onde de 3 500 Å. Calculer l'énergie cinétique maximum des électrons.

Solution

Pour produire un effet photoélectrique, l'énergie de la radiation doit être égale ou supérieure au travail d'extraction des électrons du sodium, soit

$$2,3 \text{ eV} = 2,3 \left(1,602 \times 10^{-19}\right) \text{ J}$$
$$= 3,68 \times 10^{-19} \text{ J}$$

Une radiation de longueur d'onde 6 800 Å possède une énergie de

$$hf = h\frac{v}{\lambda} = \frac{6,62 \times 10^{-34} \times 3 \times 10^8}{6\,800 \times 10^{-10}}$$
$$= 2,92 \times 10^{-19} \text{ J}$$

Il n'y a donc pas d'effet photoélectrique avec la radiation de 6 800 Å car celle-ci a une énergie inférieure au seuil photoélectrique de $3,68 \times 10^{-19}$ J.

La radiation de 3 500 Å possède une énergie de

$$hf = h\frac{v}{\lambda} = \frac{6,62 \times 10^{-34}}{3\,500 \times 10^{-10}} \times 3 \times 10^8$$

$$= 5,67 \times 10^{-19} \text{ J}$$

On a, dans ce cas, un effet photoélectrique et l'énergie cinétique maximum des électrons sera égale à la différence entre l'énergie de la radiation et le travail d'extraction des électrons.

$$\frac{1}{2}mv^2 = 5,67 \times 10^{-19} - 3,68 \times 10^{-19}$$

$$= 1,99 \times 10^{-19} \text{ J}$$

E2. Un faisceau de rayon X de 1 Å de longueur d'onde tombe sur une feuille de carbone. Le photon diffusé rebondit directement vers l'arrière et l'électron libéré vers l'avant. Calculer la longueur d'onde du photon diffusé ainsi que l'énergie cinétique de l'électron. Le calcul se fera sur la base des formules non relativistes.

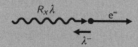

Figure 26.10

Solution

La conservation de la quantité de mouvement dans la collision photon électron nous donne

$$\frac{h}{\lambda} = p_e - \frac{h}{\lambda'} \qquad (1)$$

où p_e est la quantité de mouvement de l'électron. Le signe négatif pour la quantité de mouvement du photon diffusé provient de son déplacement en sens inverse du photon incident.

La conservation de l'énergie nous donne

$$hf = \frac{1}{2}m_e v_e^2 + hf'$$

$$\frac{hc}{\lambda} = \frac{p_e^2}{2m_e} + \frac{hc}{\lambda'} \qquad (2)$$

L'équation (1) multipliée par c additionnée à l'équation (2) conduit à

$$\frac{2hc}{\lambda} = \frac{p_e^2}{2m_e} + p_e c$$

On obtient la quantité de mouvement de l'électron en résolvant l'équation quadratique

$$\frac{p_e^2}{2m_e} + p_e c - \frac{2hc}{\lambda} = 0$$

Les solutions sont données par

$$p_e = m_e \left[-c \pm \sqrt{c^2 + \frac{4hc}{m_e\lambda}} \right]$$

$$= 9,11 \times 10^{-31} \left[-3 \times 10^8 \right.$$

$$\left. \pm \sqrt{9 \times 10^{16} + \frac{4 \times 6,63 \times 10^{-34} \times \left(3 \times 10^8\right)}{9,1 \times 10^{-31} \times \left(10^{-10}\right)}} \right]$$

L'électron est propulsé selon le sens positif choisi, ce qui conduit à prendre pour solution

$$p_e = 1,27 \times 10^{-23} \text{ kg m/s}$$

L'énergie cinétique est donnée par

$$\frac{1}{2}m_e v_e^2 = \frac{p_e^2}{2m_e} = \frac{\left(1,27 \times 10^{-23}\right)^2}{2 \times \left(9,11 \times 10^{-31}\right)}$$

$$= 885 \times 10^{-19} \text{ J}$$

soit

$$\frac{885 \times 10^{-19}}{1,602 \times 10^{-19}} = 552 \text{ eV}$$

La longueur d'onde du photon diffusé λ' peut s'obtenir au départ de l'équation (1)

$$\frac{h}{\lambda'} = p_e - \frac{h}{\lambda}$$

$$\lambda' = \frac{\lambda h}{p_e \lambda - h}$$

$$= \frac{10^{-10} 6,63 \times 10^{-34}}{1,27 \times 10^{-23} \times \left(10^{-10}\right) - 6,63 \times 10^{-34}}$$

$$= 1,09 \times 10^{-10} \text{ m} = 1,09 \text{ Å}$$

La longueur d'onde de la radiation X diffusée est plus grande que celle du rayonnement incident, ce qui confirme bien la perte d'énergie du photon.

S'entraîner

QCM

Voir réponses en fin d'ouvrage.

Q1. Pour extraire un électron d'un métal par effet photoélectrique, cela nécessite

a) une grande intensité lumineuse

b) une haute température

c) une énergie égale ou supérieure au travail d'extraction

d) une énergie suffisante pour vaincre le potentiel d'arrêt.

Q2. Le travail d'extraction dans l'effet photoélectrique

a) dépend de la température

b) dépend du potentiel d'arrêt

c) ne dépend pas du métal irradié

d) dépend de la fréquence du rayonnement.

Q3. Comment varie le courant photoélectrique lorsque l'intensité du rayonnement incident est doublé ?

a) il est multiplié par 4

b) il est multiplié par 2

c) il est inchangé

d) il est divisé par 2.

Q4. On observe que l'énergie cinétique maximum des électrons émis par effet photoélectrique est de 2,5 eV. Le potentiel d'arrêt est de

a) 1,25 eV

b) 2,5 eV

c) 5 eV

d) 6,25 eV.

Q5. Le graphe du potentiel d'arrêt en fonction de la fréquence de la lumière incidente est

a) une droite passant par l'origine

b) une courbe du second degré

c) une droite dont le coefficient angulaire ne dépend pas du métal irradié

d) une droite dont le coefficient angulaire dépend de la fréquence du rayonnement.

Q6. La puissance du rayonnement émis par le corps noir dépend

a) du métal utilisé

b) des dimensions de la cavité rayonnante

d) de la température

d) de l'ouverture de la cavité.

Q7. La puissance émise par le rayonnement d'un corps noir passe par un maximum qui

a) est indépendant de la température

b) se déplace vers les grandes longueurs d'onde lorsque la température augmente

c) se déplace vers les courtes longueurs d'onde lorsque la température augmente

d) est parfaitement expliqué par la théorie électromagnétique uniquement pour les courtes longueurs d'onde.

Q8. La diffusion des photons d'un rayonnement X par effet Compton nous renseigne sur

a) le caractère corpusculaire du photon

b) la théorie de l'électromagnétisme

c) le rayonnement du corps noir

d) l'émission des rayons X.

Q9. La dualité onde-corpuscule est applicable

a) uniquement au photon

b) à toutes les particules en mouvement

c) uniquement à l'électron

d) aux neutrons si ils sont au repos.

Q10. On peut produire des rayons X par collision d'un faisceau d'électrons accélérés sur une cible. On observe qu'il existe une longueur d'onde minimum parmi les rayons X produits.

a) Le λmin dépend des caractéristiques de la cible

b) le λmin dépend uniquement de l'accélération des électrons par la différence de potentiel

c) le λmin dépend du réarrangement des électrons sur les orbites atomiques du métal cible

d) le λmin dépend du caractère ondulatoire des électrons.

EXERCICES

Voir réponses en fin d'ouvrage pour les exercices et problèmes dont le numéro est inscrit en noir.

L'effet photo-électrique

26.1 Un faisceau de lumière dont la fréquence est égale à 7×10^{14} Hz éclaire une surface métallique. Les électrons qui sont émis ont une vitesse maximum de 6×10^5 m s^{-1}. Quelle est la fréquence seuil pour l'effet photo-électrique dans le cas de cet échantillon ?

26.2 Le travail d'extraction pour le sodium métallique vaut 2,3 eV. Quelle longueur d'onde maximum une lumière incidente peut-elle avoir pour produire un effet photo-électrique ?

26.3 Pour un métal donné, le travail d'extraction vaut $6,4 \times 10^{-19}$ J. Quelle fréquence lumineuse produira un effet photo-électrique ?

26.4 L'énergie maximum des photo-électrons émis par un métal dont le travail d'extraction vaut 3 eV est égale à 20 eV. Que vaut

a) l'énergie maximum

b) la fréquence maximum des photons incidents ?

26.5 Un électroscope comprend deux feuilles métalliques qui normalement pendent côte à côte à la verticale. On connecte ces feuilles à une plaque de métal (figure 26.11). Si cette plaque est éclairée par de la lumière d'une fréquence suffisamment élevée, les feuilles de l'électroscope se repoussent. Expliquer ce phénomène.

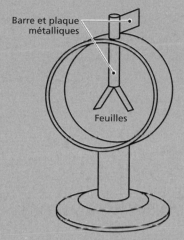

Barre et plaque métalliques

Feuilles

Figure 26.11 Lorsque la lumière atteint la plaque, les feuilles de l'électroscope s'écartent.

Le photon

26.6 Une antenne de radio rayonne une puissance de 10^4 W à la fréquence de 9, 2×10^5 Hz. Combien de photons sont émis par seconde ?

26.7 Une lampe à vapeur de sodium émet 10 W de lumière dans toutes les directions à une longueur d'onde de 590 nm. À quelle distance de la lampe le flux de photons par mètre carré et par seconde sera-t-il égal à 10^{15} ?

26.8 Lorsque le Soleil est au zénith, la puissance incidente, par unité de surface, au niveau du sol est de 10^3 W m^{-2}. Supposons une longueur d'onde moyenne de 550 nm ; combien de photons atteignent, par seconde, un mètre carré de surface terrestre ?

26.9 Quelles sont, en eV, les énergies des photons de lumière violette ($\lambda = 400$ nm) et rouge ($\lambda = 700$ nm) ?

26.10 Dans une expérience d'effet Compton, les fréquences initiale et finale des photons valent respectivement 2.4×10^{20} Hz et $1,6 \times 10^{20}$ Hz. Que vaut, en eV, l'énergie de recul de l'électron ?

26.11 Pour désintégrer un deutéron (noyau d'hydrogène lourd) en un proton et un neutron, un rayon γ doit avoir une énergie minimum de 2,2 MeV.

(Les rayons γ sont des photons de haute énergie ;
1 MeV$=10^6$ eV$=1,60 \times 10^{-13}$ J.)

Trouver la fréquence minimum d'un rayon γ pouvant produire la désintégration du deutéron.

26.12 Que vaut l'énergie d'un photon de lumière monochromatique dont la longueur d'onde est égale à 500 nm ? Que vaut sa quantité de mouvement ?

26.13 Pour un appareil déterminé, la fréquence maximum des photons X produits est égale à $9,5 \times 10^{18}$ Hz. Que vaut la différence de potentiel qui assure l'accélération des électrons ?

26.14 Dans un appareil à rayons X, des électrons sont accélérés du repos par une différence de potentiel de 50 000 V.

a) Quelle est la fréquence maximum des photons X qui sont produits ?

b) Quelle est la longueur d'onde associée à ces photons ?

26.15 Une masse de 1 kg est suspendue à un ressort qui a une constante $k = 16$ N m^{-1}. L'amplitude des vibrations est de 0,01 m.

a) Si l'énergie est quantifiée, comme l'a suggéré Planck, que vaut le nombre quantique associé à l'énergie du ressort ?

b) Si ce nombre quantique varie d'une unité, que vaut le rapport entre la variation d'énergie et l'énergie totale du ressort ?

Photons et vision

26.16 La distance entre les axes de deux bâtonnets adjacents est de 5×10^{-6} m. Estimer la surface occupée par 100 bâtonnets.

26.17 Pour déclencher une excitation visuelle, il faut au minimum que 100 photons atteignent la pupille qui a une surface de $2,5 \times 10^{-9}$ m^2. Ces photons doivent atteindre la pupille en moins de 0,2 seconde, ce qui représente la persistance de l'œil.

a) Quelle doit être l'intensité lumineuse minimum si $\lambda = 500$ nm ?

b) Si la source est située à 2 m de l'œil et si elle rayonne uniformément dans toutes les directions, quelle doit être la puissance de la source ?

26.18 Une bougie a une puissance de 1 W. La longueur d'onde moyenne de la lumière émise est de 550 nm.

a) Combien de photons sont émis par seconde ?

b) À quelle distance de l'œil la bougie sera-t-elle encore visible si le seuil de sensibilité de l'œil correspond à une intensité de 10^{-7} W m^{-2} ?

c) À combien de photons par mètre carré et par seconde cette intensité correspond-elle ?

26.19 À quelle distance d'une source lumineuse ayant une puissance de 5 W et une longueur d'onde de 590 nm peut-on se placer pour que cette source soit encore visible à l'œil nu ? (Le seuil de sensibilité correspond à une intensité de 10^{-7} W m^{-2}.)

PROBLÈMES

26.20 Dans une molécule diatomique, les vibrations des atomes sont assimilables à celles d'un oscillateur de Planck. Si on suppose que deux atomes sont reliés par une force élastique dont la constante vaut k, l'énergie de vibration de la molécule vaut $E = nhf$ avec $f = \sqrt{k/\mu}$, μ représentant la *masse réduite*. Pour deux atomes de masses m_1 et m_2, la masse réduite vaut

$$\mu = \frac{m_1 m_2}{m_1 + m_2}$$

Dans le cas de l'hydrogène moléculaire,
$$m_1 = m_2 = 1,67 \times 10^{-27} \text{ kg}$$
et l'écart entre deux niveaux d'énergie est de
$$0,55 \text{ eV} = 8,74 \times 10^{-20} \text{ J}$$

a) Que vaut la masse réduite de la molécule ?

b) Que vaut la constante d'élasticité k de la molécule ?

26.21 La fréquence minimum des photons émis lors d'une transition vibrationnelle de la molécule HCl vaut $8,97 \times 10^{13}$ Hz. Les masses des deux atomes valent $1,67 \times 10^{-27}$ kg pour l'hydrogène et $5,85 \times 10^{-26}$ kg pour le chlore.

a) Que vaut la masse réduite de la molécule ?

b) Que vaut la constante d'élasticité de la molécule ? (voir problème 26.20).

26.22 Les masses de l'oxygène et de l'hydrogène du groupe OH valent respectivement $2,67 \times 10^{-26}$ kg et $1,67 \times 10^{-27}$ kg. La constante d'élasticité effective est égale à 50,5 N m^{-1}.

a) Que vaut la masse réduite du groupement OH ?

b) Quelle est la fréquence de vibration caractéristique du groupement OH ? (voir le problème 26.20).

26.23 Pour le tungstène, le travail d'extraction vaut 4,49 eV.

a) Déterminer la longueur d'onde seuil pour la photo-émission.

b) Si de la lumière ultraviolette de 250 nm de longueur d'onde éclaire une surface de tungstène, que vaut l'énergie cinétique maximum des électrons émis ?

c) Que vaut le potentiel d'arrêt ?

26.24 De la lumière dont l'intensité vaut 10^{-2} W m^{-2} tombe sur une surface métallique. L'énergie nécessaire pour l'émission d'un photo-électron vaut 3 eV ($1 \text{ eV} = 1,60 \times 10^{-19}$ J). Si un seul électron absorbe la lumière atteignant une surface circulaire de 10^{-9} m de rayon (environ 10 fois le rayon d'un atome), combien de temps faudra-t-il pour que cet électron absorbe une énergie suffisante pour être éjecté du métal, en admettant que la lumière ait les propriétés d'une onde classique ?

26.25 Dans une expérience d'effet Compton, les photons X incidents ont une énergie de 10^5 eV $= 1,6 \times 10^{-14}$ J.

a) Quelle est la fréquence des photons incidents ?

b) Un électron acquiert une énergie cinétique de 4 000 eV lorsqu'un photon diffuse sous un certain angle. Que sera la fréquence du photon diffusé ?

26.26 Dans une expérience d'effet Compton, les photons incidents ont une énergie de 20 000 eV.

a) Quelle est la quantité de mouvement de l'un de ces photons ?

b) Quelle est la longueur d'onde associée à un photon ?

26.27 Les réactions nucléaires peuvent produire des rayons γ qui sont des photons très énergétiques. Au cours de la désintégration d'un méson π^0 au repos, deux photons γ sont émis et l'énergie totale qui leur est associée est de 135 MeV. Quelle est la longueur d'onde de ces rayons γ ? ($1 \text{ MeV} = 10^6 \text{ eV} = 1,6 \times 10^{-13}$ J).

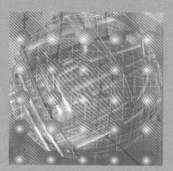

Propriétés ondulatoires de la matière

CHAPITRE 27

Mots-clefs

Atome de Bohr • Diffraction d'électrons • Diffraction de neutrons • Dualité onde-corpuscule • État excité • État fondamental • Longueur d'onde de de Broglie • Modèle de Rutherford • Niveaux d'énergie • Nombre quantique • Principe d'incertitude • Quantification du moment cinétique • Rayon de Bohr • Spectre de raies

Introduction

La théorie corpusculaire du rayonnement n'avait pas résolu toutes les difficultés rencontrées par les physiciens au début du XXᵉ siècle. De nombreuses expériences avaient permis d'établir que la matière absorbe ou émet du rayonnement uniquement à des fréquences discrètes. On savait depuis longtemps, par exemple, que l'hydrogène gazeux, placé dans une décharge électrique, émet de la lumière à certaines longueurs d'onde bien spécifiques qui sont facilement mises en évidence à l'aide d'un réseau de diffraction. Tout gaz pur se caractérise d'ailleurs par des fréquences propres d'absorption et d'émission. Il faut noter que tous les modèles classiques de l'atome prévoyaient, au contraire, un spectre continu de fréquences.

En 1911, on avait établi expérimentalement que les atomes contiennent un noyau de taille extrêmement réduite et porteur d'une charge positive. Le noyau représente la quasi-totalité de la masse de l'atome. Les électrons chargés négativement occupent une région extérieure au noyau. Ceci suggère immédiatement un modèle « planétaire » de l'atome dans lequel les électrons sont en orbite autour du noyau. Les forces électriques sont responsables de la stabilité de l'atome. Les électrons sont nécessairement en mouvement, sinon ils seraient immédiatement attirés vers le noyau, tout comme la Terre tomberait sur le Soleil si elle cessait de tourner. Cependant, d'après la physique classique, des charges en accélération émettent un rayonnement électromagnétique, ce qui conduit à une perte d'énergie. Or, les électrons en orbite circulaire autour du noyau ont une accélération centripète. Par conséquent, ils devraient rayonner de l'énergie et tomber sur le noyau en un temps très court. L'interprétation de la structure expérimentale de l'atome par la physique classique conduit donc à un résultat inacceptable puisque, dans cette hypothèse, tous les atomes devraient être instables.

En examinant comment ces difficultés ont été résolues, nous polariserons notre attention sur le travail de deux physiciens exceptionnels. En 1912, Niels Bohr a proposé un modèle d'atome à un électron qui permettait de rendre compte de nombreuses observations. Sous une forme plus élaborée, beaucoup d'idées qui interviennent dans le modèle de Bohr sont à la base des théories actuelles. C'est en 1924 que Louis de Broglie a émis l'hypothèse qui associe des propriétés ondulatoires aux électrons et à toutes les « particules ». Cette hypothèse a été confirmée de façon spectaculaire lorsque l'on a montré que les électrons diffractés par un cristal donnent naissance à un diffractogramme semblable à celui obtenu par la diffraction des rayons X.

Aux environs de 1930, la plupart des questions fondamentales impliquant les propriétés ondulatoires de la lumière et de la matière avaient été résolues. Bien que la succession des événements qui ont permis de résoudre ces problèmes soit extrêmement intéressante à considérer, nous ne présenterons pas les résultats dans l'ordre chronologique. Nous préférerons au contraire adopter un point de vue rétrospectif qui établira la façon dont les idées et les expériences sont devenues compatibles et la manière dont s'est établie une assise solide de notre conception moderne de la nature. Dans ce chapitre, nous nous intéresserons de manière spécifique aux propriétés ondulatoires de la matière. Cette théorie, associée à la théorie corpusculaire de la lumière, fournit une interprétation cohérente de la nature.

27.1 LES ÉCHECS DE LA PHYSIQUE CLASSIQUE

Dans les années 1880, des expériences avaient montré que lorsque des électrodes de polarités différentes sont placées dans une enceinte remplie de gaz, un courant électrique peut être produit dans ce gaz. En 1887, J. J. Thomson (1856-1940) avait montré que ce courant était associé à des particules chargées négativement. Ces particules sont aujourd'hui appelées les électrons. Elles peuvent être déviées par un champ magnétique et le rapport de la charge à la masse, e/m, peut ainsi être mesuré.

Quels que soient le gaz ou l'électrode utilisés, on observe le même type de particule. Thomson en a conclu que les électrons sont des constituants fondamentaux de la matière.

En 1906, Thomson a proposé un modèle d'atome où les électrons seraient distribués dans une matrice chargée positivement. Comme normalement les atomes sont électriquement neutres, la charge positive doit être exactement égale à la charge négative. Ce modèle a pu être testé expérimentalement en bombardant des cibles avec des particules chargées et en observant les déviations des particules.

À cette époque, la radioactivité était un sujet fort à la mode. Un des leaders dans ce domaine était Ernest Rutherford (1871-1937). Une de ses premières découvertes fut la mise en évidence de l'émission spontanée de *particules alpha* (α) par certains éléments lourds radioactifs. Ces particules possèdent une charge positive qui vaut, en grandeur, le double de la charge de l'électron. Leur masse est environ 7 000 fois supérieure à celle de l'électron.

À partir de 1907, Rutherford a entrepris une étude très fouillée de la diffusion des particules α par différentes cibles. Les particules α diffusées étaient détectées en observant la lumière qu'elles émettent lorsqu'elles rencontrent un écran de sulfure de zinc (figure 27.1).

D'après le modèle de Thomson, les trajectoires des particules ne devraient pas être fortement modifiées par la charge positive distribuée de façon diffuse. Les électrons ne devraient aussi provoquer que de faibles déviations. Ainsi donc, la majorité des particules devraient traverser presque en ligne droite une cible constituée d'une très fine feuille d'or (figure 27.2a).

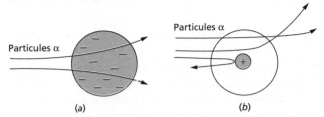

Figure 27.2 *(a)* Dans le modèle atomique de Thomson, toutes les particules α devraient traverser la cible en ne subissant que de faibles déviations dues à la charge positive, distribuée de façon diffuse (montrée en couleur), et aux électrons, dont la masse est faible. *(b)* Rutherford a interprété la diffusion relativement fréquente à grand angle comme étant due à la force répulsive produite par un noyau de petite dimension et chargé positivement. Les électrons, qui occupent le reste de l'atome, ne diffusent pas de manière appréciable les particules α, leur masse étant trop faible.

L'expérience a montré que la plupart des particules α étaient effectivement peu déviées. Toutefois, une partie non négligeable d'entre elles subissait des déviations importantes. Parfois, une particule α rebondissait sur la feuille et était renvoyée directement vers la source. Rutherford rendit compte de ces observations inattendues de la manière suivante : « C'est aussi incroyable que d'envoyer un obus sur une feuille de papier et de constater que l'obus rebondit et revient vers vous. »

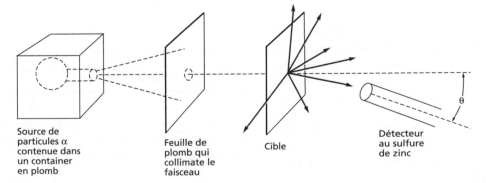

Figure 27.1 Dans les expériences de Rutherford. des particules α sont émises par une source radioactive. Une feuille de plomb absorbe la plus grande partie des particules à l'exception de celles qui passent par un petit trou pratiqué dans la feuille et qui forment le faisceau collimaté. Après avoir frappé la cible, les particules α sont diffusées dans toutes les directions. Les particules déviées suivant différents angles sont détectées à l'aide d'un détecteur au sulfure de zinc.

La seule explication compatible avec les observations de Rutherford consiste à penser que le noyau atomique est de petite taille (environ 10^{-14} m de rayon) et porte une charge positive alors que les électrons occupent le reste de l'atome. (On connaissait l'ordre de grandeur du rayon atomique qui est de 10^{-10} m, soit 10 000 fois plus grand que le rayon nucléaire.) Les particules α sont soumises à une force répulsive qui est due à la charge positive du noyau. Au cours d'une collision frontale, une particule α peut être arrêtée par le noyau et rebondir en direction de la source (figure 27.2b).

Le modèle atomique de Rutherford constitua un progrès important. Il présentait toutefois de sérieuses difficultés. Il devenait clair que les électrons devaient se mouvoir dans le champ électrique du noyau, sur l'une ou l'autre sorte d'orbites. L'énergie d'un électron est la somme de l'énergie cinétique liée au mouvement sur l'orbite et de l'énergie potentielle due à la présence du noyau chargé positivement. Si cette énergie totale décroissait au cours du temps, l'électron se rapprocherait du noyau. La difficulté résidait dans le fait que l'on savait que des charges électriques, en accélération, rayonnent de l'énergie sous la forme d'ondes électromagnétiques. Comme un électron sur une orbite circulaire est soumis à une accélération centripète, il aurait dû émettre de l'énergie. Son énergie totale aurait donc dû diminuer et l'électron aurait fini par être absorbé par le noyau. Toutes les théories classiques conduisaient donc à un modèle instable de la structure atomique. C'est en développant la mécanique quantique que Bohr et les physiciens qui vinrent après lui purent résoudre ces difficultés.

27.1.1 Les spectres de raies

À la même époque, un autre ensemble de données expérimentales avait établi que les atomes émettent et absorbent de la lumière à des fréquences bien spécifiques. À titre d'exemple, nous décrirons le cas de l'hydrogène.

Si on examine, à l'aide d'un réseau de diffraction, la lumière émise par de l'hydrogène en combustion ou celle produite par une décharge électrique dans une enceinte contenant ce même gaz, on s'aperçoit qu'elle comprend seulement certaines fréquences ou longueurs d'onde caractéristiques (figure 27.3). Johann Balmer (1825-1898) a découvert en 1884 que les longueurs d'onde des raies du spectre de l'hydrogène dans les domaines visible et ultraviolet obéissent presque exactement à une relation extrêmement simple,

$$\frac{1}{\lambda} = R_H \left(\frac{1}{2^2} - \frac{1}{n^2} \right), \quad n = 3, 4, 5, \cdots \quad (27.1)$$

où $R_H = 1,097 \times 10^7 \text{ m}^{-1}$ est la *constante de Rydberg*.

L'exemple 27.1 évalue la longueur d'onde visible la plus grande du spectre de l'hydrogène.

 ——————— **Exemple 27.1** ———————

Quelle est la longueur d'onde maximum donnée par la relation de Balmer?

Réponse Cette longueur d'onde se calcule à partir de la relation de Balmer en posant $n = 3$.

$$\frac{1}{\lambda} = R_H \left(\frac{1}{2^2} - \frac{1}{3^2} \right) = \frac{5}{36} R_H$$

En conséquence

$$\lambda = \frac{36}{5 R_H} = \frac{36}{5 \left(1,097 \times 10^7 \text{ m}^{-1} \right)}$$

$$= 6,56 \times 10^{-7} \text{ m} = 656 \text{ nm}$$

donne la longueur d'onde maximum du spectre visible de l'hydrogène (figure 27.3).

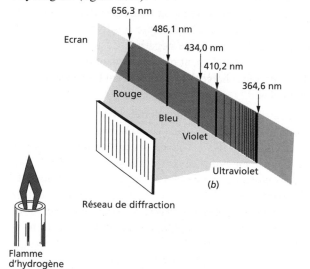

Figure 27.3 *(a)* Lorsque la lumière provenant d'une flamme contenant de l'hydrogène passe à travers un réseau de diffraction et est projetée sur un écran, on observe des raies discrètes dues à l'émission de lumière monochromatique à différentes longueurs d'onde. *(b)* Spectre des raies de l'hydrogène dans la région visible et dans le proche ultraviolet.

D'autres raies n'appartenant pas au domaine visible ont été identifiées. Les longueurs d'onde de *l'ensemble* des raies sont données par la relation générale

$$\frac{1}{\lambda} = R_H \left(\frac{1}{n_f^2} \right) - \left(\frac{1}{n_i^2} \right) \quad (27.2)$$

$$n_i = n_f + 1, n_f + 2, \cdots$$

Les raies du domaine visible correspondent à $n_f = 2$, celles de l'ultraviolet à $n_f = 1$ et celles de l'infrarouge à $n_f \geqslant 3$.

En vertu du principe de conservation de l'énergie, lorsqu'un photon d'énergie hf est émis, l'énergie interne de l'atome doit décroître. Comme les photons observés ont des fréquences spécifiques, les variations d'énergie des atomes doivent s'effectuer par valeurs discrètes. Ce résultat contredit l'image classique des électrons décrivant autour du noyau des orbites de rayons et d'énergies arbitraires.

Du point de vue de la physique classique, il paraît impossible qu'un atome décrit par le modèle de Rutherford puisse changer son énergie par valeurs discrètes. Dans la suite de ce chapitre, nous décrirons les idées nouvelles qui ont permis d'expliquer les observations que nous venons de discuter.

27.2 L'HYPOTHÈSE ONDULATOIRE DE DE BROGLIE

En 1924, Louis de Broglie a émis l'hypothèse que la matière, comme la lumière, pouvait présenter des propriétés ondulatoires. Cette hypothèse associe une dualité onde-corpuscule à la lumière et à la matière, les plaçant ainsi sur le même pied. De Broglie a aussi proposé une relation entre la longueur d'onde associée à une particule et sa quantité de mouvement. Cette relation fut rapidement vérifiée expérimentalement.

De Broglie a constaté que les photons sont des particules de masse nulle dont l'énergie et la quantité de mouvement obéissent à la relation $E = hf = pc$ où h est la constante de Planck et c la vitesse de la lumière (chapitre 26). En employant la relation $f\lambda = c$, on peut exprimer la relation entre la quantité de mouvement d'un photon et sa longueur d'onde, sous la forme $hc/\lambda = pc$, ou encore

$$\lambda = \frac{h}{p} \tag{27.3}$$

S'inspirant de ce résultat comme guide dans l'extension du concept de dualité aux particules, de Broglie a émis l'hypothèse qu'à une particule dont la quantité de mouvement est p, doit être associée une onde dont la longueur λ est donnée par la relation (27.3).

Cette hypothèse fut confirmée de manière éclatante en 1926, au cours d'une expérience réalisée par C. Davisson (1881-1958) et L. H. Germer (1896-1971). Ils dirigèrent un faisceau d'électrons sur un cristal et observèrent, pour une orientation définie de ce cristal, des électrons diffractés dans différentes directions (figure 27.4). Dans cette expérience, l'image obtenue par la diffraction des électrons sur un cristal d'aluminium est pratiquement identique à celle que l'on obtient en employant des rayons X (figure 27.5). Ce résultat suggère de manière convaincante que les électrons possèdent une longueur d'onde caractéristique. La relation de Bragg, vue au chapitre 23 dans le cas de la diffraction des rayons X, s'applique également aux électrons :

$$m\lambda = 2d \sin\theta, \quad m = 1, 2, 3, \cdots$$

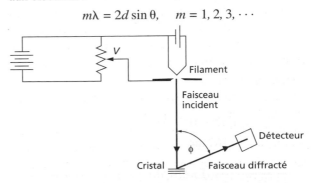

Figure 27.4 Schéma de l'appareil de Davisson et Germer. Les électrons émis par un filament chauffé sont accélérés par une différence de potentiel V. Ils frappent un cristal et sont diffractés. Les électrons diffractés sont détectés dans une direction formant un angle ϕ avec le faisceau incident.

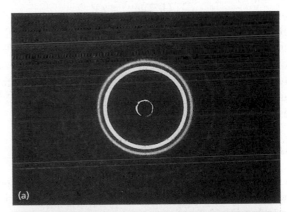

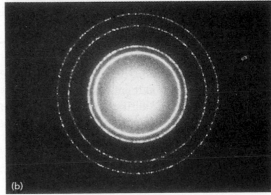

Figure 27.5 Figures de diffraction dans le cas de l'aluminium. Le diffractogramme en *(a)* a été obtenu avec des rayons X, celui en *(b)* avec des électrons (*Educational Development Center, Inc., Newton, Mass.*)

L'exemple qui suit illustre la manière dont la relation de de Broglie permet de caractériser l'onde associée à un électron.

 ———————— **Exemple 27.2** ————————

Quelle est la longueur d'onde associée aux électrons diffractés de la figure 27.6 ?

Réponse   On déduit de cette figure que

$$\theta = 90° - (1/2)(52°) = 64°$$

On a $\sin 64° = 0,899$. Comme $d = 0,09$ nm, la condition de Bragg donne, pour $m = 1$,

$$\lambda = 2d \sin \theta = 2\left(9 \times 10^{-11} \text{ m}\right)(0,899)$$
$$= 1,62 \times 10^{-10} \text{ m}$$
$$= 0,162 \text{ nm}$$

 ———————— **Exemple 27.3** ————————

Que valent la quantité de mouvement et la longueur d'onde des électrons diffractés de la figure 27.6 ?

Réponse   La quantité de mouvement des électrons accélérés par une différence de potentiel de 56 V peut être évaluée en remarquant que l'énergie cinétique est donnée par $(1/2)mv^2 = eV$

où m est la masse et e la charge de l'électron. Comme $p = mv$, $(1/2)mv^2 = p^2/2m = eV$. En conséquence, on a

$$p = \sqrt{2emV}$$
$$= \sqrt{2\left(1,6 \times 10^{-19} \text{ C}\right)\left(9,1 \times 10^{-31} \text{ kg}\right)(56 \text{ V})}$$
$$= 4,04 \times 10^{-24} \text{ kg m s}^{-1}$$

À partir de l'hypothèse de de Broglie, on obtient

$$\lambda = \frac{h}{p} = \frac{6,63 \times 10^{-34} \text{ J s}}{4,04 \times 10^{-24} \text{ kg m s}^{-1}}$$
$$= 1,64 \times 10^{-10} \text{ m} = 0,164 \text{ nm}$$

Cette valeur est en accord avec le résultat expérimental (exemple 27.2).

Ce résultat et ceux d'autres expériences démontrent que l'hypothèse de de Broglie représente une idée de base de la physique moderne. La diffraction des électrons et des neutrons sont des outils importants pour les scientifiques d'aujourd'hui.

27.2.1   Diffraction des neutrons

Les propriétés ondulatoires de la matière fournissent un moyen d'étude de la structure microscopique de la matière. Cette étude peut se faire à une échelle beaucoup plus fine que celle accessible par microscopie optique.

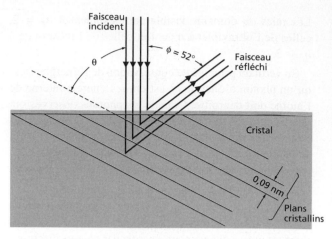

Figure 27.6 Lorsque la différence de potentiel des électrons vaut 56 V, les électrons diifractés par les plans cristallins distants de 0,09 nm interfèrent positivement pour un angle $\phi = 52°$.

On utilise à cet effet les neutrons et les électrons.

Il n'existe pas de lentilles à neutrons. En conséquence, il n'est pas possible de construire un microscope à neutrons. Cependant un cristal constitue pour les neutrons un excellent réseau de diffraction à trois dimensions, comme c'est le cas d'ailleurs pour les électrons et les rayons X. Dans de nombreuses applications, la diffraction des neutrons a permis d'obtenir des informations relatives à la structure moléculaire qui n'avaient pu être obtenues par d'autres méthodes.

Les réactions qui ont lieu dans les réacteurs nucléaires constituent une source importante de neutrons. Les énergies des neutrons se distribuent dans une plage très importante. Si les neutrons entrent en collision avec plusieurs atomes, avant ou après leur sortie du réacteur, leur énergie cinétique moyenne devient comparable à l'énergie thermique moyenne des atomes. Si la température vaut T, cette énergie vaut $(3/2)k_BT$. Il est donc possible, en contrôlant la température des matériaux, de contrôler l'énergie moyenne et la longueur d'onde de de Broglie de ces *neutrons thermiques*.

La longueur d'onde des neutrons thermiques est du même ordre de grandeur que les dimensions atomiques. Ceci est illustré dans l'exemple suivant.

 ———————— **Exemple 27.4** ————————

Quelle est, à 300 K, la longueur d'onde d'un neutron dont l'énergie cinétique vaut $(3/2)k_BT$?

Réponse   L'énergie cinétique du neutron vaut

$$\frac{1}{2}mv^2 = \frac{3}{2}k_BT$$

Comme la quantité de mouvement $p = mv$, on tire $p^2 = (mv)^2 = 3k_BTm$, ou encore

$$p = \sqrt{3mk_BT}$$

Comme $m = 1{,}67 \times 10^{-27}$ kg et $T = 300$ K,

$$\lambda = \frac{h}{p} = \frac{h}{\sqrt{3mk_BT}}$$

$$= \frac{6{,}63 \times 10^{-34} \text{ J s}}{\sqrt{3\left(1{,}67 \times 10^{-27} \text{ kg}\right)\left(1{,}38 \times 10^{-23} \text{ J K}^{-1}\right)(300 \text{ K})}}$$

$$= 1{,}46 \times 10^{-10} \text{ m} = 0{,}146 \text{ nm}$$

Cette longueur est du même ordre de grandeur que les distances atomiques et moléculaires.

27.2.2 Le microscope électronique

Le microscope électronique constitue un progrès étonnant par rapport au microscope optique. La plus courte longueur d'onde utilisable en microscopie optique est d'environ 200 nm. C'est l'ordre de grandeur de la résolution qui peut être atteinte. Par contre, des électrons accélérés par 50 kV ont une longueur d'onde de de Broglie de 0,0055 nm. Cette valeur correspond à la résolution qu'on peut obtenir au moyen d'un microscope électronique, du

moins en théorie. En pratique, il est nécessaire de focaliser les électrons à l'aide de lentilles électriques et magnétiques et la limite de résolution se situe aux environs de 0,2 nm. Cette valeur est néanmoins 1 000 fois inférieure à celle obtenue par microscopie optique et on peut donc ainsi observer des organites cellulaires de petites dimensions et des molécules.

Il existe deux types de microscopes électroniques. Le *microscope électronique à transmission* requiert l'emploi d'échantillons dont l'épaisseur est inférieure à 100 nm. Si l'échantillon est trop épais, l'énergie perdue par les électrons qui ne sont pas dans l'axe est beaucoup plus importante que pour les électrons axiaux. Les longueurs d'onde varient de manière significative d'un endroit du faisceau à l'autre et ces électrons ne peuvent être focalisés simultanément. La résolution de ces microscopes est excellente mais la préparation des échantillons limite quelque peu leur emploi. La profondeur de champ est relativement faible. En conséquence, une structure tridimensionnelle ne peut pas être parfaitement mise au point. Ces inconvénients sont surmontés dans le *microscope électronique à balayage*, mais la résolution dans ce cas est moins bonne puisqu'elle se situe aux environs de 10 nm. Des échantillons vivants peuvent être observés avec ce type de microscope et les images montrent clairement la structure tridimensionnelle (figure 27.7).

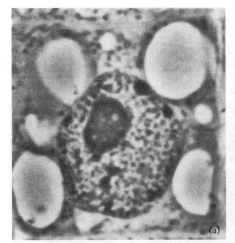 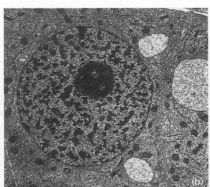 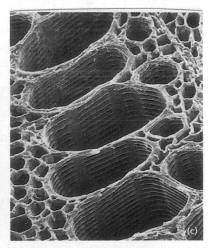

Figure 27.7 *(a)* Photo d'une cellule végétale en microscopie optique. *(b)* Photo du même type de cellule au microscope électronique à transmission. *(c)* Photo en microscopie électronique à balayage d'une coupe de la queue d'une fougère. Les grandes cellules creuses constituent les vaisseaux du xylème. Ces vaisseaux servent au transport de l'eau. La structure tridimensionnelle est nettement visible. *((a)* et *(b)* avec l'aimable autorisation de William A. Jensen, de Cell Ultrastructure par W.A. Jensen et R.B. Park. Wadsworth, 1967 ; *(c)* avec l'aimable autorisation de John R. Troughton, de Plants par J.R. Troughton et F.B. Sampson, John Wiley & Sons, 1973.)

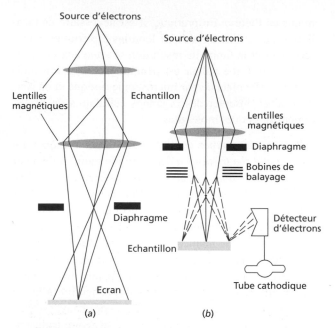

Figure 27.8 Microscopes électroniques à transmission *(a)* et à balayage *(b)*.

Le microscope à transmission ressemble schématiquement à un microscope optique. Les électrons sont produits par une cathode chaude. Ils traversent l'échantillon et forment une image réelle (figure 27.8*a*). Dans le microscope à balayage, les électrons sont focalisés sur une petite surface de l'échantillon. Le point de focalisation balaye la totalité de la surface de l'échantillon. L'image est formée à partir des électrons secondaires émis par l'échantillon sous l'impact du faisceau d'électrons incident. Ces électrons secondaires sont recueillis et le courant sert à moduler le faisceau d'un tube cathodique. Le balayage de ce faisceau cathodique est synchronisé avec celui du faisceau principal bombardant l'échantillon. Comme le nombre des électrons secondaires varie avec la composition et l'orientation de la surface de l'échantillon, la luminosité de la trace sur l'écran du tube cathodique est modulée en conséquence (Figures 27.8*b*, 27.9)

27.3 L'ATOME DE BOHR

Dans les derniers paragraphes de ce chapitre, nous allons décrire comment on a pu résoudre les problèmes posés par les spectres atomiques évoqués plus haut. La dualité onde-corpuscule est à la base de cette discussion.

En 1913, bien avant que de Broglie n'ait émis l'hypothèse de l'aspect ondulatoire de la matière, Niels Bohr (1885-1962) a proposé un modèle atomique à un électron. Le but immédiat de ce modèle était de fournir une interprétation des spectres d'émission de l'hydrogène. De ce point de vue, le modèle fut un succès. Toutefois on sait maintenant qu'il s'agissait d'un modèle incomplet et trop simple. Néanmoins, le modèle fournit une image très simple de la réalité qui est souvent bien utile pour comprendre les phénomènes atomiques complexes.

Bohr est parti du modèle de Rutherford. Les électrons se déplacent sous l'influence du champ électrique créé par le noyau qui est de petite taille mais possède une masse importante. Bohr a supposé que certaines orbites particulières étaient stables. Les électrons qui sont sur ces orbites ne rayonnent pas d'énergie, bien qu'ils soient accélérés. On peut caractériser ces orbites en attribuant à l'électron une longueur d'onde $\lambda = h/p$. Bohr a toutefois élaboré son modèle de façon différente.

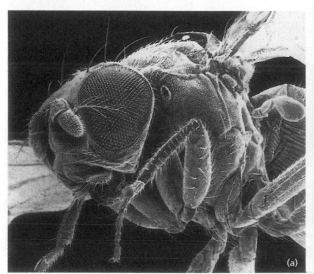
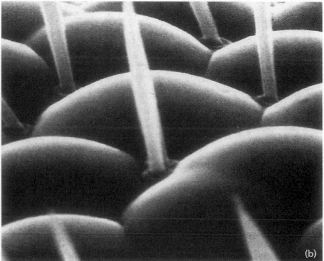

Figure 27.9 Vues au microscope électronique à balayage *(a)* d'une mouche, *(b)* d'une partie de l'œil d'une mouche. *((a) Photo de Thomas Eisner, Cornell University ; (b) Photo de H. Hartman et T.L. Hayes,* Journal of Heredity, *vol. 62, p. 41, 1971. Copyright 1971 by the American Genetic Association.)*

Considérons un atome qui se compose d'un noyau de dimension faible et de masse élevée et contenant Z protons, et d'un électron qui se trouve sur une orbite circulaire de rayon r centrée sur le noyau. Puisque la masse du noyau est beaucoup plus grande que celle de l'électron, on suppose que le noyau est au repos. La force électrique qui s'exerce entre le noyau positif (de charge Ze) et l'électron (de charge $-e$) maintient l'électron sur son orbite (figure 27.10). Comme nous allons le montrer, l'énergie de l'électron dépend du rayon de l'orbite. La physique classique prédit que tous les rayons sont possibles.

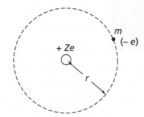

Figure 27.10 Un électron de masse m et de charge $-e$ se trouve sur une orbite circulaire autour d'un noyau de charge Ze. Le noyau a une masse importante. On peut donc supposer qu'il est au repos.

Pour déterminer les orbites atomiques possibles, Bohr a postulé que le moment cinétique orbital de l'électron $L = rmv$ est quantifié. Dans ces conditions, L peut seulement prendre des valeurs discrètes qui sont données par la relation

$$L = rmv = n\frac{h}{2\pi} = n\hbar, \quad n = 1, 2, 3, \cdots \quad (27.4)$$

La grandeur $h/2\pi$ apparaît fréquemment ; on la représente par

$$\hbar = \frac{h}{2\pi} = 1{,}055 \times 10^{-34} \text{ J s}$$

et on l'appelle « h barre ».

Ce postulat de quantification ne fait pas référence aux propriétés ondulatoires de l'électron. Cependant, si l'électron a une longueur d'onde $\lambda = h/p$ comme l'a suggéré, plus tard, de Broglie, la circonférence de l'orbite doit valoir un nombre entier de fois la longueur d'onde de l'électron. Dans le cas contraire, l'onde électronique interférerait avec elle-même et se détruirait (figure 27.11). Il est à remarquer que cette idée est semblable à celle développée précédemment pour déterminer les ondes stationnaires dans le cas d'une corde vibrante. Les ondes stationnaires correspondent en effet à des ondes qui ont pour longueur d'onde des multiples ou des sous-multiples de la longueur de la corde.

Avec cette hypothèse, on impose donc que la longueur de l'orbite $2\pi r$ soit un multiple entier de la longueur d'onde $\lambda = h/p = h/mv$. En conséquence

$$2\pi r = n\lambda = n\frac{h}{mv}$$

ou

$$rmv = n\frac{h}{2\pi} = nh, \quad n = 1, 2, 3, \cdots \quad (27.5)$$

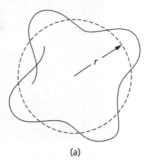 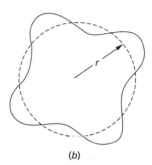

(a) (b)

Figure 27.11 *(a)* La longueur d'onde associée à l'électron n'est pas contenue un nombre entier de fois dans le périmètre de l'orbite. *(b)* Le périmètre de l'orbite est un multiple entier de la longueur d'onde de l'électron. La circonférence vaut $2\pi r$.

Cette relation est exactement la condition de quantification proposée par Bohr ! Notre hypothèse est donc équivalente au postulat de Bohr.

À partir du postulat de Bohr et des lois de Newton, nous allons à présent établir les équations qui déterminent les orbites et les énergies des électrons sur celles-ci. Si l'électron se trouve sur une orbite circulaire de rayon r, l'accélération centripète vaut $a = v^2/r$. À partir de la deuxième loi de Newton $\mathbf{F} = m\mathbf{a}$, où $\mathbf{F}$ représente ici la force électrique qui a comme module $Ze^2/4\pi\varepsilon_0 r^2$, on obtient

$$\frac{Ze^2}{4\pi\varepsilon_0 r^2} = \frac{mv^2}{r} \quad (27.6)$$

À partir de cette relation, on peut écrire l'énergie cinétique sous la forme

$$K = \frac{1}{2}mv^2 = \frac{1}{4\pi\varepsilon_0}k\frac{Ze^2}{2r} \quad (27.7)$$

L'équation (27.5) donne comme expression de la vitesse $u = n\hbar/mr$. Si on substitue la valeur de v dans l'équation (27.7), on peut exprimer la valeur du rayon r en fonction du nombre quantique n. On obtient

$$r_n = \frac{4\pi\varepsilon_0 n^2\hbar^2}{Zme^2} = \frac{n^2}{Z}a_0, \quad n = 1, 2, 3, \cdots \quad (27.8)$$

La grandeur $a_0 = 4\pi\varepsilon_0\hbar^2/me^2 = 5{,}29 \times 10^{-11}$ m est appelée le *rayon de Bohr*. Il existe une infinité de valeurs permises r_n, associées aux différentes valeurs de n. Les électrons peuvent se trouver uniquement sur ces orbites. Ceci contraste singulièrement avec l'image classique où toutes les valeurs de r sont possibles.

NIELS HENRIK DAVID BOHR
(1885-1962)

Les années qui s'étendent entre 1910 et 1930 constituent les années les plus intéressantes du développement de la physique. Une génération unique de physiciens participe à la conception et au développement d'une révolution qui est connue aujourd'hui sous le nom de mécanique quantique. Ce développement s'effectue principalement dans trois universités : au laboratoire de Rutherford à Manchester (Angleterre), à l'université de Göttingen en Allemagne et à l'institut de physique théorique de l'université de Copenhague. Niels Bohr est le personnage central à Copenhague. Outre ses qualités de physicien, Bohr parvient à créer une atmosphère qui rend possibles des progrès incroyables dans la compréhension de la physique. Des physiciens venus du monde entier peuvent en tirer profit. L'atmosphère de cette période nous est révélée par cette anecdote contée par George Gamow * :

« Le soir, le travail à la bibliothèque de l'institut était fréquemment interrompu par Bohr. Il annonçait qu'il était très fatigué et qu'il souhaitait aller au cinéma. Les seuls films qu'il aimait voir étaient les westerns hollywoodiens. Il souhaitait toujours que quelques étudiants l'accompagnent pour lui expliquer les phases critiques... Mais son esprit de théoricien se manifestait même dans ces expéditions cinématographiques. Il a développé une théorie permettant d'expliquer pourquoi, bien que le mauvais garçon dégaine toujours le premier, le héros, plus rapide, parvient toujours à le tuer. Cette théorie de Bohr se base sur la psychologie. Puisque le héros ne dégaine jamais le premier, le mauvais doit donc décider du moment où il doit dégainer, ce qui entrave son action. Le héros, au contraire, réagit par réflexe conditionné. Il saisit automatiquement le revolver dès qu'il voit bouger la main du bandit. Nous n'étions pas d'accord avec cette théorie de Bohr. Le lendemain, je suis allé dans un magasin de jouets acheter deux revolvers avec gaines, style western. Nous nous mîmes à jouer aux cow-boys avec Bohr. Il jouait le rôle du héros et il parvint à « tuer » tous ses étudiants. »

Bohr est le fils d'un professeur de physiologie. Il reçoit le titre de docteur en physique à Copenhague en 1911. Il passe alors trois années en Angleterre dont deux à Manchester avec Rutherford. C'est au cours de cette période que Bohr traverse les étapes importantes qui le conduisent à formuler le modèle de l'atome d'hydrogène actuellement connu sous le nom de modèle de Bohr.

Le modèle de Bohr combine des éléments de la physique classique avec des idées et des postulats qui, à cette époque, ne sont pas directement vérifiables et même pas tout à fait crédibles. Ainsi Max Planck, dont le travail constitue un point de départ pour Bohr, est fort sceptique vis-à-vis des idées émises par celui-ci. Au cours des deux décennies qui suivront, les physiciens auront pour tâche de compléter et de synthétiser de façon cohérente l'ensemble de la théorie. Dans cette évolution, Bohr représente la génération qui abolit le passé et qui pose les jalons de l'avenir. La génération qu'il contribue à former n'est plus aussi attachée à la physique classique et ressent moins la nécessité de regarder vers le passé.

---

* George Gamow, *Thirty Years That Shook Physics* (*Trente années qui ébranlèrent la physique*, Dunod, Paris, 1968.)

Il est important de comprendre qu'au cours de cette période, on s'attache moins à résoudre de nouveaux problèmes de physique qu'à développer une nouvelle manière de voir les lois de la nature. Durant cette période, on est à la recherche, non seulement de nouvelles équations, mais aussi d'une nouvelle philosophie. On cherche à comprendre un monde nouveau qui n'est pas directement perceptible par les sens tout en restant accessible à la recherche expérimentale. Le rôle de Bohr est immense dans le développement de la physique et de la philosophie de cette époque.

En 1930, l'image quantique de l'atome est fermement établie. Bohr joint alors ses efforts à ceux d'autres physiciens pour essayer de comprendre la structure du noyau atomique. Cela explique son intérêt pour la fission. En 1939, il publie un article avec G.V. Wheeler : cet article explique le rôle des neutrons dans la désintégration de l'uranium ^{235}U. Ce travail sera à la base d'une recherche qui permettra ultérieurement d'effectuer des réactions nucléaires en chaîne.

En 1943, l'altruisme de Bohr l'oblige à quitter le Danemark pour éviter son arrestation par les nazis. Il est transporté de Suède en Angleterre à bord d'un avion de chasse. Disposant d'un masque à oxygène trop petit, il a la vie sauve grâce à l'attention du pilote qui, remarquant que Bohr a perdu connaissance, réduit aussitôt l'altitude de l'avion.

Bohr passe d'Angleterre aux États-Unis. Il y participe au programme de développement de la bombe atomique. Après la guerre, il est l'un des premiers à attirer l'attention internationale sur les dangers de la puissance extraordinaire qu'il a aidé à développer. Il joue également un rôle important dans le développement de laboratoires de recherches atomiques et nucléaires, à la fois au niveau international et dans son pays, le Danemark. Après avoir développé un modèle étonnant par sa simplicité et sa nouveauté, Bohr participe ainsi de manière active aux événements scientifiques et politiques qui se déroulent pendant environ un demi-siècle.

L'énergie potentielle de l'électron vaut

$$\mathcal{U} = -Ze^2/4\pi\varepsilon_0 r$$

En conséquence, l'énergie totale pour une orbite de rayon r peut s'écrire, en tenant compte de l'équation (27.7),

$$E = K + \mathcal{U} = -\frac{Ze^2}{4\pi\varepsilon_0(2r)}$$

Si on utilise la relation qui exprime les valeurs de r_n, on obtient

$$E_n = -\frac{Z^2 e^2}{8\pi\varepsilon_0 a_0 n^2} = -\frac{Z^2}{n^2}E_0, \quad n = 1, 2, 3, \cdots \quad (27.9)$$

Dans cette expression,

$$E_0 = \frac{e^2}{8\pi\varepsilon_0 a_0} = 13,6 \text{ eV} = 2,18 \times 10^{-8} \text{ J}$$

E_0 représente l'énergie permise la plus basse pour un électron. L'orbite correspondante est appelée l'*état fondamental*.

Ceci constitue le résultat capital obtenu par Bohr. Les électrons peuvent seulement occuper des orbites auxquelles sont associées des énergies déterminées. Les valeurs permises pour l'énergie de l'électron déterminent les *niveaux d'énergie*. Le nombre n est appelé le *nombre quantique principal*.

Le résultat de Bohr est en bon accord avec les résultats expérimentaux se rapportant à *n'importe quel* atome à un électron, tels que l'hydrogène ($Z = 1$), l'hélium une fois ionisé He$^+$ ($Z = 2$) ou le lithium deux fois ionisé Li^{++} ($Z = 3$). Les niveaux d'énergie de He$^+$ sont calculés dans l'exemple suivant.

 —— **Exemple 27.5** ——

a) Quelles sont les énergies associées niveaux les plus bas de l'hélium une fois ionisé ?

b) Que valent les rayons des orbites correspondantes ?

Réponse a) Le noyau d'hélium contient deux protons ($Z = 2$). L'atome une fois ionisé possède un seul électron. En prenant $Z = 2$ et $n = 1$, on obtient

$$E_1 = -\frac{Z^2}{n^2}E_0 = -\frac{(2)^2}{(1)^2}(13,6 \text{ eV})$$

$$= -54,4 \text{ eV}$$

Si on prend $n = 2$, le résultat obtenu est $1/2^2$ fois plus petit et $E_2 = -13,6$ eV. Pour $n = 3$, $E_3 = -6,04$ eV.

b) À partir de l'équation (27.8) pour $n = 1$, le rayon vaut

$$r_1 = \frac{n^2}{Z}a_0 = \frac{(1)^2}{2}(5,29 \times 10^{-11} \text{ m})$$

$$r_1 = 2,65 \times 10^{-11} \text{ m}$$

Pour $n = 2$, $r_2 = 10,6 \times 10^{-11}$ m, et pour $n = 3$, $r_3 = 23,8 \times 10^{-11}$ m (figure 27.12).

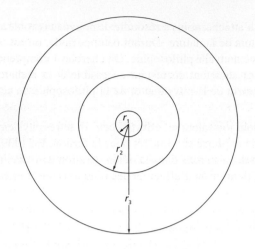

Figure 27.12 Rayons des orbites prévues par le modèle atomique de Bohr. Seules les trois premières orbites sont représentées : $r_3 = 9r_1$ et $r_2 = 4r_1$.

Le postulat de Bohr implique que les électrons sur les orbites stables ne rayonnent pas d'énergie, bien qu'ils soient accélérés. Les électrons peuvent perdre de l'énergie en retombant sur des orbites d'énergie plus basse tout en émettant un photon. Si les énergies initiale et finale de l'électron valent $E_{n,i}$ et $E_{n,f}$, le principe de conservation de l'énergie permet de déterminer l'énergie du photon émis, à savoir :

$$hf = E_{n,i} - E_{n,f}$$

En employant l'expression qui donne les énergies des différents niveaux, on obtient dans le cas de l'hydrogène

$$hf = \frac{hc}{\lambda} = hcR_H \left(\frac{1}{n_f^2} - \frac{1}{n_i^2} \right) \qquad (27.10)$$

$$n_i = n_f + 1, n_f + 2, \cdots$$

La valeur théorique de R_H est égale à

$$R_H = \frac{mk^2 e^4}{2\hbar^2 hc} = 1{,}097 \times 10^7 \text{ m}^{-1}$$

On retrouve ainsi le résultat empirique de Balmer décrit dans le paragraphe précédent.

Les électrons des atomes d'hydrogène se trouvent ordinairement dans l'état fondamental, c'est-à-dire dans l'état dont l'énergie est la plus basse (la plus négative) et dont le nombre quantique est $n = 1$. Dans une flamme ou dans un tube à décharges, de nombreux atomes se trouvent dans des *états excités*. Dans ces états les électrons se trouvent sur des orbites moins fortement liées, caractérisées par des valeurs élevées de n. Un électron peut alors retomber directement sur le niveau fondamental en émettant un seul photon. La transition peut également s'effectuer en cascade, avec émission de photons au cours de chaque saut. La figure 27.13 représente les niveaux d'énergie de l'électron et les transitions permises entre ces niveaux.

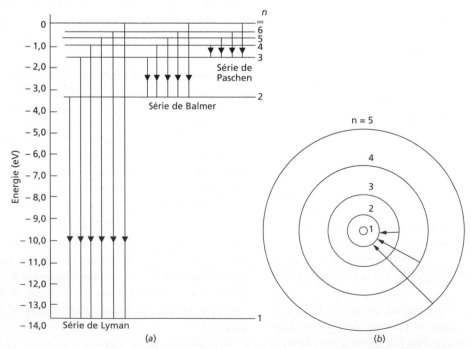

Figure 27.13 *(a)* Niveaux d'énergie de l'hydrogène correspondant aux nombres quantiques $n = 1$ à $n = 6$. Le niveau d'énergie le plus haut ($n = \infty$) est pris comme zéro d'énergie. Les lignes verticales indiquent les transitions électroniques possibles. Ces transitions s'accompagnent d'émissions de photons. Ainsi, la longueur d'onde la plus grande de la série de Balmer est due à la transition d'un électron du niveau $n = 3$ vers le niveau $n = 2$. Les trois séries représentées correspondent à l'émission de photons ultraviolets (Lyman), visibles (Balmer) et infrarouges (Paschen). *(b)* Les transitions qui correspondent aux trois premières raies de la série de Balmer.

Un atome peut également absorber des photons caractérisés par les mêmes fréquences et les mêmes longueurs d'onde. En absorption, l'énergie fournie par le photon doit être égale à l'énergie nécessaire pour faire passer l'électron d'un niveau d'énergie stable vers un niveau supérieur. L'exemple 27.6 illustre ce phénomène d'absorption de photons.

 ———— **Exemple 27.6** ————

Quelle doit être l'énergie d'un photon susceptible d'exciter l'électron de l'hydrogène du niveau $n = 1$ vers le niveau $n = 3$?

Réponse On remarque dans la figure 27.13 qu'il s'agit du processus inverse de celui correspondant à la deuxième raie de la série de Lyman. L'énergie de l'électron passe de E_1 à E_3. L'énergie du photon doit donc être égale à

$$hf = E_3 - E_1 = -\frac{1}{3^2}E_0 - \left(-\frac{1}{1^2}E_0\right)$$

$$= \left(1 - \frac{1}{9}\right)E_0$$

Comme $E_0 = 13,6$ eV, l'énergie du photon vaut

$$hf = \frac{8}{9}(13,6 \; eV) = 12,1 \; eV$$

———————————

Les résultats de Bohr sont corrects pour n'importe quel atome à un électron. Il convient toutefois de signaler que ce modèle de Bohr est aujourd'hui considéré comme un modèle très simplifié. Il apporte cependant une solution aux deux difficultés relevées précédemment. L'électron n'est pas une particule au sens classique, ce qui a pour conséquence d'introduire la quantification des niveaux d'énergie. Les spectres de raies observés correspondent aux transitions de l'électron d'une orbite à une autre. Les propriétés ondulatoires de l'électron impliquent également qu'il ne rayonne pas d'énergie bien qu'il subisse une accélération dans son mouvement orbital. Les rayons des orbites que nous avons calculés représentent les distances moyennes entre l'électron et le noyau et non les rayons des trajectoires électroniques à proprement parler.

Malgré le succès du modèle de Bohr dans le cas des atomes à un électron, les efforts entrepris pour généraliser ce modèle aux atomes à plusieurs électrons et aux molécules ne furent pas couronnés de succès. La condition de quantification du moment cinétique est insuffisante et ne permet pas de déterminer les orbites dans des systèmes complexes.

En 1925, deux théories détaillées de *mécanique quantique* ont été publiées, la première par Erwin Schrödinger (1887-1961) et la seconde par Werner Heisenberg (1901-1975). En apparence, les deux théories sont fort différentes. Il fut très vite établi cependant que leurs contenus étaient équivalents. À l'inverse du modèle de Bohr, il s'agit de théories complètes qui peuvent s'appliquer à n'importe quel système physique, tout au moins en principe. Ces systèmes comprennent les atomes, les molécules et les systèmes macroscopiques. Le prochain chapitre est consacré à la description de la théorie de Schrödinger.

Nous avons vu que le modèle de Bohr prévoit l'existence d'un niveau d'énergie minimum. Il est intéressant de s'interroger sur la raison qui empêche l'électron de se rapprocher plus fortement du noyau, voire même d'y pénétrer. Dans la nature, les systèmes ont tendance à se maintenir autant que possible dans l'état d'énergie le plus bas ; or l'électron pourrait posséder une énergie beaucoup plus faible en se rapprochant du noyau. Une réponse partielle à cette question est fournie par le *principe d'incertitude*.

27.4 LE PRINCIPE D'INCERTITUDE

Les formulations de la mécanique quantique de Schrödinger et de Heisenberg contiennent implicitement l'hypothèse de de Broglie sur le caractère ondulatoire de la matière. Elles contiennent également le principe d'incertitude qui fut énoncé pour la première fois par Heisenberg en 1927.

Le principe d'incertitude énonce les limites imposées par la nature à la précision des mesures simultanées de la position et de la quantité de mouvement d'un objet. Le principe peut être formulé mathématiquement de la façon suivante : si un objet se trouve à une position x et si l'incertitude sur cette position vaut Δx, alors la mesure simultanée de la composante de la quantité de mouvement suivant x est entachée d'une incertitude Δp_x. Ces deux quantités obéissent à la relation d'incertitude

$$\Delta x \, \Delta p_x \geqslant \hbar \qquad (27.11a)$$

Ceci implique que si la précision sur la mesure de la position augmente, la précision sur la mesure de la quantité de mouvement diminue. La situation optimum correspond, même dans le cas d'une expérience idéale, à l'égalité dans la relation (27.11a), à savoir $\Delta x \Delta p_x = \hbar$. Le choix de la direction x est arbitraire. Le principe d'incertitude pourrait également s'exprimer sous la forme

$$\Delta y \, \Delta p_y \geqslant \hbar \qquad (27.11b)$$

Avant d'analyser les conséquences qui découlent de ce principe, nous pouvons nous interroger sur l'importance des limites que ce principe impose.

──────── **Exemple 27.7** ────────

Supposons que la vitesse d'un électron et celle d'une balle de fusil soient mesurées avec une incertitude $\Delta v = 10^{-3}$ m s^{-1}. La masse de la balle est de 0,3 kg. Que valent les imprécisions minimales sur les positions, compte tenu du principe d'incertitude ?

Réponse Comme $\Delta p_x = m\,\Delta v_x$, les imprécisions sur les positions sont données par la relation $\Delta x m\,\Delta v_x = \hbar$. La masse de l'électron vaut $m = 9,11 \times 10^{-31}$ kg. En conséquence

$$\Delta x = \frac{\hbar}{m\,\Delta v_x} = \frac{1,055 \times 10^{-34}\,\text{J s}}{\left(9,11 \times 10^{-31}\,\text{kg}\right)\left(10^{-3}\,\text{m s}^{-1}\right)}$$

$$= 0,116\,\text{m}$$

Pour la balle de fusil

$$\Delta x = \frac{\hbar}{m\,\Delta v_x} = \frac{\left(1,055 \times 10^{-34}\,\text{J s}\right)}{\left(0,03\,\text{kg}\right)\left(10^{-3}\,\text{m s}^{-1}\right)}$$

$$= 3,5 \times 10^{-30}\,\text{m}$$

On comprend, à partir de l'exemple précédent, que dans le cas des objets macroscopiques, le principe d'incertitude n'impose aucune limite pratique sur les mesures expérimentales, car les erreurs commises sur la mesure des positions des objets sont toujours beaucoup plus grandes que 10^{-30} m. Par contre, l'inverse est vrai quand on considère des objets microscopiques comme les électrons. Ainsi, dans un solide, par exemple, les atomes se trouvent à des distances d'environ 10^{-9} m. Une mesure de la position avec une imprécision d'environ 0,1 m signifie que l'électron peut se trouver n'importe où parmi des milliards d'atomes.

Le principe d'incertitude conduit à la conclusion qu'il est impossible de mettre simultanément en évidence, dans la même expérience, les caractères corpusculaire et ondulatoire de la lumière ou de la matière. Une expérience d'interférence par deux fentes, réalisée avec des électrons, permet d'illustrer cette idée. Considérons un faisceau d'électrons monoénergétiques. Ces électrons arrivent sur deux fentes dont la largeur vaut $d/4$ et qui sont distantes de d (figure 27.14). Comme la longueur d'onde associée aux électrons vaut $\lambda = h/p$, des franges d'interférence seront visibles sur un écran. Nous savons, depuis le chapitre 23, que l'intensité sera maximum pour $\theta = 0$ et que le premier minimum correspondra à $\sin\theta = \lambda/2d$. Pour autant que $\lambda/2d$ soit petit, on peut avoir recours à l'approximation $\sin\theta \simeq \theta$, et le premier minimum apparaîtra à la position angulaire

$$\theta_m = \lambda/2d$$

Une mesure de θ_m permet de déterminer la longueur d'onde λ. Cette valeur peut être comparée à celle prévue par de Broglie, ce qui permet de tester l'hypothèse de ce dernier.

La figure d'interférence est une manifestation des propriétés ondulatoires des électrons. Toutefois, les électrons possèdent également des propriétés corpusculaires. Si on considère les électrons comme des particules, on doit être en mesure de préciser par quelle fente chaque électron passe. Cette information peut être obtenue en envoyant un faisceau de photons à angle droit par rapport au faisceau d'électrons, de manière qu'une collision électron-photon se produise chaque fois qu'un électron passe par une fente. L'électron se déplace ensuite vers l'écran, mais on peut détecter le photon diffusé et ainsi localiser l'endroit de la collision. Ainsi, si la collision a lieu au-dessus de l'axe de symétrie représenté dans la figure 27.14, on peut en conclure que l'électron est passé par la fente supérieure. L'imprécision sur la position serait, dans ces conditions, égale à $\Delta y = d/4$, c'est-à-dire la largeur de la fente.

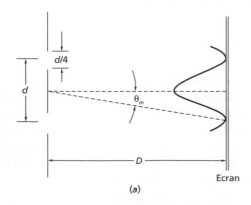

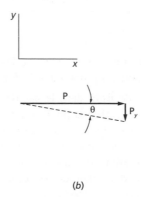

Figure 27.14 *(a)* Des électrons de longueur d'onde $\lambda = h/p$ viennent de la gauche du dessin. Après avoir traversé les fentes, ils forment une figure d'interférence sur l'écran. *(b)* Vue agrandie de la région de la fente ; en réalité, $D \gg d$ et θ est très petit.

Nous devons évaluer la signification de notre mesure dans le contexte du principe d'incertitude. Le principe d'incertitude impose $\Delta y\, \Delta p_y \geq \hbar$. Comme $\hbar = h/2\pi$

$$\Delta p_y \geq \frac{h}{2\pi \Delta y} = \frac{h}{2\pi d/4} = \frac{2h}{\pi d}$$

La déviation angulaire de l'électron vaut donc au minimum

$$\theta = \frac{\Delta p_y}{p} = \frac{2h/\pi d}{h/\lambda} = \frac{2\lambda}{\pi d}$$

Cette déviation est donc supérieure à $\theta_m = \lambda/2d$, qui représente la position angulaire du minimum d'interférence. Cela implique que la figure d'interférence sera complètement brouillée si on détermine par quelle fente l'électron passe. Le processus de la mesure, qui souligne le caractère corpusculaire de l'électron en précisant par quelle fente il passe, détruit en même temps la preuve de son caractère ondulatoire.

Le principe d'incertitude représente donc une contrainte de la nature qui empêche l'observation simultanée des propriétés ondulatoires et corpusculaires. En outre, ce résultat débouche sur la conclusion surprenante que *le processus de mesure lui-même affecte les résultats*. Dans l'exemple considéré, la mesure de la position de l'électron provoque une déviation suffisante pour détruire la figure d'interférence.

En guise de conclusion, considérons la question soulevée dans le paragraphe précédent. Pourquoi un électron ne rayonne-t-il pas de l'énergie et ne tombe-t-il pas sur le noyau où son énergie potentielle serait beaucoup plus petite que sur la première orbite de Bohr ? Supposons un électron qui est à une distance r du noyau. Nous pouvons dire, dans ces conditions, que nous connaissons sa position avec une précision $\Delta x = r$. Le principe d'incertitude nous apprend que la quantité de mouvement de l'électron ne peut pas être nulle. Elle doit être au moins égale à $p = \Delta p_x = \hbar/r$. L'énergie totale de l'électron vaut au moins (pour $Z = 1$)

$$E = \frac{1}{2}mv^2 - \frac{e^2}{4\pi \varepsilon_0 r} = \frac{p^2}{2m} - \frac{e^2}{4\pi \varepsilon_0 r} = \frac{\hbar^2}{2mr^2} - \frac{e^2}{4\pi \varepsilon_0 r}$$

Si l'électron s'approche du noyau, r diminue ; l'énergie potentielle $\mathcal{U}$ devient plus négative, tandis que l'énergie cinétique $\hbar^2/2mr^2$ augmente (figure 27.15). On doit s'attendre à ce que l'électron occupe une orbite de rayon r correspondant à un minimum d'énergie. Cette position est précisément celle déterminée par une valeur de r égale au rayon de Bohr $a_0 = 4\pi \varepsilon_0 \hbar^2/me^2$. L'état énergétique le plus bas d'un atome ne correspond donc pas à un électron qui se trouverait dans le noyau. Le principe d'incertitude impose un accroissement de l'énergie cinétique lorsque la précision relative à la position diminue. Cet effet est supérieur à la réduction correspondante de l'énergie potentielle.

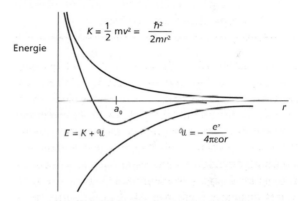

Figure 27.15 La somme de l'énergie cinétique K et de l'énergie potentielle $\mathcal{U}$ donne l'énergie totale $E = K + \mathcal{U}$. L'énergie totale est minimum pour $r = a_0$.

Cette discussion montre la manière dont le principe d'incertitude influence la stabilité des atomes et celle de la matière en général.

Réviser

RAPPELS DE COURS

Comme la lumière, la matière possède des propriétés ondulatoires et corpusculaires. La longueur d'onde associée à la quantité de mouvement d'un objet est déterminée par la relation de de Broglie

$$\lambda = \frac{h}{p}$$

où h est la constante de Planck. Ce concept constitue une des idées de base de la mécanique quantique.

En associant les propriétés ondulatoires des électrons à un modèle atomique qui considère l'atome comme formé d'un noyau lourd chargé positivement autour duquel gravitent les électrons, Bohr a pu déterminer les niveaux d'énergie dans le cas d'un atome à un seul électron. Ces niveaux d'énergie s'expriment par la relation

$$E_n = -\frac{Z^2}{n^2}E_0, \quad n = 1, 2, 3, \cdots$$

où $E_0 = 13{,}6$ eV. Des photons d'énergie bien précise sont émis ou absorbés lorsqu'un électron passe d'une orbite à une autre, c'est-à-dire d'un niveau d'énergie à un autre.

Le principe d'incertitude exprime la limite naturelle imposée à la précision des mesures simultanées de la position et de la quantité de mouvement des particules,

$$\Delta x \, \Delta p_x \geqslant \hbar$$

Cette relation implique que, dans une expérience donnée, on puisse mettre en évidence soit le caractère ondulatoire, soit le caractère corpusculaire d'une particule, mais pas les deux à la fois.

PHRASES À COMPLÉTER

Voir réponses en fin d'ouvrage.

1. Les expériences de Rutherford ont conduit à un modèle atomique constitué par un noyau de masse importante _____ autour duquel gravitent des _____.

2. Vrai ou faux ? La lumière provenant d'une décharge électrique dans une atmosphère d'hydrogène donne un spectre continu après avoir été décomposée par un réseau de diffraction.

3. De Broglie a postulé qu'il existe une relation entre la _____ d'un objet et la longueur d'onde qui lui est associée.

4. La diffraction des électrons est une manifestation des propriétés _____ de ce qui était précédemment considéré comme des particules.

5. La longueur d'onde de de Broglie est une notion sans intérêt dans le cas des objets macroscopiques car elle est alors trop _____.

6. Dans le modèle de Bohr, c'est une force _____ qui assure la cohésion de l'atome.

7. L'idée de Bohr de quantifier le moment cinétique dans une théorie au demeurant classique, revient à exprimer l'idée que la _____ de l'électron est contenue un nombre entier de fois dans la longueur des orbites permises.

8. Les raies spectrales de l'hydrogène correspondent à l' _____ ou à l' _____ de photons lorsque les électrons passent d'un niveau d'énergie permise à un autre.

9. Le principe d'incertitude explique pourquoi un électron ne _____ pas à une distance arbitrairement petite du noyau pour abaisser son énergie.

10. Le principe d'incertitude ne joue aucun rôle significatif dans les phénomènes de physique classique car les incertitudes qu'il prédit sont _____.

EXERCICE CORRIGÉ

En appliquant la théorie de Bohr à un électron sur une orbite circulaire autour d'un noyau d'hydrogène, déterminer :

a) la vitesse de l'électron dans l'état fondamental ;

b) si on doit appliquer une correction relativiste pour la masse de l'électron ;

c) quelle serait la vitesse et le rayon de l'orbite de l'électron si la force gravitationnelle plutôt que la force électrique était utilisée.

Solution

a) La force de Coulomb est égale à la force centripète dans le mouvement circulaire de l'électron

$$\frac{1}{4\pi\varepsilon_0}\frac{e^2}{r^2} = \frac{m_e v^2}{r} \tag{27.12}$$

La condition de Bohr pour l'état fondamental est

$$m_e r v = \hbar$$

car $n = 1$ on a $r = \dfrac{h}{2\pi m_e v}$ (27.13)

L'équation 27.12 devient

$$\frac{e^2}{4\pi\varepsilon_0 r} = m_e v^2$$

$$\frac{e^2 2\pi m_e v}{4\pi\varepsilon_0 h} = m_e v^2$$

$$v = \frac{e^2}{2\varepsilon_0 h}$$

$$v = \frac{(1,6 \times 10^{-19})^2}{2 \times (8,85 \times 10^{-12})6,63 \times 10^{-34}}$$

$$= 0,022 \times 10^8 \text{ m/s}$$

La vitesse de l'électron est de $7,3 \times 10^{-3}\ c$ où c est la vitesse de la lumière.

b) La correction relativiste pour la masse de l'électron serait extrêment faible. En effet

$$m = \frac{m_0}{\sqrt{1 - \left(\dfrac{v}{c}\right)^2}}$$

La correction est de 5×10^{-5} vis-à-vis de 1 et donc négligeable.

c) La force gravitationnelle est donnée par

$$f_G = \frac{G m_p m_e}{r^2}$$

Elle doit égaler la force centripète

$$\frac{G m_p m_e}{r^2} = \frac{m_e v^2}{r}$$

$$v^2 = \frac{G m_p}{r}$$

La condition de Bohr est la même qu'en (a) $m_e r v = \hbar$ donc

$$r = \frac{h}{2\pi m_e v}$$

On a $v^2 = \dfrac{G m_p 2\pi m_e v}{h}$ soit

$$v = \frac{G 2\pi m_p m_e}{h}$$

$$= \frac{6,67 \times 10^{-11} 2\pi\, 1,67 \times 10^{-27} \times 9,11 \times 10^{-31}}{6,63 \times 10^{-34}}$$

$$v = 96,1 \times 10^{-35} \text{ m/s}$$

vitesse qui est extrêmement faible.

Le rayon de l'orbite est donné par

$$r = \frac{h}{2\pi m_e v} = \frac{6,63 \times 10^{-34}}{2\pi\, 9,11 \times 10^{-31} \times 96,1 \times 10^{-35}}$$

$$r = 1,2 \times 10^{29} \text{ m}$$

Ce rayon est supérieur aux dimensions de l'Univers.

S'entraîner

QCM

Voir réponses en fin d'ouvrage.

Q1. Le modèle atomique classique de Rutherford est inacceptable parce que

a) à l'échelle atomique, les forces électrostatiques sont négligeables

b) une charge électrique en accélération rayonne de l'énergie

c) la vitesse de l'électron est trop faible pour se maintenir en orbite

d) le noyau devrait être constitué uniquement de charges positives.

Q2. La lumière émise par une flamme contenant de l'hydrogène

a) est uniquement composée de rayons X

b) est un spectre continu

c) est constituée de raies discrètes monochromatiques

d) n'émet que dans la région visible.

Q3. La relation de Balmer permet d'obtenir les longueurs d'onde du spectre de l'hydrogène.

a) Cette relation permet d'expliquer le spectre continu de l'hydrogène

b) cette relation prédit la longueur d'onde maximum du spectre visible de l'hydrogène

c) cette relation fait intervenir un nombre entier qui est toujours inférieur à 5

d) cette relation fait intervenir la constante de Planck.

Q4. La longueur d'onde associée à un neutron ($m = 1,67 \times 10^{-27}$ kg) qui se déplace à la vitesse de 6×10^7 m/s est

a) de zéro car le neutron n'est pas chargé

b) 3×10^8 m

c) $1,5 \times 10^{-15}$ m

d) $6,6 \times 10^{-15}$ m.

Q5. Les atomes émettent et absorbent de la lumière à des fréquences bien spécifiques.

a) toutes les fréquences sont espacées de la même quantité

b) les fréquences d'émission n'ont aucune relation avec les fréquences d'absorption

c) chaque émission de lumière correspond à une énergie discrète différente

d) tous les atomes de la même famille chimique ont le même spectre d'émission de lumière.

Q6. Le modèle de l'atome de Bohr

a) introduit un moment cinétique orbital de l'électron identique pour toutes les orbites

b) peut s'appliquer à l'atome de lithium deux fois ionisé

c) est valable pour tous les atomes de la première rangée du tableau de Mendeleev

d) ne fait pas intervenir l'énergie cinétique de l'électron.

Q7. Dans le modèle de Bohr de l'atome d'hydrogène, le passage de l'électron à une orbite de rayon plus grand conduit à

a) une vitesse de l'électron plus basse

b) une vitesse de l'électron plus grande

c) une vitesse inchangée de l'électron

d) une perte d'énergie.

Q8. Des électrons accélérés par une différence de potentiel frappent un cristal d'aluminium, on observe

a) une figure de diffraction des électrons

b) qu'ils traversent le cristal en lignes droites car il y a beaucoup de vide dans un cristal

c) qu'ils sont réfléchis avec un angle de réflexion égal à l'angle d'incidence

d) un effet photoélectrique.

Q9. Quelles sont parmi les affirmations suivantes celles qui sont correctes ?

a) le noyau de l'atome est électriquement neutre

b) le noyau d'un atome ne peut dévier des particules α

c) le noyau d'un atome dévie les particules α selon une trajectoire parabolique

d) les électrons de l'atome ne contribuent que pour une faible part à la masse atomique.

Q10. Pourquoi une balle tirée par un fusil semble-t-elle avoir à tout moment une position et une vitesse bien déterminées alors que ce n'est pas le cas pour l'électron ?

a) parce que l'on ne peut pas appliquer le principe d'incertitude à une balle

b) parce que la balle se déplace très vite

d) parce que pour un objet macroscopique, l'incertitude calculée grâce au principe d'Heisenberg est inférieure aux dimensions de l'atome.

EXERCICES

Voir réponses en fin d'ouvrage pour les exercices et problèmes dont le numéro est inscrit en noir.

Les échecs de la physique classique

27.1 Une particule α de 4,8 MeV (1 MeV = 10^6 eV) entre en collision frontale avec un noyau d'or (Z = 79 pour l'or). Quelle est la distance minimum d'approche entre la particule α et le noyau d'or si, en ce point, la particule α a une énergie cinétique nulle ? (Négliger l'énergie cinétique transférée au noyau d'or.)

27.2 Dans l'hydrogène, le proton a un rayon de $0,8 \times 10^{-15}$ m et la distance moyenne entre le centre du proton et l'électron vaut $5,3 \times 10^{-11}$ m. Si le proton avait la taille d'une orange de rayon égal à 0,06 m, à quelle distance se trouverait l'électron ?

27.3 Quelle longueur d'onde de lumière visible émet l'atome d'hydrogène à partir du niveau $n = 4$?

27.4 Que vaut la longueur d'onde de la lumière ultraviolette émise par l'hydrogène lors d'une transition entre $n_i = 2$ et $n_f = 1$?

L'hypothèse ondulatoire de de Broglie

27.5 Un électron et un photon ont chacun une longueur d'onde caractéristique de 0,1 nm. Que valent les quantités de mouvement de ces particules ?

27.6 Comparer les longueurs d'onde caractéristiques d'un électron et d'un neutron qui ont une énergie égale à $(3/2)k_B T$ si $T = 300$ K.

27.7 Quelle est la longueur de l'onde de de Broglie associée à la Terre dans son mouvement autour du Soleil ? (La masse de la Terre vaut 6×10^{24} kg et le rayon de l'orbite est égal à $1,5 \times 10^{11}$ m.)

27.8 Un atome d'oxygène a une masse de 16 uma (1 uma = $1,66 \times 10^{-27}$ kg). Si l'atome a une énergie cinétique de 1 eV, que vaut la longueur d'onde de de Broglie ?

27.9 Une masse d'1 kg a une vitesse de 1 m s^{-1}.

a) Que vaut sa longueur d'onde de de Broglie ?

b) Doit-on s'attendre à des phénomènes d'interférence pour ces ondes ? Expliquer.

27.10 Dans un noyau atomique, les protons et les neutrons sont distants d'environ 10^{-15} m. En conséquence, pour analyser la structure nucléaire, il faut utiliser des ondes de longueur d'onde du même ordre de grandeur.

a) Si une onde a une longueur d'onde de 10^{-15} m, quelle sera la quantité de mouvement de la particule ?

b) Soit d'une particule α dont la masse est de $6,64 \times 10^{-27}$ kg, quelle sera son énergie cinétique en électron-volts ?

27.11 Un faisceau d'électrons, dont la direction d'incidence fait un angle de 20° avec des plans cristallins déterminés, est diffracté de façon à donner, par interférence constructive, une tache sur une plaque photographique. Si les plans cristallins sont distants de 0,12 nm, trouver

a) la longueur d'onde associée aux électrons

b) l'énergie de ces électrons.

27.12 Il faut des neutrons d'une longueur d'onde de 0,3 nm pour effectuer une expérience de détermination de structure moléculaire.

a) Quelle est la vitesse de ces neutrons ?

b) On peut obtenir un faisceau de neutrons monoénergétiques en ouvrant une fenêtre dans un réacteur nucléaire et en sélectionnant les neutrons qui atteignent une cible donnée après un temps de vol déterminé. Quel temps faut-il aux neutrons de la question a) pour parcourir 10 m ?

L'atome de Bohr

27.13 Un atome d'hydrogène peut-il absorber un photon dont l'énergie est supérieure à 13,6 eV ? Expliquer.

27.14 Dans un tube à décharges, un électron d'un atome d'hydrogène est excité du niveau $n = 1$ vers le niveau $n = 4$.

a) Que vaut l'énergie absorbée par l'atome ?

b) Établir un schéma de niveaux montrant toutes les transitions que l'électron peut effectuer pour retourner au niveau fondamental $n = 1$.

c) Quelle est la longueur d'onde du photon le plus énergétique qui peut être émis ?

27.15 L'énergie de liaison d'un électron atomique représente l'énergie nécessaire pour extraire l'électron de l'atome. Que valent, en électron-volts, les énergies de liaison

a) de l'hydrogène

b) de l'hélium une fois ionisé

c) du lithium deux fois ionisé ?

27.16 Dans l'atome d'hydrogène, pour un électron placé sur une orbite pour laquelle $n = 3$, combien de fois la longueur d'onde de l'électron est-elle contenue dans la longueur de l'orbite ?

27.17 Un photon de 2,55 eV est émis par un atome d'hydrogène au cours d'une transition qui a lieu à partir du niveau $n = 4$. Quel est le nombre quantique du niveau final ?

27.18 Dans un atome d'hydrogène, un électron passe du niveau $n = 2$ au niveau $n = 4$. Quelle est la fréquence du photon absorbé ?

Le principe d'incertitude

27.19 Quelle est l'incertitude sur la position d'une pierre de 0,1 kg dont la vitesse est connue avec une précision de 0,003 m s^{-1} ?

27.20 Quelle est l'énergie cinétique minimum d'une particule d'une masse de 10^{-29} kg si l'incertitude sur la position est de 10^{-10} m ?

27.21 Supposons que l'on connaisse la position d'un électron et celle d'une pierre de 0,2 kg avec une précision de 10^{-10} m. Déterminer

a) les incertitudes minimales relatives aux quantités de mouvement

b) les imprécisions minimales sur les vitesses.

PROBLÈMES

27.22 Si le moment cinétique de la Terre dans son mouvement autour du Soleil satisfait à l'hypothèse de quantification de Bohr, $L = rmv = n\hbar$, que vaut le nombre quantique associé à l'orbite terrestre ? (La masse de la Terre vaut $5,98 \times 10^{24}$ kg et le rayon de l'orbite est égal à $1,50 \times 10^{11}$ m.)

27.23 La théorie de Bohr peut être appliquée au positronium qui est constitué d'un électron négatif et d'un positron (un électron positif) en rotation l'un par rapport à l'autre. (*Note* : puisque les deux particules ont la même masse, elles sont en rotation autour du centre de masse qui se trouve à mi-distance entre les particules. L'atome doit être étudié comme si une particule, de masse égale à la moitié de celle de l'électron, était en rotation autour de la seconde particule au repos.)

a) Que vaut l'énergie de liaison du positronium dans son état fondamental ?

b) Que vaut le rayon de l'orbite fondamentale ?

27.24 La grandeur sans dimension $\alpha = ke^2/\hbar c$ s'appelle la *constante de structure fine*. Elle vaut presque exactement 1/137. (*c* est la vitesse de la lumière.)

a) Que vaut la vitesse d'un électron sur son niveau fondamental pour un atome à un électron de nombre atomique Z, si on exprime cette vitesse sous la forme d'une fraction de la vitesse de la lumière c ?

b) Le modèle de l'atome à un électron décrit dans ce chapitre ne tient pas compte des effets relativistes. En conséquence, on doit s'attendre à ce que le modèle cesse d'être valable lorsque le rapport v/c devient grand. Pour quelle valeur de Z le modèle est-il totalement inadapté ? Expliquer votre raisonnement.

27.25 Un *méson mu* négatif (μ^-) a une masse égale à 207 fois celle de l'électron. Sa charge est égale à $-e$. Comme l'électron, il peut tourner autour d'un noyau. Si un méson μ^- est en orbite autour d'un noyau de soufre ($Z = 16$), évaluer :

a) le niveau d'énergie le plus bas

b) le rayon moyen de l'orbite

c) le rapport entre le rayon de l'orbite et le rayon du noyau de soufre qui vaut 4×10^{-15} m.

27.26 Dans un métal, les électrons de conduction peuvent être assimilés à des particules libres qui se déplacent dans une boîte ayant les dimensions de l'échantillon. Comme modèle de départ, considérons un électron qui se déplace dans une direction déterminée avec une quantité de mouvement p. La longueur d'onde de de Broglie doit être contenue un nombre entier de fois entre les parois de l'échantillon qui sont distantes de D. En outre, chaque extrémité doit correspondre à un nœud.

a) Dessiner la longueur d'onde la plus grande ainsi que la précédente, dans le cas de ce modèle.

b) Quelle est la quantité de mouvement associée à l'onde la plus grande ?

c) Quelles sont les valeurs permises de l'énergie cinétique pour un électron ?

d) Si $D = 0,01$ m, que vaut l'écart entre les deux niveaux d'énergie les plus bas ?

27.27 Des atomes d'hydrogène dans l'état fondamental sont exposés à des photons qui ont des énergies allant jusqu'à 13 eV. Quelles seront les énergies des photons émis par les atomes lorsque ceux-ci retourneront à l'état fondamental ? (Négliger le recul des atomes au cours de l'absorption et de l'émission.)

27.28 Que valent les vitesses moyennes des électrons sur le niveau fondamental

a) dans le cas de l'hydrogène

b) dans le cas de l'hélium une fois ionisé

c) Vous attendez-vous à des effets relativistes importants dans ces deux cas ?

27.29 La condition de quantification de Bohr exprime que le moment cinétique L représente un nombre entier de fois la constante h. Cette condition peut aussi s'appliquer à la rotation d'une molécule diatomique. Si on suppose qu'une molécule diatomique a la forme d'une haltère (figure 27.16), de moment d'inertie I, le moment cinétique vaut $L = I\omega$ où ω représente la vitesse angulaire de rotation de la molécule. L'énergie cinétique vaut

$$K = \frac{1}{2}I\omega^2 = L^2/2I$$

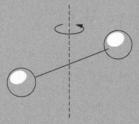

Figure 27.16 Modèle en forme d'haltère pour une molécule diatomique (Problème 27.29).

a) Appliquer la condition de quantification de Bohr à la rotation moléculaire et trouver une expression générale des niveaux d'énergie.

b) Tracer un schéma des quatre premiers niveaux d'énergie. (Une théorie quantique complète conduit au résultat $L^2 = n(n + 1)\hbar^2$. Les niveaux d'énergie correspondant à la rotation d'une molécule diatomique sont donc donnés par la relation $n(n + 1)\hbar^2/2I$.)

27.30 Le moment d'inertie de la molécule d'oxygène O_2 vaut $1,92 \times 10^{-46}$ kg m^2.

a) Que vaut l'énergie d'un photon émis au cours d'une transition de rotation entre les niveaux $n = 2$ et $n = 0$ (*cf.* problème 27.29) ?

b) Quelle est la longueur d'onde de ce photon ?

27.31 Des atomes d'hydrogène dans leur état fondamental sont bombardés par un faisceau d'électrons dont l'énergie vaut au maximum 12,5 eV. Ils émettent des photons. Quelles seront les énergies de ces photons ?

27.32 On réalise une expérience d'interférence à deux fentes avec des électrons. On ne cherche pas à préciser par quelle fente les électrons se propagent. En conséquence, l'imprécision relative à la position des électrons est égale à la distance entre les fentes d. Montrer que, dans ces conditions, l'incertitude sur l'angle de déviation des électrons est inférieure à $\theta_m = \lambda/2d$.

27.33 Supposer que la distance moyenne la plus petite entre l'électron et le proton dans l'atome d'hydrogène est égale à $a_0 + \varepsilon$ où a_0 représente le rayon de Bohr et ε une longueur beaucoup plus petite que a_0. Montrer au moyen du principe d'incertitude développé au paragraphe 27.4 que l'énergie de l'électron est minimum pour $\varepsilon = 0$.

27.34 Avant la découverte du neutron par Chadwick en 1932, on pensait que les noyaux atomiques se composaient de protons et d'électrons. Ainsi un noyau de carbone dont la masse est approximativement égale à la masse de 12 protons, mais dont la charge est de 6 unités, serait formé de 12 protons positifs et de 6 électrons négatifs.

a) Montrer qu'en vertu du principe d'incertitude l'énergie cinétique minimum d'un électron dans une boîte dont la dimension est de 10^{-14} m (la dimension caractéristique d'un noyau), est beaucoup plus grande que :

$$1 \text{ MeV} = 10^6 \text{ eV}$$

différence d'énergie typique entre les niveaux d'énergie nucléaires.

b) Ce résultat s'applique-t-il aussi aux neutrons ? (Ce problème devrait être résolu à partir de la théorie de la relativité restreinte. Toutefois le résultat est qualitativement identique à celui obtenu en utilisant la relation $E = p^2/2m$.)

PARTIE 8

ATOMES
ET MOLÉCULES

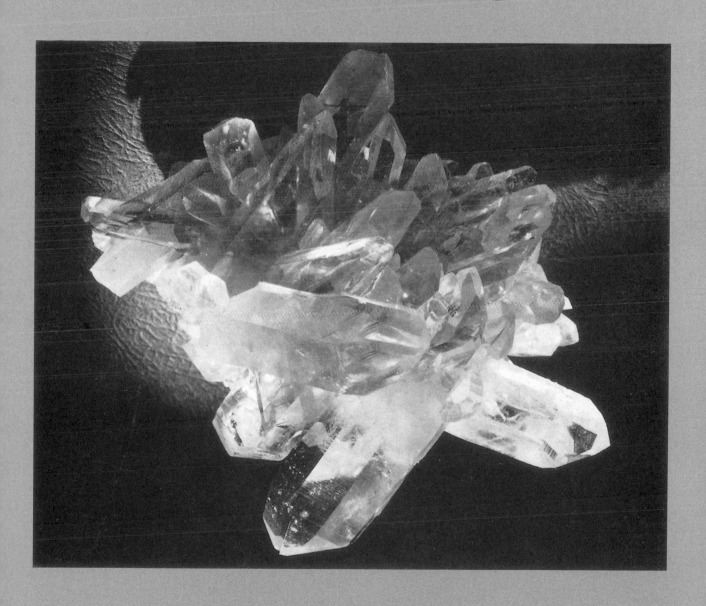

Ainsi que nous l'avons vu, l'échec de la physique classique devant plusieurs expériences significatives a conduit les scientifiques à modifier assez profondément l'interprétation de leurs observations. Les physiciens pensent aujourd'hui que la dualité onde-corpuscule et, dans certains cas, la relativité restreinte, doivent être incorporées à toute théorie décrivant les phénomènes microscopiques. La mécanique quantique moderne élaborée par Schrödinger et par d'autres s'est développée à partir des idées de Planck, Einstein, de Broglie et Bohr et constitue aujourd'hui une théorie générale de la matière et de l'énergie. Dans cette partie du livre, nous étudierons les applications de la mécanique quantique à la structure des atomes et des molécules, en incluant des discussions touchant au fonctionnement des lasers et aux méthodes d'investigation de la structure des molécules biologiques complexes.

CHAPITRE 28

Mécanique quantique et structure atomique

Mots-clefs

Affinité électronique • Charge nucléaire effective • Couche électronique fermée • Énergie d'ionisation • États métastables • États *s*, états *p* • Fonction d'onde • Liaison covalente • Liaison ionique • Moment angulaire de spin • Nombre quantique principal *n* • Nombre quantique orbital ℓ • Nombre quantique magnétique m_ℓ • Principe d'exclusion de Pauli • Transition permise

Introduction

En 1925, Erwin Schrödinger proposa une équation dont les solutions devaient représenter les ondes de matière associées aux électrons et aux autres « particules ». Cette *équation d'onde* et quelques concepts apparentés introduits par la suite forment ce que nous appelons aujourd'hui la théorie quantique. La mécanique quantique est parvenue à prédire et à corréler une multitude de données expérimentales concernant les atomes. Elle s'est également avérée capable de décrire correctement la structure des agrégats atomiques et du noyau des atomes.

Schrödinger savait qu'en partant des lois de Newton, il est possible d'écrire une équation permettant la description de la perturbation associée à une onde se propageant le long d'une corde ou la propagation d'un ébranlement acoustique. À partir des lois de l'électricité et du magnétisme, on peut construire une équation décrivant l'onde de champ électromagnétique. Ainsi, pour tout phénomène ondulatoire classique, il existe une équation dont les solutions décrivent chaque état ondulatoire possible par une *fonction d'onde* spécifique.

Schrödinger en est venu à penser qu'une équation d'onde analogue devait aussi exister pour décrire la fonction d'onde de matière déjà introduite auparavant et que l'on avait pris l'habitude de représenter par la lettre grecque ψ (psi). On lui doit d'avoir introduit une procédure permettant de construire l'équation d'onde d'une particule ou d'un système de particules dès que les forces appliquées sont complètement connues. L'atome d'hydrogène, par exemple, est constitué d'un proton et d'un électron en interaction et la force agissant sur l'électron est l'attraction électrique donnée par la loi de Coulomb. L'équation résultante lie entre elles des dérivées de la fonction d'onde et ne sera pas résolue dans ce livre du fait qu'elle requiert la solution de problèmes mathématiques que nous ne sommes pas préparés à aborder. En fait, ces équations ne peuvent être résolues exactement que dans un petit nombre de cas, mais des méthodes d'approximation très efficaces peuvent souvent être utilisées. Par ailleurs, beaucoup de résultats obtenus en résolvant l'équation d'onde peuvent être compris à partir des idées exposées dans les chapitres précédents.

Dans la théorie de Schrödinger, la fonction d'onde ψ elle-même ne peut pas être directement mesurée ou observée. Toutefois, dès que cette quantité est connue, des quantités mesurables telles que l'énergie d'un atome ou d'une molécule peuvent être évaluées. De plus, en partant de la fonction d'onde adéquate, on peut prédire le résultat d'expériences telles que celle qui consiste à faire interférer des faisceaux d'électrons. Dans tous les cas envisagés, le principe d'incertitude et l'hypothèse ondulatoire de de Broglie se sont trouvés vérifiés. Ces deux concepts font partie des fondements de la théorie quantique.

Au moment même où Schrödinger développait ses travaux, Werner Heisenberg abordait une formulation différente de la mécanique quantique. Dans cette formulation, Heisenberg représentait les quantités observables telles que la position ou la quantité de mouvement de l'électron par des objets mathématiques appelés matrices et proposait des équations liant ces matrices entre elles. Bien qu'aucune fonction d'onde n'apparaisse dans cette théorie, ses prédictions se sont toujours avérées identiques à celle de la théorie ondulatoire de Schrödinger. La formulation matricielle et la formulation ondulatoire de la mécanique quantique sont en fait rigoureusement équivalentes. Nous nous limiterons à utiliser l'approche de Schrödinger, bien que les méthodes de Heisenberg soient parfois plus adéquates pour développer le détail des calculs.

28.1 APERÇU DE MÉCANIQUE QUANTIQUE

Dans ce chapitre nous discutons les quelques aspects de la mécanique quantique qui nous permettront de comprendre la structure atomique. Nous introduisons en même temps les principes qui sont à l'origine des interactions entre atomes et de la formation des molécules. Quelques-uns des concepts importants que nous aurons à manipuler ont déjà été introduits dans les chapitres précédents. Nous avons découvert dans la description du modèle de Bohr des atomes monoélectroniques que le rayon de la trajectoire de l'électron ne peut prendre que certaines valeurs spécifiques étiquetées par un *nombre quantique*. Chaque valeur du nombre quantique désigne une configuration unique qui constitue un état quantique du système. Il y a autant d'états quantiques permis qu'il y a de valeurs permises pour le nombre quantique et chaque état a une énergie caractéristique. L'électron peut se trouver dans n'importe lequel de ces états et ne peut changer de configuration qu'en effectuant une transition entre les états permis.

Dans la théorie de Schrödinger, la définition complète d'un état quantique requiert une plus grande variété de nombres quantiques. Certains d'entre eux sont associés au *moment cinétique orbital* correspondant au mouvement électronique autour du noyau. D'autres sont associés au *moment cinétique de spin* des électrons, ou plus brièvement, au *spin*. On peut se représenter le moment cinétique de spin de l'électron comme résultant d'une rotation de la particule sur elle-même, comme pour la rotation de la Terre autour de son axe. Cette analogie classique est toutefois d'application fort limitée : les électrons n'ont pas de taille appréciable et ne présentent aucune structure discernable. De plus, tous les électrons ont un moment angulaire de spin de même grandeur. Le spin apparaît comme une propriété intrinsèque de tous les constituants de la matière, les *particules élémentaires*. Celles-ci ne se limitent pas seulement aux électrons, protons, neutrons et photons mais incluent aussi des particules découvertes plus récemment, comme les neutrinos, les mésons et les hypérons. Le fait que toutes les particules de même nature ont le même spin ne peut pas s'expliquer par des arguments classiques.

À côté du fait que le spin n'a pas d'analogue classique, on notera aussi que le moment cinétique de spin n'apparaît pas dans la formulation originale de la théorie de Schrödinger. Bien que le spin puisse y être incorporé, il apparaît beaucoup plus naturellement si la mécanique quantique est développée dans le cadre de la relativité restreinte. L'existence du spin de l'électron a été démontrée expérimentalement pour la première fois à l'occasion d'études menées sur la structure atomique. Il intervient de manière cruciale dans notre interprétation de la structure de la matière.

Dans les deux paragraphes suivants, nous décrirons les nombres quantiques et les fonctions d'onde introduits par la théorie de Schrödinger de l'atome d'hydrogène. Nous serons alors à même de comprendre la constitution des atomes à plusieurs électrons.

28.2 LES NOMBRES QUANTIQUES DE L'ATOME D'HYDROGÈNE

L'application de la théorie de Schrödinger requiert la détermination de la fonction d'onde ψ. À chaque configuration permise d'un système est associée une fonction d'onde spécifique étiquetée par certaines valeurs des nombres quantiques. Nous décrirons ici les nombres quantiques de l'hydrogène atomique et les fonctions d'onde qui leur sont associées au paragraphe suivant. Les nombres quantiques définissant les états de l'atome d'hydrogène sont notés n, l, m_l et m_s. Ils sont respectivement associés à l'énergie, à la grandeur du moment cinétique orbital, à l'une des composantes de ce moment cinétique et à l'une des composantes du moment cinétique de spin.

28.2.1 Le nombre quantique principal, *n*

Dans la théorie de Schrödinger, les niveaux d'énergie de l'atome d'hydrogène sont entièrement déterminés par leur *nombre quantique principal n* et sont donnés par la formule de Bohr

$$E_n = -\frac{Z^2}{n^2} E_0 \qquad (28.1)$$

Pour $Z = 1$ et $E_0 = 13{,}6\ \text{eV}$,

$$E_n = -\frac{13{,}6}{n^2}\ \text{eV}, \quad n = 1, 2, 3, \cdots$$

En fait, cette formule n'est qu'approximativement correcte. La théorie relativiste de l'hydrogène, développée aussitôt après les premiers travaux de Schrödinger, inclut les forces magnétiques ténues associées au mouvement des charges dans l'atome. Cette approche plus élaborée donne des niveaux d'énergie qui dépendent légèrement des autres nombres quantiques. Dans les atomes comportant plusieurs électrons, cette dépendance est encore accentuée par les forces d'interaction entre les électrons.

28.2.2 Le nombre quantique orbital, ℓ

Dans le modèle de Bohr, un seul nombre quantique définit l'énergie et le moment cinétique de chaque état. On trouve cependant en résolvant l'équation de Schrödinger que la grandeur L du moment cinétique orbital est liée à un nouveau nombre quantique indépendant ℓ par la relation

$$L = \sqrt{\ell(\ell + 1)}\hbar, \quad \ell = 0, 1, 2, \cdots, n - 1 \quad (28.2)$$

Concernant ce nombre quantique, deux résultats importants doivent être soulignés. D'abord, le moment cinétique peut être nul pour toutes valeurs du nombre quantique principal n. Classiquement, un électron de moment cinétique nul peut se représenter comme oscillant sur une trajectoire qui traverse le noyau ! Ensuite, pour chaque valeur de n, le nombre quantique orbital ℓ peut prendre toutes les valeurs entières inférieures ou égales à $n - 1$.

On utilise toujours couramment une nomenclature un peu archaïque pour désigner les états déterminés par les nombres quantiques n et ℓ. Le tableau 28.1 donne la liste des lettres qui sont utilisées pour désigner les états de moment cinétique pour lesquels ℓ varie de 0 à 6. Avec ces notations, un état de nombre quantique principal $n = 1$ et de nombre quantique orbital $\ell = 0$ est appelé un état $1s$ et un état décrit par les valeurs $n = 2$ et $\ell = 1$ est appelé un état $2p$. Les autres états sont notés en suivant la même procédure.

ℓ	0	1	2	3	4	5	6
Notation	s	p	d	f	g	h	i

Tableau 28.1 Notations spectroscopiques des sept premiers états du moment cinétique dans un atome. La séquence est alphabétique pour $\ell \geqslant 3$.

28.2.3 Le nombre quantique magnétique, m_ℓ

La direction du moment cinétique de l'électron devient importante lorsqu'un champ magnétique est appliqué à l'atome. Un électron de moment cinétique orbital $\mathbf{L}$ forme une boucle de courant encore appelée le dipôle magnétique. L'énergie de la boucle dépend de son orientation par rapport au champ $\mathbf{B}$ (figure 28.1).

Le paragraphe 19.5 traitant des dipôles magnétiques nous a appris qu'un électron de charge $-e$, de masse m et présentant un moment cinétique $\mathbf{L}$ possède un moment dipolaire magnétique proportionnel à $\mathbf{L}$. Vectoriellement, cette relation s'écrit

$$\mu = -\frac{e}{2m}\mathbf{L} \quad (28.3)$$

Dans cette relation, le signe moins est le signe de la charge de l'électron. L'énergie du dipôle dans un champ magnétique est donnée par $E = -\mu B \cos\theta$. Si $\mathbf{B}$ pointe dans la direction z, on pourra récrire cette énergie en termes de la composante μ_z du moment dipolaire magnétique μ (figure 28.1),

$$E = -\mu_z B \quad (28.4)$$

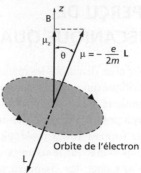

Figure 28.1 Un électron de moment cinétique orbital $\mathbf{L}$ présente un dipôle magnétique μ opposé à $\mathbf{L}$ parce que la charge de l'électron est négative. L'énergie du dipôle dans le champ d'induction $\mathbf{B}$ est $E = -\mu_z B$.

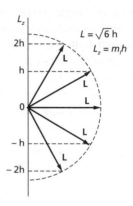

Figure 28.2 Les orientations de $\mathbf{L}$ pour $\ell = 2$ correspondent aux cinq valeurs possibles pour $L_z = m_\ell h$. Ici, m_ℓ peut prendre n'importe laquelle des valeurs $-2, -1, 0, 1$ ou 2.

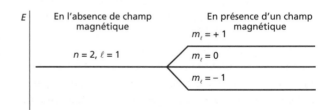

Figure 28.3 En présence d'un champ magnétique, le niveau $2p$ se sépare en trois sous-niveaux correspondant aux trois valeurs permises pour m_ℓ. Dans l'état $m_\ell = +1$, le dipôle magnétique est parallèle au champ magnétique ; pour $m_\ell = -1$, il est antiparallèle et pour $m_\ell = 0$, il est perpendiculaire au champ.

On devrait s'attendre à ce que l'énergie d'un électron dans un champ magnétique prenne n'importe quelle valeur comprise entre $-\mu B$ et $+\mu B$. L'électron peut changer d'état énergétique en émettant ou en absorbant un photon. Comme l'énergie de l'électron varie continûment de $-\mu B$ à $+\mu B$, l'énergie des photons absorbés ou émis devrait se présenter sous forme d'une distribution continue. Ce n'est pas ce que montre l'expérience : les photons ne sont émis ou absorbés qu'à certaines énergies spécifiques. L'analyse des résultats expérimentaux et la théorie de Schrödinger s'accordent pour montrer que la projection L_z du moment cinétique **L** ne peut prendre que les valeurs

$$L_z = m_\ell \bar{h}_\ell$$
$$m_\ell = -\ell, -\ell+1, \cdots, 0, \cdots, \ell-1, \ell \qquad (28.5)$$

Ainsi, m_ℓ, le nombre quantique magnétique, associé à la projection L_z du moment cinétique, ne peut prendre que $2\ell + 1$ valeurs entières pour une valeur donnée de ℓ (figure 28.2). De ce fait, μ_z ne pourra prendre que certaines valeurs spécifiques. Les niveaux d'énergie qui en résultent dans un champ magnétique sont donnés par (figure 28.3)

$$E_{m_\ell, \ell} = -\mu_z B = -\left(-\frac{e}{2m}\right) m_\ell h B = m_\ell \frac{eh}{2m} B \quad (28.6)$$

L'exemple suivant s'intéresse au dénombrement des états de nombre quantique principal $n = 2$.

 ─────────── **Exemple 28.1** ───────────

Quelles sont les valeurs permises de ℓ et m_ℓ, pour les états $n = 2$ de l'atome d'hydrogène ?

Réponse Pour $n = 2$, le nombre quantique orbital peut prendre les valeurs 0 ou 1. Pour $\ell = 0$, nous ne pouvons trouver que $m_\ell = 0$; pour $\ell = 1$, m_ℓ prendra les valeurs $m_\ell = -1, 0, 1$. Ces résultats sont repris dans le tableau suivant.

État	(n, ℓ, m_ℓ)	n	ℓ	m_ℓ
État 2s	(2, 0, 0)	2	0	0
État 2p	(2, 0, −1)	2	1	−1
	(2, 1, 0)	2	1	0
	(2, 1, 1)	2	1	1

On voit que pour $n = 2$, on trouve quatre combinaisons possibles de nombres quantiques ℓ et m_ℓ. Dans la suite, nous verrons qu'il est nécessaire d'adjoindre un quatrième nombre quantique à ceux qui ont déjà été définis pour spécifier complètement les états $n = 2$.

28.2.4   Le moment cinétique du spin

Dans les expériences de spectroscopie de haute résolution menées sur les niveaux d'énergie d'un atome dans un champ magnétique, on s'est rendu compte que le nombre de niveaux observés était bien supérieur à celui que l'on peut prévoir en combinant les différentes valeurs possibles pour ℓ et m_ℓ. De plus, même en l'absence de champ magnétique, on constate que la plupart des raies spectrales sont constituées d'une paire de raies très rapprochées,

d'un *doublet*. L'observation de ces dédoublements a conduit à penser que l'électron n'a pas seulement un moment cinétique orbital, mais aussi un moment cinétique intrinsèque, le spin, auquel est associé un moment dipolaire magnétique spécifique. Les effets observés ont été expliqués en considérant l'ensemble des moments dipolaires associés au mouvement orbital et au spin.

La grandeur du moment angulaire de spin S d'une particule est donnée par (figure 28.4)

$$S = \sqrt{s(s+1)}\bar{h} \qquad (28.7)$$

où s est le *nombre quantique de spin*. Pour des électrons, $s = 1/2$, comme pour les protons et les neutrons ; pour les photons, $s = 1$. Ces particules sont dites de spin un demi ou de spin un, respectivement.

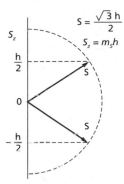

Figure 28.4 Dans le cas des électrons dont le spin est 1/2, la composante z du moment angulaire de spin est soit $+h/2$ soit $-h/2$. S est toujours incliné par rapport à l'axe z.

Dans l'étude de la structure atomique, c'est la composante z du moment angulaire de spin S_z qui intervient essentiellement. Pour une particule de spin un demi, S_z vaut

$$S_z = m_S \bar{h}, \quad m_S = \frac{1}{2}, -\frac{1}{2} \qquad (28.8)$$

Bien que le vecteur **S** ne pointe jamais directement dans la direction de l'axe z, les deux états correspondant à $m_S = 1/2$ et $m_S = -1/2$ sont souvent respectivement appelés états de spin «up» et état de spin «down». Chaque état décrit par un ensemble de valeurs de n, ℓ et m, est donc dédoublé, du fait des deux valeurs possibles de m_S. Les résultats obtenus dans l'exemple 28.1 sont donc incomplets. Il existe deux états de nombre quantique principal $n = 1$, et huit états, au lieu de quatre, correspondant à $n = 2$.

Le spin de l'électron rend compte des dédoublements de raies observés en spectroscopie atomique. Les électrons possèdent un moment magnétique orbital et un moment magnétique de spin, et ces dipôles peuvent prendre deux orientations l'une par rapport à l'autre, suivant la valeur de S_z. Tous les niveaux d'énergie se séparent en deux, ce qui conduit à la structure de doublet observée. Ce dédoublement est causé par l'*interaction spin-orbite* et concerne la *structure fine* du spectre atomique.

28.2.5   Développements ultérieurs

Dans les deux décennies qui suivirent la publication des travaux de Schrödinger, la théorie et l'observation expérimentale sont restées en excellent accord en ce qui concerne l'atome d'hydrogène et même les atomes plus complexes. Toutefois, après la Deuxième Guerre mondiale, des appareillages beaucoup plus performants ont pu être appliqués à l'étude de la structure atomique. On a pu utiliser des radiations électromagnétiques de courtes longueurs d'onde (les micro-ondes) dont la technologie s'était développée à la suite des recherches militaires menées pour la mise au point du radar. On a alors découvert que la théorie et l'expérience étaient en léger désaccord sur certains résultats quantitatifs.

Feynman, Schwinger, Tomonaga et d'autres ont montré que l'accord avec l'expérience pouvait être restauré si plusieurs mécanismes nouveaux étaient considérés. L'émis-

sion et l'absorption de photons par les électrons de l'atome figurent parmi ces mécanismes, de même que la production spontanée de paires électron-positron de courte durée de vie. Le *positron* est une particule de masse identique à celle de l'électron mais porteuse d'une charge positive $+e$. Cette nouvelle théorie est l'*électrodynamique quantique*. Elle suffit à décrire tous les aspects de la structure atomique qui ne dépendent pas de la structure interne du noyau. Pour la plupart des applications de la mécanique quantique abordées en chimie et en biochimie, l'électrodynamique quantique n'apporte que des corrections négligeables. Nous ne considérerons donc pas ces effets dans ces pages.

En résumé, la solution complète de l'équation de Schrödinger pour l'atome d'hydrogène montre que pour autant que l'on néglige le spin, les niveaux d'énergie sont donnés correctement par la formule de Bohr en l'absence de champ appliqué. La multiplicité des états associés à un niveau d'énergie peut être déduite de la séparation des niveaux sous l'effet d'un champ magnétique. Dans le paragraphe suivant, nous examinons les fonctions d'onde correspondant à différents ensembles de valeurs des nombres quantiques.

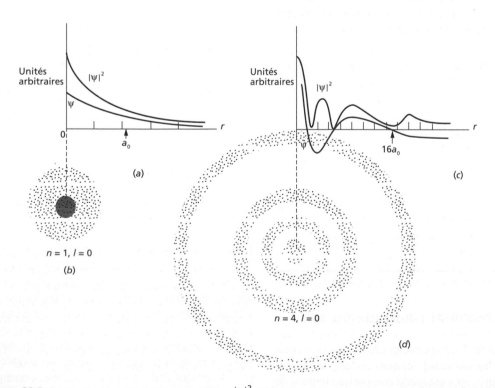

Figure 28.5 *(a)* Un diagramme représentant ψ et $|\psi|^2$ (en couleur) en fonction de r pour l'état $n = 1$, $\ell = 0$ de l'atome d'hydrogène. *(b)* Une représentation de $|\psi|^2$ pour le même état. *(c)* Graphes représentant ψ et $|\psi|^2$ (en couleur) pour l'état $n = 4$, $\ell = 0$ de l'hydrogène. *(d)* Une représentation de $|\psi|^2$ pour le même état. a_0 est le rayon de Bohr de la première orbite.

28.3 LES FONCTIONS D'ONDE DE L'ATOME D'HYDROGÈNE

Comme nous l'avons mentionné plus haut, les fonctions d'onde construites pour décrire les états permis de l'atome d'hydrogène ne sont pas des quantités mesurables. Toutefois, la connaissance de ces fonctions d'onde nous permet de calculer des quantités mesurables comme l'énergie ou le moment angulaire dans l'état correspondant. La fonction d'onde, notée ψ, peut être rapprochée de la fonction donnant le déplacement dans le cas d'une onde stationnaire sur une corde ou dans une colonne d'air. En mécanique quantique, la fonction d'onde est directement liée à la probabilité de trouver un électron en un point quelconque de l'espace lorsqu'il occupe l'état correspondant.

Le carré de la valeur absolue de la fonction d'onde, noté $|\psi(\mathbf{r})|^2$, mesure la probabilité de présence d'un électron au point $\mathbf{r}$ de l'espace*. La figure 28.5a, par exemple, représente ψ et $|\psi|^2$ pour l'état $n = 1$, $\ell = 0$ de l'hydrogène. Nous voyons que dans cet état, l'électron a une probabilité plus élevée de se trouver dans une région de points r proches de zéro. Toutes les fonctions d'onde associées aux états $l = 0$ présentent une symétrie sphérique et donnent une probabilité de présence maximale en $r = 0$.

On peut remarquer que cette fonction d'onde s est réelle et peut être positive ou négative mais que $|\psi|^2$ est toujours une quantité positive ou nulle. Les images pointillées représentent les probabilités de présence peuvent être comprises comme la superposition de nombreuses photographies qui échantillonnent les positions possibles de l'électron dans l'état associé à ψ. L'électron se trouvera le plus probablement dans les régions sombres de ces diagrammes.

Bien qu'il y ait une probabilité élevée de trouver l'électron de nombre quantique orbital $\ell = 0$ dans la région proche de $\mathbf{r} = 0$, la probabilité de le trouver dans le noyau est faible. Le rayon du noyau est en effet environ 10 000 fois plus petit que le rayon de Bohr et, sur les diagrammes des figures 28.5, le rayon du noyau tombe dans l'épaisseur de la ligne représentant l'axe vertical.

Les fonctions d'onde correspondant aux états pour lesquels $l \neq 0$ sont plus complexes (figure 28.6). Elles ne possèdent plus la symétrie sphérique et s'annulent en $r = 0$. De ce fait, un électron occupant un état 2p a moins de

---

* Il arrive que l'expression de ψ contienne l'unité imaginaire $\sqrt{-1}$ et soit dès lors une fonction complexe. Dans ce cas, $|\psi|^2$ représente le carré du module du nombre complexe ψ. Il s'agit bien d'un nombre réel, comme on doit s'y attendre, puisqu'il exprime une probabilité Si ψ est réel, $|\psi|^2 = \psi^2$.

chance de se trouver près du noyau qu'un électron occupant un état 2s.

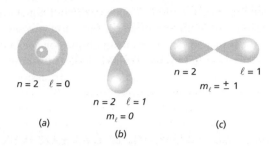

Figure 28.6 Représentation de $|\psi|^2$ pour l'état $n = 2$ de l'hydrogène. *(a)* Le nuage électronique correspondant à $\ell = 0$ est plus dense en $r = 0$. *(b)* Pour $\ell = 1$ et $m_\ell = 0$, la représentation de $|\psi|^2$ montre deux gouttes situées au-dessus et au-dessous de l'origine. Pour cet état, $|\psi|^2 = 0$ en $r = 0$. *(c)* Pour $\ell = 1$, $m_\ell = \pm 1$, $|\psi|^2$ prend la forme d'un tore. (On n'en voit ici qu'une section.) Ici également, $|\psi|^2 = 0$ en $r = 0$. Bien que les diagrammes correspondant aux deux états $m_\ell = +1$ et $m_\ell = -1$ soient identiques, les moments angulaires associés aux deux états sont opposés. On peut penser à un électron circulant dans un sens le long du tore pour l'un des états et circulant en sens opposé pour l'autre.

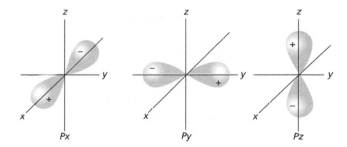

Figure 28.7 Les trois fonctions d'onde 2p de l'hydrogène telles qu'elles sont couramment utilisées en chimie. Ces fonctions d'onde sont positives d'un côté de l'origine et négatives de l'autre.

Les fonctions d'onde que nous venons de décrire sont celles qui sont le plus utilisées en physique atomique, où les interactions entre le dipôle magnétique de spin et le dipôle magnétique orbital jouent un rôle important. Pour décrire les mécanismes de liaison des atomes les uns aux autres, il est souvent plus adéquat d'utiliser un jeu de fonctions d'onde sensiblement différent. La figure 28.7 montre les trois fonctions d'onde que l'on utilise dans la discussion de la liaison chimique. Les fonctions étiquetées p_x, p_y et p_z sont formées d'une superposition des trois fonctions d'onde $2p$ représentées sur la figure 28.6. Les deux jeux de fonctions d'onde vérifient l'équation de Schrödinger et le choix qui en est fait varie suivant que l'accent est mis sur les effets magnétiques ou sur la description de la structure moléculaire. Nous utiliserons les états représentés à la figure 28.7 dans la discussion de la liaison moléculaire au chapitre suivant.

28.4 LE PRINCIPE D'EXCLUSION DE PAULI

Nous avons remarqué que toutes les particules élémentaires possèdent un moment angulaire de spin. Celui-ci joue un rôle crucial dans la description de la structure atomique et moléculaire et détermine le comportement des systèmes de particules. On connaît par exemple deux isotopes de l'hélium, le ^{3}He, dont le noyau est formé de deux protons et d'un neutron, et le ^{4}He, comportant deux protons et deux neutrons. Ils se comportent très différemment à basse température parce que leurs spins nucléaires résultants sont différents. Dans le cas du ^{4}He, les deux protons ont des spins égaux et opposés, comme ceux des deux neutrons. Le spin résultant est donc nul. Cette substance qui, à la pression atmosphérique, reste liquide aux températures les plus basses atteintes en laboratoire, devient *superfluide* au-dessous de 2 K. Entre autres caractéristiques extraordinaires, ce superfluide peut s'écouler par des ouvertures qui sont imperméables aux autres liquides ou même aux gaz. Le ^{3}He montre des propriétés différentes mais tout aussi remarquables au-dessous de 5×10^{-3} K environ. Ici, le spin nucléaire résultant vaut 1/2 du fait de la présence du neutron non apparié.

Un autre exemple de l'effet du spin est observé dans les métaux. À basse température, les électrons libres, ayant chacun un spin un demi, s'associent pour former une paire dont le spin résultant est nul. Lorsque ceci se produit, le métal devient supraconducteur : sa résistance électrique s'annule.

Tous ces comportements découlent des deux principes suivants :

1. *Le principe d'exclusion de Pauli.* Deux ou plusieurs particules identiques de spin un demi ne peuvent pas se trouver dans le même état quantique. Cela signifie pour les atomes à plusieurs électrons que l'on ne peut pas trouver plus d'un électron dans un état défini par les nombres n, l, m_l et m_s.

2. *Les particules identiques de spin zéro ou un* peuvent être placées dans n'importe quel état quantique, occupé ou non.

Le mot « identique » en mécanique quantique implique « indiscernable ». Cette remarque est importante car en mécanique classique, les particules individuelles sont généralement considérées comme discernables, c'est-à-dire identifiables à tout moment. Lorsque nous connaissons la position et la quantité de mouvement d'une particule à un certain moment nous pouvons, en principe, à l'aide des lois de Newton, suivre son mouvement aussi longtemps que nécessaire. Dans un système quantique, le principe d'incertitude empêche la connaissance précise simultanée de la position et de l'impulsion, de sorte qu'à différents instants, nous ne pouvons pas dire si nous suivons toujours la particule initiale ou une autre qui lui est identique. Dans ce cas, nous devons considérer les particules comme étant indiscernables. Les atomes fournissent de nombreuses illustrations des conséquences du principe de Pauli.

 —————— Exemple 28.2 ——————

Combien d'électrons peut-on trouver dans l'état $n = 2$ d'un atome ?

Réponse Dans l'exemple 28.1, nous avons trouvé qu'il existe quatre combinaisons des valeurs possibles de ℓ et m_ℓ pour $n = 2$. Par ailleurs, pour chacun de ces états, deux valeurs du nombre quantique m_s sont possibles, $m_s = +1/2$ et $m_s = -1/2$. Il existe donc huit états $n = 2$. Le principe d'exclusion de Pauli impose qu'il n'existe qu'un seul électron dans chaque état, de sorte qu'un niveau $n = 2$ peut contenir huit électrons.

28.5 STRUCTURE ATOMIQUE ET TABLEAU PÉRIODIQUE

Nous avons maintenant suffisamment d'information pour examiner le cas des atomes à plusieurs électrons. Nous verrons que beaucoup des propriétés physiques et chimiques des atomes peuvent s'expliquer par un *modèle de structure électronique* en couches, fondé sur l'idée que tous les électrons se trouvent dans des états de type hydrogénoïde.

Dans l'état fondamental, les électrons occupent les niveaux les plus bas non encore occupés. Lorsque tous les états de même énergie ou d'énergies très voisines sont occupés, on dit qu'une *couche électronique* est complète ou *fermée*. Les atomes dont tous les électrons se distribuent sur un ensemble de couches fermées possèdent des propriétés physiques et chimiques très semblables et sont particulièrement stables. L'énergie minimale requise pour arracher un électron d'un atome neutre dans son état fondamental, l'*énergie d'ionisation*, est spécialement importante dans le cas de ces atomes à couches fermées (figure 28.8). La régularité associée à la fermeture des couches électroniques est responsable des ressemblances entre les éléments d'une même colonne du tableau périodique (appendice A).

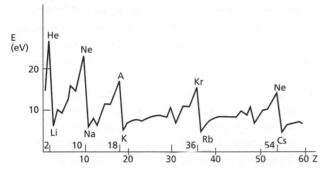

Figure 28.8 L'énergie d'ionisation, c'est-à-dire l'énergie minimale requise pour extraire un électron d'un atome neutre dans son état fondamental, est donnée ici en fonction de Z, pour les valeurs inférieures à Z = 60. Les gaz inertes à couches fermées se caractérisent par Z = 2, 10, 18, 36 et 54.

Nous allons maintenant considérer les atomes individuellement et de manière plus détaillée, en commençant par le cas où Z = 2.

28.5.1 Hélium (Z = 2)

L'hélium est formé de deux électrons et d'un noyau de charge 2e. Il n'est toujours pas possible de trouver une solution exacte de l'équation de Schrödinger lorsque trois objets ou plus sont en interaction, mais des solutions approchées très précises peuvent être obtenues dans le cas de l'atome d'hélium. Ces solutions montrent, comme on pouvait s'y attendre, que l'état fondamental de l'hélium est construit à partir de deux états correspondant aux nombres quantiques $n = 1$ et $\ell = 0$. En accord avec le principe de Pauli, l'un des électron s est dans l'état de spin up ($m_s = 1/2$) et l'autre dans l'état de spin down ($m_s = -1/2$).

Le fait que deux électrons se côtoient affecte les énergies associées à l'état dans lequel ils se trouvent. Chaque électron a une distribution de probabilité de présence $|\psi|^2$ semblable à celle de la figure 28.5a, de sorte que chaque électron occulte partiellement le noyau pour l'autre électron. À peu près la moitié du temps, un électron « voit » un noyau de charge $Z = 2$, et le reste du temps, il voit un noyau de charge réduite à $Z = 1$. On peut donc supposer que la charge effective du noyau pour chaque électron est de l'ordre de $Z_{eff} = (1/2)(2+1) = 1,5$. En fait, à cause de la répulsion des deux électrons, l'effet d'écran est réduit et Z_{eff} atteint une valeur de l'ordre de 1,7. Ainsi, pour

deux électrons dans l'état $n = 1$, on trouve à partir de l'équation (28.1), avec $Z = Z_{eff}$, une énergie totale de

$$E_2 = -2\frac{Z_{eff}^2}{n^2}E_0 = -2\frac{(1,7)^2}{1^2}(13,6\,\text{eV})$$

$$= -79\,\text{eV}$$

Si l'un des électrons est enlevé, l'électron restant est soumis à l'attraction d'un noyau de charge complète $Z = 2$. L'énergie de l'électron vaut alors

$$E_1 = -\frac{2^2}{1^2}(13,6\,\text{eV}) = -54\,\text{eV}$$

La différence $E_1 - E_2 = -54 - (-79) = 25$ eV est l'énergie requise pour arracher un électron de l'atome d'hélium. Cette énergie d'ionisation est plus grande que celle de l'atome d'hydrogène, 13,6 eV. Nous voyons ainsi que les deux électrons de l'hélium, dans l'état 1 s, sont plus fortement liés au noyau que l'électron de l'atome d'hydrogène malgré leur répulsion mutuelle. L'hélium est le plus léger des atomes à couche fermée, puisque, avec ses deux électrons, il ferme la couche $n = 1$; c'est donc aussi le plus léger des atomes de gaz inertes encore appelés *gaz rares*. Dans le cas du lithium, avec $Z = 3$, le troisième électron devra occuper un état d'énergie plus élevé, une orbitale $n = 2$.

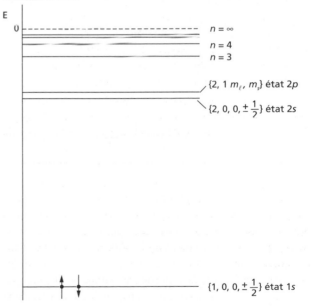

Figure 28.9 Diagramme schématique des niveaux d'énergie de l'atome d'hélium neutre. Les deux électrons ont des spins opposés et se trouvent tous deux dans l'état 1s. Les états sont étiquetés par les nombres quantiques [n, ℓ, m_ℓ, m_s].

28.5.2 Lithium-Néon (Z = 3 – 10)

Notre discussion des états d'énergie de l'hydrogène nous a montré que le niveau $n = 2$ comporte huit états définis par les différentes valeurs possibles des nombres quantiques ℓ, m_ℓ, et m_s. Les niveaux $n = 2$ sont notablement plus élevés en énergie que les niveaux pour lesquels $n = 1$, mais encore nettement au-dessous des niveaux $n = 3$ (figure 28.9). Dans le cas du lithium ($Z = 3$), deux électrons occupent l'état $n = 1$ et un électron occupe un niveau $n = 2$. Du fait que ce troisième électron est en moyenne plus éloigné du noyau, il est protégé de l'influence de ce dernier par les deux électrons de la couche interne. Cet effet d'écran est moins efficace dans l'état $n = 2$, $\ell = 0$ que dans l'état $n = 2$, $\ell = 1$ parce que dans l'état $\ell = 0$, l'électron a une probabilité plus grande de se trouver à proximité immédiate du noyau. De ce fait, l'énergie est un peu plus basse dans l'état $l = 0$ et c'est ce niveau qui se verra occupé dans l'état fondamental de l'atome. Dans l'exemple suivant, nous évaluons la charge nucléaire effective pour l'électron occupant un état $n = 2$, $\ell = 0$.

 ──────────── **Exemple 28.3** ────────────

D'après le modèle de Bohr, un électron occupant une couche $n = 2$ en présence d'une charge nucléaire $Z_{\text{eff}} = 1$ aura une énergie $E_2 = -13{,}6/(2)^2$ eV $= -3{,}4$ eV. Dans le cas de l'atome de lithium, l'énergie de cet électron est $-5{,}39$ eV. Quelle est la charge nucléaire effective pour cet état ?

Réponse   Le modèle de Bohr nous donne, pour $Z = Z_{\text{eff}}$,

$$E_2 = -5{,}39 \text{ eV} = -13{,}6 \frac{(Z_{\text{eff}})^2}{(2)^2}$$

dont la solution est $Z_{\text{eff}} = 1{,}26$. Ce résultat nous montre que parce que l'électron peut s'approcher du noyau, il voit une charge effective 26 % plus élevée que celle qui serait vue par un électron complètement protégé par effet d'écran.

──────────────────

Pour $Z = 4$, le béryllium, le quatrième électron peut aussi se trouver dans un état $n = 2$, $\ell = 0$, avec un spin opposé à celui du troisième électron. Ces deux électrons se protègent mutuellement de l'influence du noyau. Toutefois, la charge du noyau est maintenant égale à 4 et les électrons de la couche interne ne compensent plus que deux protons. Les deux électrons extérieurs voient une charge nucléaire comprise entre 1 et 2. L'énergie d'ionisation est de 9,32 eV pour le béryllium.

Avec $Z = 5$, le bore, le niveau $n = 2$, $\ell = 1$ commence à se peupler. Il existe six états $n = 2$, $\ell = 1$ et les électrons s'y empilent successivement en passant du bore au carbone ($Z = 6$), puis à l'azote ($Z = 7$), à l'oxygène ($Z = 8$), au fluor ($Z = 9$), et finalement au néon ($Z = 10$). Pour le néon, les niveaux $n = 2$ se voient complètement occupés et la couche est fermée ; le néon est un autre gaz inerte. On note dans le cas du néon que les six électrons périphériques se disputent la part de la charge nucléaire qui n'est pas occultée par les quatre électrons internes. Comme chacun de ces six électrons peut voir une charge six, pendant un temps non négligeable, la charge nucléaire effective à laquelle ils sont soumis est relativement grande. Leur énergie d'ionisation est de 21,56 eV, ce qui correspond à une valeur de Z_{eff} de l'ordre de 2,5.

L'équilibre entre les effets attractifs d'une charge nucléaire effective et la répulsion mutuelle des électrons dépend très sensiblement du nombre d'électrons présents. Dans le cas du fluor, par exemple, avec cinq électrons $n = 2$, $\ell = 1$, il manque un électron pour fermer la couche. L'addition d'un électron pour former l'ion F^- a pour résultat que six électrons se partagent maintenant cinq charges nucléaires. L'énergie gagnée dans ce partage est suffisante pour compenser l'effet de répulsion entre cet électron supplémentaire et les électrons de l'atome neutre. L'ion F^- est tout à fait stable. Son énergie d'ionisation est de 4,2 eV. On dit que le fluor a une grande *affinité électronique*.

Dans un modèle grossier de la molécule NaF, le fluor capte l'un des électrons du sodium. La cohésion de la molécule est alors assurée par l'attraction électrostatique entre les ions Na^+ et F^-. C'est la *liaison ionique*. Le fluor est le plus petit des *halogènes*, qui comprennent le chlore, le brome, l'iode et l'astate, atomes dont la couche électronique périphérique serait fermée avec un électron supplémentaire. Tous ces atomes sont hautement réactifs du fait qu'ils gagnent facilement l'électron qui leur manque pour fermer leur structure électronique.

Nous pouvons voir aussi comment le carbone ($Z = 6$), l'un des constituants de base des composés organiques, se combine avec d'autres éléments. Le niveau $n = 2$ du carbone contient deux électrons dans l'état $\ell = 0$ et deux dans l'état $\ell = 1$. Quatre électrons supplémentaires sont requis pour fermer la couche $n = 2$. Comme les atomes sont plus stables lorsqu'ils présentent des couches fermées, le carbone va normalement essayer de « partager » quatre électrons provenant d'autres éléments. C'est la *liaison covalente*.

28.5.3 $Z = 11 - 18$

Lorsque Z augmente à partir de la valeur $Z = 11$, les niveaux 3s et 3p se remplissent comme le faisaient les niveaux 2s et 2p. Les caractéristiques chimiques de ces éléments sont très semblables à celles des éléments dont les nombres atomiques varient de 3 à 10. Au premier abord, on pourrait croire que le gaz inerte à couche fermée qui suit le néon devrait apparaître pour $Z = 28$, lorsque tous les niveaux correspondant à $n = 3$ sont remplis (tableau 28.2). Toutefois, les électrons dans un état $\ell = 2$ passent beaucoup moins de temps au voisinage du noyau que ne le font les électrons des états $\ell = 1$ ou $\ell - 0$. Ils sont de ce fait nettement plus énergétiques. En fait, les niveaux $4s$ ($n = 4$, $\ell = 0$) sont situés eux aussi au-dessous des niveaux $3d$ ($n = 3$, $\ell = 2$). Les états $3s$ et $3p$ forment à eux seuls une couche complète. L'argon ($Z = 18$) a rempli les couches $3s$ et $3p$ et se comporte dès lors comme un gaz inerte. Pour la même raison, le chlore ($Z = 17$) est un halogène semblable au fluor et le potassium ($Z = 19$) est un *métal alcalin* proche du lithium et du sodium, parce qu'il présente un électron unique à l'extérieur d'une couche fermée.

État	ℓ	m_ℓ	m_s	
$3s$	0	0	$\pm 1/2$	} 2 états
		-1	$\pm 1/2$	
$3p$	1	0	$\pm 1/2$	} 6 états
		$+1$	$\pm 1/2$	
		-2	$\pm 1/2$	
		-1	$\pm 1/2$	
$3d$	2	0	$\pm 1/2$	} 10 états
		$+1$	$\pm 1/2$	
		$+2$	$\pm 1/2$	

Tableau 28.2 États d'un atome pour $n = 3$.

28.5.4 $Z > 18$

Au-dessus de $Z = 18$, l'ordre dans lequel se présentent les niveaux atomiques se complique. Les états de moment angulaire nul sont toujours les premiers peuplés dans une couche du fait qu'ils se trouvent les plus proches du noyau. Cet effet est si important que pour $Z = 19$, les états $n = 4$, $\ell = 0$ commencent à se remplir alors que les états $n = 3$, $\ell = 2$ sont encore inoccupés. Dans la figure 28.10, nous voyons que pour une valeur intermédiaire de Z, les couches fermées ne sont pas toujours associées à une même valeur de n. La correspondance biunivoque entre les couches et les valeurs de n ne réapparaît que pour les atomes très lourds.

Deux aspects importants des structures électroniques peuvent être soulignés à ce point de l'exposé. D'abord, il n'y a pas de raison liée à la structure électronique pour laquelle des éléments de nombre atomique Z extrêmement élevés ne puissent pas exister. Or, les éléments naturels ou artificiels connus présentent des valeurs de Z qui ne dépassent que de peu la valeur 100. En fait, si des atomes plus lourds n'existent pas c'est parce que leur *noyau* est instable.

Le second point remarquable est que la taille des atomes ne varie pas dans des proportions considérables d'un élément à l'autre. Les métaux alcalins, avec un seul électron s faiblement lié, présentent les rayons les plus grands.

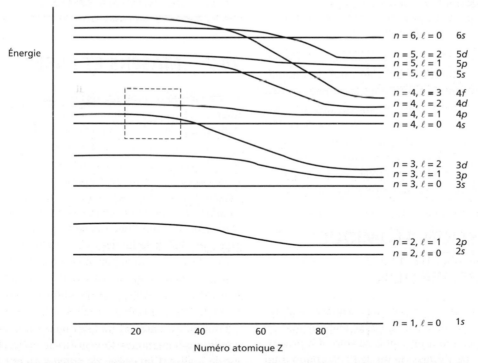

Figure 28.10 Position des niveaux d'énergie des atomes en fonction de leur numéro atomique Z. Le carré pointillé indique les niveaux occupés pour les valeurs de Z comprises entre 19 et 36. Les couches sont formées de différents niveaux dans différentes portions du tableau périodique. Par exemple, pour $Z = 30$, les niveaux $3s$ et $3p$ forment une couche mais pour $Z = 70$, les niveaux $3s$, $3p$ et $3d$ sont nécessaires pour former une couche complète.

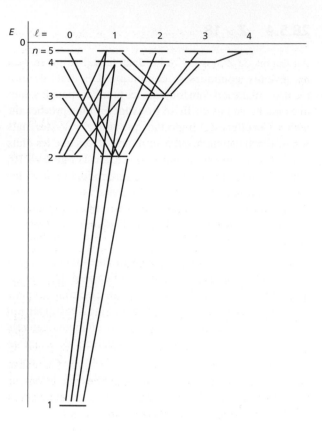

Figure 28.11 Quelques-unes des transitions permises pour l'électron de l'atome d'hydrogène. Ces transitions s'accompagnent de l'émission ou de l'absorption d'un photon. L'état $n = 2$, $\ell = 0$ est métastable parce que l'électron ne peut pas abaisser son énergie par émission directe d'un seul photon.

Le plus volumineux de ces atomes alcalins, le césium, n'a pourtant qu'un volume double de celui de l'atome d'hélium. Ceci provient de ce que dans les atomes lourds, les électrons des couches les plus proches du noyau voient une charge effective Z_{eff}, élevée et se trouvent de ce fait plus fortement confinés au voisinage du noyau que dans les atomes légers. Ceci permet aux électrons des couches extérieures de se rapprocher du noyau, de sorte que le rayon de l'atome n'augmente que très peu avec Z.

28.6 ÉMISSION ATOMIQUE ET SPECTRES D'ABSORPTION

Nous avons décrit précédemment la manière dont les électrons d'un atome peuvent modifier leur énergie en effectuant une transition d'un état à un autre. Ce processus s'accompagne de l'émission ou de l'absorption d'un photon.

Le photon est une particule de spin 1. Lorsqu'un atome absorbe ou émet un photon, le moment angulaire total de l'atome et du photon doit être conservé. Dès lors, comme le photon possède un moment angulaire, l'électron qui émet ou absorbe ce photon doit modifier le sien au moment où la transition se produit.

Généralement, le nombre quantique associé au moment cinétique orbital de l'électron change d'une unité lors de la transition. Supposons, par exemple, qu'un atome d'hydrogène dans son état fondamental ($\ell = 0$) absorbe un photon. Cette transition n'est possible que si son moment cinétique orbital final est décrit par le nombre quantique $\ell = 1$. Pour une transition vers les énergies plus basses, l'électron doit également changer de nombre quantique azimutal d'une unité. La figure 28.11 montre les transitions *permises* entre les cinq niveaux d'énergie les plus bas pour l'atome d'hydrogène.

Lorsque les atomes sont excités, les électrons reviennent à leur état fondamental par des transitions permises. Ces états excités ont des temps de vie très courts, au plus de l'ordre de 10^{-8} seconde. Toutefois, si les électrons ne peuvent pas revenir à leur état fondamental par des transitions permises, ils peuvent le faire en émettant deux photons. Ce mécanisme est relativement lent et ces états *métastables* peuvent durer pendant des temps qui peuvent atteindre l'ordre de grandeur d'une seconde.

Pour en savoir plus...

28.7 MASERS ET LASERS

La possibilité de produire des ondes électromagnétiques intenses et cohérentes à une seule fréquence étroitement définie a permis d'importants progrès des moyens modernes de communication. Les masers et les lasers produisent des faisceaux étroits très intenses, monochromatiques et cohérents de micro-ondes ou de lumière visible. Le mot maser est un acronyme, en langue anglaise, pour *Amplification de Micro-ondes par Émission Stimulée de Radiation*. Le laser, fonctionnant à partir des mêmes principes, produit de la lumière visible plutôt que des micro-ondes. Dans ce paragraphe, nous considérerons quelques aspects généraux communs à tous les masers et lasers et nous décrirons ensuite plus spécifiquement le fonctionnement du laser à gaz hélium-néon.

Pour qu'un maser ou un laser puisse fonctionner, deux conditions importantes doivent être remplies. La première est de réaliser l'*inversion de population* et l'autre est de favoriser l'*émission stimulée*. Nous décrirons ces situations en nous référant à un atome à deux niveaux E_1 et E_2 (figure 28.12).

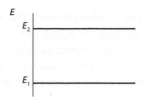

Figure 28.12 Deux niveaux d'énergie d'un atome. Dans des conditions normales, un système d'atomes présentera une population plus élevée dans l'état d'énergie la plus basse, E_1. Cela reste vrai si on élève la température. Dans ce cas, les populations des deux niveaux tendent au maximum à s'égaliser.

Dans des conditions normales, la plupart des atomes se trouvent dans l'état d'énergie la plus basse, bien que quelques-uns puissent être trouvés sur un niveau plus élevé. Les atomes qui se trouvent dans l'état excité retombent dans l'état fondamental en émettant des photons. Ce processus est aléatoire, et les photons émis ne sont pas cohérents : ils ne correspondent pas à des ondes en phase les unes avec les autres. Dans un laser, un autre type d'émission, l'émission stimulée, joue un rôle important. Si un atome émet un photon d'énergie $E_2 - E_1$, ce photon va entrer en collision avec un second atome trouvé dans l'état

excité E_2. Lorsque cette collision se produit, le second atome est amené à émettre un photon de même énergie. *Les deux photons sont émis de manière cohérente* (figure 28.13).

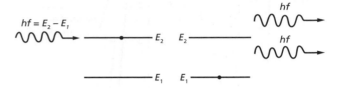

Figure 28.13 Un photon d'énergie $hf = E_2 - E_1$ tombe sur un atome dans l'état E_2. Le photon incident déclenche la transition de l'atome vers l'état E_1, entraînant la production d'un second photon de même énergie que le premier et cohérent avec lui.

L'émission stimulée peut se produire dans des conditions normales mais constitue ordinairement un effet assez mineur, du fait du faible nombre des atomes excités. Dans les lasers, en revanche, on fait en sorte que le nombre d'atomes dans l'état excité soit supérieur au nombre d'atomes dans l'état de basse énergie. On réalise donc une *inversion de population*. Dans ces conditions, la probabilité d'une émission stimulée est élevée et un grand nombre de photons cohérents peut être produit.

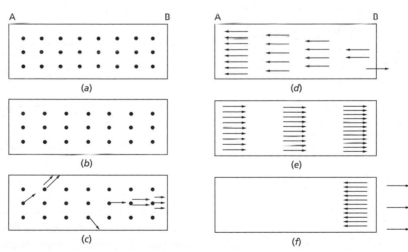

● atome dans le niveau d'énergie inférieur
● atome dans le niveau d'énergie supérieur

Figure 28.14 Représentation schématique d'un laser. Un matériau est placé entre deux réflecteurs *A* et *B*. *A* est parfaitement réfléchissant et *B* ne l'est qu'à 99 %. *(a)* Le matériau est dans son état normal. La plupart de ses atomes se trouvent dans leur état fondamental (points noirs) et quelques-uns seulement se trouvent dans leur état excité (points colorés). *(b)* L'inversion de population est réalisée. Cet état est obtenu en fournissant de l'énergie au système par un mécanisme que l'on appelle le *pompage optique*. *(c)* Des photons sont émis de manière aléatoire par quelques atomes. Certains de ces photons sont perdus par les faces non réfléchissantes de l'enceinte où se trouve le matériau actif, mais l'un d'eux déclenche l'émission stimulée dans une direction perpendiculaire aux faces réfléchissantes. *(d)* Après une réflexion partielle l'augmentation de population de photons cohérents se poursuit. *(e)* L'accroissement du nombre de photons continue après une réflexion totale sur le miroir *A* et en *(f)*, 1 % du nombre total de photons réfléchis s'échappe par le miroir *B*. Les photons à l'intérieur de la cavité du laser continuent à osciller et à balayer les atomes du matériau jusqu'à ce que la population des niveaux atomiques soit redevenue normale. À ce moment, le nombre de photons diminue progressivement.

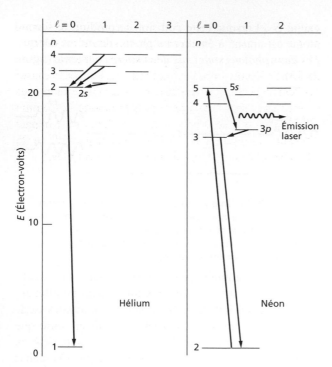

Figure 28.15 Si des électrons de l'hélium sont excités, ils peuvent retomber dans l'état fondamental en émettant des photons. Beaucoup d'électrons aboutissent dans l'état métastable 2s. Lorsqu'un atome d'hélium entre en collision avec un atome de néon, l'électron 2s de l'hélium peut retomber dans l'état 1s (flèche colorée) en transférant son énergie à l'atome de néon qui voit un de ses électrons promu au niveau 5s (autre flèche colorée). L'émission laser se produit lorsque l'électron 5s du néon retombe dans l'état 3p.

Nous pouvons maintenant comprendre comment une radiation intense et cohérente peut être engendrée. Considérons un système formé d'atomes ou de molécules et préparé de manière à présenter un état de haute énergie en surpopulation par rapport à un état de plus basse énergie. Dans un tel système, l'émission d'un seul photon par un atome va déclencher l'émission de photons par un très grand nombre d'autres atomes. En pratique, on parvient à réaliser l'inversion de population requise au moyen d'un montage tel que celui qui est décrit à la figure 28.14.

Le laser représenté est un laser à deux états ou laser pulsé. Le processus d'émission stimulée s'arrête au moment où la plupart des atomes excités se sont désexcités. De l'énergie doit alors être à nouveau fournie au système pour restaurer l'inversion de population. Cette énergie est le plus souvent fournie au moyen d'une radiation électromagnétique.

Les lasers qui produisent une radiation continue, plutôt qu'un faisceau pulsé, requièrent la participation d'au moins trois niveaux d'énergie. Dans un laser émettant une onde continue, les atomes sont continuellement transférés d'un état de basse énergie à un état de haute énergie. Ces atomes excités ne reviennent pas à leur état initial, mais retombent plutôt dans un état d'énergie intermédiaire à long temps de vie qui se trouve alors constamment en état de surpopulation. L'émission laser a lieu entre ce niveau intermédiaire et un état d'énergie plus basse.

Un laser contenant un mélange gazeux d'hélium et de néon produit une radiation continue de 632,8 nm de longueur d'onde. Ces deux atomes ont des couches électroniques fermées correspondant à $n = 1$ et $n = 2$, respectivement. Lorsque ces atomes sont excités, les électrons doivent retourner à un état 1s pour l'hélium et à un état 2p dans le néon pour retrouver l'état fondamental (figure 28.15).

Le niveau 2s ($n = 2$, $\ell = 0$) de l'hélium est à 20,61 eV au-dessus de l'état fondamental et est plus bas en énergie que l'état 2p ($n = 2$, $\ell = 1$). Lorsqu'une décharge électrique se produit dans le gaz, les électrons qui retombent dans l'état 2s de l'hélium sont incapables de retourner vers l'état 1s parce que le moment cinétique des deux états est le même. L'état 2s est métastable. Il se trouve toutefois que le niveau 5s du néon se trouve à 20,66 eV au-dessus du niveau fondamental de l'atome. De ce fait, les électrons occupant l'état 2s de l'hélium peuvent aisément retomber sur le niveau 1s en excitant un électron 2p du néon vers l'état 5s lors d'une collision entre les deux atomes. La légère différence d'énergie se traduit par un accroissement de l'énergie cinétique thermique de l'atome d'hélium. De cette manière, le réservoir d'électrons 2s de l'hélium réalise le pompage des électrons du néon vers l'état 5s. L'émission laser se produit ensuite, lorsque les électrons de l'état 5s de néon retombent dans l'état 3p, produisant des photons de 632,8 nm de longueur d'onde. D'autres transitions cohérentes peuvent se manifester simultanément, mais aucune ne se trouve dans la partie visible du spectre.

Une grande variété de lasers et de masers sont aujourd'hui opérationnels et les longueurs d'onde disponibles couvrent une grande partie du visible, de l'infrarouge et des micro-ondes. Bien qu'il ne soit pas possible d'obtenir toutes les longueurs d'onde dans ces régions du spectre, certains dispositifs sont accordables ; la longueur d'onde qu'ils émettent peut être modifiée de façon continue. Les masers et les lasers ont déjà trouvé un très large domaine d'application et de nouvelles utilisations sont constamment à l'étude.

Dans les travaux de génie civil et les relevés topographiques, les faisceaux laser étroits, intenses et peu divergents sont utilisés comme référence pour les alignements de précision. L'holographie dépend entièrement de la cohérence de la lumière émise par le laser. En médecine, le laser est utilisé pour réparer les dommages causés à la rétine et dans beaucoup d'autres applications chirurgicales.

La diffusion de la lumière laser constitue aussi un outil extrêmement performant pour l'étude de la structure et de la dynamique moléculaire.

L'utilisation des lasers n'est pas sans danger. Même si l'énergie totale émise par un laser est parfois très faible, le taux d'émission de cette énergie peut être extrêmement élevé et comme le faisceau reste très étroit, l'intensité de la radiation est souvent très élevée. Les lasers pulsés existants atteignent des puissances d'émission de l'ordre de 10^{13} W dans un faisceau dont la section ne dépasse pas 1 mm^2. L'impulsion lumineuse peut être très brève, parfois de l'ordre de 10^{-12} seconde. Les faisceaux laser peuvent vaporiser les métaux et causer des dommages sévères aux tissus et aux matériaux biologiques. Comme le fond de l'œil absorbe fortement la lumière, l'impact d'un faisceau laser même relativement peu puissant sur la rétine peut conduire à des dommages irréversibles.

Réviser

RAPPELS DE COURS

La structure des atomes à plusieurs électrons peut être en grande partie comprise en termes de niveaux d'énergie semblables à ceux de l'atome d'hydrogène. La position des niveaux d'énergie est déterminée par la force électrique attractive due au noyau et la force répulsive mutuelle des électrons.

Le principe d'exclusion de Pauli requiert qu'un état donné ne soit occupé que par un seul électron. Ces états sont étiquetés par des nombres quantiques associés à l'énergie, au moment angulaire orbital et au moment angulaire de spin de l'électron qui se trouve dans cet état. Dans l'état fondamental des atomes, les électrons occupent les niveaux d'énergie les plus bas compatibles avec le principe d'exclusion de Pauli.

Le carré du module de la fonction d'onde renseigne sur la distribution des probabilités de présence de l'électron dans l'espace lorsqu'il se trouve dans l'état correspondant. Cette distribution des probabilités de présence peut être utilisée pour comprendre l'occultation du noyau par les autres électrons et les énergies relativement basses des états de moment angulaire nul.

Les spectres d'émission et d'absorption des atomes complexes ne dépendent pas seulement de la position des niveaux d'énergie mais aussi des contraintes imposées par la loi de conservation du moment angulaire.

PHRASES À COMPLÉTER

Voir réponses en fin d'ouvrage.

1. Dans le cas de l'atome d'hydrogène, l'énergie est spécifiée par le nombre quantique _____.

2. Le nombre quantique associé au moment cinétique orbital peut prendre n'importe quelle valeur _____ jusqu'à _____ y compris.

3. Le nombre quantique déterminant la composante z du moment cinétique orbital peut prendre n'importe quelle valeur entière comprise entre _____ et _____.

4. En prenant h comme unité, la composante z du moment cinétique de spin d'un électron est en grandeur égale à _____.

5. La probabilité de trouver un électron en un point donné est déterminée par le carré du module de _____.

6. La probabilité de trouver un électron dans la région du noyau est plus élevée pour un état l = _____.

7. Deux particules identiques de spin un demi ne peuvent pas se trouver simultanément _____.

8. L'énergie minimale requise pour arracher un électron à un atome dans son état fondamental est _____.

9. Un atome dont tous les groupes de niveaux proches les uns des autres sont occupés est dit à _____ fermées et est très _____.

10. Lorsqu'un atome excité émet un photon, il doit y avoir conservation de l'énergie et du _____.

EXERCICE CORRIGÉ

Un atome d'hydrogène passe de l'état $n = 1$ à $n = 4$. Calculer l'énergie absorbée par l'atome. Quelles sont les énergies des différents photons que l'atome peut émettre en retournant à son état initial ? Préciser la transition.

Solution

L'énergie de l'état $n = 1$ correspond à $E_0 = -13,5$ eV, les autres niveaux d'énergie peuvent s'obtenir grâce à la relation $E_n = -(E_0)/n^2$.

L'énergie absorbée est donnée par

$$E_{abs} = \frac{-E_0}{16} - (-E_0) = \frac{15E_0}{16}$$

$$= \frac{15 \times 13,5}{16} = 12,65 \text{ eV}$$

Comme le moment angulaire orbital d'un atome d'hydrogène doit changer d'une unité quand l'atome émet un photon, la conservation du moment angulaire montre que le photon doit apporter avec lui une partie du moment angulaire, la règle de sélection est $\Delta \ell = \pm 1$.

Du niveau $n = 4$, l'atome peut retourner à son état initial en suivant le schéma suivant :

$n = 4 \; \ell = 3 \rightarrow n = 3 \; \ell = 2 \rightarrow n = 2 \; \ell = 1 \rightarrow n = 1 \; \ell = 0$

Trois transitions d'énergie différentes sont émises
de $n = 4$ à $n = 3$

$$-\frac{E_0}{16} - \left(-\frac{E_0}{9}\right) = \frac{7E_0}{144} = \frac{7 \times 13,5}{144} = 0,65 \text{ eV}$$

de $n = 3$ à $n = 2$

$$-\frac{E_0}{9} - \left(-\frac{E_0}{4}\right) = \frac{5E_0}{36} = \frac{5 \times 13,5}{36} = 1,875 \text{ eV}$$

de $n = 2$ à $n = 1$

$$-\frac{E_0}{4} - \left(-E_0\right) = \frac{3 \times 13,5}{4} = 10,125 \text{ eV}$$

du niveau $n = 4$, l'atome peut suivre un autre schéma :
$n = 4 \; \ell = 2 \rightarrow n = 2 \; \ell = 1 \rightarrow n = 1 \; \ell = 0$

On a alors une autre transition d'énergie

$$-\frac{E_0}{16} - \left(-\frac{E_0}{4}\right) = \frac{3E_0}{16} = \frac{3 \times 13,5}{16} = 2,53 \text{ eV}$$

Enfin, le passage direct de $n = 4 \; \ell = 1$ à $n = 1 \; \ell = 0$ conduit à

$$-\frac{E_0}{16} - \left(-E_0\right) = \frac{15E_0}{16} = \frac{15 \times 13,5}{16} = 12,65 \text{ eV}$$

Il reste une possibilité le passage du niveau $n = 3 \; \ell = 1$ à $n = 1 \; \ell = 0$

$$-\frac{E_0}{9} - \left(-E_0\right) = \frac{8E_0}{9} = \frac{8 \times 13,5}{9} = 12 \text{ eV}$$

S'entraîner

QCM

Voir réponses en fin d'ouvrage.

Q1. La résolution de l'équation de Schrödinger conduit à introduire

a) un nombre quantique

b) deux nombres quantiques

c) trois nombres quantiques

d) quatre nombres quantiques.

Q2. Le nombre quantique principal n de l'atome d'hydrogène peut

a) prendre des valeurs entières de $-\infty$ à $+\infty$

b) définir l'énergie totale de l'atome d'hydrogène

c) être égal à zéro dans l'état fondamental

d) prendre uniquement la valeur de 1 pour l'atome d'hydrogène.

Q3. Le nombre quantique orbital ℓ

a) peut prendre des valeurs entières de $-n$ à $+n$

b) n'intervient pas dans le cas de l'atome d'hydrogène

c) est relié au moment angulaire orbital de l'électron

d) pour l'état fondamental $n = 1$, ℓ peut prendre la valeur de 1 à zéro.

Q4. Le nombre quantique m_ℓ

a) ne peut jamais être nul

b) ne peut jamais être négatif

c) dépend de la direction du moment angulaire de l'électron

d) pour $\ell = 2$, il ne peut prendre que les valeurs $+1$ et $+2$.

Q5. Le nombre quantique de spin de l'électron

a) découle de la théorie originale de Schrödinger

b) découle d'un traitement relativiste

c) ne permet pas d'expliquer la structure fine des raies spectrales de l'hydrogène

d) ne peut avoir qu'une valeur entière ou demi-entière.

Q6. La densité de probabilité radiale pour l'état fondamental de l'hydrogène

a) est nulle au centre de l'atome d'hydrogène

b) est une fonction uniformément décroissante

c) passe par un minimum à la distance du rayon de Bohr

d) est une fonction qui devient nulle à une distance de 3 fois le rayon de Bohr.

Q7. Le principe d'exclusion de Pauli impose que dans l'état $n = 2$ d'un atome, on puisse trouve au maximum

a) 4 électrons

b) 2 électrons

c) 8 électrons

d) 6 électrons.

Q8. Dans un laser, on réalise une opération de pompage, cela signifie

a) mettre le laser sous vide

b) exciter les atomes

c) provoquer l'émission stimulée

d) pomper l'énergie du laser.

Q9. Un état métastable apparaît lorsque l'électron

a) est porté dans un état excité

b) ne peut pas revenir directement à l'état fondamental par une transition permise

c) possède un nombre quantique ℓ constant lors de la transition

d) émet un photon dont le spin est égal à 1/2.

Q10. L'émission de lumière par un laser se caractérise par

a) une lumière amplifiée grâce à de multiples réflexions sur des miroirs

b) une forte concentration de rayons ultraviolets

c) l'impossibilité d'obtenir une émission dans l'infrarouge

d) une émission cohérente de photons.

EXERCICES

Voir réponses en fin d'ouvrage pour les exercices et problèmes dont le numéro est inscrit en noir.

Les nombres quantiques de l'atome d'hydrogène

28.1 Un électron d'un atome d'hydrogène est dans un état $n = 4$.

a) Quelles sont les valeurs possibles du nombre quantique orbital ℓ ?

b) Quelle est la notation spectroscopique pour chaque état ?

c) Quelle est la grandeur maximale de la composante z du moment cinétique orbital pour chaque valeur de ℓ ?

28.2 Tracer un diagramme semblable à celui de la figure 28.2 montrant les valeurs possibles de la composante z du moment cinétique pour un état $\ell = 3$. Spécifier les valeurs de m_ℓ pour chaque orientation du vecteur **L**.

28.3 a) Quelles sont les énergies permises d'un électron dans un état $\ell = 2$ en présence d'une induction magnétique B ? (Négliger les effets du spin dans cet exercice.)

b) Si le champ magnétique a une intensité de 10 T, quelle est la différence d'énergie entre les états correspondant à $m_\ell = 1$ et $m_\ell = 0$?

c) Si un électron subit une transition du niveau $m_\ell = 0$ au niveau $m_\ell = 1$, le photon est-il émis ou absorbé ?

28.4 Une charge tournant dans un champ magnétique se comporte comme une boucle de courant. La mécanique quantique montre que dans un champ d'induction magnétique B un électron de spin S_z a une énergie $\mathcal{U} = 2\,\mu_B\,B m_s$, où $\mu_B = e\hbar/2m$ est le magnéton de Bohr, valant $0,93 \times 10^{-23}$ A m². Quelle est la différence d'énergie entre les niveaux de spin up et down d'un électron dans un champ d'induction magnétique d'intensité égale à 1 T ?

28.5 Combien d'états de nombre quantique principal $n = 4$ l'atome d'hydrogène compte-t-il ? (Inclure le spin.)

28.6 Combien d'états de l'hydrogène ont $n = 3$ et

a) $\ell = 0$

b) $\ell = 1$

c) $\ell = 2$? (Inclure le spin.)

Structure atomique et tableau périodique

28.7 Pourquoi le potassium est-il chimiquement semblable au sodium et au lithium ? ($Z = 19$ pour le potassium.)

28.8 Dans le cas de l'atome de barium, $Z = 56$, l'état $n = 6$, $\ell = 0$ est rempli. Dans le cas des atomes qui le suivent dans le tableau périodique, les électrons supplémentaires vont se placer sur la sous-couche $n = 4$, $\ell = 3$. Combien d'états compte-t-on sur cette sous-couche ? (Il s'agit ici des atomes de terres rares.)

28.9 En utilisant le concept d'effet d'écran, décrit dans le cas de l'atome d'hélium, estimer l'énergie nécessaire à l'extraction du second électron du lithium de manière à former l'ion Li^{++}. Comparer votre estimation de Z_{eff} avec $Z = 3$, la charge nucléaire du lithium.

28.10 L'un des deux électrons de l'atome d'hélium est excité vers un état $n = 2$, alors que le second reste dans un état $n = 1$. Le second électron aura-t-il la même énergie dans les états $\ell = 0$ et $\ell = 1$? Sinon, quel est l'état d'énergie le plus bas et pourquoi ?

28.11 Les métaux alcalins sont très réactifs ils se lient immédiatement avec beaucoup d'autres éléments, spécialement avec ceux qui gagnent en stabilité en captant des électrons. Pourquoi ces métaux sont-ils aussi réactifs ?

28.12 Dans la molécule d'eau, H_2O, les atomes d'oxygène et d'hydrogène mettent en commun leurs électrons. Pourquoi ce composé est-il stable ?

28.13 L'hydrogène se combine avec les halogènes pour former des acides tels que HF, HCl, HBr et HI. Pourquoi ces composés se forment-ils facilement ?

28.14 Les travaux de Tomonaga, Feynman et Schwinger sur l'électrodynamique quantique leur ont valu le prix Nobel. Ils étaient en partie motivés par des observations inexpliquées dans les spectres atomiques. Des techniques développées dans les années 1940 ont permis aux expérimentateurs d'observer que le dédoublement des niveaux d'énergie dans un champ d'induction magnétique B suite à l'existence du spin n'était pas donné par $\Delta \mathcal{U} = 2\mu_B B$, mais plutôt par $\Delta \mathcal{U} = 2\mu_B(1 + \alpha/2\pi)B$. ($\alpha = ke^2/\hbar c = 1/137$ est la constante de structure fine. $\mu_B = e\hbar/2m = 0,93 \times 10^{-23}$ A m^2. Voir l'exercice 28.4.)

a) Dans un champ d'induction magnétique de 10 T, quelle est la grandeur de la correction en énergie dans le spectre ?

b) Quel pourcentage représente cette correction par rapport à la valeur non perturbée de l'énergie de la transition $\Delta \mathcal{U} = 2\mu_B B$?

28.15 Quels sont les nombres quantiques de l'électron périphérique dans l'état fondamental du sodium ($Z = 11$) ?

28.16 Estimer l'énergie d'un électron 1s dans un atome de plomb ($Z = 82$).

Émission atomique et spectres d'absorption

28.17 La charge nucléaire effective pour un électron 3s ($n = 3$, $\ell = 0$) est $Z_{\text{eff}} = 3,1$, et pour le même électron dans un état excité $n = 3$, $\ell = 1$, elle vaut $Z_{\text{eff}} = 1,5$. Quelle est l'énergie du photon émis lorsque l'électron retourne vers l'état 3s ?

28.18 Lorsqu'un des électrons internes d'un atome est capturé par le noyau, on observe l'émission de rayonnement X. D'autres photons X sont émis lorsque les électrons des niveaux supérieurs retombent pour occuper l'état vacant, ou le trou laissé par l'électron capturé. Pour le cuivre, $Z = 29$.

a) Estimer la valeur de Z_{eff} pour un état 2p et un état 1s du cuivre. Expliquer votre raisonnement.

b) Estimer la longueur d'onde des rayons X émis lorsqu'un électron retombe de l'état 2p dans l'état 1s.

Masers et lasers

28.19 La divergence angulaire du faisceau d'un laser est de 10^{-5} rad. Quel est le diamètre de la tache qu'il forme sur la surface de la Lune si le laser est dirigé vers la Lune à partir d'un point de la Terre ? (La distance de la Terre à la Lune est $3,8 \times 10^5$ km.)

28.20 a) Si un laser émet 10 J d'énergie sous forme d'une impulsion lumineuse qui dure 5×10^{-11} s, quelle est la puissance émise ?

b) Quelle est l'intensité du faisceau si celui-ci a une section de 2×10^{-6} m^2 ?

28.21 Quelle est la longueur dans le vide d'un train d'onde impulsionnel qui dure 10^{-11} s ?

28.22 Un laser à rubis émet une radiation à 693,4 nm. Si l'énergie émise dans une impulsion de 10^{-11} seconde est 0,1 J, combien compte-t-on de photons dans chaque impulsion ?

PROBLÈMES

28.23 L'énergie nécessaire pour extraire un électron 1s de l'azote ($Z = 7$) est 540 eV.

a) En utilisant $Z_{\text{eff}} = 6,5$, estimer l'énergie nécessaire pour extraire un électron 1s.

b) Pourquoi ce calcul surestime-t-il l'énergie requise ?

c) La présence de l'électron 2s pourrait-elle affecter l'énergie de l'état 1s ? Pourquoi ?

28.24 Le béryllium ($Z = 4$) possède deux électrons 1s et deux électrons 2s dans son état fondamental. L'énergie d'ionisation pour le premier électron s est de 9,32 eV, et pour le second, 18,12 eV.

a) Que vaut Z_{eff} pour l'électron 2s isolé de l'ion Be$^+$?

b) Que vaut Z_{eff} pour les deux électrons 2s dans l'état fondamental de l'atome neutre ?

28.25 Dans le cas du néon ionisé une fois, Ne$^+$ ($Z = 10$), les cinq électrons extérieurs 2p voient une charge nucléaire effective variant entre 6 et 2, suivant l'occultation des quatre autres électrons 2p. Par une règle de moyenne simple, nous trouvons $Z_{\text{eff}} = (6 + 5 + 4 + 3 + 2)/5 = 4$.

a) Quelle est l'énergie totale des cinq électrons périphériques du Ne$^+$ obtenue en utilisant cette valeur de Z_{eff} ?

b) L'énergie d'ionisation mesurée pour le néon est de 21,56 eV. En supposant correcte la charge effective Z_{eff} de la question a), calculer Z_{eff} pour les six électrons 2p du néon neutre dans son état fondamental.

28.26 Le potassium ($Z = 19$) possède un électron périphérique $4s$ et est caractérisé par une énergie d'ionisation de 4,3 eV.

a) Que vaut Z_{eff} pour cet électron dans le potassium ?

b) Le calcium ($Z = 20$) a deux électrons $4s$ sur sa couche externe. Une estimation grossière de la charge nucléaire effective pour un électron $4s$ isolé de l'ion Ca$^+$ pourrait être $Z_{eff} + 1$, où Z_{eff} est le résultat obtenu en a). L'énergie d'ionisation mesurée pour le calcium est de 6,09 eV. Donner une estimation de Z_{eff} pour les deux électrons $4s$ du calcium neutre.

CHAPITRE 29

La structure de la matière

Mots-clefs

Affinité électronique • Bande de conduction • Bande de valence • Bande interdite • Conducteur • État p directionnel • Force de van der Waals • Hybridation sp, sp^2, sp^3 • Isolant • Liaison covalente • Liaison hydrogène • Liaison ionique • Moment dipolaire électrique • Orbitale • Principe de Pauli • Semi-conducteur

Introduction

Les molécules et la matière condensée peuvent être décrites comme un agrégat d'atomes retenus à courte distance les uns des autres par des forces électriques. Si les électrons et les noyaux d'une molécule ont une énergie inférieure à celle des atomes neutres séparés, la molécule sera stable. De même, pour les métaux et les semi-conducteurs, l'énergie de l'agrégat est inférieure à l'énergie de ses constituants séparés. La compréhension de la structure de la matière pose le problème de la recherche de l'arrangement qui présente l'énergie la plus basse, c'est-à-dire la plus grande énergie de cohésion. Il n'est heureusement pas nécessaire de résoudre en détail l'équation de Schrödinger pour tous les électrons et tous les noyaux pour se forger une image de la formation d'une liaison chimique. La résolution de l'équation de Schrödinger pour des systèmes aussi complexes ne peut être qu'approximative et présente toujours de grandes difficultés. Dans ce chapitre, nous nous laisserons guider par notre connaissance de la structure des atomes pour construire des modèles simples capables de rendre compte de la structure et des propriétés des molécules et de la matière condensée. Trois modèles vont nous intéresser directement. Ils décrivent les liaisons *ioniques*, *covalentes*, et *métalliques*. Des liaisons plus faibles, telles que la liaison *van der Waals* et la liaison *hydrogène*, doivent également être considérées lorsque des mécanismes de liaison plus efficaces sont inopérants.

29.1   LA LIAISON IONIQUE

Dans certains cas, lorsque des cristaux ou des molécules se forment, un électron d'un atome (parfois plusieurs) est complètement transféré sur un atome voisin. Les atomes qui perdent ainsi des électrons se retrouvent chargés positivement et l'atome qui a accepté ces électrons se charge négativement. Les deux ions sont alors liés par les forces électriques qu'ils exercent l'un sur l'autre. Cette *liaison ionique* concerne normalement un atome qui possède un ou plusieurs électrons faiblement liés et qui s'associe à un second atome dont la couche électronique extérieure est presque complètement fermée. On constate, par exemple, que les métaux alcalins, comme le potassium ou le sodium qui possèdent un seul électron de valence, se combinent immédiatement avec les halogènes tels que le chlore et le fluor, qui ne présentent qu'un seul état inoccupé dans la dernière couche électronique. Ce type de liaison est responsable de la formation de molécules isolées et de cristaux.

La liaison ionique explique la cohésion de la molécule de chlorure de potassium, KCl. Pour comprendre pourquoi il est énergétiquement plus intéressant pour le potassium et le chlore de former des molécules KCl, nous pouvons isoler trois étapes dans la formation de la molécule. La première est l'extraction de l'électron de l'atome de potassium, la seconde est la liaison de cet électron à l'atome de chlore et la troisième est l'attraction électrostatique entre les ions résultants K^+ et Cl^-. Ces étapes ne se manifestent évidemment pas isolément au cours de la réaction chimique réelle qui conduit à la formation de la molécule.

1. L'électron extérieur de l'atome de potassium est enlevé, laissant un ion K^+ séparé de l'électron. Cette opération requiert une énergie égale à l'énergie d'ionisation du potassium, soit 4,34 eV.

2. L'électron enlevé au potassium s'accroche à l'atome neutre de chlore pour former l'ion négatif Cl^-. Cette étape libère une énergie appelée énergie de formation ou *affinité électronique*. Pour le chlore, on trouve 3,82 eV. Le processus entier de transfert d'un électron du potassium au chlore requiert donc une énergie de $(4,34 - 3,82) = 0,52$ eV.

3. Les ions de charges opposées se rapprochent. À cause de leur attraction mutuelle, leur énergie potentielle commence par décroître à mesure que la distance qui les sépare diminue. Par la suite, au moment où leurs nuages électroniques commencent à se recouvrir, la force d'interaction redevient répulsive et l'énergie potentielle commence à croître (figure 29.1). La distance d'équilibre mesurée entre les ions chlore et potassium est $r_0 = 2,79 \times 10^{-10}$ m. Le potentiel électrostatique pour

cette séparation vaut

$$E = -\frac{e^2}{4\pi\varepsilon_0 r_0}$$

$$= -(9 \times 10^9 \text{ N m}^2\text{C}^{-2})\frac{(1,6 \times 10^{-19} \text{ C})^2}{2,79 \times 10^{-10} \text{ m}}$$

$$= -8,26 \times 10^{-19} \text{ J} = -5,16 \text{ eV}$$

Si nous ignorons pour l'instant toute autre contribution à l'énergie potentielle, ceci signifie que la molécule a une énergie de $(0,52 - 5,15)$ eV $= -4,64$ eV, au-dessous de l'énergie des atomes neutres séparés. Autrement dit, séparer la molécule en deux atomes neutres de chlore et de potassium demande que l'on fournisse 4,64 eV. La valeur mesurée est de 4,40 eV. La différence entre les deux résultats provient de la répulsion entre les nuages électroniques des couches internes.

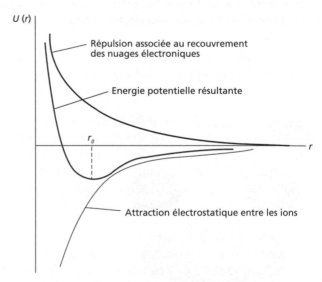

Figure 29.1 L'énergie potentielle de deux ions en fonction de la distance entre leurs centres. La partie répulsive, positive, due au recouvrement des nuages électroniques, s'ajoute à l'attraction électrostatique, négative, pour donner l'énergie potentielle totale (trait coloré). Cette énergie est minimale pour une distance de séparation r_0.

Dans les cristaux ioniques, les ions forment un réseau. Un grand nombre de structures cristallines sont possibles, mais dans chaque cas, un ion d'une charge donnée a pour premiers voisins des ions de charge opposée. L'attraction électrique entre voisins est responsable de la cohésion du cristal.

29.2 LA LIAISON COVALENTE

La grande majorité des molécules se forme grâce à un mécanisme par lequel les atomes mettent en commun leurs électrons périphériques, c'est-à-dire leurs électrons de *valence*. Dans ce type de liaison *covalente*, la distribution des électrons dans la molécule peut être très différente de la distribution des électrons dans les atomes constitutifs isolés. Ces distributions d'électrons peuvent être étudiées en interprétant des résultats expérimentaux à l'aide de modèles théoriques. Ces modèles sont fondés sur deux concepts importants décrits au chapitre précédent.

1. Le carré du module de la fonction d'onde donne la probabilité par unité de volume de trouver un électron au point *r*. Autrement dit, elle détermine le temps moyen que passe un électron à un endroit déterminé. Lorsque deux atomes se partagent le même électron, celui-ci passe au voisinage de chacun de ces atomes une certaine fraction du temps. Nous pouvons donc nous attendre à ce que, dans une molécule, les fonctions d'onde correspondant aux différents états se recouvrent de telle sorte que l'électron mis en commun soit favorablement positionné par rapport aux deux noyaux.

2. Lorsque les atomes se combinent, le principe de Pauli requiert que chaque état orbital contienne au plus deux électrons, l'un de spin up et l'autre de spin down.

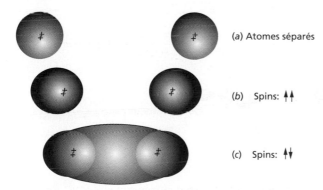

(a) Atomes séparés

(b) Spins: ↑↑

(c) Spins: ↑↓

Figure 29.2 Représentation du carré du module de la fonction d'onde des états 1*s* de deux atomes d'hydrogène lorsque les atomes sont bien séparés. *(a)* Contours représentant la probabilité de présence des électrons. *(b)* Lorsque les électrons présentent des spins parallèles, ils se repoussent à cause du principe d'exclusion de Pauli et la molécule ne se forme pas. *(c)* Lorsque les spins sont opposés, les deux fonctions d'onde 1*s* s'ajoutent. En un certain sens, chaque atome présente une couche 1*s* fermée. L'énergie de la molécule H_2 est plus basse que celle des atomes neutres séparés et la molécule est stable.

Ces prescriptions s'appliquent à la formation de la molécule H_2. Les atomes neutres d'hydrogène ne possè-

dent qu'un électron dans la couche 1*s*, bien que cette couche puisse contenir deux électrons de spins opposés (figure 29.2*a*). Lorsque deux de ces atomes se rapprochent, deux cas peuvent se présenter. Si les spins de leurs électrons sont parallèles, le principe de Pauli interdit aux électrons de se rapprocher, puisqu'ils ne peuvent pas occuper le même état orbital. Les électrons se repoussent et leurs fonctions d'onde subissent une distorsion vers l'extérieur (figure 29.2*b*). Les charges nucléaires sont peu occultées et se repoussent. L'arrangement dans son ensemble est énergétiquement peu favorable.

Par ailleurs, si les spins sont opposés, chaque électron s'accommode de l'état 1*s* de l'autre atome et la fonction d'onde moléculaire ressemble à la somme des deux fonctions d'onde 1*s* de chaque atome (figure 29.2*c*). Il y a une forte probabilité pour que les deux électrons se trouvent entre les deux noyaux, où ils sont attirés par les deux protons. Ceci réduit l'énergie totale de la molécule au-dessous de la valeur correspondant aux atomes séparés et conduit à la formation d'une molécule stable. La fonction d'onde allongée caractéristique représentée à la figure 29.2*c* est appelée une *orbitale* σ (sigma). Cette liaison est une liaison σ.

29.2.1 L'hybridation

Une description approchée mais très fructueuse de la liaison covalente peut être échaffaudée à partir du concept d'*hybridation*. Cette approche utilise des fonctions d'onde qui sont des combinaisons (des « hybrides ») des fonctions d'onde atomiques telles que les fonctions 3*s* et 3*p* qui correspondent à des niveaux d'énergie très peu différents. Ces différences d'énergie peuvent en général être négligées dans l'étude de la liaison chimique parce qu'elles sont très nettement inférieures à l'énergie de cohésion. Nous décrirons cette approche en nous référant au cas de la molécule de fluorure de magnésium MgF_2.

Le magnésium (Z = 12) possède deux couches fermées $n = 1$ et $n = 2$, et deux électrons de valence dans un état 3*s*. Les six états 3*p* sont inoccupés. Au fluor (Z = 9) il manque un électron pour fermer la couche $n = 2$. Le fluor manifeste en effet une forte tendance à absorber des électrons. Comme les fonctions d'onde 3*s* du magnésium présentent une symétrie sphérique, leur recouvrement avec les fonctions d'onde 2*p* du fluor est peu important (figure 29.3*a*). Toutefois, si l'on superpose des fonctions d'onde du magnésium, le recouvrement peut être considérablement augmenté, ce qui résulte en un renforcement de la liaison (Figs. 29.3*b,c*).

Nous avons vu au chapitre précédent que les trois fonctions d'onde *p* présentent une paire de lobes orientés le long d'un axe de coordonnées. Si une orbitale *p* et une orbitale *s* sont ajoutées ou soustraites, le résultat est une paire de fonctions *hybrides sp*, ou *orbitales sp*, qui présentent toutes deux un lobe important dans une direction et un lobe plus petit dans la direction opposée (figure 29.3*b*). Les deux électrons de valence du magnésium occupent deux états qui recouvrent largement les régions correspondant à l'état vacant unique de chaque atome de fluor. De ce fait, la molécule MgF_2 est une molécule linéaire avec un atome de magnésium entre deux atomes de fluor.

On remarquera que l'orbitale *sp* est constituée d'un mélange de deux fonctions d'onde atomiques d'énergies différentes, de sorte qu'un atome de magnésium isolé ne peut normalement pas se trouver dans cet état. L'énergie nécessaire pour occuper cet état *sp* est toutefois de beaucoup inférieure à l'énergie gagnée lors de la formation de la molécule. Dans celle-ci, les électrons ont intérêt, du point de vue énergétique, à occuper cette configuration.

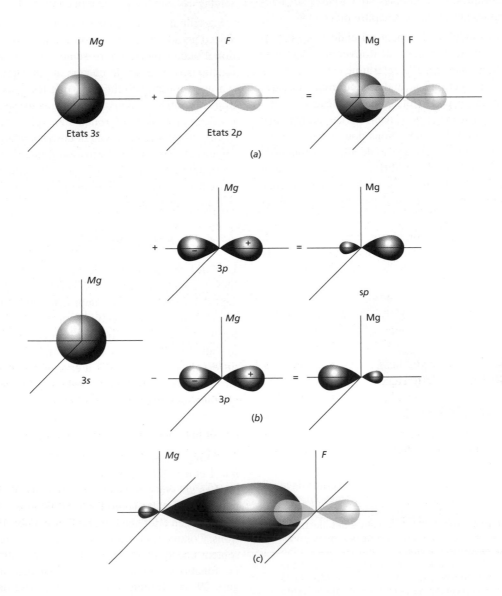

Figure 29.3 *(a)* Les fonctions d'onde 3*s* du magnésium et 2*p* du fluor présentent un faible volume de recouvrement. *(b)* En ajoutant et en soustrayant les fonctions 3*s* et 3*p* du magnésium, on construit des fonctions d'onde *sp* présentant des lobes de grande dimension. *(c)* Les fonctions d'onde *sp* recouvrent efficacement les fonctions d'onde 2*p* du fluor. Dans la molécule MgF_2, un second atome de fluor s'accroche à gauche avec l'autre fonction d'onde *sp* pour former une molécule linéaire et symétrique.

LINUS CARL PAULING
(1901 – 1994)

Pauling appartient à la génération des scientifiques qui ont développé les méthodes de la physique quantique et les ont appliquées aux atomes et aux molécules. Après des études d'ingénieur chimiste au Collège d'État de l'Oregon, Pauling est reçu aux épreuves du Doctorat en chimie à l'Institut de Technologie de Californie en 1925. Il enseignera dans cet institut et à l'Université de Stanford à partir de 1931.

Au milieu des années vingt, la théorie quantique des atomes est assez bien développée et les connaissances sont suffisantes pour que l'on envisage d'étudier les molécules et la liaison chimique. Les modèles existants décrivent les molécules comme composées d'atomes que l'on se représente comme des noyaux sphériques munis d'aspérités chargées. Les atomes peuvent s'assembler lorsque ces aspérités se mettent en place, retenues par des forces électriques attractives. Ces modèles ne donnent pas satisfaction pour bien des raisons et sont complètement incompatibles avec la description du comportement quantique des électrons dans un atome.

De 1928 à 1932, Pauling publie une série d'articles dans lesquels il développe la théorie quantique de la liaison moléculaire. On lui est redevable de beaucoup d'idées qui sont toujours considérées aujourd'hui comme fondamentales. Parmi celles-ci, on trouve le concept d'hybridation décrit dans ce chapitre, l'idée de liaison résonnante, applicable par exemple à la molécule de benzène (voir paragraphe 29.10), la corrélation des distances interatomiques avec la structure électronique des molécules. Le point culminant de ses travaux est la publication de son ouvrage *La nature de la liaison chimique* en 1939, un livre dont la lecture reste indispensable pour quiconque entreprend des recherches sur ce sujet. Pauling recevra le prix Nobel de chimie en 1954 pour l'ensemble de ces travaux.

Au milieu des années trente, Pauling s'oriente vers la biochimie. Il est le premier à suggérer et à analyser la structure hélicoïdale de quelques protéines. Ses travaux sur la structure moléculaire amènent les biologistes à considérer certaines formes d'anémie comme résultant d'un défaut génétique de l'hémoglobine et permettent le développement d'une théorie moléculaire de l'anesthésie.

Après la Deuxième Guerre mondiale, Pauling exprime souvent publiquement des critiques acerbes à l'encontre des essais nucléaires et de la constitution d'arsenaux nucléaires par les grandes puissances. Cette activité lui vaut de recevoir le prix Nobel de la paix en 1962.

Pauling qu'on verra manifester un après-midi devant la Maison Blanche, pour ensuite dîner le soir même avec le Président des États-Unis en compagnie d'autres lauréats du prix Nobel, influencera profondément la physique, la chimie physique et la biochimie. Dans ses efforts pour réclamer un désarmement, il se montrera un avocat réfléchi et influent.

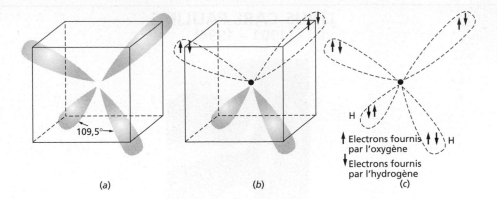

(a) (b) (c)

↑ Electrons fournis
par l'oxygène
↓ Electrons fournis
par l'hydrogène

Figure 29.4 *(a)* Les quatre orbitales sp^3 formées en superposant les états s et p de l'oxygène. *(b)* Deux des orbitales sont complètement occupées par deux électrons de spins opposés. Les deux autres orbitales sont occupées chacune par un des électrons de l'oxygène. *(c)* Dans le cas de la molécule d'eau, les atomes d'hydrogène fournissent les électrons qui achèvent de remplir les deux orbitales. L'angle entre les deux liaisons avec l'hydrogène est trouvé expérimentalement égal à 104,5°.

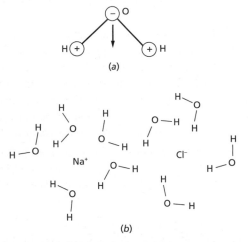

Figure 29.5 *(a)* La molécule d'eau est électriquement neutre, mais les électrons ont tendance à se localiser au voisinage de l'oxygène. De ce fait, la molécule présente un dipôle électrique permanent. L'eau se comporte comme un solvant parce que le champ dipolaire qu'elle développe peut affaiblir la liaison ionique des molécules telles que NaCl. *(b)* Les molécules d'eau tendent à entourer les ions dissociés de sorte qu'ils apparaissent comme électriquement neutres et ne se recombinent pas.

Dans le cas de *l'hybridation sp^3*, nous considérons la superposition d'un état s et des trois états p. On trouve cette configuration dans le cas de la molécule d'eau H_2O. L'oxygène ($Z = 8$) possède deux électrons $2s$ et quatre électrons $2p$ dans la couche $n = 2$. Il lui manque donc

deux électrons pour fermer cette couche. La figure 29.4a montre les quatre orbitales sp^3 que l'on peut former en superposant les quatre fonctions s et p de l'oxygène. Ces états présentent une séparation angulaire maximale de 109,5°. Lorsque ces quatre orbitales sont occupées par un électron, la répulsion de ces électrons est minimale.

Chaque hybride sp^3 peut contenir deux électrons de spins opposés. Dans la molécule d'eau, quatre des électrons de l'oxygène occupent deux de ces hybrides. Les deux autres orbitales reçoivent chacune un électron de l'oxygène et un électron de l'hydrogène (figures 29.4b et 29.4c). Le modèle d'hybridation pour la molécule d'eau n'est vérifié qu'approximativement. L'angle entre les liaisons a une valeur observée de 104,5°, légèrement inférieure à celle de l'angle de 109,5° cité ci-dessus. La différence est liée à l'asymétrie de la molécule.

La structure de la molécule d'eau en fait une molécule *polaire*, c'est-à-dire une molécule qui présente un moment dipolaire électrique permanent. Le noyau d'oxygène attire les électrons de liaison avec un peu plus de force que les noyaux d'hydrogène. Ceci résulte en un excès de charge positive dans la région des noyaux d'hydrogène et un excès de charge négative (électrons) dans le voisinage du noyau d'oxygène. Le dipôle électrique permanent joue un rôle important dans beaucoup de propriétés physiques et chimiques de l'eau. Utilisée comme solvant, l'eau provoque la dissociation des sels ioniques en ions, comme dans la réaction de dissolution du chlorure de sodium, $NaCl \rightarrow Na^+ + Cl^-$ (figure 29.5).

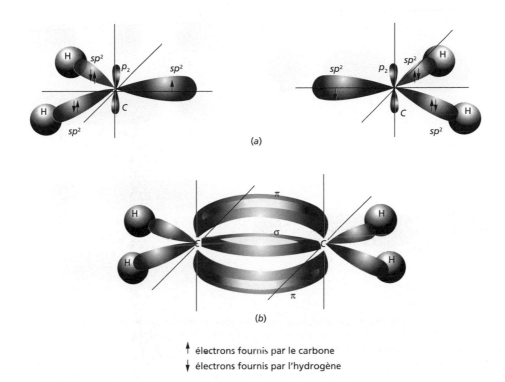

électrons fournis par le carbone
électrons fournis par l'hydrogène

Figure 29.6 *(a)* La molécule d'éthylène $CH_2 = CH_2$ est formée en attachant deux atomes d'hydrogène à deux des trois orbitales sp_2 de chaque atome de carbone et *(b)* en rapprochant ensuite les deux complexes l'un de l'autre. Les liaisons σ se forment dans la direction de l'axe C — C et dans la direction de l'axe C — H. Une autre liaison provient du recouvrement des fonctions d'onde des deux atomes de carbone. Les états p_z, en se recouvrant, donnent lieu à une liaison appelée liaison π.

29.2.2   Le carbone

Le carbone (Z = 6), du fait qu'il ne possède que quatre des huit électrons requis pour fermer la couche $n = 2$, peut participer à des liaisons covalentes de plusieurs manières. Lorsque les fonctions s et p se combinent pour former les quatre hybrides sp^3, le carbone peut par exemple se lier à quatre atomes d'hydrogène pour former la molécule de méthane. Chaque orbitale est occupée par un électron du carbone et un électron d'un atome d'hydrogène. Les fonctions d'onde du carbone peuvent aussi être hybridées pour former deux orbitales sp ou trois orbitales sp^2. Les orbitales sp^2 sont utiles pour décrire les molécules telles que l'éthylène $CH_2 = CH_2$ (figure 29.6).

29.3   LA LIAISON MÉTALLIQUE

On trouve des liaisons covalentes dans des molécules qui comportent entre deux et plusieurs milliers d'atomes. La liaison métallique, par ailleurs, assure la cohésion d'un agrégat comportant des milliards d'atomes. D'ordinaire,

ces substances sont solides, formées d'atomes ionisés disposés aux nœuds d'un réseau rigide, et d'électrons libres de se mouvoir dans le cristal entier. Ces électrons délocalisés sont les porteurs de charge et d'énergie du métal et sont responsables de la valeur élevée des conductivités électrique et thermique.

Pour comprendre comment les électrons se délocalisent dans ces matériaux, on peut considérer l'exemple de l'atome de lithium. Celui-ci présente un électron $2s$ à l'extérieur d'une couche $1s$ fermée. Cet électron est dans un état de spin up ou de spin down. Lorsque deux atomes de lithium sont mis en présence, les électrons périphériques peuvent occuper deux niveaux d'énergie différents. L'énergie de la configuration où les spins sont parallèles est plus élevée que celle de l'état où les spins sont antiparallèles, Si un troisième atome s'approche des deux premiers, trois niveaux d'énergie deviennent disponibles pour les électrons périphériques (figure 29.7). Les niveaux d'énergie s'accumulent près du niveau $2s$ de l'atome libre (figure 29.8).

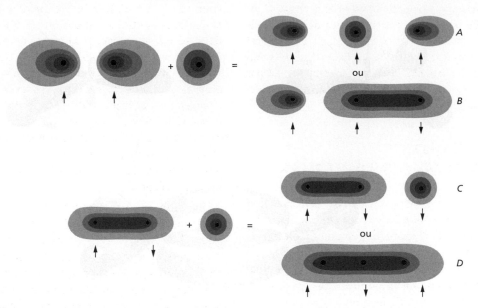

Figure 29.7 Les spins des électrons périphériques de deux atomes de lithium sont parallèles (en haut, à gauche ou antiparallèles (en bas, à gauche). Lorsqu'un troisième atome est amené à proximité, les configurations représentées à droite peuvent se présenter. On s'attend à ce que les configurations notées *B* et *C* aient la même énergie. On obtient deux configurations supplémentaires *A'* et *D'*, de même énergie que *A* et *D* en renversant les spins dans *A* et *D*. Ces figures suggèrent ainsi l'existence de trois niveaux d'énergie correspondant chacun à deux états. Cette image est en fait assez simpliste. La combinaison des fonctions d'onde de plusieurs particules est extrêmement compliquée et ce diagramme ne présente que des tendances qualitatives. Étendre ce type de raisonnement à quatre particules ou plus peut conduire à des conclusions erronées.

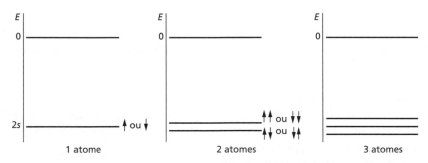

Figure 29.8 Les niveaux d'énergie les plus bas accessibles pour les électrons périphériques de un, deux ou trois atomes de lithium rapprochés.

À chaque fois qu'un atome de lithium vient s'ajouter, un niveau d'énergie supplémentaire apparaît. Toutefois, l'influence de chaque nouvel atome devient plus faible à mesure que le nombre d'atomes s'accroît. Pour N atomes mis en présence, nous trouvons une bande de N niveaux d'énergie très rapprochés. Ceux-ci peuvent contenir $2N$ électrons. Par exemple, pour $N = 3$, il y a trois niveaux d'énergie et six états (figure 29.8). Les fonctions d'ondes électroniques sont distribuées dans de grands volumes et les électrons présents dans cette *bande de conduction* sont libres de se déplacer dans le cristal entier.

Les métaux sont de bons conducteurs de la chaleur et de l'électricité à cause de la présence des électrons de conduction. Il existe beaucoup d'états inoccupés dans la bande de conduction et les électrons peuvent y accéder moyennant un surcroît très faible d'énergie. Ainsi, si une barre métallique est chauffée à l'une de ses extrémités, beaucoup d'électrons de cette région passent dans des états d'énergic supérieure et transportent rapidement l'énergie thermique vers l'autre extrémité. De la même façon, une légère différence de potentiel aux bornes d'un échantillon métallique conduit à un accroissement de l'énergie des électrons qui tendent à se déplacer vers la région où leur énergie potentielle est la plus basse. C'est la présence de niveaux serrés inoccupés dans la bande qui permet ces processus de conduction. Si la bande est complètement occupée, comme c'est le cas dans les semi-conducteurs et les isolants, les électrons ne peuvent pas facilement changer d'état et la conductivité est considérablement réduite.

29.4 ISOLANTS ET SEMI-CONDUCTEURS

Dans les métaux, la formation d'une bande de conduction joue un rôle crucial dans la liaison des atomes. Dans des matériaux tels que le diamant, le germanium ou le silicium, des bandes se forment également lorsqu'un grand nombre d'atomes sont assemblés. Dans le cas de ces matériaux, les électrons de valence forment une bande complètement occupée à température nulle.

Des bandes d'énergie plus élevée se forment également à partir d'orbitales atomiques plus énergétiques, mais à température nulle, elles sont complètement inoccupées. Il existe une bande d'énergie où l'on n'observe aucun niveau (une *bande interdite*) entre la bande de valence complètement occupée et la bande de conduction inoccupée (figure 29.9).

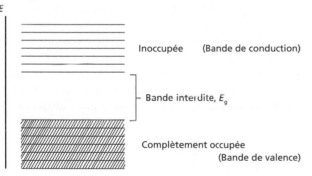

Figure 29.9 Bandes d'énergie des isolants et des semi-conducteurs.

Dans le cas du diamant, la largeur de la bande interdite est d'environ 6 eV. À la température de 300 K, la température ordinaire, l'énergie thermique moyenne est de $(3/2)k_BT = 0,04$ eV. Pratiquement aucun électron n'a une énergie thermique suffisante pour être promu de la bande de valence pleine à la bande de conduction à une température accessible. Le mouvement des électrons associé à l'application de forces électriques ou de gradients de température requiert un accroissement de leur énergie cinétique. Comme les électrons d'une bande pleine ne peuvent pas changer d'état d'énergie, la conduction est impossible et le diamant est un excellent isolant.

Dans le germanium ($E_g = 0,72$ eV), et dans le silicium ($E_g = 1,1$ eV), la bande interdite est plus étroite et quelques électrons se trouvent excités thermiquement de la bande de valence à la bande de conduction. Une fois dans la bande de conduction, ils se comportent exactement comme les électrons de la bande de conduction d'un métal. La résistivité est plus élevée dans ces *semi-conducteurs* que dans les métaux, parce que le nombre d'électrons libres est nettement inférieur à celui que l'on trouve dans les métaux. À la température ordinaire, les métaux, les semi-conducteurs et les isolants présentent des résistivités de l'ordre de 10^{-8}, 10^2 et 10^{13} ohm m, respectivement.

Une particularité remarquable des semi-conducteurs est qu'ils permettent une conduction par *trous* dans une bande pleine. Lorsqu'un électron est excité vers la bande de conduction, il laisse un état vacant, un trou dans la bande de valence. Lorsque l'on applique un champ extérieur, des électrons d'atomes voisins viennent combler cet état vacant et le trou se déplace. Dans un champ électrique, les électrons de la bande de conduction sont mis en mouvement dans une direction et les trous de la bande de valence dans une direction opposée (figure 29.10). Les trous sont des porteurs de charge positive.

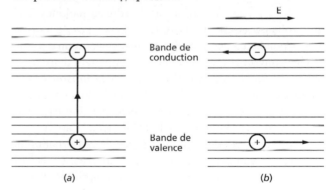

Figure 29.10 *(a)* Un électron excité à partir de la bande de valence complètement occupée vers la bande de conduction laisse un trou chargé positivement au sein des liens de valence. *(b)* Dans un champ électrique, l'électron et le trou se mettent tous deux en mouvement, produisant un courant.

La conductivité des semi-conducteurs peut être accrue en ajoutant des impuretés au matériau. Par exemple, quelques parties par million d'arsenic ajoutées au germanium accroissent sa conductivité de plus d'un facteur mille. L'arsenic possède plus d'électrons que le germanium sur sa couche périphérique. Ajouté au cristal en tant qu'impureté, il se substitue à un atome de germanium et son électron supplémentaire est disponible pour la conduction. De la même façon, le gallium possède un électron périphérique de moins que le germanium et, introduit comme impureté, il peut piéger un électron du cristal et produire un trou dans la bande de valence.

Les semi-conducteurs sont appréciés pour de nombreuses raisons. Un semi-conducteur peut servir de cellule photosensible, utilisée dans les appareils photographiques ou les systèmes d'ouverture automatique des portes. Les quanta de lumière visible ont des énergies de l'ordre de 2 ou 3 eV, c'est-à-dire beaucoup plus qu'il n'en faut pour exciter les électrons de la bande de valence à la bande de conduction. Dans un champ électrique, le courant traversant un semi-conducteur augmente considérablement lorsque le matériau est exposé à la lumière. Le nombre de porteurs se multiplie en raison de cette exposition. Différents types de semi-conducteurs lorsqu'ils sont en contact peuvent être utilisés pour construire des transistors et bien d'autres dispositifs. Ces dispositifs ont presque partout remplacé les tubes électroniques à vide. Ils leur sont préférables du fait de leur faible consommation d'énergie (ils évitent le recours à un filament de chauffage), de leur grande résistance mécanique et de leur haute fiabilité.

29.5   LES LIAISONS FAIBLES

Les liaisons que nous avons décrites jusqu'à présent donnent des énergies de cohésion de l'ordre de quelques électronvolts par atome. Il existe aussi deux types de liaisons correspondant à des énergies au plus égales à un dixième d'électronvolt et qui jouent un rôle important dans la nature : la *liaison de van der Waals* et la *liaison hydrogène*. Ces liaisons se manifestent spécialement lorsque les autres types de liaisons n'apparaissent pas. Par exemple, les gaz inertes tels que l'hélium, le néon, l'argon et le krypton ne se condensent qu'à cause de la formation de liaisons de van der Waals entre leurs atomes. La liaison hydrogène est souvent responsable de propriétés structurales importantes de molécules et de solides comme la structure hélicoïdale ou plissée de certaines molécules organiques. Parfois, les deux types de liaisons apparaissent simultanément.

29.5.1   L'attraction de van der Waals

L'attraction de van der Waals entre les molécules et entre certains atomes est une interaction d'origine électrique, comme les autres types de liaisons. Cette attraction se particularise par le fait qu'elle résulte de l'existence de dipôles électriques, permanents ou induits.

Les molécules telles que l'eau possèdent un moment dipolaire électrique permanent correspondant à une séparation effective des charges dans la molécule (figure 29.5). Ces molécules polaires tendent à former des amas (figure 29.11). Cette tendance est contrariée par l'agitation thermique. L'agitation diminue lorsque la température décroît et l'attraction de van der Waals devient plus efficace et peut conduire à une condensation et à la solidification. Une molécule polaire peut induire un dipôle électrique sur une molécule voisine. L'extrémité positive de la molécule polaire repousse le noyau et attire les électrons de la molécule non polaire. Dès que ce moment dipolaire est formé, les deux molécules s'attirent comme le font deux molécules polaires.

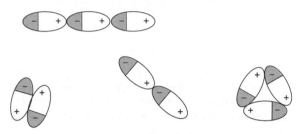

Figure 29.11 Les molécules polaires tendent à se rassembler à cause de l'attraction existant entre les extrémités positives et négatives des molécules voisines.

Une attraction de van der Waals peut même se produire entre deux molécules non polaires ou des atomes neutres. Bien que les centres des charges positives et négatives d'un atome neutre coïncident en moyenne, les électrons sont constamment en mouvement. À chaque instant, l'atome peut présenter un dipôle électrique temporaire dans une direction aléatoire. Ce moment va induire un moment dipolaire sur un atome voisin et les deux dipôles sont constamment alignés. Il en résulte une force sur les atomes qui n'est rien d'autre que l'attraction de van der Waals (figure 29.12).

Figure 29.12 La présence d'un moment dipolaire instantané dans la molécule *A* entraîne l'apparition d'un moment dipolaire dans la molécule *B*, et les deux molécules non polaires s'attirent.

Les forces de van der Waals sont responsables de l'attraction entre les atomes de gaz inertes et du comportement des liquides dans les tubes capillaires. Par exemple, l'eau monte d'une certaine hauteur le long d'une paroi de verre parce que l'attraction de van der Waals entre l'eau et les molécules du verre est plus forte que celle qui lie les molécules d'eau entre elles.

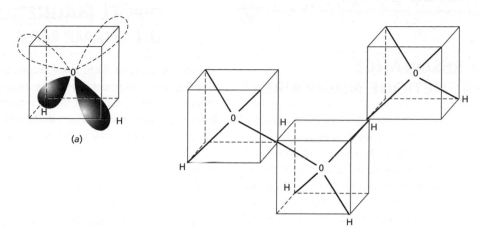

Figure 29.13 *(a)* La molécule d'eau. Chaque orbitale contient deux électrons. Les orbitales représentées en couleur forment la liaison covalente avec les molécules d'hydrogène. *(b)* Dans le cristal, les molécules d'eau s'assemblent de manière qu'un atome d'hydrogène d'une molécule se raccorde à une orbitale non liante (en noir) d'une molécule voisine. Les orbitales liantes sont représentées par des traits colorés.

29.5.2   La liaison hydrogène

L'atome d'hydrogène joue un rôle unique dans ses composés à cause de sa petite taille et du fait qu'il ne possède qu'un seul électron. La glace fournit un exemple classique de liaison hydrogène. À l'état liquide, l'interaction prédominante entre les molécules d'eau est la force qui s'exerce entre des molécules polaires. La liaison hydrogène joue un rôle mineur. À l'état solide, la liaison H est responsable de la structure spécifique du cristal.

Dans l'eau, deux des orbitales hybrides de l'oxygène contiennent chacune deux électrons de spins opposés et ne participent pas à la liaison de la molécule (figure 29.13). Nous appelons ces orbitales des orbitales non liantes. Comme les électrons participant à la liaison se trouvent entre les noyaux d'oxygène et d'hydrogène, la région proche des noyaux d'hydrogène est électriquement positive. Chaque orbitale non liante voit la paire d'électrons qui l'occupe attirée par les noyaux d'hydrogène des molécules adjacentes. Le noyau d'hydrogène est dès lors positionné entre deux paires d'électrons (figure 29.13*b*). Dans la glace, nous trouvons le noyau d'hydrogène entre une orbitale liante et une orbitale non liante. C'est la liaison hydrogène.

La liaison hydrogène joue un rôle important dans la structure spatiale des grandes molécules organiques. On trouve par exemple, dans l'ADN, une double hélice formée d'une alternance de sucres et de phosphates. Chaque sucre possède un groupement latéral qui intervient dans la

formation d'une liaison hydrogène. Ainsi, les deux torons de la double hélice sont pontés par des liaisons hydrogène (figure 29.14).

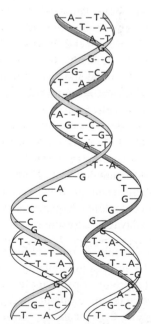

Ancienne Nouvelle Nouvelle Ancienne

Figure 29.14 La structure de l'ADN pendant la duplication. Les chaînes latérales A. T, G et C sont liées entre elles par des liaisons hydrogène représentées par un trait pointillé. La double hélice se sépare et se reforme autour des liaisons hydrogène.

Pour en savoir plus...

29.6 LA RÉSONANCE MAGNÉTIQUE NUCLÉAIRE

Un grand nombre de techniques développées dans les laboratoires de physique sont aujourd'hui utilisées par les biochimistes pour l'étude de molécules complexes. Ces études fournissent des informations nombreuses sur la structure des molécules et sur leur rôle dans les processus biologiques.

L'étude expérimentale d'une molécule comprend l'identification de ses constituants, la détermination de la position des atomes dans l'espace et l'observation des propriétés physico-chimiques de la molécule. D'ordinaire, les évidences expérimentales sont rares et difficiles à interpréter en dehors du cadre des modèles décrits dans ce chapitre.

Nous allons maintenant aborder la description d'une des techniques d'étude des structures moléculaires les plus universellement utilisées : la *résonance magnétique nucléaire* ou *RMN*. La RMN exploite cette propriété des noyaux d'atomes de se comporter dans un champ d'induction appliqué comme le feraient des dipôles magnétiques. La mesure de l'énergie requise pour réorienter un moment magnétique nucléaire permet de connaître le champ appliqué au noyau dans la molécule. Si par exemple un champ B_e est appliqué à une molécule, le champ magnétique réel agissant sur le dipôle est la somme du champ extérieur et du champ associé aux électrons et aux noyaux avoisinants. Nous appelons ce champ le champ total B_T. L'expérience mesure la différence $B_T - B_e$. Comme nous le verrons dans un moment, cette mesure apporte une information détaillée sur la structure de la molécule. La RMN est à la base d'une nouvelle technique d'imagerie médicale (paragraphe 31.5) qui complète adéquatement les informations recueillies par balayages ultrasonores ou par rayons X.

La RMN peut être utilisée pour étudier n'importe quelle molécule dont les noyaux présentent un moment magnétique non nul. Le proton constituant le noyau de l'atome d'hydrogène possède un moment magnétique. La présence d'hydrogène dans beaucoup de molécules organiques explique la profusion des expériences de résonance magnétique sur ces systèmes. La discussion menée dans les paragraphes suivants s'attache à décrire l'origine du moment dipolaire magnétique du proton et les méthodes de résonance magnétique nucléaire.

29.7 LE COMPORTEMENT D'UN DIPÔLE MAGNÉTIQUE DANS UN CHAMP MAGNÉTIQUE

Dans le paragraphe 19.5, nous avons découvert qu'une boucle de courant se comporte comme un dipôle magnétique. Le moment dipolaire magnétique est donné par le produit du courant et de l'aire de la boucle. Dans le cas d'une particule en orbite circulaire, le dipôle magnétique est proportionnel au moment angulaire orbital de cette particule.

Une charge qui tourne sur elle-même possède également un moment dipolaire magnétique $\boldsymbol{\mu}$ proportionnel à son moment angulaire de rotation $\mathbf{S}$ que l'on appelle « spin ».

La mécanique quantique impose à ce mouvement des règles analogues de quantification. Le spin S est quantifié par un nombre I analogue à ℓ et un nombre m_I analogue à m_ℓ où m_I varie de $-I$ à $+I$.

Au moment cinétique de spin, on associe de la même façon un moment magnétique. Un noyau sera caractérisé par son rapport gyromagnétique γ tel que :

$$\boldsymbol{\mu} = \gamma \mathbf{S} \qquad (29.1)$$

Pour le noyau d'hydrogène (le proton) le rapport gyromagnétique $\gamma = 26,751 \, \text{rad}\,T^{-1}s^{-1}\left(\times 10^7 \right)$.

Lorsque le rapport gyromagnétique est négatif, le moment magnétique du noyau et le moment cinétique sont antiparallèles.

La composante maximum observable du moment cinétique de spin S est un multiple entier ou demi-entier de la constante de Planck h sur 2π ; $S_z = Ih/2\pi$ où I est le nombre quantique de spin ou « spin nucléaire I ». Le moment magnétique maximum observable sera :

$$\mu = \gamma Ih/2\pi \qquad (29.2)$$

Un spin nucléaire égal à zéro correspond à un noyau qui n'a pas de moment cinétique et donc pas de moment magnétique. De façon générale, les noyaux qui possèdent un nombre de masse impair ont un spin nucléaire demi-entier (par ex., pour ^{1}H, $I = 1/2$). Les noyaux qui ont un nombre de masse et un nombre de charge pairs ont un spin nul, tandis que ceux qui ont un nombre de masse pair et un nombre de charge impair ont un spin I entier.

Pour le proton (noyau d'hydrogène) le spin est de 1/2 et S_z peut prendre les valeurs

$$S_z = \frac{h}{4\pi} \quad \text{et} \quad -\frac{h}{4\pi}$$

Dans la suite de ce paragraphe, nous examinons la façon dont l'énergie du noyau dépend du champ magnétique qu'il subit. Nous décrirons également le couple résultant de l'application d'un champ magnétique. Ce couple entraîne la précession du moment dipolaire de spin du noyau. Ce mouvement rappelle le mouvement de précession d'une toupie (paragraphe 7.8).

Le paragraphe 19.5 nous a montré que l'énergie d'un dipôle faisant un angle θ avec la direction du champ $\mathbf{B}_T$ est $\mathcal{U} = -\mu\,B_T \cos\theta$. Si le champ total $\mathbf{B}_T$ est orienté dans la direction z, l'énergie potentielle du dipôle est égale à

$$\mathcal{U} = -\gamma\,S_z B_T \qquad (29.3)$$

Pour le proton,

$$\mathcal{U} = \pm\,\gamma\,\frac{h}{4\pi}B_T \qquad (29.4)$$

Le signe moins correspond au cas où S_z et μ_z sont parallèles au champ (spin up) et le signe plus au cas où ils sont opposés (spin down). L'exemple suivant illustre ces relations.

Exemple 29.1

Un photon est absorbé lorsqu'un proton passe de l'état de spin up à l'état de spin down dans un champ magnétique de 1,4 T.

a) Quelle est l'énergie du photon absorbé en électron-volts ?

b) Quelle est la fréquence du photon ?

Réponse a) En utilisant la relation (29.4) la différence d'énergie est donnée par :

$$\Delta U = 2\,\gamma\,\frac{h}{4\pi}B_T$$

$$= \frac{2 \times 26{,}75 \times 10^7 \times 6{,}62 \times 10^{-34} \times 1{,}4}{4\pi}$$

$$= 3{,}94 \times 10^{-26}\ \text{J} = 2{,}47 \times 10^{-7}\ \text{eV}$$

Nous voyons que l'énergie du photon absorbé est très nettement inférieure à l'énergie (1 à 10 eV) associée à une transition optique dans les atomes et les molécules.

b) L'énergie du photon est hf, de sorte que

$$f = \frac{\Delta\mathcal{U}}{h} = \frac{2{,}47 \times 10^{-7}\ \text{eV}}{4{,}14 \times 10^{-15}\ \text{eV s}} = 5{,}96 \times 10^7\ \text{Hz}$$

Il est important de remarquer que le moment cinétique de spin $\mathbf{S}$ (et donc aussi le moment magnétique) n'est ni parallèle ni antiparallèle à $\mathbf{B}_T$. Le chapitre 28 nous a appris, en effet, que la grandeur du moment cinétique de spin $\mathbf{S}$ pour une particule de spin 1/2 est donnée par $S = \sqrt{s(s+1)}\hbar = \sqrt{1/2(1/2+1)}\hbar = \sqrt{3}\hbar/2$. Comme $S_z = \pm I\,\hbar$, $\mathbf{S}$ est dirigé obliquement par rapport à l'axe z (figure 29.15b).

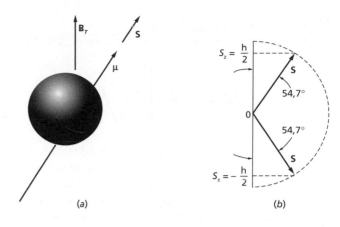

Figure 29.15 *(a)* Modèle classique d'une charge en rotation autour d'un axe dans un champ magnétique $\mathbf{B}_T$. Le moment angulaire de spin $\mathbf{S}$ et le moment magnétique μ sont parallèles si la charge est positive. *(b)* Le spin d'un proton a une grandeur $S = \sqrt{3}\hbar/2$, et la composante z de $\mathbf{S}$ est $S_z = \pm\hbar/2$.

Dans un champ magnétique, le moment angulaire du proton subit un couple τ (paragraphe 19.5) donné par

$$\boldsymbol{\tau} = \boldsymbol{\mu} \times \mathbf{B}_T \qquad (29.5)$$

Ce couple est perpendiculaire à μ et à $\mathbf{B}_T$ (figure 29.16a) et aussi à $\mathbf{S}$.

Il produit une précession de $\mathbf{S}$ et donc de μ suivant la relation $\tau = d\mathbf{S}/dt$ (chapitre 7) autour de la direction du champ $\mathbf{B}_T$ (figure 29.16b).

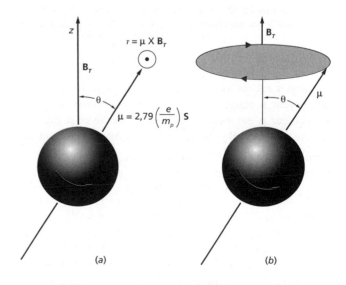

Figure 29.16 *(a)* Le moment dipolaire magnétique μ subit l'effet d'un couple τ dû à la présence d'un champ magnétique $\mathbf{B}_T$. Ici, τ sort de la page. *(b)* Le moment magnétique μ subit une précession autour de $\mathbf{B}_T$: la pointe de la flèche représentant μ décrit un cercle.

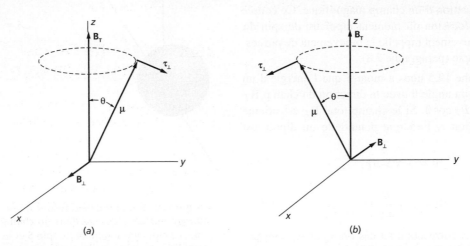

Figure 29.18 *(a)* Un champ magnétique oscillant $\mathbf{B}_\perp$ prend une orientation donnée à un certain moment. Il produit un couple $\boldsymbol{\tau}_\perp = \boldsymbol{\mu} \times \mathbf{B}_\perp$ qui tend à accroître l'angle θ. *(b)* Si le champ $\mathbf{B}_\perp$ varie à la fréquence $f_\perp$, précisément égale à la fréquence de précession f_p, le couple $\boldsymbol{\tau}_\perp$ tend constamment à augmenter θ. Si $f_\perp \neq f_p$, l'effet moyen de $\mathbf{B}_\perp$ est nul.

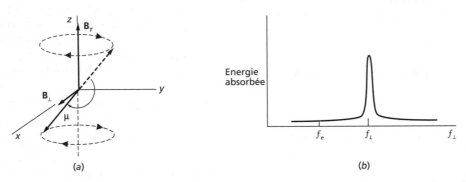

Figure 29.19 *(a)* Un dipôle qui subit une précession à la fréquence f_L dans un champ magnétique $\mathbf{B}_T$ peut absorber de l'énergie et «se retourner» si un second champ $\mathbf{B}_\perp$ est convenablement appliqué. *(b)* L'absorption se produit si la fréquence $f_\perp$ de $\mathbf{B}_\perp$ est égale à f_L.

Comme $\boldsymbol{\tau}$ est toujours perpendiculaire à $\boldsymbol{\mu}$, la grandeur du vecteur $\boldsymbol{\mu}$ reste constante, mais sa direction change. Le vecteur $\boldsymbol{\mu}$ est « entraîné » par le couple et $\boldsymbol{\mu}$ précessionne autour de $\mathbf{B}_T$ (figure 29.16b). Cette précession est semblable à celle d'une toupie.

L'analyse du mouvement peut se faire grâce aux relations vues précédemment (29.5) et (29.1) $\boldsymbol{\mu} = \gamma\mathbf{S}$.

$$\frac{\mathrm{d}\mathbf{S}}{\mathrm{d}t} = \boldsymbol{\tau} = \boldsymbol{\mu} \times \mathbf{B}_T$$

$$\frac{\mathrm{d}\boldsymbol{\mu}}{\mathrm{d}t} = \gamma\boldsymbol{\mu} \times \mathbf{B}_T \qquad (29.6)$$

En imposant au champ magnétique $\mathbf{B}_T$ la direction de l'axe z, l'équation (29.6) se décompose en trois parties.

$$\frac{\mathrm{d}\mu_x}{\mathrm{d}t} = \gamma\,\mu_y\,B_T \qquad (29.7)$$

$$\frac{\mathrm{d}\mu_y}{\mathrm{d}t} = -\,\gamma\,\mu_x B_t \qquad (29.8)$$

$$\frac{\mathrm{d}\mu_z}{\mathrm{d}t} = 0 \qquad (29.9)$$

La solution des équations (29.7) (29.8) conduit à un mouvement de précession de $\boldsymbol{\mu}$ autour de $\mathbf{B}_T$ avec une vitesse angulaire

$$\Omega = -\,\gamma\,B_T \qquad (29.10)$$

L'équation (29.9) montre que la composante z du moment magnétique μ reste constante durant le mouvement de précession.

La fréquence de précession, appelée fréquence de Larmor est un paramètre important d'une expérience de résonance magnétique et est définie par la relation (29.10) et conduit à

$$f_L = \frac{\gamma \, \mathbf{B}_T}{2\pi} \qquad (29.11)$$

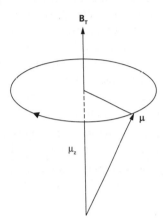

Figure 29.20 Le vecteur **μ** subit une précession autour de **B**$_T$.

On remarque que la fréquence de précession est proportionnelle au champ magnétique. L'exemple suivant souligne ce résultat.

 —————— **Exemple 29.2** ——————

Calculer la fréquence de précession d'un proton dans un champ magnétique total de 1,4 T.

Réponse   À l'aide de l'équation (29.11), nous trouvons

$$f_L = \gamma \frac{B_T}{2\pi}$$

$$= \frac{26{,}751 \times 10^7 \times 1{,}4}{2\pi}$$

$$= 5{,}96 \times 10^7 \text{ Hz}$$

On trouve une fréquence typique des ondes radio.

Dans une expérience de RMN, les moments angulaires des protons de l'échantillon précessionnent à la fréquence de Larmor $f_L = \gamma B_T / 2\pi$, où B_T est le champ réellement agissant à la position du proton. Un proton libre précessionne à la fréquence $f_e = (\gamma)(B_e/2\pi)$, où B_e est la grandeur du champ extérieur appliqué. La différence entre les deux fréquences est

$$\Delta f = f_L - f_e = \frac{\gamma}{2\pi}\left(B_T - B_e\right) \qquad (29.12)$$

La différence entre **B**$_T$ et le champ extérieur appliqué **B**$_e$

provient de l'environnement des protons. L'information est obtenue en mesurant Δf.

29.8   MESURE DE LA FRÉQUENCE DE PRÉCESSION

L'objet de l'expérience de RMN est la mesure de la différence $f_L - f_e$. À cet effet, un second champ d'induction **B**$_\perp$ est appliqué perpendiculairement à **B**$_e$ (figure 29.18). Ce champ varie au cours du temps, oscillant à la fréquence $f_\perp$ entre les directions x positive et négative, et produit un couple supplémentaire sur le proton. Lorsque $f_\perp = f_L$, le couple $\tau_\perp$ résultant tend à accroître l'angle θ. À toute autre fréquence, l'effet moyen du couple $\tau_\perp$ est nul.

Comme nous l'avons noté plus tôt, le moment magnétique ne peut prendre que deux orientations par rapport au champ magnétique **B**$_T$. À partir de l'équation (29.3), la différence d'énergie entre ces deux états est $\Delta \mathcal{U} = (\gamma h/2\pi)B_T$. Lorsque le champ **B**$_\perp$ est appliqué à la fréquence de précession, le couple $\tau_\perp$ provoque le basculement du dipôle (figure 29.19). De l'énergie $\Delta \mathcal{U}$ est alors absorbée par le dipôle et cette absorption est détectée. La fréquence à laquelle cette absorption se produit est la fréquence de précession. (Noter que l'intensité du champ **B**$_\perp$ est toujours nettement inférieure à l'intensité du champ **B**$_T$ et peut être négligée dans le calcul de $\Delta \mathcal{U}$.)

En résumé, lorsqu'un champ magnétique est appliqué à un échantillon, les moments magnétiques nucléaires subissent une précession à la fréquence f_L. Le champ magnétique perpendiculaire variant au cours du temps agit pour renverser le dipôle au moment où $f_\perp = f_L$ (figure 29.19b).

Une résonance se produit chaque fois qu'une partie de l'énergie du champ de radiofréquence est absorbée. Comme nous le verrons au paragraphe 29.10, il existe plusieurs fréquences de résonance pour une même molécule.

29.9   L'APPAREILLAGE RMN

L'appareil de mesure RMN se compose de quatre éléments.

1. L'aimant qui doit être très stable car de longues heures d'accumulation sont souvent nécessaires, et très homogène en champ car on devra mesurer des phénomènes extrêmement faibles par rapport aux conditions de travail (par exemple), mesure 0,1 Hz en travaillant à 800 MHz. On rencontre trois types d'aimant : les aimants permanents à 60 MHz, les électro-aimants de 60 à 100 MHz et les aimants supraconducteurs de 100 à 900 MHz (figure 29.20), la bobine supraconductrice est plongée dans un bain d'hélium liquide

(< 4,2 °K à la pression atmosphérique) et entourée d'une deuxième dewar à azote liquide.

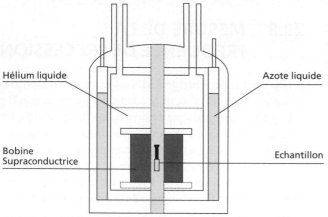

Figure 29.20 Schéma de l'aimant d'un appareil de RMN.

Les bobines supraconductrices fournissent un champ magnétique particulièrement stable et sont devenues de plus en plus fréquentes, même pour des spectromètres à faible champ. La consommation en hélium liquide est suffisamment faible (environ 0,5 l par jour) pour permettre un remplissage tous les 6 mois ce qui rend le système supraconducteur économique et performant.

2. Un oscillateur radiofréquence (RF) qui produit une radiation électromagnétique de fréquence fixe. Le champ $B_\perp$ est associé à ce rayonnement.

3. Un récepteur radiofréquence utilisé pour détecter l'absorption d'énergie. Parfois, une simple spire sert à la fois d'oscillateur et de détecteur. Lorsque de l'énergie est absorbée, une FEM induite apparaît dans la spire. Cette FEM est légèrement déphasée par rapport à la tension délivrée par l'oscillateur et peut être détectée par des moyens électroniques.

4. Un ordinateur qui assure l'ensemble des opérations nécessaires à l'obtention d'un spectre RMN.

On utilise aujourd'hui une technique par impulsion et transformée de Fourier dont la théorie dépasse le cadre de cet ouvrage mais dont on peut retenir les idées essentielles.

La RMN est une technique qui, comparée aux méthodes optiques, présente une faible sensibilité.

Une des possibilités pour améliorer la sensibilité naturelle du spectromètre consiste à additionner plusieurs spectres.

La méthode utilisée jusqu'en 1970 consistait en un balayage de toute la zone de résonance en modifiant le champ appliqué (méthode de l'onde continue). Le temps d'acquisition était très long, plusieurs minutes, et l'accumulation d'un grand nombre de spectres devenait particulièrement fastidieuse.

Les méthodes pulsées, par contre, permettent de recueillir l'ensemble des informations en un temps de l'ordre de quelques secondes et même parfois inférieur à la seconde. Pour obtenir ce résultat, l'échantillon étudié est soumis à une brève impulsion de radiofréquence «pulse» susceptible de stimuler l'ensemble des signaux.

De la même manière qu'une cloche vibre après avoir reçu un coup bref, le spectromètre détectera les vibrations magnétiques de l'échantillon après l'envoi du pulse de radiofréquence RF. Le signal ainsi détecté porte le nom de FID («free induction decay»), il n'est pas stationnaire dans le temps mais décroît après l'impulsion initiale. L'avantage de la méthode est que l'expérience peut être répétée très rapidement un grand nombre de fois.

Après avoir établi les fondements physiques de la RMN, nous nous tournons maintenant vers les informations qu'elle peut nous apporter.

29.10   LE DÉPLACEMENT CHIMIQUE

On regroupe sous le vocable déplacement chimique tous les effets qui peuvent modifier la fréquence de résonance du noyau. Ces effets sont de divers types et peuvent agir de façon très variable.

Les nuages électroniques qui entourent les noyaux se comportent dans le champ magnétique extérieur comme de petites boucles de courant qui tendent à créer un champ magnétique local, faible et de sens opposé au champ appliqué, il s'agit d'un effet diamagnétique : on dit qu'ils «font écran» (loi de Lenz). Le noyau «voit» alors un champ $\mathbf{B}_T$ différent du champ appliqué $\mathbf{B}_e$, tel que :

$$\mathbf{B}_T = \mathbf{B}_e\left(1 - \sigma_i\right)$$

et où σ est la constante d'écran (figure 29.21).

L'écran modifie la valeur du champ magnétique au niveau du noyau, il s'ensuit un déplacement de la fréquence de résonance. Lorsque σ est positif, on dit que le noyau est «blindé» quand il est négatif, le noyau est «déblindé».

Les spectroscopistes ont abusivement généralisé la notion de blindage et déblindage en l'appliquant à tous les phénomènes qui influencent le déplacement chimique. On dira donc que le noyau est blindé lorsque sa résonance est déplacée vers les champs forts et déblindé pour tout déplacement vers les champs faibles de la résonance.

L'importance du blindage dépend de l'environnement électronique du noyau, c'est-à-dire principalement des liaisons chimiques qui unissent l'atome à ses voisins, ce phénomène est à l'origine du non «déplacement chimique».

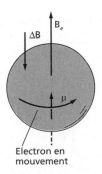

Figure 29.21 Lorsqu'un champ magnétique $\mathbf{B}_e$ est appliqué à un atome d'hydrogène, l'électron se met à circuler dans la direction indiquée, produisant un champ induit $\Delta\mathbf{B}$. Le champ au niveau du proton est alors $\mathbf{B}_T = \mathbf{B}_e - \Delta\mathbf{B}$.

La mesure du déplacement chimique ne se fait pas par lecture directe de la fréquence de résonance, car il est impossible de réaliser cette lecture avec suffisamment de précision. Par contre, il est aisé de déterminer avec une grande précision une différence entre deux fréquences de résonance. On ne réalisera donc jamais une mesure de la position absolue de la résonance, mais on effectuera une mesure relative par rapport à une résonance prise comme référence. Bien que la condition de résonance puisse être obtenue aussi bien par variation du champ appliqué que de la fréquence, les spectroscopistes ont l'habitude de toujours exprimer leurs mesures en fréquence, on a donc une résonance à Δf Hz de la référence et non à ΔB Tesla. De plus pour rendre les mesures indépendantes du type

d'appareil utilisé, les déplacements chimiques seront exprimés par un nombre sans dimension obtenu en divisant Δf par la fréquence de travail du spectromètre $f\ \Delta\ f/f_o$.

Le déplacement chimique sera en ppm (partie pour un million) si Δf est en Hz et f_o (fréquence d'observation) en MHz. Par exemple, pour un composé dont la résonance protonique est à 120 Hz de la référence, le déplacement chimique sera de 2 ppm pour un appareil travaillant à 60 MHZ. Le déplacement chimique est particulièrement sensible à un grand nombre de phénomènes, mais l'intérêt essentiel réside dans la relation qui existe entre la valeur du déplacement chimique et la nature de la fonction chimique où l'atome est engagé.

D'autres effets agissent également de façon importante sur le déplacement chimique.

Dans le cas du benzène, par exemple, on n'observe qu'une seule fréquence de résonance et un seul déplacement chimique. Le déplacement est lié de près à la structure de la molécule de benzène. Le benzène est construit sur un cycle d'atomes de carbone sur lequel s'attachent six atomes d'hydrogène (figure 29.22*a*). Au-dessus et au-dessous du cycle de carbone, les électrons sont libres de se déplacer sur deux anneaux toriques (figure 29.22*b*). Lorsqu'un champ magnétique extérieur est appliqué, les électrons occupant ces régions se mettent en mouvement dans le sens prévu par la loi de Lenz (chapitre 20). Ils forment un courant qui crée un champ opposé à $\mathbf{B}_e$, ce qui réduit le flux à l'intérieur du cycle de carbone (figure 29.22*c*).

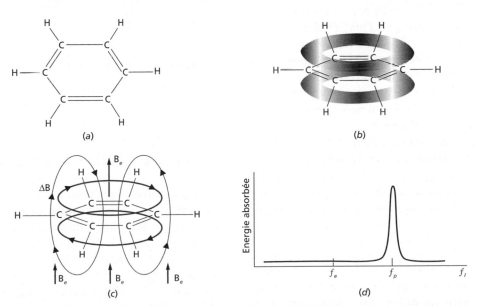

Figure 29.22 *(a)* La formule chimique du benzène. *(b)* Les électrons du benzène se déplacent librement le long de deux anneaux au-dessus et au-dessous du plan de la molécule. *(c)* Lorsqu'un champ $\mathbf{B}_e$ est appliqué, un courant électrique induit produit un champ magnétique qui s'oppose à $\mathbf{B}_e$ à l'intérieur de l'anneau et le renforce à l'extérieur. *(d)* Le champ des protons, noyaux des atomes d'hydrogène, est supérieur à $\mathbf{B}_e$.

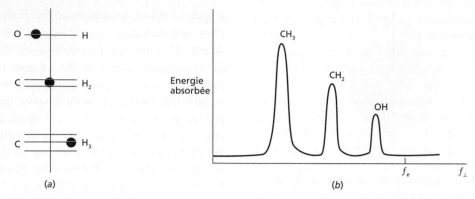

Figure 29.23 *(a)* Schéma montrant le centre des charges des électrons de liaison dans les groupes OH, CH$_2$ et CH$_3$ de l'éthanol. *(b)* Les modifications dans la densité d'électrons et le courant au voisinage du noyau d'hydrogène se traduisent par des déplacements chimiques spécifiques à chaque groupe.

À l'extérieur du cycle, le même courant induit accroît le champ appliqué B_e d'une quantité ΔB. Comme les atomes d'hydrogène de la molécule de benzène sont localisés en dehors du squelette cyclique carboné, ils entretront en résonance comme s'ils avaient subi un déblindage.

Deux éléments d'information concernant la molécule de benzène sont confirmés par l'expérience. Le premier est qu'il existe bien au sein des liens de valence du benzène un circuit fermé où des électrons peuvent circuler librement. Le second est que les atomes d'hydrogène sont localisés à l'extérieur de ce circuit. Dans l'hypothèse inverse, le déplacement chimique se manifesterait dans la direction opposée.

Quand un atome d'hydrogène intervient dans une liaison covalente, la fonction d'onde de son électron n'est plus symétrique par rapport au noyau. Plus l'électron s'éloigne du noyau et plus l'effet diamagnétique s'affaiblit. Le nuage électronique est à ce moment moins à même de produire un champ induit à l'endroit du noyau. Par exemple, dans un groupe OH, l'atome d'oxygène attire fortement l'électron apporté par l'hydrogène pour former la liaison, et la fréquence de résonance n'est que de très peu inférieure à f_e. Les électrons de liaison dans CH$_2$ ne sont pas aussi éloignés du noyau d'hydrogène qu'ils le sont dans le groupe OH. De ce fait, l'effet diamagnétique est plus important et la fréquence de précession de ces deux protons est plus basse que celle du noyau d'hydrogène dans OH. Dans le cas de CH$_3$, les électrons sont très peu attirés par le carbone, de sorte que l'effet diamagnétique et les déplacements chimiques sont encore plus grands. La fréquence de précession de ces trois protons est cette fois nettement inférieure à f_e. Ainsi, dans l'éthanol, CH$_3$—CH$_2$—OII, on détecte trois déplacements chimiques distincts (figure 29.23).

L'identification des trois pics de résonance dans le spectre de l'éthanol est encore facilité par le fait que pour chaque molécule, il existe pour absorber l'énergie trois protons dans le groupe CH$_3$, deux protons dans le groupe CH$_2$ et un seul proton dans le groupe OH. L'énergie est absorbée par ces trois groupes dans les rapports 3:2:1, comme le montre la figure 29.23*b*. Lorsqu'une expérience RMN de haute résolution est réalisée sur l'éthanol, le spectre large de la figure 29.23 fait apparaître une série de pics étroits (figure 29.24). L'explication de cette structure fine fait l'objet du paragraphe suivant.

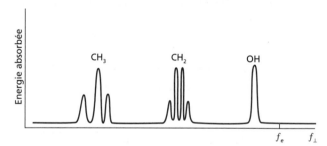

Figure 29.24 Le spectre d'absorption RMN de l'éthanol (CH$_3$—CH$_2$—OH) à haute résolution à la température ordinaire. (L'effet de la température sera discuté dans la suite.)

29.11 LE COUPLAGE SPIN-SPIN

Dans un champ magnétique extérieur, on peut montrer que l'énergie d'interaction des moments magnétiques des spins dépend de l'orientation du vecteur qui les unit. L'interaction devient nulle en moyenne quand l'orientation est quelconque. Ce type de couplage entre spins nucléaires, appelé « couplage direct », n'est pas observable en solution, et n'est détecté que dans les cristaux et les systèmes ordonnés. En revanche, on observe en solution un couplage indirect entre les spins nucléaires grâce aux électrons de liaison qui jouent un rôle d'intermédiaires entre les noyaux. L'origine de cette interaction peut s'expliquer simplement en considérant qu'un moment nucléaire μ_1

produit un champ magnétique qui déforme en les polarisant les couches électroniques. Les couches ainsi déformées produisent au niveau d'un second moment magnétique μ_2 un champ qui est proportionnel à μ_1. L'énergie de l'interaction entre les noyaux ($E = hJ_{12}I_1 \cdot I_2$) est proportionnelle au produit scalaire de leurs spins $I_1 \cdot I_2$ et au paramètre J_{12} qui caractérise l'interaction indirecte entre les spins et qu'on appelle « constante de couplage ». Les électrons qui interagissent avec plusieurs noyaux sont les électrons de valence car ils peuvent transmettre l'information au travers des liaisons. La constante de couplage dépendra donc du nombre et de la nature des liaisons qui séparent les deux noyaux couplés.

Lorsque deux noyaux sont couplés entre eux, les interactions entre les moments magnétiques des spins modifient les niveaux d'énergie et engendrent des transitions supplémentaires. Si nous considérons un système de deux noyaux A et X ayant tous deux un nombre de spin 1/2, la modification des niveaux d'énergie par l'interaction de couplage provoque un dédoublement des raies dont la séparation est égale à la constante de couplage (figure 29.25).

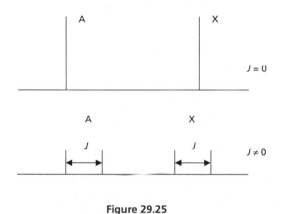

Figure 29.25

Une des propriétés fondamentales de l'énergie d'interaction est son indépendance vis-à-vis du champ appliqué c'est-à-dire de la fréquence de résonance.

L'analyse des couplages joue un rôle essentiel dans la détermination de la structure chimique des molécules organiques.

Dans les couplages proton-proton, on peut admettre qu'au-delà de trois liaisons les couplages deviennent faibles et le plus souvent inobservables, sauf en présence d'une géométrie particulière ou de liaisons multiples.

Des noyaux qui en raison de leur équivalence chimique, comme les trois hydrogènes du CH_3 de l'éthanol ont le même déplacement chimique, ont également les mêmes constantes de couplage. En conséquence, des superpositions de raies vont s'opérer dans la structure fine des groupements voisins du CH_3. Par exemple, comme chaque hy-

drogène du CH_3 de l'éthanol dédouble de la même façon la raie du CH_2 voisin, celui-ci présentera avec une structure fine de quatre raies dans un rapport d'intensité 1331. Réciproquement, la raie du CH_3 acquiert une structure fine d'intensité 121 due aux deux hydrogènes équivalents du groupement CH_2 (figure 29.24).

Le même raisonnement nous conduit à penser que la résonance associée au groupe OH devrait aussi se détripler sous l'influence de la proximité du groupe CH_2. Cet effet n'est toutefois pas observé dans le spectre RMN à la température ordinaire (figure 29.24). Si la température de l'échantillon est abaissée, on finit par observer cette structure fine (figure 29.26). En outre, la résonance CH_2 subit un dédoublement qui porte à huit le nombre de ses composantes.

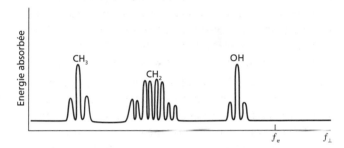

Figure 29.26 À basse température, on observe une structure plus fine du spectre de l'éthanol. On trouve huit pics dans la région de la résonance CH, et trois pics dans la région de résonance de OH.

La disparition de cette structure supplémentaire à la température ordinaire s'explique par le phénomène d'*échange chimique*. Le groupe hydroxyle OH est assez faiblement lié à l'éthanol et peut être décrit comme se déplaçant fréquemment d'une molécule à l'autre, se liant brièvement en un site pour se déplacer à nouveau. Ce processus est à ce point rapide que durant le temps nécessaire à l'absorption de l'énergie, c'est-à-dire à peu près le temps nécessaire pour que le dipôle effectue une période de précession, plusieurs groupes OH se sont attachés et détachés de la molécule. L'expérience de résonance détecte donc un effet moyen lié à la présence des groupes OH, et la structure fine n'est pas observée. Lorsque la température s'abaisse, l'énergie thermique qui favorise le mouvement aléatoire d'échange diminue et le groupe OH reste attaché à une molécule pendant un laps de temps plus long. Lorsque la fréquence d'échange est plus basse que la fréquence de précession, l'effet de la présence du groupe OH devient plus net. La résonance liée au groupe OH se détriple sous l'influence du couplage spin-spin avec le groupe CH_2 voisin, et comme il existe deux possibilités d'alignement des spins de OH :

1. ↑
2. ↓

on assistera au dédoublement des raies de résonance des groupes voisins. C'est ce qui se produit au niveau du groupe CH_2 dans l'éthanol. La résonance liée au groupe CH_2 présente huit composantes au lieu de quatre.

Lorsque des expériences sont réalisées sur des molécules complexes, il peut être difficile de distinguer les résonances d'un groupe donné des raies d'un autre groupe qui subit l'influence du couplage spin-spin. Dans ces cas,

l'expérience peut être répétée pour différentes valeurs du champ magnétique appliqué. Le déplacement chimique varie avec le champ, alors que le couplage spin-spin en est indépendant. Le déplacement chimique dépend en effet de l'intensité des champs induits qui, à leur tour, dépendent du champ appliqué. En revanche, le couplage spin-spin ne peut résulter que de l'interaction des spins entre eux. L'écart observé entre les résonances en raison de cette interaction est toujours le même parce que les spins ont tous la même grandeur.

Réviser

RAPPELS DE COURS

Les molécules et la matière à l'état condensé représentent des configurations énergétiques favorables pour un ensemble d'électrons et de noyaux en interaction via des forces électriques. Les liaisons ioniques se forment entre deux atomes lorsqu'un électron est complètement transféré de l'un à l'autre. L'énergie potentielle gagnée en rapprochant les ions compense largement l'énergie requise pour transférer l'électron.

Dans le cas des liaisons covalentes, les électrons sont mis en commun. En général, cette mise en commun peut être comprise en examinant la structure électronique des atomes constituant la molécule. Les fonctions d'onde des atomes doivent présenter un recouvrement maximum de manière que les électrons soient favorablement positionnés par rapport aux noyaux. D'ordinaire, de telles liaisons contiennent deux électrons qui satisfont au principe de Pauli. Les paires d'électrons participant aux liaisons tendent à se séparer pour minimiser leur énergie de répulsion mutuelle. Un modèle de fonction d'onde moléculaire qui rend compte de la liaison covalente consiste à construire des états hybrides pour décrire la structure électronique des atomes constitutifs.

Dans les métaux, chaque électron appartient au cristal tout entier. Ils sont complètement délocalisés. Dans un semi-conducteur à l'état fondamental, les électrons restent liés, bien qu'ils puissent être partagés par des atomes voisins. Un électron doit accroître son énergie d'une quantité au moins égale à la largeur de la bande interdite pour se trouver dans la bande de conduction. Lorsqu'un électron est promu dans la bande de conduction, on peut le considérer comme soustrait à la liaison à laquelle il appartenait. Il est alors libre de se mouvoir à travers tout l'échantillon, comme dans le cas d'un métal. Cette excitation peut se produire à la suite d'une élévation de température ou d'une absorption d'énergie lumineuse.

Des liaisons hydrogène et de van der Waals agissent souvent dans l'agrégation des molécules. La liaison van der Waals, qui résulte de l'attraction mutuelle de moments dipolaires induits ou permanents, est responsable de la formation et des propriétés de beaucoup de liquides et de solides. Les liaisons hydrogène s'établissent lorsqu'un atome d'hydrogène ayant formé une liaison covalente attire les électrons d'une orbitale voisine. Cette liaison est faible mais peut expliquer certaines structures rencontrées dans les solides et les molécules organiques.

PHRASES À COMPLÉTER

Voir réponses en fin d'ouvrage.

1. Pour former la liaison _____, un électron au moins est transféré d'un atome sur l'autre.

2. Pour former la liaison _____, les électrons sont mis en commun par différents atomes.

3. Si les spins de deux électrons sont parallèles, le _____ s'oppose à ce qu'ils restent proches l'un de l'autre.

4. Une combinaison de fonctions d'onde $3s$ et $3p$ est appelée une fonction d'onde _____.

5. Une molécule polaire possède un _____.

6. Les électrons de la bande de conduction d'un métal peuvent se déplacer _____.

7. Dans un isolant, les électrons de valence forment des bandes _____.

8. Les semi-conducteurs ont une _____ nettement plus petite que les isolants.

9. Un trou est _____.

10. Lorsqu'une molécule polaire se trouve au voisinage d'une molécule non polaire, elle peut induire un _____.

EXERCICE CORRIGÉ

Le spectre RMN des hydrogènes du toluène présente deux résonances, une à 188 Hz et l'autre a 573 Hz de la référence. Le champ magnétique de l'appareil de RMN est de 1,88 T et l'oscillateur radiofréquence produit une radiation électromagnétique dont le champ B_T est 10^{-5} fois plus faible.

a) Déterminer la fréquence du mouvement de précession du moment magnétique des noyaux d'hydrogène.

b) Quelle est la différence d'énergie entre l'état up et down d'un noyau d'hydrogène ?

c) Déterminer la longueur d'onde de la radiofréquence.

d) Quelle sera la fréquence de précession autour du champ magnétique de radiofréquence $\mathbf{B}_\perp$?

e) Combien de temps nécessite une rotations de 360° de l'aimantation autour du champ $\mathbf{B}_\perp$?

f) En supposant que l'on envoie la radiofréquence pendant 0,31 ms, quel sera l'angle de rotation de l'aimantation ?

g) Donnez en ppm la position des déplacements chimiques des deux raies de résonance observées.

Solution

a) Le mouvement de précession se caractérise par la fréquence de Larmor

$$f_L = \frac{\gamma B_e}{2\pi} = \frac{26,7051 \times 10^7 \times 1,88}{2\pi} = 80 \text{ MHz}$$

b) La différence d'énergie est donnée par

$$\Delta E = \frac{\gamma h B_e}{2\pi}$$

$$= \frac{26,751 \times 10^7 \times 6,62 \times 10^{-34} \times 1,88}{2\pi}$$

$$= 5,3 \times 10^{-26} \, J$$

c) La longueur d'onde de la radiofréquence

$$\lambda = \frac{v}{f} = \frac{3 \times 10^8}{80 \times 10^6} = 3,75 \text{ m}$$

d) La fréquence de précession est proportionnelle à la valeur du champ magnétique

$$f_{B_T} = 80 \times 10^6 \times 10^{-5} = 800 \text{ Hz}$$

e) Une rotation complète correspond à la période du mouvement

$$T = \frac{1}{f_{B_T}} = \frac{1}{800} = 1,25 \text{ ms}$$

f) En 0,31 ms l'aimantation aura parcouru un angle de précession autour de $\mathbf{B}_\perp$ de : $\dfrac{360° \times 0,31}{1,25} = 90°$.

g) Les déplacements chimiques des deux raies sont donnés par : $\dfrac{\Delta f}{f_L}$. On a

$$\frac{188}{80 \times 10^6} = 2,35 \text{ ppm}$$

$$\text{et} \quad \frac{573}{80 \times 10^6} = 7,16 \text{ ppm}$$

S'entraîner

QCM

Voir réponses en fin d'ouvrage.

Q1. Les liaisons covalentes σ formées par recouvrement d'orbitales hybrides sp^3 sont de géométrie

a) triangulaire plane (angle 120°)

b) tétraédrique (angle 109°)

c) carrée (angle 90°)

d) octaédrique

e) aucune de ces réponses.

Q2. Dans la molécule d'oxygène :

a) les deux atomes d'oxygène sont liés entre eux par deux liaisons σ

b) les deux atomes d'oxygène sont liés entre eux par deux liaisons π

c) il n'y a pas d'électrons non appariés

d) le spin total des électrons vaut 1 et l'état fondamental est un état triplet

e) aucune de ces réponses.

Q3. Le caractère polaire de la molécule d'eau est dû :

a) à la structure linéaire de la molécule

b) à la structure triangulaire de la molécule

c) à sa faculté de dissocier les électrolytes

d) à l'ionisation en H^+ et OH^-

e) aucune de ces réponses.

Q4. Le fait que la molécule d'eau possède un moment dipolaire provient de ce que cette molécule

a) possède deux électrons célibataires

b) présente une structure triangulaire

c) présente une structure linéaire et symétrique

d) est constituée de liaisons covalentes

e) aucune de ces réponses.

Q5. Le fait que la molécule de dioxyde de carbone ne possède pas de moment dipolaire global provient de ce que cette molécule est

a) angulaire

b) linéaire et symétrique

c) triangulaire

d) formée d'atomes liés par des liaisons covalentes polaires

e) aucune de ces réponses.

Q6. Parmi les molécules suivantes, laquelle est capable de former des liaisons hydrogène avec elle-même ?

a) NH_3

b) CCl_4

c) CH_4

d) CO_2

e) HCl.

Q7. Dans la molécule C_2H_4, la liaison p entre les deux atomes de carbone est formée par :

a) recouvrement longitudinal d'orbitales atomiques p

b) recouvrement latéral d'orbitales atomiques p

c) recouvrement latéral d'orbitales hybrides sp^2

d) recouvrement longitudinal d'orbitales hybrides sp

e) recouvrement longitudinal d'orbitales hybrides sp^2.

Q8. Un noyau atomique possède un moment magnétique μ proportionnel

a) au nombre de protons du noyau

b) au rapport du nombre de protons et neutrons du noyau

c) au champ magnétique appliqué

d) à son moment angulaire de rotation

e) aucune de ces réponses.

Q9. La fréquence de Larmor du proton est de 60 MHz pour un appareil de RMN dont le champ magnétique est de 1,41 T. Quel serait le champ magnétique d'un appareil à 500 MHz ?

a) 2,82 T

b) 1,69 T

c) 70,5 T

d) 11,75 T

e) 23,5 T.

Q10. On a réalisé un enregistrement conventionnel RMN du spectre de l'hydrogène du composé

$CH_3 — CH_2 — CH_2 — Cl$

Combien de raies de résonance est-on susceptible d'observer ?

a) 4

b) 9

c) 15

d) 18

e) 24.

EXERCICES

Voir réponses en fin d'ouvrage pour les exercices et problèmes dont le numéro est inscrit en noir.

La liaison ionique

29.1 L'énergie d'ionisation du sodium neutre (Na) vaut 5,12 eV, et l'affinité électronique du chlore (Cl) vaut 3,82 eV. (Négliger la répulsion des électrons de cœur).

a) Quelle énergie est requise pour transférer un électron du sodium au chlore ?

b) Si la distance entre les ions est de $2,36 \times 10^{-10}$ m, quelle est l'énergie potentielle électrostatique de la molécule ?

c) Quelle est l'énergie requise pour séparer la molécule NaCI en ses deux constituants neutres, Na et Cl ?

29.2 L'énergie d'ionisation des atomes de lithium est de 5,39 eV, et la distance interatomique dans la molécule de fluorure de lithium, LiF, est $1,51 \times 10^{-10}$ m. L'affinité électronique du fluor est 3,51 eV. (Négliger la répulsion des électrons de cœur.)

a) Quelle est l'énergie potentielle des ions Li^+ et F^- dans la molécule ?

b) Quelle est l'énergie de cohésion de LiF ?

29.3 L'énergie de cohésion du bromure de sodium (NaBr) est de 3,77 eV, la distance interatomique est $2,50 \times 10^{-10}$ m, et l'énergie d'ionisation de Na est 5,12 eV. (Négliger la répulsion des électrons de cœur).

a) Quelle est l'énergie potentielle des ions Na^+ et Br^- dans la molécule ?

b) Quelle est l'affinité électronique du brome ?

La liaison covalente

29.4 Expliquer comment le magnésium et le chlore forment la molécule $MgCl_2$.

29.5 La molécule d'hydrogène H_2 possède-t-elle un moment dipolaire permanent ? Expliquer.

29.6 La distance entre les protons de la molécule ionisée H_2^+ est $1,06 \times 10^{-10}$ m. Si l'électron se trouve à mi-chemin entre les deux protons, quelle est son énergie potentielle électrostatique ?

29.7 Expliquer la formation et la structure de la molécule CH_4 en utilisant un schéma d'hybridation adapté au carbone.

29.8 Quel est théoriquement l'angle entre les liaisons carbone-hydrogène à l'extrémité de la molécule d'éthylène ?

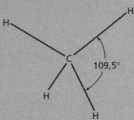

Figure 29.27 La structure de la molécule de méthane (Exercice 29.16).

La liaison métallique

29.9 Lorsque N atomes sont rassemblés pour former un matériau solide, il se forme $2N$ niveaux d'énergie dans une bande. Si chaque atome apporte un électron de valence à cette bande, elle se trouvera à demi occupée et le matériau aura le comportement d'un métal.

a) Décrire l'occupation de la bande pour un autre matériau où chaque atome apporte deux électrons de valence.

b) Comparer le processus de conduction électrique et thermique du second matériau avec celui du métal. Expliquer.

29.10 Si les électrons de conduction d'un métal sont libres de se mouvoir à travers tout le cristal, pourquoi ne le quittent-ils pas ?

Isolants et semi-conducteurs

29.11 Quelle est la fréquence minimale de la lumière qui permet d'exciter un électron de la bande de valence à la bande de conduction dans le silicium pur ? (La largeur de la bande interdite est 1,1 eV.)

29.12 Comment un semi-conducteur pourrait-il être utilisé comme thermomètre ?

29.13 L'énergie est-elle conservée lorsqu'un électron retombe de la bande de conduction à la bande de valence dans un semi-conducteur ? Expliquer.

Les liaisons faibles

29.14 Sur la figure 29.12, la molécule A est polaire et la molécule B est non polaire. La molécule A induit un moment dipolaire sur la molécule B. Expliquer qualitativement pourquoi la force entre les molécules est attractive. Inclure dans cette discussion l'effet des charges des deux signes.

29.15 Tracer un diagramme schématique de la limite entre la surface libre de l'eau et une lame de verre dressée verticalement. Décrire de manière qualitative la forme de la surface de l'eau en vous référant aux forces de van der Waals.

29.16 La figure 29.27 représente une molécule de méthane. Pensez-vous que la liaison hydrogène sera aussi importante dans le cas du méthane solide que dans le cas de la molécule d'eau ? Expliquer.

Le comportement d'un dipôle magnétique dans un champ magnétique

29.17 Quelle est l'énergie d'un proton dans un champ magnétique de 1,2 T si la composante z du moment angulaire de spin

a) est dans la direction du champ magnétique ?

b) est dans la direction opposée ?

29.18 Un photon de fréquence égale à 5×10^7 Hz est émis lorsqu'un proton subit un retournement de spin.

a) Quelle est l'orientation du moment angulaire de spin dans l'état final lorsque le spin d'un proton change d'orientation ?

b) Quelle est l'intensité du champ magnétique ?

29.19 Indiquer la direction du couple et la trajectoire de précession du moment magnétique $\mathbf{\mu}$ du proton dans le champ $\mathbf{B}_T$ représentés sur les figures 29.28a et 29.28b.

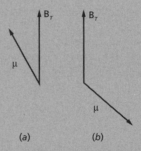

(a)   (b)

Figure 29.28 À un instant donné, le moment magnétique du proton μ se trouve dans le plan de la page, comme $\mathbf{B}_T$. Exercice 29.19.

29.20 Quelle est la fréquence de précession f_p d'un proton libre dans un champ magnétique $B_T = 1,2$ T ?

29.21 Lorsqu'un champ magnétique est appliqué aux protons d'une molécule, la différence entre les fréquences de précession $\Delta f = f_p - f_e$ est de 300 Hz. Quelle est la différence entre le champ total et le champ appliqué à l'endroit du dipôle ?

29.22 Montrer que l'énergie absorbée lors d'un retournement de spin dans un champ magnétique $\mathbf{B}_T$ peut s'écrire $\Delta \mathcal{U} = h f_p$, où f_p est la fréquence de précession.

29.23 a) À partir des résultats de l'exercice 29-22, calculer la fréquence des photons absorbés par les protons dans un champ magnétique de 5 T.

b) Quelle est la modification d'énergie lorsque l'absorption se produit ?

Mesure de la fréquence de précession

29.24 Dans une expérience typique de RMN, la différence entre le champ extérieur et le champ à l'endroit du proton est égale à $B_e - B_T = 1,5 \times 10^{-6}$ T. Quel est le déplacement en fréquence mesuré Δf ?

29.25 Un proton libre subit une précession à la fréquence f_e dans un champ extérieur B_e. À la résonance dans la molécule, le champ total est $B_T > B_e$. La fréquence du champ magnétique perpendiculaire appliqué est-elle plus grande ou plus petite que f_e ?

29.26 Comme le montre la figure 29.29, le moment magnétique du proton subit une précession à la fréquence f_p. La période, c'est-à-dire le temps nécessaire pour que le proton effectue un tour complet vaut $T = 1/f_p$. À la résonance, le champ magnétique perpendiculaire $\mathbf{B}_\perp$ passe par une intensité maximale et, en $t = 0$, est orienté comme le montre la figure. Décrire le champ $\mathbf{B}_\perp$ et indiquer la direction prise par le couple sur $\boldsymbol{\mu}$ résultant de l'application de $\mathbf{B}_\perp$ aux instants $t = 0$, $T/4$, $T/2$, $3T/4$ et T.

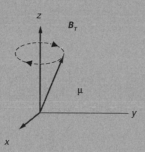

Figure 29.29 À l'instant $t = 0$, $\boldsymbol{\mu}$ et $\mathbf{B}_T$ se trouvent dans le plan yz et $\mathbf{B}_\perp$ pointe dans la direction x. Exercice 29.26.

L'appareillage RMN

29.27 Les instruments usuels produisent un champ $\mathbf{B}_\perp$ à la fréquence de $f_\perp = 6 \times 10^7$ Hz. À quelle valeur du champ B_e la résonance se produit-elle pour un proton libre ?

29.28 Décrire brièvement ce qui pourrait être observé si le champ magnétique n'était pas uniforme sur tout l'échantillon.

Le déplacement chimique

29.29 Tracer un diagramme montrant l'énergie absorbée en fonction de $f_\perp$ dans le cas d'une molécule ayant une forme semblable à celle du benzène, mais où les protons dans les atomes d'hydrogène seraient localisés à l'intérieur du cycle de carbone.

29.30 Dans le composé $CH_3 - CH_2 - CH_2 - I$, les deux groupes CH_2 sont soumis à des champs locaux légèrement différents parce que leur environnement dans la molécule n'est pas identique.

a) En supposant que le déplacement chimique dans le groupe CH_2 proche de l'iode (I) est plus petit que dans le groupe CH_2 voisin, tracer un diagramme montrant l'énergie absorbée en fonction de $f_\perp$ pour cette molécule, en prenant exemple sur la figure 29.23. Ne pas inclure les effets du couplage spin-spin.

b) Quel est le rapport prévisible entre les hauteurs des pics de résonance qui apparaissent dans le spectre de cette molécule ?

29.31 Lorsque des molécules telles que l'éthanol $CH_3 - CH_2 - OH$ sont en solution, l'hydrogène du groupe OH peut constituer le centre d'une liaison hydrogène avec l'une des molécules du solvant.

Dans une telle liaison, le proton de l'hydrogène se voit entouré par quatre électrons, plutôt que deux en l'absence de liaison hydrogène. La résonance OH en présence d'une liaison hydrogène se déplace à tel point qu'elle apparaît entre les résonances associées aux groupes CH_3 et CH_2 dans la figure 29.23. Expliquer ce déplacement en considérant un effet diamagnétique.

Le couplage spin-spin

29.32 Dessiner et expliquer le spectre RMN du 1,1,2-trichloroéthane,

$$Cl - CH_2 - CH \Big\langle {Cl \atop Cl}$$

(Le déplacement chimique de CH est plus petit que celui de CH_2.)

29.33 La figure 29.30 montre le spectre d'absorption RMN d'une molécule contenant un atome de carbone, un atome d'oxygène et quatre atomes d'hydrogène. Quelle est la formule de cette molécule ?

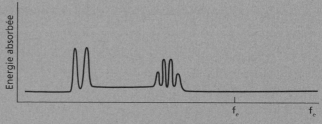

Figure 29.30 Exercice 29.33.

PROBLÈMES

29.34 Le moment dipolaire d'une molécule est la distance entre les centres des charges positive et négative multipliée par la charge elle-même. Quel est le moment dipolaire de la molécule de KCl ? (La distance entre les ions K^+ et Cl^- est de 2, 79×10^{-10} m.)

29.35 La molécule neutre H_3 est instable, alors que l'ion moléculaire H_3^+ est stable. Expliquer cette observation en fonction du principe d'exclusion de Pauli.

29.36 La molécule d'ammoniac (NH_3) est d'ordinaire décrite par une hybridation sp^3 des fonctions d'onde de l'azote. En partant du fait que l'atome d'azote a deux électrons $2s$ et trois électrons $2p$ dans sa couche $n = 2$, décrire la structure de NH_3. Cette molécule présente-t-elle un dipôle électrique permanent ? Expliquer.

29.37 Les modèles fondés sur le concept d'hybridation ne sont pas rigoureux et peuvent conduire à des prédictions qui ne sont pas vérifiées par l'expérience. Par exemple, la molécule de sulfure d'hydrogène (H_2S) devrait avoir la même forme que la molécule d'eau (H_2O) du fait qu'il manque deux électrons à l'oxygène et au soufre pour fermer leur dernière couche. L'angle entre les liaisons dans le cas de H_2S est de 92° et est très différent de l'angle de 104,5° de la molécule d'eau. Montrer que les liaisons de H_2S seraient à 90° si les atomes d'hydrogène recouvraient les états p purs du soufre. Le soufre possède deux électrons $3s$ et deux électrons $3p$.

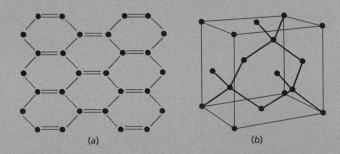

(a)   (b)

Figure 29.31 La position des atomes de carbone dans *(a)* le graphite et *(b)* le diamant. La structure du graphite est proche d'une structure bidimensionnelle, où chaque atome de carbone se lie à trois voisins dans le même plan. Dans le cas du diamant, chaque atome de carbone a quatre premiers voisins équidistants. Problème 29.38.

29.38 Le carbone se présente sous deux formes solides, le graphite et le diamant (figure 29.31).

a) Décrire le schéma d'hybridation approprié aux deux structures.

b) Le graphite peut être utilisé comme lubrifiant et le diamant est extrêmement dur. Cette différence des propriétés

peut-elle s'expliquer par la différence des structures cristallines ?

29.39 Dans la molécule de méthane (CH_4), l'atome de carbone emprunte un électron à chaque atome d'hydrogène. Ces quatre électrons suffisent pour remplir la couche $n = 2$ du carbone. Il manque à l'atome de chlore un électron p pour compléter sa couche périphérique. Le tétrachlorure de carbone (CCl_4) est une molécule covalente.

a) Quelle est la structure de CCl_4 ?

b) Cette molécule présente-t-elle un moment dipolaire permanent ?

c) Quelle différence doit-on trouver dans la position des électrons assurant la liaison dans le cas du tétrachlorure de carbone et dans celui du méthane ?

29.40 La figure 29.32*a* décrit un modèle très qualitatif de la liaison hydrogène. Calculer la différence entre les énergies potentielles des charges dans les configurations des figures 29.32*a* et 29.32*b*. (Ne pas inclure la répulsion entre les électrons d'un même côté du noyau d'hydrogène.)

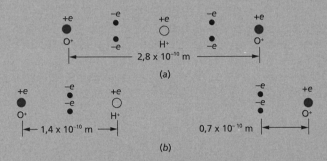

(a)

(b)

Figure 29.32 *(a)* Un modèle simple de la liaison hydrogène dans la glace. Les noyaux d'oxygène (en couleur) ont des charges effectives $+e = 1,6 \times 10^{-19}$ C. Le noyau d'hydrogène (cercle blanc) se trouve à mi-chemin entre les noyaux d'oxygène et possède une charge $+e$ Les électrons de charge $-e$ se localisent au milieu de la région séparant le noyau d'oxygène du noyau d'hydrogène. *(b)* Les mêmes charges groupées en deux complexes séparés par des distances importantes. Problème 29.40.

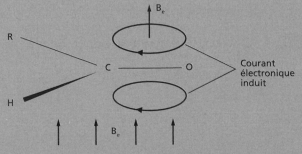

Figure 29.33 Un courant d'électrons est induit dans le groupe C—O de la molécule d'aldéhyde lorsqu'un champ extérieur est appliqué. *R* désigne le reste de la molécule. Problème 29.41.

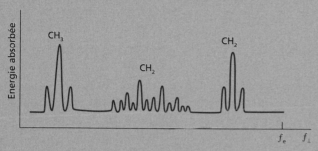

Figure 29.34 Problème 29.43.

Figure 29.35 Problème 29.44.

29.41 La figure 29.33 montre le courant d'électrons dans la liaison C—O de l'aldéhyde. Quel sera l'effet de ce courant induit sur la fréquence de précession du moment dipolaire du proton dans l'atome d'hydrogène ?

29.42 Tracer le spectre d'absorption RMN de l'acétaldéhyde,

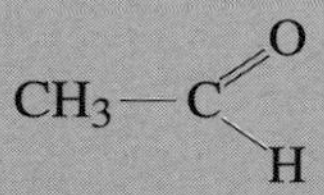

$$CH_3 - C \overset{O}{\underset{H}{\diagdown}}$$

(Tenir compte du fait que le déplacement chimique du groupe CH est plus faible que celui du groupe CH_3.)

29.43 Lorsqu'un champ magnétique extérieur est appliqué à l'acéthylène, les électrons de la liaison C—C peuvent circuler à la surface d'un cylindre (figure 29.34).

a) Quelle est la direction du courant d'électrons induit, vu dans la direction du champ magnétique B_e ?

b) Quel est l'effet de ce courant sur la fréquence de précession du proton dans les atomes d'hydrogène ?

29.44 Le spectre d'absorption RMN de

$$CH_3 - CH_2 - CH_2 - I$$

est rapporté à la figure 29.34. Les différents déplacements chimiques des deux groupes CH, sont tributaires des environnements des deux groupes dans la molécule.

a) Expliquer le triplet associé au groupe CH_3.

b) Pourquoi la résonance centrale CH_2 est-elle séparée en 12 composantes ?

PARTIE 9

LE NOYAU
ATOMIQUE

Nous avons vu que le développement de la physique quantique pendant les premières décennies du siècle dernier a permis de comprendre les phénomènes atomiques et moléculaires. Vers 1930, la frontière de la physique et la recherche de la structure ultime de la matière s'étaient déplacées vers des études à l'échelle beaucoup plus petite du noyau atomique.

Jusqu'en 1939, la physique nucléaire est restée une activité académique de peu d'importance pratique. Cette année-là, en Allemagne, O. Hahm (1879-1968) et F. Strassman (1902-1980) découvrirent qu'un noyau d'uranium peut se scinder en deux noyaux plus légers. Ce processus libère une énergie des millions de fois supérieure à celle provenant de n'importe quelle réaction chimique entre atomes ou molécules et représente une source d'énergie d'une importance sans précedent.

Les quelques exemples qui vont suivre démontreront l'énorme impact contemporain de la physique nucléaire. Les armes nucléaires ont amené une fin rapide, mais cruelle, de la Deuxième Guerre mondiale, et la menace de leur utilisation future est devenue un facteur central en politique internationale. Les réserves mondiales de combustibles fossiles diminuent rapidement. De toutes les sources possibles d'énergie de remplacement, il n'y a que les réacteurs de fission nucléaire qui soient utilisés à grande échelle. De nombreuses substances radioactives sont devenues disponibles ; leur emploi en médecine a sauvé beaucoup de vies humaines et d'importantes applications ont été mises au point tant dans la recherche scientifique qu'en agriculture et dans l'industrie. La datation par isotopes radioactifs et d'autres techniques de physique nucléaire ont permis de faire des progrès majeurs en géologie et en archéologie.

Cette partie est divisée en deux chapitres. Le premier couvre la physique fondamentale du noyau et le second traite des effets et des utilisations des radiations ionisantes.

CHAPITRE 30

Physique nucléaire

Mots-clefs

Énergie de liaison • Fission • Force nucléaire • Fusion • Isotope • Modèle nucléaire en couches • Nombre de masse • Nombre de neutrons • Noyau • Numéro atomique • Puits de potentiel • Rayonnement alpha, bêta, gamma

Introduction

Le noyau atomique est un objet très petit et très dense constitué de deux espèces de nucléons : les protons et les neutrons. Un proton est porteur d'une charge électrique positive égale en grandeur à la charge électronique. Il possède une masse qui vaut environ 1 840 fois celle de l'électron. Les neutrons sont environ 0,1 %, plus massifs que les protons. Comme leur nom le suggère, ils ne possèdent aucune charge électrique.

Un noyau est caractérisé par son *numéro atomique Z* ainsi que par son *nombre de masse A*. Z représente le nombre de protons et A le nombre total de nucléons, de sorte que le *nombre de neutrons N* est égal à $A - Z$. La notation standard des noyaux est illustrée par $^{238}_{92}U$. Ce noyau est composé de 238 nucléons dont 92 sont des protons et $238 - 92 = 146$, des neutrons. U est le symbole chimique du 92è me élément, l'uranium. Le numéro atomique est parfois omis, car il est donné implicitement par le nom de l'élément. Dans certains cas, on adopte la notation U-238, notamment quand il s'agit de spécifier et l'isotope et l'élément.

Les espèces nucléaires, ayant le même numéro atomique mais des nombres de neutrons différents, sont appelées *isotopes*. Comme la structure électronique des atomes dépend surtout de la charge positive totale du noyau, les différents isotopes d'un élément sont chimiquement à peu près identiques. On connaît un peu plus de 100 éléments naturels ou artificiels et quelque 300 isotopes stables à l'heure actuelle.

On distingue trois types de forces jouant des rôles importants dans les noyaux. La cohésion des noyaux est assurée par des *forces nucléaires*. Ce sont des forces très intenses et à courte portée agissant entre les nucléons. Les *forces électriques* sont plus faibles en grandeur mais elles deviennent progressivement plus importantes au fur et à mesure que le nombre des protons augmente dans le noyau. Les *interactions faibles* sont beaucoup moins fortes que les forces nucléaires ou les interactions électromagnétiques. Elles sont responsables des processus de *désintégration* β dans lesquels, par exemple, il

y a transformation de neutrons en protons avec émission d'électrons et de neutrinos. Les forces gravitationnelles sont encore plus faibles. Elles ont peu d'importance en physique nucléaire.

Les mouvements des nucléons au sein du noyau sont très complexes. La structure nucléaire qui en découle, ainsi que leurs orbites moyennes, peuvent cependant être relativement bien décrites à l'aide d'un modèle en couches. Celui-ci ressemble fortement au modèle en couches des atomes.

Dans ce chapitre, nous commencerons par explorer quelques propriétés fondamentales des nucléons. Nous discuterons ensuite des forces nucléaires et du modèle en couches. Nous conclurons par un examen des processus de désintégration nucléaire. L'énergie nucléaire sera traitée dans les compléments.

30.1 LA RADIOACTIVITÉ

C'est par hasard qu'en 1906, quinze ans avant que Rutherford ne conclue à l'existence du noyau, Antoine Henri Becquerel (1852-1908) observa pour la première fois un phénomène purement nucléaire. Il constata que des composés d'uranium émettent des rayons invisibles, capables de pénétrer une cache opaque et d'impressionner une émulsion photographique. Peu après. Pierre et Marie Curie montrèrent que des minerais d'uranium contiennent également des traces de polonium ($Z = 84$) et de radium ($Z = 88$), ces deux éléments étant beaucoup plus *radioactifs* que l'uranium. On découvrit par la suite maintes autres espèces nucléaires radioactives ou *radio-isotopes*.

Quelques propriétés importantes du rayonnement furent découvertes rapidement. Une plaque de plomb, épaisse de quelques centimètres, arrête la majeure partie du rayonnement d'une source d'uranium. Une plaque percée d'un petit trou peut donc servir à la formation d'un faisceau étroitement collimaté. En présence d'un champ magnétique, ce faisceau se sépare en trois composantes, appelées respectivement *alpha* (α), *bêta* (β) et *gamma* (γ) (figure 30.1). Les *particules alpha* sont chargées positivement et pénètrent à peine dans la matière. On sait maintenant que ces particules sont en fait des noyaux d'hélium ^{4}He. Les *particules bêta*, chargées négativement, pénètrent plus profondément dans la matière ; ce sont des électrons. Les *rayons gamma* sont les plus pénétrants. Ce sont des photons dont l'énergie est généralement supérieure à celle des rayons X.

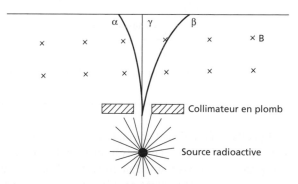

Figure 30.1 Dans un champ magnétique, le rayonnement émis par une source radioactive se sépare en trois composantes. Les particules α sont des noyaux de $^4_2$He, les particules β sont des électrons et les rayons non chargés sont des photons.

Les énergies des rayonnements α, β et γ peuvent aller jusqu'à quelques millions d'électron-volts (MeV) par particule. Comme les énergies des processus atomiques et moléculaires sont en général de l'ordre de quelques électron-volts, la radioactivité représenta un phénomène

d'un type alors tout à fait nouveau. Elle suggéra l'existence de forces beaucoup plus intenses que les forces électriques.

En 1903, Rutherford et Soddy montrèrent que lorsqu'un noyau d'uranium émet une particule alpha, il est transformé en un noyau de thorium. Cette réaction peut s'écrire :

$$^{238}_{92}\text{U} \rightarrow ^{234}_{90}\text{Th} + ^4_2\text{He}$$

Il se produit donc une transmutation des éléments au cours des *processus de désintégration* α. Cette transmutation représente une modification impossible à produire par des moyens chimiques (avec ou sans incantations médiévales...). Des transmutations similaires se produisent au cours des *désintégrations* β, mais non au cours des *désintégrations* γ.

Aux premières découvertes des propriétés fondamentales des rayonnements vinrent se joindre les progrès dans la compréhension de leurs effets biologiques. Au début du siècle, on réalisa que les rayons X et le rayonnement nucléaire pouvaient causer des brûlures de la peau. À cette époque-là, cependant, on ignorait encore qu'ils pouvaient aussi induire le cancer. De nombreux chercheurs scientifiques, médecins, et ouvriers industriels furent fréquemment exposés à des doses massives de rayonnements et beaucoup d'entre eux développèrent des tumeurs malignes, parfois quelques décennies après la cessation de toute exposition. Ce n'est guère que dans les années 1920 que les premières directives gouvernementales sur la limitation des expositions aux rayonnements furent promulguées.

30.2 LA DEMI-VIE

Considérons un groupe d'étudiants qui assistent à un cours monotone. S'ils décident de jouer à pile ou face, en adoptant la règle « pile je reste, face je m'en vais », environ la moitié d'entre eux seront encore présents après le premier jeu. Environ la moitié de ceux-ci demeureront dans la salle après le jeu suivant et ainsi de suite. Toutefois, nous sommes incapables de prédire à quel instant précis un étudiant déterminé quittera la salle. Le processus est appelé *aléatoire*. Environ la moitié des étudiants partent après chaque jeu, et le temps qui s'écoule entre deux jeux successifs est appelé la *demi-vie* de la classe.

La désintégration nucléaire constitue un processus aléatoire du même genre. Il est donc caractérisé par une demi-vie T, qui représente le laps de temps nécessaire pour que la moitié des noyaux présents se désintègrent. Si au temps $t = 0$, il y a N_0 noyaux, alors, une demi-vie plus tard, lorsque $t = T$, il restera, en moyenne, $N_0/2$ noyaux. À l'instant $t = 2T$, après deux demi-vies, la moitié des noyaux non désintégrés, soit $N_0/4$ noyaux, subsisteront ;

à $t = 3T$, il en restera $N_0/8$, et ainsi de suite. Suivant le noyau considéré, la demi-vie peut varier d'une fraction de seconde à plusieurs milliards d'années.

Si le temps écoulé n'est pas un multiple entier de la demi-vie T, il est possible de déterminer le nombre des noyaux non désintégrés de la manière suivante : soit ΔN la variation du nombre N des noyaux présents qui se produit pendant le temps très court Δt ; ΔN est proportionnelle à N et à Δt, de sorte que

$$\Delta N = - \lambda N \, \Delta t \qquad (30.1)$$

Le signe moins traduit le fait que N décroît. La constante de proportionnalité λ est appelée *constante de désinté-gration*. Comme nous le montrerons au paragraphe 30.14, cette équation implique que si, à l'instant initial $t = 0$, il y a N_0 noyaux présents, le nombre des noyaux restants au temps t est donné par la relation :

$$\frac{N}{N_0} = e^{-\lambda t} \qquad (30.2)$$

Cette équation est appelée la *formule de désintégration exponentielle*.

Afin de trouver la relation entre λ et T, notons que lorsqu'une demi-vie s'est écoulée, N/N_0 est égal à 1/2. La substitution $t = T$ dans l'équation (30.2) donne :

$$e^{-\lambda T} = \frac{1}{2}$$

ou

$$e^{\lambda T} = 2$$

En prenant le logarithme népérien, on trouve

$$\lambda T = \ln 2 = 0{,}693$$

Ainsi nous obtenons le résultat déjà énoncé auparavant,

$$\lambda = \frac{0{,}693}{T} \qquad (30.3)$$

Il faut noter qu'une demi-vie courte correspond à une constante de désintégration élevée, c'est-à-dire à une dés-intégration rapide.

La figure 30.2 représente un graphe de la désintégration exponentielle en fonction du temps. Quand $t = T$,

$$N/N_0 = 1/2$$

en accord avec notre discussion sur la demi-vie ; si $t = 2T$, $N/N_0 = 1/4$, et ainsi de suite. Les valeurs de N/N_0 correspondant à un temps quelconque peuvent soit être lues sur le graphe, soit être calculées au moyen d'une calculatrice électronique ou encore à l'aide des valeurs tabulées de e^{-x}. Ceci est montré dans l'exemple suivant.

✎ ─────────── **Exemple 30.1** ───────────

L'iode 131 est utilisé dans le traitement des troubles de la thyroïde. Sa demi-vie est de 8,1 jours. Si un patient ingère une faible quantité de ^{131}I et si l'on admet que l'iode n'est pas excrété par le corps, quelle fraction N/N_0 subsistera après 8,1 jours, 16,2 jours, 60 jours ?

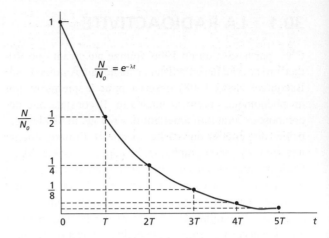

Figure 30.2 La fraction N/N_0 des noyaux radioactifs restant au temps t. N_0 noyaux sont présents à l'instant initial $t = 0$ et T est la demi-vie.

Réponse La demi-vie étant de 8,1 jours, la fraction non désintégrée après 8,1 jours est égale à 1/2. De la même façon, après 16,2 jours (= $2T$), il reste $(1/2)(1/2) = 1/4$ de la quantité initiale. Soixante jours ne représentent pas un multiple entier de la demi-vie ; il faudra donc utiliser la formule de désintégration exponentielle :

$$\frac{N}{N_0} = e^{-\lambda t} = e^{-0{,}693 t/T}$$

$$= e^{-0{,}693(60 \text{ j})/8{,}1 \text{ j}}$$

$$= e^{-5{,}13} = 0{,}0059$$

Ainsi, après 60 jours, il ne reste que 0,59 % de l'iode radioactif ingéré.

L'hypothèse faite dans l'exemple ci-dessus, suivant la-quelle le ^{131}I n'est pas en partie éliminé par des processus biologiques, n'est pas tout à fait correcte ; l'iode 131 est lentement mais continûment excrété avec une demi-vie biologique de 180 jours. Ainsi après ingestion d'iode non radioactif, il n'en resterait plus que la moitié dans le corps après 180 jours, 4 après 360 jours et ainsi de suite. La demi-vie effective T_{eff} est obtenue en combinant la demi-vie biologique T_b et la demi-vie radioactive ou physique T_p, et ce au moyen de la formule

$$\frac{1}{T_{eff}} = \frac{1}{T_b} + \frac{1}{T_p} \qquad (30.4)$$

Le tableau 30.1 donne quelques valeurs représentatives de demi-vies.

		Demi-vie (jours)	
Noyau	Organe	Physique	Biologique
$^{3}_{1}$H	Totalité du corps	$4,6 \times 10^{3}$	19
$^{14}_{6}$C	Graisse	$2,09 \times 10^{6}$	35
	Os	$2,09 \times 10^{6}$	180
$^{24}_{11}$Na	Totalité du corps	0,62	29
$^{32}_{15}$P	Os	14,3	1200
$^{35}_{16}$S	Peau	87,1	22
$^{36}_{17}$Cl	Totalité du corps	$1,6 \times 10^{8}$	29
$^{42}_{19}$K	Muscle	0,52	43
$^{45}_{20}$Ca	Os	152	18 000
$^{59}_{26}$Fe	Sang	46,3	65
$^{64}_{29}$Cu	Foie	0,54	39
$^{131}_{51}$I	Glande thyroïde	8,1	180

Tableau 30.1 Demi-vies de quelques radio-isotopes utilisés en médecine et en biologie.

Exemple 30.2

Du ^{59}Fe est administré à un patient afin de diagnostiquer des anomalies du sang. Trouver la demi-vie effective de ce radio-isotope.

Réponse Le tableau 30.1 donne $T_b = 65$ jours et $T_p = 46,3$ jours. Ainsi

$$\frac{1}{T_{eff}} = \frac{1}{T_b} + \frac{1}{T_p} = \frac{1}{65\,\text{j}} + \frac{1}{46,3\,\text{j}}$$

$$= 0,037\,\text{j}^{-1}$$

$$T_{eff} = 27\,\text{jours}$$

Noter que la demi-vie effective est à la fois plus courte que la demi-vie biologique et que la demi-vie physique. Ceci est dû au fait que ces processus contribuent tous deux à l'élimination des radio-isotopes administrés.

Dans bon nombre d'applications, il est commode de représenter ln$N$ en fonction de t car le graphe résultant est une ligne droite. En effet, en prenant le logarithme (voir appendice B10) de

$$\frac{N}{N_0} = e^{-\lambda t}$$

on obtient

$$\ln N = \ln N_0 - \lambda t$$

Cette équation est de la forme ln$N = a + bt$; ln$N$ et t obéissent donc à une relation linéaire et leur graphe est une droite. Si l'on porte des valeurs de N en fonction de t

sur un papier semi-logarithmique, on obtient directement le graphe de ln$N$ en fonction de t.

Ce type de graphe est utile pour déterminer la demi-vie d'un échantillon radioactif. L'activité peut en effet être mesurée au moyen d'un des détecteurs décrits dans le chapitre suivant. L'équation (30.1) nous apprend que *le nombre de désintégrations observées par seconde, c'est-à-dire le taux de comptage $\Delta N/\Delta t$, est proportionnel au nombre N de noyaux radioactifs présents et qu'il diminue à la même vitesse.* Par conséquent, la demi-vie peut être évaluée à partir de l'observation du taux de comptage en notant à quel instant le taux de comptage tombe à 50 % de sa valeur initiale. Cependant, on obtient une meilleure précision en portant les résultats sur du papier semi logarithmique et en traçant une droite passant par les points obtenus. Ce procédé est d'autant plus précis que l'on utilise toutes les observations et pas seulement deux points expérimentaux. Il est illustré par l'exemple suivant.

Exemple 30.3

Le tableau 30.2 nous indique le taux de comptage d'un échantillon radioactif. Le taux de comptage initial est de 400 coups par seconde. Après 2 minutes, il vaut 336 par seconde et ainsi de suite. Quelle est la demi-vie de l'échantillon ?

t (min)	Taux de comptage	t (min)	Taux de comptage
0	400	8	194
2	336	10	162
4	280	12	131
6	230	14	110

Tableau 30.2

Réponse En inspectant le tableau, on peut immédiatement estimer la demi-vie en notant que le taux de désintégration chute à 200 par seconde, c'est-à-dire la moitié de sa valeur initiale, en un laps de temps compris entre $t = 6$ minutes et $t = 8$ minutes. Il s'ensuit que T est compris entre 6 et 8 minutes. Afin de trouver une valeur plus exacte, on porte, comme dans la figure 30.3, les résultats du tableau sur du papier semi-logarithmique. La droite tracée par les points passe par 200 coups par seconde lorsque $t = 7,6$ minutes. La demi-vie vaut donc 7,6 minutes.

Il est intéressant de noter que la demi-vie est déterminée sans connaître le nombre de noyaux présents au départ.

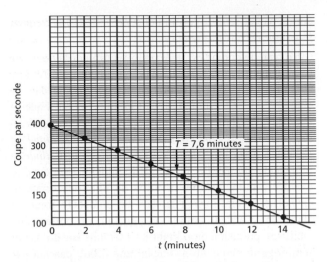

Figure 30.3 Les données du tableau 30.2 portées sur du papier semi-logarithmique.

30.3 DATATION EN ARCHÉOLOGIE ET EN GÉOLOGIE

Le rapport entre les quantités initiale et actuelle d'un radio-isotope dans un objet indique le temps écoulé depuis la formation de l'objet. Tandis que la concentration actuelle d'un radio-isotope peut être mesurée directement, la quantité originale du radio-isotope doit être déterminée d'une manière indirecte.

30.3.1 Datation au carbone 14

La datation par le radiocarbone de semences, d'objets en bois, de restes humains et animaux, et d'autres objets contenant des matières végétales ou animales permet de dater des événements qui se sont déroulés il y a 60 000 à 70 000 ans. Mise au point par Willard Libby dans les années 1940, cette technique a eu un impact énorme sur l'archéologie et les domaines annexes.

Le carbone 14, dont la demi-vie est de 5 730 ans, est constamment produit dans l'environnement sous l'effet des particules cosmiques provenant de l'espace. Ces particules énergétiques interagissent avec les noyaux atomiques de la haute atmosphère en produisant des neutrons (n). Par la suite, ces neutrons entrent en collision avec des noyaux d'azote et donnent du ^{14}C et des protons (p). La réaction s'écrit :

$$n + {}^{14}_{7}N \rightarrow {}^{14}_{6}C + p$$

Le radiocarbone se mélange entièrement au carbone ordinaire présent dans l'environnement. Il est donc intégré par tous les organismes vivants. Une fois qu'un organisme

meurt, l'absorption de carbone s'arrête, et le rapport du radiocarbone au carbone ordinaire décroît progressivement à cause de la désintégration du ^{14}C. Ainsi la quantité de ^{14}C restant est une mesure de la date du décès.

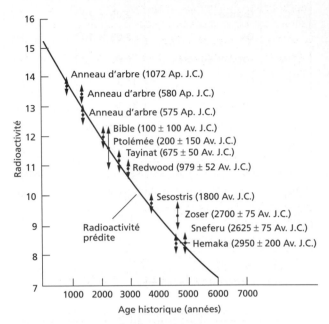

Figure 30.4 Radioactivités prédites et observées d'échantillons d'âge connu, dans l'hypothèse où les niveaux de radiocarbone sont demeurés constants au cours des siècles passés. «Bible» fait référence aux parchemins de la Mer Morte ; «Tayinat» fait référence au bois du plancher d'un palais syrien. Les autres noms se réfèrent à des objets en bois de tombes égyptiennes *(D'après W.J. Libby,* Radiocarbon Dating *2ᵉ ed., University of Chicago Press, Chicago, 1955.)*

Malgré la simplicité du concept, l'application concrète de la datation au radiocarbone est fort complexe. Une des raisons en est que le ^{14}C ne représente qu'une infime fraction, de l'ordre de 10^{-12}, du carbone total présent. Par conséquent, la radioactivité produite par le ^{14}C, au cours de sa désintégration bêta en ^{14}N, est très faible par rapport au rayonnement provenant de sources normalement présentes dans notre environnement. Afin de réduire ce « bruit de fond», il est nécessaire de réaliser une séparation chimique très soignée du carbone et d'utiliser des dispositifs de blindage très élaborés pendant le comptage. Une seconde complication provient du fait que la concentration de radiocarbone qui existait dans l'Antiquité n'est pas connue avec précision. L'hypothèse plausible que cette concentration de radiocarbone soit demeurée constante permet de prédire des radioactivités très proches de celles mesurées sur des objets d'âge connu (figure 30.4). Cependant, des études faites sur des coupes d'arbres ont montré que des variations mineures ont eu lieu dans la concentration du ^{14}C. Ces études se basent sur le fait que c'est seulement la partie extérieure d'un arbre qui constitue un matériau vivant. L'anneau formé au cours d'une année enregistre donc la concentration de radiocarbone existant à ce moment. En utilisant des arbres morts depuis longtemps, mais dont les temps de vie se recouvrent, on a pu construire des chronologies de troncs d'arbres qui s'étendent jusqu'à 8 000 ans dans le passé. Ces données permettent d'apporter de petites corrections dans les travaux de précision.

La concentration de ^{14}C présent dans l'atmosphère a diminué de l'ordre de 3 % au cours du siècle passé. Cela résulte de la consommation à grande échelle de combustibles fossiles ne contenant plus de ^{14}C. Les essais de bombes H, qui démarrèrent en 1954, produisirent l'effet inverse. Le niveau de radiocarbone a doublé vers 1963. Ainsi par exemple, des whiskies fabriqués après 1954 peuvent être datés avec précision en raison de leur concentration en radiocarbone.

30.3.2 Détection directe au moyen d'accélérateurs

Une technique utilisant les accélérateurs permet la détection directe de radio-isotopes. Cette méthode a récemment ouvert la voie à de nombreuses applications nouvelles de datation. Elle a d'abord été appliquée à la datation par le radiocarbone, mais elle est en train d'être étendue à d'autres radio-isotopes produits par les rayons cosmiques.

Pour chaque désintégration par minute s'effectuant dans un échantillon contenant du ^{14}C, il y a en fait 4×10^9 atomes de ^{14}C présents. Si ceux-ci pouvaient être détectés directement, sans attendre leur désintégration, la sensibilité serait évidemment beaucoup plus grande. Les premières tentatives furent réalisées à l'aide de spectromètres de masse. Cette technique permet la mesure du rapport q/m d'une particule au moyen de champs magnétiques (chapitre 19). Ces essais ont toutefois échoué à cause des quantités minuscules de ^{14}C masquées par le ^{14}N. Cet isotope de l'azote a sensiblement la même masse que le ^{14}C et il est toujours présent en grandes quantités comme principal constituant de l'atmosphère.

Bien que quelques travaux de détection directe aient été réalisés à l'aide de cyclotrons (chapitre 19), on utilise des accélérateurs de Van de Graaf en tandem pour réaliser la plupart des expériences actuelles. Dans ces machines, des ions négatifs ^{14}C sont formés par addition d'électrons aux atomes de ^{14}C. Par la suite, ces ions sont accélérés électrostatiquement dans un long tube. Comme les ions négatifs d'azote sont instables et se décomposent, la contamination par le ^{14}N est pratiquement éliminée dès le départ. Durant le processus d'accélération, le faisceau passe au travers d'une feuille mince. Cette feuille enlève des électrons et convertit les particules en ions positifs. Elle fragmente aussi les ions moléculaires de masse 14 uma tels que ^{12}CH$_2^-$ et ^{13}CH$^-$, formés lors de l'ionisation de l'échantillon. Ces ions, de même que le ^{14}N, risqueraient en effet de fausser les résultats. De simples « spectromètres de masse » composés d'aimants et de fentes collimatrices sont utilisés une fois avant et trois fois après le processus d'accélération afin de sélectionner les particules présentant le bon rapport q/m. Le faisceau passe finalement à travers un détecteur mesurant l'énergie perdue par une particule quand elle traverse la matière. Cette perte d'énergie est une fonction croissante du nombre Z. Il en résulte une séparation tres nette des noyaux ^{14}C des autres particules (figure 30.5). Divers accélérateurs conçus uniquement pour ce genre de recherche ont été construits et permettent de manière courante, de déterminer des âges jusqu'à 60 000 ans et ce à partir de quelques milligrammes de matière seulement.

Des quantités minuscules d'autres radioéléments produits par les rayons cosmiques existent dans la matière et se prêtent à des études de datation similaires. Le beryllium 10 a une demi-vie de $1,5 \times 10^6$ ans et s'accumule dans les sédiments des océans ; il peut servir à la datation des roches sédimentaires. Comme une désintégration par minute correspond à 10^{12} atomes de ^{10}Be, la détection directe constitue un progrès énorme par rapport à la détection de la désintégration radioactive. Des études relatives à la circulation des couches océaniques profondes et aux réserves d'eau souterraines, ont été réalisées avec du ^{14}C et du ^{36}Cl (demi-vie 30 000 ans) ; d'autres radioisotopes à demi-vie plus brève, tels que le ^{32}Si (650 ans) et le ^{39}Ar (269 ans) se prêtent très bien à ce type d'études.

30.3.3 Géochronologie

La plupart des radioéléments utilisés pour la datation des roches ont des demi-vies comparables aux périodes géologiques (tableau 30.3). Les roches les plus vieilles de la surface terrestre sont âgées de 3,3 milliards d'années. La Terre elle-même a environ 4,5 milliards d'années.

Radioisotope naturel	Noyau stable produit	Demi-vie (milliards d'années)
^{238}U	^{206}Pb	4,49
^{235}U	^{207}Pb	0,71
^{232}Th	^{208}Pb	14,1
^{87}Rb	^{87}Sr	50
^{40}K	^{40}A	1,3

Tableau 30.3 Radioisotopes utilisées en géochronologie.

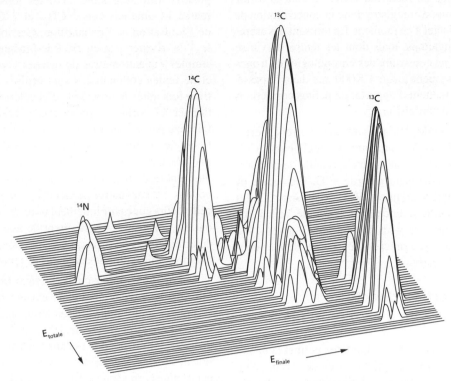

Figure 30.5 Représentation graphique des flux de différentes particules accélérées dans un Van de Graaff en vue de la détection directe des noyaux de ^{14}C. E_{totale} représente l'énergie des particules à la sortie du dernier aimant. La dispersion en E_{finale} reflète le fait que la perte d'énergie augmente avec Z. Le petit pic ^{14}N provient de molécules ^{14}NH$^-$. *(D'après C.L. Bennet et al.,* American Scientist *; vol. LXVII, 1979, p. 456.)*

Les techniques utilisées en géochronologie dépendent du type de roche ou de minéral à étudier. Par exemple, le plomb ordinaire d'origine non radioactive est un mélange de ^{204}Pb, ^{206}Pb, ^{207}Pb et ^{208}Pb. Le tableau 30.3 nous montre que les désintégrations radioactives des isotopes d'uranium et de thorium produisent tous les isotopes du plomb, à l'exception du ^{204}Pb. Si le plomb d'un échantillon ne contient pas de ^{204}Pb, ceci indique que le plomb présent fut produit par désintégration radioactive : l'échantillon peut servir à la datation. D'après le tableau 30.3, le ^{238}U se désintègre en ^{206}Pb avec une demi-vie de 4,49 milliards d'années. Si par exemple un échantillon sans ^{204}Pb contient un nombre égal de noyaux de ^{238}U et de ^{206}Pb, on peut conclure qu'exactement une demi-vie (ou 4,49 milliards d'années) a dû s'écouler depuis la formation de l'échantillon. Le rapport ^{232}Th/^{208}Pb peut être utilisé de la même façon. On peut également se servir du rapport ^{206}Pb/^{207}Pb, car le ^{235}U et le ^{238}U se désintègrent à des vitesses différentes. Parfois on se sert aussi des rapports ^{87}Rb/^{87}Sr et ^{40}K/^{40}Ar.

30.4 LES DIMENSIONS NUCLÉAIRES

À partir de 1907, Rutherford a effectué une série d'expériences au cours desquelles il a bombardé divers atomes avec des particules alpha. Comme nous l'avons vu au chapitre 27, il a observé qu'un atome contient un petit noyau positif de rayon inférieur à 10^{-14} m, ce qui correspond à un dix-millième du rayon de l'atome. Des expériences réalisées ultérieurement avec des particules alpha, des nucléons et d'autres particules ont fourni de plus amples informations sur la distribution spatiale de la matière dans le noyau.

En gros, on peut dire qu'un noyau contenant A nucléons est une sphère uniformément dense de rayon (figure 30.6) :

$$R = 1,4 \, A^{1/3} \times 10^{-15} \text{ m}$$
$$= 1,4 \, A^{1/3} \text{ femtomètres} \tag{30.5}$$

(1 femtomètre = 1 fm = 10^{-15} m.)

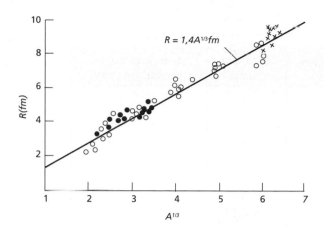

Figure 30.6 Valeurs expérimentales du rayon nucléaire en fonction de $A^{1/3}$.

Comme le rayon est proportionnel à la racine cubique du nombre de masse, il augmente très lentement comme le montre d'ailleurs l'exemple suivant.

✎ ——————— **Exemple 30.4** ———————

Trouver les rayons nucléaires de ^{27}Al et ^{64}Zn. Le rayon de ^{27}Al vaut :

$$R = 1,4 \, A^{1/3} \text{ fm} = 1,4(27)^{1/3} \text{ fm}$$
$$= (1,4)(3) \text{ fm}$$
$$= 4,2 \text{ fm}$$

De même, le rayon de ^{64}Zn vaut :

$$R = 1,4(64)^{1/3} \text{ fm} = (1,4)(4) \text{ fm}$$
$$= 5,6 \text{ fm}$$

Le rayon augmente seulement d'un tiers alors que A a plus que doublé.

Le ^{238}U est le plus grand noyau existant dans la nature, avec un rayon de l'ordre de 9×10^{-15} m. En guise de comparaison, l'ordre de grandeur des rayons atomiques est de 10^{-10} m, soit 10 000 fois plus grand. La fraction du volume atomique occupée par le noyau est beaucoup plus petite que la fraction correspondante occupée par le Soleil dans le système solaire.

Étant donné que le rayon nucléaire varie comme $A^{1/3}$, le volume nucléaire $(4/3)\pi R^3$ varie comme $\left(A^{1/3}\right)^3$ ou A. Ainsi, le volume est proportionnel au nombre de nucléons. Cette situation est analogue à celle rencontrée dans la matière ordinaire ; si nous doublons le nombre de molécules d'eau, nous doublons le volume d'eau présent.

30.5 PROTONS ET NEUTRONS

En 1921, Rutherford produisit des noyaux d'hydrogène ou protons ($^{1}_{1}$H ou p) en bombardant de l'azote avec des particules alpha ($^{4}_{2}$He ou α). Cette réaction s'écrit :

$$^{4}_{2}\text{He} + {}^{14}_{7}\text{N} \rightarrow {}^{17}_{8}\text{O} + {}^{1}_{1}\text{H}$$

Elle constituait la première transmutation d'éléments induite artificiellement. Ceci suggéra que les protons sont des constituants des noyaux. Sachant que, dans la désintégration β, des électrons sont émis par des noyaux, il paraissait plausible qu'un noyau possède A protons et $A - Z$ électrons.

Avec cette hypothèse, deux problèmes se posaient. On trouva d'abord que $^{14}_{7}$N possède un spin 1. Toutefois 14 protons et 7 électrons, chacun avec un spin 1/2, ne peuvent se combiner que pour donner un spin *demi-entier* $(1/2, 3/2, \cdots)$. Ensuite, si un électron est confiné dans une région de dimensions nucléaires, le principe d'incertitude montre que les niveaux d'énergie doivent différer de quelque 100 MeV. Cependant, l'énergie requise pour exciter un noyau est généralement de l'ordre de 5 MeV ou moins. Ainsi, les différences observées entre les niveaux d'énergie sont beaucoup plus petites que celles prédites par la théorie qui suppose la présence d'électrons au sein du noyau.

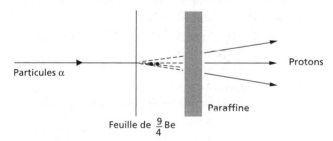

Figure 30.7 La découverte du neutron par Chadwick. Un faisceau de particules α frappe une mince feuille de béryllium, ce qui produit des particules non chargées (représentées en traits pointillés). Si un bloc de paraffine (un hydrocarbure contenant beaucoup de noyaux H) est placé en face de la feuille, on observe que des protons sont éjectés de ce bloc. En mesurant l'énergie et la quantité de mouvement des protons, Chadwick a pu déterminer la vitesse et la masse des particules neutres qui les frappaient. Il a trouvé que la masse de ces particules était légèrement supérieure à celle du proton.

La découverte du neutron en 1932 par James Chadwick (1891-1974) inaugura l'ère moderne de la physique nucléaire (figure 30.7). En bombardant du béryllium avec des particules alpha, il produisit des neutrons dans la réaction

$$^{4}_{2}\text{He} + {}^{9}_{4}\text{Be} \rightarrow {}^{12}_{6}\text{C} + \text{n}$$

Particule	Masse, m (uma)	$Zm_p + nm_n + Zm_e$ (uma)	Différence (uma)	Énergie de liaison par nucléon (MeV)
e	$5,48 \times 10^{-4}$			
p	$1,00728$			
n	$1,00866$			
^1_1H	$1,00783$			
^2_1H	$2,0141$	$2,0165$	$0,0024$	$1,1$
^4_2He	$4,0026$	$4,0330$	$0,0304$	$7,1$
$^{12}_6\text{C}$	$12,0000$	$12,0989$	$0,0989$	$7,7$
$^{13}_6\text{C}$	$13,0034$	$13,1078$	$0,1044$	$7,5$
$^{56}_{26}\text{Fe}$	$55,9349$	$56,4633$	$0,5284$	$8,8$
$^{238}_{92}\text{U}$	$238,0508$	$239,9845$	$1,9337$	$7,6$

Tableau 30.4 Masses atomiques en uma. Excepté pour e, p et n, les masses sont données pour l'*atome neutre et comprennent les masses des électrons*. L'unité de masse atomique est définie de manière que la masse de l'atome ^{12}C soit exactement égale à 12 uma.

Les neutrons ont un spin 1/2. Ils n'ont pas de charge électrique et leur masse dépasse celle du proton d'environ 0,1 %. Cette découverte laissa supposer que les noyaux sont composés de protons et de neutrons, théorie parfaitement vérifiée à l'heure actuelle.

Nous avons déjà mentionné que des noyaux qui ne diffèrent que par leur nombre de neutrons sont appelés isotopes. Ils sont chimiquement très semblables. L'hydrogène, par exemple, existe sous trois formes : l'hydrogène ordinaire, ^1_1H ; le deutérium ou hydrogène lourd, ^2_1H ; et le tritium, ^3_1H. Les deux premiers noyaux sont stables, mais le tritium se transforme, par désintégration β, en ^3_2He, avec une demi-vie de 12,3 ans. On a trouvé que pour un numéro atomique donné, il peut exister entre zéro et neuf isotopes stables, de même que quelques isotopes radioactifs naturels ou artificiels. Chaque élément chimique rencontré sur Terre contient normalement un mélange de ses isotopes stables, avec des abondances relatives presque constantes.

30.6 MASSES NUCLÉAIRES ET ÉNERGIES DE LIAISON

Grâce aux spectromètres de masse (chapitre 19), les masses de beaucoup de noyaux ont été mesurées avec précision (voir tableau 30.4). Un peu d'arithmétique montre que la masse d'un noyau est plus petite que la somme des masses de ses constituants. Par exemple,

$$6m_p + 6m_n + 6m_e = 12,0989 \text{ uma}$$

tandis qu'un atome de $^{12}_6\text{C}$ possède une masse de seulement 12,000 uma. Ce *défaut de masse* tend à augmenter avec le nombre de masse A.

Le principe de l'équivalence de la masse et de l'énergie énoncé par Einstein (chapitre 25) permet d'expliquer la signification du défaut de masse. Pour un objet au repos, on a

$$E = mc^2 \qquad (30.6)$$

En d'autres termes, une masse m de matière peut être convertie en une quantité d'énergie E ; c représente la vitesse de la lumière dans le vide. La masse d'un noyau de ^{12}C est inférieure à celle de ses nucléons constituants parce qu'il s'agit d'un système lié. Afin de séparer les protons et les neutrons, il faudrait un apport d'énergie qui soit égal à l'*énergie de liaison nucléaire*. D'après le principe d'Einstein, cette énergie est égale au défaut de masse multiplié par c^2.

Afin de relier le défaut de masse et l'énergie de liaison, nous calculons d'abord l'énergie associée à l'unité de masse atomique uma qui vaut $1,66 \times 10^{-27}$ kg :

$$E = (1 \text{ uma})\left(c^2\right)$$
$$= \left(1,66 \times 10^{-27} \text{ kg}\right)\left(3 \times 10^8 \text{ m s}^{-1}\right)^2$$
$$= 1,49 \times 10^{-10} \text{ J}$$

Comme $1 \text{ eV} = 1,602 \times 10^{-19}$ J, cette énergie peut être exprimée en électron-volts :

$$E = 1,49 \times 10^{-10}/1,602 \times 10^{-19}$$
$$= 931 \times 10^6 \text{ eV} = 931 \text{ MeV}$$

Ainsi, une unité de masse atomique correspond à 931 MeV et on écrit :

$$1 \text{ uma} = 931 \text{ MeV} \qquad (30.7)$$

Le défaut de masse du ^{12}C de 0,0989 uma correspond à une *énergie de liaison* totale de

$$0,0989 \times 931 \text{ MeV} = 92,1 \text{ MeV}.$$

La division par le nombre de masse $A = 12$ donne 7,7 MeV pour l'*énergie de liaison* par nucléon dans le ^{12}C.

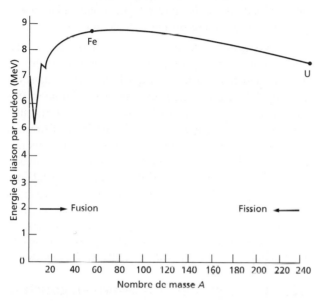

Figure 30.8 Énergie de liaison par nucléon en fonction de A (noyaux stables).

Dans la figure 30.8, l'énergie de liaison par nucléon des noyaux stables est tracée en fonction de A. Elle est de l'ordre de 8 MeV par nucléon, excepté pour les noyaux les plus légers. Il y a un maximum étalé dans la région des noyaux de nombre de masse moyen, avec un pic de 8,8 MeV par nucléon pour le ^{56}Fe. Au-delà de $A \simeq 100$, la courbe décroît progressivement pour atteindre 7,6 MeV par nucléon pour l'uranium. L'augmentation initiale et la diminution finale de l'énergie de liaison par nucléon peuvent aisément être expliquées. Les *forces nucléaires* intenses (entre les nucléons) qui assurent la cohésion du noyau s'exercent à très courte portée ; ces forces sont nulles à des distances supérieures à quelques femtomètres. Par conséquent, un nucléon est attiré seulement par ses voisins immédiats. Si un nucléon se trouve près de la surface, il est entouré de moins de voisins qu'un nucléon situé à l'intérieur du noyau. Il y est donc moins fortement lié. Cet effet d'*énergie de surface* entraîne que l'énergie de liaison moyenne par nucléon augmente avec le volume du noyau. En effet, pour les volumes plus grands, il y a proportionnellement moins de nucléons près de la surface. Ceci explique l'accroissement initial de l'énergie de

liaison par nucléon dans le cas des éléments légers.

Afin d'expliquer la diminution de l'énergie de liaison par nucléon pour les valeurs élevées de A, nous devons tenir compte du fait que les répulsions électrostatiques entre les protons sont proportionnelles au nombre de paires de protons, c'est-à-dire à Z^2. L'énergie potentielle de deux protons distants de r est proportionnelle à ke^2/r, l'énergie potentielle électrique totale due aux charges protoniques varie comme $Z^2 e^2/R$, où R représente le rayon nucléaire. Cette énergie croît rapidement avec le nombre de protons. Dans la région du ^{56}Fe, les variations de l'énergie de surface et de l'énergie électrostatique sont à peu près égales en grandeur, mais de signes opposés. Au-delà de $A \simeq 100$, la répulsion électrostatique l'emporte sur les effets de surface, ce qui conduit à la diminution progressive de l'énergie de liaison par nucléon.

Le fait que des noyaux de masse intermédiaire ont l'énergie de liaison par nucléon la plus élevée entraîne quelques conséquences importantes. Si un noyau lourd se divise (*fission*) en deux noyaux de masses intermédiaires, l'énergie de liaison augmente d'environ 1 MeV par nucléon. Le supplément d'énergie est libéré sous forme d'énergie cinétique des produits de fission ou sous forme de rayons γ. De même, si deux noyaux très légers tels que ^{2}H et ^{3}H se combinent, cette *fusion* est accompagnée d'une libération de quelques MeV. La fission et la fusion seront discutées dans les compléments à la fin de ce chapitre. Dès à présent, cependant, nous pouvons voir que ces deux processus libèrent d'importantes quantités d'énergie.

30.7 LES FORCES NUCLÉAIRES

Nous allons parler maintenant des forces nucléaires ou interactions fortes qui sont responsables de la cohésion du noyau. Nous avons vu que le volume nucléaire est proportionnel à A ; au cas où des nucléons viennent s'ajouter au noyau, celui-ci augmente de volume, mais sa masse volumique reste constante. Nous avons vu aussi que l'énergie de liaison de chaque nucléon supplémentaire est relativement constante et égale à 8 MeV. Ces propriétés sont dues au fait que *les forces nucléaires sont à courte portée* et donc nulles à des distances plus grandes que quelques femtomètres. Notons que si les forces étaient à longue portée, comme c'est le cas des forces électriques et gravitationnelles, chaque paire de nucléons interagirait et ceci entraînerait une augmentation de la masse volumique et de l'énergie de liaison moyenne avec A. En réalité, ce fait ne se produit pas, car un nucléon n'interagit qu'avec quelques voisins.

Malgré les répulsions électriques importantes entre les paires de protons situés à faible distance, les noyaux complexes sont fortement liés. Ceci indique que les forces nucléaires sont beaucoup plus fortes que les forces électriques. Elles doivent également être attractives, tout au moins aux distances moyennes internucléoniques dans les noyaux. Cependant l'étude des collisions entre les nucléons a montré que la force nucléaire devient répulsive à des distances internucléoniques très faibles (figure 30.9). Il a de même été établi que (à l'exception évidemment de la répulsion électrique entre les protons), les forces proton-proton, proton-neutron et neutron-neutron sont identiques ; *les forces nucléaires ne dépendent pas de la charge électrique.*

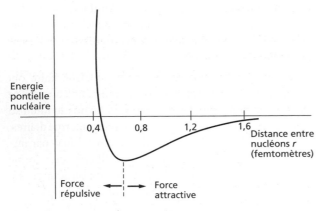

Figure 30.9 Un graphique approximatif de l'énergie potentielle nucléon-nucléon. La force devient grande et répulsive pour $r \leqslant 0,4$ fm.

Comme le rayon nucléaire vaut $1,4A^{1/3}$ fm, la distance internucléonique moyenne est plus grande qu'un femtomètre. À cette distance, l'énergie potentielle nucléon-nucléon a une valeur modérée et elle varie lentement. Par conséquent, le noyau ne doit pas être considéré comme un agencement rigide de nucléons. Avec une approximation étonnamment bonne, on peut considérer que chaque nucléon à l'intérieur du noyau se meut quasi librement avec une énergie potentielle constante associée aux effets de ses voisins. Cette idée sera à la base du modèle en couches que nous allons décrire dans le prochain paragraphe.

30.8 NIVEAUX D'ÉNERGIE NUCLÉAIRE ET STABILITÉ NUCLÉAIRE

Un noyau, tout comme un atome, possède un état fondamental et des états excités. Ces états peuvent être étudiés en bombardant des noyaux avec des protons énergétiques, des particules alpha, ainsi qu'avec d'autres particules accélérées par des accélérateurs de divers types. On peut rendre compte de nombreux niveaux d'énergie observés et d'autres propriétés nucléaires, en utilisant le *modèle nucléaire en couches.* Développé initialement en 1949 par Maria Goeppert-Mayer (1906-1972) et H.D. Jensen

(1907-1973), ce modèle ressemble fort au modèle atomique en couches.

Les niveaux d'énergie nucléaire sont généralement séparés par quelques millions d'électron-volts ou moins, et l'énergie de liaison moyenne d'un nucléon vaut 8 MeV. En conséquence, la majeure partie de la recherche en physique nucléaire a été réalisée avec des énergies cinétiques de projectiles allant de plusieurs MeV jusqu'à environ 1 000 MeV. À des énergies plus élevées, la longueur d'onde de de Broglie est plus courte et le noyau peut alors être exploré sur une échelle plus fine.

Les processus nucléaires étudiés au moyen d'accélérateurs sont de deux types. Un projectile peut subir une diffusion *élastique*, de manière que le noyau reste dans son état original. Le projectile peut également subir une diffusion *inélastique*, en excitant le noyau par transfert d'une partie de son énergie cinétique. Durant les collisions, il peut aussi y avoir un *transfert* d'un ou de plusieurs nucléons vers ou à partir de la cible, de sorte que la masse du noyau cible peut augmenter ou diminuer. L'étude des processus qui ont lieu lors d'une collision est basée sur les mesures des énergies cinétiques et des directions relatives des particules incidentes et sortantes. Des expériences de ce type ont fourni de nombreuses informations concernant les énergies et les fonctions d'onde des états nucléaires.

30.8.1 Le modèle nucléaire en couches

Dans le paragraphe précédent, nous avons vu que lorsqu'un nucléon se trouve au sein du noyau, son énergie potentielle est approximativement constante. Toutefois, un nucléon situé près de la surface subit une force d'attraction résultante vers le centre parce que le nombre de nucléons voisins est alors plus petit du côté opposé au centre du noyau. Ainsi l'énergie potentielle augmente au voisinage de la surface lorsque r augmente (figure 30.10). Une telle courbe d'énergie potentielle est appelée un *puits de potentiel.*

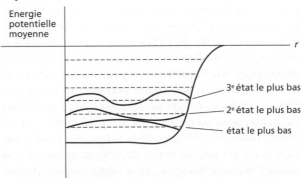

Figure 30.10 Énergie potentielle moyenne d'un nucléon en fonction de la distance r qui le sépare du centre du noyau. Les niveaux d'énergie possibles sont représentés, de même que les fonctions d'onde des trois états les plus stables.

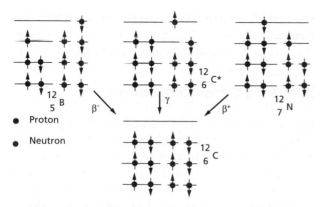

Figure 30.11 Les états les plus bas de trois noyaux pour lesquels $A = 12$, ainsi que le premier état excité de $^{12}_6$C. Les noyaux $^{12}_5$B, $^{12}_6$C* et $^{12}_7$N ont sensiblement la même énergie. Les trois noyaux se désintègrent vers l'état fondamental du $^{12}_6$C comme décrit dans le texte (* indique un état excité).

Les niveaux d'énergie possibles d'un nucléon sont obtenus en résolvant l'équation de Schrödinger, l'équation de base de la mécanique quantique. Les états stables correspondent à des ondes ajustées dans le puits de potentiel. Les ondes de grande longueur d'onde, compatibles avec le puits de potentiel, possèdent un nœud en $r = 0$ et un nœud à la surface. En utilisant la relation de de Broglie $p = h/\lambda$, nous pouvons récrire l'énergie cinétique d'un nucléon, $(1/2)mv^2 = p^2/2m$, sous la forme $h^2/2m\lambda^2$. Ainsi, les fonctions d'onde associées aux longueurs d'onde les plus longues représentent les états d'énergie les plus stables (figure 30.10). Le schéma des niveaux devient plus complexe si l'on tient compte du moment angulaire. On a montré que les niveaux se répartissent en groupes de niveaux serrés appelés couches d'énergie, tout comme dans le cas des atomes.

Les nucléons sont des particules de spin 1/2. Le principe de Pauli s'applique donc et deux nucléons identiques ne peuvent occuper le même état quantique. Un niveau d'énergie quelconque peut contenir au maximum deux protons, l'un avec le spin +1/2, l'autre avec le spin −1/2. Cela est vrai également pour les neutrons. Un niveau d'énergie peut donc avoir quatre nucléons au maximum. On obtient la confguration énergétique la plus stable pour un nombre donné de protons et de neutrons, en remplissant d'abord le niveau le plus bas avec deux protons et deux neutrons. On procède de la même façon avec les autres niveaux jusqu'à ce que tous les nucléons soient casés. La figure 30.11 donne le diagramme pour trois noyaux de nombre de masse $A = 12$. Suite au principe de Pauli, l'état

fondamental le plus bas a lieu pour le cas $Z = N$, c'est-à-dire pour $^{12}_6$C. Abstraction faite de faibles différences dues aux répulsions électriques entre les protons et à la différence de masse entre le neutron et le proton, l'*état excité* de $^{12}_6$C et les *états fondamentaux* de $^{12}_5$B et $^{12}_7$N ont la même énergie. Les deux derniers noyaux ont tendance à effectuer une transition β vers l'état fondamental de $^{12}_6$C, car l'énergie de cet état est la plus basse. (Dans la désintégration β+, un proton est transformé en neutron ; dans la désintégration β−, un neutron est transformé en proton. Voir paragraphe 30.9.) De même, l'état excité $^{12}_6$C tend à émettre un rayon γ et à subir une transition vers l'état fondamental.

L'état fondamental d'un noyau est généralement obtenu en remplissant d'abord les états d'énergie les plus bas tout en respectant le principe de Pauli. Les états excités correspondent à des situations où un ou plusieurs nucléons se trouvent dans des états d'énergie plus élevés.

À partir de notre exemple relatif à $A = 12$, nous nous attendons à ce que les noyaux stables soient caractérisés par $N \simeq Z$. Ceci est effectivement observé dans le cas des noyaux où $Z \leqslant 20$ (figure 30.12). L'égalité $N = Z$ donne le nombre maximum de nucléons dans les états d'énergie nucléaire les plus bas. Si N diffère substantiellement de Z, le noyau tend à subir une désintégration β. Quand Z devient plus grand que 20, les noyaux stables et radioactifs connus tendent à avoir des excédents de neutrons croissants. Cet excès de neutrons s'explique parce que l'énergie qui serait libérée par la conversion d'un neutron en un proton (désintégration β−) accompagnée d'une transition vers un niveau énergétique plus bas, est inférieure à l'augmentation de l'énergie potentielle électrique qui résulte de l'augmentation de Z. Comme l'énergie électrique est proportionnelle à Z^2e^2/R, elle devient de plus en plus importante pour les valeurs croissantes de Z. Par conséquent, dans les noyaux les plus lourds, le nombre des neutrons dépasse de 50 % celui des protons.

Au chapitre 28, nous avons vu que les atomes ayant une couche extérieure complètement remplie correspondent aux gaz rares et sont très stables. Il en va de même pour les noyaux à couche extérieure complète. Ils sont plus fortement liés que les autres noyaux et sont appelés *noyaux magiques*. Les noyaux qui possèdent, à la fois, des couches complètes de protons et de neutrons sont particulièrement stables.

Nombre de neutrons
$N = A - Z$

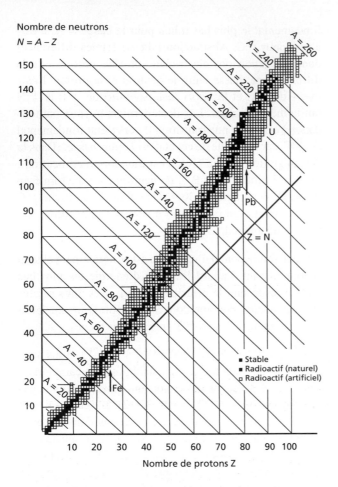

Figure 30.12 Distribution des isotopes (connus) stables et radioactifs en fonction de *Z* et *N*. Les noyaux plus lourds que ceux représentés se fragmentent rapidement par fission spontanée.

30.9 LES DÉSINTÉGRATIONS RADIOACTIVES

Au début de ce chapitre, nous avons vu que beaucoup de noyaux subissent des désintégrations alpha, bêta et gamma. Dans ces désintégrations, comme d'ailleurs dans tous les processus nucléaires, les quantités suivantes doivent être conservées :

1. l'énergie (y compris l'énergie de masse) ;
2. à la fois la quantité de mouvement et le moment cinétique ou angulaire ;
3. la charge électrique ;
4. le nombre de nucléons.

Remarquez, en particulier, que la charge totale et le nombre total de nucléons ne changent pas. Étudions maintenant chaque type de désintégration individuellement.

30.9.1 La désintégration γ

Les rayons gamma sont des quanta électromagnétiques appelés photons. Ils sont émis quand un noyau effectue une transition d'un niveau d'énergie plus élevé vers un niveau d'énergie plus bas. Les rayons gamma sont tout à fait identiques aux quanta de lumière et aux rayons X émis par des atomes excités. Leur énergie est toutefois généralement beaucoup plus grande. Les demi-vies correspondant aux désintégrations gamma sont généralement très brèves, de l'ordre de 10^{-13} s ; dans certains cas particuliers cependant, les demi-vies peuvent être de plusieurs années.

Le phénomène de *conversion interne* est étroitement lié à la désintégration gamma. Dans ce cas, un noyau excité cède son énergie excédentaire à un électron d'une couche atomique interne, ce qui provoque son éjection de l'atome. Dans ce cas, il n'y a pas d'émission de rayons gamma. Quelques radioéléments utilisés en médecine nucléaire se désintègrent de cette façon.

30.9.2 La désintégration β

Dans la désintégration bêta, un électron (e^-) ou, dans certains cas plus rares, un positron (e^+) est émis par le noyau. En 1928, Paul Dirac (1902-1984) proposa une théorie de l'électron tenant compte des effets de la relativité restreinte. Cette théorie prédit avec précision quelques détails fins du spectre de l'atome d'hydrogène non fournis par l'équation de Schrödinger. L'équation de Dirac apporta également des solutions correspondant aux positrons qui sont des particules de charge *positive* +e, ayant la même masse et le même spin que l'électron. Cette *antiparticule* fut d'abord découverte en 1932 dans les produits des réactions induites par les rayons cosmiques. De nos jours, des antiprotons, des antineutrons et beaucoup d'autres antiparticules ont été détectés et toutes les particules sont supposées avoir des antiparticules. Des paires particule-antiparticule peuvent s'annihiler en émettant des rayons gamma, au cours d'une conversion totale de leur masse en énergie électromagnétique.

Quelques désintégrations bêta typiques sont reprises dans le tableau 30.5. Les demi-vies sont très longues par comparaison aux demi-vies caractéristiques de la désintégration gamma. Elles varient de quelques secondes à plusieurs années. Ceci indique que la force responsable de la désintégration bêta est faible comparée aux forces électromagnétiques responsables de la désintégration gamma.

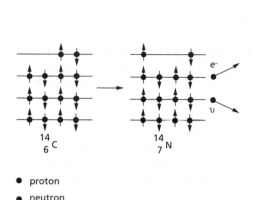

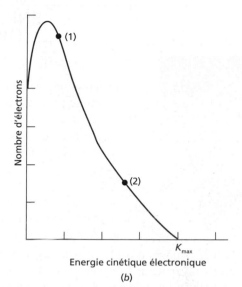

Figure 30.13 *(a)* L'état fondamental du $_6^{14}$C se désintègre en $_7^{14}$N avec conversion d'un neutron en proton. Il y a émission d'un électron et d'un neutrino qui se partagent l'énergie libérée par la transition du noyau vers un état de plus basse énergie. *(b)* Le nombre d'électrons émis en fonction de l'énergie cinétique (cas d'un grand nombre de désintégrations). Le point (1) représente un cas où l'électron a moins d'énergie que dans le cas représenté par le point (2). L'énergie totale disponible est constante et par conséquent dans le cas (1) le neutrino émis est plus énergétique que dans le cas (2).

Une caractéristique frappante de la désintégration bêta est que les électrons émis ont des énergies cinétiques variables (figure 30.13). Dans la réaction $_1^3\mathrm{H} \to \,_2^3\mathrm{H} + e^-$, par exemple, l'énergie de masse du noyau $_1^3\mathrm{H}$ dépasse de 0,0186 MeV l'énergie associée au noyau $_2^3\mathrm{H}$ et à l'électron. Cette énergie correspond à l'énergie cinétique maximum de l'électron émis. Toutefois, l'énergie associée à l'électron émis est parfois inférieure à 0,0186 MeV. Qu'est devenue l'énergie manquante ?

Désintégration	Demi-vie	Énergie cinétique maximum (MeV)
$_1^3\mathrm{H} \to \,_2^3\mathrm{He} + e^-$	12,3 ans	0,186
$_6^{14}\mathrm{C} \to \,_7^{14}\mathrm{N} + e^-$	5 730 ans	0,156
$\mathrm{n} \to \mathrm{p} + e^-$	11,0 minutes	0,782
$_{15}^{34}\mathrm{P} \to \,_{16}^{34}\mathrm{S} + e^-$	12,4 secondes	5,1
$_{11}^{22}\mathrm{Na} \to \,_{10}^{22}\mathrm{Ne} + e^+$	2,6 ans	5,546
$_7^{13}\mathrm{N} \to \,_6^{13}\mathrm{C} + e^+$	9,99 minutes	1,19

Tableau 30.5 Quelques désintégrations bêta typiques.

Enrico Fermi (1901-1954) fournit la réponse en 1933. Il fit l'hypothèse que lorsqu'un noyau se désintègre par la voie bêta, il libère non seulement un électron mais aussi un *neutrino* (v) : une particule sans masse, sans charge et de spin 1/2. Par conséquent, la désintégration de $_1^3\mathrm{H}$ s'écrit de manière plus complète sous la forme :

$$_1^3\mathrm{H} \to \,_2^3\mathrm{He} + e^- + v$$

Comme le noyau qui se désintègre émet maintenant deux particules, celles-ci peuvent se partager l'énergie de désintégration*.

Dans les noyaux, les processus $\beta^\pm$ conduisent aux conversions suivantes :

$$\mathrm{n} \to \mathrm{p} + e^- + v \quad \text{(désintégration } \beta^-\text{)} \quad (30.7)$$

$$\mathrm{p} \to \mathrm{n} + e^+ + v \quad \text{(désintégration } \beta^+\text{)} \quad (30.8)$$

Ces processus ont tendance à se produire chaque fois qu'ils peuvent donner naissance à des noyaux dont l'énergie de liaison est plus grande. La désintégration bêta$^+$ n'existe pas pour un proton libre, car la masse du proton est plus petite que celle du neutron. Le neutron libre, en revanche, se désintègre par voie bêta$^-$ avec une demi-vie de 11 minutes.

---

* D'après la version moderne de la théorie de Fermi, un *antineutrino* (v) est émis lors de la désintégration bêta$^-$, et un *neutrino* (v) lors de la désintégration bêta$^+$. Nous ne tiendrons pas compte des différences entre le neutrino et l'antineutrino.

ENRICO FERMI
(1901-1954)

La physique est maintenant spécialisée et la plupart des physiciens concentrent leurs efforts soit sur le travail expérimental, soit sur les calculs théoriques. Enrico Fermi est, à cet égard, une exception notable. Il a apporté une importante contribution à ces deux aspects de la physique.

Né à Rome, Fermi reçoit en 1922 son doctorat à l'Université de Pise pour sa recherche sur les rayons X. Encore étudiant, il découvre les nouvelles théories quantiques qui sont en train de se développer partout ailleurs, mais qui sont encore peu connues en Italie. Les efforts qu'il entreprend pour expliquer ces concepts à ses camarades et à ses professeurs aident à établir la physique moderne en Italie et développent aussi ses capacités d'enseignant.

Après de brefs séjours d'étude en Allemagne et aux Pays-Bas, Fermi retourne en Italie en 1924 et y devient professeur à l'Université de Rome en 1926. Au cours de cette année, il développe la théorie d'un gaz parfait dont les atomes obéissent au principe d'exclusion introduit par Pauli en 1925. Il découvre des déviations frappantes par rapport au comportement prédit par la physique classique, spécialement aux basses températures et aux hautes pressions. Les électrons de conduction dans un métal représentent un exemple de *gaz de Fermi*. Ces électrons sont presque libres mais ils obéissent au principe d'exclusion. Fermi montre que beaucoup de particularités des propriétés électriques et thermiques des métaux, jusqu'alors non élucidées, peuvent être expliquées à l'aide de cette théorie.

Se tournant vers la physique nucléaire, Fermi propose en 1933 une théorie de la désintégration bêta. Sous une forme légèrement modifiée, elle reste encore actuellement à la base de notre compréhension de ce processus. En 1934, il commence une série d'expériences au cours desquelles il bombarde méthodiquement un certain nombre de cibles avec des neutrons. Il découvre rapidement qu'en mettant de l'eau ou un hydrocarbure entre la source et la cible, on augmente le taux de radioactivité artificielle. Fermi se rend compte que les atomes légers absorbent une partie de l'énergie cinétique des neutrons au cours d'une série de collisions et que les neutrons lents ainsi produits sont plus facilement capturés par les noyaux cibles.

Quand un neutron est capté par un noyau, son nombre de masse A est augmenté de 1 ; si une désintégration β^- se produit ultérieurement, le nombre atomique Z est également augmenté de 1. Fermi et ses collaborateurs essaieront par conséquent, en 1934, d'aller au-delà du dernier élément connu en bombardant de l'uranium ($Z = 92$) avec des neutrons. Ils penseront, à tort, qu'ils ont réussi à produire le premier élément transuranien ($Z = 93$). En fait, ils ont provoqué la fission des noyaux d'uranium. On s'en rendra compte lorsque, en 1938, les travaux de Hahn et Strassman, en Allemagne, permettront l'identification des produits de fission. Peu de temps avant cette découverte, Fermi et sa famille ont fui le régime fasciste en Italie ; il va à Stockholm où il reçoit le prix Nobel et se rend ensuite à New York. C'est là qu'il prend connaissance des travaux faits en Allemagne.

Fermi comprend tout de suite l'importance de la découverte de la fission et la possibilité d'une réaction en chaîne. Travaillant au début à l'Université de Columbia et plus tard à l'Université de Chicago, il dirige la construction du premier réacteur nucléaire. À l'occasion de sa mise en route, le 2 décembre 1942, un télégramme, secret à l'époque, mais très célèbre aujourd'hui, annonce : «Le navigateur italien a fait son entrée au Nouveau-Monde».

Pendant la Deuxième Guerre mondiale, Fermi travaille au développement de la bombe atomique. Ensuite, il reprend la vie académique à l'Université de Chicago. En 1949, il se joint à divers autres scientifiques notables qui, pour des raisons d'éthique, s'opposent au développement de la bombe à hydrogène. Ses travaux de recherche d'après-guerre se concentrent sur l'étude du neutron, sur les propriétés de particules nouvellement découvertes, appelées mésons pi, et sur l'origine des rayons cosmiques. Peu de temps après sa mort en 1954, un nouvel élément, produit artificiellement et portant le nombre atomique 100, sera appelé fermium en son honneur.

La *capture électronique* est un autre mécanisme par lequel un proton peut se transformer en neutron. Dans ce cas, un électron atomique et un proton interagissent et donnent lieu à la réaction

$$p + e^- \rightarrow n + \nu \text{ (capture électronique)} \qquad (30.9)$$

Deux aspects supplémentaires de la désintégration β valent la peine d'être soulignés. D'abord, les forces intervenant dans la désintégration β ainsi que dans la capture électronique sont très faibles vis-à-vis des forces nucléaires et électromagnétiques. C'est la raison pour laquelle les forces de la désintégration β sont appelées *interactions faibles* ; ce sont les plus faibles des interactions fondamentales qui existent dans la nature, à l'exception des forces de gravitation. Ensuite, comme mentionné plus haut, c'est la désintégration β qui est responsable du fait que, dans les noyaux stables, les niveaux de protons et de neutrons sont remplis presque jusqu'à la même énergie maximum. Si on tient compte des forces électriques, ceci implique que $N \simeq Z$ pour les noyaux légers et $N \simeq 1,5Z$ pour les noyaux les plus lourds.

30.9.3 La désintégration α

Contrairement à la radioactivité β, la désintégration α produit des particules qui possèdent toujours la même énergie cinétique. La particule émise est un noyau ^4_2He, composé de deux protons et deux neutrons. Ce type de radioactivité a lieu principalement dans le cas des noyaux lourds instables. Tous les noyaux connus pour lesquels $Z > 83$ sont instables. Ceux qui ne se transforment pas par désintégration β subissent une désintégration α avec des demi-vies allant de 10^{-3} s à 10^{10} ans.

En radioactivité β, c'est l'interaction faible qui détermine le temps de désintégration. Comme la désintégration α résulte d'une interaction nucléaire forte, on pourrait s'attendre à ce qu'elle soit beaucoup plus rapide. Les processus α sont pourtant beaucoup plus lents que les désintégrations β. Il se pose alors la question de savoir pourquoi le processus α prend tant de temps, alors qu'il est énergétiquement tellement favorable pour un noyau d'expulser quatre nucléons sous la forme d'une particule α.

L'explication de la lenteur de ce processus est basée sur un phénomène de mécanique quantique appelé *effet tunnel*. En physique classique, une balle, susceptible de rebondir élastiquement à l'intérieur d'un récipient, ne peut passer par-dessus les parois et s'échapper du récipient que si son énergie est suffisamment élevée. Dans le cas particulier qui nous occupe, l'énergie de la balle doit être supérieure à l'énergie potentielle de gravitation au-dessus des parois (figure 30.14). En mécanique quantique, si une particule atteint une région à énergie potentielle élevée sans disposer d'une énergie suffisante pour surmonter cette *barrière*, elle possède quand même une probabilité très faible, mais non nulle, de passer à travers la barrière (figure 30.15). En d'autres termes, chaque fois qu'une particule vient se heurter à la barrière, elle a une faible probabilité de passer à travers. Après un nombre suffisamment grand d'impacts, il y a de bonnes chances pour que la particule se soit faufilée à travers la barrière et se soit échappée. On dit que la particule a traversé la barrière par *effet tunnel*. Classiquement cet effet est interdit faute d'une énergie suffisante.

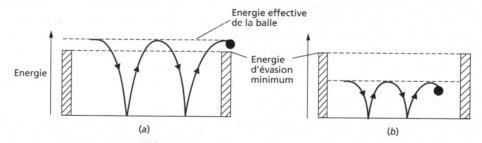

Figure 30.14 *(a)* La balle a suffisamment d'énergie et rebondit assez haut pour s'échapper du récipient. *(b)* La balle est piégée en accord avec la mécanique classique.

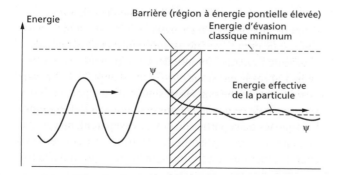

Figure 30.15 Représentation de la fonction d'onde quantique associée à une particule s'approchant d'une barrière, région où l'énergie potentielle dépasse l'énergie totale de la particule. La fonction d'onde ψ est petite mais non nulle du côté droit de la barrière, de sorte que la probabilité $|\psi|^2$ de trouver la particule au-delà de la barrière n'est pas nulle. Cette probabilité diminue rapidement avec la hauteur et la largeur de la barrière.

Pour voir comment ceci s'applique à la désintégration α, il faut considérer l'origine de la barrière de potentiel pour les particules α. Examinons la courbe d'énergie potentielle pour une particule α et un noyau (figure 30.16). Si nous rapprochons une particule α d'un noyau, nous devons fournir un travail pour vaincre la répulsion électrique. Ainsi l'énergie potentielle augmente quand la particule s'approche et quand r diminue. À la surface du noyau, la particule α commence à sentir la force nucléaire attractive qui correspond à une énergie potentielle négative. La somme de ces deux énergies potentielles possède une valeur maximum positive quelque part au voisinage de la surface nucléaire. Ce pic correspond à la barrière de potentiel dont il a été question plus haut.

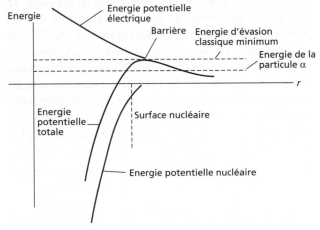

Figure 30.16 L'énergie potentielle d'une particule alpha en interaction avec un noyau.

La solution de l'équation de Schrödinger pour une particule α à l'intérieur de ce puits de potentiel montre que l'état le plus stable correspond à une énergie supérieure à zéro mais inférieure au sommet de la barrière. La particule peut donc atteindre un état d'énergie plus basse si elle parvient à s'échapper du noyau, ce qui finit par se produire lorsque la particule frappe la barrière un nombre suffisant de fois. Ceci peut prendre beaucoup de temps si la barrière est très élevée ou très large. Des calculs détaillés, basés sur cette théorie, sont en excellent accord avec les demi-vies et les énergies de désintégration mesurées.

Pour en savoir plus...

30.10 LA FISSION NUCLÉAIRE

Nous avons vu précédemment que l'énergie de liaison par nucléon décroît graduellement lorsque A prend des valeurs supérieures à 100. Ceci entraîne qu'environ 1 MeV par nucléon est libéré quand un noyau lourd, tel que l'uranium, se scinde en deux fragments plus légers. Ces processus de fission constituent la source d'énergie dans les réacteurs nucléaires et dans les bombes à fission développés pour la première fois durant la Deuxième Guerre mondiale.

Un modèle simple du noyau $^{235}_{92}\text{U}$ montre comment la fission se produit. Le modèle considère le noyau $^{235}_{92}\text{U}$ comme étant composé de deux parties, chacune contenant un grand nombre de protons et de neutrons. La courbe de l'énergie potentielle pour ces deux parties ressemble beaucoup à celle d'une particule alpha en présence d'un noyau. Si les deux parties de charge positive, initialement à grande distance l'une de l'autre, se rapprochent progressivement, leur énergie potentielle électrique augmente. Quand elles sont suffisamment près l'une de l'autre, les forces nucléaires attractives jouent un rôle et l'énergie potentielle totale commence à diminuer (figure 30.17).

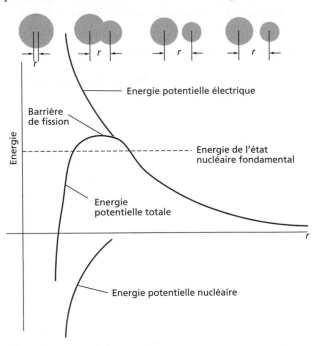

Figure 30.17 L'énergie potentielle d'un noyau d'uranium en fonction de la distance r entre les deux parties du noyau. La forme correspondante du noyau est montrée au-dessus du graphe.

L'état fondamental du ^{235}U a une énergie considérablement supérieure à zéro, mais le système est piégé dans son état lié dont l'énergie est inférieure au maximum de la courbe de l'énergie potentielle. La région qui est inaccessible d'après la physique classique est appelée la *barrière de fission*. Comme dans la désintégration alpha, la *fission spontanée* de ce noyau est possible grâce à l'effet tunnel. Lorsque les deux parties du noyau se séparent, une grande quantité d'énergie potentielle électrique est convertie en énergie cinétique. La fission spontanée se produit à la fois dans le ^{235}U et le ^{238}U, mais beaucoup moins fréquemment que la désintégration alpha.

Quelques noyaux peuvent également subir la *fission induite* lors du bombardement par des *neutrons thermiques*. Ces derniers sont des neutrons très lents qui ont des énergies cinétiques comparables à kT (inférieur à 1 eV). Les neutrons thermiques ont une très grande longueur d'onde de de Broglie et donc une taille efficace importante dans les interactions. Beaucoup de noyaux ont une haute probabilité (ou une grande *section efficace*) de capture pour des neutrons thermiques. Quand cette capture se produit, un noyau avec A nucléons est transformé en un noyau avec $A + 1$ nucléons. L'énergie de liaison moyenne du dernier nucléon dans un noyau lourd vaut à peu près 7 MeV. Si un neutron est capturé, le noyau aux $(A + 1)$ particules aura donc un surplus d'énergie d'environ 7 MeV et il se retrouvera dans un état excité. Si cette énergie d'excitation est suffisante pour porter le noyau au-dessus de la barrière de fission, il va se scinder immédiatement et libérer une grande quantité d'énergie.

C'est précisément ce qui arrive quand le ^{235}U est bombardé par des neutrons thermiques. Il y a création d'un état excité de ^{236}U à 6,8 MeV au-dessus de l'état fondamental. Comme la hauteur de la barrière de fission du ^{236}U est également de 6,8 MeV, le noyau subit tout de suite la fission. D'autre part, pour l'isotope 238 de l'uranium, le ^{238}U, la fission n'a pas lieu lors de la capture d'un neutron lent, pour la simple raison que le niveau excité résultant dans le noyau ^{239}U est à 5,3 MeV tandis que la barrière de fission est de 7,1 MeV. Par conséquent, la fission induite ne pourra se produire avec le ^{238}U que si le neutron incident dispose d'une énergie cinétique d'au moins 1,8 MeV. Or de tels neutrons rapides ont des longueurs d'onde de de Broglie et donc des tailles effectives plus petites et leur capture est difficile. La section efficace de fission du ^{238}U au moyen de neutrons rapides est 2 000 fois plus petite que celle correspondant à la fission du ^{235}U avec des neutrons thermiques. C'est pour cette raison que le ^{235}U est beaucoup plus utile comme source d'énergie de fission.

L'uranium naturel est composé de 99,3 % de ^{238}U et seulement de 0,7 % de ^{235}U. Dans les réacteurs et dans les armes nucléaires, il est nécessaire cependant d'utiliser des combustibles nucléaires avec un pourcentage plus élevé en ^{235}U. Comme la séparation de ces isotopes est très coûteuse et très difficile, ceci retarde le développement de la puissance nucléaire et tend à stabiliser certains aspects de la politique internationale.

L'énergie libérée par la fission nucléaire peut être estimée de la manière suivante. L'énergie de liaison par nucléon est de 7,6 MeV pour le ^{235}U et d'environ 8,5 MeV pour les deux fragments de la fission à $A \simeq 100$ (voir figure 30.18). Par conséquent, l'énergie libérée vaut 235 (8,5 MeV − 7,6 MeV)$\simeq$200 MeV par noyau. Pour mieux saisir l'importance de cette énergie, il faut la comparer à celles des réactions chimiques (ou atomiques) au cours desquelles une énergie de l'ordre de 1 eV est libérée par atome. Ainsi, la fission nucléaire est 200 millions de fois plus puissante. Si tous les noyaux contenus dans un kilogramme de ^{235}U participaient à la fission, l'énergie cédée serait équivalente à celle de 20 000 tonnes de TNT. C'était à peu près l'énergie libérée par les bombes à fission de la Deuxième Guerre mondiale.

Généralement les fragments de la fission ont un rapport neutrons/protons trop élevé pour des noyaux de masse moyenne. C'est pourquoi ils expulsent presque immédiatement (en 10^{-13} s ou moins) un ou plusieurs *neutrons rapides*. Ensuite, ils subissent une série de trois ou quatre désintégrations β, chacune d'elles transformant un neutron en proton et rendant le noyau de plus en plus stable. Ainsi, la première désintégration β$^-$ se produit en quelques secondes, tandis que la suivante a une demi-vie de l'ordre de quelques minutes, voire de quelques heures, et que la dernière peut prendre des jours ou des années avant de se produire. Ce sont ces radioisotopes à demi-vie relativement longue que contiennent les *déchets nucléaires* produits dans les réacteurs nucléaires. Il convient de stocker ces déchets, en toute sécurité, jusqu'à ce que la radioactivité devienne négligeable. Parfois un *neutron retardé* est expulsé après la première désintégration bêta$^-$. Pour chaque fission, il y a en moyenne 2,6 neutrons rapides ; environ 1 % des événements de fission conduisent à l'émission d'un *neutron lent*, après un délai de 10 secondes en moyenne.

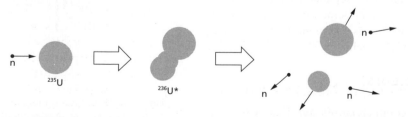

Figure 30.18 La fission induite du ^{235}U. Un neutron thermique s'approchant d'un noyau ^{235}U est capturé et produit un noyau excité ^{236}U* qui va subir la fission. Dans l'exemple montré dans la figure, les deux fragments de la fission émettent trois neutrons rapides.

Les neutrons émis dans une fission induite du ^{235}U pourront à leur tour provoquer la fission d'autres noyaux de ^{235}U et donner naissance à une réaction en chaîne. Supposons que les 2,6 neutrons provenant d'une fission induisent, en moyenne, plus d'une fission supplémentaire. Le *facteur de multiplication dans la fission* est alors plus grand que 1 et la réaction croîtra exponentiellement. Une explosion se produira en un temps très court si la croissance se poursuit d'une façon incontrôlée. D'un autre côté, si un nombre suffisant de neutrons s'échappe du ^{235}U, le facteur de multiplication sera inférieur à 1. Le processus ne pourra plus s'entretenir de lui-même. Il s'arrêtera après avoir été amorcé par un neutron capturé au hasard. Lorsque chaque fission produit exactement une fission supplémentaire, le facteur de multiplication est égal à 1 et la réaction se poursuit alors à une vitesse constante. On dit alors que le ^{235}U a une *masse critique*. Dans un réacteur nucléaire, le facteur de multiplication est contrôlé de manière que les réactions de fission se produisent au rythme désiré.

30.11 RÉACTEURS ET BOMBES À FISSION

Afin d'obtenir une masse critique dans les explosifs nucléaires et dans la plupart des réacteurs à fission, il faut utiliser de l'uranium enrichi qui contient plus que les 0,7 % de ^{235}U trouvés dans l'uranium naturel. Dans la plupart des réacteurs ordinaires, un enrichissement de 3 % est requis. Les explosifs nucléaires utilisent un matériau enrichi jusqu'à 90 %. La séparation des deux isotopes d'uranium ne peut se faire par des moyens chimiques, car leurs propriétés chimiques sont presque identiques. Cependant, comme l'énergie cinétique moléculaire moyenne est déterminée par la température, les molécules contenant un isotope plus lourd se meuvent, en moyenne. plus lentement. Il s'ensuit que des processus physiques, comme la diffusion, qui dépendent de la vitesse moyenne des particules, peuvent servir à la séparation des isotopes. Les masses des isotopes d'uranium sont tellement voisines que la méthode de séparation basée sur la diffusion est très lente et très chère. Des séparateurs électromagnétiques, basés sur le même principe que le spectromètre de masse, sont parfois utilisés pour concentrer davantage l'uranium partiellement enrichi.

30.11.1 Réacteurs

Tous les réacteurs commercialisés aux États-Unis emploient les neutrons thermiques pour induire la fission. Ces réacteurs ont plusieurs caractéristiques communes. Ils contiennent de nombreuses *barres de combustible* fa-

briquées à partir de l'uranium enrichi ainsi qu'un *modérateur* (ou ralentisseur) et des *barres de contrôle*. Le modérateur sert au ralentissement des neutrons. Ceci est nécessaire parce que les neutrons produits ont une énergie initiale de quelques MeV, alors que la section efficace de fission du ^{235}U est la plus grande au-dessous d'1 eV. Les barres de contrôle déterminent le taux de fission. Elles sont en bore, car ce matériau capture les neutrons avec une très grande efficacité. Lorsque ces barres sont retirées du cœur du réacteur, la réaction en chaîne se développe jusqu'à ce que la vitesse désirée soit atteinte. Environ 1 % des neutrons sont des neutrons retardés et jouent un rôle clef dans le fonctionnement du réacteur. Grâce à ce délai, les opérateurs ont le temps d'ajuster les barres de contrôle et de faire les ajustements qui s'imposent si la vitesse de réaction croît trop rapidement.

Aux États-Unis, la majorité des réacteurs commerciaux en opération ou en construction sont des *réacteurs à eau bouillante* (figures 30.19 et 30.20). L'eau sert de ralentisseur dans le réacteur. Les neutrons sont décélérés au cours des collisions avec les noyaux d'hydrogène (protons) des molécules d'eau. L'énergie libérée dans le processus de fission est convertie en chaleur lorsque les fragments rapides de la fission entrent en collision avec d'autres atomes dans les barres de combustible. L'eau chauffée évacue cette énergie thermique et la vapeur d'eau produite sert à actionner des turbines et à produire de l'électricité.

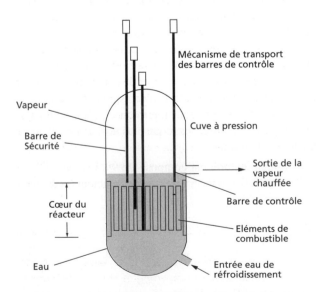

Figure 30.19 Réacteur à eau bouillante. L'eau sert de modérateur et évacue également l'énergie thermique produite. La vapeur d'eau chauffée dans le réacteur actionne une turbine et est condensée avant de retourner au réacteur.

Figure 30.20 Le réacteur nucléaire situé à Vernon, Vermont, aux États-Unis, est un réacteur classique à eau bouillante. Situé le long du Connecticut River, son système de refroidissement requiert normalement 23 m³ d'eau par seconde, ce qui dépasse le débit de la rivière pendant les périodes de sécheresse. C'est pourquoi il est équipé de tours de refroidissement qui requièrent l'évaporation de quantités d'eau beaucoup plus petites. Le réacteur est conçu pour produire 515 MW de puissance électrique, ce qui représente moins 0,1 % de la capacité de production électrique des États-Unis. Le réacteur fonctionne avec 62 000 kilogrammes d'uranium enrichi à 2,7 % de ^{235}U contenu dans 23 000 barres de combustibles. *(Photo ERDA.)*

Une importante caractéristique des réacteurs à eau bouillante est leur stabilité intrinsèque vis-à-vis d'accidents qui pourraient être provoqués par des réactions en chaîne non contrôlées. Toute augmentation accidentelle de la température augmente la quantité d'eau bouillante ainsi que le taux de formation de bulles. La quantité d'eau disponible pour ralentir les neutrons est donc réduite et la réaction en chaîne ralentit. Un tel réacteur nucléaire ne pourra donc pas exploser comme une bombe nucléaire. Ce n'est qu'une énergie équivalente à celle produite lors d'une explosion chimique mineure qui pourrait être libérée dans un tel accident. La controverse sur l'utilisation de l'énergie nucléaire n'est pas tellement centrée sur le risque d'une explosion à grande échelle mais plutôt sur la possibilité d'une dispersion accidentelle des déchets radioactifs dans l'environnement.

30.11.2 Les réacteurs surgénérateurs

Si le nombre de réacteurs nucléaires augmente rapidement, le ravitaillement en uranium sera probablement épuisé dans quelques dizaines d'années. Une solution possible à ce problème est fournie par le *réacteur surgénérateur* (ou surrégénérateur) qui produit plus de matériau fissile qu'il n'en consomme. Un type de surgénérateur produit du ^{239}Pu, fissile comme le ^{235}U sous l'action de

neutrons thermiques. Dans ce réacteur, un neutron rapide engendre la réaction

$$^{238}_{92}U + n \rightarrow ^{239}_{92}U + \gamma$$

Cette réaction est suivie de deux désintégrations β^- qui produisent d'abord du neptunium et ensuite du plutonium :

$$^{239}_{92}U \rightarrow ^{239}_{93}Np + \beta^-, \quad ^{239}_{93}Np \rightarrow ^{239}_{94}Pu + \beta^-$$

Le plutonium subit une désintégration à demi-vie de 24 000 ans et est donc relativement stable. C'est un matériau qui convient bien aux réacteurs à neutrons thermiques mais aussi à la construction de bombes. Il est malheureusement fort toxique. Comme le surgénérateur nécessite des neutrons rapides, ce type de réacteur ne comprend pas de modérateur. La conception réalisée aux États-Unis utilise du sodium liquide pour la réfrigération. Le combustible du réacteur est hautement enrichi et le cœur du réacteur est très chaud. Cela impose des exigences énormes sur les composants et les matériaux utilisés dans la construction.

30.11.3 Les bombes à fission

Dans une bombe à fission (bombe atomique), une sphère de dimension subcritique de ^{235}U ou de ^{239}Pu est entourée par un explosif chimique. Lors de l'explosion de celui-ci, des ondes de choc compriment la sphère (implosion). Il en résulte une diminution substantielle de son volume ainsi qu'une augmentation de sa masse volumique. Cela rend le facteur de multiplication supérieur à 1 et la réaction en chaîne se développe rapidement. À cause de l'inertie du matériau implosant, le facteur de multiplication demeure supérieur à 1 suffisamment longtemps pour qu'il y ait libération d'une grande quantité d'énergie avant que l'éparpillement du matériau de la bombe ne se produise. Le volume d'une telle bombe est déterminé par la contrainte que le matériau fissile ne peut pas devenir critique avant la détonation. Celle-ci doit amener le matériau fissile au volume critique rapidement. La structure de la bombe doit résister suffisamment longtemps pour permettre la libération d'une grande quantité d'énergie. Les explosifs à fission les plus volumineux sont équivalents à quelque 250 kilotonnes de TNT. Ils représentent environ 12 fois la taille des bombes atomiques de la Seconde Guerre mondiale.

30.12 LA FUSION NUCLÉAIRE

La fusion nucléaire est une source d'énergie potentiellement beaucoup plus importante que la fission car les ressources en matériaux appropriés sont presque inépuisables. La fusion est un processus très séduisant parce que les produits finals sont stables. Le problème de l'élimination des déchets radioactifs ne se pose pas. La réalisation de la fusion contrôlée et l'extraction d'une puissance utile représentent toutefois un défi extrêmement difficile. La source de difficulté apparaît quand on considère les deux réactions de fusion entre les isotopes de l'hydrogène, le deutérium (d = $^2_1$H) et le tritium (t = $^3_1$H) :

$$d + d \rightarrow t + p + (4 \text{ MeV énergie cinétique})$$

$$t + d \rightarrow {}^4_2\text{He} + n + (17, 6 \text{ MeV énergie cinétique})$$

Dans les deux réactions, la répulsion électrique intense entre les deux noyaux de charges positives tend à les écarter l'un de l'autre. À moins que leur énergie cinétique initiale totale ne soit égale ou supérieure à 0,1 MeV, ils ne peuvent s'approcher suffisamment près pour que les forces nucléaires puissent les faire fusionner. Il est très facile de communiquer 0,1 MeV ou plus à un noyau dans un accélérateur. Cependant, pareille machine consomme plus d'énergie qu'elle n'en libère, car la fusion ne se produit que dans relativement peu de noyaux. Aussi la seule manière pratique pour arriver à la fusion à grande échelle est d'utiliser la *réaction thermonucléaire* ; il faut chauffer les matériaux jusqu'à ce qu'au moins une petite fraction des noyaux acquièrent une énergie cinétique suffisante pour fusionner. Ceci nécessite des températures de l'ordre d'un million de degrés Celsius.

Dans une bombe à fission-fusion (bombe H), les hautes températures requises sont atteintes par l'utilisation d'une bombe à fission qui sert à échauffer les isotopes de l'hydrogène. Il est préférable d'utiliser du tritium dans un engin thermonucléaire, car le processus de fusion d-t démarre à une température plus basse que la réaction d-d. Toutefois, comme le tritium est radioactif, avec une demi-vie de 12 ans, sa production est coûteuse et il est difficile à manipuler. On évite ces problèmes dans les bombes à hydrogène, en stockant les isotopes d'hydrogène nécessaires sous forme solide et non radioactive dans le composé chimique ^{6}Li d. Lorsqu'il est frappé par un neutron rapide, produit au cours de la fission, le noyau ^{6}Li dégage du tritium dans la réaction

$$^6_3\text{Li} + n \rightarrow {}^4_2\text{He} + t + (4, 8 \text{ MeV énergie cinétique})$$

Le tritium, produit dans cette réaction, fusionne alors avec le deutérium. Le ^{6}Li requis pour la bombe est obtenu par séparation à partir du lithium naturel qui contient aussi du ^{7}Li plus abondant, à un coût bien inférieur à celui de la production du tritium.

Le problème de base de la mise au point de la fusion contrôlée est celui du *confinement* des matériaux. En effet, aucun solide ne peut résister aux températures élevées requises. Comme les gaz chauds de deutérium et de tritium sont complètement ionisés, ils forment un mélange conducteur d'électricité, appelé *plasma*, qui est composé de charges positives et négatives. Ce plasma peut être confiné en un endroit de l'espace par des champs ma-

gnétiques. Après avoir chauffé le plasma par bombardement au canon à électrons, on augmente brusquement le champ magnétique. Ceci comprime le plasma, fait monter sa température encore davantage et provoque la fusion de quelques noyaux.

Des fusions nucléaires ont été produites par cette méthode, il est possible de les entretenir assez longtemps et dans un volume suffisamment grand pour qu'elles soient d'une utilité pratique. Il n'est pas du tout exclu qu'une approche tout à fait différente de celle du confinement magnétique convienne mieux. Par exemple, on a fait des progrès considérables en utilisant des rayons laser intenses que l'on concentre sur des sphères minuscules contenant des isotopes d'hydrogène. En général, le progrès dans la recherche sur la fusion contrôlée a été plus lent qu'on ne l'avait cru au lancement du programme de fusion dans les années cinquante. Cependant, contrairement aux combustibles fossiles et à l'uranium, le deutérium est disponible en quantités presque illimitées. En effet, un noyau d'hydrogène sur 20 000 est un deutéron, ce qui fait des océans d'immenses réservoirs de combustible. Les avantages potentiels de la production d'énergie à partir de la fusion du deutérium sont donc énormes.

30.13 LES QUARKS

Au XIXe siècle, les scientifiques découvrirent que les nombreuses substances qui existent dans la nature ou qui sont produites artificiellement en laboratoire sont toutes composées de 91 espèces d'atomes. Au début du XXe siècle, on comprit que les atomes sont composés d'électrons qui interagissent avec des noyaux constitués de protons et de neutrons. Ainsi les atomes ne sont pas les constituants de base de la matière ; ils sont eux-mêmes composés de corpuscules plus élémentaires d'électrons et de nucléons. À l'heure actuelle, on sait que les nucléons à leur tour sont composés de particules appelées *quarks*.

Le développement des accélérateurs à haute énergie et la découverte, dans les années cinquante et soixante, d'un nombre élevé de *hadrons*, apportèrent les premières preuves que les nucléons sont formés de particules encore plus petites. Les hadrons sont des particules qui interagissent via les interactions fortes qui génèrent les forces nucléaires comme forces de Van der Waels. Jusqu'à présent, les physiciens ont observé des *centaines* d'espèces de hadrons à vie courte. Quelques-unes de ces particules sont des *mésons*, particules à spin entier (0, 1, · · ·). Le méson dont la masse est la plus faible est le *méson pi* ou *pion* ; son spin vaut 0 et il peut exister sous trois états de charge, π^+, π^0, π^- ; les masses des pions sont environ sept fois plus petites que celles des nucléons. Les autres nouveaux hadrons sont les *baryons*, à spin demi-entier

(1/2, 3/2, ···), et à masse supérieure à la masse des nucléons, ces particules peuvent se désintégrer en nucléons, qui sont les baryons de masse la plus faible, par l'émission d'un ou de plusieurs mésons ou photons. Des régularités dans les masses, les temps de vie, les moments magnétiques et d'autres propriétés des hadrons rappellent les relations existant entre les états excités et fondamentaux des molécules, des atomes et des noyaux qui ont tous des structures composées.

Des collisions violentes entre électrons et protons, ou entre protons, fournissent des preuves supplémentaires que les nucléons sont composés d'autres particules. En 1911, Rutherford découvrit que des particules alpha traversant des feuilles minces sont parfois déviées sous des angles très grands. Ceci était difficile à comprendre dans le cadre d'un modèle atomique à distribution de charge uniforme. Par contre, si la majeure partie de la masse atomique est concentrée dans un noyau minuscule, la déflexion sous un grand angle est plutôt naturelle. De la même façon, les nouvelles expériences de diffusion *ep* à haute énergie, produisant beaucoup plus d'événements à grand angle que l'on ne pouvait s'y attendre en supposant une distribution diffuse de la matière dans le nucléon, permettent d'établir que le nucléon contient des particules discrètes.

Au début des années 1960, beaucoup de propriétés hadroniques étaient mises en corrélation au moyen d'une branche des mathématiques appelée la *théorie des groupes* et en employant le concept de *symétrie brisée*. Pour comprendre le sens de ce terme, il faut penser à un atome. En l'absence d'un champ magnétique extérieur, l'orientation de l'atome est quelconque et son énergie est la même quelle que soit la composante *z* du moment angulaire. Cependant, si on applique un champ magnétique, celui-ci définit une direction privilégiée dans l'espace et *brise la symétrie de rotation* du système. Les niveaux d'énergie dépendent de la composante du moment cinétique parallèle au champ et se séparent les uns des autres. En physique des particules, la contribution, relativement faible par rapport aux interactions fortes de l'interaction électromagnétique et des différences de masses des quarks entraîne des séparations analogues dans les énergies de masse des hadrons.

George Zweig et Murray Gell-Mann montrèrent en 1964 que les relations mathématiques entre les propriétés hadroniques s'obtiennent très naturellement si l'on fait l'hypothèse qu'il y a trois *quarks* dans un baryon et une paire quark-antiquark dans un méson. Les quarks sont des particules à spin 1/2 et ayant des charges électriques égales à 2*e*/3 ou −*e*/3, où *e* est la charge d'un proton. (Le mot quark provient de « Three Quarks for Muster Mark », dans *Finnegan's Wake* par James Joyce). Dans la théorie quantique complète de la physique atomique, que l'on appelle l'électrodynamique quantique, la cohésion de l'atome est assurée par l'échange de photons entre les électrons et les protons. Les photons sont des particules de masse nulle, électriquement neutres et de spin 1. La loi de Coulomb constitue une première approximation de cette description. De la même façon, la cohésion des hadrons est assurée parce que les quarks échangent des particules de masse nulle électriquement neutres et de spin 1, appelées *gluons*.

L'interaction ainsi générée est beaucoup plus forte que la loi de Coulomb. Elle génère en fait une force constante entre les quarks, qui correspond à un potentiel croissant linéairement avec la distance. Ceci est à l'origine du phénomène de confinement : si l'on essaie de séparer deux quarks, l'énergie potentielle du système croît de façon telle qu'il devient plus favorable énergétiquement de créer une paire quark-antiquark, qui se lieront aux quarks de départ et diminueront l'énergie potentielle.

Il est donc impossible d'observer des quarks libres : ils apparaissent toujours en groupes, appelés hadrons.

Parfums et couleurs

Tous les hadrons découverts avant 1974 pouvaient être considérés comme formés à partir de trois espèces ou *parfums* de quarks, désignés par *u*, *d*, et *s*, pour *up* (vers le haut), *down* (vers le bas) et *strange* (étrange). Ceux-ci portent respectivement les charges électriques 2*e*/3, −*e*/3 et −*e*/3 ; les antiquarks $\bar{u}$, $\bar{d}$ et $\bar{s}$ ont des charges égales et opposées. Ainsi un proton porte une charge *e* et est (*uud*) ; un neutron est dépourvu de charge et est (*udd*) ; le méson π^+ est ($u\bar{d}$) ; π^0 est ($u\bar{u}$) ; et π^- est ($d\bar{u}$). Le quark étrange était nécessaire pour construire des *particules étranges* qui sont des hadrons ne pouvant se désintégrer en nucléons ou pions que via l'interaction faible et qui ont par conséquent des temps de vie relativement longs. La découverte, en 1974, d'un méson appelé J/ψ très massif, à vie relativement longue, confirma l'existence soupçonnée d'un quatrième quark *charmé*, *c*. Un cinquième quark (*bottom*, *b*) fut découvert plus récemment, et on a découvert le sixième en 1995 (*top*, *t*).

Les quarks sont des particules à spin 1/2 et par conséquent, en vertu du principe de Pauli, un seul quark peut occuper un état quantique donné. Un état spatial donné peut contenir au maximum un quark avec spin vers le haut et un autre avec spin vers le bas. On trouve cependant jusqu'à trois quarks d'un parfum donné dans un seul état spatial. Cela implique que les quarks disposent d'un nombre quantique supplémentaire qui spécifie leur état. Ce nombre quantique a été appelé *couleur*, quoique ceci n'ait évidemment rien à voir avec la couleur au sens conventionnel du terme. Chaque parfum de quark se présente en trois couleurs, souvent appelées rouge, jaune et vert. Ce ne sont que les combinaisons de quarks « incolores » ou « blanches » qui correspondent à des états hadroniques stables.

Par analogie avec l'électrodynamique quantique (EDQ), la théorie des interactions des quarks et des gluons est appelée *chromodynamique quantique* (CDQ). Cette théorie a fourni un grand nombre de résultats exacts ou approximatifs, mais les mathématiques de la CDQ sont difficiles et plusieurs questions restent sans réponse. Les progrès théoriques et, très probablement, bien des idées nouvelles se feront jour dans un avenir proche.

Réviser

RAPPELS DE COURS

Un noyau est caractérisé par son nombre de masse A, son numéro atomique (ou nombre de protons) Z, et son nombre de neutrons $N = A - Z$. Après un laps de temps égal à une demi-vie, environ la moitié des noyaux instables ou radioactifs initialement présents se sont désintégrés. La constante de désintégration est reliée à la demi-vie par $\lambda = 0,639/T$. Après un temps t, la fraction des noyaux radioactifs restants est donnée par

$$N/N_0 = e^{-\lambda t}$$

La demi-vie effective d'un radioisotope dans un organisme est déterminée par les temps de vie physique et biologique. Si la quantité initiale d'une substance radioactive est connue, la quantité qui subsiste après un certain temps permet de déterminer son âge.

Les noyaux sont approximativement des sphères de rayon $1,4\,A^{1/3}$ fm. La masse d'un noyau est inférieure à la somme des masses de ses protons et neutrons constituants. D'après la relation masse-énergie d'Einstein, le défaut de masse représente l'énergie de liaison nucléaire.

L'utilisation de faisceaux de particules produits par des accélérateurs permet d'étudier en détail les niveaux d'énergie et la structure des noyaux. Le modèle nucléaire en couches, semblable à celui caractéristique des atomes, rend compte de beaucoup de données expérimentales. Ou bien les noyaux légers ont $Z \simeq N$, ou bien ils sont instables vis-à-vis d'une désintégration β ; à cause des forces électriques, les noyaux stables très lourds ont $N \simeq 1,5Z$. Les noyaux ont tendance à subir une transition vers leur état fondamental au moyen d'un processus γ. Tous les noyaux pour lesquels $Z > 83$ sont instables ; ceux qui ne subissent pas de désintégration β sont des émetteurs α. Quelques-uns subissent aussi une fission spontanée.

PHRASES À COMPLÉTER

Voir réponses en fin d'ouvrage.

1. Un noyau comprend 10 protons et 11 neutrons. Quel est son nombre de masse ?

2. Des noyaux qui ont même numéro atomique mais des nombres de neutrons différents sont appelés _____.

3. Les particules alpha sont _____, les particules bêta sont _____, et les rayons gamma sont _____.

4. L'énergie associée aux processus nucléaires est de l'ordre de _____.

5. S'il y a 1 000 noyaux présents à l'instant initial, environ _____ noyaux subsistent après une demi-vie et environ _____ après deux demi-vies.

6. Le radiocarbone présent dans les organismes vivants a pour origine les réactions causées dans l'atmosphère par _____.

7. Le volume d'un noyau est proportionnel au nombre de _____.

8. La différence entre la masse d'un noyau et la masse totale de ses constituants est son _____.

9. Comparées aux forces électriques, les forces nucléaires sont _____ en grandeur et ont une portée _____.

10. Les nucléons, comme les électrons, obéissent au principe de Pauli, qui empêche deux protons ou deux neutrons d'occuper _____.

11. Un positron a la même _____ que l'électron, mais une _____ de signe contraire.

12. Une particule alpha peut s'échapper d'un noyau par _____, même si l'énergie minimum requise par la physique classique pour cette opération lui fait défaut.

EXERCICE CORRIGÉ

Un laboratoire possède 2 g de phosphore $^{32}_{15}\text{P}$ pur dont la demi-vie est de 14,2 jours. Il se désintègre par l'émission d'un électron.

a) Établir la réaction de désintégration.

b) Calculer le nombre de noyaux présents au départ.

c) Calculer le nombre initial de désintégration par seconde.

d) Quelle sera l'activité après une durée de 142 jours ?

e) Combien de temps faudra-t-il attendre avant que l'activité devienne inférieure à 10 désintégrations par seconde ?

f) Calculer la masse atomique du noyau fils sachant que l'énergie cintétique maximum de l'électron est 1,71 MeV, la masse atomique du phosphore est de 31,973908 et on a 931,494 MeV par uma.

Solution

Par application du principe de conservation de la charge électrique et du nombre de nucléons, on a :

a) $^{32}_{15}\text{P} \rightarrow {}^{32}_{16}\text{S} + e^-$.

b) Le nombre d'Avogadro $6,02 \times 10^{23}$ noyaux nous permet de calculer le nombre de noyaux au départ

$$N_0 = \frac{2}{32}N_A \quad N_0 = \frac{2}{32} \times 6,02 \times 10^{23}$$

donc $N_0 = 3,7 \times 10^{22}$ noyaux.

c) Le temps de demi-vie $T_{1/2} = \dfrac{\ln 2}{\lambda} = \dfrac{0,693}{\lambda}$

où $T_{1/2} = 14,2 \times 24 \times 3\,600 = 12,2 \times 10^5\,\text{s}$

$$\lambda = \frac{0,693}{12,2 \times 10^5} = 5,6 \times 10^{-7}\,\text{s}^{-1}$$

Au temps $t = 0$, $\left(\dfrac{\Delta N}{\Delta t} \right)_{t=0} = -\lambda N_0$

le nombre de désintégration par seconde est donc de :
$$5,6\,10^{-7} \times 3,7 \times 10^{22} = 2,07 \times 10^{16}\,\text{s}^{-1}$$

d) Après 142 jours, cela représente 10 fois la demi-vie, l'activité diminuera de $\left(\dfrac{1}{2} \right)^{10} = \dfrac{1}{1\,024}$ fois

le nombre de désintégration par seconde sera de :
$$\frac{2,07 \times 10^{16}}{1\,024} = 2,02 \times 10^{-13}\,\text{s}^{-1}$$

Le calcul peut également être conduit au départ de la relation

$$\frac{\mathrm{d}N}{\mathrm{d}t} = \left(\frac{\mathrm{d}N}{\mathrm{d}t} \right)_{t=0} \times e^{-\lambda t}$$

$$t = 142 \times 24 \times 3\,600\,\text{s}$$

avec $\quad \lambda = 5,6 \times 10^{-7}\,\text{s}^{-1}$

$\quad \lambda t = 6,93$

$$\left(\frac{\mathrm{d}N}{\mathrm{d}t} \right) = 2,07 \times 10^{16} \times e^{-6,93} = 2,02 \times 10^{13}\,\text{s}^{-1}$$

e) Pour $\left(\dfrac{\mathrm{d}N}{\mathrm{d}t} \right) = 10\,\text{s}^{-1}$

$$e^{-\lambda t} = \frac{10}{N_0} = \frac{10}{3,7 \times 10^{22}} = 2,7 \times 10^{-22}$$

$$-\lambda t = \ln\left(2,7 \times 10^{-22} \right) = -49,66$$

$$t = \frac{49,66}{\lambda} = \frac{49,66}{5,6 \times 10^{-7}} = 8,87 \times 10^7\,\text{s}$$

soit environ 1 026 jours.

f) 1,71 MeV représente en uma la perte de masse du noyau père soit

$$\frac{1,71}{931,494} = 0,0018357\,\text{uma}$$

la masse atomique du noyau fils le $^{32}_{16}\text{S}$ est donc de

$$31,973908 - 0,0018357 = 31,972072$$

S'entraîner

QCM

Voir réponses en fin d'ouvrage.

Q1. Pour définir complètement un noyau atomique, il suffit de spécifier

a) le nombre de protons

b) le nombre Z et A

c) le nombre de nucléons

d) le nombre d'électrons.

Q2. Les isotopes sont des noyaux atomiques qui se caractérisent par

a) un nombre de neutrons égal au nombre de protons

b) un nombre de neutrons supérieur au nombre de protons

c) un nombre de neutrons inférieur au nombre de protons

d) aucune de ces réponses.

Q3. La désintégration γ se caractérise par

a) une émission d'un neutrino

b) une émission de photons

c) une émission conjointe d'une particule et d'un photon

d) un phénomène de conversion interne.

Q4. La désintégration β se caractérise par

a) l'émission d'un électron ou d'un positron par le noyau

b) la transformation d'un électron en positron

c) uniquement l'émission d'électrons

d) des électrons émis par le nuage atomique.

Q5. Le carbone 14 subit une désintégration en azote 14. On est en présence d'une désintégration de type

a) α

b) γ

c) β

d) α + γ.

Q6. Au sein d'un noyau un neutron peut subir une désintégration, celle-ci est

a) une désintégration β^+

b) une désintégration γ

c) une désintégration β^- avec émission d'un neutrino

d) une désintégration β^+ avec émission d'un neutrino.

Q7. Lors d'une désintégration β^-, le noyau fils a vis-à-vis du noyau père

a) le même nombre

b) un nombre z augmenté de 1 et le nombre de neutrons diminué de 1

c) un nombre z augmenté de 1 et le nombre A réduit de 1

d) un nombre z réduit de 1 et le même nombre A.

Q8. La désintégration α se caractérise par

a) un temps de demi-vie particulièrement court

b) un processus qui fait intervenir les interactions nucléaires faibles

c) un processus basé sur l'effet tunnel

d) un processus qui nécessité également une émission β^- pour respecter le principe de conservation de la charge.

Q9. Un radioisotope a une demi-vie de 8 jours, cela signifie que

a) la constante de désintégration λ est divisée par 2 tous les 8 jours

b) après 16 jours, le radioisotope a disparu

c) il est possible de conserver l'entièreté du radioisotope pendant 8 jours

d) après 16 jours, il ne reste que 1/4 du radio-isotope de départ.

Q10. Dans la haute atmosphère des neutrons entrent en collision avec des noyaux d'azote, cette réaction produit

a) l'isotope ^{13}C

b) uniquement un proton

c) l'isotope ^{14}C plus un proton

d) l'isotope ^{13}C plus un neutrino.

EXERCICES

Voir réponses en fin d'ouvrage pour les exercices et problèmes dont le numéro est inscrit en noir.

La demi-vie

30.1 Après 24 h, la radioactivité d'un noyau tombe à 1/8 de sa valeur initiale. Quelle est sa demi-vie ?

30.2 Combien de demi-vies doivent s'écouler pour que la radioactivité d'un radioisotope décroisse d'un facteur 64 ?

30.3 À partir des données du tableau 30.1, trouver la demi-vie effective de ^{35}S.

30.4 On a observé qu'un certain radioisotope dont la demi-vie physique vaut 10 jours, a une demi-vie effective de 6 jours quand il est administré à un patient. Quelle est la demi-vie biologique de cet isotope ?

30.5 Estimer la demi vie de la substance radioactive dont le taux de comptage est donné dans le tableau 30.6.

Temps (jours)	Taux de comptage (coups par minute)
0	455
1	402
2	356
3	315
4	278
5	246
6	218
7	193
8	171
9	151
10	133

Tableau 30.6 Exercice 30.5.

30.6 Trouver la demi-vie de la substance radioactive dont le taux de comptage est donné dans le tableau 30.6 en portant les données sur du papier semi-logarithmique.

30.7 Un radioisotope a une demi-vie de 10 h. Quel pourcentage de l'échantillon subsistera après 24 h ?

30.8 Lors d'une étude diagnostique, on administre du ^{35}S à un patient.

a) Trouver la demi-vie effective à partir des données du tableau 30.1.

b) Quel pourcentage de radioisotope subsistera dans le corps après 22 jours ?

Datation en archéologie et en géologie

30.9 Un bol en bois a une activité en ^{14}C égale à un quart de celle observée dans des objets en bois contemporains. Estimer son âge. (Supposer que les niveaux de ^{14}C dans l'atmosphère n'ont pas varié.)

30.10 Une roche contient trois noyaux de ^{207}Pb pour un noyau de ^{235}U. Quel est l'âge de la roche ? (Supposer que la totalité du ^{207}Pb provient de la désintégration de l'uranium.)

30.11 Pourquoi n'y a-t-il pas de radiocarbone dans les combustibles fossiles ?

30.12 Le carbone des organismes vivants contient du ^{14}C dans une proportion d'environ 10^{-12}. Quelle est la proportion dans un échantillon âgé de 40 000 ans ?

30.13 On a observé que l'eau puisée dans un puits profond n'a que le quart de la quantité de ^{32}Si trouvée dans les eaux de surface. Combien de temps faut-il à l'eau de source pour se renouveler ? (La demi-vie du ^{32}Si est de 650 ans.)

Les dimensions nucléaires

30.14 a) Trouver les rayons nucléaires de ^4He, ^{27}Al, ^{64}Cu, ^{125}I et ^{216}Po.

b) Tracer le graphe du rayon nucléaire en fonction de A.

30.15 Quelle fraction du volume de l'atome d'hélium est occupée par son noyau ? Supposer le rayon atomique égal à 10^{-10} m.

30.16 a) Calculer la masse volumique (exprimée en $kg\,m^{-3}$) d'un noyau d'oxygène.

b) Trouver le rapport de cette masse volumique à celle de l'eau ($10^3\,kg\,m^{-3}$).

30.17 Les *étoiles à neutrons* sont supposées avoir une masse du même ordre de grandeur que celle du Soleil, mais une masse volumique comparable à celle des noyaux atomiques. Estimer le rayon d'une telle étoile.

30.18 Trouver le volume d'une mole de noyaux de carbone (1 mole correspond à $6,02 \times 10^{23}$ particules).

Protons et neutrons

30.19 Combien de neutrons y a-t-il dans les noyaux $^{14}_{6}C$, $^{36}_{17}Cl$, $^{64}_{29}Cu$ et $^{208}82Pb$?

30.20 a) Parmi les noyaux ^1_1H, ^2_1H, ^3_1H, ^3_2He et ^4_2He, lesquels ont le même nombre de neutrons ?

b) Lesquels ont des propriétés chimiques semblables ?

Masses nucléaires et énergies de liaison

30.21 La masse atomique de $^{208}82Pb$ vaut 207,9766 u. Que vaut l'énergie de liaison moyenne par nucléon ?

30.22 La masse atomique de $^{207}_{82}Pb$ est 206,9759 u et celle de $^{208}_{82}P$ vaut 207,9766 u.

a) Trouver la différence de leurs défauts de masse.

b) Quelle est l'énergie minimum requise pour enlever un neutron au $^{208}_{82}Pb$?

30.23 Un noyau a un défaut de masse de 1,5 u.

a) Quelle est son énergie de liaison en MeV ?

b) Si le nombre de masse est de 200, quelle est l'énergie de liaison par nucléon ?

Les forces nucléaires

30.24 (a) Trouver la grandeur de la force électrique entre deux protons séparés d'une distance nucléaire de 10^{-15} m.

b) La dimension atomique normale est de 10^{-10} m. Combien vaut la force électrique entre un proton et un électron séparés de cette distance ?

c) Calculer le rapport des forces trouvées en a) et b).

30.25 Quand un proton s'approche d'un noyau, son énergie cinétique initiale doit être suffisamment grande pour vaincre la répulsion électrique si l'on souhaite qu'il pénètre dans le noyau. Pour $^{238}_{92}U$, le noyau le plus lourd existant à l'état naturel, cette énergie minimum est d'environ 15 MeV. Trouver les énergies correspondantes pour les particules incidentes suivantes :

a) particules alpha

b) neutrons.

30.26 Tous les noyaux au-delà de $Z = 83$ sont radioactifs s'ils ne se désintègrent pas par un processus bêta, ils finissent par se désintégrer par un processus alpha ou par subir une fission. Quelle est l'origine de cette instabilité ?

30.27 a) Quelle est l'énergie potentielle électrique en MeV de deux protons séparés de 1 fm ?

b) Quelle en est la contribution au défaut de masse si les deux protons se trouvent dans le même noyau ?

Niveaux d'énergie nucléaire et stabilité nucléaire

30.28 Que représente X dans les réactions suivantes ? ($d = {}_1^2H$)

a) $p + {}_6^{12}C \rightarrow d + X$

b) ${}_2^3He + {}_2^3He \rightarrow {}_2^4He + p + X$

c) $p + {}_7^{14}N \rightarrow {}_7^{12}N + X$.

30.29 Que représente X dans les réactions suivantes ? ($d = {}_1^2H$, $\alpha = {}_2^4He$)

a) $d + d \rightarrow X + p$

b) ${}_3^6Li + X = \alpha + \alpha$

c) $X + {}_8^{16}O \rightarrow {}_9^{19}F + p$.

30.30 Dans la figure 30.11, les états fondamentaux de ${}_5^{12}B$ et ${}_7^{12}N$ et un état excité de ${}_6^{12}C$ sont également peuplés.

a) Lesquels de ces noyaux ont la plus grande énergie de liaison si on tient compte des forces électriques ?

b) Quel est l'effet de la différence de masse neutron proton sur les énergies relatives ? Expliquer.

Les désintégrations radioactives

30.31 Un noyau excité se désintègre en émettant un rayon gamma de 2 MeV. Calculer

a) la fréquence du photon gamma émis

b) la longueur d'onde du photon.

30.32 Compléter les processus de désintégration suivants en ajoutant les particules manquantes (alpha, gamma, bêta$^\pm$ et ν) :

a) ${}_6^{11}C \rightarrow {}_5^{11}B + ?$

b) ${}_{15}^{32}P \rightarrow {}_{16}^{32}S + ?$

c) ${}_6^{12}C^* \rightarrow {}_6^{12}C + ?$

d) ${}_{94}^{240}Pu \rightarrow {}_{92}^{236}U + ?$

La fission nucléaire
Réacteurs et bombes à fission

30.33 Pourquoi y a-t-il émission de rayons β^- et γ et non de rayons β^+ lors de la désintégration des fragments de la fission ?

30.34 Les géologues passent beaucoup de temps à inspecter des sites potentiels de réacteurs nucléaires. Qu'y cherchent-ils à votre avis ?

30.35 On introduit les barres de contrôle dans un réacteur de manière à stopper la réaction en chaîne. Le réacteur continue cependant à produire une quantité appréciable de chaleur pendant longtemps. Pourquoi ?

30.36 Il est plus facile de séparer le ${}^{239}Pu$ fissile (produit par un réacteur) de l'uranium et d'autres matériaux présents que de séparer le ${}^{235}U$ du ${}^{238}U$ plus abondant.

Pourquoi ? (Cet isotope du plutonium convient pour la fabrication des bombes. Une des raisons du contrôle international des réacteurs vendus à des puissances non nucléaires est que tout réacteur thermique produit du ${}^{239}Pu$ en petite quantité. Après quelques années de fonctionnement, un tel réacteur pourrait produire du plutonium en quantité suffisante pour permettre la fabrication d'une bombe.)

30.37 Considérer un objet de masse m_1 qui entre en collision avec un corps de masse m_2. Après le choc, l'objet 2 se meut dans la direction de déplacement du corps 1 avant la collision. Si la collision est élastique, les énergies cinétiques finale et initiale de l'objet 1 satisfont à la relation

$$K_f = \left(\frac{m_1 - m_2}{m_1 + m_2} \right)^2 K_i$$

Expliquer à partir de ce résultat pourquoi les noyaux d'hydrogène sont des ralentisseurs de neutrons plus efficaces que les noyaux d'oxygène de l'eau.

La fusion nucléaire

30.38 Le processus de fusion ${}_1^3H$-${}_1^2H$ libère 17,4 MeV, tandis que la fission de l'uranium ${}_{92}^{239}U$ libère environ 200 MeV. Pour chacun des processus, trouver l'énergie libérée par nucléon.

30.39 La réaction ${}^6Li + d \rightarrow \alpha + \alpha + 22$ MeV se produit dans une bombe H. Pourquoi cette réaction a-t-elle besoin de températures plus élevées que les réactions de fusion $d + d$ ou $d + t$? ($d = {}_1^2H$ $t = {}_1^3H$)

30.40 Dans la réaction $p + n \rightarrow d + \gamma$, il y a capture d'un neutron lent par un proton et émission d'un rayon de 2,2 MeV. Pourquoi ce processus de fusion peut-il se produire à des températures très basses ? (Ce processus n'est pas utilisable comme source d'énergie de fusion parce que les sources de neutrons appropriées n'existent pas.)

PROBLÈMES

30.41 Combien de demi-vies doivent s'écouler avant que l'activité d'un radio-isotope n'ait diminué de 1 % ?

30.42 Une poutre en bois contient 20 % du ^{14}C que l'on trouve dans le carbone atmosphérique. Quel est l'âge de la poutre ? (Supposer que les niveaux du ^{14}C atmosphérique sont restés inchangés.)

30.43 Le ^{90}Sr a une demi-vie de 28 ans. Combien de temps faut-il stocker ce matériau avant que son activité ne diminue d'un facteur $1/e$?

30.44 Un matériau radioactif contient deux radioisotopes. L'un a une demi-vie d'un jour et l'autre une demi-vie de 8 jours. Initialement, la radioactivité du noyau le plus éphémère est $2^7 = 128$ fois plus grande que celle du noyau de vie la plus longue. Quand leurs activités seront-elles égales ?

30.45 Dans le problème précédent, supposer que l'on ne puisse pas distinguer les rayonnements émis par deux radioisotopes et que l'on porte le taux de comptage total sur du papier semi-logarithmique.

a) Quelle est l'allure de la courbe pendant les premiers jours ?

b) Pourquoi l'allure change-t-elle quand les deux activités sont à peu près égales ?

c) Quelle est l'allure de la courbe quand le noyau à demi-vie plus courte a presque disparu ? Y a-t-il une différence avec la courbe initiale ?

30.46 Le méson μ (muon) est une particule à demi-vie courte qui, comme l'électron, interagit électriquement avec les noyaux, mais qui n'a pas d'interaction nucléaire. La masse du muon est 207 fois celle d'un électron. On a observé des mésons μ^+ et μ^- dans la nature. La grandeur de leur charge est égale à celle de l'électron.

a) Quel est le rayon de la première orbite de Bohr d'un muon négatif en orbite autour d'un noyau $^{238}_{92}U$?

b) Trouver le rapport de ce rayon à celui du rayon nucléaire. (En fait les rayons et les niveaux d'énergie des atomes muoniques sont modifiés quelque peu par rapport aux valeurs de Bohr parce que, dans le cas des états atomiques les plus bas, une fraction significative de la fonction d'onde se trouve à l'intérieur du noyau. Ces modifications fournissent des informations sur la distribution des protons dans le noyau.)

30.47 L'énergie du Soleil provient de réactions nucléaires où quatre protons se transforment en une particule alpha (^4_2He) avec émission de deux positrons et deux neutrinos (de masse nulle).

a) Quelle quantité d'énergie (en MeV) est libérée dans ce processus ? (Voir le tableau 30.4 pour les masses atomiques requises.)

b) Quand les gaz H_2 et O_2 se combinent pour produire H_2O, 6,2 eV sont libérés pour chaque molécule formée. Quelle masse d'hydrogène devrait être brûlée pour que l'énergie libérée par la combustion soit égale à celle libérée par la fusion nucléaire d'un kg d'hydrogène en particules alpha ?

30.48 Dans l'étude des niveaux d'énergie nucléaire, comment peut-on se servir des réactions dans lesquelles il y a transfert de nucléons vers le noyau cible ?

30.49 Le ^9_4Be est stable mais le ^9_5B est instable, tout comme le ^9_3Li.

a) Tracer les diagrammes des niveaux d'énergie nucléaire (semblables à ceux de la figure 30.11) de ces trois noyaux de nombre de masse $A = 9$.

b) Suggérer pourquoi deux de ces noyaux sont instables.

c) À quel processus de désintégration pourrait-on s'attendre pour ^9_3Li ?

30.50 Après la désintégration alpha d'un noyau lourd, on assiste souvent à une désintégration du type bêta$^-$, mais jamais du type bêta$^+$. Quelle en est la raison ?

30.51 Au moyen d'un modèle simple, nous pouvons estimer l'énergie électrostatique convertie en énergie cinétique lors de la fission du ^{235}U.

a) Quel est le rayon d'un noyau ^{235}U ?

b) Supposer que la moitié des 92 protons du noyau est, en moyenne, séparée de l'autre moitié par une distance égale au diamètre nucléaire. Quelle est l'énergie potentielle en MeV correspondant à la répulsion électrique entre les deux groupes de protons ?

30.52 Tout comme la masse d'un noyau est inférieure à celle de ses constituants à cause de l'énergie de liaison, la masse d'un atome elle aussi est plus petite que la somme des masses de son noyau et de ses électrons. L'effet est seulement beaucoup plus faible.

a) Quel est le rapport entre l'énergie de liaison d'un noyau (d'énergie de liaison 8 MeV par nucléons) et son énergie de masse totale ?

b) Un atome d'hydrogène comprend un proton et un électron, liés par des forces électriques avec une énergie de 13,6 eV. Trouver le rapport correspondant.

30.53 Quand une particule et une antiparticule se rencontrent, elles s'annihilent et toute leur masse est transformée en énergie électromagnétique (rayons gamma). Cependant, d'autres produits finaux peuvent être formés mais ils doivent satisfaire aux lois de conservation. Par exemple, les mésons pi sont beaucoup moins lourds que les nucléons. Ils peuvent être produits lors de la collision d'un proton avec un antiproton. S'il y a annihilation d'un proton et d'un antiproton d'énergie cinétique négligeable, avec formation de deux mésons pi positifs et deux mésons pi négatifs, combien d'énergie cinétique est partagée entre les quatre mésons pi ? (L'énergie de repos d'un méson, positif ou négatif est 139,6 MeV.)

30.54 Le $^3_1$H est instable il se désintègre par radioactivité bêta en $^3_2$He bien qu'il y ait une énergie potentielle électrique due aux deux protons dans $^3_2$He mais non dans $^3_1$H. La masse excédentaire (par rapport au proton) du neutron qui se transforme en proton est suffisamment grande pour rendre le $^3_2$He plus stable. Utiliser cette information pour trouver la séparation minimum moyenne des protons dans $^3_2$He.

30.55 a) Calculer l'énergie (exprimée en joules) libérée par la fission d'un kg de ^{235}U en supposant qu'il y a libération de 200 MeV par noyau.

b) La capacité de puissance électrique des États-Unis est de l'ordre de 5×10^{11}W. Si le rendement dans la production d'électricité à partir de l'énergie nucléaire est de 30 %, à quelle vitesse faut-il consommer du ^{235}U pour fournir cette puissance ?

30.56 Dans un réacteur à eau pressurisée, comme dans un réacteur à eau bouillante, l'eau refroidit le cœur du réacteur et sert en même temps de modérateur. Cependant, dans ce type de réacteur, l'eau est maintenue à haute pression pour qu'elle reste bien au-dessous de son point d'ébullition. Pourquoi un tel réacteur est-il moins stable qu'un réacteur à eau bouillante ? (*Indication* : quel est l'effet, s'il y en a un, d'une augmentation locale de la température de l'eau ?).

30.57 a) À quelle température l'énergie cinétique thermique $(3/2)kT$ d'un noyau est-elle égale à 0,1 MeV ?

b) Pourquoi n'est-il pas nécessaire d'atteindre cette température pour amorcer une réaction de fusion qui requiert une énergie cinétique de 0,1 MeV ?

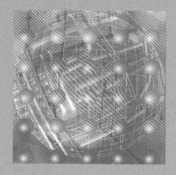

Radiations ionisantes

CHAPITRE 31

Mots-clefs

Activité de la source • Caméra Anger • Création de paires • Curie, becquerel • Dose absorbée • Dose doublante • Dose maximum admissible • Effet Compton • Effet photo-électrique • Exposition • Facteur d'efficacité biologique relative • Gy • Hypothèse linéaire • Parcours • Période latente • TAO • Taux de perte d'énergie • Traceurs • Rad • Radiation ionisante • Rem, sievert

Introduction

La désintégration radioactive des noyaux produit plusieurs espèces de *radiations ionisantes* dont l'énergie cinétique peut atteindre plusieurs millions d'eV par particule ou par quantum. En traversant la matière, ces radiations laissent, le long de leur trajectoire, une traînée d'atomes ionisés. Même une faible ionisation peut sérieusement perturber un système sensible comme une cellule vivante ou un transistor.

Le terme « radiation ionisante » inclut aussi bien les radiations nucléaires que les rayons X d'origine atomique. Les quanta moins énergétiques des ondes électromagnétiques de fréquence plus faible, telles que la lumière et les micro-ondes, ne causent ordinairement pas d'ionisation appréciable. Dans ce chapitre, le mot radiation ou rayonnement se rapporte uniquement aux radiations ionisantes.

Les rayonnements sont un excellent exemple d'un domaine de la science qui a d'abord été intensivement étudié par les physiciens à cause de son intérêt intrinsèque et qui s'est ensuite révélé d'une importance inestimable par ses applications dans beaucoup d'autres domaines, y compris la biologie et la médecine. Le cas des radiations illustre aussi, d'une façon extraordinairement claire, comment un progrès scientifique peut, malgré ses grands bienfaits, être potentiellement très dangereux. Par conséquent, tous ceux qui, par suite de leur travail, sont exposés aux radiations et surtout le personnel médical, doivent obligatoirement comprendre la physique et la biologie des radiations et les utiliser avec sagesse et prudence.

Dans ce chapitre, nous considérerons d'abord l'interaction des rayonnements avec la matière. Ensuite, nous discuterons des sources de radiation courantes et des effets biologiques des rayonnements. Nous conclurons par une discussion de quelques applications pratiques.

31.1 L'INTERACTION DES RAYONNEMENTS AVEC LA MATIÈRE

Un rayonnement (électromagnétique ou particulaire) est ionisant s'il est en mesure d'arracher un électron à la matière. Cet effet se produit si son énergie est supérieure à l'énergie de liaison minimale de l'électron dans le milieu irradié. Le rayonnement est donc ionisant selon le milieu avec lequel il interagit.

Dans les tissus biologiques, on a essentiellement les éléments suivants auxquels se rapportent les potentiels de première ionisation

$$C = 11,24\,eV \quad H = 13,6\,eV$$
$$O = 13,37\,eV \quad N = 14,3\,eV$$

Dans les molécules, les énergies de liaison sont plus faibles dans les milieux biologiques et peuvent être inférieures à 10 eV.

Ainsi, les UV de longueur d'onde de 0,1 µm ont une énergie de 12,4 eV et peuvent donc ioniser les matières biologiques.

L'ionisation est le résultat de l'éjection d'un électron du cortège électronique de l'atome ou de la molécule. Lorsque c'est une particule chargée (électron, particule alpha, proton) qui provoque le phénomène, on dit qu'il y a ionisation directe et le rayonnement incident est appelé *directement ionisant*.

Lorsque l'ionisation est le résultat des interactions de rayonnements non chargés (photons-neutrons), on parle de rayonnement *indirectement ionisant*.

Ce rayonnement est donc différencié en rayonnement *primaire* (photons, neutrons) n'ionisant pas de façon notable et d'un rayonnement *secondaire* constitué de particules chargées mises en mouvement par le rayonnement primaire et du rayonnement primaire dégradé, c'est-à-dire ayant transféré au milieu une partie de son énergie initiale.

Quatre grandes catégories de rayonnements nous intéressent ici. Ce sont, par ordre croissant de leur pénétration dans la matière :

1. les ions positifs, comme les particules alpha ;

2. les électrons et les positrons ;

3. les photons (rayons gamma et rayons X) ;

4. les neutrons.

31.1.1 Ions positifs

Les particules alpha, les protons et d'autres ions positifs ont de très courts parcours dans la matière. En gros, leur distance moyenne d'arrêt varie inversement avec la den-

sité du milieu. Ainsi une particule alpha de 5 MeV peut parcourir 4 cm dans l'air mais elle ne traverse pas une feuille de papier ou une couche de peau (figure 31.1).

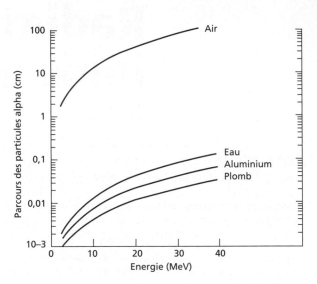

Figure 31.1 Parcours (distance de pénétration) en fonction de l'énergie des particules alpha dans l'air, l'eau, l'aluminium et le plomb. L'eau constitue une bonne approximation des tissus animaux mous. *(D'après G.S. Hurst et J.E. Turner*, Elementary Radiation Physics *1970, John Wiley and Sons, New York.)*

Une particule alpha rapide subit de fréquentes collisions avec les électrons des atomes lors de son passage à travers la matière. Elle laisse ainsi dans son sillage des milliers d'atomes excités et ionisés et perd presque complètement son énergie. Environ 100 eV sont transférés lors de chaque collision de sorte qu'un nombre élevé de collisions se produisent durant le freinage de la particule α. Lorsque l'énergie cinétique de la particule α a diminué jusqu'à environ 1 MeV, elle capture deux électrons et devient un atome d'hélium neutre. L'atome neutre s'arrête complètement après quelques collisions supplémentaires.

Comme la particule alpha est beaucoup plus lourde qu'un électron, elle est à peine déviée par les collisions, de sorte que sa trajectoire est pratiquement rectiligne. Quoique les particules alpha individuelles ne parcourent pas toutes exactement la même distance avant de s'arrêter, la dispersion des parcours autour d'une valeur moyenne (*straggling*) ne représente que quelques centièmes du parcours moyen (figure 31.2).

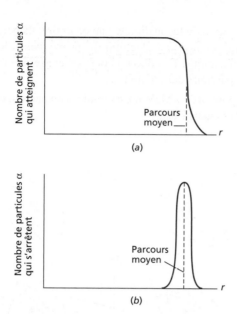

Figure 31.2 Les particules alpha émises par une source ponctuelle monoénergétique pénètrent dans un milieu. *(a)* Le nombre des particules alpha atteignant au moins une distance *r*. *(b)* Le nombre de particules alpha qui s'arrêtent après une distance *r*. Noter que la plupart des particules alpha pénètrent d'une distance égale au parcours moyen, à quelques centièmes près.

31.1.2 Taux de perte d'énergie

Les particules alpha ont un parcours dans la matière faible en comparaison de celui des électrons de même énergie. Cela s'explique aisément à partir des principes fondamentaux de la physique. Un ion qui se déplace dans un milieu subit des collisions répétées avec des électrons atomiques et perd progressivement son énergie (figure 31.3). Dans le paragraphe 31.8, nous montrerons que, pour un ion de charge *q* et de vitesse *v*, la perte d'énergie par unité de parcours, ou taux de perte d'énergie, est proportionnelle à q^2/v^2 :

$$\Delta K \propto -\frac{q^2}{v^2} \qquad (31.1)$$

Le signe moins indique qu'il s'agit d'une perte d'énergie cinétique. ΔK est aussi approximativement proportionnel à la densité électronique du milieu. Pour des raisons de commodité, il est préférable d'exprimer ce résultat en fonction de l'énergie cinétique. Si l'ion se déplace avec une vitesse faible par rapport à celle de la lumière, son énergie cinétique vaut $K = (1/2)mv^2$, *m* étant la masse de l'ion. Comme $v^2 = 2K/m$, l'équation (31.1) peut être réécrite de la façon suivante :

$$\Delta K \propto \frac{-mq^2}{2K} \quad (v \ll c) \qquad (31.2)$$

Cela montre que, pour une énergie cinétique donnée, le taux de perte d'énergie est proportionnel à la masse de l'ion. Par conséquent, les particules massives comme les particules alpha perdent rapidement leur énergie et s'arrêtent sur une courte distance.

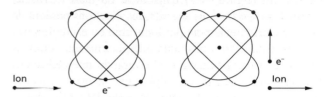

Figure 31.3 *(a)* Un ion s'approche d'un électron atomique animé d'une vitesse faible par rapport à celle de l'ion. *(b)* L'ion entre en collision avec l'électron, ce qui entraîne un transfert de quantité de mouvement et d'énergie vers l'électron. Dans le cas illustré ici, l'électron est éjecté de sorte que l'atome qu'il vient de quitter est ionisé. Les collisions peuvent aussi exciter les atomes sans les ioniser.

Excepté aux vitesses ioniques faibles, ces équations sont en bon accord avec le taux de perte d'énergie observé. Elles montrent que la perte d'énergie par unité de parcours augmente lorsque l'ion ralentit et qu'elle est maximum en fin de trajectoire. Dans la mesure où ces équations sont correctes, elles permettent de comparer les taux de perte d'énergie de différents ions dans un milieu donné. L'illustration en est donnée dans l'exemple suivant.

✎ ———————— **Exemple 31.1** ————————

Pour un matériau donné, comparer les taux de perte d'énergie de protons et de particules alpha ayant la même énergie cinétique initiale. Supposer $v \ll c$.

Réponse D'après l'équation (31.2), le taux de perte d'énergie pour une particule donnée est proportionnel à mq^2. Un proton ($^1_1$H) a une charge *e*, tandis qu'une particule alpha ($^4_2$He) a une charge 2*e*. On a donc $q_p^2 = q_\alpha^2/4$. La masse d'un proton est proche de 1 u et celle d'une particule alpha est voisine de 4 u, de sorte que $m_p = m_\alpha/4$. Le taux de perte d'énergie pour un proton est alors proportionnel à

$$m_p q_p^2 = \frac{m_\alpha}{4} \frac{q_\alpha^2}{4} = \frac{m_\alpha q_\alpha^2}{16}$$

Le taux de perte d'énergie d'un proton est donc 16 fois plus petit que celui d'une particule alpha. Ceci pourrait nous amener à croire que le parcours d'un proton est 16 fois plus long que celui d'une particule alpha de même énergie initiale. Expérimentalement, cela n'est qu'approximativement vérifié. Le parcours du proton vaut environ 10 fois celui des particules alpha. Comme nous l'avons déjà vu, cela est dû au fait que l'équation (31.2) n'est pas valable pour les très petites vitesses.

31.1.3 Électrons et positrons

Les parcours des produits des désintégrations bêta sont une centaine de fois plus longs que ceux des particules alpha. Un électron de 1 MeV, par exemple, a un parcours de 0,4 cm (figure 31.4) dans l'eau ou dans les tissus mous. Comme les ions positifs, les électrons perdent de l'énergie principalement par ionisation ou excitation des atomes. Cependant, pour une énergie cinétique donnée, leur vitesse sera beaucoup plus grande que celles des protons ou des particules alpha, car la masse électronique est très petite. Le taux de perte d'énergie, donné par l'équation (31.1), sera donc beaucoup plus petit. Ceci rend compte du parcours très long des électrons. De plus, à cause de la faible valeur de la masse des électrons, ceux-ci subissent d'importantes déviations à chaque collision avec un électron atomique. Par conséquent, la trajectoire des électrons n'est pas rectiligne ; ils se déplacent de façon aléatoire et le « straggling » est important.

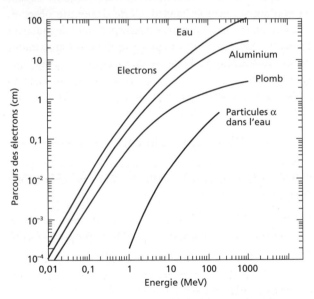

Figure 31.4 Parcours moyen des électrons dans l'eau, l'aluminium et le plomb. Afin de faciliter la comparaison, le parcours des particules alpha dans l'eau est également indiqué *(D'après Hurst et Turner.)*

Le parcours des positrons est approximativement le même que celui des électrons. Les positrons finissent par ralentir et s'approcher suffisamment d'un électron pour qu'il y ait annihilation avec production de rayons gamma.

31.1.4 Photons

Les rayons gamma et les rayons X sont des quanta électromagnétiques ou photons. Comme les rayons gamma sont d'origine nucléaire plutôt qu'atomique, ils sont généralement plus énergétiques. Les photons ne produisent guère d'ionisation de façon directe ; au contraire, ils perdent de l'énergie en faveur d'électrons qui provoquent à leur tour des ionisations. Les photons ont par conséquent de très longs parcours dans la matière.

Un photon de 1 MeV, par exemple, a un parcours moyen de 10 cm dans l'eau.

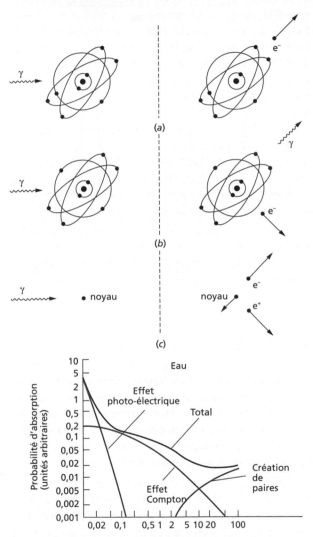

Figure 31.5 Mécanismes de perte d'énergie pour les photons *(a)* Effet photo-électrique. Le photon est absorbé par un atome et un électron des couches profondes est éjecté. *(b)* Effet Compton. Une partie de l'énergie et de la quantité de mouvement sont transférées à un électron atomique. *(c)* Création de paires. Le photon disparaît et une paire électron-positron est créée. Une partie de la quantité de mouvement est transférée au noyau. *(d)* Importance relative dans l'eau des trois mécanismes en fonction de l'énergie. *((d) d'après Gloyna et Ledbetter.)*

Les photons transfèrent de l'énergie aux électrons par trois processus (figure 31.5). Pour des énergies inférieures à 0,1 MeV, l'*effet photo-électrique* est le plus important.

Dans ce processus, il y a absorption d'un photon par un atome et émission d'un électron atomique. Ce processus est plus probable pour des électrons des couches internes et pour des atomes caractérisés par des numéros atomiques élevés. Aux environs de 1 MeV, c'est l'*effet Compton* qui domine. L'effet Compton est un processus de diffusion photon-électron au cours duquel le photon transfère une partie de son énergie (mais non l'entièreté) à un électron atomique. Dans le phénomène de la matérialisation, le photon incident d'énergie élevée (supérieure à 1,02 MeV) disparaît dans le champ électrique très intense du noyau. Son énergie se transforme partiellement par matérialisation c'est-à-dire par la création de deux électrons l'un négatif (négaton) l'autre positif (positron ou positon). L'énergie restante est communiquée aux deux électrons sous forme d'énergie cinétique. Après un court trajet, le positron s'annihile au contact d'un négaton du milieu. Lors de la disparition simultanée du positron et du négaton, l'énergie perdue (équivalente à la masse des deux particules) se retrouve sous forme radiative et deux photons d'énergie égale à 0,511 MeV sont émis à 180° l'un de l'autre.

La probabilité d'absorption du photon diminue généralement quand son énergie augmente. Par conséquent, quand l'énergie croît, l'absorption diminue graduellement et le rayonnement devient plus pénétrant ou plus dur.

31.1.5 Neutrons

Les neutrons ne sont porteurs d'aucune charge électrique et ils ne produisent de l'ionisation que de façon indirecte. Comme ils interagissent principalement avec les noyaux atomiques, de très petite taille, plutôt qu'avec les électrons atomiques, ils ont de très longs parcours dans la matière. Des neutrons de quelques MeV peuvent parcourir jusqu'à un mètre dans l'eau ou dans les tissus animaux.

La diffusion élastique et les réactions nucléaires sont les causes du ralentissement des neutrons. Dans quelques-unes de ces réactions, il y a émission de protons ou de rayons gamma ; les protons, en particulier, contribuent de façon significative aux effets biologiques. Une fois qu'un neutron est «thermalisé» (c'est-à-dire lorsque son énergie est de l'ordre de kT donc inférieure à 1 eV), sa probabilité d'être capturé par un noyau est très grande. Une telle capture est souvent suivie d'une émission gamma.

31.2 UNITÉS DE DOSE DE RAYONNEMENT

Dans les mesures qui concernent les rayonnements, il y a lieu de faire la différence entre l'intensité intrinsèque de la source, c'est-à-dire son *activité*, et les *doses de radiation*.

L'activité A d'une quantité donnée d'un même radionucléide est par définition le nombre de transformations nucléaires spontanées observées par unité de temps à un instant donné. $A = \Delta N / \Delta t$, ΔN étant le nombre de transition pendant l'intervalle de temps Δt. Cette activité diminue avec le temps par disparition des atomes présents.

L'unité égale est le Becquerel (Bq)

$$1 \text{ Bq} = 1 \text{ transition par seconde}$$

L'ancienne unité était le Curie (Ci) toujours utilisée dans le domaine médical.

$$1 \text{ Ci} = 3\,710^9 \text{ Bq} \tag{31.3}$$

31.2.1 Décroissance radioactive et période d'un radioélément

Le nombre dN d'atomes qui se désintègrent dans une source contenant N_t atomes à l'instant t, est proportionnel au nombre d'atomes présents et à l'intervalle de temps dt.

$$dN = -\lambda N_t, \, dt$$

Le signe $-$ indique que le nombre N d'atomes décroît au cours du temps. Le facteur de proportionnalité λ est la *constante radioactive* caractéristique du radionucléide considéré, elle exprime la probabilité de désintégration. On a

$$\frac{dN}{N} = -\lambda \, dt \quad , \quad \ln N = -\lambda t + c^{te}$$

lorsque $t = 0$, $N = N_0$ (nombre d'atomes à l'instant initial).

$$\ln N = -\lambda t + \ln N_0$$

$$\rightarrow N = N_0 \times e^{-\lambda t} \text{ (nombre d'atomes au temps } t > t_0).$$

Le temps T au bout duquel la moitié des atomes d'un radionucléide donné a disparu est appelé *période radioactive* exprimée en seconde.

Après une période, on a :

$$\frac{N}{N_0} = \frac{1}{2} = e^{-\lambda T}$$

$$\ln 2 = \lambda T$$

$$T = \frac{0,693}{\lambda}$$

Après deux périodes, le nombre d'atomes restant est $N_0/2^2$.

Après dix périodes, le nombre d'atomes restant est

$$\frac{N_0}{2^{10}} = \frac{N_0}{1\,024}$$

Chaque radionucléide a une période et une constante radioactive qui lui sont propres (tableau 31.1).

Radionucléides	Période T	Masse de 1 Ci (37 10^9 Bq)
Uranium 238	4,5 10^9 ans	3 tonnes
Plutonium 239	24 400 ans	16 g
Radium 226	1 620 ans	1 g
Césium 137	33 ans	12×10^{-3} g
Strontium 90	28 ans	6×10^{-3} g
Iode 131	8 jours	8,4×10^{-6} g
Technétium 99 m	6 heures	2×10^{-7} g

Tableau 31.1

Connaissant T ou λ d'un radionucléide, on peut aisément calculer l'activité A d'une masse $m(g)$ de ce radionucléide.

La masse m de N atomes de masse atomique M_A est

$$m = N \frac{M_A}{N_A}$$

N_A nombre d'Avogadro = $6,02 \times 10^{-23}$

puisque $A = \lambda N$ on a

$$A = \frac{m \times \lambda \times N_A}{M_A} = \frac{0,693 \times m \times N_A}{M_A \times T} \qquad (31.4)$$

 —————— **Exemple 31.2** ——————

Le ^{60}Co subit la désintégration bêta avec une demi-vie de 5,27 ans = $1,66 \times 10^8$ secondes. Il se transforme en ^{60}Ni, qui émet ensuite deux rayons gamma. Ces rayons gamma sont largement utilisés dans le traitement du cancer. Quelle est la masse théorique d'une source de cobalt de 1 000 Ci?

Réponse L'équation (31.4) donne pour le nombre de moles : A = 1 000 Ci.

$$n = \frac{AT}{0,693\, N_A} = \frac{1\,000\left(3,7 \times 10^{10}\ \text{s}^{-1}\right)\left(1,66 \times 10^8\ \text{s}\right)}{0,693\left(6,02 \times 10^{23}\ \text{mole}^{-1}\right)}$$

$$= 0,0147\ \text{mole}$$

Comme une mole de ^{60}Co a une masse de 60 g, la masse de l'échantillon vaut

$$m = (0,0147\ \text{mole})\left(60\ \text{g mole}^{-1}\right) = 0,882\ \text{g}$$

31.2.2 Dose absorbée

L'effet biologique d'un rayonnement dépend à la fois de la dose absorbée et de sa distribution microscopique au sein des tissus. La dose absorbée est l'énergie globale absorbée par unité de masse de matière. Son unité est le Gray (Gy) qui a remplacé l'ancienne unité le rad.

$$1\ \text{Gy} = \frac{1\ \text{Joule}}{\text{kg}} = 100\ \text{rad}$$

La dose absorbée est le concept fondamental qui intéresse le radiothérapeute, sa mesure directe est possible mais difficile. Aussi pour les besoins de la dosimétrie, est-on amené à pratiquer des déterminations indirectes, ce qui a conduit à introduire les notions d'exposition (pour les photons) remplacée par le Kerma (pour les rayonnements indirectement ionisants : photons et neutrons). Ces grandeurs sont plus accessibles à la mesure et, sous certaines conditions, on peut en déduire une évaluation de la dose absorbée.

Un faisceau de photons qui subit au voisinage d'un point P un certain nombre d'interactions, perd de l'énergie, laquelle est transférée aux électrons secondaires. De même les neutrons transfèrent une partie de leur énergie aux protons secondaires.

Le kerma K (*kinetic energy releases in material*) est le quotient dE_{tr}/dm où dE_{tr} est la somme des énergies cinétiques initiales de toutes les particules chargées mises en mouvement par les rayonnements indirectement ionisants dans un élément de volume dV de masse dm

$$K = \frac{dE_{tr}}{dm} \quad (\text{Gy})$$

Lorsque les conditions dites d'équilibre électronique sont réalisées dans le milieu on démontre que le Kerma K est égal à la dose absorbée.

———— **Exemple 31.3** ————

Les tissus vivants exposés à 100 Gy sont complètement détruits. De combien cette dose absorbée va-t-elle augmenter la température des tissus s'il n'y a aucune perte de chaleur ? (Prendre la chaleur spécifique des tissus égale à celle de l'eau, $c = 4180 \text{ J kg}^{-1} \text{ K}^{-1}$.)

Réponse D'après le chapitre 12, la chaleur ΔQ nécessaire pour produire un changement de température ΔT dans une masse m est $\Delta Q = mc\Delta T$. Une dose absorbée de 100 Gy correspond, d'autre part, à une énergie absorbée par unité de masse égale à

$$\Delta Q/m = 10\,000\left(0{,}01 \text{ J kg}^{-1}\right) = 100 \text{ K kg}^{-1}$$

Ainsi

$$\Delta T = \frac{\Delta Q}{m}\frac{1}{c} = \left(100 \text{ J kg}^{-1}\right)\left(\frac{1}{4\,180 \text{ J kg}^{-1} \text{ K}^{-1}}\right)$$

$$= 0{,}0239 \text{ K}$$

Une augmentation de température aussi faible aurait un effet négligeable si elle était due à un simple échauffement des tissus.

Dans le cas d'une irradiation unique globale de l'ensemble de l'organisme recevant une dose extrêmement élevée (100 Gy et plus), les manifestations neurologiques sont prédominantes, d'apparition rapide et probablement liées à un œdème cérébral : céphalées, vomissements, convulsions, coma. La mort survient en quelques heures.

31.2.3 Grandeurs biologiques

La dose absorbée se rapporte à un effet physique : le transfert d'énergie à une substance. Cependant, les effets des radiations sur les systèmes biologiques dépendent aussi du type de rayonnement et de son énergie. Il est donc nécessaire d'introduire un «facteur d'efficacité biologique» relative (EBR) pour tenir compte de ces différences. Le EBR d'une radiation particulière est obtenu en comparant les effets biologiques de cette radiation à ceux d'une radiation standard. Comme radiation standard, on adopte généralement les rayons X de 200 keV. Les neutrons rapides (d'énergie supérieure à 0,1 MeV), par exemple, ont un EBR d'environ 10 dans la production de cataractes. Par conséquent, la dose absorbée nécessaire pour produire des cataractes, au moyen des rayons X de 200 keV, est 10 fois supérieure à celle requise pour des neutrons. Le EBR varie suivant la nature et l'énergie de la radiation. Il dépend de l'espèce animale ainsi que de l'effet biologique considéré (tableau 31.2). Les ions positifs, qui déposent plus d'énergie par unité de longueur que les rayons bêta ou gamma, créent généralement plus de dommages biologiques que la même dose de ceux-ci. Mais leurs parcours étant pe-

tits, leurs effets sont cependant souvent limités aux tissus superficiels.

Radiation	EBR typique
Rayons γ du ^{60}Co (1,17 et 1,33 MeV)	0,7
Rayons γ (4 MeV)	0,6
Particules β	1,0
Protons (1 à 10 MeV)	2
Neutrons	2—10
Particules α	10—20

Tableau 31.2 Valeurs typiques du EBR. Par définition, le EBR est exactement égal à 1 pour des rayons X de 200 keV.

Dans le domaine de la radioprotection, on utilise une autre unité : le sievert (Sv) avec l'objectif d'apprécier les effets nocifs tardifs des irradiations chez l'homme (cancers, anomalies génétiques). C'est une unité prenant en compte certains des facteurs intervenant dans ces effets dont la dose absorbée, les caractéristiques du rayonnement et la vulnérabilité du tissu irradié.

Le facteur de pondération lié à la nature de rayonnement W_r exprime l'efficacité d'une variété donnée de rayonnement à produire une complication tardive chez l'homme. Les valeurs de W_r attribuées à différentes variétés de rayonnement sont les suivantes : photons X ou gamma $W_r = 1$; électrons $W_r = 1$; particules alpha $W_r = 20$; protons $W_r = 5$; neutrons $W_r = 5$ à 20 selon l'énergie.

Le facteur de pondération tissulaire W_t exprime la vulnérabilité de l'organe ou du tissu irradié. Les valeurs de W_t attribuées à quelques organes et tissus sont les suivantes : gonades $W_t = 0{,}2$; poumons, estomac $W_t = 0{,}12$; vessie, sein, foie, thyroïde $W_t = 0{,}05$; peau, os $W_t = 0{,}01$.

On définit la *dose équivalente* (H_t) exprimée en sieverts par $H_t \text{ (Sv)} = W_r \times D_{t,r} \text{ (Gy)}$ avec $D_{t,r}$ la dose moyenne du rayonnement r absorbée par l'organe ou le tissu t, exprimée en Gy.

La dose équivalente est exprimée en sieverts, remplaçant l'ancienne unité le rem (rad équivalent man) définie à partir du rad (1 Sv = 100 rem).

De même, on définit la *dose efficace E* comme la somme des doses équivalentes délivrées à chaque organe ou tissu pondérée du facteur W_t.

$$E(\text{Sv}) = \sum_t W_t \times H_t(\text{Sv})$$

La dose efficace a pour but d'apprécier le détriment global de l'organe ou du tissu irradié. Ainsi, pour un poumon irradié à une dose équivalente de 1 Sv, la dose efficace S_t est de $1 \times 0{,}12 = 0{,}12$ Sv.

	Unité	Définition
Activité de la source	curie (Ci)	$3,70 \times 10^{10}$ désintégrations par seconde
	becquerel (Bq)	1 désintégration par seconde
Exposition (rayons X et γ)	roentgen (R)	$2,58 \times 10^{-4}$C kg^{-1} dans l'air sec (CNTP)
Dose absorbée	rad	0,01J kg^{-1}
	gray (Gy)	1 J kg^{-1}
Dose biologiquement équivalente	sievert (Sv)	EBR $\times$ (dose en gray)

Tableau 31.3 Unités de radiation

Les différentes unités de radiation sont rassemblées dans le tableau 31.3.

31.3 EFFETS NOCIFS DES RADIATIONS

L'irradiation des cellules vivantes peut entraîner une altération de la structure des molécules importante. Cela peut conduire à un mauvais fonctionnement ou à la mort des cellules et finalement à la mort de l'organisme.

Généralement, les cellules les plus radiosensibles sont les cellules en croissance ou en division rapide. Les cellules cancéreuses croissent souvent très vite ; elles sont alors très vulnérables aux radiations. De même, les fœtus et les nouveau-nés sont beaucoup plus vulnérables que les adultes. Une étude a révélé, par exemple, que pour les enfants dont les mères avaient reçu des rayons X dans la région pelvienne au cours de la grossesse, l'incidence du cancer augmentait de 30 à 40 %.

L'examen des victimes des explosions de bombes atomiques et d'accidents occasionnels ne nous fournit que des connaissances limitées sur les effets immédiats de doses importantes de radiations sur les humains. Si l'intégralité du corps absorbe une dose inférieure à 0,25 Sv, il n'y a pas d'effet observable. Lorsque la dose devient supérieure à 1 Sv, les tissus où se forment les globules sanguins se détériorent. Au-delà de 8 Sv, il se produit de sévères désordres gastro-intestinaux. Si la dose est nettement supérieure à 5 Sv, la mort s'ensuit généralement après quelques jours ou quelques semaines.

Les doses sublétales de courte durée ainsi que celles reçues progressivement pendant une longue période peuvent conduire au cancer après une latence de plusieurs années durant laquelle aucun effet pathologique n'est décelable. La probabilité de mourir du cancer est doublée par une dose comprise entre 1 et 5 Sv. On a constaté dans les expériences sur les animaux (et les données disponibles sur les humains l'ont confirmé) que l'augmentation de la fréquence du cancer est directement proportionnelle à la dose totale accumulée.

L'étude de l'effet des faibles doses est difficile et peu concluante à cause de l'incidence de beaucoup d'autres causes de cancer. Il est possible que les dégâts dus à des doses inférieures à un certain seuil (appelé dose de tolérance) soient réparés par l'organisme, de sorte que les risques de cancer ne soient pas augmentés. Pendant de longues années, la plupart des experts étaient en faveur d'une hypothèse linéaire, hypothèse prudente d'après laquelle les effets des radiations en matière de cancer seraient proportionnels à la dose reçue à tous les niveaux (figure 31.6). En 1980, la Commission Consultative sur les Effets Biologiques des Radiations Ionisantes de l'Académie des Sciences américaine a toutefois découvert que l'hypothèse linéaire surestime probablement les effets des expositions de faible niveau. Si cela s'avérait correct, les craintes du public en matière d'expositions professionnelles aux radiations et d'accidents nucléaires seraient peut-être moins justifiées que l'on ne le croyait précédemment. Dans ce chapitre, nous allons néanmoins utiliser l'hypothèse linéaire car elle est simple à appliquer et précise dans ses prédictions.

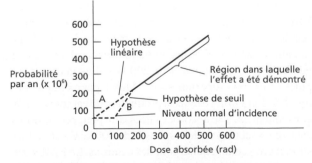

Figure 31.6 Fréquence de la leucémie chez l'homme. Les hypothèses linéaires et de seuil sont toutes deux compatibles avec les données à dose forte. Les mesures des faibles fréquences de leucémie due à de faibles doses nécessiteraient d'énormes populations pour être statistiquement significatives. *(D'après Hurst et Turner.)*

31.3.1 Effets génétiques

La plupart des mutations génétiques sont nocives, bien qu'elles aient permis à l'humanité d'évoluer vers son état actuel. Toute augmentation du taux de mutation entraîne un nombre croissant d'avortements et de naissances d'enfants anormaux. Outre les problèmes personnels que cela crée, il y a aussi celui des possibilités croissantes qu'a la médecine de maintenir ces personnes en vie jusqu'à l'âge de la reproduction entraînant la conservation de gènes défectueux dans l'héritage génétique humain.

Les mutations peuvent être augmentées au-delà du taux normal au moyen de produits chimiques, de températures élevées et de radiations ionisantes. Les mutations causées par les radiations sont similaires à celles qui se produisent naturellement. On croit généralement que les effets génétiques sont cumulatifs, qu'ils se produisent à partir des doses les plus faibles et qu'il n'y a ni seuil ni mécanisme réparateur. La dose qui double le taux des mutations (dose doublante) est probablement comprise entre 0,25 et 1,5 Sv.

31.4 EXPOSITION CHRONIQUE AUX RADIATIONS

Depuis toujours, les êtres vivants ont subi des irradiations de faible niveau. Celles-ci proviennent des rayons cosmiques et des radioéléments naturels présents dans l'environnement. À cette irradiation naturelle, notre civilisation a ajouté une quantité à peu près égale de rayonnements d'origine artificielle, provenant en grande partie des rayons X utilisés pour les diagnostics médicaux (tableau 31.4). Quelques individus sont irradiés beaucoup plus que la moyenne. Par exemple, certains villages du Brésil et des Indes sont construits sur des sols à haute teneur en thorium ; les doses reçues dans ces villages sont jusqu'à 100 fois supérieures aux normes. L'exposition aux radiations naturelles est la principale cause d'irradiation de l'espèce humaine. On dispose actuellement des résultats d'un certain nombre d'enquêtes épidémiologiques sur des populations soumises à des niveaux élevés d'irradiation naturelle. Aucune d'entre elles n'a permis de mettre en évidence une augmentation significatives des risques, quels que soient les niveaux d'irradiation des populations.

Pour le personnel qui utilise les rayonnements ionisants et pour le grand public, le *National Council of Radiation Protection*, aux États-Unis, a défini la *dose maximum admissible* (DMA) provenant de sources d'irradiation artificielle (figure 31.7). Cela *exclut* les sources utilisées en diagnose et en thérapie médicale. (Le Conseil ne réglemente pas les doses d'exposition médicale.) Au fur et à mesure qu'on progressait dans la compréhension des risques dus aux radiations, on a diminué la DMA à plusieurs reprises. À la fin des années trente, la DMA était de 1 mSv par jour. À l'heure actuelle, pour le personnel la DMA ne vaut plus qu'un septième de cette valeur, soit 50 mSv par an (tableau 31.5). La DMA moyenne pour l'ensemble de la population est égale à un trentième de la DMA professionnelle, soit 1,7 mSv par an.

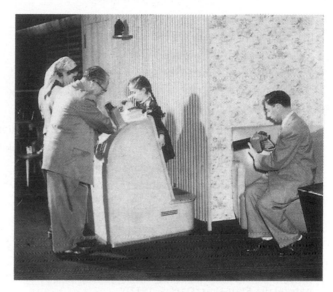

Figure 31.7 Un exemple de l'emploi abusif des rayons X fut la machine à fluoroscopie pour l'ajustement des chaussures, très populaire dans les magasins pour chaussures d'enfants entre 1946 et la fin des années cinquante. Les premières machines n'étaient pratiquement pas blindées. Les doses reçues par les pieds atteignaient parfois 0,4 Sv par minute et 80 mSv en moyenne par minute. Ces machines finirent par être interdites par la législation qui limita l'usage des rayons X aux utilisations médicales autorisées. Ici, un expert est en train de mesurer le niveau des rayons X tandis qu'une petite fille observe le mouvement des os de ses orteils. *(Avec l'aimable autorisation de Ira A. Paul, Bureau du Contrôle des Radiations, Département de la Santé de la ville de New York.)*

Comme toute exposition à des radiations comporte certains risques, ces normes représentent un compromis entre leurs avantages et leurs inconvénients. Aucun appareil émettant des rayonnements, comme les montres, les appareils TV ou les réacteurs nucléaires, ne peut exposer le public à une dose qui dépasse une faible fraction de la DMA. Le Conseil exige en général que les expositions « soient aussi faibles que possible ». Actuellement, la population reçoit au total des doses nettement inférieures à la dose maximum admissible.

Source	Dose (10^{-5} Sv par an, sauf avis contraire)	
Rayons cosmiques		
Niveau de la mer	41	
Denver (1 700 m)	70	
Leadville, Colorado (3 500 m)	160	
À 7 000 m d'altitude	400	
Avion (Jet commercial, à 12 000 d'altitude)	0,7 Sv par heure	
Moyenne aux États-Unis, due aux rayons X		44
Rayons gamma émis par les roches, le sol (Ra, U, Th, K, etc.) :		
Plaines côtières (Atlantique)	22,8	
Colorado Front Range (chaîne de montagnes)	89,7	
Moyenne aux États-Unis due à des radioisotopes externes	40	
Calcul de la dose gonadique :		
Facteur de correction dû à l'écran formé par les habitations	0,8	
Facteur de correction dû à l'écran formé par les tissus biologiques	0,8	
Moyenne aux États-Unis de la dose gonadique		
due à des radioisotopes externes	(40) (0,8) (0,8)	
Radioisotopes internes :		
40 K	16	
^{14}C, Ra et les produits de la désintégration	2	
Total		18
Moyenne de la dose quantique totale, due au milieu naturel des États-Unis (Oakley, 1972)		88 ± 11
Retombées radioactives (1970)	4	
Centrales nucléaires	0,003	
Diagonostics médicaux	72	
Produits radiopharmaceutiques	1	
Sources professionnelles	0,8	
Divers	2	

Tableau 31.4 Sources chroniques de radiations aux États-Unis. Toutes les valeurs indiquées sont approximatives ou bien des moyennes. *Sources* : Exposition aux radiations naturelles aux États-Unis, *par D.T. Oakley, Agence américaine de la Protection de l'Environnement, juin, 1972 ; rapport du Comité sur les effets biologiques de la radiation ionisante, Académie Nationale des Sciences, novembre 1972).*

	DMA
Grand public	
DMA pour un individu[a]	5 mSv par an
Moyenne pour toute la population américaine[b]	1,7 mSv par an
Personnel en radiologie	
Par an	50 mSv par an
Période de trois mois	12,5 mSv par trimestre
Employées enceintes	5 mSv par période de 9 mois

Tableau 31.5 Doses maxima admissibles (DMA) pour des expositions de la totalité du corps, fixées en 1972 par le *National Council on Radiation Protection.* Des doses plus importantes sont admises pour certaines parties du corps.
[a] Des installations utilisant des rayonnements peuvent occasionnellement exposer quelques individus jusqu'à cette dose.
[b] Ceci est la moyenne pour tout un chacun, y compris le personnel en radiologie.

Néanmoins, le rapport 1972 de l'Académie des Sciences américaine, cité dans le tableau 31.5, plaide en faveur d'une diminution substantielle des doses admissibles. On estime que si chaque personne était exposée à la DMA provenant de sources non médicales, il y aurait entre 3 000 et 15 000 décès supplémentaires dus au cancer chaque année aux États-Unis. Cette estimation se base sur la supposition que 2,5 mSv doublent le taux de cancer. Si l'Américain moyen reçoit 1,7 mSv par an, à trente ans il a déjà accumulé $30 \times (1,7 \text{ mSv}) \simeq 50 \text{ mSv}$. Cette dose vaut 5/250 ou 2 % de la dose requise pour doubler le taux de cancer. Le taux de mortalité vaut environ la population des États-Unis (220 millions) divisée par 70 ans (l'âge moyen atteint). Cela donne environ 3 millions de décès par an, dont un dixième (300 000) sont imputables au cancer. Une augmentation de 2 % de la dose reçue signifierait donc 6 000 décès supplémentaires par an. (Des écarts par rapport à cette moyenne sont cités dans le rapport de l'Académie. Ils sont dus à l'incertitude sur la dose qui double le taux de cancer. Cette dose est comprise entre 1 et 5 Sv.)

Actuellement, les sources de radiations non médicales, autres que les tests de bombes atomiques contribuent pour moins de 1 % à la DMA. Le nombre de décès effectivement dus à ces sources est donc très petit.

Les rayons X utilisés dans les diagnostics médicaux constituent en général la source d'irradiation artificielle la plus importante. Leur utilisation s'accroît d'année en année. En moyenne, ils représentent 40 % de la DMA non médicale et on estime qu'ils sont la cause de 1 500 à 3 000 décès par an dus au cancer. On doit y ajouter un nombre potentiellement plus grand de décès génétiques pour les générations futures via des mutations létales. On estime que les *irradiations médicales pourraient être largement réduites* sans pour autant diminuer les bienfaits des rayons X dans les diagnostics. Il est clair que les professions médicales et dentaires doivent assumer leur responsabilité dans la réduction des expositions aux radiations. Il faut éviter les diagnostics aux rayons X non nécessaires et utiliser des machines modernes bien blindées et des films à haute sensibilité. Il faut aussi éduquer le public pour qu'il ne considère pas la diagnose X comme une garantie d'une pratique médicale de qualité.

L'importance de l'utilisation de dispositifs radiologiques convenables est illustrée par la gamme des doses reçues lors de la radiographie de la cage thoracique. Les meilleurs appareils délivrent seulement 0,06 mSv, quoique la moyenne soit de 2 mSv. En revanche, les machines à rayons X de maniement peu coûteux, utilisées dans des unités mobiles, délivraient environ 0,01 Sv à la région pectorale. Les autorités ne recommandent plus leur utilisation généralisée. On pense que les risques encourus

du fait de l'exposition aux radiations l'emportent sur ceux de contracter des maladies pulmonaires.

En résumé, toute exposition aux rayonnements comporte des risques, faibles peut-être, mais réels. Les bienfaits des irradiations doivent être évalués par rapport aux risques encourus par l'individu et par la société en général.

31.5 RADIATIONS EN MÉDECINE

Malgré les risques, l'utilisation des radiations ionisantes a été d'une valeur inestimable en recherche médicale, en diagnose et en thérapie. On a pu ainsi sauver de nombreuses vies humaines. L'importance des rayons X pour la diagnose médicale fut reconnue quelques semaines à peine après leur découverte par Roentgen en 1895. Les rayons X et les radioéléments naturels furent utilisés dans la thérapie du cancer dès le début du siècle. De nos jours, de nombreux radioéléments sont produits dans les réacteurs et les accélérateurs. Ils sont utilisés en médecine nucléaire.

31.5.1 Recherche médicale

Des centaines de composés biologiques contenant du ^{14}C, ^3H, ^{35}S, ^{32}P ou d'autres radioisotopes sont commercialement disponibles à l'heure actuelle. Citons comme exemples les acides aminés, les sucres, l'ADN et la pénicilline. La radioactivité de ces *traceurs* permet de suivre leur cheminement et leur métabolisme avec précision et de façon fort commode. Le transport actif du sodium dans les fibres nerveuses, le métabolisme des amidons et des sucres, la formation des protéines à partir des acides aminés et l'action des hormones et des produits pharmaceutiques constituent des exemples de processus biologiques fondamentaux qui ont été étudiés au moyen de traceurs.

31.5.2 Diagnostic

La plupart des études diagnostiques faites au moyen des radioéléments révèlent quelques traits communs. On administre au patient un composé marqué qui est absorbé par l'organe que l'on souhaite étudier. Un détecteur placé à l'extérieur du corps mesure la radioactivité en fonction du temps, en différents endroits. Les doses de radiation sont normalement du même ordre de grandeur qu'au cours d'un examen par rayons X. Afin de rendre la dose aussi faible que possible, on sélectionne des noyaux à courte durée de vie qui émettent des rayons γ à une énergie juste suffisante pour être détectés. L'état excité, à longue durée de vie, du technétium ($Z = 45$), désigné par ^{99m}Tc, est presque idéal pour un grand nombre d'applications.

Formé lors de la désintégration bêta du ^{99}Mo, ce noyau effectue une transition vers l'état fondamental ^{99}Tc par émission d'un rayon γ de 140 keV. La demi-vie est de 6 heures. Les propriétés chimiques de cet élément permettent son incorporation dans de nombreuses espèces de molécules. Il peut ainsi être acheminé vers un grand nombre d'organes.

Lors d'une *étude fonctionnelle dynamique*, on mesure le taux d'absorption ou d'élimination d'une substance par la glande thyroïde, le rein ou quelque autre organe. La quantité du composé marqué au ^{99m}Tc et absorbé par la glande thyroïde peut être mesurée par un compteur placé contre la gorge. Cette mesure permet d'évaluer le fonctionnement de cette glande. De la même façon, une concentration de produits diurétiques marqués dans les reins permet de mettre en évidence des déviations par rapport au mode normal d'assimilation ou d'excrétion. Ceci rend possible la détection d'anomalies.

La *scintigraphie* (appelée parfois aussi *scanning*), est une technique qui permet d'obtenir l'image *in vivo* d'un radioisotope absorbé. On utilisait un scintigraphe à balayage. Cet appareil détecte le rayonnement au moyen d'un *cristal scintillant*. Ce cristal émet des éclairs lumineux quand il est traversé par des rayons bêta ou gamma. (Les détecteurs à scintillations seront décrits de manière plus détaillée dans les compléments.) Le compteur à scintillations est équipé d'un collimateur en plomb comportant plusieurs ouvertures coniques (cela permet de conférer un caractère très directionnel à la détection). Les rayons gamma émis par une petite région de l'organe à examiner traversent le collimateur. Le compteur se déplace lentement au-dessus de la région à examiner, en la balayant ligne par ligne (*scanning*) ; les impulsions produites sont amplifiées et enregistrées sur une feuille de papier, un film photographique ou une bande vidéo (figure 31.8) Le scintigramme d'une glande thyroïde par exemple se réalise en administrant un composé adéquat marqué au ^{99m}Tc. Un tissu qui fonctionne mal n'absorbe pas ce marqueur. En conséquence, ce tissu apparaît comme une région de la glande thyroïde caractérisée par une plus faible radioactivité. Des tissus dont l'activité métabolique est supérieure à la normale présenteront de hauts niveaux de radioactivité. La scintigraphie à balayage est couramment utilisée pour l'examen du foie, des reins et du cerveau.

La *caméra Anger* ou *gamma caméra* est un appareil ingénieux développé par H.O. Anger en 1957. Elle mesure la radioactivité simultanément pour tous les points d'une zone étendue. Elle peut afficher les résultats sur l'écran d'un oscilloscope ou bien les enregistrer sur un film ou sur une bande magnétique. Elle permet d'effectuer des études dynamiques dans lesquelles on observe un radioisotope qui pénètre ou quitte un organe. Elle permet aussi d'effectuer un examen statique en une minute environ. C'est pour cette raison que les anciens scanners, qui nécessitaient une heure d'examen, furent largement remplacés par les caméras Anger.

La gamma caméra dispose d'un monocristal scintillant large et mince. Ce cristal est blindé par un collimateur en plomb qui comporte des centaines de trous (figure 31.9). Ce collimateur est placé au-dessus de l'organe à étudier. Un nombre important de *photomultiplicateurs*, situés derrière le cristal, détectent les scintillations produites lors du passage d'un rayon gamma à travers le cristal. Ils envoient ces signaux à un ordinateur. La quantité de lumière tombant sur un photomultiplicateur donné dépend de la distance de ce dernier au point d'impact du rayon gamma. L'ordinateur localise ce point à partir des intensités lumineuses relatives et envoie des signaux appropriés aux plaques d'un oscilloscope. Celui-ci affiche alors une image à deux dimensions. L'intensité de chaque point est proportionnelle au niveau radioactif du point correspondant dans l'organe. Les gamma caméras servent à diagnostiquer les maladies de la glande thyroïde, du foie, des reins, du cerveau, des poumons, de la rate, du cœur et celles du système circulatoire.

Dans les années 70, l'utilisation d'ordinateurs digitaux ultra-rapides facilita le développement de plusieurs nouveaux systèmes diagnostiques très puissants. Citons par exemple la *tomographie assistée par ordinateur* (TAO). Le mot « tomographie » provient des mots grecs *tomos* (tranche) et *graph* (image) ; la tomographie a pour but de fournir une représentation en coupe des structures anatomiques. Elle procure des informations qu'il est impossible d'obtenir à partir de clichés X conventionnels.

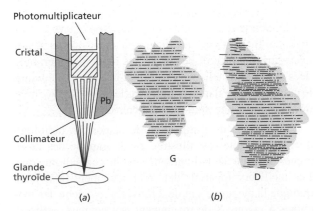

Figure 31.8 *(a)* Un compteur à scintillations blindé au moyen d'un collimateur au plomb. *(b)* Scintigramme d'un rein. Noter la différence d'aspect entre le rein droit sain et le rein gauche malade.

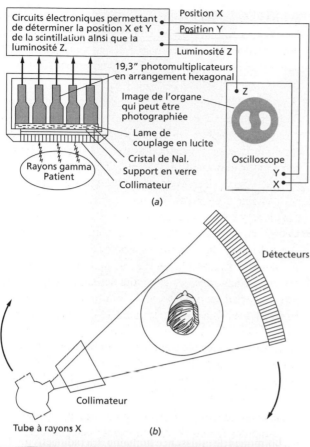

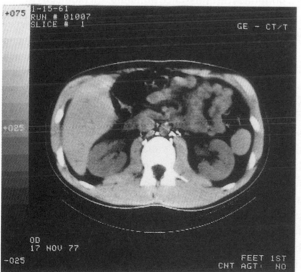

Figure 31.9 *(a)* La caméra Anger ou gamma caméra (ou caméra à scintillations). *(b)* Le scanner TAO. Les centaines de détecteurs sont tous connectés à un ordinateur. *(c)* L'ordinateur dépouille les informations et produit une vue en coupe (de l'abdomen dans ce cas). *(Avec l'aimable autorisation de General Electric.)*

La plus ancienne et la plus courante utilisation des radiations ionisantes est celle basée sur les images conventionnelles de rayons X. Un faisceau provenant d'un tube à rayons X traverse le corps et tombe sur un écran fluorescent ou sur un film sensible. Il s'y forme une image d'une

excellente résolution spatiale. Ce système s'avère très efficace dans l'examen de fractures d'os par exemple. Les os diffèrent fortement des fluides et des tissus mous du corps quant à leur densité et à leur taux d'absorption des rayons X. Le contraste est cependant très faible quand on envisage d'étudier des tissus qui ont des caractéristiques semblables. Considérons par exemple une tumeur au cerveau qui a une longueur de 1 cm. Le taux d'absorption des rayons X diffère de 1 % de celui des autres tissus. Cette tumeur produit une différence d'intensité de 0,2 % seulement après que le faisceau a traversé la totalité de la tête. Comme les intensités doivent différer d'au moins 2 ou 3 % pour pouvoir être distinguées, une telle tumeur ne peut être détectée.

En TAO, un faisceau de rayons X est collimaté en éventail de 1,5 à 10 mm d'épaisseur (figure 31.9b). Des centaines de détecteurs à ionisation fournissent à un ordinateur les mesures de la transmission des rayons X le long de chaque passage étroit. La source et l'ensemble des détecteurs tournent autour de l'axe du corps. On fait des mesures à des centaines d'angles pendant une période totale de quelques secondes. Ce procédé donne des informations en profondeur et grâce à l'ordinateur on peut alors développer une image bidimensionnelle à grand contraste et à haute sensibilité d'une coupe du corps (figure 31.9c). En TAO, on peut distinguer des tissus ayant des différences de densité d'une fraction de 1 %, seulement. On peut ainsi facilement mettre en évidence des tumeurs non détectables par des techniques plus anciennes.

Un autre système donnant des images, d'une grande utilité dans les études métaboliques, est la *tomographie à émission de positrons* (TEP). Des composés marqués avec des radioéléments émetteurs de positrons sont administrés au patient. Les positrons ne parcourent qu'une petite distance avant d'être arrêtés et de s'annihiler avec des électrons du milieu. L'annihilation donne naissance à deux photons gamma qui sont émis dans des directions opposées. Ces photons sont captés par des détecteurs qui sont placés en anneau tout autour du patient. Un ordinateur dépouille les données expérimentales accumulées et construit une image de la distribution du radioisotope absorbé dans l'organe à examiner.

La technique la plus récente pour obtenir des images diagnostiques est basée sur la résonance magnétique nucléaire (RMN) plutôt que sur l'utilisation des radiations ionisantes. La RMN explore l'environnement magnétique de noyaux atomiques spécifiques, comme l'hydrogène ou le phosphore (paragraphe 29.6). Le système RMN offre la possibilité de distinguer les tissus normaux des tissus anormaux, de mesurer le débit sanguin dans les vaisseaux capillaires ainsi que de faire des analyses chimiques *in vivo*. Cette technique ne fait pas appel aux radiations ionisantes, ce qui représente un avantage majeur.

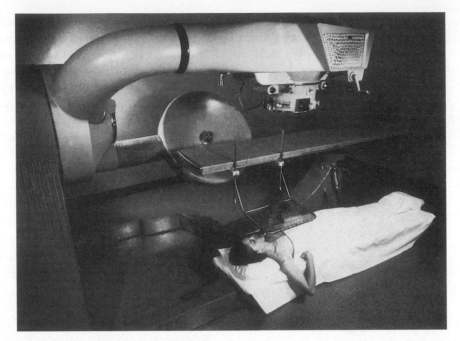

Figure 31.10 Une installation de thérapie au ^{60}Co. Le cobalt se trouve dans un récipient fortement blindé qu'on peut approcher des différentes parties du corps du patient. Comme le cobalt produit des rayons gamma plus énergétiques que les rayons X des machines conventionnelles, ils pénètrent plus profondément et sont plus efficaces dans le traitement de nombreuses formes de cancer. *(Avec l'aimable autorisation de l'Université du Texas à Houston, M.D. Anderson Hospital and Tumor Institute.)*

31.5.3 Test radio-immunologique

La technique du test radio-immunologique (en anglais radioimmunoassay : RIA ; le mot « assay » signifiant titrage, analyse) permet de détecter des quantités infimes d'*anticorps*, d'hormones et d'autres molécules complexes. Cette technique trouve des applications de plus en plus nombreuses en recherche et en diagnose médicale. Un anticorps est une molécule de protéine fabriquée par le corps pour combattre un *antigène* spécifique. Par exemple, une personne qui inhale du pollen de jacobée (herbe de Saint-Jacques) va produire un anticorps qui se fixe au pollen.

Dans une technique de RIA, une quantité connue d'un antigène marqué est ajoutée à un échantillon de sérum sanguin. (Le sérum est un liquide jaunâtre obtenu en enlevant les globules par centrifugation.) Une partie de cet antigène marqué s'attache à des anticorps du sérum. Il y a ainsi formation de complexes antigène-anticorps. On sépare ces complexes du sérum par électrophorèse (paragraphe 17.11) ou par d'autres méthodes. La radioactivité de ces complexes séparés donne une mesure de la fraction d'antigène marqué lié à l'anticorps. Cette liaison résulte d'une compétition avec l'antigène non marqué qui se trouve initialement dans le sérum. La comparaison avec des échantillons calibrés détermine alors la quantité d'antigène originellement présente. Dans un autre type de RIA, on ajoute au sérum des anticorps marqués qui se lient avec les hormones de croissance humaine. La radioactivité des complexes séparés indique alors la concentration de cette importante hormone.

31.5.4 Thérapie

Comme nous l'avons déjà noté plus haut, les cellules cancéreuses qui prolifèrent rapidement sont plus radiosensibles. De plus, contrairement à de nombreuses espèces de cellules normales, la capacité d'auto-réparation leur fait défaut. Il s'ensuit qu'au moins 50 % des patients atteints du cancer sont soumis à une radiothérapie. Celle-ci s'effectue souvent conjointement avec la chirurgie et la chimiothérapie. Parfois l'irradiation est administrée de façon externe par l'emploi de rayons gamma ^{60}Co ou bien de rayons X produits par un accélérateur linéaire d'électrons ou par une machine à rayons X conventionnelle (figure 31.10). Les grands centres médicaux disposent fréquemment d'installations pour irradier les patients avec des faisceaux d'électrons. La curithérapie est une autre méthode thérapeutique basée sur l'utilisation des sources radioactives. Les sources sont mises en places à l'intérieur du corps pendant un temps déterminé et précis. Le rayonnement émis détruit les structures tumorales incluses dans un volume cible pré-établi à partir des données cliniques et des examens complémentaires (scanner Rx, IRM, échographie,...).

Historiquement, le radium fût d'un grand intérêt mais son grave inconvénient tenait au fait qu'il se présentait sous forme de cristaux enfermés dans ses tubes scellés et que sa désintégration produisait du radon, corps radioactif gazeux donc dangereux si le tube présentait une fissure.

On utilise aujourd'hui des radioéléments plus faciles à manipuler comme l'iridium 142, le césium 137, l'iode 125 et le paladium 103 des substances radioactives qui sont directement absorbées par la partie du corps atteinte par la maladie. L'emploi de faisceaux de neutrons et d'autres particules assez énergétiques en est toujours au stade expérimental. On ose espérer que ces particules endommageront beaucoup moins les tissus sains entourant le cancer et que par conséquent on pourra utiliser des doses plus importantes. Cet espoir est fondé sur le fait que ces particules perdent une grande partie de leur énergie en fin de parcours.

31.6 AUTRES APPLICATIONS DES RADIATIONS

Les radiations ont des centaines d'applications en agriculture et dans l'industrie. On utilise les rayonnements parfois parce qu'ils constituent la méthode la moins onéreuse et la plus commode pour remplir une tâche, et d'autres fois parce qu'aucune autre technique n'est disponible. Par exemple, il n'existe souvent aucune autre technique capable de remplacer la méthode des traceurs dans l'étude des processus métaboliques ou des réactions complexes.

En agriculture, les traceurs ont servi à étudier les fonctions des engrais, des hormones, des herbicides et des pesticides. Des hormones de croissance ou des pesticides marqués permettent de mesurer dans la nourriture des résidus trop infimes pour être détectés chimiquement.

Les radiations ont été utilisées pour induire des mutations dans les plantes, ce qui a conduit à des variétés améliorées de produits agricoles comme les céréales, les pois et les haricots, à des rendements plus élevés et à une meilleure résistance aux maladies. Grâce aux rayonnements, on a même pu éliminer un fléau agricole majeur, la mouche du « screwworm ». On a irradié des essaims de mouches mâles afin de les stériliser. On les a ensuite remis en liberté afin qu'ils puissent entrer en compétition avec les mâles non stérilisés. Les femelles ne s'accouplent qu'une fois et les œufs non fertilisés n'éclosent pas. En saturant une région à plusieurs reprises de millions de mâles stériles, on anéantit totalement la population.

Quelques exemples montrent le champ d'application des radiations ionisantes dans l'industrie (figure 31.11). Les rayons gamma ou X sont utilisés un peu à la façon des rayons X médicaux. Ils révèlent des défauts potentiellement dangereux, mais invisibles, dans les structures

métalliques et les soudures. Le contrôle de l'épaisseur de feuilles laminées de plastique, de papier, de métal, ainsi que celle des couches minces, se fait par la mesure de la radiation transmise. Les masses volumiques, de même que les niveaux des fluides, sont facilement mesurables. Les traceurs servent à localiser les fuites dans des pipelines souterrains, à mesurer le taux d'usure des pneus et des moteurs ainsi qu'à déterminer l'efficacité des détergents.

Pour en savoir plus...

31.7 DÉTECTION ET MESURE DES RADIATIONS

Les rayonnements sont détectés grâce à l'ionisation qu'ils produisent dans la matière. Dans ce paragraphe, nous allons décrire les détecteurs de radiation les plus couramment utilisés dans les applications biomédicales.

31.7.1 Détecteurs à gaz

Ces compteurs, qui sont d'un maniement très facile, sont fort sensibles aux particules bêta. Ils peuvent aussi servir à la détection des rayons gamma, bien qu'ils n'arrêtent ce rayonnement plus pénétrant que de façon peu efficace. Un compteur à ionisation se compose d'un cylindre rempli d'un gaz (de l'argon par exemple), traversé par un fil fin parallèle à l'axe (figure 31.12). Quand la radiation incidente produit une ionisation du gaz, une impulsion de courant électrique est produite et cette impulsion est mesurée ou enregistrée.

Suivant la valeur de la tension appliquée, V_0, le compteur peut opérer de plusieurs façons différentes (figure 31.13). Une différence de potentiel faible attire tous les ions et tous les électrons produits vers la cathode ou l'anode, provoquant ainsi une petite impulsion de courant. Si les tensions sont plus élevées, on atteint la *région proportionnelle*. Chaque électron libéré dans le processus d'ionisation initiale acquiert suffisamment d'énergie cinétique pour ioniser un ou plusieurs atomes supplémentaires avant d'atteindre l'anode. La charge totale associée à l'impulsion de courant est alors proportionnelle à l'ionisation initiale. Elle est une mesure de l'énergie de la particule bêta ou du rayon gamma détecté. Souvent ces impulsions de courant servent à alimenter un *analyseur multicanaux* qui enregistre le nombre d'impulsions en fonction de la charge totale dans l'impulsion. Cette information sert à identifier l'isotope responsable de l'ionisation (figure 31.14).

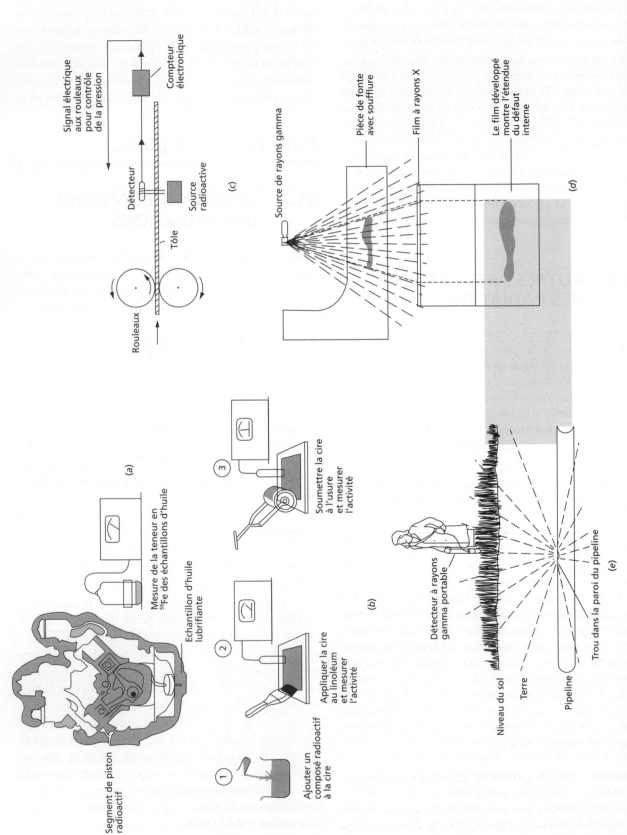

Figure 31.11 Applications industrielles typiques des radiations. Mesures des taux d'usure (a) de pièces de moteur et (b) de cires pour sols. (c) Une jauge d'épaisseur. (d) Inspection de pièces de fonte. (e) Localisation de fuites de pipeline au moyen de traceurs.

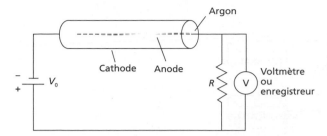

Figure 31.12 Compteur à ionisation de gaz. Quand le rayonnement ionise l'un des atomes d'argon, les électrons sont attirés vers le fil chargé positivement (anode), tandis que les ions positifs subissent l'attraction des parois du cylindre (cathode). Ceci produit un courant électrique à travers R. La différence de potentiel qui en résulte aux bornes de R est mesurée au moyen du voltmètre.

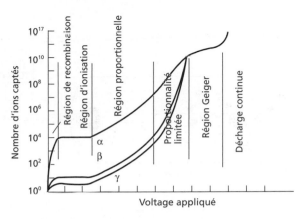

Figure 31.13 Nombre d'ions captés dans un compteur à gaz en fonction du voltage appliqué.

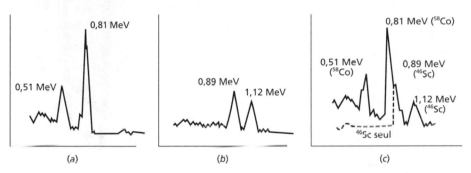

Figure 31.14 Spectres de rayons gamma obtenus avec un analyseur multicanaux. La coordonnée horizontale est l'énergie du rayon gamma et la coordonnée verticale donne l'intensité à cette énergie. (a) ^{60}Co. (b) ^{46}Sc. (c) Un mélange de ^{58}Co et de ^{46}Sc. Des mélanges de radioisotopes peuvent être analysés si la résolution en énergie de l'appareil est suffisamment bonne pour distinguer les pics caractéristiques. Parfois des échantillons sont rendus radioactifs artificiellement en les exposant à des faisceaux de neutrons, de rayons gamma ou de particules chargées qui induisent diverses réactions nucléaires. De telles techniques d'*activation* ne requièrent que de petits échantillons et servent a détecter et à mesurer des traces extrêmement faibles d'un grand nombre d'éléments.

Si la tension appliquée augmente davantage, le compteur opère dans la *région Geiger*. Ici chaque électron produit plusieurs électrons secondaires qui, à leur tour, en produisent d'autres et ainsi de suite. L'impulsion de courant ainsi créée est tellement intense qu'elle peut être observée ou enregistrée au moyen de circuits très simples. Un tel détecteur est appelé un *compteur Geiger-Mueller*. Il présente l'avantage d'être très compact, portable, robuste, bon marché et facile à manipuler. Par contre, quelle que soit la particule incidente, la quantité totale de charge associée à une impulsion reste la même. Le tube s'ionise chaque fois jusqu'à saturation. Par conséquent, un compteur Geiger-Mueller ne peut pas servir à identifier la nature ou l'énergie du rayonnement détecté.

31.7.2   La chambre d'ionisation

Bien que d'un rendement faible pour les rayonnements X et γ, la chambre d'ionisation est un compteur à gaz

fréquemment utilisé pour le calibrage de doses d'activité en médecine nucléaire. Le gaz de remplissage est l'argon à une pression de ±20 bars. Elle est alors appelée activimètre («dose calibrator»).

Elle est de forme cylindrique ayant un creux à l'intérieur pour permettre l'introduction des échantillons à mesurer et la géométrie de mesure est assimilée à un arrangement de type 4π. Les parois extérieures constituent la cathode et le cylindre intérieur l'anode. La différence de potentiel entre les électrodes est dans la zone de 60 à 300 Volts et des variations faibles du voltage ne provoquent pas de modifications significatives du courant de mesure donnant ainsi un instrument stable et fiable. L'interaction rayonnements-gaz provoque l'ionisation primaire des molécules de gaz sans créer des ionisations secondaires par chocs. Par conséquent, le courant électrique est directement proportionnel à la radioactivité de la source à mesurer (figure 31.15).

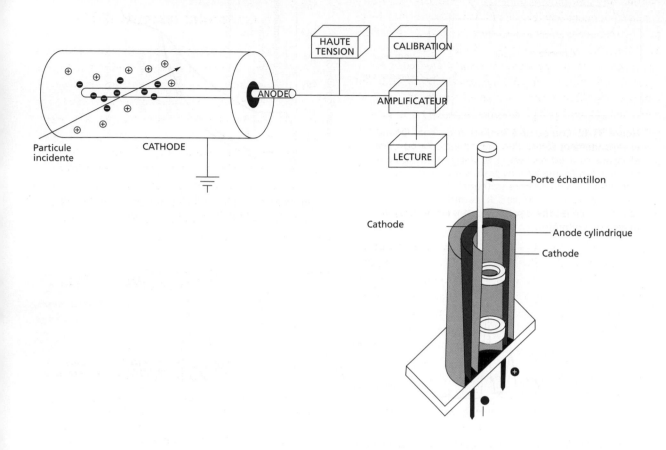

Figure 31.15 Photomulplicateur

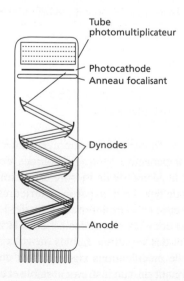

Figure 31.16 Compteur à scintillations.

Un blindage de la paroi extérieure de la chambre réduit fortement toute interférence due à des sources autres que celle introduite dans le puits de la chambre. En utilisant des sources d'activité connue, la calibration de nombreux radionucléides utilisés en médecine nucléaire permet de traduire les courants mesurés en unités d'activité (Bq ou Ci) en établissant un facteur de calibration propre à chaque radionucléides. Cet appareil est utile pour mesurer des activités de quelques kBq à quelques centaines de GBq. Toutefois la mesure reste dépendante de la nature du conteneur de la source, de son volume et bien entendu de la nature du rayonnement émis et de son énergie.

31.7.3 Compteurs à scintillations

Ces compteurs sont relativement efficaces pour la détection des rayons gamma et peuvent être utilisés pour mesurer leur énergie. Ce sont les détecteurs les plus répandus dans les applications biomédicales.

Un compteur à scintillations est composé essentiellement d'un cristal (de NaI par exemple) et d'un *photomultiplicateur*. Lorsqu'il est irradié, ce cristal *scintille* et émet des éclairs de lumière visible. Ceci est dû aux atomes qui, excités par la radiation incidente, réémettent des photons. Les photons pénètrent dans le photomultiplicateur et viennent frapper une cathode photosensible. Ils y provoquent une émission d'électrons (figure 31.16). Ces électrons sont accélérés par une différence de potentiel. Ils tombent sur une électrode appelée *dynode*, qui émet approximativement quatre électrons par électron incident. Une série de 10 dynodes donne un coefficient d'amplification de 4^{10} soit à peu près d'un million. Comme dans le cas des compteurs à gaz proportionnels, la charge totale associée à une impulsion de courant est proportionnelle à l'ionisation. Un analyseur multicanaux peut être utilisé pour identifier la source.

31.7.4 Détecteurs semi-conducteurs

Lorsqu'un rayonnement fournit de l'énergie à un matériau semi-conducteur, des électrons des bandes de valences peuvent être excités vers les bandes de conduction. Cela produit des paires d'électrons de conduction et de lacunes électroniques appelées *trous positifs*. Sous l'effet d'une différence de potentiel appliquée au semi-conducteur, ces porteurs de charge se déplacent et on observe une impulsion de courant électrique. L'énergie nécessaire à la production d'une paire électron-trou est de l'ordre de 1 eV. Elle est donc considérablement inférieure à celle qu'il faut pour ioniser des atomes de gaz ou pour exciter des atomes dans un cristal scintillant. Il en résulte que, pour une perte d'énergie donnée, un nombre relativement élevé de porteurs de charge est formé. Dans tout détecteur, la résolution en énergie est limitée par les fluctuations statistiques du nombre des atomes excités ou ionisés. Le grand nombre de porteurs de charge produits dans le semi-conducteur réduit ces effets statistiques. Un tel détecteur est, par conséquent, capable de déterminer les énergies de manière très précise lorsqu'il est utilisé en combinaison avec un analyseur multicanaux. À l'heure actuelle, ces détecteurs sont en général coûteux et difficiles à fabriquer, sauf s'ils sont de petites dimensions. De petits détecteurs à semi-conducteur ont le désavantage d'être peu efficaces pour la détection des rayons gamma.

31.7.5 Émulsions photographiques

Des plaques porte-film (badges) sont utilisées pour contrôler l'exposition aux rayons bêta et gamma des personnes soumises aux radiations. De minces rubans métalliques protègent certaines parties du film des rayons bêta, ces parties du film mesurent donc seulement le flux de rayons gamma ; la partie non masquée donne la dose totale des rayons bêta et gamma. L'exposition est déterminée par examen du fil développé. Si le film est recouvert d'un matériau ayant une probabilité élevée de réagir avec les neutrons, on peut mesurer les doses de neutrons.

31.7.6 Dosimètres thermoluminescents (DTL)

Ces dosimètres sont largement utilisés dans la radioprotection des sources de rayonnement des hôpitaux. Ils sont en train de supplanter les plaques porte-film dans le contrôle du personnel. Un DTL est un cristal, comme le LiF ou le CaF_2, qui contient des traces d'impuretés. Après irradiation, le DTL émet de la lumière visible, sous l'action de la chaleur. La quantité totale de lumière émise est directement proportionnelle à la dose reçue par le cristal, même si celui-ci a été stocké pendant de longs mois après l'exposition. Les DTL sont plus précis que les plaques porte-film et sont utilisables dans une gamme beaucoup plus large de niveaux de radiation.

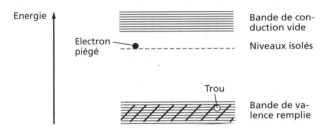

Figure 31.17 Niveaux d'énergie du cristal de LiF. Le cristal pur a une bande de valence remplie et une bande de conduction vide. Des niveaux isolés au-dessous de la bande de conduction sont créés par des impuretés. Si, sous l'effet d'un rayonnement incident, un électron est excité vers la bande de conduction tout en laissant derrière lui un trou dans la bande de valence, il peut tomber dans un niveau isolé et s'y faire piéger. L'échauffement du cristal fournira l'énergie nécessaire à l'électron pour retourner à la bande de conduction. Il émettra alors de la lumière visible au moment où il retombera dans la bande de valence.

La figure 31.17 illustre le principe d'un DTL. Elle montre les niveaux d'énergie d'un cristal de LiF. Dans un cristal parfait, la bande de valence est complètement remplie et la bande de conduction est vide. Les électrons ne peuvent pas occuper des niveaux d'énergie situés entre ces bandes. Si les électrons de la bande de valence absorbent suffisamment d'énergie provenant du rayonnement qui traverse le cristal, ils peuvent être excités vers la bande de conduction tout en laissant des trous dans la bande de valence. Les atomes des impuretés (bien choisies) présents dans le cristal ajoutent des niveaux d'énergie isolés à cette structure de bande. Ces niveaux sont situés juste au-dessous de la bande de conduction. Si un électron est excité vers la bande de conduction et s'il tombe ensuite dans l'un de ces niveaux isolés, il se trouve «piégé». Il ne peut pas migrer et le retour à un niveau vide de la bande de valence lui est par conséquent interdit. Si le cristal est ensuite chauffé, l'électron piégé peut recevoir suffisamment d'énergie thermique pour remonter dans la bande de conduction. Là, il peut migrer jusqu'à ce qu'il rencontre un trou. Lorsque l'électron perd de l'énergie en tombant dans un trou, il émet un photon de lumière visible. La quantité totale de lumière émise par le cristal chauffé est une mesure du nombre d'électrons piégés et donc de la totalité de la radiation absorbée.

31.8 ÉTABLISSEMENT DE LA FORMULE DU TAUX DE PERTE D'ÉNERGIE

Nous allons maintenant établir l'équation (31.1) relative à la perte d'énergie par unité de distance pour un ion dans la matière.

La vitesse $\mathbf{v}_e$ d'un électron atomique dans le milieu considéré est négligeable vis-à-vis de la vitesse finale $\mathbf{v}'_e$ qu'il acquiert dans une collision avec un ion incident. La quantité de mouvement transférée de l'ion à l'électron vaut alors

$$\mathbf{F}\,\Delta\,t = m_e\left(\mathbf{v}'_e - \mathbf{v}_e\right) \simeq m_e\mathbf{v}'_e,$$

$\mathbf{F}$ étant la force exercée par l'ion et Δ la durée de la collision. L'énergie transférée à l'électron vaut approximativement $(1/2)m_e v'^2_e$, et est proportionnelle à $(\mathbf{F}\,\Delta\,t)^2$. La force électrique entre l'ion et l'électron est proportionnelle à la charge q de l'ion et le temps de collision est inversement proportionnel à v. Ainsi $\mathbf{F}\,\Delta\,t$ doit varier comme q/v et le transfert d'énergie comme q^2/v^2. D'où :

$$\Delta K \propto -\frac{q^2}{v^2} \qquad (31.1)$$

Réviser

RAPPELS DE COURS

En traversant la matière, les particules chargées ionisent les atomes le long de leurs trajectoires en entrant en collision avec les électrons de ces atomes. Pour une énergie donnée, le taux de perte d'énergie (énergie perdue par unité de longueur) augmente avec la masse des particules. Ainsi des particules alpha de quelques MeV ont une pénétration de l'ordre de 0,01 cm dans l'eau, tandis que des électrons de même énergie y parcourent environ 1 cm. Les photons perdent leur énergie en faveur des électrons via l'effet photo-électrique et l'effet Compton, ainsi que par le processus de création de paires électron-positron ; à 1 MeV leur parcours est à peu près de 10 cm. Les neutrons perdent leur énergie seulement dans des processus nucléaires. La longueur de leur parcours est de l'ordre d'un mètre.

L'activité d'une source correspond au nombre de désintégrations qui s'y produisent par seconde. Elle se mesure en becquerels. L'exposition donne le nombre de photons présents dans un faisceau de rayons X ou gamma ; son unité est le roentgen. Pour une radiation quelconque, la dose absorbée est l'énergie absorbée par unité de masse de la substance irradiée ; elle s'exprime en gray. Un roentgen de rayons X ou de rayons gamma correspond à une dose d'environ 0,01 gray. La dose biologiquement équivalente (exprimée en rem est égale à la dose absorbée (en gray) multipliée par le facteur d'efficacité biologique relative (EBR). Celui-ci est défini comme étant égal à 1 pour des rayons X de 200 keV.

Les doses de radiations fournies par les rayons cosmiques et les radioisotopes naturels représentent environ 0,8 mSv par an aux États-Unis. L'irradiation interne due aux radionucléides présents dans l'organisme est deux fois plus importante qui l'irradiation d'origine externe et la contribution prépondérante est due au radon, émetteur alpha. Les doses efficaces individuelles dues en moyenne aux différentes sources significatives d'irradiation naturelles représentent envirion 2,4 mSv par an. Les rayons X médicaux délivrent à peu près la même dose. L'effet de radiations de faible niveau dans la formation de cancers et dans l'induction de mutations est apparemment proportionnel à la dose totale accumulée. Des cellules en croissance rapide sont hautement radiosensibles, de sorte que de nombreuses espèces de cellules cancéreuses peuvent être tuées par les rayonnements.

PHRASES À COMPLÉTER

Voir réponses en fin d'ouvrage.

1. Le taux de perte d'énergie d'une particule est _____ à la masse.

2. Les photons perdent de l'énergie par _____, _____ et _____.

3. Laquelle des particules suivantes a le parcours le plus long : protons, particules alpha, positrons, neutrons ? Laquelle a le parcours le plus court ?

4. L'activité de la source varie _____ avec la demi-vie.

5. La dose absorbée est l'énergie absorbée par _____.

6. Une exposition de 1 roentgen à des rayons X donne une dose absorbée à peu près égale à _____.

7. La radiation est létale parce qu'elle peut détruire des _____ d'importance critique.

8. Les sources majeures de radiations artificielles sont _____.

9. L'exposition prolongée à des radiations de faible niveau peut provoquer _____ et _____.

10. Les cellules en croissance rapide sont les plus _____.

EXERCICE CORRIGÉ

Deux flacons identiques en verre contiennent, l'un 10 ml de solution aqueuse d'iodure (I-125) de sodium, l'autre 10 ml de solution aqueuse d'iodure (I-123) de sodium. Vous disposez d'une chambre d'ionisation sans aucune calibration et la mesure est uniquement exprimée par un voltmètre. Les deux flacons donnent exactement le même voltage lorsqu'ils sont mesurés.

L'iode 123 émet principalement un rayonnement γ de 159 keV (83 %) pour une demi-vie de 13,22 heures, l'iode 125 un rayonnement γ de 35 keV (6,7 %) pour une demi-vie est de 59,4 jours. Tous deux émettent également des rayonnements de 27 et 31 keV par conversions électroniques spécifiques de l'iode.

a) Comment pouvez-vous identifier la nature des radioéléments des deux flacons en une mesure rapide de quelques minutes ?

b) Comment sera-t-il possible de confirmer ce résultat par mesures des flacons dans la journée ?

Solution

a) Mesurer les flacons après les avoir placés dans un conteneur en métal, acier ou plomb par exemple, de faible épaisseur (quelques mm) ou en plexiglas (5 à 10 mm) afin d'atténuer fortement les rayonnements de l'iode 125 et largement moins fortement ceux de l'iode 123.

b) Mesurer les flacons après quelques heures. La mesure de l'iode 123 sera significativement diminuée alors que celle de l'iode 125 restera la même.

S'entraîner

QCM

Voir réponses en fin d'ouvrage.

Q1. Pour se protéger de l'émission des particules alpha d'une substance radioactive, il est

a) nécessaire d'utiliser un épais blindage uniquement fait de plomb

b) impossible de les arrêter dans l'air

c) possible de les arrêter avec une simple feuille de papier si leur énergie est inférieure à 5 MeV

d) nécessaire de les bombarder avec des électrons.

Q2. La perte d'énergie d'un ion dans la matière est indépendante

a) de la vitesse

b) de sa masse

c) de la densité électronique du milieu

d) du rapport q^2/v^2

e) aucune des réponses.

Q3. Un électron de même énergie qu'une particule alpha aura en traversant la même matière

a) un parcours similaire

b) un parcours une centaine de fois plus long

c) de très faibles déviations à chaque collision

d) la même profondeur d'ionisation qu'une particule alpha.

Q4. Les rayons gamma en traversant la matière se caractérisent par

a) un parcours très court car c'est une onde électromagnétique

b) un comportement très différent des rayons X

c) un transfert d'énergie principalement vers les électrons

d) l'impossibilité de produire un effet photoélectrique.

Q5. Une émission de neutrons qui pénètre dans la matière est

a) susceptible de produire des protons ou des rayons γ

b) inoffensif pour l'être humain car le neutron est une particule non chargée

c) susceptible de produire une très importante ionisation directe

d) caractérisée par des interactions préférentielles avec des noyaux atomiques de grande taille comme par exemple l'uranium.

Q6. La dose de radiation maximale recommandée est plus élevée pour les adultes que pour les très jeunes enfants parce que

a) les adultes ont une masse corporelle supérieure

b) les radiations pénètrent plus profondément chez les enfants

c) les radiations détruisent plus efficacement les cellules en croissance

d) les adultes sont immunisés contre les radiations.

Q7. Le ^{60}Co est couramment utilisé en médecine pour traiter le cancer par radiothérapie

a) car il y a une demi-vie de quelques minutes et est donc rapidement éliminé

b) car il est une source de particules alpha très actives

c) car il est la source du rayonnement γ utilisé en radiothérapie

d) car le ^{60}Co est inoffensif pour les cellules non cancéreuses.

Q8. L'activité d'une source radioactive est donnée

a) par le nombre de désintégration par seconde

b) par le nombre de photons de rayons X qui donne le même effet

c) par l'énergie absorbée par unité de masse

d) en gray.

Q9. L'exposition est une mesure physique de l'irradiation son unité est

a) le curie

b) le becquerel

c) le roentgen

d) le gray.

Q10. La dose absorbée est définie comme

a) l'ionisation produite dans une unité de masse d'air sec

b) la mesure physique de l'irradiation à laquelle a été soumise un objet

c) la vitesse de désintégration d'un matériau radio-actif

d) l'énergie cédée par une radiation ionisante à l'unité de masse du tissu absorbant.

EXERCICES

Voir réponses en fin d'ouvrage pour les exercices et problèmes dont le numéro est inscrit en noir

L'interaction des rayonnements avec la matière

31.1 Un faisceau de micro-ondes suffisamment intense peut chauffer un matériau à tel point qu'il ionise quelques-uns de ses atomes. Quelle est la différence qualitative entre le processus mis en jeu ici et la manière dont les photons gamma produisent des ionisations?

31.2 Le taux de perte d'énergie des particules chargées dans un milieu de numéro atomique Z est presque exactement proportionnel à nZ, n étant le nombre d'atomes par unité de volume. Expliquer.

31.3 Pendant une expérience destinée à étudier les propriétés des sources radioactives, un étudiant trouve que le taux de comptage tombe brusquement à zéro quand un compteur Geiger-Mueller est déplacé dans l'air de 9 cm à 10 cm de la source.

a) Quelle est la nature la plus probable du rayonnement ? Expliquer.

b) Estimer le parcours de cette radiation dans l'aluminium en supposant qu'il varie inversement avec la densité. (La densité de l'aluminium vaut $2\,700\ \mathrm{kg\ m^{-3}}$ et celle de l'air $1,29\ \mathrm{kg\ m^{-3}}$.)

31.4 À partir de la figure 31.4, trouver les parcours dans l'eau de particules alpha et d'électrons de 10 MeV.

31.5 Dans l'effet photo-électrique, il y a absorption d'un rayon gamma avec émission d'un électron atomique. Il y a ensuite production de rayons X. Expliquer pourquoi.

31.6 Quand un rayon gamma est absorbé dans un processus photo-électrique, un électron est éjecté de l'atome et le rayon gamma disparaît. L'énergie cinétique de l'électron est-elle égale à l'énergie du rayon gamma ? Expliquer votre réponse.

31.7 Dans la création d'une paire électron-positron par des rayons gamma, une partie de la quantité de mouvement est transférée à un noyau avoisinant. Pourquoi l'énergie transférée à ce noyau est-elle très faible ?

31.8 D'après la figure 31.5, quand il y a absorption de rayons gamma dans l'eau, à quelle énergie la création de paires et l'effet Compton sont-ils d'égale importance ?

31.9 Des protons et des deutérons ($_1^1$H et $_1^2$H) perdent la même énergie dans une feuille mince d'une substance donnée. Quelle est la relation entre leurs énergies initiales ?

31.10 Si des protons et des deutérons ($_1^1$H et $_1^2$H) ont la même énergie à l'entrée d'une feuille mince, quelle est la relation entre les énergies qu'ils vont perdre ?

31.11 Comment peut-on se servir de feuilles minces et d'un détecteur de protons pour déterminer l'énergie d'un faisceau de protons produit par un accélérateur ?

31.12 Supposer que des noyaux ^{14}C et ^{14}N soient accélérés jusqu'à une énergie de 40 MeV et qu'ensuite on les fasse passer à travers une feuille mince. Si les noyaux ^{14}C perdent 2 MeV, quelle énergie perdront les noyaux ^{14}N ? (Quelques-unes des méthodes de datation basées sur la détection directe des noyaux radioactifs au moyen d'accélérateurs exploitent cette technique pour trier des noyaux différents de masses presque égales. Voir paragraphe 30.3.)

31.13 Se baser sur la figure 31.4 pour estimer le parcours d'un électron de 10 MeV dans l'eau et dans le plomb.

Unités de dose de rayonnement

31.14 Quelle est la masse d'une source de ^{131}I dont l'activité est de 1 microcurie (10^{-6}Ci) ? (La demi-vie du ^{131}I est de 8,1 jours.)

31.15 Combien d'ions positifs sont produits dans 1 kg d'air, dans les conditions normales, par une exposition de 1 roentgen aux rayons X (Supposer que chaque ion est porteur d'une charge $+e$).

31.16 Une source de 10^{-6} Ci a une demi-vie de 8 h. Combien de moles de matériau radioactif sont présentes dans la source ?

31.17 Lorsque le ^{99m}Tc se désintègre, il émet un rayon gamma de 140 keV.

a) Combien de photons par seconde sont émis par une source de 10^{-6} Ci de ^{99m}Tc ?

b) Quelle est l'énergie (en keV) de ces photons ?

c) Trouver la puissance en watts associée à ces photons.

31.18 Un réservoir d'eau thermiquement bien isolé est exposé à un rayonnement et sa température augmente de 30 K. Combien de rad ont été absorbés ?

31.19 Un faisceau de rayons gamma produit 10^{16} ions positifs par kg dans de l'air sec dans les conditions normales. Quelle est l'exposition correspondante si chaque ion est porteur d'une charge $+e$?

31.20 Le traitement des poissons et de la viande avec une dose de 2 000 grays tue un grand nombre des bactéries présentes. La durée de vie de ces aliments en état de congélation augmente ainsi d'un facteur 5 à 7.

a) Quelle quantité d'énergie est absorbée par kg d'aliments ?

b) Négliger les pertes de chaleur et estimer l'élévation de la température. (Supposer la chaleur spécifique égale à celle de l'eau.)

31.21 Une source de ^{60}Co produit une dose absorbée de 40 rad par heure dans un tissu. L'EBR vaut 0,7 pour les rayons gamma du ^{60}Co.

a) Combien de temps faut-il pour recevoir une dose absorbée de 3 grays ?

b) Combien de temps faut-il pour avoir une dose biologiquement équivalente de 3 sieverts ?

31.22 Une souris reçoit une dose absorbée de 2 grays de protons de 10 MeV dont l'EBR est de 2. Quelle est la dose biologiquement équivalente ?

Effets nocifs des radiations. Exposition chronique aux radiations

31.23 Une technicienne nucléaire reçoit une dose corporelle de 10^{-3} Sv chaque fois qu'elle charge une source de radium. Combien de fois a-t-elle la permission de charger la source en

a) un trimestre ?

b) un an ?

31.24 La dose létale de radiation pour des mammifères et des oiseaux est inférieure à 1 gray, tandis qu'il faut environ 1 000 grays pour tuer des amibes et plus de 10^4 grays pour tuer des virus. Quelle en est la raison probable ?

31.25 Supposer que 100 000 professionnels des radiations reçoivent chacun 5 rem. Du point de vue génétique, cela est-il plus ou moins important que si la population mondiale totale (3×10^9 personnes) reçoit 5 millirem ? Pourquoi ?

31.26 Une hôtesse de l'air vole de moyenne de 11 km pendant 20 h par semaine. Elle reçoit 0,7 millirem par heure. Quelle est sa dose biologiquement équivalente annuelle ? Comparer cela avec la DMA pour le grand public et pour les professionnels des radiations.

31.27 Estimer le taux de mortalité dû aux rayons X diagnostiques en supposant que le taux des décès dus au cancer est de 300 000 par an aux États-Unis, que la dose doublante est de 2,5 Sv et qu'une personne d'une trentaine d'années a reçu en moyenne 72×10^{-5} sV par an.

31.28 Un technicien en radiologie reçoit accidentellement 0,5 Sv. En faisant les mêmes hypothèses que dans l'exercice précédent, estimer ses risques de développer un cancer à cause de cet accident.

31.29 Les anciennes règles de sécurité pour le personnel radiologique limitaient leur dose à l'équivalent de 1 Sv par an, un niveau assez faible pour éviter les brûlures de la peau. Estimer le risque de cancer et les effets génétiques de ces doses.

Radiations en médecine

31.30 Dans la *thérapie dite par rotation*, le patient ou la source de radiation tourne autour d'un axe passant par la tumeur à irradier. Quel est l'avantage de ce procédé ?

31.31 Comment expliquez-vous le paradoxe apparent que des rayons X induisent le cancer et que d'autre part les rayons X sont utilisés dans le traitement du cancer ?

Autres applications des radiations

31.32 Comment pouvez-vous utiliser de la poussière marquée radioactivement pour tester l'efficacité d'un détergent ?

Détection et mesure des radiations

31.33 Dans le scanning à rayons gamma, les impulsions du compteur à scintillations sont parfois simplement comptées et le taux de comptage est alors utilisé pour construire une image. D'un autre côté, les impulsions peuvent être traitées par un analyseur multicanaux avant de construire l'image. Comment ce dernier procédé peut-il réduire les effets de la radiation de bruit de fond provenant d'autres sources ?

31.34 Supposez que vous ayez à votre disposition un compteur Geiger-Mueller et plusieurs plaques minées d'un matériau contenant une grande quantité d'hydrogène, par exemple un hydrocarbure. Comment pouvez-vous déterminer si une source radioactive donnée est un émetteur de neutrons ?

PROBLÈMES

31.35 Les machines à rayons X produisent une distribution continue d'énergies des photons avec un maximum déterminé par le voltage de la machine. Une feuille mince d'aluminium absorbe les rayons X les plus mous, sans absorber de manière appréciable les photons plus énergétiques.

a) Quelle en est la raison ?

b) Quel est l'avantage d'un tel filtre en aluminium dans les applications médicales des rayons X ?

31.36 Un émetteur alpha de 1 000 Ci est situé dans une enceinte en plomb.

a) Combien de désintégrations se produisent par seconde ?

b) Les particules alpha ont toutes une énergie de 2,5 MeV et elles sont toutes absorbées par le plomb. Quelle est la puissance totale de rayonnement absorbée dans le plomb ?

31.37 Le ^{60}Co produit 2 rayons gamma par désintégration.

a) Combien de rayons gamma par seconde émet une source de 10 Ci ?

b) Quel est le flux (nombre par seconde) des rayons gamma par m^2 à 1 m de la source ? (Supposer que le rayonnement est isotrope).

31.38 Un émetteur β^- de 10 Ci se trouve à 2 m de votre main. Combien d'électrons tombent sur chaque cm^2 de votre main par seconde ? (Négliger l'absorption dans l'air.)

31.39 Un technicien en radiologie est accidentellement exposé à 100 R de rayons X de 200 keV. Estimer les doses absorbées et les doses biologiquement équivalentes.

31.40 Un milligramme de radium produit une dose de 82 mGy par heure à une distance de 0,01 m. L'EBR relatif aux rayons gamma du radium vaut 0,965 pour le tissu irradié.

a) Expliquer pourquoi l'exposition varie avec l'inverse du carré de la distance à la source.

b) Combien de temps met une source de radium de 60 mg pour délivrer une dose de 1 sievert à une distance de 0,01 m ?

c) Combien de temps cela prendrait-il à 0,05 m ?

31.41 Une petite quantité de sérum-albumine radioactif est administrée à un patient, et une quantité égale est placée dans 2 000 cm^3 d'eau pour servir de référence. Après 10 minutes, un échantillon de sang est prélevé sur le patient et les globules rouges sont enlevés par centrifugation, de sorte qu'il ne reste plus que le sérum. L'activité de 10 cm^3 de sérum est mesurée au moyen d'un compteur à scintillations. On trouve qu'elle vaut 2 600 coups par minute. Un échantillon de 10 cm^3 de la dose de référence donne 1 892 coups par minute. Sachant que dans les deux cas il y a 155 coups par minute en provenance des rayons cosmiques et d'autres sources environnantes, calculer le volume total du sérum sanguin du patient.

31.42 Dans une expérience de travaux pratiques, on utilise une source de ^{137}Ce de 10 microcuries. Chaque désintégration est accompagnée de l'émission d'un rayon gamma de 0,66 MeV.

a) Combien de désintégrations se produisent par heure ?

b) Un étudiant se tenant relativement près de la source absorbe une petite fraction des rayons gamma. Supposons cette fraction égale à 10 %. Quelle quantité d'énergie est absorbée par l'étudiant en 1 h ?

c) Si l'étudiant a une masse de 60 kg, quelle est la dose absorbée en gray ?

d) Trouver la dose biologiquement équivalente si l'EBR vaut 0,8.

31.43 Supposer qu'un jeune enfant ait avalé accidentellement la source radioactive décrite dans le problème précédent.

a) En supposant que la moitié des rayons gamma soit absorbée par l'enfant, calculer l'énergie qu'il absorbe en un an.

b) Si la masse de l'enfant est de 20 kg, quelle est la dose absorbée en un an ?

c) En adoptant une EBR de 0,8, trouver le rapport de la dose biologiquement équivalente à la dose annuelle moyenne due à des causes naturelles. (Ce problème ainsi que le précédent illustrent le fait que les sources radioactives employées aux travaux pratiques de physique ne présentent aucun danger, à condition évidemment de les manipuler correctement afin d'éviter des problèmes potentiellement sérieux).

31.44 Après une année de fonctionnement, un grand réacteur nucléaire a accumulé des déchets radioactifs d'une activité de 10^{10} Ci. Même si on arrête le réacteur par l'insertion des barres de contrôle, ce matériau radioactif continue à émettre pendant longtemps.

a) Combien de kg de radium faudrait-il pour produire autant de désintégrations par seconde ?

b) En supposant qu'une désintégration typique libère 1 MeV, quelle est la puissance (en watts) avec laquelle le réacteur continue de produire de la chaleur ?

c) Trouver le rapport de cette puissance à celle produite quand le réacteur est en état de marche, à savoir 3×10^9 watts.

31.45 Un article récent sur la sécurité des réacteurs nucléaires affirme que si un grand nombre de personnes sont exposées à une faible dose de radiation, le nombre de cancers létaux latents induits est de un pour une exposition de 100 hommes sieverts. (Le nombre d'hommes sieverts d'une exposition est égal à l'exposition moyenne en sieverts multipliée par le nombre de personnes exposées.)

a) D'après les estimations faites dans ce chapitre, combien de cancers mortels seraient induits par 100 hommes sieverts ?

b) En mars 1979 se produisit un accident dans le réacteur à Three Mile Island près de Middletown, Pennsylvanie. D'après l'article cité plus haut, il y eut libération de ^{133}Xe, dont la demi-vie vaut environ 5 jours, en quantité largement suffisante pour exposer le public d'une vaste région à environ 40 hommes sieverts. En utilisant le rapport de 100 hommes sieverts par cancer, trouver le nombre probable de décès dus au cancer qui vont avoir lieu à cause de l'accident.

c) Pourrait-on vérifier ces prédictions avec les données du ministère de la Santé ? Expliquer.

31.46 Estimer le pourcentage de tous les décès dus aux cancers causés par le rayonnement des sources naturelles.

31.47 Si une large population consomme du lait contenant du ^{131}I radioactif, des cancers latents de la glande thyroïde seront induits approximativement à raison de 63 cancers pour une dose de 10^4 homme-gray. (Le nombre de homme-gray est la dose moyenne en gray multiplié par le nombre de personnes exposées.) En 1976, les déchets des explosions nucléaires atmosphériques provoquées par la République Populaire de Chine ont délivré aux États-Unis une dose moyenne de $3,1 \times 10^4$ rad.

a) Combien de cancers supplémentaires de la thyroïde furent induits aux États-Unis par ces explosions ?

b) Ces cancers apparaîtront sur une période de 45 ans. Le taux actuel des cancers de la thyroïde aux États-Unis est de 8 400 par an. Trouver l'accroissement relatif du nombre de ces cancers.

c) Les nouveau-nés reçurent des doses de l'ordre de 0,2 mGy. Quelle est la probabilité pour ces bébés de développer un cancer de la thyroïde à cause de ces déchets ? (Pour faire les calculs, supposer que, pour une dose donnée, le risque est le même pour un jeune enfant que pour la population en général. En réalité, le risque est plus grand.)

La physique
et le futur

De nombreux manuels se terminent tout simplement, sans épilogue aucun et parfois même sans aucune forme de conclusion. Pourtant, puisque la physique reste une science en évolution rapide grâce à de nombreuses découvertes passionnantes, nous voudrions conclure par quelques remarques sur les perspectives de la physique à l'aube du XXIe siècle.

Dans ce livre, nous avons effleuré certains aspects de la physique actuellement très en vogue, comme la physique atomique, la physique nucléaire et la physique de l'état solide. Les physiciens spécialisés dans ces domaines continuent à explorer de nouveaux horizons. En physique nucléaire, ils essaient par exemple de produire des noyaux *ultralourds*, c'est-à-dire à nombre de masse et à numéro atomique plus élevés que ceux des noyaux connus à l'heure actuelle. Les physiciens de l'état solide étudient, entre autres choses, le comportement particulier de nombreuses substances à des températures aussi basses que 0,001 K. On sait depuis 1956 que les interactions faibles, responsables des processus de la désintégration bêta, violent le principe de *conservation de la parité*. Ceci signifie que si des interactions faibles sont impliquées, un processus physique se déroule différemment dans le monde que nous percevons et dans un monde qui en serait l'image dans un miroir.

Un grand nombre de physiciens font de la recherche en physique des hautes énergies (ou des particules élémentaires). Cette branche de la physique étudie les phénomènes qui se passent à une échelle inférieure ou égale au diamètre nucléaire (de l'ordre de 1 fm = 10^{-15} m). Si deux particules entrent en collision à haute vitesse, une partie de leur énergie cinétique peut être convertie en énergie de masse par la création d'autres particules. Des accélérateurs de particules de plus en plus performants ont permis la création d'un grand nombre de hadrons (particules interagissant via l'interaction forte) de courte durée de vie et dont on a pu étudier la masse, la durée de vie, les désintégrations et les interactions. Comme nous l'avons vu au chapitre 30, cette recherche a fait naître l'idée que les hadrons sont constitués de quarks, porteurs d'une charge fractionnaire et dont la force d'interaction attractive se fait via l'échange de gluons. Récemment, on a fait également un grand pas en direction de l'unification des quatre forces d'interaction fondamentales. Celles-ci sont, par ordre croissant d'intensité, les interactions gravitationnelle, faible, électromagnétique et forte. On a ainsi découvert que les interactions faible et électromagnétique sont très probablement deux manifestations d'une même interaction, appelée l'interaction électrofaible. De plus, dans certaines théories d'unification (Grand Unified Theories, GUTS en abrégé), ces deux forces sont également en relation avec les interactions fortes. D'après cette théorie, le proton n'est pas vraiment stable, mais il se désintègre en des particules de masses plus faibles, la demi-vie de la désintégration étant de l'ordre de 10^{31} années. Rappelons à titre de comparaison que l'âge de l'univers est d'environ 1010 ans. Des expériences sont actuellement en cours afin de tester le bien-fondé de certaines de ces idées.

Dans ce livre, la physique des particules élémentaires n'a pas été traitée en détail, parce qu'elle est toujours largement spéculative et relativement éloignée des applications. C'est pour les mêmes raisons que nous n'avons pas abordé l'astrophysique, quoique l'on ait pu assister ces dernières années à de nombreuses découvertes importantes dans ce domaine. Beaucoup de ces découvertes devinrent possibles grâce aux *radiotélescopes*, qui sont des télescopes capables de détecter les ondes électromagnétiques émises par les étoiles dans la gamme des radiofréquences, alors que les télescopes ordinaires captent la lumière stellaire visible. Grâce aux radiotélescopes, on a pu découvrir toute une série d'objets remarquables. Citons les *pulsars*, qui émettent, à des intervalles de temps très courts, de fortes pulsations d'énergie électromagnétique dans les domaines radio et visible. On croit à présent que les pulsars sont des *étoiles à neutrons*. L'existence de ce type d'étoiles a d'abord été suggérée par voie purement théorique. La masse de ces objets serait du même ordre de grandeur que celle de notre Soleil, mais leur rayon ne serait que de 10 km ! On a également localisé plusieurs systèmes d'étoiles doubles, composés de deux étoiles dont l'une pourrait être un *trou noir*. Un trou noir est un objet tellement grand et tellement dense que la force de gravitation est capable d'incurver les rayons lumineux et de les ramener vers l'étoile. La lumière est de ce fait incapable de s'échapper du système. On développe actuellement de nouveaux types d'instruments astronomiques, notamment des télescopes capables de détecter les ondes radiomillimétriques, les radiations infrarouges ainsi que les rayons X et on peut s'attendre, au cours de la prochaine décennie, à des avancées fascinantes en astronomie et en astrophysique. Ces découvertes sont susceptibles d'éclairer considérablement notre compréhension de l'univers.

Mais revenons sur Terre. À l'heure actuelle, les physiciens sont fort actifs dans de nombreux domaines de recherche appliquée et interdisciplinaires. Citons comme exemple la physique des plasmas, c'est-à-dire la physique de la matière fortement ionisée. Les réactions thermonucléaires se produisent dans un plasma. Les progrès dans ce domaine sont de ce fait d'une importance capitale pour la réalisation de la fusion contrôlée. Par ailleurs, de plus en plus de physiciens travaillent en biophysique et en physique médicale, où ils se servent des méthodes de la physique pour étudier des processus biologiques et pour mettre au point de nouveaux types d'instruments. À présent, on se sert par exemple de la diffusion de la lumière laser pour étudier certains aspects de la conduction nerveuse. La diffusion de la lumière est également à la base d'un système de tri automatique des cellules biologiques.

En résumé, nous pouvons affirmer que les physiciens poursuivent leur étude séculaire des lois fondamentales de l'univers. Nous ne pouvons prédire le futur avec certitude, mais il nous réservera certainement bien des surprises. Nous pouvons de même avoir foi en l'avenir de la physique et être sûrs qu'elle continuera à apporter d'importantes contributions dans de nombreux domaines, y compris celui des sciences de la vie.

Tableau périodique des éléments

Pour chaque élément, le symbole est précédé du nombre atomique ; en dessous, on indique la masse atomique de l'élément tel qu'il se présente dans la nature. L'unité de masse atomique (u) est définie de telle sorte que la masse d'un atome de carbone ^{12}C vaut exactement 12 u. Si la masse du carbone est 12,01115 u c'est parce que, dans la nature, le carbone se présente sous la forme d'un mélange de 98,89 % de ^{12}C et 1,11 % de ^{13}C. Pour des éléments donnés artificiellement, la masse atomique donnée entre crochets est la masse atomique de l'isotope le plus stable.

Groupe →		I	II	III	IV	V	VI	VII	VIII			O
Période	**Série**											
1	1	1 H 1,00797										2 He 4,0026
2	2	3 Li 6,939	4 Be 9,0122	5 B 10,811	6 C 12,01115	7 N 14,0067	8 O 15,9994	9 F 18,9984				10 Ne 20,183
3	3	11 Na 22,9898	12 Mg 24,312	13 Al 26,9815	14 Si 28,086	15 P 30,9738	16 S 32,064	17 Cl 35,453				18 Ar 39,948
4	4	19 K 39,102	20 Ca 40,08	21 Sc 44,956	22 Ti 47,90	23 V 50,942	24 Cr 51,996	25 Mn 54,9380	26 Fe 55,847	27 Co 58,9332	28 Ni 58,71	
	5	29 Cu 63,54	30 Zn 65,37	31 Ga 69,72	32 Ge 72,59	33 As 74,9216	34 Se 78,96	35 Br 79,909				36 Kr 83,80
5	6	37 Rb 85,47	38 Sr 87,62	39 Y 88,905	40 Zr 91,22	41 Nb 92,906	42 Mo 95,94	43 Tc [99]	44 Ru 101,07	45 Rh 102,905	46 Pd 106,4	
	7	47 Ag 107,870	48 Cd 112,40	49 In 114,82	50 Sn 118,69	51 Sb 121,75	52 Te 127,60	53 I 126,9044				54 Xe 131,30
6	8	55 Cs 132,905	56 Ba 137,34	57-71 Série des Lanthanides*	72 Hf 178,49	73 Ta 180,948	74 W 183,85	75 Re 186,2	76 Os 190,2	77 Ir 192,2	78 Pt 195,09	
	9	79 Au 196,967	80 Hg 200,59	81 Tl 204,37	82 Pb 207,19	83 Bi 208,980	84 PO [210]	85 At [210]				86 Rn [222]
7	10	87 Fr [223]	88 Ra [226,05]	89 -... Série des Actinides**								

Série des Lanthanides :	57 La 138,91	58 Ce 140,12	59 Pr 140,907	60 Nd 144,24	61 Pm [145]	62 Sm 150,35	63 Eu 151,96	64 Gd 157,25	65 Tb 158,924	66 Dy 162,50	67 Ho 164,930	68 Er 167,26	69 Tm 168,934	70 Yb 173,04	71 Lu 174,97
Série des Actinides :	89 Ac [227]	90 Th 232,038	91 Pa [231]	92 U 238,03	93 Np [237]	94 Pu [242]	95 Am [243]	96 Cm [247]	97 Bk [247]	98 Cf [249]	99 Es [254]	100 Fm [257]	101 Md [256]	102 No [253]	103 Lw [260]
	104 [261]	105 [262]	106 [263]												

Rappels mathématiques

Introduction

Cet annexe rassemble l'essentiel des notions de mathématiques utilisées dans ce livre. Les étudiants pourront y trouver dans les paragraphes B.1 à B.6 un rappel des règles de l'algèbre élémentaire, de la géométrie et de la trigonométrie. Les autres paragraphes examinent en détail des résultats utilisés au cours de l'exposé. L'étudiant trouvera en fin d'ouvrage les réponses aux problèmes proposés.

B.1 PUISSANCES ET RACINES

Le produit de n fois une même quantité x s'écrit x^n. Par exemple $(2)(2)(2) = 2^3$, ce que l'on énonce *2 à la puissance 3* ou *2 exposant 3*. La règle fondamentale permettant de manipuler les puissances d'un même nombre est la règle d'addition des exposants. Par exemple, $(2^2)(2^3) = (2)(2) \cdot (2)(2)(2) = 2^5$. Symboliquement, la règle s'écrit

$$(x^n)(x^m) = x^{n+m} \qquad \text{(B.1)}$$

Cette règle implique que $x^n x^0 = x^n$, de sorte que $x^0 = 1$ quel que soit x différent de zéro. Par ailleurs, $x^{-n} x^n = x^0 = 1$, ce qui montre que x^{-n} est l'inverse de x^n :

$$x^{-n} = \frac{1}{x^n} \qquad \text{(B.2)}$$

Par exemple, $10^{-2} = 1/10^2 = 1/100 = 0,01$. La règle suivante est également d'une grande importance :

$$(x^n)^m = x^{nm} \qquad \text{(B.3)}$$

On trouve ainsi $(10^2)^3 = (10)(10) \cdot (10)(10) \cdot (10)(10) = 10^6$. De même, $(10^2)^{-3} = 10^{-6}$.

Lorsque deux nombres sont élevés à la même puissance, leur produit et leur quotient obéissent aux règles simples suivantes :

$$(x^n)(y^n) = (xy)^n \qquad \text{(B.4)}$$

$$\frac{x^n}{y^n} = \left(\frac{x}{y}\right)^n \qquad \text{(B.5)}$$

Par exemple, $(4^3)(2^3) = ((4)(2))^3 = (8)^3$, et $(4)^3(2)^{-3} = (4/2)^3 = (2)^3$.

Un exposant fractionnaire indique qu'une racine doit être extraite. Par exemple $x^{1/2} x^{1/2} = x^1 = x$, de sorte que $x^{1/2}$ est la racine carrée de x. La quantité $x^{1/n}$ est la racine n-ième de x :

$$x^{1/n} = \sqrt[n]{x} \qquad \text{(B.6)}$$

Par exemple, $(64)^{1/3} = \sqrt[3]{64} = 4$. Des exposants fractionnaires plus compliqués peuvent être évalués à l'aide de la relation (B.3). Par exemple, $(27)^{2/3} = (27^{1/3})^2 = (3)^2 = 9$. Toutes les règles énoncées ci-dessus s'appliquent également aux exposants fractionnaires.

B.2 LA NOTATION SCIENTIFIQUE

La notation scientifique est une forme d'écriture où une quantité est représentée par un nombre entre 1 et 10 multiplié par une puissance de 10. Par exemple, 376 peut se représenter par $3,76 \times 10^2$, puisque $10^2 = (10)(10) = 100$. Un des avantages de cette notation est sa compacité; $376\,000\,000$ peut s'écrire $3,76 \times 10^8$. On peut remarquer que l'exposant de 10 indique le nombre de déplacements d'un chiffre vers la gauche que subit la virgule. De même, $0,00376 = 3,76 \times 10^{-3}$. Ici, la valeur absolue de l'exposant indique le nombre de déplacements vers la droite que subit la virgule.

La notation scientifique facilite beaucoup les manipulations numériques. Elle s'avère surtout utile lorsque l'on introduit des nombres très grands ou très petits. Considérons, par exemple, le produit de 2×10^{20} et de 3×10^{-15} divisé par 8×10^8 :

$$\frac{(2 \times 10^{20})(3 \times 10^{-15})}{8 \times 10^8} = \frac{(2)(3)}{8} \times 10^{20-15-8}$$
$$= 0,75 \times 10^{-3} = 7,5 \times 10^{-4}$$

L'usage de la notation scientifique aide également à l'évaluation des racines, comme dans les illustrations suivantes :

$$(2,32 \times 10^8)^{1/2} = (2,32)^{1/2}(10^8)^{1/2} = \sqrt{2,32} \times 10^4$$
$$= 1,52 \times 104$$
$$(2,32 \times 10^8)^{1/3} = (232 \times 10^6)^{1/3}$$
$$= (232)^{1/3}(10^6)^{1/3}$$
$$= \sqrt[3]{232} \times 10^2 = 6,14 \times 10^2$$
$$(9,37 \times 10^{-4})^{1/3} = (937 \times 10^{-6})^{1/3}$$
$$= (937)^{1/3}(10^{-6})^{1/3}$$
$$= \sqrt[3]{937} \times 10^{-2}$$
$$= 9,79 \times 10^{-2}$$

Dans les deux derniers exemples, nous avons réécrit les exposants de 10 de manière à faire apparaître des puissances entières de 10 lorsque la racine est évaluée. On peut également remarquer dans les deux premiers exemples que la racine cubique d'un nombre supérieur à 1 est plus petite que sa racine carrée. Sa racine quatrième est encore plus petite. C'est l'ordre inverse qui prévaut dans les cas où les nombres sont inférieurs à 1.

B.3 CHIFFRES SIGNIFICATIFS

La précision des résultats d'une mesure est toujours limitée par des erreurs d'origines diverses (voir paragraphe 1.1). Il est important de contrôler rigoureusement ces erreurs lorsque l'on manipule des quantités déterminées par l'expérience. Les règles concernant la détermination et l'écriture des chiffres significatifs permettent, dans une certaine mesure, d'exprimer les incertitudes à chaque étape d'un calcul.

Les principes que nous allons introduire sont bien illustrés par le problème du calcul de l'aire A d'une feuille de papier rectangulaire dont les côtés ont été mesurés à l'aide d'une règle graduée par intervalles de 0,1 cm. Si nous plaçons une extrémité de la règle en coïncidence avec l'un des bords du papier, le bord opposé pourrait se trouver entre les marques indiquant 8,4 et 8,5 cm. Nous pouvons, au mieux, estimer sa position avec une incertitude de l'ordre du dixième de l'intervalle de graduation, de sorte que nous pourrions produire un résultat qui pourrait être de 8,43 cm. Il se peut toutefois qu'un dispositif plus élaboré nous permette de situer le résultat plus exactement à 8,44 ou 8,42 cm. Le dernier chiffre rapporté est incertain. Le nombre 8,43 est considéré comme présentant trois *chiffres significatifs*. On pourrait trouver de même une longueur de 6,77 cm pour l'autre côté du rectangle. L'aire est alors le produit

$$A = (8,43 \text{ cm})(6,77 \text{ cm}) = 57,0711 \text{ cm}^2 = 57,1 \text{ cm}^2$$

Chaque facteur du produit présente une incertitude sur le troisième chiffre et le résultat ne peut dès lors présenter que trois chiffres significatifs. Pour clarifier la raison de cette incertitude, nous pouvons considérer l'aire obtenue en utilisant le résultat d'une mesure plus précise du premier côté, par exemple 8,42 cm. On obtient $A = (8,42 \text{ cm})(6,77 \text{ cm}) = 57,0034 \text{ cm}^2$, qui diffère du résultat précédent au-delà des trois premiers chiffres 57,0. Les chiffres modifiés n'ont aucune signification et l'aire présente une incertitude au niveau du troisième chiffre. On notera que le résultat 57,07 a été arrondi à 57,1 ; un nombre inférieur à 57,05 aurait été arrondi à 57,0.

Dans tous les calculs qui font intervenir des multiplications et des divisions, le facteur présentant le moins de chiffres significatifs détermine le nombre de chiffres significatifs du résultat. Par exemple, dans

$$\frac{(8,2239)(2,7)(98,35)\pi^2}{2764} = 7,797899...$$

les trois facteurs du numérateur ont respectivement cinq, deux et quatre chiffres significatifs ; $\pi^2 = (3,1415926...)^2$ est connu avec une précision arbitrairement grande. Le résultat de ce calcul doit donc être présenté sous la forme 7,8. Il est toutefois recommandé de garder *dans les calculs intermédiaires* quelques chiffres supplémentaires pour éviter d'introduire dans le processus d'arrondissement des erreurs du même ordre que les incertitudes de mesure. Cette précaution s'avère spécialement importante lorsque le calcul requiert plusieurs étapes complexes. L'usage d'une calculatrice électronique permet aisément l'application de ces prescriptions.

Les chiffres significatifs sont déterminés pour une somme ou une différence par des règles différentes de celles que nous venons d'énoncer pour la multiplication et la division. Considérons la somme

$$
\begin{array}{r}
45,76 \\
+ \quad 0,123 \\
\hline
45,883
\end{array}
$$

Ici, le 6 du premier terme est incertain, et le chiffre suivant est complètement inconnu. De ce fait, le chiffre 3, dans la somme, est sans aucune signification et le résultat doit être arrondi à 45,88. *Le résultat contient autant de chiffres significatifs*, à *partir de la virgule, que le moins « précis » des termes de la somme.* On peut remarquer que dans l'exemple proposé, c'est 45,76 qui doit être considéré comme le moins précis des deux nombres, bien qu'il présente quatre chiffres significatifs, alors que 0,123 n'a que trois chiffres significatifs.

Comme la même idée s'applique à la soustraction, la différence entre deux nombres presque égaux peut présenter très peu de chiffres significatifs. Considérons par exemple

$$
\begin{array}{r}
35,179 \\
- \quad 35,17813 \\
\hline
0,001
\end{array}
$$

Ce résultat n'a en réalité aucune précision, du fait qu'il présente une incertitude sur son seul chiffre significatif. Un nouvel ensemble de mesures qui changerait très peu ces deux nombres pourrait amener la différence à des valeurs aussi disparates que 0,002 ou −0,001.

Sommer ou soustraire des nombres exprimés à l'aide de la notation scientifique requiert qu'ils soient convertis à une même puissance de 10. Par exemple,

$$2,25 \times 10^6 + 6,4 \times 10^7 = 2,25 \times 10^6 + 64 \times 10^6$$
$$= 66,25 \times 10^6$$
$$= 6,6 \times 10^7$$

Nous avons arrondi 66,25 à 66 en appliquant les règles qui viennent d'être énoncées.

Zéros significatifs

Le nombre 1200 peut être considéré comme un nombre de deux, trois ou quatre chiffres significatifs selon que les zéros font partie du résultat de la mesure ou qu'ils sont utilisées pour localiser les chiffres significatifs par rapport à la virgule. La notation scientifique évite cette ambiguïté : $1,2 \times 10^3$, $1,20 \times 10^3$ et $1,200 \times 10^3$ ont respectivement deux, trois et quatre chiffres significatifs.

B.4 RÉSOLUTION DES ÉQUATIONS ALGÉBRIQUES

Dans les applications qui sont faites des lois fondamentales de la physique, on a souvent à résoudre une équation ou un système d'équations pour en extraire la valeur de la quantité cherchée. On doit disposer d'autant d'équations que d'inconnues à déterminer. Si nous voulons déterminer la valeur du courant dans deux branches d'un circuit, nous devrons connaître deux relations distinctes entre ces courants.

Équations à une inconnue

La règle de base de la manipulation d'une équation est que toute opération que l'on effectue sur le membre de gauche doit également être effectuée sur le membre de droite pour que l'égalité soit conservée. Si nous ajoutons un nombre au membre de gauche, si nous le multiplions par un nombre, ou si nous l'élevons au carré, nous devons faire subir la même transformation au membre de droite.

Pour illustrer les techniques de résolution des équations simples, nous pouvons considérer le cas d'une équation *linéaire*, où la quantité inconnue x n'apparaît qu'à la première puissance :

$$5x - 10 = 30$$

Pour résoudre cette équation par rapport à x, on commence par ajouter 10 aux deux membres, pour obtenir

$$5x = 40$$

Ensuite, on divise les deux membres par 5, ce qui nous donne la solution,

$$x = 8$$

Une équation *quadratique* est une équation où l'inconnue intervient au plus à la puissance 2. Les équations quadratiques peuvent présenter ou non un terme proportionnel à l'inconnue. L'équation

$$16t^2 = 64$$

ne présente pas de terme linéaire en t. En divisant par 16, on trouve que $t^2 = 4$. L'extraction de la racine carrée des deux membres conduit à deux solutions, $t = -2$ et $t = +2$, du fait que le carré de ces deux nombres est égal à $+4$. (Les équations quadratiques ont en général deux solutions.) Le choix du signe de la solution dépend de la signification physique du symbole t. Si, par exemple, t représente l'instant où une balle lancée verticalement atteint une hauteur prescrite, et que l'on mesure le temps à partir de l'instant où elle atteint sa hauteur maximale, les deux solutions correspondent au fait que la balle passe deux fois par l'altitude prescrite, une première fois en montant et une deuxième fois en descendant.

L'équation quadratique

$$t^2 - 6t + 8 = 0$$

est un peu plus compliquée que la précédente, du fait qu'elle présente un terme proportionnel à t, à côté du terme en t^2. Elle peut être résolue par *factorisation*, c'est-à-dire en réécrivant l'équation de manière à faire apparaître un produit de deux facteurs qui peuvent alors être annulés indépendamment :

$$(t - 2)(t - 4) = 0$$

On peut vérifier l'exactitude de cette factorisation en développant formellement le produit de deux facteurs. On obtient quatre termes, $t^2 - 4t - 2t + 8 = t^2 - 6t + 8$. Le produit peut s'annuler si l'un ou l'autre des facteurs s'annule :

$$t - 2 = 0, \quad t = 2$$

ou

$$t - 4 = 0, \quad t = 4$$

Les deux solutions de cette équation sont donc $t = 2$ et $t = 4$.

L'inconvénient de la méthode de factorisation est qu'elle nécessite de pouvoir deviner les facteurs qui interviendront. Pour une équation quadratique, on connaît une formule qui donne la solution générale d'une manière systématique. L'équation

$$at^2 + bt + c = 0$$

a deux solutions,

$$t = \frac{-b + \sqrt{b^2 - 4ac}}{2a}$$

et (B.7)

$$t = \frac{-b - \sqrt{b^2 - 4ac}}{2a}$$

Appliquons ces formules à l'exemple considéré précédemment, $t^2 - 6t + 8 = 0$. On écrit $a = 1$, $b = -6$ et $c = 8$ et on trouve

$$t = \frac{-(-6) + \sqrt{(-6)^2 - 4(1)(8)}}{2(1)}$$

$$= \frac{6 + \sqrt{4}}{2} = 4$$

et

$$t = \frac{-(-6) - \sqrt{(-6)^2 - 4(1)(8)}}{2(1)}$$

$$= \frac{6 - \sqrt{4}}{2} = 2$$

On trouve les mêmes solutions que par la technique de factorisation étudiée précédemment.

Les systèmes d'équations

Deux équations différentes qui font intervenir les deux mêmes inconnues forment ce que l'on appelle un *système d'équations*. Les inconnues sont déterminées en combinant les équations de manière à obtenir une équation qui ne comporte plus qu'une seule inconnue. Considérons par exemple les deux équations suivantes qui visent à déterminer la force F et l'accélération a, $F - 6a = 20$ et $-F + 8a = 0$. Si nous ajoutons membre à membre ces deux équations, F et $-F$ s'éliminent :

$$F - 6a = 20$$
$$-F + 8a = 0$$
$$\overline{F - F - 6a + 8a = 20 + 0}$$

Ceci se réduit à

$$2a = 20$$

soit

$$a = 10$$

On trouve alors F en substituant cette valeur de a dans la première équation :

$$F - 6(10) = 20, \quad F = 20 + 60 = 80$$

Il arrive qu'une équation doive être multipliée par un certain facteur avant que l'on puisse procéder à l'élimination d'une inconnue par addition ou par soustraction. Considérons par exemple le système $x+3y = 6$ et $2x-y = 5$. Ni x ni y ne vont s'éliminer si les équations sont simplement ajoutées ou soustraites. Toutefois si nous multiplions la première par 2 et la seconde par -1, nous trouvons, en additionnant,

$$2x + 6y = 12$$
$$-2x + y = -5$$
$$\overline{7y = 7}$$

et $y = 1$. En substituant cette valeur de y dans l'une ou l'autre des équations de départ, nous trouvons $x = 3$.

La procédure que nous venons de décrire s'étend immédiatement aux systèmes d'équations à trois inconnues, x, y et z. Deux équations peuvent être combinées de manière à éliminer l'une des variables, par exemple z. Deux autres équations fournissent de la même manière une deuxième relation entre x et y. On obtient ainsi un système de deux équations à deux inconnues, qui peut être résolu par la méthode que nous avons appliquée aux exemples précédents.

B.5   GRAPHES

De même que les images sont parfois plus efficaces que les mots, les diagrammes et les graphes sont souvent plus efficaces que les formules algébriques pour comprendre le comportement d'un système physique. Indiquons d'abord brièvement comment un graphe peut être construit en prenant pour exemple la relation donnant en fonction du temps t la position x d'un objet en mouvement rectiligne uniforme :

$$x = 5 + 2t$$

Nous commençons par établir une table des valeurs x données par cette équation pour plusieurs valeurs de t entre -4 et $+4$:

temps t	-4	-2	0	2	4
position x	-3	1	5	9	13

Sur du papier quadrillé ordinaire (cartésien), nous traçons un axe horizontal pour la variable indépendante t, et un axe vertical pour la variable dépendante x. Les valeurs tabulées sont reportées sur ce graphe (Fig. B.1).

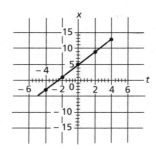

Figure B.1 Graphe représentant la relation $x = 5 + 2t$.

Ici, tous les points tombent sur la même droite parce que t n'apparaît dans l'équation qu'avec la puissance 1. Si d'autres puissances intervenaient, le graphe serait constitué d'une ligne courbe. Quelques exemples de telles courbes sont donnés à la Fig. B.2.

Le choix de la variable indépendante et de la variable dépendante varie suivant le contexte physique. Par exemple, l'équation

$$x = 16t^2$$

donne en fonction du temps la position d'un objet lâché en $x = 0$ à l'instant $t = 0$. Si nous souhaitons savoir à quel moment il passera par le point x, nous devrons résoudre cette équation par rapport au temps t.

$$t = \frac{1}{4}\sqrt{x}$$

C'est maintenant x qui est la variable dépendante. Les graphes, dans les deux cas, sont très différents (Fig. B.3). Nous pouvons aussi obtenir une droite si nous considérons t^2 comme variable indépendante. Ceci peut s'avérer utile lorsque l'on analyse des données expérimentales. Il est en effet particulièrement aisé de voir si des points s'ajustent à une ligne droite.

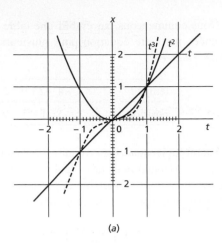
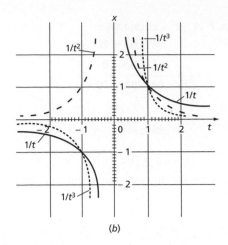

(a)　　　　　　　　　　　(b)

Figure B.2 *(a)* Graphes représentant les relations $x = t$, $x = t^2$ et $x = t^3$. *(b)* Graphes représentant $x = 1/t$, $x = 1/t^2$ et $x = 1/t^3$. On notera que lorsque t augmente, $1/t^3$ décroît plus rapidement que les deux autres fonctions et augmente plus rapidement lorsque t tend vers zéro.

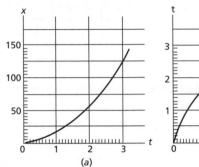
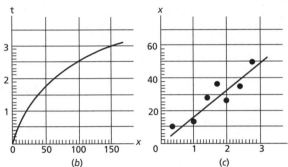

(a)　　　　　　　(b)　　　　　　　(c)

Figure B.3 *(a)* Graphe représentant $x = 16t^2$. *(b)* Graphe représentant $t = (1/4)\sqrt{x}$ *(c)* Paires x et t^2 obtenues par une série de mesures et portées sur un graphe. Elles se disposent dans une région proche d'une ligne droite. Les mêmes points représentés par des paires (x, t) tomberaient aux environs d'une courbe, plus difficile à tracer avec précision et à analyser numériquement.

B.6　GÉOMÉTRIE PLANE ET FONCTIONS TRIGONOMÉTRIQUES

Géométrie plane

Les résultats suivants de géométrie plane sont souvent utiles.

1. La somme des angles d'un triangle vaut $180°$. Dans un triangle rectangle, on trouve un angle de $90°$ et la somme des deux autres angles vaut $90°$.

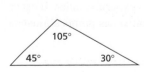
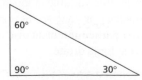

2. Deux triangles sont semblables s'ils ont deux angles égaux. Les côtés correspondants de deux triangles semblables sont proportionnels. Par exemple,

$a/A = b/B$ dans la figure suivante :

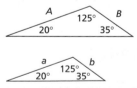

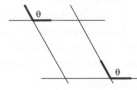

3. Deux angles sont égaux lorsque leurs côtés sont parallèles.

4. Deux angles sont égaux lorsque leurs côtés sont mutuellement perpendiculaires. Par exemple, l'angle entre le vecteur poids **w** et la ligne perpendiculaire au plan incliné est égal à l'angle entre le plan incliné et la direction horizontale.

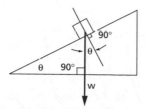

5. Deux angles opposés par le sommet sont égaux.

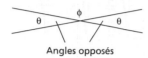

Angles opposés

6. Deux angles sont *complémentaires* si leur somme vaut 90° et *supplémentaires* si leur somme vaut 180°. Dans la figure ci-dessus, θ et ϕ sont supplémentaires.

Fonctions trigonométriques

Le sinus, le cosinus et la tangente d'un angle sont notés sin, cos et tan respectivement. Ils sont définis géométriquement par les rapports suivants entre les côtés d'un triangle rectangle :

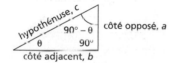

$$\sin \theta = \frac{\text{côté opposé}}{\text{hypothénuse}} = \frac{a}{c} \qquad (B.8)$$

$$\cos \theta = \frac{\text{côté adjacent}}{\text{hypothénuse}} = \frac{b}{c} \qquad (B.9)$$

$$\tan \theta = \frac{\text{côté opposé}}{\text{côté adjacent}} = \frac{a}{b} \qquad (B.10)$$

Le théorème de Pythagore stipule que

$$a^2 + b^2 = c^2 \qquad (B.11)$$

En divisant par c^2,

$$\frac{a^2}{c^2} + \frac{b^2}{c^2} = 1$$

on trouve

$$\sin^2 \theta + \cos^2 \theta = 1 \qquad (B.12)$$

Les fonctions trigonométriques d'angles plus grands que 90° peuvent être positives ou négatives, suivant la valeur de l'angle. Dans les notations du diagramme ci-dessous, elles sont définies par

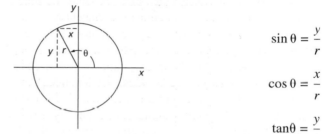

$$\sin \theta = \frac{y}{r}$$

$$\cos \theta = \frac{x}{r}$$

$$\tan \theta = \frac{y}{x}$$

Par convention, r est toujours positif. Toutefois, pour l'angle représenté (et qui se trouve dans le deuxième *quadrant*), x est négatif et y est positif. De ce fait, le sinus est positif et la tangente et le cosinus sont négatifs. Dans le troisième quadrant, il n'y a que la tangente qui soit positive et dans le quatrième, seul le cosinus est positif.

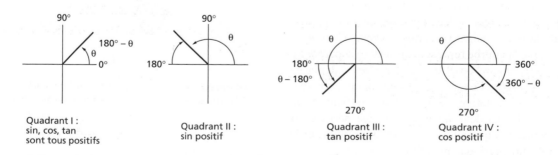

Quadrant I : sin, cos, tan sont tous positifs

Quadrant II : sin positif

Quadrant III : tan positif

Quadrant IV : cos positif

Figure B.4 Résumé des règles de calcul des fonctions trigonométriques dans les différents quadrants. Si par exemple θ se trouve dans le troisième quadrant, on trouve une tangente positive et un sinus et un cosinus négatifs.

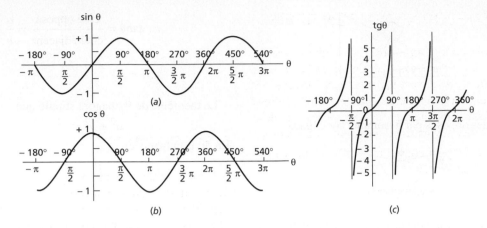

Figure 1.5 Graphes représentant *(a)* sin θ ; *(b)* cos θ ; *(c)* tan θ.

Avant le développement des calculatrices électroniques de poche, on se servait fréquemment de tables de fonctions trigonométriques. Ces tables n'indiquent la valeur des fonctions que pour des angles inférieurs à 90°. Pour des angles compris entre 90° et 180°, on recherche leur supplément, 180° − θ. Pour des angles compris entre 180° et 270°, on recherche la valeur des fonctions pour θ − 180°, et de 270° à 360°, on recherche les valeurs pour 360° − θ. Des signes moins étaient introduits pour respecter le signe des fonctions trigonométriques tel qu'il a été discuté ci-dessus. Par exemple, sin 150° = sin 30°, cos 150° = − cos 30° et tan150° = −tan30°. Un résumé de ces règles est repris à la figure B.4. Les calculatrices électroniques appliquent automatiquement ces règles.

Le graphe des fonctions sinus, cosinus et tangente (figure B.5) permettent de visualiser la plupart de leurs propriétés. Ces fonctions reprennent les mêmes valeurs après un tour complet du cercle trigonométrique : leur *période* est de 360° ou 2π radians. (La mesure des angles est discutée au chapitre 5.)

La moyenne du sinus ou du cosinus sur une période est zéro : pour chaque valeur positive, on trouve dans la période la valeur négative correspondante. On notera également que la courbe représentant sin θ se superpose à la courbe représentant cos θ si cette dernière est déplacée de 90° vers la droite. Le même déplacement fait coïncider les courbes représentatives de sin² θ et cos ²θ (figure B.6). La moyenne de ces deux quantités sur une période est donc la même. Si on emploie une barre pour désigner la moyenne sur une période, on écrira

$$\overline{\sin^2 \theta} = \overline{\cos^2 \theta}$$

Comme nous savons par ailleurs que sin² θ + cos ²θ = 1, on trouve

$$\overline{\sin^2 \theta} + \overline{\cos^2 \theta} = 1$$

Dès lors,

$$\overline{\sin^2 \theta} = \overline{\cos^2 \theta} = \frac{1}{2} \tag{B.13}$$

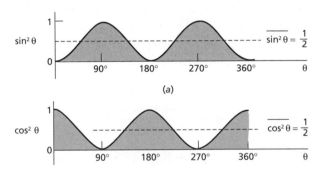

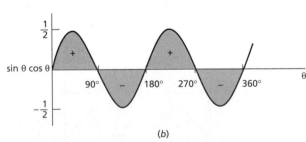

Figure B.6 *(a)* sin²θ et cos²θ ont la même valeur moyenne. 1/2. *(b)* La valeur moyenne de sinθ cosθ est zéro.

Par ailleurs, nous observons sur la figure B.6 que le produit sin θ cos θ présente une alternance négative qui compense exactemnt l'alternance positive sur une période. Sa moyenne sur une période est donc nulle :

$$\overline{\sin \theta \cos \theta} = 0 \tag{B.14}$$

B.7 DÉVELOPPEMENT EN SÉRIE

Il arrive souvent que l'argument des fonctions trigono-métriques ou des expressions algébriques dont nous nous servons reste très petit devant 1. Dans ce cas, il est souvent utile d'approcher la formule exacte par un développement en série qui fait intervenir les puissances successives de la variable : celles-ci deviennent rapidement négligeables.

Par exemple, on peut considérer le développement en puissances de x de $(1-x)^{-1}$,

$$\frac{1}{1-x} = 1 + x + x^2 + x^3 + \cdots$$

que l'on obtient facilement en appliquant de manière récursive la relation

$$\frac{1}{1-x} = \frac{1-x+x}{1-x} = 1 + x\left(\frac{1}{1-x}\right)$$

Lorsque $x = 0,1$, $(1-x)^{-1} = 1/0,9 = 1,11$ avec deux décimales exactes. Comme $x = 0,1$, $x^2 = 0,01$ et $x^3 = 0,001$. Donc,

$$1 + x + x^2 = 1,11$$

suffit pour approcher la formule exacte avec une précision de deux décimales exactes. Si $x = 0,01$, l'expression $1 + x$ donne déjà la précision voulue.

Certains développements en série font intervenir une quantité notée $n!$ (prononcer factorielle n) et définie par le produit

$$n! = n(n-1)(n-2)\cdots(2)(1)$$

Par exemple, $4! = (4)(3)(2)(1) = 24$. Par définition,

$$1! = 1, \quad 0! = 1$$

Les séries suivantes interviennent fréquemment :

$$(1 \pm x)^{-1} = 1 \mp x + x^2 \mp x^3 + \cdots \quad (-1 < x < 1) \quad \text{(B.15)}$$

$$(1 \pm x)^n = 1 \pm nx + \frac{n(n-1)x^2}{2!} \pm \frac{n(n-1)(n-2)x^3}{3!} + \cdots$$
$$(-1 < x < 1) \quad \text{(B.16)}$$

$$(1 \pm x)^{-n} = 1 \mp nx + \frac{n(n+1)x^2}{2!} \pm \frac{n(n+1)(n+2)x^3}{3!} + \cdots$$
$$(-1 < x < 1) \quad \text{(B.17)}$$

$$e^x = 1 + x + \frac{x^2}{2!} + \frac{x^3}{3!} + \cdots \quad \text{(B.18)}$$

Dans les séries suivantes, représentant les fonctions trigonométriques, les angles doivent être exprimés en radians, où 1 radian $= 180°/\pi = 57,3°$.

$$\sin x = x - \frac{x^3}{3!} + \frac{x^5}{5!} - \cdots \quad \text{(B.19)}$$

$$\cos x = 1 - \frac{x^2}{2!} + \frac{x^4}{4!} - \cdots \quad \text{(B.20)}$$

$$\tan x = x + \frac{x^3}{3} + \frac{2x^5}{15} + \frac{17x^7}{314} + \cdots \quad \text{(B.21)}$$

B.8 DÉRIVÉES

À la fin de certains chapitres de ce livre figurent plusieurs démonstrations utilisant des arguments fondés sur le concept de dérivation. Dans ce paragraphe nous réunissons plusieurs des formules de dérivées souvent utilisées. Il est important de noter que la dérivée d'une constante se réduit à zéro. Par ailleurs, lorsqu'une expression est multipliée par une constante, sa dérivée est multipliée par la même constante. Par exemple,

$$\frac{d}{dt}\left(3t^2\right) = 3\frac{d}{dt}\left(t^2\right)$$

Dans les expressions suivantes, a et n sont des constantes.

$$\frac{d}{dt}\left(t^n\right) = nt^{n-1} \quad \text{(B.22)}$$

$$\frac{d}{dt}\left(\frac{1}{t}\right) = -\frac{1}{t^2} \quad \text{(B.23)}$$

$$\frac{d}{dt}\left(\frac{1}{t^n}\right) = \frac{-n}{t^{n+1}} \quad \text{(B.24)}$$

$$\frac{d}{dt}\left(e^{at}\right) = ae^{at} \quad \text{(B.25)}$$

$$\frac{d}{dt}\sin at = a\cos at \quad \text{(B.26)}$$

$$\frac{d}{dt}\cos at = -a\sin at \quad \text{(B.27)}$$

On utilise aussi très fréquemment la relation donnant la dérivée d'une fonction de fonction,

$$\frac{d}{dt}f[g(t)] = \left(\frac{d}{dg}f[g(t)]\right)\left(\frac{d}{dt}g(t)\right)$$

et celles qui donnent la dérivée de la somme et du produit de deux fonctions,

$$\frac{d}{dt}\left(f(t) + g(t)\right) = \frac{d}{dt}f(t) + \frac{d}{dt}g(t)$$

$$\frac{d}{dt}f(t)g(t) = \left[\frac{d}{dt}f(t)\right]g(t) + f(t)\left[\frac{d}{dt}g(t)\right]$$

B.9 PRIMITIVES

Dans certains chapitres figurent des démonstrations utilisant le concept de l'intégration. Dans ce paragraphe, nous réunissons des formules d'intégration souvent utilisées.

$$\int x^m \, dx = \frac{x^{m+1}}{m+1} + \text{constante}$$

$$\int \frac{1}{x} \, dx = \ln x + \text{constante}$$

$$\int e^x \, dx = e^x + \text{constante}$$

$$\int \cos x \, dx = \sin x + \text{constante}$$

$$\int \sin x \, dx = -\cos x + \text{constante}$$

$$\int dx = x + \text{constante}$$

$$\int a \, dx = a \int dx = ax + \text{constante}$$

B.10 AIRES ET VOLUMES

De temps à autre, dans ce livre, nous avons utilisé des formules donnant l'aire et le volume de formes géométriques simples. La liste suivante permet de les retrouver aisément.

- *Cercle*
  rayon = r
  diamètre = $2r$
  circonférence = $2\pi r$
  aire = πr^2

- *Carré*
  côté = a
  aire = a^2

- *Triangle*
  aire = $\frac{1}{2}$ (base)(hauteur)

- *Cube*
  côté = a
  aire de la surface = $6a^2$
  volume = a^3

- *Sphère*
  rayon = r
  aire de la surface = $4\pi r^2$
  volume = $4\pi r^3/3$

- *Cylindre*
  rayon = r, longueur = ℓ
  aire de la surface latérale = $2\pi r\ell$
  aire de chaque base = πr^2
  volume = $\pi r^2 \ell$

B.11 FONCTION EXPONENTIELLE, LOGARITHMES

Il arrive que la vitesse avec laquelle une quantité varie soit proportionnelle à la quantité en question. Par exemple, le taux de croissance d'une population de bactéries est directement proportionnel au nombre d'individus, comme l'est aussi le taux de croissance des fonds déposés sur un compte en banque. On observe aussi que le taux de décharge d'un condensateur branché sur une résistance extérieure est proportionnel à sa charge. Ces situations caractérisent des quantités y qui évoluent au cours du temps suivant une loi du type

$$y = Cb^{Dt}$$

Dans cette expression, b et D sont des constantes, de même que C, qui est déterminé par la valeur de y en $t = 0$. On dit que y dépend exponentiellement de t.

Le choix de b est arbitraire, mais affecte la valeur de D. Il existe une valeur particulière de b qui simplifie grandement les manipulations. Cette valeur est $b = e = 2,718...$ Pour ce choix particulier, le taux de croissance au cours du temps t de la quantité $y = Ce^t$ est exactement égal à y. Pour tout autre choix de b, le taux de variation de $y = Cb^t$ est proportionnel, mais pas égal, à y. On a de ce fait souvent avantage à utiliser la fonction $y = e^t$ dans les applications scientifiques où une croissance exponentielle intervient. La fonction décroissante $e^{-t} = 1/e^t$ présente un intérêt semblable dans les situations où le taux de *décroissance* d'une quantité est proportionnel à la valeur même de cette quantité. On trouve ce comportement, par exemple, dans le cas de l'évolution au cours du temps de la radioactivité des noyaux.

La fonction exponentielle e^t est disponible sur la plupart des calculatrices de poche, où elle est parfois définie comme l'inverse du *logarithme naturel*. Si $x = 10^t$, t est le logarithme en base 10 de x. On écrit

$$\log x = \log\left(10^t\right) = t \tag{B.28}$$

Inversement, l'antilogarithme de t est 10^t.

On définit de la même manière le logarithme naturel ou népérien de t (ln, ou logarithme en base e) par la puissance à laquelle il faut élever le nombre e pour obtenir t. Donc, si $y = e^t$,

$$\ln y = \ln\left(e^t\right) = t \tag{B.29}$$

L'inverse du logarithme naturel de t (INV ln sur certaines calculatrices) est donc e^t.

Quelques règles simples peuvent être écrites à partir des définitions (B.28) et (B.29). Elles concernent les produits, quotients et puissances des logarithmes. Les règles données ici sont exprimées pour les logarithmes népériens mais s'appliquent également aux logarithmes décimaux.

$$\ln(xy) = (\ln x) + (\ln y) \tag{B.30}$$

$$\ln\left(x^n\right) = n(\ln x) \tag{B.31}$$

$$\ln\left(1/x^n\right) = -n(\ln x) \tag{B.32}$$

$$\ln(x/y) = (\ln x) - (\ln y) \tag{B.33}$$

Il faut noter qu'il n'existe aucune règle simple donnant le logarithme de la somme ou de la différence de deux quantités.

À partir de valeurs de e^t tabulées ou obtenues sur une calculatrice, on peut construire le graphe de la fonction e^t. Comme on le voit sur la figure B.7, cette fonction croît très rapidement lorsque t augmente. La croissance est plus rapide que pour n'importe quelle puissance de t. La courbe représentant e^{-t} est très différente. Cette fonction décroît rapidement à mesure que t augmente. Elle n'atteint jamais rigoureusement la valeur zéro.

Quelques valeurs particulières de e^{-t} nous sont utiles dans ce livre. Avec trois chiffres significatifs, $e^{-1} = 0,368$ et $e^{-2} = 0,135$. De plus, $e^{-t} = 0,500$ lorsque $t = 0,693$. Un développement en série de e^x est donné ci-dessus

(équation B.18) et la dérivée de e^x est écrite à l'équation (B.25).

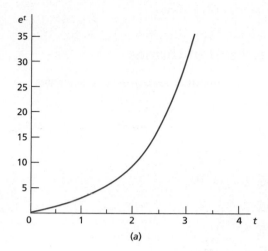

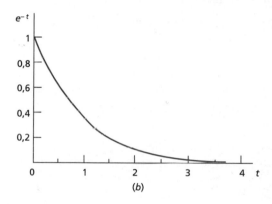

Figure B.7 *(a)* Graphe représentant e^t, *(b)* graphe représentant e^{-t}. Remarquer la différence d'échelle d'un graphe à l'autre.

EXERCICES

Voir réponses en fin d'ouvrage.

Puissances et racines

Évaluer ou simplifier les expressions suivantes :

B.1 2^4

B.2 3^2

B.3 $(2^2)(2^3)$

B.4 $(x^5)(x^3)(x)$

B.5 5^{-2}

B.6 $(5^{-3})(5^4)$

B.7 $(x^4)(x)(x^{-3})$

B.8 x^4/x^2

B.9 x^4/y^4

B.10 $(a^2x^4)^{1/2}$

B.11 $(a^3x^6)^{1/2}$

B.12 $(x^2y^6)^{1/2}$

B.13 $(x^4y^4)^{-1/2}$

B.14 $(1000)^{1/3}$

B.15 $(10\,000)^{-1/4}$

B.16 $x^2(x^6)^{-1/3}$

B.17 $(125)^{-1/3}$

B.18 $(x^2/64)^{1/2}$

B.19 $(x^4y^{-8})^{1/2}$

B.20 $(10^4)^{3/4}$

Notations scientifiques

Écrire les nombres suivants en notation scientifique :

B.21 $27\,631$

B.22 $2\,763\,100$

B.23 $15\,000$

B.24 $0,000000034$

B.25 $1\,600$

B.26 $4\,329,76$

B.27 $0,003902$

B.28 $0,08002$

Exprimer les nombres suivants en notation usuelle :

B.29 $2,34 \times 10^{-3}$

B.30 $1,76 \times 10^6$

B.31 $5,799 \times 10^{-5}$

B.32 $4,5 \times 10^7$

B.33 $0,067 \times 10^4$

B.34 $27,2 \times 10^5$

B.35 $0,0272 \times 10^8$

Évaluer les expressions suivantes :

B.36 $(3 \times 10^6)(5 \times 10^4)$

B.37 $\dfrac{4 \times 10^8}{8 \times 10^6}$

B.38 $(5 \times 10^{10})(3 \times 10^{-8})(4 \times 10^6)$

B.39 $\dfrac{(4,4 \times 10^6)(3 \times 10^3)^2}{6 \times 10^{-4}}$

B.40 $\dfrac{(8,25 \times 10^4)(3,14)(5,2 \times 10^3)^2}{(6,25 \times 10^{-3})}$

B.41 $(4 \times 10^4)^{1/2}$

B.42 $(90\,000)^{1/2}$

B.43 $(2,7 \times 10^7)^{1/3}$

B.44 $(8\,000)^{1/3}$

B.45 $(4 \times 10^{-6})^{1/2}$

B.46 $(160\,000)^{1/4}$

B.47 $(10^{10})^{1/2}$

B.48 $(10^{10})^{-1/2}$

B.49 $(10^{10})^{-1/2}$

B.50 $(3,2 \times 10^8)^{1/3}$

Chiffres significatifs

Arrondir les quantités suivantes à trois chiffres significatifs et les écrire en utilisant la notation scientifique :

B.51 $27632,0$

B.52 $0,3729$

B.53 $4,6667$

B.54 $3,33333$

B.55 $2,4558 \times 10^4$

B.56 $0,000034567$

Combien de chiffres significatifs doit-on trouver dans le résultat des opérations suivantes ?

B.57 $(3,2)(8,67)(3,008)$

B.58 $(0,0002)(45,6)$

B.59 $(2,0 \times 10^5)(3,777 \times 10^{-4})$

B.60 $17,2 + 2,35 + 4,333$

B.61 $88,45 + 9,24 - 6,05043$

B.62 $186,45 - 186,12$

Évaluer les expressions suivantes en respectant les règles fixant le nombre de chiffres significatifs :

B.63 $3,28 \times 10^5 + 4,25 \times 10^7$

B.64 $3,7 \times 10^6 + 2,91 \times 10^7$

B.65 $1,91 \times 10^{-3} - 1,7 \times 10^{-5}$

Résolution des équations algébriques

Résoudre les équations suivantes par rapport aux quantités inconnues

B.66 $x - 7 = 3$

B.67 $3x + 7 = 4 + 6x$

B.68 $1 + 0,2x = 7$

B.69 $x^2 + 4 = 13$

B.70 $x^{1/2} + 4 = 13$

B.71 $-4x + 7 = 2x + 15$

B.72 $(x/3)^{1/2} = 2$

B.73 $0 = 64 - 16t^2$

B.74 $x^3 - 1 = 63$

B.75 $(x + 2)(x + 4) = 0$

B.76 $x^2 + 3x + 2 = 0$

B.77 $3x^2 + 2x - 5 = 0$

B.78 $x^2 + 4 = -4x$

B.79 $2x^2 = -3x$

B.80 $-3x + 2x^2 - 5 = 0$

B.81 $x + y = 5, x - y = 1$

B.82 $2 - T = 3a, T = 4a$

B.83 $x + 3y = 9, x - 2y = 10$

B.84 $2x - y = 10, x + y = 6$

B.85 $3x - 7y = 2, 3x - 2y = 4$

Graphes

Tracer les graphes correspondant aux relations

B.86 $y = 3x - 7$

B.87 $y = 2t^2$

B.88 $y = 2x^4 - 3$

Géométrie plane et fonctions trigonométriques

B.89 Si deux des angles d'un triangle valent $29°$ et $111°$, que vaut le troisième angle ?

B.90 Évaluer $\sin 120°$; $\cos 120°$; $\tan 120°$.

B.91 Évaluer $\sin 270°$; $\cos 270°$; $\tan 270°$.

B.92 Pour quel angle (ou quels angles) entre $0°$ et $360°$ le $\sin θ$ est-il égal à 0, $+1$, -1 ? Donner les angles correspondants pour le cosinus et la tangente.

B.93 Quelle est l'erreur relative commise (en pourcentage) lorsque l'on utilise l'approximation $\sin x = x$ pour $x = 10° = 0,1745$ rad ? Quelle est l'erreur correspondante pour $x = 30°$?

B.94 Pour $x = 0,1$, $e^x = e^{0,1} = 1,105$. Combien de termes doit-on garder dans le développement de e^x pour atteindre la précision de quatre chiffres significatifs ?

B.95 a) Écrire les trois premiers termes du développement de $(1 + x)^{1/2} = \sqrt{1 + x}$.

b) Que donne cette approximation pour $x = 0,1$? Comparer ce résultat à la valeur suivante, correcte jusqu'au cinquième chiffre significatif, $1,04881$.

Dérivées

Calculer les dérivées des expressions suivantes.

B.96 $3t + 7$

B.97 $4t^3$

B.98 $1 - 1/t$

B.99 $4e^{-3t}$

B.100 $10 \sin 2\pi t$

Primitives

B.101 $\displaystyle\int (3t + 7)\, dt$

B.102 $\displaystyle\int e^t\, dt$

B.103 $\displaystyle\int \left(1 - \frac{1}{t}\right) dt$

B.104 $\displaystyle\int 10 \sin 2t\, dt$

Fonction exponentielle, logarithmes

Évaluer les quantités suivantes en vous aidant éventuel-lement de tables ou d'une calculatrice.

B.105 Évaluer e^2 ; e^3 ; e^4

B.106 Évaluer $e^{0,5}$; $e^{1,5}$

B.107 Évaluer $\ln e^3$; $\ln 10$; $\ln 4$; $\ln 0,75$; $\ln 2$.

B.108 Que vaut x si son logarithme népérien vaut 0,5 ; 0,1 ; 1 ; -1 ; 2 ; 2,5 ?

B.109 Évaluer le logarithme en base dix de 10 ; 100 ; 1000 ; 5 ; 0,5 ; e.

B.110 Que vaut x si son logarithme décimal vaut 0,5 ; 0 ; 1 ; -1 ; 2 ; 2,5 ?

Simplifier les expressions suivantes :

B.111 $\log\left(x^4\right)$

B.112 $\ln\left(x/y^2\right)$

B.113 $\ln\left(\sqrt{x}\right)$

B.114 $\log\left(1/x^3\right)$

B.115 $\ln\left[x(a+b)\right]$

QCM
Phrases
à compléter
Exercices

RÉPONSES

CHAPITRE 1

Phrases à compléter

1. Système International ; **2.** systématiques, accidentelles ; **3.** 1 ; **4.** déplacement ; **5.** déplacement, temps écoulé ; **6.** un intervalle de temps infiniment petit ; **7.** variation de vitesse, temps écoulé ; **8.** la vitesse instantanée ; **9.** l'accélération instantanée ; **10.** $a - t$; **11.** $v - t$; **12.** la résistance de l'air ; **13.** nulle, g (vers le bas).

QCM

1. a ; **2.** c ; **3.** b ; **4.** a ; **5.** c ; **6.** b ; **7.** c ; **8.** e ; **9.** a ; **10.** c.

Exercices et problèmes

1.1 $4{,}05 \times 10^3$ m^2

1.3 3,79 litres

1.5 a) 7×10^{-9} m b) 7×10^{-3} m

1.7 40,5 hectares

1.11 40 km h^{-1}

1.15 80 km h^{-1}

1.17 a) 10,2 m s^{-1}

1.19 a) $-9{,}8$ m s^{-1} b) $-29{,}4$ m

1.21 a) 10 m s^{-1} b) 5 m s^{-1} c) 0

1.24 6,94 km h^{-1}

1.28 Valeur maximum positive pour $t = 0, T$; négative pour $t = T/2$

1.30 $\bar{v} = 10{,}1$ m s^{-1} ; $\bar{v} < v$ (max)

1.32 a) $T_0 < t < 3T_0$ b) $0 < t < T_0, 3T_0 < t < 5T_0$ c) $t > 5T_0$

1.34 a) 50 m b) 20 m s^{-1}

1.36 a) $-0{,}6$ m s^{-2} b) 750 m

1.40 a) -113 m s^{-2} b) $-11\,300$ m s^{-2}

1.44 45,9 m

1.46 a) 400 m b) 2 440 m c) 46,7 s

1.48 a) 11,5 m b) 1,53 s c) 0,473 s ; 2,59 s

1.52 a) 0,204 s b) 38,1 m c) 38,5 m

1.56 a) 1,84 m b) 1,22 s

1.58 $v = 2{,}42$ m s^{-1} ; $a = 98{,}0$ m s^{-2}

1.60 62,5 m

1.65 a) 5 km h^{-1} b) 1 km h^{-1}

1.71 6 s

1.73 a) 4,52 m s^{-1} b) 2,55 s c) 11,5 m s^{-1} d) 200 mètres, oui ; 1 000 mètres, non

1.75 La distance minimum est de 10 m

1.77 a) 9,7 m s^{-2} b) 30 m s^{-2} c) 60 m devrait être remplacé par 20 m

1.79 1 720 m

CHAPITRE 2

Phrases à compléter

1. Un scalaire est caractérisé par une grandeur. Un vecteur possède aussi une direction ; **2.** Représentation manuscrite : des flèches surmontant les symboles. Représentation typographique : en caractères gras ; **3.** $A + B, A - B$, $2A$; **4.** $\left(A^2 + B^2\right)^{1/2}$; **5.** déplacement, temps écoulé ; **6.** variation de la vitesse, l'intervalle de temps ; **7.** grandeur, direction ; **8.** mouvements rectilignes orthogonaux ; **9.** l'accélération gravitationnelle ; **10.** vertical ; **11.** verticale ; **12.** horizontale ; **13.** $-g, 0$.

QCM

1. a ; **2.** d ; **3.** d ; **4.** d ; **5.** c ; **6.** b ; **7.** a ; **8.** c ; **9.** b ; **10.** d.

Exercices et problèmes

2.1 a) **D** b) **G** c) **C** d) 0 e) **A** f) **G** g) **C** h) **D**

2.3 b) 10,4 ; 17° entre le vecteur et $-OX$

2.5 a) 7,21 ; 56° avec le vecteur **A** (premier quadrant) b) 7,21 ; 56° avec le vecteur $-$**A** (deuxième quadrant) c) 7,21 ; 56° avec le vecteur **A** (quatrième quadrant)

2.7 a) 24,9 ; 36° entre le vecteur et $-$**OX**

2.9 224 km, 27° nord-ouest

2.11 a) 8,54 ; 69° avec le vecteur **C** (deuxième quadrant) b) 17,0 ; 28° avec le vecteur **A** (troisième quadrant)

2.13 a) 39,3 s b) 12,7 m s^{-1}

2.15 $v_x = 28{,}2$ m s^{-1}, $v_y = 10{,}3$ m s^{-1}

2.17 a) 78,5 s b) 0,510 m s^{-2} vers le sud

2.21 a) 7,50 m s^{-1} b) g

2.23 a) $1{,}79 \times 10^5$ m s^{-2} b) $a_x = 1{,}55 \times 10^5$ m s^{-2}, $a_y = 8{,}93 \times 10^4$ m s^{-2}

2.25 a) 1,33 s b) à 11,5 m

2.27 a) 141 m b) 4,08 s

2.29 0,0304 m s^{-2}

2.31 a) 2,04 s b) 2,89 s c) 3,53 s

2.33 40,8 m

2.36 20,2 m s^{-1}

2.38 26,1 m s^{-1}

2.40 71, 4°

2.42 8,85 m s^{-1}

2.44 a) 2,97 m s^{-1} b) 0,45 m

2.47 a) La seconde b) Les vitesses sont égales

2.49 a) 0,25 h b) 1 km en aval

2.51 0,56 m ; dans le filet

2.53 a) 1,03 s   b) 30,8 m

2.55 $v_{oy}^2 / 2g$

2.59 a) $v_0 = 46,04$ m s^{-1} b) $\theta = 32,84°$

2.61 a) 12,61 m s^{-1} b) 9,03s ; 752,5 m   c) 638,6 m
d) 33,01 s

CHAPITRE 3

Phrases à compléter

1. forces de contact ; **2.** gravitationnelle ; **3.** l'accéléra-tion gravitationnelle ; **4.** volume ; **5.** l'eau à 0 °C ; **6.** force résultante ; **7.** équilibre stable ; **8.** une force égale mais opposée (réaction) ; **9.** la masse de l'objet ; **10.** $1/r^2$; **11.** masse d'intertie ; **12.** masse, poids ; **13.** chute libre ; **14.** l'aire de contact, la force normale ; **15.** le mettre en mouvement ; **16.** 1, de frottement cinétique.

QCM

1. b ; **2.** b ; **3.** b ; **4.** c ; **5.** b ; **6.** a ; **7.** b ; **8.** b ; **9.** a ; **10.** b.

Exercices et problèmes

3.1 37° avec la force de 20 N, 25 N

3.3 15° avec chacune des forces, 19,3 N

3.5 490 N

3.7 a) 4,90 N   b) 1,10 lb

3.9 1,0595 kg

3.11 a) 1 420 kg m^{-3} b) la masse volumique de la couronne est faible par rapport à celle du centre

3.13 a) $1,27 \times 10^{17}$ kg m^{-3} b) $1,27 \times 10^{14}$ kg m^{-3}

3.15 1,002

3.17 127 kg

3.19 0,4515 kg

3.21 a) 11,3   b) 11,3 kg

3.23 Non, non

3.25 a) 0   b) 19 600 N

3.27 w

3.29 Stable ; les câbles exercent des forces qui ramènent le feu à sa position d'équilibre.

3.31 Non, car la voiture est accélérée et la force résultante n'est pas nulle.

3.37 a) 1 490 N   b) 3,04

3.39 3 000 N

3.41 11 500 N

3.43 2,45 m s^{-2}

3.45 a) 3,320 m s^{-2} b) 339

3.47 0,86 m s^{-2}

3.49 652,5 N

3.51 0,444

3.53 296 N

3.55 $m_T/8$

3.57 $5,98 \times 10^{24}$ kg

3.59 $2w$, vers le haut

3.61 a) 3 m s^{-2} b) 1,045 mg ; 17,0° par rapport à la verticale.

3.63 0,867

3.65 30 N

3.67 Augmente la force maximum de frottement

3.69 a) 300 N   b) 150 N

3.73 1 125 N

3.75 a) 81,6 kg   b) 10 m s^{-2} c) 816 N

3.77 a) 5 122 N   b) 1 914 N

3.79 a) 1,23 m s^{-2} b) 32 000 N   c) 16 000 N

3.81 a) 2,20 m s^{-2} b) 30,6 kg

3.83 8,85 m s^{-2}

3.85 a) $4,105 \times 10^{12}$ N   b) $2,93 \times 10^{16}$ N

3.87 5,12 m s^{-2}

3.89 a) 1,55 mg ; 1,225 mg   b) 0,225 mg

3.91 a) 23,5 N   b) 1,96 m s^{-2} c) 0,98 m s^{-1} ; 0,245 m

3.93 190 kg

3.95 a) 6,24 m s^{-2} b) 22,3 m s^{-1}

3.97 3,20 m s^{-2}

CHAPITRE 4

Phrases à compléter

1. dimension forme ; **2.** moment de la force ; **3.** bras de le-vier ; **4.** perpendiculairement ; **5.** perpendiculairement ; **6.** négatif, positif ; **7.** couple de forces ; **8.** force résul-tante ; **9.** moment résultant ; **10.** n'importe quel point ; **11.** centre de gravité ; **12.** polygone de sustentation.

QCM

1. b ; **2.** d ; **3.** e ; **4.** a ; **5.** c ; **6.** a ; **7.** c ; **8.** b ; **9.** b ; **10.** b.

Exercices et problèmes

4.1 $\mathbf{w}_1$, 0 ; $\mathbf{w}_2$, −6 N m ; $\mathbf{w}_3$, −40 N m ; $\mathbf{w}_4$, −75 N m

4.3 a) $\mathbf{A} \times \mathbf{A}, \mathbf{A} \times \mathbf{C}$ b) $\mathbf{A} \times \mathbf{D}, \mathbf{A} \times \mathbf{E}$ c) $\mathbf{A} \times \mathbf{B}$
d) $\mathbf{A} \times \mathbf{D}, \mathbf{A} \times \mathbf{E}$

4.5 4 m ; 1,732 m

4.7 a) 30 N m vers l'arrière de la page ; 24 N m vers l'arrière de la page ; 21,2 N m vers l'avant de la page
b) dans la position a)

4.9 $T_1 = 25,7$ N, $T_2 = 40,3$ N

4.11 $F_1 = 0,75$ N, $F_2 = 0,25$ N

4.13 a) $w + w_1 + w_2$ b) w_1/w_2

4.15 3,06 m

4.17 0,175 m

4.19 1,31 m

4.21 27°

4.25 500 N

4.27 0,667

4.31 a) I   b) III   c) Splénius

4.32 a) 0,075   b) 3 N

4.34 À 3 m de la première balance

4.36 $X = 0,229h$, $Y = 0,443h$

4.38 75°

4.41 193 N

4.43 a) 4 000 N   b) 3 606 N, 16° au-dessous de l'horizontale.

4.45 24,1 N

4.47 $X = 0$, $Y = 2m$L $/ (M + 2m)$

4.49 36°

4.51 3,33 kg

4.53 a) $T = 264$ N, $R_x = 251$ N, $R_y = 46,7$ N   b) 0,133

4.57 a) $T = 2\,020$ N, $R_x = 1\,980$ N, $R_y = 70$ N
b) $T = 3\,220$ N, $R_x = 3\,150$ N, $R_y = -5$ N

4.59 42,4 N

CHAPITRE 5

Phrases à compléter

1. un mouvement circulaire uniforme ; **2.** le centre de cercle ; **3.** le centre du cercle ; **4.** mv^2/r ; **5.** accélération tangentielle ; **6.** 2π ; **7.** déplacement angulaire, l'axe de rotation ; **8.** vitesse angulaire ; **9.** moment de la force par rapport à cet axe ; **10.** de la position de l'axe de rotation ; **11.** l'axe de rotation ; **12.** électriques ; **13.** forces nucléaires ; **14.** repoussent, s'attirent ; **15.** nucléons, protons, neutrons ; **16.** 10 000 ; **17.** quarks ; **18.** les interactions fortes, les forces électromagnétiques, les interactions faibles et les forces gravitationnelles ; **19.** carré de la distance.

QCM

1. b ; **2.** d ; **3.** e ; **4.** a ; **5.** c ; **6.** a ; **7.** c ; **8.** b ; **9.** b ;
10. b.

Exercices et problèmes

5.1 0,64 m s^{-2}

5.3 367 m

5.5 a) 19 700 N   b) 2 010 kg

5.7 5 100 m

5.9 0,546

5.11 31,3 m s^{-1}

5.15 17 radians, ou 45, 5°

5.17 La voiture peut déraper vers l'intérieur du virage

5.19 Vers l'extérieur du virage

5.21 42 300 tours/min

5.23 a) 1,58 m s^{-2} b) 370 N   c) 512 N

5.25 a) 60°   b) 135°   c) 405°

5.27 a) Vers le haut   b) Vers le bas

5.29 a) 12,5 rad s^{-1} ; le long d'un axe passant par l'essieu et s'éloignant de l'observateur   b) 2,5 rad s^{-2}

5.31 7 670 rad s^{-1}, 73 200 tours/min

5.33 a) Non   b) Peut-être   c) Oui

5.35 a) 66,7 rad s^{-1} b) 4,44 rad s^{-1} c) 500 rad

5.37 0,245 kg m^2

5.39 0,289 l

5.41 a) 0,00640 kg m^2 b) 0,0960 N m

5.43 $g/4$

5.45 $6,25 \times 10^{12}$ électrons doivent être soustraits

5.47 $3,33 \times 10^{-6}$ C

5.49 a) $-9,63 \times 10^7$ C   b) $+9,63 \times 10^7$ C
c) $8,35 \times 10^{25}$ N

5.51 $9,22 \times 10^{-10}$ N

5.53 3,5 jours

5.55 27 ans

5.57 7,81h

5.59 0,539 m

5.60 a) 18,9 m s^{-2} b) 1,06

5.62 a) 22,8 m s^{-1} b) 57,8 m s^{-1}, 0

5.64 a) 0,0338 m s^{-2} b) 698 N   c) Diminue davantage le poids

5.66 16,0 s

5.68 a) $4w$ b) $w\sqrt{10}$

5.70 $(31/32)\,\pi\,\rho aR^4$

5.72 5,39 s

5.74 7,02 N m

5.76 a) 0   b) $\sqrt{3}\,kqQ/4a^2$, perpendiculaire à la droite joignant les charges $+q$ et dirigée vers le haut

5.79 $T = Cr^2$

CHAPITRE 6

Phrases à compléter

1. parallèle, anti-parallèle, perpendiculaire ; **2.** joule ; **3.** un travail ; **4.** $\frac{1}{2}mv^2$; **5.** énergie cinétique initiale, l'ensemble des forces qui agissent sur lui ; **6.** conservatives ; **7.** l'énergie cinétique, l'énergie potentielle ; **8.** les forces appliquées n'effectuent aucun travail ; **9.** position ; **10.** arbitraire ; **11.** travail effectué par les forces conservatives ; **12.** énergie thermique ; **13.** négatif ; **14.** au voisinage de la surface terrestre ; **15.** vitesse de libération ; **16.** un travail est effectué ; **17.** watt ; **18.** d'énergie ; **13.** loi d'échelle.

QCM

1. a ; **2.** d ; **3.** a ; **4.** b ; **5.** a ; **6.** c ; **7.** b ; **8.** b.

Exercices et problèmes

6.1 56,4 J

6.3 80 J

6.4 $2,21 \times 10^5$ J

6.6 a) 20 000 J   b) 20 000 N

6.9 13,1 J

6.10 4 230 N

6.11 Il faut moins d'énergie par seconde

6.13 0

6.15 31,3 m s^{-1}

6.16 35,9 m s^{-1}

6.17 $8,82 \times 10^4$ J

6.20 0,592

6.22 $2,35 \times 10^{12}$ J

6.25 a) 29,4 J   b) 4,85 m s^{-1}

6.27 39 220 J

6.29 a) $GM_s m / 2R$ b) $GM_T m / 2R_T$ c) 14,15

6.30 $-6,60 \times 10^{-8}$ J

6.31 $3,17 \times 10^4$ m s^{-1}

6.33 $2,37 \times 10^3$ m s^{-1}

6.34 40 W

6.35 209 W

6.37 a) 1,80 W   b) 5,14 N   c) 1 080 J

6.39 a) 200 W   b) 800 W

6.40 $6,53 \times 10^4$ W

6.41 a) 200 m^2 b) Comparable à la superficie du toit d'un grand bungalow

6.43 0,790 J

6.44 a) 48,0 J   b) 96,0 J

6.46 a) 1 350 J   b) 2,149 N m   c) Convertie en énergie thermique

6.47 $(4gd/5)^{1/2}$

6.49 a) 36,3 J kg^{-1}, 132 W kg^{-1} b) 3,23 J kg^{-1}, 3,92 W kg^{-1}

6.57 a) 1,28 m   b) 0,573 m s^{-1} c) 0,724 m   d) 3,77 m s^{-1}

6.59 a) 6×10^{15} kg   b) 311 GW

6.63 a) $1,25 \times 10^{18}$ J   b) $1,45 \times 10^{13}$ W   c) 1,45

6.65 a) 498 N   b) 8,53 km

6.67 1,46°

6.71 Terre 11 200 m s^{-1}, Soleil 42 100 m s^{-1}

CHAPITRE 7

Phrases à compléter

1. force, temps pendant lequel elle s'exerce ; **2.** la variation de la quantité de mouvement ; **3.** masse, vitesse ; **4.** forces externes ; **5.** la force externe résultante est nulle ; **6.** composante ; **7.** du système, la résultante des forces externes ; **8.** maximum ; **9.** nulle ; **10.** chaleur, travail de déformation ; **11.** $I\omega$; **12.** $\mathbf{r} \times \mathbf{p}$; **13.** moment résultant de force externe.

QCM

1. a ; **2.** c ; **3.** c ; **4.** d ; **5.** c ; **6.** a ; **7.** c ; **8.** c ; **9.** c ; **10.** d.

Exercices et problèmes

7.1 69,1 m s^{-1}

7.3 a) 36 000 kg m s^{-1} b) 36,0 m s^{-1}

7.5 $2mv/\Delta t$ vers la gauche

7.11 $mv_0/(m + M)$

7.13 a) 8,26 m s^{-1} b) 1 650 N

7.15 0,005 m s^{-1}

7.17 $\phi = \theta$

7.19 a) $3,34 \times 10^{-11}$ m s^{-1} b) $1,12 \times 10^{-15}$

7.21 $3\mathbf{v}/2$

7.23 a) Le centre de masse du système Terre-Lune   b) $4,66 \times 10^6$ m

7.25 a) Pas de dissipation d'énergie mécanique   b) $1,33 \times 10^5$ J

7.27 1/2

7.29 a) 16,7 rad s^{-1} b) 4,33 kg m^2 s^{-1}

7.31 0,251 kg m^2 s^{-1}

7.33 Pour augmenter I et ainsi la stabilité

7.37 500 s

7.39 2,05 rad s^{-1}

7.41 $v/2$

7.43 1 470 N

7.47 a) 114 J b) 55,3 J

7.52 a) La voiture 33,3 m s^{-1} ; le camion 6,67 m s^{-1}
b) 6,67 m s^{-1}

7.54 4,62 m s^{-1}

7.58 a) 2,48 m s^{-1} b) 0,314 m

7.60 b) et c)

7.62 m_2/m_1

7.64 $m/(m+M)$

7.66 a)18,1 m s^{-1} ; 83,7° sud-ouest b) 3,62×10^5 J

7.68 0,2 tour par seconde

7.70 Il s'allongera

7.72 $n^2 h^2/8\,\pi^2\, I$

7.74 a) 1,71 rad s^{-1} b) 1,71 rad s^{-1}

7.81 La vitesse augmente

CHAPITRE 8

Phrases à compléter

1. F/A ; **2.** la variation relative de la longueur ; **3.** traction, compression, cisaillement ; **4.** l'effort, déformation ; **5.** élastique ; **6.** module de Young ; **7.** la loi de Hooke ; **8.** difficilement ; **9.** l'axe ; **10.** l'effort, déformation ; **11.** cisaillement.

QCM

1. b ; **2.** b ; **3.** a ; **4.** b ; **5.** c ; **6.** b ; **7.** a ; **8.** a ; **9.** a.

Exercices et problèmes

8.1 1 000 N m^{-2}

8.3 0,0125

8.5 1,56×10^{-4} m

8.7 4,84×10^{-3} m

8.9 7,07×10^4 N

8.11 a) 9 800 N m^{-2} ; 4,90×10^{-8} b) 9,80×10^{-8} m
c) 5,10 × 10^6 kg

8.13 77 400 N

8.15 a)3,18×10^6 N m^{-2} ; 1,59×10^{-5} b)4,77×10^{-5} m

8.17 2,25×10^7 N m^{-1}

8.19 78,5 N m

8.21 a)2,13×10^{-7} m^4 b)8,53×10^{-7} m^4 ; 5,33×10^{-8} m^4
c) La planche B, parallèle à la largeur de 8 cm
d) La planche A.

8.23 a) Oui b) Le poids et la force normale c) Non ; les moments s'annulent

8.25 Ils produisent des moments importants par rapport à la base

8.27 8,73 m

8.29 37,6 m, par rapport à 8,73 m

8.31 a) 10^6 N m^{-2} ; 1,19×10^{-5} b) 1,19×10^{-7} m

8.33 2,83×10^4 N

8.35 a) 1,25×10^7 N m^{-2} b) 0,125

8.37 La section droite varierait comme le poids

8.39 $m^{5/8}$

8.41 a) 205 m^3 b) 0,005 m

8.43 a) 3,89×10^{-3} m^2 b) 2×10^{-4} m

8.45 16

8.47 a) 8,80×10^{-5} m^4 b) 7,41×10^{-7} m^4

8.49 R(plein) / R(creux) = 0,0914

8.51 1,73 cm

8.53 a) $m^{-1/3}$ b) $m^{-1/4}$

8.55 La hauteur est indépendante de la masse, comme au chapitre 6

8.57 25 m

CHAPITRE 9

Phrases à compléter

1. la période, la fréquence ; **2.** un mouvement harmonique simple ; **3.** l'élongation changée de signe ; **4.** l'élongation ; **5.** égales ; **6.** augmente, augmente ; **7.** augmente ; **8.** zéro, l'amplitude ; **9.** la constante d'amortissement ; **10.** la fréquence de résonance.

QCM

1. d ; **2.** c ; **3.** a ; **4.** e ; **5.** a ; **6.** c ; **7.** b ; **8.** b ; **9.** c ;
10. b.

Exercices et problèmes

9.1 a) 0,0796 Hz b) 12,6 s

9.3 ± 0,354 m

9.5 a) 0 b) ± R (déplacement maximum)

9.7 −148 m s^{-2}

9.9 13,2 N m^{-1}

9.11 a) 0,327 m b) 1,15 s

9.13 1,36 Hz

9.15 0,248 m

9.17 12,2 m

9.19 1,49 m

9.21 4

9.23 1,050 Hz

9.25 a) 4,90 N m^{-1} b) 1,58 Hz c) 0,635 s
d) 6,13×10^{-3} J

9.27 0,0707 m

9.29 a) $+ 0,447$ m s^{-1} b) $\pm 0,387$ m s^{-1}

9.31 a) 0,769 s   b) 4,61 s

9.33 $\simeq 10^5$ N m^{-1}

9.35 a) 98 000 N m^{-1} b) 7,05 Hz   c) Oui

9.37 a) $x_0, 0, -4\pi^2 f^2 x_0$ b) $-x_0, 0, 4\pi^2 f^2 x_0$

9.39 $x = R\sin(2\pi ft)$, $v = (2\pi f)R\cos(2\pi ft)$, $a = -(2\pi f)^2 R\sin(2\pi ft)$

9.41 a) 8,88 N m^{-1} b) 7,5 Hz

9.43 a) 19,7 N m^{-1} b) 0,995 m

9.45 a) $\simeq 0,7$ Hz   b) $\simeq 4$ km

9.47 5,95 m s^{-1}

9.49 a) 147 J   b) $1,176 \times 10^5$ N m^{-1} c) 7,72 Hz

9.51 3,40 m

9.53 $\theta_0 \sqrt{g/l}$

9.57 0,0621 m

9.59 a) 22,2 Hz   b) En bon accord.

CHAPITRE 10

Phrases à compléter

1. la température ; **2.** deux ; **3.** 12 uma ; **4.** masses atomiques ; **5.** newton, mètre carré ; **6.** de jauge ; **7.** un gaz parfait ; **8.** réels, parfaits ; **9.** le volume d'un gaz parfait ; **10.** l'équation d'état des gaz parfaits ; **11.** la somme ; **12.** la pression partielle ; **13.** la température, l'énergie cinétique moyenne ; **14.** la racine carrée ; **15.** forte, faible ; **16.** semi-perméable ; **17.** gaz parfait ; **18.** isotonique.

QCM

1. b ; **2.** c ; **3.** c ; **4.** h ; **5.** c ; **6.** b ; **7.** d ; **8.** e ; **9.** c ; **10.** b.

Exercices et problèmes

10.2 -40

10.4 36,461 u

10.6 4,032 grammes

10.8 $1,806 \times 10^{24}$

10.10 1,58 moles

10.12 127 grammes

10.14 $5,07 \times 10^8$ N

10.16 2 030 N ; non

10.18 a) $\approx 10^5$ Pa   b) ≈ 1000 Pa

10.20 5

10.22 1,37

10.24 10 970 K

10.26 1,05 atm

10.28 10 100 m

10.30 La pression double

10.32 0,9957

10.34 a) $4,25 \times 10^{-21}$ J   b) 205 K

10.36 746 s

10.38 $3,74 \times 10^6$ Pa $= 37,0$ atm

10.40 196 moles m^{-3}

10.42 303 u

10.44 a) 0,3 m^3 b) 37,5 min

10.46 5,12 %

10.48 9 750 K

10.50 a) 0,45 s   b) 4,5 fois plus grand

10.52 7,88 atm

10.54 12,5 J

CHAPITRE 11

Phrases à compléter

1. $P\Delta V$; **2.** l'énergie thermique transférée ; **3.** l'énergie d'un système comprenant les énergies cinétiques de translation, de rotation et de vibration de ses molécules plus celle due aux interactions moléculaires ; **4.** la variation de l'énergie interne ; **5.** l'entropie ; **6.** $\Delta Q/T$; **7.** décroître ; **8.** $1 - T_1/T_2$; **9.** le rapport de la chaleur absorbée à basse température au travail fourni au système.

QCM

1. d ; **2.** b ; **3.** b ; **4.** b ; **5.** b ; **6.** a ; **7.** d ; **8.** d ; **9.** c ; **10.** d.

Exercices et problèmes

11.1 a) $P_1(V_3 - V_1)$ b) $-P_1(V_3 - V_1)$

11.3 1,4 J

11.5 $3,24 \times 10^5$ J

11.7 25 W

11.9 Augmente plus vite quand le piston est maintenu fixe. Toute la chaleur contribue au changement de l'énergie interne.

11.13 a) Non   b) A augmenté

11.15 a) Face (pile) à chaque coup - 1 façon ; 1 fois face (pile) et 5 fois pile (face) - 6 façons ; 2 fois face (pile) et 4 fois pile (face) - 15 façons ; 3 fois face et 3 fois pile - 20 façons.   b) 3 fois face et 3 fois pile ; résultat le plus probable

11.17 a) 58,1 %   b) $3,3 \times 10^6$ J   c) 41,8 %

11.19 500 K, 429 K

11.21 a) 9,31   b) 25 W

11.24 a) $7{,}43 \times 10^{-3}$ litres s^{-1} b) 214 litres

11.26 a) 8,82 litres   b) 34,5 litres

11.28 a) 25 %   b) 231 W

11.29 a) 70 000 J   b) $-80\,000$ J   c) 20 000 J

11.31 50 %

11.33 a) 2 ou 12 - 1 façon ; 3 ou 11 - 2 façons ; 4 ou 10 - 3 façons ; 5 ou 9 - 4 façons ; 6 ou 8 - 5 façons ; 7 - 6 façons   b) 7

11.35 a) 148 s

11.37 a) 43,9 %   b) 1,52

11.39 Janvier 1,07 % ; juillet 6,08 %

11.41 $1{,}24 \times 10^{6}$ J

11.43 2,68 grammes

11.45 Oui, car le mouvement des membres requiert une dépense d'énergie métabolique.

11.47 0,375 W kg^{-1}

11.49 18,5 jours

CHAPITRE 12

Phrases à compléter

1. coefficient de dilatation linéaire ;   **2.** 2α, $\beta = 3\alpha$;   **3.** la chaleur spécifique molaire ;   **4.** la masse d'une mole ;   **5.** pression, volume ;   **6.** liquide, vapeur ou gazeux ;   **7.** convection ;   **8.** contact ;   **9.** décroît ;   **10.** quatrième.

QCM

1. d ;   **2.** c ;   **3.** a ;   **4.** c ;   **5.** c ;   **6.** a ;   **7.** b ;   **8.** a ;   **9.** a ; **10.** b.

Exercices et problèmes

12.1 $5{,}08 \times 10^{-3}$ m

12.3 $4{,}6 \times 10^{-4}$ m

12.5 Le couvercle se dilate plus que le verre

12.7 0,02991 m

12.9 46,6 kJ

12.11 2,48 kJ kg^{-1}K^{-1}

12.13 10 000 kJ

12.15 $3{,}54 \times 10^{3}$ kJ

12.17 a) Non   b) 0 °C

12.19 93,5 min

12.21 315 W

12.23 53,3 W

12.25 a) 0,263 m^2 K W^{-1} b) 3,95 m^2 K W^{-1}

12.27 79, 999 °C

12.29 21, 2 °C

12.31 1,5

12.33 23,4 %

12.35 a) 895 W   b) 240 W

12.37 55,5 W

12.39 a) $3{,}1 \times 10^{-4}$ m   b) Retarde   c) $1{,}27 \times 10^{-4}$ d) 11,0 s

12.41 $3{,}41 \times 10^{-3}$ K^{-1}

12.43 775 W

12.45 1,2 K h^{-1}

12.47 a) 62,4 kJ   b) 104 kJ

12.49 714 J

12.51 a) 102 °C   b) 3 200 W

12.53 100,8 °C

12.55 22 %

12.57 a) 418 W m^{-2}

12.59 a) 317 W   b) Non

12.61 $8{,}74 \times 10^{-3}$ kg

12.63 a) $2{,}65 \times 10^{6}$ J   b) 0,39 cents h^{-1}

12.65 a) 79, 997 °C   b) 71,6 W

12.67 0,260 kg h^{-1}

CHAPITRE 13

Phrases à compléter

1. la masse volumique, la pression ;   **2.** le poids, la poussée d'Archimède ;   **3.** plus étroites, plus larges ;   **4.** double ;   **5.** l'énergie mécanique par unité de volume ;   **6.** la différence de hauteur ;   **7.** en abaissant la tête ;   **8.** parce que la pression y est proche de celle du cœur ;   **9.** faibles ;   **10.** inférieure.

QCM

1. b ;   **2.** c ;   **3.** d ;   **4.** a ;   **5.** a ;   **6.** a ;   **7.** d ;   **8.** a ;   **9.** b ; **10.** b.

Exercices et problèmes

13.1 0,08 m^3

13.3 265 N

13.5 0,01 m^3

13.7 1 m s^{-1}

13.9 Non, l'écoulement est turbulent

13.11 Non, car on a dû effectuer un travail contre la pesanteur

13.15 20,8 kPa

13.17 20,4 m

13.19 1170 kg m^{-3}

13.21 9,34 kPa = 70,1 torr

13.23 25,8 kPa

13.25 21,6 m s^{-2}

13.27 Non

13.29 a) 75 Pa   b) 0,4 m s^{-1}

13.34 A cause de leur haute vitesse de décollage

13.36 a) 48 m s^{-1} b) Validité douteuse

13.37 750 kg m^{-3}

13.39 Le niveau a baissé

13.43 99,986 atm

13.45 0,193 m

13.47 a) 3,83 m s^{-1} b) Oui, jusqu'à ce que le niveau de l'eau ait baissé de 0,25 m   c) 3,43 m s^{-1}

13.49 a) Oui, elle augmente   b) Diminue

13.52 $l^{7/2}$

13.54 $l^{3/4}$

CHAPITRE 14

Phrases à compléter

1. couches ; **2.** oui ; **3.** laminaire ; **4.** non ; **5.** débit ; **6.** laminaire ; **7.** en parallèle ; **8.** en série ; **9.** non ; **10.** l'écoulement laminaire.

QCM

1. a ; **2.** b ; **3.** c ; **4.** a ; **5.** d ; **6.** c ; **7.** a ; **8.** a ; **9.** b ; **10.** b.

Exercices et problèmes

14.1 À mi-chemin

14.3 1,8 W

14.5 a) $1,13 \times 10^{-7}$ m^3 s^{-1} b) 0,0720 m s^{-1}

14.7 a) 0,0314 N   b) $4,71 \times 10^{-4}$ W

14.9 a) 0,354 m s^{-1} b) 632 Pa

14.11 a) 7,96 m s^{-1} b) Turbulent   c) Non

14.13 a) 0,983 m s^{-1} b) $1,24 \times 10^{-5}$ m^3 s^{-1}

14.14 $2R^2/r^2$

14.16 a) $1,49 \times 10^{10}$ kPa s m^{-3} b) $8,72 \times 10^{-11}$ m^3 s^{-1}

14.19 a) $4,33 \times 10^{-10}$ m s^{-1} b) 50 m s^{-1}

14.21 $4,23 \times 10^{-8}$ m

14.23 $\simeq 200$ N

14.25 a) 4,23   b) 3,90 m s^{-2} ; 45,8 m s^{-2}

14.27 a) $3,25 \times 10^{-16}$ N   b) $2,41 \times 10^{-16}$ N

14.29 805 s

14.31 $3,39 \times 10^7$ u

14.32 a) $8,38 \times 10^{-3}$ N   b) $8,33 \times 10^{-2}$ N   c) L'huile prévient la rouille

14.34 a) 8×10^{-3} m^3 s^{-1} b) 6,37 m s^{-1}
c) $N_R = 2,5 \times 10^5$, donc l'écoulement est turbulent

14.36 900 W

14.38 409,6 P_0

14.40 a) 11,6 kPa ; 0,873 kPa   b) Le ventricule de gauche effectue moins de travail que celui de droite

14.42 a) $R_f = \Delta P/Q$ b) Elle augmenterait substantiellement

14.44 a) 100 kPa s m^{-3} b) 10 W   c) Non

14.46 a) $3,32 \times 10^4$ kPa s m^{-3} b) $3,08 \times 10^{10}$

14.48 10^{-5} m s^{-1}

14.53 a) $2,29 \times 10^{-24}$ m^3 b) $8,18 \times 10^{-9}$ m
c) $1,54 \times 10^{-7}$ m   d) Non, elle est probablement oblongue

14.56 B fournit un travail 21 % plus élevé

CHAPITRE 15

Phrases à compléter

1. force par unité de longueur ; **2.** faux ; **3.** angle de raccordement ; **4.** monte ; **5.** diminuer ; **6.** plus grande ; **7.** leur rayon ; **8.** rayon ; **9.** pression négative.

QCM

1. a ; **2.** b ; **3.** c ; **4.** d ; **5.** b ; **6.** a ; **7.** c ; **8.** a ; **9.** d ; **10.** b.

Exercices et problèmes

15.1 0,02 N m^{-1}

15.3 Pour rendre la surface du film minimum

15.5 $-0,0535$ m

15.7 0,0703 m

15.9 0,025 N m^{-1}

15.11 $3,35 \times 10^{-3}$ N m^{-1} ; 7 %

15.13 4 Pa

15.17 21 %

15.19 Oui, car la sève ne se trouve plus dans une situation de pression négative

15.21 $-0,934$ atm

15.23 $w + 4\pi r\gamma$

15.29 $3,86 \times 10^{-2}$ N m^{-1}

15.31 a) 41,5 J   b) $5,03 \times 10^{-4}$ J

15.33 a) 0,514 m   b) Non

15.35 0,0495 m

CHAPITRE 16

Phrases à compléter

1. attractive ; **2.** $q\mathbf{E}$; **3.** parallèle, opposée ; **4.** s'écarte de, dirigé vers ; **5.** le module du champ électrique, la direction du champ électrique ; **6.** uniforme ; **7.** $\Delta\mathcal{U} = q\,\Delta V$; **8.** sphères concentriques ; **9.** ql, $+q$; **10.** parallèle au champ ; **11.** Q/C ; **12.** diminue, diminue, accroît ; **13.** 4.

QCM

1. a ; **2.** a ; **3.** d ; **4.** c ; **5.** a ; **6.** c ; **7.** a ; **8.** d ; **9.** c ; **10.** b.

Exercices et problèmes

16.1 $(2kQ^2/9b^2)\hat{\mathbf{y}}$

16.3 $-(kQ^2/2b^2)\hat{\mathbf{y}}$

16.5 $4{,}36 \times 10^{-9}$ N

16.7 a) $1{,}32 \times 10^{13}$ N C^{-1} s'éloignant du noyau b) $2{,}11 \times 10^{-6}$ N, vers le noyau

16.9 $5{,}69 \times 10^{-4}$ N C^{-1}, dans le sens opposé à l'accélération **a**

16.11 $-(kQ/2b^2)\hat{\mathbf{y}}$

16.13 $-1{,}77 \times 10^{-8}$ C

16.15 a) $86{,}4$ V   b) $-1{,}38 \times 10^{-17}$ J

16.17 $-2a$

16.19 a) 0   b) $4\sqrt{2}\,kQ/a$

16.21 a) Vers la plaque positive   b) Vers la plaque négative   c) Elles auront acquis la même énergie cinétique d) 42,9

16.23 $3{,}13 \times 10^{-11}$ m

16.25 $2qE$

16.27 a) 0   b) $1{,}6 \times 10^{-23}$ N m   c) 0

16.29 10^{-7} F

16.31 $3{,}23$ m^2

16.33 4×10^8 V

16.35 a) $0{,}325$ m^2 b) $1{,}44$ cm

16.37 a) 60 µF   b) 0,060 C

16.39 a) $8{,}85 \times 10^{-8}$ C   b) $4{,}43 \times 10^{-5}$ J   c) 100 V ; $4{,}43 \times 10^{-6}$ J

16.41 $61{,}3$ N C^{-1}, vers le bas

16.43 720 N C^{-1}, vers la plaque

16.45 a) $1{,}76 \times 10^{14}$ m s^{-2} b) 10^{-8} s   c) $8{,}8 \times 10^{-3}$ m d) 5°

16.46 $mv^2/2qE$

16.48 a) $2kp_1p_2/R^3$ b) kp_1p_2/R^3

16.50 b) 0,316 e

16.54 5 condensateurs en parallèle

16.56 1,33 µF

CHAPITRE 17

Phrases à compléter

1. 0,3 A ; **2.** courant ; **3.** courant ; **4.** faible ; **5.** chimique, électrique ; **6.** kilowattheure ; **7.** courant, différence de potentiel ; **8.** $2R$, $R/2$; **9.** parallèle ; **10.** faible ; **11.** $t = 0$, $t = RC$; **12.** mis à la terre, choc électrique.

QCM

1. d ; **2.** d ; **3.** d ; **4.** d ; **5.** c ; **6.** d ; **7.** c ; **8.** b ; **9.** a ; **10.** a.

Exercices et problèmes

17.1 $6{,}25 \times 10^{12}$

17.3 $3{,}43 \times 10^{-4}$ m s^{-1}

17.5 $4{,}75 \times 10^{-4}$ kg

17.7 2,5 ohms

17.9 34,2 ohms

17.11 $1{,}05 \times 10^{-3}$ m

17.13 11,5 ohms

17.15 20 ohms

17.17 a) 6 A   b) 60 C   c) -720 J   b) 720 J   e) 0 f) 720 J   g) L'énergie chimique disponible dans la batterie

17.19 a) 0,15 A   b) $-1{,}5$ V ; 1,5 V ; 1,5 V ; $-0{,}6$ V ; $-0{,}9$ V.

17.21 a) 3000 A ; $3{,}6 \times 10^4$ W   b) 0,146 ohm   c) 934 W d) 25,6 W

17.23 a) 144 ohms   b) 0,833 A

17.25 a) 0,4 A   b) 4,8 W ; $-3{,}2$ W   c) 0,64 W ; 0,96 W

17.27 64,8 cents

17.29 a) 4,17 A   b) 1,15 ohms

17.31 460

17.33 a) 240 ohms   b) 40 ohms

17.35 1 ohm

17.37 a) 1,5 A   b) 3 V   c) 1 A

17.39 Au moyen d'une résistance de 90 ohms placée en série

17.41 a) 0,1 ohm   b) 10^{-7} s

17.43 0,02 s

17.45 a) 0,012 A   b) 0,005 s

17.46 a) 10 V   b) 100 V

17.48 1,295 ohm m

17.50 a) 13,6 ohm m   b) $7{,}37 \times 10^{-2}$ ohm^{-1} m^{-1}

17.52 a) 7200 C   b) $4,50\times10^{22}$ c) $6,15\times10^{23}$

17.54 a) $2,09\times10^{-3}$ ohm   b) 0,00162 m
c) $w(\text{Al})/w(\text{Cu}) = 0,462$

17.56 a) 4600 W   b) 37,7 min

17.58 a) $1,51\times10^4$ J   b) 5,16 K

17.60 a) La borne positive   b) 241 W   c) 12,06 V

17.62 a) $\mathcal{E}/r$ b) $\mathcal{E}/2r$

17.64 a) 0,1 C   b) 10 ohms   c) 37 A

17.67 $\mathcal{E} = \mathcal{E}_1 R/(R + R_1)$

CHAPITRE 18

Phrases à compléter

1. grande, moins bien, plus ;   **2.** cellules de Schwann ;
3. constante de longueur ;   **4.** de sodium, de potassium ;
5. concentrations ioniques ;   **6.** petite, faible ;   **7.** de sodium ;   **8.** nœuds de Ranvier ;   **9.** deux ;   **10.** d'énergie
métabolique.

QCM

1. a ;   **2.** d ;   **3.** c ;   **4.** a ;   **5.** a ;   **6.** Vrai ;   **7.** Vrai ;   **8.** Faux ;
9. Vrai ;   **10.** Faux.

Exercices et problèmes

18.1 10^6

18.3 $1,59\times10^9$ ohms

18.5 a) $1,26\times10^{-9}$ F   b) $1,59\times10^6$ ohms

18.7 a) $1,2\times10^7$ N C^{-1}, dirigé vers l'intérieur de l'axone
b) 8,48

18.9 a) $4,5\times10^{-6}$ C m^{-2} b) $9,0\times10^{-4}$ C m^{-2}

18.11 10 μm

18.13 0,8 μm

18.15 $8,17\times10^{12}$

18.17 74,1 mV

18.19 a) 0,0289 A   b) 0,00260 W

18.21 1,5 mm

18.23 a) $-86,3$ mV   b) $-88,6$ mV

18.25 a) 0,2 s   b) 0,01 s

18.27 a) $2,67\times10^7$ ohm m   b) $1,46\times10^{10}$ m^2
c) 8,28 μm

18.29 $\rho_a = 0,812$ ohm m ; $\rho_{if} = 0,599$ ohm m

18.31 a) $3,9\times10^{-10}$ C   b) $2,44\times10^9$

18.37 a) 75   b) 75 000

CHAPITRE 19

Phrases à compléter

1. plus serrées ;   **2.** perpendiculaire ;   **3.** le bas ;   **4.** parallèle, antiparallèle ;   **5.** parallèlement ;   **6.** nulle ;   **7.** courant, champ magnétique ;   **8.** l'inverse du carré ;   **9.** un
solénoïde ;   **10.** l'inverse.

QCM

1. c ;   **2.** c ;   **3.** d ;   **4.** c ;   **5.** b ;   **6.** d ;   **7.** c ;   **8.** d ;   **9.** a ;
10. a.

Exercices et problèmes

19.1 a) P_4 b) P_1

19.3 Non ; on peut avoir $\mathbf{v} \parallel \mathbf{B}$

19.5 a) 0   b) 0   c) qvB/m, pénétrant, de haut en bas,
dans le plan de la figure   d) qvB/m, sortant, de bas en
haut, du plan de la figure   e) qvB/m, dans la direction $+y$
f) qvB/m, dans la direction $-y$.

19.7 a) 5×10^{-4} N, entrant, de haut en bas, dans le plan
de la figure   b) 0,05 m s^{-2}, entrant dans le plan de la
figure

19.9 0,5 T

19.11 a) 30 N

19.13 a) 2 N ; 2 N ; 0   b) 0

19.15 a) 0,1 A m^2 b) 0,01 N m   c) Lorsque $\mathbf{B}$ est dans
le plan de la boucle.

19.17 Oui ; dans la direction $-x$

19.19 $3,77\times10^{-7}$ T

19.21 $1,257\times10^{-3}$ T

19.23 $6,28\times10^{-3}$ T

19.25 a) 8×10^{-6} T   b) 8×10^{-7} T

19.27 $7,80\times10^{-7}$ A

19.29 a) 2×10^{-4} m   b) Oui

19.31 0,25 A, dans le même sens que le courant dans le
premier fil

19.32 a) $9,6\times10^{-20}$ kg m s^{-1} b) $5,75\times10^7$ m s^{-1}

19.34 5 MeV

19.36 a) D b) D c) D

19.39 a) ev_dB vers le haut   b) v_dB vers le haut   c) av_dB
d) av_dB e) 2×10^{-5} V   f) Sortant du plan de la figure
g) Elle est de signe opposé, si le sens du courant reste
inchangé

19.41 a) 0,24 A m^2 b) 0,12 N m   c) $\boldsymbol{\mu} \parallel \pm\mathbf{B}$

19.43 2×10^{-6} N, vers la gauche

19.45 a) 10^{-5} T, entrant dans le plan de la figure
b) $1,67\times10^{-5}$ T, entrant dans le plan de la figure
c) $2,33\times10^{-5}$ T, sortant du plan de la figure
d) $x = 0,0333$ m

19.47 15,9 A

19.49 a) $1,09 \times 10^{-3}$ A   b) 13,4 T

19.51 $\pi k' I/a$

CHAPITRE 20

Phrases à compléter

1. la composante normale du champ magnétique ; **2.** la vitesse de variation du flux magnétique ; **3.** webers ; **4.** s'opposer ; **5.** les pertes d'énergie ; **6.** demi-cycle ; **7.** supérieure ; **8.** électrique, magnétique ; **9.** ondes électromagnétiques, la lumière ; **10.** diminuent, augmentent ; **11.** domaines magnétiques ; **12.** variations rapides de courant ; **13.** 4.

QCM

1. b ; **2.** b ; **3.** d ; **4.** c ; **5.** d ; **6.** d ; **7.** b ; **8.** d ; **9.** b ; **10.** a.

Exercices et problèmes

20.1 a) Oui   b) Non   c) Oui

20.3 a) Les FEM sont égales   b) Le courant dans le cuivre est important, celui dans le caoutchouc est pratiquement nul

20.5 3,14 A

20.7 a) 48 V   b) 0

20.9 Celui des aiguilles d'une montre

20.11 $2 \omega BA/\pi$

20.13 150 V

20.15 0,075

20.18 Parce que les FEM induites peuvent produire des arcs électriques

20.20 a) Celui des aiguilles d'une montre   b) Opposé au sens des aiguilles d'une montre

20.26 0,32 H

20.30 a) 1,2 A   b) 0,02 s   c) 0,759 A   d) 1,2 A

20.32 2,392 J

20.34 28,3 A

20.36 a) 200 W   b) 1,67 A   c) 2,36 A

20.39 a) 159 Hz   b) 70,7 V

20.41 a) 39,8 µF   b) 66,7 ohms   c) 240 V

20.43 100

20.45 a) 0,796 A   b) 1,125 A

20.47 a) 75,4 ohms   b) 125 ohms   c) 1,92 A

20.49 a) 101 ohms   b) 1,19 A

20.51 $1,592 \times 10^8$ Hz

20.53 250 V

20.55 a) 13 ohms   b) 426 W

20.59 $9,9 \times 10^{-3}$ ohm

20.63 5,77 s

20.65 a) $1,29 \times 10^{-9}$ F   b) 1,75 ohms   c) 0,452 ohm

20.67 a) $\mathcal{P}_s/\mathcal{P}_l = 1$ b) $\mathcal{P}_s/\mathcal{P}_l \simeq 0$

20.68 a) qvB b) $qvB\ell$ b) $-B\ell v$; on obtient le même résultat

20.70 Sens du courant vu du dessus : a) opposé à celui des aiguilles d'une montre   b) pas de courant   c) celui des aiguilles d'une montre

20.72 a) Elle est proportionnelle à ω b) Elle diminue le courant   c) D'augmenter le courant   d) I^2R devient grand

20.74 a) $4\pi K_m k' IN/\ell$ b) $2\pi K_m' N^2 I^2/\ell^2$ c) $1/(8\pi k')$

20.78 a) 1,333 H   b) 6 H

CHAPITRE 21

Phrases à compléter

1. plus courte ; **2.** faux ; **3.** faux ; **4.** une superposition ; **5.** faux ; **6.** vrai ; **7.** interfèrent ; **8.** $f_1 - f_2$; **9.** au carré de l'amplitude ; **10.** transversales.

QCM

1. b ; **2.** c ; **3.** a ; **4.** c ; **5.** c ; **6.** b ; **7.** b ; **8.** d ; **9.** d ; **10.** b.

Exercices et problèmes

21.1 0,344 m

21.3 a) 10^{10} Hz   b) 5×10^9 périodes   c) $1,5 \times 10^8$ m

21.5 214 m

21.7 173 m s^{-1}

21.9 156 N

21.17 a) 435 m s^{-1} b) $2,91 \times 10^{-4}$ kg m^{-1}

21.19 a) 3,5 m   b) 1,75 m

21.21 6,51 m

21.23 a) 0,25 m   b) 0,132 m

21.27 5 Hz

21.29 0,0866 m

21.31 0,25

21.33 Énergie purement cinétique ; la corde est toujours en mouvement

21.35 1058 Hz

21.36 29,9 m s^{-1}

21.37 a) $+3,47$ m s^{-1} ; $-3,41$ m s^{-1} b) Non

21.39 $5,28 \times 10^{-8}$ m

21.43 3,42 m s^{-1}

21.45 40,0 s

21.47 a) $1,52 \times 10^{-3}$ s

21.49 a) 80 %   b) 20 %

21.52 a) 497,1 Hz   b) 502,9 Hz   c) 5,8

21.54 $8,99 \times 10^4$ Hz

21.60 13,7 Hz

21.62 53,300 Hz

CHAPITRE 22

Phrases à compléter

1. le son est un ébranlement mécanique qui met en jeu un mouvement réel d'atomes et de molécules ; **2.** élevée ; **3.** courte ; **4.** d'un obstacle ; **5.** fermée, ouverte ; **6.** carré, pression ; **7.** d'une structure résonante ; **8.** l'intensité, la fréquence ; **9.** formants ; **10.** le canal de l'oreille externe ; **11.** décibels.

QCM

1. c ; **2.** c ; **3.** d ; **4.** a ; **5.** c ; **6.** b ; **7.** d ; **8.** b ; **9.** c ; **10.** a.

Exercices et problèmes

22.1 365 Hz

22.3 40,7 m

22.5 1498 m

22.7 0,0516 m

22.9 Dans l'eau, c est plus grand, λ est plus grand

22.11 132 Hz, 265 Hz, 397 Hz, 529 Hz

22.13 2,65 m ; 0,0823 m

22.15 9,09 Pa

22.17 0,0166

21.19 4

22.21 14,7

22.23 $1,73 \times 10^{-3}$ Pa

22.25 17,200 Hz

22.31 10

22.33 60 dB

22.35 8×10^{-13} W

22.36 a) 99,9 %   b) 0,11 %

22.38 9×10^6

22.44 a) 0,103 m   b) $4,4 \times 10^{-3}$ s

22.46 a) 86,0 Hz   b) 1,828 m

22.48 a) $1,26 \times 10^4$ W   b) $1,26 \times 10^3$ J

22.50 49,5 dB

22.52 a) 10^{-8} W m^{-2} b) 50,5 dB   c) $6,28 \times 10^{-6}$ W

22.54 a) 0,0430 m   b) 1720 Hz

22.57 $\simeq$ 2 mm

CHAPITRE 23

Phrases à compléter

1. la moitié ; **2.** décroît, reste constante ; **3.** en phase ; **4.** l'angle d'incidence ; **5.** s'écartent de la normale ; **6.** plus, moins, égal à 1 ; **7.** en phase ; **8.** cohérentes ; **9.** plus étroites et plus intenses ; **10.** les ondes issues de différents points d'une source spatialement cohérente ; **11.** absorption, réflexion, diffusion ; **12.** des rayons X.

QCM

1. e ; **2.** e ; **3.** b ; **4.** b ; **5.** e ; **6.** c ; **7.** a ; **8.** b ; **9.** c ; **10.** c.

Exercices et problèmes

23.1 $2,25 \times 10^8$ m s^{-1}

23.3 a) 450 nm   b) Jaune

23.5 375 nm

23.7 0,0204

23.9 0,997

23.11 1,649

23.13 a) 15°   b) 11°

23.15 1,183

23.17 L'air à proximité de la route est moins dense et présente un indice de réfraction n légèrement diminué ; les rayons du soleil sont incurvés vers le haut

23.19 57°

23.21 $1,91 \times 10^{-5}$ m

23.23 $5,98 \times 10^{-5}$ m

23.25 Non, les deux faisceaux ne sont pas cohérents

23.27 625 nm

23.29 500

23.31 a) Pour résoudre les raies   b) Pour diminuer la largeur des raies

23.33 693 nm

23.35 916 nm

23.37 0,258 m

23.39 0,154 m

23.41 30°

23.43 a) 0,2   b) 0,8

23.45 63,4°

23.47 10°

23.49 a) L'objet dans sa totalité   b) La résolution est réduite dans les deux cas

23.51 150 nm

23.53 77°

23.55 11,34 m

23.57 a) 13,4°   b) $s' = 0,74$ m

23.59 $d \sin \theta = (m + \frac{1}{2})\lambda$

23.65 a) (1768/m) nm   b) Chercher des raies formées sous des angles plus petits

23.69 $2,68 \times 10^{-3}$ m

23.75 La tache se forme à 0,117 m de la plaque

23.77 Toutes les longueurs d'onde interfèrent de manière destructive

CHAPITRE 24

Phrases à compléter

1. la distance entre l'objet et le miroir ; **2.** positive, négative ; **3.** parallèles à l'axe optique ; **4.** infini ; **5.** diminuer, augmenter ; **6.** sans déviation ; **7.** parallèlement à l'axe de celle-ci ; **8.** renversée ; **9.** l'aberration chromatique ; **10.** juste en deçà du foyer ; **11.** −0,5 dioptrie ; **12.** un cône non excité ; **13.** verte.

QCM

1. b ; **2.** b ; **3.** a ; **4.** a ; **5.** c ; **6.** b ; **7.** a ; **8.** d ; **9.** c ; **10.** a.

Exercices et problèmes

24.1 4 m

24.3 20 cm

24.5 −0,5 m

24.7 1,50 m

24.9 Bleu 0,0775 m ; rouge 0,0795 m

24.11 −0,333 m

24.13 a) −0,4 m   b) 5 ; droite

24.15 a) 0,0508 m   b) −0,0169   c) 1,42 m

24.17 Quatre fois plus grand

24.19 0,250 m

24.21 a) 4,75 dioptries   b) 0,211 m

24.23 a) −0,1818 m   b) −0,286 m

24.25 10^{-3} m

24.27 0,2 m

24.29 a) à 0,133 m de l'objectif   b) 0,00412 m   c) −277

24.31 L'extérieur de la rétine est plus fournie en bâtonnets

24.33 a) 510 nm, 620 nm   b) 450 nm, 560 nm

24.35 a) $5,75 \times 10^{-7}$m   b) $5,75 \times 10^{-6}$ m

24.37 Les images réelles sont renversées ; par traitement neurologique

24.38 0,0357 m

24.39 80,1 m

24.40 64

24.41 a) 0, −f, ∞, 3f, 3f/2

24.42 a) $1,34 \times 10^{-6}$ m   b) $2,15 \times 10^{-5}$ m

24.44 3,5 dioptries

24.45 −1,20 m

24.46 a) 3,5 dioptries   b) 1 m

24.47 2f

24.48 0,1667 m

24.50 a) 480 nm   b) 28 %

24.52 a) 0,52 ; 0,48 ; 0 ; 580 nm   b) 0,44 ; 0,13 ; 0,43 ; teintes extraspectrales

24.67 a) 0,125 m   b) 0,5 m

24.69 −20

24.71 a) Rouge, bleu   b) Rouge, vert   c) Rouge

CHAPITRE 25

Phrases à compléter

1. constante ; **2.** des systèmes de référence d'inertie ; **3.** retardent ; **4.** vrai ; **5.** faux ; **6.** faux ; **7.** mc^2 ; **8.** il faudrait une énergie infinie pour atteindre la vitesse de la lumière, cela est impossible ; **9.** l'énergie totale est $E = mc^2/\sqrt{1 - v^2/c^2}$, ce qui vaut mc^2 quand $v = 0$, et l'objet est alors au repos.

QCM

1. b ; **2.** d ; **3.** c ; **4.** c ; **5.** c ; **6.** d ; **7.** b ; **8.** c ; **9.** b ; **10.** a.

Exercices et problèmes

25.1 $2\,000$ km h^{-1}

25.3 100 s

25.5 a) $3,75 \times 10^{-8}$ s   b) 6,75 m

25.7 0,872 m

25.9 0,866 c

25.11 0,866 c

25.13 a) $5,35 \times 10^{-9}$ u   b) $1,78 \times 10^{-10}$

25.15 $8,37 \times 10^{-4}$ u

25.17 a) 2 150 MeV   b) 1 210 MeV

25.20 a) 167 m   b) La lampe A émet en premier

25.22 a) 8,222 c b) 0

25.24 a) 0,806 c b) −0,263 c

25.25 a) 1,005 année   b) 10,05 années   c) Tous deux ont raison

25.27 a) 5 h   b) 1,25 h   c) 6,25 h   d) 4 h

25.29 $3,50 \times 10^{-7}$ kg

25.31 a) 1,12   b) $1,35 \times 10^8$ m s^{-1} c) $1,45 \times 10^8$ m s^{-1}

25.35 a) 4 m   b) 10^{-8} s   c) 5,8 m

25.37 $v_x = 0,8c$; $v_y = 0,54c$; $v = 0,965c$

CHAPITRE 26

Phrases à compléter

1. vrai ; **2.** fréquence ; **3.** nombre ; **4.** E/h ; **5.** photons ; **6.** énergie, quantité de mouvement ; **7.** maximum.

QCM

1. c ; **2.** d ; **3.** b ; **4.** b ; **5.** c ; **6.** c ; **7.** c ; **8.** a ; **9.** b ; **10.** b.

Exercices et problèmes

26.1 $4,53 \times 10^{14}$ Hz

26.3 $9,65 \times 10^{14}$ Hz

26.5 La lumière produit une émission d'électrons par effet photo-électrique, ce qui laisse l'électroscope chargé positivement

26.7 48,6 m

26.9 a) 3,10 eV   b) 1,77 eV

26.11 $5,32 \times 10^{20}$ Hz

26.13 39 300 V

26.15 a) $1,895 \times 10^{30}$ b) $5,276 \times 10^{-31}$

26.17 a) $7,95 \times 10^{-8}$ W m^{-2} b) $4,00 \times 10^{-6}$ W

26.19 1995 m

26.21 $1,62 \times 10^{-27}$ kg   b) 1,31 N m^{-1}

26.23 a) 277 nm   b) 0,48 eV   c) 0,48 eV

26.25 a) $2,42 \times 10^{19}$ Hz   b) $2,32 \times 10^{19}$ Hz

26.27 $1,84 \times 10^{-14}$ m

CHAPITRE 27

Phrases à compléter

1. chargé positivement, électrons ; **2.** faux ; **3.** quantité de mouvement ; **4.** ondulatoires ; **5.** petite ; **6.** électrique ; **7.** longueur d'onde ; **8.** absorption, émission ; **9.** s'approche ; **10.** très petites.

QCM

1. b ; **2.** c ; **3.** b ; **4.** d ; **5.** c ; **6.** b ; **7.** a ; **8.** a ; **9.** d ; **10.** d.

Exercices et problèmes

27.1 $4,73 \times 10^{-14}$ m

27.3 486 nm

27.5 $6,63 \times 10^{-24}$ kg m s^{-1} (pour les deux)

27.7 $3,70 \times 10^{-63}$ m

27.9 a) $6,63 \times 10^{-34}$ m   b) Non, λ est trop petit

27.11 a) 0,821 nm   b) 224 eV

27.13 Oui

27.15 a) 13,6 eV   b) 54,4 eV   c) 122 eV

27.17 $n = 2$

27.19 $\gtrsim 3,52 \times 10^{-31}$ m

27.21 a) $1,06 \times 10^{-24}$ kg m s^{-1} b) $1,16 \times 10^6$ m s^{-1} c) $5,28 \times 10^{-24}$ m s^{-1}

27.23 a) 6,8 eV   b) $2a_0 = 1,06 \times 10^{-10}$ m

27.25 a) $-7,21 \times 10^5$ eV   b) $1,60 \times 10^{-14}$ m   c) 4

27.27 12,75 eV ; 12,1 eV ; 10,2 eV ; 2,55 eV ; 1,89 eV ; 0,661 eV

27.29 a) $n^2 h^2/2I$, $n = 0, 1, 2, \cdots$

27.31 12,1 eV ; 10,2 eV ; 1,89 eV

CHAPITRE 28

Phrases à compléter

1. principal ; **2.** entière, $n - 1$; **3.** $-l, +l$; **4.** 1/2 ; **5.** la fonction d'onde ; **6.** zéro ; **7.** dans le même état quantique ; **8.** l'énergie d'ionisation ; **9.** couches, stable ; **10.** moment cinétique total.

QCM

1. c ; **2.** b ; **3.** c ; **4.** c ; **5.** b ; **6.** a ; **7.** c ; **8.** b ; **9.** b ; **10.** d.

Exercices et problèmes

28.1 a) 0, 1, 2, 3   b) $4s, 4p, 4d, 4f$ c) 0, $h, 2h, 3h$

28.3 a) 0, $\pm ehB/2m$, $\pm 2ehB/2m$ b) $5,79 \times 10^{-4}$ eV   c) Absorbé

28.5 32

28.7 Ils ont tous un électron s en dehors de leurs couches fermées

28.9 48 eV

28.11 Énergies d'ionisation réduites

28.13 L'électron de l'atome H ferme la couche des atomes halogènes

28.15 $n = 3$, $\ell = 0$, $m_\ell = 0$, $s = 1/2$, $m_s = \pm 1/2$

28.17 11,1 eV

28.19 3,8 km

28.21 0,003 m

28.23 a) 483 eV   b) Répulsion entre les électrons $1s$ c) Oui ; occultation supplémentaire.

28.25 a) -272 eV   b) 3,79

CHAPITRE 29

Phrases à compléter

1. ionique ; **2.** covalente ; **3.** principe de Pauli ; **4.** hybride ; **5.** moment dipolaire électrique ; **6.** à travers le cristal entier ; **7.** complètement occupées ; **8.** bande interdite ; **9.** un électron manquant ; **10.** moment dipolaire électrique.

QCM

1. b ; **2.** d ; **3.** b ; **4.** b ; **5.** b ; **6.** a ; **7.** e ; **8.** d ; **9.** c ; **10.** d.

Exercices et problèmes

29.1 a) $1,30\,eV$ b) $-6,10\,eV$ c) $4,80\,eV$

29.3 a) $-5,76\,eV$ b) $3,13\,eV$

29.5 Non ; cette molécule est symétrique

29.9 b) 4 c) 2

29.11 $2,66\times10^{14}\,Hz$

29.13 Oui ; des photons sont émis où le réseau cristallin est excité

29.18 $1,18\,T$

29.20 $5,11\times10^7\,Hz$

29.24 $63,8\,Hz$

29.28 Pics plus larges

29.30 3 à 2 à 2

29.34 $4,46\times10^{-29}\,C\,m$

29.36 Oui ; une orbitale non liante est négative, les noyaux H sont positifs

29.38 a) Graphite, sp^2 ; diamant, sp^3 b) Oui ; pas de liaison entre les feuillets dans le graphite

29.40 $12,0\,eV$

29.41 $f_p > f_e$

29.43 a) En sens inverse des aiguilles d'une montre b) Réduit f_p

CHAPITRE 30

Phrases à compléter

1. 21 ; **2.** des isotopes ; **3.** des noyaux d'hélium, des électrons, des photons ; **4.** quelques MeV ; **5.** 500, 250 ; **6.** les rayons cosmiques ; **7.** nucléons ; **8.** défaut de masse ; **9.** supérieures, plus courte ; **10.** même état quantique ; **11.** masse, charge ; **12.** effet tunnel.

QCM

1. b ; **2.** d ; **3.** b ; **4.** a ; **5.** c ; **6.** c ; **7.** b ; **8.** c ; **9.** d ; **10.** c.

Exercices et problèmes

30.1 $8\,h$

30.3 $17,6$ jours

30.5 $5,6$ à $5,7$ jours

30.7 $18,95\,\%$

30.9 $11\,500$ ans

30.11 Trop âgé

30.13 $1\,300$ années

30.15 $1,1\times10^{-14}$

30.17 $1,48\times10^4\,m$

30.19 8, 19, 35, 126

30.21 $7,86\,MeV$

30.23 a) $1397\,MeV$ b) $6,98\,MeV$

30.25 a) $30\,MeV$ b) 0

30.27 a) $1,44\,MeV$ b) $-1,547\times10^{-3}\,u$

30.29 a) ^3_1H b) ^2_1H c) α

30.31 a) $4,84\times10^{20}\,Hz$ b) $6,20\times10^{-13}\,m$

30.33 Les fragments ont trop de neutrons

30.35 Des sites à grande stabilité géologique (donc à l'abri des tremblements de terre)

30.39 La répulsion électrique est trois fois plus grande

30.41 $6,64$

30.43 $40,4$ années

30.45 a) Une ligne droite b) Le taux de désintégration n'est pas une simple exponentielle c) Une ligne droite, à pente plus faible (en module)

30.47 a) $24,7\,MeV$ b) $1,99\times10^6\,kg$

30.49 b) ^9_5B et ^9_5Li ont des niveaux inférieurs non occupés c) β^-

30.51 a) $8,64\,fm$ b) $176,3\,MeV$

30.53 $1\,319\,MeV$

30.55 a) $8,21\times10^{13}\,J\,kg^{-1}$ b) $0,0203\,kg\,s^{-1}$

30.57 a) $7,72\times10^8\,K$ b) Parce que quelques atomes ont une énergie supérieure à la moyenne.

CHAPITRE 31

Phrases à compléter

1. proportionnel ; **2.** effet photo-électrique, effet Compton, création de paires ; **3.** neutron, particule alpha ; **4.** inversement ; **5.** unité de masse ; **6.** 1 rad ; **7.** molécules biologiques ; **8.** les rayons X diagnostiques ; **9.** le cancer, des mutations génétiques ; **10.** radiosensibles.

QCM

1. c ; **2.** e ; **3.** b ; **4.** c ; **5.** a ; **6.** c ; **7.** c ; **8.** a ; **9.** c ; **10.** d.

Exercices et problèmes

31.1 Un rayon gamma peut ioniser des atomes ; un quantum de microonde ne peut pas

31.3 a) Particules α b) 0,0045 cm

31.7 La masse nucléaire est beaucoup plus grande que la masse de l'électron

31.9 $K(d) = 2K(p)$

31.11 Détermination du parcours

31.13 a) 5 cm   b) 0,5 cm

31.15 $1,61 \times 10^{15}$

31.17 a) $3,7 \times 10^4$ b) $8,29 \times 10^{-10}$ J   c) $8,29 \times 10^{-10}$ W

31.19 6,20 R

31.21 a) 4,50 min   b) 6,43 min

31.23 a) 12   b) 50

31.25 Moins important car le pool génétique reçoit une dose totale plus faible

31.27 2 600 par an

31.29 Avec une telle dose, le taux de cancer double après 1-5 ans, le taux de mutation double après 0,25-1,5 ans

31.34 Le taux de comptage diminue au fur et à mesure que l'on ajoute les plaques

31.35 a) Les rayons X moins énergétiques ont des parcours plus courts   b) Réduction de la dose reçue par la peau

31.37 a) $7,40 \times 10^{11}$ s^{-1} b) $5,89 \times 10^{10}$ m^{2}s^{-1}

31.39 100 rad, 100 rem

31.41 1 420 cm^3

31.43 a) 0,616 J   b) 3,08 rad   c) 28

31.45 a) 4   b) 0,4   c) Non ; elles sont masquées par les cancers dus à des causes naturelles

31.47 a) 4,30   b) $1,14 \times 10^{-5}$ c) $1,26 \times 10^{-6}$

APPENDICE B

B.1 16

B.2 9

B.3 $2^5 = 32$

B.4 x^9

B.5 $\dfrac{1}{5^2} = 0,04$

B.6 5

B.7 x^2

B.8 x^2

B.9 $\left(\dfrac{x}{y}\right)^4$

B.10 ax^2

B.11 $a^{3/2}x^3$

B.12 xy^3

B.13 $\dfrac{1}{x^2 y^2}$

B.14 10

B.15 0,1

B.16 1

B.17 $\frac{1}{5} = 0,2$

B.18 $\dfrac{x}{8}$

B.19 $x^2 y^{-4} = \dfrac{x^2}{y^4}$

B.20 10^3

B.21 $2,7631 \times 10^4$

B.22 $2,7631 \times 10^6$

B.23 $1,5 \times 10^4$

B.24 $3,4 \times 10^{-8}$

B.25 $1,6 \times 10^3$

B.26 $4,32976 \times 10^3$

B.27 $3,902 \times 10^{-3}$

B.28 $8,002 \times 10^{-2}$

B.29 0,00234

B.30 1 760 000

B.31 0,00005799

B.32 45 000 000

B.33 670

B.34 2 720 000

B.35 2 720 000

B.36 $1,5 \times 10^{11}$

B.37 50

B.38 6×10^9

B.39 $6,6 \times 10^{16}$

B.40 $1,12 \times 10^{15}$

B.41 200

B.42 300

B.43 300

B.44 20

B.45 2×10^{-3}

B.46 20

B.47 10^5

B.48 10^{-5}

B.49 $2,15 \times 10^3$

B.50 684

B.51 $2,76 \times 10^4$

B.52 $3,73 \times 10^{-1}$

B.53 $4,67$

B.54 $3,33$

B.55 $2,46 \times 10^4$

B.56 $3,46 \times 10^{-5}$

B.57 deux

B.58 un

B.59 deux

B.60 trois

B.61 quatre

B.62 deux

B.63 $4,28 \times 10^7$

B.64 $3,28 \times 10^7$

B.65 $1,89 \times 10^{-3}$

B.66 $x = 10$

B.67 $x = 1$

B.68 $x = 30$

B.69 $x = \pm 3$

B.70 $x = 81$

B.71 $x = -\dfrac{4}{3}$

B.72 $x = 12$

B.73 $t = \pm 2$

B.74 $x = 4$

B.75 $x = -2, x = -4$

B.76 $x = -1, x = -2$

B.77 $x = 1, x = -\dfrac{5}{3}$

B.78 $x = -2$

B.79 $x = -\dfrac{3}{2}, x = 0$

B.80 $x = -1, x = \dfrac{5}{2}$

B.81 $x = 3, y = 2$

B.82 $a = \dfrac{2}{7}, T = \dfrac{8}{7}$

B.83 $y = -\dfrac{1}{5}, x = 9\dfrac{3}{5}$

B.84 $x = 5\dfrac{1}{3}, y = \dfrac{2}{3}$

B.85 $y = \dfrac{2}{5}, = 1\dfrac{3}{5}$

B.86

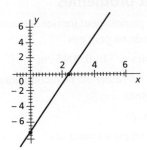

B.87

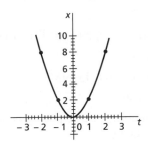

B.88

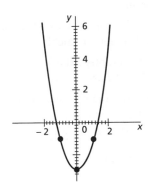

B.89 $40°$

B.90 $\sin 120° = 0,866$; $\cos 120° = -0,5$;
$\tan 120° = 1,732$

B.91 $\sin 270° = -1$, $\cos 270° = 0$, $\tan 270° = \infty$

B.92 $\sin \theta = 0$ à $0°$, $180°$, $360°$

$\sin \theta = 1$ à $90°$

$\sin \theta = -1$ à $270°$

$\cos \theta = 0$ à $90°$, $270°$

$\cos \theta = 1$ à $0°$, $360°$

$\cos \theta = -1$ à $180°$

$\tan \theta = 0$ à $0°$, $180°$, $360°$

$\tan \theta = 1$ à $45°$, $225°$

$\tan \theta = -1$ à $135°$, $315°$

B.93 $0,52$ % pour $10°$, $4,7$ % pour $30°$

B.94 Trois termes

B.95 a) $1 + \frac{1}{2}x - \frac{1}{8}x^2$

b) $1,04875$, de $0,006$ % inférieur au résultat exact.

B.96 3

B.97 $12t^2$

B.98 $\dfrac{1}{t^2}$

B.99 $-12e^{-3t}$

B.100 $20\,\pi\,\cos 2\,\pi\,t$

B.101 $\dfrac{3}{2}t^2 + 7t + \text{constante}$

B.102 e^t

B.103 $t - \ln|t| + \text{constante}$

B.104 $-\dfrac{10}{2}\cos 2t$

B.105 $7{,}39 \,;\, 20{,}1 \,;\, 54{,}6$

B.106 $1{,}65 \,;\, 4{,}48$

B.107 $3 \,;\, 1 \,;\, 1{,}39 \,;\, -0{,}288 \,;\, 0{,}693$

B.108 $1{,}65 \,;\, 1 \,;\, 2{,}72 \,;\, 0{,}368 \,;\, 7{,}39 \,;\, 12{,}2$

B.109 $1 \,;\, 2 \,;\, 3 \,;\, 0{,}699 \,;\, -0{,}301 \,;\, 0{,}434$

B.110 $3{,}16 \,;\, 1 \,;\, 10 \,;\, 0{,}1 \,;\, 100 \,;\, 316$

B.111 $4\log x$

B.112 $\ln x - 2\ln y$

B.113 $\dfrac{1}{2}\ln x$

B.114 $-3\log x$

B.115 $\ln x + \ln(a + b)$

Quantité	Symbole	Valeur numérique
Vitesse de la lumière (dans le vide)	c	$3,00 \times 10^8$ m s^{-1}
Constante de gravitation	G	$6,67 \times 10^{-11}$ N m^2 kg^{-2}
Nombre d'Avogadro	N_A	$6,02 \times 10^{23}$ molécules mole^{-1}
Constante molaire des gaz	R	$8,31$ J K^{-1} mole^{-1}
Constante de Boltzmann	k_B	$1,38 \times 10^{-23}$ J K^{-1}
		$8,62 \times 10^{-5}$ eV K^{-1}
Constante de Stefan-Boltzmann	σ	$5,67 \times 10^{-8}$ W m^{-2} K^{-4}
Unité de masse atomique	uma (ou u)	$1,66 \times 10^{-27}$ kilogrammes
Constante de Coulomb	k	$9,00 \times 10^9$ N m^2 C^{-2}
Permitivité du vide	ε_0	$8,85 \times 10^{-12}$ C^2 N^{-1} m^2
Constante de Biot et Savart	k'	10^{-7} T m A^{-1}
Perméabilité du vide	μ_0	$4\pi \times 10^{-7}$ T m A^{-1}
Charge de l'électron	$-e$	$-1,60 \times 10^{-19}$ coulombs
Masse de l'électron	m_e	$9,11 \times 10^{-31}$ kilogrammes
Charge du proton	e	$1,60 \times 10^{-19}$ coulombs
Masse du proton	m_p	$1,673 \times 10^{-27}$ kilogrammes
Masse du neutron	m_n	$1,675 \times 10^{-27}$ kilogrammes
Constante de Planck	h	$6,63 \times 10^{-34}$ J s
		$4,14 \times 10^{-15}$ eV s
	$\hbar = h/2\pi$	$1,055 \times 10^{-34}$ J s
		$6,58 \times 10^{-16}$ eV s
Constante de Rydberg	R_H	$1,10 \times 10^7$ mètres^{-1}
Rayon de Bohr	a_0	$5,29 \times 10^{-11}$ mètres
Magnéton de Bohr	μ_B	$9,27 \times 10^{-24}$ J T^{-1}

Constantes fondamentales. Les valeurs numériques de la plupart des constantes ont été arrondies au troisième chiffre significatif par commodité.

Pression atmosphérique standard	1 atm	Vitesse angulaire moyenne de rotation de la Terre	$7,29 \times 10^{-5}$ rad s^{-1}
	$1,013 \times 10^5$ Pa		
	1,013 bar	Distance moyenne Terre-Soleil	$1,50 \times 10^{11}$ m
	760 mm Hg	Distance moyenne Terre-Lune	$3,84 \times 10^8$ m
	760 torr	Vitesse orbitale moyenne de la	$2,98 \times 10^4$ m s^{-1}
Accélération de la gravité g	9,81 m s^{-2}	Terre autour du Soleil	
Champ magnétique (Washington, D.C.)	$5,7 \times 10^{-5}$ T	Soleil : rayon moyen	$6,95 \times 10^8$ m
		masse	$1,99 \times 10^{30}$ kg
Vitesse du son (air sec, 20° C)	344 m s^{-1}	Lune : rayon moyen	$1,74 \times 10^6$ m
Masse de la Terre	$5,98 \times 10^{24}$ kg	volume	$2,20 \times 10^{19}$ m^3
Volume de la Terre	$1,09 \times 10^{21}$ m^3	masse	$7,35 \times 10^{22}$ kg
Rayon moyen de la Terre	$6,38 \times 10^6$ m	densité moyenne	$3,34 \times 10^3$ kg m^{-3}
Densité moyenne de la Terre	$5,52 \times 10^3$ kg m^{-3}	accélération de la gravité	$1,62$ m s^{-2}

Données terrestres et solaires. Les valeurs numériques ont été arrondies au troisième chiffre significatif par commodité

Numéro atomique	Élément	Symbole	masse atomique (uma)	Numéro atomique	Élément	Symbole	masse atomique (uma)
1	hydrogène	H	1,00797	54	xénon	Xe	131,30
2	hélium	He	4,0026	55	césium	Cs	132,905
3	lithium	Li	6,939	56	barium	Ba	137,34
4	béryllium	Be	9,0122	57	lanthane	La	138,91
5	bore	B	10,811	58	cérium	Ce	140,12
6	carbone	C	12,01115	59	praséodyme	Pr	140,907
7	azote	N	14,0067	60	néodyme	Nd	144,24
8	oxygène	O	15,9994	61	prométhium	Pm	[145]
9	fluor	F	18,9984	62	samarium	Sm	150,35
10	néon	Ne	20,183	63	europium	Eu	151,96
11	sodium	Na	22,9898	64	gadolinium	Gd	157,25
12	magnésium	Mg	24,312	65	terbium	Tb	158,924
13	aluminium	Al	26,9815	66	dysprosium	Dy	162,50
14	silicium	Si	28,086	67	holmium	Ho	164,930
15	phosphore	P	30,9738	68	erbium	Er	167,26
16	soufre	S	32,064	69	thulium	Tm	168,934
17	chlore	Cl	35,453	70	ytterbium	Yb	173,04
18	argon	Ar	39,948	71	lutétium	Lu	174,97
19	potassium	K	39,102	72	halfnium	Hf	178,49
20	calcium	Ca	40,08	73	tantale	Ta	180,948
21	scandium	Sc	44,956	74	tungstène	W	183,85
22	titanium	Ti	47,90	75	rhénium	Re	186,2
23	vanadium	V	50,942	76	osmium	Os	190,2
24	chrome	Cr	51,996	77	iridium	Ir	192,2
25	manganèse	Mn	54,9380	78	platine	Pt	195,09
26	fer	Fe	55,847	79	or	Au	196,967
27	cobalt	Co	58,9332	80	mercure	Hg	200,59
28	nickel	Ni	58,71	81	thallium	Tl	204,37
29	cuivre	Cu	63,54	82	plomb	Pb	207,19
30	zinc	Zn	65,37	83	bismuth	Bi	208,980
31	gallium	Ga	69,72	84	polonium	Po	[210]
32	germanium	Ge	72,59	85	astate	At	[210]
33	arsenic	As	74,9216	86	radon	Rn	[222]
34	sélénium	Se	78,96	87	francium	Fr	[223]
35	brome	Br	79,909	88	radium	Ra	226,05
36	krypton	Kr	83,80	89	actinium	Ac	[227]
37	rubidium	Rb	85,47	90	thorium	Th	232,038
38	strontium	Sr	87,62	91	protactinium	Pa	[231]
39	yttrium	Y	88,905	92	uranium	U	[238,03]
40	zirconium	Zr	91,22	93	neptunium	Np	[237]
41	niobium	Nb	92,906	94	plutonium	Pu	[242]
42	molybdène	Mo	95,94	95	americium	Am	[243]
43	technétium	Tc	[99]	96	curium	Cm	[247]
44	ruthénium	Ru	101,07	97	berkélium	Bk	[247]
45	rhodium	Rh	102,905	98	californium	Cf	[249]
46	palladium	Pd	106,4	99	einsteinium	Es	[254]
47	argent	Ag	107,870	100	fermium	Fm	[257]
48	cadmium	Cd	112,40	101	mendélévium	Md	[256]
49	indium	In	114,82	102	nobélium	No	[259]
50	étain	Sn	118,69	103	lawrencium	Lw	[260]
51	antimoine	Sb	121,75	104	(sans nom)		[261]
52	tellure	Te	127,60	105	(sans nom)		[262]
53	iode	I	126,9044	106	(sans nom)		[263]

Masses atomiques des éléments tels qu'on les trouve sur la Terre. Par définition, la masse du noyau d'un atome de carbone 12 vaut exactement 12 uma. Les valeurs entre crochets indiquent la masse approximative de l'isotope le plus stable des éléments produits artificiellement.

Notations

Les égalités notées par ≡ sont exactes.

Longueur

1 kilomètre $\equiv 10^3$ mètres $= 0,6214$ miles

1 mile $= 1,609$ kilomètres

1 angström (Å) $\equiv 10^{-10}$ mètre

1 nanomètre $\equiv 10^{-9}$ mètre

1 micromètre $\equiv$ 1 micron (μm) $\equiv 10^{-6}$ mètre

1 mètre $\equiv 39,37$ pouces $= 3,281$ pieds

1 pouce $\equiv 2,54$ centimètres

1 pied $\equiv 30,48$ centimètres

Surface

1 cm^2 $\equiv 10^{-4}$ m^2

1 m^2 $\equiv 10^4$ cm^2

1 pouce^2 $\equiv 6,4516$ cm^2

1 pied^2 $= 9,29 \times 10^{-2}$ m^2

Volume

1 cm^3 $\equiv 10^{-6}$ m^3

1 m^3 $\equiv 10^6$ cm^3

1 litre $\equiv 10^{-3}$ m^3

1 gallon $= 3,786$ litres

1 pouce^3 $= 16,39$ cm^3

1 pied^3 $= 2,832 \times 10^{-2}$ m^3

Temps

1 heure $\equiv 60$ minutes $\equiv 3600$ secondes

1 jour $\equiv 24$ heures $\equiv 1\,440$ minutes $\equiv 8,64 \times 10^4$ secondes

1 an $= 365,24$ jours $= 3,156 \times 10^7$ secondes

Masse

1 gramme $\equiv 10^{-3}$ kilogramme $= 6,024 \times 10^{23}$ uma

1 kilogramme $\equiv 10^3$ grammes $= 6,024 \times 10^{26}$ uma

1 uma (ou u) $= 1,66 \times 10^{-27}$ kilogramme

Densité

1 g cm^{-3} $\equiv 10^3$ kg m^{-3}

Vitesse

1 cm s^{-1} $\equiv 10^{-2}$ m s^{-1} $\equiv 3,6 \times 10^{-2}$ km h^{-1}

1 ms^{-1} $\equiv 3,6$ km h^{-1}

1 km h^{-1} $\equiv 0,2778$ m s^{-1}

1 mile h^{-1} $= 0,447$ m s^{-1} $= 1,609$ km h^{-1}

$\qquad = 1,467$ pieds s^{-1}

Angles et vitesse angulaire

180 degrés $\equiv \pi$ radians

1 radian $= 57,3$ degrés

1 degré $= 1,745 \times 10^{-2}$ radian

1 rad s^{-1} $= 0,159$ tour s^{-1} $= 9,549$ tours min^{-1}

1 tour min^{-1} $= 0,0167$ tours s^{-1} $= 0,1047$ rad s^{-1}

Force

1 newton $\equiv 10^5$ dynes

1 dyne $\equiv 10^{-5}$ newton

1 livre (lb) $= 4,448$ newtons $= 4,448 \times 10^5$ dynes

Pression

1 atmosphère $= 1,013 \times 10^5$ pascals $= 14,7$ lb pouce^2

1 pascal (Pa) $\equiv 10$ dyn cm^{-2} $= 7,501 \times 10^{-4}$ cm Hg

1 cm Hg $= 1,333 \times 10^4$ dyn cm^{-2}

$\qquad = 1,316 \times 10^{-2}$ atmosphère

$\qquad = 1,333 \times 10^3$ pascals

1 torr $\equiv 1$ mm Hg $= 133,3$ pascals

1 bar $= 10^5$ pascals

Viscosité et résistance à l'écoulement

1 Pa s (1 Poiseuille) $\equiv 10$ poises

1 Pa s m^{-3} $= 0,750 \times 10^{-8}$ torr s cm^{-3}

Énergie

1 joule $\equiv 10^7$ ergs = 0,2390 calorie

1 calorie = 4,184 joules

1kcal = 10^3 calories

1 joule = $6,24 \times 10^{18}$ électrons-volts (eV)

1 électron-volt = $1,602 \times 10^{-19}$ joule

1 kWh $\equiv 3,6 \times 10^6$ joules

1 BTU = $1,054 \times 10^3$ joules

Conversion masse-énergie

1 uma = 931×10^6 électrons-volts $\equiv 931$ MeV

Puissance

1 watt $\equiv 10^{-3}$ kilowatts = $1,341 \times 10^{-3}$ cheval-vapeur

1 cheval-vapeur = $7,457 \times 10^2$ watts

1 kilowatt $\equiv 10^3$ watts = 1,341 cheval-vapeur

Champ magnétique

1 gauss = 10^{-4} tesla

Fraction	Préfixe	Symbole	Exemple
10^{-18}	atto	a	
10^{-15}	femto	f	
10^{-12}	pico	p	
10^{-9}	nano	n	1 nanoseconde = 1ns = 10^{-9} seconde
10^{-6}	micro	μ	
10^{-3}	milli	m	1 millimètre = 1 mm = 10^{-3} mètre
10^{-2}	centi	c	1 centimètre = 1cm = 10^{-2} mètre
10^{-1}	déci	d	
10	déca	da	
10^2	hecto	h	
10^3	kilo	k	1 kilogramme = 1 kg = 10^3 grammes
10^6	méga	M	
10^9	giga	G	
10^{12}	téra	T	

Préfixes utilisés pour définir les multiples des unités S.I. Ils peuvent être utilisés avec toutes les unités de base S.I. et avec les unités dérivées.

$$v = v_0 + a\,\Delta t$$
$$\Delta x = v_0\,\Delta t + \frac{1}{2}a(\Delta t)^2$$
$$\bar{v} = \frac{1}{2}(v_0 + v)$$
$$\Delta x = \frac{1}{2}(v_0 + v)\,\Delta t$$
$$v^2 = v_0^2 + 2a\,\Delta x$$

Mouvement uniformément accéléré.

A	α	alpha
B	β	bêta
Γ	γ	gamma
Δ	δ	delta
E	ε	epsilon
Z	ζ	zêta
H	η	êta
Θ	θ	thêta
I	ι	iota
K	κ	kappa
Λ	λ	lambda
M	μ	mu
N	ν	nu
Ξ	ξ	ksi
O	o	omicron
Π	π	pi
P	ρ	rhô
Σ	σ	sigma
T	τ	tau
Υ	υ	upsilon
Φ	φ	phi
X	χ	khi
Ψ	ψ	psi
Ω	ω	oméga

Alphabet grec.

Index

47169(I)(5)CSB 80° 16IS RBN
Dépôt légal 3ᵉéd novembre 2004 - de la 1ʳᵉ éd 2ᵉtrimestre 1986
Imprimé en France par I.M.E. 25110 Baume-les Dames